Y TERMIADUR
YSGOL

Cymraeg – Saesneg

Y TERMIADUR YSGOL

Termau wedi'u safoni
ar gyfer ysgolion Cymru

Cymraeg – Saesneg

Saesneg – Cymraeg

I astrus dermau estron – yma rhoir
Gwedd Gymreig yn gyson;
Rheol aur y gyfrol hon
A'n deisyfiad yw safon.

Iolo Wyn Williams

Lluniwyd gan
Delyth Prys a J P M Jones
o
Ganolfan Safoni Termau
Prifysgol Cymru, Bangor

1998

Cyhoeddwyd gan
Awdurdod Cymwysterau, Cwricwlwm ac Asesu Cymru

Mae cofnod catalogio'r gyfrol hon ar gael
gan y Llyfrgell Brydeinig

ISBN 1 86112 180 6

Cynhyrchwyd gan Llyfrau Magma, Ynys Môn

Rhagair

Un o brif amcanion Awdurdod Cymwysterau, Cwricwlwm ac Asesu Cymru (ACCAC) yw hybu a chefnogi dysgu drwy gyfrwng y Gymraeg. I'r perwyl hwn, mae'r Awdurdod yn comisiynu deunyddiau dosbarth yn y Gymraeg. Mae ACCAC hefyd yn gyfrifol, yng Nghymru, am y tasgau a'r profion statudol a ddefnyddir i asesu disgyblion yn 7, 11 ac 14 mlwydd oed ac am reoli ansawdd cymwysterau cyhoeddus. Wrth ymgymryd â'r gwaith a'r swyddogaethau hyn, daeth yn amlwg bod angen safoni termau technegol Cymraeg, er mwyn sicrhau bod yr un termau yn ddealladwy i ddisgyblion trwy Gymru gyfan, ac er mwyn sicrhau cysondeb ar draws y cyfnodau allweddol, a holl bynciau'r Cwricwlwm Cenedlaethol.

Y Ganolfan Safoni Termau, Ysgol Addysg, Prifysgol Cymru Bangor sydd wedi cyflawni'r gwaith o safoni'r termau hyn, a dyma bellach gyhoeddi ffrwyth eu llafur. Mae copi o'r gyfrol hon yn cael ei ddosbarthu i bob ysgol yng Nghymru a sawl copi i'r ysgolion hynny sy'n dysgu trwy'r Gymraeg. Dyma'r termau a gymeradwyir gan ACCAC i'w defnyddio yn yr ystafell ddosbarth, mewn adnoddau dosbarth, ac yn y deunyddiau asesu ar ôl mis Medi 1998.

Delyth Prys oedd y Prif Olygydd, gyda'r Dr J Prys Morgan Jones yn Rheolwr y Project, Richard Hughes yn Ymgynghorydd Cyfrifiadurol, a'r Athro Iolo Wyn Williams yn Gyfarwyddwr y Project. Mae maint y gyfrol yn dyst o'u llafur manwl ac mae ACCAC yn hynod ddyledus iddynt am eu dyfalbarhad, eu trylwyredd a'u gweledigaeth trwy gydol y gwaith.

Wrth gyflwyno'r gyfrol hon at ddefnydd disgyblion ac athrawon Cymru, dymunir yn dda iddynt hwy, ac i ddyfodol addysg trwy gyfrwng y Gymraeg.

Diolchiadau

Cynorthwyodd llu o bobl ni i lunio'r gyfrol hon. Yr oedd rhai ohonynt yn arbenigwyr pwnc ac yn medru cyfrannu o'u harbenigedd pynciol i esbonio ambell gysyniad anodd i ni. Roedd eraill yn arbenigwyr iaith, yn medru torri'r ddadl pan oeddem mewn dryswch ynghylch rhyw broblem ramadegol. Roedd llawer iawn, yn athrawon ac yn addysgwyr, yn medru rhoi i ni o'u profiad o ddysgu drwy gyfrwng y Gymraeg ac o ddefnyddio termau Cymraeg yn eu gwaith. Mae ein dyled i'r rhain i gyd yn aruthrol, a heb eu cymorth hwy ni fyddai'r gyfrol hon wedi bod yn bosibl. Mae'r gwaith felly yn ffrwyth llafur llawer iawn mwy o bobl nag y gellid eu henwi yn y gyfrol hon. Gofynnodd rhai o'n cyfranwyr mwyaf swil am beidio â chael eu henwi yn y diolchiadau, ac yn wir, mae cynifer o bobl wedi cynorthwyo fel ein bod yn ofni petaem yn dechrau diolch i bobl wrth eu henwau y byddai rhestr o'r fath yn siŵr o fod yn anghyflawn. Y peth doethaf felly yw peidio â dechrau rhestru enwau, ond cydnabod yn syml ein dyled i frwdfrydedd a chymorth parod nifer fawr o bobl - diolch i chi i gyd.

Diweddaru'r Gronfa Ddata

Cedwir y gronfa ddata gyfrifiadurol sy'n sail i'r Termiadur hwn yn y Ganolfan Safoni Termau ym Mhrifysgol Cymru, Bangor. Er mwyn ein cynorthwyo i ddiweddaru'r gronfa hon, byddai'n gymorth mawr i ni gael gwybod am unrhyw gamgymeriadau ac unrhyw fylchau sydd ynddi. Byddem hefyd yn falch o dderbyn unrhyw awgrymiadau eraill hefyd a fyddai o gymorth i ni i ddatblygu'r gwaith.

Hawlfraint y Termiadur

ACCAC biau hawlfraint y Termiadur hwn. Mae croeso fodd bynnag i unrhyw un sydd am atgynhyrchu'r Termiadur neu rannau ohono mewn unrhyw ffurf gysylltu â Swyddfa ACCAC yn Adeiladau'r Castell, Stryd Womanby, Caerdydd CF1 9SX i drafod y cais.

Nodyn ar Statws Enwau Masnachol

Mae'r gyfrol hon yn cynnwys rhai geiriau sydd, neu yr honnir eu bod, yn enwau masnachol neu'n nodau masnachu. Nid yw'r ffaith eu bod wedi'u cynnwys yma yn awgrymu eu bod wedi magu arwyddocâd fel nodau masnachu neu gyffredinol at ddibenion cyfreithiol, ac ni wneir unrhyw awgrym arall ynghylch eu statws cyfreithiol.

Rhagymadrodd

Cefndir

Mae hanes llunio termau technegol Cymraeg i gyfarfod ag anghenion dysgu drwy gyfrwng y Gymraeg yn mynd yn ôl o leiaf cyn belled â'r cyfnod y dechreuwyd dysgu pynciau ysgol drwy gyfrwng yr iaith. Gwnaeth yr arloeswyr cynnar gymwynas fawr ag addysg Gymraeg drwy roi iddi'r arfau priodol i allu trin pynciau ysgol yn rhwydd ac yn naturiol yn y Gymraeg. Ar draws y blynyddoedd cyhoeddwyd nifer o restrau termau technegol ar gyfer y gwahanol bynciau, yn bennaf gan Wasg Prifysgol Cymru a Chyd-bwyllgor Addysg Cymru, ond hefyd gan gyrff eraill ac ysgolion unigol, heb anghofio hefyd am nifer o restrau gwerthfawr a luniwyd gan unigolion a chyrff ond na chafodd erioed eu cyhoeddi. Cyhoeddwyd *Geiriadur Termau Technegol* (Gwasg Prifysgol Cymru) ym 1964, a hwn fu'r unig eiriadur technegol cynhwysfawr am gryn amser, ond mae hwnnw bellach yn dangos ei oed. Yn ddiweddar cynhwyswyd llawer o dermau technegol yng *Ngeiriadur yr Academi Gymreig* (Gwasg Prifysgol Cymru, 1995), geiriadur sy'n amhrisiadwy, nid yn unig oherwydd yr eirfa helaeth a geir ynddo, ond hefyd oherwydd yr arweiniad a rydd ar gyfieithu ymadroddion ac idiomau i Gymraeg naturiol, da.

Mae Termiadur newydd ACCAC yn adeiladu ar waith gwerthfawr y gorffennol. Yr oedd dewis o dermau ar gael mewn ambell i faes ond nid oeddynt wedi'u safoni. Yr oedd angen arweiniad ar yr ysgolion ac ar y rhai a oedd yn llunio deunyddiau asesu a deunyddiau addysgol ynghylch pa ffurfiau a pha dermau i'w defnyddio. Yn ogystal â chynnig cyfieithiad Cymraeg i dermau Saesneg, mae'r Termiadur hwn hefyd yn cynnig cyfieithiad Saesneg i dermau Cymraeg, datblygiad sy'n adlewyrchu'r cynnydd yn y defnydd o'r Gymraeg ym myd addysg a'r modd y mae'r termau Cymraeg newydd hyn wedi ennill eu plwyf.

Meini prawf gwrthrychol

Y cam cyntaf wrth safoni termau oedd llunio meini prawf gwrthrychol y gallem gyfeirio atynt yn ein gwaith. Seiliwyd y rhain ar safonau y Gyfundrefn Safonau Rhyngwladol (yr International Standards Organization), gan gynnwys ISO 704 ar Safoni Termau ac ISO 860 ar Harmoneiddio Cysyniadau a Thermau. Y mae'r rhain yn nodi, ymhlith pethau eraill: y dylai term fod yn ieithyddol gywir; y dylai adlewyrchu, hyd y gall, nodweddion y cysyniad y mae'n ei gynrychioli; y dylai fod yn gryno; y dylai fedru esgor ar ffurfiau eraill; ac y dylai un cysyniad gyfateb i un term yn unig. Dilynwyd orgraff *Geiriadur Prifysgol Cymru* (Gwasg Prifysgol Cymru, 1950-) hyd yr oedd modd, ac mae'r geiriadur hwnnw yn ei dro yn dilyn canllawiau *Orgraff yr Iaith Gymraeg* (Gwasg Prifysgol Cymru, Rhan II, Geirfa 1987).

Ni cheisiwyd troi'r cloc yn ôl a newid termau a oedd erbyn hyn wedi cael eu derbyn yn gyffredin yn yr iaith, hyd yn oed lle nad oeddynt yn ateb pob un o'r meini prawf uchod, am y barnwyd ei bod yn rhy hwyr i'w newid. Mae defnydd cyffredin, wedi'r cyfan, cyn bwysiced â'r un maen prawf arall. Cafwyd nifer o dermau hefyd lle nad oedd un ffurf i'w gweld yn rhagori ar y lleill. Ceisiwyd cloriannu pa ffurfiau oedd fwyaf cyffredin drwy Gymru, ond mae hyn yn waith llawer mwy goddrychol na phennu safon orgraff. Lle roedd mwy nag un ffurf yn cael eu harfer yn gyffredin, nid oedd modd plesio pob defnyddiwr, a gellir dadlau fod elfen o fympwy yn ein dewis. Cofier fodd bynnag nad yw'r ffaith mai un term sydd wedi'i ddewis yma yn gwneud pob term arall yn 'anghywir'. Mae pobl, wrth siarad yn rhydd â'i gilydd, yn medru dewis pa derm bynnag sydd i'w weld yn iawn iddynt hwy ar y pryd, yr un fath ag y maent yn dewis y cywair iaith priodol at yr achlysur. Yr hyn a wna'r Termiadur hwn yw dynodi pa ffurfiau y mae ACCAC yn cymeradwyo'u defnyddio mewn deunyddiau asesu a deunyddiau addysgol, a thrwy hynny yn yr ystafell ddosbarth.

Deall ystyr term

Yn fuan iawn wrth fynd ati i geisio safoni, sylweddolwyd mai'r dasg gyntaf oedd diffinio ystyr termau, oherwydd gallai fod mwy nag un ystyr i air megis 'grain' yn Saesneg, ac nad yr un peth oedd 'a grain of sand', 'the grain of the wood' a 'grain grown for food' (gronyn, graen, a grawn), neu yn Gymraeg fod gair fel 'dyddio' yn medru golygu 'gwawrio', 'rhoi dyddiad ar' neu 'fynd yn hen ffasiwn'. Y peth pwysicaf i gofio felly wrth gyfieithu termau yw na ellir fyth gyfieithu gair am air heb ystyried beth yw'r cysyniad sy'n cael ei fynegi, h.y. nid 'term Saesneg = term Cymraeg' ond 'term Saesneg = cysyniad = term Cymraeg'. Y mae'r diffiniadau byr a geir mewn cromfachau ar ôl y term Saesneg felly yn allweddol i wahaniaethu rhwng geiriau sy'n edrych yr un fath ond sydd ag ystyron gwahanol iddynt. Mae angen deall felly beth yw ystyr y term, a dyma'r cam cyntaf tuag at ddewis y cyfieithiad cywir.

Ceir adegau wrth gwrs lle mae'n anodd iawn diffinio cysyniad yn foddhaol, a lle mae termau yn gorgyffwrdd; megis 'cynllunio' a 'dylunio'. Gellir cyfieithu'r ddau fel 'to design' mewn rhai cyd-destunau, a 'cynllunio' hefyd fel 'to plan'. Arf amherffaith yw geiriadur i drosi cysyniadau rhwng y naill iaith a'r llall, yn enwedig o gofio na cheir cyfatebiaeth union i lawer o gysyniadau rhwng gwahanol ieithoedd. Arweiniad yw'r Termiadur hwn felly, a rhaid i'r defnyddiwr deallus barhau i ddefnyddio'i reddf ieithyddol wrth chwilio am gymorth ynddo.

Y termau a geir yn y gyfrol

Mae'r gyfrol hon yn cynnwys yr eirfa dechnegol sydd ei hangen ar gyfer dysgu trwy gyfrwng y Gymraeg yn ysgolion Cymru o'r ysgol gynradd hyd at safon arholiadau TGAU. Mae'n talu sylw arbennig i fathemateg, gwyddoniaeth, celf, cerddoriaeth, technoleg, technoleg gwybodaeth, addysg gorfforol, addysg grefyddol, hanes, daearyddiaeth a gweinyddu addysg yn gyffredinol.

Enwau lleoedd mewn Daearyddiaeth a thermau Addysg Grefyddol

Mae enwau lleoedd ac enwau priod yn peri problemau neilltuol o fewn y cwricwlwm ysgol. Barnodd athrawon daearyddiaeth ers blynyddoedd mai'r ateb gorau oedd dilyn y ffurfiau brodorol wrth gyfeirio at enwau lleoedd y tu allan i Gymru, gan ddefnyddio *Yr Atlas Cymraeg* (CBAC, 1987) fel safon. Argymhellir parhau i ddilyn y safon hon.

Mae problem arbennig hefyd gydag enwau sy'n perthyn i grefyddau ar wahân i Gristnogaeth lle mae'r iaith wreiddiol yn defnyddio ysgrif wahanol i'n hysgrif Rufeinig ni. Mae gan rai o'r ysgrifau hyn fwy o lythrennau na'r ysgrif Rufeinig, a rhaid defnyddio mwy nag un llythyren yn yr ysgrif Rufeinig i'w cyfleu. Er enghraifft, ceir deugain llythyren yn y Gurumukhi, ysgrif sanctaidd y Sikhiaid, a thrawslythrennir un llythyren yn kh, un arall yn k, un arall yn c ac un arall yn ch. Ni cheir y llythrennau 'k', 'q', 'v' a 'x' yn y wyddor Gymraeg, ond y mae'r Gymraeg yn dilyn y dull rhyngwladol o Rufeineiddio ysgrifau eraill (er enghraifft ISO 233 ar drawsythrennu llythrennau Arabaidd i lythrennau Rhufeinig). Gellir cymharu hyn â'r ffordd y mae'r Gymraeg yn derbyn enwau priod sy'n cynnwys y llythrennau hyn, er enghraifft, Keller, Quentin a Vivian. Byddai'n gamarweiniol rhoi'r llythyren 'c' yn lle'r llythyren 'k' yn Gymraeg wrth sôn, er enghraifft, am bum 'k' sanctaidd y Sikhiaid. Ni ddylid ystyried y termau hyn sydd wedi'u benthyg o ieithoedd eraill yn dermau Saesneg, ond yn hytrach fel dyfyniadau o ieithoedd eraill wedi'u trawslythrennu i ysgrif Rufeinig. Ym 1994 cyhoeddwyd *Religious Education: Glossary of Terms* gan yr Awdurdod Cwricwlwm ac Asesu Ysgolion (ACAY) gyda sêl bendith y gwahanol gymunedau crefyddol, a cheir ynddo'r trawslythreniadau derbyniol o eirfa sy'n perthyn i'r gwahanol grefyddau. Lle nad yw term wedi newid yn y Gymraeg ni chynhwyswyd ef yn y Termiadur hwn. Lle mae term wedi'i Gymreigio (oherwydd terfyniad enwol neu ansoddeiriol, er enghraifft) mae wedi'i gynnwys yn y Termiadur.

Ond mewn cyd-destun cyffredin y tu allan i gylchoedd defnydd technegol mewn daearyddiaeth ac astudiaethau crefyddol gellir dilyn arfer traddodiadol y Gymraeg. Er enghraifft, defnyddir y ffurf Eidalaidd 'Roma' ar brifddinas yr Eidal yn yr *Atlas Cymraeg* ac, yng nghyd-destun technegol daearyddol, dylid defnyddio'r ffurf honno. Fodd bynnag, wrth sôn am y ddinas yn gyffredinol, dyweder mewn cyd-destun hanesyddol neu gerddorol, mae'n dal yn dderbyniol cyfeirio at y ddinas fel 'Rhufain'. Yr un modd gydag enwau crefyddol, o fewn Addysg Grefyddol dylid cyfeirio at sefydlydd Islam fel 'Muhammad', ond mewn cyd-destun cyffredinol, gellir dilyn arfer traddodiadol y Gymraeg a defnyddio'r ffurf 'Mohamed'.

Dyfynnu termau estron

Mae'n arferol dyfynnu term o iaith arall heb ei gyfieithu i'r Gymraeg mewn cyd-destunau eraill ar wahân i addysg grefyddol. Mae hyn yn gyffredin mewn cerddoriaeth er enghraifft lle ceir term Eidaleg megis 'appoggiatura' neu Almaeneg megis 'Lied' yn cael eu defnyddio yn Gymraeg. Yr arfer traddodiadol yn Gymraeg yw defnyddio print italig gyda geiriau estron i ddangos nad geiriau Cymraeg mohonynt. Fodd bynnag nid oes ffontiau italig ar gael bob amser: gall fod traethawd wedi'i ysgrifennu mewn llawysgrifen, neu gall gwasg fod eisoes wedi clustnodi'r ffont italig at ryw ddiben arall, megis teitlau cyhoeddiadau. Nid yw'r Termiadur yn defnyddio print italig ar gyfer geiriau estron.

Acronymau

Mae acronymau yn peri problem arbennig yn Gymraeg, ym myd addysg fel mewn llawer maes arall, oherwydd eu dieithrwch, yr angen i dreiglo a hefyd oherwydd bod y llythrennau 'C' a 'G' yn codi mor aml a llafariaid yn llawer llai aml. Yr arfer naturiol yn Gymraeg yw defnyddio enw'r corff yn llawn y tro cyntaf mewn sgwrs neu ddogfen ac wedyn gyfeirio at 'Y Gymdeithas' ac ati os yw hi'n glir pa gymdeithas, corff, undeb ac ati sydd dan sylw.

Sut mae chwilio am derm

Dilynir trefn y wyddor Gymraeg i restru'r termau Cymraeg a'r wyddor Saesneg i restru'r termau Saesneg. Gwneir hyn hyd yn oed lle maent yn cynnwys mwy nag un gair. Ceir cofnod annibynnol ar gyfer pob term, felly dylid chwilio am dermau sy'n cynnwys mwy nag un gair o dan y gair cyntaf yn y term bob amser, e.e. daw 'deddf disgyrchiant' yn y rhestr ar ôl 'deddf' ac nid fel isgofnod i 'disgyrchiant'.

Lle ceir mwy nag un ystyr i air, mae diffiniad byr o'r ystyr yn dilyn rhwng cromfachau. Mae'r gair gyda diffiniad yn dilyn yn dod cyn y gair mewn term sy'n cynnwys mwy nag un gair e.e. daw 'asgell (mewn chwaraeon)', 'asgell (pysgodyn etc)' ac 'asgell (saeth)' o flaen 'asgell bectoral', 'asgell chwith', 'asgell dde', 'asgell ddorsal' ac yn y blaen.

Amrywiadau tafodieithol

Yr unig adeg y ceir eithriad i'r arfer o gynnig un term yn unig yn y Gymraeg ar gyfer term Saesneg yw pan fo gwahaniaeth pendant yn arfer de a gogledd Cymru, e.e. defnyddir 'gwahadden' yn ne Cymru a 'twrch daear' yn y gogledd am y creadur 'mole'. Bryd hynny barnwyd nad oedd yn deg rhoi'r flaenoriaeth i un ardal dros un arall, ac mae'r ddau derm wedi'u cynnwys. Argymhellir fod y ddau derm yn cael eu cynnwys gyda'i gilydd mewn deunyddiau asesu, ond bod athrawon a disgyblion yn defnyddio'r term sydd fwyaf cyfarwydd iddynt hwy. Nid geiriadur tafodieithol yw hwn fodd bynnag, a lle barnwyd bod un ffurf yn ddigon derbyniol i fod yn ffurf safonol, nid aethpwyd ati i gynnwys ffurfiau eraill sydd ar gael yn y gwahanol dafodieithoedd.

Cenedl a lluosogion enwau

Mae nifer o eiriau yn Gymraeg sy'n medru bod yn fenywaidd neu'n wrywaidd, gan amrywio gan amlaf yn ôl tafodiaith. Ceisiwyd dangos y rhain gydag *eg/b* gan adael i'r unigolyn ddefnyddio'r ffurf sy'n swnio'n iawn i'w glust ef neu i'w chlust hi. Pan fo gair sy'n *eg/b* yn codi mewn term sy'n cynnwys mwy nag un gair fodd bynnag, dewiswyd dangos un ffurf yn unig yn y Termiadur hwn, rhag gorfod ailadrodd termau lle ceid treiglad, e.e. gall 'diweddeb' fod yn enw gwrywaidd neu fenywaidd. Pan fo'n enw gwrywaidd ceir y ffurf 'diweddeb perffaith' a phan fo'n fenywaidd ceir y ffurf 'diweddeb berffaith'. Dewiswyd trin 'diweddeb' fel enw benywaidd yn y Termiadur hwn, felly mae'n peri treiglo'n feddal mewn enwau cyfansawdd. Dylid derbyn y ffurf wrywaidd hefyd os mai hynny sy'n dod yn naturiol i'r glust, a'r un modd gyda geiriau eraill sy'n amrywio o ran cenedl.

Cofier fodd bynnag fod dyrnaid bach o enwau yn Gymraeg lle ceir ystyr gwahanol yn ôl cenedl y gair. Er enghraifft yn y Termiadur hwn mae 'y tôn' (enw gwrywaidd) yn cael ei gyfieithu fel 'the tone' ac mae 'y dôn' (enw benywaidd) yn cael ei gyfieithu fel 'the tune'. Mae 'y de' (enw gwrywaidd) yn rhoi 'the south' i ni yn Saesneg, ac 'y dde' (enw benywaidd) yn rhoi 'the right [side]' i ni yn Saesneg.

Weithiau hefyd bydd ystyr gwahanol i luosogion enwau er bod yr enw unigol yn edrych yr un fath, e.e. llwyth (= tribe) lluosog: llwythau, llwyth (= load) lluosog: llwythi.

Dangos rhannau ymadrodd

Mae'r rhestr hon yn dangos rhannau ymadrodd termau yn Gymraeg pan fônt yn enwau, berfau neu ansoddeiriau, gan fod y wybodaeth honno yn ddefnyddiol i wybod a ddylid treiglo ac ati. Nid yw'n eu dangos fel arfer gyda geiriau eraill na chyda chymalau ac ymadroddion hirach, ond y mae'n trin ymadroddion enwol fel enwau oherwydd y gall yr ymadrodd cyfan achosi treiglad, e.e. gyda 'sbectol haul' mae 'sbectol' yn fenywaidd a 'haul' yn wrywaidd, ond mae'r ymadrodd cyfan yn fenywaidd am ei fod yn treiglo'n feddal unrhyw ansoddeiriau sy'n ei dilyn, h.y. 'sbectol haul dywyll' nid 'sbectol haul tywyll'.

Dangosir rhannau ymadrodd y Saesneg yn unig pan fo'n rhaid gwahaniaethu rhwng berf ac enw ac ansoddair, yn debyg felly i swyddogaeth y diffiniadau a geir weithiau mewn cromfachau yn dilyn y term.

Cyfatebiaeth berfau ac enwau yn y Gymraeg a'r Saesneg

Defnyddir berfau a berfenwau yn Gymraeg yn aml lle mae'r Saesneg yn tueddu i ddefnyddio enw. Er enghraifft lle ceir 'do a headstand' yn Saesneg mae'r Gymraeg yn fwy tueddol i ddweud 'sefwch ar eich pen'. Mae rhai geiriaduron cyfoes Cymraeg yn rhoi berfenw i gyfieithu enw yn Saesneg er mwyn atgoffa'r Cymro i beidio ag efelychu'r gystrawen Saesneg. Ond mae adegau pan fo angen enw yn Gymraeg i gyfateb i enw yn Saesneg, yn enwedig gyda rhifolion. Felly, os ceir rhestr o symudiadau ymarfer corff yn nodi sawl gwaith y mae'n rhaid i ddisgybl wneud symudiad arbennig e.e. '10 headstands' ni ellir yn aml o fewn cyfyngiadau'r fformat ddweud 'sefwch ar eich pen 10 gwaith' ac felly rhaid defnyddio gair gwneud fel 'pensafiad'. Mae'r Termiadur hwn yn ceisio cadw cyfatebiaeth rhannau ymadrodd hyd y bo modd, ond yn annog cyfieithwyr i gofio bod sawl cyd-destun lle dylid newid enw yn ferfenw wrth gyfieithu o'r Saesneg i'r Gymraeg er mwyn cadw cystrawen naturiol Gymraeg.

Y prif newidiadau mewn terminoleg

Er y ceisiwyd newid cyn lleied ag yr oedd modd ar dermau a oedd eisoes yn bod, yr oedd yn rhaid newid ambell i derm. O ran yr orgraff, ceisiwyd cadw at lythrennau'r wyddor Gymraeg, ac felly 'cilo' a 'sinc' a geir yn y Gymraeg yn y Termiadur hwn, ac nid 'kilo' a 'zinc'. Y mae'r symbolau rhyngwladol wrth gwrs, megis y 'k' am 'cilo' a'r symbolau am yr elfennau cemegol, yn aros yn ddigyfnewid. Yr unig eithriad i hyn yw enwau priod a thermau crefyddol, sy'n cadw'u sillafiad gwreiddiol, neu'r trawslythreniad cydnabyddedig i'r ysgrif Rufeinig os ydynt wedi'u trawslythrennu o ryw ysgrif arall.

Un o'r newidiadau pwysicaf oedd cynnwys y termau 'hydoddi, hydoddiant, hydoddedd, hydawdd' etc mewn cyd-destunau technegol yn cyfeirio at y clwstwr cysyniadol a fynegir yn Saesneg â'r geiriau 'dissolve, solution, solubility, soluble' etc. Gwnaethpwyd hyn am fod dryswch gyda'r defnydd o 'toddi' am 'dissolve' ac 'ymdoddi' am 'melt' etc. Barnwyd ei bod yn well cyflwyno'r term technegol 'hydoddi' i gyfieithu 'dissolve' yn hytrach na'r gair 'toddi' sydd yn cael ei ddefnyddio'n gyffredin mewn iaith bob dydd i olygu 'melt' hefyd.

Iaith dechnegol ac iaith bob dydd

Mae'n anorfod bod rhywfaint o orgyffwrdd rhwng iaith dechnegol ac iaith bob dydd. Hyd yn oed pan fo term yn tarddu o gyd-destun technegol lled gyfyng, gall ledu mewn modd trosiadol i iaith bob dydd. Meddylier am y defnydd o'r term 'egni,' er enghraifft. Mae i hwn ystyr technegol manwl mewn ffiseg, a phan sonnir am rywun yn gwneud rhywbeth 'gyda'i holl egni' mewn iaith bob dydd, gallai'r ffisegwr ei gywiro, gan ddweud na all hynny fod yn wir, am fod peth o'i egni'n cael ei ddefnyddio i ddibenion eraill, megis cadw'n gynnes.

Gall fod yn anodd mewn sefyllfa ysgol benderfynu pa mor dechnegol yw cyd-destun arbennig ac felly pa mor dechnegol ddylai'r eirfa fod, yn enwedig yn yr ysgol gynradd a gwaelod yr ysgol uwchradd. Fel rheol gyffredinol, os nad oes angen dysgu'r cysyniad technegol, nid oes angen yr eirfa ychwaith. Felly wrth drafod 'cyflymder' a 'buanedd' ('velocity' a 'speed') nid oes angen gwahaniaethu rhyngddynt ond yng nghyd-destun technegol gwyddoniaeth a malthemateg. Nid oes angen newid 'cyflymder' i 'buanedd' felly mewn cyd-destunau cyffredinol, annhechnegol.

Arf i'w ddefnyddio'n ofalus yw'r Termiadur hwn felly, fel pob geiriadur. Gobeithio y bydd yn gymorth i ddeall yn well y cysyniadau sy'n gorwedd y tu ôl i'r 'labeli geiriol' a alwn ni yn dermau, ac yn gymorth i hyrwyddo dysgu cyfrwng Cymraeg yn ysgolion Cymru.

Delyth Prys
J Prys Morgan Jones

a baratowyd ymlaen llaw *ans* pre-prepared
a cappella *adf* a cappella
â chaead dwbl (am got) *ans* double breasted (coat)
A fwyaf *eb* A major
A leiaf *eb* A minor
â lle gwag cyfartal *ans* equispaced
â phlwc dwy law two hands clean and jerk
a reolir gan gyfrifiadur *ans* computer-controlled
AALL: awdurdod addysg lleol *eg* LEA: local education
  authority
AB wedi ei estyn *eg* AB produced
abacws *eg* abacus
abad *eg* abbot
abadaeth *eb* abbacy
abades *eb* abbess
abaty *eg* abbey
abdomen *eg* abdomen
abdomenol *ans* abdominal
Abendlied *eg* Abendlied
aber *eg* mouth (of river)
aberth *eg/b* sacrifice
abid *eg/b* habit (=dress)
abladiad *eg* ablation
abladu *be* ablate
abomaswm *eg* abomasum
abozzo *eg* abozzo (sketch)
abseil *eg* abseil *n*
abseilio *be* abseil *v*
absennol *ans* absent *adj*
absenoldeb *eg* absence
absenoldeb heb ei awdurdodi *eg* unauthorized absence
absenoldeb mamolaeth *eg* maternity leave
absenoliaeth *eb* absenteeism
absenolwr *eg* absentee *n*
absgisa *eg* abscissa
absgisedd *eg* abscission
absoliwt *ans* absolute
absoliwtiaeth *eb* absolutism
absoliwtiaeth oleuedig *eb* enlightened absolutism
AC AND (logic)
ACAC: Awdurdod Cwricwlwm ac Asesu Cymru *eg*
  ACAC: Curriculum and Assessment Authority for Wales
academaidd *ans* academic *adj*
academi *eb* academy
Academi Frenhinol y Celfyddydau *eb* Royal Academy of
  Arts, The
Academi Gelf Frenhinol Cymru *eb* Royal Cambrian
  Academy of Arts
academiaeth *eb* academicism

academydd *eg* academician
ACAY: Awdurdod Cwricwlwm ac Asesu Ysgolion *eg*
  SCAA: School Curriculum and Assessment Authority
**ACCAC: Awdurdod Cymwysterau, Cwricwlwm ac
  Asesu Cymru** *eg* ACCAC: Qualifications, Curriculum and
  Assessment Authority for Wales
acciaccatura *eg* acciaccatura
acen *eb* accent *n*
acen grom *eb* circumflex
acennog *ans* accented
acennu *be* accent *v*
acme *eg* acme
acolit *eg* acolyte
acordion *eg* accordion
acordion piano *eg* piano accordion
Acrilan *eg* Acrilan
acrobat *eg* acrobat
acromatig *ans* achromatic
acronym *eg* acronym
acrostig *ans* acrostic
acrylig *ans* acrylic *adj*
acrylig *eg* acrylic *n*
acryloid *eg* acryloid
acsis *eg* axis (of bone)
acson *eg* axon
actif *ans* active (in science)
actifadu *be* activate (in chemistry)
actifadydd *eg* activator
actifadydd adwaith *eg* reaction activator
actifedig *ans* activated (in chemistry)
actifedd *eg* activity (of chemical function)
actifedd ensymig *eg* enzyme activity
actifedd optegol *eg* optical activity
actifiant *eg* activation
actiniwm (Ac) *eg* actinium (Ac)
acwariwm *eg* aquarium
acwatint *eg* aquatint
acwsteg *eb* acoustics
acwstig *ans* acoustic
achen *eg* achene
achludiad *eg* occlusion
achludol *ans* occluded
achos *eg* affair (=noteworthy thing)
achos *eg* case (in general)
achos *eg* proceedings (=action at law)
achos ffiniol *eg* borderline case
achos all-gontract *eg* extra contractual referral (ECR)
achos anrheolaidd *eg* anomaly (in biology etc)

---

eg/b enw gwrywaidd/benywaidd, *feminine/masculine noun*   **ell** enw lluosog, *plural noun*   **v** berf, *verb*   **n** enw, *noun*

Achos Dyffryn Taf *eg* Taff Vale Case
achos llygredd *eg* cause of pollution
achoseg *eb* aetiology
achosegol *ans* aetiological
achosi *be* cause *v*
achosiaeth *eb* causation
achosiaeth gronnus *eb* cumulative causation
achosol *ans* causal
achrediad *eg* accreditation
achredu *be* accredit *v*
achredu dysgu blaenorol *be* accreditation of prior
  learning
achub *be* rescue
achub bywyd *ans* life-saving *adj*
achubiaeth *eb* redemption
achwynwr *eg* litigant
achwynydd *eg* plaintiff
achyddiaeth *eb* genealogy
achyddol *ans* genealogical
ad lib *eg* ad lib *n*
ad libio *be* ad lib *v*
ADAG: Addysg Dechnegol a Galwedigaethol *eb*
  TVEI: Technical Vocational Education Initiative
adain *eb* wing
adain dde *eb* right wing (in politics)
adain olwyn *eb* spoke
adalw *be* retrieve
adalw data *be* data retrieval
adalw gwaith *be* retrieve work
adalw gwybodaeth *be* information retrieval
adalwadwy *ans* retrievable
adamsugniad *eg* reabsorption (renal)
adar pysgysol *ell* fish eating birds
adborth *eg* feedback *n*
adborth negatif *eg* negative feedback (of signal)
adborth o'r ystafell ddosbarth classroom feedback
adborth positif *eg* positive feedback (of signal)
adborthi *be* feedback *v*
adchwanegyn bwyd *eg* food additive
adechelinol *ans* adaxial
adeilad *eg* building
adeilad barics *eg* barrack building
adeilad cyhoeddus *eg* public building
adeiladau *ell* premises
adeiladau clos *ell* close buildings
adeiladol *ans* constructive
adeiladu *be* build
adeiladu clos *be* high density building
adeiladu'n bwyllog *be* steady build-up
adeiladwaith *eg* construction (of frame / building)
adeiladwaith *eg* structure (=way in which something is
  constructed)
adeiladwaith blwch *eg* box construction
adeiladwaith coes a rheilen *eg* leg and rail construction
adeiladwaith cyfoes *eg* modern construction
adeiladwaith drôr *eg* drawer construction
adeiladwaith ffrâm *eg* frame construction

adeiladwaith hoelbren *eg* dowel construction
adeiladwaith llafnog *eg* sandwich construction
adeiladwaith normal *eg* normal construction
adeiladwaith panel *eg* panel construction
adeiladwaith sgerbwd *eg* carcass construction
adeiladwaith stôl *eg* stool construction
adeiladwaith sylfaenol *eg* basic construction
adeiladwaith traddodiadol *eg* traditional construction
adeiladwaith tri dimensiwn *eg* three-dimensional
  construction
adeiledd *eg* structure (of constructed objects)
adeiledd cellog *eg* cellular structure
adeiledd clustog *eg* pillow structure
adeiledd cordiol *eg* chordal structure
adeiledd creiriol *eg* relict structure
adeiledd enfawr *eg* giant structure
adeiledd gorwthiad *eg* imbricated structure
adeiledd haenog *eg* layered structure
adeiledd moleciwlaidd *eg* molecular structure
adeiledd oedran *eg* age structure
adeiledd pridd *eg* soil structure
adeiledd yr atom *eg* atomic structure
adeileddiaeth *eb* constructivism
adeileddol *ans* constructivist *adj*
adeileddol *ans* structural (of buildings)
adeileddwr *eg* constructivist *n*
adeiledd-proses-cam *eg* structure-process-stage
adeiniog *ans* winged (of insect, fruit)
adend *eg* addend
adendriad *eg* attainder
adendro *be* attaint
adendwm *eg* addendum
adenillion *ell* return (earnings)
adennill (ar gyfrifiadur) *be* restore (in computing)
adennill (yn gyffredinol) *be* regain
adennill costau *be* break even
adennill cydbwysedd *be* regain balance
adennill y bêl *be* regain the ball
adenosin triffosffad (ATP) *eg* adenosine triphosphate
  (ATP)
adfach *eg* barb
adfachyn *eg* barbule
adfail *eg* ruin
adfeddiad *eg* appropriation
adfeddu *be* appropriate *v*
Adfent *eg* Advent
adfer (anghytgord mewn cerddoriaeth) *be* resolve (a
  discord)
adfer (yn gyffredinol) *be* restore (in general)
adfer amgylcheddau sydd wedi'u difrodi *be* restore
  damaged environments
adfer ffeil *be* file recovery
adfer wedi'r anaesthetig *be* post-anaesthetic recovery
adferadwy *ans* recoverable

---

adferiad *eg* recovery

adferiad (=dychweliad) *eg* restoration

adferiad (=gwellhad) *eg* rehabilitation

adferiad (anghytgord mewn cerddoriaeth) *eg* resolution (of discord in music)

adfewniad *eg* re-entry (in computing)

adfewniadol *ans* re-entrant (in computing) *adj*

adfewnio *be* re-enter (in computing)

adfewnol *ans* re-entrant (in geography) *adj*

adfocad *eg* advocate (=barrister in Scotland)

adfowri *eg* advowry

adfowswn *eg* advowson

adfywio *be* resuscitate

adfywio ceg wrth geg *be* mouth to mouth resuscitation

adfywio'r galon a'r ysgyfaint *be* cardiopulmonary resuscitation

adgyfuno genynnol *be* gene recombination

adiabatig *ans* adiabatic

adiad *eg* addition (in counting numbers)

adict *eg* addict

adio *be* add (numbers)

adiol *ans* additive *adj*

adiolyn *eg* additive (of numbers) *n*

adlach *eb* backlash

adlam *eg* rebound *n*

adlam y cysylltau *eg* contact bounce

adlamol *ans* resilient (of substance)

adlamu *be* rebound *v*

adlamu allan *be* drop out *v*

adlenwad *eg* refill *n*

adlenwi *be* refill *v*

adleoladwy *ans* relocatable

adleoli *be* relocate

adleolydd *eg* relocator

adlewyrch *ans* reflected (light, sound wave)

adlewyrchedig *ans* reflected

adlewyrchiad *eg* reflection

adlewyrchiad mewn llinell *eg* reflection in a line

adlewyrchiad mewnol cyflawn *eg* total internal reflection

adlewyrchu *be* reflect (light)

adlewyrchydd *eg* reflector

adlif *eg* resequent (stream) *n*

adlifiad *eg* reflux

adlifo *be* reflux *v*

adlifol *ans* reflux *adj*

adlog *eg* compound interest

adloniant *eg* entertainment

adluniad arlunydd *eg* artist's reconstruction

adlunio *be* remodel

adlyn *eg* adhesive *n*

adlyn ardrawol *eg* impact adhesive

adlyn resin *eg* resin adhesive

adlyn synthetig *eg* synthetic adhesive

adlyn thermo-galedu *eg* thermo-hardening adhesive

adlyniad *eg* adhesion

adlynol *ans* adhesive *adj*

adlynu *be* adhere (of substance)

adnabod *be* identify (=establish the identity of, recognize)

adnabod *be* recognize (=identify)

adnabod llais *be* speech recognition

adnabod nodau *be* character recognition

adnabod nodau gweledol *be* optical character recognition (OCR)

adnabod nodau inc magnetig *be* magnetic ink character recognition (MICR)

adnabyddiad *eg* recognition (=identification)

adnabyddiaeth *eb* identification

adnau *eg* deposit (of assets) *n*

adneuwr *eg* depositor

adnewyddadwy *ans* renewable

adnewyddedig *ans* rejuvenated

adnewyddiad *eg* renewal

adnewyddiad trefol *eg* urban renewal

adnewyddu *be* renew

adnod *eb* verse (in Bible)

adnodd *eg* resource

adnodd adnewyddadwy *eg* renewable resource

adnodd anadnewyddadwy *eg* non-renewable resource

adnodd dysgu *eg* learning resource

adnoddau astudio unigol *ell* self-study materials

adnoddau clyweled *ell* audio visual aids

adnoddau llafur *ell* manpower (of resources)

adnoddau mwynol *ell* mineral resources

adnoddau naturiol *ell* natural resources

adnoddau segur *ell* idle resources

adolygiad *eg* review *n*

adolygiad perfformiad unigol *eg* individual performance review

adolygiad treigl *eg* rolling review

adolygu (achos) *be* review *v*

adolygu (ar gyfer arholiadau) *be* revise

adolygu canlyniadau *be* review of results

adolygu graddau *be* grade review

adolygu'r achosion ffiniol *be* borderline reviewing

adolygydd *eg* reviewer

adraddiant *eg* aggradation

adraddu *be* aggrade

adran *eb* section (in book, orchestra etc)

adran (=rhaniad daearyddol) *eb* area (=section or part)

adran (=rhaniad gweinyddol) *eb* department

adran (cynghrair pêl-droed etc) *eb* division

adran gwasanaethau cymdeithasol *eb* social services department

Adran Addysg a Chyflogaeth *eb* Department for Education and Employment

Adran Addysg y Swyddfa Gymreig *eb* WOED: Welsh Office Department of Education

adran annibynnol *eb* independent section

adran arfog *eb* armoured division

adran bres *eb* brass section

adran brosesu data *eb* data processing department

adran chwythbrennau *eb* woodwind section

adran dai *eb* housing department

adran daro *eb* percussion section

---

eg/b enw gwrywaidd/benywaidd, *feminine/masculine noun*   *ell* enw lluosog, *plural noun*   *v* berf, *verb*   *n* enw, *noun*

Adran Diwydiant a Masnach *eb* Department of Trade and Industry

adran euraid *eb* golden section

Adran Gwarchod Defnyddwyr *eb* Consumer Protection Department

adran gyfeirio *eb* reference section

Adran Iechyd yr Amgylchedd *eb* Environmental Health Department

adran ieuenctid *eb* youth section

adran lanweithio *eb* cleansing department

adran llinynnau *eb* string section

adran o'r fyddin *eb* army division

adran oeri *eb* chilling compartment

Adran Safonau Masnachu *eb* Trading Standards Department

adran weithredol *eb* executive (department)

Adran Wladol *eb* State Department

adran y meingefn *eb* lumbar region

adrannau ar wahân *ell* separate compartments

adrannau'r wyddor *ell* alphabet agencies

adrannol (=a wnaed mewn rhannau) *ans* sectional (=made in parts)

adrannol (am ysgolion, cwmnïau) *ans* departmental

adrenalin *eg* adrenalin

adrewiad *eg* regelation

adrodd *be* report (formally)

adrodd yn ôl *be* report back

adroddiad (=darn adrodd) *eg* narration

adroddiad (am ddogfen neu ddatganiad) *eg* report *n*

adroddiad interim *eg* interim report

adroddiad llafar *eg* oral report

adroddiad terfynol *eg* final report

adroddiad tywydd *eg* weather report

adroddiad ysgol *eg* school report

adroddnod *eg* reciting note

adroddwr *eg* narrator

Adulamiaid *ell* Adullamites

adwaith *eg* reaction

adwaith adio *eg* addition reaction

adwaith adrefnu *eg* rearrangement reaction

adwaith alergaidd *eg* allergic reaction

adwaith amnewid *eg* substitution reaction

adwaith cadwynol *eg* chain reaction

adwaith cemegol *eg* chemical reaction

adwaith cildroadwy *eg* reversible reaction

adwaith cyddwyso *eg* condensation reaction

adwaith cyflym *eg* fast reaction

adwaith cyfnewid *eg* exchange reaction

adwaith dadleoli *eg* displacement reaction

adwaith dechreuol *eg* initiation reaction

adwaith dileu *eg* elimination reaction (in chemistry)

adwaith electrolytig *eg* electrolytic reaction

adwaith galar *eg* grief reaction

adwaith golau *eg* light reaction

adwaith gradd dau *eg* second order reaction

adwaith gradd tri *eg* third order reaction

adwaith gradd un *eg* first order reaction

adwaith imiwn *eg* immune reaction

adwaith terfynu *eg* termination reaction

adwaith tri cham *eg* three-stage reaction

adwaith thermit *eg* thermit reaction

adweadu *be* re-texture

adweithedd *eg* reactivity

adweithio *be* react

adweithiol *ans* reactive

adweithydd (cemegol) *eg* reagent

adweithydd (trydanol) *eg* reactor

adweithydd Benedict *eg* Benedict reagent

adweithydd bridiol *eg* breeder reactor

Adweithydd Millon *eg* Millon's Reagent

adwerthiant *eg* resale *n*

adwerthol *ans* retail (in finance) *adj*

adwerthu *be* retail *v*

adwerthwr *eg* retailer

adwreiddyn *eg* adventitious root

adwy (mewn electroneg) *eb* gate (in electronics, computing)

adwy (=bwlch) *eb* gap (made for a purpose) *n*

adwy AC *eb* AND gate

adwy NEU *eb* OR gate

adwy NIAC *eb* NAND gate

adwy NID *eb* NOT gate

adwy NIEU *eb* NOR gate

adwy resymeg *eb* logic gate

adwyog *ans* gated

adydd *eg* adder (related to addition)

adydd cyflawn *eg* full-adder

adydd cyfresol *eg* serial adder

adydd paralel *eg* parallel adder

ad-daladwy *ans* repayable

ad-daliad *eg* repayment

ad-daliad morgais *eg* mortgage repayment

ad-daliad rhent *eg* rent rebate

ad-daliad treth *eg* tax rebate

ad-dalu *be* refund *v*

ad-drefnu *be* reshuffle

ad-drefnu llawnder *be* dispose of fullness

Adda *eg* Adam

Adda o Frynbuga *eg* Adam of Usk

addas *ans* suitable

addasadwy *ans* adaptable (of object)

addasiad *eg* adaptation (in general)

addasiad patrwm *eg* adaptation of pattern

addasol *ans* adaptive (in general)

addasu *be* adapt *vt*

addasu byrfyfyr *be* improvise (=adapt)

addasu cyfeiriad *be* address modification

addasu dwysedd *be* adjust intensity

addasu rhaglen *be* program modification

addasu'r gyllideb *be* adjust the budget

addasydd *eg* adaptor

addasydd rhyngwyneb perifferol *eg* peripheral interface adaptor (PIA)

addoli *be* worship *v*

---

addoli ar y cyd *be* corporate worship
addoli cyndadau *be* ancestor worship
addoliad *be* worship *n*
addoliad amgen *eg* alternative worship
addoliad ar y cyd *eg* corporate act of worship
addoliad un grefydd *eg* one religion worship
addurn *eg* decoration
addurn arwyneb *eg* surface decoration
addurn cromlinog *eg* curvilinear decoration
addurn glain *eg* bead trimming
addurn gosod *eg* applied ornament
addurn gwrthgwyr *eg* wax-resist decoration
addurn mewnol *eg* interior decoration
addurn pen hoelen *eg* nail-head ornament
addurn wy a saethell *eg* egg and dart treatment
addurnedig *ans* decorated
addurniad *eg* ornamentation
addurniadau murol *ell* mural decorations
addurno *be* decorate
addurno â les *be* trim with lace
addurno mewnol *be* interior decorating
addurnod *eg* grace note
addurnol *ans* decorative
addysg *eb* education
addysg alwedigaethol *eb* vocational education
addysg anffurfiol *eb* informal education
addysg arbennig *eb* special education
addysg athrawon *eb* teacher education
addysg barhaus *eb* continuing education
addysg bellach *eb* further education
addysg bellach uwch *eb* advanced further education
addysg bersonol *eb* personal education
addysg cyfrwng Cymraeg *eb* Welsh-medium education
addysg dechnegol *eb* technical education
addysg defnyddwyr *eb* consumer education
addysg drwy gymorth cyfrifiadur *eb* computer aided education (CAE)
addysg drwy'r post *eb* correspondence education
addysg ddwyieithog *eb* bilingual education
addysg ddyneiddiol *eb* humanistic education
addysg elfennol *eb* elementary education
addysg elusennol *eb* charity education
addysg fasnachol *eb* commercial education
addysg feithrin *eb* nursery education
addysg foesol *eb* moral education
addysg ganolradd *eb* intermediate education
addysg gartref *eb* home education
addysg gorfforol *eb* physical education
addysg grefyddol *eb* religious education
addysg grefyddol enwadol *eb* denominational religious education
addysg gydadferol *eb* compensatory education
addysg gyfun *eb* comprehensive education
addysg gymunedol *eb* community education
addysg gynradd *eb* primary education
addysg gyrfaoedd *eb* careers education
addysg iechyd *eb* health education

addysg mewn swydd *eb* in-service education
addysg mewnfudwyr *eb* immigrant education
addysg o bell *eb* distance education
addysg oedolion *eb* adult education
addysg orfodol *eb* compulsory education
addysg plant ganolog *eb* child-centred education
addysg ran amser *eb* part-time education
addysg rhyw *eb* sex education
addysg uwch *eb* higher education
addysg uwchradd *eb* secondary education
addysg wirfoddol *eb* voluntary education
addysg wrth-hiliol *eb* antiracist education
addysg wyddonol ffurfiol *eb* formal science education
addysg ymaddasol *eb* adaptive education
addysg ysbrydol a moesol *eb* spiritual and moral education
addysgadwy *ans* educable
addysgedd *eg* educability
addysgiadol *ans* educative
addysgol *ans* educational
addysgol isnormal *ans* educationally subnormal
addysgu *be* teach *v*
addysgu anffurfiol *be* informal teaching
addysgu cefnogol *be* companion teaching
addysgu cydweithredol *be* co-operative teaching
addysgu drwy weithgaredd *be* activity teaching
addysgu o bell *be* distance teaching
addysgu pellach *be* future teaching
addysgu plant ganolog *be* child-centred teaching
addysgu tîm *be* team teaching
addysgwr *eg* educationalist
aeddfed *ans* mature *adj*
aeddfedrwydd *eg* maturity
aeddfedrwydd corfforol *eg* physical maturity
aeddfedrwydd diweddar *eg* late maturity
aeddfedu *be* mature *v*
ael *eb* eyebrow
aelod (o gymdeithas etc) *eg* member
aelod (o'r corff) *eg* limb
aelod cyfetholedig *eg* co-opted member
aelod cyswllt *eg* affiliated member
aelod cysylltiol *eg* associate member
aelod gosod *eg* artificial limb
aelod o dîm *eg* team member
aelod o Fyddin yr Iachawdwriaeth *eg* Salvationist
aelod o fframwaith *eg* framework member
aelod o gôr *eg* chorister
aelod o'r tîm *eg* member of the team
aelod seneddol (AS) *eg* member of parliament (MP)
aelwyd *eb* hearth
aelwyd bresyddu *eb* brazing hearth
aelwyd dro *eb* revolving hearth
aeolaidd *ans* aeolian
aeon *eg* aeon
aer *eg* air (as a substance)
aer arctig *eg* arctic air

aer cyfnewid *eg* tidal air (of respiration)
aer cynnes *eg* warm air (central heating system)
aer cywasgedig *eg* compressed air
aer gwacáu *eg* exhaust air
aer gweddillol *eg* residual air
aer mewnanadledig *eg* inspired air
aer uchaf *eg* upper air
aerdymheru *be* air-condition
aerdymherus *ans* air-conditioned
aergaledu *be* air hardening
aerglo *eg* air lock
aerglos *ans* airtight
aergorff *eg* air-mass
aerobeg *eb* aerobics
aerobig *ans* aerobic
aerodynameg *eb* aerodynamics
aerograffiaeth *eb* aerography
aeroleg *eb* aerology
aeronen *eb* berry
aerosol *eg* aerosol
afal bwyta *eg* dessert apple
afal coginio *eg* cooking apple
afal derw *eg* oak gall
afal pob *eg* baked apple
afal wedi'i stiwio *eg* stewed apple *n*
afentwrin *eg* aventurine
afiach *ans* diseased
afiechyd *eg* illness
afiechyd meddwl *eg* mental illness
afiechyd Alzheimer *eg* Alzheimer's disease
afiechyd llym *eg* acute illness
afiechyd marwol *eg* terminal illness
afiechyd y galon *eg* cardiac disease
aflem *ans* obtuse
aflendid *eg* squalor
afleoli *be* dislocate
afleoliad *eg* dislocation
aflinol *ans* non-linear
afliwiad *eg* discolouration
afliwio *be* discolour
aflonydd *ans* restless
aflonyddgar *ans* disruptive
aflonyddiad *eg* perturbation
aflonyddu *be* disrupt
aflonyddwch *eg* disturbance
aflonyddwch emosiynol *eg* emotional disturbance
aflonyddwch meddwl *eg* mental disturbance
afluniad *eg* distortion (of image)
aflunio *be* distort (image)
aflunio ciplun *be* distort sprite
aflwydd Sbaenaidd, yr *eg* Spanish ulcer
afocado *eg* avocado pear
afon *eb* river
afon afrwydd *eb* misfit river
afon blethog *eb* braided river
afon eira tawdd *eb* snow fed river
afondiroedd *ell* riverlands

afonig *eb* rivulet
afonladrad *eg* river capture
afonol *ans* fluvial
afradlonedd *eg* dissipation
afradloni *be* dissipate
afreolaidd *ans* irregular
afreoleidd-dra *eg* irregularity
afresymol *ans* absurd
afresymol *ans* irrational (=unreasonable)
afrlladen *eb* consecrated wafer
afu *eg* liver
AFF (ar draws fflatiau nyten hecsagonol) AF (across the flats of hexagonal nut)
affaith *eg* affect *n*
affasia *eg* aphasia
affeithio *be* affect *v*
affeithiol *ans* affective
affeithiolrwydd *eg* affectivity
affelion *eg* aphelion
afferol *ans* afferent
affin *eg* affine
affinedd *eg* affinity
affinedd electronol *eg* electron affinity
affwys *eg* abyss
affwysol *ans* abysmal
agape *eg* agape (=Christian fellowship)
agat *eg* agate
agen (mewn craig) *eb* fissure
agen (mewn peiriant) *eb* slot (=slit)
agen ehangu *eb* expansion slot
agen saethu *eb* arrowloop
agen T *eb* T-slot
agen y dagell *eb* gill slit
agenda *eg* agenda
agendor *eb* chasm
agennog *ans* slotted
agennu *be* slitting
ager *eg* steam *n*
agerblygu *be* steam bending
agergist *eb* steam chest
ageru *be* steam *v*
agnawd *ans* agnate
agnosticiaeth *eb* agnosticism
agnostig *ans* agnostic
agor *be* open *v*
agor (mewn chwarel) *eg* chamber (in quarry)
agor ffeil ddata gyfun *be* open merge-data-file
agor tuag i mewn ac allan open inwards and outwards
agor y bowlio *be* open the bowling
agor y naill ffordd a'r llall *be* open both ways
agor y switsh *be* put the switch off (=open the switch)
agor y tap *be* turn the tap on
agorawd *eb* overture
agorawd cyngerdd *eb* concert overture
agorawd Eidalaidd *eb* Italian overture
agorawd Ffrengig *eb* French overture

---

adf, adv adferf, *adverb* **ans, adj** ansoddair, *adjective* **be** berf, *verb* **eb** enw benywaidd, *feminine noun* **eg** enw gwrywaidd, *masculine noun*

agored (i'r tywydd) *ans* exposed (to the weather)

agored (yn gyffredinol) *ans* open *adj*

agorell *eb* reamer

agorell baralel *eb* parallel reamer

agorell dapr *eb* taper reamer

agorell frasnaddu *eb* roughing reamer

agorell gymwysadwy *eb* adjustable reamer

agorell law *eb* hand reamer

agorell maint sefydlog *eb* fixed size reamer

agorell rychiog *eb* fluted reamer

agorellu *be* reaming

agorfa *eb* aperture

agorfa fach *eb* fine orifice

agoriad (switsh) *eg* key (of a switch)

agoriad (yn gyffredinol) *eg* opening *n*

agoriad blaen *eg* front opening

agoriad cefn *eg* back opening

agoriad cudd *eg* concealed opening

agoriad di-dor *eg* continuous lap

agoriad drôr *eg* drawer opening

agoriad gweini *eg* hatch (for serving) *n*

agoriad placed ffrog *eg* dress placket opening

agoriad plet bocs *eg* box pleat opening

agoriad rhwymog *eg* bound opening

agoriad swyddogol *eg* official opening

agoriad wedi'i wynebu *eg* faced opening

agoriadol (am araith/darlith) *ans* inaugural

agoriadol (yn gyffredinol) *ans* opening *adj*

agos *ans* close *adj*

agosatrwydd *eg* intimacy

agosáu *be* approach (=come near) *v*

agosbwynt *eg* near point

agoslun *eg* close-up (diagram)

agreg *eg* aggregate (of stone) *n*

agregau concrit *ell* concrete aggregates

agregedig *ans* aggregated

agregu *be* aggregate (=combine into mass) *v*

agwedd *eb* attitude (of mind)

agwedd arosgo *eb* oblique aspect

agwedd dadol *eb* paternalism

agwedd dosraniad *eb* partition aspect (of division)

agwedd ddiwylliannol *eb* cultural aspect

agwedd foesol *eb* moral aspect

agwedd gadarnhaol *eb* positive aspect

agwedd gadarnhaol ddiamod *eb* unconditional positive regard

agwedd greadigol *eb* creative approach

agwedd mesuriad *eb* quotation aspect (of division)

agwedd ymarferol *eb* practical approach

agwedd ysbrydol *eb* spiritual aspect

agweddau amlddiwylliannol ar chwaraeon *ell* multicultural aspects of sport

agweddau ar ddawnsiau *ell* aspects of dance

Angefin *eg* Angevin

angel *eg* angel

angel gwarcheidiol *eg* guardian angel

angel syrthiedig *eg* fallen angel

angelica *eg* angelica

angen *eg* need

angen canfyddadwy *eg* identified need

angenrheidiol *ans* necessary

angenrheidiol a digonol necessary and sufficient

angerdd *eg* intensity (of feeling)

angerddol *ans* intense (of feeling)

anghellog *ans* acellular

anghenion addysgol *ell* educational needs

anghenion addysgol arbennig *ell* special educational needs

anghenion arbennig *ell* special needs

anghildroadwy *ans* irreversible (of reaction)

anghirol *ans* achiral

anghlasurol *ans* non-classical

anghonfensiynol *ans* unconventional

anghrediniwr *eg* infidel (=unbeliever)

anghrisialog *ans* non-crystalline

Anghrist *eg* Antichrist

anghristnogol *ans* unchristian

anghrychadwy *ans* uncrushable (finish)

anghydamseredig *ans* asynchronous

anghydberthnasol *ans* uncorrelated

anghydbwysedd *eg* imbalance

anghydfod *eg* dispute

anghydffurfedd *eg* unconformity

anghydffurfiaeth *eb* dissent

anghydffurfiol *ans* dissenting

anghydffurfiwr *eg* nonconformist

anghydffurfiwr rhesymol *eg* Rational Dissenter

anghydnaws (am liwiau) *ans* discordant (of colours)

anghydnaws (am wrthrychau) *ans* incompatible (of objects)

anghyfannedd *ans* uninhabited

anghyfansoddiadol *ans* unconstitutional

anghyfartal *ans* unequal (in general)

anghyfarwydd *ans* unfamiliar

anghyfeillgar (i'r defnyddiwr) *ans* user-unfriendly

anghyflawn *ans* incomplete

anghyflogadwy *ans* unemployable

anghyfochrog *ans* scalene

anghyfreithlon (=a anwyd y tu allan i briodas) *ans* illegitimate

anghyfreithlon (=heb fod yn gyfreithlon) *ans* illegal

anghyffwrdd *ans* unexploited

anghyffyrddedigion *ell* untouchables

anghymarebol *ans* irrational (in mathematics)

anghymarus *ans* incompatible (of people)

anghymesur *ans* asymmetric

anghymesuredd *eg* asymmetry

anghymesurol *ans* asymmetrical

anghymhelliad *eg* disincentive

anghymwyster *eg* incompetence

anghymysgadwy *ans* immiscible

anghynhwysol *ans* exclusive

anghynhyrchiol *ans* unproductive
anghyrydol *ans* non-corrosive
anghyseinedd *eg* dissonance
anghyseiniol *ans* dissonant
anghyson *ans* inconsistent
anghysondeb *eg* inconsistency
anghytgord *eg* discord
anghytgord sylfaenol *eg* fundamental discord
anghytgord sylfaenol y llywydd *eg* fundamental dominant discord
anghytgordiol *ans* discordant (of music)
anghytûn *ans* discordant (of opinions)
anghywasg *ans* incompressible
anghywir *ans* incorrect
anghywirdeb *eg* inaccuracy
angor *eg/b* anchor
angor styden *eb* stud anchor
angora *eg* angora
angorfa *eb* anchorage
angorle *eg* roadstead
ail blyg *eg* second fold
ail bwynt *eg* second point
ail dap *eg* second tap
ail dyfiant *eg* second growth
ail forgais *eg* second mortgage
ail gantor *eg* succentor
ail genhedlaeth *eb* second generation
ail gymal *eg* second leg
Ail Gymdeithas Sosialaidd Ryngwladol y Gweithwyr *eb* Second Socialist International (Working-Men's Association)
ail gynnig serfio *eg* second service
ail isradd *eg* square root
ail rediad *eg* second run
ail reng *eb* second row
Ail Ryfel Byd *eg* Second World War
ail slip *eg* second slip
ail wrthdro *eg* second inversion
ailadeiladu *be* rebuild
ailadrodd *be* repeat *v*
ailadrodd awtomatig *be* auto-repeat
ailadroddiad *eg* repetition
ailallforio *be* re-export
ailbrisiad *eg* revaluation
ailbrosesu *be* reprocess
ailchwarae *be* replay
ailchwarae'r pwynt *be* replay the point
ailchwydiad *eg* regurgitation
aildwymo *be* reheat
ailddewis *be* reselect
aildddiffinio *be* redefine
aildddirwyn *be* rewind
aildddosbarthu *be* redistribute
aildddyddodi *be* re-deposit
aildddyrannu *be* reallocate
ailfedyddiwr *eg* anabaptist
ailffurfio *be* reform (=form again) *v*

ailgoedwigo *be* reafforestation
ailgrisialiad *eg* recrystallization
ailgrisialu *be* recrystallize
ailgychwyniad oer *eg* cold restart
ailgyfanheddiad *eg* resettlement (of place)
ailgyfanheddu *be* resettle
ailgyfarparu *be* re-equip
ailgyfeiriadaeth *eb* reorientation
ailgyfuniad *eg* recombination
ailgylchredeg *be* recirculate
ailgylchu *be* recycle
ailgylchu creigiau *be* recycling of rocks
ailgymhwyso *be* readjust
ailhyfforddi diwydiannol *be* industrial retraining
ailogwyddo *be* reslant
ailosod *be* reset
ailraddio *be* regrade
ailrwymo *be* rebind
ailsefydlu *be* re-establish
ailsefydlu troseddwyr *be* resettlement of offenders
ailstrwythuro gwybyddol *be* cognitive restructuring
ailuno *be* rejoin
ailwefradwy *ans* rechargeable
ailwirio *be* recheck
ailymgnawdoliad *eg* reincarnation
ailystyried *be* reconsider
ail-leoli *be* reposition
ail-luniad *eg* reconstruction
ail-lunio *be* reconstruct (=recreate)
alabastr *eg* alabaster
alalia *eg* alalia
alanin *eg* alanine
alaw *eb* tune
alaw ag amrywiadau *eb* air with variations
alaw syml *eb* simple melody
alaw wedi'i chywasgu *eb* melody by condensation
alawol *ans* melodic (in contrast to harmonic)
alb *eb* alb
albatros *eg* albatross
albedo *eg* albedo
Albigensaidd *ans* Albigensian *adj*
Albigensiad *eg* Albigensian *n*
albinaidd *ans* albino *adj*
albinedd *eg* albinism
albino *eg* albino *n*
alborada *eg* alborada
Albumblatt *eg* Albumblatt
albwm *eg* album
albwmen *eg* albumen
alcali *eg* alkali
alcalïaidd *ans* alkaline
alcalinedd *eg* alkalinity
alcan *eg* alkane
alcaptonwria *eg* alkaptonuria
alcemeg *eb* alchemy
alcemydd *eg* alchemist
alcen *eg* alkene

---

adf, adv adferf, *adverb*   ***ans, adj*** ansoddair, *adjective*   **be** berf, *verb*   **eb** enw benywaidd, *feminine noun*   **eg** enw gwrywaidd, *masculine noun*

alclad *eg* alclad
alcof *eb* alcove
alcohol *eg* alcohol
alcohol cynradd *eg* primary alcohol
alcohol eilaidd *eg* secondary alcohol
alcohol pur *eg* absolute alcohol
alcoholiaeth *eb* alcoholism
alcoholig *ans* alcoholic *adj*
alcoholig *eg* alcoholic *n*
alcyleiddiad *eg* alkylation
alcyleiddio *be* alkylate
alcyn *eg* alkyne
alch *eb* cooker ring
alch hydeiml *eb* pan sensor ring
aleatoraidd *ans* aleatory
Alecsander Fawr *eg* Alexander the Great
Alecsandraidd *ans* Alexandrine
alegori *eg* allegory
alegorïaidd *ans* allegorical
alel *eg* allele
alelomorff *eg* allelomorph
alelomorff lluosrif *eg* multiple allelomorph
alergaidd *ans* allergic
alergedd *eg* allergy
alewron *eg* aleurone
alfeolaidd *ans* alveolar (of lungs)
alfeolws *eg* alveolus
alffamerig *ans* alphameric
alffaniwmerig *ans* alphanumeric
Alffred Fawr *eg* Alfred the Great
alga *eg* alga
algebra *eg/b* algebra
algebra Boole *eg* Boolean algebra
algebra ffurfiol *eg* formal algebra
algebra switsio *eg* switching algebra
ALGOL ALGOL
algorithm *eg* algorithm
algorithm Ewclid *eg* Euclid's algorithm
algorithmig *ans* algorithmic
alicwot *eg* aliquot (in chemistry) *n*
alidad *eg* alidade
aliniad *eg* alignment
aliniedig *ans* aligned
alinio *be* align
alinio i'r chwith *be* align left
alinio i'r dde *be* align right
almonau mâl *ell* ground almonds
alocryl *eg* alocryl
alogenig *ans* allogenic
aloi *eg* alloy
aloi 'E' *eg* 'E' alloy
aloi alwminiwm *eg* aluminium alloy
aloi anfferrus *eg* non-ferrous alloy
aloi efydd *eg* bronze alloy
aloi metel gwyn *eg* white metal alloy
aloi Y *eg* Y alloy

aloi ymdoddadwy *eg* fusible alloy
aloi'r Iseldiroedd *eg* Dutch metal
alopolyploid *ans* allopolyploid
alotetraploid *ans* allotetraploid
alotrop *eg* allotrope
alotropaeth *eb* allotropy
alotropig *ans* allotropic
alp *eg* alp
alpaidd *ans* alpine
Alpau *ell* Alps
alpgorn *eg* alpenhorn
alternativo *eg* alternativo
altimedr *eg* altimeter
alto *eg/b* alto
altocumulus *eg* altocumulus
altostratus *eg* altostratus
alwm *eg* alum
alwmina *eg* alumina
alwminiwm (Al) *eg* aluminium (Al)
alwminiwm ocsid *eg* aluminium oxide
alwminiwm tiwbaidd *eg* tubular aluminium
alylicion *ell* allylics
alla cappella *adf* alla cappella
allafon *eb* distributary
Allah *eg* Allah
allan (mewn cyfrifiadureg) exit (command)
allan (yn gyffredinol) *adf* out
allan o'r cwrt out of court
allan o'r canol off centre
allan drwy ddal caught out
allan drwy gyffwrdd touched out
allanfa *eb* exit (=way out) *n*
allanol *ans* external
allanu *be* exit (on a computer)
allblyg *ans* extrovert
allborth *eg* outport
allbost *eg* outpost
allbrint *eg* printout
allbrint cyfrifiadurol *eg* computer printout
allbriordy *eg* alien priory
allbwn *eg* output (of computer etc) *n*
allbwn blancio crychdon (ABC) *eg* ripple blanking output (RBO)
allbwn bytferog *eg* buffered output
allbwn fideo *eg* video output
allbwn y galon *eg* cardiac output
allbynnu *be* output *v*
alldafliad (mewn ffisioleg) *eg* ejaculation (in physiology)
alldafliad ymbelydrol *eg* radioactive fallout
alldaflol *ans* ejaculatory
alldaflu *be* ejaculate
alldaith *eb* expedition
alldap *eg* xenotape
alldardd *eg* exotic (of river) *n*
alldarddiad *eg* exogenesis
alldarddol *ans* exogenic

---

eg/b enw gwrywaidd/benywaidd, *feminine/masculine noun*   *ell* enw lluosog, *plural noun*   **v** berf, *verb*   **n** enw, *noun*

alldiriogaethol *ans* extraterritorial
alldynnu *be* abstract (=take from) *v*
allddarlleniad *eg* readout
allddarlleniad distrywiol *eg* destructive readout
allddodol *ans* emergent
allechelinol *ans* abaxial
allemand *eg* allemand
allemande *eb* allemande
allfa *eb* outlet
allfaes *eg* outfield
allforio *be* export *v*
allforion anweledig *ell* invisible exports
allforiwr *eg* exporter
allforyn *eg* export *n*
allfrig *ans* off-peak
allfwriad *eg* ejection
allfwrw *be* egestion (amoeba)
allganol *eg* eccentric centre
allgellog *ans* extracellular
allglofan *eg* exclave
allgofnodi *be* logout
allgraig *eb* outlier
allgylch *eg* eccentric circle
allgyrchol *ans* centrifugal
allgyrchu *be* centrifuge *v*
allgyrchydd *eg* centrifuge *n*
allhidlo *be* fade-out
allor *eb* altar
allordal *eg* altarage
allorlun *eg* altar piece
allosod *be* extrapolate
allosodiad *eg* extrapolation
allraddiad *eg* progradation
allsianel *eb* distributary channel
alltraeth *ans* offshore (e.g. wind, bar)
alltud *eg* exile *n*
alltudiad *eg* expulsion (from country)
alltudiaeth *eb* deportation
alltudio *be* deport
alltudio *be* exile *v*
alltudion Mari *ell* Marian exiles
allwedd *eb* key (in general) *n*
allwedd Allen *eb* Allen key
allwedd argaen *eb* veneer key
allwedd baralel *eb* parallel key
allwedd ben crwn *eb* round-headed key
allwedd ben-gib *eb* jib-headed key
allwedd betryal *eb* rectangular key
allwedd bluen *eb* feather key
allwedd daprog *eb* tapered key
allwedd diwnio *eb* tuning key
allwedd fforch *eb* prong key
allwedd grafanc *eb* chuck key
allwedd gyfrwy *eb* saddle key
allwedd gyfrwy cau *eb* hollow saddle key
allwedd gynffonnog *eb* dovetailed key

allwedd lithr *eb* sliding key
allwedd raglennu *eb* programming key
allwedd Woodruff *eb* Woodruff key
allwedd y bariton *eb* baritone-clef
allweddair *eg* keyword
allweddell electronig *eb* electronic keyboard
allweddellau *ell* keyboard (musical instrument)
allweddfa *eb* keyway
allweddol *ans* key *adj*
allweddu *be* keying
allweiniad *eg* evagination
allwthiad *eg* extrusion
allwthio *be* extrude
allwthiol *ans* extrusive
allwyriad *eg* deflection
allwyro *be* deflect (in physics)
allyriad *eg* discharge emission
allyriad ymbelydrol *eg* radioactive emission
allyriant *eg* emission
allyrredd *ans* emissivity
allyrru *be* emit
allyrrydd *eg* emitter
all-lein *ans* off-line
all-lif *eg* outflow
all-lifo *be* outflowing
amaethyddiaeth *eb* agriculture
amaethyddiaeth gyfalafol *eb* capitalist agriculture
amaethyddol *ans* agricultural
amalgam *eg* amalgam
ambiwlans *eg* ambulance
ambr *eg* amber
amcan *eg* objective (=something sought or aimed at) *n*
amcan asesu *eg* assessment objective
amcan cyffredinol *eg* general objective
amcan gwybyddol *eg* cognitive objective
amcan gyrfaol *eg* career objective
amcangyfrif *be* estimate *v*
amcangyfrif *eg* estimate *n*
amcangyfrif â thuedd *eg* biased estimate (in statistics)
amcangyfrif cyfeiliornad *eg* estimation of error
amcangyfrif diduedd *eg* unbiased estimate
amcangyfrif swm lleiaf sgwariau *eg* least-squares estimate
amcangyfrifyn *eg* estimator
amcanion ymddygiad *ell* behaviour objectives
amddifadiad *eg* deprivation
amddifadiad diwylliannol *eg* cultural deprivation
amddifadiad emosiynol *eg* emotional deprivation
amddifadu *be* deprive (in general)
amddifadu'r synhwyrau *be* sensory deprivation
amddiffyn (yn erbyn rhywun neu rywbeth) *be* defend
amddiffyn (yn gyffredinol) *be* protect (=defend)
amddiffyn dyn am ddyn *be* man to man defence
amddiffyn oddi ar y droed flaen *be* defend off the front leg
amddiffyn rhanbarth *be* zone defence
amddiffyn sifil *eg* civil defence

---

adf, adv adferf, adverb   *ans, adj* ansoddair, *adjective*   *be* berf, *verb*   *eb* enw benywaidd, *feminine noun*   *eg* enw gwrywaidd, *masculine noun*

amddiffyn y gôl *be* defend the goal
amddiffyn y wiced *be* defend the wicket
amddiffynfa *eb* defence (=fortifications)
amddiffynfa allanol *eb* outwork (military)
amddiffynfa gylch *eb* ringwork
amddiffynfa naturiol *eb* natural defence
amddiffyniad (=cyfiawnhad yn erbyn cyhuddiad) *eg* defence (=justification in response to accusation)
amddiffyniad (yn gyffredinol) *eg* protection (=defence)
amddiffynnol (yn erbyn rhywun neu rywbeth) *ans* defensive
amddiffynnol (yn gyffredinol) *ans* protective
amddiffynnydd (yn gyffredinol) *eg* protector
Amddiffynnydd y Ffydd *eg* Defender of the Faith
amedr *eg* ammeter
amen *eg* amen
amenedigol *ans* perinatal
americiwm (Am) *eg* americium (Am)
amersiad *eg* amercement
amersu *be* amerce
amfae *eg* embayment
amfeddiad *eg* impropriation
amfeddu *be* impropriate
amfeddwr *eg* impropriator
amffibiad *eg* amphibian
amffibiaidd *ans* amphibious
amffictyoni *eg* amphictyony
amffinio *be* delimit
amffinydd *eg* delimiter
amffiprostyl *eg* amphiprostyle
amffitheatr *eg* amphitheatre
amffoterig *ans* amphoteric
amgaead cwmpawd *eg* compass housing
amgaeedig *ans* enclosed
amganol *eg* circumcentre
amgant *eg* periphery
amgantol *ans* peripheral *adj*
amgantydd *eg* peripheral *n*
amgarn *eg/b* ferrule
amgarn ddi-sêm *eb* seamless ferrule
amgáu *be* enclose (in general)
amgen *ans* alternative (=preferable)
amgodio *be* encode
amgrwm *ans* convex
amgrymedd *eg* convexity
amgryptio *be* encrypt
amguddiad *eg* obscuration (in physics)
amgueddfa *eb* museum
amgylch *eg* circumscribed circle
amgylchedd *eg* environment
amgylchedd anghyfarwydd *eg* unfamiliar environment
amgylchedd awyr agored *eg* outdoor environment
amgylchedd byd-eang *eg* global environment
amgylchedd dan do *eg* indoor environment
amgylchedd gwneud *eg* made environment
amgylchedd lleol *eg* local environment
amgylchedd mewnol *eg* internal environment

amgylchedd naturiol *eg* natural environment
amgylchedd yr ystafell ddosbarth classroom environment
amgylcheddol *ans* environmental
amgylchol *ans* circumscribed
amgylchu *be* circumscribe
amgylchyn *eg* surround *n*
amgylchyniad *eg* encirclement
amgylchynu *be* encircle
amharamedrig *ans* non-parametric
amharu ar *be* impair
amharhaol *ans* discontinuous (of variation)
amhendant *ans* undetermined
amhenderfynedig *ans* indeterminate (in economics)
amhenodrwydd *eg* indeterminacy
amhersonol *ans* impersonal
amherthnaseddol *ans* non-relativistic
amherthnasol *ans* irrelevant
amhur *ans* impure
amhuredd *eg* impurity
amhwysol *ans* unweighted
amid *eg* amide
amin *eg* amine
amineiddiad *eg* amination
aminoblastigion *ell* amino plastics
amis *eg* amice
amitosis *eg* amitosis
aml gydberthyniad *eg* multiple correlation
amlamrediad *ans* multi-range
amlannirlawn *ans* polyunsaturated
amlap *eg* wrap-around *n*
amlap awtomatig *eg* automatic wrap-around
amlapio *be* wrap-around *v*
amlbenrhynnol *ans* multi-peninsular
amlblecsydd *eg* multiplexor
amlblwyfaeth *eb* pluralism (=holding more than one benefice)
amlblwyfol *ans* pluralistic
amlblwyfydd *eg* pluralist
amlbwrpas *ans* versatile (of object)
amlder *eg* frequency (=commonness of occurence)
amlder cronnus *eg* cumulative frequency
amlder gollwng dŵr *eg* frequency of discharge of water
amldon *ans* multi-tone
amldrac *ans* multi-track
amldrac neu untrac track multiple or single
amlddefnyddiwr *eg* multi-user
amlddigid *ans* multidigit
amlddirgrynydd *eg* multivibrator
amlddirgrynydd gwrthsefydlog *eg* astable multivibrator
amlddiwylliannol *ans* multicultural
amlddrychigaeth *eb* multivoque
amldduwiaeth *eb* polytheism
amledau *ans* multistranded
amledd *eg* frequency (=rate of reccurrence of vibration etc)
amledd awdio *eg* audio frequency
amledd curiad *eg* beat frequency

---

amledd cysain *eg* resonant frequency
amledd isel *eg* low frequency
amledd uchel *eg* high frequency
amlen *eb* envelope
amlen llinellau syth *eb* envelope of straight lines
amlfalfog *ans* multi-valved
amlfesurydd *eg* multimeter
amlfodd *ans* multimodal
amlfynediad *ans* multi-access
amlgellog *ans* multicellular
amlgenhedlig *ans* cosmopolitan
amlgnwd *eg* polyculture *n*
amlgnydio *be* polyculture *v*
amlgyfrwng *ans* multimedia
amlgylchred *eg* polycycle
amlgylchredol *ans* polycyclic
amlgywair *ans* polytonal
amlgyweiredd *eg* polytonality
amlhadog *ans* multiseeded
amlhiliol *ans* multi-ethnic
amlieithog *ans* polyglot *adj*
amlieithydd *eg* polyglot *n*
amlin *eb* contour (in mathematics)
amlinell *eb* outline (=lines of an object) *n*
amlinelliad *eg* outline (=summary) *n*
amlinelliad byr *eg* brief outline
amlinellol *ans* outline *adj*
amlinellu *be* outline *v*
amlochrog *ans* multilateral
amlolwg *ans* multiview
amlorchwyl *ans* multi-tasking
amlosgiad *eg* cremation
amlraglennu *be* multi-programming
amlran *ans* multi-stage
amlsbin *ans* high spin
amlswyddogaethol *ans* multifunctional
amlsynhwyraidd *ans* multi-sensory
amlwead *ans* multi-textured
amlwg *ans* prominent
amlwreiciaeth *eb* polygamy
amlwriaeth *eb* polyandry
amlwythiant *eg* containerization
amlygrwydd *eg* prominence
amlygu *be* highlight (=bring into prominence)
amlyncu *be* engulf (amoeba etc)
aml-labedog *ans* multi-lobed
aml-lenwi *be* multifill
amnesia *eg* amnesia
amnest *eg* amnesty
Amnest Rhyngwladol *eg* Amnesty International
amnewid *be* replace
amnewid cyflawn *eg* total replacement
amnewid cymal *eg* joint replacement
amnewid mewnforion *be* import replacement
amnewid y am x *be* substitute x for y
amnewidiad *eg* substitution (of substance)
amnewidyn *eg* replacement

amnewidyn tyrpant *eg* turps substitute
amnion *eg* amnion
amobr *eg* merchet
amod *eg* condition (=stipulation etc)
amod gwasanaeth *eg* condition of service
amod gwerthu *eg* condition of sale
amodau cychwynnol *ell* initial conditions
amodau dechreuol *ell* start-up conditions
amodau ffin *ell* boundary conditions
amodau ffin hanfodol *ell* essential boundary conditions
amodau ffin naturiol *ell* natural boundary conditions
amodau gwaith *ell* working conditions
amodol *ans* conditional
amoebaidd *ans* amoeboid
amonia *eg* ammonia
amoniac *ans* ammoniac
amoniwm clorid *eg* ammonium chloride
amoniwm sylffid *eg* ammonium sulphide
amonolysis *eg* ammonolysis
amorffaidd *ans* amorphous
AMP cylchol *eg* cyclic AMP
amper *eg* ampere
ampersand (&) *eg* ampersand (&)
ampwl *eg* ampoule
amrediad *eg* range (=extent)
amrediad clywadwy *eg* audible range
amrediad critigol *eg* critical range
amrediad gwallau *eg* error range
amrediad llanw *eg* tidal range
amrediad lliw *eg* colour range
amrediad rhyngchwartel *eg* interquartile range
amrediad tymheredd *eg* temperature range
amrediad yr amrywiadau *eg* range of variations
amrwd *ans* crude (=not adjusted or corrected)
amrwym *eg* swathe *n*
amrwymo *be* swathe *v*
amryddawn (am berson) *ans* versatile (of person)
amryddawn (mewn bioleg) *ans* facultative (in biology)
amrylawr *ans* multi-storey
amryliw *ans* multichrome
amryweddau *ell* variates
amrywiad *eg* variation
amrywiad ffinedig *eg* bounded variation
amrywiad genetig *eg* genetic variant
amrywiad gwrthdro *eg* inverse variation
amrywiad parhaol *eg* perpetual variation
amrywiad rhythm *eg* variation of rhythm
amrywiad tyndra *eg* variation of tension
amrywiad union *eg* direct variation
amrywiadau *ell* divisions (=variations)
amrywiadol *ans* variational
amrywiaeth *eb* variety
amrywiaeth ansawdd *eb* quality variation
amrywiaeth defnyddiau *eb* assortment of materials
amrywiaeth ddiwylliannol *eb* cultural diversity
amrywiaeth o gerddoriaeth *eb* range of music

---

adf, adv adferf, adverb   **ans, adj** ansoddair, adjective   **be** berf, verb   **eb** enw benywaidd, *feminine noun*   **eg** enw gwrywaidd, *masculine noun*

amrywiaeth o gyfryngau *eb* variety of media

amrywiaeth o weithrediadau gymnastig *eb* range of gymnastic action

amrywiaeth ranbarthol *eb* regional variety

amrywiaethu *be* diversify

amrywiant *eg* variance

amrywio *be* vary

amrywio amseriad *be* vary timing

amrywiol *ans* assorted

amrywioldeb glawiad *eg* rainfall variability

amrywiolion nodwedd *ell* feature variants

amrywiolyn *eg* variant

amrywion *ell* separates

amrywion cydwedd *ell* coordinated separates

amser *eg* time (in general) *n*

amser a aeth heibio *eg* elapsed time

amser a gymerwyd *eg* time taken

amser adweithio *eg* reaction time

amser aros *eg* waiting time

amser bwydo *eg* feeding-time

amser byr *eg* short time

amser cinio *eg* lunch interval

amser cychwyn *eg* start time

amser cyffredin *eg* common time

amser cymedrig *eg* mean time

amser cyrchu *eg* access time (in computing)

amser cyrraedd *eg* time of arrival

amser cyswllt *eg* contact time

amser chwarae *eg* play time

amser chwilio *eg* search time

amser darllen *eg* read time

amser dau *eg* duple time

amser di-fynd *eg* down time

amser dwyran *eg* binary time

amser gorau *eg* best time

amser gweithredu *eg* execution time

amser haul *eg* apparent time

amser hedfan *eg* time of flight

amser llawn *eg* full time

amser mitotig *eg* generation time (in biology)

amser mynd (ar gyfrifiadur) *eg* uptime

amser paned (i gael coffi) *eg* coffee break

amser paned (i gael te) *eg* tea break

amser parhad (curiad y galon) *eg* duration (of heart beat)

amser priodol *eg* proper time

amser real *eg* real time

amser rhedeg *eg* run-time

Amser Safonol Greenwich *eg* Greenwich Mean Time

amser sychu *eg* drying time

amser y cwricwlwm *eg* curriculum time

amser y sêr *eg* sidereal time

amser ymateb *eg* response time

amser ymofyn *eg* seek time

amser yr haul *eg* solar time

amser ysgrifennu (ar gyfrifiadur) *eg* write time

amseriad *eg* timing *n*

amseriad taro *eg* rate of striking

amserlen *eb* timetable *n*

amserlen hyfforddiant personol *eb* personal training schedule

amserlennu *be* timetable *v*

amserlin *eg* time-base

amseru *be* time *v*

amseru da *be* good timing

amserwr *eg* time keeper

amserydd *eg* timer

amserydd adweithio *eg* reaction timer

amserydd cyfwng *eg* interval timer

amserydd ticio *eg* ticker timer

amsugnedd *eg* absorbency

amsugniad *eg* absorption

amsugniad detholus *eg* selective absorption

amsugno *be* absorb

amsugnol *ans* absorbent *adj*

amsugnydd *eg* absorbent *n*

amwys *ans* ambiguous

amyd *eg* mashlum

amyl asetad *eg* amyl acetate

amylas *eg* amylase

amylas poerol *eg* salivary amylase

amylu *be* oversew

am-edrych *ans* look-up

anabatig *ans* anabatic

anabl *ans* disabled

anabledd *eg* disability

anabledd corfforol *eg* physical disability

anabledd dysgu *eg* learning disability

anabledd dysgu difrifol *eg* severe learning disability

anabledd dysgu ysgafn *eg* mild learning disability

anabledd iaith *eg* language disorder

anabledd meddyliol *eg* mental disability

anabledd ysgafn *eg* mild disability

anableddau amryfal *ell* multiple disabilities

anabolaeth *eb* anabolism

anacrwsis *eg* anacrusis

anacrwstig *ans* anacrustic

anactif *ans* inactive

anactifedd *eg* inactivity

anadl *eg/b* breath

anadliad *eg* breath

anadlu *be* breathe

anadlu allan *be* exhale

anadlu ceg wrth geg *be* mouth-to-mouth respiration

anadlydd aerosol *eg* aerosol inhaler

anadnewyddadwy *ans* non-renewable

anadweithiol *ans* inert (without active chemical etc properties)

anaddysgadwy *ans* ineducable

anaeddfed (am bobl etc) *ans* immature

anaeddfed (am ffrwythau etc) *ans* unripe

anaemia *eg* anaemia

anaemia aflesol *eg* pernicious anaemia

anaemia cryman-gell *eg* sickle cell anaemia

anaerobig *ans* anaerobic *adj*

anaestheteg *eb* anaesthetics

anaesthetegydd *eg* anaesthetist

anaesthetig *eg* anaesthetic

anaesthetig cyffredinol *eg* general anaesthetic

anaesthetig lleol *eg* local anaesthetic

anaf *eg* injury

anaf annamweiniol *eg* non-accidental injury

anaf i'r pen *eg* head injury

anaf mathru *eg* crush injury

anafedig *eg* casualty (=injured person)

anafiadau niferus *ell* multiple injuries

anaffas *eg* anaphase

analog *ans* analogue *adj*

analog *eg* analogue *n*

analogaidd *ans* analogous (of computer or electronic process)

anallu *eg* inability

analluogi *be* disable

analluogi ymyriadau *be* disable interruptions

anarbenigol *ans* non-specialist

anarchaidd *ans* anarchist *adj*

anarchiaeth *eb* anarchy

anarchydd *eg* anarchist *n*

anarferedig *ans* obsolete

anastomosis *eg* anastomosis

anatomeg *eb* anatomy (as science)

anatomegol *ans* anatomical

anatomi *eg* anatomy (=body)

anathraidd *ans* impermeable

anawsterau ymddygiad *ell* behaviour difficulties

anawsterau ymddygiad ac emosiwn *ell* emotional and behavioural difficulties

ancr *eg* anchorite

androeciwm *eg* androecium

aneffeithiol *ans* ineffective

aneffeithioldeb *eg* ineffectiveness

aneffeithlon *ans* inefficient

aneffeithlonrwydd *eg* inefficiency

aneglur *ans* unclear *adj*

anelastig *ans* inelastic

anelectrolyt *eg* non-electrolyte

aneliad *eg* aim (in sport) *n*

anelio *be* anneal

anelu *be* aim (towards a target) *v*

anelu at y glwyd *be* aim for the hurdle

anelu ergyd *be* aim a stroke

anelu'r bêl *be* aim the ball

anelu'r foli *be* aim the volley

anemoffiledd *eg* anemophily

anemomedr *eg* anemometer

anenwol *ans* innominate (of artery)

anerchiad *eg* address (=speech)

anergydiwr *eg* non-striker

aneroid *ans* aneroid *adj*

aneroid *eg* aneroid *n*

anestynadwy *ans* inextensible

anewrin *eg* aneurine

anfadwaith *eg* villainy

anfagnetig *ans* non-magnetic

anfantais *eb* disadvantage

anfantais gorfforol *eb* physical handicap

anfantais ddifrifol *eb* profound handicap

anfantais meddwl *eb* mental handicap

anfarwoldeb *eg* immortality

anfeidraidd *ans* infinite

anfeidredd *eg* infinity

anferth *ans* gigantic

anfesuradwy *ans* non-quantifiable

anfetel *eg* non-metal

anfetelaidd *ans* non-metallic

anfiodiraddadwy *ans* non-biodegradable

anflodeuol *ans* non-flowering

anfodyledig *ans* unmodulated

anfoesegol *ans* unethical

anfoesol *ans* immoral

anfoesoldeb *eg* immorality

anfolcanig *ans* non-volcanic

anfon *be* send

anfon i'r ysbyty *be* hospitalize

anfon o'r cae *be* send off *v*

anfonebu *be* invoicing

anfwriadol *ans* unintentional

anfyw *ans* non-living

anfferrus *ans* non-ferrous

anffit *ans* unfit

anfflamadwy *ans* non-flammable

anffosfforig *ans* non-phosphoric

anffrwythlon (am dir etc) *ans* infertile

anffrwythlondeb (am dir etc) *eg* infertility

anffurfiad *eg* deformation

anffurfiad onglog *eg* angular deformation

anffurfiant *eg* deformity

anffurfio *be* deform

anffurfiol *ans* informal

anffyddiaeth *eb* atheism

anffyddiwr *eg* atheist *n*

angiosberm *eg* angiosperm

Anglican *eg* Anglican *n*

Anglicanaidd *ans* Anglican *adj*

anhafal *ans* unequal (in mathematics)

anhafaledd *eg* inequality

anhafaliad *eg* inequation

anhanfodion *ell* inessentials

anhanfodion (diwinyddol) *ell* accidents (in theology)

anharmonig *ans* anharmonic *adj*

anharmonig *eg* anharmonic *n*

anhawster *eg* difficulty

anhawster canfyddiad *eg* perceptual difficulty

anhawster cyfathrebu *eg* communication difficulty

anhawster dysgu *eg* learning difficulty

anhawster dysgu canolig *eg* moderate learning difficulty

anhawster dysgu difrifol *eg* severe learning difficulty

---

anhawster dysgu penodol *eg* specific learning difficulty
anhawster llefaru *eg* speech difficulty
anheddeg *eb* ekistics
anheddfudd *eg* housebote
anheddiad *eb* settlement (of place by people)
anheddiad cnewyllol *eg* nucleated settlement
anheddiad hirgul *eg* ribbon settlement
anheddiad sifil *eb* civil settlement
anheddiad tarddlin *eg* spring line settlement
anheddu *be* settlement (of place by people)
anhrefn *eg/b* disorder (=lack of order)
anhrefnedig *ans* unsorted
anhrosaidd *ans* intransitive (in mathematics)
anhryledadwy *ans* indiffusible
anhuddo (tân) *be* banking up (fire)
anhunedd *eg* insomnia
anhwylder *eg* ailment
anhwylder personoliaeth *eg* personality disorder
anhwylder affeithiol *eg* affective disorder
anhwylder gwybyddol *eg* cognitive disorder
anhwylder meddwl *eg* mental disorder
anhwylustod *eg* inconvenience
anhyblyg *ans* rigid
anhyblygedd *eg* rigidity
anhyblygrwydd *eg* inflexibility
anhydawdd *ans* insoluble
anhydoddedd *eg* insolubility
anhydrad *eg* anhydrate
anhydraidd *ans* impervious
anhydraul *ans* indigestible
anhydrid *eg* anhydride
anhydrin *ans* intractable
anhydrus *ans* anhydrous
anhyglyw *ans* inaudible
anhygyrch *ans* inaccessible
anhygyrchedd *eg* inaccessibility
anhynod *ans* non-singular
anhysbys *ans* unknown *adj*
anhysbysyn *eg* unknown (in mathematics) *n*
anianawd *eg* temperament (of character)
anifail *eg* animal *n*
anifail cnoi cil *eg* ruminant
anifail gwaed cynnes *eg* warm blooded animal
anifail gwedd *eg* draught animal
anifail pwn *eg* pack animal
anifail tir *eg* land animal
anifeilaidd *ans* animal *adj*
anilin *eg* aniline
animeiddiad *eg* animation
animeiddio *be* animate
animeiddydd *eg* animator
animistaidd *ans* animistic
animistiad *eg/b* animist
animistiaeth *eb* animism
anïon *eg* anion
anionig *ans* anionic
anleihaol *ans* nondecreasing

anllythrennedd *eg* illiteracy
anllythrennedd gweithredol *eg* functional illiteracy
anllythrennog *ans* illiterate
annanheddus *ans* unindented
annarogan *ans* unpredictable
annatblygedig *ans* backward (=primitive)
annatod *ans* integral (part of something) *adj*
annedd *eg/b* dwelling
annedd bant *eb* pit dwelling
annedd wasgarog *eb* scattered settlement
annegyddol *ans* non-negative
annel *eg* stanchion
annerch (cyfarfod) *be* address (a meeting) *v*
annheg *ans* unfair
annherfynus *ans* non-terminating
annheyrngarwch *eg* disaffection
annhrigiadwy *ans* uninhabitable
annhyngwr *eg* non-juror
annibyniaeth *eb* independence
annibyniaeth data *eb* data independence
annibyniaeth linol *eb* linear independence
Annibynnol *ans* Congregationalist *adj*
annibynnol *ans* independent
annibynnol (ar) *ans* independent (of)
annibynnol ar y peiriant *ans* machine independent
Annibynnwr *eg* Congregationalist *n*
anniddigrwydd *eg* discontent
anniflan *ans* fast (of colour)
anniflanedd *eg* fastness (of colour)
anniffiniedig *ans* undefined
annigonol *ans* inadequate
annilys *ans* invalid (of passport etc) *adj*
annirlawn *ans* unsaturated
annistadl *ans* nontrivial
annistrywiol *ans* non-destructive
annog *be* encourage
annormal *ans* abnormal
annormaledd *eg* abnormality
annosbarthedig *ans* unclassified
annwyd *eg* cold (=common cold) *n*
annyfrllyd *ans* non aqueous
anobeithiol *ans* hopeless
anocsia *eg* anoxia
anod *eg* anode
anodau *ell* annates (=first fruits)
anodeiddio *be* anodize
anodi *be* annotate
anodiad *eg* annotation
anodig *ans* anodic
anodd *ans* difficult
anodd iawn *ans* very difficult
anoddefgarwch *eg* intolerance
anoddefgarwch crefyddol *eg* religious intolerance
anogwr *eg* prompt (in computing) *n*
anoleuol *ans* non-luminous
anomaledd *eg* anomaly

anomaledd isostatig *eg* isostatic anomaly

anomalus *ans* anomalous

anorecsia nerfosa *eg* anorexia nervosa

anorecsig *ans* anorexic

anorganig *ans* inorganic

anostyngadwy *ans* irreducible

anraddedig *ans* ungraded

anrhaith *eg* sack (=destruction)

Anrhaith Rhufain *eg* Sack of Rome

anrheithio *be* ravage

anrheolaidd *ans* anomalous (in biology etc)

anrhifaidd *ans* non-numeric

Anrhufeinig *ans* Non-Roman

anrhydedd *eb* honour *n*

anrhydeddu *be* honour *v*

anrhywiol *ans* asexual

ansadrwydd *eg* instability (of object)

ansawdd *eg* quality

ansawdd hufennol *eg* creamy consistency

ansawdd llythyr *ans* NLQ (near letter quality)

ansawdd meddal *eg* soft consistency

ansawdd y tôn *eg* tone quality

ansawdd yr amgylchedd *eg* quality of the environment

ansefydlog *ans* unstable

ansefydlogrwydd *eg* instability (of economy, society etc)

ansegmennol *ans* unsegmented

anseneddol *ans* unparliamentary

ansero *ans* non-zero

ansoddol *ans* qualitative

ansoddyn *eg* constituent (chemical)

ansylfaenol *ans* non-basic

ansymudoledd *eg* immobility

ansystematig *ans* non-systematic

Antartig *eg* Antarctic

antena *eg* antenna (=aerial)

antennyn *eg* antennule

anterth (sffêr wybrennol) *eg* zenith

anterth (yn gyffredinol) *eg* peak (=time of greatest success)

anterthol *ans* zenithal

anticlin *eg* anticline

anticlinol *ans* anticlinal

anticlinoriwm *eg* anticlinorium

antiffon *eb* antiphon

antigen *eg* antigen

antimoni (Sb) *eg* antimony (Sb)

antinod *eg* antinode

antinomaidd *ans* antinomian *adj*

antinomiad *eg* antinomian *n*

antinomiaeth *eb* antinomianism

Antiochaidd *ans* Antiochene

antiproton *eg* antiproton

antiseiclon *eb* anticyclone

antiseiclon rhwystrol *eg* blocking anticyclone

antiseiclonig *ans* anticyclonic

antiseptig *ans* antiseptic *adj*

antiseptig *eg* antiseptic *n*

antithesis *eg* antithesis

anthem *eb* anthem

anthem genedlaethol *eb* national anthem

anthem lawn *eb* full anthem

anthem wersi *eb* verse anthem

anther *eg* anther

anthocsanthin *eg* anthoxanthin

anthocyanin *eg* anthocyanin

anthropoid *eg* anthropoid

anthropoleg *eb* anthropology

anthropometreg *eb* anthropometrics

anthropomorffaeth *eb* anthropomorphism

anthropomorffaidd *ans* anthropomorphic

anudoniaeth *eb* perjury

anufudd *ans* disobedient

anufudd-dod sifil *eg* civil disobedience

anuffudd-dod *eg* disobedience

anunffurf *ans* non-uniform

anuniongyrchol *ans* indirect

anwadal *ans* fluctuating

anwadaliad *eg* fluctuation

anwadalu *be* fluctuate (in general)

anwag *ans* non-empty

anwahanadrwydd *eg* indivisibility

anwahanadwy *ans* indivisible

anwahaniaethrwydd *eg* indistinguishability

anwastad *ans* uneven

anwe *eb* weft

anwedd *eg* condensation (=condensed water vapour)

anwedd dŵr *eg* water vapour

anwedd fflamadwy *eg* inflammable vapour

anweddiad *eg* evaporation

anweddol (mewn cemeg) *ans* volatile (in chemistry)

anweddolrwydd *eg* volatility

anweddu *be* evaporate

anwesu *be* cuddle

anwirfoddol *ans* involuntary

anwlar *ans* annular (in physics)

anwlws *eg* annulus (in physics)

anwria *eg* anuria

anwrthdroadol *ans* non-inverting

anwrthwynebiad *eg* non-resistance

anws *eg* anus

anwybyddu *be* ignore

anwydrog *ans* non-vitreous

anwyldeb *eg* affection (=tenderness)

anwythiad *eg* induction (of electric or magnetic force, reasoning)

anwythiad mathemategol *eg* mathematical induction

anwytho *be* induce (in logic, physics etc)

anwythol *ans* inductive

anwythydd *eg* inductor

anymagorol *ans* indehiscent

anymatal *ans* incontinent

anymataliaeth *eb* incontinence

anymochredd *eg* non-alignment

anymochrol *ans* non-aligned

---

anymwybodol *ans* unconscious
anymyrraeth *eb* non-intervention
anystwyth *ans* stiff
aorta *eg* aorta
apartheid *eg* apartheid
apathi *eg* apathy
apêl *eb* appeal *n*
apelio *be* appeal *v*
apelydd *eg* appellant
apig *eb* apex
apigol *ans* apical
apocalyptaidd *ans* apocalyptic *adj*
apocalypteg *eb* apocalyptic *n*
apocarpog *ans* apocarpous
apocryffa *eg* apocrypha
apoge *eg* apogee
apostol *eg* apostle
apostolaidd *ans* apostolic *adj*
apostoliaeth *eb* apostleship
apostoligrwydd *eg* apostolicity
apoyando *eg* apoyando
appliqué *eg* appliqué
appoggiatura *eg* appoggiatura
apwyntiad *eg* appointment (to see someone)

âr *ans* arable
âr *eg* are (unit of area)

ar adlam *adf* on the rebound
ar brawf on probation
ar bremiwm at a premium
ar draws y graen across the grain
ar ddisgownt at a discount
ar ei orau cyn best before
ar eich marciau on your marks
ar flaenau'r traed *adf* on toes
ar ffurf U *ans* U-shaped
ar ffurf V *ans* V-shaped
ar ffurf wy *ans* egg shape
ar gael *ans* available
ar gau *ans* closed (shop sign etc)
ar golyn *ans* pivoted
ar gyfartaledd *ans* on average
ar hap at random
ar hyd i bawb a fynno longways for as many as will
ar hyd y graen along the grain
ar lawn werth at par
ar letraws *ans* askew (in carpentry)
ar ogwydd *ans* tilted
ar ongl *ans* at an angle
ar ongl 35° *ans* at an angle of 35°
ar ôl yr oes *ans* outdated
ar oledd *ans* inclined
ar raddfa fawr *ans* large-scale
ar safle'r ysgol on the school site
ar wahân *ans* separate *adj*
ar wastad ei chefn *ans* supine *(with feminine nouns)*
ar wastad ei gefn *ans* supine *(with masculine nouns)*

ar y cefn *adf* on the back
ar y llawr on the floor
ar y pryd *adf* extempore
ar y tu blaen *adf* on the front
ar yr ystlys *adf* on the wing
arabésg *eg* arabesque
aradeiledd *eg* superstructure
aradfudd *eg* ploughbote
arae *eb* array
arae graffeg fideo uwch *eb* super video graphics array
araen *eb* coat (in metalwork, plastics) *n*
araen blastig *eb* plastic coating
araen ddiogelu *eb* protective coating
araen gel *eb* gel coat
araen grwnd *eb* ground coat
araenu *be* coat (in metalwork, plastics) *v*
araf *ans* slow

arafiad (=colli cyflymder) *eg* deceleration
arafiad (am y llanw etc) *eg* retardation (of tides etc)

arafu *be* slow down
arafwch *eg* backwardness
arafwch *eg* retardation (of mind)
arafwch meddwl *eg* mental retardation
arafwr *eg* retarder
araith *eb* speech (=oration)
araith sefydlu *eb* inaugural speech
arall *ans* alternative (=other) *adj*
aralleirio *be* paraphrase
aralliad *eg* alienation (of property etc)
arallu (eiddo) *be* alienate (property)
Aramaeg *eb* Aramaic (of language)
Aramaegeb *eb* Aramaism
Aramaeaidd *ans* Aramaic
arbed *be* save (=rescue)
arbed ergyd *be* save a shot
arbed llafur *be* labour saving
arbediad *eg* saving
arbedion effeithlonrwydd *ell* efficiency savings
arbedion feis *ell* vice clamps
arbelydriad *eg* irradiation
arbelydru *be* irradiate
arbenigaeth *eb* specialization
arbenigedd *eg* expertise
arbenigo *be* specialize
arbenigol *ans* specialized
arbenigwr *eg* specialist
arbenigwr cyfreithiol *eg* jurist
arbor *eg* arbor
arbrawf *eg* experiment *n*
arbrawf goroesi *eg* life span experiment
arbrawf labordy *eg* laboratory experiment
arbrisiant *eg* appreciation (in value)
arbrofi *be* experiment *v*
arbrofol *ans* experimental
arc *eb* arc
arc dangiadol *eb* tangential arc

---

arc flaen *eb* forward arc
arc gyffwrdd *eb* arc of contact
arc y gornel *eb* corner arc
arcêd *eb* arcade
Arctig *eg* Arctic
arctig alpinaidd *eg* arctic alpine
arc-weldio *be* arc welding
archaeoleg *eb* archaeology
archangel *eg* archangel
archdeip *eg* archetype
archddinas *eb* primate city
archddug *eg* grand duke
archdduges *eb* archduchess
archddugiaeth *eb* archduchy
archddyfarniad *eg* decree (in courts of law) *n*
archddyfarnu *be* decree (in courts of law) *v*
archeb *eb* order (=something asked for)
archeb arian *eb* money order
archeb banc *eb* banker's order
archeb bost *eb* postal order
archeb drwy'r post *eb* mail order *n*
archebu *be* order (=request to supply) *v*
archebu drwy'r post *be* mail order *v*
Archentaidd *ans* Argentine *adj*
Archentwr *eg* Argentine *n*
archesgob *eg* primate
archfarchnad *eb* hypermarket
archif *eg* archive *n*
archifdy *eg* record office
Archifdy Gwladol *eg* Public Record Office
archifdy'r sir *eg* county record office
archifo *be* archive *v*
archifydd *eg* archivist
architraf *eg* architrave
archoll *eg* cut (=wound) *n*
archolladwy *ans* vulnerable
archwaeth *eb* appetite
archwiliad (o syniadau) *eg* exploration (of ideas)
archwiliad (meddygol) *eg* examination (of patient etc)
archwiliad (gan gyfrifwyr) *eg* audit *n*
archwiliad clinigol *eg* clinical audit
archwiliad dan anaesthetig *eg* examination under anaesthetic
archwiliad meddygol *eg* medical audit
archwiliad nyrsio *eg* nursing audit
archwiliad strategol *eg* reconnaissance
archwiliadol *ans* exploratory
archwilio (=edrych yn fanwl ar) *be* examine (=look closely at)
archwilio (gan gyfrifwyr) *be* audit *v*
archwilio (syniadau etc) *be* explore (ideas)
archwilio strategol *be* reconnoitre
archwiliwr *eg* auditor
archwiliwr cyfrifon *eg* auditor of accounts
archwladwriaeth *eb* super state
archwys *eg* exudate
archwysu *be* exude

Arch-chwilyswr *eg* Inquisitor General
ardal (=cymdogaeth) *eb* district (=area with common characteristics)
ardal (=rhanbarth penodol) *eb* belt (=area)
ardal (yn gyffredinol) *eb* area (=district in general)
ardal (mewn cerddoriaeth) *eb* region (in music)
ardal adeiledig *eb* built-up area
ardal amaethyddol *eb* agricultural area
ardal arafgynnydd *eb* backward area
Ardal Corn a Moch *eb* Corn Hog Belt
ardal dosbarth uchaf *eb* high class area
ardal drefol *eb* urban area
ardal ddadfilwriedig *eb* demilitarized zone
ardal ddatblygu *eb* development area
ardal ddatblygu arbennig *eb* special development area
ardal ddifreintiedig *eb* deprived area
ardal ddirwasgedig *eb* depressed area
ardal ddiwydiannol *eb* industrial area
ardal eang *eb* wide area
ardal ethnograffig *eb* ethnographic area
Ardal Fasnach Rydd Ewropeaidd *eb* European Free Trade Area
ardal fenter *eb* enterprise zone
ardal ffiniol *eb* frontier district
ardal gadwraeth *eb* conservation area
ardal gofalon canolog *eb* central care area
ardal gotwm *eb* cotton belt
ardal gwelliannau cyffredinol *eb* general improvement area
ardal gyferbyniol *eb* contrasting locality
ardal gynorthwyedig *eb* assisted area
ardal hynod o hardd *eb* area of scenic attraction
ardal lanio *eb* landing area
ardal leol *eb* local area
ardal lwyd *eb* grey area
ardal o dangynhyrchu amaethyddol *eb* agricultural deficiency area
ardal o flaenoriaeth addysgol *eb* education priority area
ardal o orgynhyrchu amaethyddol *eb* agricultural surplus area
ardal o werth amgylcheddol mawr *eb* area of great environmental value
ardal samplu *eb* sample area
ardal waith *eb* work area
ardal wasanaeth *eb* service area
ardal wedi'i diboblogi *eb* depopulated area
ardal weithredu ar dai *eb* housing action area
ardal wledig *eb* rural area
Ardal y Llynnoedd *eb* Lake District
ardalydd *eg* marquis
ardaro *be* impinge
ardoll *eb* levy (in finance)
ardrawiad *eg* impact (=firm press)
ardraws *ans* transverse
ardrawslin *eb* transversal
ardrefniant *eg* settlement (=agreement)
ardrefniant chwyldroadol *eg* revolutionary settlement

---

adf, adv adferf, *adverb* **ans, adj** ansoddair, *adjective* **be** berf, *verb* **eb** enw benywaidd, *feminine noun* **eg** enw gwrywaidd, *masculine noun*

Ardrefniant Edward *eg* Edwardian Settlement

Ardrefniant Eglwysig Elizabeth *eg* Elizabethan Church Settlement

ardrefniant Protestannaidd *eg* Protestant settlement

ardrefniant Tuduraidd *eg* Tudor settlement

ardrethol *ans* rateable

ardyfiant planhigol *eg* gall (on plants)

ardymer *eg/b* temperament (in music)

ardymer cyfartal *eg* equal temperament

ardymer trydydd cyfartal *eg* mean tone temperament

ardymheru *be* temper (a musical instrument) *v*

ardystio *be* certify

ardywallt *be* decant

arddangos *be* exhibit

arddangosfa *eb* exhibition

arddangosfa ddawnsio *eb* display of dancing

arddangosfa mur *eb* wall display

ArddangosfaFawr *eb* Great Exhibition

arddangosiad *eg* display (act of) *n*

arddangosiad grisial hylif *eg* liquid crystal display (LCD)

arddangoswr *eg* exhibitor

arddangosydd saith-segment *eg* seven-segment display

arddegau *ell* teens

arddel credoau gwahanol *be* profess different creeds

arddel *eb* effigy

arddull *eg/b* style

arddull addysgu *eg* teaching style

arddull dysgu *eg* learning style

arddull ddarddullaidd *eg* mannerist style

arddull pensaernïol *eg* architectural style

arddull y cyfeiliant *eg* style of accompaniment

arddulliadol *ans* stylistic

arddwrn *eg* wrist

arddwrn cadarn *eg* firm wrist

arddwys *ans* intensive (in physics)

arddwysedd *eg* intensity (in physics)

arddwysedd goleuol *eg* luminous intensity

aren *eb* kidney

aren artiffisial *eb* artificial kidney

arena *eb* arena

arennill y cant *eg* percentage yield

arennog *ans* kidney shape

arennol *ans* renal

arestiad *eg* arrest *n*

arestio *be* arrest *v*

arf *eg* weapon

arf ataliol *eg* deterrent *n*

arfaeth amlwg *eb* manifest destiny

arfau *ell* armaments

arfau mowldiwr *ell* moulder's tools

arfau rhyfel *ell* munitions

arfau V *ell* V-weapons

arfbais *eb* coat of arms

arfbib *eb* armoured hose

arfdy *eg* arsenal (=weapons store)

arfer *eg/b* practice (=habit) *n*

arfer diwydiannol *eg* industrial practice

arfer gwael *eg* bad practice

arfer y faenor *eg* custom of the manor

arferion bwyta *ell* feeding habits

arferion cyfyngol *ell* restrictive practices

arferion y Mers *ell* marcher customs

arfin *eg* knife edge (in physics, chemistry)

arfloyw *ans* armour bright

arfogaeth *eb* armour

arfogi *be* arm (with weapons) *v*

arfordir *eg* coast

arfordir cyfodol *eg* coast of emergence

arfordirol *ans* coastal

arforol *ans* maritime

arfwisg *eb* suit of armour

arffin *eb* bound (=limitation) *n*

arffin isaf *eg* lower bound

arffin uchaf *eg* upper boundary

arg *eg* amplitude (in mathematics)

argae *eg* dam *n*

argae iâ *eg* ice dam

argae rhew *eg* ice dam

argaeledd *eg* availability

argaen *eg* veneer *n*

argaen addurnol *eg* decorative veneer

argaen cydbwyso *eg* balancer veneer

argaen llifdoriad *eg* saw-cut veneer

argaen toriad cylchdro *eg* rotary-cut veneer

argaen toriad cyllell *eg* knife-cut veneer

argaen toriad hanner cylchdro *eg* half rotary-cut veneer

argaen wyneb *eg* face veneer

argaenu *be* veneer *v*

argaenu gwasgblat *be* caul veneering

argaenwaith *eg* marquetry

arginin *eg* arginine

arglwydd *eg* lord

Arglwydd Adfocad *eg* Lord Advocate

arglwydd am oes *eg* life-peer

Arglwydd Amddiffynnydd *eg* Lord Protector

Arglwydd Faer *eg* Lord Mayor

Arglwydd Ganghellor *eg* Lord Chancellor

Arglwydd Geidwad *eg* Lord Keeper

Arglwydd Geidwad y Sêl Fawr *eg* Lord Keeper of the Great Seal

Arglwydd Lywydd *eg* Lord President

Arglwydd Raglaw *eg* Lord Lieutenant

arglwydd rhyfel *eg* war lord

Arglwydd Uchel Drysorydd *eg* Lord High Treasurer

Arglwydd Uchel Lyngesydd *eg* Lord High Admiral

arglwydd y faenor *eg* lord of the manor

Arglwyddi Apelyddol *ell* Appellant Lords

Arglwyddi Lleyg ac Eglwysig *ell* Lords Temporal and Spiritual

Arglwyddi Ordeinwyr *ell* Lords Ordainers

arglwyddiaeth *eb* lordship

arglwyddiaeth freiniol *eb* honour (feudal)

arglwyddiaethol *ans* seigneurial

arglwyddi'r deyrnas *ell* peerage

---

eg/b enw gwrywaidd/benywaidd, *feminine/masculine noun*   *ell* enw lluosog, *plural noun*   *v* berf, *verb*   *n* enw, *noun*

Arglwyddi'r Gororau *ell* Lords Marcher
Arglwyddi'r Gynulleidfa *ell* Lords of the Congregation
Arglwyddi'r Mers *ell* marcher Lords
argoel *eb* prognosis
argon (Ar) *eg* argon (Ar)
argor *eg* groyne
argorfa orthogonol *eb* orthogonal orifice
argraff *eb* impression
argraff craidd *eb* core impression
argraffadwy *ans* impressionable
argraffiad *eg* edition
argraffiad clawr papur *eg* paper-back edition
argraffiad craidd *eg* core print
argraffiadaeth *eb* impressionism
argraffiadol *ans* impressionistic
argraffiadydd *eg* impressionist
argrafflen *eb* broadsheet
argraffu *be* print (text) *v*
argraffu cyfrannol *be* proportional printing
argraffu jymbo *be* jumbo print
argraffu offset *be* offset printing
argraffu sgrin *be* screen dump
argraffu ychwanegol *be* additive printing
argraffydd *eg* printer
argraffydd cadwyn *eg* chain printer
argraffydd celwrn *eg* barrel printer
argraffydd chwistrell *eg* ink-jet printer
argraffydd drwm *eg* drum printer
argraffydd gwifren *eg* wire printer
argraffydd laser *eg* laser printer
argraffydd matrics *eg* dot matrix printer
argraffydd nodau *eg* character printer
argraffydd olwyn *eb* daisy-wheel printer
argraffydd paralel *eg* parallel printer
argraffydd sbŵl *eg* spooled printer
argraffydd serograffig *eg* xerographic printer
argraffydd traw *eg* impact printer
argragen *eb* carapace
argroenol *ans* topical (=on skin) *adj*
arguddiad *eg* occulation
argyfwng *eg* emergency *n*
argyfwng bywyd *eb* life crisis
Argyfwng y Gwahardd *eg* Exclusion Crisis
argyfyngus *ans* critical (of or at a crisis)
argymell *be* recommend (=advise as a course of action)
argymhelliad *eg* recommendation (=advice)
arholi *be* examine (=test in an examination)
arholiad *eg* examination
arholiad agored *eg* open examination
arholiad gwahaniaethol *eg* differentiated examination
arholiad mewnol *eg* internal examination
arholiadau terfynol *ell* finals
arholwr allanol *eg* external examiner
arholwr mewnol *eg* internal examiner
aria *eb* aria
Ariad *eg* Aryan *n*
Ariaidd *ans* Aryan *adj*

arian (=cyfrwng cyfnewid) *eg* money
arian (Ag) *eg* silver (Ag)
arian a ddyrennir i ysgolion *eg* money allocated to schools
arian bath *eg* coinage
arian byw *eg* quick silver
arian cochion *ell* copper money
arian cwmni *eg* company finance
arian cyfred *eg* currency
arian cywir *eg* exact money
arian degol *ell* decimal coinage
arian gwynion *ell* silver money
arian nicel *eg* nickel silver
arian papur *ell* banknotes
arian parod *eg* cash
arian poced *eg* pocket money
arian Sheffield Sheffield plate
arian treigl *eg* current money
arian tryc *eg* token (in truck system)
arianbresyddu *be* silver-braze
ariannol *ans* monetary
ariannu *be* finance *v*
ariannu'r gweithgareddau *be* finance the activities
ariannwr *eg* financier
arianolaeth *eb* monetarism
ariansodro *be* silver soldering
arioso *eg* arioso
arloesi *be* innovate
arloesol *ans* pioneer *adj*
arloeswr *eg* pioneer *n*
arlunydd *eg* painter (of pictures)
arlunydd gwlad *eg* artisan painter
arlwyaeth *eb* purveyance
arlwyo *be* cater (food)
arlwywr *eg* caterer
arlywydd *eg* president
arlywyddiaeth *eb* presidency
arlliw *eg* tint *n*
arlliw gamboge *eg* gamboge tint
arlliwedig *ans* tinted
arlliwio *eb* tint *v*
arlliwio llethrau *be* hill shading
arllwys *be* pour
arllwys metel *be* metal pouring
arllwysiad *eg* infusion (of action)
arllwysiad mewnwythiennol *eg* intravenous infusion (of action)
arllwysiad parhaus *eg* continuous infusion (of action)
armada *eb* armada
armatwr *eg* armature
armel *eg* hind-milk
Arminaidd *ans* Arminian *adj*
Arminiad *eg* Arminian *n*
Arminiaeth *eb* Arminianism
armonica *eg* armonica
arnodedig *ans* endorsed

---

adf, adv adferf, *adverb*   *ans, adj* ansoddair, *adjective*   *be* berf, *verb*   *eb* enw benywaidd, *feminine noun*   *eg* enw gwrywaidd, *masculine noun*

arnodi *be* endorse (=write on the back of a cheque etc)

arnodiad *eg* endorsement (=writing on back of cheque etc)

arnofiad *eg* flotation

arnofio *be* float *v*

Arnwlff *eg* Arnulph

arogl *eg* smell

arogldarth *eg* incense (sweet smelling gum or spice)

arogleuol *ans* olfactory

arogli *be* smell *v*

arogli glud *be* glue sniffing

arogli hydoddyddion *be* solvent sniffing

aroglus *ans* odourous

arolwg *eg* survey *n*

arolwg awyr *eg* air survey

arolwg barn *eg* opinion poll

arolwg bodlonrwydd cleifion *eg* patient satisfaction survey

Arolwg DefnyddTir (ADT) *eg* Land Use Survey (LUS)

arolwg defnyddio adeiladau *eg* building use survey

Arolwg GwariantTeulu *eg* Family Expenditure Survey

arolwg llenyddol *eg* literature survey

arolwg ordnans *eg* ordnance survey

arolygiad *eg* inspection

arolygiaeth *eb* inspectorate

Arolygiaeth ei Mawrhydi (AEM) Her Majesty's Inspectorate (HMI)

arolygu *be* inspect

arolygwr *eg* inspector

aromatig *ans* aromatic

arorwt *eg* arrowroot

aros ymlaen *be* staying on (at school)

arosgedd *eg* obliqueness

arosgo *ans* oblique

arosod *ans* superimposed

arosod *be* superimpose

arosodiad *eg* superposition

arpeggio *eg* arpeggio

arsenal *eg* arsenal (in geography)

arsenig (As) *eg* arsenic (As)

arsugnedd *eg* adsorbency

arsugniad *eg* adsorption

arsugno *be* adsorb

arsugnydd *eg* adsorbent

arsugnyn *eg* adsorbate

arswyd *eg* horror

arsylw *eg* observation

arsylw niwrolegol *eg* neurological observation

arsylwi *be* observe

arsylwi ffenomenau *be* observe phenomena

arsylwi gwersi *be* lesson observation

arsylwi yn yr ystafell ddosbarth *be* classroom observation

arsylwr *eg* observer

arsylladwy *ans* observable

arsyllfa *eb* observatory

arsyllu *be* observe (by telescope / microscope)

Art Nouveau *eb* Art Nouveau

arteffact *eg* artefact

arteithglwyd *eb* rack (for torture)

arteithio *be* torture *v*

arteriosglerosis *eg* arteriosclerosis

artiffisial *ans* artificial

artisiog *eg* artichoke

artisiog glôb *eg* globe artichoke

artisiog Jeriwsalem *eg* Jerusalem artichoke

artist *eg* artist

arthropod *eg* arthropod

arunig (am gemegyn) *ans* isolated (of chemical)

arunig (yn gyffredinol) *ans* stand alone

arunigo (cemegyn) *be* isolate (a chemical) *v*

arunigydd *eg* isolator

arwahanol *ans* discrete

arwahanrwydd gogoneddus *eg* splendid isolation

arwahanu *eg* segregation

arwahanu genynnau *be* genetic isolation

arwahanu hiliol *be* racial segregation

arwahanydd *eg* isolationist

arwain (=tywys) *be* lead (=guide) *v*

arwain (cerddorfa) *be* conduct (orchestra) *v*

arwain i fyny *be* lead up

arwain i lawr *be* lead down

arwaith *eg* action (=exertion of energy or influence)

arwaith crampio *eg* cramping action

arwaith llithr *eg* sliding action

arwaith sgraffinio *eg* abrasive action

arwaith tafellu *eg* slicing action

arwaith torri *eg* cutting action

arwedd *eb* feature (on surface)

arwedd arfordirol *eb* coastal feature

arwedd nodweddiadol *eb* characteristic feature

arweddion craig *ell* rock features

arweddion dŵr *ell* water features

arweiniad *eg* guidance

arweiniad ar ddatblygiad *eg* developmental guidance

arweiniad parhaus *eg* continuous guidance

arweiniad tapr *eg* taper lead

arweinlyfr *eg* guide book

arweinydd (cerddorfa) *eg* conductor (of orchestra)

arweinydd (yn gyffredinol) *eg* leader (in general)

arweinydd cwricwlwm *eg* curriculum leader

arweinydd chwarae *eg* play leader

arweinydd grŵp *eg* group leader

arweinydd ieuenctid *eg* youth leader

arweinyddiaeth *eb* leadership

arwerthiant *eg* auction sale

arwerthwr *eg* auctioneer

arwisgiad *eg* investment

arwisgo *be* invest

arwr *eg* hero

arwrgerdd *eg* epic *n*

arwrol *ans* epic *adj*

arwydryn *eg* coverslip

arwydd (cywair neu amser) *eg/b* signature (of key or time)

arwydd (yn gyffredinol) *eg/b* sign

---

eg/b enw gwrywaidd/benywaidd, *feminine/masculine noun*   *ell* enw lluosog, *plural noun*   **v** berf, *verb*   **n** enw, *noun*

arwydd confensiynol *eg* conventional sign
arwydd cyfyngder *eg* distress signal
arwydd cywair *eg* key signature
arwydd gweledol *eg* visual sign
arwydd llaw *eg* handsign (for pitch)
arwydd llaw sol-ffa *eg* sol-fa hand sign
arwydd lluosi *eg* multiplication sign
arwydd naturiol *eg* natural sign
arwyddfardd *eg* heraldic bard
arwyddiaith *eb* sign language
arwyddion bywyd *ell* vital signs
arwyddion dirgroes *ell* opposite signs
arwyddion y Sidydd *ell* signs of the Zodiac
arwyddlun *eg* emblem
arwyddo *be* signing
arwyddocâd *eg* significance
arwyddocâd cymdeithasol *eg* social implications
arwyddocaol *ans* significant
arwyneb *eg* surface
arwyneb anwastad *eg* uneven surface
arwyneb arosgo *eg* oblique surface
arwyneb bondiog *eg* bonded surface
arwyneb bras *eg* coarse surface
arwyneb ceugrwm *eg* concave surface
arwyneb crwm *eg* curved surface
arwyneb cwyraidd *eg* waxy surface
arwyneb cyfwyneb *eg* flush surface
arwyneb cylchdro *eg* surface of revolution
arwyneb erydiad *eg* erosion surface
arwyneb erydog *eg* eroded surface
arwyneb farnais *eg* varnished surface
arwyneb garw *eg* rough surface
arwyneb gludio *eg* gluing surface
arwyneb gorffenedig *eg* finished surface
arwyneb graenog *eg* grainy surface
arwyneb gweadog *eg* textured surface
arwyneb gwydrog *eg* glazed surface
arwyneb isotropig *eg* isotropic surface
arwyneb llyfn *eg* smooth surface
arwyneb mandyllog *eg* porous surface
arwyneb mat *eg* matt surface
arwyneb patrymog *eg* patterned surface
arwyneb plân *eg* plane surface
arwyneb purwyn *eg* pure white surface
arwyneb recordio *eg* recording surface
arwyneb resbiradol *eg* respiratory surface
arwyneb sglein *eg* glossy surface
arwyneb swyddogaethol *eg* functional surface
arwyneb sy'n dal pwysau *eg* load bearing surface
arwyneb wedi tagu *eg* clogged surface
arwyneb y toriad *eg* cut surface
arwynebau ochrol *ell* lateral surfaces
arwynebedd *eg* area (=extent or measure of a surface)
arwynebedd arwyneb *eg* surface area
arwynebedd crwm *eg* curved area
arwynebedd cyfartal *eg* equal area
arwynebedd cywerth *eg* equivalent area

arwynebedd triongl *eg* area of triangle
arwynebedd trychiadol *eg* sectional area
arysgrif *eg* inscription
arysgrifio *be* inscribe
ar-edrych *ans* look-at
ar-lein *ans* on-line
arhythmig *ans* arhythmic
asart *eg* assart
asasin *eg* assassin
asbaragws *eg* asparagus
asbartas *eg* aspartase
asbestos *eg* asbestos
asbig *eg* aspic
ased *eg* asset
ased sefydlog *eg* fixed asset
aseiniad *eg* assignment
aseiniad a fercir â chyfrifiadur *eg* computer-marked assignment (CMA)
aséis arfau *eg* assize of arms
asen *eb* rib
asen flaen *eb* fore-rib
asen y fainc *eb* bench rib
asennog *ans* ribbed (in general)
asennol *ans* costal
aseotrop *eg* azeotrope
asepsis *eg* asepsis
aseptig *ans* aseptic
asesiad *eg* assessment
asesiad clinigol *eg* clinical assessment
asesiad cymdeithasol *eg* social assessment
asesiad cyntaf nad yw'n destun adroddiad *eg* first unreported assessment
asesiad cyntaf sy'n destun adroddiad *eg* first reported assessment
asesiad diagnostig *eg* diagnostic assessment
asesiad ffurfiannol *eg* formative assessment
asesiad goddrychol *eg* subjective assessment
asesiad meddygol *eg* medical assessment
asesiad norm-gyfeiriol *eg* norm-referenced assessment
asesiad o anghenion *eg* needs assessment
asesiad perfformiad *eg* functional assessment
asesiad safon gyfeiriol *eg* criterion-referenced assessment
asesiad yr athrawes *eb* teacher assessment (when the teacher is the assessor – of female teacher)
asesiad yr athro *eg* teacher assessment (when the teacher is the assessor – of male teacher)
asesu *be* assess
asesu allanol *be* external assessment
asesu athrawon *be* teacher assessment (when the teacher is assessed)
asesu llafar *be* oral assessment
asesu mewnol *be* internal assessment
asesu parhaus *be* continuous assessment
asesu safonedig *be* standardized assessment
asesu symudedd *be* assessment of mobility
asesu yn y gweithle *be* work-based assessment
aseswr *eg* assessor
aseswr allanol *eg* external assessor

---

adf, adv adferf, *adverb*   *ans, adj* ansoddair, *adjective*   *be* berf, *verb*   *eb* enw benywaidd, *feminine noun*   *eg* enw gwrywaidd, *masculine noun*

aseswr mewnol *eg* internal assessor

asetabwlaidd *ans* acetabular

asetabwlwm *eg* acetabulum

asetad *eg* acetate

asetal *eg* acetal

asetig *ans* acetic

aseton *eg* acetone

asetyl *ans* acetyl

asetyl CoA *ans* acetyl CoA

asetyleiddio *be* acetylation

asetylen *eg* acetylene

asetyn *eg* acetate sheet

asffalt *eg* asphalt

asgell (mewn chwaraeon) *eb* wing

asgell (pysgodyn etc) *eb* fin

asgell (saeth) *eb* vane (of arrow)

asgell bectoral *eb* pectoral fin

asgell chwith *eb* left wing (in sport)

asgell dde *eb* right wing (in sport)

asgell ddorsal *eb* dorsal fin

asgell fentrol *eb* ventral fin

asgell ganol *eb* medial fin

asgellwr *eg* winger

asgellwr chwith *eg* outside left (of player)

asgellwr de *eg* outside right (of player)

asgetig *ans* ascetic

asgetigiaeth *eb* asceticism

asgites *eg* ascites

asgwrn *eg* bone

asgwrn atodol *eg* accessory bone

asgwrn cefn *eg* spine (spinal column)

asgwrn cynffon *eg* coccyx

asgwrn talcen *eg* frontal bone

asgwrn y forddwyd *eg* femur

asgwrneiddiad *eg* ossification

asgwrneiddio *be* ossify

asgws *eg* ascus

asiad *eg* suture (in nature)

asiant *eg* agent

asiant hysbysebu *eg* advertising agent

asiantaeth *eb* agency

asiantaeth archwilio *eb* audit agency

asiantaeth fabwysiadu *eb* adoption agency

asiantaeth hyfforddi *eb* training agency

Asiantaeth Ryngwladol Egni Niwclear *eb* International Atomic Energy Agency

asid *eg* acid

asid amino *eg* amino acid

asid asbartig *eg* aspartic acid

asid asetig *eg* acetic acid

asid asgorbig *eg* ascorbic acid

asid brasterog *eg* fatty acid

asid brasterog amlannirlawn *eg* polyunsaturated fatty acid

asid brasterog annirlawn *eg* unsaturated fatty acid

asid brasterog dirlawn *eg* saturated fatty acid

asid bwtyrig *eg* butyric acid

asid carbonig *eg* carbonic acid

asid citrig *eg* citric acid

asid colig *eg* cholic acid

asid cryf *eg* strong acid

asid crynodedig *eg* concentrated acid

asid fformig *eg* formic acid

asid ffosfforig *eg* phosphoric acid

asid glwtamig *eg* glutamic acid

asid gwan *eg* weak acid

asid gwanedig *eg* dilute acid

asid hyalwronig *eg* hyaluronic acid

asid hydroclorig *eg* hydrochloric acid

asid malig *eg* malic acid

asid nicotinig *eg* nicotinic acid

asid nitrig *eg* nitric acid

asid nitrus *eg* nitrous acid

asid niwcleig *eg* nucleic acid

asid ocsalig *eg* oxalic acid

asid oleig *eg* oleic acid

asid pectig *eg* pectic acid

asid riboniwcleig (RNA) *eg* ribonucleic acid (RNA)

asid sylffwrig *eg* sulphuric acid

asid tanig *eg* tannic acid

asid tartarig *eg* tartaric acid

asid tawrocolig *eg* taurocholic acid

asid wrig *eg* uric acid

asid y stumog *eg* stomach acid

asidau bustlog *ell* bile acids

asidedd *eg* acidity

asidiedig *ans* acidified

asidig *ans* acidic

asidio *be* acidify

asidosis *eg* acidosis

asiedydd *eg* joiner

asiento *eg* asiento

asimwth *eg* azimuth

asio *be* blend *v*

astatin (At) *eg* astatine (At)

Astec *eg* Aztec *n*

Astecaidd *ans* Aztec *adj*

astell *eb* plank

astell dywydd *eb* fascia board

astell ddeifio *eb* springboard

astell ddiferu *eb* draining board

astell fondo *eg* soffit board

astell lafnog *eb* laminboard

astell stribed *eb* batten board *n*

astellog *ans* boarded

asteroid *eg* asteroid

astigmatedd *eg* astigmatism

astodyn turnio tapr *eg* taper turning attachment

astragal *eg* astragal

astroffiseg *eb* astrophysics

astrolab *eg* astrolabe

astudiaeth *eb* study *n*

astudiaeth achos *eb* case study

astudiaeth bortreadol *eb* portrait study

---

eg/b enw gwrywaidd/benywaidd, *feminine/masculine noun*   **ell** enw lluosog, *plural noun*   **v** berf, *verb*   **n** enw, *noun*

astudiaeth dichonoldeb *eb* feasibility study

astudiaeth draws-ddiwylliannol *eb* cross-culture study

astudiaeth dymor hir *eb* long term study

astudiaeth ddadansoddol *eb* analytical study

astudiaeth estyn *eb* extension study

astudiaeth estyn thematig *eb* thematic extension study

astudiaeth fanwl *eb* study in depth

astudiaeth gefndir *eb* background study

astudiaeth glinigol *eb* clinical study

astudiaeth gymharol *eb* comparative study

astudiaeth sampl *eb* sample study

astudiaethau cartref *ell* domestic studies

astudiaethau clasurol *ell* classical studies

astudiaethau cyfannol *ell* integrated studies

astudiaethau cyfrifiadur *ell* computer studies

astudiaethau cymdeithasol *ell* social studies

astudiaethau'r amgylchedd *ell* environmental studies

astudiaethau'r cwricwlwm *ell* curriculum studies

astudiaethau rheoli *ell* managerial studies

astudio *be* study *v*

astudio annibynnol *be* independent study

astudio dan oruchwyliaeth *be* supervised study

astudio unigol gyda chymorth *be* supported self-study

asthma *eg* asthma

aswiriant bywyd *eg* life assurance

aswiriant cyfnod *eg* term assurance

aswiriant gwaddol *eg* endowment assurance

asygotig *ans* azygotic

asyl *ans* acyl

asyleiddiad *eg* acylation

asyleiddio *be* acylate

asymptot *eg* asymptote

asymptotig *ans* asymptotic

atacsia *eg* ataxia

atactig *ans* atactic

atafaeliad *eg* sequestration

atafaelu *be* sequester

atafaelwr *eg* sequestrator

atal (ensymau etc) *be* inhibit

atal (mewn seicoleg) *be* suppress

atal (nodyn ar offeryn cerdd) *be* stop (a note on musical instrument) *v*

atal (yn gyffredinol) *be* prevent

atal a chychwyn stop-start

atal cenhedlu *be* contraception

atal dienyddio *be* reprieve (from capital punishment)

atal dweud *eg* stammer

atal imiwnedd *be* immunosuppression

atal y bêl *be* stop the ball

atal y bêl drwy benlinio stopping the ball by kneeling

atalfa wynt *eb* wind-break

ataliad (ensymau etc) *eg* inhibition (e.g. enzyme and psychological)

ataliad (mewn seicoleg) *eg* suppression

ataliad (yn gyffredinol) *eg* prevention

ataliad y galon *eg* cardiac arrest

ataliad dŵr *eg* retention of urine

ataliad ensym *eg* enzyme inhibition

ataliad gan gynnyrch terfynol *eg* end product inhibition

ataliad y galon *eg* asystole

ataliol *ans* deterrent *adj*

ataliwr *eg* short stop

atalnod llawn *eg* full stop

atalnodi *be* punctuation

atalnodi agored *be* open punctuation

atalydd *eg* inhibitor

atalydd cnocio *eg* knock inhibitor

atalydd rhwd *eg* rust inhibitor

atbreis *eg* reprise (historical)

atchwel llinol *eg* linear regression

atchweliad *eg* regression

atchwelyd *be* regress

atchwyddiant *eg* reflation

ateb *be* answer *v*

ateb *eg* answer *n*

ateb bras *eg* approximate answer (=rough answer)

Ateb Terfynol *eg* Final Solution

ateb wyneb i waered *eg* inverted answer

atebol (i) *ans* accountable (to)

atebolrwydd (=cyfrifoldeb) *eg* accountability

atebolrwydd (=ymrwymiad cyfreithiol etc) *eg* liability

atebolrwydd ar y cyd ac yn unigol *eg* joint and several liability

atebolrwydd cyfyngedig *eg* limited liability

atebolrwydd personol *eg* personal liability

ateg *eb* prop (=rigid support)

ateg fwa *eb* flying shore

ateg gastellaidd *eb* castellated prop

ateg gôn *eg* cone stand

ateg ogwydd *eb* raking shore

ateg unionsyth *eb* dead shore

ategiad *eg* backup support

ategiad incwm *eg* income support

ategol *ans* auxiliary

ategolyn *eg* accessory (of tools etc) *n*

ategu (dadl) *be* support (an argument) *v*

ategwaith *eg* abutment

atfor *ans* seaward

atffurfiant *eg* regeneration (e.g. organ)

atffurfio *be* regenerate

atgan *eb* episode (in music)

atganol *ans* episodical

atgenhedliad *eg* reproduction (sexual)

atgenhedliad rhywiol *eg* sexual reproduction

atgenhedlu *be* reproduce (sexually)

atgoffa o realaeth *be* reality orientation

atgyd *eg* adjoint

atgydiol *ans* adjugate

atgyfnerthiad *eg* reinforcement

atgyfnerthu *be* reinforce

atgyfnerthu cadarnhaol *be* positive reinforcement

atgyfnerthu negyddol *be* negative reinforcement

---

atgyfodiad *eg* resurrection
atgyffwrdd *be* retouch
atgynhyrchiad *eg* reproduction
atgynhyrchiad llystyfol *eg* vegetative reproduction
atgynhyrchu *be* reproduce
atgynhyrchu anrhywiol *be* asexual reproduction
atgynyrchiedig *ans* regenerated
atgyrch *eg* reflex *n*
atgyrch cadwynol *eg* chain reflex
atgyrch camu *eg* stepping reflex
atgyrch cyflyredig *eg* conditioned reflex
atgyrch pen-glin (plwc) *eg* knee reflex (jerk)
atgyrch sbinol *eg* spinal reflex
atgyrch sugno *eg* sucking reflex
atgyrchion troethi *ell* micturition reflexes
atgyrchol *ans* reflex *adj*
atgyweiriad *eg* repair *n*
atgyweirio *be* repair *v*
atlas *eg* atlas
atmosffer *eg* atmosphere (of gases, pressure)
atmosffer di-lwch *eg* dust free atmosphere
atmosfferig *ans* atmospheric
atodeg *eb* rider
atodiad *eg* appendix
atodiad budd-dal tai *eg* housing benefit supplement
Atodiad Incwm Teulu *eg* Family Income Supplement
atodion peiriant *ell* machine attachments
atodlen *eb* schedule (=appendix to a document)
atodol *ans* supplementary
atodol *ans* added
atodyn *eg* attachment (=accessory)
atodyn cymwysadwy *eg* adjustable attachment
atodyn gwerthyd *eg* spindle attachment
atodyn tewychu *eg* thicknessing attachment
atol *eb* atoll
atom *eg/b* atom
atom derbyn *eg* acceptor atom
atomadur *eg* atomizer
atomedd *eg* atomicity
atomeiddiad *eg* atomization
atomeiddio *be* atomize
atomfa *eb* nuclear power station
atomig *ans* atomic
atraeth *ans* onshore
atred *eg* offset *n*
atredeg *be* approach run *v*
atrediad *eg* approach run *n*
atro *ans* recurved
atsain *eb* echo *n*
atseinio *be* echo *v*
atwynt *ans* windward
atyniad *eg* attraction
atynnol *ans* attractive (of force)
atynnu *be* attract
athematig *ans* athematic
athletaidd *ans* athletic

athletau *ell* athletics
athletwr *eg* athlete
athraidd *ans* permeable
athrawes *eb* teacher (female)
athrawes arweiniol *eb* lead teacher (female)
athrawes crefydd *eb* religious teacher (female)
athrawes chwaraeon *eb* games teacher (female)
athrawes dan hyfforddiant *eb* trainee teacher (female)
athrawes deithiol *eg* itinerant teacher (female)
athrawes ddosbarth *eg* form teacher (female)
athrawes gylchynol *eg* peripatetic teacher (female)
athrawes gynorthwyol *eb* auxiliary teacher (female)
athrawes lanw *eb* supply teacher (female)
athrawes pwnc *eb* subject teacher (female)
athrawes raddedig *eb* graduate teacher (female)
athrawes ran amser *eb* part time teacher (female)
athrawes ymgynghorol a chylchynol *eg* advisory and peripatetic teacher (female)
athrawes yrfaoedd *eg* careers teacher (female)
athrawiaeth *eb* doctrine
Athrawiaeth Anffaeledigrwydd y Pab *eb* Doctrine of Papal Infallibility
Athrawiaeth Gwrthod Cydnabod *eb* Doctrine of Non-recognition
Athrawiaeth Monroe *eb* Monroe Doctrine
Athrawiaeth yr Iawn *eb* Doctrine of Atonement
athreiddedd *eg* permeability
athreiddedd gwahaniaethol *eg* differential permeability
athreuliad *eg* attrition
athro *eg* teacher (male)
athro arweiniol *eg* lead teacher
athro crefydd *eg* religious teacher
athro cylchynol *eg* peripatetic teacher (male)
athro cynorthwyol *eg* auxiliary teacher (male)
athro chwaraeon *eg* games teacher (male)
athro dan hyfforddiant *eg* trainee teacher (male)
athro dosbarth *eg* form teacher (male)
athro graddedig *eg* graduate teacher (male)
athro gyrfaoedd *eg* careers teacher (male)
athro llanw *eg* supply teacher (male)
athro pwnc *eg* subject teacher (male)
athro rhan amser *eg* part time teacher (male)
athro teithiol *eg* itinerant teacher (male)
athro ymgynghorol a chylchynol *eg* advisory and peripatetic teacher (male)
athrod *eg* slander *n*
athrodi *be* slander *v*
athrofa *eb* institute of education
athronydd radicalaidd *eg* radical philosopher
athyrru *be* agglomerate (in geology) *v*
au gratin *ans* au gratin
aubade *eg* aubade
aur (Au) *eg* gold (Au)
aur banc tywod *eg* placer gold
avant-garde *eg/b* avant-garde
awcsin *eg* auxin
awchlym *ans* sharp-edged

---

eg/b enw gwrywaidd/benywaidd, *feminine/masculine noun*   *ell* enw lluosog, *plural noun*   *v* berf, *verb*   *n* enw, *noun*

awdiogram *eg* audiogram
awdiomedr *eg* audiometer
awdiometreg *eb* audiometry
awdl *eb* ode (in strict metre)
awdur *eg* author
awdurdod *eg* authority
awdurdod addysg *eg* education authority
awdurdod addysg lleol *eg* local education authority
awdurdod caffaelol *eg* acquiring authority
awdurdod Esgobaethol *eg* Episcopal authority
Awdurdod Gwasanaethau Iechyd Teulu (AGIT) *eg* Family Health Services Authority (FHSA)
awdurdod gweinyddol *eg* administrative authority
awdurdod iechyd *eg* health authority
Awdurdod Iechyd Dosbarth (AID) *eg* District Health Authority (DHA)
awdurdod lleol *eg* local authority
awdurdod unedol *eg* unitary authority
awdurdodaeth *eb* authoritarianism
awdurdodaidd *ans* authoritarian
awdurdodedig *ans* authorized
awdurdodi *be* authorize
awdurdodiad *eg* authorization
awdurdodol *ans* authoritative
awduro *be* authoring
awel *eb* breeze
awel ffres *eb* fresh breeze
awel gymedrol *eb* moderate breeze
awel o'r môr *eb* sea breeze
awel o'r tir *eb* land breeze
awel ysgafn *eb* light breeze
awgend *eg* augend
awgrym *eg* suggestion
awgrymu *be* suggest
awlos *eg* aulos
awr *eb* hour
awr anterth *eb* terce
awr brim (mynachlogydd) *eb* prime (monastic)
awr frig *eb* peak hour
awr frys *eb* rush hour
awra *eb* aura
awrigl *eg* auricle
awrora *eg* aurora
awroraidd *ans* auroral
awstenit *eg* austenite
Awstin Sant *eg* Saint Augustine
Awstinaidd *ans* Augustinian *adj*
Awstiniad *eg* Augustinian *n*
Awstiniaeth *eb* Augustinianism
Awstria *eb* Austria

awtarchiaeth *eb* autarchy
awtistiaeth *eb* autism
awtistig *ans* autistic
awtocatalysis *ans* autocatalysis
awtoimiwnedd *eg* autoimmunity
awtomatedd *eb* automatism
awtomatiaeth *eb* automation
awtomatig *ans* automatic
awtomeiddio *be* automate
awtomeiddio swyddfa *eg* office automation
awtomorffig *ans* automorphic
awtonomig *ans* autonomic
awtopsi *eg* autopsy
awtosom *eg* autosome
awto-cod *eg* autocode
awto-gysylltnodi *be* auto-hyphenate
awthigenig *ans* authigenic
awydd i gystadlu *eg* competitiveness
awyddus (i) *ans* eager (to)
awyr *eg* air (as a place)
awyr afluniaidd *eb* chaotic sky
awyr agored *eg* open air
awyr gwbl gymylog *eb* overcast sky
awyrell *eb* vent (for air circulation) *n*
awyrellu *be* vent (for air circulation) *v*
awyren taith fer *eb* short range plane
awyren taith hir *eb* long range plane
awyrennaeth *eb* aeronautics
awyrfilwyr *ell* air-borne troops
awyrgludiad *eg* airlift
awyrgludiad Berlin *eg* Berlin airlift
awyrgylch *eg/b* atmosphere (=mood)
awyrgylch comig *eg* comic atmosphere
awyrgylch llon *eg* gay atmosphere
awyrgylch prudd *eg* sombre atmosphere
awyrgylch urddasol *eg* noble atmosphere
awyriad *eg* ventilation
awyrlun *eg* aerial photograph
awyrlunio *be* aerial photography
awyrofod *eg* aerospace
awyrog *ans* aerated
awyrol *ans* aerial *(ans)*
awyru *be* ventilate
awyru artiffisial *be* artificial ventilation
awyru ceg i geg *eg* mouth to mouth ventilation
awyrydd *eg* ventilator (for ventilating a room etc)
awyr-ladrad *eg* air piracy
awyr-oeri *be* air cool
ayre *eb* ayre

---

adf, adv adferf, *adverb*   **ans, adj** ansoddair, *adjective*   **be** berf, *verb*   **eb** enw benywaidd, *feminine noun*   **eg** enw gwrywaidd, *masculine noun*

B

B fwyaf *eb* B major
B leiaf *eb* B minor
baban *eg* baby, infant
baban glas *eg* blue baby
baban wedi'i guro *eg* battered baby
babanaidd *ans* infantile
babandod *eg* infancy
babanladdiad *eg* infanticide
bacbib *eb* bagpipe
bacteria dadnitreiddio *ell* denitrifying bacteria
bacteria nitreiddio *ell* nitrifying bacteria
bacteria niweidiol *ell* harmful bacteria
bacterioffag *eg* bacteriophage
bacteriol *ans* bacterial
bacterioleg *eb* bacteriology
bacteriolegydd *eg* bacteriologist
bacterioleiddiol *ans* bactericidal
bacteriostat *eg* bacteriostat
bacteriostatig *ans* bacteriostatic
bacteriwm *eg* bacterium
bach *eg* hook (of implement) *n*
bach a bollt hook and bolt
bach a llygad hook and eye
bach cabin *eg* cabin hook
bach corsen *eg* reed hook
bach crosio *eg* crochet hook
bach deintur *eg* tenter hook
bach edafu *eg* threading hook
bach iawn *ans* minute (=very small) *adj*
bach sgriw *eg* screw hook
bachau cyrliog { } *ell* curly brackets { }
bachau petryal [ ] *ell* square brackets [ ]
bachgen *eg* boy
bachgen côr *eg* choir boy
bachgen y bêl *eg* ball boy
bachiad *eg* hook (=act of hooking) *n*
bachu *be* hook *v*
bachwr *eg* hooker
bachyn mainc *eg* bench hook
bachyn tywys edau *eg* thread guide (of machine part)
bad *eg* craft (boat)
bad clwm *eg* stake-boat
badminton *eg* badminton
baddon *eg* bath *n*
baddon asid *eg* acid bath
baddon cawod *eg* shower bath
baddon dŵr *eg* water bath
baddon llifo *eg* dyebath

baddon traed *eg* footbath
baddondy *eg* bath building
bae *eg* bay
Bafaraidd *ans* Bavarian *adj*
Bafariad *eg* Bavarian *n*
bag *eg* bag
bag carpiau *eg* rag bag
bag draenio *eg* drainage bag
bag dyrnu *eg* punch bag
bag ffa *eg* bean bag (for throwing)
bag hynofedd *eg* buoyancy bag
bag llaw *eg* handbag
bag polythen *eg* polythene bag
bag tywod *eg* sandbag
bagatelle *eg* bagatelle
bagl (gan esgob) *eb* crosier
bagl (=ffon person cloff) *eb* crutch
bagl (yn gyffredinol) *eb* crook
bagl gynffonnog *eb* dovetail bridle
bagl meitr *eb* mitre bridle
bagl ongl *eb* angle bridle
bagl T *eb* tee bridle
bagloriaeth *eb* baccalaureate
baglu *be* trip *v*
bai *eg* fault (=blame) *n*
baich *eg* burden
baich achosion *eb* case load
baich dysgu *eg* teaching load
baich y dyn gwyn *eg* white man's burden
bain marie *eg* bain marie
Bakelite *eg* Bakelite
balalaica *eg* balalaika
Balcannau *ell* Balkans
balconi *eg* balcony
bale *eg* ballet
baled *eb* ballad
balet *eb* ballett (song)
balisteg *eb* ballistics
balistig *ans* ballistic
balog *eg/b* fly opening
balsa *eg* balsa
balŵn *eg/b* balloon
balwster *eg* baluster
balwstrad *eg* balustrade
ballade *eg* ballade
bambŵ *eb* bamboo
ban *eg* beacon (=high place)
banana *eb* banana

---

eg/b enw gwrywaidd/benywaidd, *feminine/masculine noun*   **ell** enw lluosog, *plural noun*   **v** berf, *verb*   **n** enw, *noun*

banc *eg* bank (for money)
banc canolog *eg* central bank
banc clirio *eg* clearing bank
banc cydweithredol *eg* co-operative bank
banc cynilo *eg* savings bank
Banc Cynilo Ymddiriedol *eg* Trustee Savings Bank
banc data *eg* data bank
banc gwaed *eg* blood bank
banc masnachol *eg* commercial bank
banc o ddroriau *eg* bank of drawers
banc tywod *eg* sand bank
bancio *be* banking
band *eg* band *n*
band adnabod *eg* identity band
band chwyth *eg* windband
band dawns *eg* danceband
band elastig *eg* elastic band
band gwasg *eg* waistband
band gwasg heb ei gyfnerthu *eg* unstiffened waistband
band gwasg wedi'i gyfnerthu *eg* stiffened waistband
band llawes *eg* wrist band
band rwber *eg* rubber band
band taro *eg* percussion band
banden dyllog *eb* punch strip
bandin *eg* banding
bandin ceibr *eg* chevron banding
bandin croes *eg* cross banding
bandin diemwnt *eg* diamond banding
bandin domino *eg* domino banding
bandin saethben *eg* herring-bone banding
bandin siec du *eg* black check banding
bandin siec gwyn *eg* white check banding
bandin tair llinell *eg* three-line banding
bandog *ans* banded
baner *eb* flag
baner drilliw *eb* tricolour
banjo *eg* banjo
banonbost *eg* queenpost
bar *eg* bar
bar tyllu *eg* boring bar
bar amlygu *eg* highlight bar
bar arfau *eg* tool bar
bar bae *eg* bay bar
bar byrbryd *eg* snack bar
bar canol *eg* centre bar (lettering)
bar cloch *eg* chime bar
bar clustennog *eg* lobate bar
bar du *eg* black bar
bar dwbl *eg* double bar
bar gwydriad *eg* sash bar
bar gwydro *eg* glazing bar
bar haearn cwta *eg* jemmy (=short crowbar)
bar iâ *eg* ice barrier
bar llorweddol *eg* horizontal bar
bar o wydr ffibr *eg* fibreglass bar
bar offer *eg* toolbar
bar plygu *eg* bending bar

bar rhew *eg* ice barrier
bar rhynnu *eg* chill bar
bar sgwâr *eg* square bar
bar striclo *eg* strickle bar
bar toriad sgwâr *eg* square section bar
bar torri *eg* cutter bar
bar tyniant *eg* tension bar
bar tywod *eg* sand bar
bar wal *eg* wall bar
bar wythonglog *eg* octagonal bar
bara *eg* bread
bara amyd *eg* mixed cereal bread
bara brag *eg* malt bread
bara brith *eg* currant bread
bara brown *eg* brown bread
bara brown garw *eg* granary bread
bara ceirch *eg* oatcakes
bara croyw *eg* unleavened bread
bara cyflawn *eg* wholemeal bread
bara Ffrengig *eg* French bread
bara ffres *eg* fresh bread
bara gwenith *eg* wheatmeal bread
bara gwyn *eg* white bread
bara haidd *eg* barley bread
bara menyn *eg* bread and butter
bara rhyg *eg* rye bread
bara wedi llwydo *eg* mouldy bread
barathea *eg* barathea
barbola *eg* barbola
barcaról *eg* barcarolle
barcer *eg* tanner (of leather)
barcio *be* tan (leather) *v*
barcut *eg* kite
barchan *eg* barchan
bardraeth *eg* barrier beach
bardd llys *eg* court poet
Bardd y Brenin *eg* Poet Laureate
barddoniaeth *eb* poetry
bared *eg* barrage
barette *eb* barette
barf *eg* beard
barfagnet *eg* bar magnet
bargeinio rhydd *be* free bargaining
bargen *eb* bargain
Bargen Newydd *eb* New Deal
bargodfaen *eg* dripstone
bargodi *be* overhang *v*
baricêd *eg* barricade
barics *ell* barracks
baril *eb* barrel (=cylindrical tube)
barilfollt *eb* barrel bolt
bariton *eg* baritone
bariwm (Ba) *eg* barium (Ba)
barlyn *eg* barrier lake
barn *eb* opinion
barn ar werth *eb* value judgement
barn gadarn *eb* sound judgment

---

barn gytbwys *eb* balanced judgement
barn wrthrychol *eb* objective judgement
barnu *be* make judgement
barnu perfformiad *be* judgement of performance
barnweiniad *eg* judicature
barnwr *eg* judge
barnwriaeth *eb* judiciary
Barn, Y Farn Fawr *eb* Judgement, Last
baróc *ans* baroque
barograff *eg* barograph
barogram *eg* barogram
baromedr *eg* barometer
baromedr aneroid *eg* aneroid barometer
baromedrig *ans* barometric
barrau cyflin *ell* parallel bars
barrau gloyw *ell* bright drawn bars
barrau plygu *ell* folding bars
barrau ymestyn *ell* lengthening bars
barre *eg* barre
barriff *eg* barrier reef
barrug *eg* hoar frost
Bartholomeus *eg* Bartholomew
barugog *ans* frosted
barwn *eg* baron
barwni *eb* barony
barwnigaeth *eb* baronetcy
barwnol *ans* baronial
barysffer *eg* barysphere
baryton *eg* baryton
bar-rholio *eg* scroll-bar

bas (=heb fod yn ddwfn) *ans* shallow *adj*
bas (=llais isaf mewn cerddoriaeth) *eg* bass
bas (mewn cemeg) *eg* base (in chemistry, also in baseball)

bas acwstig *eg* acoustic bass
bas Alberti *eg* Alberti bass
bas cryf *eg* strong base
bas drôn *eg* drone bass
bas dwbl *eg* double bass
bas gwan *eg* weak base
bas rhifoledig *eg* figured bass
bas synthetig *eg* synthetic bass
basalt *eg* basalt
basar *eg* bazaar
basddwr *eg* shallow *n*
basfar *eg* bass-bar (=piece of wood inside belly of violin)
basged *eb* basket
basged ddillad *eb* clothes basket
basged wnio *eb* work box
basgedwaith *eg* basket work
BASIC *eb* BASIC
basidiomycet *eg* basidiomycete
basidiosbor *eg* basidiospore
basidiwm *eg* basidium
basig *ans* basic (in chemistry, geology and metals)
basigedd *eg* basicity
basil *eg* basil

basilica *eg* basilica
basipetalaidd *ans* basipetal
basle *eg* shoal (=shallow place in sea)
basn *eg* basin
basn adeileddol *eg* structural basin
basn afonydd *eg* river basin
basn arllwys *eg* pouring basin
basn derbyn *eg* basin of reception
basn ymolchi *eb* wash basin
basoffil *eg* basophil
basoffilig *ans* basophilic
basso ostinato *eg* basso ostinato
bast *eg* bast
bastid *eg* bastide
baswn *eg* bassoon
baswn dwbl *eg* double bassoon
baswnydd *eg* bassoonist
baswr *eg* baseman
bas-drombonydd *eg* bass trombonist
bas-glarinetydd *eg* bass clarinettist
bat *eg* bat *n*
bat plastr *eg* plaster bat
bataliwn *eg* battalion
Bataliwn yr lwmyn *eg* Yeomanry Battalion
bateloedd *ell* battels
batiad *eg* innings
batiad hir *eg* long innings
batic *eg* batik
batio *be* bat *v*
batiwr *eg* batsman
batiwr llaw chwith *eg* left-handed batsman
batiwr llaw dde *eg* right-handed batsman
batri *eg* battery
batwn *eg* baton
bath *ans* mint *adj*
bathdy *eg* mint *n*
bathio *be* bath *v*
bathodyn *eg* badge
bathodyn lapél *eg* lapel badge
batholith *eg* batholith
batholithig *ans* batholithic
bathu *be* mint *v*
bathygraff *eg* bathygraph
bathymetreg *eb* bathymetry
bathymetrig *ans* bathymetric
bathysffer *eg* bathysphere
baud *eg* baud
baw *eg* soil (=dirt)
bawd *eg* thumb
beaumontage *eg* beaumontage
Bebung *eg* Bebung
Beda Ddoeth *eg* Bede, the Venerable
bedel *eg* beadle
bedwen *eb* birch
bedwen Fai *eb* maypole
Bedwin *eg* Bedouin
Bedwyr *eg* Bedivere

---

eg/b enw gwrywaidd/benywaidd, *feminine/masculine noun*   *ell* enw lluosog, *plural noun*   *v* berf, *verb*   *n* enw, *noun*

bedydd *eg* baptism

bedydd credinwyr *eg* believer's baptism

bedydd esgob *eg* confirmation (in church)

bedydd plant *eg* infant baptism

bedyddfa *eb* baptistry

bedyddfaen *eb* baptismal font

Bedyddiwr *eg* Baptist *n*

Bedyddiwr Albanaidd *eg* Scotch Baptist

bedd *eg* grave

bedd cyntedd *eg* passage grave

beddargraff *eg* epitaph

Beddrod Sanctaidd *eg* Holy Sepulchre

beddrod siambr *eg* chamber tomb

befel *eg* bevel *n*

befel cymwysadwy *eg* adjustable bevel

befel hogi *eg* sharpening bevel

befel llifanù *eg* grinding bevel

befel llithr *eg* sliding bevel

befelu *be* bevel *v*

beias *eg* baize

beiau sgraffinio *ell* abrasive faults

Beibl *eg* Bible

Beibl Cymraeg *eg* Welsh Bible

Beibl Fwlgat *eg* Vulgate Bible

beic modur *eg* motor bicycle

beichiog *ans* pregnant

beichiogi *be* conceive (=become pregnant) *vi*

beichiogrwydd *eg* pregnancy

beili *eg* bailey

beirniad (mewn cystadleuaeth) *eg* adjudicator

beirniad (mewn erthygl etc) *eg* critic

beirniad cerdd *eg* music adjudicator

beirniadaeth (mewn cystadleuaeth) *eb* adjudication

beirniadaeth (mewn erthygl etc) *eb* criticism

beirniadol *ans* critical (of faculty)

beit *eg* byte

bel *eg* bel

belai *eg* belay

belt *eb* belt

belt wasgedd *eb* pressure belt

belt yrru *eb* driving belt

bendith *eb* blessing

Bendith Aaron *eb* Aaronic Blessing

Benedictiad *eg* Benedictine *n*

bensen *eg* benzene

benthig *ans* benthic

benthos *eg* benthos

benthyca (gan rywun) *be* borrow

benthyca (i rywun) *be* loan *v*

benthyciad *eg* loan *n*

benthyciad cyfeillgar *eg* amicable loan

benthyciad dros dro *eg* bridging loan

benthyciad gorfodol *eg* forced loan

benthyciad i fyfyrwyr *eg* student loan

benyw *eb* female *n*

benywaidd *ans* feminine

benywol *ans* female *adj*

bêr (troi) *eg* spit (for roasting)

berceliwm(Bk) *eg* berkelium (Bk)

berceuse *eb* berceuse

beret *eg* beret

berfa *eb* wheelbarrow

bergamasca *eg* bergamask

bergwynt *eg* bergwind

berw *ans* boiling

berwbwynt *eg* boiling point

berwi *be* boil *v*

berwr *eg* cress

berwr dŵr *eg* water cress

beryliwm (Be) *eg* beryllium (Be)

beryn *eg* bearing (mechanical)

beryn hollt *eg* split bearing

beryn rholiau *eg* roller bearing

beryn sgriw dywys *eg* lead screw bearing

beryn y pan mawr *eg* big end bearing

betain *eg* betaine

betws *eg* beadhouse

betys siwgr *ell* sugar beet

betysen *eg* beetroot

bias *eb* bias (in physics and of fabric) *n*

bias grid *eg* grid bias

bias yn ôl *eg* reverse bias

biasu *be* bias (in physics and of fabric) *v*

bib *eg* bib

bicer *eg* beaker

bicer plastig *eg* plastic beaker

bicerwyr *ell* beaker folk

bicini *eg* bikini

bidog *eb* bayonet

bil *eg* bill (=statement of charges)

bil cyfnewid *eg* bill of exchange

bil ditio *eg* bill of indictment

bil gwerthiant *eg* bill of sale

bil llwytho *eg* bill of loading

Bil Trysorlys *eg* Treasury Bill

bilain *eg* villein

bileiniaeth *eb* villeinage

biliferdin *eg* biliverdin

bilirwbin *eg* bilirubin

biliwn *eg* billion

bilwg *eg* billhook

bin *eg* bin

bin clai *eg* clay bin

bin sbwriel *eg* dustbin

bin tywod *eg* sand bin

binomaidd *ans* binomial *adj*

binomial *eg* binomial *n*

biocemeg *eb* biochemistry

biocemegydd *eg* biochemist

bïocor *eg* biochore

biodaearyddiaeth *eb* biogeography

bioddiraddadwy *ans* biodegradable

biogenesis *eg* biogenesis

---

adf, adv adferf, *adverb*   **ans, adj** ansoddair, *adjective*   **be** berf, *verb*   **eb** enw benywaidd, *feminine noun*   **eg** enw gwrywaidd, *masculine noun*

biohinsoddeg *eb* bioclimatology
bioleg *eb* biology
biolegol *ans* biological
biomas *eg* biomass
biosffer *eg* biosphere
biosom *eg* biosome
biosynthesu *be* biosynthesize
biotechnoleg *eb* biotechnology
biotig *ans* biotic
bioymoleuedd *eb* bioluminescence
bisged *eb* biscuit
bisged ddigestif *eb* digestive biscuit
bisged gracer *eb* cream cracker
bisged sinsir *eb* ginger biscuit
bismwth (Bi) *eg* bismuth (Bi)
bitwmen *eg* bitumen
biwgl *eg* bugle
biwro *eg* bureau
biwrocrat *eg* bureaucrat
biwrocrataidd *ans* bureaucratic
biwrocratiaeth *eb* bureaucracy
blacjac *eg* blackjack (blende)
blacleg *eg* blackleg
blaen (am ben eithaf) *eg* tip (extremity or end) *n*
blaen (yn gyffredinol) *eg* front (of position)
blaen (bwa) *eg* point (of bow)
blaen brosesu *be* foreground processing
blaen cafn *eg* trough's end
blaen carbid *ans* carbide tipped
blaen cilfach *eg* inlet-head
blaen diemwnt *ans* diamond tipped
blaen dolennog *eg* serpentine front
blaen erydu *be* headward erosion
blaen nodwydd *eg* needle point
blaen rhewlif *eg* glacier snout
blaen twngsten *eg* tungsten tipped
blaen y droed *eg* toe (in dancing)
blaen yr esgid *eg* toe-cap
blaenadwaith *eg* forward reaction
blaenasgell agored *eb* open side wing forward
blaenasgell dywyll *eb* blind side wing forward
blaenasgellwr *eg* wing forward
blaenbacio prepack
blaenbaredol *ans* frontoparietal
blaenbeipio *be* pipelining
blaendal *eg* deposit (=first payment) *n*
blaendir *eg* foreground
blaendir afon *eg* torrent tract
blaendon *eb* wave-front
blaendor *ans* truncated
blaendoriad *eg* truncation
blaendorri *be* truncate
blaendraeth *eg* foreshore
blaenddant *eg* incisor
blaenddwfn *eg* foredeep
blaenddwr *eg* headwater

blaenffrwyth *eg* first fruits
blaengad *eb* vanguard
blaengar *ans* progressive (=innovative)
blaengroen *eg* foreskin
blaengrwm *ans* bow-fronted
blaenguriad *eg* preparatory beat
blaenlaniad *eg* beachhead
blaenlaniad *eg* bridgehead (military)
blaenluniad *eg* frontality
blaenllaw *eg* forehand
blaenolwg *eg* front elevation
blaenolwg ategol *eg* auxiliary front elevation
blaenolwg hanner trychiadol *eg* half-sectional front elevation
blaenolwg trychiadol *eg* sectional front elevation
blaenoriad y cyhydnosau *eg* precession of the equinoxes
blaenoriaeth *eb* priority
blaenoriaeth i'r trefedigaethau *eb* colonial preference
Blaenoriaeth i'r Ymerodraeth *eb* Imperial Preference
blaenoriaethu *be* prioritize
blaensffenoidol *ans* frontosphenoidal
blaenstroc *eb* upstroke
blaenswm *eg* advance (of money) *n*
blaenu (mewn cerddorfa) *be* lead (in orchestra) *v*
blaenu (mewn ymladd cleddyfau) *be* advance (in fencing) *v*
blaenwr (mewn cerddorfa) *eg* leader (in orchestra)
blaenwr (mewn chwaraeon) *eg* forward (male)
blaenwraig (mewn chwaraeon) *eb* forward (female)
blaenwreiddyn *eg* root tip
blaenymyl *ans* leading edge
blaen-brosesydd *eg* front-end processor
blaen-dâp *eg* header tape
blaen-gau *be* foreclose
blaen-gymysgiad *eg* pre-mix
blaen-luosi *be* pre-multiply
blaen-ymennydd *eg* fore-brain
blaguro *be* bud *v*
blaguryn *eg* bud *n*
blaguryn apigol *eg* apical bud
blaguryn atodol *eg* accessory bud
blaguryn ceseilaidd *eg* axillary bud
blaguryn cwsg *eg* dormant bud
blaguryn cyferbyn *eg* opposite bud
blaguryn eiledol *eg* alternate bud
blaguryn ochrol *eg* lateral bud
blanc copr *eg* copper blank
blanc crymdo *eg* domed blank
blanc dysglog *eg* dished blank
blanced *eb* blanket
blanced dân *eb* fire blanket
blanced drydan *eb* electric blanket
Blancedwyr *ell* Blanketeers
blansio *be* blanch
blas *eg* taste (of food etc) *n*
blasbwynt *eg* taste bud
blaslyn Ffrengig *eg* French dressing

---

eg/b enw gwrywaidd/benywaidd, *feminine/masculine noun* **ell** enw lluosog, *plural noun* **v** berf, *verb* **n** enw, *noun*

blaslyn salad *eg* salad dressing
blastocoel *eg* blastocoel
blastocyt *eg* blastocyte
blastoderm *eg* blastoderm
blastoffor *eg* blastophore
blastomer *eg* blastomere
blastwla *eg* blastula
blasu *be* taste *v*
blasus *ans* appetizing
blasyn *eg* appetizer
blawd *eg* flour
blawd brown garw *eg* granary flour
blawd bywyn gwenith *eg* wheatmeal flour
blawd codi *eg* self-raising flour
blawd corn *eg* cornflour
blawd craig *eg* rock flour
blawd cryf *eg* strong flour
blawd llif *eg* sawdust
blawd meddal *eg* soft flour
blawd plaen *eg* plain flour
blawd pysgod *eg* fish meal
blawd startsh gostyngol *eg* starch reduced flour
blawd sylffwr *eg* flowers of sulphur
blend *eg* blende (zinc)
blendio rhydd *be* free blend
blerdwf *eg* sprawl
blerdwf trefol *eg* urban sprawl
blew ych *eg* ox-blend
blewog *ans* hirsute
blewyn *eg* bristle (of brush)
blewyn *eg* hair (on body)
blewyn amrant *eg* eyelash
blewyn blasu *eg* gustatory hair
blinder *eg* tiredness
Blitz, Y *eg* Blitz, The
blithogydd *eg* galactagogue
bliw *eg* blue (for brightening clothes)
bloc *eg* block *n*
bloc allwedd *eg* key block
bloc bodis *eg* bodice block
bloc brêc *eg* brake block
bloc bris *eg* breeze block
bloc cafnu *eg* hollowing block
bloc clo *eg* lock block (flush door)
bloc corc *eg* cork block
bloc cordiau *eg* chordal block
bloc cornel *eg* corner block
bloc cychwyn *eg* starting block
bloc cynllunio *eg* sketch block
bloc darfath *eg* swage block
bloc glud *eg* glue block
bloc gwasgu *eg* pressure block
bloc jeli *eg* jelly block
bloc Johansson *eg* Johansson's block
bloc lafa *eg* lava block
bloc leino mowntiedig *eg* mounted lino block
bloc llithr *eg* sliding block

bloc lliw *eg* colour block
bloc medrydd *eg* gauge block
bloc meitr *eg* mitre block
bloc plinth *eg* plinth block
bloc pren *eg* wood block
bloc pwli *eg* pulley block
bloc sglodi *eg* chipping block
bloc sgriwio *eg* screwing block
bloc teitl *eg* title block
bloc teitl printiedig *eg* printed title block
bloc torri *eg* cutter block
bloc Tsineaidd *eg* Chinese block
bloc ysgythru *eg* engraving block
blocfwrdd *eg* blockboard
blocfynydd *eg* block mountain
blociau a chlampiau blocks and clamps
blociau crampio *ell* cramping blocks
blociau hyrddu *ell* ramming blocks
blociau plwm *ell* lead blocks
blociau V a chlampiau V blocks and clamps
blociau wedi'u gludio *ell* glued blocks
blocio *be* block *v*
bloclwyfandir *eg* plateau block
blocyn pyg *eg* pitch block
blodeuo (am berson) *be* flourish *v*
blodeuog *ans* flowery
blodfresych caws *ell* cauliflower cheese
blodfresychen *eb* cauliflower
blodigyn *eg* floret
blodiog *ans* floury
blodyn *eg* flower
blodyn eilflwydd *eg* biennial flower
blodyn lluosflwydd *eg* perennial flower
blodyn unflwydd *eg* annual (flower)
blodyn yr haul *eg* sunflower
bloneg *eg* lard
blonegog *ans* adipose
blonegrwydd *eg* adiposity
blonegu *be* lard *v*
blows *eb* blouse
blowson *eb* blouson
blues *ell* blues (=song)
blwch *eg* box *n*
blwch clepian *eg* clapper box
blwch coluro *eg* make-up box
blwch cosbi *eg* penalty box
blwch craidd *eg* core box
blwch cyswllt *eg* junction box
blwch gemau *eg* casket (for jewellery)
blwch gêr *eg* gearbox
blwch gostyngiad *eg* reduction box
blwch lliw *eg* colour box
blwch llwch *eg* ash tray
blwch meitro *eg* mitre box
blwch mowldio *eg* moulding box
blwch offer *eg* tool box
blwch pelydru *eg* ray box

---

adf, adv adferf, *adverb* **ans, adj** ansoddair, *adjective* **be** berf, *verb* **eb** enw benywaidd, *feminine noun* **eg** enw gwrywaidd, *masculine noun*

blwch penderfyniad *eg* decision box
blwch rhewi *eg* freezing compartment
blwch saim *eg* grease box
blwch stydiau *eg* stud box
blwch Swyddfa'r Post *eg* Post Office box
blwch tân *eg* tinder box
blwch tlysau *eg* trinket box
blwch tyllu *eg* bore box
blwch tywod *eg* sand box
blwch wad *eg* wad box
blwchebill *eg* peg box
blwff *eg* bluff
blŵm *eg* bloom (industrial)
blwyddiadur *eg* year planner
blwyddlyfr *eg* year book
blwyddnod *eg* annal
blwyddyn academaidd *eb* academic year
blwyddyn golau *eb* light year
blwyddyn haul *eb* solar year
blwyddyn naid *eb* leap year
blwyddyn sefydlu *eb* induction year
blwyddyn serol *eb* stellar year
blwyddyn ysgol *eb* school year
blwydd-dâl *eg* annuity
blynyddol *ans* annual (=occurring every year) *adj*
bob *eg* bob
bob yn ail *ans* alternate (in general)
bobin *eg* bobbin
bobin gwennol *eg* shuttle bobbin
bocs *eg* box *n*
bocs ar groes *eg* box crosswise
bocs ar hyd *eg* box lengthwise
bocsio *be* box *v*
bocsit *eg* bauxite
boch *eb* cheek
bod *eg* being
bod dynol *eg* human *n*
bodis *eg* bodice
bodis blaen *eg* front bodice
bodis cefn *eg* back bodice
bodlon *ans* content *adj*
bodloni *be* satisfy
bodlonwr *eg* satisfier
bodolaeth *eb* existence
boddhad *eg* satisfaction
boddhaol *ans* satisfactory
boeler *eg* boiler
Boer *eg* Boer

bogail (anatomi) *eg* umbilicus
bogail (tarian) *eg* boss (of shield)

bogail tarian *eg* shield boss
boglynnog *ans* embossed
boglynnu *be* emboss
boglynwaith *eg* embossing
Boiar *eg* Boyar
boicotio *be* boycott

bol *eg* belly (of instrument)
bola caled *eg* roe (of fish – hard)
bola meddal *eg* roe (of fish – soft)
boladdawnsreg *eb* belly-dancer
bolero *eg* bolero
bolio *be* bulge *v*
Bolsiefig *eg* Bolshevik *n*
Bolsiefigaidd *ans* Bolshevik *adj*
bolson *eg* bolson
bolster *eg* bolster
bolws *eg* bolus
bollt *eb* bolt *n*
bollt ben gwrthsodd *eb* countersunk head bolt
bollt ben hecsagonol *eb* hexagonal head bolt
bollt bencosyn *eb* cheese-head bolt
bollt bengron *eb* round head bolt
bollt bensgwar *eb* square head bolt
bollt ddeuben *eb* double-ended bolt
bollt ddigopa *eb* grub bolt
bollt ddolen *eb* eye bolt
bollt goets *eb* coach bolt
bollt gwpwrdd *eb* cupboard bolt
bollt gyfwyneb *eb* flush bolt
bollt haearn gyr *eb* wrought iron bolt
bollt sylfaen *eb* foundation bolt
bollt T *eb* tee bolt
bollt tyniant *eb* tension bolt
bollt tynnol *eb* tensile bolt
bollt wagen *eb* carriage bolt
bollt ymestyn *eb* expansion bolt
bolltio *be* bolt *v*
bolltiog *ans* bolted
bom folcanig *eg* volcanic bomb
bom tân *eg* incendiary (bomb)
bombardon *eg* bombardon
bôn *eg* base (in arithmetic, also of hedge, tree)
bôn rhif *eg* number base
bôn y sgrym *eg* base of scrum
boncyff *eg* tree trunk
bond *eg* bond *n*
bond cofalent *eg* covalent bond
bond cyd-drefnol *eg* coordinate bond
bond dwbl *eg* double bond
bond egnioledig *eg* energy-rich bond
bond ïonig *eg* ionic bond
Bond Premiwm *eg* Premium Bond
bond triphlyg *eg* triple bond
Bondiau Amddiffyn *ell* Defence Bonds
Bondiau Cynilo Prydeinig *ell* British Savings Bonds
bondiau diatbryn *ell* irredeemable bonds
bondin *eg* bonding
bondio *be* bond *v*
bondiog *ans* bonded
bondo *eg* eaves
bondo agored *eg* open eaves
bondo caeedig *eg* closed eaves
bondo cyfwyneb *eg* flush eave

---

eg/b enw gwrywaidd/benywaidd, *feminine/masculine noun* **ell** enw lluosog, *plural noun* **v** berf, *verb* **n** enw, *noun*

bondo ymestynol *eg* projecting eaves
boned *eb* bonnet
bonedd *eg* gentry
bonedd annibynnol *eg* independent gentry
Boneddiges y Siambr Wely *eb* Lady of the Bedchamber
bongo *eg* bongo
bongorff *eg* trunk (of body)
bonheddwr *eg* gentleman
Bonheddwr y Gwarchodlu *eg* Gentleman at Arms
Bonheddwr y Siambr Wely *eg* Gentleman of the Bedchamber
bonws *eg* bonus
bonyn (=stwmpyn) *eg* stub
bonyn (mewn gwaith metel) *eg* stake (in metalworking)
bonyn (siec etc) *eg* counterfoil
bonyn crychu *eg* creasing stake
bonyn gwaelodi *eg* bottoming stake
bonyn hanner crwn *eg* half moon stake
bonyn hirbig *eg* extinguisher stake
bonyn madarchen *eg* mushroom stake
bonyn ongl lem *eg* hatchet stake
bonyn pen cromen *eg* oval head stake
bonyn pen hir *eg* long head stake
bonyn pengrwn *eg* round head stake
bonyn pensgwar *eg* square head stake
bonyn pig *eg* bick iron
bonyn tafod buwch *eg* cow's tongue stake
bonyn taprog *eg* tapered stake
bonyn teirbraich *eg* three arm stake
bonyn twmffat *eg* funnel stake
bonyn twndis *eg* funnel stake
bonynnu *be* skating (canework)
Boole *ans* Boolean
boracs *eg* borax
bordar *eg* borderer (=tenant)
border *eg* border (on paper, materials)
boreol weddi *eb* matins
borio fertigol *be* vertical boring
borio llorweddol *be* horizontal boring
boron (B) *eg* boron (B)
botgin *eg* bodkin
botgin cam *eg* bent bodkin
botgin crwm *eg* curved bodkin
botgin fflat cam *eg* bent flat bodkin
botgin gwneuthurwr gwiail *eg* caneworker's bodkin
botgin pengrwn *eg* ball pointed bodkin
botgin syth *eg* straight bodkin
botwliaeth *eb* botulism
botwm *eg* button *n*
botwm cromen *eg* domed button
botwm crys *eg* shirt button
botwm cyswllt *eg* link button
botwm garan fowld *eg* moulded shank button
botwm gorchudd *eg* covered button
botwm lliain *eg* linen button
botwm perl *eg* pearl button

botwm taro *eg* striking button
botymell *eb* buttonholer
botymu *be* button *v*
both *eg* hub
both (olwyn) *eb* nave (of wheel)
bouclé *eg* bouclé
bouquet garni *eg* bouquet garni
bourgeois *ans* bourgeois
bourgeoisie *eg* bourgeoisie
bourrée *eg* bourrée
bowlen hemisffer *eb* hemispherical bowl
bowlen salad *eb* salad bowl
bowliad *eg* ball (=action of bowling) *n*
bowliad hyd da *eg* good length ball
bowlin *eb* bowline
bowlio *be* bowl *v*
bowlio allan *be* bowl out
bowlio amddiffynnol *be* defensive bowling
bowlio araf *be* slow bowling
bowlio braich chwith *be* left arm bowling
bowlio canolig *be* medium pace bowling
bowlio cyflym *be* fast bowling
bowlio dan ysgwydd *be* under arm bowling
bowlio dros y wiced *be* bowl over the wicket
bowlio dros ysgwydd *be* over arm bowling
bowlio rownd y wiced *be* bowl round the wicket
bowliwr *eg* bowler
bowliwr araf *eg* slow bowler
bowliwr araf braich chwith *eg* slow left arm bowler
bowliwr arddwrn *eg* wrist bowler
bowliwr braich dde *eg* right arm bowler
bowliwr cyflym *eg* fast bowler
bowt *eg* bout
braced *eg/b* bracket (for shelving)
braced angor *eb* anchor bracket
braced colfach *eb* hinge bracket
braced haearn gyr *eb* wrought iron bracket
braced ongl *eb* angle bracket
braced penglin *eb* knee bracket
bract *eg* bract
bractolyn *eg* bracteole
brad *eg* treachery
Brad y Llyfrau Gleision *eg* Treachery of the Blue Books
bradwr *eg* traitor
bradycardia *eg* bradycardia
braenar *eg* fallow (land) *n*
braenaru *be* fallow (land) *v*
brafwra *eg* bravura
brag *eg* malt brag
bragod gywair *eb* mixed key
bragu *be* brew (alcohol) *vt*
braich *eb* arm *n*
braich (uchaf, isaf) *eb* limb (upper, lower)
braich fawr (craen) *eb* jib (of crane)
braich golfachog *eb* hinged arm
braich golynnol *eb* pivoted arm
braich gymalog *eb* jointed arm

---

adf, adv adferf, adverb   *ans, adj* ansoddair, adjective   *be* berf, verb   *eb* enw benywaidd, feminine noun   *eg* enw gwrywaidd, masculine noun

braich gymwysadwy *eb* adjustable arm
braich rydd *eb* free arm (of machine part)
braich sadio *eb* anti-snake bar
braich ymladd *eb* fighting arm
braich-gerdded *be* arm walking
braich-neidio *be* arm jumping
braint *eb* privilege
braint clerigwyr *eb* benefit of clergy
braint fasnachol *eb* commercial privilege
bran *eg* bran
brand *eg* brand (=make of goods) *n*
brandi *eg* brandy
branell *eb* capotasto
bras (=garw) *ans* coarse (=large grained)
bras (=llawn braster) *ans* rich (of food etc)
bras (=tua) *ans* approximate *adj*
bras fframwaith *eg* skeleton framework
brasamcan *eg* approximation
brasamcanu *be* approximate *v*
brasbwyth *eg* basting stitch
brasbwytho *be* baste (in needlework)
brasfodel *eg* mock-up
brasfodel maint llawn *eg* fullsize mock-up
brasfodel wrth raddfa *eg* scale mock-up
brasgopi *eg* engrossment (=fair copy)
brasgopïo *be* engross (=produce a fair copy)
braslifiad *ans* rough sawn
braslun *eg* sketch (=rough draft)
braslun cynllunio *eg* sketch plan
braslun anodedig *eg* annotated sketch
braslun bawd *eg* thumbnail sketch
braslun darluniol *eg* pictorial sketch
braslun datblygiad *eg* development sketch
braslun dimensiynol *eg* dimensional sketch
braslun eglur *eg* clear sketch
braslun llaw *eg* hand sketch
braslun llawrydd *eg* freehand sketch
braslun maes *eg* field sketch
braslun o gyfrannedd da *eg* well-proportioned sketch
braslun rhagarweiniol *eg* preliminary sketch
braslun syml *eg* simple sketch
braslun taenedig *eg* exploded sketch
brasluniau atodol *ell* supplementary sketches
braslunio *be* sketch *v*
braslunio awyr agored *be* outdoor sketching
braslythreniad *eg* engrossment (=large writing)
braslythrennu *be* engross (=reproduce in larger letters)
brasnaddell *eb* roughening tool
brasnaddu *be* roughing (of lathe tools)
braster *eg* fat
braster menyn *eg* butterfat
brasterog *ans* fatty
brasteru *be* baste (in cooking)
bras-sych *ans* rough dry *adj*
bras-sychu *be* rough dry *v*
brathiad neidr *eg* snake bite

brau *ans* fragile
brawd *eg* friar
brawd cardod *eg* mendicant friar
Brawd Carmelaidd *eg* Carmelite Friar
Brawd Cycyllog *eg* Capuchin Friar
brawd du *eg* black friar
brawd lleyg *eg* lay brother
brawd llwyd *eg* grey friar
brawd neu chwaer sibling
Brawd y Groes *eg* Crutched Friar
brawdgarwch *eg* fraternity (=brotherliness)
brawdlys *eg* assize
Brawdlys Gwaedlyd *eg* Bloody Assizes
brawdoliaeth *eb* brotherhood
Brawdoliaeth Dysgeidiaeth Gristionogol *eb* Confraternity of Christian Doctrine
Brawdoliaeth Unedig *eb* United Brotherhood
Brawdoliaeth y Cyn-Raffaeliaid *eb* Pre-Raphaelite Brotherhood
Brawdoliaeth y Ffeniaid *eb* Fenian Brotherhood
Brawd-Bregethwr *eg* Brother Preacher
brawd-laddiad *eg* fratricide
brawddeg *eb* sentence (=set of words) *n*
brawddegu *be* phrase *v*
brawychu *be* terrorize (=frighten)
brêc *eg* brake
breccia folcanig *eg* volcanic breccia
brecwast *eg* breakfast
brech *eb* rash
brech Almaenig *eb* German measles
brech cewyn *eb* nappy rash
brech clwt *eb* nappy rash
brech goch *eb* measles
brech yr ieir *eb* chicken-pox
brechiad *eg* vaccination
brechlyn *eg* vaccine
brechlyn triphlyg *eg* triple vaccine
brechlyn trwy'r genau *eg* oral vaccine
brechu *be* vaccinate
brêd *eg* braid
brêd gosod *eg* applied braid
brêd ricrac *eg* ricrac braid
bregus *ans* frail
breichiau ar led *ell* arms sideways
breichiau i fyny *ell* arms upwards
breichiau'n blyg *ell* arms bend
breichio *be* arm (in dancing) *v*
breichiol *ans* brachial
breichydd *eg* bracer
breithell *eb* grey matter (brain)
brenhinbost *eg* kingpost
brenhines *eb* queen
Brenhines Gydweddog *eb* Queen Consort
brenhiniaeth *eb* monarchy
brenhiniaeth absoliwt *eb* absolute monarchy
Brenhiniaeth Ddeuol *eb* Dual Monarchy
brenhiniaeth etifeddol *eb* hereditary monarchy

---

brenhiniaeth etholedig *eb* elective monarchy

Brenhiniaeth Gorffennaf *eb* July Monarchy

brenhiniaeth lorc *eb* Yorkist monarchy

brenhinol *ans* royal

brenhinwr *eg* royalist

brenin *eg* king

Brenin Cydweddog *eg* King Consort

breninoldeb *eg* regality

brest *eb* chest (of human)

bresychen *eb* cabbage

brethyn *eg* cloth (of heavy material)

brethyn caerog *eg* tweed

brethyn cartref *eg* homespun

brethyn Dhootie *eg* Dhootie cloth

brethyn eilban *eg* shoddy

brethyn llyfnu *eg* glasscloth

brethyn tewban *eg* frieze (material)

brethynnwr *eg* clothier

breuan *eb* quern

breuan droi *eb* rotary quern

breuan gyfrwy *eb* saddle quern

breuannol *ans* tracheal (in zoology)

breuant *eg* trachea (in zoology)

breuder *eg* brittleness

breuddwydiol *ans* visionary *adj*

brëyr *eg* thane

bri *eg* prestige

bricsen *eb* brick

bricsen awyru *eb* ventilation brick

bricsen dân *eb* firebrick

bricsen focsit *eb* bauxite brick

bricsen wrthsafol *eb* refractory brick

bricwaith *eg* brickwork

bricyllen *eb* apricot

bric-bridd *eg* brick earth

bric-glai *eg* brick clay

brid *eg* breed *n*

bridio *be* breed *v*

bridio detholus *be* selective breeding

brif *eg* breve

briff *eg* brief *n*

briff dylunio *eg* design brief

brig (bryn) *eg* crest (of hill etc)

brig (craig) *eg* outcrop

brig (graff, cromlin) *eg* peak (=highest point in a curve / graph etc)

brig (tudalen etc) *eg* top (of page, tree etc)

brigâd *eb* brigade

Brigâd Ryngwladol *eb* International Brigade

Brigadydd *eg* Brigadier

briger *eb* stamen

brigerog *ans* staminate

briglin cyson *eg* even crestline

briglithryn *eg* top rest

brigo *be* outcropping

brigo i'r wyneb *be* resurface (of ideas etc)

brigwerth *eg* peak value

brigwth *eg* upthrust

brigyn *eg* twig

brigyn deiliog *eg* leafy shoot

brigyn impiedig *eg* scion

brigyn ystwyth *eg* supple twig

bril *eg* brill

brioche *eb* brioche

brisged *eb* brisket

brith *ans* mottled

brithedd *eg* variegation

brithlen *eb* arras

brithwaith *eg* tessellation

briw *eg* sore

briw gorwedd *eg* bedsore

briw'r stumog *eg* stomach ulcer

briwio *be* macerate

briwsion bara *ell* bread crumbs

briwsion cras *ell* golden bread crumbs

briwsioni *be* crumble

briwsionllyd *ans* crumbly

briwsionyn *eg* crumb

broc (môr) *eg* driftwood

brocêd *eg* brocade

brocer *eg* broker

brocer stoc *eg* stockbroker

broceriaeth *eb* brokerage

brocoli *ell* broccoli

broderie anglaise *eb* broderie anglaise

brodio *be* embroider

brodor *eg* native *n*

brodoriaeth *eb* welshry

brodorol (am iaith, pensaernïaeth) *ans* vernacular *adj*

brodorol (yn gyffredinol) *ans* native *adj*

brodwaith *eg* embroidery

brodwaith arwyneb *eg* surface embroidery

brodwaith Assisi *eg* Assisi embroidery

brodwaith cynfas *eg* canvas embroidery

brodwaith eglwysig *eg* ecclesiastical embroidery

brodwaith ffabrig *eg* drawn fabric embroidery

brodwaith llaw *eg* hand embroidery

brodwaith peiriant *eg* machine embroidery

brodwaith rhydd *eg* free embroidery

brodwaith rhydd â pheiriant *eg* free machine embroidery

brodwaith tynnu edau *eg* drawn thread embroidery

Brodyr Bohemia *ell* Bohemian Brethren

brodyr lleyg *ell* conversi

Brodyr Sant Awstin *ell* Augustinian Friars

Brodyr y Bywyd Cyffredin *ell* Brethren of the Common Life

bromin (Br) *eg* bromine (Br)

bromineiddiad *eg* bromination

bromineiddio *be* brominate

bron *eb* breast (of woman)

bronciolyn *eg* bronchiole

broncitis *eg* bronchitis

broncws *eg* bronchus

---

adf, adv adferf, *adverb*   **ans, adj** ansoddair, *adjective*   **be** berf, *verb*   **eb** enw benywaidd, *feminine noun*   **eg** enw gwrywaidd, *masculine noun*

bronennog *ans* mamillated
brongwmwl *eg* mammatocumulus
bronnol *ans* mammary
brown *eg* brown *n*
brown alisarin *eg* alizarin brown
brown canol *eg* mid brown
brown copr *ans* copper brown
brown golau *eg* light brown
brown tryloyw *eg* transparent brown
brown tywyll *eg* dark brown
brown Vandyke *eg* Vandyke brown
brownaidd *ans* brownish
brownio *be* brown *v*
brwsh *eg* brush *n*
brwsh aer *eg* air brush
brwsh blew *eg* bristle brush
brwsh blew camel *eg* camel hair brush
brwsh blew clust ych *eg* ox-ear hair brush
brwsh blew cymysg *eg* blended-hair brush
brwsh blew ffwlbart *eg* fitch hog brush
brwsh blew gafr *eg* goat-hair brush
brwsh blew gwiwer *eg* squirrel hair brush
brwsh blew meddal *eg* soft hair brush
brwsh blew merlen *eg* pony-hair brush
brwsh blew mochyn *eg* hoghair brush
brwsh blew ych *eg* ox-hair brush
brwsh canllaw grisiau *eg* banister brush
brwsh cans *eg* outdoor sweeping brush
brwsh crafu *eg* scratch brush
brwsh cwilsen *eg* quill brush
brwsh dyfrlliw *eg* water colour brush
brwsh glud *eg* glue brush
brwsh gwifrau *eg* wire brush
brwsh llythrennu *eg* lettering brush
brwsh murlun *eg* mural brush
brwsh neilon *eg* nylon brush
brwsh paent *eg* paint brush
brwsh past *eg* paste brush
brwsh peintio *eg* painting brush
brwsh poster *eg* poster-brush
brwsh rhidyllu *eg* sieving brush
brwsh sabl *eg* sable brush
brwsh sabl coch *eg* red sable brush
brwsh siâp cleddyf *eg* sword shape brush
brwsh siâp cneuen *eg* filbert shape brush
brwsh stensil *eg* stencil brush
brwsh sych *eg* dry brush
brwsh tŷ bach *eg* lavatory brush
brwsh un-strôc *eg* one-stroke brush
brwshwaith *eg* brushwork
brwsio *be* brush *v*
brwyd *eg* heddle
brwydr *eb* battle
brwydr lled y cledrau *eb* battle of the gauges
Brwydr Prydain *eb* Battle of Britain
Brwydr y Somme *eb* Battle of the Somme
brwydro *be* struggle, fight *v*

brwynen (mewn offeryn chwyth) *eb* reed (in wind instruments)
brwynen (y planhigyn) *eb* rush
brwynen ddirgrynol *eb* vibrating reed
brwynen ddwbl *eb* double reed
brwyniad *eg* anchovy
brwysio *be* braise
brych *eg* placenta
brychau haul *ell* sunspots
brycheuyn *eg* blur *n*
brychni *eg* speckle *n*
brychu (wrth orffennu metel) *be* mottling (in finishing metal)
brychu (yn gyffredinol) *be* speckle *v*
bryn *eg* hill
bryn a phant swell and swale
bryncyn *eg* hillock
bryndir *eg* hill country
brynfa *eb* hill station
bryngaer *eb* hill fort
bryniog *ans* hilly
brys *ans* emergency *adj*
brysbennu *be* triage
Brython *eg* Briton (Ancient)
Brythonaidd *ans* Brythonic
buanedd *eg* speed (scalar quantity)
buanedd amgantol *eg* peripheral speed
buanedd y gwynt *eg* wind speed
buarth chwarae *eg* playground (of school)
buchedd sant *eg* hagiography
buches *eb* herd (of dairy cows)
budrelwa *be* profiteer
budd *eg* benefit (=advantage)
buddai (gorddi) *eb* churn (to make butter)
buddiol *ans* profitable
buddioldeb *eb* expediency
buddran *eb* dividend (=sum of money)
buddsoddi *be* invest (financial)
buddsoddiad *eg* investment (of money)
buddsoddiad cyflawnedig *eg* actual investment
buddsoddiad cynhyrchiol *eg* productive investment
buddsoddiad o'r tu allan *eg* inward investment
buddsoddwr *eg* investor
Buddug *eb* Boadicea
buddugoliaeth *eb* victory
buddugoliaethus *ans* victorious
budd-dal *eg* benefit (=insurance or social security payment)
budd-dal afiechyd *eg* sickness benefit
budd-dal atodol *eg* supplementary benefit
budd-dal cyffredinol *eg* universal benefit
budd-dal dethol *eg* selective benefit
budd-dal plant *eg* child allowance
budd-dal tai *eg* housing benefit
budd-dal unffurf *eg* uniform benefit
budd-dal y methedig *eg* invalidity benefit
budd-dal ymddeol *eg* superannuation
bufedd *eb* bovate

---

eg/b enw gwrywaidd/benywaidd, *feminine/masculine noun*   *ell* enw lluosog, *plural noun*   **v** berf, *verb*   *n* enw, *noun*

bugail *eg* shepherd *n*
bugeilgerdd *eb* eclogue
bugeilio *be* shepherd *v*
bugeiliol *ans* pastoral *adj*
bugeilyddiaeth *eb* pastoralism
burum *eg* yeast
busnes *eg* business
bustl *eg* bile *n*
bustl y stumog *eg* stomach bile
bustl ych *eg* ox-gall
bustlog *ans* bile *adj*
bwa (ar gyfer saethu) *eg* bow (for archery) *n*
bwa (mewn pensaernïaeth) *eg* arch *n*
bwa aortig *eg* aortic arch
bwa cangell *eg* chancel arch
bwa cambr *eg* camber arch
bwa corbelaidd *eg* corbelled arch
bwa croes *eg* cross-bow
bwa crwn *eg* round arch
bwa eliptigol *eg* elliptical arch
bwa hafalochrog *eg* equilateral arch
bwa hanner crwn *eg* semi-circular arch
bwa hanner eliptig *eg* semi-elliptical arch
bwa hir *eg* longbow
bwa i fyny bow up
bwa i lawr bow down
bwa lanset *eg* lancet arch
bwa llifwaddod *eg* alluvial fan
bwa malurion *eg* fanglomerate
bwa niwral *eg* neural arch
bwa ogee *eg* ogee arch
bwa pedol *eg* horse shoe arch
bwa pedrant *eg* quadrant arch
bwa pedwar canolbwynt *eg* four-centred arch
bwa perpendicwlar *eg* perpendicular arch
bwa pigfain *eg* pointed arch
bwa segmentol *eg* segmental arch
bwa systemig *eg* systemic arch
bwa tagell *eg* gill arch
bwa tiersbwynt *eg* tierspoint arch
bwa trionglog *eg* triangular arch
bwaog *ans* arcuate
bwa-nodi *be* bowing (in a score)
bwa'r mandibl *eg* mandibular arch
bwced *eg* bucket
bwciad *eg* booking
bwcl *eg* buckle *n*
bwcler *eg* buckler
bwclo *be* buckle *v*
bwcram *eg* buckram
bwch dihangol *eg* scapegoat
Bwdha *eg* Buddha
Bwdhaeth *eb* Buddhism
Bwdhaidd *ans* Buddist *adj*
Bwdhydd *eg* Buddhist *n*
bwff *eg* buff *n*

bwff calico *eg* calico buff
bwff ffelt *eg* felt buff
bwff llathru *eg* polishing buff
bwffe *eg* buffet
bwffio *be* buff *v*
bwgi-wgi *eg* boogie-woogie
bwi *eg* buoy
bwla *eg* bull (papal)
Bwla Aur *eg* Golden Bull
bwlb *eg* bulb
bwlch (ar lafn) *eg* notch (in blade)
bwlch (rhwng dau fynydd) *eg* pass (in mountains) *n*
bwlch (yn gyffredinol) *eg* gap (in general) *n*
bwlch a strip notch and strip
bwlch gwynt *eg* windgap
bwlch rhyngfloc *eg* inter-block gap
bwletin *eg* bulletin
bwli (mewn hoci) *eg* bully
bwli cam *eg* faulty bully
bwli cosb *eg* penalty bully
bwlïo *be* bully off *v*
bwliwn *eg* bullion
bwlyn *eg* knob
bŵm *eg* boom (on boat)
bwmbamau *ell* boombams
bwnd *eg* bund
bwnt *eg* bunt hit
bwr *eg* burr (in timber)
bwrán *eg* buran
bwrdais *eg* burgess
bwrdeisiol *ans* burghal
bwrdeistref *eb* borough
bwrdeistref boced *eb* pocket borough
bwrdeistref bwdr *eb* rotten borough
bwrdeistref fwrgais *eb* burgage borough
bwrdeistref scot a lot *eg* scot & lot borough
bwrdd (cynulliad o bobl, darn o bren etc) *eg* board
bwrdd (dodrefnyn) *eg* table (furniture)
bwrdd â dror ynddo *eg* table with drawer
bwrdd ac îsl board and easel
bwrdd academi *eg* academy board
bwrdd acwstig *eg* acoustic board
bwrdd achlysurol *eg* occasional table
Bwrdd Addysg *eg* Board of Education
bwrdd arbed lle *eg* space saving table
bwrdd arddangos *eg* display board
bwrdd argaen *eg* veneer board
bwrdd argaen parod *eg* ready veneer board
bwrdd arlunio *eg* art board
bwrdd arwyneb *eg* surface table
bwrdd arholi *eg* examinations board
bwrdd bara *eg* breadboard
bwrdd Bryste *eg* Bristol board
bwrdd bwyd *eg* dining table
bwrdd caled *eg* stiff board
bwrdd canol *eg* centreboard

---

adf, adv adferf, *adverb* **ans, adj** ansoddair, *adjective* **be** berf, *verb* **eb** enw benywaidd, *feminine noun* **eg** enw gwrywaidd, *masculine noun*

Bwrdd Canol Cymreig *eg* Central Welsh Board
bwrdd caws *eg* cheeseboard
bwrdd cefn *eg* backboard
bwrdd cefnu *eg* backing board
Bwrdd Cenedlaethol Cymru *eg* Welsh National Board (WNB)
bwrdd cerdded *eg* duck-board
bwrdd clawr *eg* cover board
bwrdd codi a gostwng *eg* rise and fall table
bwrdd coes gât *eg* gate-leg table
bwrdd coes gât sengl *eg* single gate-leg
bwrdd coffi *eg* coffee table
bwrdd coleg *eg* college board
bwrdd crib *eg* ridge board
bwrdd crwst *eg* pastry board
bwrdd cylched brintiedig *eg* printed circuit board
Bwrdd Cymeradwyo Trydanol Prydeinig *eg* British Electrical Approvals Board (BEAB)
bwrdd cymwysadwy *eg* adjustable table
bwrdd cynfas *eg* canvas board
bwrdd cynnal *eg* string board (stairs)
bwrdd chwarae *eg* playboard (puppet stage)
bwrdd dalen blyg *eg* drop-leaf table
bwrdd dalen estynedig *eg* draw leaf table
bwrdd drilio *eg* drill table
bwrdd du *eg* blackboard
bwrdd dymchwel *eg* turnover board
bwrdd ebillion *eg* wrest-board
bwrdd ffibr *eg* fibreboard
bwrdd ffreutur *eg* refectory table
bwrdd gôl *eg* goal board
bwrdd goleddu *eg* canting table
bwrdd gronynnau *eg* particle board
bwrdd gwaith *eg* desktop
Bwrdd Gwarcheidwaid *eg* Board of Guardians
bwrdd gweithio basgedi *eg* work-board (basketry)
bwrdd gwellt *eg* strawboard
bwrdd gwisgo *eg* dressing table
bwrdd gwyn *eg* white board
bwrdd hindraul *eg* weather board (bargeboard)
bwrdd hyfforddi diwydiannol *eg* industrial training board
Bwrdd Iechyd *eg* Board of Health
bwrdd llawes *eg* sleeve board
Bwrdd Lleol Gorboblogaeth *eg* Congested Local Board
bwrdd llifio *eg* sawing board
bwrdd lluniadu *eg* drawing-board
bwrdd llwch *eg* dust board (drawer)
bwrdd llwyd *eg* grey board
bwrdd magnetig *eg* magnetic board
bwrdd marcio *eg* marking table
Bwrdd Marchnata Llaeth *eg* Milk Marketing Board
bwrdd matrics *eg* matrix board
bwrdd meddal *eg* soft table
bwrdd melfed *eg* velvet board
bwrdd melin *eg* millboard
bwrdd modelu *eg* modelling board
bwrdd mowldio *eg* moulding board

bwrdd mowntio *eg* mounting board
bwrdd natur *eg* nature table
bwrdd ochr *eg* side table
bwrdd petryal *eg* rectangular table
bwrdd plaenio *eg* shooting board
bwrdd plaenio meitr *eg* mitre shooting board
bwrdd plastr *eg* plasterboard
bwrdd pylu *eg* dimmer board
bwrdd rhesymeg *eg* logic board
bwrdd rhwbio *eg* rubbing board
bwrdd sain *eg* sound table
bwrdd sefydlog *eg* fixed table
bwrdd seiliedig *ans* board based
bwrdd sglodion *eg* chipboard
bwrdd sglodion adeiladwaith llafnog *eg* sandwich construction chipboard
bwrdd sglodion argaen *eg* veneered chipboard
bwrdd sglodion haen sengl *eg* single layer chipboard
bwrdd sgôr *eg* scoreboard
bwrdd sgyrtin *eg* skirting board
bwrdd smwddio *eg* ironing board
bwrdd stori *eg* story-board
bwrdd tocynnau *eg* ticket board
bwrdd torri (i dorri defnyddiau etc) *eg* cutting board
bwrdd torri (yn y gegin) *eg* chopping board
bwrdd tro *eg* turntable
bwrdd wythonglogl *eg* octagonal table
bwrdd y cymun *eg* communion table
Bwrdd y Morlys *eg* Board of Admiralty
bwrdd ynysu *eg* insulating board
bwrdd ystofi *eg* warp board
bwred *eb* burette
Bwrgwynaidd *ans* Burgundian *adj*
Bwrgwyniad *eg* Burgundian *n*
bwriad *eg* intention
bwriad artistig *be* artistic intention
Bwriad Strategol Gwasanaethau Iechyd Cymru Strategic Intent for Health Services in Wales
bwrlap *eg* burlap
bwrlesg *eg* burlesque
bwrlwm drwm *eg* drum roll
bwrn *eg* bale
bwrnais *eg* burnish *n*
bwrneisio *be* burnish *v*
bwrneisydd *eg* burnisher
bwrsar *eg* bursar
bwrsari *eg* bursary
bwrw *be* cast

bwrw allan (yn gyffredinol) *be* eject
bwrw allan (mewn bioleg) *be* elimination (in biology)
bwrw allan (ysbrydion, cythreuliaid) *be* exorcise

bwrw ffrwyth *be* brew (of tea) *v*
bwrw haearn *be* founding (e.g. iron)
bwrw lliw *be* lose colour (enamelling colour)
bwrw'r targed *be* hit the target
bwrw (plu/croen) *be* moult

---

bws *eg* bus
bws deugyfeiriadol *eg* bidirectional bus
bwsh *eg* bush (=metal lining)
bwsh plwm *eg* lead bush
bwsh pres *eg* brass bush
bwtan *eg* butane
bwtres *eg/b* buttress
bwtres llyfrau *eg* book-end
bwtyleiddio *be* butylate
bwth *eg* booth
bwth chwistrellu *eg* spray booth
bwthyn clwm *eg* tied cottage
bwyd *eg* food
bwyd cyfleus *eg* convenience food
bwyd dros ben *eg* left over food
bwyd garw *eg* roughage
bwyd lles *eg* welfare food
bwyd tun *eg* canned food
bwyd wedi'i bacio'n barod *eg* prepacked food
bwyd wedi'i rewi'n gyflym *eg* quick frozen food
bwydlen *eb* menu (of food)
bwydlestr *eg* food vessel
bwydo *be* feed *v*
bwydo ar alw *be* demand feeding
bwydo cymysg *be* mixed feeding
bwydo gyda thiwb *be* enteral tube feeding
bwydo o'r botel *be* bottle feeding
bwydo o'r fron *be* breast feeding
bwydydd amddiffyn *ell* protective foods
bwydydd cryfhau'r corff *ell* body building foods
bwydydd gwres ac egni *ell* heat and energy foods
bwydydd masnachol i fabanod *ell* commercial baby foods
bwydydd startsh *ell* starchy foods
bwydydd wedi'u hidlo *ell* strained foods
bwyell *eb* axe
bwyell fetel fflat *eb* flat metal axe
bwyell garreg *eb* stone axe
bwyell garreg wedi'i llathru *eb* polished stone axe
bwyell gig *eb* chopper (meat)
bwyell greuog *eb* socketed axe
bwyell law *eb* hand axe
bwyell ryfel *eb* war axe
bwylltid *eg* swivel *n*
bwylltidio *be* swivel *v*
bwysel *eg* bushel
bwytawyr dyfrol *ell* aquatic feeders
bycanîr *eg* buccaneer
byd anghyfannedd *eg* non-ecumene
byd cyfannedd, y *eg* ecumene
byd dychmygol *eg* imaginary world
byd ffantasi *eg* world of fantasy
byd go iawn *eg* real world
byd modern cynnar *eg* early modern world
Byd Newydd *eg* New World
bydwraig *eb* midwife
bydysawd *eg* universe

byd-eang *ans* world wide
byddar *ans* deaf
byddardod *eg* deafness
byddardod nerfol *eg* nerve deafness
byddin *eb* army *n*
byddin diriogaethol *eb* territorial army
Byddin Fodel Newydd *eb* New Model Army
byddin gartref *eb* home army
Byddin Gêl *eb* Resistance (in France, World War II)
byddin heddychlon *eb* peaceable army
byddin sefydlog *eb* standing army
Byddin yr Iachawdwriaeth *eb* Salvation Army
byffer *eg* buffer *n*
byffer allbwn *eg* output buffer
byffer cylchol *eg* circular buffer
byffer mewnbwn/allbwn *eg* input/output buffer
byffer wyth did *eg* eight bit buffer
byffer wythol *eg* octal buffer
byffro *be* buffer *v*
byffro dwbl *be* double buffering
bylchfuriau *ell* battlements (=parapet)
bylchiad *eg* spacing
bylchiad llinellau *eg* line spacing
bylchiad sengl *ans* single spacing
bylchog (am lafn) *ans* notched
bylchog (yn gyffredinol) *ans* gapped
bylchu *be* breach *v*
bylchu cyfrannol *be* proportional spacing
bylchu dwbl *be* double spacing
bylchus *ans* lacunary
bylchwr *eg* space bar
bymper *eg* bumper
byncer tywod *eg* sand bunker
bynen *eb* bun
bynen Chelsea *eb* Chelsea bun
byngalo *eg* bungalow
byngalo dull ransh *eg* ranch style bungalow
byr *ans* brief *adj*
byr ei anadl *ans* breathless *(with masculine nouns)*
byr ei hanadl *ans* breathless *(with feminine nouns)*
byr yr olwg *ans* myopic
byrdwn *eg* refrain
byrddau cydwedd *ell* match boards
byrddau hindraul cyffredin *ell* plain weather-boarding
byrddau hindraul rabedog *ell* rabbeted weather boarding
byrddau'r tu clytaf *ell* lee boards
byrddio *be* embark
byrfodd *eg* abbreviation (in typography)
byrfraich *eg* press-up
byrfyfyr *ans* improvised
byrgnwd *eg* catch crop
byrgrwn *ans* oblate
byrhau patrwm *be* shorten a pattern
byrlymu *be* bubble *v.intrans*
byrllysg *eg* mace
byrnwr *eg* baler

---

adf, adv adferf, *adverb* **ans, adj** ansoddair, *adjective* **be** berf, *verb* **eb** enw benywaidd, *feminine noun* **eg** enw gwrywaidd, *masculine noun*

byrwasg *ans* short waisted

bys *eg* finger *n*

bys pysgodyn *eg* fish finger

bys troed *eg* toe

Bysantaidd *ans* Byzantine

bysedig *ans* fingered

byseddiad *eg* digitation (in botany and zoology)

byseddu *be* fingering

bysell *eb* key (on computer or typewriter)

bysell dianc *eb* escape key

bysell doler *eb* dollar key

bysell gopïo *eb* copy key

bysell hafan *eb* home key (on computer)

bysell hanner bwlch *eb* half-space key

bysell punt *eb* pound key

bysell reoli *eb* control key

bysell swyddogaeth *eb* function key

bysell tab *eb* tab key

bysellbad *eg* keypad

bysellbad rhifol *eg* numeric keypad

bysellfwrdd *eg* keyboard (of computer)

bysellfwrdd QWERTY *eg* QWERTY keyboard

bysellog *ans* keyed *adj*

bysell-i-ddisg *ans* key-to-disk

bytio *be* butt *v*

bythwyrdd *ans* evergreen *adj*

byw *be* live *v*

byw *ans* live *adj*

byw ar y plwyf *be* receive poor relief

bywddyraniad *eg* vivisection

bywesgoredd *eg* viviparity

bywesgorol *ans* viviparous

bywiocáu *be* quickening (of foetus)

bywiog *ans* active (=lively)

bywiogus *ans* invigorating

bywluniad *eg* life drawing

bywoliaeth *eb* living *eb*

bywyd llonydd *eg* still-life *n*

bywyd oedolyn *eg* adult life

bywyn *eg* pith

bywyn (dant) *eg* pulp (of tooth)

C

C fwyaf *eb* C major
C ganol *eb* middle C
C leiaf *eb* C minor
CAAY: Cyngor Arholiadau ac Asesu Ysgolion *eg* SEAC: School Examinations and Assessment Council
caban *eg* kiosk
caban codi *eg* cabin lift
cabidwl *eg* chapter (=canons of a cathedral)
cabidyldy (tŷ'r siapter) *eg* chapterhouse
cabidylwr *eg* capitular
cabinet *eg* cabinet
cabinet llestri *eg* china cabinet
cabinet ystafell ymolchi *eg* bathroom cabinet
cabledd *eg* blasphemy
caboledig *ans* polished (style, performance,etc)
caboli *be* polish (style, performance etc) *v*
cacen *eb* cake
cacen bysgod *eb* fishcake
cacen Dundee *eb* Dundee cake
cacen gaws *eb* cheesecake
cacoffoni *eg* cacophony
cacoffonig *ans* cacophonous
cactws *eg* cactus
cadach llathru *eg* polishing cloth
cadach meddal *eg* soft cloth
cadair (=pwrs buwch) *eb* udder
cadair (i eistedd arni) *eb* chair (in general)
cadair (mewn prifysgol) *eb* chair (in university)
cadair bren plyg *eb* bentwood chair
cadair freichiau *eb* armchair
cadair gefn crwth *eb* fiddle back chair
cadair gefn gwerthyd *eb* spindle back chair
cadair gefn olwyn *eb* wheel-back chair
cadair gefn rhuban *eb* ribbon back chair
cadair gefn tarian *eb* shield back chair
cadair godi *eb* chair lift
cadair olwyn *eb* wheelchair
cadair siglo *eb* rocking chair
cadair uchel *be* high chair
cadair wthio *eb* push-chair
cadair ystafell fwyta *eb* dining chair
cadarn *ans* firm *adj*
cadarnhad *eg* confirmation (=establish more fully)
cadarnhaol *ans* positive (in general)
cadarnhau *be* confirm
cadarnle *eg* stronghold
cadarnwedd *ell* firmware
cadbennaeth *eg* commander-in-chief

cadenza *eg* cadenza
cadernid *eg* solidity (of argument etc)
cadfridog *eg* general *n*
cadfwyell *eb* battle axe
cadlywydd *eg* commander (military)
cadmiwm (Cd) *eg* cadmium (Cd)
cadoediad *eg* truce
cadw *be* keep
cadw (mewn cyfrifiadureg) *be* save (in computing)
cadw car *be* garaging
cadw cofnodion *be* record keeping
cadw cydbwysedd *be* balance (=keep equilibrium) *vi*
cadw eich pen yn uchel keep your head high
cadw fel *be* save as
cadw'i siâp retain its shape
cadw meddiant *be* maintain possession
cadw meddiant o'r bêl *be* maintain possession of the ball
cadw'n heini *be* keep fit
cadw sgrin *be* save screen
cadw trefn *be* keep order
cadw trefn (ar) *be* control (a class etc) *v*
cadw tŷ *be* housekeeping
cadw wiced *be* keep wicket
cadw yn y ddalfa *be* remand (in custody) *v*
cadwolyn *eg* preservative (=preserving substance)
cadwolyn seis mwsogl *eg* moss size preservative
cadwraeth *eb* conservation (of mass, energy, momentum)
cadwraeth coed *eb* timber preservation
cadwraeth egni *eb* conservation of energy
cadwraeth momentwm *eb* conservation of momentum
cadwraeth rhif *eb* conservation of number
Cadwrydd *eg* Observant
cadwrydd *eg* keeper (on magnet)
cadwrydd haearn meddal *eg* soft iron keeper
cadwyn *eb* chain *n*
cadwyn fwyd *eb* food chain
cadwyn o fynyddoedd *eb* range of mountains
cadwyn y merched *eb* ladies chain
cadwynedd *eg* catenation
cadwyno *be* catenate
cadwyno ymlaen *be* forward chaining
cadwynog *ans* chained
cadwyno'n ôl *be* backward chaining
cadw-mi-gei *eg* savings box
cae *eg* field (in agriculture) *n*
cae chwarae antur *eg* adventure playground
cae padi *eg* paddy field

---

caead (ar ffenestr, camera) *eg* shutter
caead (botel) *eg* stopper
caecwm *eg* caecum
caeedig *ans* closed
caeedydd *eg* shuttering
caefa *eb* closure
caegeidwad *eg* hayward
cael at *be* access (=get to) *v*
cael gwared â llawnder *be* remove fullness
cael mynediad *be* gain access
caen *eg* coat (in cooking) *n*
caen erydion *eg* waste-mantle
caenu *be* coat (in cooking) *v*
caer *eb* fortress
caer bentir *eb* promontory fort
caer ddinesig *eb* citadel
caer filltir *eb* mile castle
caeth (=llym) *ans* strict
caeth (i gyffuriau) *ans* addicted
caeth i'r tŷ *ans* housebound
caethiwed i gyffuriau *eb* drug addiction
caethiwus *ans* addictive
caethwas *eg* slave
caethwasiaeth *eb* slavery
cafalîr *eg* cavalier *n*
cafaliraidd *ans* cavalier *adj*
cafalri caerog *eg* cavalry twill
cafatina *eg* cavatina
cafiar *eg* caviare
cafn *eg* trough
cafn cyflin *eg* parallel gutter
cafn llyfrau *eg* book trough
cafn mainc *eg* bench well
cafn marmori *eg* marbling trough
cafn o wasgedd isel *eg* trough (pressure)
cafn taprog *eg* tapered gutter
cafnu *be* gouge *v*
caffael *be* acquire
caffaeledig *ans* acquired
caffaeliad (iaith, sgiliau) *eg* acquisition (of language, skills)
caffein *eg* caffeine
caffi *eg* cafe
cafflo *be* snarling (=tangle)
cangell *eb* chancel
cangen *eb* branch *n*
cangen banc *eb* bank branch
cangen o goeden *eb* tree branch
canghellor *eg* chancellor
Canghellor y Trysorlys *eg* Chancellor of the Exchequer
canghennog *ans* branched
cai *eg* cay
caiac *eg* kayak
caib eira *eb* ice axe
CAI: hyfforddiant drwy gymorth cyfrifiadur *eg* CAI: computer aided instruction
caill *eg* testis
cain *ans* delicate (=finely beautiful)

cainc (=darn o gerddoriaeth) *eb* strain (=piece of music)
cainc (mewn canu penillion) *eb* air (in penillion singing)
cainc (mewn gwifrau) *eb* spur (of wiring)
cainc (mewn pren) *eb* knot (in wood) *n*
cainc (o edafedd) *eb* strand (of cotton etc) *n*
cainc farw *eb* dead knot
cainc fyw *eb* live knot
cais (=gofyn) *eg* request
cais (mewn rygbi) *eg* try (in rugby) *n*
cais (am swydd etc) *eg* application (=formal request)
cais cosb *eg* penalty try
calamin *eg* calamine
calasa *eg* chalaza
calcio *be* caulk
calcwlws *eg* calculus
calcwlws amrywiad *eg* calculus of variation
calcwlws differol *eg* differential calculus
calcwlws integrol *eg* integral calculus
calch *eg* lime
calch brwd *eg* quicklime
calch soda *eg* soda lime
calch tawdd *eg* slaked lime
calchaidd *ans* calcareous
calchbalmant *eg* limestone pavement
calchbost *eg* limestone pillar
calcheiddiad *eg* calcification
calcheiddio *be* calcify
calchfaen *eg* limestone
calchfaen carbonifferaidd *eg* carboniferous limestone
calchgar *ans* calciphile
calchgas *ans* calciphobe
calchit *eg* calcite
calchu *be* liming
calchyniad *eg* calcination
calchynnu *be* calcinate
caled *ans* hard
caleden *eb* callus
caledfwrdd *eg* hardboard
caledfwrdd rhychiog *eg* fluted hardboard
calediant *eg* induration
Caledonaidd *ans* Caledonian
caledu (=gwneud yn galed) *be* harden
caledu (dillad) *be* air (clothes) *v*
caledu (glud) *be* cure (glue)
caledu a thymheru hardening and tempering
caledu morthwyl *be* hammer hardening
caledwch *eg* hardness
caledwch dŵr *eg* hardness of water
caledwch parhaol *eg* permanent hardness
caledwedd *eg/b* hardware (of computers)
caledwr *eg* hardener
calendr *eg* calendar
Calendr Gregori *eg* Gregorian Calendar
Calendr Julius (HDd – hen ddull) *eg* Calendar, Julian (OS)
Calfin *eg* Calvin
Calfiniaeth *eb* Calvinism

---

eg/b enw gwrywaidd/benywaidd, *feminine/masculine noun*　　**ell** enw lluosog, *plural noun*　　**v** berf, *verb*　　**n** enw, *noun*

calgon *eg* calgon
calico *eg* calico
calico can *eg* bleached calico
calico gwyn can *eg* bleached white calico
calico heb ei gannu *eg* unbleached calico
californiwm (Cf) *eg* californium (Cf)
caligraffeg *eb* calligraphy
caligraffeg Islamaidd *eb* Islamic calligraphy
caligraffig *ans* calligraphic
caligraffydd *eg* calligraphist
caliper *eg* calliper
caliper cymal cadarn *eg* firm joint calliper
caliperau allanol *ell* outside callipers
caliperau cwmpas *ell* compass callipers
caliperau cyfunol *ell* combination callipers
caliperau fernier *eg* vernier callipers
caliperau jenni *ell* jenny callipers
caliperau mewnol *ell* inside callipers
calon *eb* heart
caloreiddio *be* calorizing
calori *eg* calorie
caloriffig *ans* calorific
caloriffydd *eg* calorifier
calorimedr *eg* calorimeter
calorimedr bom *eg* bomb calorimeter
calorimedreg *eb* calorimetry
calsitonin *eg* calcitonin
calsiwm (Ca) *eg* calcium (Ca)
calsiwm carbonad *eg* calcium carbonate
calsiwm silicad *eg* calcium silicate
calycs *eg* calyx
callestr daro *eb* percussion headed flint
callor *eg* caldera
cam (=ar echel) *ans* cranked
cam (=heb fod yn syth) *ans* lopsided
cam (ar beiriant) *eg* cam
cam (wrth gerdded) *eg* step (when walking and figuratively) *n*
cam (mewn datblygiad) *eg* stage (=step in development)
cam baril *eg* barrel cam
cam cyntaf *eg* initiative (=first step)
cam datblygiadol *eg* developmental stage
cam ergyd *eb* foul shot
cam hir *eg* long step
cam i'r ochr *eg* side-step *n*
cam isel *eg* low step
cam llithro *eg* slip-step *n*
cam llithro mewn cylch *eg* slip-step in a circle
cam mewnol *eg* internal step
cam olaf *eg* last step
cam wrth gam step by step
cam wythfed *eg* octave step
camau geni *ell* labour stages
camau i ddisgyblu *ell* disciplinary action
camau'r llifo *ell* stages of dyeing
cambiata *eg* cambiata
cambiwm *eg* cambium

cambr *eg* camber *n*
cambren *eb* hanger (for hanging clothes)
cambren dillad *eb* clothes hanger
Cambriaidd *ans* Cambrian
cambrig *eg* cambric
cambro *be* camber *v*
camdaflu *be* foul throw
camdriniaeth *eb* abuse (mistreatment) *n*
camdriniaeth rywiol *eb* sexual abuse
camdroad *eg* warping (=distortion)
camdroi *be* warp (wood) *v*
camddefnydd (o sylwedd, grym) *eg* abuse (of a substance, power) *n*
camddefnydd (yn gyffredinol) *eg* misuse *n*
camddefnyddio (sylwedd, grym) *be* abuse (a substance, power) *v*
camddefnyddio (yn gyffredinol) *be* misuse *v*
camddefnyddio cyffuriau *be* drug abuse
camddefnyddio hydoddyddion *eg* solvent abuse
cameo *eg* cameo
camera *eg* camera
camera fideo unllun *eg* video still camera
camera syml *eg* simple camera
camfaethol *ans* dystrophic
camffurfiad *eg* malformation
camffurfiad cynhenid *eg* congenital malformation
camgydiad *eg* false entry
camil *eb* camomile
camisol *eg* camisole
camlas *eb* canal
camlas, lloc a llwybr tynnu canal, lock and towpath
camlesyn *eg* canalicus
camlesynnaidd *ans* canalicular
camog *eg* felloe
camosod *be* mislay
camp *eb* achievement (=exploit)
camp hir ei pharhad *eb* sustained event
camp tîm *eb* team event
campanoleg *eb* campanology
Campau Conwy *ell* Conway Races
campfa *eb* gymnasium
campwaith *eg* masterpiece
campws *eg* campus
camreoli *be* misrule
camsefyll *be* be offside
camsiafft *eg* camshaft
camsin *eg* khamsin
camu *be* stride
camu allan *be* step out
camu o amgylch *be* step round *v*
camweinyddu *be* maladministration
camweithio *be* malfunction *v*
camweithrediad *eg* dysfunction
camymddwyn *be* misbehave
camymddygiad *eg* misdemeanour
cam-drin *be* abuse (mistreat) *v*

---

adf, adv adferf, adverb **ans, adj** ansoddair, adjective **be** berf, verb **eb** enw benywaidd, *feminine noun* **eg** enw gwrywaidd, *masculine noun*

cam-drin plant *be* child abuse
cân *eb* song
cân actol *eb* action song
cân barablu *eb* patter song
cân boblogaidd *eb* pop song
cân dymhorol *eb* seasonal song
cân fodern *eb* modern song
cân galypso *eb* calypso
cân grefyddol *eb* religious song
cân gronnus *eb* cumulative song
cân gyfrif *eb* counting song
cân hwyl *eb* fun song
can llaeth *eg* churn (=can to hold milk)
can metr *eg* hundred metres
can olew *eg* oil can
cân syml *eb* simple song
cân werin *eb* folk song
cân ysbrydol *eb* spiritual *n*
canadwy *ans* singable
canapés *ell* canapés
canat *eg* qanat
cancr *eg* canker
cancrizans *ell* cancrizans
candi pîl *eg* candied peel
canerdy *eg* cannery
canfasio *be* canvass
canfed *eg* hundredth
canfod *be* detect
canfod sŵn *be* auditory perception
canfod ymyl *be* edge detection
canfodydd *eg* detector
canfodydd curiadau *eg* pulse detector
canfyddadwy *ans* identifiable
canfyddiad *eg* perception
canfyddiad o ddyfnder *eg* depth perception
canfyddiadol *ans* perceptual
canhwyllbren *eg* candlestick
canhwyllnerth *eg* candle-power
canhwyllyr *eg* chandelier
caniad *eg* entry (in music)
caniad y cyrn *eg* horn passage
caniatâd *eg* permission *n*
caniataol *ans* permissible
caniatáu *be* allow
canig *eb* ditty
canio *be* canning
canion *eg* canyon
caniwla *eg* cannula
canlyneb *eb* corollary
canlyniad *eg* result
canlyniadau cyfanred *ell* aggregate results
canlynol *ans* consequent
canllaw (ar gyfer gweithredu) *eg/b* guideline
canllaw (i afael ynddo) *eg/b* hand rail
canllaw (pont) *eg* parapet (of bridge)
canllaw asesu *eg* assessment guide

canllaw grisiau *eg* banister
canllaw pellach *eg* additional guidance
canllaw ymyl *eg* margin guide
canllawiau (llinellau ar gyfrifiadur) *ell* page lines
canllawiau anstatudol *ell* non-statutory guidance
canllawiau ymarfer da *ell* guidelines of good practice
canmlwyddiant *eg* centenary
cannu *be* bleach *v*
cannwyll *eb* candle
cannwyll (llygad) *eb* pupil (of eye)
cannydd *eg* bleach *n*
cannydd hypoclorit *eg* hypochlorite bleach
cannydd ocsidio *eg* oxidizing bleach
cannydd perborad *eg* perborate bleach
canol *eg* middle
canol blaen *eg* centre front
canol busnes y dref (C.B.D.) *eg* central business district (C.B.D.)
canol cae *eg* midfield
canol cefn (C.C.) *eg* centre back
canol côn *eg* cone centre
canol cylchdro *eg* centre of rotation
canol cymesuredd *eg* centre of symmetry
canol dinas *ans* inner city *adj*
canol dydd *eg* noon
canol enydaidd y cylchdro *eg* instantaneous centre of rotation
canol fforch *eg* fork centre
canol llonydd *eg* dead centre
canol pendant *eg* clear middle
canol plaen *eg* plain centre
canol tref *eg* town centre
canol tro *eg* live centre (headstock)
canol turn *eg* lathe centre
canol wiced *eg* mid wicket
canol y cwrt *eg* centre of the court
canol y ddinas *eg* inner city *n*
canolbarth *eg* midland
Canolbarth Lloegr *eg* Midlands
canolbopio *be* centre popping
canolbwnsio *be* centre punching
canolbwynt (yn gyffredinol) *eg* centre (of attention etc) *n*
canolbwynt gwasgedd *eg* centre of pressure
canolbwyntiedig *ans* focused
canolbwyntio *be* concentrate (mind)
canoledig *ans* centralized
canolfan *eg/b* centre (=place or group of buildings) *n*
canolfan iechyd *eb* health centre
canolfan adnoddau *eb* resource centre
canolfan adnoddau llyfrgell *eb* library resource centre
canolfan asesu *eb* assessment centre
Canolfan Astudiaethau Polisi *eb* Centre for Policy Studies
canolfan athrawon *eb* teacher centre
canolfan cyfarwyddo plant *eb* child guidance centre
canolfan chwarae *eb* play centre
canolfan dysgu *eb* learning centre

canolfan ddydd *eb* day centre
canolfan fancio *eb* banking centre
canolfan fasnachol *eb* trading post
canolfan filwrol *eb* military base
canolfan fynychu *eb* attendance centre
canolfan gadw *eb* detention centre
canolfan gofal *eb* care centre
canolfan gost *eb* cost centre
canolfan grym *eb* seat of power
Canolfan Gwaith *eb* Job Centre
canolfan gydgysylltiol *eb* association centre
Canolfan Gynghori *eb* Citizens Advice Bureau
canolfan gymuned *eb* community centre
canolfan hamdden *eb* leisure centre
canolfan hyfforddi *eb* training centre
canolfan hyfforddi oedolion *eb* adult training centre
canolfan hyfforddi'r llywodraeth *eb* government training centre
canolfan iaith *eb* language centre
canolfan ieuenctid *eb* youth centre
canolfan llynges *eb* naval base
canolfan maes *eb* field centre
canolfan remand *eb* remand centre
canolfan rhagoriaeth *eb* centre of excellence
canolfan technoleg gwybodaeth *eb* information technology centre
canolfannyn *eg* centre (brain)
canolfannyn ymborthi *eg* appetite centre
canolfarcio *be* centre dotting
canoli *be* centralize
canoli fertigol *be* vertical centring
canoli llorweddol *be* horizontal centring
canoli'r bêl *be* centre the ball

canolig (=cymhedrol) *ans* moderate (=middling) *adj*
canolig (=safon cyffredin) *ans* average (=ordinary standard) *adj*
canolig (=yn y canol) *ans* medium *adj*

canoloesol *ans* medieval
canolog *ans* central
canolradd *ans* intermediate (in education)
canolrif *eg* median (in statistics)
canolrwydd *eg* centrality
canolwedd *eb* median (in anatomy)

canolwr (mewn chwaraeon) *eg* centre (person in sport)
canolwr (sy'n rhoi geirda) *eg* referee (for references)

canolwr agored *eg* mid off
canolwr coes *eg* mid on
canolwr wiced agos *eg* short mid wicket
canolwr wiced bell *eg* deep mid wicket

canon (mewn cerddoriaeth) *eg/b* canon (in music)
canon (person) *eg* canon (of person)
canon (yn y gyfraith) *eg* canon (of law)

canon â chyfeiliant *eb* accompanied canon
canon bedwar yn un *eb* four in one canon
canon drwy estyniad *eb* canon by augmentation
canon drwy gywasgiad *eb* canon by diminution

canon drwy wrthdro *eb* canon by inversion
canon eglwysig *eg* ecclesiastical canon
canon gyfanedig *eb* finite canon
canon olredol *eb* retrograde canon
canon per arsin et thesin *eb* canon per arsin et thesin
canon recte et retro *eb* canon recte et retro
canon rectus et inversus *eb* canon rectus et inversus
canon rheolaidd *eg* regular canon
canon unsain *eb* canon at the unison
canon yn y pumed *eb* canon at the fifth
canon yn yr wythfed *eb* canon at the octave
canonaidd *ans* canonical
canoneiddio *be* canonize
canoniaeth *eb* canonry
Canoniaid Awstinaidd *ell* Augustinian Canons
Canoniaid Premonstratensiaidd *ell* Premonstratensians
canopi *eg* canopy

canradd *ans* centigrade
canradd *eg* percentile

canran *eg* percentage
canran cyfansoddiad *eg* percentage composition
canran cynnwys carbon *eg* percentage carbon content
canran cynnwys lleithder *eg* percentage moisture content
canrif *eb* century
cansen fambŵ *eb* bamboo cane
canser *eg* cancer
cant *eg* hundred)
cantata *eg* cantata
cantel *eg* rim (of drum)
cantigl *eg/b* canticle
cantilena *eg* cantilena
cantilifer *eg* cantilever
canton *eg* canton
cantor *eg* cantor
cantores *eb* singer (female)
cantoris *eg* cantoris
cantref *eg* hundred (=administrative area)
cantus fermus *eg* cantus fermus
canu *be* sing
canu (offeryn) *be* play (an instrument)
canu ar yr olwg gyntaf *be* sight singing
canu caneuon *be* sing songs
canu glân *be* articulation (of instrument)
canu gwlad *eg* country and western
canu gyda'r tannau *be* sing to the accompaniment of the harp
canu'n lân *be* articulate (of instrument) *v*
canu pib *be* pipe (=play the pipe) *v*
canu'r felan *be* blues singing
canu'r rhigwm *be* singing the rhyme
canu tôn gron *be* sing a round
canŵ *eg* canoe
canwr *eg* singer (male)
canwr bas dwbl *eg* double bass player
canwr baswn dwbl *eg* double bassoonist
canwr corn *eg* horn player

---

canwr corn bas *eg* bass horn player
canwr corn baset *eg* basset horn player
canwr corn Ffrengig *eg* French horn player
canwr cornett *eg* cornettist
canwr ffliwt draws *eg* transverse flute player
canwr penillion *eg* penillion singer
canwr picolo *eg* piccolo player
canwr tiwba *eg* tuba player
canzona *eg* canzona
canzonetta *eg* canzonet
caolin *eg* kaolin
caos moleciwlaidd *eg* molecular chaos
cap *eg* cap (machine screws)
cap gwthio *eg* thrust cap
cap iâ *eg* ice cap
cap rhew *eg* ice cap
cap trosoli *eg* lever cap
capan drws *eg* lintel
capel *eg* chapel
capel anwes *eg* chapel of ease
capel heb dŵr na meindwr *eg* chapel without tower or spire
Capel Sistin *eg* Sistine Chapel
capel y Forwyn *eg* lady chapel
capeliaeth *eb* chapelry
Capetaidd *ans* Capetian
capgraig *eb* cap rock
capilaredd *eg* capillarity
capilari *eg* capillary
caplan *eg* chaplain
caplaniaeth *eb* chaplaincy
capoc *eg* kapok
cappella *eg* cappella
capriccio *eg* capriccio
caprwn *eg* capon
capryn *eg* caper (for cooking)
capsiwl *eg* capsule
capsiwlaidd *ans* capsular
capten *eg* captain
capteniaeth *eb* captaincy
capwt *eg* caput
CAPY: Consortiwm Asesu a Phrofi mewn Ysgolion *eg* CATS: Consortium for Assessment and Testing in Schools
carac *eg* carrack
Caradog *eg* Caractacus
carafel *eg* caravel
caramel *eg* caramel
carameleiddio *be* caramelization
carbocsihaemoglobin *eg* carboxyhaemoglobin
carbocsimethyl-cellwlos *eg* carboxymethyl-cellulose (CMC)
carbohydrad *eg* carbohydrate
carbohydrad stôr *eg* stored carbohydrate
carbon (C) *eg* carbon (C)
carbon canolig *eg* medium carbon
carbon cyfunol *eg* combined carbon
carbon deuocsid *eg* carbon dioxide

carbon isel *eg* low carbon
carbon rhydd *eg* free carbon
carbon tetraclorid *eg* carbon tetrachloride
carbonad *eg* carbonate
carbonadu *be* carbonation
Carbonariaid *ell* Carbonari
carbonedig *ans* carbonated
carboneiddiad *eg* carbonization
carboneiddio *be* carbonize
carbonifferaidd *ans* carboniferous
carbonig anhydras *ans* carbonic anhydrase
carborwndwm *eb* carborundum
carbwradur *eg* carburettor
carbwreiddio *be* carburize
Carchar Dyledwyr *eg* Debtor's Prison
carcharu *be* incarcerate
cardbord *eg* cardboard
cardbord gwyn *eg* white cardboard
cardbord lliw *eg* coloured cardboard
cardbord llwyd *eg* grey cardboard
cardiaidd *ans* cardiac
cardiau gwlân *ell* hand cards
cardiau tyllog *ell* punched cards
cardiau ymatebion cyflym a chyfrifiadau pen quick response and mental calculation cards
cardigan *eb* cardigan
cardinal *eg* cardinal
cardio (gwlân) *be* card (wool)
cardioid *eg* cardioid
cardioleg *eb* cardiology
cardiolegydd *eg* cardiologist
cardotaidd *ans* mendicant *adj*
cardotwyr holliach *ell* sturdy beggars
Cardotwyr y Môr *ell* Sea Beggars
cardotyn *eg* beggar
caregl *eg* chalice
carennydd *eg* kindred
carfan *eb* faction
carfan bwyso *eb* pressure group
Carfan Biwritanaidd *eb* Puritan Choir
carfanyddiaeth *eb* factionalism
cariadwledd *eb* love feast (=Christian feast)
caricot *eg* carrycot
carilon *eg/b* carillon (=instrument)
cario *be* carry *v*
cario ar ysgwydd *be* shoulder carry
cario'r batwn *be* carry the baton
cario rhannol *ans* partial carry
cario wrth glun *be* hip carry
carismataidd *adj* charismatic
cariwr (turn) *eg* driving dog
cariwr cynffon plyg *eg* bent-tail carrier
cariwr cynffon sgwâr *eg* squaretail carrier
carlam *eg* gallop *n*
carlamu *be* gallop *v*
carmin *eg* carmine

---

eg/b enw gwrywaidd/benywaidd, *feminine/masculine noun*   **ell** enw lluosog, *plural noun*   **v** berf, *verb*   **n** enw, *noun*

carn (cleddyf) *eg* hilt

carn (cyllell, tyrnsgriw) *eg* handle (of knife, screwdriver etc) *n*

carn cyllell *eg* knife handle

carn ffeil *eg* file handle

carn rhosbren *eg* rosewood handle

carnedd *eb* cairn

carnol *ans* ungulate *adj*

carnolyn *eg* ungulate *n*

carntro *eg* brace (=device for clamping) *n*

carntro ac ebill brace and bit

carntro clicied *eg* ratchet brace

carntro cyffredin *eg* simple plain brace

carntro olwyn *eg* wheelbrace

carob *eg* carob

carol *eb* carol

Carolingaidd *ans* Carolingian

carolwyr *ell* waits

caroten *eg* carotene

carotenyn *eg* carotenoid

carp *eg* carp

carpal *eg* carpal

carped *eg* carpet

carped cudynnog *eg* tufted carpet

carped ffeltiog *eg* felted carpet

carped ffloc *eg* flocked carpet

carped nodwyddog *eg* needled carpet

carped wedi'i wau *eg* knitted carpet

carped wedi'i wehyddu *eg* woven carpet

carpel *eg* carpel

carpio *be* shred *v*

carpion papur *ell* shredded paper

carpogoniwm *eg* carpogonium

carrai *eb* lace (thong)

carrai ledr *eb* leather thong

carrai liw *eb* coloured lace

carrai tag *eb* tag lace

carreg *eb* stone

carreg Ayr *eb* Water of Ayr stone

carreg ddylif *eb* flowstone

carreg filltir *eb* milestone

carreg forthwylio *eb* hammer stone

carreg gopa *eb* coping stone

carreg grut *eb* gritstone

carreg hogi *eb* whetstone

carreg hogi Arkansas *eb* Arkansas oilstone

carreg hogi ddwbl *eb* combination oilstone

carreg hogi gau *eb* oilstone slip

carreg hogi gradd arw *eg* coarse oilstone

carreg hogi gradd ganol *eb* medium oilstone

carreg hogi India *eb* Indian oilstone

carreg hogi Washita *eb* Washita oilstone

carreg hogi wedi treulio *eb* worn oilstone

carreg hogi wneud *eb* artificial stone

carreg laid *eb* mudstone

carreg lorio *eb* flagstone

carreg nadd *eb* ashlar

carreg silt *eb* silt stone

carreg wyntraul *eb* ventifact

carreg y bustl *eb* gallstone

carreg-dwmblo *be* stone-tumbling

carsinogen *eg* carcinogen

carsinogenaidd *ans* carcinogenic

carst *eg* karst

carstig *ans* karstic

cart achau *eg* family tree

cartel *eg* cartel

carteleiddio *be* cartelize

Cartesaidd *ans* Cartesian

cartilag *eg* cartilage

cartilag hyalin *eg* hyaline cartilage

cartilagaidd *ans* cartilaginous

cartograffeg *eb* cartography

carton *eg* carton

cartref *eg* home *n*

cartref henoed *eg* old people's home

cartref cymuned *eg* community home

cartref maeth *eg* foster home

cartref mamolaeth *eg* maternity home

cartref nyrsio *eg* nursing home

cartref plant *eg* children's home

cartref preswyl *eg* residential home

cartrefi lloches *ell* sheltered housing

cartwlari *eg* cartulary

cartŵn *eg* cartoon

cartŵn stribed *eg* strip cartoon

carthbwll *eg* cesspool

carthen *eb* overblanket

carthffosiaeth *eb* sewerage

carthffrwd *eb* effluent (of sewage) *n*

carthiad *eg* egestion (digestive tract)

carthion *ell* sewage

carthion *ell* stool (=faeces)

carthion nos *ell* night soil

carthu (ffos etc) *be* dredge

carthu (yn ffigurol) *be* purge

Carthu Mawr *be* Great Purges

Carthwsiad *eg* Carthusian

carthydd *eg* laxative

carthysu *be* scavenge

carthysydd *eg* coprophage

carwgad *eg* carucate

carwngl *eg* caruncle

caryatid *eg* caryatid

car-rif *eg* carry *n*

car-rif amlap *eg* wrap-around carry

cas *eg* case (for carrying)

cas bobin *eg* bobbin case

cas bwa *eg* bow case

cas gobennydd *eg* pillowcase

cas papur *eg* paper case

casafa *eg* cassava

casein *eg* casein

caseinogen *eg* caseinogen

---

caserol *eg* casserole
caserol araf *eg* slow casserole
casét *eg* cassette
casewin *eg* ingrowing toenail
casgen *eb* barrel (=cask)
casgen gyriant twmblo *eb* tumbler drive barrel
casgliad (=canlyniad rhesymegol) *eg* conclusion
casgliad (o arian, eitemau) *eg* collection
casgliad patrymau *eg* swatch
casgliad ystadegol *eg* statistical inference
casglifiad *eg* colluvium
casglifol *ans* colluvial
casglu (=barnu drwy resymu) *be* infer
casglu (=hel) *be* collect
casglu credydau *be* credit accumulation
casglu data *be* data collection (act of)
casglu gwybodaeth *be* collect information
casglu'r bêl *be* collect the ball
casglwr *eg* gatherer
casglwr sbwriel *eg* refuse collector
casglwr trethi *eg* tax gatherer
casin *eg* casing
casiterit *eg* cassiterite
casog *eb* cassock
cast *eg* caste
cast gwreiddiol *eg* master cast
cast plastr *eg* plaster cast
castanét *eg* castanet
castell *eg* castle
castell Normanaidd *eg* Norman castle
castell tomen a beili *eg* motte and bailey castle
castellaidd *ans* castellated (=castle-like)
castelliad *eg* castellation
castellog *ans* castellated (=having battlements)
castellydd *eg* castellan
Castilaidd *ans* Castilian *adj*
Castiliad *eg* Castilian *n*
castin *eg* casting *n*
castin gorymyl *eg* overshot casting
castin plastr *eg* plaster casting
castin slip *eg* slip casting
castio *be* casting *v*
castio allgyrchol *be* centrifugal casting
castio i fyny *be* casting up
castio i lawr *be* casting down
castio metel *be* metal casting
castio môr-gyllell *be* cuttlefish casting
castio patrwm aberthol *be* investment casting
castio polystyren *be* polystyrene casting
castor *eg* castor
castor bugail *eg* shepherd castor
castor bwylltid *eg* swivel castor
castor cromen *eg* dome castor
castor olwyn *eg* wheel castor
castor pêl *eg* ball castor
casul *eg* chasuble

catabatig *ans* catabatic
catabolaeth *eb* catabolism
catabolyn *eg* catabolite
catalas *eg* catalase
catalog *eg* catalogue *n*
catalogio *be* catalogue *v*
catalydd *eg* catalyst
catalyddu *be* catalyse
catalysis *eg* catalysis
catalytig *ans* catalytic
cataract *eg* cataract
catecism *eg* catechism (in general)
categoreiddio *be* categorize
caten *eb* bail (of cricket stumps)
catena *eb* catena
catenoid *eg* catenoid
cation *eg* catïon
cationig *ans* cationic
catod *eg* cathode
catodig *ans* cathodic
catrawd *eb* regiment
Catrin *eg* Catherine
Catrin Fawr *eb* Catherine the Great
Cathariad *eg* Cathar
cathetr *eg* catheter
cathl symffonig *eg* symphonic poem
catholig *ans* catholic (=universal) *adj*
cau (tir) *be* enclose (land)
cau (yn gyffredinol) *be* close *v*
cau allan (mewn anghydfod diwydiannol) *be* lock out
cau allan (yn gyffredinol) *be* exclude (=shut out)
cau pwythau *be* cast off
cau'r batiad *be* declare the innings closed
cau tiroedd *be* land enclosures
cau trwodd *be* stopped stub through
caul *eg* chyle
cau'r agoriad *be* close the key (of a switch)
cau'r switsh *be* close the switch
cau'r tap *be* turn the tap off
cawc *eg* calkin (horse shoe)
cawell *eg* cage
cawell asennau *eg* rib cage
cawell gwifrau diogelwch *eg* wire safety cage
cawell saethau *eg* quiver
cawellog *ans* clathrate *adj*
cawellu *be* crating
cawg storio *eg* storage jar
cawnen ddu *eb* nardus
cawod *eb* shower
cawod drom *eg* downpour
cawod goch, y gawod goch *eb* rust (plant disease) *n*
cawr *eg* giant *n*
caws *eg* cheese
caws Caer *eg* Cheshire cheese
caws Caerffili *eg* Caerffili cheese
caws colfran *eg* cottage cheese

---

caws Cheddar *eg* Cheddar cheese

caws macaroni *eg* macaroni cheese

caws proses *eg* processed cheese

caws Sir Gaerhirfryn *eg* Lancashire cheese

cawsio *be* curdle

cawsionyn *eg* cheeseburger

cayenne *eg* cayenne

CBAC: Cyd-bwyllgor Addysg Cymru *eg* WJEC: Welsh Joint Education Committee

CC (Cyn Crist) BC (Before Christ)

CCETSW Cymru: Cyngor Canolog Addysg a Hyfforddiant mewn Gwaith Cymdeithasol, Cymru CCETSW Cymru:Central Council for Education and Training in Social Work, Wales

CDT: Crefft Dylunio a Thechnoleg CDT: Craft Design Technology

cebl *eg* cable

cebl cyfechelog *eg* coaxial cable

cêc gwartheg *eg* cattle cake

ceden *eb* nap (textile)

cedenu *be* nap (textile)

cedrwydden *eb* cedar

cefn *eg* back *n*

cefn crwth *ans* fiddle back

cefn cynfas *eg* canvas backing

cefn ffyn back sticks

cefn morfil *eg* whale back

cefn pres *eg* brass backed

cefn tlws *eg* brooch back

cefn troed *eg* instep

cefn wrth gefn *adf* back to back (do-si-do)

cefnau a phantiau ridges and swales

cefnblat *eg* backplate

cefndir *eg* background

cefndir addas *eg* suitable background

cefndir cartref *eg* home background

cefndir dychmygol *eg* imaginary background

cefndorrol *ans* dorsiventral

cefndraeth *eg* backshore

cefnell *eb* backrest

cefnen *eb* ridge (of hilltop, barometric pressure)

cefnen o wasgedd uchel *eb* ridge of high pressure

cefnfor *eg* ocean

cefnforol *ans* oceanic

cefnfur *eg* backwall

cefnfwrdd *eg* back board

cefnffordd *eb* trunk road

cefngefn *ans* back to back (of houses)

cefnlen *eb* back drop

cefnlethr *eg* backslope

cefnliain gorchuddio *eg* draped backcloth

cefnlun *eg* back view

cefnogaeth *eb* support (passive) *n*

cefnogaeth ategol *eb* ancillary support

cefnogi *be* support (passive) *v*

cefnogol *ans* supportive

cefnogwr *eg* supporter

cefnsbwng *ans* foambacked

cefnu *be* backing off

cefnwlad *eb* hinterland

cefnwr *eg* full back (male)

cefnwraig *eb* full back (female)

cefnyn *eg* backing (material)

ceffalig *ans* cephalic

ceffyl *eg* horse

ceffyl â chorfau *eg* horse with pommels

ceg *eb* mouth (in general)

ceg offeryn *eb* mouthpiece

ceg y groth *eb* cervix (=neck of womb)

cegin *eb* kitchen

cegin ar ffurf U *eb* U-shaped kitchen

cegin hirgul *eb* corridor kitchen

cegolch *eg* mouthwash

cei *eg* quay

ceibr *eg* rafter

ceibr byr *eg* jack rafter

ceibr cafn *eg* valley rafter

ceibr cypledig *eg* trussed rafter

ceibr talcen *eg* hip rafter

ceibrennau cyffredin *ell* spars (common rafters)

ceidwad *eg* keeper

Ceidwad Bow Street *eg* Bow Street Runner

Ceidwad y Rholiau *eg* Keeper of the Rolls

Ceidwad y Seliau *eg* Keeper of the Seals

ceidwadaeth *eb* conservatism

ceidwadol *ans* conservative *adj*

ceidwadwr *eg* conservative *n*

ceiliog y gwynt *eg* windvane

ceilysyn *eg* skittle

ceillgwd *eg* scrotum

ceilliau *ell* testicles

ceincio *be* stranding

ceinciog *ans* stranded (of cotton etc)

Ceiniogau Pedr *ell* Peter's Pence

Ceiniogau'r Pab *ell* Rome Scot

ceirios *eg* cerise

ceiriosen *eb* cherry

ceiriosen glacé *eb* glacé cherry

ceisfa *eg/b* in-goal

ceisio noddfa *be* seek sanctuary

cejuela *eg* cejuela

cêl *ell* kale

celadiad *eg* chelation

celadu *be* chelate

celain *eb* cadaver

celc *eg* hoard

celc arian bath *eg* coin hoard

celc efydd *eg* bronze hoard

celedig *ans* chelated

celfi drws *ell* door furniture

celfi gwledig *ell* rustic furniture

celfin (K) *eg* kelvin (K)

celfydd *ans* artistic

celfyddyd *eb* art

---

celfyddyd blastig *eb* plastic art
celfyddyd addurnol *eb* decorative art
celfyddyd bensaernïol *eb* architectural art
celfyddyd bop *eb* pop art
celfyddyd Cristnogaeth Gynnar *eb* Early Christian art
celfyddyd draethiadol *eb* narrative art
celfyddyd ddarluniol *eb* pictorial art
celfyddyd ddeilliadol *eb* derivative art
celfyddyd ddiriaethol *eb* concrete art
celfyddyd ddyneiddiol *eb* humanisitic art
celfyddyd Etrwsgaidd *eb* Etruscan art
celfyddyd faróc *eb* baroque art
celfyddyd fasnachol *eb* commercial art
celfyddyd Felanesaidd *eg* Melanesian art
celfyddyd Finoaidd *eb* Minoan art
celfyddyd Fflorens *eb* Florentine art
celfyddyd gain *eb* fine art
celfyddyd Garolingaidd *eb* Carolingian art
celfyddyd Geltaidd *eb* Celtic art
celfyddyd ginetig *eb* kinetic art
celfyddyd glyptig *eb* glyptic art
celfyddyd gonfensiynol *eb* conventional art
celfyddyd Gothig *eb* Gothic art
celfyddyd graffig *eb* graphic art
celfyddyd Groeg *eb* Greek art
celfyddyd gyfoes *eb* contemporary art
celfyddyd gymhwysol *eb* applied art
celfyddyd gynfrodorol *eb* aboriginal art
celfyddyd gynrychioladol *eb* representational art
celfyddyd haniaethol *eb* abstract art
celfyddyd India *eb* Indian art
celfyddyd lenyddol *eb* literary art
celfyddyd optegol *eb* optical art
celfyddyd ramantaidd *eb* romantic art
celfyddyd seicotig *eb* psychotic art
celfyddyd storïol *ans* anecdotal art
celfyddyd swyddogaethol *eb* functional art
celfyddyd wrthrychol *eb* objective art
celfyddydau creadigol *ell* creative arts
celfyddydau mynegiannol *ell* expressive arts
celog *eg* coley
Celsius *ans* Celsius
Celtaidd *ans* Celtic
Celteg *eb* Celtic (language)
cell *eb* cell
cell adlynol *eb* adhesive cell
cell atgenhedlol wrywol *eb* male reproductive cell
cell balis *eb* palisade cell
cell barwydol *eb* parietal cell
cell bren caled *eb* hardwood cell
cell bren meddal *eb* softwood cell
cell danwydd *eb* fuel cell
cell ddeuaidd *eb* binary cell
cell farw *eb* dead cell
cell fyw *eb* living cell
cell garreg *eb* stone cell
cell genhedlu *eb* germ-cell

cell gobled *eb* goblet cell
cell goch y gwaed *eb* red blood cell
cell golyn *eb* sting cell
cell grwydrol *eb* wandering cell
cell Kupffer *eb* Kupffer cell
cell letyol *eb* host cell
cell meudwy *eb* hermitage
cell oleusensitif *eb* light-sensitive cell
cell rythmig *eb* rhythmic cell
cell Schwann *eb* Schwann cell
cell warchod *eb* guard cell
cell wen y gwaed *eb* white blood cell
cell wreiddflew *eb* root hair cell
cell yrru *eb* driver cell
cellbilen *eb* cell membrane
celldwll *eg* cell pore
cellfur *eg* cell wall
cellgorff *eg* cell body
cellnodd *eg* cell sap
celloedd interstitaidd *ell* interstitial cells
celloedd lwteal *ell* luteal cells
celloedd meithrin *ell* culture cells
cellog *ans* cellular
cellraniad *eg* cell division
cellwloid *eg* celluloid
cellwlos *eg* cellulose
cellwlos asetad *eg* acetate cellulose
cellwlosigion *ell* cellulosics
cembalo *eg* cembalo
cemeg *eg/b* chemistry
cemeg bwyd *eb* chemistry of food
cemegion aeddfedu blawd *ell* flour improvers
cemegol *ans* chemical *adj*
cemegydd *eg* chemist
cemegyn *eg* chemical *n*
cemodderbynnydd *eg* chemoreceptor
cemosynhwyraidd *ans* chemosensory
cemotacsis *eg* chemotaxis
cemotropedd *eg* chemotropism
cemotherapi *eg* chemotherapy
cemsugniad *eg* chemisorption
cen (ar groen) *eg* slough
cen (mewn pibau) *eg* fur (in pipes etc)
cen (ar garreg) *eg* lichen
cen (mewn ffwrnais, ar blanhigion) *eg* scale (in furnace or on plants) *n*
cen ar y pen *eg* dandruff
cen blaguro *eg* bud scale
cen bract *eg* bract scales
cenddeilen *eb* scale leaf
cenedl *eb* nation
cenedl ddatblygol *eb* emergent nation
cenedl wleidyddol *eb* body politic
cenedlaethau i ddod *ell* future generations
cenedlaethol *ans* national
cenedlaetholdeb *eg* nationalism
cenedlaetholgar *ans* nationalist *adj*

---

eg/b enw gwrywaidd/benywaidd, *feminine/masculine noun*   *ell* enw lluosog, *plural noun*   *v* berf, *verb*   *n* enw, *noun*

cenedlaetholwr *eg* nationalist *n*

cenedligrwydd *eg* nationhood

cenfetreg *eb* lichenometry

cenfigen *eb* jealousy

cenfigennus *ans* jealous

cenhadwr *eg* missionary

cenhedlaeth *eb* generation (=age-group)

cenhedlaeth gyntaf *eb* first generation

cenhedliad *eg* conception (of a child)

Cenhedloedd Unedig *ell* United Nations

cenhedlol (am gam cyntaf datblygiad) *ans* germinal

cenhedlol (am organau cenhedlu) *ans* genital

cenhedlu *be* conceive (a child) *vt*

cenllif *eg* torrent

cennad *eg* envoy

cennad y pab *eb* nuncio

cennin syfi *ell* chives

centilitr *eg* centilitre

centimetr *eg* centimetre (cm)

centimetr sgwâr *eg* square centimetre

centriol *eg* centriole

centrosom *eg* centrosome

centuria (uned o filwyr) *eb* century (=unit of soldiers)

cerameg *eb* ceramics

ceramig *ans* ceramic

ceratin *eg* keratin

cerbyd *eg* vehicle (=car, lorry etc)

cerbyd rhyfel *eg* chariot

cerdyn *eg* card *n*

cerdyn adnabod *eg* identity card

cerdyn cofnod *eg* record card

cerdyn credyd *eg* credit card

cerdyn cyfarch *eg* greeting card

cerdyn fflachio *eg* flash card

cerdyn gwaith *eg* work card

cerdyn lliw *eg* coloured card

cerdyn magnetig *eg* magnetic card

cerdyn post *eg* postcard

cerdyn rheoli *eg* control card

cerdyn rhychiog *eg* corrugated card

cerdyn tyllog *eg* punched card

cerdd *eb* poem

cerdd dant *eg* cerdd dant

cerdded *be* walk

cerdded wysg y cefn *be* walk backwards

cerddedfa *eb* ambulatory

cerddediad *eg* gait

cerddor *eg* musician

cerddorfa *eb* orchestra

cerddorfaol *ans* orchestral

cerddoriaeth *eb* music

cerddoriaeth dâp *eb* taped music

cerddoriaeth absoliwt *eb* absolute music

cerddoriaeth achlysurol *eb* occasional music

cerddoriaeth curiad cryf *eb* down beat music

cerddoriaeth Cymru *eb* music of Wales

cerddoriaeth destunol *eb* programme music

cerddoriaeth ddiriaethol *eb* concrete music

cerddoriaeth ddisgrifiadol *eb* descriptive music

cerddoriaeth ddrymio Affricanaidd *eb* African drumming music

cerddoriaeth fale *eb* ballet music

cerddoriaeth Fysantaidd *eb* Byzantine music

cerddoriaeth fyw *eb* live music

cerddoriaeth gefndir *eb* background music

cerddoriaeth glasurol *eb* classical music

cerddoriaeth gyfrifiadur *eb* computer music

cerddoriaeth gyntefig *eb* primitive music

cerddoriaeth haniaethol *eb* abstract music

cerddoriaeth jig *eb* jig music

cerddoriaeth leisiol *eb* vocal music

cerddoriaeth newydd *eb* new music

cerddoriaeth ramantaidd *eb* romantic music

cerddoriaeth rythmig *eb* rhythmic music

cerddoriaeth rythmig hwylgar *eb* rhythmic 'fun' music

cerddoriaeth siambr *eb* chamber music

cerddoriaeth traed *eb* foot music

cerddoriaeth Y Dioddefaint *eb* Passion music

cerddorol *ans* musical *adj*

cerddwr *eg* pedestrian

cerddwr *eb* baby-walker

cerebrwm *eg* cerebrum

cerfiad *eg* carving

cerfiad acanthws *eg* acanthus carving

cerfiad cerfwedd *eg* relief carving

cerfiad cragen a phlisgyn *eg* shell and husk carving

cerfiad endorri *eg* incised carving

cerfiad plastig *eg* plastic carving

cerfiad pren *eg* wood carving *n*

cerfiedig *ans* carved

cerfigol *ans* cervical

cerfio *be* carve

cerfio carreg *be* stone carving

cerfio negatif *be* negative carving

cerfio plastig *be* plastic carving

cerfio pren *be* wood carving *v*

cerfiwr *eg* carver

cerflun *eg* statue

cerflun bach *eg* statuette

cerflunaidd *ans* sculpturesque

cerfluniol *ans* sculptural

cerflunwaith *eg* sculpture

cerflunwaith cerfweddol *eg* relief sculpture

cerflunwaith crog *eg* suspended sculpture

cerflunwaith deiliant *eg* foliage sculpture

cerflunwaith Gothig *eg* Gothic sculpture

cerflunwaith plwm *eg* lead sculpture

cerflunydd *eg* sculptor

cerfwedd *eb* relief (sculpture) *n*

cerfwedd addurnol *eb* decorative relief

cerfwedd glai *eb* clay relief

cerfwedd isel *eb* bas-relief

cerfwedd uchel *eb* alto-relievo

---

adf, adv adferf, adverb   *ans, adj* ansoddair, adjective   *be* berf, verb   *eb* enw benywaidd, *feminine noun*   *eg* enw gwrywaidd, *masculine noun*

cerfweddol *ans* relief (on design) *adj*
cerigyn *eg* pebble
ceriwm (Ce) *eg* cerium (Ce)
cerlan *eb* river terrace
cerlannau anghyfatebol *ell* unpaired terrace
cerlannau cyfatebol *ell* paired terraces
cerosin *eg* kerosene
cerpyn *eg* rag
cerrynt *eg* current *n*
cerrynt aer *eg* air current
cerrynt arfordirol *eg* coastal current
cerrynt brig *eg* peak current
cerrynt cyson *eg* steady current
cerrynt eiledol (C.E.) *eg* alternating current (A.C.)
cerrynt gwresogi *eg* heater current
cerrynt llanw *eg* tidal current
cerrynt newidiol *eg* variable current
cerrynt terfol *eg* rip current
cerrynt trolif *eg* eddy current
cerrynt trydan *eg* electric current
cerrynt tyrfedd *eg* turbidity current
cerrynt union (C.U.) *eg* direct current (D.C.)
cerrynt y glannau *eg* longshore current
cersi *eg* kersey
cerydd *eg* censure
Cerydd i'r Senedd *eg* Admonition to the Parliament
cesail *eb* armpit
Cesar *eg* Caesar
ceseilaidd *ans* axillary
CESIL *eb* CESIL
cesiwm (Cs) *eg* caesium (Cs)
cetrisen *eb* cartridge
ceubwll *eg* pothole
ceudod *eg* cavity
ceudod abdomenol *eg* abdominal cavity
ceudod bochaidd *eg* buccal cavity
ceudod eisbilennol *eg* pleural cavity
ceudod gwaed *eg* haemocoel
ceudod mantell *eg* mantle cavity
ceudod pelfig *eg* pelvic cavity
ceudod pericardiol *eg* pericardial cavity
ceudod pothellog *eg* vesicular cavity
ceudod trwynol *eg* nasal cavity
ceudod y corff *eg* body cavity
ceudod y gwddf *eg* pharyngeal cavity
ceudwll *eg* cavern
ceudyllog *ans* cavernous
ceugrwm *ans* concave
ceugrymedd *eg* concave curvature
ceulad *eg* coagulation
ceuled *eg* curd
ceuled a maidd curds and whey
ceuled caws *eg* cheese curd
ceuled lemon *eg* lemon curd
ceuledig *ans* coagulated
ceulo *be* clot *v*
ceulomicron *eg* chylomicron

ceunant *eg* gorge
ceunwyddau *ell* hollow ware
cewyn *eg* nappy
cewyn parod *eg* disposable nappy
cibwts *eg* kibbutz
cic *eb* kick *n*
cic a chwrs up and under (in rugby)
cic achub bywyd *eb* life-saving leg kick
cic adlam *eb* drop kick
cic am ystlys *eb* kick for touch
cic bwt *eb* grubber kick
cic dolffin *eb* dolphin kick
cic gôl *eb* goal kick
cic gornel *eb* corner kick
cic gosb *eb* penalty kick
cic groes *eb* cross kick
cic gychwyn *eb* kick off
cic letraws *eb* diagonal kick
cic osod *eb* place kick
cic rydd *eb* free kick
cic rydd anuniongyrchol *eb* indirect free kick
cic rydd uniongyrchol *eb* direct free kick
cic siswrn *eg* scissors kick
cic wib *eb* fly kick
cic ymlaen *eb* kick ahead
cicio *be* kick *v*
cig *eg* meat
cig carw *eg* venison
cig coch *eg* lean meat
cig gwyn *eg* fatty meat
cig moch *eg* bacon
cig moch brith *eg* streaky bacon
cig moch cartref *eg* home cured bacon
cig moch cefn *eg* short back bacon
cig moch digrofen *eg* rindless bacon
cig moch wedi'i gochi *eg* smoked bacon
cigydd *eg* butcher
cigysol *ans* carnivorous
cigysydd *eg* carnivore
cil fonynnau *ell* bye-stakes
cil haul *eg* schattenseite
cilan *eb* recess (drill part) *n*
cilannog *ans* recessed
cilannu *be* recess *v*
cilarc *eb* reverse arc
cilbren *eg* keel
cilbren plygu *eg* folding keel
cilbren sadio *eg* bilge keel
cildoriad *eg* chop (in tennis) *n*
cildorri *be* chop (in tennis) *v*
cildraeth *eg* bay-head beach
cildro *ans* reversed
cildroad *eg* reverse *n*
cildroadedd *eg* reversibility
cildroadwy *ans* reversible
cildroi *be* reverse *v*
cildroi'r patrwm *be* reverse the pattern

---

eg/b enw gwrywaidd/benywaidd, *feminine/masculine noun* **ell** enw lluosog, *plural noun* **v** berf, *verb* **n** enw, *noun*

cildwrn *eg* tip (money) *n*
cilddant *eg* molar (tooth) *n*
cilddant ôl *eg* wisdom tooth
cilfa *eb* escapement (plane)
cilfach (môr, llyn) *eb* inlet (of sea, lake)
cilfach (mewn wal etc) *eb* recess (in a wall etc)
cilfae *eg* cut-off bay
cilfantais *eb* fringe benefit
cilffordd *eb* byway
cilffordd yn agored i bob trafnidiaeth *eb* byway open to all traffic
cilgant *eg* crescent
Cilgant Ffrwythlon *eg* Fertile Crescent
cilgantaidd *ans* crescentic
ciliad y lleuad *eg* moon wane
ciliaraidd *ans* ciliary
cilio *be* withdraw
ciliwm *eg* cilium
cilobeit *eg* kilobyte
cilocalori *eg* kilocalorie
cilogram (kg) *eg* kilogram (kg)
cilometr (km) *eg* kilometre (km)
ciloseicl *eg* kilocycle
cilowat (kW) *eg* kilowatt (kW)
cilowat awr (kW awr) *eg* kilowatt hour (kW h)
cilt *eg* kilt
cilydd *eg* reciprocal (in mathematics) *n*
cilyddol *ans* reciprocal (in mathematics) *adj*
cilyddu *be* reciprocate (in mathematics)
cilyddu awtomatig *be* automatic reciprocation
cimwch coch *eg* crawfish
cimwch yr afon *eg* crayfish (freshwater)
cinc *eg* kink *n*
cincio *be* kink *v*
cinemateg *eb* kinematics
cinesthetig *ans* kinesthetic
cineteg *eb* kinetics
cinetig *ans* kinetic
cinio canol dydd *eg* lunch
cinio ysgol *eg* school dinner
ciper *eg* gamekeeper
cipgyrch *eg* incursion
cipiad dwy law *eg* two hands snatch
cipio (mewn cyfrifiadureg) *be* capture (in computing)
cipio (yn gyffredinol) *be* snatch
cipio data *be* data capture
ciplun cuddiedig *eg* masked sprite
ciplun cyfredol *eg* current sprite
cipyn *eg* pickup
cirol *ans* chiral
ciroledd *eg* chirality
ciropodydd *eg* chiropodist
cirrocumulus *eg* cirrocumulus
cirrostratus *eg* cirrostratus
cirrus *eg* cirrus
cis *eg* cis

cisoid *eg* cissoid
cist *eb* chest (for storing things)
cist o ddroriau *eb* chest of drawers
cist o feiolau *eb* chest of viols
cist wynt *eb* wind chest
cist wynt organ *eb* organ wind chest
cistfaen *eb* cist
cistron *eg* cistron
cit *eg* kit
cit atgyweirio *eb* repair kit
citin *eg* chitin
citrws *eg* citrus *n*
ciw (pŵl, snwcer) *eg* cue (pool, snooker)
ciw (yn gyffredinol) *eg* queue
ciwb *eg* cube
Ciwbaidd *ans* Cubist
ciwbiaeth *eb* cubism
ciwbig *ans* cubic
ciwbig wyneb-ganolog *ans* face centred cubic
ciwbigol *ans* cubical
ciwboid *eg* cuboid
Ciwbydd *eg* Cubist
ciwcymer *eg* cucumber
ciwed *eb* rabble
cladin *eg* cladding
claddedigaeth *eb* burial
claddu cwrcwd *be* crouched burial
claear *ans* lukewarm
claearu *be* cool (of weather)
claf *eg* patient
claf allanol *eg* out-patient
claf mewnol *eg* in-patient
clafdy *eg* infirmary
clafesin *eg* clavecin
clafiau *ell* claves
claficord *eg* clavichord
clafisymbal *eg* clavicymbal
clai *eg* clay
clai â challestr *eg* clay with flints
clai coch *eg* red clay
clai crochenydd *eg* potters clay
clai eilaidd *eg* secondary clay
clai gwasgedig *eg* pressed clay
clai gwydraidd *eg* vitrifiable clay
clai modelu *eg* modelling clay
clai modelu llwyd *eg* grey modelling clay
clai modelu uniongyrchol *eg* direct moulding clay
clai pêl *eg* ball clay
clai powdr *eg* powdered clay
clai powdr llwyd *eg* grey powdered clay
clai slip *eg* slip clay
clai sylfaenol *eg* primary clay
clai tân *eg* fireclay
clai ymdoddadwy *eg* fusible clay
clais *eg* bruise *n*
clamp *eg* clamp *n*

adf, adv adferf, *adverb*   *ans, adj* ansoddair, *adjective*   *be* berf, *verb*   *eb* enw benywaidd, *feminine noun*   *eg* enw gwrywaidd, *masculine noun*

clamp bloc *eg* block clamp

clamp bwrdd lluniadu *eg* drawing-board clamp

clamp nodwydd *eg* needle clamp (of machine part)

clamp offerwr *eg* toolmaker's clamp

clamp peipen *eg* pipe clamp

clamp presyddu *eg* brazing clamp

clamp sedd glo *eg* lock-seat clamp

clamp togl *eg* toggle clamp

clamp tyno *eg* tenoned clamp

clamp ystofi *eg* warping clamp

clampio *be* clamp *v*

clamydosbor *eg* chlamydospore

clan *eg* clan

clap *eg* clap *n*

clapio *be* clap *v*

clapio clir *be* crisp claps

clapio curiad cyson *be* clap a steady beat

clapio swta *be* short clap

clarinét *eg* clarinet

clarinét alto *eg* alto clarinet

clarinét bas *eg* bass clarinet

clarinét tenor *eg* basset horn clarinet

clarinetydd *eg* clarinettist

clarsach *eg* clarsach

clastig *ans* clastic

clastir *eg* glebeland

clasuriaeth *eb* classicism

clasurol *ans* classical

clasuron *ell* classics

clasurwr *eg* classicist

clathrad *eg* clathrate *n*

clawdd *eg* dyke (=wall)

Clawdd Offa *eg* Offa's Dyke

clawr (llyfr) *eg* cover (of book etc) *n*

clawr (sosban) *eg* lid

clawr biwro *eg* bureau fall

clawr caled *eg* hard cover

clawr cylchgrawn *eg* magazine cover

clawr papur *eg* paperback

clawr tabwrdd *eg* tambour shutter

clawr taflen *eg* leaflet cover

clebran baban *be* babble

clec Sgotaidd *eb* Scotch snap

clecian (i'r grid) *be* snap (to grid)

cledr (llaw) *eb* palm (of hand)

cledr y faneg *eb* inside of glove

cledrau (turn) *ell* bedways (lathe)

cledren *eb* stile

cledren bwli *eb* pulley stile

cledren gau *eb* closing stile

cledren gloi *eb* locking stile

cledren gwrdd *eb* meeting stile

cledren hongian *eb* hanging stile

cledren rabedog *eb* rabbeted stile

cledren rigolog *eb* grooved stile

cledriadur *eg* palmtop (computer)

cledd *eg* cleat *n*

cledd cynffonnog *eg* dovetail cleat

cledd pren *eg* wooden cleat (used in seasoning)

cledd trionglog *eg* triangular cleat

cleddog *ans* braced

cleddu *be* cleat *v*

cleddu croeslinol *be* diagonal bracing

cleddyf *eg* sword

cleddyf main *eg* rapier

clefyd *eg* disease

clefyd AIDS *eg* AIDS

clefyd crafu *eg* scabies

clefyd crynu *eg* ague

clefyd cyffwrdd-ymledol *eg* contagious disease

clefyd cysylltiad rhywiol *eg* sexually transmitted disease

clefyd diffyg *eg* deficiency disease

clefyd dirywiol *eg* degenerative disease

clefyd gwenerol *eg* venereal disease

clefyd heintus *eg* infectious disease

clefyd hysbysadwy *eg* notifiable disease

clefyd llwyfen yr Iseldiroedd *eg* Dutch elm disease

clefyd melyn *eg* jaundice

clefyd siwgr *eg* diabetes

clefyd y galon *eg* heart disease

clefyd yr euod *eg* liver fluke

cleff *eg* clef

cleff mezzo-soprano *eg* mezzo-soprano clef

cleff bas *eg* bass clef

cleff C *eg* C clef

cleff F *eg* F clef

cleff G *eg* G clef

clegyr *eg* crag

clegyr a chynffon *eg* crag and tail

clegyrog *ans* craggy

cleient *eg* client

cleient ganolog *ans* client-centred

cleientaeth *eb* clientage

cleio *be* pug

cleiog *ans* argillaceous

cleisio *be* bruise *v*

clensio (hoelen, rhybed) *be* clench (a nail, a rivet)

clêr *ell* houseflies

clerc *eg* clerk

clerc y maes *eg* clerk of the course

clerigaeth reolaidd *eb* regular clergy

clerigaeth seciwlar *eb* secular clergy

clerigiaeth *eb* clericalism

clerigol *ans* clerical

clerigwr *eg* clergyman

clerigwr rheolaidd *eg* regular cleric

clerigwyr rheolaidd *ell* clerks regular

clerwr *eg* minstrel

clerwriaeth *eb* minstrelsy

clesbyn *eg* clasp

cletir *eg* hardpan

cletir calch *eg* limepan

cletir clai *eg* pan (=substratum of soil)

---

eg/b enw gwrywaidd/benywaidd, *feminine/masculine noun* **ell** enw lluosog, *plural noun* **v** berf, *verb* **n** enw, *noun*

cletir haearn *eg* iron pan
cletir hwmws *eg* moorpan
clicied *eb* latch
clicied a phawl ratchet and pawl
clicied bêl *eb* ball catch
clicied drws *eb* door latch
clicied ddannedd *eb* ratchet
clicied fagnetig *eb* magnetic catch
clicied fawd *eb* thumb latch
clicied follt *eb* bolt catch
clicied gyffwrdd *eb* touch latch
clicied llidiart *eb* gate latch
clicied sash *eb* sash catch
clicied sbring-lwythog *eb* spring-loaded catch
clicied ymyl *eb* rim latch
clicio *be* click
clincer *eg* clinker
clincer wyth *eg* clinker eight
clincer pedwar *eg* clinker four
clindarddach *be* decrepitate
clinig *eg* clinic
clinig clyw *eg* audiology clinic
clinig cyfarwyddo plant *eg* child guidance clinic
clinig cyn geni *eg* antenatal clinic
clinig cynllunio teulu *eg* family planning clinic
clinig dynion iach *eg* well man clinic
clinig lles plant *eg* child welfare clinic
clinig merched iach *eg* well woman clinic
clinig ôl-eni *eg* post-natal clinic
clinig teithiol *eg* mobile clinic
clinigol *ans* clinical
clinigol lân *ans* clinically clean
clinomedr *eg* clinometer
clint *eg* clint
clip *eg* clip *n*
clip bwrdd lluniadu *eg* drawing-board clip
clip papur *eg* paper clip
clipfwrdd *eg* clipboard
clipio *be* clip *v*
cliplun *eg* clipart
clir *ans* clear *adj*
clirffordd *eb* clearway
cliriad *eg* clearance
cliriad blaen *eg* front clearance
cliriad falf *eg* valve clearance
cliriad helics *eg* helix clearance
cliriad ochr *eg* side clearance
cliriad sawdl *eg* heel clearance
cliriad taped *eg* tappet clearance
cliriad torri *eg* cutting clearance
cliriad y dril *eg* body clearance (drill)
Cliriadau'r Ucheldiroedd *ell* Highland Clearances
clirio *be* clear *v*
clirio slymiau *be* slum clearance
clir-ddiffiniedig *ans* well-defined
clo *eg* lock *n*
clo blwch *eg* box lock

clo clwt *eg* padlock
clo cwpwrdd *eg* cupboard lock
clo cyfnewid *eg* shift lock key
clo cynffonnog *eg* dovetail key
clo drôr *eb* drawer lock
clo drws *eg* door lock
clo drws llithr *eg* sliding-door lock
clo grid *eg* gridlock
clo llaw *eg* hand jam
clo llaw chwith *eg* left-hand lock
clo mortais *eg* mortise lock
clo mortais fertigol *eg* vertical mortise lock
clo mortais unionsyth *eg* upright mortise lock
clo ochr dde *eg* right-hand lock
clo piano *eg* piano lock
clo pin *eg* pin lock
clo priflythrennau *eg* caps lock key
clo ymyl *eg* rim lock
cloc *eg* clock
cloc amser real *eg* real time clock
cloc munudau *eg* minute-timer
clocwedd *ans* clockwise
cloch *eb* bell
cloch aberth *eb* sacring bell
clochdy *eg* belfry
clochen *eb* bell-jar
clochydd *eg* sexton
cloddfa *eb* dig (archaeological) *n*
cloddiad *eg* excavation
cloddio *be* dig *v*
cloddio glo brig *be* opencast coal mining
cloddiwr *eg* sapper
Cloddwyr *ell* Diggers
cloer *eg* niche
clof *eg* clove
clofach-glwm *ans* hinge-bound
clofan *eg* enclave
cloffni *eg* limp *n*
clogfaen *eg* boulder
clogwyn *eg* cliff
clogwyn cylchlithriad *eg* slumped cliff
clogwyn yn syrthio *eg* cliff collapse
clogyn *eg* cloak
clog-glai *eg* boulder clay
cloi *be* lock *v*
clôn *eg* clone *n*
clonio *be* clone *v*
clopáu *be* upsetting (jumping up – forging process)
clorian *eb* scale (for weighing) *n*
clorian drawst *eb* beam balance
clorian ddirdro *eb* torsion balance
clorian sbring *eb* spring balance
cloriannu (=gwerthuso) *be* evaluate (in general)
cloriannu (=pwyso) *be* balance (=measure mass) *v*
clorin (Cl) *eg* chlorine (Cl)
clorineiddio *be* chlorinate

---

adf, adv adferf, *adverb*   **ans, adj** ansoddair, *adjective*   **be** berf, *verb*   **eb** enw benywaidd, *feminine noun*   **eg** enw gwrywaidd, *masculine noun*

clorofform *eg* chloroform
cloroffyl *eg* chlorophyll
cloronen *eb* tuber
cloroplast *eg* chloroplast
clorosis *eg* chlorosis
clos eglwys gadeiriol *eg* cathedral close
clos pen-lin *eg* breeches
closed dŵr *eg* water closet
clown *eg* clown
cludadwy *ans* portable
cludair *eg* block field (felsenmeer)
cludfelt *eg* conveyor belt
cludiant *eg* transport (vehicle) *n*
cludiant actif *eg* active transport
cludiant cyhoeddus *eg* public transport
cludiant cynorthwyedig *eg* assisted transport
cludiant goddefol *eg* passive transport
cludo *be* transport *v*
cludo mewn llong *be* ship *v*
cludwr nwyddau *eg* haulage contractor

cludydd (=cariwr) *eg* carrier
cludydd (=cyfrwng daliant pigmentau etc) *eg* vehicle
 (=medium for suspending pigments etc)
cludydd (ar durn) *eg* carriage (=lathe part)
cludydd (mecanwaith) *eg* transport (mechanism) *n*

cludydd electronau *eg* electron carrier
cludydd tâp *eg* tape transport
clun *eb* hip
clunol *ans* sciatic (of nerve)
clust *eg/b* ear
clust allanol *eb* outer ear
clust dost *eb* earache
clust fewnol *eb* inner ear
clust ganol *eb* middle ear
clustiau estynedig *ell* projecting lugs
clustlipa *ans* lop-eared
clustlws *eg* ear-ring
clustnodi *be* earmark
clustog *eb* cushion
clustog aer *eb* air-cushion
clustog aur *eb* gold cushion
clustogwaith *eg* upholstery
clust, trwyn a gwddf ear, nose and throat
clwb *eg* club
clwb athletau *eg* athletics club
clwb criced *eg* cricket club
clwb glee *eg* glee club
clwb ieuenctid *eg* youth club
clwm *ans* tied *adj*
clwstwr (yn gyffredinol) *eg* cluster *n*
clwstwr (o goed) *eg* stand (of trees) *n*
clwstwr deiciau *eg* dyke swarm
clwstwr o drefi *eg* constellation of towns
clwt (=ar gyfer sychu dŵr etc) *eg* cloth (for wiping etc)
clwt (i drwsio dilledyn) *eg* patch *n*
clwt (=cewyn) *eg* nappy

clwt brethyn *eg* cloth patch
clwt calico *eg* calico patch
clwt craith peiriant *eg* machine darn patch
clwt emeri *eg* emery cloth
clwt gwlanen *eg* flannel patch
clwt parod *eg* disposable nappy
clwt print *eg* print patch
clwtyn llathru *eg* polishing rag
clwyd (i aderyn glwydo arni) *eb* perch
clwyd (mewn chwaraeon) *eb* hurdle
clwyd (yn gyffredinol) *eb* gate
clwyd ddiogelwch *eb* safety barrier
clwydwr *eg* hurdler
clwyf *eg* wound *n*
clwyf ergyd gwn *eg* gunshot wound
clwyf rhwygiad *eg* lacerated wound
clwyf toriad *eg* incised wound
clwyf crafiad *eg* graze (of wound)
clwyf trywaniad *eg* puncture wound
clwyf y marchogion *eg* piles
clwyfo *be* wound *v*
clwystredig *ans* cloistered
clwystrol *ans* claustral
clwysty *eg* cloister
clybodol *ans* auditory
clychau *ell* bells, carillon
clychau car llusg *ell* sleigh bells
clychau gwartheg *ell* cowbells
clychsain *eb* chime
clychsain gwydr *eb* glass chime
clymblaid *eb* coalition
clymfaen *eg* conglomerate (in geology) *n*
clymlin *eb* tie-line
clymu *be* tie *v*
clymu a llifo *be* tie and dye
clymwch make fast
clymwellt *ell* lyme grass
clystyrau agored *ell* open clusters
clystyrau crwn *ell* globular clusters
clystyru *be* cluster *v*
clytio *be* patch *v*
clytwaith *eg* patchwork
clyw *eg* hearing (=ability to hear)
clywadwy *ans* audible
clywadwyedd *eg* audibility
clywdeipio *be* audiotyping
clywedol *ans* aural
clywieithol *ans* audiolingual
cnap (=talp sy'n sefyll allan) *eg* boss (=protuberance)
cnap (anatomi) *eg* process (anatomical)
cnapiau asgwrn cefn *ell* spinous processes
cnau mwnci *ell* peanuts
cneifio *be* shear (=cut sheep's wool)
cnepyn *eg* nodule
cnepyn deintffurf *eg* odontoid process
cnepyn mastoid *eg* mastoid process

---

eg/b enw gwrywaidd/benywaidd, *feminine/masculine noun*   *ell* enw lluosog, *plural noun*   *v* berf, *verb*   *n* enw, *noun*

cnepyn traws *eg* transverse process
cnepynnaidd *ans* nodular
cneuen almon *eb* almond
cneuen ffrengig *eb* walnut
cneuen gastan *eb* chestnut
cneuen goco *eb* coconut
cnewyll palmwydd olew *ell* oil palm kernels
cnewyllan *eg* nucleolus
cnewyllol *ans* nucleated (in biology)
cnewyllyn (mewn bioleg) *eg* nucleus (in biology)
cnewyllyn (yn gyffredinol) *eg* kernel
cnewyllyn aml-labedog *eg* multi-lobed nucleus
cnewyllyn datrysol *eg* resolvent kernel
cnewyllyn palmwydd *eg* palm kernel
cnicyn *eg* knickpoint
cnoad *eg* bite (describing texture)
cnoc *eg/b* rap *n*
cnocio *be* rap *v*
cnofil *eg* rodent
cnoi *be* chew
cnu *eg* fleece
Cnu Aur *eg* Golden Fleece
cnufiog *ans* fleecy
cnwc *eg* knoll
cnwc gro *eg* kame
cnwd *eg* crop
cnwd bresych *eg* brassica crop
cnwd cynnal *eg* subsistence crop
cnwd gorchudd *eg* cover crop
cnwd gwraidd *eg* root crop
cnwd porthiant *eg* fodder crop
cnwd saib *eg* break crop
cnwd trin *eg* cultivated crop
cnydio dwbl *be* double cropping
cobalt (Co) *eg* cobalt (Co)
coban *eb* nightdress
cobl *eg* cobble
COBOL *eb* COBOL
coco *eg* cocoa
coconyt mân *eg* desiccated coconut
cocos *ell* cockles
cocotte *eb* cocotte
cocs *eg* cox *n*
cocsen *eb* cog
cocsidiosis *eg* coccidiosis
cocsio *be* cox *v*
coctel *eg* cocktail
cocŵn *eg* cocoon
cocws *eg* coccus
coch *eg* red (enamelling colour)
coch cadmiwm *eg* cadmium red
coch Fenis *eg* Venetian red
coch glas (rhuddgoch) *eg* blue red (crimson)
coch golau *eg* light red
coch India *eg* Indian red
coch oren (fermiliwn) *eg* orange red (vermilion)

cochddu *ans* chestnut brown (of soil)
cochi (pysgod) *be* curing (fish)
cochl *eg* pall
cochlea *eg* cochlea
cochlyd *ans* reddish
cod *eg* code *n*
cod EBCDIC *eg* EBCDIC code
cod rheoli *eg* control code
cod archwilio gwallau *eg* error checking code
cod ASCII *eg* ASCII code
cod cerdyn *eg* card code
cod cyfraith *eg* law code
cod cywiro gwallau *eg* error correcting code
cod darganfod gwallau *eg* error detecting code
cod deongliadol *eg* interpretive code
cod deuaidd *eg* binary code
cod diogelu ffeil *eg* file protection code
cod genynnol *eg* genetic code
cod golchi *eg* wash code
cod gorchymyn *eg* command code
cod gwallau *eg* error code
cod gweithredu *eg* operation code
cod gweithredu cofrif *eg* mnemonic operation code
cod gwreiddiol *eg* source code
cod Hamming *eg* Hamming code
cod lliwiau *eg* colour coding
cod maint ac arwydd *eg* sign and magnitude code
Cod Masnach *eg* Commercial Code
Cod Napoleon *eg* Napoleonic Code
cod nodau *eg* character code
cod peiriant *eg* machine code
Cod Penyd *eg* Penal Code
Cod Sifil *eg* Civil Code
cod swyddogaeth *eg* function code
Cod Troseddol *eg* Criminal Code
Cod y Caethion Du *eg* Black Code (Code Noir)
Cod y Môr *eg* Maritime Code
cod ymarfer *eg* code of practice
cod ymarfer da *eg* code of good practice
cod ymddygiad *eg* code of conduct
coda *eg* coda
CODASYL *eb* CODASYL
codau cyflwr *ell* condition codes
codecs *eg* codex
codeiddiad *eg* codification
codeiddio *be* codify
codeiddiwr *eg* codifier
codell *eb* take-up lever (of machine part)
coden *eb* sac
coden aer *eb* air sac
coden ddŵr *eb* water sac
coden embryo *eb* embryo sac
coden inc *eb* ink sac
coden y bustl *eb* gall-bladder
codennaidd *ans* sacculate
codennau awyr *ell* wind sacks
codennog *ans* saccular

---

adf, adv adferf, *adverb* **ans, adj** ansoddair, *adjective* **be** berf, *verb* **eb** enw benywaidd, *feminine noun* **eg** enw gwrywaidd, *masculine noun*

codennyn *eg* saccule
codeta *eg* codetta
codi *be* raise, lift
codi llifyn *be* dye pick-up
codi neu ostwng raise or lower
codi perpendicwlar *be* raise a perpendicular
codi pwysau *be* weightlifting
codi pwyth *be* pick up a stitch
codi pwythau (sgorpio) *be* raise stitches (scorping)
codi'r corff *be* lift the body
codi staen *be* stain removal
codi tâl *be* charge (money) *v*
codi trethi *be* levy rates
codi ymwybyddiaeth *be* consciousness-raising
codiad (mewn ffisioleg) *eg* erection (in physiology)
codiad (yn gyffredinol) *eg* lift *n*
codiad (y berwbwynt) *eg* elevation (of boiling point)
codiad capilari *eg* capillary rise
codiad serth *eg* steep pitch
codiad to *eg* pitch (of roof) *n*
codiant *eg* lift (of force) *n*
codio *be* coding
codlys *eg* legume
codlysol *ans* leguminous
codwr *eg* riser
codwr byrnau *eg* bale loader
codwr staen *eg* stain remover
codydd *eg* coder
codydd staen *eg* removal agent
cod-bar *eg* bar-code
coed (=coedwig) *eg* woods (=forest)
coed (=pren) *eg* timber *n*
coed cartref *ell* homegrown timber
coed difandwll *ell* non-porous woods
coed sy'n cael eu mewnforio *ell* imported timber
coeden *eb* tree
coeden ddeuaidd *eb* binary tree
coeden fythwyrdd *eb* evergreen *n*
coeden gau *eb* hollow tree
coeden gollddail *eb* deciduous tree
coeden lydanddail *eb* broad-leaved tree
coeden wytnaf *eb* hardiest tree
coedlan *eb* coppice
coedlin *eg* tree line
coedwig *eb* forest
coedwig dymherus *eb* temperate forest
coedwig ddrain *eb* thorn forest
coedwig galeri *eb* gallery forest
coedwig gonwydd *eb* coniferous forest
coedwig law *eb* rain forest
coedwig law drofannol *eb* tropical rain forest
coedwig soddedig *eb* submerged forest
coedwigaeth *eb* forestry
coedwigo *be* afforestate
coedwigwr *eg* forester
coedydd coch *ell* redwoods

coedyddiaeth *eb* arboriculture
coelcerth (angladdol) *eb* pyre (funereal)
coeliag *ans* coeliac
coenobiaid *ell* coenobites
coes (anatomi) *eb* leg
coes (brwsh etc) *eb* handle (of bat, brush, hammer, saucepan etc) *n*
coes allanol *eb* outside leg
coes bren (brwsh) *eb* wooden handle (of brush)
coes brwsh *eb* brush handle
coes daprog *eb* tapered handle
coes fewnol *eb* inside leg
coes flaen *eb* leading leg
coes gabriol *eb* cabriole leg
coes gron *eb* round leg
coes gymalog *eb* jointed leg
coes matsen *eb* matchstick
coes morthwyl *eb* hammer handle
coes o flaen wiced (c.o.f.) leg before wicket (l.b.w.)
coes oddfog *eb* bulbous leg
coes ôl *eb* hind leg
coes sgwâr *eb* square leg (of table etc)
coes siapog *eb* shaped leg
coes ysgubell *eb* broom stick
coesarf *eg* greave
coesarn *eg* gaiter
coesau sblae *ell* splay legs
coesgroes *ans* cross-legged (sitting)
coeswr agos *eg* short leg
coeswr byr sgwâr *eg* short square leg
coeswr cul *eg* fine leg
coeswr pell *eg* long leg
coeswr pell sgwâr *eg* deep square leg
coeswr sgwâr *eg* square leg (of person)
coesyn (planhigyn) *eg* stem (of plant)
coesyn a dorrwyd o blanhigyn *eg* cut stem
coesyn iorwg *eg* ivy stem
coeten *eb* quoit *n*
coetio *be* quoit *v*
coetir *eg* woodland
coetir Môr y Canoldir *eg* Mediterranean woodland
coetmon *eg* lumberjack
coetmona *be* lumbering
coets baban *eb* baby buggy
coets fawr *eb* stage coach
coets y post *eb* mailcoach
coeth (am fetel, siwgr) *ans* refined (of metal, sugar)
coeth (am waith celf) *ans* elaborate (of work of art) *adj*
coethder *eg* refinement
coethi (gwaith celf) *be* elaborate (a work of art) *v*
coethi (metel, siwgr) *be* refine (metal, sugar)
coethi cylchfaol *be* zone refining
cof *eg* memory
cof allanol *eg* external memory
cof amlran *eg* multi-part memory
cof bwrlwm magnetig *eg* magnetic bubble memory

cof clywedol *eg* auditory memory

cof craidd *eg* core memory

cof cymal darllen yn unig (PhRoM) *eg* phrase read-only memory (PHROM)

cof cysylltiadol *eg* associative memory

cof darllen yn unig (ROM) *eg* read-only memory (ROM)

cof dros dro *eg* scratch (pad) memory

cof dynamig *eg* dynamic memory

cof hapgyrch (RAM) *eg* random access memory (RAM)

cof hapgyrch dynamig (DRAM) *eg* dynamic random access memory (DRAM)

cof rhaglenadwy darllen yn unig (PROM) *eg* programmable read-only memory (PROM)

cof rheoli *eg* control memory

cofadail *eg* monument

cofalens *eg* covalency

cofalent *ans* covalent

cofiadur *eg* recorder (=type of judge)

cofleidio *be* hug *v*

cofleidio'r bêl *be* hug the ball

cofleidio'r pengliniau *be* hug the knees

cofnod *eg* record (=evidence or information) *n*

cofnod achos *eg* case record

cofnod archifol *eg* archive record

cofnod byw *eg* live record

Cofnod Cenedlaethol Cyrhaeddiad Galwedigaethol *eg* NROVA: National Record of Vocational Achievement

cofnod cronnus *eg* cumulative record

cofnod cyfrinachol *eg* confidential record

cofnod cyrhaeddiad *eg* record of achievement

cofnod cyrhaeddiad cronnus *eg* cumulative assessment record

cofnod cyrhaeddiad personol *eg* personal achievement record

cofnod data *eg* data entry

cofnod hyd penodol *eg* fixed length record

cofnod marw *eg* dead record

cofnod myfyriwr *eg* student record

cofnod mynychu *eg* attendance record

cofnod personol *eg* personal record

cofnod rhesymegol *eg* logical record

cofnodi *be* record (evidence etc on paper, computer etc) *v*

cofnodi data llais *be* voice data entry (VDE)

cofnodi data uniongyrchol *be* direct data entry

cofnodi ffenomenau *be* record phenomena

cofnodi ffurfiannol *be* formative recording

cofnodion personél *ell* personnel records

cofnodwr *eg* recorder (=keeper of records)

cofrestr *eb* register *n*

cofrestr cof-ddata *eb* memory data register

cofrestr cof-gyfeiriad *eb* memory address register

cofrestr cyfeiriadau *eb* address register

cofrestr ganlyniadau *eb* result register

cofrestr gyfarwyddyd *eb* instruction register

cofrestr mynegai *eb* index register

cofrestr plant a gamdriniwyd *eb* child abuse register

cofrestr syfliad *eb* shift register

cofrestr un pwrpas *eb* dedicated register

cofrestrfa *eb* registry

cofrestriad *eg* registration

cofrestru *be* register *v*

cofrestrydd *eg* registrar

cofrestrydd academaidd *eg* academic registrar

cofrif *eg* mnemonic

cof-droshaen *eb* memory overlay

cof-gylchred *eb* memory cycle

coffi *eg* coffee

coffi mâl *eg* ground coffee

coffi percoladur *eg* percolated coffee

coffi wedi'i hidlo *eg* filtered coffee

coffr *eg* coffer

cogail *eg* distaff

coginio *be* cook

cogyddio (defnyddio panyddion) *be* cogging (using fullers)

conglfaen *eg* quoin

coil *eg* coil

coil anwythiad *eg* induction coil

coil cynradd *eg* primary coil

coil eilaidd *eg* secondary coil

coil gwifren *eg* wire coil

coil symudol *eg* moving coil

coïonig *ans* co-ionic

col (ar fynydd) *eg* col

col (gweiryn neu ddeilen) *eg* awn

col legno *adf* col legno

coladiad *eg* collation

coladu *be* collate

coladydd *eg* collator

colagen *eg* collagen

colandr *eg* colander

colchos *eg* kolkhoz

colecalchifferol *eg* cholecalciferol

coleg *eg* college

coleg addysg *eg* college of education

coleg addysg bellach *eg* college of further education

coleg addysg uwch *eg* college of higher education

Coleg Agored *eg* Open College

coleg cymunedol *eg* community college

coleg chweched dosbarth *eg* sixth form college

coleg hyfforddi *eg* training college

coleg offeiriadol *eg* seminary

coleg technegol *eg* technical college

Coleg Technegol Dinas *eg* City Technology College (CTC)

colencyma *eg* collenchyma

coleoptil *eg* coleoptile

coleorhisa *eg* coleorhiza

coler *eg/b* collar

coler â band *eg* collar with band

coler crys *eg* shirt collar

coler cwfl *eg* cowl collar

coler gosod *eg* set-on collar

coler llabed *eg* revers collar

coler mandarin *eg* mandarin collar

coler Peter Pan *eg* Peter Pan collar

---

adf, adv adferf, *adverb*   *ans, adj* ansoddair, *adjective*   *be* berf, *verb*   *eb* enw benywaidd, *feminine noun*   *eg* enw gwrywaidd, *masculine noun*

coler pig *eg* pointed collar
coler rhôl *eg* roll collar
coler rhydd *eg* detachable collar
coler syth *eg* straight collar
colera *eg* cholera
coleru *be* collaring
coleslaw *eg* coleslaw
colesterol *eg* cholesterol
colesterolaemia *eg* cholosterolaemia
colesystocinin *eg* cholecystokinin
colet *eg* collet
colfach *eg* hinge *n*
colfach addurniadol *eg* ornamental hinge
colfach canol *eg* centre hinge
colfach canol camdro *eg* cranked centre hinge
colfach codi *eg* rising butt hinge
colfach colyn *eg* pivot hinge
colfach cudd *eg* invisible hinge
colfach cyfunol *eg* combination hinge
colfach estyn *eg* extension hinge
colfach glöyn byw *eg* butterfly hinge
colfach gwasgedig *eg* pressed hinge
colfach hir *eg* piano hinge
colfach llydan *eg* backflap hinge
colfach neilon *eg* nylon hinge
colfach solet *eg* solid drawn hinge
colfach strap *eg* strap hinge
colfach T *eg* T-hinge
colfach top bwrdd *eg* table-top hinge
colfach uniad riwl *eg* rule joint hinge
colfach ymyl *eg* butt hinge
colfachog *ans* hinged
colfachu *be* hinge *v*
colig *eg* colic
colinergig *ans* cholinergic
colinesteras *eg* choline esterase
colitig *ans* colitic
colofn *eb* column
colofn aer *eb* air column
colofn cyfnewid catïonau *eb* cation exchange column
colofn drioedd *eb* column of threes (Llanofer)
colofn ddŵr *eb* waterspout
colofn ffracsiynu *eb* fractionating column
colofn ganolog *eb* central column
colofn gerdyn *eb* card column
colofn gyswllt *eb* engaged column
colofnig *eb* style (in botany)
coloid *eg* colloid
coloidaidd *ans* colloidal
colon *eg* colon
coloratwra *ans* coloratura
colostomi *eg* colostomy
colostrwm *eg* colostrum
colsaid *eg* tang (of chisel, file)
coltario *be* coal tar *v*
coludd *eg* gut
coluddol *ans* intestinal

coluddyn *eg* intestine
coluddyn bach *eg* small intestine
coluddyn mawr *eg* large intestine
colur *eg* make-up (cosmetics) *n*
coluro *be* make-up (using cosmetics) *v*
colyn *eg* pivot *n*
colyn blaen *eg* forward pivot
colyn ôl *eg* reverse pivot
colyn sash *eg* sash pivot
colynnol *ans* pivotal
colynnu *be* pivot *v*
col-tar *eg* coal tar *n*
collage *eg* collage
collage brodwaith *eg* embroidered collage
collage o seiniau *eg* sound collage
collddail *ans* deciduous
colled *eg/b* loss
colled grynswth *eb* gross loss
colled net *eb* net loss
colli clyw *be* hearing loss
colli clyw yn y glust ganol conductive hearing loss
colli cydbwysedd *be* off balance
colli gwaith *be* redundancy
colli gwaith yn wirfoddol *be* voluntary redundancy
colli llifyn *be* dye loss
colli lliw *be* fade (of colour)
colli meddiant o'r bêl lose possession of the ball
colli rheolaeth ar y bêl lose control of the ball
collnod *eg* apostrophe
collwr da *eg* good loser
coma *eg* comma
comander *eg* commander (naval)
comed *eb* comet
comedi gerdd *eb* musical comedy
Cominfform *eg* Cominform
comisar *eg* commissar
comisari'r esgob *eg* bishop's commissary
comisiwn *eg* commission *n*
comisiwn aráe *eg* commission of array
Comisiwn Coedwigaeth *eg* Forestry Commission
Comisiwn Diarfogi *eg* Disarmament Commission
Comisiwn Gwasanaethau'r Gweithlu *eg* Manpower Services Commission
comisiwn oyer a terminer *eg* commission of oyer and terminer
Comisiwn Rheoli'r Cynghrair *eg* Alliance Control Commission
comisiynu *be* commission *v*
Comisiynwyr Gwelliannau *ell* Improvement Commissioners
Comisiynwyr yr Atafaeliad *ell* Commissions for Sequestration
comisiynydd *eg* commissioner
comiwn *eg* commune
comiwnydd *eg* communist *n*
comiwnyddiaeth *eb* communism
comiwnyddiaeth ryfel *eb* war communism

comiwnyddol *ans* communist *adj*
comôd *eg* commode
comodor *eg* commodore
compot *eg* compote
côn *eg* cone
côn blaendor *eg* truncated cone
côn boracs *eg* borax cone
côn crwn union *eg* right circular cone
côn folcanig *eg* volcanic cone
côn gwrthdro *eg* inverted cone
côn lafa *eg* lava cone
côn lludw *eg* cinder cone
côn papur *eg* paper cone
côn parasitig *eg* parasitic cone
côn pyromedrig *eg* pyrometric cone
côn Seger *eg* Seger cone
con sordino *eg* con sordino
concertante *eg* concertante
concertino *eg* concertino
concerto *eg* concerto
concerto dwbl *eg* double concerto
concerto grosso *eg* concerto grosso
concoid *eg* conchoid
concoidaidd *ans* conchoidal
concordat *eg* concordat
concretiad *eg* concretion
concrit *eg* concrete *n*
concrit cyfnerth *eg* reinforced concrete
concwest *eg/b* conquest
concwest Normanaidd *eb* Norman conquest
condom *eg* condom
condominiwm *eg* condominium (of building)
condroid *ans* chondroid
condroitin *eg* chondroitin
condrol *ans* chondral
condyl *eg* condyle
confensiwn *eg* convention
confensiwn gwyddonol *eg* scientific convention
confensiwn lluniadu *eg* drawing convention
confensiwn mathemategol *eg* mathematical convention
confensiynau chwarae teg *ell* conventions of fair play
confensiynol *ans* conventional
confentigl *eb* conventicle
confocasiwn *eg* convocation
confylsiwn *eg* convulsion (medical)
Conffiwsaidd *ans* Confucian *adj*
Conffiwsiad *eg/b* Confucian *n*
conga *eg* conga
conicoid *eg* conicoid
conig *ans* conic
conigol *ans* conical
conoid *eg* conoid
consensws *eg* consensus
conseptagl *eg* conceptacle
consertina *eg* concertina
conservatoire *eg* conservatoire
consesiwn *eg* concession

consgripsiwn *eg* conscription
consistoraidd *ans* consistorial
consistori *eg* consistory
consistori'r pab *eg* papal consistory
consol *eg* console
consol organ *eg* organ console
consol pell *eg* remote console
consommé *eg* consommé
consort *eg* consort (in music)
consort cymysg *eg* broken consort
consort feiolau *eg* consort of viols
consort offerynnau tebyg *eg* whole consort
consortiwm *eg* consortium
consortiwm ysgolion *eg* school consortium
conswl *eg* consul
conswliaeth *eb* consulate (in ancient Rome)
continuo *eg* continuo
continwwm *eg* continuum
contract *eg* contract (=agreement)
contractwr *eg* contractor
contralto *eb* contralto
conwydd *ans* coniferous
conwydden *eb* conifer
copa (mewn gwaith metel) *eg* cope (in metalwork) *n*
copa (mynydd) *eg* summit
copa a drag cope and drag
copi *eg* copy *n*
copi caled *eg* hard copy
copi graddfa *eg* scaled copy
copi gwreiddiol *eg* master copy
copi meddal *eg* soft copy
copi wrth gefn *eg* backup copy
copiddeiliad *eg* copy holder
copin *eg* coping
copïo *be* copy *v*
copïo mesurydd *be* copy ruler *v*
copïo rhanbarth *be* copy area *v*
copis *eg* fly opening
copïwr *eg* copier
copog uchel *ans* raised head (machine screws)
copr (Cu) *eg* copper (Cu)
copr pothell *eg* blister copper
copr sylffad *eg* copper sulphate
coprosterol *eg* coprosterol
côr *eg* choir
cor anglais *eg* cor anglais
côr atsain *eg* echo chorus
côr dwbl *eg* double chorus
côr meibion *eg* male voice choir
Côr y Cewri *eg* Stonehenge
corachedd *eg* dwarfism
corâl *eg* chorale
corbel *eg* corbel
corbennog *eg* brisling
corblanhigyn *eg* dwarf plant
corc *ans* cork *adj*

---

adf, adv adferf, *adverb*   *ans, adj* ansoddair, *adjective*   *be* berf, *verb*   *eb* enw benywaidd, *feminine noun*   *eg* enw gwrywaidd, *masculine noun*

corcyn *eg* cork *n*
cord *eg* chord
cord ail wrthdro *eg* chord in second inversion
cord cromatig *eg* chromatic chord
cord cyffredin *eg* common chord
cord cyffredin lleiaf *eg* minor common chord
cord cyffredin mwyaf *eg* major common chord
cord cyseinio *eg* resonance chord
cord cywasg *eg* diminished chord
cord diweddeb *eg* cadence chord
cord estynedig *eg* augmented chord
cord gwasgar *eg* broken chord
cord gwreiddnod *eg* root chord
cord gwrthdro cyntaf *eg* chord in first inversion
cord lleiaf *eg* minor chord
cord mwyaf *eg* major chord
cord 6/4 arpeggio *eg* arpeggio 6/4 chord
cord 6/4 diweddebol *eg* cadential 6/4 chord
cord 6/4 tonnog *eg* auxiliary 6/4 chord
cord reion *eg* rayon cord
cord safle gwreiddiol *eg* chord in root position
cord seithfed *eg* chord of the seventh
cord seithfed cywasg *eg* diminished seventh chord
cord seithfed y llywydd *eg* dominant seventh chord
cord seithfed y tonydd *eg* tonic seventh chord
cord sylfaenol y llywydd *eg* fundamental dominant chord
cord trydydd gwrthdro *eg* chord in third inversion
cord y chweched Almaenig *eg* German sixth chord
cord y chweched atodol *eg* added sixth chord
cord y chweched Eidalaidd *eg* Italian sixth chord
cord y chweched estynedig *eg* augmented sixth chord
cord y chweched Ffrengig *eg* French sixth chord
cord y seithfed estynedig *eg* augmented seventh chord
cord y tonydd *eg* tonic chord
cordeddu *be* twist (strands) *vt*
cordial *eg* cordial
cordio *be* chording
cordyn *eg* cord *n*
cordyn peipio *eg* piping cord
cored *eb* weir
coreograffi *eg* choreography
coreograffydd *eg* choreographer
corfan *eg* metrical foot
corfan amgyrch *eg* amphibrach
corfan cyrch dyrchafedig *eg* anapaest
corfan cytbwys *eg* spondee
corfan dyrchafedig *eg* iambus
corff *eg* body
corff arweiniol *eg* lead body
corff arwain diwydiant *eg* industry lead body
corff deddfwriaethol *eg* legislature (=legislative body)
corff dilysu *eg* authenticating body
corff dyfarnu *eg* awarding body
corff dynol *eg* human body
corff gweinyddol *eg* organ of administration
corff haearn gyr *eg* wrought iron body
corff lliain *eg* cloth body

corff llong *eg* hull
corff llywodraeth *eg* organ of government
corff llywodraethol *eg* governing body
corff o ddeddfau *eg* legislature (=body of laws)
corff statudol *eg* statutory body
corff urddau'r marchogion *eg* knightage
corff wybrennol *eg* heavenly body
corff yr aelwyd *eg* hearth body
corffdy *eg* mortuary
corffgell *eb* body cell
corffilyn *eg* corpuscle
corffilyn coch y gwaed *eg* red blood corpuscle
corffilyn Malpighi *eg* Malpighian corpuscle
corffilyn Pacini *eg* Pacinian corpuscle
corffilyn y gwaed *eg* blood corpuscle
corffoledd *eb* physique
corfforaeth *eb* corporation
corfforaeth y fwrdeistref *eb* borough corporation
corfforol *ans* physical (=bodily)
corfforol weithgar *ans* physically active
corffrwd *eb* runnel
corffyn carotid *eg* carotid body
corffyn ciliaraidd *eg* ciliary body
corffyn estron *eg* foreign body
corffyn Malpighi *eg* Malpighian body
corffyn pegynol *eg* polar body
corhelygen *eb* dwarf willow
coriander *eg* coriander
coridor *eg* corridor
coridor awyr *eg* air corridor
Coridor Pwylaidd *eg* Polish Corridor
corlan *eb* sheep fold
corlan chwarae *eb* play-pen
corlan gyfredol *eb* current band
corlannu *be* band (in computing) *v*
corm *eg* corm
cormaidd *ans* cormoid
corn (am y cnwd) *eg* corn (=maize)
corn (anifail etc) *eg* horn
corn bas *eg* bass horn
corn baset *eg* basset horn
corn cerbyd *eg* coach horn
corn Ffrengig *eb* French horn
corn gwartheg *eg* cow horn
corn hufen *eg* cream horn
corn tenor *eg* tenor horn
cornant *eb* rill
cornbiff *eg* cornbeef
cornbilen *eg* cornea
cornbilennol *ans* corneal
cornddawns *eb* hornpipe (dance)
cornel *eg/b* corner *n*
cornel bell *eb* long corner
cornel ddarllen *eb* reading corner
cornel feitrog *eb* mitred corner
cornel fer *eb* short corner
cornel gosb *eb* penalty corner

---

eg/b enw gwrywaidd/benywaidd, *feminine/masculine noun*   *ell* enw lluosog, *plural noun*   *v* berf, *verb*   *n* enw, *noun*

cornel gron *eb* radiused corner
cornel gyfnerth *eb* reinforced corner
cornel lem *eb* sharp corner
cornelu *be* corner *v*
cornet *eg* cornet
cornett *eg* cornett
cornfaen *eg* chert
cornis *eg* cornice
cornopean *eg* cornopean
cornwyd *eg* boil *n*
coro *eg* coro
coroid *ans* choroid
corola *eg* corolla
corona *eg* corona
coronaidd *ans* coronary
coronbleth *eb* chaplet
coronomedr *eg* chronometer
coropleth *eg* choropleth
corporal *eg* corporal
corpws *eg* corpus
corpws caloswm *eg* corpus callosum
corpws lwtewm *eg* corpus luteum
corryn *eg* spider
cors *eb* bog
corsen *eb* reed (=type of plant)
corsenwaith *eg* reeding
cortecs *eg* cortex
cortecs y chwarren adrenal *eg* adrenal cortex
cortecs cerebrol *eg* cerebral cortex
corticotroffin *eg* corticotrophin
cortyn *eg* cord
cortyn cotwm *eg* cotton twine
cortyn cywarch *eg* hemp twine
cortyn dirdro *eg* twisted cord
cortyn llin *eg* flax cord (sash window)
cortyn macramé *eg* macramé twine
cortyn naturiol *eg* natural twine
cortyn rhwyd *eg* net cord
cortyn sglein *eg* mercerized cord
corun *eg* crown (of the head)
corwlad *eb* midget state
corws *eg* chorus (in opera and secular music)
corwynt *eg* hurricane
côr-feistr *eg* chorus master
côr-ferch *eb* chorus girl
côr-fynach *eg* choir-monk
côr-gân *eb* chant (of canticle) *n*
Cosac *eg* Cossack
cosb *eb* punishment
cosb eithaf *eb* capital punishment
cosb gorfforol *eb* corporal punishment
cosbi *be* penalize
cosbol *ans* punitive
cosecant (cosec) *eg* cosecant (cosec)
cosech *eg* cosech
cosh *eg* cosh
cosi *be* itch

cosi poenus *be* irritation
cosin (cos) *eg* cosine (cos)
cosmetigau *ell* cosmetics
cosmig *ans* cosmic
cosmoleg *eb* cosmology
cost *eb* cost
cost cynnal *eb* maintenance cost
cost effeithiol *ans* cost effective
cost ffiniol *eb* marginal cost
cost gwerthiant *eb* sales cost
cost gwerthu *eb* selling cost
cost gyfartalog *eb* average cost
cost gyfrifyddol *eb* accounting cost
cost gymharol *eb* comparative cost
cost gynyddol *eb* increasing cost
cost ostyngol *eb* decreasing cost
cost sefydlog *eb* fixed cost
cost trafod *eb* transaction cost
costau cudd *ell* hidden costs
costau llafur *ell* labour charge
costiad *eg* costing
cosyn pen *eg* brawn
cot *eb* coat
cot â chaead sengl *eb* single breasted coat
cot ffibrog *eb* fibrous coat
cot ffrog *eb* coat-dress
cot gyntaf *eb* preliminary coat
cot matinée *eb* matinée coat
cotangiad (cot) *eg* cotangent (cot)
coter *eg* cotter
cotwm *eg* cotton
cotwm dolennog *eg* looped cotton
cotwm gwlanog *eg* brushed cotton
cotwm main *eg* lawn cotton
cotwm sglein *eg* glazed cotton
cotyledon *eb* cotyledon
cotywr *eg* cottar
coth *eg* coth
coulomb *eg* coulomb
courante *eg* courante
courgettes *ell* courgettes
courtelle *eg* courtelle
cownt gorfod *eg* compulsory count
Cownt Palatin *eg* Count Palatine
cowper *eg* cooper
cowstio *be* coasting
cowtsio *be* couching *v*
cowtsio Bokhara *be* Bokhara couching
cowtsio Jacobiaidd *be* Jacobean couching
cowyll *eg* bride-price
crac *eg* crack *n*
cracellu *be* crackle
cracio *be* crack *v*
cracydd *eg* cracker
crachboer *eg* sputum
crachen *eb* scab
craen *eg* crane

---

adf, adv adferf, *adverb* **ans, adj** ansoddair, *adjective* **be** berf, *verb* **eb** enw benywaidd, *feminine noun* **eg** enw gwrywaidd, *masculine noun*

crafangu *be* chucking

crafanc (anifail) *eb* claw

crafanc (ar ddril etc) *eb* chuck

crafanc arbor *eb* arbor chuck

crafanc colet *eb* collet chuck

crafanc dril *eb* drill chuck

crafanc fforch *eb* fork chuck

crafanc fforch ddwbl *eb* two pronged chuck

crafanc gafael annibynnol *eb* independent chuck

crafanc gloch *eb* bell chuck

crafanc gwpan *eb* cup chuck

crafanc gyfunol *eb* combination chuck

crafanc hunanganoli *eb* self-centering chuck

crafanc Jacob *eb* Jacob chuck

crafanc pedair safn *eb* four-jaw chuck

crafanc tair safn *eb* three-jaw chuck

crafell *eb* graver

crafell losin *eb* lozenge graver

crafell luosbig *eb* multiple graver

crafiad *eg* scratch *n*

crafiadau arwyneb *ell* surface scratches

crafu *be* scratch *v*

crafwr asgwrn *eg* bone scraper

crafwr addurn *eg* scratch stock

craffter *eg* acuity

cragen *eb* shell (of shellfish, snails)

cragen feryn *eb* bearing shell

cragen hemisffer *eb* hemispherical shell

cragennaidd *ans* testaceous

crai (=newydd, ffres, amrwd) *ans* raw

crai (am olew) *ans* crude (=natural or raw state)

craidd *eg* core

craidd afal *eg* apple core

craidd caled *eg* hardcore

craidd canolog *eg* central core

craidd crymedd *eg* centre of curvature

craidd disgyrchiant *eg* centre of gravity

craidd fferrit *eg* ferrite core

craidd haearn meddal *eg* soft iron core

craidd hylifol *eg* liquid core

craidd laminedig *eg* laminated core

craidd màs *eg* centre of mass

craidd mewnol *eg* inner core

craidd silindrog *eg* cylindrical core

craidd taro *eg* centre of percussion

craiddfwrdd *eg* coreboard

craidd-parth-cylch *eg* core-domain-sphere

craig *eb* rock

craig allwthiol *eb* extrusive rock

craig fasig *eb* basic rock

craig fewnwthiol *eb* intrusive rock

craig follt *eb* roche moutonée

craig galed *eb* hard rock

craig gynnal *eb* pedestal rock

craig gysefin *eb* country rock

craig hypabysol *eb* hypabyssal rock

craig igneaidd *eb* igneous rock

craig orchudd *eb* overlying rock

craigwely *eg* bed rock

craig-wythïen *eb* gash vein

crair *eg* relic

craith (ar ddefnydd) *eb* darn *n*

craith (yn gyffredinol) *eb* scar

craith deilen *eb* leaf scar

craith ffabrig wedi'i wau *eb* knitted fabric darn

craith gylchog *eb* girdle scar

craith man gwan *eb* thin place darn

craith peiriant *eb* machine darn

craith rhwyg cornel *eb* corner tear darn

craith Swisaidd *eb* Swiss darn

craith trawstoriad *eb* cross-cut darn

craith ystum *eb* meander scar

cral *eg* kraal

cramen *eb* crust

cramen afreolaidd *eb* irregular crust

cramen galed *eb* duricrust

crameniad *eg* incrustation

cramennog *ans* crustaceous

cramennol *ans* crustal

cramenogion *ell* crustacea

cramp *eg* cramp *n*

cramp cortyn *eg* string cramp

cramp G *eg* G cramp

cramp G asennog *eg* ribbed G cramp

cramp G dyfnwddf *eg* deep throat G cramp

cramp hir *eg* sash cramp

cramp meir *eg* mire cramp

cramp meitr *eg* mitre cramp

cramp sbring dur *eg* steel-spring cramp

cramp y mwynwr *eg* miner's cramp

crampio *be* cramp *v*

crampon *eg* crampon

cramwythen *eb* crumpet

cranc (am yr anifail) *eg* crab

cranc (mewn peirianwaith) *eg* crank

cranca *be* catch a crab

crancbin *eg* crank pin

crancgolyn *eg* crank pivot

crancsiafft *eg* crankshaft

crannog *eg* lake dwelling

cras *ans* parched

crasboeth *ans* torrid

crasgywair *eg* sharp key

crasu *be* air (clothes) *v*

crater *eg* crater

crater folcanig *eg* volcanic crater

crau *eg* eye (=hole in needle etc)

crau *eg* socket (of joint)

crau glenoid *eg* glenoid cavity

crau morthwyl *eg* eye of hammer

crau nodwydd *eg* eye of needle

crau'r llygad *eg* orbit (of the eye) *n*

---

eg/b enw gwrywaidd/benywaidd, *feminine/masculine noun*   *ell* enw lluosog, *plural noun*   **v** berf, *verb*   **n** enw, *noun*

crawn *eg* pus
crawniad *eg* abscess
creadigaeth *eb* creation
creadigaeth y dychymyg *eb* figment of imagination
creadigol *ans* creative
creadigrwydd *eg* creativity
creawdwr *eg* creator
crebachiad *eg* atrophy *n*
crebachu *be* shrink (=shrivel)
creicaen *eb* mantle rock
cred bersonol *eb* personal belief
cred Gristnogol *eb* Christian belief
credo (yr Apostolion, Nicene etc) *eg* creed
credo (=yr hyn a gredir) *eb* belief
credu *be* believe
credyd *eg* credit *n*
credyd teulu *eg* family credit
credyd uned *eg* unit credit
crefas *eg* crevasse
crefydd *eb* religion
crefyddol *ans* religious
crefyddoldeb *eg* religiosity
crefft *eb* craft
crefft cadw tŷ *eb* housecraft
crefft ffabrig *eb* fabric craft
crefft llwyfan *eb* stage craft
crefft llyfrau *eb* book craft
crefft magu plant *eb* parent craft
crefft nodwydd *eb* needle craft
crefft y fam *eb* mothercraft
crefft ysgrifennu *eb* penmanship
crefftwaith creadigol *eg* creative craftwork
crefftwr *eg* craftsman
crefftwr lled fedrus *eg* semi-skilled craftsman
crefftwr medrus *eg* skilled craftsman
crefftwriaeth *eb* craftsmanship
cregynnog *ans* shelly
creicaen *eb* regolith (=mantle rock)
creifion *ell* scrapings
creigiau â glo *ell* coal bearing rocks
creigiau dal olew *ell* oil bearing rocks
creigiau gwaddod *ell* sedimentary rocks
creigiau llorhaenol *ell* level bedded rocks
creigiau plwtonig *ell* plutonic rocks
creigwaith *eg* rustification
creigwely gwaelodol *eg* underlying bed rock
creirfa *eb* shrine (for relics)
creision tatws *ell* crisps
creision ŷd *ell* cornflakes
creisionllyd *ans* crunchy
creithio gwŷdd *be* loom darning
crempog *eb* pancake
Creol *eg* Creole
creon *eg* crayon
creon cwyr *eg* wax crayon
creon di-staen *eg* non smudge crayon
creon mâl *eg* grated crayon

creon olew *eg* oil crayon
crêp *eg* crêpe
crêpe de chine *eg* crêpe de chine
Creta *eb* Crete
cretasig *ans* cretaceous
cretinedd *eg* cretinism
creu *be* create
creu cymeriadau *be* create characters
creu dawns *be* make a dance
creu ffeil *be* file creation
creu parhaus *be* continuous creation
creu yn fyrfyfyr *be* improvisation
creuan *eb* cranium *n*
creuanol *ans* cranium *adj*
creuol *ans* orbital (of eye socket) *adj*
crib (ar aderyn) *eg/b* crest (of bird)
crib (ar do, ar fynydd) *eg/b* ridge (of roof or similar)
crib (i drin gwallt) *eg/b* comb *n*
crib ddeltoid *eb* deltoid ridge
crib farmori *eb* marbling comb
crib genhedlol *eb* germinal ridge
crib graenio *eb* graining comb
crib telyn *eb* comb of harp
cribddeiliaeth *eb* extortion
cribddeilio *be* extort
cribddeiliwr *eg* extorter
cribell *eb* fret
cribell glwm *eb* tied fret
cribell goludd *eb* gut fret
cribell osod *eb* fixed fret
cribellog *ans* fretted (of musical instrument)
cribin *eg/b* rake (implement) *n*
cribinio *be* rake (with implement) *v*
cribo *be* comb *v*
cribo gwlân *be* tease (wool)
cribo past *be* paste combing
cribwr *eg* teaser (of wool)
criced *eg* cricket
cricedwr *eg* cricketer
crimog *eb* shin
crimpen frandi *eb* brandy snap
crimpio *be* crimp
Crimplene *eg* Crimplene
cris *eg* crease (in cricket)
cris batio *eg* batting crease
cris bowlio *eg* bowling crease
cris ochrol *eg* return crease
Crist *eg* Christ
cristabolit *eg* crystabolite
Cristion *eg* Christian *n*
Cristnogaeth *eb* Christianity
Cristnogol *ans* Christian *adj*
critigol *ans* critical (in mathematics and physics)
crocbren *eg* scaffold (=gallows)
crochendy *eg* pottery (workshop)
crochenwaith *eg* pottery (object)

---

adf, adv adferf, *adverb* **ans, adj** ansoddair, *adjective* **be** berf, *verb* **eb** enw benywaidd, *feminine noun* **eg** enw gwrywaidd, *masculine noun*

crochenwaith agat *eg* agate ware
crochenwaith basalt *eg* basalt ware
crochenwaith caled *eg* stoneware
crochenwaith Delft *eg* Delft ware
crochenwaith gloywedd *eg* lustre pottery
crochenwaith heb ei danio *eg* green ware
crochenwaith Kamares *ell* Kamares ware
crochenwaith pinsiad *eg* pinch pottery
crochenwaith slab *eg* slab pottery
crochenwaith slip *eg* slip ware
crochenydd *eg* potter
croen *eg* skin
croen dafad *eg* sheepskin
croen gŵydd *eg* goose pimples
croen myn *eg* kid (type of leather)
croenol *ans* cutaneous
croes (=delw'r groes gyda'r Iesu arni) *eb* crucifix
croes (yn gyffredinol) *eb* cross (in general) *n*
croes Geltaidd *eb* Celtic cross
croesacen *eb* cross-accent
croesawydd *eg* receptionist
croesbeilliad *eg* cross pollination
croesedig *ans* decussate
croesfa *eb* transept
croesfan *eb* crossing
croesfan gerddwyr *eb* pedestrian crossing
croesfan wastad *eb* level crossing
croesfar *eg* crossbar
croesfridio *be* cross breeding
croesfur *eg* cross wall
croesffeilio *be* cross filing
croesffurf *ans* cruciform
croesgad *eb* crusade
Croesgad yn erbyn yr Albigensiaid *eb* Albigensian Crusade
Croesgad y Plant *eb* Children's Crusade
croesgornel *ans* diagonal (=from one corner to another)
croeshilio *be* miscegenation
croeshoeliad *eg* crucifixion
croesi *be* cross *v*
croesi'r bont *be* make the transition (linguistically)
croesi'r llinell *be* cross the line
croesi'r llinell gôl *be* cross the goal line
croesiad *eg* crossing *n*
croeslin *eg* diagonal *n*
croeslinol *ans* diagonal (on a straight sided figure) *adj*
Croesoswallt *eb* Oswestry
croesresog *ans* cross striated
croesrym *eg* shearforce
croesryw *eg* hybrid
croesryw impiedig *eg* graft hybrid
croesrywedd *eg* hybridisation
croestorfan *eg* point of intersection
croestoriad *eg* intersection
croestoriad setiau *eg* intersection of sets
croestoriad uchafwerth *eg* peak value intersection

croestorri *be* intersect
croeswasgiad *eg* shear (=strain produced by pressure) *n*
croeswasgu *be* shear (=strain produced by pressure) *v*
croeswifrau *ell* cross wires
croesymgroes *eg* criss cross
croes-liniogi *be* cross-hatching
crofen *eb* bacon rind
crofennu *be* case hardening
crofft *eg* croft
crofftwr *eg* crofter
crog *ans* hanging *adj*
crogfaen *eg* perched block
crogfur *eg* hanging wall
crogi *be* hang
crogiant *eg* suspension (of objects)
crogi, diberfeddu a phedrannu hang, draw and quarter
croglen *eb* rood screen
croglin ddwbl *eb* bifilar suspension
croglofft *eb* rood loft
croglun *eg* wall hanging
crognant *eb* hanging valley
crom *ans* curved (with feminine nouns)
crôm *eg* chrome
cromatid *eg* chromatid
cromatig *ans* chromatic
cromatin *eg* chromatin
cromatograffaeth *eb* chromatography
cromatograffaeth ddosrannol *eb* partition chromatography
cromatograffaeth haen-denau *eb* thin layer-chromatography
cromatograffig *ans* chromatographic
cromatyddiaeth *eb* chromaticism
cromeiddio *be* chromising
cromen *eb* dome *n*
cromen folcanig *eb* volcanic dome
cromennog *ans* domed
cromennu *be* dome *v*
cromfach *eg* bracket (=printing mark)
cromfachau () *ell* brackets ()
cromfan *eb* apse
cromfannol *ans* apsidal
cromgell *eb* vault (of chamber)
cromiwm (Cr) *eg* chromium (Cr)
cromlin *eb* curve (=curved line) *n*
cromlin Agnesi *eb* witch of Agnesi
cromlin allanol bwa *eb* extrados of an arch
cromlin amgrwm *eb* convex curve
cromlin amlder cronnus *eb* cumulative frequency curve
cromlin barabolig *eb* parabolic curve
cromlin debygolrwydd *eb* probability curve
cromlin ddisgynnol *eb* downward sloping curve
cromlin ddi-dor *eb* continuous curve
cromlin esgynnol *eb* upward sloping curve
cromlin fewnol bwa *eb* intrados of an arch
cromlin gawstig *eb* caustic curve
cromlin geugrwm *eb* concave curve

---

eg/b enw gwrywaidd/benywaidd, *feminine/masculine noun*   ***ell*** enw lluosog, *plural noun*   **v** berf, *verb*   **n** enw, *noun*

cromlin groestoriad *eb* curve of intersection
cromlin gyfansawdd *eb* compound curve
cromlin lawrydd *eb* freehand curve
cromlin lefn *eb* smooth curve
cromlin lefn ddi-dor *eb* continuous smooth curve
cromlin nodweddiadol *eb* characteristic curve
cromlin raddol *eb* gentle curve
cromlin rydd *eb* free curve
cromlin rydd ddi-dor *eb* continuous free curve
cromlin rhent cynnig *eb* bid-rent curve
cromliniau cylchoidol *ell* cycloidal curves
cromliniau diwahaniaeth *ell* indifference curves
cromlinog *ans* curvilinear
cromosffer *eg* chromosphere
cromosom *eg* chromosome
cromosom enfawr *eg* giant chromosome
cromosom o du'r fam *eg* maternal chromosome
cromosom o du'r tad *eg* paternal chromosome
cromosom rhyw *eg* sex chromosome
cronfa (o arian) *eb* fund
cronfa (o ddŵr etc) *eb* reservoir
cronfa ad-dalu *eb* sinking fund
Cronfa Ariannol Ryngwladol *eb* International Monetary Fund
cronfa banc *eb* bank reserve
cronfa ddata *eb* database
cronfa ddata berthynol *eb* relational database
cronfa ddata ganghennog *eb* branching database
cronfa ddata hierarchaidd *eb* hierarchical database
cronfa ddŵr *eb* reservoir (of water)
cronfa eitemau *eb* item bank
cronfa gwestiynau *eb* question bank
cronfa olew *eb* oil reservoir
Cronfa Ryngwladol Plant y Cenhedloedd Unedig *eb* United Nations International Children's Fund (UNICEF)
cronfa sylwadau *eb* comment bank
cronfa wrth gefn *eb* reserves (financial)
cronfa wybodaeth *eb* knowledge base
cronfa ysgol *eb* school fund
croniad *eg* accumulation
croniad eira *eg* alimentation (of snow)
croniad hidlo *eg* filter accumulation
croniadur *eg* accumulator
croniant *eg* accretion
Croniclau'r Eingl-Sacsoniaid *ell* Anglo-Saxon Chronicles
cronig *ans* chronic
cronlyn *eg* dammed lake
cronlyn marian *eg* moraine dammed lake
cronnedd cyfalaf *eg* capital accumulation
cronni (=casglu) *be* accumulate
cronni (dŵr) *be* dam *v*
cronnol *ans* accumulative
cronnus *ans* cumulative
cronoleg *eb* chronology
cronoleg rhewlifol *eb* glacial chronology
cronoleg treuliant *eb* denudation chronology

cronolegol *ans* chronological
cropian *be* crawl (of baby)
croquette *eb* croquette
crosiet *eg* crotchet
crosio *be* crochet *v*
crotalau *ell* crotales
croth (=bru) *eb* womb
croth (y goes) *eb* calf (of leg)
croth y goes *eb* gastrocnemius
crothol *ans* uterine
croutons *ell* croutons
croyw *ans* articulate (of speech) *adj*
crud *eg* cradle
crud cynnal *eg* incubator (for babies)
crud V *eg* cradle V
crudgen *eg* cradle-cap
crudiad *eg* cradling
crudo *be* cradle (in metalwork)
crug *eg* barrow (=burial mound)
crugiad *eg* conglomeration (in geology)
crwban *eg* turtle
crwban llawr *eg* floor turtle
crwban sgrin *eg* screen turtle
crwcddarn *eg* bit (in music)
crwm *ans* curved *(with masculine nouns)*
crwmgorn *eg* crum horn
crwn *ans* round *adj*
crwner *eg* coroner
crwnod *eg* crunode
Crwsâd Jarrow *eg* Jarrow Crusade
crwsibl *eg* crucible
crwsibl silicon *eg* silicon crucible
crwst *eg* croute
crwst haenog *eg* flaky pastry
crwth *eg* crwth
crwybro *be* honeycombing
crwybrog *ans* honeycombed
crwydraeth *eb* vagrancy
crwydro *be* wander
crwydryn *eg* vagabond
crych (ar ddŵr) *eg* ripple *n*
crych (mewn defnydd) *eg* crease *n*
crychau nodwydd *eg* stroked gathers
crychdir *eg* warpland
crychdon *eb* ripple
crychdonni *be* ripple *v*
crychdynnu *be* gather *v*
crychdynnu â pheiriant *be* machine gather
crychell *eb* gatherer (machine attachment)
crychguriad *eg* palpitation
crychiad (ar dir) *eg* warp (of land, in geography) *n*
crychiad (mewn defnydd) *eg* gathering
crychiad i fyny *eg* upwarp
crychiad i lawr *eg* downwarp
crychu (=gwneud smocwaith) *be* smock *v*
crychu (yn gyffredinol) *be* crease *v*

---

cryf (=nerthol) *ans* strong

cryf (am sain)) *ans* loud (of noise)

cryfder (=nerth) *eg* strength

cryfder (sain) *eg* loudness (of noise)

cryfder asid *eg* acid strength

cryfder bas *eg* base strength

cryfder bond *eg* bond strength

cryfder croeswasgiad *eg* shear strength

cryfder cyhyrau *eg* muscular strength

cryfder cyson *eg* uniform strength

cryfder mwyaf *eg* maximum strength

cryfder tynnol *eg* tensile strength

cryfhau *be* strengthen

cryfhau'r corff *be* strengthen the body

cryfhawr *eg* slip (in carpentry) *n*

cryman *eg* sickle

cryman creuog *eg* socketed sickle

crymbl ffrwythau *eg* fruit crumble

crymder *eg* camber

crymderu *be* cambering

crymedd *eg* curvature

crymedd cychwynnol *eg* initial curvature

crymu *be* curve *v*

cryndafodi *be* flutter tonguing

cryndod *eg* tremor

crynhoad *eg* compilation

crynhoi *be* summarize *v*

crynhoydd *eg* compiler

crynhoydd optimeiddio *eg* optimizing compiler

cryno *ans* compact *adj*

crynodeb *eg/b* summary

crynodedig *ans* concentrated (in chemistry)

crynoder *eg* compactness

crynodi *be* concentrate (in chemistry)

crynodiad *eg* concentration (in chemistry)

crynodiad diffinedig *eg* known concentration

crynodiadur *eg* compactor

crynodol *ans* concentrated

crynrwydd *eg* roundness

crynswth *eg* gross (of income etc)

crynu *be* shiver

Crynwr *eg* Quaker

Crynwriaeth *eb* Quakerism

cryoffil *eg* cryophil

cryoffilig *ans* cryophilic

cryogeneg *eb* cryogenics

cryolit *eg* cryolite

cryosgopi *eg* cryoscopy

cryptau Lieberkuhn *ell* crypts of Lieberkuhn

cryptoffyt *eg* cryptophyte

crypton (Kr) *eg* krypton (Kr)

crys *eg* shirt

crys chwys *eg* sweat shirt

crys nos *eg* nightshirt

crys pêl-droed *eg* soccer shirt

crys rygbi *eg* rugby shirt

crys T *eg* T-shirt

crythor *eg* crwth player

cudyn *eg* tuft

cudynnog *ans* tufted

cudd *ans* concealed

cuddio *be* conceal

cuddio ceinciau *be* knotting *v*

cuddio llun *be* hide picture

cuddiwr ceinciau *eg* knotting *n*

cuddiwr ceinciau sielac *eg* shellac knotting

cuddliw *eg* camouflage *n*

cuddliwio *be* camouflage *v*

cuddni *eg* latency

cufydd *eg* cubit

cul *ans* narrow *adj*

culdir *eg* isthmus

culfa *eb* narrows

culfan *(eb/g)* stricture (medical)

culfor *eg* strait

culhad *eg* shrinkage

culhau *be* narrow *v*

culhau'r ongl *be* narrowing the angle

culni *eg* narrowness

cul-ddeiliog *ans* narrow leaved

cummerbund *eg* cummerbund

cur pen *eg* headache

curchatofiwm (Kh) *eg* khurchatovium (Kh)

curiad *eg* beat *n*

curiad calon *eg* heart beat

curiad cloc *eg* clock pulse

curiad cyson *eg* steady beat

curiad i fyny *eg* up beat

curiad i lawr *eg* down beat

curiad strôb *eg* strobe pulse

curiwm (Cm) *eg* curium (Cm)

curo *be* beat *v*

curo amser *be* beating time

curo dwylo *be* clap hands

curo dwylo partner *be* clap partner's hands

curriculum vitae *eg* curriculum vitae

curwr *eg* beater

curwr metel *eg* metal beater

cusan adfer *eb* kiss of life

cwadrad *eg* quadrat

cwadrat *eg* quadrate

cwadratig *ans* quadratic

cwadriceps *eg* quadriceps

cwadríl *eg* quadrille

cwafer *eg* quaver (eighth-note)

cwango *eg* quango

cwanteiddiad *eg* quantization

cwanteiddiedig *ans* quantized

cwanteiddio *be* quantize

cwantwm *eg* quantum

cwarantin *eg* quarantine

cwarc *eg* quark

cwarel *eg* pane (of glass)

---

eg/b enw gwrywaidd/benywaidd, *feminine/masculine noun*   *ell* enw lluosog, *plural noun*   *v* berf, *verb*   *n* enw, *noun*

cwartig *ans* quartic
cwarto *eg* quarto
cwarts *eg* quartz
cwartsit *eg* quartzite
cwasistatig *ans* quasistatic
cwasi-faes *eg* quasi-field
cwasi-grŵp *eg* quasi-group
cwaternaidd *ans* quaternary
cwaternion *eg* quaternion
cwbl seliedig *ans* hermetically sealed
cwblhau *be* complete *v*
cwblhau'r sgwâr *be* complete the square
cwch sianel *eg* cross channel boat
cwd melynwy *eg* yolk sac
cwest *eg* inquest
cwest crwner *eg* coroner's inquest
cwestiwn *eg* question
cwestiwn agored *eg* open question
cwestiwn ateb byr *eg* short-answer question
cwestiwn caeedig *eg* closed question
cwestiwn cydgyfeiriol *eg* convergent question
cwestiwn dargyfeiriol *eg* divergent question
cwestiwn dewis lluosog *eg* multiple choice question
cwestiwn gwrthrychol *eg* objective question
cwestiwn i ddenu diddordeb *eg* interest-getting question
cwestiwn marwol *eg* bloody question
cwestiwn penagored *eg* free-response question
cwestiwn rhethregol *eg* rhetorical question
cwestiwn strwythuredig *eg* structured question
Cwestiwn y Dwyrain *eg* Eastern Question
cwestiwn ymholi *eg* enquiry question
cwestiyneb *eb* interrogatory *n*
cwestiynu *be* questioning (as a teaching method, doubting)
cwfeiniad *eg* conventual *n*
cwfeiniol *ans* conventual *adj*
cwfl *eg* hood (on garment)
cwfl pram *eg* pram hood
cwgn (ar blanhigyn) *eg* node (on plant)
cwgn (mewn anatomi) *eg* knuckle (in anatomy)
cwgn deilen *eg* leaf node
cwgn gwreiddyn *eg* root node
cwgn sain *eg* speaker key
cwilsen *eb* quill (lathe part)
cwilsen lythrennu *eb* lettering quill
cwilt *eg* quilt *n*
cwiltell *eb* quilter (machine attachments)
cwiltio *be* quilting
cwiltio Cymreig *be* Welsh quilting
cwiltio Eidalaidd *be* Italian quilting
cwiltio Seisnig *be* English quilting
cwinin *eg* quinine
cwir *eg* quire
cwirc *eg* quirk
cwis *eg* quiz
cwlac *eg* kulak
cwlwm *eg* knot *n*

cwlwm agosrwydd *eg* bond (of relationship) *n*
cwlwm canolwr *eg* middleman's knot
Cwlwm Cydweithred *eg* Bond of Association
cwlwm dolen *eg* bow knot
cwlwm ffrengig *eg* french knot
cwlwm glŷn *eg* clove hitch
cwlwm gwasg *eg* waist tie
cwlwm pysgotwr *eg* fisherman's joining knot
cwlwm tros law *eg* overhand knot
cwlltwr *eg* coulter
cwm *eg* cirque
cwm *eg* cwm (in Wales)
cwmgraig *eb* coombe rock
cwmni *eg* company
Cwmni Cathay *eg* Cathay Company
cwmni cydgyfalaf *eg* joint stock company
cwmni cyfyngedig (cyf.) *eg* limited company (ltd.)
cwmni cyfyngedig cyhoeddus (ccc) *eg* public limited company (plc)
cwmni hedfan *eg* airline
cwmni hur *eg* free company
Cwmni India'r Dwyrain *eg* East India Company
cwmni tyrpeg *eg* turnpike company
cwmni unol *eg* united company
Cwmni'r Lefant *eg* Levant Company
cwmpas *eg* scope
cwmpas adeiniog *eg* wing compass
cwmpas lleisiol *eg* vocal range
cwmpas lleisiol cyfyngedig *eg* limited vocal range
cwmpas mesur *eg* dividers
cwmpas sbring *eg* spring dividers
cwmpawd *eg* compass (to find direction)
cwmpawd gyro *eg* gyro compass
cwmpawd prismatig *eg* prismatic compass
cwmplin *eg* compline
cwmwd *eg* commote
cwmwl *eg* cloud
cwmwl electronau *eg* electron cloud
cwmwl gwynias *eg* incandescent cloud
cwmwl symudliw *eg* mother of pearl cloud
cwmwl tyrrog *eg* towering cloud
cwmwlonimbws *eg* cumulonimbus
cwmwlws *eg* cumulus
cwndid *eg* conduit
cwningar *eg* warren
cwnstabl *eg* constable
cworwm *eg* quorum
cwota *eg* quota
cwpan (ffisioleg) *eg* capsule (in physiology)
cwpan Bowman *eg* Bowman's capsule
cwpan Glisson *eg* Glisson's capsule
cwpan sgriw *eg* screw cup
cwpan wy *eg* egg cup
Cwpan y Byd *eg* World Cup
cwpan y glust *eg* auditory (otic) capsule
cwpan ymledu *eg* runner cup
cwpanaid *eg/b* cupful

---

cwpanu *be* cupping

cwpl *eg* couple *n*

cwpl (am geibren) *eg* truss

cwpl brenhinbost *eg* king post roof truss

cwpl bwaog *eg* bow-stringed truss

cwpl cleddog *eg* braced truss

cwpl cyffredin *eg* ordinary truss

cwpl talcen *eg* hip roof rafter

cwpl to *eg* roof truss

cwpled *eg* couplet

cwplws *eg* chevron (architecture)

cwpola *eg* cupola

cwpon *eg* coupon

cwpwrdd *eg* cupboard

cwpwrdd caledu *eg* airing cupboard

cwpwrdd crasu dillad *eg* airing cupboard

cwpwrdd gosod *eg* built-in cupboard

cwpwrdd gwyntyllu *eg* fume cupboard

cwpwrdd llyfrau *eg* bookcase

cwpwrdd rhew *eg* deep freeze cabinet

cwpwrdd storio *eg* storage cupboard

cwpwrdd sychu *eg* drying cabinet

cwr *eg* fringe (of town etc) *n*

cwrcwd *eg* crouch (position) *n*

cwrel *eg* coral

cwrelaidd *ans* coralline

cwricwlaidd *ans* curricular

cwricwlwm *eg* curriculum

cwricwlwm bugeiliol *eg* pastoral curriculum

cwricwlwm cenedlaethol *eg* national curriculum

cwricwlwm clasurol *eg* classical curriculum

cwricwlwm craidd *eg* core curriculum

cwricwlwm cudd *eg* hidden curriculum

cwricwlwm cyfannol *eg* integrated curriculum

cwricwlwm cyflawn *eg* whole curriculum

cwricwlwm cyffredin *eg* common curriculum

cwricwlwm datblygiadol *eg* developmental curriculum

cwricwlwm gwahaniaethol *eg* differentiated curriculum

cwricwlwm sylfaenol *eg* basic curriculum

cwrl *eg* curl *n*

cwrlid *eg* bedspread

cwrlid plu *eg* eiderdown

cwrs *eg* course

cwrs amlgyfrwng *eg* multi-media course

cwrs atodol *eg* subsidiary course

cwrs blaenwyr *eg* forward rush

cwrs carlam *eg* crash course

cwrs cyfannol *eg* integrated course

cwrs cyn-nyrsio *eg* prenursing course

cwrs drwy'r post *eg* correspondence course

cwrs dŵr *eg* water course

cwrs gwrthleithder *eg* damp-proof course (D.P.C.)

cwrs hyfforddiant mewn swydd *eg* in-service training course

cwrs modiwlaidd *eg* modular course

cwrs mynediad *eg* access course

cwrs pontio *eg* bridging course

cwrs sefydlu *eg* induction course

cwrs sylfaen *eg* foundation course

cwrs traed *eg* foot-rush

cwrs ysgrifenyddol *eg* secretarial course

cwrt *eg* court (in sport and historical)

Cwrt Anodau a Degawdau *eg* Court of First Fruits and Tenths

Cwrt Archwilwyr Cyffredinol *eg* Court of General Surveyors

cwrt bach *eg* petty sessions

cwrt barwn *eg* court-baron

cwrt bychan *eg* small court

cwrt cosbi *eg* penalty area

cwrt chwith *eg* left court

cwrt de *eg* right court

Cwrt Ecwiti *eg* Equity Court

Cwrt Eglwysig *eg* Christian Court

Cwrt Gward a Lifrai *eg* Court of Wards & Liveries

Cwrt Gwrandawiad *eg* Audience Court

cwrt lit *eg* court leet

cwrt llawn maint *eg* full size court

Cwrt Mainc y Brenin *eg* Court of King's Bench

cwrt maint safonol *eg* standard size court

Cwrt Marchnad *eg* Piepowder Court

cwrt mawr *eg* large court

Cwrt Pledion Cyffredin *eg* Court of Common Pleas

Cwrt Siawnsri *eg* Court of Chancery

cwrt tangwystl *eg* view of frankpledge

Cwrt y Bwâu *eg* Court of Arches

Cwrt y Deisyfion *eg* Court of Requests

cwrt y gôl *eg* goal area

Cwrt y Siecr *eg* Court of Exchequer

Cwrt Ymrwymiadau *eg* Obligations Court

Cwrt yr Uchel Gomisiwn *eg* Court of High Commission

Cwrt yr Ychwanegiadau *eg* Augmentations Court

cwrtosis *eg* kurtosis

cwrw *eg* beer

cwsb *eg* cusp

cwsg *ans* dormant

cwsmer *eg* customer

cwsmereiddio *be* customise

cwstard *eg* custard

cwstard wy *eg* egg custard

cwter *eb* gutter (in street)

cwtigl *eg* cuticle

cwtogi *be* reduce (=curtail)

cwymp *eg* fall

cwymp gwlithbwynt *eg* hydrolapse

cwympo *be* collapse *v*

cwympo coed *be* felling (timber)

cwympo'r sgrym *be* collapse the scrum

cwympol *ans* caducous

cwyn *eb* complaint (=grievance)

cwyno *be* complain

cwynwr *eg* suitor

cwyr *eg* wax

---

eg/b enw.gwrywaidd/benywaidd, *feminine/masculine noun*   *ell* enw lluosog, *plural noun*   **v** berf, *verb*   **n** enw, *noun*

cwyr batic *eg* batik wax
cwyr carnawba *eg* carnauba wax
cwyr coll *eg* cire perdue
cwyr dodrefn *eg* furniture wax
cwyr gwenyn *eg* beeswax
cwyr microgrisialog *eg* micro-crystalline wax
cwyr modelu *eg* modelling wax
cwyr paraffin *eg* paraffin wax
cwyr rhwbio *eg* heelball
cwyraidd *ans* waxy
cwyro *be* waxing
cwys *eb* furrow
cwysed *eb* gusset
cyanidin *eg* cyanidin
cybyddlyd *ans* avaricious
cybydd-dod *eg* avarice
CYC: Corff Ymgynghorol Cenedlaethol ar gyfer Addysg Uwch yn y Sector Cyhoeddus *eg* NAB: National Advisory Body for Higher Education in the Public Sector
cyclotherm *ans* cyclotherm
cychwyn *be* start
cychwyn achos *be* initiate proceedings
cychwyn cyflym *eg* sprint start
cychwyn dawns *eg* start of dance
cychwyn injan *be* turn on an engine
cychwynnol *ans* initial
cychwynnwr *eg* starter
cychwynnwr cyflym *eg* fast starter
cyd ac unigol joint and several
cydadwaith *be* interplay
cydadweithiol *ans* co-reactive
cydaddoli *be* collective worship
cydaddoli crefyddol *be* religious worship
cydaddoliad dyddiol *eg* daily collective worship
cydaddysg *eb* co-education
cydamrywiad *eg* covariance
cydamseredig *ans* synchronous
cydamseriad *eg* synchronization
cydamserol *ans* simultaneous
cydamseru *be* synchronize
cydamserydd *eg* synchronizer
cydanwythiad *eg* mutual induction
cydatebolrwydd *eg* joint liability
cydatebydd *eg* co-respondent
cydberpendicwlar *ans* mutually perpendicular
cydberthyn *be* interrelate
cydberthynas *eg/b* interrelationship
cydberthynas ofodol *eb* spatial relationship
cydberthynas rhwng pobl *eb* interpersonal relations
cydberthynas y gwledydd *eb* international relations
cydberthyniad *eg* correlation
cydberthyniad moment lluoswm *eg* product moment correlation
cydberthyniad rhannol *eg* partial correlation
cydberthyniad rhestrol *eg* rank correlation
cydberthynol *ans* correlate *adj*

cydberthynu *be* correlate *v*
cydbwyntiol *ans* copunctual
cydbwysedd *eg* balance (=equilibrium) *n*
cydbwysedd ansefydlog *eg* unstable equilibrium
cydbwysedd asid bas *eg* acid base balance
cydbwysedd cymuned *eg* balance of community
cydbwysedd da *eg* good balance
cydbwysedd egni *eg* energy balance
cydbwysedd grym *eg* balance of power
cydbwysedd gwleidyddol *eg* political balance
cydbwysedd isostatig *eg* isostatic equilibrium
cydbwysedd natur *eg* balance of nature
cydbwysedd niwtral *eg* neutral equilibrium
cydbwysedd sefydlog *eg* stable equilibrium
cydbwyso *be* balance (=create equilibrium) *vt*
cydbwyso hafaliad *be* balance an equation
cydbwysol *ans* balancing
cydensym *eg* co-enzyme
cydfan *eg* attachment (=link)
cydfan cyhyrau *eg* muscle attachment
cydfargeinio *be* collective bargaining
cydfwytäedd *eg* commensalism
cydfwytaol *ans* commensal
cydffederasiwn *eg* confederation
Cydffederasiwn Almaenig *eg* German Confederation
Cydffederasiwn y Rhein *eg* Confederation of the Rhine
cydffocal *ans* confocal
cydffurf *ans* conformal
cydffurfiad *eg* conformation
cydffurfiad alldro *eg* staggered conformation
cydffurfiad gorchuddiedig *eg* eclipsed conformation
cydffurfiadwy *ans* conformable
cydffurfiol *ans* conformational
cydgadwyno *be* concatenate
cydganol *ans* concentric
cydgateniad *eg* concatenation
cydgloi *be* interlock
cydglymu *be* colligate
cydgordiol *ans* concordant
cydgroesi *be* concur (in mathematics)
cydgyfeiriant *eg* convergence
cydgyfeiriant o ran cymedr cwadratig *eg* convergence in quadratic mean
cydgyfeiriant o ran dosraniad *eg* convergence in distribution
cydgyfeiriant o ran tebygolrwydd *eg* convergence in probability
cydgyfeirio *be* converge
cydgyfeiriol *ans* convergent
cydgyfnewid *be* interchange (in mathematics)
cydgyfnewidiol *ans* interchangeable (in mathematics)
cydgylchfaol *ans* intrazonal
cydgylchol *ans* concyclic
cydgymuned (ecolegol) *eb* association (ecological)
cydgymuned blanhigion *eb* plant association
cydgymysgedd *eg* intermixture
cydgymysgu *be* intermix *v*

cydgynllwynio *be* collusion

cydgysylltiad llaw a llygad *eg* eye-hand coordination

cydgysylltiol *ans* interlinked

cydgysylltu *be* coordinate

cydgysylltwr *eg* coordinator

cydgysylltydd blwyddyn *eg* year coordinator

cydiad *eg* junction (of pipes etc)

cydiad pibell gangen *eg* branch pipe junction

cydiedig *ans* adjoined

cydio (wrth) *be* attach (to)

cydio dwylo *be* holding hands

cydio yn (y ffiwg) *be* take up (fugue)

cydiwr *eg* clutch *n*

cydiwr crafanc *eg* claw clutch

cydiwr ffrithiant *eg* friction clutch

cydleoliad pwyntiol *eg* point collocation

cydlif *eg* consequent (stream) *n*

cydlifiad *eg* confluence

cydlifiad gohiriedig *eg* deferred confluence

cydlyniad *eg* coherence

cydlynol *ans* cohesive

cydlynrwydd *eg* cohesiveness

cydlynydd canolfan *eg* centre coordinator

cydlywodraeth *eb* condominium (joint control of a State's affairs by other States)

cydnabod *be* acknowledge

cydnabyddiaeth *eb* recognition (=acknowledgement)

cydnaid *eb* jump ball

cydnaws *ans* compatible

cydosod *be* assemble (=fit together)

cydosodiad *eg* assembly (of parts)

cydosodiad differyn *eg* differential assembly

cydosodydd *eg* assembler

cydraddoldeb *eg* equality (in general)

cydran *eb* component

cydran arholiad *eb* examination component

cydran broffil *eb* profile component

cydran cyflymder *eb* component of velocity

cydran grym *eb* component of a force

cydran gyffredin *eb* common component

cydran lithr *eb* sliding component

cydran modur *eb* automobile component

cydran wedi'i pheiriannu *eb* machined component

cydran ychwanegol *eb* additional component

cydraniad *eg* resolution (of vectors)

cydrannau bwyd *ell* food components

cydrannol *ans* resolved (of components)

cydrannu *be* resolve (of vectors)

cydrannu amser *be* time-sharing (computing)

cydrannu grym *be* resolve a force into components

cydrannu'n fertigol *be* resolve vertically

cydrannu'n llorweddol *be* resolve horizontally

cydredol *ans* concomitant

cydredwr *eg* runner (cricket)

cydrennydd *eg* resolvent *n*

cydrifol *ans* aliquot *adj*

cydseiniol *ans* harmonious

cydsoddi *be* merge (in economics)

cydsylweddiad *eg* consubstantiation

cydsymud *be* coordination (of movements)

cydsyniad *eg* consent

cydsyniad gwybodus *eg* informed consent

Cydsyniad y Bobl *eg* Agreement of the People

cydwedd *eb* phase (of waves)

cydweddiad *eg* analogy

cydweddog *eg/b* consort (=wife or husband, especially of royalty)

cydweddol *ans* analogous (=partially similar)

cydweddu *be* coordinate *v*

cydweddyn *eg* coordinate (fashion items) *n*

cydweithrediad *eg* co-operation

cydweithredol *ans* co-operative

cydweithredu *be* co-operate

cydweithredwr *eg* collaborator

cydymdeimlad *eg* sympathy

cydymdreiddio *be* interpenetrate

cydymffurfiad *eg* compliance

cydymffurfio achlysurol *be* occasional conformity

cydymgeisio *be* rival *v*

cydymgeisydd *eg* rival *n*

cyd-daro *be* coincide

cyd-derfynol *ans* coterminal

cyd-destun *eg* context

cyd-destun anghyfarwydd *eg* unfamiliar context

cyd-destun byd-eang *eg* world context

cyd-destun cenedlaethol *eg* national context

cyd-destun cyfarwydd *eg* familiar context

cyd-destun diwylliannol *eg* cultural context

cyd-destun Ewropeaidd *eg* European context

cyd-destun gofodol *eg* spatial context

cyd-drafod *be* parley

cyd-drawol *ans* coincident

cyd-drechedd *eg* co-dominance

cyd-drechydd *eg* co-dominant *n*

cyd-drechyddol *ans* co-dominant *adj*

cyd-drefniant *eg* coordination (of covalent bond)

cyd-drefnu *be* coordinate (of covalent bond) *v*

cyd-dreiddiad *eg* interpenetration

cyd-dyriad *eg* conglomeration (in commerce)

cyd-dyrru *be* conglomerate *v*

cyd-ddant *eg* synchromesh

cyd-ddarpariaeth *eb* coordinated provision

cyd-ddibyniaeth *eb* interdependence

cyd-ddibynnol *ans* interdependent

cyd-ddinistriol *ans* internecine

cyd-fyw heddychlon *be* peaceful co-existence

cyd-gloi *be* interlocking

cyd-gymysgiad *eg* intermix *n*

cyd-hynafiad *eg* common ancestor

cyddwysedig *ans* condensed

cyddwysiad *eg* condensation (process of)

cyddwyso *be* condense

cyddwysydd *eg* condenser (distilling in chemistry)

cyddwysydd adlifol *eg* reflux condenser

---

eg/b enw gwrywaidd/benywaidd, *feminine/masculine noun*   **ell** enw lluosog, *plural noun*   **v** berf, *verb*   **n** enw, *noun*

CYF newydd *eg* new DIR

cyfadran *eb* faculty (group of subject departments)

cyfaddasrwydd *eg* suitability

cyfaddawd *eg* compromise

cyfaddawd Avranches *eg* compromise of Avranches

cyfaddefiad *eg* admission (acknowledgement)

cyfagos *ans* adjacent

cyfagosrwydd *eg* contiguity

cyfangiad *eg* contraction

cyfangiad cyhyrol *eg* muscle contraction

cyfangu *be* contract (=become smaller)

cyfaint *eg* volume (=measurement)

cyfaint anadlol *eg* vital capacity (of lungs)

cyfaint cyfnewid (yr ysgyfaint) *eg* tidal volume (of respiration)

cyfaint fentriglaidd *eg* ventricular volume

cyfaint molar *eg* molar volume

cyfaint solidau *eg* volume of solids

cyfalaf *eg* capital (finance)

cyfalaf net *eg* net capital

cyfalaf crynswth *eg* gross capital

cyfalaf gweithio *eg* working capital

cyfalaf menter *eg* venture capital

cyfalaf sefydlog *eg* fixed capital

cyfalaf-ddwys *ans* capital intensive

cyfalafiaeth *eb* capitalism

cyfalafiaeth fasnach *eb* commercial capitalism

cyfalafiaeth wladol *eb* state capitalism

cyfalafwr *eg* capitalist

cyfalaw *eb* counter melody

cyfamod *eg* covenant

cyfamserol *ans* concurrent (processes)

cyfan *ans* entire

cyfandir *eg* continent

cyfandiroledd *eg* continentality

cyfaneddwr *eg* settler

cyfanheddu *be* settle

cyfannedd *ans* inhabited

cyfannol (am wrthrychau) *ans* integrated (of objects)

cyfannol (am feddygaeth) *ans* holistic

cyfannol (am gyfanrif) *ans* integral (of integer) *adj*

cyfannu *be* integrate (=combine into a whole or complete by the addition of parts)

cyfannu cymdeithas *be* integrate society

cyfannu graddfa eang *be* large scale integration (LSI)

cyfannu graddfa eang iawn *be* very large scale integration (VLSI)

cyfannu graddfa ganolig *be* medium scale integration (MSI)

cyfanred *eg* aggregate (in mathematics) *n*

cyfanredol *ans* aggregate (in mathematics) *adj*

cyfanrif *eg* integer

cyfanrif arwyddedig *eg* signed integer

cyfanrif diarwydd *eg* unsigned integer

cyfanrwydd *eg* entirety

cyfansawdd *ans* compound *adj*

cyfansoddi *be* compose

cyfansoddi dilyniannau *be* compose sequences

cyfansoddiad (=corff o egwyddorion gwladwriaeth etc) *eg* constitution

cyfansoddiad (=gosodiad pethau ynghyd) *eg* composition

cyfansoddiad bwyd *eg* food composition

cyfansoddiad dawns *eg* dance composition

cyfansoddiad gradd *eg* degree exercise

cyfansoddiad llawn dychymyg *eg* imaginative composition

cyfansoddiad llinol *eg* linear composition

cyfansoddiad murol *eg* mural composition

cyfansoddiad sefydlog *eg* fixed composition

cyfansoddiad y gwaed *eg* composition of blood

cyfansoddiadol (am egwyddorion gwladwriaeth etc) *ans* constitutional

cyfansoddiadol (am osodiad pethau ynghyd) *ans* compositional

cyfansoddiaeth *eb* constitutionalism

cyfansoddyn *eg* compound *n*

cyfansoddyn (niwclews) *eg* constituent (of nucleus)

cyfansoddyn llathru *eg* polishing compound

cyfansoddyn modelu *eg* modelling compound

cyfanswm *eg* sum total

cyfanswm cronnus *eg* cumulative total

cyfanswm cynnyrch *eg* total output

cyfanswm genynnol *eg* gene pool

cyfanswm tebygolrwydd *eg* total probability

cyfanswm y gost *eg* total cost

cyfansymiau stwnsh *ell* hash totals

cyfanwerth *eg* wholesale

cyfanwerthwr *eg* wholesaler

cyfar *eg* cover point

cyfarch *be* greet, address (a ball in sport)

cyfarchiad *eg* greeting

cyfarfod *be* meet

cyfarfod *eg* meeting

cyfarfod athrawon *eg* staff meeting (of teachers)

cyfarfod diolchgarwch *eg* harvest service

cyfarfod safoni *eg* moderation meeting

cyfarfod sefydlu *eg* induction meeting

Cyfarfodydd Cyngres *ell* Congregations of Congress

cyfarpar *eg* apparatus

cyfarpar achub *eg* rescue equipment

cyfarpar atal cenhedlu *eg* contraceptive

cyfarpar castio *eg* casting apparatus

cyfarpar di-haint *eg* sterile equipment

cyfarpar electroacwstig *eg* electroacoustic equipment

cyfarpar meddalu dŵr *eg* water softening plant

cyfarpar turn *ell* lathe accessories

cyfartal *ans* equal (in general)

cyfartaledd *eg* average *n*

cyfartaledd amser *eg* time average

cyfartaledd gwladol *eg* national average

cyfartaledd newidiol *eg* moving average

cyfartaledd pwysol *eg* weighted average

---

adf, adv adferf, adverb **ans, adj** ansoddair, adjective **be** berf, verb **eb** enw benywaidd, feminine noun **eg** enw gwrywaidd, masculine noun

cyfartalog *ans* average (worked out mathematically) *adj*
cyfarwyddeb *eb* directive (in computing etc)
cyfarwyddiadau gwau *ell* knitting instructions
cyfarwyddiadau sgrin *ell* on screen instructions
cyfarwyddiadur masnachol *eg* trade directory
cyfarwyddo plant *be* child guidance
cyfarwyddwr *eg* director
cyfarwyddwr addysg *eg* director of education
cyfarwyddwr astudiaethau *eg* studies director
Cyfarwyddwr Erlyniadau Cyhoeddus *eg* Director of Public Prosecutions
cyfarwyddwr gwasanaethau nyrsio *eg* director of nursing services
cyfarwyddyd *eg* instruction
cyfarwyddyd addysgol *eg* educational guidance
cyfarwyddyd ar yrfa *eg* career guidance
cyfarwyddyd cangen *eg* branch instruction
cyfarwyddyd canghennu amodol *eg* conditional branch instruction
cyfarwyddyd canghennu diamod *eg* unconditional branch instruction
cyfarwyddyd cerddorol *eg* musical instruction
cyfarwyddyd gweithredu *eg* procedural instruction
cyfarwyddyd gwirioneddol *eg* actual instruction
cyfarwyddyd gwneud dim *eg* do nothing instruction
cyfarwyddyd lliwiau tymheredd *eg* temperature colour guide
cyfarwyddyd neidio *eg* jump instruction
cyfarwyddyd neidio diamod *eg* unconditional jump instruction
cyfateb *be* correspond
cyfatebiaeth *eb* correspondence (=similarity)
cyfatebiaeth llawer-i-lawer *eb* many-many correspondence
cyfatebiaeth llawer-i-un *eb* many-one correspondence
cyfatebiaeth oed *eb* age equivalent
cyfatebiaeth un-i-lawer *eb* one-many correspondence
cyfatebiaeth un-i-un *eb* one-one correspondence
cyfatebol *ans* corresponding
cyfatebolrwydd *eg* complementarity
cyfath *ans* congruent
cyfathiant *eg* congruence
cyfathrach rywiol *eb* sexual intercourse
cyfathrebiad *eg* communication
cyfathrebol *ans* communicational
cyfathrebu *be* communicate *vi*
cyfathrebu di-eiriau *be* non-verbal communication
cyfathrebu rhyngbersonol *be* interpersonal communication
cyfbilen *eb* conjunctiva (of eye)
cyfdro *eg* converse
cyfechelog *ans* coaxial
cyfeddiannu *be* annex *v*
cyfeddiant *eg* annexation
cyfeiliant *eg* accompaniment (with music)
cyfeiliant cerddorol *eg* musical accompaniment
cyfeiliant drôn *eg* drone accompaniment
cyfeiliant rhythmig *eg* rhythmic accompaniment

cyfeiliant syml *eg* simple accompaniment
cyfeiliant ychwanegol *eg* additional accompaniment
cyfeilio *be* accompany (with music)
cyfeiliornad *eg* error
cyfeiliornad cymedrig *eg* mean error
cyfeiliornad safonol *eg* standard error
cyfeiliornad systematig *eg* systematic error
cyfeiliornad tebygol *eg* probable error
cyfeiliornad talgrynnu *eg* rounding error
cyfeiliornadau samplu *ell* sampling errors
cyfeilydd *eg* accompanist (with music)
cyfeillgar (i'r defnyddiwr) *ans* user-friendly
Cyfeillion y Ddaear *ell* Friends of the Earth
cyfeintiol *ans* volumetric
cyfeireb ddu *eb* black rubric
cyfeirgylch *eg* director circle
cyfeiriad (=crybwylliad) *eg* reference (in book)
cyfeiriad (=y ffordd i gyrraedd rhywle) *eg* direction
cyfeiriad (ar lythyr etc) *eg* address (on a letter etc) *n*
cyfeiriad (mewn mathemateg) *eg* sense (plus and minus etc)
cyfeiriad (=cyfeirio rhywun at arbenigwr) *eg* referral
cyfeiriad absoliwt *eg* absolute address
cyfeiriad anatomegol *eg* anatomical direction
cyfeiriad clocwedd *eg* clockwise direction
cyfeiriad cyfarwyddyd *eg* instruction address
cyfeiriad cyrchwr *eg* cursor address
cyfeiriad dirgroes *eg* opposite direction
cyfeiriad dychwelyd *eg* return address
cyfeiriad gwrthglocwedd *eg* anticlockwise direction
cyfeiriad gwthiad *eg* thrust direction
cyfeiriad mynegedig *eg* indexed address
cyfeiriad newidiol *eg* variable address
cyfeiriad penodol *eg* particular direction
cyfeiriad porthiant *eg* direction of feed
cyfeiriad priodol *eg* appropriate direction
cyfeiriad saeth A *eg* direction of arrow A
cyfeiriad symbolaidd *eg* symbolic address
cyfeiriad symudiad *eg* direction of movement
cyfeiriad y bêl *eg* direction of the ball
cyfeiriad y cylchdro *eg* direction of rotation (D.O.R.)
cyfeiriad y graen *eg* direction of grain
cyfeiriad y tafliad *eg* direction of throw
cyfeiriad y toriad *eg* direction of cut
cyfeiriadaeth ofodol *eb* spatial orientation
cyfeiriadaeth *eg* orientation
cyfeiriadol *ans* directional
cyfeiriadur *eg* directory
cyfeiriannu *be* orienteering
cyfeiriant cywir *eg* true bearing
cyfeiriant magnetig *eg* magnetic bearing
cyfeiriedig *ans* orientated
cyfeirio *be* refer
cyfeirio (llythyr) *be* address (a letter) *v*
cyfeirio anuniongyrchol *be* indirect addressing
cyfeirio at feini prawf *be* criteria referencing

cyfeirio cof *eg* address a memory
cyfeirio mynegedig *be* indexed addressing
cyfeirio perthynol *be* relative addressing
cyfeirio uniongyrchol *be* direct addressing
cyfeirlin *eb* bearing line
cyfeirlyfr *eg* reference book
cyfeirnod *eg* reference (mark or number)
cyfeirnod didoli *eg* discrimination index
cyfeirnod grid *eg* grid reference
cyfeirnod map *eg* map reference
cyfeirnodau grid chwe ffigur *ell* six-figure grid references
cyfeirydd *eg* guide (of instrument) *n*
cyfeirydd hoelbren *eg* dowel guide
cyfeirydd pwli *eg* pulley guide
cyfeirydd symudol *eg* movable guide
cyferbyn *ans* opposite (=facing)
cyferbyniad *eg* contrast *n*
cyferbyniad lefel *eg* contrast of level
cyferbyniad maint *eg* contrast of size
cyferbyniad parhâd *eg* contrast of continuity
cyferbyniad siâp *eg* contrast of shape
cyferbyniad tyndra *eg* contrast of tension
cyferbyniol *ans* contrasting
cyferbynnu *be* contrast *v*
cyfernod *eg* coefficient
cyfernod actifedd *eg* activity coefficient
cyfernod adfer *eg* coefficient of restitution
cyfernod amhendant *eg* undetermined coefficient
cyfernod amrywiad *eg* coefficient of variation
cyfernod amsugno *eg* absorption coefficient
cyfernod atchwel *eg* coefficient of regression
cyfernod cydberthyniad *eg* correlation coefficient
cyfernod differol *eg* differential coefficient
cyfernod dosraniad *eg* distribution coefficient
cyfernod dosrannu *eg* partition coefficient
cyfernod ehangiad *eg* coefficient of expansion
cyfernod ehangiad llinol *eg* coefficient of linear expansion
cyfernod ffrithiant *eg* coefficient of friction
cyfernod gwywo *eg* wilting coefficient
cyfernod pendant *eg* determined coefficient
cyfernod treuliadedd *eg* digestibility coefficient
cyfersin *eg* coversine
cyfesur *ans* commensurable
cyfesuryn *eg* coordinate (to fix a position) *n*
cyfesuryn unionlin *eg* rectilinear coordinate
cyfesuryn unionlin mesuryn *eg* rectilinear coordinate ordinate
cyfesurynnau Cartesaidd *ell* Cartesian coordinates
cyfesurynnau Cartesaidd petryal *ell* rectangular Cartesian coordinates
cyfesurynnau llythrennau *ell* letter coordinates
cyfesurynnau rhifau *ell* number coordinates
cyfethol *be* co-opt
cyfiau *eg* conjugate *n*
cyfiau cymhlyg *eg* complex conjugate
cyfiawn *ans* just (=righteous)
cyfiawnder *eg* justice

cyfiawnder cynhenid *eg* natural justice
cyfiawnhad *eg* justification (in general)
cyfiawnhad drwy ffydd *eg* justification by faith
cyfiawnhad trylwyr *eg* rigorous justification
cyfiawnhad y Senedd *eg* apology of the Commons
cyfiawnhau *be* justify (in general)
cyfieithiad *eg* translation (from one language to another)
cyfieithiad llythrennol *eg* literal translation
cyfieithu *be* translate (from one language to another)
cyfieithu ar y pryd *be* simultaneous translation
cyflafan *eb* massacre
Cyflafan Gwylnos Bartholomeus *eb* Massacre of St. Bartholomew
Cyflafan y Gosberau Sisilaidd *eb* Massacre of the Sicilian Vespers
cyflafareddiad *eg* arbitration
cyflafareddu *be* arbitrate
cyflafareddwr *eg* arbitrator
cyflaith menyn *eg* butterscotch
cyflasyn *eg* flavouring
cyflawn *ans* complete *adj*
cyflawni *be* achieve (=accomplish or carry out)
cyflawni amcan *be* achieve an objective
cyflawni amcanion *be* attainment of objectives
cyflawni hunanladdiad *be* commit suicide
cyflawniad *eg* accomplishment (=fulfilment of task)
cyflawnrwydd *eg* completeness
cyfle *eg* opportunity
cyfle cyfartal *eg* equal opportunity
cyfle gyrfaol *eg* career opportunity
cyfledred *eg* co-latitude
cyflenwad *eg* supply (of food etc) *n*
cyflenwad a galw supply and demand
cyflenwad bwyd *eg* food supplies
cyflenwad deuol *eg* two's complement
cyflenwad dibynadwy *eg* reliable supply
cyflenwad dibynadwy o egni *eg* reliable supply of energy
cyflenwad nerfol *eg* nerve supply
cyflenwad pŵer *eg* power supply
cyflenwad tanwydd *eg* fuel supply
cyflenwad trydan *eg* electricity supply
cyflenwad unol *eg* one's complement
cyflenwi *be* supply *v*
cyflenwol *ans* complementary
cyflenwydd *eg* feeder (of stream, road etc)
cyfleu *be* communicate *vt*
cyfleu gwybodaeth *be* communicating information
cyfleu syniadau *be* communicate ideas
cyfleu ystyr *be* communicate meaning
cyfleus *ans* convenient
cyfleusterau addysgol *ell* educational facilities
cyfleusterau cyhoeddus *ell* public convenience
cyflin *ans* parallel (in art and technology) *adj*
cyflin safonol *eb* standard parallel
cyflinydd *eg* collimator
cyflog *eg/b* salary
cyflog clir *eg* take-home pay *n*

---

cyflog crynswth *eg* gross pay
cyflog cydradd *eg* equal pay
cyflog sylfaenol *eg* basic salary
cyflogadwy *ans* employable
cyflogadwyedd *eg* employability
cyflogaeth *eb* employment
cyflogaeth lawn *eb* full employment
cyflogarithm *eg* cologarithm
cyflogedig *ans* employed
cyflogi *be* employ
cyflogwr *eg* employer
cyfludedig *ans* agglutinated
cyfludiad *eg* agglutination
cyfludo *be* agglutinate
cyflun *ans* similar (in mathematics)
cyflunedd *eg* similarity (in mathematics)
cyflunedd mathemategol *eg* mathematical similarity
cyfluniant *eg* similitude
cyflwr *eg* condition
cyflwr dryslyd cronig *eg* chronic confusional state
cyflwr dryslyd llym *eg* acute confusional state
cyflwr cynhyrfol *eg* excited state
cyflwr gelaidd *eg* gelatinous state
cyflwr isaf *eg* ground state
cyflwr ocsidiad *eg* oxidation state
cyflwr papur isel *eg* paper low condition
cyflwr safle *eg* site conditions
cyflwr safonol *eg* standard state (thermodynamics)
cyflwr sefydlog *eb* steady state
cyflwr trosiannol *eg* transition state
cyflwyniad (=rhoi rhywbeth i rywun) *eg* presentation
cyflwyniad (llyfr etc fel teyrnged i rywun) *eg* dedication (of book, music etc)
cyflwyniad (person i berson arall) *eg* introduction (of person to another)
cyflwyniad (y pab) *eg* provision (papal)
cyflwyno *be* introduce, present
cyflwyno *be* dedicate (a book, music etc)
cyflwyno graddol *be* phased introduction
cyflwyno gwybodaeth *be* presenting information
cyflwyno'r addoliad *be* present the worship
cyflym *ans* quick
cyflymder (mesur fector) *eg* velocity (vector quantity)
cyflymder (yn gyffredinol) *eg* speed (in general)
cyflymder adwaith *eg* reaction speed
cyflymder cychwynnol *eg* initial velocity
cyflymder cymharol *eg* relative velocity
cyflymder darllen *eg* read speed
cyflymder eithaf *eg* maximum speed (of car)
cyflymder goleuni *eg* speed of light
cyflymder llinol *eg* linear velocity
cyflymder onglaidd *eg* angular velocity
cyflymder segura *eg* idling speed
cyflymder terfynol *eg* final velocity
cyflymder y bêl *eg* speed of the ball
cyflymder y bowlio *eg* bowling speed

cyflymedig *ans* accelerated
cyflymedd y galon *eg* tachycardia
cyflymiad *eg* acceleration
cyflymiad cyson *eg* constant acceleration
cyflymiad disgyrchiant *eg* acceleration due to gravity
cyflymu *be* accelerate
cyflymydd *eg* accelerator
cyflyrair *eg* status word
cyflyrau mater *ell* states of matter
cyflyredig *ans* conditioned (as of reflex)
cyflyru *be* conditioning
cyflyrydd ffabrig *eg* fabric softener
cyfnerthedig *ans* consolidated
cyfnerthu (defnyddiau) *be* stiffen (=strengthen)
cyfnerthu (yn gyffredinol) *be* consolidate
cyfnerthu medrau *be* consolidate skills
cyfnerthu parhaol *be* permanently stiffened (finish)
cyfnerthydd (defnyddiau) *eg* stiffening
cyfnerthydd (pŵer trydan) *eg* booster (for electrical power)
cyfnewid *be* exchange *v*
cyfnewid nwyol *eg* gaseous exchange
cyfnewid nwyon *be* gas exchange
cyfnewidfa *eb* exchange *n*
cyfnewidfa dramor *eb* foreign exchange
cyfnewidfa stoc *eb* stock exchange
cyfnewidiad *eg* innovation (=alteration)
cyfnewidiad tudalen *eg* page swap
cyfnewidiadwy *ans* exchangeable
cyfnewidiol *ans* changeable
cyfnifer *eg* aliquot (in mathematics) *n*
cyfnod *eg* period
cyfnod achosol *eg* causal phase
cyfnod allweddol *eg* key stage
cyfnod canolbwyntio *be* attention span
cyfnod cario *eg* gestation period (of woman)
cyfnod cofio *eg* memory span
cyfnod cwarantin *eg* quarantine period
cyfnod cyfebru *eg* gestation period (of animal)
cyfnod cynradd *eg* junior stage
cyfnod deori *eg* incubation period (of egg)
cyfnod diddigwydd *eg* latent period (nerve / muscle)
cyfnod digyfnewid *eg* stationary phase (of bacteria)
cyfnod dysgu allweddol *eg* critical learning period
cyfnod geni *eg* confinement
cyfnod gwella *eg* convalescence
cyfnod hanesyddol *eg* historical period
cyfnod hanner actifedd *eg* half value period
cyfnod llaetha *eg* lactation period
cyfnod magu (afiechyd) *eg* incubation period (of disease)
cyfnod modern cynnar *eg* early modern period
cyfnod oedi *eg* lag phase (bacteria)
cyfnod prawf *eg* probationary period
cyfnod Rhamantaidd *eg* Romantic period
cyfnod sythweledol *eg* intuitive stage
Cyfnod y Cynnwrf *eg* Time of Troubles
cyfnod ymarfer *eg* practice period

---

eg/b enw gwrywaidd/benywaidd, *feminine/masculine noun*   **ell** enw lluosog, *plural noun*   **v** berf, *verb*   **n** enw, *noun*

cyfnod yr osgiliad *eg* period of oscillation
cyfnodedd *eg* periodicity
cyfnodol *ans* periodic
cyfnodolyn *eg* periodical
cyfochredd *eg* parallelism
cyfochrog *ans* parallel (in general and in music) *adj*
cyfodol *ans* emerged
cyfoed *eg* peer (=contemporary)
cyfoes *ans* contemporary *adj*
cyfoeswr *eg* contemporary *n*
cyfoeth *eg* wealth
cyfoethog *ans* rich
cyfoethogi *be* enrichment
cyfog *eg* nausea
cyfogi gwag *be* retching
cyfoglyn *eg* emetic
cyfordraeth *eg* raised beach
cyforglogwyn *eg* raised cliff
cyforgors *eb* raised bog
cyforlan *eb* bankful
cyfosod *be* juxtapose
cyfosod nodau *eg* grouping of notes
cyfosod tawnodau *be* grouping of rests
cyfosodiad *eg* juxtaposition
cyfradd *eb* rate
cyfradd adfer *eb* recovery rate
cyfradd adwaith *eb* reaction rate
cyfradd anadlu *eb* ventilation rate
cyfradd anterth llif *eb* peak flow rate
cyfradd banc *eb* bank rate
cyfradd baud *eb* baud rate
cyfradd cloc *eb* clock rate
cyfradd colli dŵr *eb* rate of water loss
cyfradd colli pwysau *eb* rate of weight loss
cyfradd curiad y galon *eb* pulse rate
cyfradd cyfnewid *eb* exchange rate
cyfradd cynnydd *eb* rate of progress
cyfradd diffygion *eb* fault rate
cyfradd ddidol *eb* bit rate
cyfradd echdynnol blawd *eb* extraction rate of flour
cyfradd fenthyg *eb* lending rate
cyfradd genedigaethau *eb* birth rate
cyfradd geni / marw syml *eb* crude birth / death rate
cyfradd goroesi *eb* survival rate
cyfradd gweithio *eb* rate of working
cyfradd gyfartalog *eb* average rate
cyfradd gyfredol *eb* current rate
cyfradd llog *eb* interest rate
cyfradd marwolaethau *eb* death rate
Cyfradd MCtabolaeth Waelodol (cMW) *eb* Basal Metabolic Rate (BMR)
cyfradd mwtaniadau *eb* rate of mutations
cyfradd newid *eb* lapse rate
cyfradd porthiant *eb* rate of feed
cyfradd safonol *eb* standard rate
cyfradd sylfaenol *eb* basic rate
cyfradd taro *eb* hit rate

cyfradd trosglwyddo data *eb* data transfer rate
cyfradd trosglwyddo egni *eb* rate of transferring energy
cyfradd trydarthu *eb* transpiration rate
cyfradd twf *eb* growth rate
cyfradd y cant *eb* rate per cent
cyfradd yn ôl y gwaith *eb* piece rate (in economics)
cyfraith *eb* law
cyfraith a threfn *eb* law and order
cyfraith achosion *eb* case law
Cyfraith Ecwiti *eb* Equity Law
Cyfraith Eingl-Normanaidd *eb* Anglo-Norman Law
Cyfraith Eingl-Sacsonaidd *eb* Anglo-Saxon Law
cyfraith etifeddu *eb* law of succession
cyfraith fforest *eb* forest law
Cyfraith Ganonaidd *eb* Canon Law
cyfraith gwlad *eb* common law
Cyfraith Gwlad Lloegr *eb* English Common Law
Cyfraith Defod *eb* Customary Law
Cyfraith Hywel *eb* Welsh law
Cyfraith Loegr *eb* English Law
cyfraith llys *eb* judges' law
cyfraith rhyfel *eb* martial law
Cyfraith Rufain *eb* Roman Law
cyfraith rhyfel *eb* martial law
Cyfraith Salig *eb* Salic Law
Cyfraith Sifil *eb* Civil Law
cyfraith statud *eb* statute law
cyfraith trosedd *eb* criminal law
cyfraith y tlodion *eb* poor law
cyfran *eb* portion
cyfran o'r gyllideb *eb* budget share
cyfranddaliad *eg* share (stock market) *n*
cyfranddaliwr *eg* shareholder
cyfraneddol *ans* proportional
cyfraniad *eg* contribution
cyfrannau *ell* proportional parts
cyfrannedd *eb* proportion
cyfrannedd cywir *eg* correct proportion
cyfrannedd da *eg* good proportion
cyfrannedd geometregol *eg* geometrical proportion
cyfrannedd harmonig *eg* harmonic proportion
cyfrannedd maint iawn *eg* life-size proportion
cyfrannedd union *eg* direct proportion
cyfrannwr *eg* subscriber
cyfrannydd electronau *eg* electron donor
cyfranogiad *eg* participation
cyfranogwr *eg* participant
cyfran-gnydio *be* share cropping
cyfredol *ans* current *adj*
cyfreitha *be* litigation
cyfreitheg *eb* jurisprudence
cyfreithgar *ans* litigious
cyfreithgarwch *eg* litigiousness
cyfreithiol *ans* legal
cyfreithiwr *eg* solicitor
Cyfreithiwr Cyffredinol *eg* Solicitor General

---

adf, adv adferf, adverb   *ans, adj* ansoddair, adjective   *be* berf, verb   *eb* enw benywaidd, *feminine noun*   *eg* enw gwrywaidd, *masculine noun*

cyfreithlon *ans* lawful
cyfreithlon *ans* legitimate
cyfreithlondeb *eg* legitimacy
cyfreithloniaeth *eb* legitimism
cyfreithlonydd *eg* legitimist
cyfreithyddiaeth *eb* legalism
cyfres (mewn cerddoriaeth) *eb* suite
cyfres (yn gyffredinol) *eb* series
cyfres adweithedd *eb* reactivity series
cyfres Almaenig *eb* German suite
cyfres ddargyfeiriol *eb* divergent series
cyfres ddilysu *eb* validation suite
cyfres fer o symudiadau *eb* short series of movements
cyfres Ffrengig *eb* French suite
cyfres ffyrnau golosg *eb* coke oven batteries
cyfres gydgyfeiriol *eb* convergent series
cyfres harmonig *eb* harmonic series
cyfres homologaidd *eb* homologous series
cyfres o ddelweddau *eb* sequence of images
cyfres pob cyfwng *eb* all-interval series
cyfres Seisnig *eb* English suite
cyfresiaeth *eb* serialism
cyfresol *ans* serial
cyfresu *be* serialize
cyfrif *be* count *v*
cyfrif (yn gyffredinol) *eg* count *n*
cyfrif (yn y banc etc) *eg* account (in bank etc) *n*
cyfrif allan *be* count out
cyfrif ar y cyd *eg* joint account
cyfrif banc *eg* bank account
cyfrif cadw *eg* deposit account
cyfrif cofnodion *be* record count
cyfrif cyfalaf *eg* capital account
cyfrif cyfredol *eg* current account
cyfrif cyllido *eg* budget account
cyfrif cynilo *eg* savings account
cyfrif dyledion *eg* debit account
cyfrif gwaed *eg* blood count
cyfrif gwaharddedig *eg* blocked account
cyfrif gwladol *eg* national account
cyfrif i fyny *eg* up-count
cyfrif i lawr *eg* down-count
cyfrif swyddwr *eg* minister's account
cyfrif yn ddebyd *be* debit *v*
cyfrif yn gredyd *be* credit *v*
cyfrifeg *eb* accountancy
cyfrifiad (mewn mathemateg) *eg* calculation
cyfrifiad (o'r boblogaeth) *eg* census
cyfrifiad celloedd coch y gwaed *eg* red blood cell count
cyfrifiad corffilod coch y gwaed *eg* red blood corpuscle count
cyfrifiad lewcocytau *eg* leucocyte count
cyfrifiadur *eg* computer *n*
cyfrifiadur analog *eg* analogue computer
cyfrifiadur cludadwy *eg* portable computer
cyfrifiadur digidol *eg* digital computer

cyfrifiadur electronig *eg* electronic computer
cyfrifiadur personol *eg* personal computer
cyfrifiadur un pwrpas *eg* dedicated computer
cyfrifiadura *be* computing
cyfrifiadureg *eb* computer science
cyfrifiaduro *be* computerize
cyfrifiadurol *ans* computer *adj*
cyfrifiadurwr *eg* computer scientist
cyfrifiannell *eg* calculator
cyfrifiannell sylfaenol *eb* basic calculator
cyfrifiannu *be* compute
cyfrifiant *eg* computation
cyfriflen *eb* bank statement
cyfrifo *be* calculate
cyfrifolaeth *eb* subsidiarity
cyfrifoldeb *eg* responsibility
cyfrifydd *eg* accountant
cyfrifydd parod *eg* ready-reckoner
Cyfrin Gyngor *eg* Privy Council
cyfrinachedd *eg* confidentiality
cyfrinachol *ans* confidential
cyfrinair *eg* password
cyfrinfa *eb* lodge
cyfriniaeth *eb* mysticism
cyfriniol *ans* mystical
cyfriniwr *eg* mystic
cyfro *be* cover (in cricket) *v*
cyfrol *eb* volume (of a book)
cyfrwng *eg* medium *n*
cyfrwng acrylig *eg* acrylic medium
cyfrwng addysg *eg* medium of education
cyfrwng addysgu naturiol *eg* natural teaching medium
cyfrwng alocryl *eg* alocryl medium
cyfrwng bondio *eg* bonding agent
cyfrwng cludo *eg* transport medium
cyfrwng Cymraeg *ans* Welsh-medium
cyfrwng cymysgu *eg* mixing medium
cyfrwng cynnal twf *eg* growth medium
cyfrwng dal baw *eg* soil suspending agent
cyfrwng daliant *eg* suspending agent
cyfrwng ffabrig *eg* fabric medium
cyfrwng fflycsio *eg* fluxing agent
cyfrwng gel *eg* gel medium
cyfrwng gwasgaru *eg* disperse medium
cyfrwng gwlychu *eg* wetting agent
cyfrwng gwrthdalpio *eg* anti-caking agent
cyfrwng gwrthgyrydu *eg* anti-corrosion agent
cyfrwng hindreulio *eg* weathering agent
cyfrwng hylif *eg* liquid medium
cyfrwng jeli *eg* jelly medium
cyfrwng lliw *eg* colour medium
cyfrwng lliwio *eg* colouring agent
cyfrwng magnetig *eg* magnetic medium
cyfrwng marcio *eg* marking medium
cyfrwng meithrin *eg* culture medium
cyfrwng peintio *eg* painting medium
cyfrwng rhwymo *eg* binding medium

cyfrwng rhyddhau *eg* release agent

cyfrwng sychu *eg* drying agent

cyfrwng sylfaen ddŵr *eg* water-based medium

cyfrwng teneuo *eg* thinning medium

cyfrwy *eg* saddle

cyfrwy trawst *eg* beam saddle

cyfrwy turn *eb* lathe saddle

cyfryngau *ell* media

cyfryngau hysbysebu *ell* advertising media

cyfryngau newyddion *ell* news media

cyfryngau oeri *ell* cooling media

cyfryngau torfol *ell* mass media

cyfryngiad *eg* mediation (with intermediate agency, also in plainsong)

cyfryngu *be* mediate

cyfryngwr *eg* mediator

cyfuchedd copaon *eg* accordance of summit levels

cyfuchlin *eg* contour line

cyfuchlin adfewnol *eg* re-entrant contour line

cyfuchlinedd *eg* contour (in geography)

cyfun *ans* merged

cyfundon *eb* resultant tone

cyfundrefn (=corff) *eb* organization (=system)

cyfundrefn (=system) *eb* system (of organization, administration)

cyfundrefn agored *eb* open system

Cyfundrefl Cytundeb Gogledd Iwerydd *eb* North Atlantic Treaty Organization (NATO)

cyfundrefn faeth *eb* fosterage

cyfundrefn fancio *eb* banking system

Cyfundrefn Fwyd ac Amaeth *eb* Food & Agriculture Organization (FAO)

cyfundrefn gaeedig *eb* closed system

cyfundrefn gast *eb* caste system

cyfundrefn gofal iechyd *eb* health care system

cyfundrefn grofftio *eb* crofting system

Cyfundrefn Gwledydd America *eb* Organization of American States

Cyfundrefn Gyngresol *eb* Congress System

cyfundrefn gymdeithasol *eb* social organization

Cyfundrefn Hyfforddi Gydnabyddedig *eb* Accredited Training Organization (ATO)

cyfundrefn maes agored *eb* open field system

Cyfundrefn Ryngwladol y Ffoaduriaid *eb* International Refugee Organization

Cyfundrefn Safonau Rhyngwladol *eb* International Standards Organization

Cyfundrefn Undod Affrica *eb* Organization of Africa Unity

cyfundrefnol *ans* systematic (belonging to a system)

cyfunedig *ans* conjugated

cyfunedd *eg* conjugation

cyfuniad (i ffurfio uniad) *eg* coalescence

cyfuniad (i gwmnïau) *eg* merger

cyfuniad (o rannau) *eg* combination *n*

cyfuniad (yn gyfundrefn) *eg* amalgamation

cyfuniad dyrnodau *eg* combination punches

cyfuniad o'r ddau combination of the two

cyfuniad o unedau combination of units

cyfuniadau o liwiau colour combinations

cyfuniadol *ans* combinatorial

cyfuno *be* combine

cyfuno adnoddau *be* pool resources

cyfuno fectorau *be* compounding vectors

cyfuno testun *be* combining text

cyfunol *ans* combined

cyfunoliad *eg* collectivization

cyfunoliaeth *eb* collectivism

cyfunsain *eg* combination tone

cyfun-cydwedd *ans* mix and match

cyfun-ffeilio *be* merge-filing

cyfuwch â *ans* as high as

cyfuwch (â) *ans* accordant

cyfwelai *eg* interviewee

cyfweld *be* interview *v*

cyfweliad *eg* interview *n*

cyfweliad am swydd *eg* job interview

cyfwelydd *eg* interviewer

cyfwerth egni bwyd *eg* energy value of food

cyfwng *eg* interval (in music, mathematics)

cyfwng agored *eg* open interval

cyfwng anghyseiniol *eg* dissonant interval

cyfwng caeedig *eg* closed interval

cyfwng cyfansawdd *eg* compound interval

cyfwng cyfuchlinol *eg* contour interval

cyfwng cyseiniol *eg* consonant interval

cyfwng cywasg *eg* diminished interval

cyfwng dosbarth *eg* class interval

cyfwng enharmonig *eg* enharmonic interval

cyfwng estynedig *eg* augmented interval

cyfwng fertigol *eg* vertical interval

cyfwng harmonig *eg* harmonic interval

cyfwng hyder *eg* confidence interval

cyfwng lleiaf *eg* minor interval

cyfwng melodaidd *eg* melodic interval

cyfwng mwyaf *eg* major interval

cyfwng perffaith *eg* perfect interval

cyfwng sylfaenol *eg* fundamental interval

cyfwisg *eb* accessory (of dress) *n*

cyfwisgoedd cydwedd *ell* matching accessories

cyfwyd *eg* accompaniment (to food)

cyfwyneb *ans* flush *adj*

cyfyng *eg* defile

cyfyngder *eg* distress

cyfyngedig *ans* limited

cyfyngiad *eg* limit (on numbers etc) *n*

cyfyngiad ar gofnod *eg* limit on entry

cyfyngiad arian *eg* cash limit

cyfyngiad masnachol *eg* trading restriction

cyfyngiadau penodedig *ell* prescribed limits

cyfyngiadau'r dull *ell* limitations of the method

cyfyngiant *eg* containment

cyfyngol *ans* limiting (in general)

cyfyngu *be* limit *v*

---

adf, adv adferf, *adverb*   **ans, adj** ansoddair, *adjective*   **be** berf, *verb*   **eb** enw benywaidd, *feminine noun*   **eg** enw gwrywaidd, *masculine noun*

cyfyngu drwy gefn y pwyth *be* decrease through back of stitch

cyfyngydd *eg* constraint (in physics)

cyff *eg* stock (of tree etc)

cyffeithio bwyd *be* food preservation

cyffeithydd *eg* preservative (of foodstuffs)

cyffeithydd bwyd *eg* food preservative

cyffen *eb* cuff

cyffes *eb* confession

Cyffes Augsburg *eb* Confession of Augsburgh

cyffes ffydd *eb* confession of faith

cyffes gudd *eb* auricular confession

cyffesgell *eb* confessional

cyffesu *be* confess

cyffeswr *eg* confessor

cyffiau silindrog *ell* cylindrical cuffs

cyffin *eg* precinct

cyffinwlad *eb* frontier state

cyffion a deiau stock and dies

cyffion traed *ell* stocks

cyffordd *eb* junction (of roads, railways)

cyffordd dail meillion *eb* clover leaf junction

cyffordd traciau *eb* track junction

cyffordd trenau *eb* rail junction

cyffredin *ans* common

cyffredinol *ans* general *adj*

cyffredinoli *be* generalize

cyffredinoliad *eg* generalisation

cyffredinoliad o gell anifail *eg* generalised animal cell

cyffredinolrwydd *eg* generality

cyffrous *ans* stirring (of music etc)

cyffrwyth meddal *eg* conserve (=fruit preserve) *n*

cyffug *eg* fudge (confectionery)

cyffur *eg* drug

cyffur atal epilepsi *eg* antiepileptic (drug)

cyffur cytotocsig *eg* cytotoxic drug

cyffur erthylu *eg* abortifacient

cyffur lleddfu poen *eg* painkiller

cyffur rheoledig *eg* controlled drug

cyffur ysgafn *eg* soft drug

cyffwrdd *be* touch *v*

cyffwrdd-ymledol *ans* contagious

cyffyn *eg* shoot (of plant) *n*

cyffyn a dorrwyd o blanhigyn *eg* cut shoot

cyffyn impiedig *eg* grafted shoot

cyffyrddell *eb* concept keyboard

cyffyrddiad *eg* touch *n*

cyffyrddiad *eg* contact (=physical touch) *n*

cyffyrddiad coes *eg* leg glance

cyffyrddiad ysgafn *eg* soft touch

cyffyrddol *ans* tactile

cyffyrddus *ans* comfortable

cygrychu *be* shirr

cŷn ffyrf *eg* firmer chisel

cyngerdd *eg/b* concert

cynghanedd gyfnewidiol *eb* roving harmony

cynghoraidd *ans* conciliar

Cynghorau Hyfforddi a Menter *ell* TEC: Training and Enterprise Councils

cynghori *be* advise

cynghori academaidd *be* academic counselling

cynghori galwedigaethol *be* vocational counselling

cynghori rhieni *be* parent counselling

cynghorwr *eg* counsellor

cynghorwr ysgol *eg* school counsellor

cynghorydd *eg* councillor

cynghorydd sir *eg* county councillor

cynghrair (=grŵp i dimau mewn pêl-droed etc) *eg/b* league

cynghrair (=cytundeb rhwng glwedydd, pleidiau etc) *eg/b* alliance

Cynghrair Arabaidd *eb* Arab League

Cynghrair Driphlyg *eb* Triple Alliance

cynghrair ddeublyg *eb* dual alliance

Cynghrair er Cynnydd *eb* Alliance for Progress

Cynghrair er Diddymu'r Deddfau Ŷd *eb* Anti-Corn Law League

Cynghrair Fawr *eb* Grand Alliance

Cynghrair Hansa *eb* Hanseatic League

Cynghrair Niwtral Arfog *eb* League of Armed Neutrality

Cynghrair Sanctaidd *eb* Holy Alliance

Cynghrair Sanctaidd a Chyfamod *eb* Solemn League & Covenant

Cynghrair Schmalkalden *eb* Schmalkaldic League

Cynghrair y Cenhedloedd *eb* League of Nations

Cynghrair y Rhyddfrydwyr a'r Democratiaid Cymdeithasol *eb* SDP / Liberal Alliance

cynghreiriad *eg* ally

cynghreiriol *ans* allied (in war)

cyngor (=corff o bobl) *eg* council

cyngor (=barn a gynigir) *eg* advice

Cyngor Iechyd Cymdeithas *eg* Community Health Council

Cyngor Addysg a Thechnoleg *eg* Council for Educational Technology

Cyngor Addysg Iechyd *eg* Health Education Council

Cyngor Canolog ar gyfer Mynediad i'r Prifysgolion *eg* UCCA

Cyngor Chwaraeon *eg* Sports Council

Cyngor Diogelwch *eg* Security Council

cyngor dosbarth *eg* district council

Cyngor Dyfarniadau Cenedlaethol Academaidd *eg* CNAA

Cyngor Economaidd a Chymdeithasol *eg* Economic & Social Council

Cyngor Gwaedlyd *eg* Council of Blood

Cyngor Gwarchod Natur *eg* Nature Conservancy Council

Cyngor Lateran *eg* Lateran Council

Cyngor Llundain Fewnol *eg* Inner London Council

Cyngor Mawr *eg* Great Council

cyngor rhaglywiaeth *eg* regency council

Cyngor y Cwricwlwm Cenedlaethol *eg* National Curriculum Council (NCC)

Cyngor y Gogledd *eg* Council of the North

Cyngor y Rhaglywiaeth *eg* Council of Regency

---

eg/b enw gwrywaidd/benywaidd, *feminine/masculine noun*   *ell* enw lluosog, *plural noun*   *v* berf, *verb*   *n* enw, *noun*

cyngor ymddiriedolaeth *eg* trusteeship council

cyngor ymgynghorol *eg* advisory council

cyngres *eb* congress

Cyngres yr Undebau Llafur *eb* Trade Union Congress

cyngresol *ans* congressional

cyhoeddeb *eb* edict

Cyhoeddeb Adferiad *eb* Edict of Restitution

cyhoeddeb barhaol *eb* perpetual edict

Cyhoeddeb Brawdgarwch *eb* Edict of Fraternity

Cyhoeddeb Rhyddfreiniad *eb* Edict of Emancipation

cyhoeddi (llyfr, cylchgrawn) *be* publish

cyhoeddi (yn gyffredinol) *be* announce

cyhoeddi ardal eang *be* wide area publishing

cyhoeddi bwrdd gwaith *be* desktop publishing

cyhoeddi rhyfel *be* declaration of war

cyhoeddiad (=datgan ar goedd) *eg* announcement

cyhoeddiad (=llyfr, cylchgrawn) *eg* publication

cyhoeddiadau rhif PP *ell* PP number publications

cyhoeddus *ans* public

cyhoeddwr *eg* publisher

cyhoeddwr (y dref) *eg* town crier

cyhuddo *be* accuse

cyhydedd *eg* equator

cyhydedd thermol *eg* thermal equator

cyhydedd wybrennol *eg* celestial equator

cyhydeddol *ans* equatorial

cyhydnos *eb* equinox

cyhydnos y gwanwyn *eb* vernal equinox

cyhydnos yr hydref *eb* autumn equinox

cyhyr *eg* muscle (in general) *n*

cyhyr anrheoledig *eg* involuntary muscle

cyhyr anrhesog *eg* smooth muscle

cyhyr ciliaraidd *eg* ciliary muscle

cyhyr croth y goes *eg* calf muscle

cyhyr llygad *eg* eye muscle

cyhyr rheoledig *eg* voluntary muscle

cyhyredd *eg* musculature

cyhyrol *ans* muscle *adj*

cyhyryn *eg* muscle (a specific one / type)

cyhyryn deuben *eg* biceps

cyhyryn estyn *eg* extensor muscle

cyhyryn maseter *eg* masseter muscle

cyhyryn sythu *eg* erector muscle

cyhyryn triphen *eg* triceps

cyhyryn y grimog *eg* shin muscle

cyhyr-groenol *ans* musculocutaneous

cylch (=grŵp o bobl) *eg* group (in informal context)

cylch (=modrwy) *eg* ring (=circle)

cylch (mewn canu penillion) *eg* round (in penillion singing)

cylch (mewn chwaraeon) *eg* hoop *n*

cylch (o ganeuon, cerddi) *eg* cycle (of songs, poems)

cylch (yn gyffredinol) *eg* circle *n*

cylch ansawdd *eg* quality circle

cylch atal *eg* restraining circle

cylch atal ysgrifennu *eg* write inhibit ring

cylch ategol *eb* auxiliary circle

cylch blynyddol (ar goed) *eg* annual ring

cylch bychan *eg* small circle

cylch caniatáu ysgrifennu *eg* write permit ring

cylch canol *eg* centre circle

cylch cnoi *eg* teething-ring

cylch creithio *eg* darning hoop

cylch chwarae *eg* play group

cylch dedendwm *eg* dedendum circle

cylch diamedr cymedrig *eg* mean diameter circle

cylch dylanwad *eg* sphere of influence

cylch fflan *eg* flan ring

cylch fflan rhychiog *eg* fluted flan ring

cylch genfa *eg* terret ring

cylch gorchwyl *eg* terms of reference

cylch gwledig y cyrion *eg* outer country ring

cylch hydraidd *eg* porous ring

cylch llygad *eg* eye ring

Cylch Mawr *eg* Great Circle

cylch nwy *eg* gas-ring

cylch papur *eg* paper circle

cylch pedwar *eg* hands four

cylch pridd *eg* henge

cylch pumedau *eg* circle of fifths

cylch pwynt *eg* point circle

cylch rhedeg *eg* circuit (=running track)

cylch saethu *eg* shooting circle

cylch sengl *eg* single circle

cylch Sisili *eg* Sicilian circle

cylch sterling *eg* sterling area

cylch trafod *eg* discussion group

cylch trefol *eg* urban field

cylch tri pedwar *eg* hands three

cylch tyfiant *eg* growth ring

cylchamlen *eb* involucre

cylchau piston *ell* piston rings

cylchbais *eb* farthingale

cylchdaith *eb* circuit (of judge, preacher)

cylchdaith (barnwr) *eb* eyre (of justices)

cylchdro *eg* rotation

cylchdro cnydau *eg* crop rotation

Cylchdro Cnydau Norfolk *eg* Norfolk Crop Rotation

cylchdro cyflawn *eg* complete revolution

cylchdroeon clocwedd olynol *ell* clockwise consecutive revolutions

cylchdroeon dilynol *ell* consecutive revolutions

cylchdroeon y funud revolutions per minute

cylchdroi *be* rotate

cylchdroi â llaw *be* rotate by hand

cylchdroi lliwiau *be* rotate colours

cylchdroi'n rhydd *be* rotate freely

cylched *eb* circuit (in electronics)

cylched AC *eb* AND circuit

cylched baralel *eb* parallel circuit

cylched brintiedig *eb* printed circuit

cylched drydanol *eb* electric circuit

cylched dderbyn *eb* acceptor circuit

cylched fer *eb* short circuit

---

cylched gaeedig *eb* closed circuit
cylched gyfannol *eb* integrated circuit (IC)
cylched gyflawn *eb* complete circuit
cylched gyfres *eb* series circuit
cylched gysain *eb* tuned circuit
cylched gysain baralel *eb* parallel resonant circuit
cylched gysain gyfres *eb* series resonant circuit
cylched pont Wheatstone *eb* Wheatstone's bridge circuit
cylched ragfynegi car-rif *eb* carry prediction circuit
cylched resymeg *eb* logic circuit
cylched sylfaenol *eb* fundamental circuit
cylched syml *eb* simple circuit
cylched wresogi *eb* heater circuit
cylched wrthod *eb* rejector circuit
cylched yrru *eb* driver circuit
cylchedd *eg* circumference (measurement)
cylchedd cangen *eg* branch circumference
cylchfa *eb* zone (=horizontal band in geography, geometry etc)
cylchfa amser *eb* time zone
cylchfa breswyl *eb* residential zone
cylchfa cynnydd a chymathu *eb* zone of advance and assimilation
cylchfa drofannol *eb* tropical zone
cylchfa dymherus *eb* temperate zone
cylchfa dymherus glaear *eb* cool temperate zone
cylchfa dymherus gynnes *eb* warm temperate zone
cylchfa ddirlawnder *eb* saturation zone
cylchfa fathyal *eb* bathyal zone
cylchfa ffawtio *eb* fault zone
cylchfa grasboeth *eb* torrid zone
cylchfa gronni *eb* zone of accumulation
cylchfa gyfnosi *eb* twilight zone
cylchfa gyswllt *eb* contact zone
cylchfa rew *eb* frigid zone
cylchfa ryngbarthol *eb* transitional zone (geographic)
cylchfa sy'n trawsnewid *eb* zone in transition
cylchfa wrthod *eb* zone of discard
cylchfäedd *eg* zonation
cylchfaeo *be* zoning
cylchfan *eg/b* roundabout
cylchfaol *ans* zonal
cylchfordaith *eb* circumnavigation
cylchfordeithio *be* circumnavigate
cylchforwr *eg* circumnavigator
cylchffordd *eb* ring road
cylchganon *(eb/g)* infinite canon
cylchgerrynt *eg* gyre
cylchglip *eg* circlip
cylchglip allanol *eg* external circlip
cylchglip mewn rhigol *eg* housing circlip
cylchglip mewnol *eg* internal circlip
cylchgrawn *eg* magazine
cylchgymesuredd *eg* cyclosymmetry
cylchlif *eb* bandsaw
cylchlithriad *eg* rotational slip
cylchlithriad disgyrchol *eg* gravitational slumping
cylchlithro *be* slumping

cylchlythyr *eg* circular (letter) *n*
cylchlythyr y pab *eg* encyclical (papal)
cylchoedd bach i bedwar *ell* rings right and left
cylchoedd cydganol *ell* concentric circles
cylchoedd cyfechelin *ell* coaxial circles
cylchoedd tyfiant anwastad *ell* uneven growth rings
cylchog *ans* ringed
cylchohecsan *eg* cyclohexane
cylchoid *eg* cycloid
cylchol *ans* cyclic (in chemistry)
cylchred *eg/b* cycle (in physics etc)
cylchred brosesu data *eb* data processing cycle
cylchred bywyd *eb* life cycle (in biology)
cylchred Calvin *eb* Calvin cycle
cylchred cywain / gweithredu *eb* fetch / execute cycle
cylchred dyfiant *eb* growth cycle
cylchred ddŵr *eb* water cycle
cylchred erydu *eb* cycle of erosion
cylchred fetabolaidd Krebs *eb* Krebs cycle
cylchred fislifol *eb* menstrual cycle
cylchred fridio *eb* breeding cycle
cylchred fwyd *eb* food cycle
cylchred garbon *eb* carbon cycle
cylchred gychwynnol *eb* initial cycle
cylchred gyfarwyddyd *eb* instruction cycle
cylchred hydrolegol *eb* hydrological cycle
cylchred nitrogen *eb* nitrogen cycle
cylchred oes *eb* life cycle (in economics)
cylchred oestrws *eb* oestrous cycle
cylchred olchi *eb* washing cycle
cylchred pedair strôc *eb* four stroke cycle
cylchred peiriant *eb* machine cycle
cylchred weithredu *eb* execute cycle
cylchred wrea *eb* urea cycle
cylchredeg *be* circulate
cylchrediad *eg* circulation
cylchrediad y gwaed *eg* blood circulation
cylchredol *ans* circulating

cylchu *be* circle *v*
cylchu (olwyn) *be* hoop (a wheel) *v*
cylchu (troed, breichiau) *be* circling (of foot, arms)

cylchyn *eb* circumference (line)
cylchynol *ans* peripatetic
cylchynu *be* cycling
cyllell *eb* knife
cyllell balet *eb* palette knife
cyllell balet gam *eb* cranked palette knife
cyllell beintio *eb* painting knife
cyllell blicio *eb* paring knife
cyllell dorri *eb* cutting knife
cyllell drimio *eb* trimming knife
cyllell ddeugarn *eb* drawknife
cyllell endorri *eb* incising knife
cyllell fain *eb* slim knife
cyllell farcio *eb* marking knife
cyllell finiog *eb* sharp knife

cyllell gât a thrywel calon cyfunol *eg* combined gate knife and heart trowel
cyllell gerfio *eb* carver (=carving knife)
cyllell grefft *eb* craft knife
cyllell leino *eb* lino knife
cyllell llawfeddyg *eb* scalpel
cyllell rannu *eb* riving knife (saw bench)
cyllell sefydlog *eb* fixed knife (veneer cutting)
cyllell sefydlog (torri argaen) *eb* stationary knife (veneer cutting)
cyllell sgifio *eb* skiving knife
cyllell stensil *eb* stencil knife
cyllell torri cerdyn *eb* card knife
cyllid *eg* finance *n*
cyllid a glustnodwyd *eg* earmarked funding
Cyllid y Wlad *eg* Inland Revenue
cyllideb *eb* budget *n*
cyllideb gyfanredol ysgolion *eb* aggregate schools budget
cyllideb arian cyfyngedig *eb* cash limited budget
cyllideb ddirprwyedig *eb* delegated budget
cyllideb fantoledig *eb* balanced budget
cyllideb gyffredinol i ysgolion *eb* general schools budget
cyllideb ysgol *eb* school budget
cyllidebu *be* budget *v*
cyllidol *ans* budgetary
cyllyll a ffyrc cutlery
cymal (yn y corff) *eg* joint (in body) *n*
cymal (mewn dogfen) *eg* clause
cymal bwylltid *eg* swivel joint
cymal colfach *eg* hinge knuckle
cymal cyffredinol *eg* universal joint
cymal cylchdroi *eg* pivot joint (in anatomy)
cymal eithrio *eg* exemption clause
cymal hyblyg *eg* flexible joint
cymal lledr *eg* leather joint
cymal llithro *eg* gliding joint
cymal pelen a chrau *eg* ball and socket joint
cymal penelin *eg* elbow joint
cymal syml o symudiadau *eg* simple movement phrase
cymal symudol *eg* movable joint
cymal synofaidd *eg* synovial joint
cymal y glun *eg* hip joint
cymal y pen-glin *eg* knee joint
cymalog *ans* jointed
cymalu *be* joint (=divide into joints) *v*
cymanfa *eb* assembly (religious)
cymanfa'r cardinaliaid *eb* conclave of cardinals
Cymanwlad y Gwladwriaethau Annibynnol *eb* Commonwealth of Independent States
Cymanwlad, y Gymanwlad (Brydeinig) *eb* Commonwealth, the (modern British)
cymaradwy *ans* comparable (in economics)
cymarebol *ans* rational (of ratios)
cymargell *eb* companion cell
cymaroldeb *eg* comparability
cymdaith *eg* convoy

cymdeithas *eb* society
cymdeithas adeiladu *eb* building society
Cymdeithas Addysg y Gweithwyr *eg* Workers Education Association (WEA)
cymdeithas amgen *eb* alternative society
cymdeithas amlddiwylliannol *eb* multicultural society
cymdeithas arwrol *eb* heroic society
Cymdeithas Ddawns Werin Cymru *eb* Welsh Folk Dance Society
Cymdeithas Fawrfrydig *eb* Great Society
cymdeithas feddiangar *eb* acquisitive society
Cymdeithas Frenhinol y Mwyngloddiau *eb* Royal Society of Mines
cymdeithas fynydda *eb* mountaineering association
cymdeithas gefnog *eb* affluent society
Cymdeithas Geltaidd *eb* Celtic society
cymdeithas gydweithredol *eb* co-operative society
Cymdeithas Gyfeillgar *eb* Friendly Society
cymdeithas heb arian parod *eb* cashless society
cymdeithas luosryw *eb* plural society
cymdeithas oddefol *eb* permissive society
cymdeithas ohebu *eb* corresponding society
Cymdeithas Ohebu Llundain *eb* London Corresponding Society
Cymdeithas Ryngwladol Gyntaf (y Gweithwyr) *eb* First International (Working-Men's Association)
cymdeithas rhieni *eb* parent association
cymdeithas rhieni athrawon *eb* parent-teacher association
cymdeithas tai *eb* housing association
cymdeithas wâr *eb* civilized society
Cymdeithas y Cyfeillion *eb* Society of Friends
Cymdeithas y Ffabiaid *eb* Fabian Society
Cymdeithas y Gwyddelod Unedig *eb* United Irishmen
Cymdeithas yr Iesu *eb* Society of Christ
cymdeithaseg *eb* sociology
cymdeithaseg addysg *eb* sociology of education
cymdeithasgar *ans* gregarious (of people)
cymdeithasgarwch *eg* gregariousness (of people)
cymdeithasiad syniadau *eg* association of ideas
cymdeithasol *ans* social
cymdeithasol lân *ans* socially clean
cymdeithasoliad *eg* socalization
cymdogaeth *eb* neighbourhood
cymdogrwydd *eg* neighbourliness
cymedr *eg* mean (in statistics) *n*
cymedr cyfrannol *eg* mean proportional
Cymedr Euraid *eg* Golden Mean
cymedr geometrig *eg* geometric mean
cymedr harmonig *eg* harmonic mean
cymedr pwysol *eg* weighted mean
cymedr rhifyddol *eg* arithmetic mean
cymedrig *ans* mean (in statistics) *adj*
cymedrol *ans* moderate (=avoiding extremes) *adj*
cymedrol ddifrifol *ans* subacute
cymedrolwr *eg* moderator (of person)
cymedrolwr archwilio *eg* audit moderator
cymedrolydd *eg* moderator (in physics)

cymer *eg* junction (of rivers / glaciers)

cymeradwyaeth *eb* commendation

cymeradwyo *be* recommend (=commend)

cymeriad *eg* character (of person)

cymeriad comig *eg* comic character

cymeriad crefyddol ysgol *eg* religious character of a school

cymeriad cyffredinol Cristnogol *eg* general Christian character

cymeriad dynol *eg* human character

cymeriad pyped *eg* character of a puppet

cymeriad symbolaidd *eg* symbolic character

cymeriadaeth *eb* characterisation

cymeriant *eg* intake (of food)

cymeriant ac allgynnyrch intake and output

cymesur *ans* symmetric

cymesuredd *eg* symmetry

cymesuredd adlewyrchiad *eg* reflective symmetry

cymesuredd cylchdro *eg* rotational symmetry

cymesuredd dwyochrol *eg* bilateral symmetry

cymesuredd pwynt *eg* point symmetry

cymesuredd rheiddiol *eg* radial symmetry

cymesuro *be* symmetrization

cymhareb *eb* ratio

cymhareb buanedd *eb* speed ratio

cymhareb cyflymder *eb* velocity ratio

cymhareb disgybl-athro *eb* pupil-teacher ratio

cymhareb ddeufforchio *eb* bifurcation ratio

cymhareb gêr *eb* gear ratio

cymhareb gritigol *eb* critical ratio

cymhareb groes *eb* cross-ratio

cymhareb grym *eb* force ratio

cymhareb staff-myfyrwyr *eb* staff-student ratio

cymhareb union *eb* direct ratio

cymhareb wrthdro *eb* inverse ratio

cymhariaeth *eb* comparison

cymharol *ans* comparative

cymharu *be* compare

cymharu canlyniadau *be* compare results

cymharydd *eg* comparator

cymhathiad *eg* assimilation

cymhathol *ans* assimilative

cymhathu *be* assimilate

cymhelliad *eg* incentive

cymhellwr *eg* exhorter

cymhlan *ans* coplanar

cymhleth *ans* complex (=complicated) *adj*

cymhleth israddoldeb *eg* inferiority complex

cymhlethdod (=anhawster) *eg* complication

cymhlethdod (=y cyflwr a fod yn gymheth) *eg* complexity

cymhlethu *be* compound (a problem etc) *v*

cymhlitho *be* blend (in biology) *v*

cymhlyg *ans* complex (consisting of related parts; composite) *adj*

cymhlyg diwydiannol *eg* industrial complex

cymhlygu *be* complex (of chemicals) *v*

cymhlygyn *eg* complex (in chemistry) *n*

cymhorthdal *eg* subsidy

cymhorthdal tai *eg* housing subsidy

cymhorthdal trethi *eg* rate subsidy

cymhorthdreth *eb* aid (tax)

cymhorthdreth ffiwdal *eb* feudal aid

cymhorthdreth wirfoddol *eb* gracious aid

cymhorthiad (addysgol) *eg* aide (e.g. teacher's aide)

cymhorthion clywedol *ell* aural aids

cymhorthyn gweledol *eg* visual aid

cymhwysedd *eg* competence

cymhwysedd sylfaenol *eg* basic competence

cymhwysiad (=addasiad bach) *eg* adjustment

cymhwysiad (=y defnydd wneir o rywbeth) *eg* application (=the use to which something can be put)

cymhwysiad bras *eg* coarse adjustment

cymhwysiad cyflym *eg* quick adjustment

cymhwysiad isostatig *eg* isostatic adjustment

cymhwysiad manwl *eg* fine adjustment

cymhwysiad masnachol *eg* commercial application

cymhwysiad o wyddoniaeth *eg* application of science

cymhwysiad ochrol *eg* lateral adjustment

cymhwyso (=addasu ychydig) *be* adjust (=regulate)

cymhwyso (at) (=defnyddio fel peth addas) *be* apply (=make use of as relevant or suitable)

cymhwysol *ans* applied (as a subject of study)

cymhwyso'r sbectromedr *be* adjust the spectrometer

cymhwyster *eg* qualification

cymhwyster (afon) *eg* competence (of river)

cymhwyster eiddo *eg* property qualification

Cymhwyster Galwedigaethol Cenedlaethol Cyffredinol (GNVQ) *eg* General National Vocational Qualification (GNVQ)

cymhwysydd *eg* adjuster

cymod *eg* reconciliation

cymodi *be* conciliation

cymodwr *eg* peacemaker

cymorth *eg* aid *n*

cymorth allanol *eg* outrelief

cymorth cartref *eg* home help (service)

cymorth cefn (drysau tabwrdd) *eg* backing (tambour door)

cymorth cyntaf *eg* first-aid

Cymorth Gwladol *eg* National Assistance

cymorth plwyf *eg* parish relief

cymorth y tlodion *eg* poor relief

cymotrypsin *eg* chymotrypsin

Cymraeg safonol *eg* standard Welsh

cymrawd *eg* fellow (in university)

cymrawd ymchwil *eg* research fellow

Cymreictod *eg* Welshness

cymrodoriaeth *eb* fellowship (in university)

Cymru Fydd *eb* Young Wales

cymryd i mewn *be* take-up (gas fluid)

cymryd pwysau ar y dwylo *be* take weight on hands

cymryd rhan *be* participate

cymryd safle *be* positioning

cymryd y llafn *be* take the blade (prise de fer)

---

eg/b enw gwrywaidd/benywaidd, *feminine/masculine noun*   **ell** enw lluosog, *plural noun*   **v** berf, *verb*   **n** enw, *noun*

cymudadur *eg* commutator

cymudadur modrwy hollt *eg* split ring commutator

cymudiad *eg* commutation

cymudo *be* commute

cymudol *ans* commutative

cymudwr *eg* commuter

cymun bendigaid *eg* holy communion

Cymundeb *eg* Communion

cymuned *eb* community

cymuned amaethyddol *eb* farming community

cymuned drefol *eb* urban community

cymuned dwyni *eb* dune community

Cymuned Glo a Dur Ewrop *eb* European Coal & Steel Community

cymuned hiliol *eb* racial community

cymuned sefydlog *eb* sedentary community

cymuned sirol *eb* county community

cymunedol *ans* communal

cymwys (am berson sydd â'r cymwyseddau) *ans* competent

cymwys (am rywbeth ellir ei gymhwyso) *ans* applicable

cymwysadwy *ans* adjustable

cymwysedig *ans* qualified

cymydog *eg* neighbour

cymydog agosaf *eg* nearest neighbour

cymyledd *eg* cloudiness

cymylog *ans* cloudy

cymylogrwydd *eg* turbidity

cymylyn *eg* cloudlet

cymynaeth *eb* demise by will

cymynrodd *eb* bequest

cymynroddi *be* bequeath

cymysg *ans* mixed

cymysgadwy *ans* miscible

cymysgadwyaeth *eb* miscibility

cymysgedd *eb* mixture

cymysgedd ar gyfer y croen *eb* topical preparation

cymysgedd ewtectig *eb* eutectic mixture

cymysgedd o sgiliau *eb* skill mix

cymysgedd o staff *eb* staff mix

cymysgedd pwynt berwi cyson *eb* constant boiling mixture

cymysgiad *eg* admixture

cymysgu (mewn coginio) *be* blend (in cooking) *v*

cymysgu (mewn meteoroleg) *be* diffuse (in meteorology) *v*

cymysgu (yn gyffredinol) *be* mix

cymysgu (=ffwndro) *be* confuse *vt*

cymysgu clai *be* blunging

cymysgu lliwiau *be* colour mixing

cymysgwr sain *eg* mixer (in acoustics)

cymysgydd *eg* blender

cymysgydd bwyd *eg* food mixer

cŷn *eg* chisel *n*

cŷn befel *eg* bevel chisel

cŷn caled *eg* cold chisel

cŷn cerfio *eg* carving chisel

cŷn clo drôr *eg* drawer lock chisel

Cyn Crist (CC) Before Christ (BC)

cyn dwyn *eg* fore dune

cŷn eingion *eg* hardie

cŷn goledd *eg* skew chisel

cŷn hanner crwn *eg* half round chisel

cŷn hedegog *eg* fly cutter

cŷn hir *eg* paring chisel

cŷn main *eg* broach (=bit for boring)

cŷn mortais *eg* mortise chisel

cŷn sglodi *eg* chipping chisel

cŷn trawstor *eg* cross cut chisel

cŷn trwyn diemwnt *eg* diamond point chisel

cŷn turnio *eg* lathe chisel

cyn tynnu treth before tax

Cyn y Presennol (CP) Before Present (BP)

cynamserol *ans* premature

cynbrofi *be* pre-test *v*

cynderfynol *ans* semi-final *adj*

cyndreialu *be* pre-trial

Cynddaredd y Sbaenwyr *eb* Spanish Fury

cyneclampsia *eg* pre-eclampsia

cynefin *eg* habitat

cynefin defaid *eg* sheep walk

cynefino *be* naturalize (in biology)

cyneginyn *eg* plumule (in botany)

cynfas (ar gyfer arlunio etc) *eg* canvas *n*

cynfas (ar gyfer gwely) *eb* sheet (of bedlinen)

cynfas acrylig *eg* acrylic canvas

cynfas arlunio *eg* artist's canvas

cynfas dal dŵr *eb* waterproof sheet

cynfas dynnu *eb* drawsheet

cynfas ddwbl *eb* double sheet

cynfas ffitiedig *eb* fitted sheet

cynfas jiwt *eg* jute canvas

cynfas rhawn *eg* hair canvas

cynfas sengl *eb* single sheet

cynfas teiliwr *eg* tailor's canvas

cynfas wedi'i breimio *eg* primed canvas

cynfrodor *eg* aborigine

cynfrodorol *ans* aboriginal

cynffon *eb* tail

cynffon a bwlch pin and slot

cynffonnol *ans* caudal

cynffurf *ans* cuneiform

cynhadledd *eb* conference

cynhadledd achos *eb* case conference

cynhadledd i'r wasg *eb* press conference

cynhaliad *eg* support (=prop, skeletal function) *n*

cynhaliad silff *eg* shelf support

cynhaliaeth *eb* subsistence *n*

cynhaliol *ans* suspensory

cynhaliwr *eg* rest (=support or prop) *n*

cynhaliwr rhwyll wifrog *eg* wire mesh support

cynhalydd (am gyfarpar) *eg* support (of piece of equipment)

---

adf, adv adferf, *adverb*   **ans, adj** ansoddair, *adjective*   **be** berf, *verb*   **eb** enw benywaidd, *feminine noun*   **eg** enw gwrywaidd, *masculine noun*

cynhalydd (ar gyfer drôr) *eg* bearer (drawer)

cynhalydd drôr *eg* drawer bearer

cynhanes *ans* prehistoric

cynhanes *eg* prehistory

cynheiliad *eg* maintainer

cynheiliad bondo *eg* soffit bearer

cynheiliad saethben *eg* herring bone strut

cynheiliad silffoedd cymwysadwy *eg* adjustable shelf support

cynheiliad solet *eg* solid strut

cynheilio croes *be* strutting

cynheilio solet *be* solid strutting

cynheilydd *eg* stalk (=support)

cynhenid *ans* innate

cynhesrwydd *eg* warmth

cynhesu *be* warm up

cynhesu byd-eang *be* global warming

cynhesu cyhyrau *be* warm up the muscles

cynhwysaidd *ans* capacitative

cynhwysedd *eg* capacity

cynhwysedd gwres *eg* heat capacity

cynhwysedd gwres cudd *eg* latent heat capacity

cynhwysedd gwres cymharol *eg* specific heat capacity

cynhwysedd yr ysgyfaint *eg* lung capacity

cynhwysfawr *ans* all-inclusive

cynhwysiad dŵr *eg* water content

cynhwysiant *eg* capacitance

cynhwysion paent *eg* contents of paint

cynhwysion tywod *ell* sand inclusions

cynhwysol *ans* inclusive

cynhwysydd (=dyfais i storio gwefr drydan) *eg* capacitor (=condenser)

cynhwysydd (=llestr etc i ddal rhwybeth) *eg* container

cynhwysydd addurnol *eg* decorative container

cynhwysydd melysion *eg* sweet container

cynhwysydd plastig *eg* plastic container

cynhwysydd wedi'i wefru *eg* charged condenser

cynhwysyn *eg* ingredient

cynhyrchedd *eg* productivity

cynhyrchiad *eg* production

cynhyrchiad theatraidd *eg* theatrical production

cynhyrchiol *ans* productive

cynhyrchion eilaidd *ell* secondary productions

cynhyrchu (yn gyffredinol) *be* produce (in general) *v*

cynhyrchu ar raddfa fach *be* small scale production

cynhyrchu ar raddfa fawr *be* large scale production

cynhyrchu cod *be* code generation

cynhyrchu cyfeiriad *be* address generation

cynhyrchu drwy gymorth cyfrifiadur *be* computer aided manufacture (CAM)

cynhyrchu llafur-ddwys *be* labour intensive production

cynhyrchu'r llais *be* voice production

cynhyrchydd *eg* producer

cynhyrchydd offer gwreiddiol *eg* original equipment manufacturer (OEM)

cynhyrfu *be* excite

cynhyrfus *ans* exciting

cynhyrfwr *eg* agitator

cynhyrfydd canolog *eg* central agitator

cyniferydd *eg* quotient

cyniferydd addysgol *eg* educational quotient

cyniferydd deallusrwydd *eg* intelligence quotient (I.Q.)

cyniferydd lleoliad *eg* locational quotient

cyniferydd resbiradol *eg* respiratory quotient (R.Q.)

cynilion *ell* savings (=money saved)

Cynilion Gwladol *ell* National Savings

cynilo *be* save (=make economies)

cynlyn *eg* former lake

cynllun *eg* plan

cynllun gofalu *eg* care plan

cynllun asesu *eg* assessment plan

cynllun bysellfwrdd *eg* keyboard layout

Cynllun Casglu a Throsgwyddo Credydau *eg* CATS: Credit Accumulation and Transfer Scheme

cynllun creadigol *eg* creative design

cynllun credydau *eg* credit scheme

cynllun creu gwaith *eg* job creation scheme

cynllun cydaddysgol *eg* co-educational scheme

cynllun cyflogi'r ifanc *eg* youth employment scheme

cynllun cyfnewid *eg* exchange scheme

cynllun cyfoes *eg* contemporary design (of specific examples)

cynllun darllen *eg* reading scheme

cynllun datblygu ysgol *eg* school development plan

cynllun gosod patrwm *eg* pattern layout

cynllun gwaith *eg* scheme of work

cynllun gwers *eg* lesson plan

cynllun gwreiddiol *eg* original design (of plan)

cynllun gwrthgyfnewid *eg* counterchange design

cynllun haniaethol *eg* abstract design (of plan)

cynllun hyfforddi'r ifanc *eg* youth training scheme

cynllun labelu *eg* labelling scheme

cynllun llawr *eg* ground plan

cynllun lliw *eg* colour scheme

cynllun maethu remand *eg* remand fostering scheme

cynllun marcio *eg* mark scheme

cynllun modiwlaidd *eg* modular scheme

Cynllun Morgais Dewisol *eg* Option Mortgage Scheme

cynllun patrymol *eg* pattern design *n*

cynllun profiad gwaith *eg* work experience scheme

cynllun pum mlynedd *eg* five year plan

cynllun rhaglen *eg* program design

cynllun rhesymeg *eg* logic design

cynllun sgrin *eg* screen layout

cynllun traddodiadol *eg* traditional design

cynllun wrth gefn *eg* contingency plan

cynllun ymarfer *eg* exercise plan

cynllunio *be* plan *v*

cynllunio amgylcheddau *be* plan environments

cynllunio ar gyfer gyrfa *be* career planning

cynllunio cyfoes *be* contemporary design (as a genre)

cynllunio drwy gymorth cyfrifiadur *be* computer aided design (CAD)

---

eg/b enw gwrywaidd/benywaidd, *feminine/masculine noun*   *ell* enw lluosog, *plural noun*   *v* berf, *verb*   *n* enw, *noun*

cynllunio gweithredol *be* active planning
cynllunio nifer y gweithlu *be* manpower planning
cynllunio patrymol *be* pattern design *v*
cynllunio rhaglen *be* designing of programme
cynllunio rhyddhau *be* discharge planning
cynllunio system *be* design a system
cynllunio teulu *be* family planning
cynllunio'r cwricwlwm *be* curriculum planning
cynllunydd golygfeydd *eb* scene designer
cynllwyn *eg* conspiracy
Cynllwyn y Powdwr Gwn *eg* Gunpowder Plot
Cynllwyn Pabaidd *eg* Popish Plot
Cynllwyn y Cydraddolion *eg* Conspiracy of Equals
cynllwynio *be* conspire

cynnal (fframweithiau etc) *be* support (structures etc) *v*
cynnal (arbrawf ar) *be* carry out (an experiment on)
cynnal a chadw maintenance (of buildings etc)
cynnal ffeiliau *be* file maintenance
cynnal gweithgarwch *be* sustain activity
cynnal peilot *be* pilot *v*
cynnal prawf teg *be* carry out a fair test
cynnal rhaglen *be* program maintenance
cynnal rhan *be* maintain a part
cynnal system *be* system maintenance
cynnal twf *be* maintenance of growth

cynnau (drwy ddefnyddio switsh) *be* switch on (light, fire)
cynnau (gyda fflam) *be* ignite
cynnau'r tân trydan *be* turn the electric fire on
cynneddf *eb* faculty (=aptitude or inherent power)
cynnen *eb* feud
cynnen waed *eb* blood feud
cynnes *ans* warm *adj*
cynnig *eg* proposal
cynnig arsylwadau *be* make observations
cynnig cyntaf *eg* initial proposal
cynnig esboniadau *be* offer explanations
cynnil *ans* subtle
cynnwrf *eg* agitation
cynnwrf byrraf *eg* minimum agitation
cynnwrf cymedrol *eg* medium agitation
cynnwrf hwyaf *eg* maximum agitation
cynnwrf mecanyddol *eg* mechanical agitation
cynnwys *be* contain
cynnwys *eg* content *n*
cynnwys bwyd *eg* food content
cynnwys ffibr *eg* fibre content
cynnwys gwyddoniaeth *eg* content of science
cynnwys lleithder *eg* moisture content
cynnwys lludw *eg* ash content
cynnwys pwnc *eg* subject content
cynnydd (=symudiad ymlaen) *eg* progress
cynnydd (=twf) *eg* increase *n*
cynnydd a chiliad waxing and waning
cynnydd unradd *eg* flat-rate increase
cynnydd y lleuad *eg* moon wax

cynnyrch *eg* product
cynnyrch gorffenedig *eg* finished product
Cynnyrch Gwladol Crynswth *eg* Gross National Product
cynnyrch llaeth *eg* dairy products
Cynnyrch Mewnwladol Crynswth *eg* Gross Domestic Product
cynnyrch terfynol *eg* end product
cynnyrch y cracio *eg* products of cracking
cynnyrch y pen *eg* yield per head
cynnyrch ymhollti *eg* fission product
cynnyrch yr hectar *eg* yield per hectare
cynoesol *ans* primeval
cynolchi *be* pre-wash
cynorthwyo *be* assist
cynorthwyydd *eg* assistant
cynorthwyydd cartref *eg* home help (person)
cynorthwyydd cefnogaeth arbennig *eg* special support assistant
cynorthwyydd cinio *eg* dinner lady
cynorthwyydd gofal iechyd *eg* health care assistant
cynorthwyydd gofal plant *eg* child care assistant
cynorthwyydd ymchwil *eg* research assistant
cynosod *be* postulate
cynosodiad *eg* postulation
cynradd *ans* primary (=first tier)
cynrewlifol *ans* pre-glacial
cynrychiadol *ans* representative *adj*
cynrychiolaeth *eb* representation (of people)
cynrychiolaeth etholiadol *eb* electoral representation
cynrychiolaeth gyfrannol *eb* proportional representation
cynrychioli *be* represent
cynrychioli'r gorffennol *be* representing the past
cynrychioli tirlun *be* represent a landscape
cynrychioliad *eg* representation (in mathematics)
cynrychioliad data *eg* data representation
cynrychioliad diagramatig *eg* diagrammatic representation
cynrychiolwyr *ell* delegation (=deputation)
cynrychiolydd *eg* representative *n*
cynrhonyn *eg* maggot
cynsail *eg* precedent
cyntaf i mewn – cyntaf allan *ans* first in – first out (FIFO)
cyntaf-anedigaeth *eb* primogeniture
cyntedd *eg* vestibule
cyntedd y glust *eg* auditory meatus
cyntefig *ans* primitive
cyntefigedd *eg* primitivism

cynulleidfa (mewn oedfa grefyddol) *eb* congregation
cynulleidfa (mewn theatr, cyngerdd etc) *eb* audience
Cynulleidfaoedd Crist *ell* Congregations of Christ
cynulliad *eg* assembly (political)
cynulliad cyfansoddol *eg* constituent assembly
Cynulliad Cyffredinol *eg* General Assembly
cynulliad cynrychiadol *eg* representative assembly
cynulliad deddfu *eg* legislative assembly
cynullydd *eg* convener
cynwreiddyn *eg* radicle

---

cynyddiad *eg* increment (in computing)

cynyddol (=yn symud ymlaen) *ans* progressive (=advancing)

cynyddol (yn tyfu) *ans* increasing

cynyddu *be* increase *v*

cynyddu corlan *be* increase band

cynyddu pwythau *be* increase stitches

cynyrchluddiant *eg* repression (of enzyme etc)

cyn-brawf *eg* pre-test *n*

cyn-daniad *eg* pre-ignition

cyn-Gambriaidd *ans* pre-Cambrian

cyn-geni *ans* antenatal

Cyn-Raffaelaidd *ans* Pre-Raphaelite *adj*

Cyn-Raffaeliad *eg* Pre-Raphaelite *n*

cypledig (am bâr) *ans* coupled

cypledig (am geibrennau) *ans* trussed

cyplu (=cysylltu ag un arall) *be* couple *v*

cyplu (ar gyfer bridio) *be* mate

cyplydd (ar beiriant) *eg* coupling

cyplydd (ar organ) *eg* coupler

cyplydd acwstig *eg* acoustic coupler

cyplydd belt *eg* belt coupling

cyplydd dwyffordd *eg* double-acting coupler

cyplydd hyblyg *eg* flexible coupling

cyplysu falfiau *be* coupling of valves

cyplysydd *eg* brace (=mark in printing, music) *n*

cyrathiad *eg* corrasion

cyrcydu *be* crouch *v*

cyrch *eg* raid

cyrch awyr *eg* air raid

cyrch milwrol *eg* engagement (in war)

cyrchborth *eg* sally port

cyrchddisg *eg* destination disk

cyrchfan *eg/b* destination

cyrchfraint *eg* access privilege

cyrchiad *eg* access (=the action of gaining access to a file, data etc) *n*

cyrchiad cyfresol *eg* serial access *n*

cyrchiad dilyniannol *eg* sequential access

cyrchiad pell *eg* remote access

cyrchlu *eg* task force

cyrchnod *eg* goal (=aim)

cyrchu (ar gyfrifiadur) *be* access (a file, data etc) *v*

cyrchu (mewn mathemateg) *be* seek (in mathematics and physics) *v*

cyrchu cyfresol *be* serial access *v*

cyrchu o ffeil *be* file access

cyrchu'r wybodaeth *be* access information

cyrchu uniongyrchol *be* direct access *v*

cyrchwr *eg* cursor

cyrchwr annistrywiol *eg* non-destructive cursor

cyrchwr traws *eg* cross-hair cursor

cyrch-fysell *eb* cursor key

cyrch-organ *eb* target organ

cyrens duon *ell* blackcurrants

cyrensen *eb* currant

cyrhaeddiad (=pa mor bell y gellir estyn) *eg* range (=reach)

cyrhaeddiad (yn y Cwricwlwm Ceneldaethol) *eg* achievement (in National Curriculum)

cyrhaeddiad ar gyfartaledd *eg* average attainment

cyrhaeddiad llorweddol *eg* horizontal range

cyri *eg* curry

cyrion allanol *ell* outer fringes

cyrion dinas *ell* outer city

cyrion gwledig trefol *ell* rurban fringe

cyrion trefol *ell* urban fringe

cyrlio *be* curl *v*

cyrnol *eg* colonel

cyrraedd *be* arrive

cyrraedd a gadael arrival and departure

cyrraedd ei arffiniau *be* attain its bounds

cyrtsi *eg* curtsy *n*

cyrydiad *eg* corrosion

cyrydol *ans* corrosive

cyrydu *be* corrode

cyrydu haearn *be* corrosion of iron

CYSAG (Cyngor Ymgynghorol Sefydlog Addysg Grefyddol) *eg* SACRE (Standing Advisory Council for Religious Education)

cysain *eg* resonant *n*

cysawd yr haul *eg* solar system

cysefin *ans* prime *adj*

cysegr *eg* shrine

cysegredig *ans* consecrated

cysegriad *eg* consecration

cysegru *be* consecrate

cyseinedd *eg* consonance

cyseiniant *eg* resonance

cyseiniant israddol *eg* inferior resonance

cyseiniant magnetig niwclear *eg* nuclear magnetic resonance

cyseiniant sbin *eg* spin resonance

cyseiniau gwneud *ell* artificial harmonics

cyseinio *be* resonate

cyseiniol *ans* resonant *adj*

cyseinydd *eg* resonator

cysgiad *eg* dormancy

cysgod (=ffigur tywyll a deflir gan wrthrych sy'n torri ar draws pelydrau goleuni) *eg* shadow

cysgod (=lle cysgodol, arlliw mewn darlun) *eg* shade (in drawing etc) *n*

cysgod glaw *eg* rain shadow

cysgod lamp *eg* lampshade

cysgodi *be* screen *v*

cysgodi'r bêl *be* screen the ball

cysgodion symudol *ell* moving shadows

cysgodlen *eb* blind (on window) *n*

cysgodol *ans* leeward

cysgodwaith *eg* shadow work

cysgotgar *ans* shelter seeking

cysodfan *eg* print position

cysodi tudalen *be* page setup

cysodro *be* sweat (=soldering)
cyson *ans* consistent
cysondeb *eg* consistency (=state of being constant)
cysonyn *eg* constant *n*
cysonyn amser *eg* time constant
cysonyn daduniad *eg* dissociation constant
cysonyn deuelectrig *eg* dielectric constant
cysonyn ecwilibriwm *eg* equilibrium constant
cysonyn lluoswm hydoddedd *eg* solubility product constant
cysonyn mympwyol *eg* arbitrary constant
cystadleuaeth *eb* competition
cystadleuaeth drac *eb* track event
cystadleuaeth draws gwlad *eb* cross country event
cystadleuaeth faes *eb* field event
cystadleuaeth rhwng ysgolion *eb* interschool competition
cystadleuaeth sgôr *eb* score event
cystadleuol *ans* competitive
cystadleuydd *eg* competitor
cystadlu *be* compete
cystadlu am adnoddau *be* competition for resources
cystadlu am y bêl *be* compete for the ball
cystadlu gonest *be* honest competition
cystein *eg* cysteine
Cystennin Fawr *eg* Constantine the Great
cystiedig *ans* encysted
cystig *ans* cystic
cystin *eg* cystine
cystradau glo *ell* coal measures
cystrawen *eb* syntax
cystrawennol *ans* syntactical
cysur *eg* comfort *n*
cysuro *be* comfort *v*
cyswllt (=dolen gyswllt) *eg* link (of person or connecting thing)
cyswllt (=uniad) *eg* junction (of point of joining)
cyswllt (am aelod) *ans* affiliated
cyswllt (am feinwe etc) *ans* connective *adj*
cyswllt (mewn mathemateg) *eg* union (join in mathematics)
cyswllt (yn gyffredinol) *eg* contact *n*
cyswllt cyfathrebu *eg* communication link
cyswllt dorrwr *eg* contact breaker
cyswllt Josephson *eg* Josephson junction
cyswllt llygaid *eg* eye contact
cyswllt p-n *eg* p-n junction
cyswllt-lwythydd *eg* link-loader
cyswllt-olygu *be* link-edit
cyswllt-olygydd *eg* link-editor
cysylltedd *eg* linkage
cysylltedd fflwcs *eg* flux linkage
cysylltedd rhyw *eg* sex linkage
cysylltiad *eg* connection
cysylltiad llinell les *eg* leased line connection
cysylltiadau *ell* relations
cysylltiadau diwydiannol *ell* industrial relations
cysylltiadau gyda'r gymuned *ell* community links

cysylltiadau hiliol *ell* race relations
cysylltiadol *ans* associative
cysylltiedig *ans* connected
cysylltiol *ans* associated
cysylltle *eg* junction (in physics, chemistry)
cysylltnod (mewn plaengan) *eg* ligature (in plainsong)
cysylltnod (y nod -) *eg* hyphen (-)
cysylltu (â rhywun) *be* contact *v*
cysylltu (=uno) *be* connect
cysylltu (=gwneud yn sownd) *be* secure (=fasten)
cysylltu â'i gilydd *be* join together
cysylltu medrau syml *be* link simple skills
cysylltwr *eg* linker
cysylltydd *eg* connector
cysylltydd ffrâm *eg* frame connector
cysylltyn *eg* connective *n*
cysyniad *eg* concept
cysyniad geometrig *eg* geometric concept
cysyniad gweledol *eg* visual concept
cysyniad gwyddonol *eg* scientific concept
cysyniad haniaethol *eg* abstract concept
cysyniad mecanyddol *eg* mechanical concept
cysyniadau cysylltiedig *ell* related concepts
cysyniadau hamdden *ell* concepts of leisure
cysyniadol *ans* conceptional
cytawl pori *eb* common of pasture
cytbell *ans* equidistant
cytbwys *ans* balanced
cytbwys ddwyieithog *ans* balanced bilingual
cytew *eg* batter
cytew caenu *eg* coating batter
cytew ffriterau *eg* fritter batter
cytew tenau *eg* pouring batter
cytgan *eg/b* chorus (=piece of music)
cytgord *eg* concord (=harmony)
Cytgord Ewrop *eg* Concert of Europe
cytgroes *ans* concurrent (lines etc)
cytoleg *eb* cytology
cytoplasm *eg* cytoplasm
cytosol *eg* cytosol
cytosom *eg* cytosome
cytref *eb* colony (in biology)
cytrefu *be* colonize (in biology)
cytser *eg* constellation (of stars)
cytser ambegynnol *eg* circumpolar constellation
cytser tymhorol *eg* seasonal constellation
cytûn *ans* agreed
cytundeb (rhwng gwladwriaethau) *eg* treaty
cytundeb (yn gyffredinol) *eg* agreement
Cytundeb Atal Profion Niwclear *eg* Nuclear Test Ban Treaty
cytundeb atal-lledaenu *eg* non-proliferation treaty
Cytundeb Cyffredinol ar Dollau a Masnach *eg* General Agreement on Tariffs and Trade (GATT)
cytundeb didrais *eg* non aggression pact
cytundeb dirgel *eg* secret treaty

---

adf, adv adferf, *adverb* **ans, adj** ansoddair, *adjective* **be** berf, *verb* **eb** enw benywaidd, *feminine noun* **eg** enw gwrywaidd, *masculine noun*

Cytundeb Dur *eg* Pact of Steel
Cytundeb Eingl-Wyddelig *eg* Anglo-Irish Treaty
cytundeb heddwch *eg* peace treaty
cytundeb i beidio ag ymosod *eg* non-aggression pact
cytundeb iawndal *eg* compensation agreement
Cytundeb Mawr *eg* Great Contract
cytundeb priodas *eg* marriage settlement
cytundeb rhannu *eg* partition treaty
cytundeb rhwng cyfeillion *eg* gentlemen's agreement
cytundeb terfynol *eg* final concord
Cytundeb Tridarn *eg* Tripartite Indenture
Cytundeb y Culfor *eg* Straits Convention
cytunedd *eg* compatibility
cythraul llwch *eg* dust devil
cythryblus *ans* disturbed (of psychological condition)
cyw brwylio *eg* broiler
cyw iâr *eg* chicken
cywain *be* fetch (computer command) *v*
cywair *eg* key (=system of notes) *n*
cywair amhenodol *eg* indeterminate key
cywair gwreiddiol *eg* home key (of musical notes)
cywair lleiaf *eg* minor key (in music in general)
cywair mwyaf *eg* major key
cywair penodol *eg* determinate key
cywair perthynol *eg* relative key
cywair perthynol lleiaf *eg* relative minor
cywair perthynol mwyaf *eg* relative major
cywair-bur *ans* high fidelity
cywaith *eg* joint project
cywarch *eg* hemp
cywasg (mewn cerddoriaeth) *ans* diminished (in music)
cywasgadwy *ans* compressible
cywasgadwyedd *eg* compressibility
cywasgedig *ans* compressed
cywasgedd *eg* compression (=reduction in volume)

cywasgfwrdd *eg* compoboard
cywasgiad (mewn cerddoriaeth) *eg* diminution (in music)
cywasgiad (yn gyffredinol) *eg* compression (action of)
cywasgiad allanol ar y frest *eg* external chest compression
cywasgu (mewn cerddoriaeth) *be* diminish (in music)
cywasgu (yn gyffredinol) *be* compress
cywasgydd *eg* compressor
cyweddiad *eg* engagement (in fencing)
cyweddiad dwbl *eg* double engagement
cyweddu *be* engage (the blade)
cyweiraidd *ans* tonal
cyweirdant *eg* tuning string
cyweiredd *eg* tonality
cyweiriadur *eg* modulator (=diagram for teaching sol-fa)
cyweiriadur mawr *eg* extended modulator
cyweiriau perthynol *ell* attendant keys
cyweirio cudd *be* invisible mending
cyweirio (lledr) *be* curing (leather)
cyweirnod *eg* keynote
cywerth *ans* equivalent *adj*
cywerth electrocemegol *eg* electrochemical equivalent
cywerth llorwedd *eg* horizontal equivalent
cywerth metrig bras *eg* rough metric equivalent
cywerthedd *eg* equivalence
cywerthydd *eg* equivalent *n*
cywir *ans* correct *adj*
cywir neu anghywir true or false (in exam questions)
cywirdeb *eg* accuracy (=correctness)
cywirdeb y perfformiad *eg* accuracy of the performance
cywiriad *eg* correction
cywiriadur *eg* spellchecker
cywiro *be* correct *v*
cywiro'r diffyg *be* remedy the fault
cywirwr maen llifanu *eg* grindstone truer

---

eg/b enw gwrywaidd/benywaidd, *feminine/masculine noun*   *ell* enw lluosog, *plural noun*   *v* berf, *verb*   *n* enw, *noun*

Ch

chwa *eb* breeze (blues)
chwaeth *eb* taste (=discernment) *n*
chwaeth gwisgo *eb* dress sense
chwalfa (ar gyfrifiadur) *eb* crash *n*
chwalu *be* demolish
chwannen *eg* flea

chwarae *be* play (of games) *v*
chwarae *eg* play (=recreation) *n*
chwarae (darn) *be* play (a piece) *v*

chwarae annheg *eg* unfair play
chwarae brwnt *eg* foul play
chwarae corfforol *be* physical play
chwarae creadigol *eg* creative play
chwarae cystadleuol *eg* competitive play
chwarae efelychol *eg* imitative play
chwarae gornest *be* match play
chwarae llawn dychymyg *eg* imaginative play
chwarae'n fyrfyfyr *eg* improvise (in music playing)
chwarae ostinato syml play a simple ostinato
chwarae peryglus *eg* dangerous play
chwarae rhan *be* role play
chwarae strôc *be* stroke play
chwarae teg *eg* fair play
chwarae tennis *be* play tennis
chwarae yn ôl y glust *be* play by ear
chwaraeon *eg* sports (in general)
chwaraeon proffesiynol *ell* professional sport
chwaraeon rhyngwladol *ell* international sport
chwaraewr *eg* player
chwaraewr amryddawn *eg* all-rounder
chwaraewr clafesin *eg* claveciniste
chwaraewr dethol *eg* seeded player
chwaraewr proffesiynol *eg* professional player
chwaraewr viola da gamba *eg* viola da gamba player
chwaraewr wrth gefn *eg* reserve player
chwaraeydd casét *eg* cassette player
chwarel *eb* quarry
chwarela *be* quarrying
chwarennau ecdysaidd *ell* moulting glands
chwarennol *ans* glandular
chwarren *eb* gland
chwarren adrenal *eb* adrenal gland
chwarren bitwidol *eb* pituitary gland
chwarren boer *eb* saliva gland
chwarren chwys *eb* sweat gland
chwarren ddiddwythell *eb* ductless gland
chwarren ecsocrin *eb* exocrine gland
chwarren endocrin *eb* endocrine gland

chwarren felynwy *eb* yolk gland
chwarren fwcaidd *eb* mucous gland
chwarren gastrig *eb* gastric gland
chwarren islygadol *eb* infraorbital gland
chwarren laeth *eb* mammary gland
chwarren lymff *eb* lymph gland
chwarren lymffatig *eb* lymphatic gland
chwarren sebwm *eb* sebaceous gland
chwarren thyroid *eb* thyroid gland
chwartel *eg* quartile
chwarter *eg* quarter (=one fourth)
chwarter cwafer *eg* demi semiquaver
chwarter lleuad *eg* quarter moon
chwarter maint llawn *eg* quarter full size
chwarter tro (ongl sgwâr) *eg* quarter turn (right angle)
chwarter un cyfan *eg* quarter of a whole
chwarteru *be* quartering
Chwe Erthygl, Y *eb* Six Articles, The
chwech *eg* six
chwechawd *eg* sextet
chweched *eg* sixth
chweched Almaenig *eg* German sixth
chweched atodol *eg* added sixth
chweched dosbarth *eg* sixth form
chweched Eidalaidd *eg* Italian sixth
chweched Ffrengig *eg* French sixth
chweched uchaf *eg* upper sixth
chwedl *eb* legend
chwedl Arthuraidd *eb* Arthurian legend
chwephled *eg* sextuplet
chwerw *ans* bitter
chwerwedd *eg* bitterness
chwiban *eg/b* whistle *n*
chwibanu *be* whistle *v*
chwifio *be* flapping
Chwig *eg* Whig *n*
Chwigaidd *ans* Whig *adj*
chwilen *eb* beetle
chwilen ddodrefn *eb* furniture beetle
chwiler *eg* chrysalis
chwilfriw *ans* disintegrated
chwilfriwiant *eg* disintegration (of rock)
chwiliad *eg* search *n*
chwiliad deuaidd *eg* binary search
chwiliad dilyniannol *eg* sequential search
chwiliad iterus *eg* iterative search
chwilio *be* search *v*
chwilio a newid search and replace

---

adf, adv adferf, *adverb* **ans, adj** ansoddair, *adjective* **be** berf, *verb* **eb** enw benywaidd, *feminine noun* **eg** enw gwrywaidd, *masculine noun*

chwilys *eg* inquisition (=ecclesiastical court)

Chwilys Rhufain *eg* Roman Inquisition

Chwilys Sbaen *eg* Spanish Inquisition

chwip *eb* whip (in general) *n*

chwipio *be* whip *v*

chwipio hem *be* whip a hem

chwistrell *eb* spray (of object) *n*

chwistrell aerosol *eb* aerosol spray

chwistrell sefydlogi *eg* fixative spray

chwistrelliad *eg* spray (of act) *n*

chwistrelliad silicôn *eg* silicone spray

chwistrellu *be* spray *v*

chwistrellwr *eg* sprayer

chwith *ans* left

chwith draws *ans* left cross

chwith syth *ans* straight left

Chwiw Gymreig *eb* Welch Whim

chwŷd *eg* vomit *n*

chwydu *be* vomit *v*

chwydu hyrddiol *be* projectile vomiting

chwydd *eg* swelling

chwyddbedal cytbwys *eg* balanced swell pedal

chwyddedig *ans* distended

chwyddhad *eg* magnification

chwyddhad onglog *eg* angular magnification

chwyddhadur *eg* magnifier

chwyddiannol *ans* inflationary

chwyddiant (corfforol) *eg* distention

chwyddiant (economaidd) *eg* inflation (of currency)

chwyddo (ariannol) *be* inflate (in finance)

chwyddo (corfforol) *be* swell (in general) *v*

chwyddo (dan chwyddwydr) *be* magnify

chwyddwydr *eg* magnifying glass

chwydd-amlen *eb* amplitude envelope

chwydd-dyndra *eg* turgidity

chwydd-dynn *ans* turgid

chwyldro *eg* revolution (=overthrow of system)

Chwyldro Amaethyddol *eg* Agricultural Revolution

Chwyldro Americanaidd *eg* American Revolution

chwyldro demograffig *eg* demographic revolution

Chwyldro Diwydiannol *eg* Industrial Revolution

chwyldro di-drais *eg* bloodless revolution

Chwyldro Ffrengig *eg* French Revolution

Chwyldro Gogoneddus *eg* Glorious Revolution

Chwyldro Gwyddonol *eg* Scientific Revolution

Chwyldro Môr Iwerydd *eg* Atlantic Revolution, The

Chwyldro Piwritanaidd *eg* Puritan Revolution

chwyldro prisiau *eg* price revolution

chwyldroadwr *eg* revolutionary (of person)

chwylrod *eb* flywheel

chwynladdwr *eg* herbicide

chwynladdwr cemegol *eg* chemical weed killer

chwynladdwr trawsleoledig *eg* translocated weed killer

chwynnyn *eg* weed

chwyrlïad *eg* whirl *n*

chwyrliant *eg* gyration

chwyrlio *be* whirl *v*

chwyrliwr *eg* whirler

chwyrlwynt *eg* whirlwind

chwys *eg* sweat *n*

chwysigen *eb* bladder (of plants)

chwysigen aer *eb* air bladder

chwysigen nofio *eb* swimming bladder

chwysu *be* sweat (=perspire)

chwyth *ans* blast *adj*

chwythbib *eb* blowpipe

chwythbren *eg* wind instrument

chwythdwll *eg* blast hole

chwythdyllau (castio) *ell* blow holes (casting)

chwythellu *be* blast (=blow air on) *v*

chwythfowldio *be* blow moulding

chwythiad *eg* blast (=strong gust)

chwythiad gorgynnes *eg* hot blast

chwythlamp *eb* blowlamp

chwythu *be* blow *v*

chwythwr *eg* blower

chwyth-organ ddŵr *eb* hydraulic organ

D

D fwyaf *eb* D major
D leiaf *eb* D minor
da byw *ell* livestock
dab *eg* dab *n*
dabio *be* dab *v*
Dada *eg* Dada
dadadlamu *be* debouncing
dadagregu *be* disaggregate
Dadaiaeth *eb* Dadaism
dadaminas *eg* deaminase
dadamineiddiad *eg* deamination
dadamineiddio *be* deaminate
dadansoddi *be* analyse
dadansoddi cynnwys *be* content analysis
dadansoddi paill *be* pollen analysis
dadansoddi patrwm pwyntiau *be* point pattern analysis
dadansoddi'r camddarllen *be* miscue analysis
dadansoddi trafodol *be* transactional analysis
dadansoddiad *eg* analysis
dadansoddiad amlamrywedd *eg* multivariate analysis
dadansoddiad amrywiant *eg* analysis of variance
dadansoddiad ansoddol *eg* qualitative analysis
dadansoddiad ardaloedd cymdeithasol *eg* social area analysis
dadansoddiad arwyneb tuedd *eg* trend surface analysis
dadansoddiad atchwel *eg* regression analysis
dadansoddiad cost a budd *eg* cost-benefit analysis
dadansoddiad costau *eg* cost analysis
dadansoddiad cydffurfiol *eg* conformational analysis
dadansoddiad cyfanredol *eg* aggregate analysis
dadansoddiad cymydog agosaf *eg* nearest neighbour analysis
dadansoddiad cystrawen *eg* syntax analysis
dadansoddiad ffactor *eg* factor analysis
dadansoddiad ffactoraidd *eg* factorial analysis
dadansoddiad geiriadurol *eg* lexical analysis
dadansoddiad lleoliad *eg* locational analysis
dadansoddiad meintiol *eg* quantitative analysis
dadansoddiad N-terfynol *eg* N-terminal analysis
dadansoddiad o anghenion *eg* needs analysis
Dadansoddiad Prif Gydrannau *eg* Principal Component Analysis
dadansoddiad systemau *eg* systems analysis
dadansoddol *ans* analytical
dadansoddwr *eg* analyst
dadansoddwr systemau *eg* systems analyst
dadansoddydd *eg* analyser
dadansoddydd awtomatig *eg* auto-analyser
dadbacio *be* unpack

dadbersonoli *be* depersonalization
dadbigmentiad *eg* depigmentation
dadbolariad *eg* depolarization
dadbolaru *be* depolarize
dadchwyddiant *eg* deflation (in economics)
dadchwyddo *be* deflate (in economics)
dadchwythedig *ans* deflated
dadchwythiad *eg* deflation (in physics etc)
dadchwythiant yr ysgyfaint *eg* lung deflation
dadchwythu *be* deflate (in physics etc)
dadelfeniad *eg* decomposition
dadelfeniad dwbl *eg* double decomposition
dadelfennu *be* decompose
dadelfennu thermol *be* thermal decomposition
dadelfennydd *eg* decomposer
Dadeni *eg* Renaissance
dadfagneteiddio *be* demagnetize
dadfeiliad *eg* decay *n*
dadfeiliad ymbelydrol *eg* radioactive decay
dadfeilio *eg* decay *v*
dadfilwrio *be* demilitarize
dadflocio *be* deblocking
dadfodiwliad *eg* demodulate
dadfygio *be* debugging
dadfygio pell *be* remote debugging
dadgennu *be* desloughing
dadgryptio *be* decryption
dadgyfraniad *eg* disproportionation
dadgyplu *be* decouple
dadhydradiad *eg* dehydration
dadhydradu *be* dehydrate
dadhydradydd *eg* dehydration agent
dadhydredig *ans* dehydrated
dadhydrogenas *eg* dehydrogenase
dadhydrogeniad *eg* dehydrogenation
dadhydrogenu *be* dehydrogenate
dadl *eb* argument
dadl fathemategol *eb* mathematical argument
dadlaminadu *be* delamination
dadlen *eb* reveal *n*
dadlennu *be* reveal *v*
dadleoledig *ans* delocalized
dadleoli *be* displace
dadleoliad *eg* displacement
dadliwio *be* decolourize
dadlwytho *be* unload
dadlygru *be* decontaminate
dadnatsïeiddio *be* denazification

---

adf, adv adferf, *adverb*   **ans, adj** ansoddair, *adjective*   **be** berf, *verb*   **eb** enw benywaidd, *feminine noun*   **eg** enw gwrywaidd, *masculine noun*

dadnatureiddiad *eg* denaturation
dadnatureiddio *be* denature
dadnerfogi *be* denervate
dadnitreiddiad *eg* denitrification
dadnitreiddio *be* denitrify
dado *eg* dado
dadosod *be* disassemble
dadosodydd *eg* disassembler
dadreoli *be* deregulate
dadrewi *be* defrost
dadrewlifiant *eg* deglaciation
dadrithio *be* disillusion
dadrolio *be* unroll
dadryddfreinio *be* disenfranchise
dadsensiteiddio systematig *be* systematic desensitization
dadsgriwio *be* unscrew
dadstartsio *be* destarch
daduniad *eg* dissociation
daduniad thermol *eg* thermal dissociation
dadwaddoli *be* disendow
dadwaddoliad *eg* disendowment
dadwahanu *be* desegregation
dadwefriad *eg* discharge (electrical) *n*
dadwefru *be* discharge (electricity) *v*
dadwefru blaenoriaethol *be* preferential discharge
dadwenwyniad *eg* detoxication
dadwenwyno *be* detoxicate
dadwisgo *be* undress
dadwladoli *be* denationalize
dadwneud *be* undo (work, mistake etc)
dad-drefedigaethu *be* decolonize
dad-ddewis *be* deselect
dad-ddirwyn *be* unwind (wool)
dad-ddiweddaru *be* downdate
dad-ddyneiddio *be* dehumanize
daear (=cartref llwynog) *eb* burrow (of fox)
daear (=tir) *eb* earth (of land) *n*
Daear (am y blaned) *eb* Earth (of planet) *n*
daeargryd *eg* earth tremor
daeargryn *eg* earthquake
daearol *ans* terrestrial
daearu *be* earth *v*
daearyddiaeth *eb* geography
daearyddiaeth gymhwysol *eb* applied geography
dafad *eb* sheep
dafaden *eb* wart
dafnau gwaed *ell* drops of blood
dafnau hylif *ell* drops of moisture
dagr *eg* dagger
dail nodwydd *ell* needle leaves
dal *be* catch *v*
dal (gronyn) *be* capture (a particle)
Dalai Lama *eg* Dalai Lama
dalbren *eg* holdfast (=clamp)
dalbren mainc *eg* bench holdfast

dalen *eb* sheet (of paper)
dalen adborth *eb* feedback sheet
dalen drefn *eb* procedure sheet
dalen fap *eb* map sheet
dalen fer *eb* short leaf
dalen frig *eb* fly-leaf
dalen gefnu *eb* backing sheet
dalen golfach *eb* hinge leaf
dalen hir *eb* long leaf
dalen hysbysebu *eb* hand-out
dalen map *eb* sheet of map
dalen offeru arian *eb* silver tooling leaf
dalen offeru lliw *eb* colour tooling leaf
dalen sengl *ans* single-sheet
dalen sgraffinio *eb* abrasive sheet
dalen waith *eb* work sheet
dalen-borthi *be* form-feed *v*
dalen-borthiad *eg* form-feed *n*
dalen-borthwr *eg* form-feed key
dalgylch *eg* catchment area
dalgylch afon *eg* drainage basin
dalgylch ysgol *eg* school catchment area
daliad (pêl etc) *eg* catch (of ball etc) *n*
daliad (tir, cyfranddaliadau) *eg* holding (of land, shares etc)
daliad glân *eg* fair catch
daliadaeth *eb* tenure
daliadaeth fwrgeisiol *eb* burgage tenure
daliant (arwydd mewn cerddoriaeth) *eg* pause (sign in music)
daliant (mewn cemeg) *eg* suspension (in chemistry)
daliant cyffredinol *eg* general pause (of orchestra)
daliant llaethog *eg* milky suspension
daliedydd *eg* retainer (of land)
daliwr *eg* holder
daliwr dei pen llonydd *eg* tailstock die holder
daliwr erfyn *eg* tool holder
daliwr teip *eg* type holder
dall *ans* blind (=unable to see) *adj*
dall i liwiau *ans* colour blind
dallbwynt *eg* blind spot
dallineb *eg* blindness
dallineb geiriau caffaeledig *eg* acquired word blindness
dallineb lliw *eg* colour blindness
dallineb nos *eg* night blindness
damasg *eg* damask
damasgin *eg* damascene *n*
damasgu *be* damascene *v*
damcaniaeth *eb* theory (of individual examples)
damcaniaeth aflonyddiad *eb* perturbation theory
damcaniaeth esblygiad *eb* theory of evolution
damcaniaeth ginetig nwyon *eb* kinetic theory of gases
damcaniaeth gwrthyriad parau electron *eb* electron pair repulsion theory
damcaniaeth labelu *eb* labelling theory
Damcaniaeth Man Canol *eb* Central Place Theory
damcaniaeth niwronau *eb* neurone theory

---

eg/b enw gwrywaidd/benywaidd, *feminine/masculine noun*   *ell* enw lluosog, *plural noun*   *v* berf, *verb*   *n* enw, *noun*

damcaniaeth perthnasedd *eb* theory of relativity
damcaniaeth reoli *eb* control theory
damcaniaeth sector *eb* sector theory
damcaniaeth tectoneg platiau *eb* plate tectonic theory
damcaniaeth bond falens *eb* valence bond theory
damcaniaeth cwantwm *eb* quantum theory
damcaniaethol *ans* theoretical
damcaniaethu *be* theorize
dameg *eb* parable
damper *eg* damper (=shock absorber)
damwain *eb* accident
damwain ffordd *eb* road traffic accident
damwain ac argyfwng accident and emergency
dan anfantais *ans* disadvantaged
dan anfantais ddiwylliannol culturally disadvantaged
dan anfantais gymdeithasol disadvantaged socially
dan do *ans* indoor
dan ei enw ei hun in his personal capacity
dan ei henw ei hun in her personal capacity
dan oed ysgol preschool
dan sylw *ans* in question
dan y belt *adf* below the belt
Danaidd *ans* Danish
Daneg *eb* Danish (language)
dangos *be* indicate
dangos anweledigion *be* show invisibles
dangos canllawiau tudalen *be* show page guides
dangos clipfwrdd *be* show clipboard
dangos dynameg *be* indicate dynamics
dangos mesurydd *be* show ruler
dangosiad *eg* exposition
dangosiad dwbl *eg* double exposition
dangosydd (ar sgrin) *eg* display (on screen)
dangosydd (yn gyffredinol) *eg* indicator
dangosydd perfformiad *eg* performance indicator
dangosydd cyfrifiannell *eg* calculator display
dangosydd cyffredinol *eg* universal indicator
dangosydd yn yr ysgol *eg* school-based indicator
danheddiad *eg* indentation (=toothlike notches)
danheddiad sgriw *eg* pitch of screw
danheddog (am olwyn gocos) *ans* cogged
danheddog (am ymyl llif) *ans* serrated
danheddus *ans* indented (with toothlike notches)
Daniad *eg* Dane
dannedd *ell* feed dog (on machine)
dannedd clicied *ell* ratchet teeth
dannedd dodi *ell* dentures
dannedd gosod *ell* dentures
dannedd i'r fodfedd T.P.I. (teeth per inch)
dannedd llif *ell* saw teeth
dannedd mân *ell* fine teeth
dant *eg* tooth
dant ci *eg* dog tooth
dant cyntaf *eg* deciduous tooth
dant gêr *eg* gear tooth
dant gêr cylchoidol *eg* cycloidal gear tooth

dant gosod *eg* false tooth
dant llygad *eg* canine tooth
dant parhaol *eg* permanent tooth
dant sugno *eg* milk tooth
darbodion maint *ell* economies of scale
darbodus *ans* economical (=frugal)
darddullaidd *ans* mannerist *adj*
darddulliaeth *eb* mannerism (in art)
darddullwr *eg* mannerist
darfath *eg* swage *n*
darfath isel *eg* bottom swage
darfath uchaf *eg* top swage
darfathu *be* swage *v*
darfodedigaeth *eb* tuberculosis
darfodus *ans* perishable
darforio *be* drawboring
darfudiad *eg* convection
darfudol *ans* convectional
darffeilio *be* drawfiling
dargadw *be* retain (in biology)
dargadwedd (e.e. haearn gan y meinweoedd) *eg* retention (e.g. of iron, by the tissues)
darganfod *be* find *v*
darganfod atebion *be* find solutions
darganfyddiad *eg* discovery
dargludedd *eg* conductivity
dargludedd thermol *eg* thermal conductivity
dargludiad *eg* conduction
dargludiad electronig *eg* electronic conduction
dargludiad nerfol *eg* nervous conduction
dargludiant *eg* conductance
dargludo *be* conduct (=transmit by conduction) *v*
dargludo drwy'r asgwrn *be* bone conduction
dargludol *ans* conducting
dargludydd *eg* conductor (of electricity)
dargludydd gwres *eg* conductor of heat
dargopïo *be* trace (=copy over) *v*
dargopïwr slip *eg* slip tracer
dargyfeiriad *eg* diversion
dargyfeirio *be* diverge
dargyfeiriol *ans* divergent
darlifiad *eg* perfusion
darlifo *be* perfuse
darlith *eb* lecture
darlith sefydlu *eb* inaugural lecture
darlithfa *eb* lecture theatre
darlithydd *eg* lecturer
darlun *eg* picture
darlun eglurhaol *eg* illustration (=drawing or picture illustrating a book etc)
darlun plân gwastad *eg* plane picture
darlun ymddiddan *eg* conversation piece (of painting)
darluniad *eg* illustration (=act or instance of illustrating)
darluniad pwrpasol *eg* appropriate illustration (=drawing)
darluniadaeth *eb* pictorialism
darluniadol *ans* illustrated (with drawings)
darluniaidd *ans* picturesque

darlunio *be* illustrate (with a drawing)
darllediad *eg* broadcast *n*
darlledu *be* broadcast *v*
darllen *be* read
darllen a chywiro corrective reading
darllen a deall reading comprehension
darllen cymharol *eg* comparative reading
darllen dan oruchwyliaeth *eg* controlled reading
darllen datblygiadol *eg* developmental reading
darllen eang *be* extensive reading
darllen estynedig *eg* extended reading
darllen gwefusau *be* lip reading
darllen gweithredol *be* active reading
darllen mewn pâr *be* paired reading
darllen proflen *be* proof-read
darllenadwy *ans* legible
darllenadwy i gyfrifiadur *ans* computer readable
darllenadwyaeth *eb* legibility
darllenfa *eb* lectern
darllenfa fwrdd *eb* table lectern
darlleniad *eg* reading
darlleniad fernier *eg* vernier reading
darlleniad micromedr *eg* micrometer reading
darllenwr nodau *eg* character reader
darllenydd *eg* reader
darllenydd bathodynnau *eg* badge reader
darllenydd cardiau *eg* card reader
darllenydd cod-bar *eg* bar-code reader
darllenydd dogfennau *eg* document reader
darllenydd tâp *eg* tape reader
darllenydd tâp papur *eg* paper tape reader
darn (anghyflawn) *eg* fragment
darn (o DNA) *eg* section (of DNA)
darn (o ddŵr) *eg* stretch (of water)
darn (yn gyffredinol) *eg* piece
darn ar wahân *eg* separate piece
darn arian *eg* coin
darn byrfyfyr *eg* extemporization passage
darn crafangu *eg* chucking piece
darn crochenwaith *eg* shard
darn croes *eg* cross piece
darn crudiad (aelwyd) *eg* cradling piece (hearth)
darn cydrannol *eg* component part
darn cyfagos *eg* adjacent part
darn cyfnewid *eg* transition piece
darn estyn *eg* stretcher piece
darn grŵp *eg* group piece
darn gwaelod *eg* bottom part
darn gwaith *eg* workpiece
darn gwrthddwr *eg* soaker
darn lletemu *eg* firming piece
darn o dir *eg* tract (of land)
darn patrwm *eg* pattern piece
darn pellter *eg* distance piece
darn pôl *eg* pole piece
darn uchaf *eg* top part

darn ychwanegol *eg* additional piece
darniad *eg* fragmentation
darnio ffermydd *be* fragmentation of holdings
darniog *ans* fragmentary
darogan *eg* augury
darostwng *be* subjugate
darostyngiad *eg* abasement
darpar *ans* designate *adj*
darpar gadeirydd *eg* chairman designate
darpariaeth *eb* provision
darpariaeth mislif *eg* sanitary protection
darparu *be* provide
darparwr gofal iechyd *eg* health care provider
dart *eg* dart
dart deubwynt *eg* double pointed dart
darwagio *be* deplete
darwahanu *be* stagger
darwahanu hoelion *be* stagger nails
darwasgiad *eg* constriction
darwasgu *be* constrict
Darwiniaeth *eb* Darwinism
darheulad *eg* insolation
data *ell* data
data a synhwyrir o bell *ell* remotely sensed data
data ansoddol *ell* qualitative data
data arwahanol *ell* discrete data
data crai *ell* raw data
data dechreuol *ell* baseline data
data di-dor *ell* continuous data
data rhifiadol *ell* numerical data
datawyru *be* de-airing
datblygedig *ans* developed
datblygiad *eg* development
datblygiad addysgol *eg* educational development
datblygiad arwyneb *eg* surface development
datblygiad cangen *eg* branch development
datblygiad corfforol *eg* physical development
datblygiad cymdeithasol *eg* social development
datblygiad cymunedol *eg* community development
datblygiad cynllun *eg* design development
datblygiad cysyniadol *eg* conceptual development
datblygiad deallusol *eg* intellectual development
datblygiad diweddar *eg* late development
datblygiad diwylliannol *eg* cultural development
datblygiad emosiynol *eg* emotional development
datblygiad gwybyddol *eg* cognitive development
datblygiad hirgul *eg* ribbon development
datblygiad iaith *eg* language development
datblygiad meddyliol *eg* mental development
datblygiad moesol *eg* moral development
datblygiad newydd *eg* innovation (=new development)
datblygiad personol *eg* personal development
datblygiad plant *eg* child development
datblygiad silindrog *eg* cylindrical development
datblygiad staff *eg* staff development
datblygiad undarn *eg* one-piece development
datblygiad ymaddasol *eg* adaptive development

---

eg/b enw gwrywaidd/benywaidd, *feminine/masculine noun*   *ell* enw lluosog, *plural noun*   *v* berf, *verb*   *n* enw, *noun*

datblygiad ysbrydol *eg* spiritual development

datblygiadol *ans* developmental

datblygu *be* develop

datblygu adnoddau *eg* exploitation of resources

datblygu cynllun *be* evolve a design

datblygu gwybodaeth *be* develop knowledge

datblygu rhagdybiaethau *be* develop hypotheses

datblygu rheol *be* develop rule

datblygwr hwyr *eg* late developer

datgalchiad *eg* decalcification

datgalchu *be* decalcify

datgan *be* declare

datganiad (=cyhoeddiad i'r wasg etc) *eg* statement (=declaration)

datganiad (=perfformiad cerddorol) *eg* recital

datganiad (mewn cwestiwn dewis lluosog) *eg* stem (of multiple choice question)

datganiad (mewn ffiwg) *eg* entry (in fugue)

datganiad anghenion addysgol arbennig *eg* statement of special educational needs

Datganiad Annibyniaeth *eg* Declaration of Independence

Datganiad Annibyniaeth Unochrog *eg* Unilateral Declaration of Independence

datganiad ar y pryd *eg* extemporization (performance)

Datganiad lawnderau *eg* Declaration of Rights

datganiad o genhadaeth *eg* mission statement

datganiad o gymhwysedd *eg* statement of competence

datganiad o gyrhaeddiad *eg* statement of attainment

Datganiad Pardwn *eg* Declaration of Indulgence

Datganiad Pragmatig *eg* Pragmatic Sanction

datganiadau ystod *ell* range statements

datganoli (llywodraeth) *be* devolution

datganoli (yn gyffredinol) *be* decentralize

datganoliad *eg* decentralization

datganu ar y pryd *be* extemporize (in singing)

datgarbocsileiddio *be* decarboxylate

datgarboneiddio *be* decarbonize

datgeliad *eg* disclosure

datgelu *be* disclose

datgladdedig *ans* exhumed (of landform)

datglöwr *eg* releaser

datglymu *be* unhitch

datglystyriad *eg* deflocculation

datglystyru *be* deflocculate

datgodio *be* decode

datgodiwr *eg* decoder

datgodiwr cyfarwyddyd *eg* instruction decoder

datgoedwigo *be* deforestate

datgrychu *be* crease recovery

datguddiad (gwybodaeth newydd) *eg* revelation

datguddiad (i aer, golau etc) *eg* exposure (to air, light etc)

datgymalu *be* disintegrate (in physics)

datgymhwysiad *eg* disapplication

datgymhwyso *be* disapply

datgysylltiad *eg* disestablishment

datgysylltiedig *ans* detached

datgysylltiol *ans* detachable

datgysylltu (eglwys wladol) *be* disestablish

datgysylltu (yn gyffredinol) *be* disconnect

datgysylltu plwg *be* unplug

datgywasgiad *eg* decompression

datgywasgu *be* decompress

datgyweddiad *eg* disengagement

datgyweddiad ffug *eg* feint of disengagement

datgyweddu *be* disengage

datod *be* undo (knot, shoes etc)

datodydd *eg* quick unpick

datrys *be* solve

datrys problem *be* solve a problem

datrys problemau *eg* problem solving

datrys yr hafaliad *be* solve the equation

datrysiad *eg* solution (=solving)

datrysiad cyflawn *eg* complete primitive

datrysiad dichonadwy *eg* feasible solution

datrysiad dichonadwy sylfaenol (dds) *eg* basic feasible solution (bfs)

datrysol *ans* resolvent *(ans)*

datrysyn *eg* resolution (of resolving power in physics)

datseimio *be* degrease

datseimydd *eg* degreasant

datseinedd *eg* reverberation

datseiniol *ans* reverberatory

datwm *eg* datum

datysen *eb* date (=type of fruit)

dat-Stalineiddio *be* de-Stalinization

dathlu *be* celebrate

dau *eg* two

dau ar y bêl *eg* two on the ball (of men)

dau ddigid *ans* two-digit

dau ddimensiwn *ans* two dimensional

dau ffiled pren haenog *eg* two plywood fillets

dau lanw *eg* double tide

Dauddegau Gwyllt *eg* Roaring Twenties

dawn *eb* gift (=aptitude)

dawns *eb* dance (form or motion) *n*

Dawns Croesoswallt *eb* Oswestry Wake

dawns cylch a seren *eb* ring and star dance

dawns Dafydd Gain *eb* Dainty Davy dance

dawns deithiol *eb* travelling dance

dawns Esgob Bangor *eb* Bishop of Bangor's jig

dawns forris *eb* morris dance

dawns gyfres *eb* suite de danses

dawns gylch *eb* circular dance

Dawns Ifan *eb* Evans' Jig

Dawns Llandaf *eb* Llandaff Reel

Dawns Llanofer *eb* Llanover Reel

dawns neuadd *eb* ball room dance

dawns osod *eb* set dance

dawns set draddodiadol *eb* traditional set dance

dawns sgipio *eb* skipping dance

Dawns Sgwâr *eb* Square Dance

dawns syml *eb* simple dance

---

dawns unfan *eb* on-the-spot dance
dawns werin *eb* folk dance
dawns weu *eb* weaving dance
dawns wledig *eb* country dance
dawns y glocsen *eb* clog dance
dawnsdrefn *eb* dance routine
dawnsgor bale *eb* ballet chorus
dawnsiau cenedlaethol *ell* national dances
dawnsio *be* dance *v*
dawnsio addysgol modern *be* modern educational dance
dawnsio gwerin *be* folk dancing
dawnsio gwerin Cymreig *be* Welsh folk dancing
dawnsio'n rhydd *be* dance freely
dawnsio rhydd *be* free dancing
dawnsio tap *be* tap dancing
dawnsio yn yr unfan *be* dance on the spot
dawnsiwr bale *eg* ballet dancer
dawnsiwr morris *eg* morris dancer
dawnus *ans* gifted
daws fer *eb* short dance
de *eb* right (as opposed to left)
de *eg* south
de draws *eb* right cross
De Eithaf (yr UD) *eg* Deep South (US)
de syth *eb* straight right
deall *be* understand
deall egwyddorion *be* understand the principles
dealladwy *ans* coherent (of language)
dealltwriaeth *eb* understanding
dealltwriaeth economaidd a diwydiannol *eb* economic and industrial understanding
dealltwriaeth gronolegol *eb* chronological understanding
dealltwriaeth gysyniadol *eb* conceptual understanding
dealltwriaeth o arddull *eb* understanding of style
dealltwriaeth oddefol *eb* passive comprehension
dealltwriaeth sythweledol *eb* intuitive understanding
deallus *ans* intelligent
deallusion *ell* intelligentsia
deallusol *ans* intellectual *adj*
deallusrwydd *eg* intelligence
deallusrwydd artiffisial *eg* artificial intelligence (AI)
deallusrwydd echddygol synhwyraidd *eg* sensory motor intelligence
début *eg* début
debyd *eg* debit *n*
dec *eg* deck
dec tâp *eg* tape deck
decagon *eg* decagon
decani *eg* decani
decilitr *eg* decilitre
decimetr *eg* decimetre
decoladydd *eg* decollator
décor *eg* décor
decretal *eg* decretal
decstros *eg* dextrose
dechrau *be* begin
dechrau *eg* beginning

dechrau pendant *eg* clear beginning
dechreuwr *eg* beginner
dedfryd *eb* sentence (=decision of law court) *n*
dedfryd am oes *eb* life-sentence
dedfryd ohiriedig *eb* suspended sentence
dedfrydu *be* sentence *v*
deddf (=cyfraith unigol) *eb* act (=law)
deddf (mewn gwyddoniaeth, economeg etc) *eb* law (=a single law)
Deddf Mwyngloddiau *eb* Mines Act
Deddf Adendro *eb* Act of Attainder
deddf adenillion lleihaol *eb* law of diminishing returns
Deddf Adran Gwarchod Defnyddwyr *eb* Consumer Protection Department Act
deddf adweithio masau *eb* law of mass action
Deddf Addysg *eb* Education Act
Deddf Anghydfodau Diwydiannol *eb* Trade Disputes Act
deddf alluogi *eb* enabling act
Deddf Amodol Atal Anodau *eb* Act in Conditional Restraint of Annates
deddf amsugniad *eb* law of absorption
Deddf Anheddau'r Gweithwyr *eb* Artisans' Dwelling Act
Deddf Anodau *eb* Act of Annates
Deddf Apeliadau *eb* Act of Appeals
Deddf Ardrefnu *eb* Act of Settlement
Deddf Atal Enwebu *eb* Provisors Act
Deddf Blaenffrwyth a Degadau *eb* First Fruits and Tenths Act
Deddf Brad *eb* Act of Treasons
Deddf Brawf *eb* Test Act
Deddf Bwyd a Chyffuriau *eb* Food and Drugs Act
deddf dadwraeth màs *eb* law of conservation of Mass
Deddf Camddefnydd Cyffuriau *eb* Misuse of Drugs Act
Deddf Cau Tir Comin *eb* Enclosure of Common Land Act
Deddf Cofrestru Genedigaethau, Priodasau a Marwolaethau *eb* Registration of Births, Marriages, & Deaths Act
Deddf Corfforaeth *eb* Corporation Act
Deddf Corfforaethau Trefol *eb* Municipal Corporations Act
Deddf Credyd Defnyddwyr *eb* Consumer Credit Act
Deddf Cydbwyso Tollau *eb* Reciprocity of Duties Act
Deddf Cydymffurfio Achlysurol *eb* Occasional Conformity Act
deddf cyfansoddiad cyson *eb* law of constant composition
Deddf Cyfarfodydd Terfysglyd *eb* Seditious Meetings Act
Deddf Cyflenwi Nwyddau *eb* Supply of Goods Act
Deddf Cyflogwyr a Gweithwyr *eb* Employers' & Workmens' Act
Deddf Cyfnewid y Degwm *eb* Tithe Commutation Act
deddf cyfraneddau lluosol *eb* law of multiple proportions
Deddf Cyfuno *eb* Combination Act
Deddf Cyhoeddiadau Terfysglyd *eb* Seditious Publications Act
Deddf Cymhwyso Amaethyddiaeth *eb* Agricultural Adjustments Act

---

eg/b enw gwrywaidd/benywaidd, *feminine/masculine noun*   *ell* enw lluosog, *plural noun*   *v* berf, *verb*   *n* enw, *noun*

Deddf Cynllwyn a Diogelu Eiddo *eb* Conspiracy & Protection of Property Act

Deddf Cynrychiolaeth y Bobl *eb* Representation of the People Act

Deddf Cysylltiadau Hiliol *eb* Race Relations Act

Deddf Datganiad *eb* Declaratory Act

Deddf Deirblwydd *eb* Triennial Act

Deddf Diarddel Gweinidogion Gwarthus *eb* Ejection of Scandalous Ministers Act

Deddf Dileu Caethwasiaeth *eb* Abolition of Slavery Act

Deddf Dirymiad *eb* Act of Revocation

Deddf Disgrifiadau Masnach *eb* Trade Descriptions Act

deddf disgyrchiant *eb* law of gravity

deddf disgyrchiant adwerthol *eb* law of retail gravitation

Deddf Diwygio Addysg *eb* Education Reform Act

Deddf Diwygio Cyfraith Prydlesi *eb* Leasehold Reform Act

Deddf Diwygio'r Senedd *eb* Parliamentary Reform Act

deddf ddosbarthol *eb* distributive law

Deddf Eiddo Bydol yr Eglwys yng Nghymru *eb* Welsh Church Temporalities Act

Deddf Estroniaid *eb* Aliens Act

Deddf Goddefiad *eb* Toleration Act

Deddf Gofal Plant *eb* Child Care Act

Deddf Gorfodaeth *eb* Coercion Act

Deddf Goruchafiaeth *eb* Act of Supremacy

Deddf Gwahaniaethu ar Sail Rhyw *eb* Sex Discrimination Act

Deddf Gwahardd *eb* Exclusion Act

Deddf Gwarchod Data *eb* Data Protection Act

Deddf Gweithrediadau Llwgr *eb* Corrupt Practices Act

Deddf Gwerthu Nwyddau *eb* Sale of Goods Act

deddf gyflenwadol *eb* law of complementation

deddf gymudol *eb* commutative law

deddf gyntaf Kirchoff *eb* Kirchoff's first law

deddf gysylltiadol *eb* associative law

Deddf Heddlu Metropolitan *eb* Metropolitan Police Act

Deddf Heresi *eb* Heresy Act

deddf Hooke *eb* Hooke's law

Deddf i Lwyr Atal Anodau *eb* Act in Absolute Restraint of Annates

Deddf Iechyd a Moesau Prentisiaid *eb* Health & Morals of Apprentices Act

Deddf Iechyd Cyhoeddus *eb* Public Health Act

Deddf Iechyd Meddwl *eb* Mental Health Act

deddf Lenz *eb* Lenz's law

deddf leol *eb* by-law (=local law)

Deddf Les-Fenthyg *eb* Lease-Lend Act

Deddf Llongau Masnach *eb* Merchant Shipping Act

Deddf Llwon Anghyfreithlon *eb* Unlawful Oaths Act

Deddf Mabwysiadu *eb* Adoption Act

Deddf Miwtini *eb* Mutiny Act

Deddf Mordwyo *eb* Navigation Act

Deddf Newid y Gyfraith Droseddol *eb* Criminal Law Amendment Act

Deddf Newid yr Undebau Llafur *eb* Trades Union Amendment Act

Deddf Newydd y Tlodion *eb* Poor Law Amendment Act

Deddf Nwyddau a Gwasanaethau nas Archebwyd *eb* Unsolicited Goods & Services Act

deddf nwyon *eb* gas law

deddf Ohm *eb* Ohm's law

Deddf Pensiwn yr Henoed *eb* Old Age Pensions Act

Deddf Prisiau *eb* Prices Act

Deddf Pum Milltir *eb* Five Mile Act

Deddf Pwysau a Mesurau *eb* Weights & Measures

Deddf Rhentu *eb* Rent Act

Deddf Rhyddfreinio *eb* Emancipation Act

Deddf Rhyddfreinio'r Pabyddion *eb* Catholic Emancipation Act

Deddf Seithmlwydd *eb* Septennial Act

deddf seneddol *eb* act of parliament

Deddf Sgism *eb* Schism Act

Deddf Siarter y Banc *eb* Bank Charter Act

Deddf Stamp *eb* Stamp Act

Deddf Swyddfa Masnachu Teg *eb* Fair Trading Office Act

Deddf Taenu'r Efengyl *eb* Act for the Propagation of the Gospel

Deddf Terfysg *eb* Riot Act

Deddf Trefi a Chorfforaethau *eb* Corporations & Municipalities Act

Deddf Troseddwyr *eb* Criminal Law Act

Deddf Trwyddedau *eb* Act of Dispensations

Deddf Unffurfiaeth *eb* Act of Uniformity

Deddf Uno *eb* Act of Union

Deddf Wyndham ar Bwrcasu Tir *eb* Wyndham's Land Purchase Act

Deddf y Bleidlais Gudd *eb* Secret Ballot Act

Deddf y Confentiglau *eb* Conventigles Act

Deddf y Chwe Erthygl *eb* Act of Six Articles

Deddf y Senedd *eb* Parliament Act

Deddf Ŷd *eb* Corn Law

Deddf Ymostyngiad y Clerigwyr *eb* Act of Submission of the Clergy

Deddf yn Erbyn Amlblwyfiaeth *eb* Act Against Pluralities

Deddf yr Ardaloedd Arbennig *eb* Special Areas Act

Deddf Yswiriant Iechyd Gwladol *eb* National Health Insurance Act

Deddf Yswiriant y Di-waith *eb* National Unemployment Insurance Act

Deddf (Dileu) Anghysonderau Rhyw 1919 *eb* Sex Disqualification (Removal) Act 1919

Deddfau Cau Tiroedd *ell* Enclosure Acts

deddfau cosbi *ell* penal laws

deddfau cyfyngu *ell* sumptuary laws

Deddfau Duon *ell* Black Acts

Deddfau Ffatri *ell* Factory Acts

Deddfau Ffrwyno *ell* Gag Acts

deddfau helwriaeth *ell* game laws

deddfau mudiant Newton *ell* Newton's laws of motion

Deddfau Prawf a Chorfforaeth *ell* Test and Corporation Acts

Deddfau Prawf y Prifysgolion *ell* University Tests Acts

deddfau trwydded (De Affrica) *ell* pass laws (South Africa)

Deddfau Trwyddedu *ell* Licensing Acts

Deddfiad Hunanymwadiad *eb* Self-Denying Ordinance

deddfroddwr *eg* lawgiver
deddfu *be* legislate
deddfwr *eg* legislator
deddfwriaeth *eb* legislation
deddfwriaeth ffatri *eb* factory legislation
deddfwriaeth ganiataol *eb* permissive legislation
deddf, y ddeddf naturiol *eb* natural law
defnydd (=ffabrig, gwrthrychau ffisegol etc) *eg* material (=fabric, objects with physical presence) *n*
defnydd (=y weithred o ddefnyddio, pwrpas) *eg* use (=being used) *n*
defnydd addas *eg* suitable material
defnydd amsugnol *eg* absorbent material
defnydd argraffu *eg* printing material
defnydd caledu *eg* hardening material
defnydd crai *eg* raw material
defnydd cymysg *eg* blended material
defnydd cynfasau *eg* sheeting
defnydd dan do *eg* indoor use
defnydd glanhau *eg* cleaner (of material)
defnydd glanhau ffwrn *eg* oven cleaner
defnydd gloyw *eg* lustrous material
defnydd gwastraff *eg* waste material
defnydd gweadog *eg* textured material
defnydd gwneud *eg* manufactured cloth
defnydd gwrthdan *eg* fireproof material
defnydd hapgael *eg* found material
defnydd hwyliau *eg* sail cloth
defnydd jersi *eg* jersey
defnydd lapio bwyd *eg* food wrap
defnydd llifo *eg* dyestuff
defnydd metelig *eg* metallic cloth
defnydd modelu *eg* modelling material
defnydd organig *eg* organic matter
defnydd pacio *eg* packaging
defnydd patrymog *eg* pattern material
defnydd penodol *eg* specific material
defnydd plaen *eg* plain material
defnydd plastig *eg* plastic material
defnydd presennol *eg* existing use
defnydd sgrap *eg* scrap material
defnydd sgrin *eg* screen material
defnydd siec *eg* checked material
defnydd sylfaenol *eg* basic material
defnydd tir *eg* land use
defnydd tir trefol *eg* urban landuse
defnydd traddodiadol *eg* traditional material
defnydd trychiad crwn *eg* round section material
defnydd trychiad hecsagonol *eg* hexagonal section material
defnydd trychiad petryal *eg* rectangular section material
defnydd trychiad sgwâr *eg* square section material
defnydd tryloyw *eg* transparent material
defnydd yn yr awyr agored outdoor use
defnydd ynysu *eg* insulating material
defnyddiau arlunio *ell* artist's materials
defnyddiau celf *ell* art materials
defnyddiau crai *ell* raw materials
defnyddiau ffrwdrewlifol *ell* fluvioglacial material
defnyddiau llinol *ell* linear materials
defnyddiau panel *ell* panel materials
defnyddiau swmp *ell* bulk materials
defnyddiau traeth *ell* beach material
defnyddiau traul *ell* consumables
defnyddiau tryleu *ell* translucent materials
defnyddio *be* use *v*
defnyddio ffynonellau *be* use of sources
defnyddio'r corff yn briodol *be* appropriate use of the body
defnyddio tir *be* use of land
defnyddiol *ans* useful
defnyddioldeb *eg* utility
defnyddiwr (=prynwr nwyddau neu wasanaethau) *eg* consumer (=person who uses a product)
defnyddiwr (yn gyffredinol) *eg* user
defnyddiwr annibynnol *eg* autonomous user
defnyn *eg* droplet
defnyn fitamin *eg* vitamin drop
defod *eb* ritual *n*
defod newid byd *eb* rite of passage
defodaeth *eb* ritualism
defodol *ans* ritual *adj*
Deg Erthygl, Y *eb* Ten Articles, The
degaidd *ans* denary
degau ac unedau tens and units
degawd *eb* decade
degfed *eg* tenth
degol *ans* decimal *adj*
degoli *be* decimalize
degolyn *eg* decimal *n*
degolyn cod deuaidd *eg* binary coded decimal
degolyn cylchol *eg* recurring decimal
degradd *eg* decile
degwm *eg* tithe
degwm adfedd *eg* appropriated tithe
degwm amfedd *eg* impropriate tithe
degymiad *eg* tithing
degymu *be* decimation (=exaction of tithes)
dengwriad *eg* decurion
deheuad *eg* southing
deheurwydd *eg* dexterity
dehongli *be* interpret
dehongliad *eg* interpretation
dehonglydd *eg* interpreter
dei *eg* die
dei crwn *eg* circular die
dei crwn hollt *eg* circular split die
dei hollt *eg* split die
dei petryal *eg* rectangular die
deial *eg* dial
deialog *eb* dialogue
deic *eg* dyke (in geology)
deif *eb* dive *n*
deif arwyneb *eb* surface dive

deif blygu *eb* pike dive
deif drosben *eb* somersault dive
deif hwyaden *eb* duck dive
deif ras *eb* racing dive
deif wennol *eb* swallow dive

deifio (=llosgi wyneb rhywbeth) *be* scorch
deifio (i ddŵr, mewn chwaraeon) *be* dive *v*

deifio am y bêl *be* dive for the ball
deifio'n isel *be* low dive
deifio'n uchel *be* high dive
deifio o'r astell *be* springboard diving
deifio wrth draed ymosodwr *be* dive at a striker's feet
deifrol ymlaen *eb* dive forward roll
deigastio *be* die-casting
deigastio gwasgol *be* pressure die casting
deigryn *eg* tear (drop of liquid)
deilen *eb* leaf (of plant)
deilen arnawf *eb* floating leaf
deilen aur *eb* gold leaf
deilen fraith *eb* variegated leaf
deilen gyfansawdd *eb* compound leaf
deilen llawryf *eb* bayleaf
deilen offeru aur *eb* gold tooling leaf
deilen soddedig *eb* submerged leaf

deiliad (brenin neu frenhines) *eg* subject (to a monarch)
deiliad (fferm etc) *eg* tenant
deiliad (ffiwdal) *eg* vassal
deiliad (swydd) *eg* incumbent (of any office)

deiliad y tŷ *eg* householder
deiliadaeth ffiwdal *eb* vassalage
deiliant *eg* foliage
deiliog *ans* leafy
deiliogrwydd *eg* foliation
deiliosen *eb* leaflet (=small leaf)
deilliad *eg* derivative *n*
deilliadol *ans* derived
deilliant *eg* derivation
deilliedig *ans* spin-off
deillio *be* derive
deillio mynegiad *be* derive an expression
deintgig *eg* gum (holding teeth)
deintiol *ans* dental
deintydd *eg* dentist
deintyddiaeth *eb* dentistry
deiseb *eb* petition
Deiseb a Chyngor Gostyngedig Humble Petition and Advice
Deiseb lawnderau *eb* Petition of Right
Deiseb Wreiddyn a Changen *eb* Root & Branch Petition
Deiseb y Fil *eb* Millenary Petition
deisio *be* dice *v*
dëistiaeth *eb* deism
delfryd *eb* ideal (in general) *n*
delfryd ymddwyn *eb* role model
delfrydiad *eg* idealization
delfrydiaeth *eb* idealism

delfrydol *ans* ideal (in general) *adj*
delfrydwr *eg* idealist
delio *be* deal *v*
deliriwm *eg* delirium
delta *eg* delta
delta bwaog *eg* arcuate delta
delta crafanc *eg* bird's foot delta
delta glanllyn *eg* lakeside delta
delta penllyn *eg* lake head delta
deltaidd *ans* deltaic
delw *eb* image (=idol)
delw ofannu *be* drop forging
delwddrylliad *eg* iconoclasm
delwddrylliol *ans* iconoclastic
delwddrylliwr *eg* iconoclast
delwedd *eb* image (=representation, idea)
delwedd bositif *eb* positive image
delwedd brintiedig *eb* printed image
delwedd cerdyn *eb* card image
delwedd ddeuaidd *eb* binary image
delwedd fosaig *eb* mosaic image
delwedd fwy *eb* enlarged image
delwedd gwneuthuriad *eb* brand image
delwedd lai *eb* diminished image
delwedd real *eb* real image
delwedd unionsyth *eb* erect image
delwedd weledol *eb* visual image
delwedd wrthdro *eb* inverted image
delwedd y corff *eb* body image
delweddaeth *eb* imagery
delweddu *be* visualize
dellt awyru *eb* ventilation grille
dellten *eb* lattice
dellten giwbig corff-ganolog *eb* body centred cubic lattice
dellten giwbig wyneb-ganolog *eb* face centred cubic lattice
delltog *ans* trellised
delltwaith *eg* lattice work
demagog *eg* demagogue
demen *eg* demesne
democrat *eg* democrat
democrat cymdeithasol *eg* social democrat *n*
democrat rhyddfrydol *eg* liberal democrat *n*
democrataidd cymdeithasol *ans* social democrat *adj*
democrataidd rhyddfrydol *ans* liberal democrat *adj*
democratiaeth *eb* democracy
demograffeg *eb* demography
demograffig *ans* demographic
dendrid *eg* dendrite
dendrocronoleg *eb* dendrochronology
deniadol *ans* attractive (=charming)
denier *eg* denier
denim *eg* denim
dentiad *eg* dentage (of heddle)
dentin *eg* dentine
dentio *be* denting

deon *eg* dean
deon gwlad *eg* rural dean
deondy *eg* deanery
deoniaeth wlad *eb* rural deanery
deor *be* hatch (of egg)
deorfa *eb* hatchery
deorydd *eg* incubator (for eggs)
depo amlwytho *eg* container depot
deponiad *eg* deposition (=sworn evidence))
derbyn (=cael, croesawu) *be* receive
derbyn (=cymryd yr hyn a gynigir, cydnabod) *be* accept
derbyn (mesur) *be* adopt (a measure)
derbyn nifer cytbwys *be* balanced intake
derbyn yn aelod *be* receive into membership
derbyn yn ddinesydd *be* naturalize (=accept as citizen)
derbynfa *eb* reception (of place)
derbyniad (=parodrwydd i dderbyn, ateb cadarnhaol) *eg* acceptance
derbyniad (achlysur ffurfiol etc) *eg* reception (act of, formal occasion)
derbyniad (i ysbyty etc) *eg* admission (=person admitted)
derbyniad gwirfoddol *eg* voluntary admission
derbyniadau (gwerthiant) *ell* proceeds (sales)
derbyniadwy *ans* admissible
derbynneb *eb* receipt
derbynnedd *eg* susceptibility
derbynnydd *eg* receiver
derbynnydd cyffredinol *eg* universal recipient
derbynnydd electronau *eg* electron acceptor
derbynnydd poen *eg* pain receptor
derbynnydd ymestynnedd *eg* stretch receptor
deric *eg* derrick
dermatitis *eg* dermatitis
dermatoleg *eb* dermatology
dermatolegydd *eg* dermatologist
derw rheidd-dor *eg* quartered oak
derwen gorc *eb* cork oak
derwydd *eg* druid
derwyddiaeth *eb* druidism
desg *eb* desk
desgant *eb* descant
desibel *eg* decibel
determinant *eg* determinant (in mathematics)
detritws *eg* detritus (in biology)
detritysydd *eg* detritivore
dethol *be* select (in general)
dethol ar hap *be* randomly select
dethol naturiol *be* natural selection
detholedd *eg* selectivity
detholiad (=rhywbeth a ddewiswyd) *eg* selection
detholiad (=rhywbeth a dynnwyd o rywbeth mwy) *eg* extract (=part of something) *n*
detholiad rhywiol *eg* sexual selection
detholus *ans* selective
detholydd *eg* selector
detholyn *eg* seed (in sport)

deuad *eg* dyad
deuaidd *ans* binary
deuamgrwm *ans* biconvex
deuatomig *ans* diatomic
deuawd *eb* duet
deubegwn *ans* bipolar
deubyramid trigonol *eg* trigonal bipyramid
deuddeg dwsin *eg* gross (=144)
Deuddeg Erthygl (Gwrthryfel y Werin) *eb* Twelve Articles
deuddegfed *eg* twelfth
deuddegol *ans* duodecimal
deuddiwylliannol *ans* bicultural
deuelectrig *ans* dielectric *adj*
deuelectryn *eg* dielectric *n*
deufalent *ans* bivalent
deufetel *ans* bimetallic
deufodd *ans* bimodal
deufoleciwlaidd *ans* bimolecular
deuffocal *ans* bifocal
deufforchiad *eg* bifurcation
deufforchiog *ans* bifurcated
Deugain Erthygl Namyn Un *eb* Thirty Nine Articles
deugeiniau gwyllt *ell* roaring forties
deugellog *ans* bicellular
deugeugrwm *ans* biconcave
deuglust *eg* binaural
deugotyledon *eg* dicotyledon
deugraff *eg* digraph
deugywair *ans* bitonal
deugyweiredd *eg* bitonality
deuhedrol *ans* dihedral
deulais *ans* two part (in singing)
deulawr *ans* two storey
deulinol *ans* bilinear
deumer *eg* dimer
deunydd *eg* material (=information and other abstractions) *n*
deunydd ysgogi *eg* stimulus material
deunyddiau adnoddau *ell* resource materials
deunyddiau addysgu *ell* teaching materials
deunyddiau atodol *ell* support materials
deunyddiau dysgu *ell* learning materials
deuocsid *eg* dioxide
deuod *eg* diode
deuoecaidd *ans* dioecious
deuoedd *ell* twos
deuol *ans* dual
deuoliaeth *eb* dualism
deuolyn *eg* bicimal *n*
deupol *eg* dipole
deurannol *ans* bipartite
deuryw *ans* bisexual
deurywiad *eg* hermaphrodite *n*
deurywiol *ans* hermaphroditic
deusacarid *eg* disaccharide
deusad *eg* bistable
deuwraeth *eb* duumvirate
deuwriad *eg* duumvir

---

eg/b enw gwrywaidd/benywaidd, *feminine/masculine noun*　　**ell** enw lluosog, *plural noun*　　**v** berf, *verb*　　**n** enw, *noun*

dewin *eg* magician

dewiniaeth *eb* witchcraft

dewis *be* choose

dewis *eg* choice, option

dewis (o gynnyrch) *eg* range (of products)

dewis gwybodus *eg* informed choice

dewis gyrfa *eg* career choice

dewis hawdd *eg* soft option

dewis i rieni *eg* parental choice

dewis lluosog *eg* multiple choice

dewis oll *be* select all

dewis peidio â siarad *be* elective mutism

dewisiad sillafu *eg* spelling option

dewislen *eb* menu (of choices)

dewislen ffeilio *eb* filing menu

dewislen gopïo *eb* copy menu

dewislen gorlannu *eb* banding menu

dewislen gwympo *eb* drop-down menu

dewisol *ans* discretionary

dewiswr *eg* selector

diabas *eg* diabase

diabetig *ans* diabetic *adj*

diacen *ans* unaccented

diacinesis *eg* diakinesis

diacon *eg* deacon

diacones *eb* deaconess

diaffram *eg* diaphragm (in plants and animals other than mammals)

diagnosis *eg* diagnosis

diagnosis nyrsio *eg* nursing diagnosis

diagnosteg *eb* diagnostics

diagnosteg gwallau *eb* error diagnostics

diagnostig *ans* diagnostic

diagram *eg* diagram

diagram amlder cronnus *eg* cumulative frequency diagram

diagram amlinellol *eg* outline diagram

diagram bloc *eg* block diagram

diagram buanedd / amser *eg* speed/time diagram

diagram canghennog *eg* tree diagram

diagram croesrym *eg* shearforce diagram

diagram cyflymder *eg* velocity diagram

diagram cyflymder / amser *eg* velocity/time diagram

diagram cyflymiad / amser *eg* acceleration/time diagram

diagram cylched *eg* circuit diagram

diagram cynllunio *eg* schematic diagram

diagram dadleoliad *eg* displacement diagram

diagram dadleoliad / amser *eg* displacement/time diagram

diagram eglurhaol *eg* explanatory diagram

diagram fflurol *eg* floral diagram

diagram gwasgariad *eg* scatter diagram

diagram integrol *eg* integral diagram

diagram llawrydd *eg* freehand diagram

diagram llif *eg* flow diagram

diagram pelydrol *eg* ray diagram

diagram rhesymeg *eg* logic diagram

diagram saeth *eg* arrow diagram

diagram Venn *eg* Venn diagram

diagram wedi'i labelu *eg* labelled diagram

diangen *ans* redundant (=not needed)

dianghenraid *ans* non-essential

dial *eg* reprisal

dialysad *eg* dialysate

dialysis *eg* dialysis

dialysis peritoneaidd *eg* peritoneal dialysis

diamagnetedd *eg* diamagnetism

diamedr *eg* diameter

diamedr allanol *eg* outside diameter (o/d)

diamedr craidd *eg* core diameter

diamedr lleiaf *eg* minor diameter

diamedr mewnol *eg* inside diameter

diamedr mwyaf *eg* major diameter

diamedr pitsh cylch *eg* pitch circle diameter (P.C.D.)

diamedrol *ans* diametral

diamod *ans* unconditional

diamwys *ans* unambiguous

diapason *eg* diapason

diapason agored *eg* open diapason

diapason agored dwbl *eg* double open diapason

diapason dwbl *eg* double diapason

diaper *eg* diaper

diarddel (o gystadleuaeth) *be* disqualify

diarddel (o sefydliad, mudiad etc) *be* expel (from, institution movement)

diarddel o'r ras *be* disqualify from the race

diarddeliad (o eglwys, mudiad etc) *eg* expulsion (from movement)

diarddeliad (o gystadleuaeth) *eg* disqualification

diarfogi *be* disarm

diarffin *ans* unbounded

diarogl *ans* odourless

diarogli *be* deodorize

diaroglydd *eg* deodorant

diastas *eg* diastase

diastole *eg* diastole

diastroffedd *eg* diastrophism

diatbryn (mewn economeg) *ans* irredeemable (in economics)

diatonig *ans* diatonic

diatonyddiaeth *eb* diatonicism

dibetalog *ans* apetalous

diboblogaeth *eb* depopulation

diboblogi *be* depopulate

dibolarydd *eg* depolarizer

dibriod *ans* unmarried

dibrisiad (=colli gwerth) *eg* depreciation

dibrisiad (=gostwng gwerth) *eg* devaluation

dibrisiad cyfalaf *eg* capital depreciation

dibrisio *be* depreciate

dibrisio'r bunt *be* devaluation of the pound

dibwys *ans* negligible

dibyn *eg* precipice

dibynadwy *ans* reliable

---

dibynadwyaeth *eg* reliability

dibyniaeth *eb* dependency

dibyniaeth ar gyffuriau *eb* drug dependency

dibyniaeth gorfforol *eb* physical dependence

dibyniaeth linol *eb* linear dependence

dibyniaeth maes *eb* field dependence

dibynnedd glawiad *eg* rainfall reliability

dibynnol *ans* dependent

dibynnydd *eg* dependant

dichonadwy *ans* feasible

did (digid deuaidd) *eg* bit (in computing)

did arwydd *eg* sign bit

did cario *eg* carry bit

did deuaidd *eg* binary bit

did gorlif *eg* overflow bit

did gwybodaeth *eg* information bit

did lleiaf arwyddocaol *eg* least significant bit (LSB)

did mwyaf arwyddocaol *eg* most significant bit (MSB)

did paredd *eg* parity bit

did uchaf *eg* top bit

didau yr eiliad bits per second

dideimlad *ans* numb

didfap *eg* bitmap

didol borthi *be* creep feeding

didol borthi moch bach creep feeding of suckling pigs

didol borthi ŵyn bach creep feeding of lambs

didoli (anifeiliaid, gwybodaeth) *be* separate out (animals, information)

didoli (mewn cwestiynau arholiad) *be* discrimination (in exam questions)

didoli (wrth weinyddu achosion) *be* gatekeeping

didolnod *eg* diaeresis

didorredd gwledig-trefol *ell* rural-urban continuum

didostur *ans* unrelenting

didreiddedd *eg* opacity

didreiddydd *eg* opacifier

diduedd *ans* unbiased

didwyll *ans* candid

didyniad *eg* deduction (in arithmetic)

didynnu *be* deduct (in arithmetic)

diddanydd *eg* paraclete

diddeilio *be* defoliate

diddirdro *ans* torsion free

diddordeb *eg* interest (=concern, curiosity, pastime)

diddorol *ans* interesting

diddos *ans* waterproof

diddosi *be* waterproofing

diddwythiad *eg* deduction (theory)

diddwytho *be* deduce

diddwythwch *be* deduce that ... *(imperative)*

diddyfnu *be* wean

diddymiad (mewn cyfrifiadureg, cerddoriaeth) *eg* cancellation (in computing, music)

diddymiad (mynachlogydd etc) *eg* dissolution

diddymu (deddf) *be* repeal

diddymu (mewn cyfrifiadureg, cerddoriaeth) *be* cancel (in computing, music)

diddymu cromfachau *be* remove brackets

diddymu'r mynachlogydd *be* dissolution of the monasteries

diddymwr *eg* cancel key

dieithrio *be* alienate

diemwnt *eg* diamond

dienyddio *be* execute (=kill)

diestyn *ans* unstretched

diet *eg* diet

diet amrywiol *eg* varied diet

diet arbennig *eg* special diet

diet cytbwys *eg* balanced diet

diet gwella *eg* convalescent diet

Diet Worms *eg* Diet of Worms

dieteg *eb* dietetics

dietegol *ans* dietary

dietegydd *eg* dietitian

difandwll *ans* non-porous

difateroli *be* dematerialize

difeddiannu *be* expropriate

diferu *be* drop (of liquid) *v*

diferwydr *eg* spot drop glass

diferydd *eg* dropper

diferyn *eg* drop (of liquid) *n*

diferynnu *be* trickle

difetha *be* spoil

difetha bwyd spoiling of food

diflan *ans* vanished

diflanbwynt *eg* vanishing point

diflanedig *ans* extinct

diflannu *be* vanish

diflas (=anniddorol) *ans* boring (=uninteresting)

diflas (teimlo'n ddiflas) *ans* bored (=fed up)

diflastod *eg* boredom

diflewio *be* depilate

difodi *be* exterminate

difodiant *eg* liquidation (=annihilation)

difreintiedig *ans* underprivileged

difrod *eg* damage *n*

difrod i'r haen oson damage to the ozone layer

difrod maleisus *eg* malicious damage

difrodi *be* damage *v*

difwyniad *eg* adulteration

difwyno *be* adulterate

difydio *be* deprive (=depose clergyman from office)

difywoliaeth *ans* unbeneficed

difywyd *ans* inanimate

diffaith *ans* desolate

diffeithdir *eg* desert

diffeithdra *eg* dereliction

diffeithle *eg* desert place

diffeithdir trofannol *eg* tropical desert

differadwy *ans* differentiable

differadwyedd *eg* differentiability

differiad *eg* differentiation (in mathematics and physics)

differiad graffigol *eg* graphical differentiation

---

differol *ans* differential (in mathematics and physics) *adj*
differu *be* differentiate (in mathematics and physics)
differu rhannol *be* partial differentiation
differyn *eg* differential *n*
diffiniad *eg* definition
diffiniad problem *eg* problem definition
diffinio *be* define
diffodd *be* switch off
diffodd y golau *be* turn out the light
diffodd y tân trydan *be* turn the electric fire off
diffoddwr tân *eg* fire extinguisher
diffreithiant *eg* diffraction
diffreithio *be* diffract
diffrwyth *ans* barren
diffrwythloni *be* sterilize (in medical physiology)
difftheria *eg* diphtheria
diffyg (=nam) *eg* defect (=imperfection) *n*
diffyg (=prinder) *eg* deficiency (=lack, deficit)
diffyg (ar yr haul, y lleuad) *eg* eclipse (of sun, moon)
diffyg amlsynhwyraidd *eg* multi-sensory deprivation
diffyg ar y lleuad *eg* lunar eclipse
diffyg ar yr haul *eg* solar eclipse
diffyg cydbwysedd *eg* disequilibrium
diffyg cyllidol *eg* budget deficit
diffyg cynnydd *eg* failure to thrive
diffyg dŵr *eg* water deficit
diffyg echddygol *eg* motor defect
diffyg golau *eg* absence of light
diffyg gwybyddol *eg* cognitive deficit
diffyg hylif *eg* dehydration (of person)
diffyg maeth *eg* malnutrition
diffyg màs *eg* mass defect
diffyg mynegiant llafar *eg* expressive language disorder
diffyg parhad *eg* discontinuity
diffyg traul *eg* indigestion
diffyg ymaddasiad *eg* maladjustment
diffyg (ariannol) *eg* deficit
diffygiannol *ans* deficient
diffygiant *eg* deficiency (of nutrition)
diffygiol *ans* defective (=imperfect)
diffygion coed *ell* timber defects
diffygion naturiol (mewn pren) *ell* natural defects (in timber)
diffygwerth *eg* default value
diffyniad *eg* defence
diffyniadaeth *eb* apologetics
diffyniadol *ans* apologetic (of reasoned defence)
diffynnaeth *eb* protectionism
diffynnydd *eg* defendant
digartref *ans* homeless
digennu *be* descale
digid *eg* digit
digid cod deuaidd *eg* binary coded digit
digid deuaidd *eg* binary digit
digid hecs *eg* hex digit
digidiad *eg* digitation (in computing)

digido *be* digitize
digidol *ans* digital
digidydd *eg* digitizer
digoes *ans* sessile
digollediad *eg* indemnity (=compensation)
digolledu *be* compensate (=recompense)
digon *ans* sufficient
digonedd *eg* abundance (=plenty)
digonol *ans* adequate
digorff *ans* bodyless
digornio *be* dehorning
digramennu *be* debridement
digreiddiwr *eg* corer
digreiddiwr afal *eg* apple corer
digroeso *ans* inhospitable
digwyddiad *eg* event (=happening)
digwyddiad mawr *eg* major incident
digwyddiad critigol *eg* critical incident
digwyddiad ymyriadol *eg* interrupt event
digwyro *be* de-waxing
digwyro gydag ager *be* steam de-waxing
digyfeiliant *ans* unaccompanied
digyfnod *ans* aperiodic
digyfrifiannell *ans* non-calculator
digyfryngedd *eg* immediacy
digymar (am electronau) *ans* unpaired (of electrons)
digymell *ans* spontaneous
digywair *ans* atonal
digyweiredd *eg* atonality
digyweirydd *eg* atonalist
dihaenedig *ans* unstratified
dihalwyno *be* desalination
diheintiedig *ans* disinfected
diheintio *be* disinfect
diheintydd *eg* sterilizer
diheintydd *eg* disinfectant
diheurbrawf *eg* trial by ordeal
diheurbrawf dŵr *eg* ordeal by water
diheurbrawf tân *eg* ordeal by fire
dilawes *ans* sleeveless
dilead (deddfau etc) *eg* abolition
dilead (mewn cemeg) *eg* elimination (in chemistry)
dilead (yn gyffredinol) *eg* deletion
dilechdid *eg* dialectic
dileu (deddf etc) *be* abolish
dileu (mewn cemeg) *be* eliminate
dileu (yn gyffredinol) *be* delete
dileu caethwasiaeth *be* abolition of slavery
dileu drwy amnewid *be* elimination by substitution
dileubrint *eg* elimination print
dileubrintio *be* elimination printing
dilëwr (=bysell ar gyfrifiadur) *eg* delete key
dilëwr (yn gyffredinol) *eg* eraser
dilëwr gwm *eg* gum eraser
dilëydd *eg* eliminant

diliau mêl *ell* honeycomb
diloywi *be* delustre
dilyn *be* follow
dilyn ac arwain *be* lag and lead
dilyn drwodd *be* follow through *v*
dilyn llwybrau *be* following routes
dilyn ymlaen *be* follow on *v*
dilyniad cordiau *eg* chord progression
dilyniannol *ans* sequential

dilyniant (=gweithred, profiad dilynol) *eg* follow-up *n*
dilyniant (cymuned o anifeiliaid neu blanhigion) *eg* sere
dilyniant (mewn cerddoriaeth) *eg* sequence
dilyniant (mewn rhifyddeg) *eg* progression
dilyniant (tonnau) *eg* train (of waves)
dilyniant alawol *eg* melodic sequence
dilyniant cymhleth o symudiadau *eg* complex sequence of movements
dilyniant cynyddol *eg* increasing sequence
dilyniant galw *eg* calling sequence
dilyniant geometrig *eg* geometric progression
dilyniant harmonig *eg* harmonic sequence
dilyniant o gordiau *eg* chord sequence
dilyniant o gyfarwyddiadau *eg* sequence of instructions
dilyniant o symudiadau *eg* sequence of movements
dilyniant rhif *eg* number sequence
dilyniant rhifyddol *eg* arithmetical progression
dilyniant sleidiau *eg* slide sequence
dilyniant tâp *eg* tape sequence

dilynol (am weithred neu brofiad) *ans* follow-up *adj*
dilynol (mewn cerddoriaeth) *ans* consecutive
dilynol (yn gyffredinol) *ans* subsequent (in general) *adj*

dilynolion *ell* consecutives
dilynwr *eg* follower
dilynwr Barrow *eg* Barrowist
dilynwr cam *eg* cam follower
dilynwr ffurfiedig *eg* formed follower
dilynwr pwynt mewn-llinell *eg* in-line point follower
dilynwr rholer *eg* roller follower
dilynwr tangiadol *eg* tangential follower
dilys *ans* valid
dilysiad *eg* validation
dilysrwydd *eg* validity
dilysu *be* validate
dilysu data *be* data validation
dilysydd allanol *eg* external validator
dilysydd mewnol *eg* internal validator
dillad *ell* clothes
dillad anaddas *ell* inappropriate clothing
dillad gwarchod *ell* protective clothing
dillad gwely *ell* bed linen
dillad gwlân *ell* woollen garments
dillad gwyntglos *ell* windproof clothing
dillad hamdden *ell* leisure clothes
dillad isaf *ell* underwear
dillad nos *ell* nightwear
dillad plant bach *ell* toddlers' wear

dillad segura *ell* casuals
dillad traeth *ell* beachwear
dilladaeth *eb* drapery
dilledydd *eg* draper
dilledyn *eg* garment
dilledyn babygro *eg* babygro
dilledyn dwyffordd *eg* reversible garment
dilledyn llac *eg* flowing garment
dilledyn sail *eg* foundation garment
dim *eg* nought (=nothing)
dim adnoddau argraffu no printer driver
dim dim love all (tennis score)
dim lle no room
dim llithriad *eg* no drop
dim sgôr love (tennis score)
dimensiwn *eg* dimension *n*
dimensiwn dyfnder *eg* depth dimension
dimensiwn rhyngwladol *eg* international dimension
dimensiynau gorffenedig *ell* finished dimensions
dimensiynau hanfodol *ell* essential dimensions
dimensiynau lled agos *ell* rough dimensions
dimensiynau mwyaf *ell* maximum dimensions
dimensiynol *ans* dimensional
dimensiynu *be* dimension *v*
dinas *eb* city
dinas filiwn *eb* million city
dinasoedd Hansa *ell* Hanse cities
dinasyddiaeth *eb* citizenship
dinesig *ans* civic
dinistrio *be* destroy
dinistrio (castell) *be* slight (a castle)
diniwed *ans* naïve
dinoethi *be* expose (in photography)
dinoethiad *eg* exposure (in photography)
dinosor *eg* dinosaur
diod *eb* beverage
diod feddwol *eb* alcoholic drink
Dioddefaint *eg* Passion
dioddefwr *eg* victim
diofyn *ans* default *adj*
diofyniad *eg* default *n*
diofynnu *be* default *v*
diogel *ans* safe
diogelu *be* protect (=keep safe)
diogelu ffeil *be* file protection
diogelu rhag ysgrifennu *be* write protect
diogelwch *eg* safety
diogelwch meddalwedd *eg* software protection
diogelwch yn y dŵr *eg* water safety
diolch am y cynhaeaf *be* harvest thanksgiving
diorama *eg* diorama
diorit *eg* diorite
diorseddiad *eg* deposition (=dethronement)
diorseddu *be* depose (=dethrone)
dip *eg* dip *n*
dip gloywi *eg* bright dip
dipell *eb* dipper (oil painting)

---

eg/b enw gwrywaidd/benywaidd, *feminine/masculine noun*   **ell** enw lluosog, *plural noun*   **v** berf, *verb*   **n** enw, *noun*

dipell ddwbl *eb* double dipper

dipio *be* dip *v*

dipio poeth *be* hot dipping

diploid *ans* diploid

diploma *eg* diploma

diplomateg *eb* diplomatics

diplomydd *eg* diplomat

diplomyddiaeth *eb* diplomacy

diplomyddol *ans* diplomatic

diraddedig *ans* degraded

diraddiad *eg* degradation

diraddiad gosgeiddig *eg* graceful degradation

diraddio *be* degrade

dirdro *ans* twisted

dirdro *eg* torsion *n*

dirdroadol *ans* torsional *adj*

dirdroi *be* twist (=give spiral form to) *v*

Directoire *eg* Directory

dirgroes *ans* opposite (=diametrically different)

dirgryniad *eg* vibration *n*

dirgryniad ardraws *eg* transverse vibration

dirgryniad arhydol *eg* longtitudinal vibration

dirgryniad gorfod *eg* forced vibration

dirgrynol *ans* vibrating

dirgrynu *be* vibrate

diriaethol *ans* concrete *adj*

diriaetholi *be* concretization

diriant *eg* stress (in physics and chemistry)

diriant croesrym *eg* shearing stress

diriant tyniant *eg* tension stress

diriant tynnol *eg* tensile stress

dirlawn *ans* saturated

dirlawnder *eg* saturation

dirlenwi *be* saturate

dirmyg llys *eg* contempt of court

dirnad *be* apprehend (=understand)

dirnadaeth *eb* discrimination (=good taste)

dirprwy *eg* deputy

dirprwy bennaeth (ysgol) *eg* deputy head (of school)

dirprwy brifathrawes *eb* deputy headmistress

dirprwy cyffredinol *eg* commissary general

dirprwy glawswla *eg* substitute clausula

dirprwy lyngesydd *eg* rear-admiral

dirprwy lywodraethwr *eg* lieutenant governor

dirprwy raglaw *eg* deputy lieutenant

dirprwyad *eg* substitution (of person)

dirprwyaeth *eb* delegation

dirprwyo *be* delegate *v*

dirprwyo cyllidebau *be* delegation of budgets

dirprwyo eithaf *be* maximum delegation

dirprwyo gofynion *be* delegation of requirements

dirprwyo rheolaeth *be* delegate the management of

dirprwyol *ans* vicarious

dirwasgedd dilynol *eg* secondary depression

dirwasgiad *eg* recession (economical)

Dirwasgiad Mawr *eg* Great Depression

dirwy *eb* fine (=penalty) *n*

dirwy etifedd *eb* relief (fine)

dirwyn *be* wind *v*

dirwyniad *eg* winding *n*

dirwyniad cyfansawdd *eg* compound wound

dirwyniad cyfres *eg* series wound

dirwynydd *eg* winder

dirwyo *be* fine *v*

dirymiad *eg* revocation

dirymu *be* revoke

dirywiad *eg* deterioration

dirywiad bwyd *eg* food spoilage

dirywiaeth *eb* decadence (in art etc)

dirywiedig *ans* degenerate *adj*

dirywiedig n-blyg *ans* n-fold degenerate

dirywio *be* deteriorate

dis *eg* dice *n*

disbyddadwy *ans* exhaustible

disbyddedig *ans* exhausted (of seams of coal)

disbyddu *be* exhaust (=use up)

disebon *ans* soapless

disg (=gwrthrych fflat, tenau, crwn) *eg/b* disc

disg (ar gyfer cyfrifiadur) *eg/b* disk

disg caled *eg* hard disk

disg cerdyn tenau *eg* thin card disk

disg cetrisen *eg* cartridge disk

disg cychwynnol *eg* start-up disk

disg cyfnewidiadwy *eg* exchangeable disk

disg defnyddiwr *eg* user disk

disg dros dro *eg* scratch disk

disg echreiddig *eg* eccentric disc

disg fideo *eg* video-disk

disg fflans *eg* flange disc

disg gwag *eg* blank disk

disg gwasanaethu *eg* utility disk

disg gyrru *eg* driving disc

disg hyblyg *eg* floppy disk

disg hyblyg bychan *eg* mini-floppy disk

disg llyfnu *eg* sanding disc

disg magnetig *eg* magnetic disk

disg papur *eg* paper disc

disg rhyngfertebrol *eg* intervertebral disc

disg tyniant *eg* tension disc (machine part)

disg Winchester *eg* Winchester disk

disg y rhaglen *eg* program disk

disgen *eb* discus

disgifiad lefel *eg* level description

disgleirdeb *eg* brightness

disgleirdeb lliw *eg* brilliance of colour

disgleirydd optegol *eg* optical brightener

disgo *eg* disco

disgownt *eg* discount

disgownt masnach *eg* trade discount

disgresiwn *eg* discretion

disgrifiad *eg* description

disgrifiad graddau *eg* grade description

disgrifiad gronyn-gronyn *eg* particle-particle description

---

adf, adv adferf, adverb   ***ans, adj*** ansoddair, adjective   **be** berf, verb   **eb** enw benywaidd, *feminine noun*   **eg** enw gwrywaidd, *masculine noun*

disgrifiad llafar *eg* oral description
disgrifiad o'r rheolfan *eg* control description
disgrifiad problem *eg* problem description
disgrifiad swydd *eg* job description
disgrifiad ysgrifenedig *eg* written description
disgrifiadol *ans* descriptive
disgrifio *be* describe
disgrifydd *eg* descriptor
disgwyliad oes *eg* life expectancy
disgwyliadau oedolion *ell* adult expectations
disgwyliedig *ans* expected
disgybl *eg* pupil
disgybl aflonyddgar *eg* disruptive pupil
disgybl anystywallt *eg* disorderly pupil
disgybl cythryblus *eg* disturbed pupil
disgybl chweched dosbarth *eg* sixth former
disgybl dall *eg* blind pupil
disgybl iaith gyntaf *eg* first language pupil
disgybl is ei gyrhaeddiad *eg* lower attaining pupil
disgybl sy'n destun datganiad *eg* statemented pupil
disgybl sy'n gaeth i'w gadair *eg* chairbound pupil
disgyblaeth *eb* discipline
disgybledig *ans* disciplined
disgyblwr *eg* disciplinarian
disgyddiaeth *eb* discography
disgyn *be* descend
disgyn yn rhydd *be* free fall
disgynfan y bêl *eg* pitch of the ball
disgyniad *eg* descent
disgynnol *ans* descending
disgynnydd *eg* descendant
disgyrchiant *eg* gravity
disgyrrwr *eg* disk drive
dismwddio *ans* non-iron (finish)
dist *eg* joist
distadl *ans* trivial
distain *eg* comptroller
distal *ans* distal
distaw *ans* quiet
distawrwydd *eg* silence
distemper *eg* distemper
distrywiol *ans* destructive
distyll *eg* low water
distyllad *eg* distillate
distyllu *be* distil
distyllu ag ager *be* steam distillation
distyllu ffracsiynol *be* fractional distillation
diswyddiad *eg* dismissal from employment
diswyddo *be* dismiss from employment
disymud *ans* stagnant
disymudedd *eg* non-movement
ditiadwy *ans* indictable
ditio *be* indict
ditiad *eg* indictment
divertimento *eg* divertimento
diwedd cofnod *eg* end of record
diwedd dawns *eg* end of dance

diwedd ffeil *eg* end of file
diwedd gorchwyl *eg* end of job
diwedd maes *eg* end of field
diwedd pendant *eg* clear end
diwedd rhediad *eg* end of run
diwedd tâp *eg* end of tape
diwedd y data *eg* end of data
diwedd y mislif *eg* menopause
diwedd y ras *eg* end of the race
diweddaraf, y diweddaraf *eg* update *n*
diweddaru *be* update *v*
diweddbwynt *eg* end point
diweddeb *eg/b* cadence
diweddeb amen *eb* plagal cadence
diweddeb amherffaith *eb* imperfect cadence
diweddeb annisgwyl *eb* interrupted cadence
diweddeb berffaith *eb* perfect cadence
diweddeb cordiau gwreiddiol *eb* radical cadence
diweddeb ohiriedig *eb* suspended cadence
diweddeb 6/4 *eb* cadential 6/4
diweddeb swta *eb* abrupt cadence
diweddebol *ans* cadential
diweirdeb *eg* chastity
diweithdra *eg* unemployment
diweithdra lleol *eg* localized unemployment
diweithdra ysbeidiol *eg* casual unemployment
diwenwyn *ans* non-toxic
diwifr *ans* cordless
diwinyddiaeth *eb* theology
Diwinyddiaeth Asgetig *eb* Ascetic Theology
diwretig *ans* diuretic *adj*
diwretig *eg* diuretic *n*
diwrnod *eg* day (=period of 24 hours)
diwrnod agored *eg* open day
diwrnod cyfannol *eg* integrated day
diwrnod estynedig *eg* extended day
diwrnod gwobrwyo *eg* prize day
diwrnod haul *eg* solar day
diwrnod lleuad *eg* lunar day
diwrnod llys barn *eg* lawday
diwrnod sêr *eg* sidereal day
diws *eg* deuce
diwteron *eg* deuteron
diwydianeiddio *be* industrialize
diwydiannaeth *eb* industrialization
diwydiannau bri *ell* prestige industries
diwydiannau deilliedig *ell* spin off industries
diwydiannol *ans* industrial
diwydiant *eg* industry
diwydiant aelwyd *eg* domestic industry
diwydiant arfau *eg* armament industry
diwydiant ategol *eg* ancillary industry
diwydiant awyrennau *eg* aviation industry
diwydiant awyrofod *eg* aerospace industry
diwydiant brodorol *eg* indigenous industry
diwydiant canio *eg* canning industry

---

diwydiant cartref *eg* cottage industry
diwydiant ceir *eg* car industry
diwydiant cemegau *eg* chemical industry
diwydiant cynorthwyol *eg* auxiliary industry
diwydiant cynradd *eg* primary industry
diwydiant disbyddol *eg* robber industry
diwydiant echdynnol *eg* extractive industry
diwydiant ehangol *eg* expanding industry
diwydiant eilaidd *eg* secondary industry
diwydiant enciliol *eg* contracting industry
diwydiant gwasanaethu *eg* service industry
diwydiant gweithgynhyrchu *eg* manufacturing industry
diwydiant gwladoledig *eg* nationalized industry
diwydiant gwlân *eg* woollen industry
diwydiant llaethdy *eg* dairy industry
diwydiant metelegol *eg* metallurgical industry
diwydiant nwyddau traul *eg* consumer industry
diwydiant petrocemegol *eg* petrochemical industry
diwydiant rhydd *eg* foot-loose industry
diwydiant sy'n dirywio *eg* declining industry
diwydiant sylfaen *eg* basic industry
diwydiant tecstilau *eg* textile industry
diwydiant trwm *eg* heavy industry
diwydiant twf *eg* growth industry
diwydiant ymwelwyr *eg* tourist industry
diwydiant ysgafn *eg* light industry
diwydriad *eg* devitrification
diwygiad (Protestannaidd) *eg* reformation
diwygiad (yn gyffredinol) *eg* reform *n*
diwygiad (=adfywiad crefyddol) *eg* revival
diwygiad crefyddol *eg* religious revival
Diwygiad Harri VIII *eg* Henrician Reformation, The
Diwygiad Protestannaidd *eg* Reformation
diwygiedig *ans* reformed
diwygio *be* reform (=improve) *v*
diwygio amaethyddol *be* agrarian reform
diwygio cyfraith prydlesi *be* leasehold reform
diwygio etholiadol *be* electoral reform
diwygio seneddol *eg* parliamentary reform
diwygio'r carcharau *be* prison reform
diwygio'r deddfau cosbi *be* penal reform
diwygiwr *eg* reformer
diwylliannol *ans* cultural
diwylliannu *be* culturalization
diwylliant *eg* culture (=customs etc) *n*
diwylliant craidd *eg* core culture
diwylliant fflawiau *eg* flake culture
diwylliedig *ans* cultured (of person)
diymestyn *ans* non-stretch
di-ais *ans* unstrutted
di-blwm *ans* lead-free
di-breim *ans* unprimed
di-doi *be* unroof
di-dor *ans* continuous (=unbroken)
di-draidd *ans* opaque
di-ewynnu *be* defoaming

di-fias *ans* unbiased (in physics)
di-ffens *ans* unfenced
di-ffrwd *ans* streamless
di-grefft *ans* unskilled (of worker)
di-haint *ans* sterile (=free of micro-organisms)
di-ïonig *ans* non-ionic
di-liw *ans* colourless
di-lun *ans* misshapen
di-lwch *ans* dust-free
di-nwyo *be* degassing
di-rym *ans* null & void
di-staen *ans* non-smudge
di-waith *ans* unemployed
DMG: darllenydd marciau gweladwy *eg* OMR: optical mark reader
docfa *eb* berth *n*
docio *be* berth *v*
dod allan *be* emerge
dod i aros *be* come to rest
dod i oed *be* reach one's majority
dod o hyd i dystiolaeth obtain evidence
dod o hyd i fesuriadau obtain measurements
dodecaffoni *eg* dodecaphony
dodecaffonig *ans* dodecaphonic
dodecagon *eg* dodecagon
dodecahedron *eg* dodecahedron
dodrefn *ell* furniture
dodrefn datgysylltiol *ell* knockdown furniture
dodrefn fflatpac *ell* flatpack furniture
dodrefn meddal *ell* soft furnishings
dodrefn odyn *ell* kiln furniture
dodrefn parod i'w cydosod *ell* ready to assemble furniture
dodrefn pren plyg *ell* bentwood furniture
dodrefnyn sefydlog *eg* fitment
dodwyol *ans* oviparous
doethair *eg* apophthegm
doethuriaeth *eb* doctorate
dofednod *ell* poultry
dofi *be* domesticate
dogfen *eb* document *n*
dogfen barod *eb* previously prepared document
dogfen braint filwrol *eb* brevet
dogfen drosglwyddo *eb* transfer deed
dogfen ddrafft *eb* draft document
dogfen gynhenid *eb* source document
dogfennaeth *eb* documentation
dogfennaeth defnyddiwr *eb* user documentation
dogfennaeth rhaglen *eg* program documentation
dogfennu *be* document *v*
dogfennu system *be* document a system
dogn *eg* ration *n*
dogni *be* ration *v*
dogni bwyd *be* food rationing
doili *eg* doily
dôl *eb* meadow
dolbriddoedd *ell* meadow soils
doldrymau *ell* doldrums

---

adf, adv adferf, *adverb* **ans, adj** ansoddair, *adjective* **be** berf, *verb* **eb** enw benywaidd, *feminine noun* **eg** enw gwrywaidd, *masculine noun*

dolen (jwg, cwpan etc) *eb* handle (of jug, cup etc) *n*
dolen (mewn cadwyn) *eb* link (=loop or ring of chain) *n*
dolen (mewn cyfrifiadureg etc) *eb* loop
dolen (mewn gwniadwaith) *eb* bow (in needlework)

dolen a chwlwm loop and tie
dolen adborth *eb* feedback loop
dolen annherfynus *eb* non-terminating loop
dolen atal *eb* loop stop
dolen belt *eb* belt carrier
dolen borthiant awtomatig *eb* link for automatic feed
dolen botwm *eb* buttonhole loop
dolen bres *eb* brass handle
dolen dynhau *eb* tightening loop
dolen ddiddiwedd *eb* infinite loop
dolen ddylunio *eb* design loop
dolen edau *eb* worked loop
dolen fasged *eb* basket handle
dolen frêc *eb* brake handle
dolen gadwyn *eb* chain link
dolen gaeedig *eb* closed loop
dolen gamdro *eb* cranked handle
dolen grog *eb* hanging loop
dolen gwpan *eb* cup handle
dolen Henle *eb* Henle's loop
dolen lawes *eb* cufflink
dolen lemnisgat *eb* lemiscate loop
dolen llenni *eb* curtain ring
dolen mewngroth *eb* intrauterine loop
dolen nythol *eb* nested loop
dolen rouleau *eb* rouleau loop
dolen rych *eb* slotted link
dolen syth *eb* straight handle (hacksaw frame)
dolen wifren *eb* wire loop
dolennau drorau a chypyrddau *ell* drawer and cupboard pulls
dolennedd *eb* sinuosity
dolennog *ans* serpentine *adj*
dolennu *be* meander *v*
doler *eb* dollar
dolerit *eg* dolerite
doli *eb* dolly
dolin *eg* dolina
dolmen *eb* dolmen
dolmen porth *eg* portal dolmen
dolomit *eg* dolomite
dolur gwasgu *eg* pressure sore
dolur gwddf *eg* sore throat
dolur rhydd *eg* diarrhoea
domestig *ans* domestic
Dominicaidd *ans* Dominican *adj*
Dominiciad *eg* Dominican *n*
dominiwn *eg* dominion (=territory)
domino *eg* domino
dorsal *ans* dorsal
dortur *eg* dormitory
dos *eg* dose
dos angheuol *eg* fatal dose

dos atgyfnerthol *eg* booster dose
dos gormodol *eg* overdose
dosbarth (am ardal ddaearyddol) *eg* district (=division of county electing its own councillors)
dosbarth (yn gyffredinol) *eg* class
dosbarth adfer *eg* remedial class
dosbarth canol *eg* middle class
dosbarth cymdeithasol *eg* social class
dosbarth gallu cymysg *eg* mixed ability class
dosbarth gwaith *eg* working class
dosbarth isaf *eg* lower class
dosbarth llywodraethol *eg* ruling class
dosbarth meithrin *eg* nursery class
dosbarth modd *eg* modal class
dosbarth nos *eg* evening class
dosbarth rhentyddol *eg* rentier class
dosbarth uchaf *eg* upper class
dosbarthfa *eb* dispensary
dosbarthiad (=ffordd o drefnu llyfrau etc) *eg* classification *n*
dosbarthiad (yn gyffredinol) *eg* distribution (=sharing out or dispersal)
dosbarthiad byd-eang poblogaeth *eg* global distribution of population
dosbarthiad gofodol *eg* spatial distribution
dosbarthiad sengl *eg* single distribution
dosbarthiad unffordd *eg* one way classification
dosbarthol *ans* distributive
dosbarthu (=rhannu allan) *be* distribute (=share out)
dosbarthu (=trefnu) *be* classify
dosbarthu (e.e. myfyrwyr) *be* allocate (e.g. students)
dosbarthu cyfanwerth ac adwerth *be* wholesale and retail distribution
dosbarthu gwybodaeth *be* classify information
dosbarthydd *eg* distributor
dosraniad (=dosbarthiad) *eg* distribution (=division into parts, classification)
dosraniad (mewn mathemateg) *eg* partition (in mathematics) *n*
dosraniad amlder *eg* frequency distribution (in statistics)
dosraniad amlder cronnus *eg* cumulative frequency distribution
dosraniad normal *eg* normal distribution
dosraniad samplu *eg* sampling distribution
dosraniad samplu union *eg* exact sampling distribution
dosrannol *ans* parsing
dosrannu (mewn mathemateg) *be* partition (in mathematics) *v*
dosrannu (mewn ystadegaeth) *be* distribute (in statistics)
dosrannu cyfartal *be* equal partition
dot *eb* dot *n*
dotbwnsio *be* dot punching
dotio *be* dot *v*
dotwaith *eg* stipple *n*
dotweithio *be* stipple *v*
dowcio *be* ducking

---

do-si-do *eg* do-se-do
draen *eg* drain *n*
draenen *eb* spine (of plants, fish, hedgehogs etc)
draeniad *eg* drainage (in general)
draeniad mewnblewrol *eg* intrapleural drainage
draenio *be* drain *v*
draenio sêl tanddwr *be* underwater seal drainage
draenogiad y môr *eg* bass (sea perch)
drafft *eg* draft *n*
drafft bras *eg* rough draft
drafftio *be* draft *v*
drafftio patrwm *be* draft a pattern
drafftsmon *eg* draughtsman
drafftsmonaeth *eb* draughtsmanship
dragŵn *eg* dragoon
drama *eb* drama
drama (mewn opera) *eb* action (in opera)
drama deledu *eb* television drama
drama delynegol *eb* lyric drama
drama firagl *eb* mystery play
drama gerdd *eb* music drama
drama gyfnod *eb* period play
drama mewn addysg *eb* drama in education
dramateiddio *be* dramatize
dramatig *ans* dramatic
dreif *eb* drive *n*
dreif gyfar *eb* cover drive
dreif ochr agored *eb* off drive
dreif ochr goes *eb* on drive
dreif syth *eb* straight drive
dreif uchel *eb* lofted drive
dreifio'r bêl *be* drive the ball
dreser *eb* dresser
dresin *eg* dressing (for salad)
dresin belt *eg* belt dressing
dresin had *eg* seed dressing
dribl *eg* dribble *n*
dribl dwbl *eg* double dribble
driblo *be* dribble *v*
driblo gwrthdro *be* reverse stick dribble
driblwr *eg* dribbler
drifft *eg* drift *n*
drifft allwedd *eg* key drift
drifft cyfandirol *eg* continental drift
Drifft Gogledd Iwerydd *eg* North Atlantic Drift
drifft llacio *eg* ejector drift
drifft rhewlifol *eg* glacial drift
drifft sgwâr *eg* square drift
drifft tapr *eg* taper drift
drifft y glannau *eg* longshore drift
drifter *eb* drifter
drifftio *be* drift *v*
dringen *eb* pitch (in mountaineering) *n*
dringo *be* climb
dringo'n uchel *be* climb high
dril *eg* drill *n*
dril Archimedes *eg* Archimedean drill

dril arwain *eg* pilot drill
dril brest *eg* breast drill
dril canoli *eg* centre drill (slocombe)
dril canoli cyfunol *eg* combination drill
dril clicied *eg* ratchet drill
dril cliriad *eg* clearance drill
dril cludadwy *eg* portable drill
dril cyflym iawn *eg* high speed drill
dril dirdro *eg* twist drill
dril dymchwel *eg* capsize drill
dril ffliwt syth *eg* straight flute drill
dril garan dapr *eg* taper shank drill
dril garan syth *eg* straight shank drill
dril gwaith maen *eg* masonry drill
dril gwrthsoddi *eg* countersink drill
dril hau *eg* seed drill
dril jobwr *eg* jobber's drill
dril llaw *eg* hand drill
dril mainc *eg* bench drill
dril Morse *eg* Morse drill
dril morthwyl *eg* hammer drill
dril pedestal *eg* pedestal drill
dril piler *eg* pillar drill
dril pin *eg* pin drill
dril rhychio *eg* slotting drill
dril tanc *eg* tank drill
dril tapio *eg* tapping drill
dril trydan *eg* electric drill
dril trydan cludadwy *eg* portable electric drill
drilio *be* drill *v*
drilio arwain *be* pilot drilling
drilio cadwynol *be* chain drilling
driliwr *eg* driller
dripsych *ans* drip-dry *adj*
dripsychu *be* drip-dry *v*
drôn *eg* drone
drôr *eg* drawer
drôr crog *eg* suspended drawer
drôr storio *eg* storage drawer
drôr-gryfhawr *eg* drawer slip
drôr-gryfhawr crwm *eg* rounded drawer slip
drôr-gryfhawr cyfwyneb *eb* flush drawer slip
drôr-gryfhawr fflat *eg* flat drawer slip
dros bwysau *adf* overweight *adv*
dros dro *ans* temporary
drwm *eg* drum
drwm a ffyn drum and sticks
drwm ager *eg* steam drum
drwm bas *eg* bass drum
drwm brêc *eg* brake drum
drwm gwifrau *eg* snare drum
drwm ochr *eg* side drum
drŵp *eg* drupe
drws *eg* door
drws barrog *eg* barred doors
drws cleddog *eg* braced door
drws cleddog solet *eg* solid cleated door

---

adf, adv adferf, *adverb*   **ans, adj** ansoddair, *adjective*   **be** berf, *verb*   **eb** enw benywaidd, *feminine noun*   **eg** enw gwrywaidd, *masculine noun*

drws craidd wedi'i ymylu a'i argaenu *eg* core, lipped and veneered door

drws crwybr gwenyn *eg* honeycombed door

drws cyfwyneb *eg* flush door

drws dwbl-wydrog *eg* double-glazed door

drws esgyn *eg* up and over door

drws fframiog *eg* framed door

drws gostwng *eg* drop-down door

drws gwydrog *eg* glazed door

drws llithro *eg* sliding door

drws panelog *eg* panelled door

drws pren amlhaenog *eg* multi-ply door

drws pren haenog *eg* veneered ply door

drws pren solet *eg* solid wood door

drws tabwrdd *eg* tambour door

drws ysgafellog *eg* ledged door

drych *eg* mirror

drych safle *eg* mirror site

drychddelwedd *eb* mirror image

drychganon *(eb/g)* mirror canon

drych-ysgrifennu *be* mirror writing

drygioni *eg* evil

dryll *eb* shotgun

drylliad *eg* wreck *n*

drylliad cardiau *eg* card wreck

dryllio *be* shatter

dryllwyr *ell* wreckers

drymiwr *eg* drummer

drymlin *eb* drumlin

drysfa *eb* maze

dryslwyn *eg* thicket

drysu *be* confuse *vi*

drysu (gobeithion) *be* frustrate (hopes)

du *eg* black

du ifori *eg* ivory black

du lamp *eg* lamp black

dueg *eb* spleen

duegol *ans* splenic

dug *eg* duke

Dug Efrog *eg* Duke of York

Dug Lancaster *eg* Duke of Lancaster

dugaeth *eb* duchy

duges *eb* duchess

dugol *ans* ducal

dulas *eg* ultramarine

dulasedd *eg* cyanosis

dulciana *eg* dulciana

dull (mewn nofio) *eg* stroke (=mode of swimming)

dull (yn gyffredinol) *eg* method

dull anffurfiol *eg* informal approach

dull o fyw *eg* lifestyle

dull adio cyfartal *eg* equal addition method

dull adio cyflenwol *eg* complementary addition method

dull anffurfiol *eg* informal method

dull arbrofol *eg* experimental method

dull archwilio *eg* exploration method

dull argraffu *eg* printing method

dull arllwys *eg* pouring method

dull a, b, c *eg* alphabetic method

dull cau *eg* fastenings

dull ceidwadol *eg* conservative method

dull confensiynol *eg* conventional method

dull cyfannu *eg* cloze procedure

dull cyfansoddi *eg* method of composition

dull cyfrifiannu *eg* computational method

dull cyfrifo *eg* calculating method

dull cylch ategol *eg* auxiliary circle method

dull cymysg *eg* mixed method

dull cymysgu lliwiau *eg* method of colour mixing

dull chwyrlio *eg* whisking method

dull dadelfennu *eg* decomposition method

dull digyfrifiannell *eg* non-calculator method

dull diogelu *eg* protection mechanism

dull dysgu *eg* learning method

dull dysgu drwy weithgaredd *eg* activity method

dull edrych a dweud *eg* look and say method

dull empirig *eg* empirical method

dull enwi binomaidd *eg* binomial nomenclature

dull ffonig *eg* phonic method

dull geometregol *eg* geometrical method

dull gorchymyn ac ymateb *eg* command-response method

dull graddio *eg* ranking method

dull gweithdy *eg* workshop approach

dull gweithredu *eg* procedure (of series of actions)

dull gweithredu diogel *eg* safety procedure

dull gwyddonol *eg* scientific method

dull hufennu *eg* creaming method

dull ieithyddol *eg* linguistic method

dull iterus *eg* iterative method

dull llwybr critigol *eg* critical path method (CPM)

dull nofio *eg* swimming stroke

dull o fowlio *eg* bowling method

dull o gyfathrebu *eg* means of communication

dull o redeg *eg* running method

dull o weithredu arbrawf *eg* experimental procedure

dull petryal *eg* rectangle method

dull pin a llinyn *eg* pin and string method

dull plentyn ganolog *eg* child-centred approach

dull rhwbio *eg* rubbing method

dull rhwystrol *eg* barrier method

dull rhydd *eg* free style

dull samplu *eg* sampling method

dull Simpson *eg* Simpson's rule

dull siswrn *eg* scissors (method)

dull storïol *eg* story method

dull symud *eg* means of propulsion

dull toddi (mewn coginio) *eg* melting method (in cooking)

dull thematig *eg* thematic approach

dull uned *eg* unitary method

dull uniongyrchol *eg* direct method

dull y mesuryn canol *eg* mid-ordinate rule

dull ymchwiliol *eg* investigative method

---

dull yr hanesydd *eg* historical method
dulliau addysgu *ell* teaching methods
dulliau cywasgu testun *ell* text compression techniques
dulliau mesur *ell* measuring methods
dulliau o orffeniadau *ell* types of finishes
duo *be* blacking (decorative process)
duo ag olew *be* oil blacking
duon a gwynion blacks and whites
dur *eg* steel
dur aloi *eg* alloy steel
dur arian *eg* silver steel
dur bwrw *eg* cast steel
dur canol *eg* malleable iron (ferrous metal)
dur carbon *eg* carbon steel
dur carbon canolig *eg* medium carbon steel
dur carbon uchel *eg* high carbon steel
dur crai *eg* raw steel
dur crwsibl *eg* crucible steel
dur gwrthstaen *eg* stainless steel
dur meddal *eg* mild steel
dur meddal du *eg* black mild steel (B.M.S.)
dur meddal gloyw *eg* bright mild steel (B.M.S.)
dur meddal gloyw wedi'i dynnu *eg* bright drawn mild steel (B.D.M.S.)
dur offer *eg* tool set steel
dur pothell *eg* blister steel
dur tiwbaidd *eg* tubular steel
dur twngsten *eg* tungsten steel
dur ucheldynnol *eg* high tensile steel
durlifion *ell* steel filings
duvet *eg* duvet
Duw *eg* God
duw *eg* god
duwioldeb *eg* piety
duxelles *ell* duxelles
dwbl *ans* double *adj*
dwbl *eg* double *n*
dwbl hansiedig *ans* double haunched
dwbled *eb* doublet
dwdlan *be* doodling
dwfn *ans* deep
dwlsimer *eg* dulcimer
dwma *eg* duma
dwnsiwn *eg* dungeon
dwodenwm *eg* duodenum
dwplecs *eg* duplex
dwplecs cyflawn *eg* full-duplex
dŵr *eg* water *n*
dŵr achlysurol *eg* casual water
dŵr berw *eg* boiling water
dŵr calch *eg* lime water
dŵr caled *eg* hard water
dŵr claear *eg* lukewarm water
dŵr croyw *eg* freshwater
dŵr cylchredol *eg* water circulation (central heating system)
dŵr daear *eg* ground water (=phreatic water)

dŵr distyll *eg* distilled water
dŵr ffo *eg* run-off
dŵr glaw *eg* rainwater
dŵr grisialu *eg* water of crystallization
dŵr haidd *eg* barley water
dŵr lled hallt *eg* brackish water
dŵr llonydd *eg* still water
dŵr mwynol *eg* mineral water
dŵr rhedegog *eg* flowing water
dŵr sebon *eg* soapy water
dŵr silicad *eg* water glass
dŵr tawdd *eg* melt water
dŵr trwm *eg* heavy water
dŵr wedi'i ferwi *eg* boiled water
dŵr y môr *eg* sea-water
dwralwmin *eg* duralumin
dwramen *eg* duramen
dwrfeithriniad *eg* water culture
dwrglos *ans* water tight
dwrlawn *ans* water logged
dwrn (llaw) *eg* fist
dwrn (peiriant) *eg* stock (of machine)
dŵr-wrthiannol *ans* water-resistant
dwy ar y bêl *eb* two on the ball (of women)
Dwy Erthygl a Deugain *eb* Forty Two Articles
dwy gaten *eb* two bails
dwy law i ffurfio pont double arch (in dance)
Dwyfol Hawl Brenhinoedd *eb* Divine Right of Kings
dwyffordd *ans* reversible (of garment)
dwygragennog *ans* bivalve *adj*
dwyieithog *ans* bilingual *adj*
dwyieithrwydd *eg* bilingualism
dwyieithrwydd cynyddol *eg* additive bilingualism
dwyieithrwydd gostyngol *eg* subtractive bilingualism
dwyieithrwydd llawn *eg* full bilingualism
dwyochredd *eb* reciprocity
dwyochrog *ans* reciprocal (in general) *adj*
dwyochrol *ans* bilateral
dwyochrol gymesur *ans* bilaterally symmetrical
dwyrain (Dn) *eg* east (E)
Dwyrain Agos *eg* Near East
Dwyrain Canol *eg* Middle East
Dwyrain Pell *eg* Far East
Dwyrain, Y *eg* Orient, The
dwyran *ans* two-part *adj*
dwyrannu *be* bisect (=divide in two)
dwyreiniad *eg* easting
dwys (am ansawdd sain, ffiseg etc) *ans* dense (of sound quality, in physics etc)
dwys (yn gyffredinol) *ans* intense
dwysáu (am wrthdaro) *be* escalate (of conflict)
dwysáu (saws) *be* concentrate (sauce)
dwysedd *eg* density
dwysedd anwedd *eg* vapour density
dwysedd data *eg* data density
dwysedd didol *eg* bit density

dwysedd dwbl *eg* double density

dwysedd pacio *eg* packing density

dwysedd poblogaeth isel *eg* low population density

dwysedd poblogaeth uchel *eg* high population density

dwysedd sengl *eg* single density

dwysedd terfannol *eg* limiting density

dwystroc *ans* two-stroke

dwythell *eb* duct

dwythell bancreatig *eb* pancreatic duct

dwythell betryal *eb* rectangular duct

dwythell ddagrau *eb* tear duct

dwythell echdynnu aer *eb* air extraction duct

dwythell Müller *eb* Müllerian duct

dwythell wyau *eb* oviduct

dwythell y bustl *eb* bile duct

dwywaith maint llawn twice full size

dyblu *be* double *v*

dyblyg *ans* duplicate *adj*

dyblygeb *eb* duplicate *n*

dyblygiad *eg* duplication

dyblygu *be* duplicate *v*

dyblygydd *eg* reproducer

dyblygydd cardiau *eg* card reproducer

dychmygol *ans* imaginary

dychweledig *eg* repatriate *n*

dychweliad *eg* return *n*

dychweliad caled *eg* hard return

dychweliad lletraws *eg* angled return

dychwelwr *eg* return key

dychwelyd *be* return *v*

dychwelyd i'r brif ddewislen *be* back to main menu

dychwelyd i'r cadwedig *be* revert to saved

dychwelydd *eg* carriage return

dychymyg *eg* imagination

dychymyg cyffyrddol *eg* tactile imagination

dydd *eg* day (with named days and as opposed to night)

dydd a nos day and night

dydd gweithiwr *eg* man-day

Dydd Gwener Du *eg* Black Friday

Dydd Gwener y Groglith *eg* Good Friday

dydd gŵyl *eg* feast day

Dydd Gŵyl Dewi *eg* Saint David's Day

Dydd Iau Cablyd *eg* Maundy Thursday

Dydd Iau Dyrchafael *eg* Ascension Thursday

Dydd Mercher Lludw *eg* Ash Wednesday

Dydd Mers *eg* day of the March

Dydd y Baricedau *eg* Day of Barricades

Dydd y Cofio *eg* Remembrance Day

Dydd y Cymod *eg* Day of Atonement

Dydd y Farn *eg* Judgement Day

Dydd y Twyllo *eg* Day of Dupes

dyddgwaith *eg* day-work

dyddiad *eg* date (on calendar)

dyddiad creu *eg* creation date

dyddiad cychwyn *eg* commencement date

dyddiad derbyn *eg* delivery date

dyddiadur *eg* diary

dyddiedig *ans* dated (=containing the date)

dyddio carbon *be* carbon dating

dyddiol *ans* daily

Dyddlinell *eb* International Date Line

dyddodi *be* deposit (chemical, silt etc) *v*

dyddodiad *eg* deposition (of sediment)

dyddodion affwys (y cefnfor) *ell* abyssal deposits (of the ocean)

dyddodion allolchi *ell* outwash deposits

dyddodion arwynebol *ell* superficial deposits

dyddodion gweddill *ell* residual deposits

dyddodion halen *ell* salt deposits

dyddodion neritig *ell* neritic deposits

dyddodyn *eg* deposit (chemical, silt etc) *n*

dyddradd *eb* day degree

dyfais *eb* device

dyfais ailgynnau fflam *eb* flame-failure device

dyfais allbynnu *eb* output device

dyfais arbed gwaith *eb* labour-saving device

dyfais drydanol *eb* electrical appliance

dyfais ddal *eb* holding device

dyfais ffitio *eb* fitting device

dyfais glampio *eb* clamping device

dyfais gloi *eb* locking device

dyfais gydgloëdig *eb* interlocking device

dyfais gydio wrth wal *eb* wall-attachment device

dyfais gymhwyso *eb* adjusting device

dyfais lanhau *eb* cleaning appliance

dyfais lwybro *eb* tracking device

dyfais mewnbwn/allbwn *eb* input/output device

dyfais resbiradol *eb* respiratory device

dyfais sicrhau *eb* fastening device

dyfais wrthderfysgol *eb* anti-terrorist device

dyfalbarhad *eg* perseverance

dyfaliad *eg* conjecture

dyfarniad *eg* award, judgement

dyfarniad amodol *eg* decree nisi

dyfarniad dwbl *eg* double award

Dyfarniad Sengl *eg* Single Award

dyfarnu *be* award, judge *v*

dyfarnu iawndal *be* award damages

dyfarnwr *eg* referee (male, in sport)

dyfarnwraig *eb* referee (female, in sport)

dyfeisgar *ans* inventive

dyfeisgarwch *eg* ingenuity

dyfeisio *be* invent

dyfeisiwr *eg* inventor

Dyfnaint *eb* Devon

dyfnant *eb* ravine

dyfnder *eg* depth

dyfnhau *be* deepen

dyfodiad *eg* arrival (of person)

dyfodol agos *eg* near future

dyfodolaidd *ans* futuristic

dyfodoliaeth *eb* futurism

Dyfodolwyr *ell* Futurists

dyfredig *ans* irrigated

---

eg/b enw gwrywaidd/benywaidd, *feminine/masculine noun*   *ell* enw lluosog, *plural noun*   *v* berf, *verb*   *n* enw, *noun*

dyfrfan *eg* watering place
dyfrffordd *eb* waterway
dyfrhad *eg* irrigation
dyfrhau *be* irrigate
dyfrlliw *eg* water-colour
dyfrllyd *ans* aqueous
dyfrnod *eg* watermark
dyfroedd cylchredol *ell* circulating waters
dyfroedd tiriogaethol *ell* territorial waters
dyfrol *ans* aquatic
dyfrsail *ans* water-based
dyfr-haen *eb* aquifer
dyfyniad *eg* quotation
dyfynnod *eg* quotation mark
dyfynnod dwbl *eg* double quote
dyfynnod sengl *eg* single quote
dyffryn *eg* valley
dyffryn afonydd river valley
dyffryn boddedig *eg* drowned valley
dyffryn cafnog *eg* trough shaped valley
dyffryn cynfodol *eg* pre-existing valley
dyffryn ffurf U *eg* U shaped valley
dyffryn hollt *eg* rift valley
dyffryn sych *eg* dry valley
dyffryndir *eg* vale
dyffryndir afon *eg* valley tract
dyffryndir clai *eg* clay vale
dyffrynnoedd pell oddi wrth ei gilydd *ell* widely spaced valleys
dygnwch *eg* endurance
dygnwch y cyhyrau *eg* muscular endurance
dygwydd glawiad *eg* incidence of rainfall
dygyfor *be* surge
dyngarîs *eg* dungarees
dyhead *eg* desire
dyhefod *be* pant
dyhuddiad *eg* appeasement
dyhuddo *be* appease
dylanwad *eg* influence *n*
dylanwad rhieni *eg* parental influence
dylanwadu *be* influence *v*
dyled *eb* debt
dyled ocsigen *eb* oxygen debt
dyled wladol *eb* national debt
dyledogaeth llys *eb* suit of court
dyledus *ans* indebted
dyledwr *eg* debtor
dylifiad *eg* influx
dylifiadau rhwydwaith *ell* network flows
dylsiton *eg* dulcitone
dyluniad *eg* design (=sketch or plan drawn) *n*
dyluniad batik *eg* design of a batik
dyluniad border *eg* border design
dyluniad geometrig *eg* geometric design
dyluniad gwreiddiol *eg* original design (of sketch etc)
dyluniad haniaethol *eg* abstract design (of drawing)
dyluniad llawrydd *eg* freehand design

dylunio *be* design (=draw a plan) *v*
dylunydd *eg* designer
dylunydd Bauhaus *eg* Bauhaus designer
dylunydd patrymau *eg* pattern designer
dylunydd siâp *eg* shape designer
dylyfu gên *be* yawn
dymchwel *be* topple
dymi *eg* dummy
dymp deuaidd *eg* binary dump *n*
dympio *be* dump *v*
dympio deuaidd *be* binary dump *v*
dymunol *ans* pleasing
dymunol yr olwg *ans* visually pleasing
dyn canol *eg* middleman
dyn hysbys *eg* cunning man
dyn y tywydd *eg* weather forecaster (male and in general)
dynameg *eb* dynamics
dynameg grŵp *eb* group dynamics
dynamegol *ans* dynamical
dynameit *eg* dynamite
dynamig *ans* dynamic *adj*
dynamo *eg* dynamo
dynamometr *eg* dynamometer
dynatron *eg* dynatron
dyneiddiaeth *eb* humanism
dyneiddiol *ans* humanistic
dyneiddiwr *eg* humanist
dyngarol *ans* humanitarian *adj*
dyngarwch *eg* humanitarianism
dyngarwr *eg* humanitarian *n*
dyniaethau *ell* humanities
dynodedig *ans* designated
dynodi *be* denote
dynodi cord *be* chord indication
dynodwr *eg* identifier
dynodyn mêl *eg* honey guide
dynol *ans* human *adj*
dynoliaeth *eb* humanity
dynwared *be* imitate
dynwarededd *eg* mimicry
dynwarediad *eg* imitation
dynwarediad canonaidd *eg* canonic imitation
dynwaredol *ans* imitative
dyraniad (adnoddau etc) *eg* allocation (of resources, marks)
dyraniad (anifail mewn labordy) *eg* dissection
dyraniad arian *eg* cash allocation
dyraniad atodol *eg* supplementary allocation
dyraniad storfa *eg* storage allocation
dyrannu (adnoddau etc) *be* allocate (resources etc)
dyrannu (anifail mewn labordy) *be* dissect
dyrannu dynamig *be* dynamic allocation
dyrchafiad *eg* promotion
dyrnfedd *eg* hand-breadth (=4 inches)
dyrnod *eb* punch (=blow) *n*
dyrnod bwt *eb* short punch
dyrnod gwar *eb* rabbit punch

---

adf, adv adferf, *adverb*   **ans, adj** ansoddair, *adjective*   **be** berf, *verb*   **eb** enw benywaidd, *feminine noun*   **eg** enw gwrywaidd, *masculine noun*

dyrnu *be* punch (=strike)
dyrnwr medi *eg* combine harvester
dysentri *eg* dysentery
dysffasia *eg* dysphasia
dysg *eb* learning
Dysg Newydd *eb* New Learning
dysgeidiaeth *eb* teaching
dysgeidiaeth grefyddol *eb* religious teaching
dysgl *eb* dish
dysgl anweddu *eb* evaporating basin
dysgl Petri *eb* Petri dish
dysgu *be* learn
dysgu agored *be* open learning
dysgu annibynnol *be* independent learning
dysgu antur *be* adventure learning
dysgu ar y cof *be* memorize
dysgu blaenorol *be* prior learning
dysgu cyfannol *be* integrated learning
dysgu dan arweiniad cyfrifiadur *be* computer managed learning (CML)
dysgu drwy brofiadau *be* experiential learning
dysgu drwy ddynwared *be* imitative learning

dysgu drwy gymorth cyfrifiadur *be* computer aided learning (CAL)
dysgu drwy weithgaredd *be* activity learning
dysgu goddefol *be* passive learning
dysgu gwybyddol *be* cognitive learning
dysgu iaith *eg* language learning
dysgu meistrolaeth *be* mastery learning
dysgu o bell *be* distance learning
dysgu uniongyrchol *be* direct learning
dysgwr *eg* learner
dysgwr amharod *eg* reluctant learner
dysgwr uwch *eg* advanced learner
dyslecsia *eg* dyslexia
dyslecsia caffaeledig *eg* acquired dyslexia
dyslecsig *ans* dyslexic
dyspeptig *ans* dyspeptic
dyspnoea *eg* dyspnoea
dysprosiwm (Dy) *eg* dysprosium (Dy)
dysychedig *ans* desiccated
dysychiad *eg* desiccation
dyweddïad *eb* betrothal

Dd

ddim allan not out

E

E fwyaf *eb* E major
E leiaf *eb* E minor
eang *ans* extensive
eang-grededd *eg* latitudinarianism
eang-gredwr *eg* latitudinarian
ebediw *eg* heriot
ebill *eg* bit (of drill etc)
ebill canoli *eg* centre bit
ebill canoli patrwm newydd *eg* new pattern centre bit
ebill cobra *eg* cobra bit
ebill cragen *eb* shell bit
ebill cyweirio *eg* tuning pin
ebill dril *eg* drill bit
ebill Forstner *eg* Forstner bit
ebill gwrthsoddi *eg* countersink bit
ebill gwrthsoddi malwen *eg* snail bit
ebill gwrthsoddi rhychog *eg* rose countersink bit
ebill hoelbren *eg* dowel bit
ebill llwy *eg* spoon bit
ebill slic *eg* slick bit
ebill taradr solet *eg* solid auger bit
ebill tro *eg* twist bit
ebill tro Irwin *eg* Irwin twist bit
ebill tro Jennings *eg* Jennings twist bit
ebill tyrnsgriw *eb* screwdriver bit
ebill ymledu *eg* expansive bit
ebillres *eb* machine heads
ebol *eg* buck, colt
ebol ar groes *eg* buck crosswise
eboneiddio *be* ebonizing
eboni *eg* ebony
e-bost *eg* e-mail
ebrwydd *ans* instantaneous
ebwliosgopaeth *eg* ebullioscopy
ebwliosgopig *ans* ebullioscopic
ebychiad *eg* burst
ebychnod *eg* exclamation mark
ecdysis *eg* ecdysis
eciwmeniaeth *eb* ecumenism
eclair *eb* eclair
eclectig *ans* eclectic
ecliptig *ans* ecliptic
ecoclin *eg* ecocline
ecolalia *eg* echolalia
ecoleg *eb* ecology
ecoleg ffactoraidd *eb* factorial ecology
ecolegol *ans* ecological
economaidd *ans* economic

economaidd gymdeithasol *ans* socio-economic
economeg *eb* economics
economeg addysgu *eb* economics of education
economeg wleidyddol *eb* political economy
economeg y cartref *eb* home economics
economegydd *eg* economist
econometreg *eb* econometrics
economi *eg/b* economy
economi arian *eg* money economy
economi cytbwys *eg* balanced economy
economi disbyddol *eg* robber economy
ecorywogaeth *eb* ecospecies
ecosystem *eb* ecosystem
ecotôn *eg* ecotone
ecseis *eg* excise
ecseismon *eg* exciseman
ecsema *eg* eczema
ecsergonig *ans* exergonic
ecsothermig *ans* exothermic
ecsploetiaeth *eb* exploitation
ecsploetio *be* exploit (=use unfairly)
ectoderm *eg* ectoderm
ectoparasit *eg* ectoparasite
ectoplasm *eg* ectoplasm
ecwilibreiddio *be* equilibrate
ecwilibriwm dynamig *eg* dynamic equilibrium
ecwiti *eg* equity (jurisdiction)
echalaethog *ans* extra galactic
echblyg *ans* explicit (in mathematics)
echdoriad folcanig *eg* volcanic eruption
echdoriad yr haul *eg* solar eruption
echdorri *be* erupt
echdroad *eg* eversion
echdyniad *eg* extraction
echdyniad â hydoddydd *eg* solvent extraction
echdynnol *ans* extractive
echdynnu *be* extract *v*
echdynnu adnodd *be* extract a resource
echdynnu dŵr *be* extract water
echdynnu dŵr *be* water extraction
echdynnwr *eg* extractor
echdynnyn *eg* extract (=something extracted) *n*
echddygol *ans* motor (=efferent)
echel *eb* axle
echel bwli *eb* axle pulley
echel bwt *eb* stub axle
echelin weledol *eb* visual axis
echelin *eb* axis (of line)

echelin arosgo *eb* oblique axis
echelin begynol *eb* polar axis
echelin cymesuredd *eb* axis of symmetry
echelin ddifferyn *eb* differential axis
echelin fertigol *eb* vertical axis
echelin hwyaf *eb* major axis
echelin isomedrig *eb* isometric axis
echelin leiaf *eb* minor axis
echelin lorweddol *eb* horizontal axis
echelin niwtral *eb* neutral axis
echelin plyg *eb* axis of fold
echelin x *eb* x-axis
echelin y *eb* y-axis
echelinau cyfesurynnol *ell* coordinate axes
echelinau lleoli *ell* axes of reference
echelinol *ans* axial
echelon *eg* echelon
echinoderm *eg* echinoderm
echlifiant *eg* eluviation
echlifol *ans* eluvial
echludiad *eg* elution
echludo *be* elute
echludydd *eg* eluent
echreiddiad *eg* eccentricity
echreiddig *ans* eccentric
echwythiad *eg* outburst
edafedd bouclé *ell* bouclé yarn
edafedd craidd *ell* core yarn
edafedd di-dor *ell* continuous yarn
edafedd dwy gainc *ell* two-ply wool
edafedd gweadog *ell* textured yarn
edafedd gwlân *ell* spun wool
edafedd rhaffog *ell* cable yarn
edafedd slyb *ell* slub yarn
edafedd tair cainc *ell* three-ply wool
edafedd tapestri *ell* tapestry wool
edafedd toredig *ell* staple yarn
edafedd wedi'u swmpuso *ell* bulked yarn
edafu *be* thread *v*
edaffig *ans* edaphic
edau *eb* thread (of yarn, screw etc) *n*
edau acme *eb* acme thread
edau anwe *eb* weft thread
edau aur *eb* gold thread
edau chwil *eb* drunken thread
edau ddeintiol *eb* dental floss
edau ddwbl *eb* double thread
edau enamel *eb* enamel thread
edau fenyw *eb* female thread
edau fetelig *eb* metallic thread
edau fetrig *eb* metric thread
edau fras *eb* coarse thread
edau frodio *eb* embroidery thread
edau frodwaith *eb* embroidery cotton
edau fwtres *eb* buttress thread
edau ffilament *eb* filament yarn
edau gotwm *eb* cotton thread

edau gyfrodedd *eb* button hole thread
edau gyffredin *eb* common thread
edau gymal *eb* knuckle thread
edau heligol *eb* helical thread
edau lân *eb* clean thread
edau lin *eb* linen thread
edau llaw chwith *eb* left hand thread
edau llaw dde *eb* right-hand thread
edau neilon *eb* nylon thread
edau onglog *eb* angular thread
edau safonol *eb* standard thread
edau sanctaidd *eb* sacred thread
edau sengl *eb* single thread
edau selfais *eb* slevedge thread
edau sglein *eb* sylko
edau sgriw *eb* screw thread
edau sgriw llaw chwith *eb* left-hand screw thread
edau sgriw llaw dde *eb* right-hand screw thread
edau sgwâr *eb* square thread
edau unol *eb* unified thread
edau weadog *eb* textured thread
edau Whitworth *eb* Whitworth thread
edau wlân *eb* woollen thread
edau ystof *eb* warp thread
edefydd *eg* threader (machine attachments)
edefydd nodwydd *eg* needle threader
edefyn *eg* staple (=fibre)
edefyn nerf *eg* nerve fibre
edefyn nerf medylinedig *eg* medullated nerve fibre
edeuffurf *ans* filiform
edeugell *eb* thread cell
edling *eg* heir apparent
edmygedd *eg* admiration
edmygu *be* admire
Edward Gyffeswr *eg* Edward the Confessor
Edward yr Hynaf *eg* Edward the Elder
Edwardaidd *ans* Edwardian
edwythiad *eg* eduction
edwytho *be* educe
efengyl *eb* gospel
efengylaidd *ans* evangelical
efengylwr *eg* evangelist
efelychiad *eg* simulation
efelychiad cyfrifiadurol *eg* computer simulation
efelychu *be* simulate
efelychydd *eg* simulator
eferwad *eg* effervescence
eferwi *be* effervesce
eferwol *ans* effervescing
efoliwt *eg* evolute
efrydiau *ell* studies (academic)
efydd *eg* bronze
efydd alwminiwm *eg* aluminium bronze
efydd nicel *eg* nickel bronze
efydd plwm *eg* lead bronze
efyddlifion *ell* brass filings
effaith *eg/b* effect

---

eg/b enw gwrwaidd/benywaidd, *feminine/masculine noun*   *ell* enw lluosog, *plural noun*   *v* berf, *verb*   *n* enw, *noun*

effaith asid ar gopr action of acid on copper
effaith gemegol *eb* chemical action
effaith gymesur *eb* symmetrical effect
effaith llygredd *eb* effect of pollution
effaith Pasteur *eb* Pasteur effect
effaith piesodrydanol *eb* piezo electric effect
effaith trans-cis *eb* cis-trans effect
effaith tymor byr *eb* short-term effect
effaith y pâr anadweithiol *eb* inert pair effect
effeithiau marmori *ell* marbling effects
effeithiau sain *ell* sound effects
effeithiol *ans* effective
effeithiolrwydd *eg* effectiveness
effeithiolrwydd cost *eg* cost effectiveness
effeithlon *ans* efficient
effeithlonedd egni *eg* energy efficiency
effeithlonedd sianel *eg* channel efficiency
effeithlonrwydd *eg* efficiency
effeithlonrwydd ac effeithlonedd efficiency and effectiveness
effeithydd *eg* effector
effemera *eg* ephemera
effermeris *eg* ephermeris
effro *ans* awake
egalitaraidd *ans* egalitarian *adj*
egalitariad *eg* egalitarian *n*
egalitariaeth *eb* egalitarianism
eger *eg* bore (=eagre)
eger Hafren *eg* Severn bore
eger llanw *eg* tidal bore
egin ffa *ell* bean sprouts
eginblanhigyn *eg* seedling
eginiad *eg* germination
egino *be* germinate
egin-dwyn *eg* embryo dune
eglur *ans* clear (=not confused) *adj*
eglurder *eg* clarity
eglurder siâp y corff *eg* clarity of body shape
eglurder y nodiant *eg* clarity of the notation
eglureb bwrpasol *eb* appropriate illustration (=explanation)
eglurhaol *ans* explanotary
egluro *be* explain
eglwys *eb* church
Eglwys Babyddol *eb* Roman Catholic Church
eglwys blwyf *eb* parish church
eglwys dŷ *eb* house church
Eglwys Ddiwygiedig Unedig *eb* United Reformed Church
eglwys gadeiriol *eb* cathedral
eglwys golegaidd *eb* collegiate church
eglwys gyda thŵr *eb* church with tower
eglwys gyd-gyfranedig *eb* portionary church
Eglwys Loegr *eb* Church of England
eglwys rydd *eb* free church
Eglwys Uniadol (Dwyrain Ewrop) *eb* Uniate Church
Eglwys Uniongred Roegaidd *eb* Greek Orthodox Church

Eglwys yng Nghymru, yr *eb* Church in Wales
eglwysig *ans* ecclesiastical
eglwysyddiaeth *eb* ecclesiasticism
egni *eg* energy
egni cinetig *eg* kinetic energy
egni clymu *eg* binding energy
egni cylchdroi *eg* rotational energy
egni cynhenid *eg* intrinsic energy
egni daduno bond *eg* bond dissociation energy
egni dellt *eg* lattice energy
egni elastig *eg* elastic energy
egni llanw *eg* tidal energy
egni niwclear *eg* nuclear energy
egni parod *eg* free energy
egni potensial *eg* potential energy
egni'r byd *eg* global energy
egni solar *eg* solar energy
egni trawsfudol *eg* translational energy
egni trothwy *eg* threshold energy
egni tymheredd sero K *eg* zero point energy
egni thermol *eg* thermal energy
egnïeg *eb* energetics
egnïol *ans* energetic
egnioledig *ans* energized
egnioli *be* energize
egsotig *ans* exotic (of plants) *adj*
egwyddor *eb* principle
egwyddor ansicrwydd *eb* uncertainty principle
egwyddor didoriant *eb* principle of continuity
egwyddor fecanyddol *eb* mechanical principle
egwyddor lluosogrwydd macsimwm *eb* maximum multiplicity rule
egwyddor tebygolrwydd hafal *eb* equally likely principle
egwyddor wahardd *eb* exclusion principle
egwyddorion liferi *ell* principles of levers
egwyddorion symudiad *ell* principles of movement
egwyddor-nain-mam-merch *eb* grandfather-father-son principle
egwyl *eb* interval (=break time)
egwyriant *eg* aberration
enghraifft *eb* example
enghraifft batrymol *eb* exemplar
enghreifftio *be* illustrate (with an example)
enghreifftiol *ans* illustrative (serving as an explanation or example)
engreinio *be* engrain
ehangdir *eg* landmass
ehangedig *ans* expanded
ehangiad *eg* expansion
ehangiad cof *eg* memory expansion
ehangu *be* expand *vt*
ehangylch *eg* sweep (of brace)
ehedol *ans* volatile (in cooking)
eicon *eg* icon
eiconig *ans* iconic
eiconograffiaeth *eb* iconography
eiconograffig *ans* iconographic

---

adf, adv adferf, *adverb*   **ans, adj** ansoddair, *adjective*   **be** berf, *verb*   **eb** enw benywaidd, *feminine noun*   **eg** enw gwrywaidd, *masculine noun*

eidion *eg* beef
eidionyn *eg* beefburger
eiddil *ans* delicate (=frail)
eiddo *eg* property (=something owned)
eiddo rhydd-ddaliol *eg* freehold property
eiddo tiriog *eg* real estate
eiddo ysbrydol *eg* spiritualities
Eifftoleg *eb* Egyptology
eigioneg *eb* oceanography
eigionol *ans* pelagic
Eingl-Norman *eg* Anglo-Norman *n*
Eingl-Normanaidd *ans* Anglo-Norman *adj*
Eingl-Sacsonaidd *ans* Anglo-Saxon *adj*
Eingl-Sacsoneg *eb* Anglo-Saxon (language)
eil *eb* aisle
eilaidd *ans* secondary (in general)
eilbaredd *eg* even parity
eildwf *eg* secondary growth
eilededd cenedlaethau *eg* alternation of generations
eiledol *ans* alternating
eilfed *eg* second (interval)
eilflwydd *ans* biennial *adj*
eilflwyddiad *eg* biennial *n*
eilfodd *eg* altmode
eiliad *eg/b* second
eiliadur *eg* alternator
eilio *be* second (a motion)
eiliog *ans* aisled
eilradd *ans* secondary (=less important)
eilrif *eg* even number
eilun *eg* idol
eilunaddoliaeth *eb* idolatry
eilydd *eg* substitute (of person) *n*
eil-ffwythiant *eg* even function
eillio *be* shave
eingion (=asgwrn) *eg/b* incus
eingion (y gof) *eg/b* anvil
eingion gosod llif *eb* saw-setting anvil
einsteiniwm (Es) *eg* einsteinium (Es)
eirdreulio *be* nivation
eirffrwyth *eg* fruit snow
eirin duon *ell* damsons
eirin mair *ell* gooseberries
eiriol *be* intercede
eiriolaeth *eb* intercession
eiriolaeth *eb* advocacy
eiriolwr *eg* advocate (=person who pleads for another)
eirlaw *eg* sleet
eirlin *eg* snow line
eirlithrad *eg* avalanche
eisbilen *eb* pleura *n*
eisbilennol *ans* pleura
eisen *eb* strut (e.g. on guitar)
eisteddfod *eb* eisteddfod
eisteddle (ar gyfer gwylwyr) *eg* stand (for spectators) *n*
eisteddle (yr emosiynau etc) *eg* seat (of emotions etc)

eisteddle falf *eg* valve seat
eisteddog *ans* sedentary
eitem *eb* item
eitem ddirprwyedig *eb* delegated item
eitem gwariant *eb* item of expenditure
eitem o ddata *eb* data item
eithaf *ans* extreme
eithafion tywydd *ell* extremes of weather
eithafoedd *ell* extremities
eithafol *ans* extremist *adj*
eithafwr *eg* extremist *n*
eithriad *eg* exception
eithriad cysylltnodi *eg* hyphenation exception
eithriad dewisol *eg* discretionary exception
eithriad gorfodol *eg* mandatory exception
eithrio *be* opt out
elastig *ans* elastic *adj*
elastig *eg* elastic *n*
elastig cygrychu *eg* shirring elastic
elastigedd *eg* elasticity (of material, in economics)
elastigedd y galw *eg* elasticity of demand
elastin *eg* elastine
elastomerau *ell* elastomers
elastomerig *ans* elastomeric
electrocemegol *ans* electrochemical *adj*
electrocemegyn *eg* electrochemical *n*
electrod *eg* electrode
electrofalent *ans* electrovalent
electroffil *eg* electrophile
electrofforesis *eg* electrophoresis
electrofforws *eg* electrophorus
electroleiddio *be* electrolyse
electrolysis *eg* electrolysis
electrolyt *eg* electrolyte
electromagnetedd *eg/b* electromagnetism (phenomenon)
electromagneteg *eb* electromagnetism (study of)
electromagnetig *ans* electromagnetic
electromedr *eg* electrometer
electron *eg* electron
electron heb bâr *eg* unpaired electron
electron mewn cyflwr rhwym *eg* electron in bound state
electron rhydd *eg* free electron
electronau cydranedig *ell* shared electrons
electroneg *eb* electronics
electronegatif *ans* electronegative
electronegatifedd *eg* electronegativity
electronig *ans* electronic
electronmicrograff *eg* electronmicrograph
electroplat *eg* electroplate *n*
electroplatio *be* electroplate *v*
electropositif *ans* electropositive
electropositifedd *eg* electropositivity
electrosgop *eg* electroscope
electrosgop deilen aur *eg* gold leaf electroscope
electrostateg *eb* electrostatics
elfen *eb* element

---

eg/b enw gwrywaidd/benywaidd, *feminine/masculine noun*   *ell* enw lluosog, *plural noun*   *v* berf, *verb*   *n* enw, *noun*

elfen AC *eb* AND element
elfen ansoddol *eb* constituent element
elfen cymhwysedd *eb* element of competence
elfen drosiannol *eb* transition element
elfen drydan *eb* electric element
elfen ddiwylliannol *eb* culture element
elfen fetelig *eb* metallic element
elfen gerddorol *eb* musical element
elfen golyn *eb* pivot element
elfen hunanwrthdro *eb* self-inverse element
elfen hybrin *eb* trace element
elfen resymeg *eb* logic element
elfen unfathiant *eb* identity element
elfen wreiddiol *eb* parent element (radiation)
elfen wresogi *eb* heating element
elfen wrthdro *eb* inverse element
elfennau aloi *ell* alloying elements
elfennau peintio *ell* elements of painting
elfennol *ans* elementary
eli *eg* ointment
eli rhwystrol *eg* barrier cream
elifiant *eg* effluence
elifol *ans* effluent *adj*
elifyn *eg* effluent *n*
elin *eb* forearm
elin ladrad *eb* elbow of capture
eliniad *eg* forearm deflection
elinwisg *eb* forearm shield
elips *eg* ellipse
elipsoid *eg* ellipsoid
elipsoidol *ans* ellipsoidal
eliptig *ans* elliptic
eliptigol *ans* elliptical
Elisabethaidd *ans* Elizabethan
elit *eg* elite *n*
elitaeth *eb* elitism
elitaidd *ans* elite *adj*
elitydd *eg* elitist
Elizabeth I *eb* Elizabeth I
elusen *eb* charity
elusendir *eg* frankalmoign
elusendy *eg* almshouse
elusenfa *eb* almonry
elusennwr *eg* almoner
elw *eg* profit
elw clir *eg* net profit
elw crynswth *eg* gross profit
Emaniwel Ffodus *eg* Emmanuel the Fortunate
embryo *eg* embryo
embryo datblygol *eg* developing embryo
emeri *eg* emery
emosiwn *eg* emotion
emosiynol *ans* emotional
empathi *eg* empathy
empeiraeth *eb* empiricism
empirig *ans* empirical
emrallt *eg* emerald

Emrys *eg* Ambrose
emwlseiddio *be* emulsification
emwlsio *be* emulsify
emwlsiwn plastig *eg* plastic emulsion
emwlsiwn polymer *eg* polymer emulsion
emwlsydd *eg* emulsifier
emyn *eg* hymn
emyn-dôn *eb* hymn tune
enaid rhydd *eg* pardoned soul
enamel *eg* enamel *n*
enamel cefndir *eg* background enamel
enamel cloisonné *eg* cloisonné enamel
enamel cracellu *eg* cracked enamel
enamel cras *eg* baked enamel
enamel di-draidd *eg* opaque enamel
enamel gemwaith *eg* jewellery enamel
enamel gwydrog *eg* vitreous enamel
enamel llaid *eg* slush enamel
enamel llusg *eg* crawl enamel
enamel mâl *eg* crushed enamel
enamel powdrog *eg* powdered enamel
enamel symudliw *eg* opalescent enamel
enamel tryleu *eg* translucent enamel
enamel tryloyw *eg* transparent enamel
enamel ymarfer *eg* practice enamel
enamlo *be* enamel *v*
enamlo llusg *be* crawl enamelling
enamlog *ans* enamelled
enantiomer *eg* enantiomer
enantiomorff *eg* enantiomorph
encil *eg* retreat *n*
encilgar *ans* withdrawn
enciliad *eg* retreat (=act of retreating) *n*
enciliad cefnfur *eg* head wall recession
enciliad clogwyn *eg* cliff recession
encilio *be* retreat *v*
enciliol *ans* recessive
enciliwr *eg* deserter
enchwythedig *ans* inflated
enchwythiad *eg* inflation (=distension with air etc) *n*
enchwythu *be* inflate
endemig *ans* endemic
endergonig *ans* endergonic
endid *eg* entity
endif *eg* endive
endocarp *eg* endocarp
endocrinaidd *ans* endocrine
endocrinoleg *eb* endocrinology
endocyst *eg* endocyst
endomorffig *ans* endomorphic
endoriad *eg* incision
endorri *be* incise
endosberm *eg* endosperm
endoseicl *eg* endocycle
endosgop *eg* endoscope
endothermig *ans* endothermic
eneiniad *eg* anointing

---

eneiniad olaf *eg* extreme unction
eneinio *be* anoint
eneiniog *ans* anointed
enema *eg* enema
enfawr (am gelloedd, cromosomau etc) *ans* giant (cells, chromosomes etc) *adj*
enfawr (yn gyffredinol) *ans* massive (=enormous)
enfys *eb* rainbow
enffeodu *be* enfeoff
enharmonig *ans* enharmonic
enillion *ell* earnings
enillion anweledig *ell* invisible earnings
enillion net *ell* net gain
enillion cyfalaf *ell* capital gain
enillydd y bêl *eg* ball-winner
enllib *eg* libel
ennill *be* win *v*
ennill gêm *be* win a game
ennill hyder *be* gain confidence
ennill meddiant *be* win possession
ennill o dair wiced *be* win by 3 wickets
ennill o ddigon *be* win easily
ennill o fatiad *be* win by an innings
ennill o gynfas *be* win by a canvas
ennill o un hyd *be* win by a length
ennill tir *be* gain ground
ennyd *eg/b* instant
ennyd benodol *eb* given instant
enrhifiad *eg* evaluation (in mathematics)
enrhifo *be* evaluate (in mathematics)
enrhifo mynegiadau *be* evaluate expressions
ensemble *eg* ensemble
ensemble dosbarth *eg* classroom ensemble
ensemble canonaidd mawreddog *eg* grand canonical ensemble
ensym *eg* enzyme
ensym treulio *eg* digestive enzyme
entael *eg* entail *n*
enteilio *be* entail *v*
entente *eb* entente
enteritis *eg* enteritis
enterocinas *eg* enterokinase
entomoleg *eb* entomology
entr'acte *eg* act tune
entropi *eg* entropy
enthalpi *eg* enthalpy
enw brand *eg* brand name
enw cyn priodi *eg* maiden name
enw ffeil *eg* file name
enw lle Sacsonaidd *eg* Saxon place name
enw llwybr *eg* pathname
enwad (crefyddol) *eg* denomination (of religion)
enwad crefyddol *eg* religious denomination
enwaediad *eg* circumcision
enwebiad *eg* nomination
enwebu *be* nominate
enwebwr *eg* nominator

enwi *be* specify
enwi'r sbesimen *be* identify the specimen
enwol *ans* nominal
enwolaeth *eb* nominalism
enwolaidd *ans* nominalist *adj*
enwolwr *eg* nominalist *n*
enwresis *eg* enuresis
enydaidd *ans* instantaneous
enydol *ans* momentary
eos *eb* nightingale
eosinoffil *eg* eosinophil
epaulette *eg* epaulette
epée *eg* epée
epeirogenetig *ans* epeirogenetic
epicotyl *eg* epicotyl
epidemig *eg* epidemic
epidemig colera *eg* cholera epidemic
epidermaidd *ans* epidermal
epidwral *ans* epidural
epiffysis *eg* epiphysis
epiffyt *eg* epiphyte
epiffytig *ans* epiphytic
epigeal *ans* epigeal
epiglotis *eg* epiglottis
epigynol *ans* epigynous
epil *ell* offspring
epil gynnyrch *eg* daughter product
epilepsi *eg* epilepsy
epileptig *ans* epileptic
epilgell *eb* daughter cell
epilisotop *eg* daughter isotope
epimeredd *eg* epimerism
epimeru *be* epimerization
epimorffig *ans* epimorphic
epipetalog *ans* epipetalous
episeiclig *ans* epicyclic
episeicloid *eg* epicycloid
episiotomi *eg* episiotomy
epistol *eg* epistle
epitrocoid *eg* epitrochoid
epitheliwm *eg* epithelium
epitheliwm cenhedlol *eg* germinal epithelium
epitheliwm ciliedig *eg* ciliated epithelium
epitheliwm ciwboid *eg* cuboid epithelium
epitheliwm colofnog *eg* columnar epithelium
epitheliwm haenedig *eg* stratified epithelium
epitheliwm palmantaidd *eg* pavement epithelium
eples *eg* ferment *n*
epleseg *eb* fermentation science
eplesiad *eg* fermentation
eplesiad microbaidd *eg* microbial fermentation
eplesu *be* ferment *v*
epocsi *eg* epoxy
er gwaeth *adf* adversely
Erasmiaeth *eb* Erasmianism
Erastiaeth *eb* Erastianism
erbiwm (Er) *eg* erbium (Er)

---

eg/b enw gwrywaidd/benywaidd, *feminine/masculine noun*   *ell* enw lluosog, *plural noun*   *v* berf, *verb*   *n* enw, *noun*

erchyllter *eg* atrocity

erfinen *eb* turnip

erfyn *eg* tool

erfyn calcio *eg* caulking tool

erfyn cerfio ffurf U *eg* veiner

erfyn cnocio *eg* rapping tool

erfyn codi *eg* hearth hoist

erfyn crychu *eg* creasing tool

erfyn cyllell *eg* knife tool

erfyn diemwnt *eg* diamond tool

erfyn ffurfio *eg* forming tool

erfyn llinellu *eg* lining tool

erfyn llwy *eg* spoon tool

erfyn matio *eg* matting tool

erfyn mesur trachywir *eg* precision measuring tool

erfyn modelu clai *eg* clay modelling tool

erfyn ochr *eg* side tool

erfyn pannu *eg* fullering tool

erfyn partio *eg* parting off tool

erfyn porthellu *eg* gate tool

erfyn porthellu a chyllell *eg* gate and knife tool

erfyn pŵer *eg* power tool

erfyn pwytho *eg* stitching tool

erfyn semio *eg* seaming tool

erfyn semio rhigol *eg* groove punch seaming tool

erfyn sgrolio *eg* scrolling tool

erfyn striclo *eg* strickling tool

erfyn styden wasg *eg* press stud tool

erfyn taro *eg* striking tool

erfyn trin olwyn *eg* wheel dresser

erfyn trwyn sgwâr *eg* square nosed tool

erfyn turn *eg* tool bit

erfyn tyllu *eg* boring tool

erfyn tynnu allan *eg* withdrawal tool

erfyn tyrnio *eg* turning tool

erfyn U *eg* U-tool

erfyn V *eg* V-tool

erfyn wynebu *eg* facing tool

erfyn ysgythru *eg* engraving tool

ergodig *ans* ergodic

ergonomeg *eb* ergonomics

ergyd (=trawiad gyda bat) *eg/b* hit (=stroke with a bat) *n*

ergyd (gyda phêl, gwn etc) *eg/b* shot (with ball, gun etc)

ergyd (yn gyffredinol) *eg/b* blow *n*

ergyd (criced, tennis) *eg/b* stroke (with bat or racket) *n*

ergyd amddiffynnol (gyda bat neu raced) *eb* defensive stroke

ergyd amddiffynnol (gyda phêl) *eb* defensive shot

ergyd cychwyn *eb* starting gun

ergyd ennill *eb* winning stroke

ergyd flaenllaw *eb* forehand stroke

ergyd galed *eb* smash

ergyd gornel *eb* corner hit

ergyd gwta *eb* drop shot

ergyd gylch *eb* sixteen yard hit out

ergyd munud *eb* one minute gun

ergyd ochr *eb* hit out *n*

ergyd onglog *eb* angle shot

ergyd pum munud *eb* five minute gun

ergyd rydd *eb* free hit

ergyd wrthlaw *eb* backhand stroke

ergyd ymosodol *eb* attacking stroke

ergydio *be* hit (=strike with a bat) *v*

ergydiol *ans* percussive

ergydiwr *eg* striker (in cricket)

erial *eb* aerial *n*

erioed wedi bod yn fyw never been alive

erledigaeth *eb* persecution

erledigaeth filwrol *eb* dragonnade

erledigaeth Mari *eb* Marian persecution

erlid *eg* persecute

erlyn *eg* prosecute

erlyniad *eg* prosecution

ermid *eg* eremite

ernes *eb* deposit (=money given as pledge) *n*

erthygl *eb* article

erthyliad *eg* abortion

erthyliad naturiol *eg* miscarriage

erthylu *be* abort

erthylu cyson *be* habitual abortion

erthylu'n naturiol *be* miscarry

erw *eb* acre

erwydd *eg* stave

erwydd tenor *eg* tenor stave

erydiad *eg* erosion

erydiad gwahaniaethol *eg* differential erosion

erydiad gwynt *eg* wind erosion

erydiad pridd *eg* soil erosion

erydiad rhewlifol *eg* glacial erosion

erydol *ans* erosive

erydu *be* erode

erydu dethol *be* selective erosion

erydydd *eg* erosive agent

esblygiad *eg* evolution

esblygiadol *ans* evolutionary

esblygu *be* evolve (in biology)

esboniad (ar y Beibl) *eg* commentary (=explanatory notes)

esboniad (yn gyffredinol) *eg* explanation

esboniad mathemategol *eg* mathematical explanation

esboniwr *eg* commentator (on bible)

esbonydd *eg* exponent (in mathematics)

esbonyddol *ans* exponential

escalope *eb* escalope

eschatoleg *eb* eschatology

esgair *eb* esker

esgair gnapiog *eb* beaded esker

esgeuluso *be* neglect

esgeulustod *eg* neglect *n*

esgid (ar gyfer rygbi, pêl-droed etc) *eb* boot (for rugby, soccer etc) *n*

esgid (yn gyffredinol) *eb* shoe

esgid brêc *eb* brake shoe

---

adf, adv adferf, *adverb*   **ans, adj** ansoddair, *adjective*   **be** berf, *verb*   **eb** enw benywaidd, *feminine noun*   **eg** enw gwrywaidd, *masculine noun*

esgid dennis *eb* tennis shoe

esgid fwylltid (cramp G) *eb* swivel face (G cramp)

esgid griced *eb* cricket shoe

esgid gynfas *eb* canvas boot

esgid redeg *eb* running shoe

esgid sbeic *eb* spiked shoe

esgidiau *ell* footwear

esgidiau hoelion clincer *ell* clinker nailed boots

esgob *eg* bishop

Esgob William Morgan *eg* Bishop William Morgan

esgobaeth *eb* diocese

esgobaethol *ans* diocesan

esgobol *ans* episcopal

esgobwr *eg* episcopalian *n*

esgobwriaeth *eb* episcopalianism

esgor *be* delivery (of a baby)

esgoriad *eg* parturition

esgoriad ffolennol *eg* breech birth

esgusodi rhag credyd *be* credit exemption

esgusodiad *eg* exemption

esgyll paredig *ell* paired fins

esgyn (wrth redeg a llofneidio) *be* take off (in jumping and vaulting) *v*

esgyn (yn gyffredinol) *be* ascend

esgyn deudroed *eg* double take off

esgyn untroed *be* single take off

esgynfa *eb* take off (jumping / vaulting) *n*

esgyniad *eg* ascent

Esgyniad Cywir *eg* Right Ascension (RA)

esgynlawr *eg* dais

esgynnol *ans* ascending

esgynnwr *eg* ascender

esgynnydd *eg* ascender (of typography)

esgyrnyn *eg* ossicle

esgyrnyn y glust *eg* ear ossicle

esgytsiwn *eg* escutcheon

esmwythder *eg* ease *n*

esmwytho (llawnder) *be* ease (easing of fullness)

esparto *eg* esparto

ester *eg* ester

esteriad *eg* esterification

esteru *be* esterify

estron *ans* alien *adj*

estron *eg* alien *n*

estron preswyl *eg* resident alien

estroniaid *ell* advenae

estyll croglofft *ell* ashlaring (of boarding)

estyll cydwedd *ell* matchboarding

estyllen do *eb* shingle (=roof tile)

estyllu *be* batten *v*

estyn (am silff iâ / rew etc) *be* advance (of ice-sheet etc) *v*

estyn (llinell mewn geometreg) *be* produce (a line in geometry)

estyn (mewn cerddoriaeth) *be* augment (in music)

estyn (mewn graff) *be* project (=extend) *vt*

estyn (yn gyffredinol) *be* extend *vt*

estyn ac encilio advance and retreat (of ice-sheet etc)

estyn patrwm *be* lengthen a pattern

estyn tuag yn ôl *be* produce backwards

estynadwy *ans* extensible

estynedig (mewn cerddoriaeth) *ans* augmented (in music)

estynedig (yn gyffredinol) *ans* stretched

estyniad (afon) *eg* reach (of river)

estyniad (graff) *eg* projection (graph)

estyniad (mewn cerddoriaeth) *eg* augmentation (in music)

estyniad (silff iâ/rew etc) *eg* advance (of ice-sheet etc) *n*

estyniad (yn gyffredinol) *eg* extension

estyniad arwydd *eg* sign extension

estyniad bias *eg* bias extension

estynnwr *eg* stretcher (=frame)

estynnwr belt *eg* belt stretcher

estynnwr croes *eg* cross stretcher

estynnwr croeslinol *eg* diagonal stretcher

estynnwr crwm *eg* curved stretcher

estynnwr cynfas *eg* canvas stretcher

estynnwr ffurf H *eg* H-shaped stretcher

estynnwr ffurf T *eg* T-shaped stretcher

estynnwr webin *eg* webbing stretcher

estynnydd *eg* extender

estynwlad *eb* panhandle

estynwyr ffurfiedig *ell* shaped stretchers

estheteg *eb* aesthetics

esthetig *ans* aesthetic

esthetigaeth *eb* aestheticism

etifedd *eg* heir

etifedd tebygol *eg* heir presumptive

etifeddeg *eb* heredity

etifeddiad (nodweddion) *eg* inheritance (of characteristics)

etifeddiad amlffactoraidd *eg* multifactorial inheritance

etifeddiad gronynnol *eg* particulate inheritance

etifeddiad Mendelaidd *eg* Mendelian inheritance

etifeddiad monocroesryw *eg* monohybrid inheritance

etifeddiaeth *eb* heritage

etifeddiaeth ddiwylliannol *eb* cultural heritage

etifeddiaeth Gristnogol *eb* Christian heritage

etifeddiaeth gyfrannol *eb* partible inheritance

etifeddiaeth gymhlith *eb* blended inheritance

etifeddiant *eg* hereditament

etifeddol *ans* hereditary

etifeddu *be* inherit

étude *eb* étude

ethan *eg* ethane

ethanoig *ans* ethanoic

ethanol *ans* ethanol

Ethelred y Digyngor *eg* Ethelred the Unready

ethen *eg* ethene

ether *eg* ether

ethnig *ans* ethnic

ethnogerddoleg *eb* ethnomusicology

ethnoleg *eb* ethnology

ethol *be* elect *v*

Etholaeth Balatin y Rhein *eb* Palatine of the Rhine

---

etholaethau cyfartal *ell* equal constituencies

etholedig *ans* elected *adj*

etholedig rai *ell* elect *n*

etholfraint *eb* franchise

etholfraint fwrdeistrefol *eb* borough franchise

etholiad *eg* election

Etholiad y Cwpon *eg* Coupon Election

etholiadol *ans* electoral

etholwr *eg* elector

etholwyr *ell* electorate

Etholydd *eg* Elector (Germany)

Etholydd Archesgob *eg* Elector Archbishop

Etholydd Mawr *eg* Great Elector

Etholydd Palatin *eg* Elector Palatine

EtholyddTywysogol *eg* Prince Elector

ethos *eg* ethos

ethos cyffredin *eg* common ethos

ethyl alcohol *eg* ethyl alcohol

ethyn *eg* ethyne

Eu Mawrhydi Catholig *ell* Catholic Majesties

euogrwydd *eg* guilt

euogrwydd rhyfel *eg* war guilt

eurgylch *eg* halo (of saint)

euro *be* gild

ewcaryotig *ans* eucaryotic

Ewclidaidd *ans* Euclidean

Ewcharist *eg* Eucharist

ewinrhew *eg* frost bite

ewlychiad *eg* efflorescence

ewlychol *ans* efflorescent

Ewrofaint (am gartonau) *ans* Eurosize (cartons)

Ewropeiddio *be* Europeanization

ewropiwm (Eu) *eg* europium (Eu)

ewstatig *ans* eustatic

ewtecteg *eb* eutectics

ewtroffig *ans* eutrophic

ewtroffigedd *eg* eutrophication

ewthanasia *eg* euthanasia

ewyllys *eb* will

ewyllys rydd *eb* free will

ewyn *eg* foam *n*

ewyn môr *eg* surf

ewyn polyether *eg* polyether foam

ewyn styro *eg* styrofoam

ewynnog *ans* frothy

ewynnu *be* foam *v*

adf, adv adferf, *adverb*   *ans, adj* ansoddair, *adjective*   *be* berf, *verb*   *eb* enw benywaidd, *feminine noun*   *eg* enw gwrywaidd, *masculine noun*

F

F fwyaf *eb* F major
F leiaf *eb* F minor
faciwî *eg/b* evacuee
fafasor *eg* vavasour
fagotto *eg* fagotto
faience *eg* faience (=pottery)
Fainc, y *eb* Bench, the
falens *eg* valence
falf *eb* valve
falf deirlen *eb* tricuspid valve
falf droellog *eb* spiral valve
falf drogylch *eb* rotary valve
falf ddiogelu *eb* safety valve
falf feitrol *eb* mitral valve
falf ganfod *eb* detector valve
falf gilgant *eb* semilunar valve
falf gloi *eb* lockshield valve
falf gwasgedd *eb* pressure valve
falf lithr *eb* slide valve
falf NID *eb* NOT valve
falf ochr *eb* side valve
falf ryddhau *eb* release valve
falf thermionig *eb* thermionic valve
falf uwchben *eb* overhead valve
falf ynysu *eb* isolation valve
falin *eg* valine
fampio *be* vamp
fanadiwm (V) *eg* vanadium (V)
fandal *eg* vandal
fandaliaeth *eb* vandalism
farf *eg* varve
farnais *eg* varnish *n*
farnais aildrwsio *eg* re-touching varnish
farnais atal *eg* stopping-out varnish
farnais barbola *eg* barbola varnish
farnais clir *eg* clear varnish
farnais copal *eg* copal varnish
farnais cwyr *eg* wax varnish
farnais darlun *eg* picture varnish
farnais gwirod *eg* spirit varnish
farnais gwrthasid *eg* acid resisting varnish
farnais gwrth-wres *eg* heat-resisting varnish
farnais hydawdd *eg* soluble varnish
farnais mat *eg* matt varnish
farnais morol *eg* marine varnish
farnais papur *eg* paper varnish
farnais polywrethan *eg* polyurethane varnish
farnais sielac *eg* shellac varnish

farnais y diffeithdir *eg* desert varnish
farneisio *be* varnish *v*
fasgwlar *ans* vascular
fasgwlwm *eg* vasculum
fasogyfyngiad *eg* vasoconstriction
fasogyfyngydd *eg* vasoconstrictor
fasoymlediad *eg* vasodilation
fasoymledydd *eg* vasodilator
Fatican *eg* Vatican
faux bourdon *eg* faux bourdon
fector *eg* vector *n*
fector colofn *eg* column vector
fector eigen *eg* eigen vector
fector rhes *eg* row vector
fector safle *eg* position vector
fectoraidd *ans* vectorial
fectoreiddio *be* vectorize
fectoru *be* vector *v*
feiol *eb* viol
feiol denor *eb* tenor viol
feiol ddesgant *eb* descant viol
feiol fas *eb* bass viol
feiolin *eb* violin
feiolinydd *eg* violinist
feiolydd *eg* viol player
feis *eb* vice
feis beipen *eb* pipe vice
feis ben mainc *eb* bench end vice
feis bin *eb* pin vice
feis fach *eb* nippy vice
feis fainc *eb* bench vice
feis fwrdd *eb* table vice
feis fwylltid *eb* swivel vice
feis gafael ebrwydd *eb* instantaneous grip vice
feis gludadwy *eb* portable vice
feis goes *eb* leg vice
feis haearn bwrw *eb* cast iron vice
feis hogi llif *eb* saw vice
feis law *eb* hand vice
feis offerwr *eb* toolmaker's vice
feis peiriannydd *eb* engineer's vice
feis peiriant *eb* machine vice
feis safnau paralel *eb* parallel jaw vice
fel arall *adf* otherwise
fel y dangosir gan as indicated by
felcro *eg* velcro
felôr *eg* velour
felwm *eg* vellum

---

felly *adf* therefore
Fenisaidd *ans* Venetian
fentrigl *eg* ventricle
fentrol *ans* ventral
fermiliwn *eg* vermilion
fermin *ell* vermin
fernagl *eb* vernicle
fernier *ans* vernier *adj*
fernier *eg* vernier *n*
fersin *eg* versine
fersiwn *eg* version
fersiwn a addaswyd *eg* modified version
fersiwn awdurdodedig *eg* authorized version
fersiwn cydnabyddedig *eg* recognized version
fersiwn i ochrau bach *eg* small-sided version
fersiwn llawn *eg* full version
fersiwn syml *eg* simplified version
fertebra *eg* vertebra
fertebra crwperol *eg* sacral vertebra
fertebra cynffonnol *eg* caudal vertebra
fertebra gyddfol *eg* cervical vertebra
fertebra meingefnol *eg* lumbar vertebra
fertebraidd *ans* vertebrate *adj*
fertebrat *eg* vertebrate *n*
fertebrol *ans* vertebral
fertig *eg* vertex
fertigau petryal *ell* vertices of a rectangle
fertigol *ans* vertical
fertigoledd *eg* verticality
ferwca *eg* verruca
fesigl semenol *eg* seminal vesicle
fest *eb* vest
fest redeg *eb* running vest
festri *eb* vestry
fesul rhandal by instalment
fibraffon *eg* vibraphone
ficer *eg* vicar
ficer corawl *eg* vicar-choral
ficer cyffredinol *eg* vicar-general
ficerdy *eg* vicarage
ficeriaeth *eb* vicariate
Fictoraidd *ans* Victorian
fideo *eg* video
fideo rhyngweithiol *eg* interactive video
fideosgop *eg* videoscope
Fietnam *eb* Vietnam

fila *eb* villa
filws *eg* villus
finale *eg* finale
finegr *eg* vinegar
finyl *eg* vinyl
fioled alisarin *eg* alizarin violet
fioled cobalt *eg* cobalt violet
fiolydd *eg* viola player
firaol *ans* viral
firdsinal *eb* virginals (=musical instrument)
firdsinal ddwbl *eb* double virginal
firdsinalydd *eg* virginalist
firgat *eg* virgate
firidian *eg* viridian
firoleg *eb* virology
firws *eg* virus
firws hidladwy *eg* filterable virus
fiscos *eg* viscose
fitamin *eg* vitamin
fitamin braster-hydawdd *eg* fat soluble vitamin
fitaminau atodol *ell* vitamin supplement
fitriol *eg* vitriol
flambé *ans* flambé
folcanig *ans* volcanic
folcanigrwydd *eg* volcanicity
foli *eb* volley *n*
foli gwta *eb* short volley
foli stop *eb* stop volley
folian *be* volley *v*
folt *eg* volt
foltamedr *eg* voltameter
foltedd *eg* voltage
foltedd isel *eg* low voltage
foltedd uchel *eg* high voltage
foltiau mewnbwn brig *ell* peak input volts (piv)
foltmedr *eg* voltmeter
fortecs *eg* vortex
forteisedd *eg* vorticity
forteisydd *eg* vorticist
fortepiano *eg* fortepiano
foulard *eg* foulard
fricassée *eb* fricassée
fwlcaneiddio *be* vulcanize
fwlcanigrwydd *eg* vulcanicity
fwlcanoleg *eb* vulcanology
fwlfa *eg* vulva
Fwlgat *eg* Vulgate

---

adf, adv adferf, *adverb*   *ans, adj* ansoddair, *adjective*   *be* berf, *verb*   *eb* enw benywaidd, *feminine noun*   *eg* enw gwrywaidd, *masculine noun*

Ff

ffa *ell* broad beans
ffa adwci *ell* aduki beans
ffa coch *ell* red kidney beans
ffa coffi *ell* coffee beans
ffa dringo *ell* runner beans
ffa du *ell* black beans
ffa flageolet *ell* flageolet beans
ffa Ffrengig *ell* French beans
ffa haricot *ell* haricot beans
ffa llygatddu *ell* black-eyed beans
ffa melyn *ell* yellow beans
ffa menyn *ell* butter beans
ffa mwng *ell* mung beans
ffa pinto *ell* pinto beans
ffa pob *ell* baked beans
ffa soya *ell* soya beans
Ffabiaeth *eb* Fabianism
ffablon *eg* fablon
ffabrig *eg* fabric
ffabrig amsugnol *eg* absorbent fabric
ffabrig bondiog *eg* bonded fabric
ffabrig cymysg *eg* blended fabric
ffabrig dodrefnu *eg* furnishing fabric
ffabrig dolennog *eg* looped fabric
ffabrig ffwr *eg* fur fabric
ffabrig gwead clos *eg* close woven fabric
ffabrig printiedig *eg* printed fabric
ffabrig wedi'i wau *eg* knitted fabric
ffabrig wedi'i stwffio *eg* stuffed fabric
ffabrig ymestyn *eg* stretch fabric
ffabrigedig *ans* fabricated
ffabrigo *be* fabricate
ffabrigo metel *be* metal fabrication
ffacs *eg* fax *n*
ffacsimili *eg* facsimile
ffacsio *be* fax *v*
ffactor *eg/b* factor
ffactor gyffredin fwyaf *eb* highest common factor
ffactor achosol *eb* causative factor
ffactor benodol *eb* specific factor
ffactor drech *eb* dominant factor
ffactor ddeallusol *eb* intellectual factor
ffactor enciliol *eb* recessive factor
ffactor flocio *eb* blocking factor
ffactor graddfa *eb* scale factor
ffactor graddfa gyfartalog *eb* average scale factor
ffactor graddio *eb* scaling factor
ffactor gyfyngol *eb* limiting factor

ffactor gysefin *eb* prime factor
ffactor linol *eb* linear factor
ffactor pŵer *eb* power factor
ffactor rhesws *eb* rhesus factor
ffactoradwy *ans* factorizable
ffactoraidd *ans* factorial *adj*
ffactoriad *eg* factorization
ffactoriaeth *eb* factorizing
ffactorial *eg* factorial *n*
ffactorio *be* factorize
ffactorio yn llwyr *be* factorize completely
ffagocyt *eg* phagocyte
ffagocytig *ans* phagocytic
ffagodwaith *eg* faggotting
ffagotsen *eb* faggot
ffaith *eb* fact
ffalang *eg* phalange
ffalancs *eg* phalanx
ffaltwng *eg* faltung
ffanfer *eg* fanfare
ffanfowt *eg* fan vaulting
ffanffer *eg* fanfare *n*
ffansi *ans* fancy (of needlework etc)
Ffansi Lisa *eb* Princess Elizabeth's Fancy
ffantasi *eb* fantasy
ffantasia *eb* fantasia
ffantasia rydd *eb* free fantasia
ffarad *eg* farad
ffaryngeal *ans* pharyngeal
ffaryncs *eg* pharynx
ffasâd *eg* facade
ffased *eg* facet
ffasgaeth *eb* fascism
ffasgaidd *ans* fascist *adj*
ffasgau *ell* fascia
ffasgedd *eg* fasciation
ffasgell *eb* fascicle
ffasgellol *ans* fascicular
ffasgol *ans* fasciated
ffasgydd *eg* fascist *n*
ffasiwn *eg/b* fashion
ffasner *eg* fastener
ffasnydd ffenestr adeiniog *eg* casement fastener
ffasnydd metel *eg* metal fastener
ffasnydd rhychiog *eg* corrugated fastener (wiggle nail)
ffasnydd sash *eg* sash fastener
ffasnydd sip *eg* zip fastener
ffasnydd snap *eg* snap fastener

---

eg/b enw gwrywaidd/benywaidd, *feminine/masculine noun*   *ell* enw lluosog, *plural noun*   *v* berf, *verb*   *n* enw, *noun*

ffatri *eb* factory
ffatri barod *eb* advance factory
ffatri gangen *eb* branch (factory)
ffawna *ell* fauna
ffawt *eg/b* fault (in geology and tennis) *n*
ffawt ddwbl *eb* double fault
ffawt troed *eb* foot fault
ffawtio *be* fault (in geology and tennis) *v*
ffawtlin *eg* fault line
ffawydden *eb* beech
ffederal *ans* federal
ffederaleiddio *be* federate
ffederaliaeth *eb* federalism
ffederasiwn *eg* federation
Ffederasiwn Glowyr De Cymru *eg* South Wales Miners
   Federation
ffedog *eb* apron
ffedog allolchi *eb* outwash apron
ffedog crochenydd *eb* potter's apron
ffedog flaen *eb* frontal apron
ffedog gotwm *eb* cotton apron
ffedog ledr *eb* leather apron
ffedog wen *eb* white apron
ffefryn *eg* favourite
ffeil *eg* file *n*
ffeil Abra *eb* Abra file
ffeil cyllell *eb* knife file
ffeil dairongl *eb* triangular file
ffeil darddiad *eb* source file
ffeil doriad dwbl *eb* double cut file
ffeil doriad sengl *eb* single cut file
ffeil drafod *eb* transaction file
ffeil ddata *eb* data file
ffeil ddilyniannol *eb* sequential file
ffeil ddilyniannol fynegedig *eb* indexed sequential file
ffeil eildor *eb* second cut file
ffeil fach fain gron *eb* mouse-tail file
ffeil fastard *eb* bastard cut file
ffeil fodrwy *eb* ring-binder
ffeil frasddant *eb* rough cut file
ffeil gabinet *eb* cabinet file
ffeil gron *eb* round file
ffeil gyrchfan *eb* destination file
ffeil hanner crwn *eb* half round file
ffeil hapgyrchu *eb* random access file
ffeil law *eb* hand file
ffeil law fflat *eb* hand flat file
ffeil lefn *eb* smooth cut file
ffeil nodwydd *eb* needle file
ffeil orfras *eb* middle cut file
ffeil orlefn *eb* dead smooth file
ffeil rifflwr *eb* riffler file
ffeil sgwâr *eb* square file
ffeil tâp *eb* tape file
ffeil toriad sengl *eb* single-cut file
ffeil wardio *eb* warding file
ffeil wrth gefn *eb* file backup

ffeilio *be* file *v*
ffeirio *be* barter
ffeithiol *ans* factual
ffeld *eg* veld
ffeld prysglwyni *eg* bushveld
ffelon *eg* felon
ffelonaidd *ans* felonious
ffeloniaeth *eb* felony
ffelsbar *eg* felspar
ffelsenmer *eg* felsenmeer
ffelspar *eg* feldspar
ffelspathig *ans* feldspathic
ffelt *eg* felt
ffelt lliw *eg* coloured felt
ffelt toi *eg* roofing felt
ffeltin *eg* felting
ffelwm *eg* whitlow
ffeminist *eg* feminist *n*
ffeministaidd *ans* feminist *adj*
ffeministiaeth *eb* feminism
ffen *eg* fen
ffendiroedd *ell* fenlands
ffenestr *eb* window
ffenestr adeiniog *eb* casement window
ffenestr alfanedig *eb* galvanized window
ffenestr ar golyn dalennog *eb* pivoted sash window
ffenestr awyru *eb* vent window
ffenestr blwm *eb* leaded window
ffenestr do *eb* dormer window
ffenestr dogfen *eb* document window
ffenestr dryloyw *eb* transparency window
ffenestr ddalennog *eb* sash window
ffenestr eilaidd *eb* secondary window
ffenestr fargod *eb* overhanging window
ffenestr fwa *eb* bow window
ffenestr Ffrengig *eb* French window
ffenestr gilannog *eb* recessed window
ffenestr grom *eb* bay window
ffenestr gwydr dwbl *eb* double glazed window
ffenestr gwydr triphlyg *eb* triple glazed window
ffenestr hirgron *eb* oval window
ffenestr louvre *eb* louvre window
ffenestr lydan *eb* picture window
ffenestr neges *eb* message window
ffenestr ros *eb* rose window
ffenestru *be* windowing
Ffeniad *eg* Fenian
ffenigl *eg* fennel
ffenol *eg* phenol
ffenolffthalein *eg* phenolphthalein
ffenolig *ans* phenolic
ffenoligion *ell* phenolics (thermosetting plastics)
ffenomen *eb* phenomenon
ffenomen electrostatig *eb* electrostatic phenomenon
ffenoteip *eg* phenotype
ffens *eb* fence *n*
ffens bleth *eb* wattle fence

---

ffens bolion *eb* paling
ffens gymwysadwy *eb* adjustable fence
ffens lif *eb* saw-fence
ffens lithr *eb* sliding fence
ffens rwygo *eb* ripping fence
ffensio *be* fence *v*
ffensiwr *eg* fencer
ffenylalanin *eg* phenylalanine
ffenylcetonwria *eg* phenylketonuria
ffeodai *eg* feoffee
ffeodariad *eg* feodary
ffeodeion amfeddiad *ell* feoffees for impropriation
ffeodiad *eg* feoffment
ffeodwr *eg* feoffor
ffêr *eb* ankle
Fferdinand *eg* Ferdinand
fferi *eb* ferry
fferm *eb* farm *n*
fferm gyfunol *eb* collective farm
fferm laeth *eb* dairy farm
fferm y plas *eb* home farm
fferm y wladwriaeth *eb* state farm
ffermio *be* farm *v*
ffermio bugeiliol *be* pastoral farming
ffermio da byw *be* livestock farming
ffermio gorddwys *be* factory farming
ffermio gwndwn *be* ley farming
ffermio ymgynhaliol *be* subsistence farming
ffermiwm (Fm) *eg* fermium (Fm)
ffermwr *eg* farmer
fferoconcrit *eg* ferro-concrete
fferomagnetedd *eg* ferromagnetism
fferonom *eg* pheronome
fferrig *ans* ferric
fferrig clorid *eg* ferric chloride
fferrit *eg* ferrite
fferrus *ans* ferrous
fferyllfa *eb* pharmacy
fferyllol *ans* pharmaceutical
fferyllydd *eg* pharmacist
ffetlo *be* fettle
ffeuen *eb* bean
ffi *eb* fee
ffi batent *eb* patent fee
ffi entael *eb* entail fee
ffi gladdu *eb* mortuary fee
ffi marchog *eb* knight's fee
ffi rydd *eb* simple fee
ffi sir *eb* shire fee
ffiard *eg* fjard
ffibr *eg* fibre
ffibr anifail *eg* animal fibre
ffibr atgynyrchiedig *eg* regenerated fibre
ffibr coed *eg* wood fibre
ffibr crai *eg* raw fibre
ffibr cymysg *eg* blended fibre
ffibr dietegol *eg* dietary fibre

ffibr di-dor *eg* continuous fibre
ffibr elastig *eg* elastic fibre
ffibr gwneud *eg* man-made fibre
ffibr llin *eg* flax fibre
ffibr llysiau *eg* vegetable fibre
ffibr naturiol *eg* natural fibre
ffibr optegol *eg* optical fibre
ffibr synthetig *eg* synthetic fibre
ffibr wedi'i atgyfnerthu â gwydr *eg* glass-reinforced fibre
ffibriliad *eg* fibrillation
ffibrin *eg* fibrin
ffibroblast *eg* fibroblast
ffibrocyt *eg* fibrocyte
ffibrog *ans* fibrous
ffibrolyn *eg* fibril
ffibrosis y bledren *eg* cystic fibrosis
ffibrwydr mat *eg* matt fibreglass
ffibwla *eg* fibula
ffidil *eb* fiddle
ffidlwr *eg* fiddler
ffieiddiwr *eg* abhorrer
ffiff *eg* fief
ffiff etifeddol *eg* hereditary fief
ffigur (mewn dawns) *eg/b* pattern (in dance)
ffigur (yn gyffredinol) *eg/b* figure
ffigur academi *eg* academy figure
ffigur cyflun *eg* similar figure (in mathematics)
ffigur cymalog *eg* jointed figure
ffigur dawns *eg* dance figure
ffigur dynol *eg* human figure
ffigur ffantasi *eg* fantasy figure
ffigur gosod *eg* lay figure
ffigur i'w gario *eg* carrying figure
ffigur noeth *eg* naked figure
ffigur papur *eg* paper figure
ffigur plân *eg* plane figure
ffigur plastig *eg* plastic figure
ffigur plastr *eg* plaster figure
ffigur solet *eg* solid figure
ffigur unionlin *eg* rectilinear figure
ffigur wyth *eg* figure eight
ffigur ystyrlon *eg* significant figure
ffigurol *ans* figurative
ffiguryn *eg* figurine
ffigysen *eb* fig
ffilament *eg* filament
ffilamentog *ans* filamentous
ffildiwr *eg* outfielder
ffildiwr chwith *eg* left outfielder
ffiled *eb* fillet *n*
ffiled pren caled *eg* hardwood fillet
ffiled wynebu *eg* facing fillet
ffiledu *be* fillet *v*
ffiligri *eg* filigree
ffiliol *ans* filial
ffilm *eb* film

---

ffilm warchod *eb* protective film
ffin *eb* boundary
ffin flaen *eb* front wall out of court line
ffin gefn *eb* back wall out of court line
ffin hyder *eb* confidence limit
ffin hydoddydd *eb* solvent front
ffin ochr *eb* side wall out of court line
ffin tudalen *eb* page boundary
ffinedig *ans* bounded
ffiniol *ans* borderline *adj*
ffinrewlifol *ans* periglacial
ffin-ganllaw *eg* edge guide
ffiol *eb* vase
ffiol ffrwythau *eb* fruit bowl
ffiord *eg* fiord
ffirn *eg* firn
ffiseg *eb* physics
ffiseg feddygol *eb* medical physics
ffisegol *ans* physical (=of physics)
ffisioleg *eb* physiology
ffisiolegol *ans* physiological
ffisiolegydd *eg* physiologist
ffisionomeg *eb* physiognomics
ffisiotherapi *eg* physiotherapy
ffisiotherapydd *eg* physiotherapist
ffit *ans* fit *adj*
ffit *eb* fit *n*
ffit dynn *eb* tight fit
ffit lac *eb* loose fit
ffit lithr *eb* sliding fit
ffit orau *eb* best fit
ffit orwasg *eb* driving fit
ffit redegog *eb* running fit
ffit ymyrraeth *eb* interference fit
ffitiad Tonk *eg* Tonk's fitting
ffitiadau cabinet *ell* cabinet fittings
ffitiadau datgysylltiol *ell* knockdown fittings
ffitiadau goleuo *ell* light fittings
ffitiau a therfynau fits and limits
ffitio *be* fit *v*
ffitio poeth *be* shrink fit
ffitiwr *eg* fitter
ffitrwydd corfforol *eg* physical fitness
ffiwdal *ans* feudal
ffiwdaleiddio *be* feudalize
ffiwdaliaeth *eb* feudalism
ffiwg *eb* fugue
ffiwg â chyfeiliant *eb* accompanied fugue
ffiwg driphlyg *eb* triple fugue
ffiwg ddrych *eb* mirror fugue
ffiwg ddwbl *eb* double fugue
ffiwg wir *eb* real fugue
ffiwgaidd *ans* fugal
ffiwgato fugato
ffiwgeta *eb* fughetta
ffiws *eg* fuse (of device) *n*

ffiws trydan *eg* electric fuse
ffiwsio *be* fuse (when a fuse blows) *v*
fflach *eb* flash
fflachbwynt *eg* flash point
fflachedig *ans* flashed
fflachennu *be* scintillate
fflachiad *eg* flashover
fflachlif *eg* flash flood
fflagelwm *eg* flagellum
fflangell *eb* cat o'nine tails
fflam *eb* flame
fflamadwy *ans* inflammable
fflamadwy *ans* flammable
fflamadwyedd *eg* flammability
fflamdorrwr *eg* flame cutter
fflan *eb* flan
fflaneléd *eg* flannelette
fflans *eg/b* flange *n*
fflans eliptigol *eb* elliptical flange
fflans gyplydd *eb* coupling flange
fflansio *be* flange *v*
fflap *eg* flap
fflapjacs *ell* flapjacks
fflasg *eb* flask
fflasg fongron *eb* round bottomed flask
fflasg fowldio *eb* moulding flask
fflasg fyrdew *eb* squat flask
fflasg gonigol *eb* conical flask
fflasg raddedig *eb* graduated flask
fflasg safonol *eb* volumetric flask
fflasg wactod *eb* vacuum flask
fflat *ans* flat (=of little depth) *adj*
fflat *eg* flat *n*
fflat llanw *eg* tidal flat
fflat un ystafell *eg* bedsitter
fflatiau llaid *ell* mud flats
fflatio *be* flatting
fflatiwr *eg* flatter
fflatws *eg* flatus
fflaw *eg* flake
fflaw mica *eg* mica flake
fflawiog *ans* flaked
fflecnod *eg* flecnode
fflecs drydan *eb* electric flex
fflem *eg* phlegm
fflêr *eb* flare *n*
fflerio *be* flare *v*
fflewyn *eg* splinter
fflic *eg* flick *n*
fflicio *be* flick *v*
fflic-fflac *eg* flick-flack
ffliw (mewn simne) *eb* flue (in chimney)
ffliw (afiechyd) *eg* influenza
ffliwt *eb* flute *n*
ffliwt alto *eb* alto flute
ffliwt draws *eb* transverse flute**

---

adf, adv adferf, *adverb*   **ans, adj** ansoddair, *adjective*   **be** berf, *verb*   **eb** enw benywaidd, *feminine noun*   **eg** enw gwrywaidd, *masculine noun*

ffliwt fas *eb* bass flute
ffliwt glir *eb* clear flute
ffliwt heligol *eb* helical flute
ffliwt reiddiol *eb* radial flute
ffliwt sbiral *eb* spiral flute
ffliwtydd *eg* flautist
ffloch iâ *eg* ice floe
ffloch rhew *eg* ice floe
fflochion sebon *ell* soap flakes
ffloem *eb* phloem
fflora *ell* flora
fflôt *eg* float (=swimming aid) *n*
fflowns *eb* flounce
fflowns osod *eb* applied flounce
fflurben *eg* flower head
fflurgainc *eb* inflorescence
fflurgainc gyfansawdd *eb* compound inflorescence
fflurol *ans* floral (in biology)
fflurwain *eb* spathe
fflwcs *eg* flux
fflwcsocarbon *eg* fluxocarbon
fflwcs goddefol *eg* passive flux
fflwcs gweithredol *eg* active flux
fflwcs past *eg* paste flux
fflwff *eg* fluff
fflwffio *be* fluffing
fflworeiddiad *eg* fluoridation
fflworid *eg* fluoride
fflworimedr *eg* fluorimeter
fflworin (F) *eg* fluorine (F)
fflworoblastigion *ell* fluoroplastics
fflworosis *eg* fluorosis
fflwrolau *eg* fluorescent lighting
fflwroleuedd *eg* fluorescence
fflwroleuol *ans* fluorescent
fflwroleuydd *eg* fluorescer
ffoadur (=rhywun sydd ar ffo rhag yr awdurdodau) *eg* fugitive
ffoadur (=rhywun sydd wedi ffoi rhag rhyfel) *eg* refugee
ffocal *ans* focal
ffocstrot *eg* foxtrot
ffocws *eg* focus *n*
ffocysau cinetig *ell* kinetic foci
ffocysu *be* focus *v*
ffoetws *eg* foetus
ffofea *eg* fovea
ffogara *eg* foggara
ffoil *eg* foil (=thin metal)
ffoil alwminiwm *eg* aluminium foil
ffoil arian *eg* silver foil
ffoil metel *eg* metal foil
ffoil offeru aur *eg* gold tooling foil
ffoil plastig *eg* plastic foil
ffolen *eb* buttock
ffoligl *eg* follicle
ffoligl blewyn *eg* hair follicle

ffoligl Graaf *eg* Graafian follicle
ffoliglaidd *ans* follicular
ffolio *eg* folio
ffolio dylunio *eg* design folio
ffoliwm *eg* folium
ffon *eb* stick
ffôn *eg* telephone
ffon dafl *eb* sling (for shooting)
ffon argraffu â phren *eb* printing stick
ffon barthu *eb* shed stick
ffôn clust *eg* earphone
ffon gotwm *eb* cottonbud
ffon lliw *eb* colour stick
ffon peintiwr *eb* mahlstick
ffôn pen *eg* headphone
ffon reoli *eb* joystick
ffon rwbio *eb* rubbing stick
ffon wasgu *eb* back stick (spinning)
ffon wrthdro *eb* reverse stick
ffon wthio *eb* push stick
ffon ysgol *eb* rung
ffon ystofi *eb* warp stick
ffondant *eg* fondant
ffonig *ans* phonic
ffont *eg* font
ffont cyfredol *eg* current font
ffont nodau *eg* character font
ffontanél *eg* fontanelle
ffont-deip *eb* typefont
fforamen *eg* foramen
fforamen Munro *eg* Munro's foramen
fforc *eb* fork (for eating or cooking)
fforch *eb* fork (for digging or lifting, a divergence of anything)
fforch danio *eb* firing fork
fforch ddeubig *eb* two-pronged fork
fforchog *ans* forked
ffordd *eb* road
ffordd a ddefnyddir yn llwybr cyhoeddus road used as public path
ffordd brifwythiennol *eb* arterial road
ffordd ddeuol *eb* dual carriageway
ffordd eilaidd *eb* secondary road
ffordd fawr *eb* highway
ffordd fawr pedair lôn *eb* four lane highway
ffordd fynediad *eb* access road
ffordd gerbydau *eb* carriageway
ffordd gul gyda lleoedd pasio *eb* narrow road with passing places
ffordd gyflym *eb* expressway
ffordd hynod o hardd *eb* scenic route
ffordd iach o fyw *eb* healthy lifestyle
ffordd liniaru *eb* relief road
ffordd o wella *eb* means of improvement
ffordd osgoi anheddiadau *eb* bypass around a settlement
ffordd wasanaeth *eb* service road
Ffordd y Groes *eb* Stations of the Cross (of service)
fforest betraidd *eb* petrified forest

---

eg/b enw gwrywaidd/benywaidd, *feminine/masculine noun* **ell** enw lluosog, *plural noun* **v** berf, *verb* **n** enw, *noun*

fforest briddoedd *ell* forest soils
fforffediad *eg* forfeiture
fforiad *eg* exploration (of land)
fforio *be* explore (land)
fforio Ewropeaidd *be* European exploration
fforiwr *eg* explorer
fformaldehyd *eg* formaldehyde
fformant *eg* formant
fformat *eg* format *n*
fformat argraffu *eg* print format
fformat cerdyn *eg* card format
fformat cofnod *eg* record format
fformat cyfarwyddyd *eg* instruction format
fformat data *eg* data format
fformatio *be* format *v*
fformatydd *eg* formatter
fformica *eg* formica
fformiwla *eb* formula
fformiwla adeileddol *eb* structural formula
fformiwla dyrannu adnoddau *eb* resource allocation formula
fformiwla empirig *eb* empirical formula
fformiwla foleciwlaidd *eb* molecular formula
fformiwla fflurol *eb* floral formula
fformiwla graffig *eb* graphic formula
fformiwla stereocemegol *eb* stereochemical formula
fformiwla symlaf *eb* simplest formula
fformiwlari *eg* formulary
ffos *eb* trench
ffos ddyfrhau *eb* irrigation ditch
ffosffad *eg* phosphate
ffosffin *eg* phosphine
ffosffocinas *eg* phosphokinase
ffosffor *eg* phosphor
ffosfforefydd *eg* phosphor bronze
ffosfforyleiddiad ocsidiol *eg* oxidative phosphorylation
ffosfforesgedd *eg* phosphorescence
ffosfforesgol *ans* phosphorescent
ffosfforws (P) *eg* phosphorus (P)
ffosil *eg* fossil *n*
ffosilaidd *ans* fossil *adj*
ffosileiddiad *eg* fossilation
ffosileiddio *be* fossilize
ffosilifferaidd *ans* fossiliferous
ffotodeuod *eg* photodiode
ffotodrydan *eg* photoelectricity
ffotodrydanol *ans* photoelectric
ffotofoltaidd *ans* photovoltaic
ffotogell *eb* photocell
ffotograff *eg* photograph
ffotograff arosgo *eg* oblique photograph
ffotograff fertigol *eg* vertical photograph
ffotograff lefel y tir *eg* ground photograph
ffotograffiaeth *eb* photography
ffotograffiaeth feddygol *eb* medical photography
ffotograffig *ans* photographic
ffotogrametreg *eb* photogrammetry

ffotogyfnodedd *eg* photoperiodism
ffotomedr *eg* photometer
ffotomedreg *eb* photometry
ffotomedrig *ans* photometric
ffoton *eg* photon
ffotosffer *eg* photosphere
ffotostat *eg* photostat
ffotostori *eb* photo story
ffotosynthesis *eg* photosynthesis
ffototransistor *eg* phototransistor
ffototropedd *eg* phototropism
ffoto-allyriant *eg* photo-emission
ffoto-ysgythru *be* photogravure
ffowl personol *eg* personal foul
ffowlio *be* fouling
ffowndri *eb* foundry
ffracsiwn *eg* fraction
ffracsiwn bondrwm *eg* proper fraction
ffracsiwn cyffredin *eg* common fraction
ffracsiwn cynrychiadol *eg* representative fraction (R.F.)
ffracsiwn cynrychioliadol *eg* representation fraction
ffracsiwn degol *eg* decimal fraction
ffracsiwn pendrwm *eg* improper fraction
ffracsiwn syml *eg* simple fraction
ffracsiynau cywerth *ell* equivalent fractions
ffracsiynau o dro cyflawn *ell* fractions of a complete turn
ffracsiynau rhannol *ell* partial fractions
ffracsiynol *ans* fractional
ffractal *eg* fractal
Ffrangeg Normanaidd *eb* Norman-French (language) *n*
ffrâm *eb* frame *n*
ffrâm ddarlun *eb* picture frame
ffrâm Abra *eb* Abra frame
ffrâm blyg *eb* bent frame
ffrâm bren *eb* wooden frame
ffrâm bwytho *eb* stitching frame
ffrâm ddannedd *eb* dental brace
ffrâm ddeintur *eb* tenter frame
ffrâm ddringo *eb* climbing frame
ffrâm ddrws *eb* door frame
ffrâm ddŵr *eb* water frame
ffrâm fasged *eb* basket frame
ffrâm frodio *eb* embroidery frame
ffrâm frodio gron *eb* tambour frame (embroidery)
ffrâm gerdded *eb* walker frame
ffrâm gwiltio *eb* quilting frame
ffrâm gymwysadwy *eb* adjustable frame
ffrâm haclif *eb* hacksaw frame
ffrâm holi *eb* enquiry frame
ffrâm isaf *eb* underframe
ffrâm lif *eb* saw-frame
ffrâm rigolog *eb* grooved frame
ffrâm sgrin *eb* screen frame
ffrâm siasi *eb* chassis frame
ffrâm waelod *eb* bottom frame
ffrâm wifren *eb* wire frame
ffrâm wnïo *eb* sewing frame

ffrâm ystofi *eb* warping frame
fframio *be* frame *v*
fframwaith *eg* framework
fframwaith coed *eg* timber framing
fframwaith cysyniadol *eg* conceptual framework
fframwaith dosbarth *eg* class structure
fframwaith dur *eg* steel framing
fframwaith gofal *eg* framework of care
fframwaith lleoliadol *eg* locational framework
fframwaith NVQ *eg* NVQ framework
fframwaith polisi *eg* policy framework
fframwaith uniad-pin *eg* pin-jointed framework
Ffrancaidd *ans* Frankish
Ffranciaid *ell* Franks
ffranciwm (Fr) *eg* francium (Fr)
Ffrancwyr Rhydd *ell* Free French
Ffransis *eg* Francis
Ffransisgaidd *ans* Franciscan *adj*
Ffransisiad *eg* Franciscan *n*
ffrasil *eg* frazil
Ffredric *eg* Frederick
Ffredric Fawr *eg* Frederick the Great
Ffrengig Normanaidd *ans* Norman-French *adj*
ffrenig *ans* phrenic
ffres *ans* fresh
ffresgo *eg* fresco
ffreutur *eg* refectory
ffridd *eb* moorland
ffrigad *eb* frigate
ffrilen *eb* frill
ffrio *be* fry
ffrio bas *be* shallow frying
ffrio dwfn *be* deep fat frying
ffrio sych *be* dry frying
ffrîs *eg* frieze (architectural)
ffrislio *be* frizzling
ffrit *eg* frit (glaze)
ffriter *eg* fritter
ffrithiant *eg* friction
ffrithiant llithro *eg* sliding friction
ffrithiant peiriant *eg* engine friction
ffroen *eb* nostril
ffroenell *eb* nozzle
ffrog *eb* dress (=frock) *n*
ffrog biner *eb* pinafore dress
ffrog diwnig *eb* overdress
ffrog fin nos *eb* evening dress
ffrond *eg* frond
ffrotais *eg* frottage *n*
ffrotais gwead *eg* texture rubbing
ffroteisio *be* frottage *v*
ffrwctos *eg* fructose
ffrwd *eb* stream *n*
ffrwd adlif *eb* resequent stream
ffrwd bengoll *eb* beheaded stream
ffrwd danrewlifol *eb* sub-glacial stream
ffrwd drawslif *eb* subsequent stream

ffrwd ddi-dor *eb* continuous stream
ffrwd gradd un *eb* first order stream
ffrwd gydlif *eb* consequent stream
ffrwd haplif *eb* insequent stream
ffrwd melin *eb* mill race
ffrwd wrthlif *eb* obsequent stream
ffrwd ysbeidiol *eb* intermittent stream
ffrwstwm *eg* frustum
ffrwstwm côn *eg* frustum of cone
ffrwstwm pyramid *eg* frustum of pyramid
ffrwydrad *eg* explosion
ffrwydrad poblogaeth *eg* population explosion
ffrwydriaid *ell* bursters
ffrwydro *be* explode
ffrwydrol *ans* explosive *adj*
ffrwydryn *eg* explosive *n*
ffrwydryn tanddwr *eg* depth charge
ffrwyn *eb* bridle *n*
ffrwyno *be* bridle *v*
ffrwyth *eg* fruit
ffrwyth carreg *eg* stone fruit
ffrwyth citraidd *eg* citrus fruit
ffrwythau grisialog *ell* crystallized fruit
ffrwythau sych *ell* dried fruits
ffrwythau sych cymysg *eg* mixed dried fruits
ffrwythlon *ans* fertile
ffrwythlondeb *eg* fertility
ffrwythlondeb pridd *eg* soil fertility
ffrwythlonedd *eg* fecundity
ffrwythloni *be* fertilize (in biology)
ffrwythloni in vitro *be* in vitro fertilization (IVF)
ffrwythloniad *eg* fertilization
ffrwythus *ans* fruity
ffrwythyn *eg* fruit (a single)
ffrwythyn suddlon unhadog *eg* single seeded succulent
  fruit
ffrydio *be* stream *v*
ffrydlif *eg* streamflow
ffrynt *eg* front
ffrynt achludol *eg* occluded front
ffrynt cartref *eg* home front
ffrynt cynnes *eg* warm front
ffrynt ffug (drôr) *eg* false front (of drawer)
ffrynt ffurfiedig *eb* shaped front
ffrynt iâ *eg* ice front
ffrynt oer *eg* cold front
ffrynt pegynol *eg* polar front
ffrynt rhew *eg* ice front
ffrynt rhyngdrofannol *eg* intertropical front
ffrynt tabwrdd *eg* tambour front
ffrynt y bobl *eg* popular front
ffryntdarddiad *eg* frontogenesis
ffryntwasgariad *eg* frontolysis
ffug *ans* false
ffug arholiad *eg* mock examination
ffug ffiwdaliaeth *eb* bastard feudalism
ffug ffrwythyn *eg* false fruit

---

ffug haenau *ell* false bedding
ffug ymosod *be* false attack
ffugiad (mewn rygbi) *eg* dummy (=false pass) *n*
ffugiad (yn gyffredinol) *eg* forgery
ffugio (mewn rygbi) *be* dummy *v*
ffugio (yn gyffredinol) *be* fake *v*
ffugwaith *eg* fake *n*
ffugweinydd *eg* pseudo-servo
ffugweithrediad *eg* pseudo-operation
ffug-god *eg* pseudo-code
ffug-gyfarwyddyd *eg* pseudo-instruction
ffug-hap *eg* pseudo-random
ffurf *eb* form (=shape) *n*
ffurf a chynnwys form and content
ffurf amrywiol *eb* variable form
ffurf anifeiliaid *eb* animal form
ffurf ar gêm *eb* game form
ffurf Backus-Naur *eb* Backus-Naur form (BNF)
ffurf beiriannol *eb* mechanical form
ffurf bloc *eb* block form
ffurf bowdr *eb* powder form
ffurf bwa *eb* arch form
ffurf dawns *eb* dance form
ffurf driog *eb* syrup form
ffurf ddeuaidd *eb* binary form
ffurf ddwyran gyfansawdd *eb* compound binary form
ffurf ddynol *eb* human form
ffurf echelon *eb* echelon form
ffurf ffiwg *eb* fugue form
ffurf ganonaidd *eb* canonical form
ffurf Geltaidd *eb* Celtic form
ffurf gerfluniol *eb* sculptural form
ffurf gydnabyddedig *eb* recognized form
ffurf gymhleth *eb* intricate shape
ffurf gytbwys *eb* balanced shape
ffurf hirgron *eb* oval shape
ffurf hylifol *eb* liquid form
ffurf naturiol *eb* natural form
ffurf oedolyn *eb* adult stage
ffurf rondo *eb* rondo form
ffurf safonol *eb* standard form (of customary method)
ffurf sonata *eb* sonata form
ffurf sylfaenol *eb* basic form
ffurf syml *eb* simple form
ffurf symlaf *eb* simplest form
ffurf symudiad cyntaf *eb* first movement form (in music)
ffurf tyfiant *eb* growth formation
ffurf V *eb* V-shape
ffurf wneud *eb* made form
ffurf wreiddiol *eb* original shape
ffurfdro *eg* inflection
ffurfiad *eg* structure (a single, definable)
ffurfiad grisialog *eg* crystalline structure
ffurfiad iaith *eg* language formation
ffurfiad mecanyddol *eg* mechanical structure
ffurfiannol *ans* formative

ffurfiant *eg* formation
ffurfiant rhywogaethau *eg* speciation
ffurfiant wy *eg* egg formation
ffurfiau dan sylw *ell* observed forms
ffurfiau gosod *ell* applied forms
ffurfiau hafaliad y cylch *ell* forms of equation of the circle
ffurfiau papur *ell* paper shapes
ffurfiau perthynol *ell* related shapes
ffurfiedig *ans* shaped
ffurfio *be* form *v*
ffurfio â gwactod *be* vacuum forming
ffurfio dan wasgedd *be* pressure forming
ffurfio dilyniannau *be* form sequences
ffurfio rhedwyr *be* forming runners
ffurfio seren *be* form a star
ffurfiol *ans* formal
ffurfio'n oer *be* cold-forming
ffurfiwr ffilm *eg* film former
ffurflen *eb* form (=document)
ffurflen DMG *eb* OMR form
ffurflen gais *eb* application form
ffurflen gydsynio *eb* consent form
ffurflen gyfrifiad *eb* census return
ffurflen safonol *eb* standard form (of document)
ffurflin *eg* form-line
ffurfwaith *eg* formwork
ffurfwedd *eb* configuration
ffurfwedd ofodol *eb* spatial configuration
ffurfweddu *be* configure
ffurfydd *eg* former
ffurfydd silindrog *eg* cylindrical former
ffurfydd taprog *eg* tapered former
ffurf-deip *eg* typeface
ffwcosanthin *eg* fucoxanthin
ffwng *eg* fungus
ffwngaidd *ans* fungal
ffwngleiddiad *eg* fungicide
ffŵl ffrwythau *eg* fruit fool
ffwlcrwm *eg* fulcrum
ffwlsgap *eg* foolscap
ffwndws *eg* fundus
ffwr *eg* fur (of animals)
ffwrn *eb* oven
ffwrn aerglos *eb* autoclave
ffwrnais *eb* furnace
ffwrnais adlewyrchol *eb* reverberatory furnace
ffwrnais amledd uchel Witton *eb* Witton high frequency furnace
ffwrnais anwytho amledd uchel *eb* high frequency induction furnace
ffwrnais arc drydan *eb* electric arc furnace
ffwrnais bwdlo *eb* puddling furnace
ffwrnais chwyth *eb* blast furnace
ffwrnais dân agored *eb* open-hearth furnace
ffwrnais drawsnewidydd Bessemer *eb* Bessemer converter furnace

---

ffwrnais drawsnewidydd ocsigen *eb* oxygen converter furnace

ffwrnais fwffwl *eb* muffle furnace

ffwrnais fwyndoddi *eb* smelter

ffwrnais grwsibl *eb* crucible furnace

ffwrnais gwpola *eb* cupola furnace

ffwrndanio *be* fire (enamel)

ffwyl *eg* foil (in fencing)

ffwyliwr *eg* foilist

ffwythiannaeth *eb* functionalism

ffwythiannau esbonyddol *ell* exponential functions

ffwythiannol *ans* functional (of mathematical functions)

ffwythiant *eg* function (in mathematics)

ffwythiant adenillion *eg* return function

ffwythiant aflinol *eg* non-linear function

ffwythiant ar *eg* onto function

ffwythiant cyd-ddosbarthiad *eg* joint distribution function

ffwythiant cyflyrol *eg* state function

ffwythiant cymhlyg *eg* complex function

ffwythiant deilliadol *eg* derived function

ffwythiant diben *eg* objective function

ffwythiant dosraniad *eg* partition function

ffwythiant dosraniad ffiniol *eg* marginal distribution function

ffwythiant dwysedd tebygolrwydd *eg* probability density function

ffwythiant echblyg *eg* explicit function (in mathematics)

ffwythiant eigen *eg* eigen function

ffwythiant hyperbolig *eg* hyperbolic function

ffwythiant i mewn *eg* into function

ffwythiant nodwedd weithredol *eg* operating characteristic function

ffwythiant polynomaidd *eg* polynomial function

ffwythiant prawf globaidd *eg* global trial function

ffwythiant pŵer *eg* power function

ffwythiant siâp cydffurfiol *eg* conforming shape function

ffwythiant trigonometrig *eg* trigonometric function

ffwythiant ymhlyg *eg* implicit function

ffydd *eb* faith

ffydd Gristnogol *eb* Christian faith

ffyngau llysnafedd *ell* slime fungi

ffylwm *eg* phylum

ffynhonnell *eb* source

ffynhonnell brintiedig *eb* printed source

ffynhonnell egni *eb* energy source

ffynhonnell eilaidd *eb* secondary source

ffynhonnell goleuni *eb* light source

ffynhonnell gwybodaeth *eb* information source

ffynhonnell hanesyddol *eb* historical source

ffynhonnell sain *eb* sound source

ffynhonnell wreiddiol *eb* primary source

ffynhonnell ymbelydrol *eb* radioactive source

ffyniannus *ans* prospering

ffyniant *eg* prosperity

ffyniant ariannol *eg* financial boom

ffynnon artesaidd *eb* artesian well

ffynnon olew *eb* oil well

ffyrdd a llwybrau roads and paths

ffyrdd cyflenwi *ell* supply lines

ffyrdd cyswllt *ell* lines of communication

ffytoplancton *eg* phytoplankton

---

eg/b enw gwrywaidd/benywaidd, *feminine/masculine noun*   *ell* enw lluosog, *plural noun*   *v* berf, *verb*   *n* enw, *noun*

G

G fwyaf *eb* G major
G leiaf *eb* G minor
gaberdîn *ans* gaberdine
gabro *eg* gabbro
gadael (=mynd i ffwrdd) *be* depart
gadael (=rhoi'r gorau i rywun neu rywbeth) *be* abandon
gadael oherwydd anaf *be* retired hurt
gadoliniwm (Gd) *eg* gadolinium (Gd)
gaeafgwsg *eg* hibernation
gaeafgysgu *be* hibernate
gafael *be* grasp *v*
gafael *eg/b* grasp *n*
gafael bob yn ail *be* alternate grasp
gafael bwyell *eb* chopper grip
gafael ebrwydd *eb* instantaneous grip
gafael ffrithiannol *eb* frictional grip
gafael llawddryll *eb* pistol grip
gafael nwrl *eb* knurled grip
gafael troed *eb* foothold
gafael y flaen-llaw *eb* Eastern grip
gafaelgar *ans* catchy
gafaeliau bysedd *ell* finger holds
gafaelydd bwlb *eg* bulb holder
gafaelydd peipen *eg* pipe grips
gang *eg/b* gang
gaing *eb* chisel *n*
gaing befel *eb* bevel chisel
gaing drawstor *eb* cross cut chisel
gaing drwyn diemwnt *eb* diamond point chisel
gaing eingion *eb* hardie
gaing fferf *eb* firmer gouge
gaing galed *eb* cold chisel
gaing gerfio *eb* carving chisel
gaing glo drôr *eb* drawer lock chisel
gaing hedegog *eb* fly cutter
gaing sglodi *eb* chipping chisel
gaing blygio *eb* plugging chisel
gaing durnio *eb* lathe chisel
gaing gau *eb* gouge *n*
gaing gau blyg *eb* bent gouge
gaing gau durnio *eb* wood turning gouge
gaing gau gefn *eb* firmer gouge
gaing gau hir *eb* paring gouge
gaing gau offeru *eb* tooling gouge
gaing gau turn *eb* lathe gouge
gaing gau wyneb *eb* scribing gouge
gaing hanner crwn *eb* half moon chisel

gair *eg* word
gair allweddol *eg* key word
gair cadw *eg* reserved word
gair cyfarwyddiadol *eg* instruction word
gair llafar *eg* spoken word
gair peiriant *eg* machine word
gala nofio *eg* swimming gala
galactos *eg* galactose
galactosaemia *eg* galactosaemia
galaeth *eb* galaxy
galaethog *ans* galactic
galanas *eb* blood feud (in old Welsh law)
Galanas Stockholm *eb* Blood Bath of Stockholm
galar *eg* grief
galargan *eb* elegy
galaru *be* mourn
galena *eg* galena
galeri (telyn Gothig) *eg* capital (of Gothic harp)
galfanedig *ans* galvanized
galfaneiddiad *eg* galvanization
galfanig *ans* galvanic
galfanomedr *eg* galvanometer
galfanomedr coil symudol *eg* moving coil galvanometer
galfanomedr smotyn *eg* spot galvanometer
galfanu *be* galvanize
galfanu dip poeth *be* hot dip galvanizing
gali *eg* galley
Galicanaidd *ans* Gallican *adj*
Galicaniad *eg* Gallican *n*
Galicaniaeth *eb* Gallicanism
galilea *eg* galilee (porch)
galiwm (Ga) *eg* gallium (Ga)
galiwn *eg* galleon
galw *be* call *v*
galw *eg* demand *n*
galw brig *eg* peak demand
galw cofrestr *be* roll call
galw i gof *be* recall
galw i gof batrymau cerddorol *be* recall musical patterns
galw wrth enw *be* call by name
galw wrth werth *be* call by value
galwad *eb* call *n*
galwedigaeth *eb* occupation (=job)
galwedigaeth eisteddog *eb* sedentary occupation
galwedigaethol *ans* occupational
galwyn *eg/b* gallon
galliard *eg* galliard
gallu *eg* ability

---

adf, adv adferf, adverb   **ans, adj** ansoddair, adjective   **be** berf, verb   **eb** enw benywaidd, feminine noun   **eg** enw gwrywaidd, masculine noun

gallu canolig *eg* average ability
gallu cyd-drefnu *eg* coordinating power
gallu cyffelyb *eg* similar ability
gallu cyffredinol *eg* general ability
gallu cymysg *eg* mixed ability
gallu cynhenid *eg* inborn capacity
gallu cynhyrchu *eg* generating capacity
gallu geiriol *eg* verbal ability
gallu gofodol *eg* spatial ability
gallu gweld-echddygol *eg* visuo-motor ability
gallu gwybyddol *eg* cognitive ability
gallu ieithyddol *eg* language ability
gallu meddyliol *eg* mental ability
gallu prynu *eg* purchasing power
galluog *ans* able
galluogi *be* enable
galluogi ymyriadau *be* enable interrupts
galluogwr *eg* enabler
gamba *eg* gamba
gamet *eg* gamete
gamet benyw *eg* female gamete
gamet gwryw *eg* male gamete
gametocyt *eg* gametocyte
gametoffor *eg* gametophore
gametoffyt *eg* gametophyte
gamopetalog *ans* gamopetalous
gamosepalog *ans* gamosepalous
gamwt *eg* gamut
ganglion *eg* ganglion
GAP: Gweithgor ar Asesu a Phrofi *eg* TGAT: Task Group on Assessment and Testing
garan *eg/b* shank
garan a chylch shank and ring
garan baralel *eb* parallel shank
garan dapr *eb* taper shank
garan syth *eb* straight shank
gard *eg* guard *n*
gard diogelwch *eg* safety guard
gard rhwyll wifrog *eg* wire mesh guard
gard tân *eg* fireguard
gard uchaf *eg* crown guard
gardys *eg* garter
gardd *eb* garden *n*
gardd fasnachol *eb* market garden
gardd grog *eb* hanging garden
garddio *be* garden *v*
garddio masnachol *be* market gardening
gardd-ddinas *eb* garden city
garej *eg* garage
gargoil *eg* gargoyle
garlant *eg* garland
garsiwn *eg/b* garrison
gartref at home
garw *ans* rough
garw agored *eg* rough open
garwdir basalt *eg* scabland
garwdiroedd *ell* badlands

garwdirol *ans* badland
garwedd *eg* roughness
Gascon *eg* Gascon
gasged *eg* gasket
gastrig *ans* gastric
gastro-enteroleg *eb* gastro-enterology
gastro-enteritis *eg* gastro-enteritis
gastrwla *eg* gastrula
gastrwliad *eg* gastrulation
gau *ans* false (of prophets etc)
gau berthynas *eb* false relation
gau friger *eb* staminode
gavotte *eg* gavotte
gefail *eb* forge *n*
gefail gludadwy *eb* portable forge
gefail gof *eb* blacksmith's forge
gefeilldref *eb* twin town *n*
gefeilles *eb* twin (female)
gefeilliaid heb fod yr unfath *ell* fraternal twins (non-identical)
gefel *eb* tongs
gefel flwch *eb* box tongs
gefel beipen *eb* pipe tongs
gefel dynnu *eb* draw tongs
gefel fach *eb* tweezers
gefel fath picl *eb* pickle-bath tongs
gefel flwch sgwâr *eb* square-box tongs
gefel follt *eb* bolt tongs
gefel fflat agored *eb* open flat tongs
gefel garan gron (castio) *eb* ring-shank tongs (casting)
gefel geg 'V' *eb* vee-bit tongs
gefel geg ochr *eb* side mouth tongs
gefel gegdyn *eb* close-mouth tongs
gefel gegochr *eb* side-mouth tongs
gefel gegron *eb* hollow bit tongs
gefel gegron ddwbl *eb* double hollow-bit tongs
gefel gegsgwar *eb* square mouth tongs
gefel geg-agored *eb* open-mouth tongs
gefel godi *eb* lifting tongs
gefel grwsibl *eb* crucible tongs
gefel gyffredinol *eb* universal tongs
gefel ofannu *eb* forging tongs
gefel sgrôl *eb* scroll tongs
gefelen *eb* pliers
gefelen dorri *eb* cutting pliers
gefelen dorri croeslin *eb* diagonal cutting pliers
gefelen drwyngron *eb* round nose pliers
gefelen drwyn byr *eb* short nose pliers
gefelen drwyn cam *eb* bent nose pliers
gefelen drwyn crwn hir *eb* long round nose pliers
gefelen drwyn crwn main hir *eb* long snipe nose pliers
gefelen drwyn hir *eb* long nose pliers
gefelen drwyn sgwâr *eb* square nose pliers
gefelen dynhau *eb* straining pliers
gefelen estyn *eb* stretcher pliers
gefelen geg-symudol *eb* mouth-moving pliers
gefelen gweithiwr gwiail *eb* caneworker's pliers

gefelen gyfunol *eb* combination pliers
gefelen llygaden *eb* eyelet pliers
gefelen nipio *eb* nipping pliers
gefelen ochr-dorri *eb* side-cutting pliers
gefelen osod llif *eb* saw-setting pliers
gefelen semio *eb* seaming pliers
gefelen stripio gwifrau *eb* wire-stripping pliers
gefelen wifrau *eb* wire pliers
gefelen ynysedig trydanwr *eb* electrician's insulated pliers
gefell *eg* twin (male)
gefell unfath *eg* identical twin
gefyn *eg* shackle
geilwad *eg* folk dance caller
geirda *eg* reference (=testimonial)
geirda cymeriad *eg* character reference
geirfa *eb* vocabulary
geirfa allweddol *eb* key vocabulary
geirfa briodol *eb* appropriate vocabulary
geirfa gelf *eb* art vocabulary
geirfa graidd *eb* core vocabulary
geirfa lafar *eb* oral vocabulary
geirfa oddefol *eb* passive vocabulary
geirfa sylfaenol *eb* basic vocabulary
geirfa weledol sylfaenol *eb* basic sight vocabulary
geiriadur *eg* dictionary
geiriadur data *eg* data dictionary
geiriadur defnyddiwr *eg* user dictionary
geiriadurol *ans* lexicographic
geiriol *ans* verbal
geiriol gyfeiriedig *ans* word orientated
geirlap *eg* wordwrap
geiser *eg* geyser
gel *eg* gel
gelaidd *ans* gelatinous
gelatin *eg* gelatine
gelen *eb* leech
geliad *eg* gelation
gelyn *eg* enemy
gelyniaethiad *eg* alienation (=cause to become hostile)
gelyniaethu *be* alienate
gêm *eb* game
gem *eb* gem
gêm atsain *eb* echo game
gêm brawf *eb* test game
gêm darged *eb* target game
gêm daro *eb* striking game
gêm goresgyn *eb* invasion game
gêm gyfartal *eb* drawn game
gêm gystadleuol *eb* competitive game
gêm i barau *eb* doubles game
gêm i dîm *eb* team game
gêm i ddim love game
gêm timau bach *eb* small-sided game
gêm un ar ddeg bob ochr *eb* eleven a side game
gêm unigol *eb* individual game
Gemau Olympaidd *ell* Olympic Games

gemau tîm cystadleuol *ell* competitive team games
gemshorn *eg* gemshorn
gemwaith *ell* jewellery
gemwl *eg* gemmule
gemydd *eg* jeweller
gên *eb* jaw *n*
gên isaf *eb* lower jaw
genedigaeth *eb* birth
genedigaeth Gesaraidd *eb* Caesarean birth
genedigaeth-fraint *eb* birthright
genedigol *ans* nascent
generadiad *eg* generation (of heat, light etc)
generadol feidraidd *ans* finitely generated
generadu *be* generate (with generator)
generadur *eg* generator
generadur adroddiadau *eg* report generator
generadur byrraf *eg* shortest generator
generadur cerrynt eiledol *eg* a.c. generator
generadur curiadau cloc *eg* clock pulse generator
generadur haprifau *eg* random number generator
generadur rhaglen *eg* program generator
generadur rhifau *eg* number generator
generadur sain *eg* sound generator
generadur trydan *eg* electrical generator
generadur tyrbo *eg* turbo-generator
generig *ans* generic
geneteg *eb* genetics
geneteg dyn *eb* human genetics
genetig *ans* genetic
geneufor *eg* bight
genfa ffrwyn *eb* bridle bit
genglo *eg* lockjaw
geni'n farw *be* still birth
geni o forwyn *be* virgin birth
genogl *eg* jawbone
genol *ans* jaw *adj*
genom *eg* genome
genomer *eg* genomer
genosom *eg* genosome
genoteip *eg* genotype
genoteipaidd *ans* genotypic
genre *eg* genre
genws *eg* genus
genyn *eg* gene
genyn marwol *eg* lethal gene
gên-bwys *eg* chin rest
geoanticlin *eg* geoanticline
geocronoleg *eb* geochronology
geocronometreg *eb* geochronometry
geod *eg* geode
geodedd *eg* geodesy
geodesig *ans* geodesic
geodetig *ans* geodetic
geodimedr *eg* geodimeter
geofwrdd *eg* geoboard
geoffiseg *eb* geophysics
geoffyt *eg* geophyte

---

adf, adv adferf, *adverb*   **ans, adj** ansoddair, *adjective*   **be** berf, *verb*   **eb** enw benywaidd, *feminine noun*   **eg** enw gwrywaidd, *masculine noun*

geoid *eg* geoid
geometreg *eb* geometry
geometreg gyfesurynnol *eb* coordinate geometry
geometreg plân *eb* plane geometry
geometreg plân a solid *eb* plane and solid geometry
geometreg trawsffurfiadau *eb* transformation geometry
geometregol *ans* geometrical
geometrig *ans* geometric
geomorffoleg *eb* geomorphology
geomorffolegol *ans* geomorphological
georgette *eg* georgette
geostroffig *ans* geostrophic
geosynclin *eg* geosyncline
geotacsis *eg* geotaxis
geotropedd *eg* geotropism
geothermol *ans* geothermal
geowleidyddiaeth *eb* geopolitics
gêr *eg/b* gear
gêr infoliwt *eg* involute gear
gêr isaf *eg* bottom gear
gêr sbardun *eg* spur gear
gêr twmblo *eg* tumble gear
Geraldiaid *ell* Geraldines
Gerallt Cymro *eg* Gerald of Wales
gerau befel *ell* bevel gears
gerau cripian *ell* worm gears
gerbocs awtomatig *eg* automatic gearbox
geriatregydd *eg* geriatrician
geriatrig *ans* geriatric
germ *eg* germ
germaniwm (Ge) *eg* germanium (Ge)
geso *eg* gesso
geto *eg* ghetto
geudy *eg* reredorter
gewyn *eg* ligament
gewyn cynhaliol *eg* suspensory ligament
gewynnol *ans* sinewy (=ligamentous)
Gibeliniad *eg* Ghibelline
gigabeit (Gb) *eg* gigabyte (Gb)
gigue *eb* gigue
gingham *eg* gingham
gild *eg* guild
gild crefft *eg* craft guild
gild y masnachwyr *eg* merchant guild
gilotin *eg* guillotine
gimbil *eb* gimlet
gitâr *eg* guitar
gitâr acwstig *eb* acoustic guitar
gitâr drydan *eb* electric guitar
gitarydd *eg* guitarist
giwana *eg* guano
gladiator *eg* gladiator
glaer *eg* glair *n*
glaeru *be* glair *v*
glafoerio *be* dribble (saliva) *v*
glain *eg* bead *n*
glain plastig *eg* plastic bead

glain cwirc *eg* quirk bead
glain gosod *eg* planted bead
glain lliw *eg* coloured bead
glain mewnol *eg* inner bead
glain ongl *eg* angle bead
glain pren *eg* wooden bead
glain rhannu *eg* parting bead
glân *ans* clean

glan (afon) *eb* bank (of river)
glan (darn dril) *eb* land (drill part)
glan (môr etc) *eb* shore (of sea etc)

glan dde *eb* right bank
glan gylchol (agorell) *eb* circular land (of reamer)
Glan Orllewinol *eb* West Bank
glan y môr *eb* seashore
glandiroedd dwyreiniol *ell* eastern margins
glandiroedd gorllewinol *ell* western margins
glanedwaith *eg* detergency
glanedydd *eg* detergent
glanedydd biolegol *eg* biological detergent
glanedydd cryf *eg* heavy duty detergent
glanedydd disebon *eg* soapless detergent
glanedydd ensym *eg* enzyme detergent
glanedydd hylif *eg* liquid detergent
glanedydd llawndrochion *eg* high foaming detergent
glanedydd prindrochion *ans* low foaming detergent
glanedydd synthetig *eg* synthetic detergent
glanedydd ysgafn *eg* light duty detergent
glanfa *eb* jetty
glanhau *be* cleanse
glanhau allan *be* raking out
glanhau blynyddol *be* spring-cleaning
glanhau dyddiol *be* daily cleaning
glanhau gydag ager *be* steam cleaning
glanhau'r geg *be* oral toilet
glanhau trylwyr *be* thorough cleaning
glanhawr *eg* cleaner (male and general)
glanhawr pibell *eg* pipe cleaner
glanhawraig *eb* cleaner (female)
glaniad y cynghreiriaid *eg* allied landing
glaniadau D-Day *ell* D-Day landings
glanio *be* land *v*
glannau bylchog *ell* ragged shores
Glannau Merswy *ell* Merseyside
glanweithydd *eg̃* cleanser
glas *ans* blue *adj*
glas Prwsia *eg* Prussian blue
glas canol *eg* mid blue
glas indathrin *eg* indathrene blue
glas lafant *eg* lavender blue
glas lapis *eg* lapis blue
glas llachar *eg* brilliant blue
glas masarin *eg* mazarin blue
glas monestial *eg* monestial blue
glas newydd *eg* new blue
glas Payne *eg* Payne's blue

---

glas trydan *eg* electric blue
glas y nen *eg* sky blue
glasbren *eg* sapling
glasbrint *eg* blueprint
glaslain *eb* lynchet
glaslys *eg* woad
glasoed *eg* puberty
glasog *eb* gizzard
glasrew *eg* verglas
glastir *eg* green sward
glastwreiddio *be* revisionism
glasu *be* bluing (decorative process)
glasu ag olew *be* oil bluing
glaswellt clytiog *eg* patchy grass
glaswelltir *eg* grassland
glaswelltir tymherus *eg* temperate grassland
glaswyrdd *eg* turquoise
glaw asid *eg* acid rain
glaw darfudol *eg* convectional rain
glaw ffrynt *eg* frontal rain
glaw mân *eg* drizzle
glawiad *eg* rainfall
glawiad blynyddol *eg* annual rainfall
glawiad cyfartalog *eg* average rainfall
glawiad cymedrol *eg* moderate rainfall
glawiad effeithiol *eg* effective rainfall
glawlin *eg* isohyet
glawlin cymarebol *eg* equipluve
glawog *ans* rainy
glawred *eg* rainwash
glei *eg* gley
gleider *eg* glider
gleinio *be* bead *v*
gleinwaith *eg* beadwork
gleinwaith les *eg* lace beading
gleio *be* gleying
gleision a fioledau blues and violets
glendid *eg* cleanliness
gliniadur *eg* laptop (computer)
gliniau'n blyg i'r eithaf *ell* full knees bend
gliniau'n blyg i'r hanner *ell* half knees bend
glissade *eg* glissade
glo *eg* coal
glo brig *eg* opencast coal
glo brown *eg* brown coal
glo cannwyll *eg* cannel coal
glo carreg *eg* anthracite
glo golosg *eg* coking coal
glo mân *eg* slack (=small coal) *n*
glo môr *eg* sea coal
glo rhwym *eg* bituminous coal
glo rhydd *eg* steam coal
glôb *eg* globe
globwl *eg* globule
globwl braster *eg* fat globule
globwlin *eg* globulin
glockenspiel *eg* glockenspiel

glomerwlws *eg* glomerulus
glosoffaryngeal *ans* glossopharyngeal
glotis *eg* glottis
glöwr *eg* miner (of coal)
glöyn byw *eg* butterfly
glöyn gwyn mawr *eg* large cabbage white
gloyw *ans* lustrous (finish)
gloywedd *eg* lustre
gloywi *be* clarify (in cooking)
gloywydd *eg* clearing agent
glud *eg* glue *n*
glud anifail *eg* animal glue
glud ardrawol *eg* impact glue
glud asgwrn a chroen *eg* bone and hide glue
glud casein *eg* casein glue
glud cyswllt *eg* contact glue
glud dŵr oer *eg* cold water glue
glud llysiau *eg* vegetable glue
glud oer *eg* cold glue
glud oer ystwyth *eg* flexible cold glue
glud perl *eg* pearl glue
glud polyfinyl asetad *eg* polyvinyl acetate glue
glud powdr *eg* powdered glue
glud resin *eg* resin glue
glud resin epocsi *eg* epoxy resin glue
glud resin synthetig *eg* synthetic resin glue
glud Sgotch *eg* Scotch glue
glud slab *eg* cake glue
glud synthetig *eg* synthetic glue
glud wrea fformaldehyd *eg* urea formaldehyde glue
gludafael *eg* holdfast (of algae)
gludedd *eg* viscosity
gludio *be* glue *v*
gludiog *ans* viscous
gludo *be* paste *v*
gludydd ardrawol *eg* impact adhesive
gludydd bondio *eg* bonding adhesive
gludydd cellog *eg* cellular adhesive
gludydd cyswllt *eg* contact adhesive
glwcagon *eg* glucagon
glwcos *eg* glucose
glwcos ocsidas *eg* glucose oxidase
glwcoswria *eg* glucosuria
glycin *eg* glycine
glycogen *eg* glycogen
glycolysis *eg* glycolysis
glycoprotein *eg* glycoprotein
glycosid *eg* glycoside
glynu (wrth) *be* stick (adhere)
glyserin *eg* glycerine
glyserol *eg* glycerol
gobennydd *eg* pillow
gobled *eg* goblet
goblygiad *eg* implication
goblygiadau adnoddol *ell* resource implications
godet *eg* godet
godineb *eg* adultery

---

adf, adv adferf, *adverb*   *ans, adj* ansoddair, *adjective*   *be* berf, *verb*   *eb* enw benywaidd, *feminine noun*   *eg* enw gwrywaidd, *masculine noun*

godrefryniau *ell* foothills
goddef *be* tolerate
goddefedd *eg* tolerance (to drugs etc)
goddefgarwch *eg* tolerance (of people)
goddefiannu *be* tolerancing
goddefiannu geometrig *be* geometric tolerancing
goddefiant *eg* tolerance (of measurements etc)
goddefol *ans* passive
goddiweddyd *be* overtake
goddiwylliannu *be* acculturation
goddrych *eg* subject (in grammar)
goddrychedd *eg* subjectivity
goddrychiad *eg* subjectivation
goddrychol *ans* subjective
gof *eg* blacksmith
gof arian *eg* silver smith
gof aur *eg* goldsmith
gofal *eg* care
gofal ac ôl-ofal care and after-care
gofal ataliol *eg* preventive care
gofal brwsh *eg* brush care
gofal bugeiliol *eg* pastoral care
gofal cyn llawdriniaeth *eg* preoperative care
gofal cyn geni *eg* antenatal care
gofal dwys *eg* intensive care
gofal dydd *eg* day care
gofal gwirfoddol *eg* voluntary care
gofal iechyd sylfaenol *eg* primary health care
gofal lliniarol *eg* palliative care
gofal maeth *eg* foster care
gofal mewn sefydliad *eg* institutional care
gofal nyrsio *eg* nursing care
gofal ôl-eni *eg* post-natal care
gofal plant *eg* child care
gofal preswyl *eg* residential care
gofal rhieni *eg* parental care
gofal seibiant *eg* respite care
gofal tymor byr *eg* short-term care
gofal wedi'r llawdriniaeth *eg* post-operative care
gofal y traceostomi *eg* tracheostomy care
gofal yn ôl tasgau *eg* task orientated care
gofal yn y gymuned *eg* community care
gofal yn ystod y llawdriniaeth *eg* peri-operative care
gofal yr henoed *eg* care of the elderly
gofalaeth *eb* cure (of a curate)
gofalus iawn *ans* meticulous
gofalwr (=rhywun sy'n gofalu am adeilad) *eg* caretaker
gofalwr (=rhywun sy'n gofalu am berson) *eg* carer
gofaniad *eg* forging
gofannu *be* forge *v*
gofannu metel *be* metal forging
gofannu morthwyl *be* hammer forging
gofod *eg* space (around a person, beyond Earth's atmosphere)
gofod cyffredinol *eg* general space
gofod cymdeithasol *eg* social space
gofod darluniol *eg* pictorial space

gofod dellt *eg* lattice space
gofod gwag *eg* free space
gofod gweithredu *eg* action-space
gofod llorwedd *eg* going (stairs)
gofod personol *eg* personal space
gofodol *ans* spatial
gofodwr *eg* spaceman
gofod-amser *eg* space-time
gofyn *be* require
gofyniad *eg* requirement
gofyniad statudol *eg* statutory requirement
gofynion diogelwch *ell* safety requirements
gofynion repertoire *ell* repertoire requirements
gofynion sy'n gwrthdaro *ell* conflicting demands
gofynion ychwanegol *ell* additional demands
gofynnod *eg* question mark
gofynnol *ans* required
goffro *be* goffering
gogilddant *eg* premolar
gogledd *eg* north
gogledd cwmpawd *eg* compass north
gogledd cywir *eg* true north
gogledd grid *eg* grid north
gogledd magnetig *eg* magnetic north
gogleddiad *eg* northing
gogoneddiad *eg* ascription (of glory)
gogoneddu Duw *be* glorify God
gogr *eg* sieve *n*
gogru *be* sieve *v*
gogwydd (llethr) *eg* tilt (slope or inclination) *n*
gogwydd (mewn daeareg) *eg* pitch (in geology) *n*
gogwydd (mewn gwleidyddiaeth) *eg* swing (in politics) *n*
gogwydd dadansoddol *eg* analytical orientation
gogwydd ffasiwn *eg* fashion trend
gogwydd o ran rhyw *eg* gender bias
gogwyddiad *eg* declination
gogwyddo (am lethr) *be* tilt (slope or incline) *v*
gogwyddo (mewn daeareg) *be* pitch (in geology) *v*
gogwyddo'n ôl *be* backward tilt
gogyforlan *eb* near bankful
gohebiaeth *eb* correspondence (=letters)
gohebydd lobi *eg* lobby correspondent
gohiriad (mewn achos llys neu wrandawiad) *eg* adjournment
gohiriad (mewn cerddoriaeth) *eg* retardation (in music)
gohiriant *eg* suspension (in music)
gohiriant dwbl *eg* double suspension (in music)
gohirio *be* adjourn, postpone
gohirnod *eg* suspended note
gôl *eb* goal (in sport)
gôl adlam *eb* drop goal
gôl gosb *eb* penalty goal
golau *eg* light *n*
golau (=gwelw) *ans* pale (of colour)
golau (yn gyffredinol) *ans* light (in colour) *adj*
golau adlewyrchedig *eg* reflected light

golau anuniongyrchol *eg* indirect lighting

golau artiffisial *eg* artificial light

golau cilannog *eg* recessed lighting

golau codi a gostwng *eg* rise-and-fall light

golau crog *eg* pendant light

golau cudd *eg* concealed lighting

golau cylch *eg* spotlight

golau drwy beipen *eg* piped light

golau dydd *eg* daylight

golau gweladwy *eg* visible light

golau gwyn *eg* white light

golau haul *eg* sunlight

golau lled uniongyrchol *eg* semi-direct lighting

golau plân polar *eg* plane polarized light

golau plyg *eg* refracted light

golau polar *eg* polarized light

golau stribed *eg* strip lighting

golau tryledol *eg* diffused lighting

golau uniongyrchol *eg* direct lighting

golau uwchfioled *eg* ultra violet light

golau wal *eg* wall light

golau'r godre *eg* footlights

golch *eg/b* wash *n*

golch wythnosol *eb* weekly wash

golchadwy *ans* washable

golchadwy â llaw *ans* hand washable

golchadwy â pheiriant *ans* machine washable

golchadwyaeth *eb* washability

golchdy *eg* laundry

golchdy masnachol *eg* commercial laundry

golchfa *eb* launderette

golchi *be* wash *v*

golchi a smwddio *launder*

golchi ffrithiant *be* friction washing

golchiad *eg* washing

golchlun *eg* wash-drawing

golchwraig *eb* laundress

golch-lethr *eg* wash slope

goledd (llinell etc) *eg* slope (=inclined position or direction) *n*

goledd (strata) *eg* dip (of strata) *n*

goledd anhawster *eg* incline of difficulty

goledd cynffonnog *eg* dovetail slope

goledd llinell *eg* slope of line

goleddfwr *eg* qualifier

goleddu *be* slant, slope *v*

golethr *eg* dip slope

goleubwyntio *be* highlight (in art)

goleudy *eg* lighthouse

goleudy (yn gweithio, yn segur) *eg* lighthouse in use and disused

goleudderbynnydd *eg* photoreceptor

goleuedig *ans* enlightened

goleuedd *eg* luminosity

Goleueddwyr *ell* Luminarists

goleufa *eg* beacon (=warning or guiding light)

goleulong *eb* lightship

goleunerth *eg* illuminating power

goleuni *eg* light (=natural agent that stimulates sight) *n*

Goleuni'r De *eg* Aurora Australis

Goleuni'r Gogledd *eg* Aurora Borealis

Goleuo *be* Enlightenment

goleuo *be* illuminate (=light up)

goleuol *ans* luminous

goleusensitifedd *eg* photosensitivity

goliwiad *eg* illumination (of manuscript)

goliwiedig *ans* illuminated (of manuscript)

goliwio *be* illuminate (=decorate a manuscript)

golosg *eg* coke

golwg (=y gallu i weld) *eg/b* sight, vision

golwg (=yr hyn a welir) *eg/b* view (=sight of something)

golwg (lluniad neu gynllun) *eg/b* elevation (of drawing)

golwg acromatig *eg* achromatic vision

golwg anghyflawn *eg* elevation view

golwg arosgo *eg* oblique view

golwg ategol *eg* auxiliary elevation

golwg byr *eg* short sight

golwg cernlun *eg* profile view

golwg cyfansawdd *eg* composite view

golwg cyflawn *eg* complete view

golwg cyffredinol *eg* overview

golwg darluniol *eg* pictorial view

golwg deulygad *eg* binocular vision

golwg hanner trychiadol *eg* half-sectional elevation

golwg hir *eg* long sight

golwg isomedrig *eg* isometric view

golwg isomedrig taenedig *eg* exploded isometric view

golwg lliw *eg* colour vision

golwg orthograffig *eg* orthographic view

golwg persbectif *eg* perspective view

golwg rhandrychiadol *eg* part-sectional elevation

golwg taenedig *eg* exploded view

golwg trychiadol *eg* sectional elevation

golwg trychiadol cyflawn *eg* complete sectional elevation

golwyth *eg* chop (of meat)

golwyth o'r gridyll *eg* grilled chop

golygfa (=rhan o ddrama, ffilm etc) *eb* scene

golygfa (=yr hyn a welir) *eb* view (=scene)

golygfa (yn y tirlun naturiol, ac ategion yn y theatr) *eb* scenery

golygfa trem aderyn *eb* bird's eye view

golygu *be* edit

golygu all-lein *be* off-line editing

golygu picsel *be* pixel edit

golygydd *eg* editor

golygydd testun *eg* text editor

gôl-geidwad *eg* goalkeeper

gollwng *be* drop

gollwng (pêl) *be* drop (a ball) *v*

gollwng (y bwa) *be* loosing (the bow)

gollwng aer allan *be* deflate (a tyre etc)

gollwng y bom atomig *be* dropping the atomic bomb

gollyngdod *eg* relief (from pain etc)

---

gomaraidd *ans* gomarist *adj*
gomarwr *eg* gomarist *n*
gonad *eg* gonad
gonadotroffig *ans* gonadotrophic
gonorrhoea *eg* gonorrhoea
gôr *eb* gore
goralw *eg* excess demand
goramcangyfrif *be* overestimate *v*
goramcangyfrif *eg* overestimate *n*
goramser *eg* overtime
goranadlu *be* hyperventilation
gorbenion *ell* overheads (in finance)
gorboblogaeth *eb* overpopulation
gorboblogi *be* overpopulate
gorboethi *be* overheat
gorbwysedd (am berson dros bwysau) *eg* overweight
gorbwysedd (am bwysedd gwaed) *eg* hypertension
gorchfygwr *eg* conqueror
Gorchmynion y Cyfrin Gyngor *ell* Orders in Council
gorchudd (ar glwyf) *eg* dressing (on wound)
gorchudd (yn gyffredinol) *eg* cover (in general) *n*
gorchudd adlynol *eg* adhesive dressing
gorchudd ffabrig *eg* fabric dressing
gorchudd arddwrn *eg* wrist guard
gorchudd cefn cadair *eg* chair back
gorchudd clustog *eg* cushion cover
gorchudd clwyf *eg* wound dressing
gorchudd cwmwl *eg* cloud cover
gorchudd dal dŵr *eg* waterproof dressing
gorchudd di-haint *eg* sterile dressing
gorchudd matres *eg* mattress cover
gorchudd rhydd *eg* loose cover
gorchudd tebot *eg* tea cosy
gorchudd trochion *eg* spray cover
gorchuddio *be* cover *v*
gorchwyddiant *eg* hyperinflation
gorchwyl *eg* job (=task)
gorchwythu *be* overblow
gorchymyn *be* command *v*
gorchymyn *eg* command *n*
gorchymyn chwalu *eg* demolition order
gorchymyn dirywiad llwyr *eg* dereliction order
gorchymyn gofal *eg* care order
gorchymyn prawf *eg* probation order
gorchymyn prynu gorfodol *eg* compulsory purchase order
gorchymyn trosglwyddo diamod *eg* unconditional transfer instruction
gorchymyn tystiolaeth *eg* witness order
gordanysgifio *be* oversubscribe
gordew *ans* obese
gordewdra *eg* obesity
gordo *eg* cornice (of ice, snow, rock)
gordreth *eb* surtax
gordyfiant *eg* hyperplasia
gordynhau *be* overtighten

gordyrrog *ans* congested
gordyrru *be* congest
gordd *eb* mallet
gordd ben wy *eb* bossing mallet
gordd blastig *eb* plastic mallet
gordd bren *eb* wood mallet
gordd brintio ffabrig *eb* fabric printing mallet
gordd ffawydd *eb* beech mallet
gordd gerfio *eb* carving mallet
gordd godi *eb* raising mallet
gordd ledr *eb* leather mallet
gordd lledr crai *eb* rawhide mallet
gordd pren bocs *eb* boxwood mallet
gordd pren caled *eb* hardwood mallet
gordd pren ffawydd *eb* beech wood mallet
gorddefnyddio *be* overutilize
gordderch *eb* concubine
gordderchaeth *eb* concubinage
gorddirlawn *ans* supersaturated
gorddirlawnder *eg* supersaturation
gorddirlenwi *be* supersaturate
gorddrafft *eg* overdraft
gorddryswch *eg* dementia
gorddryswch amlgnawdnychol *eg* multi-infarct dementia
gorddryswch henaint *eg* senile dementia
gorddwfn *ans* overdeepened
gorddyfnu *be* overdeepen *v*
goresgyn *be* invade
goresgyn anawsterau *be* overcome difficulties
goresgyniad *eg* invasion
Goresgyniad Edward *eg* Edwardian Conquest
goresgynnwr *eg* invader
gorest *eb* waste (land)
goreurog *ans* gilded
gorfannol *ans* alveolar (of gums)
gorfodaeth *eb* force (=compulsion) *n*
gorfodeb *eb* injunction (=judicial order of compulsion)
gorfodi *be* force *v*
gorfodi'r dilyn ymlaen *be* force the follow on
gorfodol *ans* compulsory
gorfoleddus *ans* triumphant
gorfwyaf *eg* hyper major
gorfychan *ans* infinitesimal *adj*
gorfychanyn *eg* infinitesimal *n*
gorfywiogrwydd *eg* hyperactivity
gorffen *be* finish *v*
gorffenedig *ans* finished
gorffeniad *eg* finish *n*
gorffeniad addurnol *eg* decorative finish
gorffeniad arwyneb *eg* surface finish
gorffeniad cellwlos *eg* cellulose finish
gorffeniad clir *eg* clear finish
gorffeniad cwyr *eg* wax finish
gorffeniad diogelu protective finish
gorffeniad drych *eg* mirror finish
gorffeniad farnais *eg* varnish finish

---

eg/b enw gwrywaidd/benywaidd, *feminine/masculine noun* **ell** enw lluosog, *plural noun* **v** berf, *verb* **n** enw, *noun*

gorffeniad heblaw paent *eg* non-paint finish
gorffeniad hem *eg* hem finish
gorffeniad lacr *eg* lacquer finish
gorffeniad llathrydd Ffrengig *eg* French polish finish
gorffeniad llyfn *eg* smooth finish
gorffeniad mat *eg* matt finish
gorffeniad naturiol *eg* natural finish
gorffeniad olew *eg* oil finish
gorffeniad paent *eg* paint finish
gorffeniad plaen *eg* plain finish
gorffeniad plisgyn wy *eg* eggshell finish
gorffeniad polywrethan *eg* polyurethane finish
gorffeniad satin *eg* satin finish
gorffeniad sêm *eg* seam finish
gorffeniad sgleiniog *eg* glossy finish
gorffeniad staen *eg* stain finish
gorffeniad swêd *eg* suede finish
gorffeniadau yn y cynllun *ell* design refinements
gorffennu *be* finishing
gorffwys *be* rest (=repose) *v*
gorffwys gwely *eg* bedrest
gorffwys yn y dŵr *be* rest in water
gorffwysbin *eb* resting pin (on harp)
gorffwysfan beryn *eg* bearing rest
gorgors *eb* blanket bog
gorgyflogi *be* overmanning
gorgyforlan *eb* over bankful
gorgyffwrdd *be* overlap *v*
gorgyffyrddiad *eg* overlap *n*
gorgyffyrddiad cymylau electronau *eg* electron cloud overlap
gorgynnes *ans* hot (in metalworking)
goriwaered *eg* declivity
gorlawn *ans* overcrowded
gorlenwad *eg* congestion (of blood, mucus etc)
gorlenwi *be* overcrowding
gorlif *eg* overflow *n*
gorlif lafa *eg* lava outflow
gorlif pwynt arnawf *eg* floating point overflow
gorlif rhifyddol *eg* arithmetic overflow
gorlif stac *eg* stack overflow
gorlifan *eb* spillway
gorlifo *be* overflow *v*
gorlinell (in music) *eb* line under the stave
gorliwiad *eg* exaggeration
gorliwio *be* exaggerate
gorludded *eg* exhaustion
gorlwytho *be* overload
gorllewin (Gn) *eg* west (W)
gorllewin canol *eg* mid-west
gorllewin eithaf *eg* extreme west
Gorllewin Gwyllt *eg* Wild West
gorllewiniad (=mabwysiadu diwylliant y Gorllewin) *eg* westernization
gorllewiniad (mesuriad pellter ar y môr) *eg* westing
gorllewino *be* westernize
gormes *eg/b* oppression

Gormes yr Un Mlwydd ar Ddeg *eb* Eleven Years Tyranny
gormesol *ans* oppressive
gormesu *be* oppress
gormeswr *eg* oppressor
gormod o gwyr yn y glust glue ear
gormodaeth fertigol *eb* vertical exaggeration
gormodedd *eg* excess
gormodedd gwasgedd *eg* excess pressure
gormodol *ans* excessive
gornest *eb* contest
gornest derfynol (y cwpan) *eb* cup final
gornest gleddyfau *eb* sword fight
gornest glos *eb* close combat
gornest gwpan *eb* cup-tie
goroer *ans* supercool *adj*
goroeredig *ans* supercooled
goroeri *be* supercool *v*
goroesi *be* survive
goroesi yn y dŵr *be* water survival
goroesiad *eg* survival
goroesiad personol *eg* personal survival
goroesiad y cymhwysaf *eg* survival of the fittest
goroeswr *eg* survivor
goror *eg* border (of area, country)
gorsaf betrol *eb* filling station
gorsaf deip *eb* type station
gorsaf drydan *eb* power station
gorsaf ddata pell *eb* remote data station
Gorsafoedd y Groes *ell* Stations of the Cross (of places)
gorsecretiad *eg* oversecretion
gorsedd *eb* throne
gorthwr *eg* keep (of castle)
goruchaf *ans* supreme
goruchafiaeth *eb* dominance, supremacy
Goruchafiaeth Brotestannaidd *eb* Protestant Ascendancy
goruchafiaeth y dyn gwyn *eb* white supremacy
goruchafwr *eg* supremist
Goruchaf Ben *eg* Supreme Head
goruchwyliaeth *eb* supervision
goruchwyliwr *eg* supervisor
goruchwyliwr prosesu data *eg* data processing supervisor
goruniad *eg* lapped joint
goruniad bôn ac ysgwydd *eg* lapped butt joint
goruniad cynffonnog *eg* lapped dovetail joint
goruniad cynffonnog cudd *eg* secret lapped dovetail joint
goruniad cynffonnog dwbl *eg* double lapped dovetail joint
goruniad hanerog *eg* half-lap joint
goruniad rhybedog *eg* riveted lap joint
goruwchnaturiol *ans* supernatural
gorweddiad *eg* lie
gorweddog *ans* bedridden
gorweddol *ans* recumbent
gorwel *eg* horizon

gorwthiad *eg* over thrust

gorwyr *eg* great-grandchild

gorymdaith *eb* march (=procession) *n*

gorymdeithio *be* march (=walk in procession) *v*

gorymdeithiol *ans* processional *adj*

gorynys *eb* peninsula

gor-danio *be* over-firing

gorhyfforddi *be* overtraining

gosber *eg* evensong

gosgordd *eb* retinue

goslef *eb* inflexion

goslefu *be* intone

gosod (=lleoli) *be* place *v*

gosod (am ddannedd, aelodau) *ans* artificial (of teeth, limbs)

gosod (peiriannau etc) *be* install (machinery etc)

gosod (tasgau, gwaith cartref etc) *be* set (tasks, homework etc) *v*

gosod (tŷ etc ar rent) *be* let (house)

gosod (bwrdd) *be* lay (table)

gosod amodau dechreuol *be* set up conditions

gosod bwrdd *be* set a table

gosod coler *be* put on a collar

gosod drws *be* door fitting

gosod geiriaduron *be* install dictionaries

gosod gwarchae *be* lay siege

gosod haenau *be* laying up

gosod i gerddoriaeth *be* set to music

gosod llawes *be* setting in a sleeve

gosod llif *be* set a saw *v*

gosod mesurydd *be* apply ruler

gosod nod *be* goal setting (in policy making)

gosod patrwm *be* lay out a pattern

gosod seiliau *be* setting out foundations

gosod ymyl *be* lip *v*

gosod yn nhrefn y wyddor sort in alphabetical order

gosodedig *ans* fixed (=given)

gosodiad (=datganiad mewn geiriau) *eg* statement (=expression in words)

gosodiad (=y ffordd mae tudalen etc wedi'i gosod) *eg* layout (of page)

gosodiad (yn gyffredinol) *eg* setting

gosodiad bwrdd *eg* place-setting

gosodiad haearn *eg* iron setting

gosodiad llif *eg* set of a saw *n*

gosodiad tab *eg* tab setting

gosodiad ymyl *eg* margin setting

Gosodiadau Apostolaidd, y *ell* Apostolic Constitutions, the

Gosodiadau Clarendon *ell* Provisions of Clarendon

Gosodiadau Rhydychen *ell* Provisions of Oxford

Gosodiadau San Steffan *ell* Provisions of Westminster

gosodydd llif bylchog *eg* notched saw set

gosodydd llif teip gefelen *eg* pliers-type saw set

gosodydd plastig *eg* plastic fitting

gosodydd sêm *eg* seam set

gosodyn *eg* fixture

gosteg (=llonyddwch) *eg* calm

gosteg (mewn canu penillion) *eb* series of airs (in penillion singing)

gostwng *be* lower *v*

gostwng pwythau *be* decrease (in knitting)

gostwng traw *be* flatten (musical pitch)

gostwng y corff *be* lower the body

gostyngadwy *ans* reducible

gostyngiad *eg* reduction (in price, temperature)

gostyngiad mewn nifer *eg* falling rolls

gostyngiad yn y dreth *eg* tax relief

gostyngiad (y) rhewbwynt *eg* depression of freezing point

gostyngol *ans* decreasing (in economics)

gostyngydd *eg* depressor

Gothig *ans* Gothic

gouache *eg* gouache

gradell *eb* bakestone

gradd (=statws) *eb* rank (=position in hierarchy) *n*

gradd (=uned fesur tymheredd, onglau etc) *eb* degree

gradd (=urdd, dosbarth) *eb* degree

gradd (a roddir gan brifysgol) *eb* degree (given by university)

gradd (=mesuriad, marc) *eb* grade *n*

gradd allanol *eb* external degree

gradd anrhydedd *eb* honours degree

gradd ar gyfartaledd *eb* overall grade

gradd dau *eb* second order (of reaction, in geography)

gradd ddaduno *eb* degree of dissociation

gradd er anrhydedd *eb* honorary degree

gradd fewnol *eb* internal degree

gradd ginetig *eb* kinetic order

gradd gydanrhydedd *eb* joint honours degree

gradd gyffredinol *eb* general degree

gradd isaf *eb* lowest order

gradd meistr *eg* master's degree

gradd o bensil *eb* grade of pencil

gradd tri *eb* third order

gradd uwch *eb* higher degree

graddau ffrwd *ell* stream orders

graddau'r raddfa *ell* degrees of the scale

graddau rhyddid *ell* degrees of freedom

graddau sgraffinio *ell* abrasive grades

graddedig *ans* graduated

gradden *eb* division (of scale)

graddfa *eb* scale

graddfa tymheredd absoliwt *eb* absolute scale of temperature

graddfa amser *eb* time-scale

Graddfa Beaufort *eb* Beaufort Scale

graddfa bentatonig *eb* pentatonic scale

graddfa berthynol fwyaf *eb* relative major scale

graddfa berthynol leiaf *eb* relative minor scale

graddfa dau *eb* scale of two

graddfa deg pwynt *eb* ten point scale

graddfa ddeilliadol *eb* derived scale

graddfa ddisgyn *eb* descending scale

graddfa ddodecaffonaidd *eb* dodecaphonic scale

---

graddfa esgyn *eb* ascending scale
graddfa fach *eb* small scale
graddfa fawr *eb* large scale
graddfa fernier *eb* vernier scale
graddfa fetrig *eb* metric scale
graddfa fwyaf *eb* major scale
graddfa fwyaf y tonydd *eb* tonic major scale
graddfa galedwch *eb* hardness scale
graddfa groeslin *eb* diagonal scale
graddfa groeslinol *eb* diagonal scale
graddfa gromatig *eb* chromatic scale
graddfa gromatig felodig *eb* melodic chromatic scale
graddfa gromatig harmonig *eb* harmonic chromatic scale
graddfa gymharol *eb* comparative scale
graddfa isomedrig *eb* isometric scale
graddfa leiaf *eb* minor scale
graddfa leiaf harmonig *eb* harmonic minor scale
graddfa leiaf y tonydd *eb* tonic minor scale
graddfa lorweddol *eb* horizontal scale
graddfa rif *eb* number scale
graddfa syml *eb* plain scale
graddfa symudol *eb* sliding scale
graddfa tri *eb* scale of three
graddfa tymheredd *eb* temperature scale
graddiad *eg* gradation
graddiad acenion *eg* gradation of accents
graddiad sain *eg* gradation of volume
graddiannau graffiau *ell* gradients of graphs
graddiant *eg* gradient
graddiant baromedrig *eg* barometric gradient
graddiant gwasgedd *eg* pressure gradient
graddio (mewn graffeg) *be* scale *v*
graddio (yn gyffredinol) *be* grade (=arrange in grades, sort) *v*
graddio ciplun *be* scale sprite
graddio cyfangiad *be* gradation of contraction
graddio llun *be* scale picture
graddliwio *be* shading
graddnod *eg* calibration mark
graddnodedig *ans* graduated (of thermometer)
graddnodi *be* calibrate
graddnodiad *eg* calibration
graddol *ans* gradual *adj*
graddolen *eg* gradual (in church service) *n*
graddoli *be* grade *v*
graddoliad anghyseinedd *eg* gradation of dissonance
graean *eg* gravel *n*
graean bras *eg* shingle (=pebbles)
graean bras, llaid neu dywod shingle, mud or sand
graeanog *ans* gravelly
graeanu *be* gravel *v*
graen *eg* grain (in rock, wood, cloth)
graen agored *eg* open grain
graen anwe *eg* weft grain
graen arian (derwen) *eg* silver grain (oak)
graen bras *eg* coarse grain
graen byr *eg* short grain

graen cam *eg* crooked grain
graen canol *eg* medium grain
graen clos *eg* close grain
graen croes *eg* cross grain
graen cymysg *eg* upset grain
graen cynfas *eg* canvas grain
graen hir *eg* long grain
graen llyfn *eg* even grain
graen mân *eg* fine grain
graen pen *eg* end grain
graen pren *eg* wood grain
graen rhyng-gloëdig *eg* interlocked grain
graen sglodion *eg* chipped grain
graen tonnog *eg* wavy grain
graen tro *eg* twisted grain
graen union *eg* straight grain
graen ystof *eg* warp grain
graenio *be* graining
graenus *ans* well-groomed
graff *eg* graph
graff amlder cronnus *eg* cummulative frequency graph
graff bar *eg* bar graph
graff bar-llinell *eg* bar-line graph
graff bloc *eg* block graph
graff colofn *eg* column graph
graff cyflymder *eg* velocity graph
graff cyflymder / cyflymiad *eg* velocity / acceleration graph
graff cyflymiad *eg* acceleration graph
graff gwasgariad *eg* scatter graph
graff llinell *eg* line graph
graff llinell gyfansawdd *eg* compound line graph
graff olwyn *eg* pie graph
graff pwyntiau *eg* point graph
graff trawsnewid *eg* conversion graph
graff uchder / amser *eg* height / time graph
graffeg *eb* graphics (in general)
graffeg crwban *eg* turtle graphics
graffig *ans* graphic
graffigol *ans* graphical
graffigwaith *eg* graphics (=graphical work)
graffigwaith cyfrifiadurol *eg* computer graphics
graffit *eg* graphite
graffito *eg* graffito
gram *eg* gram
gramoffon *eg* gramophone
granar *eg* granary
grand barré *eg* grand barré (of the guitar)
grant *eg/b* grant
grant arbennig *eg* special grant
grant atgyweirio *eg* repair grant
grant atodol *eg* subsidiary grant
grant cynnal *eg* maintenance grant
grant cynnal addysg *eg* educational support grant
grant cynnal incwm *eg* revenue support grant
grant cynnal trethi *eg* rate-support grant
grant dewisol *eg* discretionary grant

---

grant gorfodol *eg* mandatory grant
grant gwella *eg* improvement grant
grant gwirfoddol *eg* amicable grant
grant hyfforddi *eg* training grant
grant mamolaeth *eg* maternity grant
grant marwolaeth *eg* death grant
grant y pen *eg* per capita grant
grant ymchwil *eg* research grant
Grantiau Hyfforddi Addysgol a Chymdeithasol *ell*
  GEST (Grants for Educational and Social Training)
granwlocyt *eg* granulocyte
graptolit *eg* graptolite
gras *eg* grace
gratin *eg* grating
grawn *eg* grain (food crop)
grawnfwyd *eg* cereal
grawnfwyd brecwast *eg* breakfast cereal
grawnffrwyth *eg* grapefruit
Grawys *eg* Lent
greddf *eb* instinct
greddf baru *eb* mating instinct
Gregoraidd *ans* Gregorian
Gregori *eg* Gregory
greic *eg* grike
grenâd *eg* grenade
grid *eg* grid
grid asesu *eg* assessment grid
grid geometrig *eg* geometric grid
grid manyleb *eg* specification grid
grid pedwar ffigur *eg* four-figure grid
gridyll *eg/b* grill
gridyll cyswllt *eg* contact grill
gridyll isgoch *eg* infrared grill
gridyll plygu *eg* fold-away grill
gridyll sefydlog *eg* fixed grill
gridyll uchel *eg* eye-level grill
griddfan *be* groan *v*
grifft *eg* spawn (of frogs) *n*
grifft broga *eg* frog spawn
gril *eg* grille (of car)
grillian *be* stridulation
gris *eg* step (on stairs, in dance) *n*
gris ac wyneb tread and riser
gris taprog *eg* tapered tread
grisffordd *eb* stairway
grisial *eg* crystal
grisial Gwlad yr Iâ *eg* Iceland spar
grisialau hylif *ell* liquid crystals
grisialau Vandyke *ell* Vandyke crystals
grisialiad *eg* crystallization
grisialog *ans* crystalline
grisialograffaeth *eb* crystallography
grisialu *be* crystallize
grisialu ffracsiynol *be* fractional crystallization
grisiau *ell* staircase
grisiau agored *ell* open staircase
grisiau mynediad *ell* access staircase

grisiau nos *ell* night stairs
grisiau tro *ell* spiral staircase
gris-glogwyni *ell* stepped cliffs
grit bras *eg* coarse grit
grit canolig *eg* medium grit
grit mân *eg* fine grit
grit mân iawn *eg* very fine grit
grit naturiol *eg* natural grit
gro chwipio *eg* pebble dash
Groeg *ans* Greek *adj*
Groeg-Rufeinig *ans* Graeco-Roman
grog *eg* grog
gromed *eg* grommet
gronigyn *eg* granule
gronyn *eg* particle
gronyn alffa *eg* alpha particle
gronyn beta *eg* beta particle
gronyn elfennol *eg* elementary particle
gronyn ymbelydrol *eg* radioactive particle
gronyniad *eg* granulation
gronynnau Nissl *ell* Nissl granules
gronynnog (am siwgr) *ans* granulated
gronynnog (yn gyffredinol) *ans* granular
gronynnol *ans* particulate
groser *eg* grocer
grotesg *ans* grotesque
groto *eg* grotto
growt *eg* grout *n*
growtio *be* grout *v*
grut *eg* grit
grut melinfaen *eg* millstone grit
grutiog *ans* gritty
grwnd *eg* ground
grwnd bolws *eg* bolus ground
grwnd mandyllog *eg* porous ground
grwnd murol *eg* mural ground
grwnd ysgythru *eg* etching ground
grwnd ystorus *eg* resinous ground
grwndblat *eg* ground plate
grwndfas *eg* ground bass
grŵp *eg* group
grŵp cefnogi *eg* support group
grŵp gwaed *eg* blood group
grŵp hunangymorth *eg* self-help group
grŵp o wrthrychau *eg* group of objects
grŵp Abel *eg* Abelian group
grŵp blwyddyn *eg* year group
grŵp crefydd *eg* religious group
grŵp cyfansoddol *eg* constituent group
grŵp cyfoedion *eg* peer group
grŵp cylchol *eg* cyclic group
grŵp cymudol *eg* commutative group
grŵp cysylltiedig *eg* linked group
grŵp gallu *eg* ability group
grŵp gweithredol *eg* functional group (in chemistry)
grŵp incwm *eg* income group

---

eg/b enw gwrywaidd/benywaidd, *feminine/masculine noun*   *ell* enw lluosog, *plural noun*   *v* berf, *verb*   *n* enw, *noun*

grŵp llai breintiedig *eg* underprivileged group
grŵp lleiafrifol *eg* minority group
grŵp o ddefnyddwyr *eg* user group
grŵp oedran *eg* age group
grŵp prosthetig ensym *eg* enzyme prosthetic group
grŵp rhydd *eg* free group
grŵp sydd dan anfantais *eg* disadvantaged group
grŵp targed *eg* target group
grŵp teulu *eg* family group
grŵp tiwtor *eg* tutor group
grwpiau diagnosis perthynol *ell* diagnosis related groups
grwpio defnyddiau *be* group materials
grwpio fertigol *be* vertical grouping
grwpio llorweddol *be* horizontal grouping
grwpio teuluol *be* family grouping
grwpio yn ôl gallu *be* ability grouping
grym *eg* force *n*
grym a roir at force exerted
grym adferol *eg* restoring force
grym allgyrchol *eg* centrifugal force
grym atynnol *eg* attractive force
grym awyrennol *eg* air power
grym corfforol *eg* physical force
grym Coriolis *eg* Coriolis force
grym cydeffaith *eg* resultant force
grym cywasgol *eg* compressive force
grym disgyrchiant *eg* force of gravity
grym electromotif *eg* electromotive force (emf)
grym fertigol *eg* vertical force
grym gosod *eg* applied force
grym gwrthyrru *eg* repulsive force
grym llorweddol *eg* horizontal force
grym llyngesol *eg* naval power
grym mewngyrchu *eg* centripetal force
grym moesol *eg* moral force
grym morwrol *eg* sea power
grym ochrol *eg* lateral force
grym troi *eg* turning force
grym tynnol *eg* tensile force
grym y farchnad *eg* market force
grym ychwanegol *eg* additional force
grymoedd anghytbwys *ell* unbalanced forces
grymoedd amrediad pell *ell* long range forces
grymoedd cymhlan *ell* coplanar forces
grymoedd cytbwys *ell* balanced forces
grymus *ans* powerful
guru *eg* guru
Guru Granth Sahib *eg* Guru Granth Sahib
Guto Ffowc *eg* Guy Fawkes
gwacáu *be* exhaust (evacuate)
gwactod *eg* vacuum
gwactod eithaf *eg* high vacuum
gwadiad *eg* recantation
gwadn *eg* sole
gwadn rhewlif *eg* glacier sole
gwadn troed *eg* sole of the foot
gwadu *be* deny

gwaddod *eg* sediment
gwaddod annhoddadwy *eg* indissoluble residue
gwaddodiad *eg* sedimentation
gwaddodol *ans* sedimentary
gwaddol (wrth briodi) *eg* dowry
gwaddol (yn gyffredinol) *eg* endowment
gwaddol priodferch *eg* marriage portion
gwaddoledig *ans* endowed
gwaddoli *be* endow
gwaed *eg* blood
gwaed a haearn blood and iron
gwaed ocsigenedig *eg* oxygenated blood
gwaedboer *eg* haemoptysis
gwaedlif *eg* haemorrhage
gwaedlif ar yr ymennydd *eg* cerebal haemorrhage
gwaedu *be* bleeding
gwaedd ac ymlid hue and cry
gwael (am ansawdd) *ans* inferior (of quality)
gwael (am glaf) *ans* ill
gwaeledd parhaus *eg* chronic sickness
gwaelod *eg* base, bottom
gwaelod bwylltid *eg* swivel base
gwaelod crwn *eg* circular base
gwaelod cwmwl *eg* cloud base
gwaelod drôr *eg* drawer bottom
gwaelod dysglog *eg* dished base
gwaelod gweflog *eg* knocked up bottom
gwaelod V *eg* V base
gwaelodfa *eb* base level
gwaelodol *ans* basal
gwaelod-danseilio *be* basal sapping
gwaell *eb* knitting needle
gwaethygiad *eg* exacerbation
gwag *ans* empty *adj*
gwag lenwad *eg* blank-fill *n*
gwag lenwi *be* blank-fill *v*
gwagio *be* empty *v*
gwagle gwaed *eg* blood space
gwagle Havers *eg* Haversian space
gwagleoedd rhyng-gellol *ell* intercellular spaces
gwaglyn *eg* space (between cells etc)
gwagnod *eg* nought (symbol)
gwagolyn *eg* vacuole
gwagolyn cyfangol *eg* contractile vacuole
gwahadden *eb* mole (=small mammal)
gwahanadwy *ans* separable
gwahanedig *ans* separated
gwahanfa ddŵr *eb* watershed
gwahanfur *eg* septum
gwahanfur gwaed-ymennydd *eg* blood-brain barrier
gwahaniad *eg* separation
gwahaniad dosbarth *eg* class separation
gwahaniad i begynliniau sfferig *eg* separation into
  spherical polars
gwahaniad pwerau *eg* separation of powers
gwahaniaeth *eg* difference

---

adf, adv adferf, adverb   **ans, adj** ansoddair, adjective   **be** berf, verb   **eb** enw benywaidd, feminine noun   **eg** enw gwrywaidd, masculine noun

gwahaniaeth adeileddol *eg* structural difference
gwahaniaeth arwyddocaol *eg* significant difference
gwahaniaeth cyffredin *eg* common difference
gwahaniaeth cymedrau *eg* difference of means
gwahaniaeth cymedrig *eg* mean difference
gwahaniaeth dosbarth *eg* class distinction
gwahaniaeth gweithredol *eg* functional difference
gwahaniaeth potensial *eg* potential difference
gwahaniaeth rhwng dau sgwâr difference of two squares
gwahaniaeth sylfaenol *eg* basic difference
gwahaniaethadwy *ans* distinguishable
gwahaniaethiad *eg* differentiation (in general)
gwahaniaethiad arwynebedd *eg* areal differentiation
gwahaniaethol *ans* differentiated
gwahaniaethu *be* differentiate (in general)
gwahaniaethu (yn erbyn) *be* discrimination (against)
gwahaniaethu ar sail rhyw *be* sex discrimination
gwahaniaethu hiliol *be* racial discrimination
gwahaniaethu'n gadarnhaol *be* positive discrimination
gwahaniaethu sŵn *be* auditory discrimination
gwahaniaethu yn ôl y canlyniad *be* differentiation by outcome
gwahanol *ans* different
gwahanolyn *eg* discriminant
gwahanu *be* separate *v*
gwahanu ffibrau *be* untwist fibres
gwahanydd *eg* spacer
gwahardd *be* prohibit
gwahardd dros dro *be* suspend (from school)
gwaharddeb *eb* injunction (=judicial order of restraint)
gwaharddiad *eg* interdict
gwaharddiad dros dro *eg* suspension (from school)
gwaharddiad lliw *eg* colour bar (in apartheid)
gwahodd *be* invite *v*
gwain (mewn anatomi merch) *eb* vagina (of woman)
gwain (yn gyffredinol) *eb* sheath
gwain fyelin *eb* myelin sheath
gwair *eg* grass
gwair naturiol *eg* natural grass
gwaith *eg* work *n*
gwaith adfer *eg* remedial work
gwaith allanol *eg* outwork (industry)
gwaith anffigurol *eg* non-figurative work
gwaith ansoddol *eg* qualitative work
gwaith ar siâp *eg* shape work
gwaith ar y llawr *eg* floorwork
gwaith arbrofi *eg* experimental work
gwaith asiedydd *eg* joinery
gwaith awyr agored *eg* outdoor work
gwaith barbola *eg* barbola work
gwaith basged *eg* basketry
gwaith blaen nodwydd *eg* needlepoint
gwaith bydwraig *eg* midwifery
gwaith carreg *eg* stonework
gwaith cartref *eg* homework
gwaith carthion *eg* sewage works

gwaith celfyddydol *eg* work of art
gwaith codi *eg* raised work
gwaith coed *eg* wood work
gwaith creadigol *eg* creative work
gwaith crosio *eg* crochet *n*
gwaith cwrs *eg* coursework
gwaith cydosod *eg* assembly plant
gwaith cymdeithasol *eg* social work
gwaith cymhleth *eg* intricate work
gwaith dan do *eg* indoor work
gwaith dodrefn *eg* cabinet work
gwaith dŵr *eg* water work
gwaith eisteddog *eg* sedentary work
gwaith ffelt *eg* felt work
gwaith galedu *be* work hardening
gwaith gof *eg* forgework
gwaith gosod *eg* directed work
gwaith grid *eg* grid work
gwaith gwiail *eg* canework
gwaith llaw *eg* hand work
gwaith llenfetel *eg* sheet metalwork
gwaith llythrennu *eg* lettering (work)
gwaith maes *eg* fieldwork
gwaith mainc *eg* bench work
gwaith metel *eg* metalwork
gwaith morthwyl *eg* beaten metalwork
gwaith oddi ar y safle *eg* offsite work
gwaith paratoadol *eg* preparatory work
gwaith plygu *eg* folding work
gwaith pocer *eg* poker work
gwaith project *eg* project work
gwaith raffia *eg* raffia work
gwaith rhew *eg* frost action
gwaith rhewi-dadlaith *eg* freeze-thaw action
gwaith rhewi-dadmer *eg* freeze-thaw action
gwaith rhif *eg* number work
gwaith saer *eg* carpentry
gwaith saer ac asiedydd carpentry and joinery
gwaith selio *eg* sealing work
gwaith tîm *eg* teamwork
gwaith turn *eg* lathework
gwaith thematig *eg* thematic work
gwaith ymarferol *eg* practical work
gwaith ymchwilio *eg* investigative work
gwaith ysbeidiol *eg* casual employment
gwalchwerth *eg* rogue value
gwald *eg* welt
gwall *eg* error
gwall angheuol *eg* fatal error
gwall anadferadwy *eg* irrecoverable error
gwall arbrofol *eg* experimental error
gwall blaendorri *eg* truncation error
gwall cystrawen *eg* syntax error
gwall teipio *eg* typing error
gwall trawsysgrifol *eg* transcription error
gwall tudalen *eg* page fault

---

gwallau cynhenid metabolaeth *ell* inborn errors of metabolism

gwallgof *ans* insane

gwallnod *eg* error character

gwallt *ell* hair (on head)

gwallus *ans* defective (=faulty)

gwall-neges *eb* error message

gwan *ans* weak

gwanas (=ateg) *eg/b* stay (rule joint)

gwanas (ar fynydd) *eg/b* buttress (on mountain)

gwanas rhybedog *eg* riveted stay

gwanediad *eg* dilution

gwanedig *ans* dilute *adj*

gwanedu *be* dilute *v*

gwanedydd *eg* diluent

gwaneg Iwerydd *eb* Atlantic roller

gwanegau *ell* rollers (of waves)

gwangalon *ans* defeatist *adj*

gwangalonnwr *eg* defeatist (of person) *n*

gwanhad *eg* attenuation

gwanhadur *eg* attenuator

gwanhad-pellter *eg* distance-decay

gwanhau *be* attenuate

gwaniad *eg* thrust (of sword) *(eg)*

gwaniad union *eg* direct thrust

gwanu *be* thrust (of sword) *v*

gwanwyn *eg* spring (=season of year)

gwanwyneiddiad *eg* vernalization

gwanychiad *eg* damping

gwanychiad trwm *eg* heavy damping

gwanychiad ysgafn *eg* light damping

gwanychol *ans* damped (of noise)

gwanydd *eg* piercer

gwarant (am nwyddau etc) *eb* guarantee *n*

gwarant (i arestio rhywun etc) *eb* warrant

gwarant atafaelu *eg* distress warrant

gwarant dienyddio *eb* death warrant

gwarantu *be* guarantee *v*

gwarantwr *eg* guarantor

gwarblat *eg* wallplate

gwarchae *eg* blockade

gwarchae o'r môr *eg* naval blockade

gwarcheidwad *eg* guardian

gwarcheidwaeth *eb* guardianship

gwarchod (=diogelu) *be* guard *v*

gwarchod (=edrych ar ôl plant bach) *be* babysit

gwarchod data *be* protecting data

gwarchodaeth *eb* security

gwarchodaeth castell *eb* castleguard

gwarchodfa (ar gyfer anifeiliaid) *eb* sanctuary (for animals)

gwarchodfa (ar gyfer byd natur) *eb* reserve (for nature) *n*

gwarchodfa natur *eb* nature reserve

gwarchodlu *eg* guard (=body of troops) *n*

Gwarchodlu Cartref *eg* Home Guard

Gwarchodlu Cenedlaethol *eg* National Guard (US)

gwarchodwr *eg* babysitter

gwarchodwr asgell *eg* wing defence

gwarchodwr plant *eg* child minder

gwarchodwr plant cofrestredig *eg* registered child minder

gwardeiniaeth *eb* wardenship

gwardiaeth *eb* wardship

gwarediad *eg* disposal

gwaredu (yn gyffredinol) *eg* dispose

gwaredu (o'r corff) *be* elimination (from the body)

gwaredu sbwriel *be* waste disposal

gwareiddiad *eg* civilization

gwarged *eg* surplus (in accounting)

gwariant *eg* expenditure

gwariant a gedwir yn ôl *eg* expenditure retained

gwariant cyfalaf *eg* capital expenditure

gwariant defnyddwyr *eg* consumer expenditure

gwariant dirprwyedig *eg* delegated expenditure

gwarineb *eg* civility

gwario (arian) *be* spend (money)

gwarthnodi *be* brand (=mark with disgrace) *v*

gwarthol *eb* stirrup

gwarthol *eg* stapes

gwas dirwyn *eg* bobbin winder

gwasaidd *ans* subservient

gwasanaeth *eg* service *n*

gwasanaeth ôl-werthu *eg* after-sales service

gwasanaeth amgueddfa i ysgolion *eg* museum school service

gwasanaeth beunyddiol *eg* daily office

gwasanaeth byw yn y gymuned *eg* community living service

gwasanaeth cartref *eg* domiciliary service

gwasanaeth cefnogi anghenion arbennig *eg* special needs support service

gwasanaeth cefnogi cyfannol *eg* integrated support service

gwasanaeth cludiant cyhoeddus *eg* public transport service

gwasanaeth cludo *eg* carrying service

gwasanaeth cudd *eg* secret service

gwasanaeth cyfle am waith *eg* work opportunity service

gwasanaeth cynghori *eg* counselling service

Gwasanaeth Cynghori Defnyddwyr *eg* Consumer Advice Service

Gwasanaeth Cymodi ACAS *eg* Advisory, Conciliation and Arbitration Service (ACAS)

gwasanaeth cynnal yn y gymuned *eg* community support service

gwasanaeth gwirfoddol *eg* voluntary service

gwasanaeth gyrfaoedd *eg* career service

gwasanaeth iechyd *eg* health service

Gwasanaeth Iechyd Gwladol *eg* National Health Service (NHS)

gwasanaeth iwmon *eg* yeoman service

gwasanaeth lleoli athrawon *eg* teacher placement service

gwasanaeth marchog *eg* knight's service

gwasanaeth milwrol *eg* military service

Gwasanaeth Sanctaidd *eg* Holy Office

---

adf, adv adferf, adverb   **ans, adj** ansoddair, *adjective*   **be** berf, *verb*   **eb** enw benywaidd, *feminine noun*   **eg** enw gwrywaidd, *masculine noun*

gwasanaeth sifil *eg* civil service

gwasanaethau adwerthu *ell* retail services

gwasanaethau cyhoeddus *ell* public utilities

gwasanaethau post *ell* postal services

gwasanaethu *be* service *v*

gwasarn *eg* litter (=animal bedding)

gwaseidd-dra *eg* subservience

gwasg (=canol corff) *eb* waist

gwasg (ar gyfer argraffu) *eb* press (for printing, journalists) *n*

gwasg Aldus Manutius *eb* Aldine Press

gwasg argraffu *eb* printing press

gwasg bwytho *eb* stitching press

gwasg dorri *eb* cutting press

gwasg haearn nipio *eb* iron nipping press

gwasg hedegog *eg* fly press

gwasg nipio *eb* nipping press

gwasg orffennu *eb* finishing press

gwasg osod *eb* lying press

gwasg rhwymwr llyfrau *eb* bookbinder's press

gwasg unionsyth *eb* standing press

gwasg wnïo *eb* sewing press

gwasg ysgythru *eb* etching press

gwasgariad *eg* dispersal

gwasgariad gan ddŵr *eg* water dispersal

gwasgariad gan y gwynt *eg* wind dispersal

gwasgariad hadau *eg* seed dispersion

gwasgariad sborau *eg* dispersal of spores

gwasgarog *ans* dispersed

gwasgarol *ans* dispersive

gwasgaru *be* disperse

gwasgarwedd *eb* disperse phase

gwasgblat *eg* caul

gwasgblat ffurfiedig *eg* shaped caul

gwasgblat metel *eg* metal caul

gwasgbwynt *eg* pressure point

gwasgedig *ans* pressed

gwasgedd *eg* pressure

gwasgedd aer *eg* air pressure

gwasgedd allanol *eg* external pressure

gwasgedd anwedd *eg* vapour pressure

gwasgedd anwedd dirlawn *eg* saturated vapour pressure

gwasgedd atmosfferig *eg* atmospheric pressure

gwasgedd atmosfferig safonol *eg* standard atmospheric pressure

gwasgedd cyson *eg* constant pressure

gwasgedd gostyngol *eg* reduced pressure

gwasgedd gwraidd *eg* root pressure

gwasgedd i fyny *eg* upward pressure

gwasgedd isel *eg* low pressure

gwasgedd isel Gwlad yr Iâ *eg* Icelandic 'low'

gwasgedd llyfn *eg* even pressure

gwasgedd mewnol *eg* internal pressure

gwasgedd mwyaf *eg* maximum pressure

gwasgedd ochrol *eg* sideways pressure

gwasgedd osmotig *eg* osmotic pressure

gwasgedd rhannol *eg* partial pressure

gwasgedd sugno *eg* suction pressure

gwasgedd tuag i lawr *eg* downward pressure

gwasgedd uchel *eg* high pressure

gwasgedd uchel Azores *eg* Azores high

gwasgeddedig *ans* pressurized

gwasgeddu *be* pressurize

gwasgell *eb* presser foot (of machine part)

gwasgffit *eg* press fit

gwasgiad dwbl *eg* double stopping

gwasgiad pedwarplyg *eg* quadruple stopping

gwasgnod *eg* imprint

gwasgod *eb* waistcoat

gwasgu *be* press (=squeeze) *v*

gwasgwr tafod *eg* tongue depressor

gwasgwr dillad *eg* wringer (for clothes)

gwasgydd hydrolig *eg* hydraulic press

gwasod *ans* on heat (of cow etc)

gwastad *ans* level *adj*

gwastad dysgu *eg* learning plateau

gwastad heli *eg* salt flat

gwastadedd *eg* plain *n*

gwastadedd arfordirol *eg* coastal plain

gwastadedd copa *eg* summit plain

gwastadedd isel *eg* low-lying plain

gwastadedd ysgythru *eg* etch plain

gwastadiant *eg* planation

gwastadrwydd *eg* flatness

gwastadrwydd cymharol *eg* relative flatness

gwastatir afon *eg* plain tract

gwastatir llifwaddod *eg* alluvial plain

gwastraff *eg* waste *n*

gwastraff cotwm *eg* cotton waste

gwastraff diwydiannol *eg* industrial waste

gwastraff naturiol *eg* natural wastage

gwastraff pacio *eg* packing waste

gwastraffu *be* waste *v*

gwau *be* knit

gwau â dwy wialen *be* pairing (weaving with two canes)

gwau dau bwyth ynghyd knit two together

gwau drwy'r gŵydd *be* weaving (in Lord of Caernarfon dance)

gwau igam-ogam *be* weaving (in Oswestry Wake)

gwau llac *be* loose knitting

gwawdlun *eg* caricature

gwawdlunydd *eg* caricaturist

gwawr (am liwiau) *eb* tinge

gwawr (haul) *eb* dawn

gwayw fwyell *eb* halberd

gwaywffon (i hela, rhyfela) *eb* spear *(eb)*

gwaywffon (mewn athletau) *eb* javelin

gwaywr *eg* lancer

gwddf (=llwnc) *eg* throat

gwddf (llif) *eg* gullet (of saw)

gwddf (yn gyffredinol) *eg* neck (in general)

gwddf bad *eg* boat neck

gwddf crwban *eg* turtle neck

gwddf crwn *eg* round neck

gwddf cwfl *eg* cowl neck

gwddf folcanig *eg* volcanic neck

gwddf polo *eg* polo neck

gwddf ryffl *eg* ruffled neck

gwddf sgwâr *eg* square neck

gwddf siamffrog *eg* chamfered neck

gwddf tennyn *eg* halter neck

gwddf uchel *eb* high neck

gwddf y raced *eg* neck of racket

gwe *eb* web

gwe capilarïau *eb* capillary web

gwe fwydydd *eb* food web

gwead *eg* texture

gwead agored *eg* open texture

gwead basged *eg* basket weave

gwead bras *eg* coarse texture

gwead cornaidd *eg* horny texture

gwead llyfn *eg* smooth texture

gwead main *eg* fine texture

gwead meddal *eg* soft texture

gwead pridd *eg* soil texture

gweadeddol *ans* textural

gweadeddu *be* texturing

gwedd *eb* phase (of matter, moon)

gwedd (pren) *eb* texture (of wood)

gwedd orffenedig *eb* finished appearance

gwedd weithredu *eb* execute phase

gweddau cylchred y galon *ell* phases of heart cycle

gweddau'r lleuad *ell* phases of the moon

gweddi *eb* prayer

gweddill *eg* remainder

gweddill clyw *eg* residual hearing

gweddill golwg *eg* residual vision

gweddilleb *eb* residual (in mathematics)

gweddillol *ans* residual

gweddillyn corffilyn coch *eg* red cell ghost

gweddïo *be* pray

gweddw *eb* widow

gweddw'r brenin *eb* queen dowager

gwefl *eb* bezel

gweflog *ans* bezelled

gwefr *eb* charge (electrical) *n*

gwefr bositif *eb* positive charge

gwefr bwynt *eb* point charge

gwefr electrostatig *eb* electrostatic charge

gwefr negatif *eb* negative charge

gwefru *be* charge *v*

gwefus *eb* lip *n*

gwefusol *ans* labial

gwehydd *eg* weaver

gwehyddiad *eg* weave *n*

gwehyddiad caerog *eg* twill weave

gwehyddiad cordynnog *eg* corded weave

gwehyddiad defnydd *eg* material weave

gwehyddiad dolennog *eg* looped weave

gwehyddiad Jacquard *eg* Jacquard weave

gwehyddiad llyfn *eg* even weave

gwehyddiad patrymog *eg* patterned weave

gwehyddiad plaen *eg* plain weave

gwehyddiad rhesog *eg* rib weave

gwehyddiad saethben *eg* herring-bone weave

gwehyddiad satin *eg* satin weave

gwehyddu *be* weave *v*

gwehyddu tabled *be* tablet weaving

gwehyddwaith nodwydd *eg* needleweaving

gweini *be* serve

gweini cyffuriau *be* drug administration

gweiniad *eg* administration

gweinidog *eg* minister

Gweinidog Addysg *eg* Minister for Education

Gweinidog Gwladol *eg* Minister of State

Gweinidog Gwladol dros Gymru *eg* Minister of State for Wales

gweinidogaeth *eb* ministry (of chapel)

gweinydd *eg* server (in general)

gweinydd ffeil *eg* file server

gweinyddes feithrin *eb* nursery assistant

gweinyddiad *eg* administration (act of)

gweinyddiaeth (yn gyffredinol) *eb* administration (=body or management)

gweinyddiaeth (=cangen o'r llywodraeth) *eb* ministry (=government department)

gweinyddol *ans* administrative

gweinyddu *be* administer (=manage)

gweinyddwr *eg* administrator

gweinyddwr cyfiawnder *eg* justiciary

gweithdroad *eg* job turnaround

gweithdy *eg* workshop

gweithdy peiriannau *eg* machine shop

gweithdy'r byd *eg* workshop of the world

gweithfan *eb* work station

gweithgar *ans* active (of person, life)

gweithgaredd *eg* activity (in general sense)

gweithgaredd antur *eg* adventurous activity

gweithgaredd a leolir yn y dŵr *eg* water-based activity

gweithgaredd allgyrsiol *eg* extra-curricular activity

gweithgaredd athletaidd *eg* athletic activity

gweithgaredd awyr agored *eg* outdoor activity

gweithgaredd benodol *ans* activity specific

gweithgaredd corfforol *eg* physical activity

gweithgaredd cynhesu *eg* warm up activity

gweithgaredd chwilio *eg* exploratory behaviour

gweithgaredd economaidd *eg* economic activity

gweithgaredd egniol *eg* energetic activity

gweithgaredd estyn *eg* extension activity

gweithgaredd folcanig *eg* volcanic activity

gweithgaredd grŵp *eg* group activity

gweithgaredd gymnasteg *eg* gymnastic activity

gweithgaredd lleoledig *eg* localized activity

gweithgaredd meddyliol *eg* mental activity

gweithgaredd priodol *eg* appropriate activity

gweithgaredd rhagarweiniol *eg* introductory activity

gweithgaredd ymarferol *eg* practical activity

---

gweithgaredd yr haul *eg* solar activity

gweithgareddau awyr agored ac antur *ell* outdoor and adventurous activities

gweithgareddau fel unigolyn *ell* individual activities (in sport)

gweithgareddau mewn parau *ell* pair activities

gweithgareddau y tu allan i'r ysgol *ell* out of school activities

gweithgareddau ystafell ddosbarth *ell* classroom-based activities

gweithgarwch corfforol *eg* bodily activity

gweithgarwch dynol *eg* human activity

gweithgarwch egniol *eg* vigorous activity

gweithgor *eg* working party

gweithgor gwyddoniaeth *eg* science working group

gweithgor pwnc *eg* subject working group

gweithgynhyrchion *ell* manufactured goods

gweithio *be* work *v*

gweithio defnyddiau'n oer *be* cold working of materials

gweithio gyda defnyddiau *be* use materials

gweithio i reol *be* work to rule

gweithio i'r eithaf *be* working to capacity

gweithio'n agos gyda *be* engage with

gweithio talcennau *be* pillar and stall mining

gweithiol *ans* operative (in economics)

gweithiwr *eg* worker

gweithiwr allanol *eg* outworker

gweithiwr allweddol *eg* key worker

gweithiwr coler wen *eg* white-collar worker

gweithiwr cyflog *eg* employee (=paid worker)

gweithiwr cymdeithasol *eg* social worker

gweithiwr cynnal gofal iechyd *eg* health care support worker

gweithiwr di-grefft *eg* unskilled worker

gweithiwr eisteddog *eg* sedentary worker

gweithiwr ffrâm wehyddu *eg* frame-weaving worker

gweithiwr gofal plant *eg* child care worker

gweithiwr llaw *eg* manual worker

gweithiwr lled grefftus *eg* semi-skilled worker

gweithiwr maes *eg* field worker

gweithiwr medrus *eg* skilled worker

gweithiwr siop *eg* assistant (shop)

gweithiwr swyddfa *eg* white collar worker

gweithle *eg* workspace

gweithlu *eg* workforce

gweithred (mewn mathemateg) *eb* implementation (in mathematics)

gweithred (yn gyffredinol) *eb* action (=thing done)

gweithred anwirfoddol *eb* involuntary action

gweithred atgyrch *eb* reflex action

gweithred ddynamig benodol *eb* specific dynamic action

gweithred fewnwthiol *eb* invasive procedure

gweithred gyfredol *eb* current operation

gweithred swmpuso *eb* bulking action

gweithred syml *eb* simple action

gweithred wirfoddol *eb* voluntary action

gweithredadwy *ans* executable

gweithrediad *eg* operation

gweithrediad AC *eg* AND operation

gweithrediad Boole *eg* Boolean operation

gweithrediad deuaidd *eg* binary operation

gweithrediad gwrthdro *eg* inverse operation

gweithrediad rhif *eg* operation of number

gweithrediad rhifyddeg ddeuaidd *eg* binary arithmetic operation

gweithrediad sylfaenol *eg* basic action

gweithrediadau ar y llawr *ell* actions on the floor

gweithrediadau gofannu arian *ell* silver smithing operations

gweithrediadau gymnastig *ell* gymnastic actions

gweithrediadau'r plaen amlddefnydd *ell* operations of combination plane

gweithrediadau rhif *ell* number operations

gweithredoedd da *ell* good works

gweithredol (mewn rheoli a gweinyddu) *ans* executive *adj*

gweithredol (yn gyffredinol) *ans* operational (in general)

gweithredol (yn hytrach na goddefol) *ans* active (=operative)

gweithredu (=cynhyrchu effaith, gweithio) *be* operate

gweithredu (=gwneud rhywbeth) *be* act *v*

gweithredu (gorchymyn ar gyfrifiadur) *be* execute (=act)

gweithredu (=rhoi cynllun etc ar waith) *be* implement

gweithredu â llaw *ans* hand-operated

gweithredwr (=bysell ar gyfrifiadur) *eg* execute key

gweithredwr (=rhywun sy'n gweithredu) *eg* operator (of person)

gweithredwr (=swyddog rheoli, gweinyddu) *eg* executive *n*

gweithredwr paratoi data *eg* data preparation operator

gweithredydd *eg* operator (of symbol or function)

gweithredydd Boole *eg* Boolean operator

gweithredydd matrics *eg* matrix operator

gweithredydd rhesymegol *eg* logical operator

gweladwy *ans* visible

gweld rhithiau *be* hallucinate

gweldata *ell* viewdata

gwelededd *eg* visibility

gweledigaeth *eb* vision (=foresight)

gweledol *ans* visual

gweledydd *eg* visionary *n*

gwelw *ans* pale

gwely *eg* bed *n*

gwely arhosiad hir *eg* long stay bed

gwely blaen-haen *eg* foreset bed

gwely is-haen *eg* bottom set bed

gwely llifol *eg* fluidized bed

gwely treigl *eg* truckle bed

gwely troli *eg* trolley bed

gwely uwch-haen *eg* topset bed

gwelyo *be* bed *v*

gwell *ans* better

gwell amrywogaethau *ell* improved varieties

gwella (cynllun, perfformiad etc) *be* improve

gwella (salwch) *be* heal

---

eg/b enw gwrywaidd/benywaidd, *feminine/masculine noun*   *ell* enw lluosog, *plural noun*   *v* berf, *verb*   *n* enw, *noun*

gwella perfformiad *be* improve performance

gwella tir yr ysgol improving the school grounds

gwellaif *eg* shears

gwellaif gilotin *eg* guillotine shears

gwellaif mainc *eg* bench shears

gwellaif pincio *eg* pinking shears

gwellhad dros dro *eg* remission

gwelliant (i gynllun, perfformiad etc) *eg* improvement

gwelliant (i gynnig) *eg* amendment (to a resolution)

gwellt y gweunydd *eg* molinia

gwelltyn (=blewyn o wair) *eg* blade (of grass)

gwelltyn (=coesyn sych grawn) *eg* straw

gwendid *eg* weakness

gwendid adeileddol *eg* structural weakness

Gwener *eb* Venus

Gwenffrewi *eb* Winifred

Gwenhwyfar *eb* Guinevere

gwenith penddu *eg* smutted wheat

gwenith yr hydd *eg* buckwheat

gwenithfaen *eg* granite

gwennol (=rhywbeth sy'n mynd yn ôl ac ymlaen) *eb* shuttle

gwennol (ar gyfer badminton) *eb* shuttlecock

gwennol bren *eb* wooden shuttle

gwennol hedegog *eb* flying shuttle

gwennol ofod *eb* space shuttle

gwennol rholer *eb* roller shuttle

gwennol y gwehydd *eb* weaving shuttle

gwenwisg *eb* surplice

gwenwyn *eg* poison *n*

gwenwyn bwyd *eg* food poisoning

gwenwyndra *eg* toxicity

gwenwyniad *eg* poisoning

gwenwynig *ans* toxic

gwenwyno *be* poison *v*

gwen, y wen *eb* goitre

gwêr *eg* tallow

gwêr cannwyll *eg* candle grease

gwerddon *eb* oasis

gwerin gwyddbwyll *ell* chessmen

gwerin wledig *eb* peasantry

gweriniaeth *eb* republic

Gweriniaeth Dwyrain yr Almaen *eb* German Democratic Republic

gweriniaeth ffederal *eb* federal republic

Gweriniaeth Ffederal yr Almaen *eb* German Federal Republic

Gweriniaeth Gyntaf *eb* First Republic

Gweriniaeth Isalpaidd *eb* Cisalpine Republic

gweriniaethol *ans* republican *adj*

gweriniaethwr *eg* republican *n*

Gwerinlywodraeth (Cromwell) *eb* Commonwealth, the (17th century)

gwerinol (yn perthyn i'r bobl gyffredin) *ans* plebeian *adj*

gwerinol (yn perthyn i'r werin ddiwydiannol) *ans* proletarian

gwerinwr *eg* peasant

gwerinwr Rhufeinig *eg* plebeian *n*

gwerin, y werin *eb* masses, the

gwern *eb* swamp

gwern fangrof *eb* mangrove swamp

gwern goedwig *eb* swamp forest

gwernydd malaria *ell* malarial swamps

gwers *eb* lesson (=instruction)

gwers ar ôl ysgol *eb* after-school lesson

gwers ddwbl *eb* double lesson

gwers enghreifftiol *eb* demonstration lesson

gwers rydd *eb* free period

gwerslyfr *eg* textbook

gwersyll *eg* camp

gwersyll carcharorion rhyfel *eg* prisoner of war camp

gwersyll crynhoi *eg* concentration camp

gwersyll difodi *eg* extermination camp

gwersyll dros dro *eg* transit camp

gwersyll ffoaduriaid *eg* refugee camp

gwersyll haf *eg* summer camp

gwersyll sarnau *eg* causeway camp

gwersyllfan *eg* encampment

gwerth *eg* value *n*

gwerth absoliwt *eg* absolute value

gwerth ardrethol *eg* rateable value

gwerth ariannol *eg* cash value

gwerth biolegol *eg* biological value

gwerth Boole *eg* Boolean value

gwerth caloriffig *eg* calorific value

gwerth cyfannol *eg* integral value

gwerth cyfanrifol *eg* integer value

gwerth cymedrig *eg* mean value

gwerth cysonyn *eg* value of a constant

gwerth disgwyliedig *eg* expected value

gwerth egni *eg* energy value

gwerth eigen *eg* eigen value

gwerth eithaf *eg* extreme value

gwerth enwol *eg* nominal value

gwerth goroesol *eg* survival value

gwerth hapraddfa *eg* random scale value

gwerth lle *eg* place value

gwerth pendant *eg* sharp value

gwerth presennol *eg* present worth

gwerth pH *eg* pH value

gwerth real *eg* real value

gwerth rheolaidd *eg* regular value

gwerth tôn *eg* tone value

gwerth y curiad *eg* value of the beat

gwerth y farchnad *eg* market value

gwerthadwy *ans* marketable

gwerthfawrogi *be* appreciate

gwerthfawrogiad *eg* appreciation (=favourable recognition)

gwerthiant *eg* sale

gwerthiant credyd *eg* credit sale

gwerthiant rhydd *eg* free sale

gwerthoedd cyffredin *ell* common values

gwerthoedd y Gorllewin *ell* Western values

---

adf, adv adferf, *adverb*   ***ans, adj*** ansoddair, *adjective*   ***be*** berf, *verb*   ***eb*** enw benywaidd, *feminine noun*   ***eg*** enw gwrywaidd, *masculine noun*

gwerthoedd ysbrydol *ell* spiritual values
gwerthu'n breifat *be* private sale
gwerthusiad *eg* appraisal
gwerthusiad ffurfiannol *eg* formative evaluation
gwerthuso *be* appraise
gwerthuso cynllun *be* design evaluation
gwerthuso tystiolaeth *be* evaluate evidence
gwerthwr *eg* seller
gwerthwr eiddo *eg* estate agent
gwerthwr llysiau *eg* greengrocer (person)
gwerthwr o ddrws i ddrws *eg* door-to-door salesman
gwerthwr papurau *eg* stationer
gwerthwr pysgod *eg* fishmonger
gwerthyd *eb* spindle
gwerthydffurf *eb* fusiform
gwesgi *eg* squeegee
gwesgi rwber *eg* rubber squeegee
gwestai *eg* guest
gwesteiwr *eg* host (=receiver of guests)
gwesty *eg* hotel
gwestywr *eg* host (at hotel)
gweuglwm *ans* lock knit
gweundir *eg* moorland
gweundirol *ans* moorland *adj*
gweuwaith *eg* knitwear
gwewyr esgor *eg* labour pains
gwgli *eg* googly
gwiail *ell* wicker
gwialen *eb* cane
gwialen blethu *eb* lapping cane
gwialen ddolen *eb* handle cane
gwialen fonynnu *eb* staking cane
gwialen gan *eb* bleached cane
gwialen ganol *eb* centre cane
gwialen ganol crwn *eb* round centre cane
gwialen lapio *eb* wrapping cane
gwialen loyw *eb* glossy cane
gwialen lliw *eb* dyed cane
gwialen synthetig *eb* synthetic cane
gwibiad *eg* sprint *n*
gwibio *be* sprint *v*
gwibiwr *eg* sprinter
gwichian *be* wheezing
gwifran (ymlaen) *be* snarey (on)
gwifrau uwchben *ell* overhead wires
gwifredig *ans* hard wired
gwifren *eb* wire *n*
gwifren alfanedig *eb* galvanized wire
gwifren anhyblyg *eb* rigid wire
gwifren anystwyth *eb* stiff wire
gwifren blyg *eb* bent wire
gwifren bres *eb* brass wire
gwifren bres fain *eb* fine brass wire
gwifren bresyddu *eb* brazing wire
gwifren dorri *eb* cutting wire
gwifren ddaearu *eb* earth wire
gwifren fyw *eb* live wire

gwifren gopr *eb* copper wire
gwifren goprog *eb* coppered wire
gwifren gwerthwr blodau *eb* florists's wire
gwifren haearn *eb* iron wire
gwifren niwtral *eb* neutral wire
gwifren noeth *eb* bare wire
gwifren rwymo *eb* binding wire
gwifro *be* wire *v*
gwifrog *ans* wired
gwingiad *eg* tic
Gwilym Dawedog *eg* William the Silent
Gwilym Goncwerwr *eg* William the Conqueror
Gwilym o Orange *eg* William of Orange
gwinau *eg* chestnut brown
gwinwyddaeth *eb* viticulture
gwir *ans* true
gwir ddisgownt *eg* true discount
gwir ddyfnder *eg* real depth
gwir elips *eg* true ellipse
gwir faint *eg* life-size
gwir fias *eg* true bias
gwir ffrwythyn *eg* true fruit
gwir gyfalaf *eg* real capital
gwir gyfradd llog *eb* true rate of interest
gwir siâp *eg* true shape
gwirdeiprwydd *eg* trueness to type
gwireb *eb* axiom
gwirebol *ans* axiomatic
gwireddu cynllun *be* realization of a plan
gwireddu data *be* data verification
gwirfoddol *ans* voluntary *adj*
gwirfoddoliaeth *eb* voluntarism
gwirfoddolwr *eg* volunteer
Gwirfoddolwr Ulster *eg* Ulster Volunteer
gwiriad *eg* check *n*
gwiriad afreidrwydd *eg* redundancy check
gwiriad desg *eg* desk check
gwiriad eilbaredd *eg* even parity check
gwiriadwy *ans* verifiable
gwirio *be* check *v*
gwirio dewisiad *be* check selection
gwirio digid *eg* check digit
gwirio oll *be* check all
gwiriwr cardiau *eg* card verifier
gwirlen *eb* truth table
gwirod *eg* spirit (of alcohol)
gwirod coeth *eg* rectified spirit
gwirod gwyn *eg* white spirit
gwirod methyl *eg* methylated spirits
gwirod petroliwm *eg* petroleum spirit
gwirod tyrpant *eg* spirits of turpentine
gwirodydd tyner *ell* killed spirits
gwisg *eb* dress (=clothing) *n*
gwisg academaidd *eb* academic dress
gwisg briodol *eb* appropriate dress
gwisg cyfnod *eb* period costume
gwisg genedlaethol *eb* national costume

---

gwisg gyflawn *eb* outfit
gwisg haul *eb* sun-suit
gwisg nofio *eb* swim-suit
gwisg pen *eb* head wear
gwisg warchod *eb* protective wear
gwisg ysgol *eb* school uniform
gwisgo *be* dress *v*
gwisgo metel *be* metal cladding
gwisgo'r llwyfan *be* dress the stage
gwisgo'r set *be* dress the set
gwlad *eb* country *n*
Gwlad Belg *eb* Belgium
gwlad boblog *eb* populated country
gwlad boblog iawn *eb* thickly populated country
gwlad denau ei phoblogaeth *eb* thinly populated country
gwlad ddatblygedig *eb* developed country
gwlad ddibynnol *eb* satellite state
Gwlad Ddu *eb* Black Country
gwlad sy'n datblygu *eb* developing country
gwlad sy'n datlygu'n economaidd *eb* economically developing country
gwladgarwch *eg* patriotism
gwladgarwr *eg* patriot
gwladol *ans* national (of state)
gwladoli *be* nationalize
gwladoliad *eg* nationalization
gwladweinydd *eg* statesman
gwladweinydd hŷn *eg* elder statesman
gwladweinyddiaeth *eb* statecraft
gwladwriaeth *eb* state (of political community) *n*
gwladwriaeth byped *eb* puppet state
gwladwriaeth dreftadol *eb* patrimonial state
gwladwriaeth ddibynnol *eb* client state
gwladwriaeth ddinas *eb* city state
gwladwriaeth genedlaethol *eb* nation state
gwladwriaeth glustog *eb* buffer state
gwladwriaeth gorfforaethol *eb* corporate state
gwladwriaeth gydffederal *eb* confederate state
gwladwriaeth heddlu *eb* police state
gwladwriaeth les *eb* welfare state
gwladwriaeth sofran *eb* sovereign state
Gwladwriaethau'r Olyniaeth *ell* Succession States
gwladychiad *eg* colonization
gwlân *ans* woollen
gwlân *eg* wool
gwlân (wedi'i gribo) *eg* rolag (teased wool)
gwlân 'Superwash' *eg* Superwash wool
gwlân brodio *eg* embroidery wool
gwlân cotwm *eg* cotton wool
gwlân Cymru *eg* Welsh wool
gwlân cyweirio *eg* mending wool
gwlân dur *eg* steel wool
gwlân gwydr *eg* glass wool
gwlanen *eb* flannel
gwlanog *ans* woolly
gwlatgar *ans* patriotic
gwledig *ans* rural

Gwledydd Cred *ell* Christendom
Gwledydd Cred Rhufeinig *ell* Latin Christendom
gwleidyddiaeth *eb* politics
gwleidyddiaeth grym *eb* power politics
gwleidyddol *ans* political
gwlff *eg* gulf
gwlith *eg* dew
gwlithbwll *eg* dewpond
gwlithbwynt *eg* dew point
gwlithen *eb* slug (of mollusc)
gwlyb *ans* wet
gwlyb a sych wet and dry
gwlybnyddu *be* wet spin
gwlybyredd *eg* deliquescence
gwlybyrol *ans* deliquescent
gwlyb-bydredd *eg* wet rot
gwlychu *be* wetting
gwlychu a baeddu double incontinence
gwlychu gwely *be* bed-wetting
gwm *eg* gum (=glue) *n*
gwm arabig *eg* gum arabic
gwm planhigol *eg* plant gum
gwm tragacanth *eg* tragacanth
gwn *eg* gun
gŵn bedydd *eg* christening robe
gwn chwistrellu *eg* spray gun
gŵn nos *eg* nightdress
gwn peiriant *eg* machine gun
gwn saim *eg* grease gun
gwn styffylu *eg* staple gun
gŵn theatr *eg* theatre gown
gŵn tŷ *eg* dressing gown
gwndwn *eg* ley
gwneud *ans* artificial (of fabricated objects)
gwneud *be* make
gwneud arbedion *be* economize
gwneud arolwg *be* survey *v*
gwneud cais *be* apply (=make a formal request)
gwneud cylch *be* make a circle
gwneud diagnosis *be* diagnose
gwneud iawn (am bechod) *be* atone
gwneud iawn (yn gyffredinol) *be* compensate (=make amends)
gwneud patrymau *be* make patterns
gwneud pont *be* make a bridge
gwneuthurwr *eg* manufacturer
gwneuthurwr basgedi *eg* basket maker
gwnfetel *eg* gunmetal
gwnfetel Morlys *eg* Admiralty gunmetal
gwniadur *eg* thimble
gwniadur argraffu *eg* print thimble
gwniadwaith *eg* needlework
gwnïo *be* sew
gwniyddes *eb* dressmaker
gwobr *eb* prize *n*
gwobrwyo *be* award (=give prize) *v*

---

gŵr ar gadw *eg* retainer (of person)
gŵr llys *eg* courtier
gwrach *eb* hook (peg telyn)
gwrachdwymyn *eb* witchcraze
gwrachen ddu *eb* bream
gwraig tŷ *eb* housewife
gwrandawiad *eg* hearing
gwrando *be* listen
gwrando a deall listening comprehension
gwrando eang *be* extensive listening
gwrando gweithredol *be* active listening
gwrando'n astud *be* listen attentively
gwregys *eg* belt (for wearing, also of encircling land)
gwregys 'V' *eg* vee belt
gwregys cleddyf *eg* sword belt
gwregys diogelwch *eg* safety belt
gwregys pectoral *eg* pectoral girdle
gwregys pelfig *eg* pelvic girdle
gwregys yr ysgwydd *eg* shoulder girdle
gwrêng *eg* commoner
gwreichionen *eb* spark *n*
gwreichioni *be* spark *v*
gwreiddflewyn *eg* root hair
gwreiddgapan *eg* root cap
gwreiddgnepyn *eg* root nodule
gwreiddiol *ans* original (in general)
gwreiddiosyn *eg* rootlet
gwreiddlysieuyn *eg* root vegetable
gwreiddyn *eg* root (of plant)
gwreiddyn cyfangol *eg* contractile root
gwreiddyn echddygol *eg* motor root
gwreiddyn fentrol *eg* ventral root
gwreiddyn ffibrog *eg* fibrous root
gwreiddyn ffug *eg* false root
gwreiddyn ochrol *eg* lateral root
gwreiddyn yr hafaliad *eg* root of the equation
gwres *eg* heat *n*
gwres ffurfio *eg* heat of formation
gwres hylosgi *eg* heat of combustion
gwres adweithio *eg* heat of reaction
gwres anweddu *eg* heat of vaporization
gwres canolog *eg* central heating
gwres canolog llawn *eg* full central heating
gwres cefndir *eg* background heat
gwres coch *eg* red heat
gwres cochias *eg* bright red heat (cherry red)
gwres cudd *eg* latent heat
gwres cudd anweddu *eg* latent heat of vaporization
gwres cudd ymdoddi *eg* latent heat of fusion
gwres detholus *eg* selective heating
gwres du *eg* black heat
gwres ecsothermig *eg* exothermic heat
gwres eirias *eg* bright yellow heat
gwres gwynias *eg* white heat
gwres llaw (am ddŵr) *ans* hand hot (water)
gwres niwtralu *eg* heat of neutralisation
gwres pelydrol *eg* radiant heat

gwres rhannol *eg* partial heating
gwres solar *eg* solar heating
gwreslynu *be* iron on
gwresogi *be* heat *v*
gwresogi plastig *be* plastic heating
gwresogydd *eg* heater
gwresogydd Bunsen *eg* Bunsen burner
gwresogydd darfudol *eg* convector heater
gwresogydd dŵr *eg* water-heater
gwresogydd dŵr ebrwydd *eg* instantaneous water-heater
gwresogydd potel *eg* bottle warmer
gwresogydd stôr *eg* storage heater
gwresogydd tiwb *eg* tubular heater
gwresogydd troch *eg* immersion heater
gwresogydd ystafell *eg* room heater
gwrid *eg* blush *n*
gwrit *eg* writ
gwrogaeth *eb* homage
gwrogaeth arglwyddiaeth *eb* seigniory homage
gwrogaeth i'r delyn *eb* towards the harp (in dance)
gwrogaeth llw ffyddlondeb *eb* fealty homage
gwrogaeth sofraniaeth *eb* sovereignty homage
gwrogaeth teyrngarwch *eb* allegiance homage
gwrtaith *eg* fertilizer
gwrtaith artiffisial *eg* artificial manure
gwrteithio *be* fertilize (in agriculture)
gwrth dafod *eg* counter spit
gwrth gerrynt *eg* counter current
gwrthargaen *eg* counter veneer
gwrtharogl *ans* odour-resistant (finish)
gwrthasid *ans* acid resisting
gwrthasid *eg* antacid
gwrthateb *eg* rejoinder
gwrthbab *eg* antipope
gwrthbannu *ans* shrink-resistant (finish)
gwrthbaralel *ans* antiparallel
gwrthbas *eb* push pass
gwrthblaid *eb* opposition (party)
gwrthbrawf *eg* counterproof
gwrthbrintio *be* resist printing
gwrthbrofi *be* refute
gwrthbwynt *eg* counterpoint
gwrthbwynt caeth *eg* strict counterpoint
gwrthbwynt dwbl *eg* double counterpoint
gwrthbwynt llinellog *eg* linear counterpoint
gwrthbwynt rhydd *eg* free counterpoint
gwrthbwynt triphlyg *eg* triple counterpoint
gwrthbwyntiol *ans* contrapuntal
gwrthbwyntydd *eg* contrapuntalist
gwrthbwyso *be* counterbalance *v*
gwrthbwysyn *eg* counterweight
gwrthchwyddiannol *ans* anti-inflationary
gwrthchwyldro *eg* counter revolution
gwrthdan *ans* fireproof
gwrthdangiad *eg* arctangent
gwrthdaro *be* conflict
gwrthdaro hiliol *be* racial conflict

gwrthdaro rhwng swyddogaethau *be* role conflict

gwrthderfysgaeth *eb* anti-terrorism

gwrthderfysgwr *eg* anti-terrorist

gwrthdrawiad *eg* collision

gwrthdrawiad disg *eg* disk crash

gwrthdrefedigaethol *ans* anti-colonialist

gwrthdro *ans* inverted

gwrthdro (mewn cerddoriaeth) *eg* inversion (in music)

gwrthdro (yn gyffredinol) *eg* reverse (in general) *n*

gwrthdro cord *eg* inversion of chord

gwrthdro cyntaf *eg* first inversion

gwrthdroad *eg* inversion (in general)

gwrthdroad ochrol *eg* lateral inversion

gwrthdroad tymheredd *eg* inversion of temperature

gwrthdroi (=troi ar ei ben) *be* invert

gwrthdroi (=troi tuag yn ôl) *be* reverse (in general) *v*

gwrthdroi cylchred *be* reverse cycle

gwrthdröydd *eg* invertor

gwrthdyllu *be* counterbore

gwrthdyniad *eg* distraction

gwrthdynnu *be* distract

gwrthdynnwr *eg* distractor (in objective questions)

gwrthdystiad *eg* demonstration (=protest)

Gwrthdystiad Mawr *eg* Grand Remonstrance

gwrthdystio *be* demonstrate (=protest)

gwrthddangosiad *eg* counter exposition

Gwrthddiwygiad *eg* Counter-reformation

gwrthddywediad *eg* contradiction

gwrthedd *eg* resistivity

gwrthedd brêc *eg* brake resistance

gwrthenghraifft *eb* counter-example

gwrthfacteria *ans* anti-bacterial

gwrthfiotig *ans* antibiotic *adj*

gwrthfiotig *eg* antibiotic *n*

gwrthfondio *be* anti bonding (of orbitals)

gwrthfywddyraniad *eg* antivivisection

gwrthffactor *eg* counterfactor

gwrthgawod *ans* shower-proof

gwrthgiliad *eg* apostasy

gwrthgilio *be* defect *v*

gwrthgiliol *ans* apostate *adj*

gwrthgiliwr (oddi wrth crefydd) *eg* apostate *n*

gwrthgiliwr (yn gyffredinol) *eg* renegade

gwrthglawdd *eg* revetment

gwrthglerigaeth *eb* anticlericalism

gwrthglerigol *ans* anticlerical

gwrthglocwedd *ans* anticlockwise

gwrthgorff *eg* antibody

gwrthgrafiad *ans* non-scratch

gwrthgrych *ans* crease-resistant

gwrthgyfnewid *be* counterchange *v*

gwrthgyfnewidiad *eg* counterchange *n*

gwrthgyfogydd *eg* antiemetic (drug)

gwrthgyhuddo *be* recriminate

gwrthgymesur *ans* antisymmetric

gwrthgymesuredd *eg* antisymmetry

gwrthgyrydiad *ans* corrosion resistant

gwrthgytbwys *ans* counterbalanced

gwrthgytbwys *eg* counterbalance (ice snout) *n*

gwrthiad *eg* counter (in sport) *n*

gwrthiannau paralel *ell* parallel resistances

gwrthiannol *ans* resistant (to electricity etc)

gwrthiannol i wres *ans* heat resistant

gwrthiant *eg* resistance (=hindering the conduction of electricity etc)

gwrthiant aer *eg* air resistance

gwrthiant ardrawiad *eg* impact resistance

gwrthiant cynyddol *eg* progressive resistance

gwrthiant sglodi *eg* chipping resistance

gwrthiant trydanol *eg* electrical resistance

gwrthio *be* counter (in sport) *v*

gwrthisbwysol *ans* antihypotensive (of drug)

gwrthiselydd *eg* antidepressant (drug)

gwrthlaw (=â chefn y llaw) *eb* backhand

gwrthlaw (=yn cadw glaw allan) *ans* rain proof

gwrthlidiol *ans* anti-inflammatory (of drug)

gwrthlif *ans* obsequent *adj*

gwrthlif *eg* obsequent *n*

gwrthlogarithm *eg* antilogarithm

gwrthlud *ans* non-stick

gwrthlwydni *ans* mildew resistant (finish)

gwrthocsidydd *eg* antioxidant

gwrthodiad *eg* rejection

gwrtholeuaeth *eb* obscurantism

gwrtholeuwr *eg* obscurantist

gwrtholew *ans* oilproof

gwrthorbwysol *ans* antihypertensive (of drug)

gwrthraflog *ans* non-fraying

gwrthran *eb* counterpart

gwrthrwd *ans* rustproof

gwrthrybudd *eg* contra-indication

gwrthrych *eg* object

gwrthrych gwneud *eg* man-made object

gwrthrych hapgael *eg* found object

gwrthrych materol *eg* material object

gwrthrych naturiol *eg* natural object

gwrthrych staenedig *eg* stained preparation

gwrthrychau dan sylw *ell* observed objects

gwrthrychedd *eg* objectivity

gwrthrychiadur *eg* objective (microscope)

gwrthrychiadur mewn olew *eg* oil-immersion objective

gwrthrychol *ans* objective (=uncoloured by feelings and opinions) *adj*

gwrthryfel *eg* rebellion

Gwrthryfel y Bocswyr *eg* Boxer Rising

gwrthryfel y Camisariaid *eg* revolt of the Camisards

Gwrthryfel y Rhagfyrwyr *eg* Decembrists' Revolt

Gwrthryfel y Werin *eg* Peasants' Revolt

gwrthryfelgar *ans* rebellious

gwrthryfelwr *eg* rebel

gwrthsafiad y brodorion *eg* native resistance

---

adf, adv adferf, *adverb*   ***ans, adj*** ansoddair, *adjective*   ***be*** berf, *verb*   ***eb*** enw benywaidd, *feminine noun*   ***eg*** enw gwrywaidd, *masculine noun*

gwrthsafol *ans* refractory (of substance)

gwrthsain *ans* soundproof

gwrthsefyll *be* resist

gwrthsodd *ans* countersunk

gwrthsoddi *be* countersink *v*

gwrthsoddydd *eg* countersink *n*

gwrthstaen *ans* stainless

gwrthstatig *ans* antistatic

gwrthsymud *be* contrary motion

gwrthwasgedig *ans* push-up *adj*

gwrthwasgu *be* push-up *v*

gwrthwedd *ans* antiphase (out of phase)

gwrthweithio *be* counteract

gwrthweithiol *ans* antagonistic (of muscles)

gwrthwenwyn *eg* antidote

gwrthwneud *be* override

gwrthwyfyn *ans* mothproof *adj*

gwrthwyfynu *be* moth proofing

gwrthwyneb *eg* opposite (=contrary)

gwrthwynebiad *eg* opposition

gwrthwynebiad didrais *eg* passive resistance

gwrthwynebol *ans* opposing

gwrthwynebwr *eg* opponent

gwrthwyntoedd cyson *ell* anti-trades

gwrthwyro *be* backing (of wind)

gwrthydd *eg* resistor

gwrthydd dabio *eg* dabbed resist

gwrthydd goleuni-ddibynnol *eg* light-dependent resistor (LDR)

gwrthydd gosod *eg* applied resist

gwrthydd grid *eg* grid resistor

gwrthydd wedi'i baentio *eg* painted resist

gwrthymosodiad *eg* counter-attack *n*

gwrthyriad *eg* repulsion

gwrthyrru *be* repel

gwrthyrru testun *be* repel text

gwrthyrrwr dŵr *eg* throating (window)

gwrth-Babaidd *ans* antipapal

gwrth-ddŵr *ans* water-repellent

gwrth-Ewropeaidd *ans* anti-European

gwrth-fflam *ans* flame proof

gwrth-ffrithiant *ans* anti-friction

gwrth-gwyr *ans* wax resistant

Gwrth-Haerwyr *ell* Counter-Remonstrants

gwrth-haul *ans* sun proof

gwrth-hiliaeth *eb* antiracism

gwrth-lithr *ans* non-slip

gwrth-Semitiaeth *eb* anti-Semitism

gwrychyn *eg* bristle (of animal)

gwryd *eg* fathom

gwrym (ar dir âr) *eg* ridge (of arable land)

gwrym (crych neu graith) *eg* seam (of wrinkle, scar)

gwrymiog *ans* seamed

gwryw *eg* male *n*

gwrywedd *eg* maleness

gwrywgydiwr *eg* homosexual (male)

gwrywol *ans* male *adj*

gwthferyn *eg* thrust bearing

gwthffit *eb* push fit

gwthiad *eg* push *n*

gwthiad rhew *eg* frost heaving

gwthio *be* push *v*

gwthio'r pwysau *be* putting the shot

gwybodaeth (=dealltwriaeth o bwnc, swm yr hyn a ddysgwyd) *eb* knowledge

gwybodaeth (=rhywbeth a hysbysir i rywun) *eb* information

gwybodaeth ariannol *eb* financial information

gwybodaeth bersonol *eb* personal information

gwybodaeth electronig *eb* electronic information

gwybodaeth greiddiol *eb* underpinning knowledge

gwybodaeth gyfrinachol *eb* confidential information

gwybodaeth rheoli *eb* management information

gwybyddiaeth *eb* cognition

gwybyddol *ans* cognitive

gwydn (=hir ei barhad) *ans* durable

gwydn (=yn gwrthsefyll) *ans* resistant (=tough)

gwydn (am berson) *ans* resilient (of person)

gwydn (am gig etc) *ans* tough

gwydnwch (cig etc) *eg* toughness

gwydnwch (y gallu i bara'n hir) *eg* durability

gwydnwch (y gallu i wrthsefyll) *eg* resistance (=ability to withstand adverse conditions)

gwydr *eg* glass (of material or object)

gwydr ffibr *eg* fibreglass

gwydr goreurog *eg* gilt glass

gwydr lliw *eg* stained glass

gwydrau *ell* goggles

gwydredig *ans* vitrified

gwydredd *eg* glaze (=glassy covering) *n*

gwydredd alcalïaidd *eg* alkaline glaze

gwydredd borasig *eg* boracic glaze

gwydredd crai *eg* raw glaze

gwydredd crochenwaith *eg* stoneware glaze

gwydredd di-draidd *eg* opaque glaze

gwydredd felwm *eg* vellum glaze

gwydredd ffrit *eg* fritted glaze

gwydredd gloyw *eg* clear glaze

gwydredd grisialog *eg* crystalline glaze

gwydredd lliw *eg* stained glaze

gwydredd mat *eg* matt glaze

gwydredd plwm *eg* lead glaze

gwydredd powdr *eg* powder glaze

gwydredd tryloyw *eg* transparent glaze

gwydreiddiadwy *ans* vitrifiable

gwydrfaen *eg* obsidian

gwydro *be* glaze *v*

gwydro dwbl *be* double glazing

gwydrog *ans* glazed

gwydryn cloc *eg* clock glass

gwydryn oriawr *eg* watch-glass

gwydr-chwythu *be* glass blowing

---

eg/b enw gwrywaidd/benywaidd, *feminine/masculine noun*   *ell* enw lluosog, *plural noun*   *v* berf, *verb*   *n* enw, *noun*

gwŷdd *eg* loom

gwŷdd brêd *eg* braid loom

gwŷdd bwrdd *eg* board loom

gwŷdd bwthyn *eg* cottage loom

gwŷdd cerdyn *eg* card loom

gwŷdd dwyffordd *eg* two-way loom

gwŷdd incl *eg* inkle loom

gwŷdd llaw *eg* hand loom

gwŷdd pedair siafft *eg* four-shaft loom

gwŷdd pedal *eg* pedal loom

gwŷdd peiriannol *eg* power loom

gwŷdd pwysau *eg* warp-weighted loom

gwŷdd rholer *eg* roller loom

gwŷdd tabi *eg* tabby loom

gwŷdd tabled *eg* tablet loom

gwŷdd troedlath *eg* footpower loom

gwŷdd Wendicote *eg* Wendicote loom

gwŷdd Wendy *eg* Wendy loom

Gwyddel *eg* Irish (person)

gwyddfa *eb* tumulus

gwyddoniadur *eg* encyclopaedia

gwyddoniadurwr *eg* encyclopaedist

gwyddoniaeth *eb* science (especially concerned with material and functions of physical universe)

gwyddonydd chwaraeon *eg* sport scientist

gwyddor (=corff systematig o wybodaeth) *eb* science (=systematic and formulated body of knowledge)

gwyddor (=yr a, bi, ec) *eb* alphabet

gwyddor cartref *eb* domestic science

gwyddor endoredig *eb* incised alphabet

gwyddor gwybodaeth *eb* information science

gwyddor Gyrilig *eb* Cyrillic alphabet

gwyddor italig *eb* italic alphabet

gwyddor Rufeinig *eb* roman alphabet

gwyddor rwnig *eb* runic alphabet

gwyddor ysgrifenedig *eb* written alphabet

gwyfyn *eg* moth

gŵyl *eb* festival

Gŵyl Badrig (17 Mawrth) *eb* Feast of St Patrick

Gŵyl Bawl (25 Ionawr) *eb* Feast of St Paul

Gŵyl Bedr a Phawl (29 Mehefin) *eb* Feast of Peter and Paul

Gŵyl Cicilia Wyryf (22 Tachwedd) *eb* Feast of St Cecilia

Gŵyl Ddewi (1 Mawrth) *eb* Feast of St David

Gŵyl Edward Frenin (13 Hydref) *eb* Feast of Edward, the Confessor

Gŵyl Eni'r Arglwyddes Fair *eb* Feast of St Mary, Nativity

Gŵyl Fair y Canhwyllau *eb* Candlemas

Gŵyl Fair ym Medi *eb* Feast of St Mary, September

Gŵyl Fair yn Awst *eb* Feast of St Mary, August

Gŵyl Fathew yr Apostol (21 Medi) *eb* Feast of Matthew the Apostle

Gŵyl Iago'r Apostol (25 Gorffennaf) *eb* Feast of James the Apostle

Gŵyl Ifan (24 Mehefin) *eb* Feast of John the Baptist

Gŵyl Ioan yr Apostol (27 Rhagfyr) *eb* Feast of John the Apostle

Gŵyl Luc Efengylwr (18 Hydref) *eb* Feast of Saint Luke the Evangelist

Gŵyl Lleuan Wyryf (13 Rhagfyr) *eb* Feast of Lucy

gŵyl mabsant *eb* saint's day

Gŵyl San Steffan (26 Rhagfyr) *eb* Feast of Stephen the Martyr

Gŵyl Sant Andreas (30 Tachwedd) *eb* Feast of Andrew the Apostle

Gŵyl Sant Benedict (21 Mawrth) *eb* Feast of St Benedict

Gŵyl Sant Denis (9 Hydref) *eb* Feast of St Denis

Gŵyl Sant Hyllar (13 Ionawr) *eb* Feast of St Hilary

Gŵyl Sant Martin (11 Tachwedd) *eb* Feast of St Martin

Gŵyl Sant Mihangel (29 Medi) *eb* Feast of St Michael

Gŵyl Tomos yr Apostol (21 Rhagfyr) *eb* Feast of Thomas the Apostle

Gŵyl y Pab Calixtus (14 Hydref) *eb* Feast of Pope Calixtus

gwyliau *ell* holidays

gwyliau achlysurol *ell* occasional holidays

gwyliau haf *ell* summer holidays

gwyliau hanner tymor *eg* midterm break

gwylio *be* watch

gwylio'r bêl *be* watch the ball

gwyliwr (=un sy'n gwarchod rhag ymosodiad etc) *eg* watchman

gwyliwr (=un sy'n gwylio gêm, y teledu etc) *eg* spectator

gwyliwr y glannau *eg* coastguard

gwylnos *eb* wake

gwylliad *eg* brigand

gwylltgoed *ell* backwoods

gwylltlun *eg* wild scape

gwymon *eg* seaweed

gwyn *eg* white

gwyn optegol *ans* optical white

gwyn plwm *eg* flake white

gwyn sinc *eg* zinc white

gwyn sylfaenol *eg* white foundation

gwyn titaniwm *eg* titanium white

gwyn Tsieina *eg* Chinese white

gwynegon *ell* rheumatism

Gwynfydedig *ans* Blessed

gwynias *ans* incandescent

gwyniasedd *eg* incandescence

gwynnin *eg* white matter (brain)

gwynnin (albwrnwm) *eg* sapwood (alburnum)

gwynnu *be* whiten

gwynnu sero *be* zero blanking

gwynnydd *eg* whitener

gwynnydd fflwroleuol *eg* fluorescent whitener

gwynt *eg* wind *n*

gwynt allchwyth *eg* outblowing wind

gwynt cryfaf *eg* dominant wind

gwynt cyfnewid *eg* wind of change

gwynt cyson *eg* trade wind

gwynt mewnchwyth *eg* inblowing wind

gwyntglos *ans* windproof (finish)

Gwyntoedd Grymus y Gorllewin *ell* Brave West Winds

---

adf, adv adferf, *adverb*   **ans, adj** ansoddair, *adjective*   **be** berf, *verb*   **eb** enw benywaidd, *feminine noun*   **eg** enw gwrywaidd, *masculine noun*

gwyntoedd y gorllewin *ell* westerlies
gwyntyll *eb* fan (of device)
gwyntyll awyru *eb* ventilating fan
gwyntyll droelli *eb* stirrer fan
gwyntyll echdynnu *eb* extractor fan
gwyntyll oeri *eb* cooling fan
gwŷr meirch *ell* cavalry
gwŷr traed *ell* infantry
gwŷr yr ecseis *ell* revenue men
gwyrdroi *be* subvert
gwyrdröedig *ans* deviant
gwyrdd alisarin *eg* alizarin green
gwyrdd bwdgerigar *eg* budgerigar green
gwyrdd cobalt *eg* cobalt green
gwyrdd crôm *eg* chrome green
gwyrdd efydd *eg* bronze green
gwyrdd llachar *eg* brilliant green
gwyrdd olewydd *eg* olive green
gwyrdd porfa *eg* grass green
gwyrdd sudd *eg* sap green
gwyrdd tywyll *eg* dark green
gwyrdd y ddeilen *eg* leaf green
gwyrdd y gwanwyn *eg* spring green
gwyrdd y môr *eg* sea green
gwyrddion *ell* greens
gwyrddmon *eg* verderer
gwyrddwst *eg* chlorosis (medical)
gwyredd *eg* rake (of sloping angle) *n*
gwyredd blaen *eg* front rake
gwyredd cefn *eg* top rake
gwyredd gwaelod *eg* bottom rake
gwyredd negatif *eg* negative rake
gwyredd ochr *eg* side rake
gwyredd positif *eg* positive rake
gwyriad (ar ffordd etc) *eg* deviation
gwyriad (mewn cerddoriaeth) *eg* remove (in music) *n*
gwyriad allan *eg* outswinger
gwyriad ar y grib *eg* swan neck (on harp)
gwyriad cymedrig *eg* mean deviation
gwyriad i mewn *eg* in-swinger *n*
gwyriad safonol *eg* standard deviation
gwyriad y llonnod cyntaf *eg* first sharp remove
gwyro (=symud i osgoi) *be* swerve
gwyro (=symud oddi ar y llwybr iawn) *be* deviate
gwyro (wrth fatio) *be* glance (in batting) *v*
gwyro a gwrthwyro *be* veer and back
gwyro'r bêl *be* deflect the ball
gwyrol *ans* aberrant
gwyrth *eb* miracle
gwyryfol *ans* virgin
gwysiwr *eg* summoner
gwystl (=ernes) *eg* pledge
gwystl (am berson) *eg* hostage
gwystlo *be* pawn
gwystlwr *eg* pawnbroker

gwythïen (o fwyn) *eb* lode (mineral)
gwythïen (o lo) *eb* seam (of coal)
gwythïen (yn y corff) *eb* vein
gwythïen arennol *eb* renal vein
gwythïen bortal *eb* portal vein
gwythïen bortal hepatig *eb* hepatic portal vein
gwythïen fesenterig *eb* mesenteric vein
gwythïen fwyn *eb* vein of ore
gwythïen ganol *eb* midrib (of leaf)
gwythïen y gwddf *eb* jugular vein
gwythieniad *eg* venation (of a leaf)
gwythiennig *eb* venule
gwywo *be* wilt
gyda'r graen with the grain
gyda'r glannau *ans* inshore
gyddfu *be* neck *v*
gyli *eg* gully
gylïog *ans* gullied
gymedig *ans* gummed
gymio *be* gum *v*
gymnasteg *eb* gymnastics
gymnasteg addysgol *eb* educational gymnastics
gymnasteg ffurfiol *eb* formal gymnastics
gymnastwr *eg* gymnast
gymnosbor *eg* gymnospore
gynaeciwm *eg* gynaecium
gynaecoleg *eb* gynaecology
gynaecolegydd *eg* gynaecologist
gynwal *eg* gunwale
gypswm *eg* gypsum
gyr *eg* herd (of cattle)
gyrfa *eb* career
gyriad *eg* drive (act of) *n*
gyriad amhositif *eg* non-positive drive
gyriad cripian *eg* worm drive
gyriad cyfansawdd *eg* compound drive
gyriad ffrithiant *eg* friction drive
gyriad positif *eg* positive drive
gyriad pŵer *eg* power drive
gyriad syml *eg* simple drive
gyriad terfynol *eg* final drive
gyriant *eg* drive (of car, computer etc)
gyriant cadwyn *eg* chain drive
gyrosgop *eg* gyroscope
gyrru *be* drive *v*
gyrru a gyredig driver and driven
gyrru ar ffo *eg* rout
gyrru mewn ac allan *be* roll on-roll off
gyrru swigod drwy *be* bubble *v.trans*
gyrru ymlaen *be* propel
gyrrwr *eg* driver
gyrrwr ambiwlans *eg* ambulance driver
gyrrwr bysellfwrdd *eg* keyboard drive
gyrrwr chwistrell *eg* syringe driver
gyrrwr disg hyblyg *eg* floppy disk drive

---

eg/b enw gwrywaidd/benywaidd, *feminine/masculine noun* **ell** enw lluosog, *plural noun* **v** berf, *verb* **n** enw, *noun*

H

hacio *be* hack
haclif *eb* hacksaw
haclif bŵer *eb* power hacksaw
haclif fach *eb* junior hacksaw
had ardyst *eg* certified seed
hadau haidd *ell* barley seeds
hadau olew *ell* oilseed
hadgraith *eb* hilum
hadgroen *eg* testa
hadlestr *eg* seed vessel
haearn (Fe) *eg* iron (Fe)
haearn â chwythell ager *eg* shot of steam iron
haearn ager *eg* steam iron
haearn ager a chwistrell *eg* steam and spray iron
haearn bwrw *eg* cast iron
haearn bwrw gwyn *eg* white-cast iron
haearn bwrw hydrin *eg* malleable cast iron
haearn bwrw llwyd *eg* grey cast iron
haearn cafflo *eg* snarling iron
haearn cefn *eg* cap iron
haearn claear *eg* cool iron
haearn cnocio *eg* rapping iron
haearn crai *eg* pig iron
haearn cynnes *eg* warm iron
haearn chwistrellu *eg* spray iron
haearn fflatio *eg* knocking down iron
haearn galfanedig *eg* galvanized iron
haearn gyr *eg* wrought iron
haearn haematit *eg* haematite iron
haearn hydrin *eg* malleable iron
haearn llwyd *eg* grey iron
haearn ocsid *eg* iron oxide
haearn ongl *eg* angle iron
haearn poeth *eg* hot iron
haearn rhychiog *eg* corrugated iron
haearn sgrap *eg* scrap iron
haearn smwddio *eg* domestic iron
haearn sodro *eg* soldering iron
haearn sodro bwyell *eg* hatchet bit
haearn sodro pensil *eg* pencil bit
haearn sodro syth *eg* straight bit
haearn Sweden *eg* Swedish iron
haearn tawdd *eg* molten iron
haearn trydan *eg* electric iron
haematit *eg* haematite
haematitig *ans* haematitic
haematoleg *eb* haematology
haematolegydd *eg* haematologist

haematwria *eg* haematuria
haemocyanin *eg* haemocyanin
haemoffilia *eg* haemophilia
haemoglobin *eg* haemoglobin
haemolysis *eg* haemolysis
haen (=stratwm) *eb* bed (=stratum) *n*
haen (yn gyffredinol) *eb* layer *n*
haen balis *eb* palisade layer
haen ffin *eb* boundary layer
haen gambiwm *eb* cambium layer
haen hidlo *eb* filter bed
haen isaf *eb* lower order (in geology)
haen Malpighi *eb* Malpighian layer
haen oson *eb* ozone layer
haen ryngol *eb* intermediate layer
haen sail *eb* base coat
haen sbwngaidd *eb* spongy layer
haen waelodol (carped) *eb* underlay (of carpet)
haenau *ell* bedding (of strata) *n*
haenau anghyffurfiadwy *ell* unconformable beds
haenau cyffurfiadwy *ell* conformable beds
haenau eiledol *ell* alternate layers
haenau ffawtiedig *ell* faulted strata
haenau plyg *ell* folded beds (strata)
haenedig *ans* stratified
haenen absgisaidd *eb* abscission layer
haenen alewron *eb* aleurone layer
haenen goroid *eb* choroid layer
haenen lynu *eb* cling film
haenen ymrannu *eb* germ layer (embryo)
haeniad *eg* stratification
haenlin pridd *eg* soil horizon
haenliwio *be* layer colouring
haenol *ans* stratiform
haenu *be* layer *v*
haerwr *eg* remonstrant
Haf Bach Mihangel *eg* Indian summer
hafal *ans* equal
hafal a dirgroes *ans* equal and opposite
hafaledd *eg* equality (mathematical)
hafaliad *eg* equation
hafaliad ategol *eg* auxiliary equation
hafaliad ciwbig *eg* cubic equation
hafaliad cwadratig *eg* quadratic equation
hafaliad cwartig *eg* quartic equation
hafaliad cyffredinol nwy *eg* general gas equation
hafaliad deuradd *eg* second degree (quadratic) equation
hafaliad differol *eg* differential equation

hafaliad differol trefn un *eg* first order differential equation

hafaliad geiriau *eg* word equation

hafaliad gradd tri *eg* third degree equation

hafaliad integrol trawsffurfiol *eg* transform integral equation

hafaliad llinol *eg* linear equation

hafaliad polynomaidd *eg* polynomial equation

hafaliad syml *eg* simple equation

hafaliad trefn dau *eg* second order equation

hafaliad unradd *eg* first degree equation

hafaliadau cydamserol *ell* simultaneous equations

hafaliadau cydamserol llinol syml *ell* simple linear simultaneous equations

hafalnod *eg* equal sign (=)

hafalochrog *eg* equilateral

hafalonglog *ans* equiangular

hafalu *be* equate

hafal-ymraniad *eg* equi-partition

hafan *eb* haven

hafan y cyrchwr *eb* cursor home position

hafanu *be* home *v*

haffniwm (Hf) *eg* hafnium (Hf)

hai *eg/b* hey

hai croes *eg* cross hey

hai cynnydd *eg* cumulative hey

hai traws *eg* hey between

hai unrhyw *eg* hey with your own

haidd *eg* barley

haidd gwyn *eg* pearl barley

haig (pysgod) *eb* shoal (of fish)

haint *eb* infection (=infectious disease)

haint trwy'r genau *eb* oral infection

Haint y Brenin *eb* King's Evil

halen *eg* salt (=sodium chloride)

halen craig *eg* rock salt

haliad *eg* heave (of rope) *n*

halid *eg* halide

halier *eg* haulier

halio *be* heave (a rope) *v*

halitosis *eg* halitosis

halmwd *eg* hallmote

haloffob *eg* halophobe

haloffyt *eg* halophyte

haloffytig *ans* halophytic

halogen *eg* halogen

halogenaidd *ans* halogenated

halogeniad *eg* halogenation

halogi (teml) *be* violate (a temple)

halogi (yn gyffredinol) *be* contaminate

halogiad *eg* contamination

halwyn *eg* salt (in chemistry)

halwynau lemwn *ell* salts of lemon

halwynau mwynol *ell* mineral salts

halwynau tawdd *ell* molten salts (cooling media)

halwynau'r bustl *ell* bile salts

halwyndir *eg* saltings

halwynedd *eg* salinity

halwynog *ans* saline *adj*

hallt *ans* salty

halltu (mochyn) *be* curing (pork)

hambwrdd *eg* tray

hambwrdd cymysgu *eg* mixing tray

hambwrdd diferu *eg* drip tray (for drip-dry and synthetics)

hambwrdd gosod *eg* leading tray (mosaics)

hambwrdd îsl *eg* easel tray

hamdden *eb* leisure

hances *eg/b* handkerchief

haneru *be* halve

haneru cornel *be* corner halving

haneru croes *be* cross halving

haneru cynffonnog *be* dovetail halving

haneru ongl *be* angle halving

haneru T *be* Tee halving

hanerwr *eg* half-back (male)

hanerwr asgell *eg* wing-half

hanerwr chwith *eg* left-half

hanerwr de *eg* right-half

hanerwraig *eb* half-back (female)

hanerydd *eg* bisector

hanerydd allanol *eg* external bisector

hanerydd mewnol *eg* internal bisector

hanerydd perpendicwlar *eg* perpendicular bisector

hanes *eg* history

hanes achos *eg* case history

hanes amaethyddiaeth *eg* agrarian history

hanes bwrdeistrefol *eg* borough history

hanes cefn gwlad *eg* rural history

hanes cyfansoddiadol *eg* constitutional history

hanes cyfraith *eg* legal history

hanes cymdeithasol *eg* social history

hanes cynnar *eg* early history

hanes diplomyddiaeth *eg* diplomatic history

hanes diwydiannol *eg* industrial history

hanes economaidd *eg* economic history

hanes eglwysig *eg* ecclesiastical history

hanes gweinyddol *eg* administrative history

hanes gwleidyddol *eg* political history

hanes lleol *eg* local history

hanes llyngesol *eg* naval history

hanes maestrefol *eg* suburban history

hanes milwrol *eg* military history

hanes modern *eg* modern history

hanes modern cynnar *eg* early modern history

hanes rhyngwladol *eg* international history

hanes sefydliadau *eg* institutional history

hanes teuluol *eg* domestic history

hanes trefol *eg* urban history

hanes y trefedigaethau *eg* colonial history

hanes yr hen fyd *eg* ancient history

hanes yr ymerodraeth *eg* imperial history

hanesiaeth *eb* historicism

hanesoldeb *eg* historicity

hanesydd *eg* historian

---

hanesyddiaeth *eb* historiography
hanesyddiaethwr *eg* historiographer (=authority on historiography)
hanesyddol *ans* historical
hanfodion *ell* essentials
hanfodol *ans* essential
haniaeth *eb* abstraction
haniaethol *ans* abstract *adj*
haniaethu *be* abstract (=consider abstractly) *v*
hanner *eg* half *n*
hanner adydd *eg* half-adder
hanner adydd deuaidd *eg* binary half-adder
hanner amser *eg* half time
hanner bwa *eg* half arch
hanner canol *eg* half centre
hanner cell *eg* half cell
hanner colon *eg* semicolon
hanner crwn *ans* semi-circular
hanner cwafer *eg* semiquaver
hanner cylch *eg* semi-circle
hanner diwrnod *eg* half-day
hanner dwplecs *eg* half-duplex
hanner eliptig *ans* semi-elliptic
hanner fertigol *ans* semi-vertical
hanner foli *eg* half-volley
hanner ffordd i fyny midway-upwards
hanner hyd *eg* half-length
hanner lleuad *eb* half moon
hanner maint llawn *eg* half size
hanner masg *eg* half-mask
hanner oes *eg* half-life
hanner rhwyglif *eg* half-rip saw
hanner rhwym *ans* half-bound
hanner tôn *eg* semitone
hanner tôn cromatic *eg* chromatic semitone
hanner tôn diatonig *eg* diatonic semitone
hanner tonol *ans* semitonal
hanner tro *eg* half turn
hanner trychiad *eg* half section
hanner trychiadol *ans* half-sectional
hanner tymor *eg* half-term
hanner uchaf y dudalen *eg* top half of page
hansh ar oledd *eg* sloping haunch
hansh cudd *eg* secret haunch
hansh sgwâr *eg* square haunch
hansiedig cudd *ans* secret haunched
hansiedig sgwâr *ans* square haunched
hansio *be* haunch *v*
hap *eg* random
haparbrawf *eg* random experiment
hapbatrwm *eg* random pattern
hapddethol *be* random selection
hapddewis *be* random choice
hapddigwyddiad *eg* random event
hapddosraniad y genynnau *eg* independent assortment of genes
hapfasnach *eb* speculation (in finance)

hapfasnachol *ans* speculative (in finance)
hapfasnachu *be* speculate (in finance)
hapfasnachwr *eg* speculator (in finance)
hapgerddediad *eg* random walk
hapgyfeiliornad *eg* random error
hapgyrch *eg* random access *n*
hapgyrchu *be* random access *v*
haplif *eg* insequent *n*
haploid *ans* haploid
hapnewidyn *eg* random variable
hapnewidyn arwahanol *eg* discrete random variable
hapnewidyn di-dor *eg* continuous random variable
hapnewidyn safonol *eg* standard random variable
hapnod *eg* accidental (=musical sign)
haprif *eg* random number
Hapsbwrg *eg* Hapsburg *n*
Hapsbwrgaidd *ans* Hapsburg *adj*
hap-hyd *eg* random length
hap-sampl *eg* random sample
harbwr *eg* harbour
harddwch *eg* beauty
harmatan *eg* harmattan
harmoneiddio *be* harmonize
harmoni anwadal *eg* fluctuating harmony
harmoni clos *eg* close harmony
harmoni di-wraidd *eg* rootless harmony
harmonica *eg* harmonica
harmonig *ans* harmonic *adj*
harmonig *eg* harmonic *n*
harmonig syml *eg* simple harmonic
harmoniwm *eg* harmonium
harmonydd *eg* harmonium player
harnais diogelwch *eg* safety-harness
harpsicord *eg* harpsichord
Harri *eg* Henry
Harri Tudur *eg* Henry Tudor
Harri VII *eg* Henry VII
Harri VIII *eg* Henry VIII
Harri'r Llew *eg* Henry the Lion
Harri'r Mordwywr *eg* Henry the Navigator
hasb a stwffwl hasp and staple
haul *eg* sun
hawdd *ans* easy
hawl (=cais) *eg/b* claim *n*
hawl (=yr hyn ellir ei hawlio'n gyfreithlon) *eg/b* entitlement
hawl (i dir etc) *eg/b* title (to land etc)
hawl arglwydd *eg* seigniorage
hawl atal *eg* suspending power (from work etc)
hawl broc *eg* wreck (legal)
hawl cynuta *eg* fire bote
hawl ffiwdal *eg* feudal incident
hawl gweld *eg* access (=the right to reach or see) *n*
hawl pledio *eg* cognizance of pleas
hawl torri mawn *eg* common of turbary
hawl tramwy *eg* right of way
hawl tramwy cyhoeddus *eg* public right of way

---

adf, adv adferf, *adverb* **ans, adj** ansoddair, *adjective* **be** berf, *verb* **eb** enw benywaidd, *feminine noun* **eg** enw gwrywaidd, *masculine noun*

hawl trosglwyddo arian *eg* virement
hawlfraint *eb* copyright
hawliau defnyddwyr *ell* consumer rights
hawliau perchenogaeth *ell* property rights
hawliau teyrnaidd *ell* regalian rights
hawlio *be* claim *v*
hawstoriwm *eg* haustorium
HCMS: hyfforddiant cychwynnol ac mewn swydd *eg* INIST: initial and in-service training
heb dâl digonol *ans* underpaid
heb ddatblygu digon *ans* underdeveloped
heb ddigon o faeth *ans* under-nourished
heb ei gannu *ans* unbleached
heb fod wrth raddfa not to scale
heb fod yn unfath *ans* non-identical
heb golli cyffredinolrwydd without loss of generality
heb gyffwrdd *adf* without contact
heb gymorth *adf* unaided
heb losgi *ans* unburnt
heboga *be* hawking
hebogydd *eg* falconer
Hebraeg *eb* Hebrew (language)
hecs *ell* hex
hecsadegol *ans* hexadecimal
hecsagon *eg* hexagon
hecsagonol *ans* hexagonal
hecsahedron *eg* hexahedron
hecsos *eg* hexose
hectar *eg* hectare
hedegog *ans* volatile (in technology)
hedfan *be* aviation
hedyn *eg* seed
hedyn carwe *eg* caraway seed
hedyn eginol *eg* germinating seed
heddlu *eg* police
heddwch *eg* peace
heddwch parhaol *eg* perpetual peace
Heddwch y Brenin *eg* King's Peace
heddychiad *eg* pacification
heddychiaeth *eb* pacifism
heddychu *be* pacify
heddychwr *eg* pacifist
hegledd *eg* etiolation
heglog *ans* etiolated
heibiad *eg* bye
heibiad coes *eg* leg bye
heidiol *ans* gregarious (of animals)
heidioledd *eg* gregariousness (of animals)
heigiog *ans* infested
heintiad *eg* infection (act or process)
heintiad defnynnau *eg* droplet infection
heintiedig *ans* infected
heintio *be* infect
heintus *ans* infectious
helaethiad *eg* enlargement
helaethu *be* enlarge
helaethu a lleihau *be* enlargement and reduction

helaethu patrwm *be* enlarge a pattern
Helenaidd *ans* Hellenic
helfa *eb* chase *n*
Helfetig *ans* Helvetic
heli *eg* salt water
heli ffisiolegol *eg* physiological saline
helicoid *eg* helicoid
helicoidol *ans* helicoidal
helics *eg* helix
helics dwbl *eg* double helix
helics llawn *eg* full helix
heligol *ans* helical
heliotropedd *eg* heliotropism
heliotropig *ans* heliotropic
heliwm (He) *eg* helium (He)
heliwr *eg* hunter
heliwr-gasglwr *eg* hunter-gatherer
helm *eg* helmet
helygen *eb* willow
helynt *eg* affair (=notorious happening)
helynt Dreyffus *eg* Dreyffus affair
hem *eb* hem *n*
hem addurnol *eb* decorative hem
hem dwc *eb* tucked hem
hem ddwbl *eb* double hem
hem ffug *eb* false hem
hem gudd *eb* blind hem
hem pwyth cudd *eb* catch stitched hem
hem wedi'i hwynebu *eb* faced hem
hembwytho *be* hem stitching
hemell *eb* hemmer (machine attachments)
hemicellwlos *eg* hemicellulose
hemio *be* hem *v*
hemio cudd *be* invisible hemming
hemio slip *be* slip hemming
hemisffer *eg* hemisphere
hemisffer cerebrol *eg* cerebral hemisphere
hen a methedig *ans* old and infirm
Hen Aifft *eb* Ancient Egypt
Hen Destament *eg* Old Testament
hen dwyn *eg* senile dune
Hen Ddihenydd *eg* Ancient of Days
hen fara *eg* stale bread
Hen Frythoniaid *ell* Ancient Britons
hen fyd *eg* antiquity (=ancient times)
Hen Gynghrair *eg* Auld Alliance
hen nodiant *eg* staff notation
Hen Norseg *eb* Old Norse
Hen Oes y Cerrig *eb* Old Stone Age
Hen Oruchwyliaeth *eb* Ancien Regime
hen oruchwyliaeth *eb* old regime
Hen Roeg *eb* Ancient Greece
henadur *eg* alderman
henaint *eg* old age
heneb *eb* ancient monument
heneiddedd *eg* senescence
heneiddiad *eg* geriatrification

heneiddio *be* ageing
heneiddol *ans* senescent
henoed *ell* elderly *n*
henuriad *eg* elder
hepatitis *eg* hepatitis
heptagon *eg* heptagon
heptagonal *ans* heptagonal
her *eb* challenge *n*
her yr amgylchedd *eg* environmental challenge
herbariwm *eg* herbarium
herc *eg* hop *n*
hercian *be* hop *v*
herclif *eb* jig saw
herclif bŵer *eb* power jig saw
herc, cam a naid hop, skip and jump
heresi *eb* heresy
heretic *eg* heretic
hereticaidd *ans* heretical
Hereward Effro *eg* Hereward the Wake
herio *be* challenge *v*
heriwr *eg* challenger
herodr *eg* herald
Herodr Arbenigol Cymru *eg* Wales Herald of Arms
  Extraordinary
herodraeth *eb* heraldry
herodrol *ans* heraldic
herpes *eg* herpes
herts (Hz) *eg* hertz (Hz)
herwgipio (awyren etc) *be* hi-jack
herwgipio (person) *be* kidnap
herwr *eg* outlaw *n*
herwriaeth *eb* outlawry
hesgen *eb* sedge
hesian *eg* hessian
hesian cefn papur *eg* paper backed hessian
hesian llifedig *eg* dyed hessian
heterodein *eg* heterodyne
heteroffoni *eg* heterophony
heterogenaidd *ans* heterogeneous
heterogenedd *eg* heterogeneity
heterorywiol *ans* heterosexual
heterosboraidd *ans* heterosporous
heterostyledd *eg* heterostyly
heterosygaidd *ans* heterozygous
heuldro *eg* solstice
heuldro'r gaeaf *eg* winter solstice
heuldro'r haf *eg* summer solstice
heulwen *eb* sunshine
hewristig *ans* heuristic
heyrn sgrôl *ell* anvil horn scrolls
hic *eg* nock
hicio *be* nocking
hidlen *eb* filter *n*
hidlen fflwff *eb* fluff filter
hidliad *eg* filtration
hidlif *eg* filtrate

hidlif glomerwlaidd *eg* glomerular filtrate
hidlo *be* filter *v*
hidlydd *eg* filter
hidlydd lliw *eg* colour filter
hierarchaeth *eb* hierarchy
hierarchaeth anghenion *eb* hierarchy of needs
hierarchaeth drefol *eb* urban hierarchy
hierarchaeth glystyrog *eb* nested hierarchy
Hierarchaethau Gorseddau *ell* Hierarchies of Throne
hierarchaidd *ans* hierarchical
hieroglyffigau'r Eifftwyr *ell* Egyptian hieroglyphics
hil *eb* race
Hil Ariaidd *eb* Aryan Race
hiliaeth *eb* racism
hiliol *ans* racial
hiliwr *eg* racist
hil-laddiad *eg* genocide
hindreuliad *eg* weathering *n*
hindreuliedig *ans* weathered
hindreulio *be* weathering *v*
Hindŵ *eg* Hindu *n*
Hindŵaeth *eb* Hinduism
Hindŵaidd *ans* Hindu *adj*
hinsawdd *eb* climate
hinsoddeg *eb* climatology
hir *ans* long
hirbarhaol *ans* chronic (in biology)
hirbwyth a byrbwyth long and short stitch
hirfaith *ans* chronic (in medicine)
hirgrwn *ans* oval
hirgul *ans* elongated
hirhoedledd *eg* longevity
hirwasg *ans* long waisted
histidin *eg* histidine
histogram *eg* histogram
histoleg *eb* histology
histon *eg* histone
histopatholeg *eb* histopathology
Hiwgenot *eg* Huguenot *n*
Hiwgenotaidd *ans* Huguenot *adj*
HMS: hyfforddiant mewn swydd *eg* INSET: in-service
  training
**HMS-ADAG: Hyfforddiant Mewn Swydd yn gysylltiedig
  ag ADAG** *eg* TRIST: TVEI Related In-Service Training
hobi *eg* hobby
hoci *eg* hockey
hodograff *eg* hodograph
hoelbren *eg* dowel
hoelbren ysgwyddog *eb* shouldered dowel
hoelen *eb* nail *n*
hoelen ben pres *eb* brass head nail
hoelen benfawr *eb* felt nail
hoelen bitsh byr *eb* short pitch nail
hoelen bitsh hir *eb* long pitch
hoelen bres *eb* brass nail
hoelen fain *eb* brad (cut nail)
hoelen fer *eb* tack (=nail)

---

hoelen garan ddirdro *eb* twisted shank
hoelen garan gylch *eb* ringshank
hoelen glustogwaith *eb* upholstery nail
hoelen gopr *eb* copper nail
hoelen gron *eb* wire nail
hoelen gron bengoll *eb* round lost head nail
hoelen gwaith maen *eb* masonry nail
hoelen haearn gyr *eb* wrought iron nail
hoelen hirgron *eb* oval nail
hoelen hirgron bengoll *eb* oval lost head nail
hoelen hydrin *eb* malleable nail
hoelen lechen *eb* slate nail
hoelen lorio *eb* clasp nail
hoelen rychiog *eb* wiggle nail
hoelen saer *eb* joiner's brad
hoelen wrthrwd *eb* rustless nail
hoelio *be* nail *v*
hoelio arosgo *be* oblique nailing
hoelio cudd *be* secret nailing
hoelio cyflin *be* parallel nailing
hoelio cynffonnog *be* dovetail nailing
hofrenfad *eg* hovercraft
hofrennydd *eg* helicopter
hogi *be* hone *v*
hogwr *eg* sharpener
hogwr sgrafell *eg* scraper sharpener
hongiad *eg* suspension (of car)
hongiad annibynnol *eg* independent suspension
hongiad blaen *eg* front suspension
hongiad ôl *eg* rear suspension
hongian *be* hanging *v*
hongian halio *be* heave hanging
hongian ôl *be* backward hanging
hongian ôl plyg *be* bent backward hanging
hongian pen i lawr *be* reversed hanging
hongian yn rhydd *be* dangling
hongiwr *eg* hanger (of tapestry etc)
holi *be* question
holi ac ateb ffeil ddata question and answer a data file
holiadol *ans* interrogatory *adj*
holiadur *eg* questionnaire
holmiwm (Ho) *eg* holmium (Ho)
holocost *eg* holocaust
holoffytig *ans* holophytic
holomorffig *ans* holomorphic
holosoig *ans* holozoic
holwyddoreg *eb* catechism (in Welsh Nonconformity)
holl bwysig *ans* all important
hollalluog *ans* almighty
hollgorffol *ans* systemic (e.g. of insecticides)
hollt (mewn craig) *eg/b* cleft
hollt (yn gyffredinol) *eg/b* split *n*
hollt calon *eg* heart shake
hollt cwpan *eg* cup shake
hollt cylch *eg* ring shake
hollt rheiddiol *eg* radial shake

hollt seren *eg* star shake
hollt taran *eg* thunder shake
hollti *be* split *v*
holltiad *eg* cleavage
hollysol *ans* omnivorous
hollysydd *eg* omnivore
homeopathi *eg* homeopathy
homeostasis *eg* homeostasis
homili *eb* homily
homoffonig *ans* homophonic
homogenaidd *ans* homogeneous
homogenedd *eg* homogeneity
homograffeg *eb* homography
homolog *eg* homologue
homologaidd *ans* homologous
homomorffedd *eg* homomorphism
homomorffig *ans* homomorphic
homoseiclig *ans* homocyclic
homosygaidd *ans* homozygous
homothetig *ans* homothetic
hôn *eg* hone
honiad *eg* allegation
honiadau gwyddonol *ell* scientific claims
honni *be* allege
hopgefn *eg* hogback
hopran *eb* hopper
hopran gardiau *eb* card hopper
hopsac *eb* hopsack
hopys *ell* hops
hormon *eg* hormone
hormon ieuangedd *eg* juvenile hormone
hormon lactogenig *eg* lactogenic hormone
hormon lwteineiddio *eg* luteinizing hormone
hormon planhigol *eg* plant hormone
hormon twf *eg* growth hormone
hormonaidd *ans* hormonal
Horn, Yr *eg* Cape Horn
horosgop *eg* horoscope
hors *eg/b* horse (for airing clothes)
hors ddillad *eb* clothes horse
horst *eg* horst
hosan *eb* stocking
hosan fer *eb* sock
hosan wely *eb* bedsock
hosanwaith *eg* hosiery
hosbis *eb* hospice
hostel *eg* hostel
hostel ieuenctid *eg* youth hostel
Hostia *eg* Host
howsat? how's that?
hud *eg* magic
hufen *eg* cream *n*
hufen chwipio *eg* whipping cream
hufen dwbl *eg* double cream
hufen sengl *eg* single cream
hufen tolch *eg* clotted cream
hufennog *ans* creamy

---

eg/b enw gwrywaidd/benywaidd, *feminine/masculine noun*   **ell** enw lluosog, *plural noun*   **v** berf, *verb*   **n** enw, *noun*

hufennu *be* cream *v*
hunangydberthynas *eb* autocorrelation
hunangymorth *eg* self-help
hunan *eg* self
hunan anffrwythloniad *eg* self sterilization
hunan ffrwythloniad *eg* self fertilization
hunan gynhaliaeth *eb* self sufficiency
hunan wahaniaethiad *eg* self differentiation
hunanadlynol *ans* self-adhesive
hunanarchwiliad *eg* self-examination
hunanasesiad *eg* self-assessment
hunanbeilliad *eg* self pollination
hunanbortread *eg* self-portrait
hunanddatgelu *be* self-disclosure
hunanddelwedd *eb* self-image
hunanddelwedd negyddol *eb* negative self-concept
hunanddigonedd *eg* self-sufficiency
hunanddosio *be* self-medication
hunanfoddhad *eg* self-gratification
hunangofiant *eg* memoirs (=autobiography)
hunangyflogedig *ans* self-employed
hunangynhaliol *ans* self sufficient
hunanhyder *eg* self-confidence
hunaniaeth *eb* identity (=personality)
hunaniaeth genedlaethol *eb* national identity
hunanladdiad *eg* suicide
hunanlanhau *be* self-cleaning
hunanlywodraeth *eg* self-government
hunanofal *eg* self-care
hunanreolaeth *eb* self-control
hunanweithredol *ans* self-action
hunanweithredu *ans* self-acting
hunanwerthusiad *eg* self-appraisal
hunanymwadiad *eg* self-denial
hunanymwybodol *ans* self-conscious
hunanymwybyddiaeth *eb* self-awareness
hunan-barch *eg* self-esteem
hunan-barch isel *eg* low self-esteem
hunan-les *eg* self-interest
hunan-roi *be* self-administration
hunan-serch *eg* narcissism
hurbwrcas *eg* hire-purchase *n*
hurbwrcasu *be* hire-purchase *v*
hurfilwr *eg* mercenary
Husaidd *ans* Hussite *adj*
Husiad *eg* Hussite *n*
Huw Fras *eg* Hugh the Fat
hwiangerdd *eb* nursery rhyme
hwl amgrwm *eg* convex hull
hwliganiaeth *eb* hooliganism
hwmerws *eg* humerus
hwmws *eg* humus
hwnt gychwyniad *eg* staggered start
hwp llaw *eg* hand off
hwrdd *eg* ram
hwsâr *eg* hussar
hwsmonaeth *eb* husbandry

hwyaden *eb* duck
hwyfo *be* fluttering
hwyhad *eg* elongation
hwyhau *be* elongate
hwyl fawr *eb* mainsail
hwyl flaen *eb* foresail
hwylbren *eg* mast
hwylbren blaen *eg* foremast
hwylbren canol *eg* mizzen mast
hwyldrawst *eg* yardarm
hwylio *be* sail
hwylio yn agos i'r gwynt *be* brinkmanship
hwyluso *be* facilitate
hwyluswr *eg* facilitator
hwyr yn siarad (am ddatblygiad plentyn) *ans* delayed speech
hwyrddyfodiad *eg* recent incomer
hwyrgloch *eb* curfew (bell)
hyblyg (am berson) *ans* adaptable (of person)
hyblyg (am sylweddau) *ans* flexible (=able to bend without breaking)
hyblygedd *eg* flexibility
hyblygrwydd *eg* adaptability
hybu *be* promote
hybu dealltwriaeth *be* promote understanding
hybu iechyd *be* health promotion
hybu parch *be* promote respect
hyd *eg* length
hyd amhendant *eg* indefinite length
hyd atodol *eg* added value (of musical note)
hyd bloc *eg* block length
hyd cofnod *eg* record length
hyd cywir *eg* exact length
hyd da *eg* good length
hyd dwbl *eg* double length
hyd ffocal *eg* focal length
hyd gair *eg* word length
hyd gair newidiol *eg* variable word length
hyd gair penodol *eg* fixed word length
hyd maes *eg* field length
hyd newidiol *eg* variable length
hyd o ben i ben *eg* overall length
hyd oes *eg* lifetime
hyd penodol *eg* fixed length
hydawdd *ans* soluble
hydbroffil *eg* long profile (of a river)
hyder *eg* confidence
hyder mewn dŵr *eg* confidence in water
hydlin *eg* vertical ruler
hydoddedig *ans* solvated
hydoddedd *eg* solubility
hydoddi *be* dissolve (e.g. solid in a liquid)
hydoddiant *eg* solution (of dissolved state)
hydoddiant byffer *eg* buffer solution
hydoddiant cannu *eg* bleach solution
hydoddiant coloidaidd *eg* colloidal solution
hydoddiant dirlawn *eg* saturated solution

---

adf, adv adferf, *adverb* **ans, adj** ansoddair, *adjective* **be** berf, *verb* **eb** enw benywaidd, *feminine noun* **eg** enw gwrywaidd, *masculine noun*

hydoddiant Fehling *eg* Fehlings solution
hydoddiant golchi *eg* washing solution
hydoddiant halwynau *eg* solution of salts
hydoddiant halwynog *eg* saline solution
hydoddiant litmws glas *eg* blue litmus solution
hydoddiant meithrin *eg* culture solution
hydoddiant Ringer *eg* Ringers solution
hydoddydd *eg* solvent
hydoddydd amholar *eg* non-polar solvent
hydoddydd lacr *eg* lacquer solvent
hydoddydd paent *eg* paint solvent
hydoddydd polar *eg* polar solvent
hydoddydd saim *eg* grease solvent
hydoddyn *eg* solute
hydrad *eg* hydrate *n*
hydradiad *eg* hydration
hydradol *ans* hydrated
hydradu *be* hydrate *v*
hydraidd *ans* porous
hydred *eg* longitude
hydred a lledred longitude and latitude
hydredol *ans* longitudinal
hydrid *eg* hydride
hydrin *ans* malleable
hydrinedd *eg* malleability
hydrobwll *eg* hydropool
hydrocarbon *eg* hydrocarbon
hydroceffalig *ans* hydrocephalic
hydrocsid *eg* hydroxide
hydrocsiprolin *eg* hydroxyproline
hydrodynameg *eb* hydrodynamics
hydroffilig *ans* hydrophilic
hydroffobig *eg* hydrophobic
hydroffoil *eg* hydrofoil
hydrogen (H) *eg* hydrogen (H)
hydrogen perocsid *eg* hydrogen peroxide
hydrogenaidd *ans* hydrogenated
hydrogeniad *eg* hydrogenation
hydrogenu *be* hydrogenate
hydrograffeg *eb* hydrography
hydroleg *eb* hydraulics
hydrolig *ans* hydraulic
hydrolysis *eg* hydrolysis
hydrolysu *be* hydrolyse
hydromedr *eg* hydrometer
hydrosffer *eg* hydrosphere
hydrosgopig *ans* hydroscopic
hydrostateg *eb* hydrostatics
hydrostatig *ans* hydrostatic
hydrotropedd *eg* hydrotropism
hydrothermol *ans* hydrothermal
hydwyth *ans* ductile
hydwythedd *eg* ductility
hydyniad ar y croen *eg* skin traction
hydyniad ar y sgerbwd *eg* skeletal traction
hyd-doriad *eg* long section (of a river)
hyetograff *eg* hyetograph

hyfedredd *eg* proficiency
hyfriw *ans* friable
hyfyw *ans* viable (of living thing)
hyfywdra *eg* viability
hyffa *eg* hypha
hyffae cymhathol *ell* assimilative hyphae
hyffaidd *ans* hyphal
hyfforddai *eg* trainee
hyfforddi *be* train *v*
hyfforddi athrawon *be* teacher training
hyfforddi cynghorwyr *be* counsellor training
hyfforddi dros bellter *be* over distance training
hyfforddiant *eg* training
hyfforddiant antur *eg* adventure training
hyfforddiant clinigol *eg* clinical training
hyfforddiant cychwynnol i athrawon *eg* initial teacher training
hyfforddiant cyfannol *eg* integrated training
hyfforddiant cylchol *eg* circuit training
hyfforddiant diwydiannol *eg* industrial training
hyfforddiant drwy gymorth cyfrifiadur *eg* computer aided instruction (CAI)
hyfforddiant egwyl *eg* interval training
hyfforddiant galwedigaethol *eg* vocational training
hyfforddiant gwrando *eg* auditory training
hyfforddiant gyda phwysau *eg* weight training
hyfforddiant sefydlu *eg* induction training
hyfforddiant toiled *eg* potty training
hyfforddwr *eg* instructor
hygrededd *eg* credibility
hygrogram *eg* hygrogram
hygromedr *eg* hygrometer
hygrosgopig *ans* hygroscopic
hygyrch *ans* accessible
hygyrchedd *eg* accessibility
hygyrchedd tasg *eg* accessibility of task
hylan *ans* hygienic
hylaw *ans* manageable
hylendid *eg* hygiene
hylendid personol *eg* personal hygiene
hylif *eg* liquid *n*
hylif amniotig *eg* amniotic fluid
hylif Baker *eg* Baker's fluid
hylif brêc *eg* brake fluid
hylif bwrw *eg* mother liquor
hylif dyfrllyd *eg* aqueous humour
hylif eisbilennol *eg* pleural fluid
hylif ffenol *eg* phenol liquid
hylif fflamadwy *eg* inflammable liquid
hylif glanhau *eg* cleaning fluid
hylif gwydrog *eg* vitreous humour
hylif marcio glas *eg* engineer's marking blue
hylif meinweol *eg* tissue fluid
hylif semenol *eg* seminal fluid
hylif synofaidd *eg* synovial fluid
hylif torri *eg* cutting fluid
hylif yr ymennydd *eg* cerebrospinal fluid

---

eg/b enw gwrywaidd/benywaidd, *feminine/masculine noun*   **ell** enw lluosog, *plural noun*   **v** berf, *verb*   **n** enw, *noun*

hylifadwy *ans* liquefiable
hylifau'r corff *ell* body fluids
hylifedig *ans* liquefied
hylifedd *eg* liquidity
hylifiad *eg* liquefaction
hylifo *be* liquefy
hylifol *ans* liquid *adj*
hylifydd *eg* liquidizer
hylosg *ans* combustible
hylosgiad *eg* combustion (in chemistry)
Hyn *eg* Hun
hynafiad *eg* ancestor
hynafiadol *ans* ancestral
hynafiaeth *eg* antiquity (of objects or customs)
hynafiaethol *ans* antiquarian
hynafiaethydd *eg* antiquary
hynafol *ans* ancient
hynafoliad *eg* archaism (in religion)
hynafolyn *eg* antique *n*
hynawf *ans* buoyant
hynod *ans* singular (e.g. matrix)
hynod ddiolchgar *adf* extremely thankful
hynod wannaidd *ans* weakly singular
hynodyn *eg* singularity
hynofedd *eg* buoyancy
hyperbola *eg* hyperbola
hyperbola petryal *eg* rectangular hyperbola
hyperbolig *ans* hyperbolic
hyperboloid *eg* hyperboloid
HyperCard *eg* HyperCard
hyperdestun *eg* hypertext

hypergeometrig *ans* hypergeometric
hypergyfryngau *ell* hypermedia
hyperplân sy'n gwahanu *eg* separating hyperplane
hypertrocoid *eg* hypertrochoid
hypertroffedd *eg* hypertrophy
hypocylchoid *eg* hypocycloid
hyposecretiad *eg* hyposecretion
hypotenws *eg* hypotenuse
hypothalmws *eg* hypothalmus
hypothermia *eg* hypothermia
hypsograffeg *eb* hypsography
hypsomedr *eg* hypsometer
hypsometrig *ans* hypsometric
hyrddiad *eg* charge (in sport) *n*
hyrddiad ysgwydd *eg* shoulder charge
hyrddio *be* charge (in sport) *v*
hyrddwr *eg* rammer
hyrddwr pen ôl *eg* butt end rammer
hysbyseb *eb* advertisement
hysbysebu *be* advertise
hysbysebu er gwybodaeth *be* informative advertising
hysbysebu er perswâd *be* persuasive advertising
hysbysfwrdd *eg* bulletin board
hysbysiad *eg* notice (=announcement)
hysbyslen fach *eb* handbill
hysteresis *eg* hysteresis
hysteria *eg* hysteria
hysting *eg* hustings
hytrawst *eg* girder
hywaith *ans* operational (in economics)

---

adf, adv adferf, adverb   **ans, adj** ansoddair, adjective   **be** berf, verb   **eb** enw benywaidd, *feminine noun*   **eg** enw gwrywaidd, *masculine noun*

I

i fyny'r afon upstream
i ffwrdd off (of switch)
i gyd wedi'u sgwario all squared
i lawr (am lob) *adf* not up (of lob)
i lawr (yn gyffredinol) *adf* downward
i lawr ac i'r ochr downward-sideways
i lawr yr afon downstream
i ochrau bach *adf* small-sided
i'r ochr sideways
i'r ochr ac i fyny sideways-upward
i'r ochr chwith side left
i'r ochr dde side right
iâ *eg* ice
iâ byrddol *eg* tabular ice
iâ du *eg* black ice
iach *ans* healthy
iachâd *eg* cure
iachawdwriaeth *eb* salvation
Iago *eg* James
iaith *eb* language
iaith cod peiriant *eb* machine code language
iaith darged *eb* target language
iaith dechnegol syml *eb* simple technical language
iaith dramor fodern *eb* modern foreign language
iaith ddeongledig *eb* interpreted language
iaith ddisgrifiadol *eb* descriptive language
iaith estynedig *eb* extended language
iaith fathemategol *eb* mathematical language
iaith floc-strwythur *eb* block structured language
iaith fodern *eb* modern language
iaith frodorol *eb* vernacular *n*
iaith gaffaeledig *eb* acquired language
iaith grynoadol *eb* compiled language
iaith gydosod *eb* assembly language
iaith gyfarwyddyd *eb* carrier language
iaith gyffredin *eb* common speech
iaith lai arferedig *eb* lesser spoken language
iaith lefel isel *eb* low-level language
iaith lefel uchel *eb* high level language
iaith leiafrifol *eb* minority language
iaith manyleb *eb* specification language
iaith peiriant *eb* machine language
iaith raglennu lefel uchaf *eb* high level programming language
iaith rhaglennu *eb* programming language
iaith rheoli gorchwylion *eb* job control language (JCL)
iaith trin data *eb* data manipulation language (DML)
iaith weledol celf *eb* language of art

iaith wreiddiol *eb* source language
iaith y corff *eb* body language
iaith ymholi *eb* query language
Ianci *eg* Yankee
iâr faes *eb* free-range hen
iâr fatri *eb* battery hen
iâr i'w berwi *eb* boiling fowl
iard *eb* courtyard
iard drefnu *eb* marshalling yard
iard llongau *eb* ship yard
iardang *eg* yardang
iarll *eg* earl
Iarll Farsial *eg* Earl Marshall
Iarll Palatin *eg* Palatine Earl
iarllaeth *eb* earldom
iarllaeth balatin *eb* county palatine
iarlles *eb* countess
iau *eb* yoke
Iau *eg* Jupiter
iau *eg* liver
iau â leinin *eb* lined yoke
iau cyfrwy *eb* saddle yoke
iawn *eg* atonement
iawn luniad *eg* register (printing)
iawndal *eg* compensation
iawnderau *ell* rights
iawnderau dynol *ell* human rights
iawnderau sifil *ell* civil rights
iawnochri *be* onside
Iawn, Yr *eg* Atonement, The
icosahedron *eg* icosahedron
ideal *eg* ideal (in mathematics) *n*
idemffactor *eg* idemfactor
idempotent *ans* idempotent
ideogram *eg* ideogram
ideoleg *eb* ideology
ideolegwr *eg* ideologue
Iddew Diwygiedig *eg* Reform Jew
Iddew Uniongred *eg* Orthodox Jew
Iddewiaeth *eb* Judaism
iechyd *eg* health
iechyd a diogelwch health and safety
iechyd cardiofasgwlaidd *eg* cardiovascular health
iechyd galwedigaethol *eg* occupational health
iechyd meddwl *eg* mental health
iechyd personol *eg* personal health
iechyd y cyhoedd *eg* public health
iechydaeth *eb* sanitation

---

eg/b enw gwrywaidd/benywaidd, *feminine/masculine noun*   *ell* enw lluosog, *plural noun*   *v* berf, *verb*   *n* enw, *noun*

ieithyddiaeth *eb* linguistics
ieithyddiaeth gymharol *eb* comparative linguistics
ieithyddol *ans* linguistic
Iesu Grist *eg* Jesus Christ
ieuenctid *ell* youth
ieuengrwydd *eg* juvenility
Ifan Arswydus *eg* Ivan the Terrible
Ifan Fawr *eg* Ivan the Great
ifanc *ans* young *adj*
ifori *eg* ivory
igam ogam *ans* zigzag *adj*
igam ogamu *be* zigzag *v*
igian, yr igian *eg* hiccup
iglw *eg* igloo
igneaidd *ans* igneous
ing *eg* agony
ildio *be* surrender
ildio diamod *be* unconditional surrender
ildio hawl (ar dir) *be* quit claim
ildio'r goron *be* abdicate (the crown)
ilewm *eg* ileum
iliag *ans* iliac
iliwm *eg* ilium
ilwminiaeth *eb* illuminism
ilwminydd *eg* illuminist
imiwn *ans* immune
imiwnedd *eg* immunity
imiwnedd caffaeledig *eg* acquired immunity
imiwnedd cynhenid *eg* natural immunity
imiwnedd goddefol *eg* passive immunity
imiwnedd gweithredol *eg* active immunity
imiwneiddiad *eg* immunization
imiwneiddiad triphlyg *eg* triple immunization
imiwneiddio *be* immunize
imiwnoleg *eb* immunology
imiwnolegydd *eg* immunologist
impasto *eg* impasto
impasto trwm *eg* heavy impasto
imperial *ans* imperial (measure)
imperialaeth *eb* imperialism
imperialaidd *ans* imperial (of expansionist aims)
imperialydd *eg* imperialist
impiad *eg* graft *n*
impio *be* graft *v*
impresario *eg* impresario
imprimatur *eg* imprimatur
imprimatura *eg* imprimatura
impromptu *eg* impromptu *n*
in vitro in vitro
in vivo in vivo
inc *eg* ink *n*
inc argraffu *eg* printing ink
inc argraffydd *eg* printer's ink
inc gwrth-ddŵr *eg* waterproof ink
inc India *eg* Indian ink
inc llawysgrif *eg* manuscript ink
inc lluniadu *eg* drawing ink

inc lluniadu lliw *eg* coloured drawing ink
inc mandarin *eg* mandarin ink
inc parhaol *eg* indelible ink
inc printio leino *eg* lino-printing ink
inc troslunio *eg* transfer ink
incio *be* inking in
inclein *eg* incline (in a slate quarry) *n*
incwm *eg* income
incwm crynswth *eg* gross income
incwm cyfartalog *eg* average income
incwm eiddo *eg* unearned investment income
incwm gwaith *eg* earned income
incwm gwladol *eg* national income
incwm heb ei ennill *eg* unearned income
incwm net *eg* net income
incwm trethadwy *eg* taxable income
indecs *eg* index (in mathematics and science)
indecs ceffalig *eg* cephalic index
indecs crymder *eg* roundness index
indecs gyswllt *ans* index linked
indecs mitotig *eg* mitotic index
indecs plygiant *eg* refractive index
Indecs Shimbel *eg* Shimbel Index
Indecs, Yr *eg* Index (Librorum Prohibitorum)
indeintiad *eg* indentation (of legal documents)
indeintio *be* indent (legal documents)
indeintur *eg* indenture
indemniad *eg* indemnity (=protection or exemption)
India corn *eg* maize
India orynysol *eb* peninsular India
indiwm (In) *eg* indium (In)
Indo-Swmeraidd *ans* Indo-Sumerian
inertia *eg* inertia (of property of matter)
infertas *eg* invertase
infertebrat *eg* invertebrate
infoliwt *eg* involute
infolytedd *eg* involution
inffimwm *ans* infimum
ingot *eg* ingot
injan *eb* engine (of steam train)
injan stêm *eb* steam engine
inswlin *eg* insulin
intaglio *eg* intaglio
intarsia *eg* intarsia
integradwy sgwâr *ans* square integrable
integrand *eg* integrand
integredig *ans* integrated (of children, people)
integreiddiad *eg* integration
integreiddio *be* integrate (=bring into equal participation)
integreiddio plant *be* integrate children
integreiddiol *ans* integrative
integriad *eg* integration (in calculus)
integriad graffigol *eg* graphical integration
integrol *ans* integral (of calculus) *adj*
integru *be* integrate (=find the integral of)
integru fesul rhan *be* integration by parts
integryn *eg* integral (of calculus) *n*

---

integryn amhendant *eg* indefinite integral
integryn neilltuol *eg* particular integral
integryn pendant *eg* definite integral
interfferon *eg* interferon
interim *ans* interim
intermezzo *eg* intermezzo
internod *eg* internode
interregnum *eg* interregnum
interstitaidd *ans* interstitial
intrada *eb* intrada
Ioan (pab) *eg* John (pope)
ïodin (I) *eg* iodine (I)
iodl *eg* yodel *n*
ïon *eg* ion
ïon segur *eg* spectator ion
ïonadwy *ans* ionizable
ïoneiddiad *eg* ionization
ïoneiddio *be* ionize
ïonig *ans* ionic
ïonosffer *eg* ionosphere
Iorcaidd *ans* Yorkist *adj*
iorcer *eg* yorker
Iorcydd *eg* Yorkist *n*
iraid *eg* lubricant
iredentiaeth *eb* irredentism
iriad *eg* lubrication
iridiwm (Ir) *eg* iridium (Ir)
iris *eg* iris (eye)
iro *be* lubricate
is *ans* lower
isadeiledd *eg* infrastructure
isadeiledd academaidd *eg* academic infrastructure
isaeddfed *ans* submature
isaf *ans* lowest
isafbwynt *eg* minimum (=lowest point)
isafbwynt tymheredd *eg* minimum temperature
isalobar *eg* isallobar
isawyrol *ans* subaerial
isbridd *eg* subsoil
isbwysedd *eg* hypotension
ischaemig *ans* ischaemic
ischiwm *eg* ischium
isdafodol *ans* hypoglossal
isdeitl *eg* subtitle
isdyfiant *eg* undergrowth
isddiwylliant *eg* subculture
isddosbarth *eg* subclass
isel *ans* low
Isel Eglwysig *ans* Low Church
iselder *eg* depression (=low spirits)
iselder adweithiol *eg* reactive depression
iselder manig *eg* manic depression
iseldir *eg* lowland
Iseldiraidd *ans* Dutch
Iseldireg *eb* Dutch (language)
Iseldirwr *eg* Dutchman
isentropig *ans* isentropic

isetholiad *eg* by-election
isfacsilaidd *ans* submaxillary
isfandiblaidd *ans* submandibular
isfeidon *eb* submediant
isflanced *eb* underblanket
isfordent *eg* inverted mordent
isffaryngeal *ans* subpharyngeal
isffordd heb dar ac isffordd mewn trefi minor road untarred and minor road in towns
isgarped *eg* carpet underlay
isgellog *ans* subcellular
isglafiglaidd *ans* subclavian
isgoch *eg* infrared *n*
isgroenol *ans* subcutaneous
isgwmpasran *eb* lower register
isgynfas *eg* undersheet
isgynnyrch diwerth *eg* waste product
isgywair *eg* low key (in penillion singing)
îsl *eg* easel
îsl braslunio *eg* sketching easel
îsl bwrdd *eg* table easel
îsl clicied *eg* ratchet easel
îsl cludadwy *eg* portable easel
îsl cyfunol *eg* combination easel
îsl rheiddiol *eg* radial easel
îsl stiwdio *eg* studio easel
islaith *ans* subhumid
Islam *eb* Islam
Islamaidd *ans* Islamic
islap *eg* underwrap
islawr *eg* basement
islif *eg* underflow
islif stac *eg* stack underflow
isniwral *ans* subneural
isnormal *ans* subnormal
isobar *eg* isobar
isobarig *ans* isobaric
isobath *eg* isobath
isobathytherm *eg* isobathytherm
isobront *eg* isobront
isoclin *eg* isocline
isocron *eg* isochrone
isocronus *ans* isochronous
isoensym *eg* isoenzyme
isofalin *eg* isovaline
isoffen *eg* isophene
isogamedd *eg* isogamy
isogeotherm *eg* isogeotherm
isoglos *eg* isogloss
isogon *eg* isogon
isogonol *ans* isogonal
isohalaidd *ans* isohaline
isohel *eg* isohel
isomedr *eg* isometry
isomedrig *ans* isometric
isomedrig taenedig *eg* exploded isometric
isomer *eg* isomer

---

isomer optegol *eg* optical isomer
isomeredd *eg* isomerism
isomeru *be* isomerization
isomorffedd *eg* isomorphism
isomorffig *ans* isomorphic
isomorffus *ans* isomorphous
isoneff *eg* isoneph
isoperimedrig *ans* isoperimetric
isopleth *eg* isopleth
isorhythmig *ans* isorhythmic
isoseismig *ans* isoseismic
isoseismol *ans* isoseismal
isosgeles *ans* isosceles
isostad *eg* isostade
isostasi *eg* isostasy
isotactig *ans* isotactic
isotach *eg* isotach
isotonedd *eg* isotonicity
isotonig *ans* isotonic
isotop *eg* isotope
isotop gwreiddiol *eg* parent isotope
isotopig *ans* isotopic
isotherm *eg* isotherm
isothermal *eb* isothermal *n*
isothermig *ans* isothermic
isradd (mewn mathemateg) *eg* root (in mathematics)
isradd digidol *eg* digital root
isradd sgwâr cymedrig *eg* root mean square
israddol *ans* inferior (=lower and therefore not as good)
isranbarth *eg* subregion
israniad *eg* subdivision
isrannu *be* subdivide
isrywogaeth *eb* subspecies
istangiad *eg* subtangent
istref *eb* subtown
istrofannol *ans* subtropical
iswaelodol *ans* infra-basal
iswythfed *eg* suboctave
is-bwyllgor *eg* sub-committee
is-ddeddf *eg* by-law (=subsidiary law)
is-ddilyniant *eg* subsequence
is-ffactorial *eg* subfactorial
is-ffeil *eb* subfile
is-ffeodaeth *eb* subinfeudation
is-ffeodu *be* subinfeudate

is-gadfridog *eg* major-general
is-gapten *eg* lieutenant
is-goeden *eb* sub-tree
is-gonswl *eg* vice-consul
is-gontract *eg* sub-contract *n*
is-gontractio *be* sub-contract *v*
is-gorporal *eg* lance corporal
is-grŵp *eg* subgroup
Is-Gwnstabl *eg* Petty Constable
is-gyfeiriadur *eg* sub-directory
is-gyrnol *eg* lieutenant-colonel
is-haen *eb* substrate (in physics)
is-haenau *ell* sub strata
is-harmonig *eg* subharmonic
is-iarll *eg* viscount
is-lifftenant *eg* second lieutenant
is-linyn *eg* sub-string
is-lyngesydd *eg* vice-admiral
is-lywydd (mewn cerddoriaeth) *eg* subdominant
is-nod *eg* subscript
is-orsaf *eb* sub-station
is-osod *be* sub-let
is-raglen *eb* sub-program
is-reolwaith *eg* sub-routine
is-reolwaith cysylltiedig *eg* linked sub-routine
is-reolwaith llyfrgell *eg* library sub-routine
is-safonol *ans* substandard
is-set *eb* subset
is-sonig *ans* subsonic
is-swyddog *eg* petty officer
is-system *eb* sub-system
is-werth *ans* low-order
italeiddio *be* italicize
italig *ans* italic
iteriad *eg* iteration
iteru *be* iterate
iterus *ans* iterative
iwcalili *eg* ukelele
Iŵl Cesar *eg* Julius Caesar
iwmon *eg* yeoman
Iwmon y Gard *eg* Yeoman of the Guard
iwtalitaraidd *adj* utilitarian *(adj)*
iwtilitariad *eg* utilitarian *n*
iwtilitariaeth *eb* utilitarianism
Iwtopia *eb* Utopia

J

jabot *eg* jabot
jac *eg* jack *n*
jac sgriw *eg* screw-jack
jac troli *eg* trolley jack
Jac yr Undeb *eg* Union Jack
jacio *be* jack *v*
Jacobeaidd *ans* Jacobean
Jacobin *eg* Jacobin *n*
Jacobinaidd *ans* Jacobin *adj*
Jacobiniaeth *eb* Jacobinism
Janisariad *eg* janizary
Janseniaeth *eb* Jansenism
Jansenydd *eg* Jansenist
Japaneaidd *ans* Japanese
jar *eb* jar
jar ridyllu *eb* sifter jar
Jeanne d'Arc *eb* Joan of Arc
jejwnwm *eg* jejunum
jeli *eg* jelly
jeli meithrin *eg* nutrient jelly
jeli Wharton *eg* Wharton's jelly
jelïaidd *ans* jelly-like
jermon *eg* journeyman
Jeswit *eg* Jesuit *n*
Jeswitaidd *ans* Jesuit *adj*
Jeswitiaeth *eb* Jesuitism

jet *eg* jet (of water, steam etc)
jetlif *eg* jet stream
jig *eg/b* jig *n*
jig cyffrous *eg* rousing jig
jig drilio *eg* drilling jig
jig hoelbrennau *eg* dowel jig
jig lleoli *eg* locating jig
jig plygu *eg* bending jig
jiger *eg* jigger
jigio *be* jig *v*
jingoistiaeth *eb* jingoism
jîns *eg* jeans
jiwt *eg* jute
Jiwtiaid *ell* Jutes
joci *eg* jockey
John (brenin) *eg* John (king)
jongleur *eg* jongleur
joule *eg* joule (J)
Junker *eg* Junker
jwg *eb* jug
jwrasig *ans* jurassic
jyglo *be* juggle
jyglo'r bêl *be* juggle the ball
jyglwr *eg* juggler
jyngl *eg* jungle

---

eg/b enw gwrywaidd/benywaidd, *feminine/masculine noun*   *ell* enw lluosog, *plural noun*   *v* berf, *verb*   *n* enw, *noun*

L

label *eg/b* label *n*
label cod-bar *eg* bar-coded label
label cymeradwyaeth *eg* approval label
label cynllun *eg* design label
label gofal *eg* care label
label gwybodaeth *eg* informative label
labelu *be* label *v*
labiwm *eg* labium
labordy *eg* laboratory
labordy iaith *eg* language laboratory
labrwm *eg* labrum
labrwr *eg* labourer
labyrinth *eg* labyrinth
lacolith *eg* laccolith
lacr *eg* lacquer *n*
lacr cellwlos *eg* cellulose lacquer
lacr clir *eg* clear lacquer
lacr polyester *eg* polyester lacquer
lacr synthetig *eg* synthetic lacquer
lacro *be* lacquering (in finishing metal)
lactas *eg* lactase
lacteal *eg* lacteal
lactoffenol *eg* lactophenol
lactos *eg* lactose
lafa *eg* lava
lafa clustog *eg* pillow lava
lafa tawdd *eg* molten lava
lafant *eg* lavant
lagio *be* lag (=wrap up)
lagŵn *(eg/b)* lagoon
lamela ganol *eb* middle lamella
lamina *eg* lamina
laminaidd *ans* laminar
laminarin *eg* laminarin
laminedig *ans* laminated
laminiad *eg* laminate *n*
laminiad plastig *eg* plastic laminate
laminiadu *be* laminate *v*
lamp *eb* lamp
lamp berl *eb* pearl lamp
lamp coil dwbl *eb* double-coil lamp
lamp coil sengl *eb* single-coil lamp
lamp glir *eb* clear lamp
lamp gonsol *eb* console light
lamp hir oes *eb* long-life lamp
lamp oleugylch *eb* spot lamp
lamp uwchfioled *eb* ultra violet lamp
Lancastraidd *ans* Lancastrian *adj*

Lancastrydd *eg* Lancastrian *n*
Ländler *eg* Ländler
landlordiaeth *eb* landlordism
lansio *be* launch (a boat)
lanthanwm (La) *eg* lanthanum (La)
lap *eg* lap *n*
lapiad plwm *eg* lead flashing
lapidari *eg* lapidary
lapili *eg* lapilli
lapio *be* wrap
lapio poeth *be* shrink wrapping
lapio testun *be* textwrap
larfa *eg* larva
larwm *eg* alarm
laryncs *eg* larynx
laser *eg* laser
latecs *eg* latex
latereiddiedig *ans* laterized
latereiddio *be* laterization
laterit *eg* laterite
lateritig *ans* lateritic
latsen *eb* lath
latws-rectwm *eg* latus-rectum
Lawnslot *eg* Lancelot
lawnt *eb* lawn
lawrensiwm (Lr) *eg* lawrencium (Lr)
layette *eg* layette
lecithin *eg* lecithin
lefel *eg/b* level *n*
lefel cyrhaeddiad *eb* attainment level
lefel darllen annibynnol *eb* independent reading level
lefel droffig *eb* trophic level
lefel dŵr *eb* water level
lefel egni *eb* energy level
lefel ffrynt siopau *eb* shop front level
lefel gallu cychwynnol *eb* initial ability level
lefel gyffredinol y pwnc *eb* general subject level
lefel isel *eb* low level
lefel llawr *eb* floor level
lefel môr *eb* sea level
lefel môr cymedrig *eb* mean sea level
lefel ranbarthol *eb* regional level
lefel ryngwladol *eb* international level
lefel seiliedig *eb* reduced level (in physics)
lefel sŵn *eb* noise level
lefel trwythiad *eb* water table
lefel trwythiad dŵr clo *eb* perched water table
lefel uchel *eb* high level

---

adf, adv adferf, adverb   **ans, adj** ansoddair, adjective   **be** berf, verb   **eb** enw benywaidd, feminine noun   **eg** enw gwrywaidd, masculine noun

lefel wirod *eb* spirit level
lefelaidd *ans* leveller *adj*
lefelau cyffuriau *ell* drug levels
lefelau o fedrusrwydd *ell* levels of skill
lefelu *be* level *v*
Lefelwr *eg* Leveller *n*
legad *eg* legate
legad y pab *eg* papal legate
legins gweu *ell* legwarmers
lein (mewn rygbi) *eb* line out
lein (yn gyffredinol) *eb* line (for railway, clothes etc)

lein aros *eb* railway siding
lein bibellau *eb* pipe line
lein bysgota neilon *eb* nylon fishing line
lein ddillad *eb* clothes line
lein ddillad gylchdro *eb* rotary clothes line
lein fach *eb* narrow gauge railway
lein gangen *eb* branch line
lein gyfathrebu *eb* communication line
lein nwyddau *eb* freight line
lein trawsyrru trydan *eb* electricity transmission line
lein ymyriadol *eb* interrupt line
leiner *eg* liner
leinin *eg* lining
leinin cudd *eg* interlining
leinin gwrthsafol *eg* refractory lining
leinin iau *eg* yoke lining
leinio *be* form a line-out
leino *eg* lino
lema *eg* lemma
lemon *eg* lemon
lens *eg* lens
lens amgrwm *eg* convex lens
lens ceugrwm *eg* concave lens
lens cydgyfeirio *eg* converging lens
lens cywerth *eg* equivalent lens
lens dargyfeirio *eg* diverging lens
lens deugeugrwm *eg* biconcave lens
lens grisialog *eg* crystalline lens
lens y gwrthrych *eg* objective lens
lens y llygad *eg* eye lens
lensaidd *ans* lenticular
lenticel *eg* lenticel *n*
lenticelaidd *ans* lenticel *adj*
leptocwrtig *ans* leptokurtic
leptoten *eg/b* leptotene
les *eg* lace
les bobin *eg* bobbin lace
les rhychiog *eg* fluted lace
les wedi'i fewnosod *eg* lace insertion
les wedi'i frodio *eg* embroidered lace
les wedi'i grosio *eg* crotcheted lace
les wedi'i grychdynnu *eg* gathered lace
les wedi'i wau *eg* knitted lace
les wedi'i wehyddu *eg* woven lace
lesbiad *eb* lesbian

les-fenthyg *eb* lend-lease
letraset *eg* letraset
lewcin *eg* leucine
lewcocyt *eg* leucocyte
lewcoplast *eg* leucoplast
liana *eg* liana
libart *eg* run (=enclosed yard) *n*
libido *eg/b* libido
libreto *eg* libretto
libretydd *eg* librettist
lid *eb* lead (electrical) *n*
Lied *eg* Lied
lifer *eg* lever
lifer brêc *eg* brake lever
lifer cydiwr *eg* clutch lever
lifer cymhwyso ochrol *eg* lateral adjustment lever
lifer cymhwyso Y *eg* Y adjusting lever
lifer gwasgell *eg* presser lever (of machine part)
lifer trawsborthiant *eg* cross-feed lever
lifrai *eg* uniform (military)
lifrai a chynhaliaeth livery and maintenance
lifft hydrolig *eg* hydraulic lift
ligado *eg* ligado
ligand *eg* ligand
ligand maes gwan *eg* weak field ligand
lignaidd *ans* ligneous
ligneiddiad *eg* lignification
ligneiddio *be* lignify
lignin *eg* lignin
lignit *eg* lignite
limonit *eg* limonite
lindysyn *eg* caterpillar
linell anomaledd *eb* isanomalous line
lingerie *eg* lingerie
linoliwm *eg* linoleum
linson *eg* linson
linteri cotwm *ell* cotton linters
lipas *eg* lipase
lipogenesis *eg* lipogenesis
lipoid *eg* lipoid
lipotropi *eg* lipotropy
litani *eb* litany
litmws *eg* litmus
litr *eg* litre
litwrgaidd *ans* liturgical
litwrgi *eg/b* liturgy
litharg *eg* litharge
lithiwm (Li) *eg* lithium (Li)
lithograff *eg* lithograph
lithograffi *eg* lithography
litholeg *eb* lithology
lithoser *eg* lithosere
lithosffer *eg* lithosphere
lithosol *eg* lithosol
liwdo *eg* ludo
liwt *eg/b* lute
liwtio *be* luting

---

eg/b enw gwrywaidd/benywaidd, *feminine/masculine noun*   *ell* enw lluosog, *plural noun*   **v** berf, *verb*   **n** enw, *noun*

liwtydd *eg* lutenist

lob *eb* lob *n*

lobi *eb* lobby (hall in parliament, a body of lobbyists) *n*

lobio *be* lob *v*

lobïo *be* lobby *v*

lobïwr *eg* lobbyist

loc *eb* lock (on canal)

locomotif *eg* locomotive

locsodrom *eg* loxodrome

locsodrom (=rhymlin) *eg* loxodrome (=rhumb line)

locws *eg* locus

loch *eg* lough

lodicwl *eg* lodicule

lodnwm *eg* laudanum

log *eg* log (=record)

log consol *eg* console log

logarithm *eg* logarithm

logarithm cyffredin *eg* common logarithm

logarithm naturiol *eg* natural logarithm

logarithmig *ans* logarithmic

logio data *be* data logging

logisteg *eb* logistics

logogram *eg* logogram

Lolard *eg* Lollard *n*

Lolardaidd *ans* Lollard *adj*

Lolardiaeth *eb* Lollardy

lolfa *eb* lounge

lom *eg* loam

lomog *ans* loamy

lôn *eb* lane

loncian *be* jog *v*

lopolith *eg* lopolith

Lorenzo Ysblennydd *eg* Lorenzo the Magnificent

lot a scot lot and scot

Louis Dduwiol *eg* Louis the Pious

Louis Sant *eg* St. Louis

Ludaidd *ans* Luddite *adj*

Ludiad *eg* Luddite *n*

Lurex *eg* Lurex

Lutheraidd *ans* Lutheran *adj*

Lutheriad *eg* Lutheran *n*

Lutheriaeth *eb* Lutheranism

lwcs *eg* lux

lwfans *eg* allowance

lwfans beunyddiol argymelledig *eg* recommended daily allowance (food etc)

lwfans cadw tŷ *eg* housekeeping allowance

lwfans culhad *eg* shrinkage allowance

lwfans cyfalaf *eg* capital allowance

lwfans cynnal *eg* subsistence allowance

lwfans ehangu *eg* expansion allowance

lwfans gweini *eg* attendance allowance

lwfans hem *eg* hem allowance

lwfans mamolaeth *eb* maternity allowance

lwfans peiriannu *eg* machining allowance

lwfans sêm *eg* seam allowance

lwfans symudiad *eg* movement allowance

lwfans teulu *eg* family allowance

lwfans trethi *eb* tax allowance

lwfans troi *eg* turning allowance

lwfans y pen *eg* per capita allowance

lwfans yr anabl *eg* disablement allowance

lwfer *eg* hood (above fire etc)

lwfer popty *eg* cooker hood

lwfer ailgylchredol *eg* recirculating cooker hood

lwmen *eg* lumen

lwmp *eg* lump

lwmp-swm *eg* lump sum

lŵn *eg* lune

lwnwla *eg* lunula

lwtetiwm (Lu) *eg* lutetium (Lu)

lymff *eg* lymph

lymffocyt *eg* lymphocyte

lyra *eb* lyre

lysin *eg* lysine

lysis *eg* lysis

lysogenedd *eg* lysogeny

lysosom *eg* lysosome

lysosym *eg* lysozyme

Ll

llabed *eb* revers
llabed (ar ddilledyn) *eb* lapel
llabed (mewn anatomi etc) *eb* lobe
llabed arogleuol *eb* olfactory lobe
llabed flaen *eb* frontal lobe
llabed iâ *eb* ice lobe
llabed optig *eb* optic lobe
llabed rhew *eg* ice lobe
llabed yr arlais *eb* temporal lobe
llabeden *eb* lobule
llabedog *ans* lobed
llac *ans* slack *adj*
llac twyni *eg* dune slack
llacio *be* slack *v*
llacio (gewyn) *be* slacken (ligament)
llacrwydd *eg* slackness
llacrwydd gormodol *eg* excessive slackness
llacrwydd gormodol ar y pen *eg* excessive end play
llacrwydd y pen *eg* end play
llachar *ans* bright
llacharedd *eg* glare
Lladin *eb* Latin
lladrad *eg* larceny
lladrad mawr *eg* grand larceny
lladd *be* kill *v*
llaesu *be* lengthen (skirt etc)
llaesu (cyhyr) *be* relaxation (of muscle)
llaesu'r cyhyrau *be* stretch the muscles
llaeth baban *eg* posset
llaeth cyddwysedig *eg* condensed milk
llaeth enwyn *eg* buttermilk
llaeth powdr *eg* dried milk
llaeth rhewlif *eg* glacier milk
llaetha *be* lactate
llaethdy *eg* dairy
llaethiad *eg* lactation
llaethog *ans* milky (of lime water)
llafarganu *be* chant (formally) *v*
llafarganu'n rhythmig *be* chanting rhythmically
llafn (cyllell, bat) *eg/b* blade (of knife, bat)
llafn (tyrbin, pluen etc) *eg/b* vane (of turbine, feather etc)
llafn cwbl-galed *eg* all-hard blade
llafn cyllell *eg* knife blade
llafn cŷn *eg* chisel blade
llafn deilen *eg* lamina (in botany)
llafn gaing *eg* chisel blade
llafn gwthio *eg* propeller
llafn haclif *eg* hacksaw blade

llafn haclif cwbl-galed *eg* all-hard hacksaw blade
llafn llym *eg* sharp blade
llafn sbâr *eg* spare blade
llafn Surform *eg* Surform blade
llafn torri *eg* cutting blade
llafur *eg* labour
llafur crefftus *eg* skilled labour
llafur di-grefft *eg* unskilled labour
llafur estron *eg* immigrant labour
llafur gorfodol *eg* forced labour
llafur lled grefftus *eg* semi-skilled labour
llafur mudol *eg* migrant labour
llafur rhan amser *eg* part-time labour
llafur ymrwymedig *eg* indentured labour
llafur ysbeidiol *eg* casual labour
llafur-ddwys *ans* labour intensive
llai *ans* smaller
llaid folcanig *eg* volcanic mud
llain (=stribyn o dir) *eb* belt (=strip of land)
llain (mewn criced) *eb* pitch for playing cricket) *n*
llain (o dir yn gyffredinol) *eb* plot (of land) *n*
llain gysgodi *eb* shelter belt
llain lanio *eb* landing strip
llain las *eb* green belt
llain waharddedig *eb* danger area (on playing field)
llain ystumiau *eb* meander belt
llaindriniad *eg* strip cultivation
llainddaliad *eg* strip holding
llais *eg* voice
llais y frest *eg* chest register
llais y pen *eg* head register
llais yn newid *eg* changing voice
llais yn torri breaking of voice
llaith *ans* damp *adj*
llam *eg* leap *n*
llam llyffant *eg* leap frog
llamhidydd *eg* porpoise
llamu *be* leap *v*
llannerch *eb* clearing
llanw *ans* filled (3rds, 4ths, etc)
llanw *eg* tide
llanw a thrai (mewn dawnsio) forward and back a double (in dancing)
llanw apogeaidd *eg* apogean tide
llanw bach *eg* neap tide
llanw llinell *be* line fill
llanw mawr *eg* spring tide
llanw perigeaidd *eg* perigean tide (perigee)

llanw terfol *eg* rip tide
llaswyr *eg* rosary
llathen *eb* yard
llathr botwm *eg* button polish
llathr cwyr hylif *eg* liquid wax polish
llathr chwistrell *eg* spray polish
llathr disgleirsych *eg* dry-bright polish
llathr emwlsiwn *eg* emulsion polish
llathr emwlsiwn dŵr *eg* water-based emulsion polish
llathredig *ans* polished (surface)
llathredd *eg* polish (=shine) *n*
llathredd cwyr *eg* wax shine
llathru *be* polish *v*
llathrydd *eg* polish (material) *n*
llathrydd (offer) *eg* polisher (equipment)
llathrydd brwsh *eg* brush polish
llathrydd clir *eg* clear polish
llathrydd cwyr *eg* wax polish (material)
llathrydd cwyr gwenyn *eg* beeswax polish
llathrydd dodrefn *eg* furniture polish
llathrydd Ffrengig *eg* French polish
llathrydd metel hylifol *eg* liquid metal polish
llathrydd silicôn *eg* silicone polish
llau *ell* lice
llaw *eb* hand
llaw chwith *eb* left hand
llaw dde *eb* right hand
llaw galigraffig *eb* calligraphic hand
llaw gerdded *be* hand walking
llaw'r arf *eb* weapon hand
llawchwith *ans* left-handed
llawdrin *be* manipulate (with hands)
llawdriniaeth (=trin â'r dwylo) *eb* manipulation
llawdriniaeth (feddygol) *eb* operation (surgical)
llawes *eb* sleeve
llawes bwff *eb* puffed sleeve
llawes dapr *eb* taper sleeve
llawes ddolman *eb* dolman sleeve
llawes esgob *eb* bishop sleeve
llawes gap *eb* cap sleeve
llawes gloch *eb* bell sleeve
llawes goch *eb* vagina (of cow, mare etc)
llawes goes dafad *eb* leg of mutton sleeve
llawes hirgul *eb* fitted sleeve
llawes magyar *eb* magyar sleeve
llawes osod *eb* set-in sleeve
llawes raglan *eb* raglan sleeve
llawes ystlum *eb* batwing sleeve
llawfeddyg *eg* surgeon
llawfeddyg y geg *eg* oral surgeon
llawfeddyg y genau a'r wyneb *eg* maxillo-facial surgeon
llawfeddygaeth *eb* surgery (=branch of medicine)
llawfeddygaeth blastig *eb* plastic surgery
llawfeddygaeth gyffredinol *eb* general surgery
llawfeddygaeth y geg *eb* oral surgery
llawfwrdd *eg* clavier (keyboard)

llawio *be* handling (of ball in sport)
llawio'r bêl *be* handle the ball (when it's an offence) *v*
llawlif *eb* hand saw
llawlyfr *eg* handbook
llawlyfr gwybodaeth *eg* information handbook
llawn *ans* plenary
llawn amser *ans* full-time
llawn cydymdeimlad *ans* sympathetic (of person)
llawn dychymyg *ans* imaginative
llawn mynegiant *ans* expressive
llawn werth *eg* par (=full value)
llawnder *eg* fullness
llawnder wedi'i grychdynnu *eg* gathered fullness
llawr *eg* storey
llawr caled *eg* hard flooring
llawr crog *eg* suspended floor
llawr cyntaf *eg* first floor
llawr estyll dwbl *eg* double-boarded floor
llawr gwaelod *eg* ground floor
llawr gwerthu *eg* sales floor
llawr parquet *eg* parquet floor
llawr solet *eg* solid floor
llawr uchaf *eg* upper floor
llawr y dyffryn *eg* valley floor
llawrestr *eb* handlist
llawrydd *ans* free hand
llawsafiad *eg* handstand *n*
llawsefyll *be* handstand *v*
llaw! hands! (in sport)
llawysgrif *eb* manuscript
llawysgrif oliwiedig *eb* illuminated manuscript
llawysgrifen *eb* handwriting
lle *eg* place *n*
lle chwarae *eg* play area
lle dangos *eg* display area
lle degol *eg* decimal place
lle golchi *eg* sluice
lle gwag *eg* space (=empty place)
lle gwreiddiol *eg* original place
lle storio *eg* storage space
lle tân *eg* fireplace
llecyn at ddibenion cyffredinol *eg* general purpose area
llechen *eb* slate (for roofing, writing)
llechen graffeg *eb* graphics tablet
llechfaen *eg* slate (rock)
llechfeddiannu *be* encroach
llechfeddiant *eg* encroachment (of rights)
lled *eg* width
lled annibynnol *ans* semi-independent
lled awtomatig *ans* semi-automatic
lled fedrus *ans* semi-skilled
lled haniaethol *ans* semi abstract
lled hem *eg* hem depth
lled opera *eb* semi-opera
lled rheilffordd *eg* gauge (of railway)
lled safonol *eg* standard gauge
lled soddedig *ans* semi-submerged

---

adf, adv adferf, *adverb* **ans, adj** ansoddair, *adjective* **be** berf, *verb* **eb** enw benywaidd, *feminine noun* **eg** enw gwrywaidd, *masculine noun*

lledaeniad *eg* propagation
lledaeniad yr adwaith *eg* extent of reaction (in chemistry)
lledaenu *be* disseminate
lledaenu ymarfer da *be* dissemination of good practice
lledaenydd *eg* spreader
lledaenydd past *eg* paste spreader
lledathraidd *ans* semi permeable
lleden *eb* flounder
llednaid *eb* straddle
llednant *eb* tributary
llednant glan dde *eb* right bank tributary
lledneidiwr *eg* straddler
lledofal *ans* minimum care (finish)
lledr *eg* leather
lledr llyfr *eg* book leather
lledr siami *eg* chamois leather
lledred *eg* latitude
lledred isel *eg* low latitude
lledredau canol *ell* mid-latitudes
lledredau'r meirch *ell* horse latitudes
lledu *be* widen
lledu patrwm *be* widen a pattern
lledwastad dechreuol *eg* primarrumpf
lledwastad terfynol *eg* endrumpf
lledwastadiad *eg* peneplanation
lled-barlys un ochr *eg* hemiparesis
lled-dryloyw *ans* semi-sheer
lled-ddargludydd *eg* semiconductor
lled-ddiffeithwch *eg* semi-desert
lled-haniaethol *ans* near abstract
lleddf *ans* melancholy
lleddf gywair *eg* minor key
lleddfu *be* ease *v*
lleddfu'r ddyrnod *be* pulling the punch
llefaredd *eg* oracy
llefaru synthetig *be* synthetic speech
llefarydd *eg* speaker
lleferydd *eg* speech (=faculty of speaking)
lleferydd ecolalig *eg* echolalic speech
lleng *eg* legion
Lleng Anrhydedd *eg* Legion of Honour
llengig *eg* diaphragm (=muscular partition in mammals)
lleiaf *ans* minimum (=smallest)
lleiafrif *eg* minority
lleiafswm *eg* minimum (=lowest sum)
lleiafswm cyflog *eg* minimum wage
lleiafsymio *be* minimize (in mathematics)
lleian *eb* nun
Lleian Le Begue *eb* Beguine
lleiandy *eg* convent
lleidlif *eg* mud-flow
lleidr *eg* pirate stream
lleidr pen-ffordd *eg* highwayman
lleihad *eg* decrease *n*
lleihad trwodd a thro *eg* overall decrease
lleihaol *ans* decreasing
lleihau *be* reduce (=make smaller)

lleihau patrwm *be* reduce a pattern
lleihau swmp *be* reduce bulk
lleiniau cytal *ell* runrig
lleinweldiad *eg* fillet weld
lleisio *be* vocalize
lleisiol *ans* vocal
lleithder *eg* moisture
lleithder absoliwt *eg* absolute humidity
lleithder cymharol *eg* relative humidity
lleithiad *eg* humidification
lleithio *be* dampen
lleithydd *eg* humidifier
llen (ar ffenestr) *eg/b* curtain
llen (o iâ / rhew, basalt, dur etc) *eg/b* sheet (of ice, basalt, steel etc)
llen blastig *eb* plastic sheeting
llen ddelltog *eb* venetian blind
llen erydiad *eg* sheet erosion
llên gwerin *eb* folklore
Llen Haearn *eb* Iron Curtain
llen iâ *eb* ice sheet
llen olchiad *eb* sheet wash
llen rhew *eb* ice sheet
llen rholer *eb* roller blind
llen stribed *eb* vertical blind
llencyndod *eg* adolescence
llencyndod cynnar *eg* early adolescence
llencyndod hwyr *eg* late adolescence
llencynnaidd *ans* adolescent *adj*
llenddur *eg* sheet steel
llenfetel *eg* sheet metal
llenlif *eg* sheet flood
llenni les *ell* lace curtains
llenwad *eg* filling
llenwad folcanig *eg* volcanic filler
llenwad metel *eg* metal filler
llenwad past *eg* paste filler
llenwad plastig *eg* plastic filler
llenwad sgrin *eg* screen filler
llenwi *be* fill
llenwi hyd at y graddnod *be* make up to the mark
llenwi'r mân dyllau *be* bodying-in
llenyddiaeth *eb* literature
llenyddiaeth plant *eb* children's literature
llenyddol *ans* literary
lleol *ans* local
lleolbwynt *eg* origin
lleoledig *ans* localized
lleoleiddiad *eg* localization (in economics)
lleoli *be* locate
lleoli safle *be* locate position
lleoliad (yn gyffredinol) *eg* location
lleoliad (rhywun ar ymarfer gwaith) *eg* placement
lleoliad did *eg* bit location
lleoliad gwaith *eg* work placement
lleoliad gweithgareddau *eg* location of activities
lleoliad mewn bloc *eg* block placement

lleoliad mewn swydd *eg* job placement
lleoliad nodweddion *eg* location of features
lleoliadol *ans* locational
lleolnod *eg* caret
lles *eg* welfare
lles babanod infant welfare
Lles Cyffredin *eg* Common Weal
lles cymdeithasol *eg* social welfare
lles plant *eg* child welfare
llesgedd *eg* debility
llesmair *eg* syncope
llestair ochrol *eg* lateral hazard
llestr *eg* vessel
llestr entrée *eg* entrée dish (of container)
llestr halen *eg* salt cellar
llestr niwl *eg* cloud chamber
llestri *ell* crockery
llestri bwrdd *ell* table ware
llestri gwydr *ell* glassware
llestri gwydr cerfiedig *ell* cut glassware
llestri gwydr lliw *ell* coloured glassware
llestri gwydr ysgythredig *ell* engraved glassware
llestri gwydr ysgythrog *ell* etched glassware
llestri Microtex *ell* Microtex
llestri pridd *ell* earthenware
llestri Pyrex *ell* Pyrex ware
llestri Pyroceram *ell* Pyroceram
llestri Pyrocil *ell* Pyrocil
llestri tsieni *ell* china ware
llestri wedi'u gwydro *ell* glazed crockery
lletchwith *ans* awkward
lletchwithdod *eg* clumsiness
lletem *eb* wedge *n*
lletem gloi *eb* locking wedge
lletem gyflin *eb* folding wedge
lletem iâ *eb* ice wedge
lletem rew *eb* ice wedge
lletemiad *eg* wedging
lletemu *be* wedge *v*
lletemu croeslinol *be* diagonal wedging
lletemu cudd *be* fox wedging
lletemu pren caled *be* hardwood wedging
lletemu pren meddal *be* softwood wedging
lletgras *ans* semi-arid
lletraws *ans* diagonal (=slanted)
lletwad *eb* ladle
lletwad ddiogelwch *eb* safety ladle
lletwad ffowndri *eb* foundry ladle
llety *eg* lodgings
llety wedi'i ddodrefnu *eg* furnished accommodation
lletya *be* accommodate (=provide lodging for) *v*
lletya milwyr *be* billet
lletywr *eg* lodger
llethr *eg/b* slope (of land)
llethr amgrwm *eg* convex slope
llethr ceugrwm *eg* concave slope
llethr cyson *eg* constant slope

llethr disgyrchiant *eg* gravity slope
llethr esmwyth grwn *eg* gently rounded slope
llethr gorifyny *eg* upslope
llethr rhydd *eg* free slope
llethr serth *eg* steep slope
llethr sgarp *eg* scarp slope
llethr slip *eg* slip-off slope
lleuad *eb* moon
lleuad ar ei chil *eb* waning of the moon
lleuad ar ei chynnydd *eb* waxing of the moon
lleuad fedi *eb* harvest moon
lleuad gilgant *eb* crescent moon
lleuad hela *eb* hunter's moon
lleuad lawn *eb* full moon
lleuad newydd *eb* new moon
lleugylch *eg* halo (of moon)
llewyg *eg* faint *n*
llewygu *be* faint *v*
llewyrch *eg* sheen
llewyrch daear *eg* earthshine
lleyg *ans* lay *adj*
lleygwr *eg* layman
lleygwyr *ell* laity
lliain *eg* linen
lliain lledr *eg* leather cloth
lliain bwrdd *eg* table-cloth
lliain caws *eg* cheesecloth
lliain dargopïo *eg* tracing cloth
lliain hambwrdd *eg* tray cloth
lliain llyfrau *eg* bookcloth
lliain presio *eg* pressing cloth
lliain rhwyllog *eg* gauze cloth
lliain rhwymo llyfrau *eg* bookbinding cloth
lliain sgrim *eg* linen scrim
llid *eg* inflammation (medical)
llid y bledren *eg* cystitis
llid y pendics *eg* appendicitis
llid yr amrant *eg* conjunctivitis
llid yr ymennydd *eg* meningitis
llid yr ysgyfaint *eg* pneumonia
llidiart *eb* gate (of garden)
llidus *ans* inflamed
llieiniau bwrdd *ell* table-linen
llieiniau tŷ *ell* household linen
lliein-blyg *ans* linen fold
llif (=arf ar gyfer llifio) *eb* saw *n*
llif (=hylif yn llifo) *eg* flow *n*
llif len *eb* sheet saw
llif agennu *eb* slotting saw
llif banel *eb* panel saw
llif chwil *eb* drunken saw
llif disgyrchiant *eg* gravity flow
llif dwll *eb* hole saw
llif dwll clo *eb* keyhole saw
llif dyno *eb* tenon saw
llif dyno fach *eb* dovetail saw

---

adf, adv adferf, *adverb*   *ans, adj* ansoddair, *adjective*   *be* berf, *verb*   *eb* enw benywaidd, *feminine noun*   *eg* enw gwrywaidd, *masculine noun*

llif egni *eg* energy flow
llif fwa *eb* bow-saw
llif fwa fach *eb* coping saw
llif ffens *eb* fence saw
llif ffrâm *eb* frame saw
llif ffret *eb* fretsaw
llif ffret lifer *eb* lever-frame fretsaw
llif gefn *eb* backsaw
llif gefn bres *eb* brassback saw
llif gefn ddur *eb* steel back saw
llif gefn fetel plyg *eb* folded metal back saw
llif gorchwylion *eg* job stream
llif gron *eb* circular saw
llif gwefr *eg* flow of charge
llif gweithgaredd *eg* activity flow
llif gwmpas *eb* compass saw
llif lafa *eg* lava flow
llif laminaidd *eg* laminar flow
llif lorio *eb* flooring saw
llif llilin *eg* streamline flow
llif llinol *eg* linear flow
llif oleddu *eb* canting saw
llif porffor alisarin *eg* alizarin purple lake
llif rwyllo *eb* piercing saw
llif rhuddgoch *eg* crimson lake
llif sabr *eb* sabre saw
llif sgarlad *eg* scarlet lake
llif trydarthol *eg* transpiration stream
llif tyrfol *eg* turbulent flow
llif y gwaed *eg* blood stream
Llif y Gwlff *eg* Gulf Stream
llifanu *be* grind (=reduce, sharpen or smooth)
llifanu yn y llaw *be* off-hand grinding
llifanydd *eg* grinder
llifanydd aer *eg* air grinder
llifanydd cludadwy *eg* portable grinder
llifanydd mainc *eg* bench grinder
llifanydd pedestal *eg* pedestal grinder
llifdoriad *eg* saw-cut
llifddalen *eb* flow sheet
llifddol *eb* water meadow
llifedig *ans* dyed
llifedd *eg* fluidity (of gas or liquid)
llifeiriant *eg* spate
llifglawdd *eg* levee
llifhaenau *ell* current bedding
llifiad dwfn *eg* deep sawn
llifiad rheiddiol *eg* radial sawcut
llifiad trwodd *eg* through sawcut
llifio *be* saw *v*
llifio metel *be* metal sawing
llifio plaen chwarteru *be* plain quartering
llifio tangiadol *be* tangential sawing
llifion anilin *ell* aniline dyes
llifiwr *eg* sawyer
llifo (=hylif yn symud) *be* flow *v*
llifo (=lliwio â lliwur) *be* dye *v*

llifo batic *be* batik dyeing
llifogydd afonydd *ell* river floods
llifogydd arfordirol *ell* coastal flooding
llifosodiad *eg* saw set
llifwaddod *eg* alluvium
llifwaddodol *ans* alluvial
llifwastadedd *eg* panplain
llifwastadiant *eg* panplanation
llifydd *eg* fluid (of gas or liquid) *n*
llifydd marcio *eg* marking out fluid
llifyddol *ans* fluid (of gas or liquid) *adj*
llifyn *eg* dye *n*
llifyn adweithiol *eg* reactive dye
llifyn alisarin *eg* alizarin dye
llifyn anniflan *eg* colourfast dye
llifyn asid *eg* acid dye
llifyn aso *eg* azo dye
llifyn col-tar *eg* coal tar dye
llifyn crefft *eg* craft dye
llifyn diogel *eg* non-toxic dye
llifyn dŵr oer *eg* cold water dye
llifyn dŵr poeth *eg* hot water dye
llifyn ffabrig *eg* fabric dye
llifyn fflwroleuol *eg* fluorescent dye
llifyn llac *eg* loose dye
llifyn llysiau *eg* vegetable dye
llifyn pren *eg* wood dye
llifyn union *eg* direct dye
llifyn yn rhedeg bleeding of dye
llif-ffwythiant *eg* flow function
llilin *eb* streamline *n*
llilinio *be* streamline *v*
llin *eg* flax
llin ganol *eb* median (in geometry)
llinach *eb* lineage
llinach (frenhinol) *eb* dynasty
llinachyddiaeth *eb* dynasticism
llinachyddol *ans* dynastic
llindag (gwddf) *eg* thrush (throat infection)
llindoriad *eg* sketch section
llinell *eb* line
llinell a golchiad line and wash
llinell arosgo *eb* oblique line
llinell asio *eb* suture line (in nature)
llinell atchwel *eb* regression line
llinell bar dwbl *eb* double bar line
llinell belydrol *eb* radiating line
llinell blwm *eb* perpendicular line
llinell blygu *eb* fold line
llinell bumllath *eb* five yard line
llinell bwytho *eb* suture line (in surgery)
llinell croestoriad *eb* line of intersection
llinell cymesuredd *eb* line of symmetry
llinell dafluniad *eb* projection line
llinell dafluniadol fertigol *eb* vertical projection line
llinell denau *eb* thin line
llinell dew *eb* thick line

---

llinell doeau *eb* roof line
llinell doredig *eb* broken line
llinell doriad *eb* dash (in computing)
llinell dorri *eb* cutting line
llinell drychu *eb* sectioning line
llinell ddatwm *eb* datum line
llinell ddiflannol *eb* vanishing line
llinell ddimensiwn *eb* dimension line
llinell ddi-dor *eb* unbroken line
llinell ddrych *eb* mirror line
llinell ddyfnder *eb* depth line
llinell estyn *eb* ledger line
llinell estynedig *eb* extended line
llinell felodig *eb* melodic line
llinell fer *eb* short line
llinell fertigol *eb* vertical line
llinell fynwes *eb* bustline
llinell ffit orau *eb* line of best fit
llinell ffitio *eb* fitting line
llinell ffitio pen *eb* crown fitting line
llinell gadwyn *eb* chain line
llinell gadwyn tenau *eb* thin chain line
llinell ganol *eb* centre line
llinell ganol fertigol *eb* vertical centre line
llinell gefn *eb* baseline (in tennis)
llinell glogwyn *eb* cliff line
llinell glun *eb* hip line
llinell gôl *eb* goal line
llinell goruniad *eb* lapping line
llinell grom *eb* curved line
llinell grym *eb* line of force
llinell gudd *eb* invisible line
llinell gwagle *eb* line space
llinell gwddf *eb* neckline
llinell gwsg *eb* dead ball line
llinell gwymp *eb* fall line
llinell gychwyn *eb* starting line
llinell gydbwysedd *eb* balance line
llinell gydosod *eb* assembly line
llinell gyflanw *eb* co-tidal line
llinell gyswllt *eb* contact line
llinell hanner *eb* halfway line
llinell hanner cwrt *eb* half court line
llinell hem *eb* hem line
llinell hir doredig *eb* long broken line
llinell isel *eb* low line
llinell lorweddol *eb* horizontal line
llinell lunio *eb* construction line
Llinell Maginot *eb* Maginot Line
llinell manylion cudd *eb* phantom line
llinell mesur *eb* bar-line (in music)
llinell newid *eb* alteration line
llinell newydd *eb* newline
llinell ochr *eb* sideline
llinell ochrol *eb* lateral line
llinell oedi *eb* delay line
llinell orwel *eb* horizon line

llinell reiddiol *eb* radial line
llinell rif *eb* number line
llinell rhediad *eb* flowline
llinell rhigwm *eb* line in the rhyme
llinell rhydweli *eb* arterial line
llinell saethu *eb* shooting line
llinell seithlath *eb* seven yard line
llinell serfio *eb* serving line
llinell serfio ganol *eb* centre serving line
llinell serfio ochr *eb* side serving line
llinell sgiw *eb* skew line
llinell sgwariau lleiaf *eb* least square line
llinell statws *eb* status line
llinell syth *eb* straight line
llinell uchel *eb* high line
llinell waith *eb* working line
Llinell Wallace *eb* Wallace's Line
llinell wasg *eb* waistline
llinell wedi'u sgrifellu *eb* scribed lines
llinell weldio *eb* weld line
llinell wen *eb* white line
llinell ysgwydd *eb* shoulder line
llinell ystlys *eb* touchline
llinellau grym *ell* lines of force
llinellau rhwyllog yn croesi *ell* graticule intersection
llinellau y funud (llyf) lines per minute (lpm)
llinellau'r gelyn *ell* enemy lines
llinelliad *eg* drawn line
llinellog (=yn cynnwys llinellau) *ans* linear (=consisting of lines)
llinellog (am bapur) *ans* ruled
llinfap *eg* sketch map
lliniaru *be* relieve
lliniogi *be* hatch (=mark with lines) *v*
llinol *ans* linear (involving one dimension only)
llinol annibynnol *ans* linearly independent
llinol ddibynnol *ans* linearly dependent
llinoledd *eg* linearity
llinyn *eg* string (=narrow cord) *n*
llinyn bogail *eg* umbilical cord
llinyn bwa *eg* bowstring
llinyn didau *eg* bit string
llinyn llifedig *eg* dyed string
llinyn newidiol *eg* variable string
llinyn nodau *eg* character string
llinyn plwm *eg* plumb line
llinyn tynnu *eg* drawstring
llinyn ysgafn *eg* light string
llinynnau *ell* strings (in orchestra, inlaying)
llinynnau mewnosod *ell* inlay strings
llinynnu *be* string *v*
llin-argraffydd *eg* line printer
llin-borthi *be* line feed *v*
llin-borthiad *eg* line feed *n*
llin-borthwr *eg* line feed key
llin-gwrs *eg* string course

---

adf, adv adferf, adverb   *ans, adj* ansoddair, adjective   *be* berf, verb   *eb* enw benywaidd, *feminine noun*   *eg* enw gwrywaidd, *masculine noun*

llin-olygydd *eg* line editor
llin-ysgythriad *eg* engraving line
llipa *ans* limp (=not stiff or firm) *adj*
llithlyfr *eg* lectionary
llithr *ans* slide *adj*
llithr llawn *eg* full drop
llithrad fferi *eg* ferry glide
llithrfa *eb* slipway
llithriad (mewn canu) *eg* slur *n*
llithriad (yn gyffredinol) *eg* slip (=mistake, slide) *n*
llithrig *ans* slippery
llithriwl *eb* slide rule
llithro (mewn canu) *be* slur *v*
llithro (mewn dawns) *be* slip-step *v*
llithro (yn gyffredinol) *be* slide *v*
llithro gyda'r cloc *be* slip-stepping clockwise
llithrydd (ar ddrws llithro) *eg* glide (sliding door)
llithrydd (yn gyffredinol) *eg* slider
llithryn *eg* slide (in music) *n*
llithryn cyfansawdd *eg* compound slide
llithryn uchaf *eg* top slide
lliw *eg* colour *n*
lliw sy'n para *eg* durable colour
lliw acrylig *eg* acrylic colour
lliw adlewyrchedig *eg* reflected colour
lliw amlwg *eg* dominant colour
lliw anniflan *eg* fast colour
lliw bloc *eg* block colour
lliw casein *eg* casein colour
lliw cydnaws *eg* harmonious colour
lliw cyferbyniol *eg* contrasting colour
lliw cyflenwol *eg* complementary colour
lliw cynnes *eg* warm colour
lliw cyntaf *eg* undercolour
lliw diflan *eg* fugitive colour
lliw difywyd *eg* inert colour
lliw di-draidd *eg* opaque colour
lliw eilaidd *eg* secondary colour
lliw enamlo *eg* enamelling colour
lliw enciliol *eg* receding colour
lliw ffabrig *eg* fabric colour
lliw fflwroleuol *eg* fluorescent colour
lliw golau (=lliw gwelw) *eg* pale colour
lliw golau (yn gyffredinol) *eg* light colour
lliw gorgynnes *eg* hot colour (in metalworking)
lliw harmonig *eg* harmonic colour
lliw herodrol *eg* heraldic colour
lliw hylifol *eg* liquid colour
lliw llachar *eg* bright colour
lliw lleol *eg* local colour
lliw marmori *eg* marbling colour
lliw naturiol *eg* natural colour
lliw niwtral *eg* neutral colour
lliw oer *eg* cold colour
lliw oeraidd *eg* cool colour

lliw olew *eg* oil colour
lliw past *eg* paste colour
lliw picsel *eg* pixel colour
lliw plastig *eg* plastic colour
lliw posteri *eg* poster colour
lliw pur *eg* pure colour
lliw sail olew *eg* oil based colour
lliw sefydlog *eg* permanent colour
lliw sylfaenol *eg* primary colour
lliw tanwydredd *eg* underglaze colour
lliw tawel *eg* muted colour
lliw tecstil *eg* textile colour
lliw tempera *eg* tempera colour
lliw trwm *eg* heavy colour
lliw tryleu *eg* translucent colour
lliw tryloyw *eg* transparent colour
lliw tywyll *eg* dark colour
lliwddangos *be* highlight (=mark with a highlighter)
lliwiad *eg* colouration
lliwiad gwarchodol *eg* protective colouration
lliwiad rhybuddiol *eg* warning colouration
lliwiau amrywiol *ell* assorted colours
lliwiau anilin *ell* aniline colours
lliwiau tymheru *ell* tempering colours
lliwio *be* colour *v*
lliwio geiriau *be* word painting
lliwydd *eg* colourant
lliwydd hylif *eg* liquid colourant
lliwydd past *eg* paste colourant
lliwydd sych *eg* dry colourant
lloc *eg* enclosure (archaeological)
lloc cadw *eg* loafing yard
lloches *eb* shelter
lloches cyrch awyr *eb* air-raid shelter
lloches wleidyddol *eb* political asylum
lloeren *eb* satellite
lloergryn *eg* moonquake
llofnaid *eb* vault (of jump)
llofnaid ar led *eb* astride vault
llofnaid ar led wysg-y-cefn *eb* reverse astride vault
llofnaid blaidd *eb* wolf vault
llofnaid ddeuglap *eb* vault with a double beat
llofnaid fwlch *eb* through vault
llofnaid fwlch ddeuglap *eb* through vault with double beat
llofnaid fwlch hir *eb* horizontal through vault
llofnaid gefn *eb* back vault
llofnaid glwyd *eb* gate vault
llofnaid gylch *eb* round vault
llofnaid hir ar led *eb* horizontal astride vault
llofnaid hir ar led wysg y cefn *eb* reverse horizontal astride vault
llofnaid lleidr *eb* thief vault
llofnaid milwr *eb* vault with foot assisting
llofnaid ochrol *eb* side vault
llofnaid siswrn *eb* scissors vault
llofnaid wellaif *eb* running oblique back vault
llofnaid wyneb *eb* face vault

---

eg/b enw gwrywaidd/benywaidd, *feminine/masculine noun*   *ell* enw lluosog, *plural noun*   *v* berf, *verb*   *n* enw, *noun*

llofneidiau cysylltiol *ell* combined vaults
llofnod *eg* autograph
llofnodydd *eg* signatory
llofrudd *eg* murderer
llofruddiaeth *eb* murder
llofft *eg* loft
llofft olau *eb* clerestory
llofft organ *eb* organ loft
llog *eg* interest (=money paid for money lent)
llog enwol *eg* nominal interest
llog penodol *eg* fixed interest
llog syml *eg* simple interest
llogi *be* hire
llong ager *eb* steamship
llong arfog *eb* man-of-war
llong awyrennau *eb* aircraft carrier
llong bost *eb* mail boat
llong danfor *eb* submarine *n*
llong danfor Almaenig *eb* U-boat
llong filwyr *eb* troop ship
llong garchar *eb* hulk
llong garthu *eb* dredger (=dredging ship)
llong glirio ffrwydrynnau *eb* minesweeper
llong haearn *eb* ironclad
llong hir *eb* long ship
llong osod ffrwydrynnau *eb* minelayer
llong rewi *eb* refrigeration ship
llong ryfel *eb* battleship
llong ryfel fechan *eb* destroyer (ship)
llong ryfel gyflym *eb* cruiser
llong y llynges *eb* naval ship
llong y llyngesydd *eb* flagship
llongau masnach *ell* merchant shipping
llond llwy bwdin *eg* dessertspoonful
llond sgrin *ans* full screen
llonnod dwbl *eg* double sharp
llonydd *ans* motionless
llonyddwch *eg* stillness
llorestynnol *ans* decurrent
llorfudiant *eg* advection
llorio'r bêl *be* touch down (in ball games)
llorwedd *eg* horizontal *n*
llorweddol *ans* horizontal *(ans)*
llorwedd-dra *eg* horizontality
llosg *ans* burnt
llosg *eg* burn *n*
llosg haul *eg* sunburn
llosg rhewgell *eg* freezer burn
llosgach *eg* incest
llosgfynydd *eg* volcano
llosgfynydd cwsg *eg* dormant volcano
llosgfynydd marw *eg* extinct volcano
llosgfynydd tarian *eg* shield volcano
llosgi *be* burn *v*
llosgi bwriadol *be* arson
llosgliw *ans* encaustic

llosgydd *eg* burner
llosg-garnedd *eb* agglomerate (in geology) *n*
llu *eg* horde
llu awyr *eg* air force
Llu Euraidd *eg* Golden Horde
lludw *eg* ash *n*
lludw folcanig *eg* volcanic ash
lludw pren *eg* wood ash
lludded *eg* fatigue (of muscle, metal)
lludded cyhyrol *eg* muscle fatigue
llufadredd *eg* humification
llugaeron *ell* cranberries
lluman *eg/b* flag *n*
lluman cario *eg* carry flag
lluman cornel *eg* corner flag
lluman cychwyn *eg* starting flag
lluman herodrol *eg* heraldic banner
llumanu *be* flag *v*
llumanwr (mewn byddin) *eg* standard bearer
llumanwr (mewn gêm) *eg* linesman

llun *eg* drawing, picture
llun pen ffelt *eg* felt pen drawing
llun sialc *eg* chalk drawing
llun siarcol *eg* charcoal drawing
Llundeiniwr *eg* Londoner
llungopi *eg* photocopy *n*
llungopïo *be* photocopy *v*
llungopïwr *eg* photocopier
lluniad (am lun wedi'i luniadu) *eg* drawing (in technical sense)
lluniad (yn y meddwl) *eg* construct (of the mind etc) *n*
lluniad amlinell *eg* outline drawing
lluniad anodedig *eg* annotated drawing
lluniad chwyddhad isel *eg* low power drawing
lluniad darluniol *eg* pictorial drawing
lluniad dimensiynol *eg* dimensioned drawing
lluniad dotwaith *eg* stipple drawing
lluniad ffurfiol *eg* formal drawing
lluniad geometrig *eg* geometric construction
lluniad goddefiannol *eg* toleranced drawing
lluniad gorffenedig *eg* finished drawing
lluniad gweithio *eg* working drawing
lluniad llawrydd *eg* freehand drawing
lluniad lled gywir *eg* rough drawing
lluniad manwl *eg* detailed drawing
lluniad manylion *eg* detail drawing
lluniad o gyfrannedd da *eg* well-proportioned drawing
lluniad orthograffig *eg* orthographic drawing
lluniad rhagarweiniol *eg* preliminary drawing
lluniad taenedig *eg* exploded drawing
lluniad technegol *eg* technical drawing *n*
lluniad wrth raddfa *eg* scale drawing
lluniadu *be* draw (a drawing in the technical sense)
lluniadu cydosod *be* assembly drawing
lluniadu mecanyddol *be* mechanical drawing
lluniadu mewn persbectif *be* perspective drawing

---

lluniadu peirianegol *be* engineering drawing
lluniadu wrth raddfa *be* draw to scale
llunio *be* construct (=form, create) *v*
llunio elips *be* constructing an ellipse
llunio llinfap *be* make a sketch-map
llunio siapiau *be* construct shapes
llunio trawstoriad *be* draw a cross-section
lluoedd y meddiannu *ell* occupying forces
lluosflwydd *ans* perennial (in biology)
lluosi *be* multiply
lluosi hir *be* long multiplication
lluosiad *eg* multiplication
lluosiad fector *eg* vector multiplication
lluosiad sgalar *eg* scalar multiplication
lluosliw *ans* multi-chrome
lluosnomaidd *ans* multinominal *adj*
lluosnominal *eg* multinominal *n*
lluosogrwydd *eg* multiplicity
lluosol *ans* multiple *adj*
lluosrif *eg* multiple *n*
lluosrif cyfannol *eg* integral multiple
lluosrif cyffredin lleiaf *eg* lowest common multiple
lluosrifau un-digid *ell* single digit multiples
lluoswerth *ans* multi-valued
lluoswm *eg* product (of multiplication)
lluoswm crynswth *eg* gross product
lluoswm matrics *eg* matrix product
lluosydd *eg* multiplier
lluosyn *eg* multiplicand
llurig *eb* hauberk
llus *ell* bilberries
llusern *eb* lantern
llusgiad *eg* drag *n*
llusgo *be* drag *v*
llusgo bar *be* drag bar
lluwch *eg* drift (of snow etc)
lluwch eira *eg* snow drift
llw *eg* oath
llw ffyddlondeb *eg* fealty
llw teyrngarwch *eg* oath of allegiance
llw ymgadw'n ddibriod *eg* oath of celibacy
Llw Ymwadiad *eg* Abjuration Oath
llwch *eg* dust *n*
llwch brics *eg* brick dust
llwch folcanig *eg* volcanic dust
llwch ymbelydrol *eg* fall-out
llwgrwobr *eb* bribe *n*
llwgrwobrwyo *be* bribe *v*
llwgrwobrwyo a llygru bribery and corruption
llwgr-fasnachwr *eg* racketeer
llwg *eg* scurvy
llwnc *eg* gullet
llwy *eb* spoon
llwy blastig *eb* plastic spoon
llwy bren *eb* wooden spoon
llwy bwdin *eb* dessertspoon
llwy ffaglu *eb* deflagrating spoon

llwybr *eg* path
llwybr adwaith *eg* path of reaction
llwybr anadlu *eg* airway
llwybr atgyrch *eg* reflex arc
llwybr awyr *eg* air route
llwybr byr *eg* short route
llwybr byrraf *eg* shortest route
llwybr cyhoeddus *eg* public path
Llwybr Cylch Mawr *eg* Great Circle Route
llwybr cynhanes *eg* prehistoric trackway
llwybr diffrwyth *eg* blind alley
llwybr heligol *eg* helical path
Llwybr Llaethog *eg* Milky Way
llwybr masnach *eg* trade-route
llwybr môr *eg* sea lane
llwybr natur *eg* nature trail
llwybr troed *eg* footpath
Llwybr Wythblyg (Bwdhistiaeth) *eg* Eightfold Path (in Buddhism)
llwybr y bêl *eg* line of the ball
llwybr y stwmp *eg* line of the stump
llwybr y wiced *eg* line of the wicket
llwybr ymborth *eg* alimentary canal
llwybro *be* trail *v*
llwybro slip *be* slip tracing
llwybrydd *eg* router
llwyd *eg* grey (enamelling colour) *n*
llwyd Payne *eg* Payne's grey
llwydaidd *ans* pallid
llwydlas *eg* dove grey (enamelling colour)
llwydni *eg* mildew
llwydni mewn pren *eg* doatiness
llwydrew *eg* hoar frost
llwydwyrdd *ans* glaucous
llwyddiant *eg* success
llwyddiant academaidd *eg* academic success
llwyddo *be* succeed (=have success)
llwyfan (mewn theatr etc) *eg/b* stage (=platform)
llwyfan (yn gyffredinol) *eg/b* platform
llwyfan cludadwy *eg* fit-up stage
llwyfan erydu *eg* erosion platform
llwyfan ffedog *eg* apron stage
llwyfan olew *eg* oil rig
llwyfan pypedau *eg* puppet stage
llwyfan tro *eg* revolving stage
llwyfan tyllu *eg* rig
llwyfan uchel *eg* highboard
llwyfandir *eg* plateau
llwyfandir dyranedig *eg* dissected plateau
llwyfandir llynnoedd *eg* lake plateau
llwyn *eg* shrub
llwyn saets *eg* sage-bush
llwyrglo *eg* deadlock (=type of lock)
llwyrlosgi *be* burn out
llwyrymwrthodwr *eg* teetotaller
llwyth (=casgliad o bobl) *eg* tribe
llwyth (=yr hyn a ellir ei gario) *eg* load *n*

---

eg/b enw gwrywaidd/benywaidd, *feminine/masculine noun*   ***ell*** enw lluosog, *plural noun*   ***v*** berf, *verb*   ***n*** enw, *noun*

llwyth dosbarthedig *eg* distributed loading

llwyth llong *eg* shipment

llwytho *be* load *v*

llwytho (ffwrnais neu grwsibl) *be* charge (furnace or crucible) *v*

llwytho ffont *be* load font

llwytho i fyny *be* upload

llwytho i lawr *be* download

llwythol *ans* tribal

llwytholdeb *eg* tribalism

llwythwr *eg* loader (program)

llychlyd *ans* dusty

Llychlynnaidd (am y cyfnod cynnar) *ans* Norse *adj*

Llychlynnaidd (am y cyfnod modern) *ans* Nordic

Llychlynnwr *eg* Norseman

llydan *ans* wide

llydan agored *ans* wide open

llydanddail *ans* broad-leaved

llyfn *ans* smooth *adj*

llyfn a sgythrog *ans* stoss and lee

llyfndir tonnau *eg* wave-cut platform

llyfngrwn *ans* rounded

llyfnhau *be* even down

llyfnochrau *ell* slickensides

llyfnu *be* smooth *v*

llyfr *eg* book

llyfr bach *eg* referee's book

llyfr bendigaid *eg* holy book

llyfr braslunio *eg* sketch-book

llyfr cofnodion *eg* minute book

llyfr corn *eg* hornbook

llyfr cyfrifon *eg* ledger

Llyfr Chwaraeon *eg* Book of Sports

llyfr dalennau rhydd *eg* loose-leaf book

llyfr dewis *eg* real book

Llyfr Disgyblaeth *eg* Book of Discipline

llyfr dogni *eg* ration book

Llyfr Domesday *eg* Domesday Book

Llyfr Du Cyfrifon y Llys *eg* Black Book of the Household

llyfr enwol *eg* nominal ledger

llyfr erwydd *eg* manuscript music book

llyfr esgobol *eg* pontifical

Llyfr Gorchmynion *eg* Book of Orders

llyfr gosod *eg* set book

llyfr gwasanaeth *eg* breviary

llyfr gwerthiant *eg* sales ledger

llyfr log *eg* log book

llyfr llafar *eg* audio book

llyfr lloffion *eg* scrap book

Llyfr Merthyron *eg* Book of Martyrs

llyfr offeren *eg* missal

Llyfr Oriau *eg* Book of Hours

llyfr print bras *eg* large print book

llyfr pryniant *eg* purchase ledger

llyfr statud *eg* statute book

llyfr stori *eg* story book

llyfr un-darn *eg* single section book

llyfr y gyfraith *eg* law book

Llyfr yr Hysbysebion *eg* Book of Advertisements

llyfrgell *eb* library

Llyfrgell Bodley *eb* Bodleian Library

llyfrgell dapiau *eb* tape library

llyfrgell deithiol *eb* mobile library

llyfrgell ffilmiau *eb* film library

llyfrgell gliplluniau *eb* clipart library

llyfrgell raglenni *eb* program library

llyfrgellydd *eg* librarian

llyfrgellydd ffeiliau *eg* file librarian

llyfrifo dwbl *be* double entry

llyfryddiaeth *eb* bibliography

llyfryn *eg* booklet

llyfryn cymorth *eg* support booklet

llyfryn ymestyn *eg* extension booklet

llygad *eg/b* eye

llygad aderyn (masarnen) *ans* bird's eye (maple)

llygad croes *eg* squint

llygad cyfansawdd *eg* compound eye

llygad chwith *eg* left eye

llygad diog *eg* lazy eye

llygad haul *eg* sonnenseite (=adret)

llygaden *eb* eyelet

llygaden bres *eb* brass eyelet

llygaden liw *eb* coloured eyelet

llygadol *ans* ocular *adj*

llygoden *eb* mouse

llygoden fawr ddyranedig *be* dissected rat

llygredig *ans* venal

llygredd (mewn bywyd cyhoeddus) *eg* corruption

llygredd (yn yr amgylchedd) *eg* pollution

llygriad (arian) *eg* debasement (of coinage)

llygru (pobl, cyfrifiaduron) *be* corrupt

llygru (yr amgylchedd) *be* pollute

llygru gwybodaeth electronig *be* corruption of electronic information

llygrydd *eg* pollutant

llynges *eb* navy

llynges fach *eb* flotilla

llyngesol *ans* naval

llyngesydd *eg* admiral

llyngyraidd *ans* vermiform

llyngyren *eb* tapeworm

llyngyren yr afu *eb* liver fluke (organism)

llyngyren yr iau *eb* liver fluke (organism)

llym (=miniog) *ans* sharp

llym (am afiechyd etc) *ans* acute

llymder *eg* austerity

llyn *eg* lake

llyn cafnog *eg* gouged out lake

llyn creicafn *eg* rock basin lake

llyn cyfrewlifol *eg* proglacial lake

llyn chwerw *eg* bitter lake

llyn glintlin *eg* glint-line lake

---

llyn halen *eg* salt lake
llyn hirgul *eg* ribbon lake
llyn mynydd *eg* tarn
llyncdwll *eg* swallow hole
llyncu *be* swallow
llync-dwll *eg* sink hole
llyndir creicafn *eg* rock hollow lakeland
llynnol *ans* lacustrine
llynoleg *eb* limnology
llys *eg* court
llys a gwlad court and country
llys adrannol *eg* divisional court
llys ag awdurdod digonol *eg* court of competent jurisdiction
Llys Anfonogion *eg* Delegates Court
Llys Apêl *eg* Court of Appeal
llys apêl *eg* appeal court
Llys Apêl Troseddol *eg* Court of Criminal Appeal
Llys Bach *eg* Court of Petty Sessions
Llys Barn Rhyngwladol *eg* International Court of Justice
Llys Chwarter *eg* Quarter Sessions
llys ffiwdal *eg* feudal court
Llys Goruchaf *eg* Supreme Court
llys mân ddyledion *eg* small claims court
llys plant *eg* juvenile court
Llys Profiant *eg* Probate Court
Llys Siambr y Seren *eg* Court of Star Chamber
llys sirol *eg* county court
Llys Troseddol Canolog *eg* Central Criminal Court
Llys Uchelfraint *eg* Prerogative Court
llys y cantref *eg* hundred court
Llys y Morlys *eg* Court of Admiralty
llys y pab *eg* curia (papal)
Llys y Sesiwn Fawr *eb* Court of Great Sessions
Llys y Siecr *eg* Exchequer Court
Llys y Siryf *eg* Sheriff's Tourn
llys ynadon *eg* magistrates court
llys yr afu *eg* liverwort
llys yr iau *eg* liverwort
llysfam *eb* stepmother
llysgenhadaeth *eb* embassy
llysgennad *eg* ambassador
llysiau cartref *ell* homegrown vegetables
llysieulyfr *eg* herbal (book)
llysieuol *ans* herbaceous
llysieuwr *eg* vegetarian
llysieuyn *eg* herb
llysnafedd *eg* slime

llystyfiant *eg* vegetation
llysysol *ans* herbivorous
llysysydd *eg* herbivore
llysywen *eb* eel
llythreniad *eg* lettering *n*
llythrennau bach *ell* minuscule (lower case)
llythrennau bras *ell* magiscule
llythrennau ogam *ell* ogham characters
llythrennedd *eg* literacy
llythrennedd cyfrifiadurol *eg* computer literacy
llythrennedd gweithredol *eg* functional literacy
llythrennog *ans* literate
llythrennol *ans* literal
llythrennu *be* lettering *v*
llythrennu â llaw *be* hand drawn lettering
llythrennu goliwiedig *be* illuminated lettering
llythrennu herodrol *be* heraldic lettering
llythrennu llawysgrif *be* manuscript lettering
llythrennu pen *be* pen lettering
llythrennu pen llydan *be* broad pen lettering
llythrennu troslun sych *be* dry transfer lettering
llythyr *eg* letter (=correspondence)
llythyr parod *eg* form letter
llythyrau dinasyddiaeth *ell* letters of denizenship
llythyrau sothach *ell* junk mail
Llythyrau'r Blwch *ell* Casket Letters
llythyren *eb* letter (of alphabet)
llythyren fach *eb* lower case letter
llythyren italig *eb* italic letter
llythyren rwnig *eb* rune
llyw (cerbyd modur) *eg* steering wheel
llyw (cwch neu long) *eg* helm (of boat)
llywio cwrs *be* steering a course
llywiwr *eg* helmsman
llywodraeth *eb* government
llywodraeth byped *eb* puppet regime
llywodraeth dros dro *eb* provisional government
llywodraeth drwy ordinhad *eb* government by decree
llywodraeth ganolog *eb* central government
llywodraeth gyfrifol *eb* responsible government
llywodraeth leol *eb* local government
llywodraeth ofalu *eb* caretaker government
llywodraethu *be* govern
llywodraethwr *eg* governor
llywodraethwr eglwysig *eg* church governor
llywodraethwr ysgol *eg* school governor
llywydd (cymdeithas etc) president (of society etc)
llywydd (mewn graddfa gerddorol) *eg* dominant (in music)

---

eg/b enw gwrywaidd/benywaidd, *feminine/masculine noun*   **ell** enw lluosog, *plural noun*   **v** berf, *verb*   **n** enw, *noun*

M

mabolgampau *ell* sports
mabolgampau bach *ell* potted sports
mabwysiad *eg* adoption
mabwysiadaeth *eb* adoptionism
mabwysiadu *be* adopt
mabwysiadwr cynnar *eg* early adopter
mabwysiadwr hwyr *eg* late adopter
mabwysiedig *ans* adopted
macramé *eg* macramé
macro *ans* macro
macrocosm *eg* macrocosm
macrofaethyn *eg* macro nutrient
macroffag *eg* macrophage
macrogydosodydd *eg* macroassembler
macrohinsawdd *eg* macro-climate
Macsen Wledig *eg* Magnus Maximus
macsila *eg* maxilla
macsima *eg* maxima (the note)
macwla *eg* macula
mach *eg* surety
madarchaidd *ans* mushroom-like
madarchen *eb* mushroom
madarchu *be* mushrooming
madr sgarlad *eg* scarlet madder
madredd *eg* gangrene
madrigal *eb* madrigal
madruddyn y cefn *eg* spinal cord
maddau *be* forgive
maddeuant *eg* forgiveness
maddeueb *eb* indulgence (papal)
mae angen dau two-off
mae angen un one-off
maen (coginio) *eg* bakestone
maen capan *eg* capstone
maen clo *eg* keystone
maen iasbis *eg* jasper
maen llifanu *eg* grindstone
maen ogam *eg* ogham stone
maen prawf *eg* criterion
maen prawf asesu *eg* assessment criterion
maen prawf gradd gyfeiriol *eg* grade-related criterion
maen prawf gwerthuso *eg* evaluation criterion
maen prawf gyfeiriol *ans* criterion-referenced
maen tramgwydd *eg* stumbling block
maenor *eb* manor
maenordy ag amddiffynfeydd *eg* fortified manor house
maer *eg* mayor
Maer y Llys *eg* Mayor of the Palace

maeres *eb* mayoress
maes (=cae chwarae) *eg* pitch (=playing field) *n*
maes (=rhychwant diddordeb, gweithgaredd etc) *eg* area (=scope or range of activity)
maes (astudio etc) *eg* field (of study etc) *n*
maes affeithiol *eg* affective domain
maes agored *eg* openfield
maes agos *eg* infield
maes allweddol *eg* key field
maes awyr *eg* airport
maes brwydr *eg* battlefield
maes cadwrol grym *eg* conservative field of force
maes cerdyn *eg* card field
maes cerddorol *eg* musical scene
maes craidd *eg* core area
maes criced *eg* cricket field
maes diddordeb *eg* interest area
maes disgyrchiant *eg* gravitational field
maes di-haint *eg* sterile field
maes dynodedig *eg* designated area
maes eira *eg* snowfield
maes galwedigaethol *eg* occupational field
maes glanio *eg* airfield
maes glo *eg* coalfield
maes glo cudd *eg* concealed coalfield
maes golff *eg* golf links
maes gweithgaredd annibynnol *eg* discrete area of activity
maes gweld *eg* field of view
Maes Gwybodaeth Gronedig *eg* Accumulated Information Field (AIF)
Maes Gwybodaeth Gymedrig *eg* Mean Information Field (MIF)
maes gwybyddol *eg* cognitive domain
maes hofrenyddion *eg* heliport
maes llafur *eg* syllabus
maes llafur creiddiol *eg* core syllabus
maes llafur cyfannol *eg* integrated syllabus
maes llafur cyffredin *eg* common syllabus
maes llafur cytûn *eg* agreed syllabus
maes llafur cytûn lleol *eg* local agreed curriculum
maes llafur pwnc cyfun *eg* combined subject syllabus
maes magnetig *eg* magnetic field
maes newidiol *eg* variable field
maes olew *eg* oilfield
maes pêl-droed *eg* foot-ball field
maes sefydlog *eg* fixed field
maes tanio *eg* artillery range (=firing range)

---

adf, adv adferf, adverb   *ans, adj* ansoddair, adjective   *be* berf, verb   *eb* enw benywaidd, *feminine noun*   *eg* enw gwrywaidd, *masculine noun*

maes tanio'r Weinyddiaeth Amddiffyn *eg* Ministry of Defence range

maes tebygolrwydd gwybodaeth *eg* information probability field

Maes y Brethyn Euraid *eg* Field of the Cloth of Gold

maeslywydd *eg* field marshal

maestir gwartheg *eg* cattle range

maestref *eb* suburb

maestrefi *ell* suburbia

maestrefol *ans* suburban

maesu *be* field *v*

maesu ar y ffin *be* field on the boundary *v*

maeswellt *eg* agrostis

maeswr *eg* fielder

maeswr canol *eg* centre outfielder

maeswr de *eg* right outfielder

maes-uwchraddadwy *ans* field-upgradeable

maeth *eg* nutriment

maetheg *eb* nutrition (science of)

maethiad *eg* nutrition (=mode of using food)

maethlon *ans* nutritious

maethol *ans* nourishing

maetholyn *eg* nutrient

maethu *be* foster

mafon *ell* raspberries

magenta *eg* magenta

magl *eb* trap (=snare) *n*

magl gwallau *eb* error trap

magl ymyriadol *eb* interrupt trap

maglu *be* trap (=snare) *v*

maglu gwallau *be* error trapping

maglys *eg* alfalfa

magma *eg* magma

magmatig *ans* magmatic

Magna Carta *eg* Magna Carta

magnel *eb* cannon

magnelaeth *eb* artillery

magnelwr *eg* artilleryman

magnesaidd *ans* magnesian

magnesiwm (Mg) *eg* magnesium (Mg)

magnesiwm carbonad *eg* magnesium carbonate

magnesiwm deucarbonad *eg* magnesium bicarbonate

magnet *eg* magnet

magnet pedol *eg* horse shoe magnet

magnetedd *eg* magnetism (of property)

magnetedd daear *eg* terrestrial magnetism

magneteg *eb* magnetism (study of)

magneteiddiad *eg* magnetization

magneteiddio *be* magnetize

magnetig *ans* magnetic

magnetig cywir *eg* true magnetic

magneto *eg* magneto

magnetomedr *eg* magnetometer

magnetron *eg* magnetron

magwrfa *eb* hotbed

mangl *eg* mangle *n*

manglo *be* mangle *v*

maharen *eg* ram

mahogani *eg* mahogany

main (=tenau) *ans* narrow, slim

main (am ddefnydd) *ans* fine (of cloth)

mainc *eb* bench

mainc fowldio *eb* moulding bench

mainc gefn *eb* back bench

mainc rhwymo llyfrau *eb* bookbinder's bench

mainc sodro *eb* soldering bench

mainc waith *eb* work bench

maint (=hyd a lled) *eg* size, extent

maint (=nifer) *eg* amount, quantity (=how much)

maint (yr elw) *eg* margin (of profit)

maint a chyfeiriad magnitude and direction

maint beunyddiol argymelledig *eg* recommended daily amount (of a nutrient)

maint cyffredin *eg* nominal size

maint cywir (am fesuriad) *eg* accurate size

maint cywir (am nifer) *eg* right amount

maint digonol *eg* adequate size

maint dril *eg* drill size

maint drilio *be* drilling capacity

maint ffeil *eg* file extent

maint gorffenedig *eg* finished size

maint gwallus *eg* inaccurate size

maint iawn *eg* actual size

maint llai *eg* reduced size

maint llawn *eg* full size

maint mudiant llinol *eg* magnitude of linear motion

maint safonol *eg* standard size

maint sylfaenol *eg* basic size

maint troed *eg* footprint (in computing)

maint wedi'i blaenio *eg* planed size

maint y cyflenwad *eg* supplied quantity (in economics)

maint y galw *eg* demanded quantity (in economics)

maint yr elw *eg* profit margin

maintioli *eg* stature (of towns)

majolica *eg* majolica (enamelled pottery)

malaen *ans* malignant

malî *eg* mallee

maltos *eg* maltose

Malthwsiaeth *eb* Malthusianism

malu *be* grind (=crush)

malu mewn morter *be* grind in a mortar

malurion *ell* debris

malu'n fân *be* crush

malwr *eg* crusher

mallryg *eg* ergot

malltod *eg* blight (of planning)

malltod tatws *eg* potato blight

Mam Duw *eb* Mother of God

mam faeth *eb* foster mother

mam feichiog *eb* expectant mother

mamgell *eb* mother cell

mamgraig *eb* parent rock

mamiaith *eb* mother tongue

---

mamol *ans* maternal
mamolaeth *eb* maternity
mamolaidd *ans* mammalian
mamolyn *eg* mammal
mamoth *eg* mammoth
mamwlad *eb* homeland
mam-abaty *eg* mother-abbey
mam-dâp *eg* father tape
mam-eglwys *eb* mother-church
mam-gu *eb* grandmother
mân *ans* fine
man addoli *eg* place of worship
mân anhwylderau *ell* minor illnesses
man cychwyn *eg* starting place
man cyflwyno *eg* entry point (in discussion etc)
mân daclau *ell* fittings
mân ddaliad *eg* small holding
man geni *eg* birthmark
mân glustogau *ell* scatter cushions
man gwasgu *eg* pressure area
man hicio *eg* nocking point
mân iawn *ans* extra fine
mân ladrad *eg* petty theft
man llwytho *eg* loading bay
man poeth *eg* hot spot
man pontio *eg* bridge point
mandad *eg* mandate
mandedig *ans* mandated
mandibl *eg* mandible
mandolin *eg* mandolin
mandorla *eg* mandorla
mandrel *eg* mandrel (lathe part)
mandrel cau (turn) *eg* hollow mandrel (lathe)
mandrel côn *eg* sugar-loaf mandrel
mandwll *eg* pore
mandylledd *ans* porosity
mandyllog *ans* porous
mandyllog tryledol *ans* diffuse porous
manedd *eg* fineness (of sand, fragments)
maneg *eb* glove
maneg agored *eb* open glove
maneg asbestos *eb* asbestos glove
maneg ddi-haint *eb* sterile glove
maneg fatio *eb* batting glove
maneg siami *eb* chamois glove
manganîs (Mn) *eg* manganese (Mn)
mango *eg* mango
mania *eg* mania
manicin *eg* manikin
maniffesto *eg* manifesto
maniffold *eg* manifold
maniffold gwacáu *eg* exhaust manifold
manig *ans* manic
manila *eg* manilla
manion gwnïo *ell* haberdashery
manna *eg* manna
Mannau Cysegredig *ell* Holy Places

manomedr *eg* manometer
mantais *eb* advantage
mantais addysgol *eb* educational advantage
mantais ddetholus *eb* selective advantage
mantais fecanyddol *eb* mechanical advantage
mantais gymharol *eb* comparative advantage
mantell *eb* mantle *n*
mantellu *be* mantle *v*
mantisa *eg* mantissa
mantol daliadau *eb* balance of payments
mantol fasnach *eb* balance of trade
mantolen *eb* balance sheet
mantoli *be* balance (financial transactions) *vt*
mantoliad *eg* libration
mantoli'r cyfrifon *be* balance the accounts *v*
manwl *ans* detailed
manwl gywir *ans* accurate (=exactly precise)
manwl gywirdeb *eg* accuracy (=exact precision)
manwl gywirdeb priodol *eg* appropriate accuracy
manyleb *eb* specification
manyleb problem *eb* problem specification
manyleb rhaglen *eb* program specification
manyleb Safonau Prydeinig *eb* British Standard specification
manyleb swydd *eb* job specification
manyleb system *eb* system specification
manylion *ell* details
manylion addurnol *ell* decorative details
manylion cudd *ell* hidden detail
manylu *be* detail *v*
manylu'r rhwydwaith *be* mesh refinement
manylyn *eg* detail *n*
mân-adeiledd *eb* fine structure
mân-bant *eg* pit (on plant or animal body)
mân-bant gastrig *eg* gastric pit
man-bantiau gweflog *ell* bordered pits
man-bantiau syml *ell* simple pits
man-bantiog *ans* pitted
mân-blet *eg* pinch pleat
mân-ddarlun *eg* miniature painting (of painted picture)
mân-ddarlunio *be* miniature painting (of process or art)
map *eg* map *n*
map amlinell *eg* outline map
map anodedig *eg* annotated map
map cromosomau *eg* chromosome map (in biology)
map cyfuchlinol *eg* contour map
map defnydd tir *eg* land utilization map
map graddfa lai *eg* smaller-scale map
map ordnans *eg* ordnance survey map
map sylfaen *eg* base map
map tirwedd *eg* relief map
map tywydd *eg* weather map
map y cof *eg* memory map
mapio *be* map *v*
mapio arsaethol *be* surjective mapping
mapio cydffurfiol *be* conformal mapping
mapio deusaethol *be* bijective mapping

---

mapio gwybodaeth *be* information mapping
mapio mewnsaethol *be* injective mapping
maquette *eg* maquette
marathon *eg* marathon
marc *eg* mark *n*
marc ailadrodd *eg* repeat mark
marc anadlu *eg* breath mark
marc canol *eg* centre spot
marc distyll *eg* low water mark
marc dosbarth *eg* class mark
marc gwyn mewn pren *eg* druxiness
marc morthwyl *eg* hammer mark
marc mynegiant *eg* expression mark
marc pasio *eg* pass mark
marc penllanw *eg* high water mark
marc pin *eg* pin mark
marc rhifo *eg* tally mark
marc sero *eg* zero mark
marc tâp *eg* tape mark
marc ymyl *eg* edge mark
marc ymyl wyneb *eg* face edge mark
marciau cydbwysedd *ell* balance marks
marciau graen *ell* grain markings
marciau patrwm *ell* pattern markings
marciau safonedig *ell* standardized marks
marciau sêr *ell* star-rating
marcio *be* mark *v*
marcio'r gwrthwynebwr *be* mark the opponent
marciwr *eg* marker
marciwr ffelt *eg* felt marker
marciwr gwirod *eg* spirit marker
marciwr hem *eg* hem marker
marciwr rheoli *eg* control marker
Marcsaeth *eb* Marxism
Marcsaidd *ans* Marxist *adj*
Marcsydd *eg* Marxist *n*
marchnad *eb* market *n*
marchnad adwerthu *eb* retail market
marchnad defnyddwyr *eb* consumer market
marchnad ddu *eb* black market
marchnad gartref *eb* home market
marchnad gyfanwerthu *eb* wholesale market
marchnata *be* market *v*
marchnerth *eg* horsepower
marchnerth brêc *eg* brake horse power
marchog *eg* knight
marchog crwydrol *eg* knight errant
Marchog Sir *eg* Knight of the Shire
Marchog Temlaidd *eg* Knight Templar
Marchog Tiwtonig *eg* Knight Teutonic
Marchog yr Ymerodraeth *eg* Imperial Knight
Marchog Ysbytaidd *eg* Knight Hospitaller
marchwellt *ell* couch grass
margarin *eg* margarine
Mari Waedlyd *eb* Bloody Mary
Marïaidd *ans* Marian
marian *eg* moraine

marian canol *eg* medial moraine
marian cnwc gro *eg* kame moraine
marian enciliol *eg* recessional moraine
marian gwthio *eg* push moraine
marian llusg *eg* ground moraine
marian ochrol *eg* lateral moraine
marian perfedd *eg* englacial moraine
marian tanrewlifol *eg* sub-glacial moraine
marian terfynol *eg* end moraine
marina *eg* marina
marionét anifail *eg* animal marionette
marionét cymalog *eg* jointed marionette
marionét llinyn *eg* string marionette
marionét pren *eg* wooden marionette
marionét tric *eg* trick marionette
Mari, Brenhines y Sgotiaid *eb* Mary, Queen of Scots
marl *eg* marl *n*
marlio *be* marl *v*
marlog *ans* marly
marmor *eg* marble
marmori *be* marbling
marouflage *eg* marouflage
marsial *eg* marshal
marsiandïaeth *eb* merchandise
martensit *eg* martensite
marweidd-dra *eg* stagnation
marwol *ans* lethal
marwolaeth *eb* death
marwolaeth yn y crud *eb* cot death
marwolaeth yr ymennydd *eg* brain death
marwolaethau babanod *ell* infant mortality
marwoldeb *eg* mortality
marwor folcanig *ell* volcanic cinders
marw-anedig *ans* stillborn
màs *eg* mass (of matter)
màs atomig *eg* atomic mass
màs atomig cymharol *eg* relative atomic mass
màs atomig cymharol cymedrig *eg* mean relative atomic mass
màs disymudedd *eg* rest mass
màs gostyngol *eg* reduced mass
màs molar *eg* molar mass
màs moleciwlaidd *eg* molecular mass
màs moleciwlaidd cymharol *eg* relative molecular mass
màs penodol o nwy *eg* fixed mass of gas
màs pwynt *eg* point mass
màs y cyhyrau *eg* muscle mass
màs y solid *eg* mass of solid
masddarfodiant *eg* mass-wasting
masfawr *ans* massive (in physics)
masg *eg* mesh (cogs) *n*
masgio *be* mask (with masking tape) *v*
masgl pigog *eg* bur (of plant)
masgynhyrchu *be* mass produce
masiff *eg* massif
masnach *eb* commerce
masnach adwerthu *eb* retail trade

---

eg/b enw gwrywaidd/benywaidd, *feminine/masculine noun*   *ell* enw lluosog, *plural noun*   *v* berf, *verb*   *n* enw, *noun*

masnach arlwyo a gwestya *eb* catering and hotel trade

masnach atgas *eb* noxious trades

masnach dramor *eb* foreign trade

masnach ddosbarthu *eb* distributive trade

masnach frethyn *eb* cloth trade

masnach gaethion *eb* slave trade

masnach rydd *eb* free trade

masnach ryngwladol *eb* international trade

masnachdy *eg* counter (house)

masnachfraint *eb* franchise (in commerce)

masnachol *ans* commercial

masnachu *be* trade *v*

masnachu teg *be* fair trading

masnachwr *eg* merchant

masnachwr brethyn *eg* friezeman

màs penodol *eg* fixed mass

masque *eg* masque

mast radio neu deledu *eg* radio or tv mast

mastgell *eb* mast cell

mastig *eg* mastic

mastyrbiad *eg* masturbation

mastyrbio *be* masturbate

maswr *eg* outside-half

màs-symudiad *eg* mass movement (in physics)

mat *ans* matt

mat *eg* mat

mat asbestos *eg* asbestos mat

mat bwrdd *eg* place mat

mat ffibr *eg* fibre mat

mat gwydr *eg* glass mat

mater *eg* matter

mater mewnol *eg* domestic affair

mater moesol *eg* moral matter

mater penodol *eg* particular matter

mater tramor *eg* foreign affair

mater trawsgwricwlaidd *eg* cross-curricular issue

materion egni *ell* energy issues

materol *ans* material *adj*

materoliaeth *eb* materialism

materoliaeth ddilechdidol *eb* dialectical materialism

matiau duchesse *ell* duchesse set

matiog *ans* matted

matres *eb* mattress

matriarchaidd *ans* matriarchal

matrics *eg* matrix

matrics anhynod *eg* non-singular matrix

matrics calcheiddiedig *eg* calcified matrix

matrics colofn *eg* column matrix

matrics cydberthyniad *eg* correlation matrix

matrics cyfansawdd *eg* compound matrix

matrics hynod *eg* singular matrix

matrics orthogonol *eg* orthogonal matrix

matrics petryal *eg* rectangular matrix

matrics rhes *eg* row matrix

matrics sgwâr *eg* square matrix

math *eg* type (=kind or sort) *n*

math Boole *eg* Boolean type

math cywir *eg* right type

math data *eg* data type

math newidiol *eg* variable type

math o berfformiad *eg* type of performance

math o ffermio *eg* type of farming

math o gorff *eg* body type

mathau o fwyd *ell* types of food

mathemateg *eb* mathematics

mathemateg ddinesig *eb* civic mathematics

mathemateg gymhwysol *eb* applied mathematics

mathemategol *ans* mathematical

math-wirio *be* type checking

mawn *eg* peat

mawn amorffus *eg* amorphous peat

mawn ffibrog *eg* fibrous peat

mawnog *eb* peat bog

mawreddog *ans* majestic

mawrhydi *eg* majesty

Mawrion, y *ell* Grandees

Mawrth (y blaned) *eg* Mars

mazurka *eg* mazurka

McCarthiaeth *eb* McCarthyism

mecaneg *eb* mechanics

mecaneiddiad *eg* mechanization

mecaneiddio *be* mechanize

mecanwaith *eg* mechanism

mecanwaith anadlu *eg* mechanism of breathing

mecanwaith cydbwysol *eg* balancing mechanism

mecanwaith cyswllt *eg* chain mechanism

mecanwaith dolen *eg* link mechanism

mecanwaith dychwel cyflym *eg* quick-return mechanism

mecanwaith gêr *eg* gear mechanism

mecanwaith pawl a chlicied *eg* pawl and ratchet mechanism

mecanwaith rhyddhad cyflym *eg* quick-release mechanism

mecanwaith uniad-pin *eg* pin-pointed mechanism

mecanyddol *ans* mechanical

meconiwm *eg* meconium

mechdeyrn *eg* overlord

mechnïaeth *eb* bail

medal *eb* medal

medal aur *eb* gold medal

medial *ans* medial

mediastinwm *eg* mediastinum

Mediteranaidd *ans* Mediterranean

medrus *ans* skilled

medrydd *eg* gauge (=instrument) *n*

medrydd arwyneb *eg* surface gauge

medrydd bawd *eg* thumb gauge

medrydd bys *eg* finger gauge

medrydd caliper *eg* calliper gauge

medrydd deial *eg* dial gauge

medrydd dyfnder *eg* depth gauge

medrydd ffiled *eg* fillet gauge

medrydd gwasgedd *eg* pressure gauge

---

adf, adv adferf, *adverb*   *ans, adj* ansoddair, *adjective*   *be* berf, *verb*   *eb* enw benywaidd, *feminine noun*   *eg* enw gwrywaidd, *masculine noun*

medrydd gwifren *eg* wire gauge
medrydd marcio *eg* marking gauge
medrydd meitr *eg* mitre gauge
medrydd ongl edau *eg* thread angle gauge
medrydd panel *eg* panel gauge
medrydd pensil *eg* pencil gauge
medrydd pitsh edau *eg* thread pitch gauge
medrydd pitsh sgriw *eg* screw pitch gauge
medrydd plwg *eg* plug gauge
medrydd radiws *eg* radius gauge
medrydd riwl a bawd *eg* rule and thumb gauge
medrydd sgriw *eg* screw gauge
medrydd slip *eg* slip gauge
medrydd teimlo *eg* feeler gauge
medrydd terfan *eg* limit gauge
medrydd torch *eg* ring gauge
medrydd torri *eg* cutting gauge
medrydd uchder *eg* height gauge
medrydd uchder fernier *eg* vernier height gauge
medryddu *be* gauge *v*
medwla *eg* medulla
medwla oblongata *eg* medulla oblongata
medwla y chwarren adrenal *eg* adrenal medulla
medwlaidd *ans* medullary
meddal *ans* soft
meddalnod dwbl *eg* double flat
meddalu *be* soften
meddalwch *eg* softness
meddalwedd *eg/b* software
meddalwedd system *eb* system software
meddalwedd wedi'i diogelu *eb* protected software
meddalydd *eg* softener
meddalydd dŵr *eg* water softener
meddiannaeth *eb* occupation (of property)
meddiannaeth (filwrol) *eb* occupation (military)
meddiannau a seciwlareiddiwyd *ell* secularizations
meddiannu *be* occupy (of military force)
meddiant *eg* possession
meddiant gorfodol *eg* requisition (=official claim on land or materials)
meddiant o'r bêl *eg* possession of the ball
meddiant unigol *eg* individual possession
meddw *ans* drunk *adj*
meddwl cyn-gysyniadol *eg* pre-conceptual thought
meddwl dargyfeiriol *eg* divergent thinking
meddwl gweithredu diriaethol *eg* concrete operational thought
meddwl gweithredu ffurfiol *eg* formal operational thought
meddwl sythweledol *eg* intuitive thought
meddwl yn greadigol *be* creative thinking
meddwyn *eg* drunk *n*
meddyg *eg* doctor
meddyg cymuned *eg* community physician
meddyg teulu *eg* general practitioner
meddyg tŷ *eg* house officer
meddygaeth *eb* medicine (science of)

meddygaeth amgen *eb* alternative medicine
meddygaeth arennau *eb* renal medicine
meddygaeth ataliol *eb* preventive medicine
meddygaeth gyffredinol *eb* general medicine
meddygaeth y frest *eb* chest medicine
meddygfa *eb* surgery (of place)
meddyginiaeth *eb* medication
meddygol *ans* medical
meddyliau awtomatig *ell* automatic thoughts
meddyliol *ans* mental
mefus strawberries
megabeit *eg* megabyte
megacaryocyt *eg* megakaryocyte
megafolt (MV) *eg* megavolt (MV)
megalith *eg* megalith
megalopolis *eg* megalopolis
megasbor *eg* megaspore
megatherm *eg* megatherm
megin *eb* bellows
megin droed *eb* foot bellows
megin droed chwyth dwbl *eb* double blast foot bellows
megin organ *eb* organ bellows
megohm *eg* megohm
meic cyswllt *eg* contact mike
meidon *eb* mediant
meidraidd *ans* finite
meingefn (llyfr) *eg* spine (of book)
meillionen *eb* clover
meinciwr *eg* bencher
meincnod *eg* benchmark
meinder *eg* fineness (of fabric)
meindwr *eg* spire
meingefnol *ans* lumbar *adj*
meini prawf *ell* criteria
meini prawf derbyn *ell* admissions criteria
meini prawf perfformiad *ell* performance criteria
meintiau o ddata *ell* quantities of data
meintiau papur *ell* paper sizes
meintiau papur rhyngwladol *ell* international paper sizes
meintiol *ans* quantitative
meintioli *be* quantify
meinwe *eg/b* tissue
meinwe areolaidd *eb* areolar tissue
meinwe bloneg *eb* adipose tissue
meinwe craith *eb* scar tissue
meinwe cyswllt *eb* connective tissue
meinwe feddal *eb* soft tissue
meinwe gynhaliol *eb* supporting tissue
meinwe nerfol *eb* nervous tissue
meinwe patrymu *eb* organizer (of living tissue)
meinwe planhigion *eb* plant tissue
meinwe ronynnog *eb* granulation tissue
meinweoedd meithrin *ell* culture tissues
meiosis *eg* meiosis
meipen *eb* turnip
meis *eb* mise
Meistersinger *eg* Mastersinger

---

eg/b enw gwrywaidd/benywaidd, *feminine/masculine noun*   *ell* enw lluosog, *plural noun*   **v** berf, *verb*   **n** enw, *noun*

meistr *eg* master *n*
meistr mwstro *eg* muster master
meistres *eb* mistress
meistres y bale *eb* ballet mistress
meistrolaeth *eb* mastery
meistroli *be* master *v*
meitr *eg* mitre *n*
meitr clo *eg* keyed mitre
meitr cynffonnog *eg* mitre dovetail
meitr cynffonnog cudd *eg* secret mitre dovetail
meitro *be* mitre *v*
meitrog *ans* mitred
meithrin (bacteria) *be* culture (bacteria etc) *v*
meithrin meinweoedd planhigol *be* plant tissue culture *v*
meithrin rheolaeth *be* develop control
meithrin sgiliau *be* develop skills
meithrinfa *eb* nursery
meithrinfa drwyddedig *eb* registered nursery
meithrinfa ddydd *eb* day nursery
meithriniad *eg* culture (of bacteria etc) *n*
meithriniad meinwe *eg* tissue culture
meithriniad pur o facteria *eg* pure culture of bacteria
melamin *eg* melamine
melamin fformaldehyd *eg* melamine formaldehyde
melan y ddinas *eb* city blues
Melanesaidd *ans* Melanesian
melanin *eg* melanin
melanocyt *eg* melanocyte
melanoffor *eg* melanophore
melfaréd *eg* corduroy
melfaréd main *eg* needlecord
melfed *eg* velvet
melfedîn *eg* velveteen
melin *eb* mill *n*
melin bêl *eb* ball mill
melin droedlath *eb* treadmill
melin gleio *eb* pug mill
melin gleio fertigol *eb* vertical pug mill
melin gleio lorweddol *eb* horizontal pug mill
melin gotwm *eg* ginnery
melin lifio *eb* sawmill
melin strip *eb* strip mill
melin strip boeth *eb* hot strip mill
melin strip ddi-dor *eb* continuous strip mill
melin strip oer *eb* cold strip mill
melin wlan *eb* woollen mill
melin wynt *eb* windmill
melino *be* mill *v*
melino confensiynol *be* conventional milling
melino dringol *eg* climb milling
melinwr *eg* milling cutter
melinwr agennu *eg* slotting milling cutter
melinwr ceugrwm *eg* concave milling cutter
melinwr cragen *eg* shell milling cutter
melinwr dant union *eg* straight-toothed milling cutter
melinwr hedegog *ans* fly milling cutter
melinwr ochr *eg* end milling cutter

melinwr ochr ac wyneb *eg* side and face milling cutter
melinwr plaen *eg* plain milling cutter
melinwr rhigol T *eg* tee-slot milling cutter
melinwr sbiral *eg* spiral milling cutter
melinwr sedd glo *eg* key-seat milling cutter
melinwr slab *eg* slab milling cutter
melinwr wyneb mawr *eg* large face milling cutter
melinydd *eg* miller
melisma *eg* melisma
melismataidd *ans* melismatic
melodaidd *ans* melodic (quality)
melodi *eb* melody
melodig *ans* melodic (form)
melodrama *eb* melodrama
melyn *eg* yellow
melyn alisarin *eg* alizarin yellow
melyn cadmiwm *eg* cadmium yellow
melyn cadmiwm canol *eg* mid cadmium yellow
melyn cadmiwm golau *eg* pale cadmium yellow
melyn crôm canol *eg* mid chrome yellow
melyn crôm dwfn *eg* deep chrome yellow
melyn crôm golau *eg* pale chrome yellow
melyn dwfn Naples *eg* deep Naples yellow
melyn golau *eg* pale yellow
melyn golau (lliw tymheru) *eg* light straw (tempering colour)
melyn lemwn dwfn *eg* deep lemon yellow
melyn lemwn golau *eg* pale lemon yellow
melyn Naples *eg* Naples yellow
melyn tywyll *eg* dark straw (tempering colour)
melyn y friallen *eg* primrose yellow
melynfrown *eg* amber brown
melyngoch *eg* amber
melynion ac orenau *ell* yellows and oranges
melynu *be* yellowing
melynwy *eg* egg yolk
melysion *ell* confectionery
memorandwm *eg* memorandum
memrwn *eg* parchment
Mendelaidd *ans* Mendelian
mendelefiwm (Md) *eg* mendelevium (Md)
menisgws *eg* meniscus
Mensiefig *eg* Menshevik *n*
Mensiefigaidd *ans* Menshevik *adj*
menter *eb* enterprise
menter breifat *eb* private enterprise
mentor *eg* mentor
mentora *be* mentoring
mentoriaeth *eb* mentorship
mentro *be* risk *v*
mentrwr agored *eg* silly mid-off
mentrwr coes *eg* silly mid-on
Mentrwyr Masnachol *ell* Merchant Adventurers
menyn *eg* butter
menyn brandi *eg* brandy butter
mêr *eg* bone marrow

---

adf, adv adferf, *adverb*   **ans, adj** ansoddair, *adjective*   **be** berf, *verb*   **eb** enw benywaidd, *feminine noun*   **eg** enw gwrywaidd, *masculine noun*

mêr brasterog *eg* fatty marrow

mercantiliaeth *eb* mercantilism

mercwri (Hg) *eg* mercury (Hg)

mercwrig *ans* mercuric

merch y bêl *eb* ball girl

merch y tywydd *eb* weather forecaster (female)

Merched mewn Gwyddoniaeth a Pheirianneg *ell* WISE: Women in Science and Engineering

Mercher (y blaned) *eg* Mercury

merch-dâp *eg* son tape

merddwr *eg* stagnant water

meridian *eg* meridian

meristem *eg/b* meristem

meristem apigol *eb* apical meristem

meristem brimordiol *eb* primordial meristem

meristem eilaidd *eb* secondary meristem

meritocratiaeth *eb* meritocracy

merlota *be* pony trekking

merlotwr *eg* pony trekker

merllyn *eg* stagnant pond

Merofingaidd *ans* Merovingian

meromorffig *ans* meromorphic

Mers *eg* Marches

merthyr *eg* martyr *n*

merthyrdod *eg* martyrdom

merthyroleg *eb* martyrology

merthyron Mari *ell* Marian martyrs

Merthyron Pabyddol *ell* Catholic Martyrs

Merthyron Tolpuddle *ell* Tolpuddle Martyrs

merthyru *be* martyr *v*

mesa *eg* mesa

Meseia (mewn Cristnogaeth) *eg* Messiah

Meseia (mewn Iddewiaeth) *eg* Mashiach

mesenteri *eg* mesentery

mesenterig *ans* mesenteric

mesobr *eg* pannage

mesocwrtig *ans* mesokurtic

mesoderm *eg* mesoderm

mesodermig *ans* mesodermic

mesoffyl *eg* mesophyll

mesoffylaidd *ans* mesophyllous

mesoffyt *eg* mesophyte

mesolithig *ans* mesolithic

meson *eg* meson

mesosternwm *eg* mesosternum

mesostom *eg* mesostome

mesotint *eg* mezzotint

mesothoracs *eg* mesothorax

mestiso *eg* mestizo

mesur *be* measure *v*

mesur (maint) *eg* measure *n*

mesur (mewn barddoniaeth, cerddoriaeth) *eg* metre (in verse, music)

mesur a marcio *be* measuring and marking out

mesur caeth *eg* strict metre

mesur cyffredin *eg* common metre

mesur fector *eg* vector quantity

mesur hir *eg* long metre

mesur hylif *eg* liquid measure

Mesur lawnderau *eg* Bill of Rights

mesur metrig *eg* metric measure

mesur o wasgariad *eg* measure of spread

mesur pellteroedd *be* measure distances

mesur rhydd *eg* free metre

mesur seneddol *eg* bill (before parliament)

mesur sgalar *eg* scalar quantity

mesur troi *eg* measure of turn

mesuradwy *ans* measurable

mesureg *eb* mensuration

mesuriad *eg* measurement

mesuriad bôn *eg* butt measurement

mesuriad clun *eg* hip measurement

mesuriadau llinol *ell* linear measurement

mesuriadau o ben i ben *ell* overall dimensions

mesuriadau o egni *ell* measurements of energy

mesurydd (ar sgrin cyfrifiadur) *eg* ruler (on computer screen)

mesurydd (yn gyffredinol) *eg* meter (for measuring)

mesurydd digidol *eg* digital meter

mesurydd grym *eg* forcemeter

mesurydd gwyn *eg* white meter

mesurydd rhagdal *eg* prepayment meter

mesuryn *eg* ordinate

mesuryn canol *eg* mid-ordinate

metabolaeth *eb* metabolism

metabolaeth ryngol *eb* intermediary metabolism

metabolaeth waelodol *eb* basal metabolism

metabolaidd *ans* metabolic

metabolyn *eg* metabolite

metabwynt *eg* metacentre

metacarpol *ans* metacarpal

metacarpws *eg* metacarpus

metaffas *eg* metaphase

metaffisegol *ans* metaphysical

metameraeth *eb* metamerism

metamorffedig *ans* metamorphosed

metamorffedd *eb* metamorphy

metamorffeg *eb* metamorphism

metamorffig *ans* metamorphic

metamorffosis *eg* metamorphosis

metasefydlog *ans* metastable

Metasoa *ell* Metasoa

metasternwm *eg* metasternum

metasylem *eb* metaxylem

metatarsol *ans* metatarsal

metatarsws *ans* metatarsus

metathesis *eg* metathesis

metathoracs *eg* metathorax

meta-ieithyddol *ans* meta-linguistic

metel *eg* metal

metel alcalïaidd *eg* alkali metal

metel anfferrus *eg* non-ferrous metal

metel babbitt *eg* babbitt metal

---

eg/b enw gwrywaidd/benywaidd, *feminine/masculine noun*   *ell* enw lluosog, *plural noun*   *v* berf, *verb*   *n* enw, *noun*

metel Britannia *eg* Britannia metal
metel cerfiedig *eg* sculpt metal
metel cloch *eg* bell metal
metel euro *eg* gilding metal
metel fferrus *eg* ferrous metal
metel gorgynnes *eg* hot metal (in metalworking)
metel gwrth-ffrithiant *eg* anti-friction metal
metel Muntz *eg* Muntz metal
metel mwynol alcalïaidd *eg* alkaline earth metal
metel nobl *eg* noble metal
metel sgrap *eg* scrap metal
metel tawdd *eg* molten metal
metel teip *eg* type metal
metel tenau *eg* thin metal
metel trosiannol *eg* transition metal
metel trowasg *eg* spun metal
metel trwm *eg* heavy metal
metel ymledol *eg* expanded metal
meteleg *eb* metallurgy
metelegol *ans* metallurgical
meteleiddio *be* metallizing
metelifferaidd *ans* metalliferous
metelig *ans* metallic
meteloid *ans* metalloid
meteor *eg* meteor
meteorig *ans* meteoric
meteoroleg *eb* meteorology
meteoryn *eg* meteorite
metlin *eg* metalling (road)
metr *eg* metre (of metric unit)
metr ciwbig *eg* cubic metre
metrig *ans* metric
metron *eb* matron
metronom *eg* metronome
methan *eg* methane
methanol *eg* methanol
methdaliad *eg* bankruptcy
methdalwr *eg* bankrupt (person)
methedig *ans* infirm
methiant *eg* failure
methiant y galon *eg* heart failure
methionin *eg* methionine
Methodist *eg* Methodist *n*
Methodistaidd *ans* Methodist *adj*
Methodistiaeth *eb* Methodism
Methodistiaeth Galfinaidd *eb* Calvinistic Methodism
Methodistiaeth Gyntefig *eb* Primitive Methodism
Methodistiaeth Wesleaidd *eb* Wesleyan Methodism
methodoleg *eb* methodology
methyl oren *eg* methyl orange
methylu *be* methylate
meudwy *eg* hermit
meudwyaidd *ans* eremitical
mewn amrediad *ans* in-range
mewn bri *adf* in vogue
mewn bywoliaeth *ans* beneficed
mewn cyfrannedd *adf* in proportion

mewn cyfrannedd da in good proportion
mewn cyfres in series
mewn gofal *ans* in care
mewn iawn luniad in register
mewn llinell *ans* in-line
mewn paralacs in parallax
mewn perygl at risk
mewnafael *eb* inward grasp
mewnanadliad *eg* inhalation
mewnanadlu *be* inhale
mewnanadlydd *eg* inhaler
mewnblaniad *eg* implant *n*
mewnblannu *be* implant *v*
mewnblannu cell yn y brych *be* implant a cell in the placenta
mewnblyg *ans* introvert
mewnbwn *eg* input (=information fed into a computer) *n*
mewnbwn bfferog *eg* buffered input
mewnbwn/allbwn input/output
mewnbynnu *be* input *v*
mewnbynnu data *be* data entering
mewnbynnu gorchwyl pell *be* remote job entry (RJE)
mewndarddiad *eg* endogenesis
mewndarddol *ans* endogenous
mewndir *eg* interior (of land) *n*
mewndirol *ans* interior (of land) *adj*
mewndiwbio *be* intubation
mewnddodi *be* infix *v*
mewnddodiad *eg* infix *n*
mewnfa *eb* inlet (=intake)
mewnfan *eg* point of insertion
mewnfoleciwlaidd *ans* intramolecular
mewnforio *be* import *v*
mewnforiwr *eg* importer
mewnforyn *eg* import *n*
mewnfridio *be* inbreed
mewnfudiad *eg* immigration
mewnfudo *be* immigrate
mewnfudwr *eg* immigrant
mewnffrwydrad *eg* implosion
mewnganol *eg* incentre
mewngapsiwleiddio *be* encapsulation
mewngellol *ans* intracellular
mewngofnodi *be* login
mewngraig *eb* inlier
mewngylch *eg* inscribed circle (in-circle)
mewngyrch *eg* input (in finance) *n*
mewngyrchol *ans* centripetal
mewnhidlo *be* fade-in
mewniad *eg* insertion
mewnlenwad *eg* infilling
mewnlif (dŵr o afon) *eg* intake (flow)
mewnlif (dyddodion) *eg* illuviation
mewnlifiad *eg* inflow
mewnlifol *ans* illuvial
mewnlif/all-lif *eg* input/output stream

---

adf, adv adferf, adverb   **ans, adj** ansoddair, adjective   **be** berf, verb   **eb** enw benywaidd, feminine noun   **eg** enw gwrywaidd, masculine noun

mewnol (=domestig) *ans* domestic (not foreign)
mewnol (=tuag i mewn) *ans* inward
mewnol (=y tu mewn i dŷ) *ans* interior (in general) *adj*
mewnol (=y tu mewn i gwmni neu sefydliad) *ans* in-house
mewnol (am feddyliau, teimladau) *ans* inner
mewnol (=y tu mewn i gorff) *ans* internal
mewnoli (ymyl tudalen) *be* indent (a margin) *v*
mewnoli (yn gyffredinol) *be* internalize
mewnoliad (ymyl tudalen) *eg* indent (of margin) *n*
mewnoliad crog *eg* hanging indent
mewnosod *be* embed
mewnosod (gwaith pren etc addurniedig) *be* inlay *v*
mewnosod (yn gyffredinol) *be* insert
mewnosod ffeil *be* insert file
mewnosod maes cyfun *be* insert merge field
mewnosod pennyn *be* insert header
mewnosodiad (gwaith pren etc addurniedig) *eg* inlay
mewnosodiad (yn gyffredinol) *eg* inset
mewnosodwr *eg* insert key
mewnrewlifol *ans* englacial
mewnrwyd *eb* intranet
mewnrhywogaethol *ans* intraspecific
mewnwelediad *eg* insight
mewnwr *eg* inside half
mewnwr chwith *eg* inside left
mewnwr de *eg* inside right
mewnwthiad *eg* intrusion (of rock)
mewnwthiol *ans* intrusive (of rock)
mewnwythiennol *ans* intravenous
mewn-osod *be* lay-in
mezzo-soprano *eb* mezzo-soprano
mica *eg* mica
micela *eg* micella
micro *ans* micro
microb *eg* microbe
microbioleg *eb* microbiology
microbiolegydd *eg* microbiologist
microbrosesydd *eg* microprocessor
microbwyntil *eg* microburin
microcosm *eg* microcosm
microdechnoleg *eb* micro-technology
microdiwbyn *eg* microtubule
microdon *eb* microwave
microeiliad *eg/b* microsecond
microelectroneg *eb* microelectronics
microfaethyn *eg* micronutrient
microfilws *eg* microvillus
microfyd *eg* microworld
microffarad *eg* microfarad
microffilm *eb* microfilm
microffilm o gyfrifiadur *eg* computer output to microfilm (COM)
microffish *eg* microfiche
microffon *eg* microphone
microffon coil symudol *eg* moving coil microphone
microgerdyn *eg* microcard

microgod *eg* microcode
microgrisialog *ans* micro-crystalline
microgyfrifiadur *eg* microcomputer
microgylched *eb* micro-circuit
microhinsawdd *eg* microclimate
microhinsoddeg *eb* microclimatology
microhm *eg* microhm
microlith *eg* microlith
micromedr *eg* micrometer
micromedr allanol *eg* outside micrometer
micromedr mewnol *eg* inside micrometer
micrometr *eg* micrometre
micron *eg* micron
micropyl *eg* micropyle
microraglennu *be* micro-programming
microsboroffyl *eg* microsporophyll
microsgop *eg* microscope
microsgop teithiol *eg* travelling microscope
microsgopaidd *ans* microscopic
microsgopeg *eb* microscopy
microsgopig *ans* microscopic
microsom *eg* microsome
microswitsh *eg* microswitch
microtôn *eg* microtone
microtonawl *ans* microtonal
microtonyddiaeth *eg* microtonality
microtherm *eg* microtherm
micro-organeb *eb* micro-organism
micro-organebau'r pridd *ell* soil micro-organisms
mignen neu halwyndir marsh or salting
migwyn *eg* sphagnum
mil *eb* thousand
mileniwm *eg* millenium
milet *eg* millet
milfed *eg* thousandth
milflwyddiaeth *eb* millenarianism
milibar *eg* millibar
mililitr *eg* millilitre
milimetr *eg* millimetre
milisia *eg* militia
militariaeth *eb* militarism
militarydd *eg* militarist
miliwm *eg* milium
miliwn *eb* million
milwr arfog *eg* man-at-arms
milwr cyffredin *eg* private (soldier)
milwr gerila *eg* guerrilla
milwriaethus *ans* militant
milwyr a gasglwyd *ell* levy, levies (of soldiers)
milwyr hunanleiddiol *ell* suicide troops
milwyr wrth gefn *ell* reserves (military)
milltir *eb* mile
min (yn gyffredinol) *eg* edge (=sharpness)
min (sgrafell) *eg* burr (of scraper)
min cyllell *eg* knife edge (in general)
minialaidd *ans* osculating
minialedd *eg* osculation

---

minialu *be* osculate
minigyfrifiadur *eg* minicomputer
minimalaidd *ans* minimalist *adj*
minimaliaeth *eb* minimalism
minimalydd *eg* minimalist *n*
minimol *ans* minimal
miniscwl *ans* minuscule
miniwét *eg* minuet
miniwr *eg* pencil sharpener
mini-menter *eb* mini-enterprise
mini-project *eg* mini-project
mini *ans* mini
Minoaidd *ans* Minoan
minor *eg* minor
minwend *eg* minuend
minws *eg* minus
mis lleuad *eg* lunar month
misericord *eg* misericord
mislif *eg* menstruation
mit *eb* mitten
mitocondrion *eg* mitochondrion
mitosis *eg* mitosis
Mithraeth *eb* Mithraism
miwtini *eg* mutiny
mobilistig *ans* mobilistic
mochyn bacwn *eg* baconer
model (am ddyn neu wrthrych) *eg* model (of male person, object) *n*
model (am ferch) *eb* model (of female person) *n*
model anwrthdrawol *eg* collisionless model
model atchwel *eg* regression model
model cardbord *eg* cardboard model
model cyfrifiadurol *eg* computer model
model data *eg* data model
model gwniyddes *eg* dressmaker's dummy
model gwyddonol *eg* scientific model
model hierarchaidd *eg* hierarchical model
model mewn ystum arbennig *eg* posed model
model nyrsio *eg* nursing model
model papur *eg* paper model
modelu *be* model *v*
modelu â chlai *be* clay modelling
modelu cyfrifiadurol *be* computer modelling
modelu dau ddimensiwn *be* two dimensional modelling
modelu tri dimensiwn *be* three-dimensional modelling
modem *eg* modem
modem deialu *eg* dial-up modem
modern *ans* modern
moderneiddio *be* modernize
modfedd *eb* inch
modiwl *eg* module
modiwlaidd *ans* modular
modiwleiddio *be* modularize
modrwy (ar fys) *eb* ring (on finger)
modrwy (mewn bioleg) *eb* annulus (in biology)
modrwyol (=siâp modrwy) *ans* annular (=ring-shaped)

modrwywedd *ans* annulate
modur *eg* motor (=machine)
modur cerrynt union *eg* direct current motor
modur trydan *eg* electric motor
modurdy *eg* garage (of commercial enterprise)
modwlo *eg* modulo
modwlws *eg* modulus
modwlws elastigedd *eg* modulus of elasticity
modyledig *ans* modulated (amplitude or frequency)
modyliad *eg* modulation (of amplitude or frequency)
modyliad osgled *eg* amplitude modulation
modylu *be* modulate (amplitude or frequency)
modylydd *eg* modulator (=electronic device)
modd (mewn ffiseg, cyfrifiadureg, cerddoriaeth) *eg* mode
modd (yn gyffredinol) *eg* means
modd addasu *eg* revise mode
modd Aeolaidd *eg* Aeolian mode
modd asesu *eg* assessment mode
modd creu *eg* create mode
modd cyfeirio *eg* addressing mode
modd cyflwyno *eg* presentation mode
modd cynhyrchu *eg* means of production
modd deilliedig *eg* plagal mode
modd did *eg* bitwise
modd Doriaidd *eg* Dorian mode
modd eglwysig *eg* church mode
modd fformat *eg* format-mode
modd gweithredu *eg* operation mode
modd gweld *eg* view mode
modd gwerth hyd a dwyster *eg* mode of durations and intensities (Messiaen)
modd Hypoaioliaidd *eg* Hypoaeolian mode
modd Hypodoriaidd *eg* Hypodorian mode
modd Hypoioniaidd *eg* Hypoionian mode
modd Hypolocriaidd *eg* Hypolocrian mode
modd Hypomicsolydiaidd *eg* Hypomixolydian mode
modd Hypophrygiaidd *eg* Hypophrygian mode
modd Ionaidd *eg* Ionian mode
modd Locriaidd *eg* Locrian mode
modd mynegai *eg* index mode
modd sylfaenol *eg* authentic mode
modd talu *eg* means of payment
modd terfynell *eg* terminal mode
moddau ffug *ell* spurious modes
moddion *eg* medicine (=drug or preparation)
moddol *ans* modal
moes a phryn bring-and-buy
moesau *ell* morals
moeseg *eb* ethics
moesegol *ans* ethical
moesgar *ans* civil (=polite)
moesol *ans* moral
moesoldeb *eg* morality
moeth *eg* luxury
moethus *ans* luxurious
mogwl *eg* mogul

adf, adv adferf, *adverb*   **ans, adj** ansoddair, *adjective*   **be** berf, *verb*   **eb** enw benywaidd, *feminine noun*   **eg** enw gwrywaidd, *masculine noun*

moher *eg* mohair
môl *eg* mole (unit in chemistry)
molal *ans* molal
molaledd *eg* molality
molar *ans* molar (in chemistry) *adj*
molaredd *eg* molarity
moldio disgyrchol *be* gravity moulding
moleciwl *eg* molecule
moleciwl cludo *eg* carrier molecule
moleciwl cyfrannol *eg* donor molecule
moleciwl sy'n atynnu dŵr *eg* water attracting molecule
moleciwl sy'n gwrthyrru dŵr *eg* water repelling molecule
moleciwlaidd *ans* molecular
moleciwlau cadwynol *ell* chain molecules
moleciwledd *eg* molecularity
moliannau *ell* lauds
moltas *eg* archivolt
molwsg *eg* mollusc
molybdenwm (Mo) *eg* molybdenum (Mo)
moment *eg* moment (=turning effect of force)
moment clocwedd *eg* clockwise moment
moment deupol *eg* dipole moment
moment inertia *eg* moment of inertia
moment magnetig *eg* magnetic moment
moment momentwm *eg* moment of momentum
moment plygu *eg* bending moment
momentwm *eg* momentum
momentwm llinol *eg* linear momentum
momentwm onglaidd *eg* angular momentum
monadnoc *eg* monadnock
monatomig *ans* monatomic
Monel *eg* Monel
monig *ans* monic
monitor *eg* monitor *n*
monitro *be* monitor *v*
mono mono
monoclin *eg* monocline
monocotyledon *eg* monocotyledon
monocrom *eg* monochrome
monocromatig *ans* monochromatic
monocyt *eg* monocyte
monodig *ans* monodic
monodrama *eb* monodrama
monodromi *eg* monodromy
monoecaidd *ans* monoecious
monoffoni *eg* monophony
monoffonig *ans* monophonic
monogami *eb* monogamy
monogenig *eg* monogenic
monograff *eg* monograph
monogram *eg* monogram
monogram sanctaidd *eg* sacred monogram
monolith *eg* monolith
monolithig *ans* monolithic
monomaidd *ans* monomial *(ans)* ·
monomer *eg* monomer
monomerig *ans* monomeric

monomial *eg* monomial *n*
monopoleiddio *be* monopolise
monopoli *eg* monopoly
monosacarid *eg* monosaccharide
monosygotig *ans* monozygotic
monoteip *eg* monotype
monoton *ans* monotone
monotonig *ans* monotonic
monswŵn *eg* monsoon
montage *eg* montage
montage ffotograffig *eg* photomontage
mop *eg* mop
mop bwffio *eg* buff mop
mop calico *eg* calico mop
mop calico heb ei bwytho *eg* unstitched calico mop
mop calico wedi'i bwytho *eg* stitched calico mop
mop ffelt *eg* felt mop
mop gwlân oen *eg* lamb's wool mop
mop llathru *eg* polishing mop
mop manblu alarch *eg* swansdown mop
mop wedi'i bwytho'n fras *eg* course-stitched mop
môr *eg* sea
môr epeirig *eg* epeiric sea
Môr Sbaenaidd *eg* Spanish Main
morbidrwydd *eg* morbidity
mordaith ganol *eb* middle passage
mordant *eg* mordant
mordant asid (ysgythru) *eg* acid mordant (etching)
mordent *eg* mordent
mordwll *eg* blow-hole
mordwyeg *eb* science of navigation
mordwyo *be* navigation
mordwyol *ans* navigable
morddrws *eg* gat
morddwyd *eb* thigh
morddwydol *ans* femoral
morfa *eg/b* coastal marsh
morfa heli *eg* salt marsh
morfilltir *eb* nautical mile
morfynydd *eg* seamount
morffoleg *eb* morphology
morffolegol *ans* morphological
morffordd *eb* seaway
morgais *eg* mortgage
morgais dewisol *eg* option mortgage
morgais gwaddol *eg* endowment mortgage
morgeisydd *eg* mortgager
morglawdd *eg* breakwater
morgryn *eg* seaquake
morlaid *eg* oozes (deep sea)
morlin *eg* coastline
morlin ardraws *eg* transverse coastline
morlun *eg* seascape
morlyn *eg* haff
morlyn llanw *eg* tidal lagoon
Morlys *eg* Admiralty
Mormon *eg* Mormon *n*

Mormonaidd *ans* Mormon *adj*

morol *ans* marine *adj*

moronen *eb* carrot

mortais *eb* mortise

mortais a thyno hansiedig haunched mortise and tenon

mortais a thyno unysgwyddog barefaced mortise and tenon

mortais botwm *eg* button mortise

mortais dall *eg* blind mortise

morter *eg* mortar

morthwyl *eg* hammer *n*

morthwyl argaenu *eg* veneer hammer

morthwyl blocio *eg* blocking hammer

morthwyl cafnu *eg* hollowing hammer

morthwyl cefnu *eg* backing hammer

morthwyl codi *eg* raising hammer

morthwyl coleru *eg* collar hammer

morthwyl colet *eg* collet hammer

morthwyl copr *eg* copper hammer

morthwyl crafanc *eg* claw hammer

morthwyl cromennu *eg* doming hammer

morthwyl crychu *eg* creasing hammer

morthwyl cyweirio *eg* tuning hammer

morthwyl dau wyneb crwn *eg* double faced hammer

morthwyl gosod *eg* setting hammer

morthwyl gosod llif *eg* saw-setting hammer

morthwyl gweithiwr gwiail *eg* caneworker's hammer

morthwyl lledr *eg* leather hammer

morthwyl meddal *eg* soft hammer

morthwyl patrwm Exeter *eg* Exeter pattern hammer

morthwyl patrwm Llundain *eg* London pattern hammer

morthwyl patrwm Warrington *eg* Warrington pattern hammer

morthwyl peiriannydd *eg* engineer's hammer

morthwyl pigfain *eg* peen end hammer

morthwyl pin *eg* pin hammer

morthwyl planisio *eg* planishing hammer

morthwyl plastig *eg* plastic hammer

morthwyl repoussé *eg* repoussé hammer

morthwyl rwber *eg* rubber hammer

morthwyl rhybedu *eg* riveting hammer

morthwyl sglodi *eg* chipping hammer

morthwyl suddo *eg* sinking hammer

morthwyl tiwnio *eg* key (for tuning piano) *n*

morthwyl twcio *eg* paning hammer

morthwyl wyneb croes *eg* cross peen hammer

morthwyl wyneb crwn *eg* ball peen hammer

morthwyl wyneb syth *eg* straight peen hammer

morthwyl y glust *eg* malleus

morthwylio *be* hammer *v*

morwellt *eg* seagrass

morwellt llifedig *ell* dyed seagrass

Morwyn Caint *eb* Maid of Kent

Morwyn Fair Fendigaid *eb* Blessed Virgin Mary

morwyn tŷ *eb* housemaid

moryd *eb* estuary

moryd wneud *eb* constructed estuary

moryn *eg* breaker (of wave)

môr-baentiad *eg* marine painting (of picture)

môr-beintio *be* marine painting (of process or art)

môr-filwr *eg* marine *n*

môr-ladrad *eg* piracy (on sea)

môr-leidr *eg* pirate

mosaig *ans* mosaic *adj*

mosaig *eg* mosaic *n*

mosaig dail *eg* leaf mosaic

mosaig gwydr *eg* glass mosaic

mosaig papur *eg* paper mosaic

Moscofaidd *ans* Muscovite *adj*

Moscofwr *eg* Muscovite *n*

mosg *eg* mosque

motel *eg* motel

motét *eg* motet

motiff *eg* motif

motiff pen *eg* head motif

mowld *eg* mould (=hollow container)

mowld blawd corn *eg* cornflour mould

mowld botwm *eg* button mould

mowld cerfwedd *eg* relief mould

mowld dariol *eg* dariole mould

mowld ffowndri *eg* foundry mould

mowld glân *eg* clean mould

mowld gwastraff *eg* waste mould

mowld ingot *eg* ingot mould

mowld plastig *eg* plastic mould

mowld tywod llaith *eg* green sand mould

mowld uned *eg* unit mould

mowldin *eg* moulding

mowldin architraf *eg* architrave moulding

mowldin astragal *eg* astragal moulding

mowldin bilet *eg* billet moulding

mowldin cafeto *eg* cavetto moulding

mowldin cau *eg* hollow moulding

mowldin cornis *eg* cornice moulding

mowldin cyfwyneb *eg* flush moulding

mowldin cywasgedd *eg* compression moulding

mowldin chwarter crwn *eg* quarter round moulding

mowldin endoredig *eg* incised moulding

mowldin ffiled *eg* fillet moulding

mowldin glain *eg* bead moulding

mowldin gosod *eg* applied moulding

mowldin hanner crwn *eg* half round moulding

mowldin ofolo *eg* ovolo moulding

mowldin ogee *eg* ogee moulding

mowldin pedrant *eg* quadrant moulding

mowldin sgotia *eg* scotia moulding

mowldin sgrôl *eg* scroll moulding

mowldin solet *eg* solid moulding

mowldin suddo *eg* sunk moulding

mowldin torws *eg* torus moulding

mowldio *be* mould *v*

mowldio chwistrellu *be* injection moulding

mowldio tywod-llaith *be* green sand moulding

---

adf, adv adferf, adverb   **ans, adj** ansoddair, *adjective*   **be** berf, *verb*   **eb** enw benywaidd, *feminine noun*   **eg** enw gwrywaidd, *masculine noun*

mowldiwr gwerthyd *eg* spindle moulder
mownt *eg* mount *n*
mowntiedig *ans* mounted
mowntin *eg* mounting
mowntio *be* mount *v*
muchudd *eg* jet (stone)

mud *ans* mute *adj*
mud *eg* mute (of person) *n*

mudiad (=cymdeithas) *eg* organization (=society)
mudiad (=y weithred of fudo) *eg* migration
mudiad (gwyntoedd) *eg* swing (of winds)
mudiad cau tiroedd *eg* enclosure movement
mudiad cyfrin *eg* underground movement
Mudiad Cymru Fydd *eg* Young Wales Movement
mudiad dirwest *eg* temperance movement
mudiad gwirfoddol *eg* voluntary organization
mudiad gwrthgaethwasiaeth *eg* anti-slavery movement
mudiad gwrthwynebu *eg* resistance movement
Mudiad Iechyd y Byd *eg* World Health Organization (WHO)
Mudiad Iwerddon Ieuanc *eg* Young Ireland Movement
Mudiad Llafur Rhyngwladol *eg* International Labour Organization
Mudiad Lloegr Ieuanc *eg* Young England Movement
mudiad rhyddid merched *eg* women's liberation
Mudiad Rhyddid Palesteina *eg* Palestine Liberation Organization
Mudiad Solidarnosc *eg* Solidarity (movement)
mudiad symbolaidd *eg* symbolist movement
Mudiad y Cynghorau *eg* Conciliar Movement
Mudiad y Ffeniaid *eg* Fenian Movement
Mudiad y Groes Goch Ryngwladol *eg* International Red Cross
mudiant *eg* motion
mudiant afreolus *eg* random motion
mudiant cilyddol *eg* reciprocating motion
mudiant cyfyngedig *eg* constrained motion
mudiant cylchdro *eg* rotary motion
mudiant chwyrlïol *eg* swirling motion
mudiant harmonig *eg* harmonic motion
mudiant harmonig syml *eg* simple harmonic motion
mudiant llinol *eg* linear motion
mudiant mewn cylch *eg* circular motion
mudiant osgiliadol *eg* oscillating motion
mudiant paralel *eg* parallel motion
mudiant priodol *eg* proper motion
mudiant rhythmig (torri edafedd) *eg* rhythmic motion (thread cutting)
mudiant ton *eg* wave motion
mudiant tu chwith *eg* reversing motion
mudiant ymddangosol y lleuad *eg* apparent motion of the moon
mudo *be* migrate
Mudo Mawr *eg* Great Trek
mudol (=yn arddangos mudiant) *ans* motile
mudol (am fudo tymhorol) *ans* migratory
mudydd *eg* mute (device in music) *n*

Muhammad *eg* Muhammad
munud *eg* minute (of time) *n*
mur *eg* wall (in formal usage)
mur blaen *eg* front wall
mur cefn *eg* back wall
mur ochr *eg* side wall
mur plyg y coluddyn *eg* folded wall of the intestine
mur tollau *eg* tariff wall
Mur Wylofain *eg* Wailing Wall
mur yr ofari *eg* ovary wall
murdreth *eb* murage
murfylchau *ell* battlements (=crenellations)
muriog *ans* walled
murlen *eg* curtain wall
murlun *eg* mural *n*
murmur y galon *eg* heart murmur
murol *ans* mural *adj*
musette *eg* musette
mwcaidd *ans* mucous
mwcilag *eg* mucilage
mwcin *eg* mucin
mwclis pres *eg* peytrel
mwcoprotein *eg* mucoprotein
mwcosa *eg* mucosa
mwg *eg* smoke *n*
mwgwd *eg* mask *n*
mwl *eg* mull (soil)
mwliwn *eg* mullion
mwll *ans* muggy
mwntin *eg* muntin
Mŵr *eg* Moor
Mwraidd *ans* Moorish
mwrllwch *eg* smog
Mwslim *eg/b* Muslim *n*
Mwslimaidd *ans* Muslim *adj*
mwslin *eg* muslin
mwsogl *eg* moss
mwsogl Carragheen *eg* Carragheen moss
mwsogl carw *eg* reindeer moss
mwstro *be* muster *v*
mwstwr *eg* muster *n*
mwtagen *eg* mutagen
mwtagenaidd *ans* mutagenic
mwtagenedd *eg* mutagenesis
mwtan *eg* mutant
mwtaniad *eg* mutation
mwtaniad somatig *eg* somatic mutation
mwtanu *be* mutate
mwy na bigger than

mwyaf (am gywair mewn cerddoriaeth) *ans* major *adj*
mwyaf (am y swm mwyaf) *ans* maximum (=largest)
mwyafrif *eg* majority
mwyafsymaidd *ans* maximal
mwyar *ell* blackberries
mwydion *ell* pulp (=soft thick wet mass)
mwydion papur *ell* papier mâché

---

eg/b enw gwrywaidd/benywaidd, *feminine/masculine noun*   *ell* enw lluosog, *plural noun*   *v* berf, *verb*   *n* enw, *noun*

mwydo *be* soak (dried food etc)
mwydro *be* dither
mwyhad *eg* amplification
mwyhadur *eg* amplifier
mwyhau *be* amplify

mwyn *ans* mild (=gentle)
mwyn *eg* mineral

mwyn haearn *eg* iron ore
mwyn sinc *eg* zinc ore
mwynder *eg* amenity
mwyndoddi *be* smelt
mwyneiddiad *eg* mineralization
mwyngloddio *be* mining
mwynhad *eg* enjoyment
mwynhau *be* enjoy
mwyniant *eg* use (=benefit or profit of lands) *n*
mwynlong *eb* ore carrier
mwynoleg *eb* mineralogy
mwynwr *eg* miner (of any mineral)
myceliwm *eg* mycelium
mycoleg *eb* mycology
mycorhisa *eg* mycorrhiza
mycsofirws *eg* myxovirus
myctod *eg* asphyxia
mydryddol *ans* metrical
myelin *eg* myelin
myelinedig *ans* myelinated
myeloid *ans* myeloid
myfiol *ans* egocentric
myfyrdod *eg* meditation
myfyrdod personol *eg* personal reflection
myfyriwr *eg* student
myfyriwr nyrsio *eg* student nurse
myfyriwr ymchwil *eg* research student
myfyrwraig *eb* student (female)
mygdarth *eg* fume *n*
mygdarthol *ans* fuming
mygdarthu *be* fumigate
mygdwll *eg* fumarole
mygu *be* suffocate
mylga *eg* mulga
mympwy *eg* arbitrariness
mympwyol *ans* arbitrary
mymryn *eg* trace (of particle)
mynach *eg* monk
mynach gwyn *eg* white monk
mynachaeth *eb* monasticism
mynachaidd *ans* monastic
mynachlog *eb* monastery
mynach-esgob *eg* monk-bishop
mynawyd *eg* awl

mynawyd asgwrn *eg* bone awl
mynd at (berson) *be* approach (a person) *v*
mynd gyda *be* accompany (=go with)
mynd i mewn *be* enter (=go in)
mynd i'r afael (â mater) *be* address (an issue) *v*
mynedfa *eb* entrance (=way in)
mynediad *eg* entry (=act or instance of going in)
mynediad uniongyrchol *eg* direct access *n*
mynegai *eg* index (=alphabetical list with references) *n*
mynegai cardiau *eg* card index
mynegai costau byw *eg* cost of living index
mynegai hygyrchedd *eg* accessibility index
mynegeio *be* index (list alphabetically with references) *v*
mynegfys *eg* index finger
mynegi *be* express
mynegiad (mewn cyfrifiadureg) *eg* statement (in computing)
mynegiad (mewn mathemateg) *eg* expression (in mathematics, act of expressing)
mynegiad algebraidd *eg* algebraic expression
mynegiad cyfradd adwaith *eg* reaction rate expression
mynegiad ecwilibriwm *eg* equilibrium expression
mynegiadaeth *eb* expressionism
mynegiadaeth haniaethol *eb* abstract expressionism
mynegiadol *ans* expressionist *adj*
mynegiadwr *eg* expressionist *n*
mynegiant *eg* expression (of ideas etc)
mynegiant creadigol *eg* creative expression
mynegolrwydd *eg* expressiveness
mynegrif dargyfeirio *eg* detour index
mynwent *eb* graveyard
mynwent eglwys *eb* churchyard
mynwes *eb* bust (=human chest)
mynwydd *eg* gooseneck *n*
mynwyddu *be* gooseneck *v*
mynychu (ysgol) *be* attend (school)
mynydd guyot *eg* guyot
mynydd iâ *eg* iceberg
mynydd ifanc *eg* young mountain
mynydd rhew *eg* iceberg
mynydda *be* mountaineering
myoglobin *eg* myoglobin
myomer *eg* myomer
myopia *eg* myopia
myosin *eg* myosin
Myrddin *eg* Merlin
mysceg *eg* muskeg
mysged *eg* musket
mysgedwr *eg* musketeer
myth *eg* myth
mytholeg *eb* mythology
mytholegol *ans* mythical

---

adf, adv adferf, adverb   **ans, adj** ansoddair, adjective   *be* berf, verb   *eb* enw benywaidd, *feminine noun*   *eg* enw gwrywaidd, *masculine noun*

N

nad yw'n bod *ans* non-existent
nadir *eg* nadir
Nadolig *eg* Christmas
naddion *ell* shavings
naddion copr *ell* copper filings
naddion haearn *ell* iron filings
naddion pren *ell* wood shavings
naddu *be* chisel *v*
naddu fertigol *be* vertical chiselling
naddu llorweddol *be* horizontal chiselling
nafftha *eg* naphtha
naffthalen *eg* naphthalene
naid *eb* jump *n*
naid ac adlam jump with a rebound
naid amodol *eb* conditional jump
naid ar led *eb* astride jump
naid bolyn *eb* pole vault
naid braich *eb* arm jump
naid broga *eb* frog jump
naid cath *eb* catspring
naid cwningen *eb* bunny jump
naid driphlyg *eb* triple jump
naid ddeudroed *eb* fly spring
naid ddiamod *eb* unconditional jump
naid fainc *eb* bench jump
Naid Fawr Ymlaen (Tsieina) *eb* Great Leap Forward (in China)
naid fforchog *eb* straddle jump
naid gwrcwd *eb* crouch jump
naid hir *eb* long jump
naid rythmig *eb* rhythmic jump
naid sgip *eb* skip jump
naid stond *eb* standing jump
naid uchel *eb* high jump
naid wasg *eb* burpee
naid yn ôl *eb* backward spring
naidlen *eb* pop-up menu
nain *eb* grandmother
nain-dâp *eg* grandfather tape
nam (ar leferydd) *eg* impediment
nam (ar synhwyrau) *eg* impairment
nam (mewn cyfrifiadur) *eg* bug (=fault)
nam (yn gyffredinol) *eg* defect (physical) *n*
nam geni *eg* birth defect
nam ar ddau synnwyr *eg* dual sensory impairment
nam ar y lleferydd *eg* speech impediment
nam corfforol *eg* physical defect
nam etifeddol *eg* inherited defect

nam gweledol *eg* visual impairment
nam meddyliol *eg* mental deficiency
nanometr *eg* nanometre
nano-eiliad *eg/b* nanosecond
nant (yn gyffredinol) *eb* stream (=small river)
nant (yn yr Unol Daleithiau) *eb* creek (in U.S.A)
nant gildro *eb* reversed stream
nant hafesb *eb* winterbourne
napcyn *eg* napkin
naratif *eg* narrative *n*
nas tymherwyd *ans* untempered
nasoffaryngeal *ans* nasopharyngeal
Natsïeiddio *be* Nazify
Natsi *eg* Nazi
Natsïaidd *ans* Nazi *adj*
natur *eb* nature
natur gweithgaredd gwyddonol *eb* nature of scientific activity
natur weledol *eb* visual nature
natur y tafliad *eb* type of throw
naturiol *ans* natural *adj*
naturiolaeth wrthrychol *eb* objective naturalism
naturiolaidd *ans* naturalistic
naturoliaeth *eb* naturalism
Naw Deg a Phum Pwnc (Luther) *eg* Ninety Five Theses (of Luther)
nawdd *eg* patronage
nawdd cymdeithasol *eg* social security
nawfed *eg* ninth
nawpled *eg* nonuplet
naws *eb* mood (in art, music etc)
naws yr ystafell ddosbarth classroom climate
nebiwlydd *eg* nebulizer
neclis *eb* necklace
neddyf *eb* adze
nefoedd *eb* heaven (in religious sense)
neffridiwm *eg* nephridium
neffron *eg* nephron
negatif *ans* negative (of charge) *adj*
negatif *eg* negative (in photography) *n*
neges *eb* message
neges ffacs *eb* facsimile message
negyddiad amser *eg* negation of time (Messiaen)
negyddol *ans* negative (in general sense) *adj*
negyddu *be* negate
neidiant *eg* saltation
neidio *be* jump *v*
neidio am y bêl *be* jump for the ball

---

eg/b enw gwrywaidd/benywaidd, *feminine/masculine noun*   *ell* enw lluosog, *plural noun*   *v* berf, *verb*   *n* enw, *noun*

neidiol *ans* saltatory
neidiwr *eg* jumper (of person)
neidiwr hir *eg* long jumper
Neifion *eg* Neptune
neilon *eg* nylon
neilon gwlanog *eg* brushed nylon
neilltuad *eg* assignment (statement that allocates a value to a variable)
neilltuaeth daleithiol *eb* particularism
neilltuo (=pennu) *be* assign
neilltuo (mewn economeg) *be* isolate (in economics) *v*
neilltuo (yn gyffredinol) *be* reserve *v*
neilltuo gronyn i gell *be* assign particle to cell
neilltuol *ans* particular *adj*
neithdar *eg* nectar
neithdarle *eg* nectary
nematocyst *eg* nematocyst
nematod *eg* nematode
nenbren *eg* ridge tree
nenfwd *eg* ceiling
nenfforch *eb* cruck
nenffyrchog *ans* crucked
neoargraffiadaeth *eb* neo-impressionism
neodymiwm (Nd) *eg* neodymium (Nd)
neoglasuraeth *eb* neoclassicism
neoglasurol *ans* neoclassical
neolithig *ans* neolithic
neon (Ne) *eg* neon (Ne)
neorewlifiant *eg* neoglaciation
neo-Gothig *ans* neo-Gothic
neo-Malthwsiaeth *eb* neo-Malthusianism
neo-Ramantaidd *ans* neo-Romantic
nepotistiaeth *eb* nepotism
nepotydd *eg* nepotist
neptwniwm (Np) *eg* neptunium (Np)
nerf *eg/b* nerve
nerf abdwcent *eg* abducent nerve
nerf atodol *eg* accessory nerve
nerf clunol *eg* sciatic nerve
nerf duegol *eg* splenic nerve
nerf echddygol *eg* motor nerve
nerf fagws *eg* vagus nerve
nerf gostyngol *eg* depressor nerve
nerf optig *eg* optic nerve
nerf synhwyraidd *eg* sensory nerve
nerf wlnar *eg* ulnar nerve
nerf wynebol *eg* facial nerve
nerf y clyw *eg* auditory nerve
nerf yr asgwrn cefn *eg* spinal nerve
nerfegol *ans* neurological
nerfogaeth *eb* innervation
nerfogi *be* innervate
nerfol *ans* nervous (of anatomy)
nerfolyn *eg* nervule
nerfrwyd *eb* nerve net
nerfus *ans* nervous (of person)

nerfwreiddyn *eg* nerve root
nerfwreiddyn blaen *eg* anterior root (of nerve)
nerth *eg* power (=strength)
nerth (sain) *eg* strength (of sound)
nerth adlynol *eg* adhesive power
nerth ardrawiad *eg* impact strength
nerth gwasgaru *eg* dispersive power
nerth lens (dioptr) *eg* lens power (dioptre)
nerth plygiant *eg* flexure strength
nesaf at next to
net *ans* net (=after deductions) *adj*
NEU OR
NEU anghynhwysol (NEUA) *eg* exclusive OR
neuadd chwaraeon *eb* sports hall
neuadd y dref *eb* town hall
newid (i destun) *eg* amendment (to a text)
newid (yn gyffredinol) *eg* change
newid beunyddiol *eg* daily change
newid cyfeiriad *be* change direction
newid cyflymdra *be* change of pace
newid cynnil *eg* subtle change
newid cyweddiad *be* change of engagement
newid enharmonig *eg* enharmonic change
newid sensitifrwydd *be* alter sensitivity
newid sydyn *eg* sudden change
newid technolegol *eg* technological change
newid tymor byr *eg* short term change
newid un ffactor *be* change one factor
newidiadau arfaethedig *ell* proposed changes
newidiadau cydadferol *ell* compensatory changes
newidiadau cyfnodol *ell* periodic changes
newidiadau rhes *ell* row reduction
newidiadau tymhorol *ell* seasonal changes
newidiol *ans* variable *adj*
newidydd *eg* transformer
newidydd codi *eg* step-up-transformer
newidydd gostwng *eg* step-down transformer
newidyn *eg* variable *n*
newidyn annibynnol *eg* independent variable
newidyn arwahanol *eg* discrete variable
newidyn Boole *eg* Boolean variable
newidyn cyfanrifol *eg* integer variable
newidyn cyfredol *eg* current variable
newidyn cymhlyg *eg* complex variable
newidyn deuaidd *eg* binary variable
newidyn dibynnol *eg* dependent variable
newidyn eang *eg* global variable
newidyn gweddill *eg* surplus variable
newidyn llacrwydd *eg* slack variable
newidyn lleol *eg* local variable
newidyn llinynnol *eg* string variable
newidyn real *eg* real variable
newidyn rhyngddibynnol *eg* interdependent variable
newidynnau sy'n rhyngberthyn *ell* interrelated variables
newton *eg* newton (N)
newyddbeth *eg* innovation (=new thing)

newyddiaduriaeth *eb* journalism
newyddiadurwr *eg* journalist
newyddlen *eb* news-sheet
newydd-anedig *ans* neonatal
newyn *eg* famine
newynu *be* starve
nfed nth
NIAC NAND
nib torri leino *eg* lino cutting nib
nib llythrennu *eg* lettering nib
nicel (Ni) *eg* nickel (Ni)
nicel coprog *eg* cupro-nickel
nicer *eg* knicker
nicers cami *eg* camiknickers
NID NOT
nid hawliau tramwy o angenrheidrwydd not necessarily
  rights of way
NIEU NOR
nifer *eg* number (=total count or aggregate) *n*
nifer (yr achosion) *eg* incidence (of cases)
nifer a dderbynnir *eg* intake
nifer ar y gofrestr *eg* number on roll
nifwl *eg* nebula
nifwl modrwy *eg* ring nebula
nihiliaeth *eb* nihilism
nihilydd *eg* nihilist
nilpotent *ans* nilpotent
nimbostratus *eg* nimbostratus
ninhydrin *eg* ninhydrin
niobiwm (Nb) *eg* niobium (Nb)
niper *eg* nipper
niper bandio *eg* band nipper
niper torri blaen *eg* end-cutting nipper
niper torri croeslinol *eg* diagonal-cutting nipper
nipl *eg* nipple (in enginering)
nipl olew *eg* oil nipple
niplau iro *ell* lubricating nipples
nitrad *eg* nitrate
nitradiad *eg* nitration
nitreiddiad *eg* nitrification
nitreiddio *be* nitrify
nitrido *be* nitriding
nitrogen (N) *eg* nitrogen (N)
nitro-cellwlos *eg* nitro-cellulose
niwclear *ans* nuclear
niwcledig *ans* nucleated (of atom)
niwcleon *eg* nucleon
niwclews *eg* nucleus (of an atom)
niwclews diploid *eg* diploid nucleus
niwclid *eg* nuclide
niwclioffil *eg* nucleophile *n*
niwclioffilig *ans* nucleophile *adj*
niwcliotid *eg* nucleotide
niwed i'r ymennydd *eg* brain damage
niweidiol *ans* harmful
niwl *eg* fog *n*
niwl ffrynt *eg* frontal fog

niwl iâ *eg* ice fog
niwl llorfudol *eg* advection fog
niwl mynydd *eg* hill fog
niwl pelydriad *eg* radiation fog
niwl rhew *eg* ice fog
niwlen *eb* mist *n*
niwlio *be* mist *v*
niwlo *be* fog *v*
niwlog *ans* nebulous
niwm *eg* neume
niwmateg *eb* pneumatics
niwmatig *ans* pneumatic
niwmismateg *eb* numismatics
niwmotacsis *eg* pneumotaxis
niwral *ans* neural
niwroleg *eb* neurology
niwrolegydd *eg* neurologist
niwron *eg* neurone
niwron afferol *eg* afferent neurone
niwron cysylltiol *eg* associator (=connector neurone)
niwron echdygol *eg* efferent neurone
niwrosis *eg* neurosis
niwsans *eg* nuisance
niwtral *ans* neutral
niwtraledig *ans* neutralized
niwtraleiddio *be* neutralize
niwtraliad *eg* neutralization
niwtraliaeth *eb* neutrality
niwtraliaeth arfog *eb* armed neutrality
niwtralu asidau *be* neutralization of acids
niwtrino *eg* neutrino
niwtron *eg* neutron
nobeliwm (No) *eg* nobelium (No)

nod (=marc) *eg* mark (trace or symbol)
nod (=symbol yn cynrychioli llythyren etc) *eg* character
  (=symbol)
nod (=uchelgais, rhwybeth i gyrchu ato) *eg* aim (in
  education)
nod (mewn anatomi, ffiseg a mathemateg) *eg* node (in
  anatomy, physics and mathematics)
nod anghyfreithlon *eg* illegal character
nod anwybyddu *eg* ignore character
nod barcut *eg* kite mark
nod cod deuaidd *eg* binary coded character
nod dalen-borthiad *eg* form-feed character *n*
nod gwarant *eg* hall mark
nod gwlân *eg* wool mark
nod lymff *eg* lymph node
nod llin-borthiad *eg* line feed character
nod masnach *eg* trade mark
nod mewnol *eg* embedded character
nod prawf *eg* assay mark
nod rheoli *eg* control character
nod tudalen *eg* bookmark
nodaledd *eg* nodality
nodau 'blue' *ell* 'blue' notes
nodau ac amcanion aims and objectives

---

eg/b enw gwrywaidd/benywaidd, *feminine/masculine noun*   **ell** enw lluosog, *plural noun*   **v** berf, *verb*   **n** enw, *noun*

nodau canol *ell* middle register
nodau cyfnewid *ell* changing notes
nodau cyfrannol *ell* proportional characters
nodau isel *ell* low register
nodau mynych *ell* reiterated notes
nodau uchel *ell* high register
nodau yr eiliad (nye) characters per second (cps)
nodedig *ans* distinctive
nodi *be* note (=record)
nodiad gweledol *eg* visual note
nodiadau dadansoddol *ell* analytical notes
nodiadur *eg* notebook
nodiaith *eb* object language
nodiannu *eg* notate
nodiant *eg* notation
nodiant arluniol *eg* diagrammatic notation
Nodiant Bow *eg* Bow's Notation
Nodiant Cil-Bwyl *eg* Reverse Polish Notation
nodiant confensiynol *eg* conventional notation
nodiant degol *eg* decimal notation
nodiant degolion cod deuaidd *eg* binary coded decimal notation
nodiant deuaidd *eg* binary notation
nodiant graffig *eg* graphic notation
nodiant hecsadegol *eg* hexadecimal notation
nodiant indecs *eg* index notation
nodiant mathemategol confensiynol *eg* conventional mathematical notation
nodiant mathemategol safonol *eg* standard mathematical notation
nodiant mewnddodol *eg* infix notation
nodiant wythol *eg* octal notation
nodol *ans* nodal

nodwedd *eb* characteristic property *n*
nodwedd *eb* feature (in general)
nodwedd *eg* character (of biological species etc)

nodwedd amlwg *eb* dominant feature
nodwedd ddaearyddol *eb* geographical feature
nodwedd gaffaeledig *eb* acquired feature
nodwedd gyffredinol *eb* general feature
nodwedd hinsoddol *eb* climatic feature
nodwedd llystyfiant *eb* character of vegetation
nodwedd ofodol *eb* spatial feature
nodwedd rywiol eilaidd *eb* secondary sexual character
nodwedd tirwedd *eb* relief feature
nodweddiadol *ans* characteristic *adj*
nodweddion defnyddiau *ell* material characteristics
nodweddion dynol *ell* human features
nodweddion ffisegol *ell* physical features
nodweddion hynafiadol *ell* ancestral traits
nodweddion rhieni *ell* parental characteristics
nodweddion sy'n debyg *ell* similarities (in general)
nodweddion tirwedd *ell* landscape features
nodweddrif *eg* characteristic (logarithms) *n*
nodwydd *eb* needle
nodwydd belenbwynt *eb* ball-point needle
nodwydd clustogwaith *eb* upholstery needle

nodwydd chenille *eb* chenille needle
nodwydd ddwbl *eb* twin needle (of machine part)
nodwydd folcanig *eb* volcanic spine
nodwydd frodio *eb* embroidery needle
nodwydd gleinwaith *eb* beading needle
nodwydd greithio *eb* darning needle
nodwydd lafa *eb* lava spine
nodwydd lledr *eb* leather needle
nodwydd llygad agored *eb* calyx eye needle
nodwydd peiriant *eb* machine needle
nodwydd tapestri *eb* tapestry needle
nodwydd wnïo *eb* sewing needle
nodwydd ysgythru *eb* etching needle
nodwyddau iâ *ell* pipkrake
nodwyddau rhew *ell* pipkrake
nodwydden *eb* between needle
nodyn *eg* note
nodyn agored *eg* open note
nodyn anhepgor *eg* essential note
nodyn atodol *eg* added note
nodyn blaidd *eg* wolf note
nodyn camu *eg* passing note
nodyn camu acennog *eg* accented passing note
nodyn casglu *eg* gathering note
nodyn clwm *eg* tied note
nodyn credyd *eg* credit note
nodyn chwe deg pedwar *eg* sixty-fourth-note
nodyn dangos *eg* distinguishing note (sol-fa)
nodyn deuddot *eg* double dotted note
nodyn diogelu *eg* cover note
nodyn dot *eg* dotted note
nodyn enharmonig *eg* enharmonic note
nodyn hyd atodol *eg* added value note
nodyn naturiol *eg* natural note
nodyn nodweddiadol *eg* characteristic note
nodyn piano *eg* piano key
nodyn rhaglen *eg* programme note
nodyn sylfaenol *eg* fundamental note
nodyn wyth *eg* eighth-note (quaver)
nod-chwiliad *eg* wild card search
nod-chwilio *be* wild card *v*
nod-chwiliwr *eg* wild card *n*
nod-raglen *eb* object program
nodd *eg* sap
noddfa *eb* sanctuary (=refuge)
noddi *be* patronize
noddwr *eg* patron

noeth *ans* bare
noeth (=heb ddillad) *ans* naked
noeth (mewn cerddoriaeth) *ans* exposed (in music)
noethlun *eg* nude (=painting, sculpture etc of nude figure)
nofa *eg* nova
nofio *be* swimming
nofio ar y cefn *be* backstroke
nofio ar yr ochr *be* side stroke
nofio broga *be* breast-stroke

---

adf, adv adferf, adverb   **ans, adj** ansoddair, *adjective*   **be** berf, *verb*   **eb** enw benywaidd, *feminine noun*   **eg** enw gwrywaidd, *masculine noun*

Normanaidd *ans* Norman *adj*
Normaneiddio *be* Normanisation
normedig *ans* normed
norm-gyfeiriol *ans* norm-referenced
Norseg *eb* Norse (language) *n*
nosol *ans* nocturnal
noson rieni *eb* parents night
not *eb* knot (=measure of speed)
nota cambiata *eg* nota cambiata
notari *eg* notary
notari'r cyhoedd *eg* public notary
notari'r Pab *eg* papal notary
notochord *eg* notochord
NVQ: Cymhwyster Galwedigaethol Cenedlaethol *eg*
   NVQ: National Vocational Qualification
nwl *eg* null
nwlbwynt *eg* null point
nwmenaidd *ans* numinous
nwrl *eg* knurl
nwrl bras *eg* coarse knurl
nwrl canolig *eg* medium knurl
nwrl diemwnt *eg* diamond knurl
nwrl mân *eg* fine knurl
nwrl syth *eg* straight knurl
nwrlio *be* knurling (of lathe tools)
nwy *eg* gas
nwy aer *eg* producer gas
nwy anadweithiol *eg* inert gas
nwy dŵr *eg* water gas
nwy gwacáu *eg* exhaust gas
nwy naturiol *eg* natural gas
nwy nobl *eg* noble gas
nwy perffaith *eg* ideal gas
nwy prin *eg* rare gas
nwy pwll glo *eg* fire damp
nwy real *eg* real gas
nwydd *eg* commodity
nwyddau *ell* goods
nwyddau a meddiannau *ell* goods and chattels
nwyddau ail-law *ell* secondhand goods
nwyddau brand *ell* branded goods
nwyddau cartref *ell* home-made goods
nwyddau claddu *ell* grave goods
nwyddau cyfalaf *ell* capital goods
nwyddau cyfleus *ell* convenience goods
nwyddau cymhariaeth *ell* comparison goods
nwyddau darfodus *ell* perishable goods
nwyddau diffygiol *ell* faulty goods
nwyddau golchi *ell* washing products
nwyddau gorffenedig *ell* finished goods
nwyddau gwarantiedig *ell* guaranteed goods
nwyddau gwlân *ell* woollens
nwyddau haearn *ell* ironmongery (hardware)
nwyddau israddol inferior goods
nwyddau masgynnyrch *ell* mass produced goods
nwyddau moeth *ell* luxury goods
nwyddau pris gostyngol *ell* reduced goods

nwyddau swmpus *ell* bulky goods
nwyddau sy'n para *ell* durable goods
nwyddau traul *ell* consumer goods
nwyddau tŷ *ell* household goods
nwyddau wedi'u baeddu yn y siop *ell* shop-soiled goods
nwyglos *ans* gastight
nwyol *ans* gaseous
nwyon allanadledig *ell* exhaled gases
nwyon cynyrchiedig *ell* evolved gases
nwyon gwenwynig *ell* poisonous gases
nwyon mewnanadledig *ell* inhaled gases
nyctinasedd *eg* nyctinasty
nychdod *eg* dystrophy (in physiology)
nychdod cyhyrol *eg* muscular dystrophy
nyddolyn *eg* spinneret
nyddu *be* spin (wool) *v*
nylbwyntydd *eg* null pointer
nylnod *eg* null character
nymff *eb* nymph
nynatac *eg* nunatak
nyrs *eb* nurse *n*
nyrs cymuned *eb* community nurse
nyrs cymuned, anfantais meddwl *eb* community nurse, mental handicap
nyrs gysylltiol *eb* associate nurse
nyrs practis *eb* practice nurse
nyrs staff *eb* staff nurse
nyrs ardal *eb* district nurse
nyrs ategol *eb* nursing auxiliary
nyrs benodol *eb* named nurse
nyrs feithrin *eb* nursery nurse
nyrs gofrestredig gyffredinol *eb* registered general nurse
nyrs iechyd meddwl *eb* mental health nurse
nyrs restredig *eb* enrolled nurse
nyrs seiciatrig cymuned *eb* community psychiatric nurse
nyrs sylfaenol *eb* primary nurse
nyrs ysgol *eb* school nurse
nyrsio *be* nursing
nyrsio iechyd meddwl *be* mental health nursing
nyrsio rhwystrol *be* barrier nursing
nyrsio rhwystrol gwrthol *be* reverse barrier nursing
nyrsio sylfaenol *be* primary nursing
nyrsio tîm *be* team nursing
nyten *eb* nut
nyten â choler wedi'i llifio *eb* nut with sawn collar
nyten â mewniad neilon *eb* nut with nylon insert
nyten â mewniad rwber *eb* nut with rubber insert
nyten asgellog *eb* wing nut
nyten chwimwth *eb* quick action nut
nyten ddei *eb* die nut
nyten gastell *eb* castle nut
nyten gloi *eb* lock nut
nyten gloi rhigol V *eb* vee groove locking nut
nyten glwm *eb* stiff nut
nyten gymhwyso *eb* adjusting nut
nyten gymhwyso uchder *eb* height adjusting nut
nofio ci *be* dog paddle

---

eg/b enw gwrywaidd/benywaidd, *feminine/masculine noun*   **ell** enw lluosog, *plural noun*   **v** berf, *verb*   **n** enw, *noun*

nofio cyflym *be* sprint (in swimming)
nofio dulliau cymysg *be* medley swimming
nofio morlo *be* seal swimming
nofio pellter *be* distance swimming
nofio pilipala *be* butterfly stroke
nofis *eg* novice
nomad *eg* nomad
nomadiaeth *eb* nomadism
nomadig *ans* nomadic
nomogram *eg* nomogram
nonagon *eg* nonagon
nonau *ell* nones
noned *eb* nonet
norm *eg* norm
norm cysylltiol *eg* associated norm
norm oed *eg* age norm

normal *ans* normal *adj*
normal *eg* normal *n*
normaleiddio *be* normalize
normalydd *eg* normalizer
Norman *eg* Norman (of person) *n*
nyten hecsagonol *eb* hexagonal nut
nyten nwrl *eb* knurled nut
nyten rigolog *eb* grooved nut
nyten rych *eb* slotted nut
nyten sgwâr *eb* square nut
nyten Simmonds *eb* Simmonds nut
nyten wedi'i llifio *eb* sawn nut
nyten werthyd *eb* spindle nut
nytiau a bolltau nuts and bolts
nythaid o fyrddau *eb* nest of tables
N-cam *eg* N-stage

---

o amgylch *adf* around
o ben i ben *ans* overall (of measurements) *adj*
o dan effaith disgyrchiant under the action of gravity
o dan ofal being cared for
o flaen before
o gyfrannedd da *ans* well-proportioned (in art etc)
o linach y fam matrilineal
o'r gwddf i'r wasg neck-to-waist
o'r gwegil i'r wasg nape-to-waist
O Uchel Dras oedd Siencyn Of Noble Race was Shenkin
o waith llaw *ans* hand made
obelisg *eg* obelisk
oblad *ans* oblate
obo *eg* oboe
obsesiwn *eg* obsession
obstetreg *eb* obstetrics
obstetregydd *eg* obstetrician
oböydd *eg* oboist
OC (Oed Crist) *eg* AD (Anno Domini)
ocarina *eg* ocarina
ocelws *eg* ocellus
ocr *eg* ochre
ocr coch *eg* red ochre
ocr melyn *eg* yellow ochre
ocsid *eg* oxide
ocsid metel *eg* metal oxide
ocsidas terfynol *eg* terminal oxidase
ocsideiddiad *eg* oxidization
ocsidiad *eg* oxidation
ocsidiad anodig *eg* anodic oxidation
ocsidiedig *ans* oxidized
ocsidio *be* oxidize
ocsidio tanwyddau *be* oxidation of fuels
ocsidydd *eg* oxidizing agent
ocsigen (O) *eg* oxygen (O)
ocsigeniad *eg* oxygenation
ocsigenu *be* oxygenate
ocsihaemoglobin *eg* oxyhaemoglobin
ocsitosin *eg* oxytocin
ocsi-asetylen *eg* oxy-acetylene
octagon *eg* octagon
octahedron *eg* octahedron
octant *eg* octant
ocwlar *eg* ocular *n*
ocwm *eg* oakum
ochenaid *eb* groan *n*
ochr *eg/b* side
ochr agored *eb* off side

ochr agosaf *eb* near side
ochr anghywir (O.A.) *eb* wrong side (W.S.)
ochr atrew *eb* onset side of ice
ochr atwynt *eb* windward side
ochr bellaf *eb* far side
ochr chwith *eb* left side
ochr chwith y cwrt *eb* left side of the court
ochr datwm *eb* datum side
ochr dywyll *eb* blind side
ochr dde (wrth rwyfo) *eb* bow side (in rowing)
ochr dde (yn gyffredinol) *eb* right side (as opposed to left side)
ochr ddrôr *eb* drawer side
ochr esgynedig *eb* upthrow side
ochr flaenllaw *eb* forehand side
ochr goes *eb* leg side
ochr grisiau *eb* stringer
ochr gyfagos *eb* adjacent side
ochr gysgodol *eb* leeward side
ochr gywir *eb* right side (=correct side)
ochr isaf *eb* underside
ochr od *eb* odd side
ochr strôc *eb* stroke side
ochr strôc dani *eb* stroke side under
ochr syrthiedig *eb* downthrow side
ochr waered *eb* downhill side
ochr wanaf *eb* weaker side
ochr wastraff (y llinell) *eb* waste side (of line)
ochr wrthlaw *eb* backhand side
ochr wrthrew *eb* lee side of ice
ochr wyneb *eb* face side
ochr y droed *eb* sidefoot
ochr y raced *eb* side of the racket
ochr yn ochr side by side
ochrau cyfatebol *ell* corresponding sides
ochrau cyferbyn *ell* opposite sides
ochrau paralel *ell* parallel sides
ochrgamu *be* side-step
ochrog *ans* sided
ochrol *ans* lateral
ochrolwg *eg* side elevation
ochrolwg cyfansawdd *eg* composite end view
ochrolwg hanner trychiadol *eg* half-sectional end elevation
ochrolwg trychiadol *eg* sectional end view
ochr-dorri *be* side-cutting
odbaredd *eg* odd parity
odrif *eg* odd number

---

eg/b enw gwrywaidd/benywaidd, *feminine/masculine noun*　　**ell** enw lluosog, *plural noun*　　**v** berf, *verb*　　**n** enw, *noun*

odyn *eb* kiln

odyn blaen-lwytho *eb* front loading kiln

odyn dop-lwytho *eb* top loading kiln

odyn drydan *eb* electric kiln

odyn enamlo *eb* enamelling kiln

odyn fwffl-lwytho *eb* muffle loading kiln

odyn fflam agored *eb* open-flame kiln

odyn galch *eb* lime kiln

odyn-sych *ans* kiln-dry *adj*

odyn-sychu *be* kiln-dry *v*

od-ffwythiant *eg* odd function

oddfog *ans* bulbous

oddi ar safle'r ysgol *adf* off the school site

oed *eg* age (of person)

Oed Crist (O.C.) Anno Domini (A.D.)

oed cronolegol *eg* chronological age

oed cyrhaeddiad *eg* achievement age

oed darllen *eg* reading age

oed datblygiad *eg* developmental age

oed galedu *be* age hardening

oed meddyliol *eg* mental age

oed symud *eg* transfer age

oedema *eg* oedema

oedi *be* delay *v*

oedi yn y datblygiad *be* developmental delay

oediad *eg* delay *n*

oediad adwy *eg* gate delay

oediad amser *eg* time lag

oedolyn *eg* adult

oedolyn y parasit *eg* adult form of the parasite

oedran allweddol *eg* key age

oedrannus *ans* elderly *adj*

oer *ans* cold *adj*

oer freuder *eg* cold shortness

oerfel *eg* exposure (=being exposed to the elements)

oergell *eb* refrigerator

oeri *be* cool *v*

oerlif *eg* gelifluction

oerni *eg* cold *n*

oerydd *eg* coolant

oes *eb* age (=period)

Oes Aur *eb* Golden Age

Oes Cynnydd *eb* Age of Improvement

oes defnydd *eg* pot life

oes Edwardaidd *eb* Edwardian era

Oes Efydd *eb* Bronze Age

Oes Efydd Ddiweddar *eb* Late Bronze Age

Oes Efydd Gynnar *eb* Early Bronze Age

Oes Ffydd *eb* Age of Faith

Oes Haearn *eb* Iron Age

Oes Iâ *eb* Ice Age

Oes Iâ ddiwethaf *eb* last Ice Age

Oes Neolithig *eb* New Stone Age

Oes Rheswm *eb* Age of Reason

oes silff *eb* shelf life

Oes y Cerrig *eb* Stone Age

Oes y Goleuo *eb* Age of Enlightenment

Oes y Llymder *eb* Age of Austerity

Oes y Saint *eb* Age of the Saints

Oesoedd Canol *ell* Middle Ages

Oesoedd Tywyll *ell* Dark Ages

oesoffagws *eg* oesophagus

oestrogen *eg* oestrogen

oestrws *eg* oestrus

ofaraidd *ans* ovarian

ofari *eg* ovary

oferôl *eb* overall (protective clothing) *n*

ofolo *eg* ovolo

ofwl *eg* ovule

ofwliad *eg* ovulation

ofwm *eg* ovum

ofylu *be* ovulate

offeiriad *eg* priest

offeiriad siantri *eg* chantry priest

offeiriadaeth *eb* ministry (of church)

offeiriadaeth yr holl saint *eb* priesthood of all believers

offeiriadol *ans* sacerdotal

offeiriadolaeth *eb* sacerdotalism

offer *ell* equipment (for kitchen, camping)

offer byrfyfyr *ell* improvised apparatus

offer argraffu *ell* printing equipment

offer clai *ell* clay tools

offer cleifion *ell* patient appliances

offer cludol *ell* portable apparatus

offer chwaraeon *ell* games equipment

offer drymiau *ell* drum kit

offer electronig *ell* electronic equipment

offer fferm *ell* farm implements

offer ffurfio *ell* form tools

offer gafael *ell* holding tools

offer golchwaith *ell* laundry appliances

offer gorffennu *ell* finishing tools

offer llaw *ell* hand tools

offer llaw chwith *ell* left-hand tools

offer lluniadu *ell* drawing instruments

offer llygadennu *ell* eyelet tools

offer mainc *ell* bench tools

offer mawr *ell* large apparatus

offer mesur *ell* measuring instruments

offer miniog *ell* edged tools

offer modelu *ell* modelling tools

offer niwmatig *ell* pneumatic tools

offer nwrlio *ell* knurling tools (of lathe accessories)

offer parod *ell* manufactured apparatus

offer peiriannau *ell* machine tools

offer peiriant llunio *ell* shaper tools

offer plygu *ell* bending equipment

offer pŵer cludadwy *ell* portable power tools

offer recordio *ell* recording equipment

offer sugnwr llwch *ell* vacuum tools

offer torri *ell* cutting tools

offer trachywir *ell* precision instruments

offer trosoli *ell* lever tools

offer turn *ell* lathe tools

---

adf, adv adferf, *adverb*   **ans, adj** ansoddair, *adjective*   **be** berf, *verb*   **eb** enw benywaidd, *feminine noun*   **eg** enw gwrywaidd, *masculine noun*

offeren *eb* mass
offeren addunedol *eb* votive mass
offeren gylch *eb* cyclic mass
offeren organ *eb* organ mass
offeren i'r meirw *eb* mass for the dead
offeryn *eg* instrument (=implement)
offeryn allweddellau *eg* keyboard instrument
offeryn cerdd *eg* musical instrument
offeryn cerdd trydan *eg* electric musical instrument
offeryn cudd *eg* hidden instrument
offeryn eisedig *eg* strutted instrument
offeryn falf *eg* valve instrument
offeryn llawfwrdd *eg* clavier (instrument)
offeryn llinynnol *eg* stringed instrument
Offeryn Llywodraeth *eg* Instrument of Government
offeryn meini prawf *eg* criteria instrument
offeryn pres *eg* brass instrument
offeryn statudol *eg* statutory instrument
offeryn syml *eg* simple instrument
offeryn taro *eg* percussion instrument
offeryn taro tiwniedig *eg* tuned percussion instrument
offeryn traddodiadol *eg* traditional instrument
offeryn traw *eg* tuned instrument
offeryn trawsnodi *eg* transposing instrument
offeryn unawd *eg* solo instrument
offeryniaeth *eb* instrumentation
offerynnau taro di-draw *ell* untuned percussion
offerynnol *ans* instrumental
offerynnwr *eg* instrumentalist
offrwm *eg* offering
offrwm addunedol *eg* votive offering
offrymddarn *eg* voluntary *n*
offrymgan *eb* offertory
offthalmoleg *eb* ophthalmology
offthalmolegydd *eg* ophthalmologist
ogam *eg* ogham
ogamu *be* go about (in sport)
ogee *eg* ogee
ogif *eg* ogive
ogof *eb* cave
ogof ordo *eb* overhanging cave
ogofeg *eb* speleology
ogofwr *eg* speleologist
ogof-annedd *eb* cave dwelling
ongl *eb* angle *n*
ongl a gynhelir *eb* subtended angle
ongl adlewyrchiad *eb* angle of reflection
ongl aflem *eb* obtuse angle
ongl allanol *eb* exterior angle
ongl arosgo *eb* oblique angle
ongl atblyg *eb* reflex angle
ongl atodol *eb* supplementary angle
ongl awr *eb* hour angle
ongl bitsh *eb* pitch angle (plane)
ongl blygiant *eb* angle of refraction
ongl breswyl *eb* dwell angle
ongl bwynt *eb* point angle (drill part)

ongl cliriad gwefus *eb* lip clearance angle (drill part)
ongl dafluniad *eb* angle of projection
ongl dorri *eb* cutting angle
ongl drawiad *eb* angle of incidence
ongl drwyn *eb* nose angle
ongl ddadleoliad *eb* displacement angle
ongl ddeuhedrol *eb* dihedral angle
ongl ddilyn *eb* trail angle
ongl erfyn torri *eb* angle of cutting tool
ongl erfyn turnio *eb* angle of turning tool
ongl fewnol *eb* interior angle
ongl ffrithiant *eb* angle of friction
ongl gliriad *eb* clearance angle
ongl godiad *eb* angle of elevation
ongl goledd *eb* angle of inclination
ongl groestoriad *eb* angle of intersection
ongl gyfagos *eb* adjacent angle
ongl gyferbyn *eb* opposite angle
ongl gyflenwol *eb* complementary angles
ongl gylchdro *eb* angle of rotation
ongl gynffonnog *eb* dovetail angle
ongl gynwysedig *eb* included angle
ongl gyswllt *eb* angle of contact
ongl gywir *eb* correct angle
ongl helics *eb* helix angle
ongl hogi *eb* sharpening angle
ongl isel *eb* low angle
ongl lem *eb* acute angle
ongl letrawsedd *eb* angle of obliquity
ongl lifanu *eb* grinding angle
ongl ostwng *eb* angle of depression
ongl prin drawiad *eb* angle of grazing incidence
ongl rhedeg *eb* running angle
ongl sail *eb* base angle
ongl sector *eb* sector angle
ongl sgwâr *eb* right angle
ongl syth *eb* straight angle
ongl weledol *eb* optical angle
ongl wyredd *eb* rake angle (drill part)
ongl wyriad *eb* angle of deviation
onglaidd *ans* angular
onglau atodol *ell* supplementary angles
onglau croesfertigol *ell* vertically opposite angles
onglau cyfansawdd *ell* multiple angles
onglau cyfatebol *ell* corresponding angles
onglau cyferbyn *ell* opposite angles
onglau eiledol *ell* alternate angles
onglau ffracsiynol *ell* sub-multiple angles
ongli *be* angle *v*
onglog *ans* angular
onglogrwydd *eg* angularity
onglydd *eg* protractor
onglydd fernier *eg* vernier protractor
ohm *eg* ohm
ohmedr *eg* ohmeter
ôl *ans* back, posterior *adj*
ôl agraffiadaeth *eb* post impressionism

---

eg/b enw gwrywaidd/benywaidd, *feminine/masculine noun*   *ell* enw lluosog, *plural noun*   *v* berf, *verb*   *n* enw, *noun*

ôl bys *eg* finger print
ôl debygolrwydd *eg* posterior probability
ôl llong *eg* wake (of ship)
ôl troed *eg* footprint (in general)
olaf i mewn – cyntaf allan *eg* last in – first out
oldywyn *eg* afterglow
olddodi *be* postfix *v*
olddodiad *eg* suffix
olew *eg* oil *n*
olew afu pysgod *eg* fish liver oil
olew canol *eg* middle oil
olew cedrwydden *eg* cedar oil
olew corn *eg* corn oil
olew crai *eg* crude oil
olew creosot *eg* creosote oil
olew galedu *be* oil hardening
olew gwasgedd eithaf *eg* extreme pressure oil
olew had llin *eg* linseed oil
olew had llin puredig *eg* refined linseed oil
olew had llin wedi'i ferwi *eg* boiled linseed oil
olew hydawdd *eg* soluble oil
olew iau pysgod *eg* fish liver oil
olew lard *eg* lard oil
olew llysiau *eg* vegetable oil
olew mwynol *eg* mineral oil
olew olewydd *eg* olive oil
olew pabi *eg* poppy oil
olew puredig *eg* refined oil
olew tenau *eg* light oil
olew tîc *eg* teak oil
olew trwchus *eg* heavy oil
olew tyrpant *eg* oil of turpentine
olew wedi'i ferwi *eg* boiled oil
olewm *eg* oleum
olewog *ans* oily
olifau cig eidion *ell* beef olives
oligarchiaeth *eb* oligarchy
olin *eg* trace (of line)
olin fertigol *eg* vertical trace
olinau llorweddol *ell* horizontal traces
olinydd *eg* tracer
olio *be* backspace
olraddadwy *ans* retrogradable
olraddiad *eg* retrogradation
olrediad *eg* retrograde (movement)
olrewlifol *ans* post glacial
olrhain *be* trace (=discover)
olwr *eg* back (of person) *n*
olwyn *eb* wheel *n*
olwyn argraffu *eb* print wheel
olwyn bwli *eb* sheave
olwyn cydbwysedd *eb* balance wheel (of machine part)
olwyn chwyrlio *eb* whirling wheel
olwyn dro *eb* cartwheel (in athletics) *n*
olwyn dyllu *eb* perforating wheel
olwyn ddannedd *eb* sprocket wheel
olwyn ddargopïo *eb* tracing wheel

olwyn ddiemwnt *eb* diamond wheel
olwyn emeri *eb* emery wheel
olwyn fandio *eb* banding wheel
olwyn fodelu *eb* modelling wheel
olwyn frêc *eb* brake wheel
olwyn fwffio *eb* buff wheel
olwyn gêr *eb* gear wheel
olwyn gic *eb* kickwheel
olwyn glicied *eb* ratchet wheel
olwyn gocos *eb* cogwheel
olwyn gripian *eb* worm wheel
olwyn grochenydd *be* potter's wheel
olwyn lathru *eb* polishing wheel
olwyn lifanu *eb* grinding wheel
olwyn linellu *eb* lining wheel
olwyn newid *eb* change wheel
olwyn sbardun *eb* spur wheel
olwyn strôc *eb* bull wheel (shaper)
olwyndroi *be* cartwheel *v*
olwynion befel *ell* bevel wheels
olwynion cyswllt *ell* idler wheels
olwynion rhif *ell* number wheels
olwyno *be* wheel *v*
olwyno'r sgrym *be* turn the scrum
olyniaeth *eb* succession
Olyniaeth Apostolaidd *eb* Apostolic Succession
Olyniaeth Brotestannaidd *eb* Protestant Succession
olyniaeth creigiau *eb* succession of rocks
olynol *ans* successive
olynu *be* succeed (=come after)
olynydd *eg* successor
ôl-adwaith *eg* backward reaction
ôl-berfeddyn *eg* hind gut
ôl-brosesydd *eg* backend processor
ôl-bwynt *eg* backward point
ôl-bwyth *eg* backstitch
ôl-dâl *eg* back pay
ôl-daliad *eg* back-payment
ôl-droi patrwm *be* reverse a pattern
ôl-ddarfodiant *eg* backwasting
ôl-ddeddfwriaeth *eb* retrospective legislation
ôl-ddelwedd *eb* after-image
ôl-ddyddodion *ell* lag deposits
ôl-ddyled *eb* arrears
ôl-ddylediaeth *eb* arrearage
ôl-ddyledion rhent *ell* arrears of rent
ôl-effaith *eb* after-effect
ôl-enedigol *ans* post-natal
ôl-fwtaniad *eg* back mutation
ôl-fynedfa *eb* rear access
ôl-fysell *eb* backspace key
ôl-fflach *eb* flashback
ôl-gic *eb* kickback
ôl-gripian *be* layback
ôl-groesiad *eg* backcross
ôl-gryniad *eg* aftershock
ôl-gyfeiriad *eg* backbearing

---

adf, adv adferf, *adverb*   **ans, adj** ansoddair, *adjective*   **be** berf, *verb*   **eb** enw benywaidd, *feminine noun*   **eg** enw gwrywaidd, *masculine noun*

ôl-lifiad *eg* backflow

ôl-luosi *be* post-multiply

ôl-ofal *eg* after-care

ôl-olwg *eg* back sight

ôl-redeg *be* peeling movement

ôl-rym electromotif *eg* back electromotive force

ôl-sodli *be* back-heel *v*

ôl-strôc down-stroke

ôl-ymennydd *eg* hind brain

omatidiwm *eg* ommatidium

ombwdsmon *eg* ombudsman

oncoleg *eb* oncology

oncolegydd *eg* oncologist

onics *eg* onyx

oocyst *eg* oocyst

ooffor *eg* oophore

ooffyt *eg* oophyte

oogamedd *eg* oogamy

oogamet *eg* oogamete

oogamus *ans* oogamous

oogenesis *eg* oogenesis

ooleg *eb* oology

oolitig *ans* oolitic

ooplast *eg* ooplast

OOPS (System Rhaglennu Gwrthrych Gyfeiriedig) *eb*
OOPS (Object Orientated Programming System)

oosberm *eg* oosperm

oosbor *eg* oospore

oosborangiwm *eg* oosporangium

oosffer *eg* oosphere

ootyp *eg* ootype

opera *eb* opera

opéra buffe *eb* opéra buffe

opera delynegol *eb* lyric opera

opera faled *eb* ballad opera

opera fawreddog *eb* grand opera

opera gomig *eb* comic opera

opera seria *eb* opera seria

opera ysgafn *eb* light opera

operand *eg* operand

operand uniongyrchol *eg* immediate operand

opéra-ballet *eg* opéra-ballet

opéra-comique *eb* opéra-comique

opera-oratorio *eb* opera-oratorio

opereta *eb* operetta

operon *eg* operon

oportiwnistiaeth *eb* opportunism

oportiwnydd *eg* opportunist

opteg *eb* optics

opteg ffibr *eb* fibre optics

optegol *ans* optical

optegwr *eg* optician

optimaidd *ans* optimal

optimeiddiaeth *eg* optimization

optimeiddio *be* optimize

optimeiddiwr *eg* optimizer

optimwn *eg* optimum

opws *eg* opus

oratorio *eb* oratorio

Oratori'r Cariad Dwyfol *eg* Oratory of Divine Love

orbit *eg* orbit (of planets, satellites) *n*

orbital *eg* orbital (of electrons) *n*

orbitol *ans* orbital (of electron) *adj*

ordeinio *be* ordain

ordinari *eg* ordinary (=part of service)

ordinhad *eg* ordinance

Ordinhadau Eglwysig *ell* Ecclesiastical Ordinances

ordnans *eg* ordnance

Ordoficaidd *ans* Ordovician

oren cadmiwm *eg* cadmium orange

oren crôm *eg* chrome orange

oren llachar *eg* bright orange

Orenwr *eg* Orangeman

organ (=offernyn cerdd) *eb* organ

organ (yn y corff) *eg* organ

organ Americanaidd *eb* American organ

organ atsain *eb* echo organ

organ bib *eb* pipe organ

organ Corti *eg* organ of Corti

organ drydan *eb* electric organ

organ electronig *eb* electronic organ

organ estyn *eb* extension organ

organ geg *eb* mouth organ

organ gelwrn *eb* barrel organ

organ gist *eb* cabinet organ

organ gludadwy *eb* portative organ

organ gôr *eb* choir organ

organ gôr gaeedig *eb* enclosed choir organ

organ gweddilliol *eg* vestigial organ

organ gyrs *eb* reed organ

organ hanfodol *eg* vital organ

organ law *eb* hand organ

organ lawn *eb* full organ

organ rigol *eb* regal *n*

organ solo *eb* solo organ

organ solo gaeedig *eb* enclosed solo organ

organ storio *eg* storage organ

organ synhwyro *eg* sense organ

organ ysgarthiol *eg* excretory organ

organau atgenhedlu *ell* reproductive organs

organau cenhedlu *ell* genitals

organdi *eg* organdie

organeb *eb* organism

organeb letyol *eb* host organism

organig *ans* organic

organigyn Golgi *eg* Golgi apparatur

organsa *eg* organza

organwm *eg* organum

organydd *eg* organist

organyn *eg* organelle

oriau cyswllt *ell* contact hours

oriel *eb* gallery (in the arts)

oriel bren *eb* hoarding (castle)

oriel y clerwyr *eb* minstrels' gallery

---

eg/b enw gwrywaidd/benywaidd, *feminine/masculine noun*   *ell* enw lluosog, *plural noun*   *v* berf, *verb*   *n* enw, *noun*

orogenesis *eg* orogenesis
orogenetig *ans* orogenetic
orogeni *eg* orogeny
orograffig *ans* orographic
orograffigol *ans* orographical
orthodeintydd *eg* orthodontist
orthodonteg *eb* orthodontics
orthogonol *ans* orthogonal
orthogonoledd *eg* orthogonality
orthograffig *ans* orthographic
orthograidd *eg* orthocentre
orthonormal *ans* orthonormal
orthopaedeg *eb* orthopaedics
orthopaedig *ans* orthopaedic
orthoptig *ans* orthoptic
orthoptydd *eg* orthoptist
osgiliad (mewn electroneg) *eg* amplitude swing (electronic)
osgiliad (yn gyffredinol) *eg* oscillation
osgiliad gorfod *eg* forced oscillation
osgiliad gwanychol *eg* damped oscillation
osgiliadol *ans* oscillatory
osgiliadu *be* oscillate
osgiliadur *eg* oscillator

osgiliadur amledd curiad *eg* beat frequency oscillator
osgilosgop *eg* oscilloscope
osgled *eg* amplitude (in physics)
osgo (=daliant y corff) *eg* poise (=carriage of body)
osgo (awyren, creigiau) *eg* attitude (of aeroplane, rocks)
osgoi *be* avoid
osmiwm (Os) *eg* osmium (Os)
osmoreolaeth *eb* osmoregulation
osmoreolaethol *ans* osmoregulatory
osmosis *eg* osmosis
oson *eg* ozone
osonolysis *eg* ozonolysis
ostinato *eg* ostinato
ostinato offerynnol *eg* instrumental ostinato
ostiol *eg* ostiole
ostiwm *eg* ostium
Otoman *eg* Ottoman *n*
Otomanaidd *ans* Ottoman *adj*
Owenaidd *ans* Owenite *adj*
Oweniaeth *eb* Owenism
Owenydd *eg* Owenite *n*
o'r ansawdd gorau *ans* top quality

---

adf, adv adferf, *adverb* **ans, adj** ansoddair, *adjective* **be** berf, *verb* **eb** enw benywaidd, *feminine noun* **eg** enw gwrywaidd, *masculine noun*

P

pab *eg* pope
Pabaeth *eb* Holy See
pabaeth *eb* papacy
Pabaeth Avignon *eb* Avignon Papacy
pabaidd *ans* papal
pabell *eb* tent
PAB: Partneriaeth Addysg Busnes *eb* EBP: Education Business Partnership
pabwyrgotwm *eg* candlewick
Pabydd *eg* Catholic (of Roman Catholic) *n*
pabydd *eg* papist *n*
Pabyddiaeth *eb* Roman Catholicism
pabyddol *ans* catholic (of Roman Catholic Church) *adj*
pac *eg* pack *n*
pacedborth *eg* packet port
pacedlong *eb* packet steamer
paciedig *ans* packed
pacin *eg* packing *n*
pacio *be* pack *v*
pacio'n dynn *be* close packing
pacrew *eg* pack ice
pact gwrth-Gomintern *eg* anti-Comintern pact
pad *eg* pad *n*
pad amsugnol *eg* absorbent pad
pad asbestos *eg* asbestos pad
pad braslunio *eg* sketch pad
pad cicio *eg* kicker
pad chwys *eg* dress shield
pad dyrnu *eg* punch pad
pad ffelt *eg* felt pad
pad graffeg *eg* graphics pad
pad llathru *eg* polishing pad
pad presio *eg* pressing pad
pad sebon *eg* soaped pad
pad smwddio *eg* ironing pad
pad ysgrifennu *eg* note pad
pad ysgwydd *eg* shoulder pad
padell *eb* pan (=vessel)
padell ffrio *eb* frying pan
padell lwch *eb* dustpan
padell pen-glin *eb* knee cap
padell wely *eb* bedpan
padell yr ysgwydd *eb* scapula
padellog *ans* patellar
paderwr *eg* beadsman
padin *eg* padding
padio *be* pad *v*
padl *eb* paddle *n*

padlo *be* paddle *v*
padlo'n araf *be* paddle light *v*
padlo'n gadarn *be* paddle firm *v*
padog *eg* paddock
paediatreg *eb* paediatrics
paediatregydd *eg* paediatrician
paent *eg* paint *n*
paent acrylig *eg* acrylic paint
paent bitwmen *eg* bituminous paint
paent bys *eg* finger paint
paent crefft *eg* craft paint
paent distemper *eg* distemper paint
paent emwlsiwn *eg* emulsion paint
paent enamel *eg* enamel paint
paent lacer *eg* lacquer paint
paent plisgyn-wy *eg* eggshell paint
paent posteri *eg* poster paint
paent preimio *eg* primer paint
paent sail olew *eg* oil based paint
paent sglein *eg* gloss paint
paent synthetig *eg* synthetic paint
paent tenau *eg* lean paint
paentiad *eg* painting (=painted picture)
paentiad arwydd *eg* sign painting
paentiad bys *eg* finger painting
paentiad chwistrell *eg* spray painting
paentiad dyfrlliw *eg* water-colour painting
paentiad Eidalaidd *eg* Italian painting
paentiad ffigurol *eg* figurative painting
paentiad gweithredol *eg* action painting
paentiad haniaethol *eg* abstract painting (of picture)
paentiad llaw *eg* hand painting
paentiad ogof *eg* cave painting
paentiad olew *eg* oil painting
paentiad portreadol *be* portrait painting
paentiad rhydd *eg* free painting
paentiad tempera *eg* tempera painting
paentiad tirlun *eg* landscape painting
pafiliwn *eg* pavilion
paffio clos *be* in-fighting
pagan *eg* heathen
paganiaeth *eb* heathenism
pagoda *eg* pagoda
pangyweiredd *eg* pantonality
paill *eg* pollen
pair *eg* cauldron
pais *eb* petticoat
pais arfau *eb* scutcheon

---

eg/b enw gwrywaidd/benywaidd, *feminine/masculine noun*   **ell** enw lluosog, *plural noun*   **v** berf, *verb*   **n** enw, *noun*

pais wasg *eb* waist slip

paith (yn Ne America) *eg* pampas

paith (yng Ngogledd America) *eg* prairie

paladiwm (Pd) *eg* palladium (Pd)

paladr *eg* beam (of light)

paladr allddodol *eg* emergent beam

palaeograffeg *eb* palaeography

palaeolithig *ans* palaeolithic

palaeontoleg *eb* palaeontology

palas esgob *eg* bishop's palace

palet *eg* palette

palet boracs *eg* borax palette

palet braich *eg* arm palette

palet cymysgu *eg* mixing palette

palet hepgor *eg* disposable palette

palet petryal *eg* oblong palette

palet sbectrwm *eg* spectrum palette

palet tsieni *eg* china palette

palf *eb* palm (of anchor)

palfais *eb* shoulder blade

palindrom *eg* palindrome

palisâd *eg* palisade

paliwm *eg* pallium

palmant *eg* pavement

palmwr *eg* palmer

palmwydden *eb* palm (tree)

palmwydden corsen *eb* rattan palm

palp *eg* palp

palpws *eg* palpus

palstaf *eg* palstave

pamffled *eg* brochure

pamffledu *be* pamphleteering

pamffledwr *eg* pamphleteer

pancreas *eg* pancreas

pancromatig *ans* panchromatic

pandy *eg* fulling mill

panel *eg* panel

panel addurnol *eg* decorative panel

panel arddangos *eg* display panel

panel befel *eg* bevelled panel

panel blaen *eg* front panel

panel cafeto *eg* cavetto panel

panel cwricwlwm *eg* curriculum panel

panel cyfwyneb *eg* flush panel

panel drws *eg* door panel

panel estyll cydwedd *eg* matchboarding panel

panel glain ac ymyl *eg* bead and butt panel

panel gleinio cyfwyneb *eg* flush-beaded panel

panel gordo *eg* shroud panel

panel gwydr *eg* glass panel

panel lliein-blyg *eg* linen-fold panel

panel o aseswyr *eg* panel of assessors

panel pell-reoli *eg* remote control panel

panel plaen *eg* plain panel

panel pren haenog *eg* plywood panel

panel rheiddiol *eg* quartered panel

panel rhigolog *eg* grooved panel

panel rhwyllog *eg* pierced panel

panel sodr *eg* solder panel

panel solet *eg* solid panel

panel wal *eg* wall panel

panel wedi'i godi *eb* raised panel

panel wedi'i ludio *eg* glued-on panel

panel wedi'i suddo *eg* sunk panel

pangyweiraidd *ans* pantonal

panigl *eg* panicle

panlwch *eg* pounce (=powder) *n*

panlychu *be* pounce (=powder) *v*

pannu *be* fullering

pannwr *eg* fuller

pannydd isaf *eg* bottom fuller

pannydd uchaf *eg* top fuller

panorama *eg* panorama

panoramig *ans* panoramic

panslafiaeth *eb* panslavism

pant *eg* depression (in land)

pant heli *eg* salt pan

pant rhew *eg* frost hollow

pantiad *eg* indentation

pantio *be* dishing (=make concave)

pantler *eg* pantler

pantograff *eg* pantograph

pantomeim *eg* pantomime

pants *ell* pants

papila *eg* papilla

papilaidd *ans* papillary

papiliffurf *ans* papilliform

papur *eg* paper *n*

papur adeiladwaith *eg* construction paper

papur adrannol *eg* sectional paper

papur amlran *eg* multi-part paper

papur amsugnol *eg* absorbent paper

papur arian *eg* kitchen foil

papur arlliwedig *eg* tinted paper

papur arholiad *eg* examination paper

papur blawd *eg* flour paper

papur boglynnog *eg* embossed paper

papur bras *eg* antique paper

papur braslunio *eg* sketch paper

papur carbon *eg* carbon paper

papur catris lliw *eg* coloured cartridge paper

papur catris *eg* cartridge paper

papur cegin *eg* kitchen paper

papur clawr *eg* cover paper

papur crêp *eg* crêpe paper

papur crych *eg* crinkled paper

papur cwyr *eg* wax paper

papur cynargraffedig *eg* preprinted paper

papur dargopïo *eg* tracing paper

papur diferu *eg* draining paper

papur di-dor *eg* continuous stationery

papur drafftio *eg* drafting paper

papur dyfrlliw *eg* water-colour paper

---

papur erwydd *eg* manuscript paper
papur estynedig *eg* extension paper
papur felwm *eg* vellum paper
papur ffris *eg* frieze paper
papur garnet *eg* garnet paper
papur graff *eg* graph paper
papur gwahaniaethol *eg* differentiated paper
papur gwlyb a sych *eg* wet and dry paper
papur gwm *eg* gum paper
papur gwm tryloyw *eg* transparent gummed paper
papur gwrtholew *eg* oilproof paper
papur gwrth-ddŵr *eg* waterproof paper
papur gwydrog *eg* sandpaper
papur hidlo *eg* filter paper
papur igam ogam *eg* fan-fold paper
papur labelu *eg* labelling paper
papur lapio *eg* wrapping paper
papur lliain *eg* rag paper
papur lliw *eg* coloured paper
papur lluniadu *eg* drawing-paper
papur llwyd *eg* brown paper
papur llythrennu *eg* lettering paper
papur manila *eg* manilla paper
papur manylion *eg* detail paper
papur morwydd *eg* mulberry paper
papur newydd *eg* newspaper
papur alwminiwm ocsid *eg* aluminium oxide paper
papur olew *eg* oil paper
papur olew stensil *eg* oil stencil paper
papur patrymog *eg* patterned paper
papur prawf *eg* test paper
papur reis *eg* rice paper
papur rhychiog *eg* corrugated paper
papur sglein *eg* glossy paper
papur sglein sidan *eg* silk finish paper
papur sgraffinio *eg* abrasive paper
papur sgwariau *eg* squared paper
papur sidan *eg* tissue paper
papur sidan gwyn *eg* white tissue paper
papur sidan lliw *eg* coloured tissue paper
papur silicon carbid *eg* silicon carbide paper
papur siwgr *eg* sugar paper
papur stensil *eg* stencil paper
papur sugno *eg* blotting paper
papur terfyn *eg* end paper
papur torri allan *eg* cutting out paper
papur troslunio *eg* transfer paper
papur tryloyw *eg* transparent paper
papur twngsten carbid *eg* tungsten carbide paper
papur wal *eg* wallpaper *n*
papur wal finyl *eg* vinyl wallpaper
papur wal golchadwy *eg* washable wallpaper
papur wal sglodion pren *eg* woodchip wallpaper
papur wal sychadwy *eg* spongeable wallpaper
papur wedi'i dorri *eg* cut paper
papur ysgrifennu *eg* writing paper
papurfrwyn *ell* papyrus

papuro *be* wallpaper *v*
papws *eg* pappus
pâr *eg* pair *n*
pâr a chocs coxed pair
pâr unig *eg* lone pair
parabola *eg* parabola
parabolig *ans* parabolical
paraboloid *eg* paraboloid
paradocs *eg* paradox
paradwys *eb* paradise
parafeddyg *eg* paramedic
paraffîn *eg* paraffin
paragraff *eg* paragraph *n*
paragraff crog *eg* hanging paragraph
paragraff ochr *eg* block paragraph
paragraff wedi'i fewnoli *eg* indented paragraph
paragraffu *be* paragraph *v*
paralacs *eg* parallax
paralel *ans* parallel *adj*
paralel *eg* parallel *n*
paralel lledred *eg* parallel of latitude
paralelepiped *eg* parallelepiped
paralelogram *eg* parallelogram
paramagnetedd *eg* paramagnetism
paramedr *eg* parameter
paramedr ffurfiol *eg* formal parameter
paramedr gwirioneddol *eg* actual parameter
paramedrig *ans* parametric
parapodiwm *eg* parapodium
parasit *eg* parasite
parasitedd *eg* parasitism
parasitig *ans* parasitic
parasiwt *eg* parachute
paratoad *eg* preparation
paratoadol *ans* preparatory
paratoi *be* prepare *v*
paratoi anghytsain *be* preparation of a discord
paratoi data *be* data preparation
paratoi ymlaen llaw *be* pre-prepare
parathyroid *eg* parathyroid
parau *ell* doubles
parau gwrthweithiol o gyhyrau *ell* antagonistic muscle pairs
parau trefnedig *ell* ordered pairs
parc *eg* park
parc neu erddi addurnol park or ornamental grounds
parcdir *eg* parkland
parch *eg* deference
parchusrwydd *eg* respectability
pardwn *eg* pardon
Pardwn Alais *eg* Grace of Alais
pardynwr *eg* pardoner
parechelin *ans* paraxial
parêd *eg* parade
pared *eg* partition wall
paredd *eg* parity

parencyma *eg* parenchyma
parenthesis *eg* parenthesis
parhad *eg* continuation
parhad dadansoddol *eg* analytical continuation
parhaol *ans* permanent
parhau *be* continue
pariad *eg* pairing
pario *be* parry
pario cylchol neu wrthbario *be* circular or counter parry
pario drwy wrthwynebu *be* parry by opposition
pario drwy ysgaru *be* parry by detachment
pario syml *be* simple parry
pario union *be* direct parry
parlys *eg* paralysis
parlys lleferydd *eg* dysarthria
parlys pedwar aelod *eg* quadriplegia
parlys un ochr *eg* hemiplegia
parlys yr ymennydd *eg* cerebal palsy
parlysu *be* paralyse
parod *ans* ready-made
parquet *eg* parquet
partio *be* parting (of lathe tools)
partisan *eg* partisan
partita *eg* partita
partner *eg* partner
partner dawns *eg* partner dance
partner sbarian *eg* sparring partner
parth *eg* domain
parth *eg* zone (for pedestrians etc)
parth ffactoriad unigryw *eg* unique factorization domain
parth ffiniol *eg* frontier zone
parth gofod *eg* space domain
parth integrol *eg* integral domain
parthiad *eg* shedding
paru *be* pair *v*
parwydol *ans* parietal
pas, y *eg* whooping cough (pertussis)
pàs *eg/b* pass (in sport) *n*
pàs am nôl *eb* pass back
pàs dan ysgwydd *eb* underarm pass
pàs dros ysgwydd *eb* overarm pass
pàs glasurol *eb* classic pass
pàs gosb *eb* penalty pass
pàs gwaywffon *eb* javelin pass
pàs gyntaf *eb* centre pass
pàs hir isel *eb* long low pass
pàs hir uchel *eb* long high pass
pàs hollti *eb* thro' ball
pàs letraws *eb* diagonal pass
pàs o'r frest *eb* chest pass
pàs o'r ysgwydd *eb* shoulder pass
pàs sboncio *eb* bounce pass
pàs sgwâr *eb* square pass
pàs syth *eb* straight pass
pàs unllaw *eb* one-handed pass
pàs wrthdro *eb* reverse stick pass

pàs wrthol *eb* reverse pass
pàs ymlaen *eb* forward pass
Pasg *eg* Easter
Pasg Iddewig *eg* Passover
pasiant *eg* pageant
pasiantri *eg* pageantry
pasio *be* pass *v*
pasio'r bêl *be* pass the ball
pasodoble *eg* pasodoble
passacaglia *eg* passacaglia
past *eg* paste *n*
past barbola *eg* barbola paste
past blawd *eg* flour paste
past cellwlos *eg* cellulose paste
past di-draidd *eg* opaque paste
past dŵr *eg* water paste
past dŵr oer *eg* cold water paste
past emeri *eg* emery paste
past gwyn *eg* white paste
past llifanu *eg* grinding paste
pastai Gernyw *eb* Cornish pasty
pastai'r bugail *eb* cottage pie
pastel *eg* pastel
pastel cwyr *eg* wax pastel
pastel olew *eg* oil pastel
pasteureiddiad *eg* pasteurization
pasteureiddio *be* pasteurize
pastiche *eg* pastiche
pastio *be* paste (wallpaper) *v*
pastog *ans* pasty (of soil)
pastwn *eg* truncheon
pat côn *eg* cone pat
patina *eg* patina
patio *be* patting
patriarch *eg* patriarch *n*
patriarchaeth *eb* patriarchy
patriarchaidd *ans* patriarch *adj*
patrôl *eg* patrol
patronymig *ans* patronymic
patrwm *eg* pattern
patrwm olwyn cerbyd *eg* chariot wheel pattern
patrwm ailadroddol *eg* repeat pattern
patrwm amlbwrpas *eg* multi-purpose pattern
patrwm amlfaint *eg* multi-size pattern
patrwm anheddu *eg* settlement pattern
patrwm bloc *eg* block pattern
patrwm byd-eang *eg* global pattern
patrwm cerddorol *eg* musical pattern
patrwm cnau menyn *eg* butter-nut pattern
patrwm cnewyllol *eg* nucleated pattern
patrwm codiad yr haul *eg* sunrise pattern
patrwm craidd *eg* core pattern
patrwm creiddig *eg* cored pattern
patrwm curiadau *eg* pulse pattern
patrwm cwlwm dolen *eg* bow knot pattern
patrwm cyfangiad *eg* contraction pattern
patrwm cymhleth *eg* intricate pattern

adf, adv adferf, adverb **ans, adj** ansoddair, adjective **be** berf, verb **eb** enw benywaidd, *feminine noun* **eg** enw gwrywaidd, *masculine noun*

patrwm chwyrliog *eg* swirled pattern
patrwm dannedd *eg* dental formula
patrwm didol *eg* bit pattern
patrwm disgyn *eg* drop pattern
patrwm dosbarthiad *eg* distribution pattern
patrwm draeniad *eg* drainage pattern
patrwm drafft *eg* drafted pattern
patrwm ecolegol *eg* ecological pattern
patrwm ffurfiol *eg* formal pattern
patrwm geiriol wedi'i lefaru'n rhythmig *eg* rhythmically spoken word pattern
patrwm geometrig *eg* geometric pattern
patrwm gwaelodol *eg* underlying pattern
patrwm gwasgarog *eg* scattered pattern
patrwm gwehyddu *eg* weaving pattern
patrwm gwregys y mynach *eg* monk's belt pattern
patrwm gwrthgyfnewid *eg* counterchange pattern
patrwm gwyddfid *eg* honey-suckle pattern
patrwm haniaethol *eg* abstract pattern
patrwm hanner disgyn *eg* half-drop pattern
patrwm hollt *be* split pattern
patrwm lôn y rhosyn *eg* rose path pattern
patrwm llif *eg* flow pattern (of waves)
patrwm melodig *eg* melodic pattern
patrwm o weithgarwch economaidd *eg* pattern of economic activity
patrwm ochr od *eg* odd side pattern
patrwm ôl y falwen *eg* snail's trail pattern
patrwm olwyn ffawd *eg* wheel of fortune pattern
patrwm parod *eg* commercial pattern
patrwm print *eg* printed pattern
patrwm rhythm *eg* rhythm pattern
patrwm saethben *eg* herring-bone pattern
patrwm siec *eg* check pattern
patrwm stensil *eg* stencil pattern
patrwm sylfaenol *eg* basic pattern
patrwm syml *eg* simple pattern
patrwm trosodd *eg* all-over pattern
patrwm tyllog *eg* perforated pattern
patrwm undarn *eg* one piece pattern
patrwm waffl *eg* waffle pattern
patrwm y serfio *eg* serve pattern
patrwm ymddygiad *eg* pattern of behaviour
patrymedd *eg* regime
patrymedd afon *eg* river regime
patrymedd glawiad *eg* rainfall regime
patrymlun *eg* template
patrymlun cerdyn *eg* card template
patrymlun cynffonnog *eg* dovetail template
patrymlun meitr *eg* mitre template
patrymog *ans* patterned
pathogen *eg* pathogen *n*
pathogenaidd *ans* pathogenic
patholeg *eb* pathology
patholegol *ans* pathological
patholegydd *eg* pathologist
pavane *eg* pavane

pawl *eg* pawl
pawl clicied *eg* ratchet pawl
Pawl Hen *eg* Paulinus
pecyn *eg* package *n*
pecyn agored *eg* open pack
pecyn anghyfeillgar *eg* user-hostile package
pecyn arlunio *eg* art package
pecyn awduro *eg* authoring package
pecyn caeedig *eg* closed pack
pecyn cymhwyso *eg* application package
pecyn disgiau *eg* disk pack
pecyn pŵer *eg* power pack
pecyn trin data *eg* data-handling package
pechod *eg* sin *n*
pechod gweithredol *eg* actual sin
pechu *be* sin *v*
pedair pêl *eb* four ball
pedair strôc *ans* four-stroke
pedal *eg* pedal *n*
pedal cyfuno *eg* combination pedal
pedal chwith *eg* soft pedal
pedal mewnol *eg* inner pedal
pedalu *be* pedal *v*
pedestal *eg* pedestal
pedicel *eg* pedicel
pedicl *eg* pedicle
pediment *eg* pediment
pediplan *eg* pediplain
pediplaniant *eg* pediplanation
pedol ceffyl *eb* horse shoe
Pedr Feudwy *eg* Peter the Hermit
pedrant *eg* quadrant
pedreiddiad *eg* petrification
pedrochr *ans* quadrilateral *adj*
pedrochr *eg/b* quadrilateral *n*
pedrochr cylchol *eg* cyclic quadrilateral
pedrongl *eg/b* quadrangle
pedrybled *eg* quadruplet
pedwar *eg* four
pedwar a chocs coxed four
pedwar can metr *eg* four hundred metres
pedwar pwynt cyswllt *eg* four points of contact
Pedwar Rhyddid *eg* Four Freedoms
pedwarawd *eg* quartet
pedwarawd chwyth *eg* wind quartet
pedwarawd llinynnol *eg* string quartet
pedwarcylchol *ans* tetracyclic
Pedwardegau Newynog *ell* Hungry Forties
pedwaredd ganrif ar bymtheg *eb* nineteenth century
pedwarplyg *ans* quadruple
pedwartroedyn *eg* quadruped
pedwerydd *eg* fourth
pedweryddau arosodedig *ell* superposed fourths
pedwncl *eg* peduncle
pedynclaidd *ans* pedunculate
pefriol *ans* sparkling

peg *eg* peg *n*
peg dillad *eg* clothes peg
peg doli *eg* dolly peg
peg hoelbren *eg* dowel peg
peg iâ *eg* ice peg
peg rhedwr (castio) *eg* runner peg (casting)
peg rhew *eg* ice peg
pegio *be* peg *v*
pegwn *eg* pole (geographic)
pegwn datblygiadol *eg* pole of development
pegwn uned *eg* unit pole
pegwn wybrennol y de *eg* south celestial pole
pegwn wybrennol y gogledd *eg* north celestial pole
pegwn y gogledd *eg* north pole (geographic)
pegynau cyfansawdd *ell* multiple poles
pegynlin *eg* polar *n*
pegynol *ans* polar (geographic) *adj*
pegynol-arforol *ans* polar-maritime
pegynol-gyfandirol *ans* polar-continental
peidio anadlu *be* apnoea
peil *eg* pile (of fabric)
peilon *eg* pylon
peilot *ans* pilot *adj*
peilot profi *eg* test pilot
peillio *be* pollinate
peint *eg* pint
peintio *be* paint *v*
peintio arwydd *be* sign painting
peintio bys *be* finger painting
peintio cwyr *be* wax painting
peintio chwistrell *be* spray painting
peintio dyfrlliw *be* water-colour painting
peintio Eidalaidd *be* Italian painting
peintio ffigurol *be* figurative painting
peintio golygfa *be* scene painting
peintio gweithredol *be* action painting
peintio haniaethol *be* abstract painting
peintio llaw *be* hand painting
peintio olew *be* oil painting
peintio portreadol *be* portrait painting
peintio rhydd *be* free painting
peintio tempera *be* tempera painting
peintio tirlun *be* landscape painting
peintio uniongyrchol *be* direct painting
peintio ymylodol *be* fore-edge painting
peintiwr *eg* painter
peintiwr golygfeydd *eg* scene painter
peintwaith *eg* paintwork
peipell *eb* piper (machine attachments)
peipen *eb* pipe (in plumbing etc) *n*
peipen ddŵr rwber *eb* hose pipe
peipen gangen arosgo *eb* oblique branch pipe
peipen gangen fertigol *eb* vertical branch pipe
peipen gangen lorweddol *eb* horizontal branch pipe
peipio *be* pipe (in plumbing etc) *v*
peiran *eg* corrie
peiran tandem *eg* tandem corrie

peiriandy *eg* engine house
peirianddryll bychan *eg* sub-machine gun
peiriannau *ell* plant (=equipment)
peirianneg *eb* engineering
peirianneg genetig *eb* genetic engineering
peirianneg uwch *eb* advanced engineering
peiriannu *be* machine *v*
peiriannu plastig *be* plastic machining
peiriannydd *eg* engineer
peiriannydd meddalwedd *eg* software engineer
peiriant (=injan) *eg* engine
peiriant (yn gyffredinol) *eg* machine *n*
peiriant adio *eg* adding machine
peiriant anadlu *eg* respirator
peiriant arian *eg* cash dispenser
peiriant awtomatig *eg* automatic machine
peiriant blaen-lwytho *eg* front loader
peiriant coffi *eg* coffee maker
peiriant cyfrifo *eg* calculating machine
peiriant cymysgu clai *eg* blunger
peiriant chwythu *eg* motorised blower
peiriant drilio *eg* drilling machine
peiriant drilio gwaith trwm *eg* heavy duty drilling machine
peiriant drilio mainc *eg* bench drilling machine
peiriant drilio pedestal *eg* pedestal drilling machine
peiriant drilio piler *eg* pillar drilling machine
peiriant drilio sensitif *eg* sensitive drilling machine
peiriant dyrnu *eg* thrashing machine
peiriant electronig *eg* electronic machine
peiriant goddef trochion *eg* suds tolerant machine
peiriant golchi *eg* washing machine
peiriant golchi llestri *eg* dishwasher
peiriant gwau *eg* knitting machine
peiriant gwerthu *eg* vending-machine
peiriant gwynt *eg* wind machine
peiriant jet *eg* jet engine
peiriant llafnu *eg* shearing machine
peiriant llaw *eg* hand machine
peiriant llifanu *eg* grinding machine
peiriant llifanu yn y llaw *eg* off-hand grinder
peiriant llunio *eg* shaper (machine)
peiriant melino *eg* milling machine
peiriant melino fertigol *eg* vertical milling machine
peiriant melino llorwedd *eg* horizontal milling machine
peiriant morteisio *eg* morticing machine
peiriant pedair strôc *eg* four-stroke engine
peiriant petrol *eg* petrol engine
peiriant pilerog *eg* pillar type machine
peiriant plaenio *eg* planing machine
peiriant plygu peipen *eg* pipe bending machine
peiriant sensitif i drochion *eg* suds sensitive machine
peiriant smwddio cylchdro *eg* rotary iron
peiriant sychu dillad *eg* tumble drier
peiriant tanio mewnol *eg* internal combustion engine
peiriant taranau *eg* thunder machine
peiriant tewychu *eg* thicknessing machine

---

adf, adv adferf, *adverb* **ans, adj** ansoddair, *adjective* **be** berf, *verb* **eb** enw benywaidd, *feminine noun* **eg** enw gwrywaidd, *masculine noun*

peiriant tonnau *eg* wave machine
peiriant top-lwytho *eg* top loader
peiriant trawst *eg* beam engine
peiriant twb dwbl *eg* twin tub machine
peiriant twb sengl *eg* single tub machine
peiriant uniadau cynffonnog *eg* dovetailing machine
peirianwaith *eg* machinery
peirianwaith cymhwyso *eg* adjusting mechanism
peirianwaith etholiadol *eg* electoral machinery
peiswellt *eg* fescue
peithbriddoedd *ell* prairie soils
pêl *eb* ball (to play with)
pêl araf *eb* slow ball
pêl blastig ysgafn *eb* light plastic ball
pêl dennis *eb* tennis ball
pêl dda *eb* good ball
pêl ddarpar *eb* provisional ball
pêl ddyrnu *eb* punch ball
pêl fagnel *eb* cannon ball
pêl farw *eb* dead ball
pêl fer *eb* short pitched delivery
pêl fer ac araf *eb* short, slow ball
pêl foli *eb* volley ball
pêl goll *eb* lost ball
pêl gwymp *eb* dropped ball
pêl gyflym *eb* fast ball
pêl isel *eb* low ball
pêl law *eb* hand ball
pêl ledr *eb* leather ball
pêl rygbi *eb* rugby ball
pêl sbwng *eb* sponge ball
pêl uchel *eb* high ball
pelagra *eg* pellagra
pelawd *eb* over (in cricket)
pelawd ddi-sgôr *eb* maiden over
peledu *be* bombard
pelen *eb* ball (single delivery of)
pelen *eb* pellet (=small compressed ball)
pelen fer iawn *eb* long hop (in cricket)
pelen laid *eb* mud pellet
pelen lawn *eb* full toss
pelen lydan *eb* wide ball
pelen wallus *eb* no ball
pelen y droed *eb* ball of the foot
pelen y llygad *eb* eyeball
pelferyn *eg* ball-bearing
pelfig *ans* pelvic
pelfis *eg* pelvis
peli camffor *ell* moth balls
pelicl *eg* pellicle
pelmet *eg* pelmet
pelydr X *eg* X-ray
pelydriad *eg* radiation
pelydriad cyflawn *eg* full radiation (black body)
pelydriad electromagnetig *eg* electromagnetic radiation
pelydriad gama *eg* gamma radiation

pelydriad heulog *eg* solar radiation
pelydrol *ans* radiant
pelydru *be* radiate
pelydrydd *eg* radiator (of light, heat)
pelydrydd cyflawn *eg* black body radiator
pelydryn *eg* ray
pelydryn catod *eg* cathode ray
pelydryn gama *eg* gamma ray
pelydryn trawol *eg* incident ray
pêl-droed *eg* football
pêl-droediwr *eg* footballer
pêl-falf *eb* ball valve
pêl-fasged *eb* basketball
pêl-lwybro *be* trackerball
pêl-rwyd *eb* netball
pell *ans* far
pellen *eb* ball (of wool etc)
pellen gotwm *eb* cotton ball
pellennu *be* pilling
pellter *eg* distance
pellter brecio *eg* braking distance
pellter byr *eg* short distance
pellter canol *eg* middle distance
pellter hir *eg* long distance
pellter hydredol *eg* longitudinal distance
pellter perpendicwlar *eg* perpendicular distance
pellter stopio *eg* stopping distance
pellwr agored *eg* long off
pellwr coes *eg* long on
pen (corff) *eg* head
pen (mynydd etc) *eg* top (of mountain etc)
pen (telyn) *eg* capital (of harp)
pen (ysgrifennu) *eg* pen
pen a golchiad pen and wash
pen ac inc pen and ink
pen arosgo croes *eg* oblique reverse pen
pen bas y baddon *eg* shallow end of the bath
pen blaen *eg* anterior
pen blaen ffelt *eg* felt-tip pen
pen blaen ffibr *eg* fibre-tip pen
pen bwyell *eg* axe head
pen bwylltid *eg* swivel head
pen byw *eg* headstock (of lathe)
pen cau *eg* hollow head
pen cerfiedig *eg* carved head
pen coes *eg* handle head
pen corsen *eg* reed pen
pen crog *eg* hanging end
pen crwn *eg* round end
pen cwilsen *eg* quill pen
pen cylchdro *eg* revolving head
pen darllen *eg* read head
pen darllen ac ysgrifennu *eg* read / write head
pen disg *eg* disk head
pen dwfn y baddon *eg* deep end of the bath
pen ffelt *eg* felt pen

pen ffibr *eg* fibre pen
pen ffrwydrol *eg* warhead
pen ffurf wy *eg* egg-shaped head
pen golau *eg* light pen
pen grisiau *eg* landing (=top of stairs)
pen haenau papur *eg* paper layer head
pen italig *eg* italic pen
pen llathru *eg* polishing head
pen llawes *eg* crown of sleeve
pen llonydd *eg* tailstock (lathe)
pen llydan *eg* broad pen
pen llythrennu *eg* lettering pen
pen mapio *eg* mapping pen
pen meddal *eg* soft head
pen pellaf *eg* distal end
pen pella'r tiwbyn *eg* distal tubule
pen petryal *eg* rectangular end
pen plastr *eg* plaster head
pen posteri *eg* poster pen
pen recordio *eg* recording head
Pen Reolaeth y Fyddin *eb* Army High Command
pen riwlio *eg* ruling pen
pen rhannu *eg* dividing head
pen rhydd *eg* loose head
pen saeth *eg* arrowhead
pen saeth ar ffurf deilen *eg* leaf shaped arrowhead
pen saeth ffurf cŷn *eg* chisel shaped arrowhead
pen sgript *eg* script pen
pen stac *eg* stack top
pen tymor *ans* terminal (=end of term) *adj*
pen tynn *eg* tight head (in rugby)
pen y dyffryn *eg* valley head
pen ysgrifennu *eg* write head
penagored *ans* open-ended
penarglwydd *eg* suzerain
penarglwyddiaeth *eb* hegemony
penbwl *eg* tadpole
pencadlys *eg* headquarters
pencadlys gweinyddol *eg* administrative headquarters
pencampwr *eg* champion (male and general)
pencampwraig *eb* champion (female)
pencampwriaeth *eb* championship
pencampwriaethau ysgolion *ell* school championships
pendant *ans* definite
pendantrwydd *eg* assertiveness
pendefig *eg* nobleman
pendefigaeth *eb* nobility
penderfynedig *ans* determinate
penderfyniad *eg* decision
penderfyniad priodol *eg* appropriate decision
penderfyniadol *ans* determinist *adj*
penderfyniaeth *eb* determinism
penderfyniedydd *eg* determinist *n*
penderfynu *be* decide
penderfynyn *eg* determinant (in immunology)
pendil *eg* pendulum
pendil cyfansawdd *eg* compound pendulum

pendil syml *eg* simple pendulum
pendro *eb* giddiness
penddelw *eg* bust (in sculpture)
penddu *eg* smut
penelin *eg/b* elbow
penflaguryn *eg* terminal bud
penfras *eg* cod
penglog *eg* skull
Pengrynwr *eg* Roundhead
pengwrthsodd *ans* countersunk (machine screws)
peniad *eg* header (of ball)
penillion *ell* penillion (cerdd dant)
penio'r bêl *be* head the ball
penisilin *eg* penicillin
penlinio *be* kneel
penlinio eistedd *be* kneel sitting
penlinio llorweddol *be* horizontal kneeling
penlinio un glin *be* half-kneeling
penlithryn *eg* headslide
penllanw *eg* high tide
pennaeth (ar lwyth) *eg* chieftain
pennaeth (ar ysgol) *eg* head, principal *n*
pennaeth adran *eg* head of department
pennaeth blwyddyn *eg* head of year
pennaeth pwnc *eg* head of subject
pennaeth y gyfadran *eg* head of faculty
pennaeth yr ysgol ganol *eg* head of middle school
pennaeth yr ysgol isaf *eg* head of lower school
pennaeth yr ysgol uchaf *eg* head of upper school
pennaeth ysgol *eg* headteacher
pennau madarch *ell* mushroom heads
Pennau'r Awgrymiadau *ell* Heads of Proposals
pennawd (mewn papur newyddion) *eg* headline
pennawd (wrth brosesu geiriau) *eg* header (on paper)
pennill *eg* verse
pennod *eb* chapter
pennu *be* determine
pennu lleoliad *be* specify location
penodiad *eg* appointment (to a post)
penodol *ans* specific (=definite, particular etc)
penodolrwydd *eg* specificity
penodolrwydd ensym *eg* enzyme specificity
penrhif *eg* principal value
penrhyddid *eg* licence (=absolute freedom)
penrhyn *eg* cape (=headland)
Penrhyn Gobaith Da *eg* Cape of Good Hope
pensaer *eg* architect
pensaernïaeth *eb* architecture
pensaernïaeth filwrol *eb* military architecture
pensaernïaeth Gothig *eb* Gothic architecture
pensaernïol *ans* architectural
pensafiad *eg* headstand *n*
pensafiad plyg *eg* angle headstand
pensefyll *be* headstand *v*
pensgwar *ans* square head (machine screws)
pensil *eg* pencil

pensil creon *eg* crayon pencil
pensil cwyr *eg* wax pencil
pensil lliw *eg* colour pencil
pensil lluniadu *eg* drawing pencil
pensil llythrennu *eg* lettering pencil
pensil pren cedrwydd *eg* cedarwood pencil
pensil saer *eg* carpenter's pencil
pensil siarcol *eg* charcoal pencil
pensiwn *eg* pension
pensiwn anghyfrannol *eg* non-contributory pension
pensiwn cyfrannol *eg* contributory pension
pensiwn graddedig *eg* graduated pension
pensiwn henoed *eg* old age pension
pensiwn yr anabl *eg* disablement pension
pensiynwr *eg* pensioner
pentadecagon *eg* pentadecagon
pentagon *eg* pentagon
pentagonol *ans* pentagonal
pentagram *eg* pentagram
pentan *eg* hob
pentatonig *ans* pentatonic
Pentecost *eg* Pentecost
Pentecostal *eg/b* Pentecostal *n*
Pentecostalaidd *ans* Pentecostal *adj*
pentir *eg* headland
pentomino *eg* pentomino
pentos *eg* pentose
pentoswria *eg* pentosuria
pentref *eg* village
pentref anghyfannedd *eg* deserted village
pentref diflan *eg* lost village
pentref noddfa *eg* refuge village
pentref noswylio *eg* dormitory village
pentref osgoi dŵr *eg* water avoiding village
pentrefan *eg* hamlet
pentwr *eb* stack (=pile) *n*
pentwr stoc *eg* stock pile *n*
penty *eg* penthouse
pentyrru *be* stack (=pile up) *v*
pentyrru cardiau *be* card stacking
pentyrru stoc *be* stock pile *v*
pentyrrwr cardiau *eg* card stacker
penwmbra *eg* penumbra
penyd *eg* penance
pen-blwydd *eg* birthday
pen-glin *eg/b* knee
peplwm *eg* peplum
peptid *eg* peptide
perborad *eg* perborate
percoladur *eg* percolator
perchennog *eg* owner
perchennog preswyl *eg* owner occupier
perchenogaeth *eb* ownership
perchenogaeth ddeublyg *eb* dual ownership
perchenogaeth gyhoeddus *eb* public ownership
perchenogaeth stad *eb* estate ownership
perchentyaeth *eb* home ownership

pererin *eg* pilgrim
pererindod *eb* pilgrimage
perfedd *eg* bowel
perfeddol *ans* splanchnic
perfeddwlad *eb* heartland
perffaith (yn gyffredinol) *ans* perfect
perfformiad *eg* performance
perfformiad effeithiol *eg* effective performance
perfformio *be* perform
perfformio cyson *be* consistent performance
perfformio tasgau strwythuredig *be* perform structured tasks
perfformiwr *eg* performer
peri *be* cause *v*
peri dagrau *ans* lacrimatory
pericardiwm *eg* pericardium
periclin *eg* pericline
perifferi *eg* periphery
perifferol *ans* peripheral *adj*
perifferolyn *eg* peripheral *n*
perige *eg* perigee
periglor *eg* incumbent (of ecclesiastical office)
perigloriaeth *eb* incumbency
perihelion *eg* perihelion
perimedr *eg* perimeter
perimedrau siapiau syml *ell* perimeters of simple shapes
peripediment *eg* peripediment
periseicl *eg* pericycle
perisgop *eg* periscope
peristalsis *eg* peristalsis
peritheciwm *eg* perithecium
perlit *eg* pearlite
perllan *eb* orchard
Permaidd *ans* Permian
permitifedd *eg* permittivity
permitifedd gofod rhydd *eg* permittivity of free space
perpendicwlar *ans* perpendicular *adj*
perpendicwlar *eg* perpendicular *n*
persain *ans* euphonious
persawr *eg* perfume *n*
persawru *be* perfume *v*
persawrus *ans* aromatic (in general)
persbecs *eg* perspex
persbecs lliw *eg* coloured perspex
persbectif *eg* perspective
persbectif amcangyfrifol *eg* estimated perspective
persbectif canolog *eg* central perspective
persbectif fertigol *eg* vertical perspective
persbectif lliw *eg* colour perspective
persbectif onglog *eg* angular perspective
persbectifedd *eg* perspectivity
perseinedd *eg* euphony
person a enwir *eg* named person
person dwyieithog *eg* bilingual *n*
person graddedig *eg* graduate *n*
person ifanc *eg* adolescent *n*

---

persondy *eg* parsonage	**pibell U** *eb* U-bend
personél *eg* personnel	**pibell wacáu** *eb* exhaust pipe
personél cyfrifiadur *ell* computer personnel	**pibell waed** *eb* blood-vessel
personoliaeth *eb* personality	**pibell ystôr** *eb* resin duct
perth *eb* hedge	**pibgorn** *eg* hornpipe (instrument)
perthfudd *eg* haybote	**pibonwyen** *eb* icicle
perthnasedd (=pa mor berthnasol) *eg* relevance	**picedu** *be* picket *v*
perthnasedd (y ddamcaniaeth) *eg* relativity	**picedwr** *eg* picket *n*
perthnaseddol *ans* relativistic	**picedwr gwib** *eg* flying picket
perthnasol *ans* relevant	**picell** *eb* pike
perthnasu *be* relate	**picellwr** *eg* pikeman
perthynas *eb* relationship	**picen Ffrengig** *eb* French bun
perthynas agosaf *eg/b* next of kin	**picen y Grog** *eb* hot cross bun
perthynas bwydo *eb* feeding relationship	**picl** *eg* pickle *n*
perthynas cywerthedd *eb* equivalence relation	**picl asid** *eg* acid pickle
perthynas drwy waed *eb* blood relationship	**piclo** *be* pickle *v*
perthynas lorweddol *eb* horizontal relationship	**picot** *eg* picot
perthynas ymatblyg *eb* reflexive relation	**picsel** *eg* pixel
perthynol *ans* related	**picsel tryloyw** *eg* transparent pixel
perygl *eg* hazard	**pictograff** *eg* pictograph
perygl iechyd *eg* health risk	**pictograffeg** *eb* pictography
perygl amgylchedd *eg* environmental hazard	**pictogram** *eg* pictogram
perygl folcanig *eg* volcanic hazard	**pidyn** *eg* penis
perygl i ddiogelwch *eg* safety risk	**pietist** *eg* pietist *n*
perygl o ddaeargryn *eg* earthquake hazard	**pietistaidd** *ans* pietist *adj*
pesari *eg* pessary	**pietistiaeth** *eb* pietism
pestl *eg* pestle	**pig** (aderyn etc) *eg* beak
pestl a morter pestle and mortar	**pig** (llestr) *eg* spout
peswch *eg* cough *n*	**pig morthwyl** *eg* peen
pesychu *be* cough *v*	**pigau mân** *ell* paraesthesia
petal *eg* petal	**pigfain** *ans* tapering *adj*
petersham *eg* petersham	**pigiad** (chwistrelliad) *eg* sting *n*
petiol *eg* petiole	**pigiad** *eg* injection (into person)
petroleg *eb* petrology	**pigiad atgyfnerthol** *eg* booster injection
petroliwm *eg* petroleum	**pigiad mewngroenol** *eg* intradermal injection
petryal *ans* rectangular	**pigiad mewngyhyrol** *eg* intramuscular injection
petryal *eg* rectangle	**pigiad pryfyn** *eg* insect bite
petryal euraid *eg* golden rectangle	**pigiad rheoledig** *eg* control injection
peth byw *eg* living thing	**pigment** *eg* pigment
pethau dros ben *ell* oddments	**pigment bras** *eg* fat pigment
pethau gwerthfawr *ell* valuables	**pigment golau anniflan** *eg* light fast pigment
piano *eg* piano	**pigment grisialog** *eg* crystalline pigment
piano paratoëdig *eg* prepared piano	**pigment powdr** *eg* powder pigment
piano syth *eg* upright piano	**pigment tenau** *eg* lean pigment
piano traws *eg* grand piano	**pigment y bustl** *eg* bile pigment
pianydd *eg* pianist	**pigmentiad** *eg* pigmentation
pib *eb* pipe (in music etc) *n*	**pigmi** *eg* pygmy
pib agored *eb* open pipe	**pigo** *be* sting *v*
pibau Pan *ell* panpipes	**pigwrn** (rhwng y goes a'r droed) *eg/b* ankle
pibed *eb* pipette *n*	**pigwrn** (y llygad) *eg* cone (of the eye)
pibedu *be* pipette *v*	**pigyn** *eg* peak (=pointed part)
pibell fud *eb* dummy pipe (on organ)	**pigyn clust** *eg* earache
pibell gaeedig *eb* closed pipe	**pigyn dorsal** *eg* dorsal spine
pibell gangen *eg* branch pipe	**pigyn niwral** *eg* neural spine (vertebra)
pibell gastroberfeddol *eb* gastrointestinal (tract)	**pigyn pyramidaidd** *eg* pyramidal peak
pibell lymff *eb* lymph vessel	**pilastr** *eg* pilaster

---

adf, adv adferf, *adverb*   **ans, adj** ansoddair, *adjective*   **be** berf, *verb*   **eb** enw benywaidd, *feminine noun*   **eg** enw gwrywaidd, *masculine noun*

pilen *eb* membrane
pilen amrannol *eb* nictitating membrane
pilen anathraidd *eb* impermeable membrane
pilen blasmaidd *eb* plasma membrane
pilen dectoraidd *eb* tectorial membrane
pilen ddetholus *eb* selective membrane
pilen eisbilennol yr ysgyfaint *eb* pleural membrane
pilen fwcaidd *eb* mucous membrane
pilen ledathraidd *eb* semi-permeable membrane
pilen niwclear *eb* nuclear membrane
pilen serws *eb* serous membrane
pilen waelodol *eb* basement membrane
pilen wy *eb* egg membrane
pilen y ffoetws *eb* foetal membrane
pilen y glust *eb* eardrum
pilennau'r ymennydd *ell* meninges
pilennog *ans* membraneous
piler *eg* pillar
piler triongli *eg* triangulation pillar
pileru *be* pillaring (in slate quarries)
pilews *eg* pileus
pilio *be* peel (from block)
pilsen *eb* pill
pilyn *eg* integument
pìn *eg* pin *n*
pìn argaen *eg* veneer pin
pìn arwain *eg* guide pin
pìn bach *eg* dressmaker's pin
pìn bawd *eg* drawing-pin
pìn bawd pres *eg* brass drawing pin
pìn cadw pwythau *eg* stitch holder
pìn cau *eg* safety pin
pìn clefis *eg* clevis pin
pìn clymu papur *eg* paper fastener
pìn codi *eg* riser pin
pìn colfach *eg* hinge pin
pìn cyfeirio *eg* index pin
pìn cyfredol *eg* current nib
pìn cylchog *eg* ring headed pin
pìn cynfas *eg* canvas pin
pìn cynffonnog *eg* dovetail pin
pìn esgytsiwn *eg* escutcheon pin
pìn gefyn *eg* shackle pin
pìn gimp *eg* gimp pin
pìn gwddf alarch *eg* swan-necked pin
pìn hollt *eg* split pin
pìn lleoli *eg* locating pin
pìn panel *eg* panel pin
pìn sbriw *eg* sprue pin
pìn sbwl *eg* spool pin
pìn sefydlu *eg* fixing pin
pìn symudol *eb* movable pin
pìn tapr *eg* taper pin
pinblat *eg* pin plate
pincas *eg* pincushion
pincio *be* pinking
pingo *eg* pingo

pinio *be* pin *v*
pinio (ffeil) *be* pinning (of file)
piniwn *eg* pinion (=cog-wheel or spindle)
pinna *eg* pinna
pinnas *eg* pinnace
pinocytosis *eg* pinocytosis
pinsiad *eg* pinch *n*
pinsio *be* pinch *v*
pinsiwrn *eg* pincers
pipin *eg* pippin
pique *eg* pique
pistil *eg* pistil
piston *eg* piston
piston bawd *eg* thumb piston
piston cyfuno *eg* combination piston
piston troed *eg* toe piston
piton *eg* piton
pitsh *eg* pitch *n*
pitsh (dannedd llif) *eg* pitch angle (saw teeth)
pitsh bras *eg* coarse pitch
pitsh diamedrol *eg* diametral pitch
pitsh edau *eg* thread pitch
pitsh llyfn *eg* even pitch
pitsh normal *eg* normal pitch
pitsh unffurf *eg* uniform pitch
pitsio *be* pitch (a ball) *v*
pitsiwr *eg* pitcher
piwritan *eg* puritan *n*
piwritanaidd *ans* puritan *adj*
piwritaniaeth *eb* puritanism
piwter *eg* pewter
pla *eg* plague
pla cnofilod *eg* rodent infestation
Pla Du *eg* Black Death
Pla Mawr *eg* Great Plague
plac *eg* plaque
plac deintiol *eg* dental plaque
plac mur *eg* wall plaque
placed *eg* placket
plad *eg* plaid
plad anghyson *eg* uneven plaid
plad cyson *eg* even plaid
plaen *ans* plain *adj*
plaen *eg* plane *n*
plaen amgrwm *eg* compass plane
plaen amlddefnydd *eg* combination plane
plaen bach *eg* block plane
plaen cafnu *eg* hollow plane
plaen caledfwrdd *eg* hardboard plane
plaen ceg sgiw *eg* skew mouth plane
plaen ceg sgwâr *eg* square mouth plane
plaen cludadwy *eg* portable plane
plaen crafu *eg* scraper plane
plaen crwn *eg* round plane
plaen cydweddu *eg* matching plane
plaen danheddog *eg* toothing plane

---

plaen dyfnder *eg* router plane
plaen ffilistr *eg* fillister plane
plaen hir *eg* trying plane
plaen jac *eg* jackplane
plaen jac metel *eg* metal jackplane
plaen jac pren *eg* wood jackplane
plaen llyfnhau *eg* smoothing plane
plaen llyfr-rwymwr *eg* plough (bookbinder's)
plaen mainc *eg* bench plane
plaen meddalfwrdd *eg* soft board plane
plaen metel *eg* metal plane
plaen mowldio *eg* moulding plane
plaen ofolo *eg* ovolo plane
plaen ogee *eg* ogee plane
plaen ongl-isel *eg* low-angle plane
plaen pŵer *eg* power plane
plaen rabad *eg* rabbet plane
plaen rabad ochr *eg* side rabbet plane
plaen rhigoli *eg* grooving plane
plaen trwyn byr *eg* bull-nosed plane
plaen trydan *eg* electric plane
plaen ysgwydd *eg* shoulder plane
plaengan *eb* plainsong
plaenio *be* plane *v*
plaeniwr *eg* planer
plaeniwr cludadwy *eg* portable planer
plaid *eb* party
Plaid Anarchaidd *eb* Anarchist Party
Plaid Cymru *eb* Plaid Cymru
Plaid Dorïaidd *eb* Tory Party
Plaid Ddemocrataidd *eb* Democratic Party
Plaid Ddemocrataidd Gristnogol *eb* Christian Democrat Party
Plaid Geidwadol *eb* Conservative Party
Plaid Genedlaethol Cymru *eb* Welsh Nationalist Party
Plaid Gomiwnyddol *eb* Communist Party
Plaid Lafur *eb* Labour Party
Plaid Lafur Annibynnol *eb* Independent Labour Party (ILP)
Plaid Natsïaidd *eb* Nazi Party
Plaid Ryddfrydol *eb* Liberal Party
Plaid Sosialaidd *eb* Socialist Party
Plaid Weriniaethol *eb* Republican Party
plaid wleidyddol *eb* political party
Plaid y Chwigiaid *eb* Whig Party
Plaid y Democratiaid Cymdeithasol *eb* Social Democratic Party (SDP)
Plaid y Democratiaid Rhyddfrydol *eb* Liberal Democrat Party
Plaid y Gyngres *eb* Congress Party
Plaid yr Unoliaethwyr *eb* Unionist Party
plaleiddiad *eg* pesticide
plân *eg* plane (geometrical)
plân ar oledd *eg* inclined plane
plân arosgo *eg* oblique plane
plân cyfeirnod *eg* plane of reference
plân cymesuredd *eg* plane of symmetry
plân darlun *eg* picture plane

plân ecliptig *eg* ecliptic plane
plân echelinol *eg* axial plane
plân fertigol *eg* vertical plane
plân haenu *eg* bedding plane
plân hollti *eg* cleavage plane
plân isomedrig *eg* isometric plane
plân llorweddol *eg* horizontal plane
plân slip *eg* slip plane
plân tangiad *eg* tangent plane
plân tangiadol *eg* tangential plane
plân terfyn *eg* bounding plane
plân torri *eg* cutting plane
plân trychu *eg* section plane
plân wynebol *eg* facial plane
planar *ans* planar
planc *eg* plank
plancton *eg* plankton
planed *eb* planet
planhigfa *eb* plantation (of plants)
planhigol *ans* plant *adj*
planhigyn *eg* plant *n*
planhigyn anflodeuol *eg* non-flowering plant
planhigyn blodeuol *eg* flowering plant
planhigyn dringo *eg* climbing plant
planhigyn dŵr *eg* water plant
planhigyn gwreiddiog *eg* rooted plant
planhigyn suddlon *eg* succulent plant
planhigyn wy *eg* aubergine
planisffer *eg* planisphere
planisio *be* planishing
plannu *be* plant
plas *eg* mansion
plasebo *eg* placebo
plastid *eg* plastid
plastig *ans* plastic *adj*
plastig *eg* plastic *n*
plastig clir *eg* clear plastic
plastig thermosodol *eg* thermosetting plastic
plastigrwydd *eg* plasticity
plastigydd *eg* plasticizer
plastisin *eg* plasticine
plastisin lliw *eg* coloured plasticine
plastr *eg* plaster *n*
plastr a rhwymyn plaster and bandage
plastr gypswm *eg* gypsum plaster
plastr Paris *eg* plaster of Paris
plastro *be* plaster *v*
plasty *eg* mansion house
plasty yn y wlad *eg* country house
plât *eg* plate *n*
plât arian *eg* silver plate
plât arwyneb *eg* surface plate
plât bobin *eg* throat plate (of machine part)
plât bys *eg* finger plate
plât cloi *eg* locking plate
plât cloi fflat *eg* flat locking plate

---

plât cloi plyg *eg* bent locking plate
plât cramennol *eg* crustal plate
plât culhad *eg* shrinkage plate
plât cydio *eg* clutch plate
plât drych *eg* mirror plate
plât esgytsiwn *eg* escutcheon plate
plât gwarchod *eg* guard plate
plât hidlo *eg* sieve plate
plât hoelbrennau *eg* dowel plate
plât lleoli *eg* locating plate
plât llyfr *eg* book-plate
plât llythyrau *eg* letter plate
plât mowntio *eg* mounting plate
plât nicel *eg* nickel plated
plât ongl *eg* angle plate
plât ongl blwch *eg* box angle plate
plât papur *eg* paper plate
plât rhybedog *eg* riveted plate
plât safn *eg* jaw plate
plât sgriwio *eg* screw-plate
plât siecer *eg* chequer plate
plât taro *eg* striking plate
plât tern *eg* terne plate
plât torri *eg* cutting plate
plât torri sinc *eg* zinc cutting plate
plât troi *eg* driving plate
plât tynnu *eg* draw plate
plât tywys *eg* guide plate
plât wyneb *eg* face plate
plât y pitsiwr *eg* pitcher's plate
plât yr ergydiwr *eg* striker's plate
plât ysgogi *eg* actuating plate
platen (mewn teipiadur, gwasg argraffu) *eb* platen
platen (yn y gwaed) *eb* platelet (blood)
platinio *be* platinize
platinwm (Pt) *eg* platinum (Pt)
platio *be* plate *v*
platwadn *eg* soleplate (of iron)
platŵn *eg* platoon
platwydr *eg* plate glass
platwydr trwchus *eg* thick plate glass
platycwrtig *ans* platykurtic
playa *eg* playa
ple *eg/b* plea
plectrwm *eg* plectrum
pledio *be* plead
pledion y Goron *ell* pleas of the Crown
plediwr *eg* pleader
pledren *eb* bladder (of animals)
pledrennol *ans* cystic (medical)
pleidgarwch *eg* partisanship
pleidlais *eb* vote *n*
pleidlais atal *eb* veto
pleidlais fwrw *eb* casting vote
pleidlais gerydd *eb* vote of censure
pleidlais gudd *eb* secret ballot

pleidlais gwlad *eb* plebiscite
pleidlais gwŷr *eb* manhood suffrage
pleidlais gyffredinol *eb* universal suffrage
pleidleisio *be* vote *v*
pleidleisio dirprwyol *be* voting by proxy
pleion *eg* pleion
pleiotropedd *eg* pleiotropy
Pleistosen *eg* Pleistocene
plenipotensiwr *eg* plenipotentiary
plentyn *eg* child
plentyn â nam corfforol *eg* physically handicapped child
plentyn â nam meddyliol *eg* mentally handicapped child
plentyn addysgol isnormal *eg* educationally sub-normal child (ESN)
plentyn ag anghenion addysgol arbennig *eg* child having special educational needs
plentyn amddifadus *eg* deprived child
plentyn araf *eg* backward child
plentyn awtistig *eg* autistic child
plentyn bach *eg* toddler
plentyn byddar *eg* deaf child
plentyn cyffredin *eg* average child
plentyn dall *eg* blind child
plentyn dan anfantais *eg* handicapped child
plentyn dan oed ysgol *eg* preschool child
plentyn dawnus *eg* gifted child
plentyn diabetig *eg* diabetic child
plentyn eithriadol *eg* exceptional child
plentyn epileptig *eg* epileptic child
plentyn gorfywiog *eg* hyperactive child
plentyn heb ymaddasu *eg* maladjusted child
plentyn maeth *eg* foster child
plentyn mewn angen *eg* child in need
plentyn mewn perygl *eg* child at risk
plentyn mud *eg* dumb child
plentyn sbastig *eg* spastic child
plentyn sy'n tan-gyflawni *eg* underachiever (of child)
plentyn wedi'i wahardd *eg* excluded child
plentyn ysgol *eg* school child
plentyndod *eg* childhood
plentyndod canol *eg* middle childhood
plentyndod cynnar *eg* early childhood
plentynnaidd *ans* childish
plet *eg/b* pleat
plet bocs *eb* box pleat
plet gic *eb* kick pleat
plet lafn *eb* knife pleat
plet wrthdro *eb* inverted pleat
pletio *be* pleating
pletio acordion *be* accordion pleating
pletio parhaol *be* permanent pleating
pletio pelydrog *be* sunray pleating
pletio rhydd *be* unpressed pleating
pletio ysgafn *be* soft pleating
pleth *eb* plait *n*
plethu (mewn dawns) *be* weave in and out (in dancing)
plethu (yn gyffredinol) *be* plait *v*

---

eg/b enw gwrywaidd/benywaidd, *feminine/masculine noun*   *ell* enw lluosog, *plural noun*   **v** berf, *verb*   **n** enw, *noun*

plethu raffia *be* raffia weaving
plethwaith a chlai wattle and daub
plinth *eg* plinth
plinth bandin croes *eg* cross banded plinth
plisgyn *eg* shell (of eggs, vegetables, electrons)
plisgyn electronau *eg* electron shell
plisgyn wy *eg* eggshell
pliwtocrat *eg* plutocrat
pliwtocratiaeth *eb* plutocracy
ploryn *eg* pimple
plot *eg* plot *n*
plotio *be* plot *v*
plotydd *eg* plotter
plotydd digidol *eg* digital plotter
plotydd graff *eg* graph plotter
plu eilaidd *ell* secondary plumage
pluen *eb* feather *n*
pluen geiliog *eb* cockfeather
pluo *be* feather *v*
plwc *eg* twitch *n*
plwc clust *eg* ear flick
plwg *eg* plug *n*
plwg folcanig *eg* volcanic plug
plwg ffibr *eg* fibre plug
plwg metel *eg* metal plug
plwg pren *eg* wood plug
plwg tanio *eg* sparking plug
plwg tri phin *eg* three point plug
plwg trydan *eg* electric plug
plwg-gytûn *ans* plug compatible
plwm *ans* plumb
plwm (Pb) *eg* lead (Pb) *n*
plwmbago *eg* plumbago
plwraliaeth *eb* pluralism (of cultural diversity)
plws *eg* plus
Plwton *eg* Pluto
plwtoniwm (Pu) *eg* plutonium (Pu)
plwyf *eg* parish
plwyfol *ans* parochial
plwyfolyn *eg* parishioner
plycio *be* twitch *v*
plyg *eg* fold *n*
plyg (am donnau sain, golau) *ans* refracted (light, sound wave)
plyg (yn gyffredinol) *ans* folded
plyg anghymesur *eg* asymmetric fold
plyg bychan *eg* minor fold
plyg croesraen *eg* crossway fold
plyg cymesur *eg* symmetric fold
plyg cyntaf *eg* first fold
plyg gorweddol *eg* recumbent fold
plyg i fyny *eg* upfold
plyg i lawr *eg* downfold
plyg pigfain *eg* tapering fold
plygell *eb* folder
plygell asgwrn *eb* bone folder

plygiad plwm *eg* flashing (over door, window)
plygiannedd (tonnau sain, golau) *eg* refractivity
plygiannedd (yn gyffredinol) *eg* bendability
plygiant (ffabrigau, papur) *eg* folding
plygiant (tonnau sain, golau) *eg* refraction
plygiant (y corff, peipiau etc) *eg* bending
plygiant isoclinol *eg* isoclinal folding
plygiant tonnau *eg* wave refraction
plygio *be* plug *v*
plygion metaplewraidd *ell* metapleural folds
plygu (ffabrigau, papur) *be* fold *v*
plygu (tonnau sain, golau) *be* refract
plygu (y corff, peipiau etc) *be* bend *v*
plygu coed *eg* wood bending
plygu i lawr *be* bend down
plygu metel *be* metal bending
plygu plastig *be* plastic bending
plygu (onglog / radiws) *be* bending (angular / radius)
plygu'n ôl *be* bend backwards
plymbwll *eg* plunge pool
plymiad *eg* plunge *n*
plymio *be* plunge *v*
plymiwr *eg* plunger
plymiwr di-nwyo *eg* degassing plunger
plymwr *eg* plumber
pob pedair blynedd quadrennial
pob pum mlynedd quinquennial
pobi *be* bake
pobi'n wag *be* bake blind
pobiad *eg* batch baking
pobl gyffredin *eb* commonalty
pobl y prysglwyni *ell* bushmen
pobloedd cynnar *ell* early peoples
poblogaeth *eb* population
poblogaeth ddibynnol *eb* dependent population
poblogaeth frig *eb* peak population
poblogaeth gysefin *eb* parent population
poblogaeth o oed gwaith *eb* active population
poblogaeth optimwm *eb* optimum population
poblogaeth sy'n heneiddio *eb* ageing population
poblogaeth weithio *eb* working population
poblogaeth yswiriedig *eb* insured population
poblogaidd *ans* popular
poblyddiaeth *eb* populism
poblyddwr *eg* populist
pobydd *eg* baker
poced *eb* pocket *n*
poced agen *eb* bound slot pocket
poced fflap *eb* flap pocket
poced glun letraws *eb* diagonal hip pocket
poced glwt *eb* patch pocket
poced glwt ddwbl *eb* double patch pocket
poced sêm ochr *eb* side seam pocket
poced wald *eb* welt pocket
poced wedi'i leinio *eb* lined pocket
pocediadur *eg* pocketbook (of portable computer)

---

adf, adv adferf, *adverb* **ans, adj** ansoddair, *adjective* **be** berf, *verb* **eb** enw benywaidd, *feminine noun* **eg** enw gwrywaidd, *masculine noun*

pocedu *be* pocket *v*
pocer *eg* poker
pocer nwy *eg* gas poker
podsol *eg* podsol
podsolig *ans* podsolic
poen *(eb/g)* pain
poen allgyfeiriol *eg* referred pain
poenliniarol *ans* analgesic *adj*
poenliniarydd *eg* analgesic *n*
poenliniarydd epidiwral *eg* epidural analgesic
poenus *ans* painful
poer *eg* saliva
poergarthydd *eg* expectorant
poerol *ans* salivary
poeth *ans* hot
poeth freuder *ans* hot shortness
poethder *eg* hotness
poethgoch *ans* red hot
poethoffrwm *eg* burnt offering
poicilothermig *ans* poikilothermic
pôl de *eg* south pole (of a magnet)
pôl gogledd *eg* north pole (of a magnet)
pôl magnetig *eg* magnetic pole
pôl sy'n cyrchu tua'r de *eg* south seeking pole (of a magnet)
pôl sy'n cyrchu tua'r gogledd *eg* north seeking pole (of a magnet)
polar *ans* polar (of magnet, electricity) *adj*
polaredd *eg* polarity
polaredd negatif *eg* negative polarities
polareiddiad *eg* polarization
polarimedr *eg* polarimeter
polarimedreg *eb* polarimetry
polaru *be* polarize
polarydd *eg* polarizer
polca *eg* polka
polder *eg* polder
polderu *be* impolder
poledd *eg* pole strength
polio *eg* polio
polisi *eg* policy
polisi adweithiol *eg* reactionary policy
polisi am pethyddol cyffredin *eg* common agricultural policy
polisi codi tâl *eg* charging policy
polisi cymdeithasol *eg* social policy
polisi Cymraeg *eg* Welsh language policy
polisi cynnwys y tŷ *eg* house contents policy
polisi cytûn *eg* agreed policy
polisi chwarae teg *eg* square deal policy
polisi derbyn *eg* admissions policy
polisi diffynnaeth *eg* protectionist policy
polisi drws agored *eg* open-door policy
polisi dyhuddo *eg* appeasement policy
Polisi Economaidd Newydd *eg* New Economic Policy
polisi egni y Deyrnas Gyfunol *eg* UK energy policy
polisi gwaddol *eg* endowment policy

polisi mewnol *eg* domestic policy
polisi prisiau ac incwm *eg* prices and incomes policy
polisi ymddiffeithio *eg* scorched earth policy
polisi ymwthiol *eg* forward policy (of imperialist advance)
polisi ysgol gyfan *eg* whole school policy
polisi yswiriant *eg* insurance policy
Polisi'r Fargen Newydd *eg* New Deal Policy
polo'r dŵr *eg* water-polo
polonaise *eg* polonaise
poloniwm (Po) polonium (Po)
polycarbonad *eg* polycarbonate
polyclens *eg* polyclens
polyester *eg* polyester
polyethylen *eg* polyethylene
polyfinyl asetad *eg* polyvinyl acetate
polyfinyl clorid *eg* polyvinyl chloride
polyfinyliden *eg* polyvinylidene
polyffila *eg* polyfilla
polyfflworocarbon *eg* polyfluorocarbon
polyffosffad *eg* polyphosphate
polygon *eg* polygon
polygon amgylchol *eg* circumscribed polygon
polygon amlder *eg* frequency polygon
polygon amlder cronnus *eg* cumulative frequency polygon
polygon cyswllt *eg* link polygon
polygon grymoedd *eg* polygon of forces
polygon rhaff *eg* funicular polygon
polyhedrol *ans* polyhedral
polyhedron *eg* polyhedron
polymer *eg* polymer
polymer finyl *eg* vinyl polymer
polymeriad *eg* polymerization
polymeru *be* polymerize
polyn *eg* pole (=long, slender piece of wood, metal etc)
polyn anelu *eg* ranging pole
polyn llorwedd *eg* ledger (scaffolding)
polynomaidd *ans* polynomial *adj*
polynomial *eg* polynomial *n*
polyomino *eg* polyomino
polypeptid *eg* polypeptide
polypropylen *eg* polypropylene
polystyren *eg* polystyrene
polytop *eg* polytope
polythen *eg* polythene
polywrethan *eg* polyurethane
pompom *eg* pompom
pompren *eb* footbridge
ponc (=codiad tir bychan) *eb* hummock
ponc (mewn chwarel) *eb* gallery (in quarrying)
ponciog *ans* hummocky
pont *eb* bridge passage
pont (mewn dawns) *eb* arch (in dancing) *n*
pont (yn gyffredinol) *eb* bridge *n*
pont bwyso *eb* weighbridge
pont diwb *eb* tubular bridge

---

eg/b enw gwrywaidd/benywaidd, *feminine/masculine noun*   *ell* enw lluosog, *plural noun*   *v* berf, *verb*   *n* enw, *noun*

pont eira *eb* snow bridge
pont godi *eb* drawbridge
pont grog *eb* suspension bridge
pont yr ysgwydd *eb* clavicle
ponticello *adf* ponticello
pontiff *eg* pontiff
pontio (=ffurfio bwa) *be* arch *v*
pontio (yn gyffredinol) *be* bridge *v*
pontreth *eb* pontage
pop *eg* pop *n*
popio *be* pop *v*
poplin *eg* poplin
popty *eg* cooker
popty estynedig *eg* cooker range
porc bol *eg* belly pork
porfa *eb* pasture
porfa arw *eb* rough pasture
porfa barhaol *eb* permanent pasture
porfa fynydd *eb* mountain pasture
porfäwr *eg* grazier
porffor *eg* purple
porffor brown *eg* purple brown
porffor gweledol *eg* visual purple
porffor gwelw *eg* mauve
porffor tywyll *eg* dark purple
porffyri *eg* porphyry
porffyritig *ans* porphyritic
pori (yn ffigurol) *be* browse
pori (yn llythrennol) *be* graze (=feed on grass)
pori cylchdro *be* rotational grazing
pori parhaol *be* permanent grazing
pori rheoledig *be* controlled grazing
porslen *eg* porcelain
porslen plisgyn wy *eg* eggshell porcelain
port *eg* port (side)
portamento *eg* portamento
portffolio *eg* portfolio
Portiwgaleg (iaith) *eb* Portuguese (language)
Portiwgalydd *eg* Portuguese (person)
portread *eg* portrait
portread darluniol *eg* pictorial representation
portread eiconig *eg* iconic representation
portread hanner hyd *eg* half-length portrait
portread hyd llawn *eg* full-length portrait
portreadol *ans* representational (=seeking to portray)
portreadu *be* portray
porth (ar gyfrifiadur) *eg* port
porth (eglwys) *eg* main entrance (of church)
porth (yn cysgodi dros ddrws) *eg* porch
porth cyfresol *eg* serial port
porth ffacs *eg* fax gateway
porth gwacáu *eg* exhaust port
porth mynwent *eg* lychgate
porth paralel *eg* parallel port
porthcwlis *eg* portcullis
porthell *eb* gate (in metallurgy)

porthell arllwys *eb* pouring gate
porthfaer *eg* port-reeve
porthi *be* feed (livestock) *v*
porthi cocos *be* traction feed
porthiant *eg* fodder
porthiant awtomatig *eg* automatic feed
porthiant bar (mecanwaith) *eg* bar feed (mechanism)
porthiant confensiynol *eg* conventional feed
porthiant dringol *eg* climbing feed
porthiant fertigol *eg* vertical feed
porthiant garw *eg* coarse feed
porthiant hydredol *eg* longitudinal feed
porthiant llithr *eg* sliding feed
porthiant sensitif *eg* sensitive feed
porthiant ysbeidiol *eg* intermittent feed *n*
porthladd galw *eg* port of call
porthladd rhydd *eg* free port
porthmon *eg* drover
porthor *eg* porter
porthora *be* portering
porthydd cardiau *eg* card feed
porthydd dalennau *eg* sheet-feeder
pos gofodol *eg* spatial puzzle
pos jigso *eg* jigsaw puzzle
posibiliaeth *eb* possibilism
posibiliedydd *eg* possibilist
positif *ans* positive
positron *eg* positron
post *ans* postal
post *eg* mail
post amlerfyn *eg* multi-tool post
post ceiniog *eg* penny post
post newid cyflym *eg* quick change post
post pedwar erfyn *eg* four-way tool post
post ystlys *eg* newel post
poster *eg* poster
postgyfuno *be* mailmerge
postliwd *eg* postlude
postyn gôl *eg* goal post
postyn milltir *eg* milepost
postyn offer *eg* tool post
postyn pwll *eg* pitprop
postyn ystofi *eg* warping post
post-dafliad *eg* mail-shot
post-mortem *eg* post-mortem
pot golchdrwyth *eg* gallipot
pot glud *eg* glue pot
pot pupur *eg* pepper-pot
potasiwm (K) *eg* potassium (K)
potel *eb* bottle
potel wactod *eg* vacuum bottle
potel â thopyn *eb* stoppered bottle
potel chwistrellu *eb* spray bottle
potel fwydo *eb* feeding-bottle
poten (y goes) *eb* calf (of leg)
potensial *eg* potential

---

adf, adv adferf, adverb   **ans, adj** ansoddair, adjective   **be** berf, verb   **eb** enw benywaidd, feminine noun   **eg** enw gwrywaidd, masculine noun

potensial dŵr *eg* water potential
potensial poblogaeth *eg* population potential
potensial electrod safonol *eg* standard electrode potential
potensiomedr *eg* potentiometer
potes *eg* broth
pothell *eb* blister
pothellu *be* blistering
poussette *eb* poussette
powdr *eg* powder
powdr cannu *eg* bleaching powder
powdr codi *eg* baking powder
powdr crocws *eg* crocus powder
powdr emeri *eg* emery powder
powdr golchi *eg* washing powder
powdr gwn *eg* gunpowder
powdr partio *eg* parting powder
powdr past *eg* paste powder
powdr past cellwlos *eg* cellulose paste powder
powdr pwmis *eg* pumice powder
powdr sgwrio *eg* scouring powder
powdr sialc *eg* whiting
powdr tartar *eg* cream of tartar
powdrliw *eg* powder colour
powdrliw sefydlog *eg* fixed powder colour
powdrog *ans* powdery
powlaid *eb* bowlful
powlen *eb* bowl
powlen grog *eb* hanging bowl
powlen lwch *eb* dust bowl
powltis *eg* poultice
powndio *be* impound
pragmatiaeth *eb* pragmatism
pragmatydd *eg* pragmatist
praidd *eg* flock
pram *eg* pram
praseodymiwm (Pr) *eg* praseodymium (Pr)
prawf (=arholiad bach) *eg* test *n*
prawf (=gwiriad) *eg* check (=test) *n*
prawf (=tystiolaeth) *eg* proof (=evidence)
prawf (=cyfnod dan oruchwyliaeth fanwl) *eg* probation
prawf a osodir yn genedlaethol *eg* nationally prescribed test
prawf ailadrodd rhifau *eg* digit repetition test
prawf arwyddocâd *eg* test of significance
prawf brwydr *eg* trial by battle
prawf caledwch *eg* hardness test
prawf ceg y groth *eg* cervical smear
prawf creadigrwydd *eg* creativity test
prawf croeslinol *eg* diagonal test
prawf cyfystyr-gwrthystyr *eg* synonym-antonym test
prawf cyrhaeddiad *eg* achievement test
prawf cysyniadau *eg* concept sorting test
prawf dan oruchwyliaeth *eg* controlled test
prawf darllen *eg* reading test
prawf darllen a deall *eg* comprehension test
prawf deallusrwydd *eg* intelligence test

prawf deallusrwydd safonedig *eg* standardized intelligence test
prawf diagnostig *eg* diagnostic test
prawf dilyn cyfarwyddiadau *eg* directions test
prawf dilysrwydd *eg* validity check
prawf diwedd modiwl *eg* end-of-module test
prawf ffitrwydd *eg* fitness test
prawf ffurfiol *eg* formal proof
prawf galwedigaethol *eg* vocational test
prawf gallu *eg* ability test
prawf gallu creadigol *eg* creative ability test
prawf gallu cyffredinol *eg* general ability test
prawf gan ei gydradd *eg* trial by his peers
prawf goddefiad glwcos *eg* glucose tolerance test
prawf graddedig *eg* graded test
prawf graddedig darllen geiriau *eg* graded word reading test
prawf graddio *eg* grading test
prawf grŵp *eg* group test
prawf grŵp o allu ymenyddol *eg* group test of mental ability
prawf gwaed *eg* blood test
prawf gwrando *eg* listening test
prawf gwreichionen *eg* spark test
prawf gwybodaeth *eg* information test
prawf gwybyddol *eg* cognitive test
prawf haenu *eg* flake test (jam)
prawf heli *eg* brine test
prawf hewristig *eg* heuristic proof
prawf iaith *eg* language test
prawf llafar *eg* oral test
prawf maen prawf gyfeiriol *eg* criterion-referenced test
prawf meistrolaeth *eg* mastery test
prawf modd *eg* means test
prawf odbaredd *eg* odd-parity check
prawf paredd *eg* parity check
prawf peilot *eg* pilot test
prawf perfformiad *eg* performance test
prawf rhifyddeg pen *eg* mental arithmetic test
prawf safonedig *eg* standardized test
prawf safonol *eg* standard test
prawf sillafu *eg* spelling test
prawf teg *eg* fair test
prawf trefnu patrymau *eg* block design test
prawf troeth *eg* urine test
prawf tueddfryd *eg* aptitude test
prawf tynnu llun person *eg* draw-a-man test
prawf unigol *eg* individual test
prawf ymarferol *eg* practical test
prawfswm *eg* checksum
prawf-brintio *be* trial printing
prawf-ddangosydd deial *eg* dial test indicator
prawf-ddata *ell* test data
prebend *eg* prebend
prebendari *eg* prebendary
preceptor *eg* preceptor
preceptoriaeth *eb* preceptorship

---

eg/b enw gwrywaidd/benywaidd, *feminine/masculine noun*   *ell* enw lluosog, *plural noun*   **v** berf, *verb*   **n** enw, *noun*

pregeth *eb* sermon
pregethu *be* preach
preifateiddio *be* privatize
preifatîr *eg* privateer
preimio *be* prime *v*
preis *eg* prise
prelad *eg* prelate
preliwd *eg* prelude
preliwd corâl *eg* chorale prelude
premiwm *eg* premium
premiwm blynyddol *eg* annual premium
pren *eg* wood (=material)
pren amlhaenog *eg* multi-plywood
pren balsa *eg* balsa wood
pren bocs *eg* box wood
pren caled *eg* hardwood
pren caled nad yw'n hollti *eg* non-splitting hardwood
pren coctel *eg* cocktail stick
pren cyfansawdd *eg* manufactured board
pren cyferbyniol *eg* contrasting wood
pren ffawydd *eg* beech wood
pren golau ei liw *eg* wood of light colour
pren gwastraff *eg* scrap wood
pren gwthio *eg* push stick (power sawing)
pren gwyn *eg* whitewood
pren haengaled *eg* armoured ply
pren haenog *eg* plywood
pren haenog allanol *eg* exterior plywood
pren haenog bedw *eg* birch plywood
pren haenog canol trwchus *eg* stoutheart plywood
pren haenog gradd morol *eg* marine grade plywood
pren haenog mewnol *eg* interior plywood
pren haenog pum haen *eg* five ply plywood
pren haenog wedi'i argaenu *eg* veneered plywood
pren haenog wedi'i wynebu *eg* faced plywood
pren heb ei sychu *eg* green timber (unseasoned)
pren lled galed *eg* mild hardwood
pren marw *eg* dead wood
pren meddal *eg* softwood
pren mesur *eg* ruler
pren metr *eg* metre stick
pren o ansawdd da *eg* good quality wood
pren pum haen *eg* five-ply wood
pren solet *eg* solid timber
pren synthetig *eg* synthetic wood
pren tairhaenog *eg* three-ply wood
pren wedi'i lifio *eg* sawn timber
pren y gwanwyn *eg* spring wood
pren yr haf *eg* summer wood
prennyn yn mudlosgi *eg* glowing splint (in chemistry)
prentis *eg* apprentice
prentisiaeth *eb* apprenticeship
pres *eg* brass *n*
pres catris *eg* cartridge brass
pres Morlys *eg* Admiralty brass
pres parhaol *eg* permanent press
pres tiwbaidd *eg* tubular brass

presbyter *eg* presbyter
Presbyteraidd *ans* Presbyterian *adj*
Presbyteriad *eg* Presbyterian *n*
presbytri *eg* presbytery
presenoldeb *eg* attendance
presenoldeb ysbeidiol *eg* sporadic attendance
presesiad *eg* precession
presesu *be* precess
presgripsiwn *eg* prescription
presidiwm *eg* presidium
presio dillad *be* press clothes
preswyl *ans* resident *adj*
preswyliwr *eg* resident *n*
presyddiad bôn *eg* butt brazed
presyddu *be* braze
pres, y *ell* press gang
pricio a phanlychu *be* prick and pounce
priciwr ffeil *eg* file pricker
pridwerth *eg* ransom
pridd *eg* soil (=earth)
pridd anaeddfed *eg* immature soil
pridd brown *eg* brown earth
pridd coch *eg* red earth
pridd uwchdor *eg* truncated soil
pridd y pannwr *eg* fuller's earth
priddeg *eb* pedological
priddegol *ans* pedogenic
priddlif *eg* sludging (=solifluction)
prif *ans* principal *adj*
prif a mân chwaraeon major and minor games
prif air *eg* headword
prif allor *eb* high altar
prif arolygydd *eg* chief superintendent
prif bibell *eb* main pipe
prif blanau *ell* principal planes
prif dâp *eg* master tape
prif denant *eg* tenant-in-chief
prif destun *eg* main subject
prif dudalen *eb* master page
prif ddewislen *eb* main menu
prif ddimensiynau *ell* main dimensions
prif ddisg *eg* master disk
prif ddiwydiannau *ell* staple industries
prif echelin *eb* main axis
prif fachgen *eg* head boy
prif faen prawf *eg* main criterion
prif ferch *eb* head girl
prif feridian *eb* prime meridian
prif flaenoriaeth *eg* top priority
prif ffeil *eg* master file
prif ffocws *eg* principal focus
prif ffrwd *eb* main stream
prif ffrydio *be* mainstreaming
prif geibr *eg* main rafter
prif grefydd *eb* main religion
prif gronfa wladol *eb* consolidated fund
prif gyflenwad (dwr, trydan etc) *eg* mains supply

adf, adv adferf, *adverb* **ans, adj** ansoddair, *adjective* **be** berf, *verb* **eb** enw benywaidd, *feminine noun* **eg** enw gwrywaidd, *masculine noun*

prif gyflenwad domestig *eg* domestic mains supply
prif gyfnod tyfiant *eg* grand period of growth
prif gyfrifiadur *eg* main frame computer
prif hwylbren *eb* main mast
prif liw *eg* main colour
prif organ *eb* great organ
prif orsaf *eb* principal station
prif raff *eb* mainsheet
prif raglen *eb* master program
prif sgrin *eb* main screen
prif siaradwr *eg* keynote speaker
prif storfa *eb* main store
prif swyddfa'r post *eb* general post office
prif swyddog addysg *eg* chief education officer
prif swyddog iechyd *eg* chief medical officer of health
Prif Swyddwr *eg* Grand Pensionary (Netherlands)
prif system nerfol *eb* central nervous system
prif urdd *eb* major order
Prif Ustus *eg* Chief Justice
prif ustus *eg* justiciar
prif weinidog *eg* prime minister
prif weinydd nyrsio *eg* charge nurse (=male sister)
prif weinyddes nyrsio *eb* sister (in nursing)
prif weithredwr *eg* chief executive officer
prif werthyd *eg* main spindle (lathe part)
prif wreiddyn *eg* tap root
prif wythïen *eb* main artery
prif ynad *eg* reeve (=chief magistrate)
prifathrawes *eb* headmistress
prifathro *eg* headmaster
prifddinas *eb* capital (city)
priflythyren *eb* capital letter
prifswm *eg* principal
prifwynt *eg* prevailing wind
prifysgol *eb* university
Prifysgol Agored *eb* Open University
prifysgol annibynnol *eb* independent university
prifysgol golegol *eb* collegiate university
priffordd *eb* highway
prin *adf* just (=barely)
prin drawiad *eg* grazing incidence (in physics)
prin glirio *be* just clear
prin o galch *ans* lime deficient
prin osgoi *be* just miss
prinder *eg* deficiency, scarcity
prinder calch *eg* lime deficiency
prinder fitamin *eg* vitamin deficiency
prinfwyn *eg* rare earth
print *eg* print *n*
print arbrofol *eg* trial print
print deilen *eg* leaf print
print ffloc *eg* flock print
print Japaneaidd *eg* Japanese print
print leino *eg* lino print
print lliw *eg* colour print
printiad offset *eg* offset print
printiedig *ans* printed

printio *be* print (pictures, designs) *v*
printio â phren *be* stick printing
printio â sgrin sidan *be* silk-screen printing
printio â thaten *be* potato printing
printio bloc *be* block printing
printio bloc leino *be* lino-block printing
printio ffabrig *be* fabric printing
printio leino *be* lino printing
printio sgrin *eg* screen printing
printio tynnol *be* subtractive printing
priodas *eb* marriage
priodas ddirprwyol *eb* marriage by proxy
priodasol *ans* matrimonial
priodol *ans* appropriate *adj*
priodol o ran anhawster appropriately pitched
priodoledd *eg* attribute
priodoledd esthetig *eg* aesthetic quality
priodoleddau ac amryweddau attributes and variates
priodwedd *eb* property (=attribute)
priodwedd drechol *eb* dominant attribute
priodwedd enciliol *eb* recessive attribute
priodwedd ffisegol *eb* physical property
priodwedd gydglymu *eb* colligative property
priodwedd gweithio *eb* working property
priodwedd metelau *eb* property of metals
prior *eg* prior
priordy *eg* priory
priores *eb* prioress
prioriaeth *eb* priorship
pris *eg* price
pris cost *eg* cost price
pris cyfartalog *eg* average price
pris cyfredol *eg* current price
pris dangosol *eg* marked price
pris gostyngol *eg* reduced price
pris gwerthu *eg* selling price
pris llawn *eg* full cost price
pris penodol *eg* fixed price
pris prynu *eg* buying price
pris ymyrrol *eg* intervention price
prisiant *eg* valuation
prisiwr *eg* valuer
prisiwr rhanbarth *eg* district valuer
prism *eg* prism
prism arosgo *eg* oblique prism
prism blaendor *eg* truncated prism
prism cangen *eg* branch prism
prism crwn *eg* circular prism
prism hecsagonol *eg* hexagonal prism
prism petryal *eg* rectangular prism
prism rheolaidd *eg* regular prism
prism sgwâr *eg* square prism
prism triongl *eg* triangular prism
prism union *eg* right prism
prismatig *ans* prismatic
prismatoid *eg* prismatoid
prismau croestoriadol *eg* intersecting prisms

prismoid *eg* prismoid
prismoidol *ans* prismoidal
proban *eg* proban
problem *eb* problem
problem dynnu *eb* subtraction problem
problem gyfeiriedig *ans* problem orientated
problem rifiadol *eb* numerical problem
problemau cartrefu *ell* housing problems
problemau ymddygiad *ell* behavioural problems
proctor *eg* proctor
procuradur *eg* procurator
profeb *eb* probate (=copy of will)
profedigaeth *eb* bereavement
profedigai *eg* testee
Profensaidd *ans* Provençal *adj*
Profensaleg *eg* Provençal (language)
Profenswr *eg* Provençal *n*
profi (=dangos cywirdeb) *be* prove
profi (=rhoi prawf) *be* test *v*
profi croeslinol *be* diagonal testing
profi derbyniad *be* acceptance testing
profi diagnostig *be* diagnostic testing
profi eitemau *be* item testing
profi maen prawf gyfeiriol *be* criterion-referenced testing
profi modd *be* means testing
profi pell *be* remote testing
profi rhaglen *be* program proving
profi teg *be* fair testing
profi ystyrlon *be* significant testing
profiad *eg* experience
profiad deallusol *eg* intellectual experience
profiad gwaith *eg* work experience
profiad iaith *eg* language experience
profiad uniongyrchol *eg* direct experience
profiadau bywyd *ell* life experiences
profiadau yn y cwricwlwm *ell* curricular experiences
profiant *eg* probate (=proving of a will) *n*
proflen *eb* proof (=trial printing)
profost *eg* provost
profost-farsial *eg* provost marshal
profwr *eg* trier
proffas *eg* prophase
proffesiwn *eg* profession
proffesiynol *ans* professional
proffil *eg* profile *n*
proffil cam *eg* cam profile
proffil clasurol *eg* classic profile
proffil cydbwysedd *eg* profile of equilibrium
proffil disgybl *eg* pupil profile
proffil estynedig *eg* projected profile
proffil graddedig *eg* graded profile
proffil hydredol *eg* longitudinal profile
proffil pridd *eg* soil profile
proffilio *be* profile *v*
profflilm *eg* profilm
proffwyd *eg* prophet

proffwydoliaeth *eb* prophecy
proffylacsis *eg* prophylaxis
progesteron *eg* progesterone
project *eg* project *n*
project peilot *eg* pilot project
prolad *ans* prolate
proladiad *eg* prolation
proletariat *eg* proletariat
prolin *eg* proline
prolog *eg* prologue
Prologau Gwrth-Farcionaidd *ell* Anti-Marcionite Prologues
promenâd *eg* promenade
promethiwm (Pm) promethium (Pm)
prop *eg* prop (in rugby)
propaganda *eg* propaganda
propan *eg* propane
prosbectws *eg* prospectus
prosceniwm *eg* proscenium
proselyt *eb* proselyte
proselytiaeth *eb* proselytism
proses *eb* process *n*
proses addurnol *eb* decorative process
proses asid Bessemer *eb* acid Bessemer process
proses asid tân agored *eb* acid open hearth process
proses benderfynu *eb* decision making process
proses bresyddu *eb* brazing process
proses bywyd *eb* life process
proses cwyr coll *eb* lost-wax process
proses datrys problemau *eb* problem solving process
proses dectonig *eb* tectonic process
proses ddatblygiadol *eb* developmental process
proses ddilyniannol *eb* sequential process
proses ddylunio *eb* design process
proses fasig Bessemer *eb* basic Bessemer process
proses fasig tân agored *eb* basic open hearth process
proses gefndir *eb* background process
proses gyffwrdd *eb* contact process
proses lathru *eb* polishing process
proses o alaru *eb* grieving process
proses ofannu *eb* forging process
proses olchi *eb* washing process
proses orffennu *eb* finishing process
proses sgrin sidan *eb* silkscreen process
proses sodro *eb* soldering process
proses sychu *eb* drying process
proses wastraffu *eb* wasting process
proses wnïo *eb* sewing process
proses wybyddol *eb* cognitive process
prosesau dynol *ell* human processes
prosesau ffisegol *ell* physical processes
prosesu *be* process *v*
prosesu all-lein *be* off-line processing
prosesu amser real *be* real time processing
prosesu ar-lein *be* on-line processing
prosesu cefndir *be* background processing
prosesu cyfathrebiadau *be* communications processing

---

prosesu data *be* data processing
prosesu data electronig *be* electronic data processing
prosesu data masnachol *be* commercial data processing
prosesu delwedd *be* image processing
prosesu ffeil *be* file processing
prosesu geiriau *be* wordprocessing
prosesu gwybodaeth *be* information processing
prosesu paralel *be* parallel processing
prosesu pell *be* remote processing
prosesu rhestri *be* list processing
prosesu sain *be* sound processing
prosesu trafod *be* transaction processing
prosesydd *eg* processor
prosesydd bwyd *eg* food processor
prosesydd canolog *eg* central processor
prosesydd geiriau *eg* word processor
prosesydd geiriau un pwrpas *eg* dedicated word processor
prosthesis *eg* prosthesis
protactiniwm (Pa) *eg* protactinium (Pa)
protectoriaeth *eb* protectorate
protein *eg* protein
protein cynhenid *eg* native protein
proteinas *eg* proteinase
protest *eb* protest *n*
Protestaniaeth *eb* Protestantism
Protestannaidd *ans* Protestant *adj*
Protestant *eg* Protestant *n*
protestiad *eg* protestation
protestio *be* protest *v*
protocol *eg* protocol
proton *eg* proton
protonoteri *eg* protonotary
prototeip *eg* prototype
Prwsiad *eg* Prussian *n*
Prwsiaidd *ans* Prussian *adj*
pry cop *eg* spider
pryd ar glud *eg* meals on wheels
prydau ysgol *ell* school meals
Prydeiniwr *eg* Briton (Modern)
pryder *eg* anxiety
prydles *eb* lease
prydlesol *ans* leasehold
prydleswr *eg* leaseholder
pryf sidan *eg* silkworm
pryfed deilysol *ell* leaf-eating insects
pryfed pren *ell* woodworm
pryfleiddiad *eg* insecticide
pryfyn *eg* insect
pryfyn llawn-dwf *eg* mature insect
pryfyn tyllu coed *eg* wood-boring insect
pryfysol *ans* insectivorous
pryf-dyllog *ans* worm eaten
prynu *be* buy
prynu ar gredyd *be* credit buying
prynu byrbwyll *be* impulse buying
prynwr *eg* buyer

prynwr gofal iechyd *eg* health care purchaser
prysg *eg* scrub
prysgwydd *eg* brushwood
prysgwydd rhanbarth Môr y Canoldir *ell* Mediterranean scrub
prysgwydd saets *ell* sagebrush
prysuro (geni) *be* induce (birth)
pulpud *eg* pulpit
pum cam *eg* five steps
pumcanmlwyddiant *eg* quincentennial
Pum Clasur (Conffiwsiaeth) *eg* Five Classics (in Confucianism)
Pum Piler Islam *eg* Five Pillars of Islam
Pum Porthladd *eg* Cinque Ports
pumawd *eg* quintet
pumed *eg* fifth (musical interval)
pumed cudd *eg* hidden fifth
Pumed Frenhiniaeth *eb* Fifth Monarchy
Pumed Frenhinwr *eg* Fifth Monarchist
pumed golofn *eb* fifth column
pumed noeth *eg* exposed fifth
Pumed Weriniaeth *eb* Fifth Republic
pumedau ac wythfedau cyfochrog parallel fifths and octaves
pumedau ac wythfedau dilynol *ell* consecutive fifths and octaves
pumedau dilynol *ell* parallel consecutive fifths
pumled *eg* quintuplet
pump *eg* five
pump llath ar hugain *eg* twenty five yards
punt *eb* pound (money)
punteado *eg* punteado
pupur a halen condiments
pupur Jamaica *eg* allspice
pur *ans* pure
purdan *eg* purgatory
purdebaeth *eb* purism
purdebwr *eg* purist
purfa *eb* refinery
puro *be* refine (oil)
pwdin *eg* dessert
pwdin bara menyn *eg* bread and butter pudding
pwdin gwaed *eg* black pudding
pwdin oer *eg* cold sweet
pwdlo *be* puddle *v*
pwdr *ans* rotten
pŵer *eg* power
pŵer dirprwyedig *eg* delegated power
Pŵer Du *eg* Black Power
pŵer gwlychu *eg* wetting power
pŵer niwclear *eg* nuclear power
pŵer trydan dŵr *eg* hydroelectric power
pŵer trydanol *eg* electric power
Pwerau Mawrion *ell* Great Powers
pwerau mawr *ell* super powers
pwerau o 10 *ell* powers of 10
pwerau treiddio *ell* penetrating powers

---

eg/b enw gwrywaidd/benywaidd, *feminine/masculine noun*   *ell* enw lluosog, *plural noun*   *v* berf, *verb*   *n* enw, *noun*

Pwerau'r Axis *ell* Axis Powers

pwerddaliad *eg* holding power (nails and screws)

pŵl (am olau) *ans* dim

pŵl (ar arf) *ans* blunt *adj*

pwli *eg* pulley

pwli belt *eg* belt pulley

pwli côn *eg* cone pulley

pwli differol *eg* differential pulley

pwli V *eg* V pulley

pwli ysgafn *eg* light pulley

pwlofer *eg/b* pullover

pwlp *eg* pulp

pwls *eg* pulse

pwlsadur *eg* pulsator

pwll (ar gyfer nofio) *eg* pool (=for swimming)

pwll (o ddŵr glaw ar ffordd etc) *eg* puddle *n*

pwll (=twll dwfn yn y ddaear) *eg* pit

pwll cloch *eg* bell pit

pwll dŵr *eg* water hole

pwll glo *eg* colliery

pwll neidio *eg* jumping pit

pwll nofio *eg* swimming pool

pwll tegell *eg* kettle hole

pwll tywod *eb* sandpit

pwmis *eg* pumice

pwmp *eg* pump

pwmp ager *eg* steam pump

pwmp awyru *eg* aerator pump

pwmp codi *eg* lift pump

pwmp grym *eg* force pump

pwmp gwacáu *eg* exhaust pump

pwmp gwynt *eg* windpump

pwmp sugno *eg* suction pump

pwna *eg* puna

pwnc *eg* subject (=department or field of study)

pwnc atodol *eg* subsidiary subject

pwnc benodol *ans* subject-specific

pwnc craidd *eg* core subject

pwnc ganolog *ans* subject-centred

pwnc gorfodol *eg* compulsory subject

Pwnc Iwerddon *eg* Irish Question

pwnc lleiafrifol *eg* minority subject

pwnc sylfaen *eg* foundation subject

pwnc y tir *eg* land question

pwnio *be* nudging

pwnsh *eg* punch (for making holes)

pwnsh addurno *eg* decorating punch

pwnsh canoli *eg* centre punch

pwnsh canoli awtomatig *eg* automatic centre punch

pwnsh cefndir *eg* background punch

pwnsh cloch *eg* bell punch

pwnsh chweffordd *eg* sixway punch

pwnsh dotio *eg* dot punch

pwnsh hoelion *eg* nail punch

pwnsh matio *eg* matting punch

pwnsh olinio *eg* tracing punch

pwnsh paralel *eg* parallel punch

pwnsh pin *eg* pin punch

pwnsh repoussé *eg* repoussé punch

pwnsh sbring *eg* spring punch

pwnsh sêm *eg* groove punch

pwnsh suddo a matio *eg* sinking and matting punch

pwnsh tyst *eg* witness punch

pwnsio *be* punch (=make holes) *v*

pwnt *eg* punt *n*

pwrpas deublyg *eg* dual purpose

pwrs *eg* udder

Pwrs Cyfrin *eg* Privy Purse

pwrs gwregys *eg* belt pouch

pwrs herodrol *eg* heraldic purse

pwrswifant *eg* pursuivant

pwti *eg* putty

pwti adlynol *eg* adhesive putty

pwyad *eg* smash shot

pwyllgor *eg* committee

pwyllgor addysg *eg* education committee

Pwyllgor Ayfranddaliadau ac atafaeliadau *eg* Committee of Compounding and Sequestration

Pwyllgor Cyfrifon *eg* Committee of Accounts

pwyllgor dethol *eg* select committee

Pwyllgor Diogelwch y Cyhoedd *eg* Committee of Public Safety

Pwyllgor er Taenu'r Efengyl *eg* Committee for the Propagation of the Gospel

pwyllgor gwaith *eg* executive committee

pwyllgor llywio *eg* steering committee

pwyllgor safoni *eg* moderation committee

pwyllgor sefydlog *eg* standing committee.

pwyllgor sirol *eg* county committee

Pwyllgor Troseddau *eg* Committee of Delinquency

Pwyllgor y Gweinidigion Ysbeiliedig *eg* Committee for Plundered Ministers

pwyllgor ymgynghorol *eg* advisory committee

Pwyllgor Ymgynghorol Cymru *eg* Advisory Committee for Wales

pwynt *eg* point (in general) *n*

pwynt *eg* stage (=point of time)

pwynt allanol *eg* external point

pwynt anfeidredd *eg* point of infinity

pwynt arnawf *eg* floating point

pwynt caledu *eg* decalescent point

pwynt canradd *eg* percentile point

pwynt critigol *eg* critical point

pwynt cydbwysedd *eg* balance point

pwynt cydgyfeiriol *eg* converging point

pwynt cyfiau *eg* conjugate point

pwynt cyfluniant *eg* centre of similitude

pwynt cyffwrdd *eg* point of contact

pwynt cymal *eg* point of articulation

pwynt cyntaf *eg* first point

pwynt chwartel *eg* quartile point

pwynt degol *eg* decimal point

pwynt degradd *eg* decile point

pwynt deuaidd *eg* binary point
pwynt deuol *eg* bicimal point
pwynt diemwnt *eg* diamond point
pwynt dirlawnder *eg* saturation point
pwynt ewtectig *eg* eutectic point
pwynt ffitio *eg* fitting point
pwynt ffocal *eg* focal point
pwynt ffurfdro *eg* point of inflection
pwynt gimbil *eg* gimlet point
pwynt gornest *eg* match point
pwynt ildio *eg* yield point
pwynt iro *eg* lubricating point
pwynt llwyth *eg* load point
pwynt llym *eg* sharp point
pwynt main *eg* fine point
pwynt oedi *eg* point of delay
pwynt prifol *eg* cardinal point
pwynt sefydlog *eg* fixed point
pwynt sgriw *eg* screw point
pwynt stôr *eg* stored point
pwynt tangiadaeth *eg* point of tangency
pwynt terfyn *eg* end point
pwynt trawslwytho *eg* transshipment point
pwynt triol *eg* tercimal point
pwynt triphlyg *eg* triple point
pwynt trydan *eg* electric power point
pwynt uchaf *eg* highest point
pwynt uchder *eg* spot height
pwynt yr ên *eg* point of the jaw
pwyntiau'r cwmpawd *ell* points of the compass
pwyntio *be* point *v*
pwyntydd *eg* pointer
pwyntydd stac *eg* check pointer
pwys *eg* pound (weight)
pwysau (=pêl drom mewn athletau) *ell* shot (=heavy ball in athletics)
pwysau (gwaith etc) *ell* pressure (of work etc)
pwysau (yn gyffredinol) *ell* weight
pwysau agored *ell* catch weights
pwysau bantam *ell* bantam weight
pwysau canol *ell* middle weight
pwysau cot *ell* coat weight
pwysau cymdeithasol *ell* social pressures
pwysau cywerth *ell* equivalent weight
pwysau ffrog *ell* dress weight
pwysau geni *ell* birth weight
pwysau godrwm *ell* light heavy weight
pwysau gwaed *ell* blood pressure
pwysau gwythiennol canolog *eg* central venous pressure
pwysau mwyaf *ell* maximum weight
pwysau net *ell* net weight
pwysau plu *ell* feather weight
pwysau pryf *ell* fly weight
pwysau'r corff *ell* body weight
pwysau'r raced *ell* racket weight
pwysau sych *ell* dry weight
pwysau trwm *ell* heavy weight

pwysau welter *ell* welter weight
pwysau ysgafn *ell* light weight
pwysiad *eg* weighting
pwysiad marciau *eg* mark weighting
pwyslais *eg* emphasis
pwyslais cyfansoddiadol *eg* compositional weight
pwyslath *eb* strut
pwysleisio *be* emphasise
pwysleisiol *ans* emphasized
pwyso (=gwasgu) *be* press (=apply pressure) *v*
pwyso (=canfod pwysau, mesur) *be* weigh
pwyso bysell *be* press a key
pwysol *ans* weighted
pwyswr *eg* weighman
pwysyn *eg* weight (=object for weighing)
pwysyn sash *eg* sash weight
pwyth *eg* stitch *n*
pwyth cadwyn hud *eg* magic chain stitch
pwyth cyfansawdd *eg* composite stitch
pwyth addurnol *eg* decorative stitch
pwyth amlinell *eg* outline stitch
pwyth amylu *eg* oversew stitch
pwyth asgwrn pysgodyn *eg* fishbone stitch
pwyth band *eg* band stitch
pwyth blanced *eg* blanket stitch
pwyth cadwyn *eg* chain-stitch
pwyth cadwyn agored *eg* open chain stitch
pwyth cadwyn amryliw *eg* chequered chain stitch
pwyth cadwyn cribog *eg* crested chain stitch
pwyth cadwyn dro *eg* twisted chain stitch
pwyth cadwyn ddwbl *eg* double chain stitch
pwyth cadwyn rhosyn *eg* rosette chain stitch
pwyth cadwyn unigol *eg* detached chain stitch
pwyth ceibr *eg* chevron stitch
pwyth clo *eg* lock stitch
pwyth clwm *eg* knotted stitch
pwyth coll *eg* skipped stitch
pwyth conyn *eg* stem stitch
pwyth croes *eg* cross stitch
pwyth croes hirfraich *eg* long-armed cross stitch
pwyth crwybr *eg* honeycomb stitch
pwyth cwlwm dwbl *eg* double knot stitch
pwyth cwrel *eg* coral stitch
pwyth cydio *eg* catch stitch
pwyth cyfrif edau *eg* counted thread stitch
pwyth cyfrwy *eg* saddle stitch
pwyth cynfas *eg* canvas stitch
pwyth cynnal *eg* stay stitch
pwyth cyswllt *eg* inserted stitch
pwyth chwipio *eg* whipping stitch
pwyth deilen *eg* leaf stitch
pwyth dolen *eg* looped stitch
pwyth dros bwyth pass slip stitch over
pwyth ffagod *eg* faggot stitch
pwyth ffagod dwbl *eg* double faggot stitch
pwyth ffagod sengl *eg* single faggot stitch

---

eg/b enw gwrywaidd/benywaidd, *feminine/masculine noun*   *ell* enw lluosog, *plural noun*   *v* berf, *verb*   *n* enw, *noun*

pwyth gardys *eg* garter stitch
pwyth gobelin *eg* gobelin stitch
pwyth gorwedd *eg* couching *n*
pwyth hemio *eg* hem stitch
pwyth hemio slip *eg* slip hemming stitch
pwyth llenwi *eg* filling stitch
pwyth llinell *eg* line stitch
pwyth llygad y dydd *eg* lazy daisy stitch
pwyth mwsogl *eg* moss stitch
pwyth o chwith *eg* purl stitch
pwyth ôl *eg* back stitch
pwyth ôl dwbl *eg* double back stitch
pwyth pabell *eg* tent stitch
pwyth pad *eg* pad stitch
pwyth padio *eg* padding stitch
pwyth Pekin *eg* Pekingese stitch
pwyth petryal *eg* foursided stitch
pwyth pin *eg* pin stitch
pwyth plaen *eg* stocking stitch
pwyth plu cadwynog *eg* chained feather stitch
pwyth pluen *eg* feather stitch
pwyth pryf *eg* fly stitch
pwyth reis *eg* rice stitch
pwyth rhaff *eg* cable stitch
pwyth rhedeg *eg* running stitch
pwyth rheffyn *eg* rope stitch
pwyth saethben *eg* herring-bone stitch
pwyth satin *eg* satin stitch
pwyth tacio *eg* tacking stitch
pwyth taro *eg* stab stitch
pwyth tête de boeuf *eg* tête de boeuf stitch
pwyth triongl *eg* three-sided stitch
pwyth twll botwm *eg* buttonhole stitch
pwyth Twrcaidd *eg* Turkish stitch
pwyth tyllog *eg* punch stitch
pwyth uno *eg* joining stitch
pwythau igam ogam *eg* zigzag stitch
pwytho *be* stitch *v*
pwytho cylchdro *be* circular motion stitching
pwythwaith *eg* stitchery
pwythyn *eg* length (of thread)
pydlwr *eg* puddler
pydredd *eg* decay *n*
pydredd dannedd *eg* caries
pydredd sych *eg* dry rot
pydru *be* decay (in biology) *v*
pyg *eg* pitch (=tar) *n*
pygfaen *eg* pitchstone
pyjamas *ell* pyjamas
pyjamas cwta *eg* shortie pyjamas
pylni *eg* bluntness
pylori *be* pulverization
pyloriant *eg* comminution
pylsadu *be* pulsate
pylsadur *eg* pulsator
pylu (=colli ffocws) *be* blur *v*
pylu (=colli min) *be* blunt *v*

pylu (=lladd y sain) *be* mute (in music, of drums) *v*
pylu (=lleihau golau) *be* dim
pylydd *eg* dimmer
pyllog *ans* pitted
pyllu *be* pitting
pynciau craidd a sylfaen *ell* core and foundation subjects
pynfarch *eg* pack-horse
pyntio *be* punt (kick) *v*
pyped *eg* puppet
pyped bys *eg* finger puppet
pyped cerdyn *eg* card puppet
pyped cymalog *eg* jointed puppet
pyped cysgod *eg* shadow puppet
pyped digorff *eg* bodyless puppet
pyped llaw *eg* hand puppet
pyped llinyn *eg* string puppet
pyped maneg *eg* glove-puppet
pyped pren *eg* stick puppet
pyped rod *eg* rod puppet
pyped rod a maneg *eg* rod and glove puppet
pypedwr *eg* puppeteer
pyramid *eg* pyramid
pyramid blaendor *eg* truncated pyramid
pyramid bwydydd *eg* food pyramid
pyramid crwn *eg* circular pyramid
pyramid gwrthdro *eg* inverted pyramid
pyramid hecsagonol *eg* hexagonal pyramid
pyramid pentagonol *eg* pentagonal pyramid
pyramid sgwâr *eg* square pyramid
pyramid trionglog *eg* triangular pyramid
pyramid union *eg* right pyramid
pyramidaidd *ans* pyramidal
pyramidiau biomas *ell* pyramids of biomass
pyramidniferoedd *ell* pyramid of numbers (in ecology)
pyrit *eg* pyrites
pyrit haearn *eg* iron pyrites
pyroclast *eg* pyroclast
pyroclastaidd *ans* pyroclastian
pyroclastig *ans* pyroclastic
pyrocsylin *eg* pyroxylin
pyrocwpl *eg* pyrocouple
pyromedr *eg* pyrometer
pyromedr optegol *eg* optical pyrometer
pyromedr pelydriad *eg* radiation pyrometer
pyromedr thermocwpl *eg* thermocouple pyrometer
pyromedreg *eb* pyrometry
pyromedrig *ans* pyrometric
pyrwydden *eb* spruce
pyrwydden Norwy *eb* Norway spruce
pyrwydden Sitca *eb* Sitka spruce
pys wedi'u mwydo *ell* soaked peas
pysgodfa *eb* fishing ground
pysgodyn *eg* fish
pysgodyn cartilagaidd *eg* cartilaginous fish
pysgodyn ysgyfeiniog *eg* lung fish
pysgota *be* fishing

---

pysgota'r cefnfor *be* deep sea fishing
pysgota'r glannau *be* inshore fishing
pysgota'r gwaelod *be* demersal fishing
pysgota'r wyneb *be* pelagic fishing
pysgotwr *eg* fisherman
pytio *be* putt

Pythagoras *eg* Pythagoras
pH pH
Philip Awgwstws *eg* Philip Augustus
Philip Deg *eg* Philip the Fair
Philip Olygus *eg* Philip the Handsome
Phrygiaidd *ans* Phrygian

R

rabad *eg* rabbet *n*
rabad caeedig *eg* stopped rabbet
rabedu *be* rabbet *v*
rac *eb* rack
rac a phiniwn rack and pinion
rac gêr infoliwt *eb* involute gear rack
rac sbwliau *eb* spool rack
raced *eb* racket
raced blastig *eb* plastic racket
raced bren *eb* wooden racket
raced carbon *eg* carbon racket
raced ddur *eb* steel racket
raced ffibr gwydr *eg* fibreglass racket
raced gref *eb* strong racket
raced ysgafn *eb* light racket
racem *eb* raceme
racemad *eg* racemate
racemaidd *ans* racemose
racemeiddiad *eg* racemization
racemig *ans* racemic (in chemistry)
rachis *eg* rachis
racw *eg* raku
radar *eg* radar
radian *eg* radian
radical *eg* radical
radical rhydd *eg* free radical
radicaliaeth *eb* radicalism
radics *eg* radix
radio *eg* radio
radiograff *eg* radiograph
radiograffeg *eb* radiography
radiograffydd *eg* radiographer
radioleg *eb* radiology
radiolegydd *eg* radiologist
radioseryddiaeth *eb* radioastronomy
radiotherapi *eg* radiotherapy
radiwm (Ra) *eg* radium (Ra)
radiws *eg* radius
radiws chwyrliant *eg* radius of gyration
radiws pitsh cylch *eg* pitch circle radius
radiysu *be* radiusing
radl *eg* raddle
radon (Rn) *eg* radon (Rn)
raffia *eg* raffia
rafftio *be* rafting
raga Indiaidd *eg* Indian raga
ragtime *eg* ragtime
raiot *eg* ryot

rali *eb* rally
RAM ochr *eb* sideways RAM
Ramadan *eg* Ramadan
ramp *eg* ramp
ransh *eb* ranch
ransio *be* ranch *v*
ras *eb* race *n*
ras arfau *eb* arms race
ras clwydi byr *eb* short hurdle race
ras draws gwlad *eb* cross country race
ras fer *eb* short race
ras filltir *eb* mile race
ras ffos a pherth *eb* steeplechase
ras gan metr *eb* hundred metres race
ras glwydi *eb* hurdle race
ras gyfartal *eb* dead heat
ras gyfnewid *eb* relay (race)
ras gyfnewid dulliau cymysg *eb* medley relay race
ras gyfnewid fer *eb* short relay race
ras gyfnewid ôl a blaen *eb* shuttle relay race
ras rwystrau *eb* obstacle race
rasio *be* race *v*
rasqueado *eg* rasqueado
Rastaffariad *eg* Rastafarian
Rastaffariaeth *eb* Rastafarianism
rawlfollt *eg* rawlbolt
real *ans* real
realaeth *eb* realism
realaeth dafluniol *eb* projective realism
realistig *ans* realistic
realiti *eg* reality
rebec *eg* rebec
reciwsant *eg* recusant
reciwsantiaeth *eb* recusancy
record *eb* record
recorder *eg* recorder (=wind instrument)
recorder desgant *eg* descant recorder
recordiad *eg* recording
recordiad fideo *eg* video recording
recordio *be* record (music etc on disc) *v*
recordydd *eg* recorder (=machine for recording)
recordydd casét *eg* cassette recorder
recriwt *eg* recruit *n*
recriwtio *be* recruit *v*
rectwm *eg* rectum
refferendwm *eg* referendum
reffractomedr *eg* refractometer
regalia *eg* regalia

adf, adv adferf, *adverb*   **ans, adj** ansoddair, *adjective*   **be** berf, *verb*   **eb** enw benywaidd, *feminine noun*   **eg** enw gwrywaidd, *masculine noun*

regur *eg* regur
reion *eg* rayon
reion asetad *eg* rayon acetate
reion cyfrodedd *eg* spun rayon
reion fiscos *eg* viscose rayon
relái *eg* relay (in electronics)
remand *eg* remand *n*
rendrad *eg* render (=sandy mixture)
rendro *be* rendering (on wall)
rendsina *eg* rendzina
rennin *eg* rennin
repertoire *eg* repertoire
répétiteur *eg* répétiteur
replica *eg* replica
repoussé *ans* repoussé (decorative processes)
resbiradaeth *eb* respiration
resbiradaeth aerobig *eb* aerobic respiration
resbiradaeth allanol *eb* external respiration
resbiradaeth anaerobig *eb* anaerobic respiration
resbiradaeth artiffisial *eb* artificial respiration
resbiradaeth fewnol *eb* internal respiration
resbiradol *ans* respiratory
resbiradu *be* respire
resin *eg* resin
resin acrylig *eg* acrylic resin
resin asetal *eg* acetal resin
resin cyfnewid ïonau *eg* ion exchange resin
resin epocsi *eg* epoxy resin
resin finyl *eg* vinyl resin
resin polyester *eg* polyester resin
resin synthetig *eg* synthetic resin
resinaidd *ans* resinous
resinau amino *ell* amino resins
rest llithr *eg* slide rest
restio *be* apprehend (=arrest)
reticwlocyt *eg* reticulocyte
reticwlwm *eg* reticulum
reticwlwm endoplasmig *eg* endoplasmic reticulum
retina *eg* retina
retort *eg* retort
ria *eg* ria
ribofflafin *eg* riboflavin
ribosom *eg* ribosome
ricercare *eg* ricercare
rifíw *eg* revue
riff *eg* reef
riffio *be* reefing (the sail)
riffl *eg* riffle
rifflwr *eg* riffler
rigeri *ell* riggers
rigin *eg* rigging
rîl *eb* reel
rîl teirllaw *eg* three-handed reel

rîm *eg* ream
rins *eg* rinse *n*
rinsio *be* rinse *v*
ripieno *eg* ripieno
ripost gwrthol *eg* counter riposte
riposte *eg* riposte
riposte cyfun *eg* compound riposte
riposte oediog *eg* delayed riposte
riposte union *eg* direct riposte
risg *eg* risk
ritornello *eg* ritornello
riwl *eb* rule (for measuring, getting straight lines)
riwl blastig *eb* plastic ruler
riwl blygu *eb* folding rule
riwl dryloyw *eb* transparent ruler
riwl fetrig *eb* metric rule
riwl gyfangiad *eb* contraction rule
riwl pren bocs *eb* boxwood ruler
riwl wrthslip *eb* non-slip rule
RNA negeseuol *eg* messenger RNA
RNA trosglwyddol *eg* transfer RNA
robot *eg* robot
roced *eg* rocket
rococo *ans* rococo
roloc *eg* rowlock
roloc sefydlog *eg* fixed pin
ROM ROM
ROM ochr sideways ROM
romper *eb* romper
rondo *eg* rondo
rondo sonata *eb* sonata rondo
rondo syml *eg* simple rondo
rostrwm *eg* rostrum
rotor *eg* rotor
rownd *eb* round (in sport etc) *n*
rownderi *ell* rounders
rwbel *eg* rubble
rwbela *eb* rubella
rwber *eg* rubber
rwber corc *eg* cork rubber
rwber sbwng *eg* foam rubber
rwbidiwm (Rb) *eg* rubidium (Rb)
rwmen *eg* rumen
rwtheniwm (Ru) *eg* ruthenium (Ru)
ryc *eg* ruck
ryffl *eg* ruffle *n*
ryfflo *be* ruffle *v*
ryg *eg/b* rug
rygbi *eg* rugby
rygbi bach *eg* touch rugby
rysáit *eb* recipe
rysáit sylfaenol *eb* basic recipe

Rh

rhaca *eg* rake (implement) *n*
rhacanu *be* rake (with implement) *v*
rhacrentu *be* rack-rent
rhaeadr *eb* waterfall
rhaeadrol *ans* cascaded
rhaeadru *be* cascade *v*
RhA: rhaglen astudio *eb* PoS: programme of study
rhaflad *eg* fray *n*
rhaflo *be* fray *v*
rhaflog *ans* fraying
rhaff *eb* rope
rhaff ar oledd *eb* inclined rope
rhaff bwysau llawn *eb* full weight rope
rhaff ddringo *eb* climbing rope
rhaff flaen *eb* foresheet
rhaff glymu *eb* painter (=rope)
rhaff sgipio *eb* skipping rope
rhaffau llyw *ell* rudderlines
rhaffau mast *ell* shrouds
rhaffordd *eb* ropeway
rhaffordd awyr *eb* aerial ropeway
rhagalaw *eb* antecedent (in canon) *n*
rhagamcaniad *eg* projection (=forecast or estimate)
rhagamcanu *be* project (=forecast, estimate) *v*
rhagarweiniad *eg* introduction
rhagarweiniol *ans* preliminary
rhagbanedig *ans* pre-shrunk (finish)
rhagbannu *be* pre-shrink
rhagbaratoi *be* brief *v*
rhagboethi *be* preheat
rhagbrawf *eg* preliminary test
rhagbrofi *be* trial (=test beforehand) *v*
rhagdalu *be* prepay
rhagdaro *be* anticipate (in music)
rhagdebygolrwydd *eg* prior probability
rhagdir *eg* foreland (=land in front of something)
rhagdrawiad *eg* anticipation (of musical note)
rhagdueddiad *eg* predisposition
rhagdybiaeth *eb* hypothesis
rhagdybiaeth arall *eb* alternative hypothesis
rhagdybiaeth nwl *eb* null hypothesis
rhagddetholiadol *ans* preselective
rhagddodi *be* prefix *v*
rhagddodiad *eg* prefix *n*
rhagetholiad *eg* primary election (US)
rhagfarn *eb* prejudice
rhagflaenydd (am berson) *eg* predecessor
rhagflaenydd (am beth) *eg* antecedent *n*

rhagfoddion *eg* premedication
rhagfur *eg* rampart
rhagfur (castell) *eg* parapet (of castle)
rhagfynegi *be* predict
rhagfynegiad *eg* prediction
rhagfyriad *eg* foreshortening *n*
rhagfyrhau *be* foreshorten
rhagffurfio *be* preform
rhaglaw (mewn trefedigaeth) *eg* viceroy
rhaglaw (yn hanes Rhufain) *eg* proconsul
rhaglaw (yng ngweinyddiaeth Ffrainc) *eg* prefect (in French administration)
rhaglen *eb* programme *n*
rhaglen addysg unigol *eb* individualized education programme
Rhaglen Addysg Microelectroneg *eb* Microelectronic Education Programme
rhaglen alwedigaethol *eb* occupational programme
rhaglen arddangos *eb* demonstration program
rhaglen astudio annibynnol *eb* discrete programme of study
rhaglen bersonol *eb* personal programme
rhaglen cefnogi athrawon *eb* teacher support programme
rhaglen deledu *eb* television programme
rhaglen drochi *eb* immersion programme
rhaglen ddarllen i'r unigolyn *eb* individualized reading programme
rhaglen ddiagnostig *eb* diagnostic program
rhaglen ddogfen teledu *eb* television documentary
rhaglen fodiwlaidd *eb* modular programme
rhaglen ganghennog *eb* branching programme
rhaglen garlam *eb* accelerated programme
rhaglen grynhoi *eb* compiling program
rhaglen gydadferol *eb* compensatory programme
rhaglen hewristig *eb* heuristic program
rhaglen hyfforddi *eb* instructional programme
rhaglen hyfforddi ac asesu unigol *eb* individual training and assessment programme
rhaglen lyfrgell *eb* library program
rhaglen llinell-amser *eb* time-line programme
rhaglen olchi *eb* washing programme
rhaglen oruchwylio *eb* executive program
rhaglen osod *eb* installation program
rhaglen reoli *eb* control program
rhaglen wasanaethu *eb* utility program
rhaglen wreiddiol *eb* source program
rhaglen ymaddasol *eb* adaptive programme
rhaglennu *be* programme *v*
rhaglennu adeiladol *be* bottom-up programming

---

adf, adv adferf, adverb   **ans, adj** ansoddair, *adjective*   **be** berf, *verb*   **eb** enw benywaidd, *feminine noun*   **eg** enw gwrywaidd, *masculine noun*

rhaglennu aflinol *be* non-linear programming
rhaglennu dadelfennol *be* top-down programming
rhaglennu llinol *be* linear programming
rhaglennu modiwlaidd *be* modular programming
rhaglennu strwythurol *be* structured programming
rhaglennwr *eg* programmer
rhaglennwr cymwysiadau *eg* applications programmer
rhaglennwr systemau *eg* systems programmer
rhaglith *eg* preamble
rhagliwio *be* laying-on
rhagluniaeth *eb* providence
rhaglyw *eg* regent
Rhaglyw Dywysog *eg* Prince Regent
rhaglywiaeth *eb* regency
rhagnod *eg* intonation (in plainsong)
rhagnodi *be* prescribe (=impose authoritatively)
rhagnodol *ans* prescriptive

rhagod (=cudd-ymosodiad) *eg* ambush
rhagod (ar fainc) *eg* bench stop

rhagofal *eg* precaution
rhagofalon diogelwch *ell* safety precautions
rhagolygon am yrfa *ell* career prospects
rhagolygon y tywydd *ell* weather forecast
rhagordeiniad *eg* predestination
rhagordeiniadaeth *eb* predestinarianism
rhagordeiniadol *ans* predestinarian
rhagori *be* predominate
rhagoriaeth *eb* superiority

rhagosod *ans* antecedent (e.g. drainage) *adj*
rhagosod *be* pre-set

rhagras *eb* heat (=preliminary race) *n*
rhagsiambr *eb* antechamber
rhagweithiol *ans* proactive
rhagweld *be* predict (in non-technical usage)
rhagweld ymateb *be* anticipate response
rhagwth *eg* lunge
rhagwth allan *eg* lunge outward
rhagwth ar linell isel *eg* lunge in low line
rhagwth ochr *eg* lunge sideways
rhagwth ymlaen *eg* lunge forward
rhagymadrodd *eg* introduction (=explanatory section of book)
rhagymosodiad *eg* pre-emptive strike
rhag-amod *eg* precondition
rhaidd *eg* radius (in botany)
rhaithymyrraeth *eb* embracery
rhamant *eb* romance
rhamantaidd *ans* romantic
rhamantiaeth *eb* romanticism

rhan (=cyfran) *eb* share
rhan (o dref etc) *eb* quarter (=part of town etc)
rhan (yn gyffredinol) *eb* part

rhan allanol *eb* external part
rhan amser *ans* part-time
rhan daprog *eb* tapered part
rhan daro *eb* percussion part

rhan dril *eg* drill part
rhan ddychmygol *eb* imaginary part
rhan flaenolwg *eb* part front elevation
rhan flodeuog *eb* flourish (=decorative passage) *n*
rhan Ladinaidd *eb* Latin quarter
rhan leisiol *eb* vocal part
rhan masnach *eb* trading quarter (=zone)
rhan morthwyl *eb* hammer part
rhan offerynnol *eb* instrumental part
rhan real *eb* real part
rhan weithio *eb* working area
rhanadwy *ans* divisible
rhanadwyedd *eg* divisibility
rhanbarth *eg* region (geographical)
rhanbarth ategol *eg* tributary region
rhanbarth dichonadwy *eg* feasible region
rhanbarth dinas *eg* city region
rhanbarth gofod *eg* region of space
rhanbarth gweinyddol *eg* administrative region
rhanbarth hinsoddol *eg* climatic region
rhanbarth rheoli mwg *eg* smoke controlled area
Rhanbarth Seisnig *eg* Pale (Ireland)
rhanbarth trawstaith *eg* transit region
rhanbarth y Daniaid *eg* Danelaw
rhanbarthau Cymru *ell* Wales regions
rhanbarthau Lloegr *ell* England regions
rhanbarthau naturiol *ell* natural regions
rhanbarthiaeth *eb* regionalism
rhanbarthol *ans* regional
rhandal *eg* instalment
rhandir *eg* allotment
rhandrychiad *eg* part-section
rhandrychiadol *ans* part-sectional
rhandy *eg* annexe (to building) *n*
rhanedig *ans* divided
rhanfap *eg* extract (of map) *n*
rhangor *eg* semi chorus
rhaniad *eg* division (=part)
rhaniadliw *eg* broken colour
Rhaniadwr *eg* Divisionist
rhanlyfr *eg* part book
rhannau allanol *ell* outer parts
rhannau ar wahân *ell* separate parts
rhannau cŷn *ell* chisel parts
rhannau dril dirdro *ell* twist drill parts
rhannau edau *ell* thread parts
rhannau ffeil *ell* file parts
rhannau ffrâm *ell* parts of a frame
rhannau gaing *ell* chisel parts
rhannau gefail *ell* forge parts
rhannau mewnol *ell* inner parts
rhannau micromedr *ell* micrometer parts
rhannau o'r raced *ell* racket parts
rhannau paru *ell* mating parts
rhannau perthnasol *ell* relevant parts
rhannau plaen *ell* parts of plane
rhannau'r turn *ell* lathe parts

---

eg/b enw gwrywaidd/benywaidd, *feminine/masculine noun*   *ell* enw lluosog, *plural noun*   *v* berf, *verb*   *n* enw, *noun*

rhannau unfaint *ell* equal divisions

rhannol *ans* partial

rhannol ddall *ans* partially blind

rhannol ddall i liwiau *ans* partially colour blind

rhannol ddi-draidd *ans* semi-opaque

rhannol fyddar *ans* partially deaf

rhannol orffenedig *ans* partially completed

rhannu *be* divide

rhannu â ffactorau *be* division by factors

rhannu â rhif *be* divide by a number

rhannu arwynebedd *be* dividing areas

rhannu byr *be* short division

rhannu hir *be* long division

rhannu llinell *be* dividing a line

rhannu llinellau mewn persbectif dividing lines in perspective

rhannwr *eg* divider

rhannwr potensial *eg* potential divider

rhannwr ystafell *eg* room divider

rhannydd *eg* divisor

rhannydd cyffredin mwyaf (=ffactor cyffredin mwyaf) *eg* greatest common divisor (=highest common factor)

rhannyn *eg* dividend (=number to be divided)

rhanolwg *eg/b* part view

rhasgl *eb* spokeshave

rhasgl bren *eb* wooden spokeshave

rhasgl fetel *eb* metal spokeshave

rhasgl wyneb crwn *eb* round faced spokeshave

rhathell *eb* rasp

rhathell gabinet *eb* cabinet rasp

rhathell hanner crwn *eb* half round rasp

rhathellu *be* rasp *v*

rhathiad *eg* chafing

rhathu *be* chafe

rhaw *eb* shovel

rhawnbais *eb* hair shirt

rhedeg *be* run *v*

rhedeg â'r bêl *be* run with the ball

rhedeg aerobig *be* aerobic running

rhedeg allan *be* run out *v*

rhedeg anaerobig *be* anaerobic running

rhedeg araf *be* slow run

rhedeg yn gywir *be* running true

rhedeg-gwargam *be* crouch-running

rhedfa *eb* runway

rhediad (mewn chwaraeon etc) *eg* run (in sport etc) *n*

rhediad (mewn sanau neilon) *eg* ladder (in tights)

rhediad (gwers) *eg* pace (of lesson)

rhediad adref *eg* home run

rhediad allan *eg* run out *n*

rhediad arbrofol *eg* test run

rhediad byr *eg* short run

rhediad ffug *eg* dry run

rhediad harmonig *eg* harmonic movement

rhedlif *eg* discharge (of pus, liquid etc)

rhedlif clust *eg* ear discharge

rhedol *ans* cursive

rhedwr *eg* runner

rhedwr cryf *eg* strong runner

rhedwr drôr *eg* drawer runner

rhedwr pelferyn *eg* ball-bearing runner

rhedwr rhyngwladol *eg* international runner *n*

rhedynen *eb* fern

rheng *eb* row (in sport) *n*

rheng flaen *eb* front row

rheng ôl *eb* back row

rheidden *eb* ray (in physiology and biology)

rheidden greiddiol *eb* medullary ray

rheiddiadur *eg* radiator (of heating system)

rheiddiol *ans* radial

rheilen *eb* rail

rheilen bictiwr *eb* picture rail

rheilen dywelion *eb* towel rail

rheilen ddrôr *eb* drawer rail

rheilen fflans *eb* flanged rail

rheilen ganol *eb* middle rail

rheilen glo *eb* lock rail

rheilen groes *eb* cross rail

rheilen groeslin *eb* diagonal rail

rheilen grom *eb* curved rail

rheilen gwrdd *eb* meeting rail

rheilen gynnal *eb* bearer rail

rheilen isaf *eb* bottom rail

rheilen ochr *eb* side rail

rheilen uchaf *eb* top rail

rheilen uchaf drôr *eb* top drawer rail

rheilen waelod drôr *eb* bottom drawer rail

rheilen warchod *eb* guard rail

rheilffordd *eb* railway

rheilffordd fwynau *eb* mineral railway

rheilffordd halio *eb* funicular

rheilffordd rac a phiniwn *eb* rack and pinion railway

rheiliau cyfwyneb *ell* flush rails

rheithfarn *eb* verdict

rheithgor *eg* jury

rheithgor cyflwyno *eg* jury of presentment

rheithiwr *eg* juror

rheithiwr arbennig *eg* special juror

rheithor *eg* rector

rheithordy *eg* rectory

rheithoriaeth *eb* rectorate

rhenc *eb* tier (of seats etc)

rheniwm (Re) *eg* rhenium (Re)

rhent *eg* rent *n*

rhent arglwydd *eg* chief-rent

rhent aseis *eg* rent of assize

rhent safle *eg* ground-rent

rhentu *be* rent *v*

rhentwr *eg* rentier

rheol *eb* rule

rheol cystadlu *eb* competition rule

rheol fantais *eb* advantage law

Rheol Gaefa *eb* Closure Rule

rheol gradd a maint *eb* rank size rule

---

rheol tair eiliad *eb* three second rule
rheolaeth *eb* control (=management) *n*
rheolaeth ar broses *eb* process control
rheolaeth ar gynhyrchu *eb* production control
rheolaeth bell *eb* remote control
rheolaeth credyd *eb* credit control
rheolaeth cronfeydd data *eb* database management
rheolaeth dosbarth *eb* class management
rheolaeth dros symudiadau *eb* motor control
rheolaeth dros y corff *eb* body management
rheolaeth ddigonol *eb* adequate control
rheolaeth ddilyniannol *eb* sequential control
rheolaeth fanwl *eb* fine control
rheolaeth fertigol *eb* vertical control
rheolaeth gorfforol *eb* body control
rheolaeth gwesty *eb* hotel management
rheolaeth gyfrifiadurol *eb* computer control
rheolaeth gyllidol *eb* budgetary control
rheolaeth gynyddol *eb* increasing control
rheolaeth lawn *eb* full control
rheolaeth leol ysgolion *eb* local management of schools
rheolaeth lorweddol *eb* horizontal control
rheolaeth nerf-gyhyr *eb* neuro-muscular control
rheolaeth rifol *eb* numeric control
rheolaeth rhentu *eb* rent control
rheolaeth siswrn *eb* scissors control
rheolaeth stoc *eb* stock control
rheolaeth thermostatig *eb* thermostatic control
rheolaethol *ans* managerial
rheolaidd *ans* regular
rheolau a chonfensiynau rules and conventions
rheolau blaenoriaeth *ell* rules of precedence
Rheolau Cefn Gwlad *ell* Country Code, The
rheolau indecsau *ell* rules of indices
Rheolau'r Ffordd Fawr *ell* Highway Code
rheolau sefydlog *ell* standing orders
rheoleidd-dra *eg* regularity
rheolfan *eg/b* control point
rheoli *be* control (=manage) *v*
rheoli a chadw trefn manage and control
rheoli adnoddau *be* resource management
rheoli amgylcheddau *be* manage environments
rheoli ansawdd *be* quality control
rheoli biolegol *be* biological control
rheoli cenhedlu *be* birth control
rheoli cnofilod *be* rodent control
rheoli cynhyrchu drwy gymorth cyfrifiadur *be* computer aided production management
rheoli gofal *be* care management
rheoli gwariant *be* manage expenditure
rheoli llawnder *be* control of fullness
rheoli lleoliad *be* locational control
rheoli llifogydd *be* control floods
rheoli offer *be* control of equipment
rheoli prisiau *be* price control
rheoli'r bêl *be* control the ball
rheoli uchafbris *be* maximum price control

rheoliad *eg* regulation
rheoliad adeiladu *eg* building regulation
rheoliadau ariannol *ell* financial regulations
rheoliadau diogelwch *ell* safety regulations
rheoliadur *eg* pacemaker (for heart)
rheolwaith *eg* routine (=set sequence)
rheolwaith diagnostig *eg* diagnostic routine
rheolwaith gwallau *eg* error routine
rheolwaith gwasanaethu *eg* service routine
rheolwaith iterus *eg* iterative routine
rheolwaith llyfrgell *eg* library routine
rheolwaith mewnbwn / allbwn *eg* input / output routine
rheolwaith trin ymyriadau *eg* interrupt service routine
rheolwr *eg* ruler (=person who rules)
rheolwr *eg* manager
rheolwr absoliwt *eg* absolute ruler
rheolwr banc *eg* bank manager
rheolwr datblygu profion *eg* test development manager
rheolwr gofal *eg* care manager
rheolwr gweithrediadau *eg* operations manager
rheolwr llinell *eg* line manager
rheolwraig *eb* manageress
rheolwyr *ell* management (=managers)
rheolydd (mewn arbrawf) *eg* control (in control experiment) *n*
rheolydd (yn gyffredinol) *eg* controller (=regulator)
rheolydd bras *eg* coarse control
rheolydd cyflymder *eg* speed regulator
rheolydd cynnydd *eg* gain control
rheolydd data *eg* data controller
rheolydd disgiau *eg* disk controller
rheolydd disgleirdeb *eg* brightness control
rheolydd hyd pwyth *eg* stitch length adjustment
rheolydd lled pwyth igam ogam *eg* zigzag width control
rheolydd manwl *eg* fine control
rheolydd safle'r nodwydd *eg* needle position control
rheolydd troed *eg* foot control
rheostat *eg* rheostat
rhes (=llinell) *eb* line
rhes (=rheng) *eb* row *n*
rhes (=streipen) *eb* stripe
rhes (=teras) *eb* terrace (relief feature)
rhes dyffryn *eb* valley train
rhes fertigol *eb* vertical stripe
rhes groeslin *eb* diagonal stripe
rhes isaf *eb* lower tier
rhes lorweddol *eb* horizontal stripe
rhes o farics *eb* barrack block
rhesel *eb* rack (=shelf)
rhesel ddillad *eb* clothes rack
rhesel galedu *eb* airing rack
rhesel grasu dillad *eb* airing rack
rhesel gylchgronau *eb* magazine rack
rhesel lyfrau *eb* bookrack
rhesel nenfwd *eb* ceiling rack
rhesel sbwliau *eb* creel (spool rack)
rhesel sychu *eb* drying rack

---

eg/b enw gwrywaidd/benywaidd, *feminine/masculine noun*   *ell* enw lluosog, *plural noun*   *v* berf, *verb*   *n* enw, *noun*

rhesel tiwbiau profi *eb* test-tube rack

rhesi o ffenestri *ell* ranks of windows

rhesog (am gyhyr) *ans* striated (=striped muscle)

rhesog (am wehyddiad) *ans* ribbed (of weave)

rhesog (gyda streipiau) *ans* striped

rhestr *eb* list

rhestr aros *eb* waiting list

rhestr brisiant *eb* valuation list

rhestr dorri *eb* cutting list

rhestr drefnedig *eb* ordered list

rhestr ddarllen anffurfiol *eb* informal reading inventory

rhestr ddarnau *eb* parts list

rhestr ddefnyddiau *eb* materials list

rhestr eiddo *eb* inventory

rhestr fer *eb* shortlist

rhestr gyfeirio *eb* check-list

rhestr gyflogau *eb* payroll

rhestr gylchol *eb* circular list

rhestr gysylltiedig *eb* linked list

rhestr reciwsantiaid *eb* recusancy list

rhestr sifil *eb* civil list

rhestr unffordd *eb* one-way list

rhestr wallau *eb* error list

rhesws negatif *eg* rhesus negative

rhesws positif *eg* rhesus positive

rhesymeg *eb* logic

rhesymeg Boole *eb* Boolean logic

rhesymeg ffurfiol *eb* formal logic

rhesymeg niwlog *eb* fuzzy logic

rhesymeg Transistor-Transistor *eb* Transistor-Transistor logic

rhesymegol *ans* logical

rhesymol *ans* reasonable

rhesymoliad *eg* rationalisation

rhesymoliaeth *eb* rationalism

rhesymolrwydd *eg* reasonableness

rhesymu *be* reason

rhesymu gofodol *be* spatial reasoning

rhew (=dŵr wedi rhewi) *eg* ice

rhew (=llwydrew, barrug) *eg* frost

rhew byrddol *eg* tabular ice

rhew du *eg* black ice

rhew parhaol *eg* permafrost

rhewbriddeg *eb* cryopedology

rhewbwynt *eg* freezing point

rhewdyrfiad *eg* congeliturbation

rhewddrylliog *ans* ice shattered

rheweiddiad *eg* refrigeration

rheweiddiedig *ans* refrigerated

rheweiddio *be* refrigerate

rhewfriw *ans* frost shattered

rhewgaeth *ans* ice bound

rhewgell *eb* freezer

rhewgist *eb* chest freezer

rhewgraith *eb* chattermark

rhewgwymp *eg* ice fall

rhewi *be* freeze

rhewlif dyffryn *eg* valley glacier

rhewlifeg *eb* glaciology

rhewlifiant *eg* glaciation

rhewlifo *be* glaciate

rhewlifol *ans* glacial

rhewlifwr *eg* glaciologist

rhewlin *eg* isoryme

rhewlyn *eg* glacial lake

rhewllyd *ans* icy cold

rhewydd *eg* refrigerant

rhewynt *eg* ice cold wind

rhew-wastadiant *eg* cryoplanation

rhiant *eg* parent

rhiant mabwysiadol *eg* adoptive parent

rhiant maeth *eg* foster parent

rhiant sengl *eg* single parent

rhic *eg* notch *n*

rhic pedal *eg* pedal notch

rhicbren *eg* tally

rhicio *be* notch *v*

rhidennu *be* fringe *v*

rhidens *ell* fringe (=border of loose threads) *n*

rhidyll (gyda thyllau bras) *eg* riddle *n*

rhidyll (gyda thyllau mân) *eg* sifter

rhidyllu (yn fân) *be* sift

rhidyllu (yn fras) *be* riddle *v*

rhif *eg* number (=arithmetical value; word, symbol or figure representing this) *n*

rhif anghymarebol *eg* irrational number

rhif algebraidd *eg* algebraic number

rhif atomig *eg* atomic number

rhif cod *eg* code figure

rhif cromosom *eg* chromosome number

rhif cyd-drefnol *eg* coordination number

rhif cyfan *eg* whole number

rhif cyfan positif *eg* positive whole number

rhif cyfeiriol *eg* directed number

rhif cyfresol tâp *eg* tape serial number

rhif cymhlyg *eg* complex number

rhif cymysg *eg* mixed number

rhif cysefin *eg* prime *n*

rhif degaidd *eg* denary number

rhif derbyn *eg* acquisition number

rhif deuaidd *eg* binary number

rhif ffacs *eg* facsimile number

rhif màs *eg* mass number

rhif meddiannaeth *eg* occupation number

rhif mynegiad *eg* statement number

rhif naturiol *eg* natural number

rhif negatif *eg* negative number

rhif ocsidiad *eg* oxidation number

rhif prifol *eg* cardinal number

rhif real *eg* real number

rhif seiclomatig *eg* cyclomatic number

rhif sgwâr *eg* square number

---

adf, adv adferf, *adverb* **ans, adj** ansoddair, *adjective* **be** berf, *verb* **eb** enw benywaidd, *feminine noun* **eg** enw gwrywaidd, *masculine noun*

rhif trefnol *eg* ordinal number
rhif triaidd *eg* ternary number
rhif triongl *eg* triangular number
rhifadwy *ans* countable
rhifadwyedd *eg* countability
rhifedd *eg* numeracy
rhifiad *eg* enumeration
rhifiadol *ans* numerical
rhifiadur *eg* numerator
rhifo *be* number *v*
rhifogon *eg* arithmogon
rhifol *ans* numeric
rhifoledig *ans* figured
rhifoli (mewn cerddoriaeth) *be* figuring
rhifoli (yn gyffredinol) *be* numerate
rhifoli cord *be* chord figuring
rhifoli cordiau *eg* figuring of chords
rhifolyn *eg* numeral
rhifolyn deuaidd *eg* binary numeral
rhifwr lapiau *eg* lap scorer
rhifydd *eg* counter
rhifydd camau *eb* step counter
rhifydd cylchdroeon *eg* revolution counter
rhifydd deuaidd *eg* binary counter
rhifydd rhaglen *eg* program counter
rhifyddeg *eb* arithmetic
rhifyddeg amldrachywiredd *eb* multi-precision arithmetic
rhifyddeg bôn pump *eb* arithmetic base five
rhifyddeg cloc *eb* clock arithmetic
rhifyddeg cyfanrifau *eb* integer arithmetic
rhifyddeg ddeuaidd *eb* binary arithmetic
rhifyddeg fecanyddol *eb* mechanical arithmetic
rhifyddeg fodiwlaidd *eb* modular arithmetic
rhifyddeg hyd dwbl *eb* double length arithmetic
rhifyddeg lafar *eb* oral arithmetic
rhifyddeg masnach *eb* commercial arithmetic
rhifyddeg pen *eb* mental arithmetic
rhifyddeg pwynt arnawf *eb* floating point arithmetic
rhifyddeg pwynt sefydlog *eb* fixed point arithmetic
rhifyddeg trachywiredd dwbl *eb* double precision arithmetic
rhifyddol *ans* arithmetical
rhifyddwr *eg* arithmetician
rhigod *eg* pillory
rhigol *eb* groove
rhigol bwli *eb* pulley housing
rhigol gau *eb* stopped housing
rhigol hoelbren *eb* dowel groove
rhigol olew *eb* oil groove
rhigol trwodd *eb* through housing
rhigol wrth-gapilari *eb* anti-capillary groove
rhigoli *be* grooving
rhigolog *ans* grooved
rhigolydd *eg* groover
rhigwm *eg* rhyme
rhigwm syml *eg* simple rhyme
rhimynnau caws *ell* cheese straws

rhin *eb* extract (of meat) *n*
rhin cig eidion *eb* beef extract
rhinflas *eg* essence
rhinflas almon *eg* almond essence
rhinflas brwyniaid *eg* anchovy essence
rhingyll *eg* sergeant
rhinwedd *eb* virtue
rhiolit *eg* rhyolite
rhiolitig *ans* rhyolitic
rhisgl *eg* bark (of tree)
rhisgl derwen *eg* oak bark
Rhisiart Lewgalon *eg* Richard the Lionheart
rhisoid *eg* rhizoid
rhisom *eg* rhizome
rhith *ans* virtual (in computing)
rhith *eg* illusion
rhith beiriant *eg* virtual machine
rhith ddelwedd *eb* virtual image
rhith gof *eg* virtual memory
rhith optegol *eg* optical illusion
rhith storfa *eb* virtual storage
rhith waith *eg* virtual work
rhithdyb *eb* delusion
rhithiolaeth *eb* illusionism
rhithiolaeth dafluniol *eb* projective illusionism
rhithlun *eg* mirage
rhithweledigaeth *eb* hallucination
rhiwmatoleg *eb* rheumatology
rhiwmatolegydd *eg* rheumatologist
rhod ddŵr *eb* water wheel
rhod ffrwd ganol *eb* breast shot wheel
rhod isredol *eb* undershot wheel
rhod uwchredol *eb* overshot wheel
rhoden *eb* rod
rhoden droi *eb* stirring rod
rhoden gymhwyso *eb* adjusting rod
rhoden gyswllt *eg* connecting rod
rhoden hoelbren *eb* dowel rod
rhoden lenwi *eb* filling rod
rhoden lwybro *eb* track rod
rhoden reoli *eb* control rod
rhoden weldio *eb* welding rod
rhoden wthio *eb* push rod
rhodenni a chonau rods and cones
rhodfa *eb* avenue
rhodfa parcdir *eb* parkland avenue
rhodiwm (Rh) *eg* rhodium (Rh)
rhodlen *eb* paddle
rhodlong *eb* paddle steamer
rhodopsin *eg* rhodopsin
Rhodd Cystennin *eb* Donation of Constantine
rhoddwr *eg* donor
rhoddwr cyffredinol *eg* universal donor
rhoddwr gwaed *eg* blood donor
rhoi *be* put
rhoi ar brawf *be* put on probation

rhoi ar herw *be* outlaw (a person) *v*

rhoi cefnyn (ar) *be* back (in needlework) *v*

rhoi cyfrif am *be* account for *v*

rhoi grym *be* exert a force

rhoi grym (i gleientiaid) *be* empower (clients)

rhoi gwerth ar swyddogaeth gymdeithasol *be* social role valorization

rhoi gwybod *be* report (informally) *v*

rhoi mudydd ar *be* mute (in music, of stringed instruments) *v*

rhoi noddfa *be* grant sanctuary

rhoi pigiad *be* inject (a person)

rhoi prawf ar raglen *be* program testing

rhoi'r fron *be* suckle *vt*

rhoi sylw *be* pay attention

rhoi yn y golau *be* expose to light

rhoi (paent etc) yn uniongyrchol *be* direct application (of paint etc)

rhôl *eb* scroll

Rhôl Clos *eb* Close Roll

Rhôl Cymorth *eb* Subsidy Roll

Rhôl Fwstro *eb* Muster Roll

Rhôl Llys y Brenin *eb* Curia Regis Roll

Rhôl Patent *eb* Patent Roll

Rhôl Pensiwn a Lwfans *eb* Liberate Roll

rhôl rhent *eb* rent roll

Rhôl Siarter *eb* Charter Roll

Rhôl Siecr *eb* Pipe Roll

rhôl statud *eb* statute roll

Rhôl Tâl am Fraint *eb* Fine Roll

rhôl uchel ymlaen *eb* high forward roll

rhôl y Gorllewin *eb* Western roll (in gymnastics)

rhôl ymlaen *eb* forward roll

rhôl yn ôl *eb* backward roll

rholbren *eg* rolling pin

rholen rwygo *eb* tear-off roll

rholer *eg* roller

rholer atred *eg* offset roller

rholer blaen *eg* front roller

rholer diffrithiant *eg* frictionless roller

rholer inc *eg* ink roller

rholer leino *eg* lino roller

rholer mewn-llinell *eg* in-line roller

rholer ôl *eg* back roller

rholer presio *eg* pressing roller

rholer printio *eg* printing roller

rholferyn *eg* roller bearing

rholiau reciwsantiaid *ell* recusancy rolls

rholio *be* roll *v*

rholio i fyny *be* scroll-up

rholio i lawr *be* scroll-down

rholio mewn *be* roll in

rholstoc *eg* rolling stock

rholyn *eg* roll *n*

rholyn bara *eg* bread roll

rhomb *eg* rhomb

rhombohedron *eg* rhombohedron

rhomboid *eg* rhomboid

rhombws *eg* rhombus

rhos *eb* heath

rhosagorell *eb* rose reamer

rhosbren *ans* rosewood

rhosebill *eg* rose bit

rhosen *eb* rosette

rhostir *eg* heathland

rhosyn *eg* rose

rhuban *eg* ribbon

rhuddgoch *eg* crimson

rhuddgoch alisarin *eg* alizarin crimson

rhuddgoch golau *eg* light ruby

rhuddiad *eg* red shift

rhuddin *eg* heartwood

rhuddliw *eg* rouge

rhuddliw gemydd *eg* jeweller's rouge

rhuddliw tywyll *eg* dark ruby

Rhufeinig *ans* Roman *adj*

Rhufeinio *be* Romanize

Rhufeinwr *eg* Roman *n*

rhuglen *eb* rattle

rhuglen glocsen *eb* clog rattle

rhugliad *eg* crepitation

rhuglo *be* rattle *v*

rhuthr dŵr *eg* flush (of water)

rhwbiad *eg* rubbing (in general)

rhwbiad pres *eg* brass rubbing

rhwbio *be* rub

rhwd *eg* rust *n*

rhwd copr *eg* verdigris

rhwd haearn *eg* rust

rhwng canolau *eg* between centres

rhwmba *eg* rumba

rhwyd *eb* net *n*

rhwyd ddiogelwch *eb* safety net

rhwyd ddrifft *eb* drift net

rhwyd gôl *eb* goal net

rhwyd isel *eb* low net

rhwydo'r bêl *be* net the ball

rhwydol *ans* reticulate

rhwydwaith *eg/b* network *n*

rhwydwaith ardal eang *eg* wide area network

rhwydwaith ardal leol *eg* local area network

rhwydwaith cyfathrebu *eg* communication network

rhwydwaith cyfrifiadurol *eg* computer network

rhwydwaith ffyrdd *eg* road system

rhwydwaith pibellau gwaed *eg* network of blood-vessels

rhwydwaith switsio pecynnau *eg* packet switching network

rhwydweithio *be* network *v*

rhwyddineb *eg* facility (=ease, fluency)

rhwyddineb *eg* fluency (in calculation)

rhwyddineb cynyddol *eg* increasing fluency

rhwyddineb llifo *eg* ease of flow

rhwyf *eb* oar

rhwyfo *be* row (with oars) *v*

rhwyg *eg* tear (hole or damage) *n*

---

adf, adv adferf, *adverb*   **ans, adj** ansoddair, *adjective*   **be** berf, *verb*   **eb** enw benywaidd, *feminine noun*   **eg** enw gwrywaidd, *masculine noun*

rhwygiad *eg* laceration
rhwyglif *eb* rip saw
rhwygo *be* tear (pull apart) *v*
rhwyll *eb* mesh
rhwyll dur *eb* steel mesh
rhwyll fain *eb* fine mesh
rhwyll map *eb* graticule
rhwyll wifrog *eb* wire mesh
rhwyllen *eb* gauze *n*
rhwyllen capilarïau *eb* capillary network
rhwyllen derylen *eb* terylene gauze
rhwyllen tiwb *eb* tubular gauze
rhwyllo *be* pierce *v*
rhwyllog (am batrwm) *ans* fretted (of pattern)
rhwyllog (am ddefnydd) *ans* gauze
rhwyllwaith *eg* fretwork
rhwym (am bethau) *ans* bound (of things) *adj*
rhwym (am rwymedd corff) *ans* constipated
rhwymedigaeth *eb* obligation
rhwymedd *eg* constipation
rhwymell *eb* binder (machine attachments)
rhwymiad *eg* binding (of book)
rhwymo *be* bind
rhwymo (anaf) *be* bandage *v*
rhwymo llyfrau *be* book binding
rhwymwr *eg* binder
rhwymwr llyfrau *eg* book binder
rhwymyn (ar glwyf, anaf) *eg* bandage
rhwymyn (yn gyffredinol) *eg* binding
rhwymyn (ar gyfer clarinet etc) *eg* ligature
rhwymyn bias *eg* bias binding
rhwymyn cotwm *eg* cotton bandage
rhwymyn crêp *eg* crêpe bandage
rhwymyn cydymffurfiol *eg* conforming bandage
rhwymyn gwm *eg* gummed binding
rhwymyn papur *eg* paper binding
rhwymyn Paris *eg* Paris binding
rhwymyn sêm *eg* seam binding
rhwymyn sgriw *eg* screwbinder
rhwymyn trionglog *eg* triangular bandage
rhwymyn tynhau *eg* tourniquet
rhwystr *eg* barrier (=obstacle)
rhwystr egni *eg* energy barrier
rhwystredig *ans* frustrated
rhwystredigaeth *eb* frustration
rhwystro *be* block (=obstruct) *v*
rhwystro'r maeswyr *be* obstructing the field
rhybed *eg* rivet *n*
rhybed belt *eg* belt rivet
rhybed deufforchog *eg* bifurcated rivet
rhybed gwrthsodd *eg* countersunk rivet
rhybed llac *eg* loose rivet
rhybed pen côn *eg* conical head rivet
rhybed pen gwrthsodd *eg* countersunk head rivet
rhybed pen madarch *eg* mushroom head rivet
rhybed pencosyn *eg* cheese-head rivet

rhybed pengrwn *eg* roundhead rivet
rhybed penpan *eg* pan-head rivet
rhybed pop *eg* pop rivet
rhybedog *ans* riveted
rhybedu *be* rivet *v*
rhybedu cadwynol *be* chain riveting
rhybedu doli *be* dolly riveting (bolster)
rhybedu igam ogam *be* zigzag riveting
rhybedu llac *be* loose riveting
rhybedu oer *be* cold riveting
rhybedu snap *be* snap riveting
rhybudd *eg* warning
rhybudd i adael *eg* notice to quit
rhybuddio *be* warn
rhych *eb* slot (of screwhead etc)
rhych sgriwio *be* slot screwing
rhychedig *ans* striated
rhychiad *eg* striation
rhychiog (am ddefnydd etc) *ans* fluted
rhychiog (am fetel etc) *ans* corrugated
rhychu *be* flute *v*
rhychwaith *eg* fluting
rhychwant *eg* span *n*
rhychwant oes *eg* life span
rhychwantu *be* span *v*
rhyd *eb* ford
rhydlyd *ans* rusty
rhydocs *eg* redox
rhydu *be* rust *v*
rhydweli *eb* artery
rhydweli arennol *eb* kidney artery
rhydweli goronaidd *eb* coronary artery
rhydweli garotid *eb* carotid artery
rhydweli iliolymbar *eb* iliolumbar artery
rhydwelïyn *eg* arteriole
rhydwythiad *eg* reduction (in chemistry)
rhydwytho *be* reduce (in chemistry)
rhydwythydd *eg* reducing agent
rhydd *ans* free *adj*
rhyddfenter *eb* free enterprise
rhydd o lwch *ans* dust-proof
rhyddarbed *be* indemnify
rhyddewyllyswr *eg* libertarian
rhyddfarn *eb* acquittal
rhyddfraint dinas *eb* freedom of a city
rhyddfreiniad *eg* emancipation
rhyddfreinio *be* emancipate
Rhyddfreinio'r Pabyddion *be* Catholic Emancipation
rhyddfreiniwr *eg* freeman
rhyddfrydwr *eg* liberal *n*
Rhyddfrydwr Unoliaethol *eg* Liberal Unionist
rhyddganon *(eb/g)* free canon
rhyddgymysgu *be* free blending
rhyddhad (=gollyngdod) *eg* relief
rhyddhad (=gosod yn rhydd) *eg* liberation

rhyddhad (rhag treth incwm etc) *eg* exemption (from income tax)

rhyddhad anabledd *eg* disabled relief

rhyddhad o dreth *eg* tax exemption

rhyddhau (=llacio) *be* loosen

rhyddhau (yn gyffredinol) *be* free *v*

rhyddhau (clicied etc) *be* release

rhyddhau (o ysbyty etc) *be* discharge (=release) *v*

rhyddhau ac achub release and rescue

rhyddhäwr (am berson) *eg* liberator

rhyddhäwr (am fysell) *eg* release key

rhyddiaith estynedig *eg* extended prose

rhyddid *eg* freedom, liberty

rhyddid cred *eg* freedom of belief

rhyddid crefyddol *eg* religious freedom

rhyddid cydwybod *eg* liberty of conscience

rhyddid meddwl *eg* freedom of thought

rhyddlifo *be* free flowing

rhydd-dorri *be* free cutting

rhydd-ddaliad *eg* freehold

rhydd-ddeiliad *eg* freeholder

rhydd-ddeiliad deugain swllt *eg* forty-shilling freeholder

rhydd-ddeiliaid *ell* yeomanry

rhydd-feddyliwr *eg* free thinker

rhydd-sefyll *ans* free-standing

rhyfel *eg/b* war

Rhyfel Byd Cyntaf *eg* First World War

Rhyfel Can Mlynedd *eg* Hundred Years War

rhyfel cartref *eg* civil war

rhyfel cyfiawn *eg* just war

Rhyfel Cynghrair Augsburg *eg* War of League of Augsburg

Rhyfel Deng Mlynedd ar Hugain *eg* Thirty Years War

rhyfel dosbarth *eg* class struggle

Rhyfel Ffug *eg* Phoney War

rhyfel gerila *eg* guerrilla warfare

Rhyfel Mawr y Gogledd *eg* Great Northern War

rhyfel oer *eg* cold war

Rhyfel Olyniaeth Awstria *eg* War of Austrian Succession

Rhyfel Olyniaeth Pwyl *eg* War of Polish Succession

Rhyfel Olyniaeth Sbaen *eg* War of Spanish Succession

Rhyfel y Boer *eg* Boer War

Rhyfel y Crimea *eg* Crimean War

Rhyfel y Degwm *eg* Tithe War

Rhyfel y Marchogion *eg* Knight's War

Rhyfel y Werin *eg* Peasants' War

rhyfela *be* warfare

rhyfelgi *eg* warmonger

rhyfelgri *eb* battle cry

rhyfeloedd dros annibyniaeth yr Alban *ell* wars of Scottish independence

Rhyfeloedd y Rhosynnod *ell* Wars of the Roses

rhyfelwr *eg* warrior

rhyfflydd *eg* ruffler (machine attachments)

rhygwellt *ell* rye-grass

rhyngadrannol *ans* interdepartmental

rhyngalaethog *ans* inter galactic

rhyngasennol *ans* intercostal

rhyngbersonol *ans* interpersonal

rhyngchwartel *eg* inter-quartile

rhyngdoriad *eg* intercept (in mathematics) *n*

rhyngdorri *be* intercept (in mathematics) *v*

rhyngdrofannol *ans* inter tropical

rhyngdrymlinol *ans* interdrumlin

rhyngfertebrol *ans* invertebral

rhyngfridio *be* interbreed

rhyngfynyddig *ans* intermont

rhyngffasgellol *ans* interfascicular

rhynghaenol *ans* interbedded

rhynglanw *eg* inter-tidal

rhyngles *eg* interlace *n*

rhynglesio *be* interlace *v*

rhyngnodol *ans* internodal

rhyngol *ans* intervening

rhyngolyn *eg* intermediate (in biology)

rhyngosod *be* interpolate

rhyngosodiad *eg* interpolation

rhyngosodol *ans* intercalary

rhyngrewlifol *ans* interglacial

rhyngweithiad *eg* interaction

rhyngweithiad iaith *eg* language interaction

rhyngweithio *be* interact

rhyngweithiol *ans* interactive

rhyngwladol *ans* international

rhyngwladoliaeth *eb* internationalism

rhyngwyneb *eg* interface *n*

rhyngwyneb Centronics *eg* Centronics interface

rhyngwyneb cyfresol *eg* serial interface

rhyngwyneb cyfrifiadurol *eg* computer interface

rhyngwyneb defnyddiwr *eg* user interface

rhyngwyneb IEEE *eg* IEEE interface

rhyngwyneb peiriant-dyn *eg* man-machine interface

rhyngwyneb perifferol *eg* peripheral interface

rhyngwyneb safonol *eg* standard interface

rhyngwynebol *ans* interfacial

rhyngwynebu *be* interface *v*

rhyng-dôn *eg* differential tone

rhyng-gellol *ans* intercellular

rhyng-gipiad *eg* interception (of a ball in sport)

rhyng-gipio *be* intercept (a ball in sport) *v*

rhyng-gydberthyniad *eg* intercorrelation

rhyng-gyfansoddyn *eg* intermediary compound

rhyng-gyfarfod *be* intercept (e.g. of aeroplanes) *v*

rhyng-gyfarfyddiad *eg* interception (e.g. of aeroplanes)

rhyng-gyflwr *eg* intermediate state (in mathematics)

rhyng-gymysgadwy *ans* intermixable

rhymlin *eg* rhumb line

rhysgen *eb* rusk

rhysyfwr *eg* receiver (feudal)

Rhysyfwr Cyffredinol *eg* Receiver General

rhythm *eg* rhythm

rhythm circadaidd *eg* circadian rhythm

rhythm corff *eg* body rhythm

---

adf, adv adferf, *adverb*   *ans, adj* ansoddair, *adjective*   *be* berf, *verb*   *eb* enw benywaidd, *feminine noun*   *eg* enw gwrywaidd, *masculine noun*

rhythm jig *eg* jig rhyme
rhythm syml *eg* simple rhythm
rhythmig *ans* rhythmic
rhyw *eg/b* sex *n*
rhyw y person (plentyn etc) *eb* gender
rhyw cymysg *ans* mixed sex

rhywfaint *eg* quantity (unspecified, e.g. of soil)
rhywiol *ans* sexual
rhywogaeth *eb* species
rhywogaeth anhysbys *eb* unidentified species
rhywogaeth wyrol *eb* aberrant species
rhyw-gysylltiedig *ans* sex linked

S

Sabath *eg* Sabbath
Sabathyddiaeth *eb* Sabbatarianism
sabl *eg* sable
sabl coch *eg* red sable
sabothol *ans* sabbatical
sabr *eg* sabre
sacarin *eg* saccharin
sacrament *eg* sacrament (=religious ceremony or act)
sacristan *eg* sacristan
sacristi *eg* sacristy
sacrwm *eg* sacrum
Sacson *eg* Saxon *n*
Sacsonaidd *ans* Saxon *adj*
sach *eb* sack
sach amniotig *eb* amniotic sac
sach eistedd *eb* bean bag (for sitting on)
sach gysgu *eb* sleeping-bag
sach wlân *eb* woolsack
sadistiaeth *eb* sadism
sadrwydd *eg* stability (of object)
Sadwrn *eg* Saturn
sadydd *eg* steady (lathe accessories)
sadydd bwrdd *eg* table steady
sadydd disymud *eg* fixed steady
sadydd symudol *eg* moving steady
saer coed *eg* carpenter
saer dodrefn *eg* cabinet maker
saer maen *eg* mason
saer rhydd *eg* freemason
saer troliau *eg* wheelwright
saernïaeth gyfrifiadurol *eb* computer architecture
saernïaeth peiriant *eb* machine architecture
saernïaeth rwydwaith *eb* network architecture
saesonaeth *eb* englishry
saeth *eb* arrow
saeth i fyny *eb* up arrow
saeth i lawr *eb* down arrow
saeth ymlaen *eb* forward arrow
saeth yn ôl *eb* back arrow
saethflew *ell* kemp
saethol *ans* sagittal
saethu *be* shoot (with gun etc) *v*
saethwr (gyda bwa a saeth) *eg* archer
saethwr (mewn pêl-droed) *eg* striker (in football)
saethyddiaeth *eb* archery
safana *eg* savannah
safbwynt *eg* viewpoint
safiad *eg* stance

safiad agored *eg* open stance
safiad caeedig *eg* closed stance
safiad gwarchod *eg* guard position
safiad sgwâr *eg* square stance
safle (=man daearyddol) *eg* site
safle (mewn gêm, mewn cwmni) *eg* position
safle (mewn hierarchaeth) *eg* rank *n*
safle achub ar fynydd *eg* mountain rescue post
safle adwerthu y tu allan i'r dref *eg* out-of-town retail site
safle canraddol *eg* percentile ranking
safle canrannol *eg* centile rank
safle cychwynnol *eg* starting position
safle cynnal *eg* support position
safle cyrchwr *eg* cursor position
safle cywir *eg* correct position
safle datblygu *eg* development site
safle didol *eg* bit position
safle gorau *eg* best position
safle gwreiddiol *eg* root position
safle is-werth *eg* low-order position
safle maes glas *eg* green field site
safle mewn gwagle *eg* location in space
safle priodol *eg* appropriate position
safle'r bawd *eg* thumb position
safle'r Haul position of the Sun
safle'r pedal *eg* pedal position
safle'r traed *eg* position of the feet
safle'r ysgol *eg* school site
safle sefydlog *eg* fixed position
safle sych *eg* dry point site
safle unionsyth *eg* upright position
safle wedi'i fomio *eg* bombed site
safle ymosodol *eg* attacking position
safn *eb* jaw
safn aligator *eb* alligator jaw
safn ddanheddog *eb* serrated jaw
safn feis *eb* vice jaw
safn lithr *eb* sliding jaw
safn sefydlog *eb* fixed jaw
safn symudol *eb* movable jaw
safon *eb* standard *n*
safon gofal *eb* standard of care
safon academaidd *eb* academic standard
Safon Aur *eb* Gold Standard
Safon Brydeinig *eb* British Standard
safon byw *eb* standard of living
safon foesol *eb* moral standard
safon genedlaethol *eb* national standard

---

adf, adv adferf, *adverb* **ans, adj** ansoddair, *adjective* **be** berf, *verb* **eb** enw benywaidd, *feminine noun* **eg** enw gwrywaidd, *masculine noun*

safon gwerthu *eb* mercantile quality
safon uchel *eb* high standard
Safon Uwch *eb* A level
Safon Uwch Atodol *eb* AS level
safon y chwarae *eb* standard of play
safonau diogelwch *ell* safety standards
safonedig *ans* standardized
safoni (marciau arholiad) *be* moderate *v*
safoni (yn gyffredinol) *be* standardize
safonol *ans* standard *adj*
safwe *eg* web site
saga *eb* saga
sager *eg* sagger
sagrafen *eb* sacrament (=consecrated elements)
sahel *eg* sahel
sahelaidd *ans* sahelian
saib (mewn cerddoriaeth) *eg* rest (=musical silence) *n*
saib (mewn gêm etc) *eg* time out
saib (yn gyffredinol) *eg* pause (in general)
saig entrée *eb* entrée dish (of food)
sail *eb* basis
sail (triongl) *eb* base (of triangle)
sail blwyddyn ariannol *eb* financial year basis
sail olew *ans* oil based
sail resymegol *eb* rationale
sail stac *eb* stack base
saim *eg* grease *n*
saim gloyw *eg* clarified fat
saim gwrth-ffrithiant *eg* anti-friction grease
sain *eb* sound
sain anadl *eb* breathed sound
sain gref *eb* loud sound
sain drwynol *eb* nasal tone
sain electronig *eb* electronic sound
sain glust *eb* aural work
sainfesurydd *eg* sonometer
saith bob ochr *eg* seven a side
sal amoniac *eg* sal ammoniac
salina *eg* salina
saliwt *eg* salute
saliwtio *be* salute
salm *eb* psalm
salmau cân *ell* metrical psalms
salm-dôn *eb* chant (of psalm) *n*
salon *eg* salon
saltarelo *eg* saltarello
salwch môr *eg* seasickness
salwch mynydd *eg* soroche
salwch ymbelydredd *eg* radiation sickness
sallwyr *eg* psalter
samariwm (Sm) *eg* samarium (Sm)
samba *eg* samba
sambo *eg* zambo
samoser *eg* psammosere
sampl *eg* sample *n*
sampl amhwysol *eg* unweighted sample

sampl gynrychioliadol *eb* representative sample
sampl haenedig *eb* stratified sample
sampler *eg* sampler
samplu *be* sample *v*
samplu ardal *be* area sample
samplu haenedig *be* stratified sampling
samplu pwynt *be* point sample
samplu systematig *be* systematic sampling
San Bened *ans* Benedictine *adj*
sancsiynau *ell* sanctions
sanctaidd *ans* holy
sancteiddhad *eg* sanctification
sandiwr *eg* sander
sandiwr belt *eg* belt sander
sandiwr cludadwy *eg* portable sander
sandiwr disg *eg* disc sander
sandiwr orbitol *eg* orbital sander
sandiwr pŵer *eg* power sander
sandur *eg* sandur
sant *eg* saint
Sant Iago *eg* Saint James
Sant Ioan *eg* Saint John
Sant Padrig *eg* Saint Patrick
santhoffyl *eg* xanthophyll
saproffag *eg* saprophage
saproffyt *eg* saprophyte *n*
saproffytig *ans* saprophyte *adj*
Sarasen *eg* Saracen
sarff-faen *eg* serpentine (of rock)
sarn *eg* causeway
sarsiant wrth arfau *eg* sergeant-at-arms
sarsiant wrth gyfraith *eg* sergeant-at-law
sarsiantaeth *eb* sergeantry
sash *eg* sash
satîn *eg* sateen
satin *eg* satin
sawdl *eg/b* heel *n*
sawdl bwa *eb* heel of a bow
sawdl gaerog *eb* reinforced heel
sawdl y faneg *eb* heel of glove
sawrlysiau cymysg *ell* fines herbes
saws afal *eg* apple sauce
saws bechamel *eg* bechamel sauce
saws cwstard wy *eg* egg custard sauce
saws Espagnole *eg* Espagnole sauce
sba *eg* spa
sbadics *eg* spadix
sbaner *eg* spanner
sbaner â safn atred *eg* offset jaw spanner
sbaner blwch *eg* box spanner
sbaner ceg agored *eg* open-end spanner
sbaner ceg agored sengl *eg* single open-end spanner
sbaner cranc *eg* crank spanner
sbaner cylch *eg* ring spanner
sbaner cymwysadwy *eg* adjustable spanner
sbaner deuben *eg* double-ended spanner
sbaner soced *eg* socket spanner

eg/b enw gwrywaidd/benywaidd, *feminine/masculine noun*   *ell* enw lluosog, *plural noun*   *v* berf, *verb*   *n* enw, *noun*

sbardun (car) *eg* throttle *n*
sbardun (yn gyffredinol)*eg* spur
sbardun blaendor *eg* truncated spur
sbardun dur *eg* steel spur
sbardun ffasedaidd *eg* faceted spur
sbardunau didoriad *ell* intact spurs
sbardunau pleth *ell* interlocking spurs
sbarian *be* sparring
sbaryn *eg* remnant
sbatwla *eg* spatula
sbectol eira *eb* snow glasses
sbectroffotomedr *eg* spectrophotometer
sbectrograff màs *eg* mass spectrograph
sbectrol *ans* spectral
sbectromedr *eg* spectrometer
sbectromedreg *eb* spectrometry
sbectrosgop *eg* spectroscope
sbectrosgop golwg union *eg* direct vision spectroscope
sbectrosgopeg *eb* spectroscopy
sbectrwm *eg* spectrum
sbectrwm absoliwt *eg* absolute spectrum
sbectrwm allyrru *eg* emission spectrum
sbectrwm amsugno *eg* absorption spectrum
sbectrwm band *eg* band spectrum
sbectrwm di-dor *eg* continuous spectrum
sbectrwm electromagnetig *eg* electromagnetic spectrum
sbectrwm llinell *eg* line spectrum
sbectrwm trefn dau *eg* second order spectrum
sbeis *eg* spice
sbelter *eg* spelter
sbelter presyddu *eg* brazing spelter
sberm *eg* sperm
sbermatogenesis *eg* spermatogenesis
sbermatosoon *eg* spermatozoon
sbermleiddiad *eg* spermicide
sbermleiddiol *ans* spermicidal
sbermocyt *eg* spermocyte
sbesiffig *ans* specific (=per unit mass)
sbesimen *eg* specimen
sbidomedr *eg* speedometer
sbigolyn *eg* spikelet
sbigot *eg* spigot
sbigot fflans *eg* flanged spigot
sbigyn *eg* spike
sbigyn tynnu *eg* draw spike
sbin *eg* spin (of elementary particles) *n*
sbinio *be* spin (of elementary particles) *v*
sbinol *ans* spinal
sbiragl *eg* spiracle
sbiral *eb* spiral *n*
sbiral Archimedes *eb* Archimedean spiral
sbirochaet *eg* spirochaete
sblae *ans* splayed
sblein *eg* spline
sbleis *eg* splice *n*
sbleisio *be* splice *v*
sblint *eg* splint

sbonc *eb* bounce *n*
sbonc y bêl *be* bounce of the ball
sboncen *eb* squash *n*
sboncio *be* bounce *v*
sboncio ar y ddaear *be* bounce on the ground *v*
sbôr *eg* spore
sborangiwm *eg* sporangium
sboroffor *eg* sporophore
sboroffyt *eg* sporophyte
sborogoniwm *eg* sporogonium
sbotio *be* spotting
sbotweldio *be* spot welding
sbotweldio trydan *be* electric spot welding
sbotwynebu *be* spot facing
sbrig *eb* sprig
sbring *eg* spring
sbring arab *eg* arab spring
sbring baril *eg* barrel spring
sbring byffer *eg* buffer spring
sbring cefn *eg* back spring
sbring clustogwaith *eg* upholstery spring
sbring coil *eg* coil spring
sbring cywasgu *eg* compression spring
sbring deudroed *eg* flyspring
sbring gwar *eg* neckspring
sbring heligol *eg* helical spring
sbring llaw *eg* handspring
sbring pen *eg* headspring
sbring sbiral *eg* spiral spring
sbring tyniant *eg* tension spring
sbringar *ans* springy
sbring-lwythog *ans* spring-loaded
sbroced *eg* sprocket
sbroced a chadwyn sprocket and chain
sbwng *eg* sponge *n*
sbwngio *be* sponge *v*
sbwngio â dŵr claear *be* tepid sponging
sbwngoffyl *eg* spongophyll
sbŵl *eg* spool
sbwlio *be* spooling
sbwliwr *eg* spooler
sbwriel *eg* rubbish
scandiwm (Sc) *eg* scandium (Sc)
scoria *be* scoria
scherzo *eg* scherzo
scherzo a thrio scherzo and trio
schisocarp *eg* schizocarp
sebca *eg* sebkha
sebon *eg* soap
sebon calch *eg* lime soap
sebon caled *eg* hard soap
sebon golchi *eg* household soap
sebon hylif *eg* liquid soap
sebon meddal *eg* soft soap
sebon Tripoli *eg* Tripoli compound
seboneiddiad *eg* saponification
seboneiddio *be* saponify

---

adf, adv adferf, *adverb* **ans, adj** ansoddair, *adjective* **be** berf, *verb* **eb** enw benywaidd, *feminine noun* **eg** enw gwrywaidd, *masculine noun*

seboni *be* soap *v*
sebonllyd *ans* soapy
secant (sec) *eg* secant (sec)
secco *ans* secco
seciwlar *ans* secular
seciwlareiddio *be* secularize
seciwlariaeth *eb* secularism
secondiad *eg* secondment
secretiad *eg* secretion
secretiad mewnol *eg* internal secretion
secretin *eg* secretin
secretu *be* secrete
secsagesimol *ans* sexagesimal
secsdens *eg* sext
secstant *eg* sextant
secstig *ans* sextic
sect *eb* sect
sector *eg/b* sector
sector cyhoeddus *eg* public sector
sector cynnes *eg* warm sector
sector preifat *eg* private sector
sectoriad caled *eg* hard sectored
sectoriad meddal *eg* soft sectored
sectydd *eg* sectary
sectyddol *ans* sectarian
secwestrydd *eg* sequestrant
secwin *eg* sequin
sech *eg* sech
sedd *eb* seat (to sit on)
sedd gôr *eb* choir stall
sedd lithro *eb* sliding seat
sedd sefydlog *eb* fixed seat
sedd ystlys *eb* thwart (=boat seat)
seddisl *eb* donkey (easel)
seersucker *eg* seersucker

sefydliad (am gorff addysgol etc) *eg* institute
sefydliad (am gyfraith, arferion etc sydd wedi plwyfo) *eg* institution
sefydliad (person) *eg* induction (of a person)
sefydliad (yn gyffredinol) *eg* establishment
Sefydliad Cenedlaethol ar gyfer Ymchwil mewn Addysg (SCYA) *eg* National Foundation for Education Research (NFER)
sefydliad Protestannaidd *eg* Protestant establishment
Sefydliad Safonau Prydeinig *eg* British Standards Institution
Sefydliad y Merched *eg* Women's Institute
sefydliadol *ans* institutional
sefydliadu *be* institutionalize
sefydlog (=nad yw'n symud) *ans* fixed (=unchangeable)
sefydlog (am liw) *ans* permanent (of colour)
sefydlog (mewn mathemateg) *ans* invariant
sefydlog (am gyflwr rhywun) *ans* stable
sefydlogi (mewn ffotograffiaeth a bioleg) *be* fix (in photography and biology)
sefydlogi (yn gyffredinol) *be* stabilize
sefydlogiad *eg* fixation

sefydlogiad nitrogen *eg* nitrogen fixation
sefydlogrwydd *eg* stability (of economy, society etc)
sefydlogrwydd emosiynol *eg* emotionable stability
sefydlogydd *eg* stabilizer
sefydlogydd trochion *eg* lather stabilizer
sefydlu (=agor yn gyhoeddus) *be* inaugurate
sefydlu (person mewn swydd) *be* induct
sefydlu (yn gyffredinol) *be* establish
sefydlu gwerth *be* valorisation
sefydlydd llifyn *eg* dye fix
sefydlyn *eg* fixer
sefydlyn (ar gyfer lliwiau, gwallt, sbesimenau etc) *eg* fixative
sefydlyn (mewn mathemateg) *eg* invariant *n*
sefydlyn aerosol *eg* aerosol fixative
sefydlyn pastel *eg* pastel fixative
sefyll *be* stand *v*
sefyll (arholiad) *be* sit (an examination)
sefyll mewn ystum *be* pose *v*
sefyll yn syth a thal *be* standing tall
sefyllfa *eb* position (=situation)
sefyllfa ddiddatrys *eb* deadlock (=impasse)
sefyllfa ymlacio *eb* relaxed position
segment *eg* segment *n*
segmentiad *eg* segmentation
segmentiedig *ans* segmented
segmentu *be* segment *v*
segurswydd *eb* sinecure
sengl *ans* single *adj*
senglau *ell* singles
seibernetaidd *ans* cybernetic
seiberneteg *eb* cybernetics
seibiant *eg* respite
seicdreiddiad *eg* psycho-analysis
seiciatreg *eb* psychiatry
seiciatreg plant *eb* child psychiatry
seiciatrig *ans* psychiatric
seiciatrydd *eg* psychiatrist
seiciatrydd plant *eg* child psychiatrist
seiclig *ans* cyclic (in biology)
seiclon *eg* cyclone
seiclorama *eg* cyclorama
seiclostom *eg* cyclostome
seiclotron *eg* cyclotron
seicogeriatregydd *eg* psychogeriatrician
seicoleg *eb* psychology
seicoleg babanod *eb* infant psychology
seicoleg glinigol *eb* clinical psychology
seicoleg gymharol *eb* comparative psychology
seicoleg plant *eb* child psychology
seicoleg wybyddol *eb* cognitive psychology
seicolegol *ans* psychological
seicolegydd *eg* psychologist
seicolegydd clinigol *eg* clinical psychologist
seicolegydd addysg *eg* educational psychologist
seicorywiol *ans* psychosexual

---

eg/b enw gwrywaidd/benywaidd, *feminine/masculine noun*   *ell* enw lluosog, *plural noun*   *v* berf, *verb*   *n* enw, *noun*

seicosis *eg* psychosis

seicosomatig *ans* psychosomatic

seicotherapi *eb* psychotherapy

seicotherapi teuluol *eg* family psychotherapy

seidr *eg* cider

seiff *eg* seif

seiffr *eg* cipher

seiliedig ar based on

seiliedig ar ffurfiau geometrig based on geometrical shapes

seiliedig ar reolau rule-based

seiliedig ar wead based on texture

seilnod llanw *eg* tidal datum

seilnod ordnans *eg* ordnance datum

seiloffon *eg* xylophone

seilorimba *eg* xylorimba

seimlyd *ans* greasy

seimonaidd *ans* simoniacal

seimoniaeth *eb* simony

seimonwr *eg* simonist

seimonydd *eg* simoniac

seindon *eb* sound wave

seindwll *eg* sound hole

seinflwch *eg* sound box

seinfwrdd *eg* sound board

seinfwrdd organ *eg* organ sound board

seinglawr *eg* manual (on instrument)

seiniau cyffwrdd *ell* contact sounds

seinlawnder *eg* sonority

seinliwio *be* tone painting

seinlun *eg* sound picture

seintwar *eb* sanctuary (in temple etc)

seinwedd *eb* Klangforme

seinydd *eg* speaker (=sound unit)

Seionaidd *ans* Zionist *adj*

Seioniaeth *eb* Zionism

Seionydd *eg* Zionist *n*

seis *eg* size (=gelatinous solution) *n*

seis aur *eg* gold size

seis gelatin *eg* gelatine size

seis glud *eg* glue size

seisio *be* size (glue) *v*

seismig *ans* seismic

seismograff *eg* seismograph

seismoleg *eb* seismology

seismonastedd *eg* seismonasty

Seisnigaidd *ans* Anglicized

Seisnigo (iaith, cymdeithas) *be* Anglicization (of language, society)

seithawd *eg* septet

seithfed *eg* seventh

seithfed arweiniol *eg* leading seventh

seithpled *eg* septuplet

sêl *eb* seal *n*

Sêl Fawr *eb* Great Seal

Sêl Gyfrin *eb* Privy Seal

seladon *eg* celadon

seld *eb* sideboard

seleniwm (Se) *eg* selenium (Se)

seler *eb* cellar

seleri *eg* celery

selerwr *eg* cellarer

selesta *eg* celesta

selfa *eg* selva

selfais *eg* selvage

selio *be* seal *v*

seliwr *eg* sealer

seliwr coed *eg* wood sealer

seliwr sielac *eg* shellac sealer

seloffan *eg* cellophane

seloffan lliw *eg* coloured cellophane

selot *eg* zealot (member of Jewish sect)

sêm *eb* seam (in dressmaking)

sêm addurnol *eb* decorative seam

sêm agored *eb* open seam

sêm agored grom *eb* curved open seam

sêm blyg *eb* folded seam

sêm drosblyg *eb* overlapped seam

sêm ddeublyg *eb* double folded seam

sêm ffel ddwbl *ans* double machine stitched

sêm ffel ddwbl *eb* machine fell seam

sêm fflans *eb* flanged seam

sêm fforch *eb* crotch seam

sêm Ffrengig *eb* French seam

sêm lap *eb* lap seam

sêm lap gylchol *eb* circular lap seam

sêm orlap *eb* overfolded seam

sêm orlap gylchol *eb* circular overfolded seam

sêm rigolog *eb* grooved seam

sêm wedi'i pheipio *eb* piped seam

sêm wlanen *eb* flannel seam

semaffor *eg* semaphore

semanteg *eb* semantics

semen *eg* semen

semenol *ans* seminal

semenu artiffisial *be* artificial insemination

semio *be* seaming

Semitiaeth *eb* Semitism

senedd *eb* parliament

Senedd Dda *eb* Good Parliament

Senedd Ddidostur *eb* Merciless Parliament

Senedd Glwc (1614) *eb* Addled Parliament (1614)

Senedd y Gweddill *eb* Rump Parliament

seneddol *ans* parliamentary

seneddwr (ym Mhrydain) *eg* parliamentarian

seneddwr (yn UDA) *eg* senator

senoffobia *eg* xenophobia

senoffobig *ans* xenophonic

senon (Xe) *eg* xenon (Xe)

sensitif *ans* sensitive

sensitif i gyffyrddiad *ans* touch sensitive

sensitifedd *eg* sensitivity (in mathematics and biology)

sensitifrwydd *eg* sensitivity (in general)

---

adf, adv adferf, *adverb* **ans, adj** ansoddair, *adjective* **be** berf, *verb* **eb** enw benywaidd, *feminine noun* **eg** enw gwrywaidd, *masculine noun*

sensor *eg* censor
sensoriaeth *eb* censorship
sentimental *ans* sentimental
senysgal *eg* seneschal
seolit *eg* zeolite
seotrop *eg* zeotrope
sepal *eg* sepal
sepia *ans* sepia
sêr prif ddilyniant *ell* main sequence stars
serac *eg* serac
serch *eg* affection (=fondness)
seremoni *eb* ceremony
seremoni graddio *eb* graduation ceremony
seren (mewn dawns) *eb* hands across (in dancing)
seren (y symbol argraffu *) *eb* asterisk (*)
seren (yn gyffredinol) *eb* star
seren ambegwn *eb* circumpolar star
Seren Dafydd *eb* Star of David
seren – de a chwith star (hands across) right and left
seren dymhorol *eb* seasonal star
seren ddwbl *eb* binary star
seren gawr *eb* giant star
seren gorrach *eb* dwarf star
seren guriadol *eb* pulsating star
seren llaw dde / chwith *eb* star (hands across)
seren newidiol *eb* variable star
seren orgawr *eb* super giant star
seren radio *eb* radio star
seren wynt *eb* windrose
seren y gogledd *eb* pole star
serenâd *eg* serenade *n*
serenâd Eidalaidd *eg* Italian serenade
serenadu *be* serenade *v*
serf *eb* serve (in tennis) *n*
serf gyntaf *eb* first serve
serfiad *eg* service
serfiad byr *eg* short service
serfiad canon *eg* cannon ball service
serfio *be* serve (in tennis) *v*
serfio grymus *ell* powerful serve
serfiwr *eg* server (in tennis)
serge *eg* serge
seriff *eb* serif
serin *eg* serine
sero *eg* zero
sero absoliwt *eg* absolute zero
seroeiddio *be* zeroize
serofed *ans* zeroth
seroffyt *eg* xerophyte
serograffig *ans* xerographic
serol *ans* stellar
seroser *eg* xerosere
serotherm *eg* xerotherm
sero-lawn *ans* zero filled
sero-lenwi *be* zero fill
sero-lethedig *ans* zero suppressed

sero-lethiad *eg* zero suppression
serthiant *eg* degree of pitch
serthiant to *eg* roof pitch
serthochrog *ans* steepsided
serwm *eg* serum
serws *ans* serous
seryddiaeth *eb* astronomy
sêr-addoliaeth *eb* astrolatry
sêr-ddewiniaeth *eb* astrology
sêr-ddewiniol *ans* astrological
sêr-fytholeg *eb* astro-mythology
sesamwm *eg* sesamum
sesiwn *eb* session
Sesiwn Fawr *eb* Great Sessions
sesiwn hyfforddi *eb* training session
sesiwn lawn *eb* plenary session
seston *eb* cistern
seston ddŵr *eb* water cistern
set *eb* set *n*
set a snap rhybed cyfunol combined rivet set and snap
set ar hyd *eb* longways set
set boeth *eb* hot set
set deledu *eb* television set
set ddata *eb* data set
set ddatrysiad *eb* solution set
set ddeubar *eb* duple minor set
set eglur o werthoedd *eb* clear set of values
set fanwl *eb* detail scenery
set gau *eb* hollow set
set gyfarwyddiadau *eb* instruction set
set gyfunol *eb* combination set
set gynhwysol *eb* universal set
set law *eb* handset
set niwlog *eb* fuzzy set
set nodau *eb* character set
set o bibau *eb* rank (on organ) *n*
set o ddata *eb* set of data
set o gardiau tyllog *eb* set of punched cards
set o gyfarwyddiadau *eb* set of instructions
set o werthoedd cyffredin *eb* set of common values
set o wrthrychau *eb* set of objects
set oer *eb* cold set
set rybed *eb* rivet set
set sengl *eb* single set
set sgwâr *eb* square set
set wag *eb* null set
setiau cywerth *ell* equivalent sets
setiau digyswllt *ell* disjoint sets
setio *be* set (=place in sets) *v*
setio staen *be* stain setting
sffalerit *eg* sphalerite
sffêr *eg* sphere
sffêr wybrennol *eg* celestial sphere
sfferig *ans* spherical
sfferoid *eg* spheroid
sfferoidol *ans* spheroidal
sfferomedr *eg* spherometer

---

sffincter *eg* sphincter

sgafell gyfandirol *eb* continental shelf

sgafell iâ *eb* ice shelf

sgafell rew *eb* ice shelf

sgaffald *eg* scaffold (for construction purposes)

sgalar *ans* scalar *adj*

sgalar *eg* scalar *n*

sgaldanu *be* scalding

sgaldiad *eg* scald

sgan *eg* scan *n*

sgandal *eg* scandal

sganio *be* scan *v*

sganiwr *eg* scanner

sganiwr laser *eg* laser scanner

sgapwlar *eg* scapular

sgarff *eg* scarf *n*

sgarffio *be* scarf *v*

sgarlad cadmiwm *eg* cadmium scarlet

sgarmes *eb* maul

sgarmes rydd *eb* loose maul

sgarp *eg* escarpment

sgarp ffawt *eg* scarp fault

sgarp mewnwynebol *eg* infacing scarp

sgarpdir *eg* scarpland

sgein *eg* skein

sgeintydd *eg* dredger (for sprinkling)

sgema *eg* schema

sgematig *ans* schematic

sgerbwd *eg* skeleton

sgerbwd allanol *eg* exoskeleton

sgerbwd atodol *eg* appendicular skeleton

sgerbwd crog *eg* hanging carcass

sgerbwd echelinol *eg* axial skeleton

sgerbwd mewnol *eg* endoskeleton

sgerbwd rhydd-sefyll *eg* free-standing carcass

sgeri *eg* skerry

sgert *eb* skirt

sgert baneli *eb* panelled skirt

sgert bletiog *eb* pleated skirt

sgert fflêr *eb* flared skirt

sgert gôr *eb* gored skirt

sgert grychog *eb* gathered skirt

sgert gul *eb* pencil slim skirt

sgert gylch *eb* circular skirt

sgert lapio *eb* wrap-over skirt

sgert linell A *eb* A line skirt

sgert renciog *eb* tiered skirt

sgert syth *eb* straight skirt

sgifer *eg* skiver

sgìl algebraidd *eg* algebraic skill

sgìl cydbwyso *eg* balancing skill

sgil effaith *eb* side-effect

sgìl llawdrinol *eg* manipulative skill

sgil gynnyrch *eg* by-product

sgìl seicoechddygol *eg* psychomotor skill

sgìl sylfaenol *eg* basic skill

sgiliau byw *ell* life skills

sgiliau cymdeithasol *ell* social skills

sgiliau cymhleth *ell* complex skills

sgiliau dawnsio gwerin *ell* folk dancing skills

sgiliau diogelwch yn y dŵr *ell* skills of water safety

sgiliau echddygol bras *ell* gross motor skills

sgiliau echddygol manwl *ell* fine motor skills

sgiliau generig *ell* generic skills

sgiliau iaith *ell* language skills

sgiliau llawdrin bras *ell* gross manipulative skills

sgiliau llawdrin manwl *ell* fine manipulative skills

sgiliau mesur *ell* skills in measuring

sgiliau rheoli *ell* managerial skills

sgiliau symud *ell* motor skills

sgiliau ymdopi *ell* coping skills

sgimio *be* skim

sgimiwr *eg* skimmer

sgip *eb* skip *n*

sgipio *be* skip *v*

sgism *eg* schism

Sgism Mawr *eg* Great Schism

Sgism y Babaeth *eg* Papal Schism

sgismatig *ans* schismatic

sgist *eg* schist

sgistedd *eg* schistosity

sgiw *ans* skew *adj*

sgiw *eb* skew *n*

sgiw bositif *eb* positive skew

sgiw negatif *eg* negative skew

sgiwedd *eg* skewness

sglein *ans* shiny *adj*

sglein *eg* shine *n*

sglein parhaol *eg* everglaze (finish)

sglein resin *eg* resin glaze

sgleiniad *eg* mercerization

sgleinio *be* shine *v*

sgleiniog *ans* glossy

sglerencyma *eg* sclerenchyma

sglerosis *eg* sclerosis

sglerotig *ans* sclerotic

sglerws *ans* sclerous

sglodi *be* chip *v*

sglodion *ell* chipped potatoes

sglodion enamel *ell* enamel chips

sglodion marmor *ell* marble chips

sglodyn *eg* chip *n*

sgol *eg* squall

sgolastig *ans* scholastic

sgolastigiaeth *eb* scholasticism

sgolecs *eg* scolex

sgolop *eg* scallop *n*

sgolop wedi'i weithio *eg* worked scalloping

sgolop wedi'i wynebu *eg* faced scalloping

sgolopio *be* scallop *v*

sgôr *eb* score *n*

sgôr agored *eb* open score

---

sgôr biano *eb* piano score
sgôr boced *eb* miniature score
sgôr fer *eb* short score
sgôr graffig *eb* graphic score
sgôr gymedrig *eb* mean score
sgôr lawn *eb* full score
sgôr safonol *eb* standard score
sgorbwtig *ans* scorbutic
sgorio (ar gyfer cerddorfa) *be* orchestrate
sgorio (yn gyffredinol) *be* score *v*
sgorio cais *be* score a try
sgorio gôl *be* score a goal
sgoriwr (ar gyfer cerddorfa) *eg* orchestrator
sgoriwr (yn gyffredinol) *eg* scorer
sgorper *eg* scorper
sgotia *eg* scotia
sgrafell *eb* scraper
sgrafell dairongl *eb* triangular scraper
sgrafell gabinet *eb* cabinet scraper
sgrafell goed *eb* wood scraper
sgrafell grom *eb* curved scraper
sgrafell hanner crwn *eb* half round scraper
sgrafell law *eb* hand scraper
sgrafelliad *eg* abrasion (on land)
sgrafellog *ans* abraded
sgrafellu *be* scrape
sgraffiniad *eg* abrasion (on metal etc)
sgraffiniol *ans* abrasive *adj*
sgraffinydd *eg* abrasive *n*
sgraffito *eg* sgraffito
sgraffwrdd *eg* scraperboard
sgrap *eg* scrap
sgri *eg* scree
sgri bloc *eg* block scree
sgriblo *be* scribble
sgrifell *eb* scriber
sgrifellu *be* scribe *v*
sgrim *eg* scrim
sgrin *eb* screen *n*
sgrin agoriadol *eb* title screen
sgrin blygu *eb* fold-down screen
sgrin destun *eb* text screen
sgrin ddilys *eb* valid screen
sgrin ddiogelu *eb* safety screen
sgrin gefn *eb* back screen
sgrin gludadwy *eb* portable screen
sgrin gyffwrdd *eb* touch screen
sgrin sidan *eb* silkscreen
sgrin Stevenson *eb* Stevenson screen
sgrin wynt *eb* windscreen
sgriniad *eg* screenful
sgrin-brintio *be* screen-printing
sgrin-olygydd *eg* full screen editor
sgript *eb* script (of film, play etc)
sgript oliwiedig *eb* illuminated script
sgriptoriwm *eg* scriptorium

sgriw *eb* screw *n*
sgriw ben-seren *eb* star-head screw
sgriw alwminiwm *eb* aluminium screw
sgriw Allen *eb* Allen screw
sgriw atredu *eb* off-setting screw (lathe part)
sgriw beiriant *eb* machine screw
sgriw belt *eb* belt screw
sgriw ben cap *eb* caphead screw
sgriw ben hecsagonol *eb* hexagonal head screw
sgriw bencosyn *eb* cheese-head screw
sgriw bengron *eb* round head screw
sgriw bensgwar *eb* square head screw
sgriw bren *eb* wood screw
sgriw bres *eb* brass screw
sgriw chwil *eb* drunken screw
sgriw dywys *eb* lead screw (lathe part)
sgriw ddigopa *eb* grub-screw
sgriw ddur *eb* steel screw
sgriw ddur wrthstaen *eb* stainless steel screw
sgriw edau ddeuben *eb* double-headed screw
sgriw fawd *eb* thumbscrew
sgriw fenyw *eb* female screw
sgriw ffurfio edau *eb* thread-forming screw
sgriw glampio *eb* clamping screw
sgriw goets *eb* coach screw
sgriw gopog *eb* raised head screw
sgriw gopr *eb* copper screw
sgriw goprog *eb* coppered screw
sgriw gromiwm *eb* chromium screw
sgriw gwlwm *eb* tie-off screw
sgriw gyfeirio *eb* guide screw
sgriw gymhwyso *eb* adjusting screw
sgriw hunandapio *eb* self-tapping screw
sgriw law *eb* hand screw
sgriw law chwith *eb* left-hand screw
sgriw lygad *eb* screw eye
sgriw neilon *eb* nylon screw
sgriw nwrl *eb* knurled screw
sgriw Pozidrive *eg* Pozidrive screw
sgriw set *eb* set screw
sgriw sicrhau *eb* fastening screw
sgriw soced *eb* socket screw
sgriw torri edau *eb* thread-cutting screw
sgriw wrthrwd *eb* rustless screw
sgriw wrthsodd *eb* countersunk screw
sgriwglwm *ans* screw-bound
sgriwio *be* screw *v*
sgriwio cudd *be* secret screwing
sgriwio poced *be* pocket screwing
sgrôl *eg* scroll *n*
sgrôl 'C' / 'S' *eb* 'C' / 'S' scroll
sgrôl cynffon pysgodyn *eb* fish-tail scroll
sgrôl pen rhuban *eb* ribbon-end scroll
sgrolio *be* scroll *v*
sgrwbio *be* scrubbing
sgrym *eb* scrum *n*
sgrym osod *eb* set scrum

---

sgrym rydd *eb* loose scrum
sgrymio *be* scrum *v*
sgrytiad *eg* chatter *n*
sgrytian *be* chatter *v*
sgrytian erfyn *be* tool chatter
sgwadron *eb* squadron
sgwâr *ans* square *adj*
sgwâr *eg* square *n*
sgwâr blwch *eg* box square
sgwâr canoli *eg* centre square
sgwâr cant *eg* hundred square
sgwâr cryfhau *eg* reinforcing square
sgwâr cyfunol *eg* combination square
sgwâr cyffredinol *eg* universal square
sgwâr meitro *eg* mitre square
sgwâr peiriannydd *eg* engineer's square
sgwâr perffaith *eg* perfect square
sgwâr profi *eg* try square
sgwâr serfio *eg* serving square
sgwario *be* square *v*
sgwarog *ans* gridiron
sgwaronglog *ans* right-angled
sgwaryn *eg* set square
sgwatiwr *eg* squatter
sgwigl *eg/b* squiggle
sgwl dwbl *eg* double scull
sgwlio *be* scull *v*
sgwmbl *eg* scumble *n*
sgwmblo *be* scumble *v*
sgŵp *eg* scoop *n*
sgwpio *be* scoop *v*
sgwrfa llanw *eg* tidal scour
sgwriad *eg* scouring
sgwrio *be* scour
sgwrs *eb* conversation
sgwrs aelwyd *eb* fireside chat
sgwrydd *eg* scourer
sgwtelwm *eg* scutellum
sgyrtin *eg* skirting
shantung *eg* shantung
shawm *eg* shawm
shiffon *eg* chiffon
siaced *eb* jacket
siaced achub *eb* life jacket
siaced lwch *eb* book jacket
siaced wely *eb* bed jacket
siadwff *eg* shaduf
siafft *eb* shaft
siafft borthi *eb* feed shaft
siafft daprog *eb* tapered shaft
siafft gymhwyso bwrdd *eb* table adjustment shaft
siafft yrru *eb* prop shaft
siâl *eg* shale
sialc *eg* chalk *n*
sialc di-lwch *eg* anti-dust chalk
sialc Ffrengig *eg* French chalk

sialc gwyn *eg* white chalk
sialc lliw *eg* coloured chalk
sialc llythrennu *eg* lettering chalk
sialc teiliwr *eg* tailor's chalk
sialcio *be* chalk *v*
siambr *eb* chamber
siambr danio *eb* firing chamber
siambr gladdu *eb* burial chamber
Siambr Gyfrin *eb* Privy Chamber
siambr wactod *eb* vacuum chamber
siambr wely *eb* bed chamber
Siambr y Seren *eb* Star Chamber
Siambr Ymerodraeth *eb* Imperial Chamber
Siambrau Ailuniad *ell* Chambers of Reunion
siambrlen *eg* chamberlain
siamffer *eg* chamfer *n*
siamffer addurnol *eg* decorative chamfer
siamffer cau *eg* stopped chamfer
siamffer trwodd *eg* through chamfer
siamffer wagen *eg* wagon chamfer
siamffro *be* chamfer *v*
siamffrog *ans* chamfered
siami *eg* chamois
siandler *eg* chandler
sianel *eb* channel *n*
sianel betryal *eb* rectangular channel
sianel danrewlifol *eb* sub-glacial channel
sianel darllen ac ysgrifennu *eb* read / write channel
sianel ddata *eb* data channel
sianel fordwyo *eb* fairway (for shipping)
sianel Havers *eb* Haversian canal
sianel iâ ymylol *eb* ice marginal channel
sianel orlif *eb* overflow channel
sianel rew ymylol *eb* ice marginal channel
Sianel San Siôr *eb* Saint George's Channel
sianel wybodaeth *eb* information channel
sianelu *be* channel *v*
siani nyddu *eb* spinning jenny
siant *eb* chant (=spoken singsong phrase) *n*
siant Anglicanaidd *eb* Anglican chant
siant Ambrosiaidd *eb* Ambrosian chant
siant Fysantaidd *eb* Byzantine chant
siantio *be* chant *v*
siantri *eg* chantry
siâp *eg* shape *n*
siâp a daflwyd *eg* thrown shape
siâp cywir *eg* accurate shape
siâp dysglog *eg* dished shape
siâp ffiol *eg* vase shape
siâp geometrig *eg* geometric shape
siâp melodig *eg* melodic shape
siâp polygon *eg* polygon shape
siâp syml *eg* simple shape
siapio *be* shape *v*
siapio clai *be* shaping clay
siaradwr *eg* speaker (at a conference etc)
siaradwr gwadd *eg* guest speaker

---

siarcol *eg* charcoal
siarcol braslunio *eg* sketching charcoal
siarcol gwinwydd *eg* vine charcoal
siarcol helyg *eg* willow charcoal
Siarl Dda *eg* Charles the Good
Siarl Ddewr *eg* Charles the Bold
Siarl Fawr *eg* Charles the Great
Siarl Foel *eg* Charles the Bald
Siarlymaen *eg* Charlemagne
siars *eb* admonition (to clergy)
siarsio *be* admonish (clergy)
siart *eg* chart
siart bar *eg* bar chart
siart bloc *eg* block chart
siart cylch *eg* pie chart
siart datblygiad *eg* development chart
siart Gannt *eg* Gannt chart
siart llif *eg* flowchart
siart llif systemau *eg* systems flowchart
siart lliwiau *eg* colour chart
siart synoptig *eg* synoptic chart
siart trefniadaeth *eg* organization chart
siart troi *eg* flip chart
siartaeth *eb* chartism
siarter *eg/b* charter
siarter rhieni *eg* parents charter
siarter rhyddfreinio *eg* charter of enfranchisement
Siarter y Bobl *eg* People's Charter
Siarter y Plant *eg* Children's Charter, The
Siarter yr Iwerydd *eg* Atlantic Charter
siartydd *eg* chartist
siasi *eg* chassis
siasin *eg* chasing *n*
siasio *be* chasing *v*
siasio morthwyl *be* hammer chasing
siaswr *eg* chaser
siaswr edafedd *eg* thread chaser
siawns *eb* chance
siawns deg *eb* even chance
Siawnsri *eg* Chancery
sibrwd *be* whisper *v*
sibrwd *eg* whisper *n*
sicori *eg* chicory
sicr *ans* certain
sicrhau *be* affix
sicrhau top bwrdd *be* table-top fixing
sicrwydd (=diogelwch) *eg* security (of latch etc)
sicrwydd (cyflwr o fod yn sicr) *eg* assurance (=certainty)
sicrwydd ansawdd *eg* quality assurance
sicrwydd daliadaeth *eg* security of tenure
sidan *eg* silk
sidan crai *eg* raw silk
sidan gwneud *eg* artificial silk
sidan gwyllt *eg* wild silk
sidan jap *eg* jap silk
sidan rib *eg* grosgrain (of silk)

sidaniaeth *eb* sericulture
sidell *eb* whorl
sidellog *ans* whorled
sideru *be* lacemaking
Sidydd *eg* Zodiac
siec (patrwm) *ans* check (of pattern)
siec (dogfen ariannol) *eb* cheque
siec agored *eb* open cheque
siec wedi'i chroesi *eb* crossed cheque
siêd *eg* escheat *n*
siedu *be* escheat *v*
siedwr *eg* escheator
Sieffre o Fynwy *eg* Geoffrey of Monmouth
sielac *eg* shellac
sielac gwyn *eg* white shellac
sielac oren *eg* orange shellac
sielo *eg* cello
sielydd *eg* cellist
sienna crai *eg* raw sienna
sienna llosg *eg* burnt sienna
sierardeiddio *be* sherardize
sifalri *eg* chivalry
sifil *ans* civil (of citizens)
sifiliad *eg* civilian
siffon *eg* siphon
sigl adenydd *eg* see-saw
siglen (=cors) *eb* quagmire
siglen (=sedd ar raff) *eb* swing (=seat slung on ropes)
siglo *be* swing (on rope etc) *v*
siglo ar raff *be* swing on a rope
Siglwr *eg* Shaker
siglydd (post offer) *eg* rocket (tool post)
signal *eg* signal (mechanical, electrical etc)
signal cloc *eg* clock signal
signal galluogi *eg* enabling signal
signwm *eg* signum
Singspiel *eg* Singspiel
Sikh *eg/b* Sikh
Sikhiaeth *eb* Sikhism
sil *eg* sill
sil *eg* spawn (of fish etc) *n*
silfa *eb* spawning area
silff *eb* shelf
silff ben tân *eb* mantelpiece
silff fantell *eb* mantel shelf
silff ffenestr *eb* window-sill
silff gymwysadwy *eb* adjustable shelf
silff lyfrau *eb* bookshelf
silff odyn *eb* kiln shelf
silff rigolog *eb* housed shelf
silff sefydlog *eb* fixed shelf
silica *eg* silica
silica sychu *eg* silica gel
silicôn *eg* silicone
silicon (Si) *eg* silicon (Si)
silicwa *eg* siliqua

silimanit *eg* silimanite

silindr *eg* cylinder

silindr arosgo *eg* oblique cylinder

silindr blaendor *eg* truncated cylinder

silindr brêc *eg* brake cylinder

silindr cylch *eg* circular cylinder

silindr gweithrediad-dwbl *eg* double-acting cylinder

silindr mesur *eg* measuring cylinder

silindr nwy *eg* gas cylinder

silindr peiriant *eg* engine cylinder

silindrog *ans* cylindrical

silindroid *eg* cylindroid

silio *be* spawn *v*

silt *eg* silt *n*

siltio *be* silt *v*

silwét *eg* silhouette

Silwraidd *ans* Silurian

sillafu *be* spell

sillafu cronnus *be* cumulative spelling

sillafu noddedig *be* sponsored spell

simbalom *eg* cimbalom

simnai *eb* chimney

simnai gytbwys *eb* balance flue

simplecs *eg* simplex

simwm *eg* simoom

sin *eg* sine (sin)

sinamon *eg* cinnamon

sinc (Zn) *eg* zinc (Zn)

sinc (ar gyfer golchi) *eg* sink *n*

sinc blend *eg* zinc blende

sinc clorid *eg* zinc chloride

sinc ocsid *eg* zinc oxide

sinffonia *eg* sinfonia

sinffonieta *eb* sinfonietta

sinh *eg* sinh

sinter *eg* sinter *n*

sinteru *be* sinter *v*

sinws *eg* sinus

sinws creuol *eg* orbital sinus

sinwsoid *eg* sinusoid

sinwsoidaidd *ans* sinusoidal

sioc *eb* shock

sioc anaffylactig *eb* anaphylactic shock

sioc drydan *eb* electric shock

sioc laddwr *eg* shock absorber

siocled *eg* chocolate

siocled yfed *eg* drinking chocolate

sioe *eb* show

sioe gerdd *eb* musical *n*

siofiniaeth *eb* chauvinism

siôl *eb* shawl

siop *eb* shop

siop adrannol *eb* department store

siop arbenigol *eb* specialist shop

siop bob peth *eb* general store

siop deithiol *eb* mobile shop

siop drwyddedig *eb* off licence

siop dryc *eb* truck shop

siop ddisgownt *eb* discount store

siop ddodrefn *eb* furniture store

siop gadwyn *eb* chain store

siop gaeedig *eb* closed shop

siop gangen *eb* branch shop

siop gydweithredol *eb* co-operative shop

siop hen bethau *eb* antique shop

siop hunanwasanaeth *eb* self service store

siop lysiau *eb* greengrocer (shop)

siop nwyddau metel *eb* hardware shop

siop talu a chludo *eb* cash and carry shop

Sioraidd *ans* Georgian

siorts *ell* shorts

sip *eg* zip

sip cudd *eg* invisible zip

sipell *eb* zipper foot (machine attachments)

sipsi *eg* gypsy

sir *eb* county, shire

sirconiwm (Zr) *eg* zirconium (Zr)

siroco *eg* sirocco

siryf *eg* sheriff

siryfiaeth *eb* shrievalty

Sistersaidd *ans* Cistercian *adj*

Sistersiad *eg* Cistercian *n*

siswrn *eg* scissors

siswrn brodio *eg* embroidery scissors

siswrn canolig *eg* medium size scissors

siswrn pig crwn *eg* roundhead scissors

siswrn pigfain *eg* pointed scissors

siswrn pincio *eg* pinking scissors

siswrn torri defnydd *eg* cutting-out scissors (for fabric)

siswrn twll botwm *eg* buttonhole scissors

sitar *eg* sitar

siten ddu meddal gloyw wedi'i rholio'n oer a'i hanelio'n oer *eb* C.R.C.A. sheet

sitern *eg* cittern

sither *eg* zither

Siwan *eb* Joan (wife of Llywelyn the Great)

siwgr *eg* sugar

siwgr betys *eg* beet sugar

siwgr cansen *eg* cane sugar

siwgr coch *eg* brown sugar

siwgr coeth *eg* refined sugar

siwgr gwaed *eg* blood sugar

siwgr gwrthdroëdig *eg* invert sugar

siwgr mân *eg* caster sugar

siwmper *eb* jumper (of garment)

siwmper wen *eb* white jumper

siwt undarn *eb* jump suit

siwt wedi'i theilwra *eb* tailored suit

siwtin *eg* suiting

siynt *eg* shunt

siyntweindiog *ans* shunt wound

siytni *eg* chutney

slab *eg* slab

---

slab bris *eg* breeze slab
slab gwydr *eg* glass slab
slab incio *eg* inking slab
slac-lanw *eg* slack tide
slaes *eg* slash *n*
slaes ôl *eg* backslash
slaesu *be* slash *v*
slag *eg* slag
slag basig *eg* basic slag
slalom *eg* slalom
slat *eb* slat
slat dabwrdd *eb* tambour slat
slecio *be* slake (lime)
sleid *eb* slide
sleis *eb* slice
sleis bysgod *eb* fish slice
sling *eg* sling
slip (math o grochenwaith) *eg* slip (pottery)
slip (mewn criced) *eg* slip (of cricket position) *n*
slip cyflog *eg* pay-slip
slip cyntaf *eg* first slip
slip goes *eg* leg slip
slip rhannu *eg* mid-feather
slipffordd *eb* slip road
slipio *be* slip *v*
slot *eg* slot
slot amgarn *eg* ferrule slot
slot botwm *eg* button slot
slyg *eg* slug (in mathematics)
slym *eg* slum
smalio *be* make-believe *v*
smart *ans* smart
sment *eg* cement *n*
sment balsa *eg* balsa cement
sment carbid *eg* cemented carbide
sment cyflym-galedu *eg* rapid hardening cement
sment lliw *eg* coloured cement
sment modelu *eg* modelling cement
sment persbecs *eg* perspex cement
sment Portland *eg* Portland cement
sment teils *eg* tile cement
smentiad *eg* cementation
smentiad gwaddodion *eg* cementation of sediments
smentio *be* cement *v*
smentit *eg* cementite
smoc *eb* smock *n*
smocwaith *eg* smocking
smocwaith crwybr *eg* honeycomb smocking
smocwaith dellt *eg* trellis smocking
smocwaith pluen *eg* feather smocking
smocwaith rhaff *eg* cable smocking
smocwaith Vandyke *eg* Vandyke smocking
smotio *be* spot *v*
smotiog *ans* spotted
smotyn *eg* spot *n*
smotyn gwyn *eg* penalty spot

smwddio *be* iron *v*
smwtsio *be* smudge
smwddio ysgafn *be* minimum iron (finish)
snap rhybed *eg* rivet snap
snip *eg* snip
snipio *be* snipping
snipiwr *eg* snips
snipiwr crwm *eg* curved snips
snipiwr cyffredinol *eg* universal snips
snipiwr syth *eg* straight snips
snipiwr tun *eg* tinsnips
snipiwr tun crwm *eg* curved tinsnips
snipiwr tun cyffredinol *eg* universal tinsnips
snipiwr tun syth *eg* straight tinsnips
socaeth *eb* socage
socasau *ell* anklewarmers
soced *eg/b* socket (electrical etc)
soced dril *eg* drill socket
soced trydan *eg* power point
soda *eg* soda
soda brwd *eg* caustic soda
soda golchi *eg* washing soda
soda pobi *eg* bicarbonate of soda
sodiwm (Na) *eg* sodium (Na)
sodiwm carbonad *eg* sodium carbonate
sodiwm deucarbonad *eg* sodium bicarbonate
sodli *be* heel *v*
sodr *eg* solder *n*
sodr arian *eg* silver solder
sodr arian caled *eg* hard silver solder
sodr caled *eg* hard solder
sodr craidd *eg* cored solder
sodr llifrwydd *eg* easy-flo solder
sodr meddal *eg* soft solder
sodr plwm *eg* lead solder
sodr plymwr *eg* plumber's solder
sodr prawf arian *eg* assayable solder
sodr rhwydd *eg* easy solder
sodro *be* solder *v*
sodro a phresyddu solder and braze
sodro meddal *be* soft soldering
sodro oer *be* cold soldering
sodrog *ans* soldered
soddedig *ans* submerged
soddi *be* submerge
sofiet *eg* soviet
Sofiet Goruchaf *eg* Supreme Soviet
sofran *eg* sovereign (=supreme ruler)
sofraniaeth *eb* sovereignty
sofraniaeth y bobl *eb* sovereignty of the people
sofren *eb* sovereign (=gold coin)
soffistigeiddrwydd *eg* sophistication
solar *ans* solar (central heating system)
solenoid *eg* solenoid
solenoid craidd aer *eg* air cored solenoid
solenoid craidd haearn *eg* iron cored solenoid
solet *ans* solid *adj*

---

eg/b enw gwrywaidd/benywaidd, *feminine/masculine noun*   **ell** enw lluosog, *plural noun*   **v** berf, *verb*   **n** enw, *noun*

solffatara *eg* solfatara

solffeuo *be* sol-fa *v*

solffeuwr *eg* sol-faist (male and general)

solffeuwraig *eb* sol-faist (female)

solid *eg* solid *n*

solid afreolaidd *eg* irregular solid

solid cylchdro *eg* solid of revolution

solid petryal *eg* rectangular solid

solid rheolaidd *eg* regular solid

solidau ar oledd *ell* inclined solids

solidau plân *ell* plane solids

solidau sgleiniog *ell* shiny solids

solidedd *eg* solidity (in chemistry etc)

solidiad *eg* solidification

solonets *eg* solonetz

solontshac *eg* solonchak

solpitar *eg* saltpetre

sol-ffa *eg* tonic sol-fa

somatig *ans* somatic

sonaredig *ans* sonarized

sonata *eb* sonata

sonata amrywiad *eb* variation sonata

sonata drio *eb* trio sonata

sonatina *eb* sonatina

soniarus *ans* sonorous

soprano *eb* soprano

soprano goloratwra *eb* coloratura soprano

sorbit *eg* sorbite

sosban frys *eb* pressure cooker

soser *eb* saucer

soser bedair rhan *eb* four-division saucer

soser blastig *eb* plastic saucer

soser deir-ran *eb* three-division saucer

sosialaeth *eb* socialism

sosialaidd *ans* socialist *adj*

sosialydd *eg* socialist *n*

spina bifida *eg* spina bifida

spined *eb* spinet

stac *eg* stack (=coastal islet)

stacato *ans* staccato

stad (mewn seicoleg) *eb* stage (in psychology)

stad (yn gyffredinol) *eb* estate

stad cyngor *eb* council estate

stad dai cyngor *eb* council house estate

stad ddiwydiannol *eb* industrial estate

stad fasnachol *eb* trading estate

stad o dai newydd arfaethedig *eb* proposed new housing estate

stad weithredu ddiriaethol *eb* concrete operational stage

stad weithredu ffurfiol *eb* formal operational stage

Stadau Cyffredinol *ell* Estates General

stadau'r deyrnas *eb* estates of the realm

staen *eg* stain *n*

staen adeiledig *eg* built-up stain

staen amsugnol *eg* absorbed stain

staen arwyneb *eg* surface stain

staen cemegol *eg* chemical stain

staen cyfansawdd *eg* compound stain

staen di-draidd *eg* body stain

staen dŵr *eg* water stain

staen eboni *eg* ebony stain

staen gwirod *eg* spirit stain

staen gwydredd *eg* glaze stain

staen olew *eg* oil stain

staen protein *eg* proteinaceous stain

staen slip *eg* slip stain

staeniau brown mewn pren *ell* foxiness

staenio *be* stain *v*

staes *eb* corset

staff *ell* staff (=persons employed)

staff ategol *ell* ancillary staff

staff domestig *ell* domestic staff

staff milwrol *ell* general staff

staff nad ydynt yn addysgu *ell* non-teaching staff

stalactid *eg* stalactite

stalagmid *eg* stalagmite

Stalinydd *eg* Stalinist

stamina *eg* stamina

stamp *eg* stamp *n*

stamp du ceiniog *eg* Penny Black

stamp masnachu *eg* trading stamp

stamp post *eg* postage stamp

stand *eg/b* stand *n*

stand arddangos *eg* display stand

stand brwshys *eg* brush stand

stand caricot *eg* carrycot stand

stand cerddoriaeth *eg* music stand

stand modelu *eg* modelling stand

stand retort *eg* retort stand

starbord *eg* starboard

starn *eb* stern

starn ogam *eb* gybe *n*

starn ogamu *be* gybe *v*

startsh *eg* starch *n*

startsh chwistrell *eg* spray starch

startsh dŵr oer *eg* cold water starch

startsh dŵr poeth *eg* hot water starch

startsh lliw *eg* coloured starch

startsh plastig *eg* plastic starch

startsio *be* starch *v*

stateg *eb* statics

statig *ans* static

stator *eg* stator

statud *eg* statute

Statud Cymru *eg* Statute of Wales

Statud Defnyddiau *eg* Statute of Uses

Statud Gwŷr Ar Gadw *eg* Statute of Retainers

Statud Proclamasiwn *eg* Statute of Proclamations

Statud Rhuddlan *eg* Statute of Rhuddlan

Statud Westminster *eg* Statute of Westminster

statudol *ans* statutory

statws *eg* status

statws cymdeithasol *eg* social status

---

adf, adv adferf, *adverb*   *ans, adj* ansoddair, *adjective*   *be* berf, *verb*   *eb* enw benywaidd, *feminine noun*   *eg* enw gwrywaidd, *masculine noun*

statws ymddiriedolaeth *eg* trust status

stêc balfais *eb* chuck steak

stecen benfras *eb* cod steak

stelit *eg* stellite (alloying elements)

stêm-roler *eg* steamroller

stensil *eg* stencil

stent *eg* extent (land)

step bolca *eb* polka step

step deithio *eb* travelling step

step sawdl a bawd *eb* heel and toe step

step sgip *eb* skip step

step Strathspey *eb* Strathspey step

stepio *be* step (in dance) *v*

step-briddoedd *ell* steppe soils

steradian *eg* steradian

stereoffonig *ans* stereophonic

stereograffig *ans* stereographic

stereosgopig *ans* stereoscopic

stereoteip *eg* stereotype

sternwm *eg* sternum

steroid *eg* steroid

sterol *eg* sterol

stethosgop *eg* stethoscope

stigma *eg* stigma

stileto *eg* stiletto

stiliard *eg* steelyard

stilt *eg* stilt

stiltiau ceramig *ell* ceramic stilts

stiltiau tri-phwynt *ell* triple-point stilts

stipwl *eg* stipule

stiward *eg* steward

stiward tir *eg* land agent

stiwardiaeth *eb* stewardship

Stiwartiaid *ell* Stuarts

stiwdio *eb* studio

stoc *eb* stock

stoc o dras *eb* pedigree stock

stocastig *ans* stochastic

stocinét *eb* stockinette

stof *eb* stove

stof ddeuddarn *eb* split-level cooker

stof orffennu *eb* finishing stove

stôf orffennu drydan *eb* electric finishing stove

stoichiometreg *eb* stoichiometry

stoichiometrig *ans* stoichiometric

stôl (gwisg) *eb* stole (of costume)

stôl (i eistedd arni) *eb* stool (for sitting on)

stôl biano *eb* piano stool

stôl blygu *eb* camp stool

stôl drochi *eb* ducking stool

stôl droed *eb* footstool

stôl fach *eb* play stool

stôl gynnal *eb* supporting stool (for cabinet)

stolonog *ans* stoloniferous

stoma *eg* stoma

stomiwm *eg* stomium

stondiniaeth *eb* stallage

stop *eg* stop *n*

stop *eg* register (=device controlling organ pipes) *n*

stop brys *eg* emergency stop

stop cefn *eg* back stop

stop clicied *eg* ratchet stop

stop cyfuno *eg* combination stop

stop cymysg *eg* mixture stop

stop cyplu *eg* coupler stop

stop dyfnder *eg* depth stop

stop solo *eg* solo stop

stop sylfaen *eg* foundation stop

stop telyn *eg* harp stop

stop ymyl *eg* margin stop

stopgloc *eg* stop-clock

stopio'n stond *be* stop dead *v*

stôr *eb* store *n*

stôr gysylltiadol *eb* associative store

stôr statig *eb* static store

storfa *eb* store (=place of storage)

storfa bwmp *eb* pump storage

storfa craidd magnetig *eb* magnetic core store

storfa dros dro *eb* cache store

storfa ddisg gyfnewidiadwy *eb* exchangeable disk store

storfa ddynamig *eb* dynamic store

storfa eilaidd *eb* secondary storage

storfa fàs *eb* mass storage

storfa fraster *eb* fat depot

storfa fuangyrch *eb* fast access storage

storfa fwyd *eb* reserve (of food) *n*

storfa ffeiliau *eb* file store

storfa ffeiliau gynnwys-gyfeiriedig *eb* content addressable file store

storfa graidd *eb* core store

storfa gynorthwyol *eb* backing store

storfa hapgyrch *eb* random access store

storfa laith *eb* damp storage

storfa laser *eb* laser store

storfa swmp *eb* bulk storage

storfa uniongyrchol *eb* immediate access store

stori *eb* story

stori tylwyth teg *eb* fairy tale

storio *be* store *v*

storio cyfansoddiad *be* store a composition

storio data *be* data storage

storio gwybodaeth *be* store information

storm eira *eb* blizzard

storm fellt a tharanau *eb* thunderstorm

stormdraeth *eg* storm beach

stormfilwyr *ell* stormtroopers

stow *eg* stow

straen *eg* strain (emotional in physics, mathematics) *n*

straen *eg* stress (in general)

straen tynnol *eg* tensile strain

stranc *eb* tantrum

strap *eb* strap

---

eg/b enw gwrywaidd/benywaidd, *feminine/masculine noun*   *ell* enw lluosog, *plural noun*   *v* berf, *verb*   *n* enw, *noun*

strap gicio *eb* kicking strap
strap gymhwyso *eb* adjusting strap
strap haearn gyr *eb* wrought iron strap
strap warthol *eb* stirrup strap
strap ysgwydd *eb* shoulder strap
strapen hogi *eb* strop
strategaeth *eb* strategy
Strategaeth Cymru Gyfan *eb* All Wales Strategy (AWS)
strategol *ans* strategic
stratigraffeg *eb* stratigraphy
stratosffer *eg* stratosphere
stratwm *eg* stratum
streic *eb* strike (=cessation of work as protest) *n*
streic gyffredinol *eb* general strike
streicio *be* strike (=cease work as protest) *v*
streiciwr *eg* striker (in industrial dispute)
streic-rwyg *eg* strike-slip
stretsier *eg* stretcher (for injured person)
stribed *eg* strip (of material) *n*
stribed bysell *eg* key strip
stribed calcio *eg* caulking strip
stribed croesraen *eg* crossway strip
stribed deufetel *eg* bimetallic strip
stribed ffilm *eg* film strip
stribed gib *eg* gib strip
stribed Tonk (silff) *eg* Tonk strip (shelf)
stribedi rhwbio *ell* rubbing strips
stribedyn adlynol *eg* adhesive strapping
striclo *be* strickle
stringeri *ell* stringers
stripio *be* strip *v*
strobosgop *eg* stroboscope
strôc *eb* stroke *n*
strôc anwythiad *eb* induction stroke
strôc arosgo *eb* oblique stroke
strôc badlo'n ôl *eb* reverse paddling stroke
strôc badlo ymlaen *eb* forward paddling stroke
strôc brwsh *eb* brush stroke
strôc brwsh un-strôc *eb* one-brush stroke
strôc dorri *eb* cutting stroke
strôc dynnu *eb* plain drawstroke
strôc ddychwel *eb* return stroke
strôc ddychwel segur *eb* idle return stroke
strôc groeslinol *eg* diagonal stroke (lettering)
strôc gul *eb* narrow stroke
strôc gydnabyddedig *eb* recognized stroke
strôc gydnabyddedig bellach *eb* further recognised stroke
strôc gyllell *eb* knife stroke
strôc lydan *eb* wide stroke
stroffig *ans* strophic
strontiwm (Sr) *eg* strontium (Sr)
strwythur *eg* structure (in administration etc)
strwythur bloc *eg* block structure
strwythur cymdeithasol *eg* social structure
strwythur data *eg* data structure
strwythur data dynamig *eg* dynamic data structure

strwythur gwleidyddol *eg* political structure
strwythurol *ans* structural (of administration)
stryd unffordd *eb* one-way street
strydlun *eg* street scape
stumog *eb* stomach
stwco *eg* stucco
stwffin *eg* forcemeat
stwffio *be* stuff
stwffwl *eg* staple (for fastening) *n*
stwmp *eg* stump *n*
stwmp canol *eg* middle stump
stwmp coes *eg* leg stump
stwmp pellaf *eg* off stump
stwnsh *eg* hash
stwnsio *be* hashing
styden *eb* stud
styden gopr *eb* copper stud
styden neilon *eb* nylon stud
styden wasg *eb* press stud
styfflau gwifren *ell* wire staples
styfflu *be* staple *v*
styfflwr *eg* stapler (of object)
styfflwr hir *eg* long-arm stapler
styl *eg* style (in zoology)
stympio *be* stump *v*
stympiwr *eg* stumper
styren *eg* styrene
styren AB *eg* AB styrene
sudd *eg* juice
sudd ffrwythau *eg* fruit juice
sudd gastrig *eg* gastric juice
sudd treulio *eg* digestive juice
suddfan gwres *eg* heat sink
suddlon *ans* succulent
suddlonedd *eg* succulence
suddo *be* sink *v*
suddo'r Lusitania *be* sinking of the Lusitania
sugndraeth *eg* quicksands
sugnedd *eg* suction
sugniad *eg* aspiration (=drawing of breath)
sugno *be* suck
sugno'r fron *be* suckle *vi*
sugnolyn *eg* sucker
sugnwr llwch *eg* vacuum cleaner
sugnwr llwch crwn *eg* spherical vacuum cleaner
sugnwr llwch silindr *eg* cylinder (vacuum cleaner)
sugnwr llwch unionsyth *eg* upright vacuum cleaner
Sul y Blodau *eg* Palm Sunday
Sul y Gwaed *eg* Bloody Sunday
Sul y Pasg *eg* Easter day
Sulgwyn *eg* Whitsun
sŵ *eg* zoo
swab *eg* swab *n*
swab rhwyllog *eg* gauze swab
swastica *eg* swastika (Nazi symbol)
swastika *eg* swastika (Hindu symbol)
swberin *eg* suberin

swbstrad *eg* substrate (in relation to enzymes)

swcros *eg* sucrose

swd *eg* sudd

Swedaidd *ans* Swedish *adj*

Swedeg (iaith) *eb* Swedish (language) *n*

Swediad *eg* Swede

swffragan *eg* suffragan

swffragét *eb* suffragette

swffragydd *eg* suffragist

swigen *eb* bubble *n*

Swigen Môr y De *eb* South Sea Bubble

swing ymhalio *eg* heave swing

swingio *be* swing (in cricket) *v*

swingio ar far *be* swing on a bar

swingio'r breichiau *be* arms swinging

swingio'r breichiau yn ôl ac ymlaen *be* swing the arms backward and forward

swildod *eg* inhibition (=emotional resistance)

switerïon *eg* zwitterion

switsfwrdd *eg* switchboard

switsh *eg* switch *n*

switsh consol *eg* console switch

switsh cychwyn *eg* starter switch

switsh diogelu *eg* safety switch

switsh dwyffordd *eg* two way switch

switsh pylu *eg* dimmer-switch

switsh rheoli *eg* control switch

switsio *be* switch *v*

switsio neges *be* message switching

switsio pecynnau *be* packet switching

Swleiman Ysblennydd *eg* Suleiman the Magnificent

Swltan *eg* Sultan

swm (=mesur maint) *eg* amount (=quantity)

swm (yn gyffredinol) *eg* sum

swm cyfalaf *eg* capital sum

swm y sylwedd *eg* amount of substance (in chemistry)

swmp *eg* bulk

swmp brynu *be* bulk buying

swmp danc *eg* bulk tank

swmp gludydd *eg* bulk carrier

swmpgludo *be* bulk transport

swmpus *ans* bulky

swn *eg* sound (=noise)

swnt *eg* sound (=passage of water) *n*

swnyn *eg* bleeper

swoleg *eb* zoology

swolegydd *eg* zoologist

swosbor *eg* zoospore

swp *eg* batch

Swper yr Arglwydd *eg* Lord's Supper

swpremwm *ans* supremum

swp-brosesu *be* batch-processing

swp-gynhyrchu *be* batch-production

swp-wasanaeth *eg* batch-service

swraso *eg* surazo

swrd *eg* surd

swrealaeth *eb* surrealism

swrealydd *eg* surrealist

swrth *ans* lethargic

swydd (=gwaith) *eb* job (=occupation)

swydd (=sir yn Lloegr) *eb* shire (in England)

swydd cynorthwyydd *eb* assistantship

swydd llywodraethwr *eb* governorship

swydd reoli *eb* managerial post

swydd wag *eb* job vacancy

swyddfa *eb* office (of place)

swyddfa arallu *eb* alienation office

Swyddfa Gofrestru *eb* Registry Office

swyddfa gyflogi *eb* employment exchange

Swyddfa Gymreig *eb* Welsh Office

Swyddfa Hysbysrwydd Ganolog *eb* Central Office of Information

swyddfa is-gennad *eb* consulate (modern)

Swyddfa Masnachu Teg *eb* Office of Fair Trading

Swyddfa Prif Arolygydd ei Mawrhydi (SPAEM) *eb* Office of Her Majesty's Chief Inspector (OHMCI)

Swyddfa Safonau mewn Addysg *eb* Office for Standards in Education (OFSTED)

swyddfa'r post *eb* post office

swyddog *eg* officer

swyddog nyrsio *eg* nursing officer

swyddog addysg *eg* education officer

swyddog addysg rhanbarthol *eg* district education officer

swyddog ailsefydlu'r anabl *eg* disablement resettlement officer

swyddog cadwraeth *eg* conservation officer

swyddog cyflenwi *eg* quartermaster

swyddog cynghori *eg* advisory officer

swyddog cysylltiadau cyhoeddus *eg* public relations officer

swyddog dyledion y Goron *eg* remembrancer

swyddog dyletswydd *eg* duty officer

swyddog gofal plant *eg* child care officer

swyddog gwarant *eg* warrant officer

swyddog gweithredol *eg* executive (officer)

swyddog hyfforddi *eg* training officer

swyddog lleoliadau *eg* placement officer

swyddog lles *eg* welfare officer

swyddog lles addysg *eg* education welfare officer

Swyddog Llys y Brenin *eg* Officer of the Royal Court

swyddog o'r fyddin *eg* army officer

swyddog prawf *eg* probation officer

swyddog prisio *eg* valuation officer

swyddog proffesiynol arweiniol *eg* lead professional officer

swyddog tollau *eg* customs and excise officer

swyddog undeb *eg* shop steward

swyddog y llynges *eg* naval officer

swyddogaeth *eb* function, role

swyddogaeth microbau *eb* role of microbes

swyddogaeth ymgynghorol *eb* advisory function

swyddogaethol *ans* functional (in general)

---

eg/b enw gwrywaidd/benywaidd, *feminine/masculine noun*   *ell* enw lluosog, *plural noun*   *v* berf, *verb*   *n* enw, *noun*

swyddogaethwr *eg* functionalist
swyddogol *ans* official *adj*
swydd-ddaliad *eg* office-holding
swyngan *eb* incantation
sych *ans* dry *adj*
sychdarth *eg* sublimate *n*
sychdarthiad *eg* sublimation
sychdarthu *be* sublimate *v*
sychder *eg* drought
sychedig *ans* thirsty
sychiadur *eg* desiccator
sychlan *ans* dry cleaned
sychlanhau *be* dry cleaning
sychlanhawyr *ell* dry cleaners
sychrewedig cyflym *ans* accelerated freeze dried *adj*
sychrewi *be* freeze-dry
sychrewi cyflym *be* accelerated freeze drying *v*
sychu *be* dry *v*
sychu (coed) *be* seasoning (of timber)
sychu mewn odyn *be* kiln seasoning
sychu mewn peiriant *be* tumble dry
sychu'n dyner *be* pat dry
sychu naturiol *be* natural seasoning
sychu'n gyflym *be* quick drying
sychwr *eg* wiper
sychydd *eg* drier
sychydd darfudol *eg* convector drier
sychydd inc *eg* ink drier
syfliad *eg* shift (=displacement) *n*
syfliad cylchol *eg* circular shift
syfliad chwith *eg* left shift
syfliad de *eg* right shift
syfliad rhesymegol *eg* logical shift
syfliad rhifyddol *eg* arithmetic shift
syflyd *be* shift (=displace) *v*
syffilis *eg* syphilis
sygosbor *eg* zygospore
sygot *eg* zygote
sylem *eg* xylem
sylfaen (=sail) *eg/b* foundation (=base) *n*
sylfaen (mewn cerddoriaeth) *eg/b* fundamental *n*
sylfaen (pyramid) *eg/b* base (of pyramid)
sylfaen betryal *eb* oblong base
sylfaen bileri *eb* pile foundation
sylfaen ffos *eb* trench foundation
sylfaen goncrit *eb* concrete foundation
sylfaen gron *eb* round base
sylfaen hambwrdd *eb* tray base
sylfaen hirgrwn *eb* oval base
sylfaen melamin *eb* melamine base
sylfaen rafft *eb* raft foundation
sylfaen stribed *eb* strip foundation
sylfaen wifren *eb* wire foundation
sylfaenol (=lefel gyntaf) *ans* primary
sylfaenol (=lefel symlaf) *ans* basic
sylfaenol (=yn perthyn i'r sail) *ans* foundation *adj*

sylfaenol (am nodyn, cord) *ans* fundamental *adj*
sylfaenol (mewn cyfresiaeth) *ans* original (in serialism)
sylfaenydd *eg* founder
sylffad *eg* sulphate
sylffwr (S) *eg* sulphur (S)
sylffwr rhôl *eg* roll sulphur
sylocsdecs *eg* syloxdex
sylos *eg* xylose
sylw (sy'n cael ei ddweud neu'i ysgrifennu) *eg* comment
sylw (=canolbwyntio ar rywun neu rywbeth) *eg* attention
sylwebaeth *eb* commentary (=descriptive spoken account)
sylwebaeth ar y pryd *eb* running commentary
sylwebydd *eg* commentator (on game etc)
sylwedd *eg* substance
sylwedd anadweithiol *eg* inert substance
sylwedd gwastraff nitrogenaidd *eg* nitrogenous waste product
sylwedd yn ymgasglu mewn meinwe *eg* substance accumulation in tissue
sylwedd ysgarthiol *eg* excretory substance
sylwi *be* note (=take note)
sylladur *eg* eye-piece (microscope)
symadwy *ans* summable
symas *eg* zymase
symatogenig *ans* cymatogenic
symbal *eg* cymbal
symbalau bys *ell* finger cymbals
symbalau Groeg *ell* antique cymbals
symbiosis *eg* symbiosis
symbol *eg* symbol
symbol am (@) *eg* at-symbol (@)
symbol cemegol *eg* chemical symbol
symbol confensiynol *eg* conventional symbol
symbol gwyddonol *eg* scientific symbol
symbol mathemategol *eg* mathematical symbol
symbol o statws *eg* status symbol
symbol rhesymegol *eg* logical symbol
symbol stwnsh *eg* hash symbol
symbol twb golchi *eg* wash tub symbol
symbolaeth *eb* symbolism
symbolaidd *ans* symbolic
symbolau cyfrannol *ell* proportional symbols
symboleiddio *be* symbolize
symbyliad *eg* motivation
symbylu *be* motivate
symbylydd *eg* stimulant
symffoni *eb* symphony
symffoni fugeiliol *eb* pastoral symphony
symffonig *ans* symphonic
symiant *eg* summation
syml *ans* simple
symledig *ans* simplified
symleiddiad *eg* simplification
symleiddio *be* simplify
sympathetig *ans* sympathetic (of nervous system)
symposiwm *eg* symposium
symptom *eg* symptom

---

symptom diddyfnu *eg* withdrawal symptom

symptom diffyg *eg* deficiency symptom

symud *be* move

symud gam a cham *be* conjunct motion

symud medrus *be* skilful movement

symud mewn amser *be* moving in time

symud mewn parau *be* moving in pairs

symud o gwmpas y cwrt *eg* move around the court

symud ymlaen *be* advance (=move forward) *v*

symud yn rhwydd *be* move fluently

symudadwy *ans* removable

symudedd *eg* mobility

symudiad (esgob etc) *eg* translation (of bishop etc)

symudiad (mewn dawns) *eg* action (in dance)

symudiad (yn gyffredinol) *eg* movement (in general)

symudiad bloc *eg* block move

symudiad Brown *eg* Brownian movement (motion)

symudiad cryfhau *eg* strengthening movement

symudiad cydwedd *eg* phase shift

symudiad cyfyngedig *eg* limited movement

symudiad cylchdro *eg* rotary movement

symudiad cynhenid *eg* intrinsic movement

symudiad cynnil *eg* subtle movement

symudiad daear *eg* earth movement

symudiad dawns *eg* dance movement

symudiad digonol *eg* adequate movement

symudiad effeithiol *eg* effective movement

symudiad genetig *eg* genetic drift

symudiad gorffwysol *eg* rest stroke

symudiad hydredol *eg* longitudinal movement

symudiad llacio *eg* mobilizing movement

symudiad llinol *eg* linear movement

symudiad llygad *eg* eye movement

symudiad mynegiannol *eg* expressive movement

symudiad nastig *eg* nastic movement

symudiad osgiliadol *eg* oscillatory movement

symudiad platiau tectonig *eg* tectonic plate movement

symudiad pyped maneg *eg* glove-puppet movement

symudiad rhydd (wrth nofio) *eg* free stroke

symudiad rhydd (yn gyffredinol) *eg* free movement

symudiad rhythmig *eg* rhythmic movement

symudiad sgil *eg* by-movement

symudiad siswrn *eg* scissors movement

symudiad sylfaenol *eg* basic movement

symudiad syml *eg* simple movement

symudiad torfol *eg* mass movement (of people)

symudiad y pen *eg* head movement

symudiad ymddangosol *eg* apparent movement

symudiad ymlaen *eg* advancement (=movement forward)

symudiad ystwytho *eg* warm up movement

symudliw *ans* opalescent

symudol *ans* mobile *adj*

symudwedd *eb* moving phase

symudydd *eg* mover

symudydd belt *eg* belt shifter

symudydd X *eg* X-shift

symudydd Y *eg* Y-shift

symudyn *eg* mobile *n*

symlrwydd *eg* simplicity

synagog *eb* synagogue

synaps *eg* synapse

synaptig *ans* synaptic

synau'r galon *ell* heart sounds

synclin *eg* syncline

synclinol *ans* synclinal

synclinoriwm *eg* synclinorium

syncytiwm *eg* syncytium

syndicaliaeth *eb* syndicalism

syndiotactig *ans* syndiotactic

syndrom *eg* syndrome

Syndrom Diffyg Imiwnedd Caffaeledig (AIDS) *eg* Acquired Immune Deficiency Syndrome (AIDS)

syndrom Down *eg* Down's syndrome

syndrom plentyn afrosgo *eg* clumsy child syndrome

syndrom sensitifedd sgotopig *eg* scotopic sensitivity syndrome

synergaidd *ans* synergistic

synergedd *eg* synergism

synhwyraidd *ans* sensory

synhwyraidd-weithredol *ans* sensory-motor

synhwyriad *eg* sensation (in biology)

synhwyriad cyffyrddol *eg* tactile sensation

synhwyro marc *be* mark sensing

synhwyrydd *eg* sensor

syniad *eg* idea

syniad cerddorol *eg* musical idea

syniad gwyddonol *eg* scientific idea

Syniad o Gynnydd *eg* Idea of Progress

syniadaeth wleidyddol *eb* political thought

synnwyr *eg* sense

synnwyr cyffredin *eg* common sense

synnwyr cyffwrdd *eg* sense of touch

synnwyr o osgo *eg* postural sense

synod *eg* synod

synodaidd *ans* synodal

synofaidd *ans* synovial

synoptig *ans* synoptic

syntheseiddio *be* synthesize *v*

syntheseiddio gwybodaeth *be* synthesize information

syntheseiddydd *eg* synthesizer

syntheseiddydd llefaru testun *eg* text-to-speech synthesizer

synthesis *eg* synthesis *n*

synthesis cerddoriaeth *eg* music synthesis

synthesis llais *eg* speech synthesis

synthetig *ans* synthetic *adj*

synthetigyn *eg* synthetic *n*

synwyrusrwydd *eg* sensibility

sypwellt *eg* tussock (bunch grass)

sypyn *eg* bundle

sypyn cyfraidd *eg* collateral bundle

sypyn deugyfraidd *eg* bicollateral bundle

sypyn fasgwlar *eg* vascular bundle

---

eg/b enw gwrywaidd/benywaidd, *feminine/masculine noun*   *ell* enw lluosog, *plural noun*   *v* berf, *verb*   *n* enw, *noun*

sypyn His *eg* His bundle
syrcas *eg* circus
syrfëwr *eg* surveyor
syrffactydd *eg* surfactant (surface active agent)
syrthni *eg* inertia (=sloth)
syryp *eg* syrup
syrypaidd *ans* syrupy
system *eb* system
system afonydd *eb* river system
system amlbrosesydd *eb* multiprocessor system
system arbenigo *eb* expert system
system archifo *eb* archiving system
system arunig *eb* stand alone system
system ar-lein *eb* on-line system
system ar-lein sylfaenol *eb* basic on-line system
system cred *eb* belief system
system cylchrediad gwaed *eb* circulatory system
system danio *eb* ignition system
system dreulio *eb* digestive system
system dreulio ddynol *eb* human digestive system
system ddegol *eb* decimal system
System Ddegol Dewey *eb* Dewey Decimal System
system ddewisyriad *eb* menu-driven system
system ddisg-ffeilio *eb* disk filing system
system ddisg-ffeilio uwch *eb* advanced disk filing system
system endocrin *eb* endocrine system
system fasgwlar ddyfrol *eb* water vascular system
system fesur *eb* system of measurement
system fetrig *eb* metric system
system gardiofascwlaidd *eb* cardiovascular system
system genhedlu *eb* reproductive system
system grid *eb* grid system
system gweithredu disg cyfrifiadur personol *eb* personal computer disc operating system
System Gyfandirol (1806-12) *eb* Continental System (1806-12)
system gyfesurynnol *eb* coordinate system
system gyflogau *eb* payroll system
system gyfrifiadurol *eb* computer system
system gyfrifiadurol wasgaredig *eb* distributed computer system

system gyhyrol *eb* muscular system
system liferi *eb* lever system
system luniadu / peintio ar gyfrifiadur *eb* draw / paint computer system
system lymffatig *eb* lymphatic system
system meistr / gwas *eb* master / slave system
system nerfol *eb* nervous system
system nerfol amgantol *eb* peripheral nervous system
system nerfol ymatebol *eb* sympathetic nervous system
system oeri *eb* cooling system
system optegol *eb* optical system
system osodedig *eb* turnkey system
system reoli *eb* control system
system reoli mewnbwn *eb* input control system
system reticwloendothelaidd *eb* reticuloendothelial system
system rifau *eb* number system
system rifo hecsadegol *eb* hexadecimal counting system
system rheoli cronfeydd data *eb* database management system
system rhifau cyfain *eb* whole-number system
system sgerbydol *eb* skeletal system
system sgorio *eb* scoring system
system sgyrsiol *eb* conversational system
system unffordd *eb* one-pass system
system weithredu *eb* operating system
system weithredu disg *eb* disk operating system
system weithredu peiriant *eb* machine operating system
system wybodaeth *eb* information system
system wythol *eb* octal system
system ysgarthu sylweddau nitrogenaidd *eb* nitrogenous excretory system
system ysgyfeiniol *eb* pulmonary system
systematig *ans* systematic
systemau cywerth *ell* equivalent systems
systemau deallus yn seiliedig ar wybodaeth *ell* intelligent knowledge based systems
systole *eg* systole
syth *ans* straight
sythweledol *ans* intuitive

T

tab *eg* tab
tab diogelu *eg* protect tab
tab gwarchod *eg* security tab
tabard *eg* tabard
tabernacl *eg* tabernacle
tabl *eg* table (e.g. of numbers / data)
tabl amider *eg* frequency table
tabl am-edrych *eg* look-up table
tabl ar-edrych *eg* look-at table
tabl cyfnodol *eg* periodic table
tabl cynghrair *eg* league table
tabl gweithrediad *eg* operation table
tabl logarithmau *eg* table of logarithms
tabl logarithmig *eg* logarithmic table
tabl neidiau *eg* jump table
tabl pedwar ffigur *eg* four figure table
tabl penderfyniad *eg* decision table
tabl perfformiad ysgolion *eg* school performance table
tabl stratigraffig *eg* stratigraphical table
tabl stwnsh *eg* hash table
tabl trawsnewid *eg* conversion table
tabl tri *eg* table of three
tablaidd *ans* tabular
tabled *eb* tablet
tabled ddi-nwyo *eb* degassing tablet
tabledig *ans* tabulated
tablu *be* tabulate
Taboriaid *ell* Taborites
tabŵ *eg* taboo
tabwrdd *eg* tambour
tac *eg* tack (of ship, in sewing) *n*
tac cynnal *eg* bar tack
tac pen saeth *eg* arrowhead tack
tac teiliwr *eg* tailor's tack
tacio *be* tack *v*
tacio port *be* port tack
tacio starbord *be* starboard tack
taciwr *eg* tacker
tacl *eb* tackle *n*
tacl floc *eb* block tackle
tacl floc o'r ochr *eb* side-block tackle
tacl goflaid *eb* smother tackle
tacl lithriad *eb* sliding tackle
tacl wib *eb* flying tackle
taclau *ell* tackle
taclau sgrafellu *ell* scraper equipment
taclo *be* tackle *v*
taclusrwydd *eg* neatness

taclwr *eg* tackler
tacnod *eg* tacnode
tacsi *eg* taxi
tacsonomaidd *ans* taxonomic
tacsonomeg *eb* taxonomy
tacteg *eb* tactic
tacteg sbwylio *eb* spoiling tactic
Tadau Apostolaidd *ell* Apostolic Fathers
Tadau Pererin *ell* Pilgrim Fathers
tadol *ans* paternal
tad-cu *eg* grandfather
taenedig *ans* exploded (of drawing etc)
taenelliad *eg* aspersion (liturgical)
taenlen *eb* spreadsheet *n*
taenlen gyfrifiadurol *eb* computer spreadsheet
taenlennu *be* spreadsheet *v*
Taenu'r Efengyl *be* Propagation of the Gospel
taeog *eg* serf
taeogaeth *eb* serfdom
taeogwasanaeth *eg* bond service
tafarn y goets *eb* staging inn
tafell *eb* slice *n*
tafell amser *eb* time slice
tafell gorc *eb* cork slab
tafell gras *eb* crisp bread
tafell hufen *eb* cream slice
tafellu *be* slice *v*
tafladwy *ans* disposable
taflegryn *eg* missile
taflegryn balistig *eg* ballistic missile
taflegryn niwclear *eg* nuclear missile
taflen *eb* leaflet, sheet (of paper)
taflen erwydd *eb* manuscript sheet
taflen farciau *eb* mark sheet
taflen godio *eb* coding sheet
taflen gofnodi *eb* record sheet
taflen gyfarwyddiadau *eb* instruction sheet
taflen sgorio *eb* score-sheet
taflen waith *eb* worksheet
tafliad *eg* throw *n*
tafliad dan ysgwydd *eg* underarm throw
tafliad rhydd *eg* free throw
taflod *eb* palate
taflu *be* throw *v*
taflu i mewn *be* throw in *v*
taflu'r ddisgen *be* throwing the discus
taflu'r ordd *be* throwing the hammer
taflu'r waywffon *be* throwing the javelin

---

eg/b enw gwrywaidd/benywaidd, *feminine/masculine noun*   *ell* enw lluosog, *plural noun*   *v* berf, *verb*   *n* enw, *noun*

taflu ymlaen *be* throw forward

taflunedd *eg* projectivity

tafluniad *eg* projection (=image projected)

tafluniad anterthol *eg* zenithal projection

tafluniad arosgo *eg* oblique projection

tafluniad arwynebedd hafal *eg* equi-area projection

tafluniad asimwthol *eg* azimuthal projection

tafluniad ategol *eg* auxiliary projection

tafluniad atganolog *eg* recentred projection

tafluniad conigol *eg* conical projection

tafluniad cyhydeddol *eg* equatorial projection

tafluniad cytbell *eg* equidistant projection

tafluniad darluniol *eg* pictorial projection

tafluniad deufetrig *eg* dimetric projection

tafluniad isomedrig *eg* isometric projection

tafluniad isomedrig confensiynol *eg* conventional isometric projection

tafluniad Mercator ardraws *eg* transverse Mercator projection

tafluniad nomonig *eg* gnomonic projection

tafluniad ongl gyntaf *eg* first angle projection

tafluniad orthograffig *eg* orthographic projection

tafluniad orthomorffig *eg* orthomorphic projection

tafluniad pegynol *eg* polar projection

tafluniad silindrog *eg* cylindrical projection

tafluniad stereograffig *eg* stereographic projection

tafluniad trimedrig *eg* trimetric projection

tafluniad trydedd ongl *eg* third angle projection

taflunio *be* project (optical) *v*

tafluniol *ans* projective

taflunydd *eg* projector

taflunydd dros ysgwydd *eg* overhead projector

taflwr *eg* thrower

taflwybr *eg* trajectory

taflwybr cromlinog *eg* curvilinear trajectory

taflwybr echelinol *eg* axial trajectory

tafod (o dywod etc) *eg* spit (of sand etc)

tafod (yn gyffredinol) *eg* tongue *n*

tafod a rhych tongue and groove

tafod bachog *eg* hooked spit

tafod croes *eg* cross tongue

tafod crwm *eg* curved spit

tafod rhydd *eg* loose tongue

tafod tywod *eg* sand spit

tafodi *be* tongue *v*

tafodi dwbl *be* double tonguing

tafodi sengl *be* single tonguing

tafodi triphlyg *be* triple tonguing

tafodiaith *eb* dialect

tafodieithol *ans* dialectal

tafol *eb* balance (for weighing) *n*

taffeta *eg* taffeta

tagell *eb* gill (of fish, mushrooms etc) *n*

tagellog *ans* branchial

tagen *eb* chockstone

tagfa *eb* congestion (of traffic etc)

tagfa drafnidiaeth *eb* traffic jam

tagfa gardiau *eb* card jam

tagfa glogfeini *eb* boulder choke

tagfa goed *eb* log jam

tagfa iâ *eb* ice jam

tagfa rew *eb* ice jam

tagu *be* choke *v*

tagydd *eg* choke *n*

tangiad *eg* tangent

tangiad llifiol *ans* slash sawn

tangiadaeth *eb* tangency

tangiadol *ans* tangential

tanglifiad *eg* tangential sawcut

tangnefedd *eg* peace (of God)

tai *ell* housing

tai cefngefn *ell* back to back houses

tai trwyddedig *ell* licenced premises,

taid *eg* grandfather

taiga *eg* taiga

tail *eg* manure *n*

Tair Erthygl ar Ddeg *eb* Thirteen Articles

tairongl *ans* three-square *adj*

taith *eb* journey

taith frenhinol *eb* royal progress

taith gwmpawd *eb* compass walk

tâl *eg* payment

tâl ar gadw *eg* retainer (fee)

tâl ar gyfrif *eg* payment on account

tâl bonws *eg* bonus payment

tâl cludo *eg* freight rate

tâl cofrestru *eg* registration fee

tâl colli gwaith *eg* redundancy pay

tâl diffyg *eg* deficiency payment

tâl esgobol *eg* procuration (church history)

tâl gohiriedig *eg* deferred payment

tâl offeiriad *eg* stipend

tâl presgripsiwn *eg* prescription charge

tâl ychwanegol *eg* surcharge

tâl yn ôl y gwaith *eg* piece work (remuneration)

tâl yn ôl yr awr *eg* hourly rate

taladwy *ans* payable

talaith (yn UDA) *eb* state (in USA etc)

talaith (yn gyffredinol) *eb* province

talbont *eb* bridgehead (in architecture)

talc *eg* talc

talcen (gitâr) *eg* head (of guitar)

talcen (tŷ) *eg* gable end

talcen bwrdd *eg* end of table

talcen hir *eg* long wall (of building)

talcendo *eg* hip roof

taldra *eg* height (of person)

taleb *eb* payment slip

Taleithiau Cydffederal *ell* Confederacy (US)

taleithiol *ans* provincial

talentog *ans* talented

talfran *eb* fret nut

talfyriad *eg* abbreviation (=abbreviated form)

adf, adv adferf, *adverb*   *ans, adj* ansoddair, *adjective*   *be* berf, *verb*   *eb* enw benywaidd, *feminine noun*   *eg* enw gwrywaidd, *masculine noun*

talfyrru *be* abbreviate
talgrynnu *be* round off
talgrynnu i fyny *be* round up
talgrynnu i lawr *be* round down
taliad arian parod *eg* cash payment
taliad lles *eg* welfare payment
taliadau dysgu *ell* tuition fees
talu *be* pay *v*
Talu wrth Ennill *be* PAYE
talwrn *eg* cockpit
talwynt *eg* talwind
tamaid *eg* bite (=small piece)
tamarind *eg* tamarind
tambora *eg* tambora
tambwrin *eg* tambourin (type of music or dance)
tambwrîn *eg* tambourine (musical instrument)
tameidiau *ell* odds and ends
tameidiog *ans* fragmented
tampio *be* pat bounce
tân *eg* fire *n*
tân agored *eg* open hearth
tân chwythu *eg* fan heater
tan ffwrn-danio *be* underfire
tân gof *eg* blacksmith's hearth
Tân Mawr Llundain *eg* Great Fire of London
tân nwy *eg* gas fire
tân weldio *be* fire weld
tanafael *be* under grasp
tanbaent *eg* undercoat (of paint) *n*
tanbaid *ans* intense (of light, heat)
tanbeidrwydd *eg* intensity (of light, heat)
tanbeintio *be* undercoat *v*
tanboblog *ans* underpopulated
tanbwytho *be* under stitching
tanc *eg* tank
tanc crychdonni *eg* ripple tank
tanc hynofedd *eg* buoyancy tank
tanc oeri *eg* cooling tank
tanc septig *eg* septic tank
tanc storio *eg* storage tank
tancer *eg* tanker
tanchwa *eb* firedamp explosion
tandoriad *eg* undercut *n*
tandorri *be* undercut *v*
tanddaearol *ans* underground
tanddatblygedig *ans* underdeveloped
tanddefnyddio *be* underutilize
tanerdy *eg* tannery
tanfaethu *be* under-nourish
tanfor *ans* submarine
tanffordd *eb* under-pass
tango *eg* tango
tangram *eg* tangram
tangroenol *ans* hypodermic
tangwystl *eg* frankpledge
tangyflawni *be* underachieve *v*
tangyflogaeth *eb* underemployment

tangyflogi *be* under-employ
tanh *eg* tanh
taniad *eg* ignition
taniad coil *eg* coil ignition
tanin *eg* tannin
tanio *be* fire *v*
tanio (odyn) *be* firing (kiln)
tanio bisged *be* biscuit firing
tanio gwydrog *be* glaze firing
tanio'n ôl *be* backfire
taniwr nwy *eg* gas lighter
tanlawr *ans* underfloor
tanlinellu *be* underline
tanlinellwr *eg* underline
tanlwybr *eg* subway
tannau cydseiniol *ell* sympathetic strings (acoustics)
tannau llais *ell* vocal cords
tanseilio *be* undermine
tanseiliol *ans* subversive *adj*
tanseiliwr *eg* subversive *n*
tansugno *be* subduction
tant *eg* string (on musical instrument, racket) *n*
tant agored *eg* open string
tant coludd *eg* gut string
tant cywirsain *eg* true string
tant neilon *eg* nylon string
tantalwm (Ta) *eg* tantalum (Ta)
tanwariant *eg* underspend *n*
tanwario *be* underspend *v*
tanwydredd *eg* underglaze *n*
tanwydro *be* underglaze *v*
tanwydd *eg* fuel
tanwydd di-fwg *eg* smokeless fuel
tanwydd ffosil *eg* fossil fuels
tanwydd golosg *eg* coke fuel
tanwydd solet *eg* solid fuel
tanwyneb *eg* underface *n*
tanwynebu *be* underface *v*
tanysgrifiad *eg* subscription
tanysgrifio *be* subscribe (to a magazine etc)
Taoaidd *ans* Taoist *adj*
Taoydd *eg* Taoist *n*
tap *eg* tap *n*
tâp *eg* tape *n*
tâp adlynol *eg* adhesive tape
tâp archifol *eg* archive tape
tâp cotwm *eg* cotton tape
tâp glud *eg* gummed tape
tap gwaelodi *eg* bottoming tap
tâp gwaith *eg* work tape
tâp magnetig *eg* magnetic tape
tâp masgio *eg* masking tape
tâp mesur *eg* tape-measure
tâp papur *eg* paper tape
tâp papur llwyd *eg* brown paper tape
tâp papur tyllog *eg* punched paper tape

---

eg/b enw gwrywaidd/benywaidd, *feminine/masculine noun*   *ell* enw lluosog, *plural noun*   *v* berf, *verb*   *n* enw, *noun*

tâp parod *eg* prerecorded tape
tap plwg *eg* plug tap
tap tapr *eg* taper tap
tap teirffordd *eg* three-way tap
tâp ticio *eg* ticker tape
taped *eg* tappet
tapestri *eg* tapestry
Tapestri Bayeux *eg* Bayeux Tapestry
tapetwm *eg* tapetum
tapiau a deiau taps and dies
tapio *be* tap *v*
tapio sawdl blaen *be* toe tapping
tapr *eg* taper *n*
tapr byr *eg* short taper
tapr llaw *eg* hand taper
tapr Morse *eg* Morse taper
tapr syth *eg* straight taper
tapro *be* taper *v*
taprog *ans* tapered
tâp-borthi *be* tape feed *v*
tâp-borthydd *eg* tape feed *n*
tâp-yrrwr *eg* tape drive
taradr *eg* auger
taradr hir *eg* long auger
taran *eb* thunder
taranfollt *eb* thunderbolt
tarantela *eg* tarantella
tarddbwynt *eg* origin (of graph)
tarddell *eb* spring (of water)
tarddell boeth *eb* hot spring
tarddell Vaucluse *eb* Vauclusian spring
tarddell-danseilio *be* spring-sapping
tarddiad (nant etc) *eg* source (of stream etc)
tarddiad (nwy) *eg* issue (of a gas) *n*
tarddiad (yn gyffredinol) *eg* origin *n*
tarddiad ethnig *eg* ethnic origin
tarddiad goleuni *eg* source of light
tarddiad llysieuol *eg* vegetable origin
tarddiad mwynol *eg* mineral origin
tarddiad nant *eg* stream source
tarddiad sêr *eg* origin of stars
tarddisg *eg* source disk
tarddle (cyhyr) *eg* point of origin (muscle)
tarddle (yn gyffredinol) *eg* source (of specific point)
tarddle adenillion *eg* return function
tarddle pwynt *eg* point source
tarddlin *eb* spring line
tarddu (am nwy) *be* issue (of a gas) *v*
tarddu (yn gyffredinol) *be* originate
tarddyriant *eg* source drive
tarfiad gwybyddol *eg* cognitive disturbance
tarfu ar *be* disturb
targed *eg* target
targed arfaethedig *eg* proposed target
tarian *eb* shield
tarian geg *eb* gum shield

Tariandir Canada *eg* Canadian Shield
tarmac *eg* tarmac
tarnais *eg* tarnish *n*
tarneisio *be* tarnish *v*
taro *be* strike (=hit) *v*
taro (nodyn) *be* pitch (a note) *v*
taro allan *be* strike through
taro bargen *be* clinch a deal
taro chwech *be* hit for six
taro i lawr *be* knock down
taro nôl *be* hit back *v*
taro pedwar *be* hit a boundary (for four runs)
taro'r bêl eilwaith *be* hit the ball twice
taro'r corff *be* body percussion
taro'r pren *be* wood shot
taro'r wiced *be* hit wicket
taro troed *be* stamp (with foot) *v*
taro ymlaen *be* knock on *v*
tarren *eb* scarp
tarsol *ans* tarsal
tarsws *eg* tarsus
Tartar *eg* Tartar *n*
Tartaraidd *ans* Tartar *adj*
tarten Bakewell *eb* Bakewell tart
tarten gwstard wy *eb* egg custard tart
tarth *eg* mist
tarwden *eb* ringworm
tas *eb* stack (of hay, wood)
tas galch *eb* hum (in geography)
tasel *eg* tassel
tasg *eb* task
Tasg Asesu Safonol (TAS) *eb* Standard Assessment Task (SAT)
tasg gystadleuol *eb* competitive task
tasg osod *eb* set task
tasg ymateb i ddata *eb* data-response task
tasg ystafell ddosbarth *eb* classroom-based task
tasgu *be* splash
tasiaeth *eg* tachism
tasu coed *be* timber stacking
tatio *be* tatting
tatŵ *eg* tattoo
tawch *eg* haze
tawdd *ans* molten
tawddgyffur *eg* suppository
tawel *ans* muted
tawelu meddwl *be* reassure
tawelwr *eg* quietist
tawelydd (ar gar etc) *eg* silencer
tawelydd (tabledi neu foddion) *eg* tranquillizer
tawelyddiaeth *eb* quietism
tawnod *eg* rest sign .
tawnod dot *eg* dotted rest
tawrin *eg* taurine
tawtoleg *eb* tautology
tawtomeredd *eg* tautomerism
tawtomerig *ans* tautomeric

---

adf, adv adferf, *adverb*   **ans, adj** ansoddair, *adjective*   **be** berf, *verb*   **eb** enw benywaidd, *feminine noun*   **eg** enw gwrywaidd, *masculine noun*

TC: targed cyrhaeddiad *eg* AT: attainment target

te cig eidion *eg* beef tea

tebyg *ans* similar (in general)

tebygol *ans* probable

tebygoliaeth *eb* likelihood

tebygolrwydd *eg* probability

tebygolrwydd amodol *eg* conditional probability

tebygolrwydd goddrychol *eg* subjective probability

tebygrwydd *eg* similarity (in general)

tebygrwydd lliw *eg* similarity of colour

tebygrwydd tôn *eg* similarity of tone

teclyn clywed *eg* hearing aid

teclyn codi *eg* hoist *n*

teclyn corneli *eg* crevice tool (vacuum tools)

teclyn mesur pwysau gwaed *eg* sphygmomanometer

tecstil *eg* textile *n*

tecstil printiedig *eg* printed textile

tectoneg platiau *eb* plate tectonics

tectonig *ans* tectonic

techneg *eb* technique

techneg addurnol *eb* decorative technique

techneg arbrofi *eb* experimental technique

techneg arsylwi *eb* observation technique

techneg aseptig *eb* aseptic technique

techneg atchwel *eb* regression technique

techneg batio *eb* batting technique

techneg deuddeg nodyn *eb* twelve note technique

techneg dda *eb* good technique

techneg ddigyffwrdd *eb* no-touch technique

techneg fodelu benodol *eb* particular modelling technique

techneg graffig *eb* graphical technique

Techneg Gwerthuso ac Adolygu Rhaglen *eb* Programme Evaluation and Review Technique

techneg gwrthiant gwifren *eb* resistance wire technique

techneg gynghori *eb* counselling technique

techneg leisiol *eb* vocal technique

techneg marmori *eb* marbling technique

techneg orffennu *eb* finishing technique

techneg rhedeg *eb* running technique

techneg samplu *eb* sampling technique

techneg strôc *eb* stroke technique

technegol *ans* technical

technegydd *eg* technician

technetiwm (Tc) *eg* technetium (Tc)

technoleg *eb* technology

technoleg amgen *eb* alternative technology

technoleg gwybodaeth *eb* information technology

technoleg reoli *eb* control technology

technolegol *ans* technological

technolegydd *eg* technologist

teg *ans* fair

tegan *eg* toy

tegan adeiladu *eg* constructional toy

tegan addysgol *eg* educational toy

tegan anwes *eg* cuddly toy

tegan meddal *eg* soft toy

tegell glud *eg* glue kettle

tei *eg* tie (article of clothing) *n*

tei bô *eg* bow tie

teiffŵn *eg* typhoon

teilo *be* manure *v*

teilsen *eb* tile

teilsen blaen *eb* plain tile

teilsen chwarel *eb* quarry tile

teilsen finyl *eb* vinyl tile

teilsen fosaig *eb* mosaic tile

teilsen geramig *eb* ceramic tile

teilsen gorc *eb* cork tile

teilsen grom *eb* pantile

teilsen lap dwbl *eb* double-lap tile

teilsen lap sengl *eb* single-lap tile

teilsen losgliw *eb* encaustic tile

teilsen to *eb* roofing tile

teilwra *be* tailoring

teilwrio cymdeithasol *be* social engineering

teilyngdod *eg* merit

teimlad *eg* sensation (=feeling)

teimlad cyffyrddol *eg* palpation

teimlo *be* feel *v*

teimlydd *eg* antenna (of anthropod)

teip *eg* type (in printing) *n*

teipiadur *eg* typewriter

teipiadur consol *eg* console typewriter

teipio *be* type (=write with a typewriter) *v*

teipograffeg *eb* typography

teiraniad *eg* trisection

teirannu *be* trisect

teirblwydd *ans* triennial

Teirw Scotch *eg* Scotch Cattle

teisen *eb* cake

teisen Berffro *eb* shortbread biscuit

teisen Dundee *eb* Dundee cake

teisen ffrwythau *eb* fruit cake

teisen liw *eb* colour cake

teitl *eg* title

teithio *be* travel

teithio i mewn ac allan o ofod travel through a space

telathrebu *be* telecommunication

teledeip *eg* teletype

teledestun *eg* teletext

teledu *eg* television

teledu cylch-caeedig *eg* closed circuit television

teleffon *eb* telephone *n*

teleoleg *eb* teleology

telerau *ell* terms (=conditions)

telerau cytbwys *ell* reciprocal arrangement

telerau masnach *ell* terms of trade

telesgop *eg* telescope

tele-argraffydd *eg* teleprinter

teloffas *eg* telophase

telwriwm (Te) *eg* tellurium (Te)

telyn *eb* harp

telyn arwaith dwbl *eb* double action harp

---

telyn arwaith sengl *eb* single action harp

telyn awelon *eb* aeolian harp

telyn bedal *eb* pedal harp

telyn deires *eb* triple harp

telyn ddodi *eb* autoharp

telyn fwa *eb* bowed harp

telyn fysell *eb* dital harp

telyn Geltaidd *eb* Celtic harp

telyn glychsain *eb* bell harp

telyn gromatig *eb* chromatic harp

telyn gyngerdd *eb* concert harp

telyn Gymreig *eb* Welsh harp

telyn Roegaidd *eb* Grecian harp

telyn Wyddelig *eb* Irish harp

telynor *eg* harpist (male)

telynores *eb* harpist (female)

teml *eb* temple

Teml Aur *eb* Golden Temple

tempera *eg* tempera

tempera wy *eg* egg tempera

templed tro *eg* french curve

tenant fferm *eg* tenant farmer

tenant rhydd *eg* free tenant

tenant wrth ewyllys *eg* tenant-at-will

tenantiaeth *eb* tenancy

tenantiaeth warchodedig *eb* protected tenancy

tenantiaid *ell* tenantry

tenau *ans* thin *adj*

tendon *eg* tendon

tendonau tarddol a thendonau mewniad *ell* tendons of origin and insertion

tendril *eg* tendril

tenement *eg* tenement

teneuad *eg* rarefaction

teneuo *be* reduce (=thin)

teneuo *be* dilution (of skilled workers)

teneuydd *eg* thinner

teneuydd inc *eg* ink thinner

tennis *eg* tennis

tenor *eg* tenor

tenor ysgafn *eg* lyric tenor

tensor *eg* tensor

tentacl *eg* tentacle

teras *eg* terrace (on a slope) *n*

teraset *eg* terracette

terasu *be* terrace *v*

terazzo *ans* terazzo

terbiwm (Tb) *eg* terbium (Tb)

terfan *eg/b* limit (in physics and mathematics) *n*

terfan elastig *eb* elastic limit

terfan elastigedd *eb* limit of elasticity

terfan goddefiant *eb* limit of tolerance

terfan gyfrannol *eb* proportional limit

terfan isel *eb* low limit

terfan uchel *eb* high limit

terfannau gwelediad *ell* limits of visibility

terfannau Newall *ell* Newall limits

terfannol *ans* limiting (in physics and mathematics)

terfyn *eg* limit (=boundary) *n*

terfyn amser *eg* deadline

terfyn arferol y llanw *eg* normal tidal limit

terfyn mordwyo *eg* head of navigation

terfyn nerf *eg* nerve ending

terfyneiddiad *eg* terminalization

terfynell *eb* terminal (e.g. computer terminal) *n*

terfynell drydan *eb* electric terminal

terfynell ddata pell *eb* remote data terminal

terfynell ddeallus *eb* intelligent terminal

terfynell fud *eb* dumb terminal

terfynell graffeg *eb* graphics terminal

terfynell pwynt talu *eb* point of sale terminal (POS)

terfyniadau canghennog yr acson *ell* branched terminals of the axon

terfynol *ans* terminal (=final) *adj*

terfynolyn *eg* end organ

terfynu *be* terminate

terfynus *ans* terminating

terfysg *eg* riot

terfysg Merthyr *eg* Merthyr rising

terfysgaeth *eb* terrorism

terfysgoedd Beca *ell* Rebecca riots

terfysgu *be* terrorize (=use terrorism)

terfysgwr *eg* terrorist

term *eg* term (in language)

term egni bond *eg* bond energy term

termau ehangach *ell* broader terms

terra cotta *eg* terra cotta

Terylene *eg* Terylene

tes *eg* heat haze

Testament Newydd *eg* New Testament

testament newydd apocryffaidd *eg* apocryphal new testament

testosteron *eg* testosterone

testun (=thema) *eg* subject (=theme)

testun (=written words) *eg* text

testun llydan *eg* wide text

testun plaen *eg* plain text

testun syml *eg* simple text

testun wedi'i fewnoli *eg* indented text

testunol *ans* textual

tetanedd *eg* tetany

tetanws *eg* tetanus

tetracord *eg* tetrachord

tetrahedrol *ans* tetrahedral

tetrahedron *eg* tetrahedron

tetrod *eg* tetrode

tetromino *eg* tetromino

teth *eb* teat

teth dymheredd *eb* thermo-dummy

teulu *eg* family

teulu cnewyllol *eg* nuclear family

teulu Cristnogol *eg* Christian family

teulu dosbarth canol Fictoraidd *eg* Victorian middle-class family

---

adf, adv adferf, *adverb*   **ans, adj** ansoddair, *adjective*   **be** berf, *verb*   **eb** enw benywaidd, *feminine noun*   **eg** enw gwrywaidd, *masculine noun*

teulu estynedig *eg* extended family
teulu grŵp *eg* group family
Teulu Iorc *eg* House of York
Teulu Lancaster *eg* House of Lancaster
Teulu Orange *eg* House of Orange
teulu sylfaenol *eg* basic family
teulu un rhiant *eg* one parent family
teuluol *ans* familial
tew *ans* thick
tewychiad sgalaraidd *eg* scaliform thickening
tewychiad troellog *eg* spiral thickening
tewychu *be* thicken
tewychu eilaidd *be* secondary thickening
tewychu unflwydd *be* annual thickening
tewychydd *eg* thickener
teyrn *eg* tyrant
teyrnaidd *ans* regalian
teyrnas *eb* kingdom
Teyrnas Gyfunol, y Deyrnas Gyfunol *eb* United Kingdom
Teyrnas y Ddwy Sisilia *eb* Kingdom of the Two Sicilies
teyrnasiad pab *eg* pontificate
teyrngar *ans* loyal
teyrngarwch *eg* loyalty
teyrngarwr *eg* loyalist
Teyrngarwr Ulster *eg* Ulster Loyalist
teyrnged *eb* tribute (of respect or affection)
teyrnladdiad *eg* regicide (crime)
teyrnleiddiad *eg* regicide (of person)
teyrnwialen *eb* sceptre
TGAU Cymraeg Ail Iaith Estynedig GCSE Extended Welsh Second Language
TGAU Cymraeg Estynedig GCSE Extended Welsh
ti *eg* tee *n*
tibia *eg* tibia
tîc *eg* teak
ticbryf *eg* deathwatch beetle
tierce de Picardie *eg* tierce de Picardie
til (clog-glai) *eg* till (glacial) *n*
til abladu *eg* ablation till
til glyniad *eg* lodgement till
tileru *be* tillering
tilfaen *eg* tillite
tîm *eg* team
tîm amlddisgyblaethol *eg* multidisciplinary team
tîm cymuned anfantais meddwl *eg* community mental handicap team
tîm cymuned iechyd meddwl *eg* community mental health team
tîm iechyd *eg* health team
tincial *be* jingle *v*
tincialyn *eg* jingle
tinsel *eg* tinsel
tio *be* tee *v*
tipio *be* tipping *v*
tir *eg* land
tir agored *eg* champion land
tir âr *eg* arable land

tir basn a chadwyn *eg* basin and range country
tir breiniol *eg* franchise (land)
tir bwrdais *eg* burgage
tir caeedig *eg* enclosed land
tir comin *eg* common land
tir diffaith *eg* waste land
tir esgob *eg* bishopland
tir glas y safana *eg* savannah grassland
tir gorchudd *eg* cover-land
tir llaw farw *eg* mortmain
tir mawr *eg* mainland
tir neb *eg* no-man's land
tir oer *eg* tierra fria
tir poeth *eg* tierra caliente
tir pori *eg* grazing land
tir prysg *eg* scrub land
tir rhydd-ddaliol *eg* freehold land
tir rhyngafonol *eg* interfluve
tir rhywiog *eg* tilth
tir teg *eg* fair ground
tir tymherus *eg* tierra templada
tir wedi ei wella *eg* improved land
tir y goron *eg* crown land
tir ymylol *eg* marginal land
tir yr ysgol *eg* school ground
tirando *eg* tirando
tirddaliadaeth *eb* land tenure
tirfeddiannaeth *eb* landownership
tirfeddiannwr *eg* landowner
tirfesur *be* survey (of land) *v*
tirfesur cadwyn *be* chain survey
tirfesurydd *eg* surveyor (of land)
tirfwrdd *eg* tableland
tirffurf *eg* landform
tirffurf arfordirol *eb* coastal landform
tirgaeedig *ans* landlocked
tiriogaeth *eb* territory
tiriogaeth ddibynnol *eb* dependency (of country)
tiriogaeth fandadol *eb* mandated territory
tiriogaeth feddianedig *eb* occupied territory
tiriogaeth frodorol *eb* reservation
tiriogaeth gydnabyddedig *eb* territorial integrity
Tiriogaeth Ymddiriedig *eb* Trust Territory
tiriogaeth ymddiriedol *eb* trusteeship territory
tiriogaethol *ans* territorial
tirlif *eg* earth flow
tirlithriad *eg* landslide
tirlun *eg* landscape (in art)
tirlun diwylliannol *eg* cultural landscape
tirlyfr *eg* terrier (book)
tirmon *eg* groundsman
tirmonaeth *eb* groundsmanship
tirnod *eg* landmark
tiroedd newydd *ell* virgin lands (USSR)
Tiroedd y Babaeth *ell* Papal States
Tironiad *eg* Tironian
tirwedd *eb* landscape, relief (geographical)

---

eg/b enw gwrywaidd/benywaidd, *feminine/masculine noun*   *ell* enw lluosog, *plural noun*   *v* berf, *verb*   *n* enw, *noun*

tirwedd anamlwg *eb* faint relief

tirwedd cefnen a rhych *eb* ridge and furrow relief

tirwedd cnwc a thegell *eg* kame and kettle country

tirwedd ddiwrthdro *eb* uninverted relief

tirwedd fyrddol *eb* tabular relief

tirwedd greiriol *eb* relict landscape

tirwedd ifanc *eb* juvenile relief

tirwedd iselaidd *eb* subdued relief

tirwedd leol *eb* local relief

tirwedd wrthdro *eb* inverted relief

tisian *be* sneeze

titaniwm (Ti) *eg* titanium (Ti)

titr *eg* titre

titradaeth *eb* titrimetry

titradaethol *ans* titrimetric

titradu *be* titrate

tiwb *eg* tube

tiwb berwi *eg* boiling tube

tiwb capilari *eg* capillary tube

tiwb cardbord *eg* cardboard tube

tiwb cludo *eg* delivery tube

tiwb Eustachio *eg* Eustachian tube

tiwb Fallopio *eg* Fallopian tube

tiwb hanner cylch *eg* semicircular canal

tiwb niwral *eg* neural tube

tiwb plastig *eg* plastic tube

tiwb profi *eg* test-tube

tiwb sugno *eg* suction tube

tiwb sylem *eg* xylem vessel

tiwba *eg* tuba

tiwbaidd *ans* tubular

tiwbglychau *ell* tubular bells

tiwbin *eg* tubing

tiwbin haearn *eg* iron tubing

tiwbyn *eg* tubule

tiwbyn Malpighi *eg* Malpighian tubule

tiwbyn semen *eg* seminiferous tubule

tiwbyn troeth *eg* uriniferous tubule

tiwnig *eb* tunic

tiwnio tôn-gymedr chwarter-coma *be* quarter-comma mean-tone tuning

tiwniwr *eg* tuner

tiwniwr piano *eg* piano tuner

tiwtor *eg* tutor

tiwtor blwyddyn *eg* year tutor

tiwtor bugeiliol *eg* pastoral tutor

tiwtor dosbarth *eg* form tutor

tiwtor drefnydd *eg* tutor-organiser

tiwtor moesol *eg* moral tutor

tiwtor personol *eg* personal tutor

tiwtorial *eg* tutorial

tlawd *ans* poor

tlodi *be* impoverish

tlodi *eg* impoverishment

tlotyn *eg* pauper

tlws (=addurn gwisg) *eg* brooch

tlws (am ennill camp) *eg* trophy

tlws crog *eg* pendant *n*

tlysbin *eg* brooch pin

tlyswaith *eg* findings (types of chain)

to *eg* roof

to ar ongl *eg* pitched roof

to ar oledd *eg* lean-to roof

to cafnog *eg* valley roof

to dormer *eg* dormer roof

to erchwyn *eg* parapet roof

to fframiog *eg* framed roof

to gwellt *eg* thatched roof

to helm *eg* helm roof

to mansard *eg* mansard roof

to sengl *eg* single roof

to trawslath *eg* double roof

to trawst gordd *eg* hammer beam roof

tocata *eg* toccata

tocbren *eg* pollard

tocio *be* lop

tocsaemia *eg* toxaemia

tocsin *eg* toxin

tocyn *eg* ticket

toddion *ell* dripping

toga *eb* toga

togl *eg* toggle *n*

togl sbring *eg* spring toggle

toglo *be* toggle *v*

toiled *eg* toilet

tolc *eg* dent *n*

tolcio *be* dent *v*

tolciog *ans* chipped (of surface)

tolchen *eb* blood-clot

tolcheniad *eg* coagulation (of blood)

tolchennu *be* coagulate (of blood)

toll *eb* toll

toll allforio *eb* export duty

toll ddial *eb* retaliatory tariff

toll fantais *eb* preferential tariff

toll farwolaeth *eb* death duty

toll mewnforio *eb* import duty

tollaeth *eb* tollage

tollau *ell* customs

tollau tramor a chartref *ell* customs and excise

tollbont *eb* toll-bridge

tollborth *eg* toll-gate

tolldal *eg* customs duty

tollffordd *eb* toll-road

tollty *eg* custom house

tom tom *eg* tom tom

tomen *eg* tip (of rubbish etc) *n*

tomen a beili motte and bailey

tomen gladdu *eb* burial mound

tomen sbwriel *eb* refuse tip

Tomistiaeth *eb* Thomism

Tomistig *ans* Thomistic

---

adf, adv adferf, adverb   **ans, adj** ansoddair, adjective   **be** berf, verb   **eb** enw benywaidd, feminine noun   **eg** enw gwrywaidd, masculine noun

ton *eb* wave

tôn *eb* tune

tôn *eg* tone

ton adeiladol *eb* constructive wave

ton ardraws *eb* transverse wave

ton blân bolar *eb* plane polarized wave

tôn cynnes *eg* warm tone (of colour)

ton ddirgrynol *eb* vibration wave

tôn fyddar *ans* tone-deaf

tôn gario *eb* carrier wave

tôn glychau *eb* carillon (=tune)

tôn golau *eg* light tone (of colour)

ton gynyddol *eb* progressive wave

ton hydredol *eb* longitudinal wave

ton isgoch *eb* infrared wave

ton llanw *eb* tidal wave

ton radio *eb* radio wave

ton seismig *eb* seismic wave

ton sin *eb* sine wave

tôn tywyll *eg* dark tone (of colour)

ton unfan *eb* stationary wave

ton uwchfioled *eb* ultraviolet wave

ton wres *eb* heatwave

tonedd *eg* tonicity

tonfecaneg *eb* wave mechanics

tonfedd *eb* wavelength

tonfedd ton *eb* wavelength of a wave

tonffurf *ans* wave-form

tonffurf *eg* wave-form

tonffurfiau cylched *ell* circuit wave-forms

tonig *eg* tonic (=a thing that invigorates)

tonnell *eb* wavelet

tonni *be* fluctuate (of electric current)

tonnog (=ar ffurf tonnau) *ans* wavy

tonnog (=yn amrywio) *ans* fluctuative

tonnog (am nodyn cerddorol, cord) *ans* auxiliary (of musical note, chord)

tonsil *eg* tonsil

tonsilitis *eg* tonsillitis

tonsur *eg* tonsure

tonydd *eg* tonic (musical) *n*

tonydd cysefin *eg* home tonic

tonyddiaeth *eb* intonation (of instrument or voice)

top *eg* top

top bwrdd *eg* table top

top gorymylol *eg* overlapping top

top gosod *eg* planted top (table)

top haul *eg* sun-top

top llithr (bwrdd) *eg* sliding top (table)

top tennyn *eg* halter top

top troi *eg* spinning top

topig hanesyddol *eg* historical topic

topio (dannedd llif) *be* topping (saw teeth)

topograffi *eg* topography

topograffig *ans* topographic

topograffigol *ans* topographical

topoleg *eb* topology

topolegol *ans* topological

topyn *eg* bung

topyn corc *eg* cork bung

topyn rwber *eg* rubber bung

torah *eg* torah

torasgwrn agored *eg* compound fracture

torasgwrn caeedig *eg* closed fracture

torasgwrn cymhleth *eg* complicated fracture

torasgwrn syml *eg* simple fracture

torbren *eg* off-cut

torbwynt *eg* breakpoint

torbwynt awtomatig *eg* automatic cut-off

torcyfraith *be* lawbreaking

torch (=addurn am wddf) *eg* torque (=necklace)

torch (rhaff, gwallt, clai etc) *eg* coil (of rope, hair, clay)

torch allwedd *eg* key ring

torchi *be* coiling

torchog *ans* wreathed

torddwr *eg* swash

toredig *ans* discontinuous (=intermittent)

torglo drws *eg* cut door-lock

torgoch *eg* char

torgwmwl *eg* cloudburst

Tori rhyddfrydol *eg* liberal Tory

toriad (=rhywbeth a dorrwyd) *eg* breakage

toriad (=sleisen denau i'w rhoi dan ficrosgop) *eg* section (in biology)

toriad (asgwrn) *eg* fracture *n*

toriad (o blanhigyn) *eg* cutting (in botany)

toriad (yn gyffredinol) *eg* break, cut, section

toriad ardraws *eg* transverse section

toriad arosgo *eg* oblique section

toriad bastard *eg* bastard cut

toriad Cesaraidd *eg* Caesarean section

toriad colofn *eg* column break

toriad conig *eg* conic section

toriad dart *eg* dart slash

toriad fertigol *eg* vertical section

toriad gaing gau *eg* gouge cut

toriad glân *eg* clean cut

toriad herclif *eg* jigsaw cut

toriad hwyr *eg* late cut

toriad hydredol *eg* longitudinal section

toriad paragraff *eg* paragraph break

toriad rhathell *eg* rasp cut

toriad rheiddiol *eg* radial section

toriad saethol *eg* sagittal section

toriad tudalen *eg* page break

toriad union *eg* right section

toriad V *eg* V-cut

toriad y monsŵn *eg* burst of monsoon

toriadau gorffennu *ell* finishing cuts

Toriaeth ryddfrydol *eb* liberal Toryism

toriant *eg* scission

torlan *eb* undercut bank

---

eg/b enw gwrywaidd/benywaidd, *feminine/masculine noun*   **ell** enw lluosog, *plural noun*   **v** berf, *verb*   **n** enw, *noun*

torlan fawn *eb* peat hag

torlannol *ans* riparian

torlengig *eg* rupture *n*

torlun *eg* cut (=engraved block for printing) *n*

torlun leino *eg* lino cut

torlun pren *eg* woodcut

torlun taten *eg* potato cut

torllwyth *eb* litter (of animals)

tornado *eg* tornado

torrell blaen *eb* plain cutter

torrell glai *eb* clay cutter

torrell grafu *eb* scraper cutter

torrell leino *eb* lino cutter

torrell neilon *eb* nylon cutter

torrell ochr *eb* side-cutters

torrell rychiog *eb* fluted cutter

torrell stensil *eb* stencil cutter

torri (asgwrn) *be* fracture *v*

torri (gyda chyllell etc) *be* cut *v*

torri (yn gyffredinol) *be* break *v*

torri (cyfraith) *be* violate (a law)

torri (mortais) *be* chop (mortise)

torri a gludo cut and paste

torri allan *be* cut out

torri ar y bias *be* cut out on the bias

torri ar y groes *be* cut out on the cross

torri ar yr edau *be* cut on the thread

torri arc *be* arc cutting

torri dannedd *be* teething

torri edau *be* thread cutting

torri i ffwrdd *be* cut off *v*

torri i lawr *be* breakdown

torri llengig *be* rupture (medical) *vt*

torri metel *be* metal cutting

torri'n giwbiau *be* cube *v*

torri oddi wrth Rufain *be* break with Rome

torri'r ddadl *be* tie-break (in tennis)

torri'r wiced *be* throw down the wicket

torri step *be* step cutting

torri tir *be* break ground

torri trwodd *be* cut through

torrwr (am fysell) *eg* break key

torrwr (yn gyffredinol) *eg* cutter

torrwr streic *eg* strike breaker

torrwr bollt *eg* bolt cutter

torrwr cerdyn *eg* card cutter

torrwr cylched *eg* circuit breaker

torrwr edau *eg* thread cutter

torrwr sglodion *eg* chip breaker

torrwr tanc *eg* tank cutter

torso *eg* torso

tortsh *eb* torch

tortsh bresyddu *eb* brazing torch

tortsh weldio *eg* welding torch

torth siwgr *eb* sugar loaf

torwaith *eg* cutwork

torws *eg* torus

tor-heddwch *eg* breach of peace

tor-orwedd *be* prone-lying

torhoelen *eb* cut nail

tostiwr *eg* toaster

tosturi *eg* compassion

totalitaraidd *ans* totalitarian

totem *eg* totem

tra arbenigol *ans* highly specialised

tra ffasiynol *ans* ultra-fashionable

tra medrus *ans* highly skilled

trac *eg* track

trac aer *eg* air-track

trac alwminiwm *eg* aluminium track

trac cul *eg* narrow gauge tack

trac ffibr *eg* fibre track

trac neilon *eg* nylon track

trac plastig *eg* plastic track

trac rhedeg *eg* running track

trac sain *eg* sound track

trac synthetig *eg* synthetic track

tracea *eg* trachea (in botany and zoology)

traceid *eg* tracheid (softwood)

Tractariaeth *eb* Tractarianism

tractrics *eg* tractrix

tracwisg *eb* tracksuit

trachywir *ans* precise

trachywiredd *eg* precision

trachywiredd dwbl *eg* double precision

traddodi (i sefyll prawf) *be* commit (for trial)

traddodiad *eg* tradition

traddodiad barddol *eg* poetic tradition

traddodiad clasurol Ewropeaidd *eg* European classical tradition

traddodiad crefyddol *eg* religious tradition

traddodiad llafar *eg* oral tradition

traddodiad storïol *eg* narrative tradition

traddodiadol *ans* traditional

traean *eg* third (fraction = one third)

traeaniad *eg* trisection (in equal parts)

traeannu *be* trisect (equal parts)

traed ar led *ell* astride (position)

traed crafanc *ell* claw feet

traeth *eg* beach

traeth awyr *eg* mackerel sky

traeth ymdrochi *eg* lido

traethawd *eg* essay

traethawd ymchwil *eg* thesis (=research essay)

traethbant *eg* swale

traethell *eb* strand (of beach) *n*

traethiadol *ans* narrative *adj*

traethlin cyfansawdd *eg* compound shoreline

traethu *be* declaim

trafaeliwr *eg* commercial traveller

trafertin *eg* travertine

trafnidiaeth *eb* traffic

trafnidiaeth drwodd *eb* through traffic

---

adf, adv adferf, *adverb*   **ans, adj** ansoddair, *adjective*   **be** berf, *verb*   **eb** enw benywaidd, *feminine noun*   **eg** enw gwrywaidd, *masculine noun*

trafnidiaeth foduron *eb* motor traffic
trafnidiaeth gerbydol *eb* vehicular traffic
trafnidiaeth hanfodol *eb* essential traffic
trafnidiaeth oriau brig *eb* peak period traffic

trafod (â'r dwylo) *be* handle (data, goods, ball etc) *v*
trafod (=siarad am) *be* discuss

trafod ariannol *eg* financial transaction
trafod telerau cytundeb *be* negotiate a settlement *vt*
trafodaeth *eb* discussion
trafodion *ell* proceedings (=published report)
traffordd *eb* motorway
traffordd yn cael ei hadeiladu motorway under construction

trai *eg* ebb
trais *eg* violence
trais rhywiol *eg* rape
trallwysiad *eg* transfusion
trallwysiad gwaed *eg* blood transfusion

trallwyso *be* transfuse
trallwyso (gwaed) *be* transfer (blood) *v*

tramffordd *eb* tramroad
tramgwyddaeth *eb* delinquency
tramgwyddus *ans* delinquent *adj*
tramgwyddwr *eg* delinquent *n*

tramor *ans* foreign
tramorwr *eg* foreigner
trampét *eg* trampette
trampolîn *eg* trampoline
tramwy *eg* traverse (of lathe carriage)
tramwy agored *eg* open traverse
tramwyfa *eb* passage (=route)
Tramwyfa'r Gogledd-Ddwyrain *eb* North-East Passage
Tramwyfa'r Gogledd-Orllewin *eb* North-West Passage
transistor *eg* transistor
trap *eg* trap *n*
trapesiwm *eg* trapezium
trapesoid *eg* trapezoid
trapio *be* trap (the ball) *v*
traphont *eb* viaduct
traphont ddŵr *eb* aqueduct
tras *eb* pedigree
trasiedi *eg* tragedy

traul (ar bethau) *eb* wear
traul (ariannol) *eb* expense

traul a gwisgo wear and tear
traw *eg* pitch (of sound) *n*
traw cyngerdd *eg* concert pitch
traw cynhenid *eg* absolute pitch
traw perffaith *eg* perfect pitch
traw perthynol *eg* relative pitch
traw safonol *eg* standard pitch
trawben *eg* striking head
trawfforch *eb* tuning fork

trawiad (ar fysell) *eg* key stroke
trawiad (mewn ffiseg) *eg* incidence (in physics)
trawiad (offeryn taro) *eg* percussion

trawiad (yn gyffredinol) *eg* hit (in general) *n*
trawiad dwbl *eg* double strike
trawiad gwres *eg* heatstroke
trawiad nôl *eg* hit back *n*
trawiad ymlaen *eg* knock on *n*
trawma *eg* trauma
trawol *ans* incident (=striking) *adj*
traws aelod *eg* cross member
traws gwlad *ans* cross country
trawsacen *eb* syncopation
trawsamineiddiad *eg* transamination
trawsblanedig *ans* transplanted
trawsblaniad *eg* transplant *n*
trawsblaniad organ *eg* organ transplantation
trawsblannu *be* transplant *v*
trawsblannu organau *be* organ transplantation
trawsborthiant *eg* cross feed
trawsbroffil *eg* cross profile
trawsbwyth *eg* overcast stitch
trawsddodi *be* transpose (in algebra) *v*
trawsddodiad *eg* transposition (in algebra)
trawsddodyn *eg* transpose (in algebra) *n*
trawsddygiad *eg* transduction
trawsddygiadur *eg* transducer
trawsergyd *eg/b* cut shot
trawsergyd sgwâr *eb* square cut
trawsfeddiannaeth *eb* usurpation
trawsfeddiannu *be* usurp
trawsfeddiannwr *eg* usurper
trawsfeidraidd *ans* transfinite
trawsfudiad *eg* translation (between places)
trawsfudo *be* translate (petween places)
trawsffrwythloni *be* cross-fertilisation
trawsffurf *eb* transform *n*
trawsffurfiad *eg* transformation
trawsffurfio *be* transform
trawsffurfio ffwythiannau *be* transformation of functions
trawsgludiad (=dogfen gyfreithiol) *eg* conveyance, deed of
trawsgludiad (carcharorion etc) *eg* transportation
trawsgludo *be* conveyancing
trawsgludwr *eg* conveyancer
trawsgrifiad *eg* transcription
trawsgrifio *be* transcribe
trawsgroesiad *eg* cross over
trawsgwricwlaidd *ans* cross-curricular
trawsgwricwledd *eg* cross-curricularity
trawsgyfandirol *ans* transcontinental
trawsgyswllt *eg* cross-linkage
trawsgysylltu *be* cross-linking
trawsgyweiriad *eg* modulation (of key in music)
trawsgyweirio *be* modulate (key in music)
trawshaenog *ans* cross-bedded
trawshaenu *be* cross-bedding
trawsieithu *be* purposeful concurrent use of language
trawsiwerydd *ans* transatlantic
trawslath *eg* purlin

---

eg/b enw gwrywaidd/benywaidd, *feminine/masculine noun*   *ell* enw lluosog, *plural noun*   *v* berf, *verb*   *n* enw, *noun*

trawsleoliad *eg* translocation

trawslif *ans* subsequent (stream) *adj*

trawslif (am nant) *eg* subsequent (stream) *n*

trawslif (ar gyfer llifio) *eb* cross-cut saw

trawslifiant *eg* transfluence

trawslithryn *eg* cross slide

trawslun *eg* transect *n*

trawslunio *be* transect *v*

trawsluosi *be* cross multiply

trawslythrennu *be* transliterate

trawsnewid *be* convert (in science)

trawsnewid demograffig *eg* demographic transition

trawsnewid gwaeredol *eg* downhill transition

trawsnewid rhannol *eg* partial conversion

trawsnewid siop *be* shop conversion

trawsnewidiad *eg* conversion (in science)

trawsnewidiad deuaidd i ddegol *eg* binary to decimal conversion

trawsnewidiad gwedd *eg* phase transition

trawsnewidiol *ans* transitional (=changing)

trawsnewidydd *eg* converter (e.g. Bessemer)

trawsnewidydd analog-digidol *eg* analogue-digital converter

trawsnewidydd Bessemer *eg* Bessemer converter

trawsnewidydd cylchdro *eg* rotary converter

trawsnewidydd digidol-analog *eg* digital-analogue converter

trawsnodi *be* transpose (=change musical pitch) *v*

trawsnodiad *eg* transposition (of pitch)

trawsosod (llythrennau, geiriau) *be* reversal (of letters, words)

trawsrythm *eg* cross-rhythm

trawst (ar draws ceg harbwr) *eg* boom (at harbour mouth)

trawst (o bren, metel etc) *eg* beam (of wood, metal etc)

trawst bras *eg* baulk

trawst bras wedi'i haneru *eg* half-timber

trawst byffer *eg* buffer beam

trawst cantilifer *eg* cantilevered beam

trawst gordd *eg* hammer beam

trawst llawr *eg* floor joist

trawst nenfwd *eg* ceiling joist

trawst o chwith *eg* reversed beam

trawst pontio *eg* bridging joist (flooring)

trawst wedi'i gynnal yn syml *eg* simply supported beam

trawstaith *eb* traverse (in mountaineering)

trawstoriad *eg* cross cut *n*

trawstoriad *eg* cross-section

trawstorri *be* cross cut

trawstrefa *be* transhumance

trawsyriant *eg* transmission (of heat, sound etc)

trawsyriant paralel *eg* parallel transmission

trawsyriant tonnau sain *eg* transmission of sound waves

trawsyrru *be* transmit (heat, sound etc)

trawsyrru data *be* data transmission

trawsyrrydd *eg* transmitter (of heat, sound etc)

traws-dôn *eb* bridge tone

traws-grynhoydd *eg* cross-compiler

traws-heintiad *eg* cross infection

traws-ochredd *eg* cross-laterality

traws-sylweddiad *eg* transubstantiation

tra-arglwyddiaeth *eb* domination

tra-arglwyddiaethu (ar) *be* dominate

trebl *eg* treble

trechedd anghyflawn *eg* incomplete dominance

trechedd croeslinol *eg* diagonal dominance

trechedd ochrol *eg* lateral dominance

trechol *ans* dominant

trechu *be* defeat

tref *eb* town

tref adwy *eb* gap town

tref ddibynnol *eb* satellite town

tref farchnad *eb* market town

tref fodel *eb* model town

tref gaerog *eb* walled town

tref noswylio *eb* dormitory town

tref sianti *eb* shanty town

tref wledig *eb* country town

trefedigaeth *eb* colony (in history)

trefedigaethol *ans* colonial

trefedigaethu *be* colonize (in history)

trefeillio *be* twinning (of towns)

trefgordd *eb* township

treflun *eg* townscape

trefn (=dilyniant) *eb* order (=sequence)

trefn (=dull gweithredu) *eb* procedure (=general method), system

trefn achredu *eb* accreditation procedure

trefn aelwyd *eb* domestic system

trefn cymdeithas *eb* social order

trefn dau *eb* second order (in mathematics)

trefn drimaes *eb* three-field system

trefn dderbyn *eb* admissions procedures

trefn ddisgynnol *eb* descending order

trefn ddosbarthu *eb* classification system *n*

trefn eglwys *eb* church order

trefn esgynnol *eb* ascending order

trefn etholiadol *eb* electoral system

trefn faenorol *eb* manorial system

trefn ffatri *eb* factory system

trefn ffiwdal *eb* feudal system

trefn gildroadwy *eb* reverse order

trefn gosbi *eb* penal system

trefn gronolegol *eb* chronological order

trefn gwaith *eb* order of work

trefn gynyddol eu rhifau *eb* ascending number

trefn gywir *eb* correct sequence

trefn gywiro *eb* correction procedure

trefn hap-ffeil stwnshlyd *eb* hashed random file organization

trefn lywodraethol *eb* governance

trefn maint *eb* order of magnitude

trefn meysydd agored *eb* openfield system

trefn restrol *eb* rank order

---

adf, adv adferf, *adverb*   *ans, adj* ansoddair, *adjective*   *be* berf, *verb*   *eb* enw benywaidd, *feminine noun*   *eg* enw gwrywaidd, *masculine noun*

trefn sefydledig *eb* established routine

trefn un *eb* first order

trefn werthuso *eb* appraisal procedure

Trefn y Dydd *eb* Order of the Day

trefn y gad *eb* battle order

trefn y gweithrediadau *eb* sequence of operations

trefn y wyddor *ans* alphabetical

trefn ymgychwyn *eb* initialization procedure

trefnau cymesuredd cylchdro *ell* orders of rotational symmetry

trefnedig (am gofnodion ar gyfrifiadur) *ans* sorted

trefnedig (yn gyffredinol) *ans* ordered

trefniad (cofnodion ar gyfrifiadur) *eg* sort *v*

trefniad (yn gyffredinol) *eg* arrangement

trefniad cyfunol *eg* merge sort *n*

trefniad diogelwch perthnasol *eg* relevant safety procedure

trefniad mewnosod *eg* insertion sort

trefniadaeth *eb* organization (=systematic arrangement)

trefniadaethol *ans* organizational

trefniadau asesu *ell* assessment arrangements

trefniadol *ans* procedural

trefniant (=y ffordd y trefnwyd pethau) *eg* formation (=arrangement)

trefniant (cerddorol) *eg* arrangement (in music)

trefniant cerdd dant *eg* cerdd dant arrangement

trefniant cerddorfaol *eg* orchestration

trefniant cylch *eg* circle formation

trefniant cyllidol *eg* budgetary arrangement

trefniant rhydd *eg* free formation

trefnol *ans* ordinal

trefnu (=cynllunio a pharatoi) *be* organize

trefnu (=gosod allan) *be* set out

trefnu (=gosod yn eu trefn) *be* order (=place in sequence) *v*

trefnu (blodau, darn o gerddoriaeth) *be* arrange

trefnu (cofnodion ar gyfrifiadur) *be* sort *v*

trefnu cyfunol *be* merge sort *v*

trefnu ffeiliau *be* file organization

trefnu seiniau *be* organize sounds

trefnus *ans* organized

trefnwr teithiau *eg* travel agent

trefnydd *eg* organizer (of person)

trefnydd cymorth cartref *eg* home help organizer

trefol *ans* urban

trefolaeth *eb* urbanism

trefoledig *ans* urbanized

trefoli *be* urbanize

treftadaeth *eb* heritage

treftadaeth gerddorol *eb* musical heritage

treftadol *ans* patrilineal

treial *eg* trial (in sport) *n*

treial cytuno *eg* agreement trial

treiddadwy *ans* penetrable

treiddiad *eg* penetration

treiddio *be* penetrate

treiddiol *ans* penetrating

treigl amser *eg* passing of time

treillio *be* trawl

treillong *eb* trawler (ship)

treillrwyd *eb* trawl net

treisgar *ans* violent

treisio *be* violate (a woman)

tremolando *adf* tremolando

tremolo *eg* tremolo

trên *eg* train

trên cyfansawdd *eg* compound train

trên gêr *eg* gear train

trên gêr cyfansawdd *eg* compound gear train

trên leiner *eg* liner train

trên llwythi *eg* freightliner

trên syml *eg* simple train

trental *eg* trental

tresmasiad *eg* trespass *n*

tresmasu *be* trespass *v*

tresmaswr *eg* trespasser

trestl *eg* trestle

treswaith *eg* tracery

treth *eb* tax *n*

treth aelwyd *eb* hearth tax

treth anuniongyrchol *eb* indirect tax

treth ar gyfoeth *eb* wealth tax

treth ar werth *eb* value added tax

treth bryniant *eb* purchase tax

treth enillion cyfalaf *eb* capital gains tax

treth ffiwdal *eb* tallage

treth gasgen a phwysau *eb* tunnage & poundage

treth geiniog *eb* penny rate

Treth Gyflogi Dethol *eb* Selective Employment Tax

treth incwm *eb* income tax

Treth Longau *eb* Ship Money

treth stad *eb* estate duty

treth stamp *eb* stamp duty

treth tir datblygu *eb* development land tax

Treth Trosglwyddo Cyfalaf *eb* Capital Transfer Tax

Treth y Daniaid *eb* Danegeld

treth y geiniog *eb* common penny

treth y pen *eb* poll tax

trethadwy *ans* taxable

trethdalwr *eg* rate payer

trethiad *eg* taxation

trethu *be* tax *v*

treulfwyd *eg* chyme

treuliad *eg* digestion

treuliadedd *eg* digestibility

treuliadwy *ans* digestible

treuliant (ffurfiant daearegol) *eg* denudation

treuliant (nwyddau) *eg* consumption (of goods)

treuliau banc *ell* bank charges

treulio *be* digest

treulio (amser) *be* spend (time)

treulio bwyd *be* food digestion

tri allan three outs

---

tri chwarter *eg* three quarters (fraction)
tri dimensiwn *ans* three-dimensional
Tri Phenderfyniad (1629) *eg* Three Resolutions (1629)
triad *eg* triad
triaidd *ans* ternary
Triasig *ans* Triassic

triawd (=set o dri) *eg* triple (=set of three) *n*
triawd (am grŵp) *eg* trio (group)

triawd piano *eg* piano trio
tribiwn *eg* tribune
tribiwnlys *eg* tribunal
tricel *eg* tricel
trichwarterwr *eg* three-quarter (in rugby)
tridarn *ans* tripartite
Tridentaidd *ans* Tridentine
trifforiwm *eg* triforium
Triger Schmitt Schmitt Trigger
trigiadwy *ans* inhabitable
triglyserid *eg* triglyceride
trigolyn *eg* inhabitant
trigonol *ans* trigonal
trigonometreg *eb* trigonometry
trigonometregol *ans* trigonometrical
trigonometrig *ans* trigonometric
trihedrol *ans* trihedral
trimer *eg* trimer
trimio *be* trim
trimio a snipio trim and snip
trimiwr *eg* trimmer
trimiwr trachywir *eg* precision trimmer

trin (cig ar gyfer ei goginio) *be* dress (in cooking)
trin (data etc) *be* manipulate (data etc)
trin (tir) *be* cultivate (land)
trin (yn gyffredinol) *be* treat *v*

trin delweddau *be* image manipulation
trin digwyddiadau *be* event handling
trin ffeiliau *be* file handling
trin gwallau *be* error handling
trin gwybodaeth *be* information handling
trin llinynnau *be* string handling
trin olwyn *be* wheel dressing
trin traed *be* chiropody
Trindod *eb* Trinity
triniad *eg* cultivation
triniad mudol *eg* shifting cultivation
triniaeth *eb* treatment
triniaeth *eb* treatment
triniaeth adrannol *eb* sectionalism
triniaeth arwyneb *eb* surface treatment
triniaeth derfynol *eb* final treatment
triniaeth geidwadol *eb* conservative treatment
triniaeth wres *eb* heat treatment
triniaeth ymyl *eb* edge treatment
trinomaidd *ans* trinomial *adj*
trinomial *eg* trinomial *n*
trio *eg* trio

triod *eg* triode
triongl *eg* triangle
triongl anghyfochrog *eg* scalene triangle
triongl cyflymderau *eg* triangle of velocities
triongl grymoedd *eg* triangle of forces
triongl hafalochrog *eg* equilateral triangle
triongl isosgeles *eg* isosceles triangle
triongl mawr *eg* large triangle
triongl ongl aflem *eg* obtuse angled triangle
triongl ongl lem *eg* acute angled triangle
triongl ongl sgwâr *eg* right-angled triangle
triongl sfferig *eg* spherical triangle
trionglau cyfath *ell* congruent triangles
trionglau cyflun *ell* similar triangles
triongliant *eg* triangulation
trionglog *ans* triangular
trionglogrwydd *eg* triangularity
triol *ans* tercimal *adj*
triolyn *eg* tercimal *n*
trip *eg* trip (of short duration)
tripled *eb* triplet
triphlyg *ans* triple *adj*
triphlyg *eg* triple *n*
triwant *ans* truant *adj*
triwant *eg* truant *n*
triwantiaeth *eb* truancy
triwr *eg* triumvir
triwriaeth *eb* triumvirate
tri-digid *ans* three-digit
tro *eg* turn *n*
tro cyflawn *eg* complete turn
tro chwith *eg* left hand turn
tro de *eg* right hand turn
tro dwy law *eg* two-hand turn
tro mewn coil *eg* turn in a coil
tro pedol *eg* u-turn
tro unfan *eg* turn single
troad *eg* turning (=bend)
troad ar golyn *eg* pivot turn
troad dwbl *eg* double turning
troad sengl *eg* single turning
trobwll *eg* whirlpool
trobwynt *eg* turning point
trocoid *eg* trochoid
trocharaenu *be* dip coating
trochbren *eb* dipstick
trochdrwyth (defaid) *eg* dip (for sheep)
trochi *be* immerse
trochiad *eg* immersion
trochiad llawn *eg* full immersion
trochion *ell* suds
trochion sebon *ell* lather *n*
trochoeri *be* quench
troed *eg/b* foot (of body part)
troed bawen *eb* paw foot
troed bêl *eb* ball foot

---

troed chwith *eb* left foot
troed flaen *eb* front foot
troed fraced *eb* bracket foot
troed garn *eb* hoof foot
troed glwb *eb* club foot
troed pelen a chrafanc *eb* ball and claw foot
troed segur *eb* non-kicking foot
troed wnïo *eb* sewing foot (of machine part)
troed y perpendicwlar *eb* foot of perpendicular
troedfedd *eb* foot (=measurement)
troedfedd o hyd *eb* foot run (of timber)
troedfedd sgwâr o bren *eb* foot super
troedio'r dŵr *be* tread water
troedio (hosan) *be* refoot
troedlath *eb* treadle
troednodyn *eg* footnote
troednoeth *ans* barefoot
troedwaith *eg* footwork
troedyn *eg* footer
troed-rewlif *eg* foot glacier
troell nyddu *eb* spinning wheel
troelli *be* spin *v*
troelli o dan y bêl *be* backspin
troelli ochr y bêl *be* sidespin
troelli'r bêl *be* spin the ball
troelli'r bêl tros ben *be* topspin
troelliad *eg* spin *n*
troelliad cynhenid *eg* intrinsic spin
troelliad ochr agored *eg* off-break bowling
troelliad ochr goes *eg* leg-break
troelliad paredig *eg* low spin
troelliad raced *eg* spin of racket
troelliad y Ddaear *eg* spin of the Earth *n*
troellog *ans* spiral *adj*
troellwr dillad *eg* spin drier
troeth *eg* urine
troethi *be* micturate
troethiad *eg* micturition
troethlif *eg* diuresis
trofan *eg* tropic
Trofan Cancr *eg* Tropic of Cancer
Trofan Capricorn *eg* Tropic of Capricorn
trofannau *ell* tropics
trofannol *ans* tropical
trofannol-arforol *ans* tropical maritime
trofannol-gyfandirol *ans* tropical continental
trofar *eg* torsion bar
troi (hylif) *be* stir
troi (yn gyffredinol) *be* turn (in general) *v*
troi a rhoi turn and give
troi allan *be* evict
troi ar y bêl *be* turn on the ball
troi ar y nodwydd *be* pivot (on a needle)
troi'n unionsyth *be* log roll
troi o gwmpas *be* orbit (of planets, satellite) *v*
troi o'r goes *be* leg break bowling

troi partner *be* turn a partner
troi'r sawdl *be* turn the heel
troi'n wydr *be* vitrify
trol *eb* tumbrel
troli *eg* trolley
trolif *eg* eddy *n*
trolifo *be* eddy *v*
trombôn *eg* trombone
trombôn tenor *eg* trombone tenor
trombonydd *eg* trombonist
tromino *eg* tromino
tropedd *eg* tropism
tropoffin *eg* tropopause
troposffer *eg* troposphere
trorym *eg* torque (=rotational effect of force)
tros swing *eb* overswing (bent arm)
tros swing freichsyth *eb* overswing (long arm)
trosafael *eb* over grasp
trosaidd *ans* transitive
trosbeintio *be* overpainting
trosben *eg* somersault *n*
trosben ceugefn *eg* hollow back somersault
trosben dwbl *eg* double somersault
trosbennu *be* somersault *v*
trosblyg *eg* overfold
trosdeipiad *eg* overtype *n*
trosdeipio *be* overtype *v*
trosedd *eg/b* offence
trosedd drafnidiol *eb* traffic offence
trosedd farwol *eb* capital offence
trosedd ryfel *eb* war crime
troseddol *ans* criminal *adj*
troseddu yn erbyn (confensiwn) *be* violate (convention)
troseddwr *eg* criminal *n*
troseddwr ifanc *eg* young offender
troseddwr rhyfel *eg* war criminal
trosfeddiannu *be* take-over *v*
trosfeddiant *eg* take-over *n*
trosflows *eb* overblouse
trosffordd *eb* flyover
trosgais *eg* converted try
trosglwyddadwy *ans* transferable
trosglwyddedd *eg* transferability
trosglwyddiad (=ail-leoli) *eg* transfer (=reallocation) *n*
trosglwyddiad (neges, parsel) *eg* transmission (of message, parcel)
trosglwyddiad (teitl cyfreithiol) *eg* conveyance (of legal title)
trosglwyddiad amodol *eg* conditional transfer
trosglwyddiad credyd *eg* credit transfer
trosglwyddiad cyfresol *eg* serial transfer
trosglwyddo (neges, parsel) *be* transmit (message, parcel)
trosglwyddo (teitl cyfreithiol) *be* convey (=transfer legal title)
trosglwyddo (yn gyffredinol) *be* transfer (in general) *v*
trosglwyddo cyfalaf electronig *be* electronic funds transfer

---

trosglwyddo data *be* data transfer

trosglwyddo egni *be* transfer energy

trosglwyddo eiddo *be* property conveyance

trosglwyddo mater *be* transfer matter

trosglwyddo'r gost *be* transfer cost

trosglwyddo ymlaen *be* roll over

trosglwyddydd *eg* transmitter

trosglwyddyn *eg* transfer (=transferable design)

trosglwyddyn gwreslynol *eg* iron-on transfer

trosglwyddyn smocwaith *eg* smocking transfer

trosgynnol *ans* transcendental

troshaen *eb* overlay *n*

troshaen ddiwylliannol *eb* cultural overlay

troshaen rhaglen *eb* program overlay

troshaenu *be* overlay *v*

trosi (mewn biocemeg) *be* translate (in biochemistry)

trosi (cais) *be* convert (a try)

trosi (syniadau) *be* turn (ideas) *v*

trosiad (mewn ffiseg) *eg* transition (in physics)

trosiad (syniadau) *eg* translation (of ideas)

trosiad coed *eg* timber conversion

trosiant *eg* turnover

trosiant gwerthu *eg* sales turnover

troslap *eg* overwrap

trosleisio *be* dubbing (of speech translation)

troslun *eg* transfer (=coloured picture)

trosnod *eg* switch node

trosol *eg* crowbar

trosoledd *eg* leverage (principle of)

trosolfar *eg* lever bar

trosoli *be* level over

trosoliad *eg* leverage (act of)

trostir *eg* overland

trostorri *be* cut over

troswisg *eb* smock

troswydro *be* overglaze *v*

troswydryn *eg* overglaze *n*

trosyrrydd niwral *eg* neural transmitter

trosysgrifo *be* overwrite

tros-argraffu *be* over-print

tros-seinio *be* dubbing (of sound)

Trotscïad *eg/b* Trotskyist

Trotscïaeth *eb* Trotskyism

trothwy *eg* threshold

trothwyol *ans* liminal

trowsus *eg* trousers

trowsus nofio *eg* trunks (for swimming)

trwbadŵr *eg* troubadour

trwch *eg* thickness

trwch dwbl *eg* double thickness

trwch wal *eg* wall-thickness (of pipe)

trwch y gellir ei anwybyddu *eg* negligible thickness

trwchus *ans* thick (of liquids, materials,)

tröedigaeth *eb* conversion (in religion)

tröedigaeth grefyddol *eb* religious conversion

trwm (am deip) *ans* bold (of type)

trwm (yn gyffredinol) *ans* heavy

trwmpedwr *eg* trumpeter

trwsiadus *ans* well groomed

trwsio *be* mend

trwyadl *ans* rigorous

trwybwn *eg* throughput

tröydd *eg* stirrer

tröydd magnetig *eg* magnetic stirrer

trwydded *eb* licence (=permit)

trwydded modur *eb* road fund licence

trwyddedwr *eg* licenser

trwyn (daearyddol) *eg* point (topographic)

trwyn (mewn anatomi etc) *eg* nose

trwyn byr *eg* stubnose

trwyn crwn *eg* round nose (of lathe tools)

trwynol *ans* nasal

trwyth *eg* infusion (=liquid or admixture)

trwyth baban *eg* baby lotion

trwyth glanhau *eg* cleansing lotion

trwyth gwair *eg* hay infusion

trwyth mewnwythiennol *eg* intravenous infusion (of liquid)

trwyth parhaus *eg* continuous infusion (of liquid)

trwythiad *eg* impregnation (=saturation)

trwytho *be* infuse

trwythol *ans* tinctorial

trwytholchi *be* leach

trwytholchiad *eg* leaching

trybedd *eb* tripod

tryc *eg* truck

trychiad (=rhywbeth wedi'i dorri ffwrdd) *eg* amputation

trychiad (ar gynllun, lluniad) *eg* section (of plan, drawing) *n*

trychiad amlinell *eg* outline section

trychiad arosgo *eg* oblique section

trychiad conig *eg* conic section

trychiad cyflawn *eg* complete section

trychiad llorweddol *eg* horizontal section

trychiad safonol *eg* standard section

trychiad tangiadol *eg* tangential section

trychiad U *eg* U-section

trychiadol *ans* sectional (of drawing)

trychinebedd *eg* catastrophism

trychinebu *be* catastrophizing

trychlun *eg* sectional drawing

trychu (=torri i ffwrdd) *be* amputate

trychu (ar gynllun neu luniad) *be* section *v*

trychu a gwanu cut and thrust

trychu at ben *be* cut at head

trychu at foch *be* cut at cheek

trychu at fynwes *be* cut at chest

trychu at ystlys *be* cut at flank

trydan *eg* electricity

trydan dŵr *eg* hydroelectric

trydan statig *eg* static electricity

trydanol *ans* electric *adj*

---

adf, adv adferf, *adverb*   **ans, adj** ansoddair, *adjective*   **be** berf, *verb*   **eb** enw benywaidd, *feminine noun*   **eg** enw gwrywaidd, *masculine noun*

trydanu *be* electrify
trydanwr *eg* electrician
trydarthiad *eg* transpiration
trydarthu *be* transpire
Trydedd Reich *eb* Third Reich
Trydedd Weriniaeth *eb* Third Republic
trydydd *eg* third (ordinal number)
trydydd ar ddeg *eg* thirteenth
trydydd gwrthdro *eg* third inversion
trydydd isradd *eg* cube root
trydydd israddau un *ell* cube roots of unity
trydydd person *eg* third person
trydyddol *ans* tertiary
trydylliad *eg* perforation (on stamp)
tryddiferiad *eg* seepage
tryddiferu *be* seep
tryfalu *be* dovetailing
tryfer *eg* trident
trylededd *eg* diffusivity
tryflediad *be* diffusion (in physics and chemistry)
tryledol *ans* diffuse *adj*
tryledu *be* diffuse (in physics and chemistry) *v*
tryledwr *eg* diffuser
tryledwr chwistrell *eg* spray diffuser
tryleu *ans* translucent
tryleuedd *eg* translucency
trylifiad *eg* percolation
trylifo *be* percolate
tryloyw *ans* transparent
tryloywder (ar gyfer taflunydd) *eg* slide (for projector)
tryloywder (yn gyffredinol) *eg* transparency
trylwyr *ans* thorough
trynewid *eg* permutation
trynion *eg* trunnion
tryptoffan *eg* tryptophan
trysorlys *eg* treasury
trywanu *be* pierce (=stab) *v*
trywel *eg* trowel
trywel aelwyd *eb* hearth trowel
trywel gât *eb* ingate trowel
trywel sgwâr *eb* square trowel
trywel taprog *eg* tapered trowel
trywydd (mewn dadl, trafodaeth) *eg* thread (of argument, discussion etc) *n*
trywydd (mewn mathemateg) *eg* spur (=trace)
trywydd archwilio *eg* audit trail
trywydd ymholi *eg* line of enquiry
Tsar yr Holl Rwsiaid *eg* Tsar of all the Russians
Tsaraeth *eb* Tsardom
tsieni *eg* china
tsieni asgwrn *eg* bone china
tsieni tryleu *eg* translucent china
tsip *eg* chip (in football) *n*
tsipio *be* chip (in football) *v*
tsipio'r bêl *be* chip the ball
tu allan *eg* outside

tu allan i'r droed *eg* outstep
tu allan i'r amrediad out of range
tu chwith *eg* reverse side
tu hwnt i'r ffin *eg* out of bounds
tu mewn *eg* interior (=inside) *n*
tu mewn i'r cylch *eg* inside the circle
tua *adf* approximately
tua'r tir *ans* landward
tuag i mewn *adf* inwards
tua'r pegwn *ans* poleward
tudalen *eg/b* page *n*
tudalen gartref *eb* home page
tudaleniad *eg* pagination
tudalennog *ans* paged
tudalennu *be* paginate
Tuduriaid *ell* Tudors

tuedd (mewn ystadegaeth) *eb* bias (in statistics) *n*
tuedd (yn gyffredinol) *eg* tendency

tueddfryd *eg* aptitude
tueddiad baromedrig *eg* barometric tendency
tueddiad gwasgedd *eg* pressure tendency
tueddol *ans* biased
tuit canol *eg* middle tuit
tulle *eg* tulle

tun (Sn) *eg* tin (Sn)
tun (am gynhwysydd ar gyfer coginio) *eg* tin (of container) *n*
tun (am gynhwysydd y caiff bwyd neu ddiod eu selio ynddo) *eg* can
tun pobi *eg* baking tin
tunelledd *eg* tonnage
tunelledd cofrestredig net *eg* net register tonnage
tunelledd dadleoliad *eg* displacement tonnage
tunelledd llwyth *eg* deadweight tonnage
tunio *be* tin *v*
tunnell *eb* ton
tunnell fetrig *eb* tonne
tunplat *eg* tinplate
turn *eg* lathe
turn canol *eg* centre lathe
turn polyn *eg* pole lathe
turnio *be* turn (lathe) *v*
turnio ar wynebplat *be* faceplate turning
turnio coed *be* wood turning
turnio cyflin *be* parallel turning
turnio rhwng canolau *be* turning between centres
turnio tapr *be* taper turning
turnio ysgafn *ans* light turning (of lathe tools)
turniwr *eg* turner
turnwriaeth *eb* turnery
turnwriaeth oddfog *eb* bulbous turnery
tussore *ans* tussore
tuth *eb* trot *n*
tuthio *be* trot *v*
tuyére *eg* tuyére
twb *eg* tub *n*
twb pâr *eg* tub pair

---

eg/b enw gwrywaidd/benywaidd, *feminine/masculine noun*   *ell* enw lluosog, *plural noun*   *v* berf, *verb*   *n* enw, *noun*

twb pedwar *eg* tub four
twb sefydlog *eg* fixed tub
twbio *be* tub *v*
twc *eg* tuck
twc cragen *eg* shell tuck
twc cysgod *eg* shadow tuck
twc gwrthdro *eg* inverted tuck
twc pin *eg* pin tuck
twf *eg* growth (act or process of)
twf alometrig *eg* allometric growth
twf byngaloaidd *eg* bungaloid growth
twf cyfalaf *eg* capital growth
twf-ymateb *eg* growth response
twff *eg* tuff
twffa *eg* tufa
twil *eg* twill
twll (=lle mae cwningod yn byw) *eb* burrow (of rabbits)
twll (yn gyffredinol) *eg* hole
twll ag edau ynddo *eg* threaded hole
twll arbor *eg* arbor hole
twll archwilio *eg* manhole
twll arwain *eg* pilot hole
twll awyr *eg* vent hole
twll botwm *eg* buttonhole
twll botwm fertigol *eg* vertical buttonhole
twll botwm llaw *eg* hand made buttonhole
twll botwm llorweddol *eg* horizontal buttonhole
twll botwm peiriant *eg* machine made buttonhole
twll botwm pwythog *eg* worked buttonhole
twll botwm wedi'i beipio *eg* piped buttonhole
twll botwm wedi'i rwymo *eg* bound buttonhole
twll bys *eg* finger hole
twll cliriad *eg* clearance hole
twll cocos *eg* sprocket hole
twll chwistrellu *eg* spray nozzle
twll dall *eg* blind hole
twll dart *eg* dart perforation
twll edau *eg* thread hole
twll glan *eg* clean hole
twll gwrthfor *eg* counterbored hole
twll gwrthsodd *eg* countersunk hole
twll llawes *eg* armhole
twll llygaden *eg* eyelet hole
twll offer *eg* hardie hole
twll olew *eg* oil hole
twll pin *eg* pinhole
twll porthi *eg* feed hole
twll pwnsh *eg* punch hole
twll sbïo *eg* spy hole
twll sbriw *eg* sprue hole
twll tapio *eg* tapping hole
twll turio *eg* bore-hole
twll wedi'i bwnsio *eg* punched hole
twll wedi'i dapio *eg* tapped hole
twll ymochel *eg* dugout
twll yn y galon *eg* hole in the heart

twmfar *eg* tommy-bar
twmffat *eg* funnel
twmffat diferu *eg* dropping funnel
twmffat gwahanu *eg* separating funnel
twmffat hidlo *eg* filter funnel
twmffat ysgall *eg* thistle funnel
twmpath dawns *eg* folk dance (occasion)
twmplen *eb* dumpling
twmplen afal *eb* apple dumpling
twndis *eg* funnel
twndis diferu *eg* dropping funnel
twndis gwahanu *eg* separating funnel
twndis hidlo *eg* filter funnel
twndis ysgall *eg* thistle funnel
twndra *eg* tundra
twngsten (W) *eg* tungsten (W)
twngsten carbid *eg* tungsten carbide
twnnel *eg* tunnel
twnnel ffordd *eg* road tunnel
tŵr *eg* beacon (=tower)
twr *eg* group (=huddle)
tŵr *eg* tower
tŵr cromfannol *eg* apsidal tower
tŵr dyfrgist *eg* cistern tower
tŵr ifori *eg* ivory tower
twrban *eg* turban
Twrc *eg* Turk
Twrcaidd *ans* Turkish
Twrciad Otomanaidd *eg* Ottoman Turk
twrch daear *eg* mole (=small mammal)
twred *eg* turret
twristiaeth *eb* tourism
twrnai *eg* attorney
Twrnai Cyffredinol *eg* Attorney-General
twrnamaint *eg* tournament
twyll *eg* fraud
twyllo *be* deceive
twyllresymeg *eb* casuistry
twymyn *eb* fever
twymyn goch *eb* scarlet fever
twymyn gwynegon *eb* rheumatic fever
twymyn haul *eb* sunstroke
twymynol *ans* febrile
twyn *eg* dune
twyn cysylltiedig *eg* attached dune
twyn gwyn *eg* white dune
twyn llwyd *eg* grey dune
twyn sefydlog *eg* fixed dune
twyn tywod *eg* sand dune
twyndir *eg* downland
twyndir tonnog *eg* rolling downland
twyni (tywod) *ell* burrows (of sand)
twysgen *eg* hank
tŷ (adeilad) *eg* house
tŷ (adeilad a'r cynnwys) *eg* household (=a house and its affairs)
tŷ amryw lefel *eg* split-level house

---

tŷ ar osod *eg* house to let

tŷ bwyta *eg* restaurant

tŷ clwb *eg* clubhouse

tŷ clwm *eg* tied house

tŷ crefydd *eg* religious house

tŷ ffrâm nenfforch *eg* cruck framed house

tŷ gwydr *eg* glasshouse

Tŷ Gwyn *eg* White House

tŷ haf *eg* holiday cottage

tŷ meddalwedd *eg* software house

tŷ opera *eg* opera house

tŷ pâr *eg* semi-detached house

tŷ parod *eg* prefabricated house

tŷ ransh *eg* ranch-house

tŷ rhes *eg* terrace house

tŷ sengl *eg* detached house

tŷ tafarn *eg* public house

tŷ teras *eg* terraced house

tŷ teras Fictoraidd *eg* Victorian terraced house

tŷ tref Rhufeinig *eg* Roman town house

tybaco *eg* tobacco

tybiaeth *eb* assumption

tyddyn *eg* smallholding

tyfbwynt *eg* growing point

tyfiant *eg* growth

tyfiant trwchus *eg* dense growth

tyfu *be* grow

tyffaidd *ans* tuffaceous

tyngu anudon *be* perjure

tylino *be* knead

tylino'r corff *be* massage

tyllfedd *eg* bore (=diameter) *n*

tyllfwrdd *eg* keypunch

tyllog *ans* perforated

tyllu *be* bore (=make a hole) *v*

tyllwr cardiau *eg* card punch

tyllwr llygadennau *eg* eyelet punch

tyllydd *eg* borer

tyllydd lledr *eg* leather punch

tyllydd tâp *eg* tape punch

tymer *eg* temper *n*

tymestl *eb* gale

tymheredd *eg* temperature

tymheredd critigol *eg* critical temperature

tymheredd cronedig *eg* accumulated temperature

tymheredd cyfartalog *eg* average temperature

tymheredd cymedrig *eg* mean temperature

tymheredd cyson *eg* constant temperature

tymheredd egino *eg* germinating temperature

tymheredd sylfaenol *eg* fundamental temperature

tymheredd y corff *eg* body temperature

Tymheredd a Gwasgedd Safonol *eg* Standard Temperature and Pressure

tymheru *be* tempering

tymherus *ans* temperate

tymherus claear *ans* cool temperate

tymherus cynnes *ans* warm temperate

tymhorol (=bob tymor) *ans* terminal (=every term) *adj*

tymhorol (=yn ymwneud ag amser) *ans* temporal

tymor *eg* term (=period of time)

tymor hir *ans* long-term

tymor prawf *eg* noviciate

tymor tyfu *eg* growing season

tymor y gwanwyn *eg* spring term

tymor yr haf *eg* summer term

tympan y glust *eg* ear drum

tympanwm *eg* tympanym

tyndra (cyhyrau, nerfau etc) *eg* tension (of muscles, nerves etc)

tyndra (emosiynol) *eg* stress

tyndra (yn gyffredinol) *eg* tightness

tyndra cyn mislif *eg* premenstrual tension

tyndra'r corff *eg* body tension

tyndro *eg* wrench *n*

tyndro bach *eg* hook wrench

tyndro cadwyn *eg* chain wrench

tyndro crafanc *eg* claw wrench

tyndro cymwysadwy *eg* adjustable wrench

tyndro gafael ebrwydd *eg* instant grip wrench

tyndro hunanafael *eg* mole wrench

tyndro llaw *eg* hand wrench

tyndro peipen *eg* pipe wrench

tyndro plygu peipen *eg* pipe bending wrench

tyndro sgrôl *eg* scroll wrench

tyndro tap *eg* tap wrench

tyndro trorym *eg* torque wrench

tyndroi *be* wrench *v*

tynddwr *eg* backwash

tyner *ans* tender

tynerwch *eg* tenderness (emotion)

tynfa *eb* draught (of ship)

tynfa disgyrchiant *eg* gravity pull

tynfad *eg* tug

tynfaen *eg* lodestone

tynfollt *eg* drawbolt

tynhau *be* tighten

tynhau (y bwa) *be* brace (the bow)

tynhau cynfas *be* canvas straining

tynhawr (llif fwa) *eg* tourniquet (bowsaw)

tynhawr belt *eg* belt tightener

tyniad *eg* pull *n*

tyniannwr *eg* tensioner

tyniant *eg* tension (mechanical)

tyniant arwyneb *eg* surface tension

tynlath *eb* tie-beam

tynn *ans* tight *adj*

tynnol (=yn tynnu i ffwrdd) *ans* subtractive

tynnol (=yn ymwneud â thensiwn) *ans* tensile

tynnol uchel *ans* high tensile (steel alloys)

tynnu (=symud tuag atoch drwy gyfrwng grym) *be* pull *v*

tynnu (mewn gwaith rhif) *be* subtract

tynnu (arian) *be* deduction (of money)

---

tynnu lawr *be* draw down

tynnu bwa *be* bow (with stringed instrument) *v*

tynnu casgliadau *be* draw conclusions

tynnu cyhyr *be* pull a muscle

tynnu edau *be* draw a thread

tynnu esgyrn *be* boning (in cooking)

tynnu gwaed *be* venepuncture

tynnu hylif madruddyn y cefn *be* lumbar puncture

tynnu lawr (yn gyffredinol) *be* pull down

tynnu llinell *be* draw a line

tynnu llun *be* draw a picture

tynnu llwch *be* dust

tynnu'n rhydd *be* pull free

tynnu plentyn yn ôl o addysg grefyddol *be* withdraw a child from religious education

tynnu'r bêl *be* pull the ball

tynnu rhaff *be* tug'o' war

tynnu slac *be* taking in slack

tynnu sylw (at) *be* draw attention (to)

tynnu tangiad *be* draw a tangent

tynnu wyneb *be* grimace *v*

tynnwr paent *eg* paint remover

tyno *eg* tenon

tyno cloëdig *eg* keyed tenon

tyno dwbl *eg* double tenon

tyno fforchog *eg* forked tenon

tyno hansiedig *eg* haunched tenon

tyno hansiedig cudd *eg* secret haunched tenon

tyno hansiedig sgwâr *eg* square haunched tenon

tyno meitrog *eg* mitred tenon

tyno pen morthwyl *eg* hammer-head tenon

tyno pwt *eg* stub tenon

tyno stop *eg* stopped tenon

tyno trwodd *eg* through tenon

tyno unysgwyddog *eg* barefaced tenon

tyno wedi'i begio *eg* pegged tenon

tyno wedi'i letemu *eg* wedged tenon

tyno wedi'i letemu'n gudd *eg* fox-wedged tenon

tyno ysgithr *eg* tusk tenon

tyno ysgwydd hir a byr *eg* long and short shouldered tenon

tyrbin *eg* turbine

tyrbin ager *eg* steam turbine

tyrchu (=cloddio) *be* burrowing

tyrchu (=cyrathiad fertigol) *be* down cutting (=vertical corrasion)

tyrfedd *eg* turbulence (in meteorology)

tyrfol *ans* turbulent (in meteorology)

tyrnsgriw *eg* screwdriver

tyrnsgriw atred *eg* offset screwdriver

tyrnsgriw cabinet *eg* cabinet screwdriver

tyrnsgriw clicied *eg* ratchet screwdriver

tyrnsgriw cyffredin *eg* normal screwdriver

tyrnsgriw Pozidrive *eg* Pozidrive screwdriver

tyrnsgriw Phillips *eg* Phillips screwdriver

tyrnsgriw rychiog *eg* fluted screwdriver

tyrnsgriw sbiral *eg* spiral screwdriver

tyrnsgriw trydanwr *eg* electrician's screwdriver

tyrosin *eg* tyrosine

tyrpant *eg* turpentine

tyrpeg *eg* turnpike

tyst *eg* witness *n*

tystbwnsio *be* witness punching

tysteb *eb* testimonial

tystio *be* witness *v*

tystiolaeth *eb* evidence

tystiolaeth arbrofol *eb* experimental evidence

tystiolaeth briodol *eb* appropriate evidence

tystiolaeth eilaidd *eb* secondary evidence

tystiolaeth weledol *eb* visual evidence

tystiolaeth wreiddiol *eb* primary evidence

tystysgrif *eb* certificate

tystysgrif marwolaeth *eb* death certificate

Tystysgrif Addysg *eb* Certificate of Education

Tystysgrif Addysg Estynedig *eb* Certificate of Extended Education

Tystysgrif Addysg Gyn-Alwedigaethol (TAGA) *eb* Certificate of Pre-Vocational Education (CPVE)

Tystysgrif Addysg i Raddedigion (TAR) *eb* Post Graduate Certificate of Education (PGCE)

tystysgrif cyfranddaliadau *eb* share certificate

tystysgrif feddygol *eb* medical certificate

tystysgrif gadael ysgol *eb* school leaving certificate

tystysgrif geni *eb* birth certificate

Tystysgrif Gyffredinol Addysg uwchradd (TGAU) *eb* General Certificate of Secondary Education (GCSE)

tywel *eg* towel

tywelin *eg* towelling

tywod *eg* sand

tywod chwyth *eg* blown sand

tywod ffowndri *eg* foundry sand

tywod gorgynnes *eg* hot sand

tywod llaith *eg* green sand

tywod mowldio *eg* moulding sand

tywod partio *eg* parting sand

tywod sïo *eg* whistling sand

tywod wedi'i ridyllu *eg* sifted sand

tywodfaen *eg* sandstone

tywodfaen gwyrdd *eg* greensand

tywodlyd *ans* arenaceous

tywydd *eg* weather

tywyll *ans* dark

tywyll a golau light and shade

tywyllu *be* darken *v*

tywyllwch *eg* darkness

tywyn *eg* glow *n*

tywynnu *be* glow *v*

tywyrch sbringar *ell* springy turfs

tywys *be* guide *v*

tywysen corn *eb* corn cob

tywyslinell *eb* guide line (of diagram)

tywysog *eg* prince

Tywysog Cydweddog *eg* Prince Consort

Tywysog Du *eg* Black Prince

tywysog o waed *eg* prince of the blood

---

tywysogaeth *eb* principality

tywyswr hogi *eg* honing guide

tywysydd *eg* guide (of person) *n*

tywysydd sefydlog *eg* fixed guide

Tŷ'r Arglwyddi *eg* House of Lords

tŷ'r brodyr *eg* friary

Tŷ'r Cyffredin *eg* House of Commons

Tŷ'r Cynrychiolwyr *eg* House of Representatives

Th

thaliwm (Tl) *eg* thallium (Tl)
thalws *eg* thallus
Theatiad *eg/b* Theatine
theatr *eb* theatre
theatr bypedau *eb* puppet theatre
theatr gerdd *eb* music hall
theatr gŵyl *eb* festival theatre
theatraidd *ans* theatrical
theistiaeth *eb* theism
thema *eb* theme
thema ac amrywiadau theme and variations
thema drawsgwricwlaidd *eb* cross-curricular theme
thema hanesyddol *eb* historical theme
theodolit *eg* theodolite
theorbo *eg* theorbo
theorem *eb* theorem
theorem binomial *eb* binomial theorem
theorem bodolaeth *eb* existence theorem
theorem gyfdro *eb* converse theorem
theorem gynrychioliad *eb* representation theorem
theorem Pythagoras *eb* Pythagoras theorem
theorem y gweddill *eb* remainder theorem
theori *eb* theory (=exposition of the principles of a science)
theori cerddoriaeth *eb* theory of music
theori ciwio *eb* queuing theory
theori gemau *eb* theory of games
theori gwybodaeth *eb* information theory
theori Ostwald *eb* Ostwald theory
therapi *eg* therapy
therapi cleient ganolog *eg* client centred therapy
therapi galwedigaethol *eg* occupational therapy
therapi grŵp *eg* group therapy
therapi hel atgofion *eg* reminiscence therapy
therapi lleferydd *eg* speech therapy
therapi ocsigen *eg* oxygen therapy
therapi teulu *eg* family therapy
therapi ymddygiad *eg* behaviour therapy
therapi ymddygiad gwybyddol *eg* cognitive behaviour therapy
therapiwtig *ans* therapeutic
therapydd *eg* therapist
therapydd lleferydd *eg* speech therapist
therapydd chwarae *eg* play therapist

therapydd galwedigaethol *eg* occupational therapist
therm *eg* therm
thermionig *ans* thermionic
thermistor *eg* thermistor
thermocwpl *eg* thermocouple
thermodrydan *eg* thermoelectricity
thermodrydanol *ans* thermoelectric
thermodynameg *eb* thermodynamics
thermodynamig *ans* thermodynamic *adj*
thermoffurfio *be* thermo forming
thermogram *eg* thermogram
thermogydiad *eg* thermojunction
thermomedr *eg* thermometer
thermomedr bwlb gwlyb *eg* wet bulb thermometer
thermomedr clinigol *eg* clinical thermometer
thermomedr isafbwynt *eg* minimum thermometer
thermomedr uchafbwynt *eg* maximum thermometer
thermomedredd *eg* thermometry
thermopil *eg* thermopile
thermoplastig *ans* thermoplastic *adj*
thermoplastig *eg* thermoplastic *n*
thermosgop *eg* thermoscope
thermosodol *ans* thermosetting *adj*
thermostat *eg* thermostat
thesawrws *eg* thesaurus
thesawrws lefel *eg* age phase thesaurus
thesis *eg* thesis (=proposition, argument)
thiamin *eg* thiamine
thicsotropig *ans* thixotropic *adj*
thoracs *eg* thorax *n*
thorasig *ans* thoracic *adj*
thoriwm (Th) *eg* thorium (Th)
thrombocyt *eg* thrombocyte
thrombosis *eg* thrombosis
thrombosis coronaidd *eg* coronary thrombosis
thrombws *eg* thrombus
thuser *eb* censer (in church)
thwliwm (Tm) *eg* thulium (Tm)
thymws *eg* thymus
thyrocsin *eg* thyroxin
thyroglobwlin *ans* thyroglobulin
thyroid *eg* thyroid

uchafbwynt (=pwynt uchaf) *eg* maximum (=highest point)

uchafbwynt (yn gyffredinol) *eg* climax

uchafbwynt llystyfiant *eg* climax vegetation

uchafbwynt rhewlifol *eg* glacial maximum

uchafbwynt tymheredd *eg* maximum temperature

uchafiaeth *eb* primacy

uchafswm *eg* maximum (of amount)

uchafsymio *be* maximize (in mathematics)

Uchaf-Lywodraethwr *eg* Supreme Governor

uchder (=pellter uwchben y ddaear) *eg* altitude

uchder (=taldra) *eg* height (=elevation)

uchder defnydd *eg* use-height

uchder fertigol *eg* vertical height

uchder fertigol cywir *eg* true vertical height

uchder gofynnol *eg* required height

uchder mwyaf *eg* maximum height

uchder oledd *eg* slant height

uchder perpendicwlar *eg* perpendicular height

uchder y bar *eg* bar height

uchderau i'r metr agosaf uwchlaw lefel y môr cymedrig
heights are to the nearest metre above mean sea level

uchel *ans* high

uchel chwilyswr *eg* grand inquisitor

uchel dywysog *eg* grand prince

uchel Ddadeni *eg* high Renaissance

Uchel Eglwysig *ans* High Church

uchel feistr *eg* grand master

uchel frad *eg* high treason

Uchel Frenhinwr *eg* Ultra-Royalist

Uchel Gomisiwn *eg* High Commission

Uchel Gwnstabl *eg* High Constable

Uchel Lys *eg* High Court

Uchel Siryf *eg* High Sheriff

ucheldir *eg* highland

uchelfraint *eb* prerogative *n*

uchelfreiniol *ans* prerogative *adj*

uchelgyhuddiad *eg* impeachment

uchelgyhuddo *be* impeach

uchelseinydd *eg* loudspeaker

uchelwr *eg* nobleman

uchelwr (Rhufeinig) *eg* patrician *n*

uchelwrol *ans* patrician *adj*

ufuddhau *be* obey

uffern *eb* hell

ugeinfed ganrif *eb* twentieth century

ungnwd *eg* monoculture

un ar brawf *eg/b* probationer

un cylchdro cyflawn *eg* one complete rotation

un rhyw *ans* single sex

unawd *eb* solo

unawd chwythbrennau *eb* wind solo

unawd llinynnol *eb* string solo

unawd pres *eb* brass solo

unawdydd *eg* soloist

unben *eg* dictator

unben goleuedig *eg* benevolent despot

unbenaethol *ans* dictatorial

unbennaeth *eb* dictatorship

unbennaeth oleuedig *eb* benevolent despotism

unbennaeth y proletariat *eb* dictatorship of the proletariat

unbotensial *ans* equipotential

uncorn *eg* unicorn

uncwrsaidd *ans* unicursal

undeb *eg/b* union (=trade union, association etc)

Undeb Gwleidyddol Cenedlaethol *eg* National Political Union

Undeb Cenedlaethol y Myfyrwyr *eg* National Union of Students

Undeb Cymdeithasol a Gwleidyddol y Merched *eg* Women's Social and Political Union

Undeb Ewropeaidd *eg* European Union

undeb llafur *eg* trade union

Undeb Llafur Unedig Cenedlaethol *eg* Grand National Consolidated Union

Undeb Llychlyn *eg* Scandinavian Union

undeb myfyrwyr *eg* students union

Undeb Rhyngwladol *eg* International (=L'internationale)

Undeb Sofietaidd, yr *eg* U.S.S.R.

undeb y cwmni *eg* company union

undebaeth *eb* unionism

undebaeth cwmni *eb* company unionism

undebwr *eg* unionist (trade)

undodaidd *ans* unitarian *adj*

undodiaeth *eb* unitarianism

undodwr *eg* unitarian *n*

undduwiaeth *eb* monotheism

uned *eb* unit *n*

uned addurnol *eb* decorative unit

Uned Addysg Bellach *eb* Further Education Unit

uned allbynnu *eb* output unit

uned arbennig *eb* special unit

uned arddangos graffigol *eb* graphical display unit

uned arddangos weledol *eb* visual display unit

uned argraffu *eb* printing unit

uned batrymu *eb* unit of design

uned blygio *eb* plug-in unit

uned brosesu ganolog *eb* central processing unit

---

eg/b enw gwrywaidd/benywaidd, *feminine/masculine noun*   *ell* enw lluosog, *plural noun*   *v* berf, *verb*   *n* enw, *noun*

uned cyfrif *eg* unit of account
uned cymhwysedd *eb* unit of competence
uned disgyrchiant *eb* gravitational unit
uned ddysgu *eb* teaching unit
uned fetrig *eb* metric unit
uned fewnbynnu *eb* input unit
uned fympwyol *eb* arbitrary unit
uned gadarn *eb* secure unit
uned gegin *eb* kitchen unit
uned gerfluniol *eb* sculptural unit
uned gofal *eb* care unit
uned gofal arbennig *eb* special care unit
uned gofal arbennig i fabanod *eb* special care baby unit
uned gornel *eb* corner unit
uned gwaredu sbwriel *eb* waste-disposal unit
uned gymdogaeth *eb* neighbourhood unit
uned imperial *eb* imperial unit
uned i'w hongian (ar wal) *eb* wall-hanging unit
uned losgiadau *eb* burns unit
uned llythrennedd a sgiliau sylfaenol i oedolion *eb* adult literacy and basic skills unit
uned orfodol *eb* mandatory unit
uned reoli *eb* control unit
uned resymegol *eb* logical unit
uned rifyddeg-resymeg *eb* arithmetic-logic unit
uned rheoli storfa *eb* store control unit
uned safonol gyffredin *eb* common standard unit
uned SI *eb* SI unit
uned tâp *eb* tape unit
uned weinyddol *eb* administrative unit
uned wres *eb* unit of heat
uned ymddygiad *eb* behavioural unit
uned ymolchi *eb* vanity unit
unedau ystafell ymolch *ell* bathroom suite
unedig *ans* unified
unedol *ans* unitary
unfaint *ans* equal (magnitude)
unfalent *ans* univalent
unfan (yn yr) *eg* spot (on the)
unfath *ans* identical
unfathiant *eg* identity (=absolute sameness)
unfed ar ddeg *eg* eleventh (interval)
unflwydd *ans* annual (=lasting for one year) *adj*
unfodiwlaidd *ans* unimodular
unfoleciwlaidd *ans* unimolecular
unffurf *ans* uniform *adj*
unffurfedd elfennol *eg* elementary entity
unffurfiadaeth *eb* uniformitarianism
unffurfiaeth *eb* uniformity
unffurfiaeth lliw *eb* constancy of colour
unffurfiaeth siâp *eb* constancy of shape
ungellog *ans* single celled
unhadog *ans* single seeded
uniad (=man lle mae dau beth yn uno) *eg* joint (in object) *n*
uniad (=y weithred o uno) *eg* union (act or instance of uniting)
uniad bagl *eg* bridle joint

uniad bagl cornel *eg* corner bridle joint
uniad bagl cynffonnog *eg* dovetail bridle joint
uniad bagl cynffonnog meitrog *eg* mitred dovetail bridle joint
uniad bagl T *eg* tee bridle joint
uniad blwch *eg* box joint
uniad boltiog *eg* bolted joint
uniad bôn *eg* butt joint
uniad bôn meitrog *eg* butt mitred joint
uniad bôn meitrog cudd *eg* butt mitred and keyed joint
uniad bylchog *eg* notched joint
uniad bys *eg* finger joint (box)
uniad cilannog *eg* recessed joint
uniad cloëdig *eg* keyed joint
uniad cocsen *eg* cogged joint
uniad colyn *eg* pivot joint (in woodwork)
uniad confensiynol *eg* conventional joint
uniad cornel *eg* corner joint
uniad crib *eg* comb joint
uniad croes haneru *eg* cross halving joint
uniad cyffredin *eg* common joint
uniad cymal *eg* knuckle joint
uniad cynffonnog *eg* dovetail joint
uniad cynffonnog cudd *eg* secret dovetail joint
uniad cynffonnog meitr cudd *eg* secret mitre dovetail joint
uniad cynffonnog meitrog *eg* mitred dovetail joint
uniad cynffonnog onglog *eg* angle dovetail joint
uniad cynffonnog trwodd *eg* through dovetail joint
uniad cynffonnog trwodd addurnol *eg* decorative through dovetail joint
uniad dado *eg* dado joint
uniad drôr *eg* drawer joint
uniad ffrâm *eg* sash joint
uniad haneru *eg* halving joint
uniad haneru cornel *eg* corner halving joint
uniad haneru cynffonnog *eg* dovetail halving joint
uniad haneru meitrog *eg* mitred halving joint
uniad haneru ongl *eg* angle halving joint
uniad haneru T *eg* T-halving joint
uniad hanner cilannog *eg* half-recessed join
uniad hoelbren *eg* dowel joint
uniad laminiad *eg* laminate joint
uniad llac *eg* loose joint
uniad lledu *eg* widening joint
uniad meitr *eg* mitre joint
uniad meitr clo *eg* keyed mitre joint
uniad meitr tafod *eg* tongued mitre joint
uniad meitrog *eg* mitred joint
uniad meitrog plaen *eg* plain mitred joint
uniad mortais a thyno *eg* mortise and tenon joint
uniad mortais a thyno ag ysgwydd hir a byr *eg* long and short shoulder mortise and tenon joint
uniad mortais a thyno dwbl *eg* double mortise and tenon joint
uniad mortais a thyno hansiedig *eg* haunched mortise and tenon joint

---

uniad mortais a thyno hansiedig cudd *eg* secret haunched mortise and tenon joint

uniad mortais a thyno hansiedig sgwâr *eg* square haunched mortise and tenon joint

uniad mortais a thyno niferus *eg* pinned mortise and tenon joint

uniad mortais a thyno pwt *eg* stub mortise and tenon joint

uniad mortais a thyno stop *eg* stopped mortise and tenon joint

uniad mortais a thyno trwodd *eg* through mortise and tenon joint

uniad ochrol *eg* lateral joint

uniad parhaol *eg* permanent joint

uniad pren *eg* wood joint

uniad rabad *eg* rabbet joint

uniad riwl *eg* rule joint

uniad rhigol draws *eg* housing joint

uniad rhigol draws daprog *eg* tapered housing joint

uniad rhigol draws gau *eg* stopped housing joint

uniad rhigol draws gynffonnog trwodd *eg* through dovetail housing joint

uniad rhigol draws trwodd *eg* through housing joint

uniad rhigol drawsgynffonnog gau *eg* stopped dovetail housing joint

uniad rhigol gynffonnog *eg* dovetail housing joint

uniad rhigol gynffonnog daprog *eg* dovetail tapered housing joint

uniad rhwbiedig *eg* rubbed joint

uniad rhybedog *eg* riveted joint

uniad sblae *eg* splayed joint

uniad sêm *eg* seam joint

uniad setiau *eg* union of sets

uniad sgarff *eg* scarf joint

uniad sgrifellog *eg* scribed joint

uniad tafod a rhych *eg* tongue and groove joint

uniad tafod rhydd *eg* loose tongue joint

uniad tyno ysgithr *eg* tusk-tenon joint

uniad V *eg* V-joint

uniad wedi'i bresyddu *eg* brazed joint

uniad ymyl *eg* edge joint

uniadau cyfwyneb *ell* flush joints

uniadu *be* joint (=connect by joints) *v*

uniadu cylchwr *be* cooper jointing

uniaith *ans* monolingual

unigol *ans* individual *adj*

unigoliaeth *eb* individualism

unigolydd *eg* individualist

unigolyddiaeth rymus *eb* rugged individualism

unigolyn *eg* individual *n*

unigryw *ans* unique

unigrywiaeth *eb* uniqueness

unigyn *eg* isolate (of child) *n*

union *ans* exact

union faint *eg* dead size

uniongred *ans* orthodox

uniongrededd *eg* orthodoxy

uniongyrchol *ans* direct

unioni (=sythu) *be* straighten

unioni (cerrynt trydan) *be* rectify

unioni (llinellau teip) *be* justify (lines of type)

unioni ar y chwith *be* left-justify

unioni ar y dde *be* right-justify

unioniad (cerrynt trydan) *eg* rectification

unioniad (llinellau teip) *eg* justification (of lines of type)

unionlin *ans* rectilinear

unionsyth *ans* upright

unionydd *eg* rectifier (of electric current)

unlled *ans* monospaced

unllin *ans* collinear

unllinedd *eg* collinearity

unlliniad *eg* collineation

uno *be* join *v*

uno Cymru a Lloegr *be* union of England and Wales

uno gwleidyddol *be* political unification

uno les *be* join lace

uno parhaol *be* permanent joining

unochrog *ans* unilateral

unoliaethwr *eg* unionist (N. Ireland)

Unoliaethwr Ulster *eg* Ulster Unionist

unplygrwydd *eg* integrity (=moral uprightness)

unrhywiol *ans* unisexual

unsad *ans* monostable

unsain *ans* unison

untrac *ans* single-track

unwerth *ans* single-valued

un-darn *eg* single-section

urdd *eb* order (=body) *n*

Urdd Cluny *eb* Cluniac Order

Urdd er Hyrwyddo Cerddoriaeth yng Nghymru *eb* Guild for the Promotion of Welsh Music

Urdd Gobaith Cymru *eb* Welsh League of Youth

urdd grefyddol *eb* religious order

urdd leiaf *eb* minor order

Urdd Oren *eb* Orange Order

Urdd Sant Awstin *eb* Augustinian Order

Urdd Sant Dominic *eb* Dominican Order

Urdd Sant Ffransis *eb* Franciscan Order

urdd sifalri *eb* chivalry, order of

Urdd Uchaf *eb* Highest Order

Urdd y Brodyr Cycyllog *eb* Capuchin Order

Urdd y Carmeliaid *eb* Carmelite Order

Urdd y Carthwsiaid *eb* Carthusian Order

Urdd y Gardys *eb* Order of the Garter

Urdd y Jeswitiaid *eb* Jesuit Order

urddas *eg* dignity

Urddau Eglwysig *ell* Holy Orders

urddwisg *eb* vestment

ustus *eg* justice (=judge)

ustus cworwm *eg* justice of the quorum

ustus cylch *eg* justice in eyre

ustus gwacáu'r carcharau *eg* justice of gaol delivery

usuriaeth *eb* usury

utgorn *eg* trumpet

---

eg/b enw gwrywaidd/benywaidd, *feminine/masculine noun*   **ell** enw lluosog, *plural noun*   **v** berf, *verb*   **n** enw, *noun*

utgorn bas *eg* bass trumpet
utgorn falfiau *eg* valve trumpet
utgorn naturiol *eg* natural trumpet
uwch *ans* higher
uwch donydd *eg* supertonic
uwch ddarlithydd *eg* senior lecturer
uwch fentor *eg* senior mentor
uwch glerigwyr *ell* higher clergy
uwchallgyrchydd *eg* ultracentrifuge
uwcharglwydd ffiwdal *eg* feudal overlord
uwcharglwyddiaeth *eb* overlordship
uwcharglwyddiaeth ffiwdal *eb* feudal overlordship
uwchben *adf* overhead
uwchben y nodyn *ans* sharp (intonation) *adj*
uwchbridd *eg* topsoil
uwchdeitl *eg* surtitle
uwchdenor *eg* countertenor
uwchdir *eg* upland
uwchdon *eb* overtone
uwchdor *ans* truncated (of soil)
uwchfarchnad *eb* supermarket
uwchfinialaidd *ans* superosculating
uwchfinialu *be* superosculate
uwchfioled *eg* ultraviolet
uwchffaryngeal *ans* suprapharyngeal
uwchganolbwynt *eg* epicentre
uwchglarinét *eg* high clarinet
uwchgrid *eg* supergrid

uwchgynhadledd *eb* summit conference
uwchnofa *eb* supernova
uwcholwg *eg* plan view
uwcholwg ategol *eg* auxiliary plan (of view)
uwcholwg darluniol *eg* pictorial plan
uwcholwg hanner trychiadol *eg* half-sectional plan
uwcholwg rhandrychiadol *eg* part-sectional plan
uwcholwg trychiadol *eg* sectional plan
uwchradd (ysgol) *ans* secondary (of schools)
uwchraddio *be* upgrade
uwchsain *ans* ultrasonic
uwchsain *eg* ultrasound
uwchseineg *eb* ultrasonics
uwchset *eb* superset
uwchsonig *ans* supersonic
uwchwaddod *eg* supernatant
uwchwastadiant *eg* altiplanation
uwchwythfed *eb* superoctave
uwchysgrif *eb* superscript
uwch-arglwydd *eg* liege-lord
uwch-arolygydd *eg* superintendent
uwch-gapten *eg* major *n*
uwch-hafaliad polynomaidd *eg* higher order polynomial equation
uwch-hidlo *be* ultrafiltration
uwch-lefel-trwythiad *eb* vadose
uwch-ringyll *eg* sergeant-major
uwch-werth *ans* high-order

adf, adv adferf, *adverb*   **ans, adj** ansoddair, *adjective*   **be** berf, *verb*   **eb** enw benywaidd, *feminine noun*   **eg** enw gwrywaidd, *masculine noun*

W

wadi *eg/b* wadi
wadin *eg* wadding
wadin trwythedig *eg* impregnated wadding
wal *eb* wall (in modern, every day usage)
wal allanol *eb* outside wall
wal cynnal pwysau *eb* load-bearing wall
wal ddringo *eb* climbing wall
wal fewnol *eb* internal wall
wal geudod *eb* cavity wall
wal gynnal *eb* sleep wall
wal solet *eb* solid wall
Waldensaidd *ans* Waldensian
Waldensiaid *ell* Waldenses
waled *eb* wallet
waltsio *be* waltz *v*
ward *eb* ward
ward arwahanu *eb* isolation ward
warden eglwys *eg* churchwarden
wardio *be* warding
wardrob *eb* wardrobe
warws *eg* warehouse
warws ecseis *eg* bonded warehouse
wasier *eb* washer
wasier blaen *eb* plain washer
wasier dafod *eb* tab washer
wasier ffibr *eb* fibre washer
wasier gloi *eb* locking washer
wasier gopr *eb* copper washer
wasier gynnal *eb* holding washer
wasier hollt *eb* split washer
wasier ledr *eb* leather washer
wasier rwber *eb* rubber washer
wasier sbring *eb* spring washer
wasier wrthgryn *eb* shake-proof washer
wat (W) *eg* watt (W)
watedd *eg* wattage
Wcrainaidd *ans* Ukrainian *adj*
Wcrainiad *eg* Ukrainian *n*
we fyd-eang, y *eb* world wide web
weber *eg* weber
webin *eg* webbing
webin lledr *eg* leather webbing
webin plastig *eg* plastic webbing
webin rwber *eg* rubber webbing
wedi baeddu *ans* soiled
wedi dyddio *ans* dated (=old-fashioned)
wedi'i arwyddo *ans* signed (in maths, physics) *(with masculine nouns)*

weldiad *eg* weld *n*
weldiad bôn *eg* butt weld
weldiad ffagod *eg* faggot weld
weldio *be* weld *v*
weldio arc drydan *be* electric arc welding
weldio asetylen *be* acetylene welding
weldio mig *be* mig welding
weldio ocsi-asetylen *be* oxy-acetylene welding
weldio oer *be* cold welding
wensgot *ans* wainscot
Weslead *eg* Wesleyan
Wesleaeth *eb* Wesleyanism
wfala *eg* uvala
wfinial *ans* uvinial
wiced *eb* wicket
wicedwr *eg* wicket-keeper
winsh *eb* winch *n*
winsio *be* winch *v*
wlna *eg* ulna
wltimatwm *eg* ultimatum
wltrabasig *ans* ultrabasic
wmbel *eg* umbel
wmber *eg* umber
wmber crai *eg* raw umber
wmber llosg *eg* burnt umber
wmbilig *ans* umbilical
wnerisis *eg* unerisis
wnsial *eg* uncial
wobler *eg* wobbler
wraniwm (U) *eg* uranium (U)
Wranws *eg* Uranus
wrea *eg* urea
wrea fformaldehyd *eg* urea formaldehyde
wreas *eg* urease
wreter *eg* ureter
wrethra *eg/b* urethra
wricotelig *ans* uricotelic
wrinalau *ell* urinals
wrn *eg* urn
wrn â choler *eg* collared urn
wroleg *eb* urology
Wronskian *eg* Wronskian
wrth gefn *ans* in reserve
wrth raddfa to a scale of
wrth raddfa addas to a suitable scale
wstid *ans* worsted
Wtraciaeth *eb* Utraquism
Wtracwr *eg* Utraquist (of person)

---

eg/b enw gwrywaidd/benywaidd, *feminine/masculine noun*   *ell* enw lluosog, *plural noun*   *v* berf, *verb*   *n* enw, *noun*

wtrigl *eg* utricle
wy *eg* egg
wy batri *eg* battery egg
wy maes *eg* free-range egg
wy wedi'i botsio *eg* poached egg
wy wedi'i ferwi *eg* boiled egg
wy wedi'i sgramblo *eg* scrambled egg
wybren *eb* heavens (=sky)
wybrennol *ans* celestial
Wycliffaidd *ans* Wycliffite *adj*
Wycliffiad *eg* Wycliffite *n*
wyddodydd *eg* ovipositor
wyneb *eg* face *n*
wyneb allanol *eg* outer face
wyneb amgrwm *eg* convex face
wyneb ar oledd *eg* inclined face
wyneb croes *eg* cross peen
wyneb crwn *eg* ball peen
wyneb cudd *eg* interfacing
wyneb cyfagos *eg* adjacent face
wyneb datwm *eg* datum face
wyneb goleddol *eg* sloping face
wyneb gorau *eg* best face
wyneb gweithio *eg* working face
wyneb gweithio (cegin) *eg* worktop (kitchen)
wyneb i lawr *adf* prone
wyneb i waered *adf* upside down
wyneb mewnol *eg* inner face
wyneb onglog *eg* angular face
wyneb pyramidaidd *eg* pyramidal face
wyneb rhydd *eg* free face
wyneb sglodi *eg* chipping face
wyneb syth *eg* straight peen
wyneb yn wyneb face to face
wynebddalen *eb* title page
wynebddarlun *eg* frontispiece
wynebol *ans* facial
wynebu *be* face *v*

wynebu cyfeiriad y tafliad *be* face the direction of the throw
wynebu'r chwith *be* facing left (of lathe tools)
wynebu'r dde *be* facing right (of lathe tools)
wynebu'r rhwyd *be* face the net
wynebwerth *eg* face value
wynebyn (mewn daeareg) *eg* head (in geology)
wynebyn (mewn gwniadwaith) *eg* facing *n*
wynebyn bias *eg* bias facing
wynebyn blaen *eg* front facing
wynebyn bodis *eg* bodice facing
wynebyn cefn *eg* back facing
wynebyn croes *eg* crossway facing
wynebyn cudd gwreslyn *eg* iron on interfacing
wynebyn gosod *eg* applied facing
wynebyn twll llawes *eg* armhole facing
wynebyn wedi'i siapio *eg* shaped facing
wyneb-bwyth *eg* top stitch
wyneb-bwytho *be* top stitching
wynepryd *eg* features (of face)
ŵyr *eg* grandson
wyres *eb* granddaughter
wysg y cefn *adf* backwards (=with the back foremost)
wyth *eg/b* eight
wyth pwynt y cwmpawd *eg* eight points of the compass
wythawd *eg* octet
wythfed (yn nhrefn rhifo) *eg* eighth
wythfed (=cyfres o wyth o nodau) *eg* octave
wythfed cudd *eg* hidden eighth
wythfed noeth *eg* exposed octave
wythfedau cyfochrog *ell* parallel octaves
wythfedau dilynol *ell* parallel consecutive eighths
wythnos rag *eb* rag week
Wythnos y Pasg *eb* Holy Week
wythnoswaith *eg* weekwork
wythonglog *ans* octagonal
wythol *ans* octal
wythpled *eg* octuplet
wythwr *eg* eight (of person)

y cant per cent
y Drydedd Stad *eb* Third Estate
Y Ddegfed Geiniog *eb* Tenth Penny
y frech wen *eb* smallpox
y gynddaredd *eb* rabies
y pen per head
ychwanegiad *eg* augmentation (=addition)
ychwanegiad *eg* addition (=thing added)
ychwanegol *ans* additional
ychwanegu (at) *be* augment (=add to)
ychwanegydd *eg* augmenter
ychwanegyn *eg* additive (of substance) *n*
ychwanegyn lliw *eg* colour additive
ynganiad *eg* articulation (of voice)
ynganu *be* articulate (of voice) *v*
ynghlwm (wrth) attached (to)
ynghrog *ans* suspended
ynghynn *ans* on (of light, fire, gas)
ynglŷn â'r gwaith *ans* job related
ymadawiad *eg* departure
ymadrodd *eg* expression (=phrase)
ymaddasiad *eg* acclimatization
ymaddasiad *eg* adaptation (of self)
ymaddasol *ans* adaptive (of self)
ymaddasu *be* acclimatize
ymaddasu *be* adapt *vi*
ymaddasu i amgylchfyd arbennig adapt to a specialized
  environment
ymagor *be* dehisce
ymagor *be* dilate (of blood-vessel etc)
ymagorol *ans* dehiscent
ymagwedd at hanes *eb* approach to history
ymagwedd feintiol *eb* quantitative approach
ymarfer (=gweithrediad) *eg* practice (=exercise) *n*
ymarfer (ar gyfer perfformiad, drama etc) *be* rehearse
ymarfer (ar gyfer perfformiad, drama etc) *eg* rehearsal
ymarfer (corfforol neu feddyliol) *eg* exercise *n*
ymarfer (er mwyn meistroli sgiliau) *be* practise *v*
ymarfer (yn arbennig yn gorfforol) *be* exercise *v*
ymarfer abdomen *eg* abdominal exercise
ymarfer anadlu *eg* breathing exercise
ymarfer bongorff *eg* trunk exercise
ymarfer corff *eg* physical exercise
ymarfer cydadfer *eg* compensatory exercise
ymarfer cynorthwyo *eg* assistance exercise
ymarfer cysylltiedig ag iechyd *eg* health-related exercise
ymarfer da *eg* good practice
ymarfer diogel *eg* safe practice

ymarfer dysgu *eg* teaching practice
ymarfer graddedig *eg* progressive exercise
ymarfer llenwi bylchau (prawf darllen) *eg* cloze exercise
ymarfer mecanyddol *eg* mechanical exercise
ymarfer ochrol *eg* lateral exercise
ymarfer rhydd *eg* free practice
ymarfer sylfaenol i'r corff isaf *eg* basic lower body
  exercise
ymarfer sylfaenol i'r corff uchaf *eg* basic upper body
  exercise
ymarfer uwchgefn *eg* dorsal exercise
ymarfer ystwytho *eg* warm up exercise
ymarferiad adfer *eg* remedial exercise
ymarferion *ell* manoeuvres
ymarferol *ans* practical
ymarferwr *eg* practitioner
ymasiad *eg* fusion (nuclear, cells etc)
ymasiad niwclear *eg* nuclear fusion
ymataliad *eg* abstinence
ymatchwelaidd *ans* autoregressive
ymatchweliad *eg* autoregression
ymateb *eg* response
ymateb digymell *eg* spontaneous response
ymateb effeithiol *eg* effective response
ymateb i dasgau *be* response to set tasks
ymateb negyddol *eg* negative response
ymateb priodol *eg* appropriate response
ymateb rhythmig *eg* rhythmic response
ymateb rhythmig syml *eg* simple rhythmic response
ymateb ymaddasol *eg* adaptive response
ymateb yn barod *be* respond readily
ymatebion a sylwadau replies and comments
ymbalfalu *be* fumble
ymbelydredd *eg* radiation (radioactive)
ymbelydrol *ans* radioactive
ymbil ar y saint *be* invocation of saints
Ymbil yn erbyn yr Ordinariaid *eg* Supplication against the
  Ordinaries
ymborthi ciliaraidd *be* ciliary feeding
ymborthwr *eg* feeder (of animal)
ymchwil *eg* research *n*
ymchwil arsylwadol *eg* observational research
ymchwil gweithredu *eg* action research
Ymchwil Gweithredu Profion ac Asesu Safonol *eg*
  Standard Tests and Assessment Implementation Research
ymchwil marchnata *eg* market research
ymchwiliad *eg* inquiry (=investigation)
ymchwiliad cyhoeddus *eg* public inquiry
ymchwiliad empirig *eg* empirical investigation

---

eg/b enw gwrywaidd/benywaidd, *feminine/masculine noun*   *ell* enw lluosog, *plural noun*   *v* berf, *verb*   *n* enw, *noun*

ymchwiliad mewnol *eg* internal inquiry

ymchwilio *be* investigate

ymchwilio i gwestiynau gwyddonol *be* investigate scientific questions

ymchwiliol *ans* investigative

ymchwiliwr *eg* researcher

ymchwydd *eg* swell (of waves, sowing sections)

ymchwydd y don *eg* ground swell

ymchwyddo *be* bloating

ymdaith *eb* march (=journey) *n*

Ymdaith Faith *eb* Long March

Ymdaith i Rufain *eb* March on Rome

ymdarddiad digymell *eg* spontaneous generation

ymdeimlad â rhythm *eg* sense of rhythm

ymdeithgan *eb* march (music) *n*

ymdeithgan angladd *eb* funeral march

ymdeithio *be* march (=journey) *v*

ymdoddadwy *ans* fusible

ymdoddbwynt *eg* melting point

ymdoddedig *ans* fused

ymdoddi *be* melt *v*

ymdoddiad *eg* fusion (=melting)

ymdoniad *eg* undulation

ymdonni *be* undulate

ymdopi *be* cope *vi*

ymdorri (cell yn ymdorri) *be* rupture (of cell) *vi*

ymdrech *eg/b* effort

ymdrech i fodoli *eb* struggle for existence

ymdrech i oroesi *eb* struggle for survival

ymdrechiad *eg* conation

ymdrechol *ans* conative

ymdreiddio *be* infiltrate

ymdrin â *be* cover (a topic)

ymdrin â (mater) *be* approach (a matter) *v*

ymdriniaeth *eb* handling (=discussion)

ymdrowyr *ell* laggards

ymddafniad *eg* guttation

ymddaliad *eg* posture

ymddaliad da *eg* good posture

ymddaliad unionsyth *eg* upright posture

ymddangos *be* appear

ymddangosiad *eg* appearance

ymddangosiad destlus *eg* neat appearance

ymddangosiad dymunol *eg* pleasing appearance

ymddangosiadol *ans* apparent (=seeming)

ymddangosol *ans* apparent (in physics)

ymddatod metabolaidd *be* metabolic breakdown

ymddatod Walleraidd *be* Wallerian degeneration

ymddatodiad *eg* disintegration (in physics)

ymddeol *be* retire (from work)

ymddeoliad *eg* retirement

ymddiorseddiad *eg* abdication

ymddiried *be* trust *v*

ymddiriedolaeth *eb* trust *n*

Ymddiriedolaeth Gymreig *eb* Welsh Trust

ymddiriedolwr *eg* trustee

ymddiswyddiad *eg* resignation

ymddiswyddo *be* resign

ymddygiad *eg* behaviour

ymddygiad aflonyddgar *eg* disruptive behaviour

ymddygiad anfonheddig *eg* ungentlemanly conduct

ymddygiad annerbyniol *eg* unacceptable behaviour

ymddygiad da wrth chwarae *eg* good sporting behaviour

ymddygiad dibynnol *eg* dependent behaviour

ymddygiad greddfol *eg* instinctive behaviour

ymddygiad gwrthgymdeithasol *eg* antisocial behaviour

ymddygiad gwyrdröedig *eg* deviant behaviour

ymddygiad heriol *eg* challenging behaviour

ymddygiad osgoi *eg* avoidance behaviour

ymddygiad tramgwyddus *eg* delinquent behaviour

ymddygiad ymaddasol *eg* adaptive behaviour

ymddygiad ymosodol *eg* aggression

ymddygiad yn yr ystafell ddosbarth classroom behaviour

ymddygiadaeth *eb* behaviourism

ymddygiadol *ans* behavioural

ymelwad mwyaf *eg* maximum exploitation

ymennydd *eg* brain

ymennydd bach *eg* cerebellum

ymennydd canol *eg* mid-brain

ymennydd yn farw brain dead

ymenyddol *ans* cerebral

ymerawdwr *eg* emperor

Ymerawdwr Rhufeinig Sanctaidd *eg* Holy Roman Emperor

ymerodraeth *eb* empire

ymerodraeth Affrica *eb* African empire

Ymerodraeth India *eb* Indian Empire

Ymerodraeth Otomanaidd *eb* Ottoman Empire

Ymerodraeth Rufeinig *eb* Roman Empire

ymerodres *eb* empress

ymerodrol *ans* imperial (of empire)

ymestyn (=estyn eich corff eich hun) *be* stretch *vi*

ymestyn (=gwneud yn hirach) *be* lengthen

ymestyn (cyhyrau etc) *be* extend *vi*

ymestyn cyfartal *be* equal stretching

ymestynaid (=rhywbeth sy'n ymestyn allan) *eg* projection (=thing that obtrudes)

ymestyniad (cyhyrau etc) *eg* extension (of muscles)

ymflagurol *ans* budding

ymfudo *be* emigrate

ymfudwr *eg* emigrant

ymfyddino *be* mobilize (of army)

ymgadw'n ddibriod *be* celibacy

ymganghennu *be* branch *v*

ymgarthiad *eg* defecation

ymgarthion *ell* faeces

ymgarthu *be* defecate

ymgasgliad rhyngserol *eg* interstellar accretion

ymgeisydd *eg* candidate

ymgeisydd am swydd *eg* job applicant

ymgeisydd ffiniol *eg* borderline candidate

ymgiliad *eg* evacuation

Ymgiprys am Affrica *eg* Scramble for Africa

---

adf, adv adferf, *adverb* **ans, adj** ansoddair, *adjective* **be** berf, *verb* **eb** enw benywaidd, *feminine noun* **eg** enw gwrywaidd, *masculine noun*

ymgnawdoli *be* assume flesh

ymgnawdoliad *eg* incarnation

ymgodi *be* heave (on a bar) *v*

ymgodiad *eg* heave (on a bar) *n*

ymgodol *ans* uplift *adj*

ymgordeddu (am blanhigion sy'n dringo) *be* twine (as in climbing plants) *vi*

ymgordeddu (am edafedd) *be* twist (of strands) *vi*

ymgorffori *be* build in

ymgripiad *eg* creep (of soil)

ymgripiad pridd *eg* soil creep

ymgrymiad *eg* bow (=inclination of the head or trunk) *n*

ymgrymu *be* bow (=incline the head or trunk) *v*

ymgychwyn *be* initialize (disc)

ymgydiad *eg* copulation

ymgydio (â) *be* copulate

ymgyfarwyddo â *be* familiarize oneself with

ymgyfnewid *be* interchange (of data)

ymgyfnewid data electronig *be* electronic data interchange

ymgyfreithio *be* litigate

ymgynghori *be* confer

ymgynghorol *ans* advisory

ymgynghorydd (=rhywun sy'n cynghori) *eg* adviser

ymgynghorydd (=uwch arbenigwr) *eg* consultant *n*

ymgynghorydd tirwedd *eg* landscape consultant

ymgymalu *be* articulate (of bones) *v*

ymgymeriad *eg* undertaking

ymgymerwr *eg* undertaker

ymgymhwysiad *eg* accommodation (of lens, of oneself)

ymgymhwyso (=ennill cymwysterau) *be* qualify (oneself for a job)

ymgymhwyso (=newid eich hun) *be* accommodate (=adapt) *vi*

ymgynhaliol *ans* subsistence *adj*

ymgynhesu *be* warm-up

ymgynnal *be* support (oneself)

ymgynnal blaen *be* front support (in athletics)

ymgynnal cytbwys *be* balance support (in athletics)

ymgynnal ochr *be* side support (in athletics)

ymgyrch *eb* campaign *n*

ymgyrch gosbi *eb* punitive expedition

ymgyrch y gelyn *eb* enemy action

ymgyrchu *be* campaign *v*

ymgyrchwr *eg* protagonist

ymgysylltiad *eg* attachment (in computing)

ymhadiad *eg* insemination

ymhlyg *ans* implicit

ymhlygu *be* imply

ymholi *be* query *v*

ymholiad *eg* enquiry

ymholiad cyfredol *eg* current enquiry

ymholiad daearyddol *eg* geographical enquiry

ymholiad pell *eg* remote enquiry·

ymholltiad *eg* fission

ymholltiad deuol *eg* binary fission

ymholltiad heterolytig *eg* heterolytic fission

ymholltiad homolytig *eg* homolytic fission

ymholltiad niwclear *eg* nuclear fission

ymholltog *ans* fissile

ymhonnwr *eg* pretender

ymlacio *be* relax (oneself)

ymladd i gadw'r cefn *be* rearguard action

ymladd neu ffoi fight or flight

ymlaen (am switsh) *adf* on (of switch)

ymlaen (yn dynodi'r cyfeiriad) *adf* forward *adv*

ymlaen ac i fyny forward and upward

ymlaen ac i lawr forward and downward

ymlaen ac i'r ochr forward and sideways

ymlaen ac yn ôl forward and backward

ymlediad (=ehangiad) *eg* expansion

ymlediad (=gwasgariad) *eg* diffusion (=spreading out)

ymlediad (mewn ffiseg) *eg* elation

ymlediad (=agoriad organ corfforol) *eg* dilatation

ymlediad lleithder *eg* moisture expansion

ymledu (=ehangu) *be* expand *vi*

ymledu (=gwasgaru) *be* diffuse (=spread out)

ymledu (am agoriad organ corfforol) *be* dilate (of pupils, cervix)

ymledydd *eg* runner (in botany)

ymlid *be* chase *v*

ymlusgiad *eg* reptile

ymlusgo (bai gwydro) *be* crawling (glazing fault)

ymlwytho *be* bootstrapping

ymlwythwr *eg* bootstrap loader

ymlyniad *eg* adherence (of person)

ymlyniad F *eg* F attachment (trombone)

ymlynu *be* adhere (of person)

ymlynwr *eg* adherent

ymneilltuaeth *eb* nonconformity

ymneilltuedd *eg* isolationism

ymnerth croesryw *eg* hybrid vigour

ymofyn *be* seek (in computing) *v*

ymofyniad *eg* seek *n*

ymolch *be* bathe *vi*

ymolch yn y gwely *be* blanket bath

ymoleuedd *eg* luminescence

ymosod *be* attack *v*

ymosod a churo assault and battery

ymosod â'r min *be* attack with edge

ymosod â'r pwynt *be* point attack

ymosod ar y llafn *be* attack on the blade

ymosod cyfun *eg* compound attack

ymosod cyffredin *be* common assault

ymosod syml *eg* simple attack

ymosodedd *eg* aggression

ymosodiad *eg* attack *n*

ymosodiad yr Almaenwyr *eg* German offensive

ymosodol *ans* aggressive

ymosodwr *eg* aggressor

ymosodwr asgell *eg* wing attack

ymostyngiad *eg* submission (=surrender)

Ymostyngiad y Glerigaeth *eg* Submission of the Clergy
ympryd *eg* fast *n*
ymprydio *be* fast *v*
ymraniad *eg* cleavage (in biology)
ymraniad cyfartal *eg* bilateral cleavage
ymraniad lleihaol *eg* reduction division
ymraniad troellog *eg* spiral cleavage
ymrannu *be* calving (in geomorphology)
ymreolaeth *eb* home rule
ymreolaethol *ans* autonomous
ymreolwr *eg* home ruler
ymrestru *be* enlist
ymresymiad *eg* argument (=reasoning)
ymroddedig *ans* devoted
ymroddiad *eg* devotion
ymroi *be* apply (=devote oneself)
ymrwymedig *ans* committed
ymrwymiad *eg* commitment
ymrwymiadau gwario *ell* commitments to expenditure
ymryson *eg* contention
ymryson twrnament *eb* joust
Ymryson yr Arwisgo *eb* Investiture Contest
Ymryson yr Urddwisgoedd *eb* Vestiarian Controversy
ymsolido *be* solidify (in physics etc)
ymsuddiant (tir) *eg* subsidence (of land)
ymsuddo *be* subside
ymsymudiad *eg* movement (=locomotion)
ymuno yn yr addoliad *be* join in the worship
ymwadiad ar lw *eg* abjuration
ymwadu ar lw *be* abjure
ymwahaniad *eg* secession
ymwahaniaeth *eb* separatism
ymwahanu *be* secede
ymwahanwr *eg* separatist
ymwahanydd *eg* separator
ymweiniad *eg* invagination
ymweinio *be* invaginate
ymweld â *be* visit *v*
ymweliad *eg* visit
ymweliad dilynol *eg* follow-up visit
ymweliad cartref *eg* home visit
ymwelydd *eg* visitor
ymwelydd iechyd *eg* health visitor
ymwrthiant cyffuriau *eg* drug resistance
ymwthiad (wrth eni plentyn) *eg* expulsion (in childbirth)
ymwthiad (yn gyffredinol) *eg* intrusion (in general)
ymwthiad allan *eg* protrusion
ymwthio (i mewn) *be* intrude
ymwthio allan *be* protrude
ymwthiol *ans* jutting
ymwybyddiaeth *eb* awareness
ymwybyddiaeth genedlaethol *eb* national awareness
ymwybyddiaeth gorfforol *eb* body awareness
ymwybyddiaeth gyffyrddol *eb* tactile consciousness
ymwybyddiaeth o ofod *eb* awareness of space
ymwybyddiaeth ofodol *eb* space awareness

ymyl (ffordd) *eg/b* verge
ymyl (llestr) *eg/b* rim
ymyl (tudalen) *eg/b* margin
ymyl (yn gyffredinol) *eg/b* edge (=rim, side) *n*
ymyl amddiffyn *eb* protective edging
ymyl arw *eb* burr (on metal or paper)
ymyl awchlym *eb* keen edge
ymyl befel *eb* bevelled edge
ymyl blaen *eb* plain butt
ymyl bletiog *eb* pleated edge
ymyl cŷn *eb* chisel edge
ymyl datwm *eb* datum edge
ymyl dorri *eb* cutting edge
ymyl ddanheddog *eb* serrated edge
ymyl ddiogel *eb* safe edge (file part)
ymyl ddi-lif *eb* waney edge
ymyl fain *eb* arris
ymyl fylchog *eb* gapped edge
ymyl grai *eb* raw edge
ymyl grom *eb* curved edge
ymyl gron *eb* round edge
ymyl iâ *eb* ice edge
ymyl oledd *eb* slant edge
ymyl osod *eb* lipped edge
ymyl pwyth o chwith *eb* purled edge
ymyl rychiog *eb* fluted edge
ymyl rhew *eb* ice edge
ymyl rhwymo *eb* binding margin
ymyl sgolop *eb* scalloped edge
ymyl sgwâr *eb* square edged
ymyl step *eb* nosing
ymyl syth *eb* straight edge
ymyl waelod *eb* bottom edge
ymyl wedi'i niweidio *eb* gashed edge
ymyl weithio *eb* working edge
ymyl wifrog *eb* wire edge
ymyl wrth ymyl edge to edge
ymyl wyneb *eg/b* face edge
ymylbwytho *be* edge stitch
ymyled *eg* coaming
ymyleiddio *be* marginalize
ymylol *ans* marginal
ymylon gofodol *ell* spatial margins
ymylon paralel *ell* parallel edges
ymylriff *eg* fringing reef
ymylu *be* edge *v*
ymylu ar *be* abut
ymylun memrwn *eg* parchment lace
ymyluno *be* edge jointing
ymylwaith *eg* edging
ymylwaith blaen nodwydd *eg* needlepoint edging
ymylwaith cragen *eg* shell edging
ymylwaith picot *eg* picot edging
ymyradur *eg* interferometer
ymyriad *eg* intervention
ymyriad anghuddiadwy *eg* non-maskable interrupt (NMI)
ymyriad blaenoriaethol *eg* priority interrupt

ymyriad cuddiadwy *eg* maskable interrupt
ymyriad gwall *eg* error interrupt
ymyriad perifferol *eg* peripheral interrupt
ymyrraeth *eb* interference
ymyrryd *be* intervene
ymysgaroedd *ell* viscera *n*
yn anghydweddu not in phase
yn anfeidraidd *adf* infinitely
yn briodol *adf* duly (=as is right)
yn dri dimensiwn *adf* in three dimensions
yn ddeuoedd *adf* in twos
yn edrych o gyfeiriad X *adf* viewed from X
yn ei hyd *adf* lengthwise *adj*
yn erbyn y graen *adf* against the grain
yn ffinedig bositif oddi tanodd positively bounded below
yn gallu cerdded *adf* ambulant
yn groesgornel *adf* diagonally (=to opposite corner)
yn groeslinol *adf* diagonally (in general)
yn gwisgo'n dda *adf* hardwearing
yn llaes ac yn llac *adf* relaxed (of muscle) *adv*
yn llwyr *adf* completely
yn mygu *adf* smoking (of fire etc)
yn noethlymun *adf* in the nude
yn ôl (=fel y dywed) according to (=as stated by)
yn ôl (am symudiad) backward (of movement)
yn ôl cytundeb subject to contract
yn ôl eu trefn respectively
yn ôl y disgrifiad as described
yn ôl y gyfradd o at the rate of
yn ôl y pwysoli according to weighting
yn ôl yr angen as and when necessary
yn olynol in sequence
yn peidio barnu *adf* non-judgemental
yn rhannol gymysgadwy *adf* partially miscible
yn rhifadwy anfeidraidd *adf* countably infinite
yn sionc *adf* sprightly
yn union *adf* exactly
yn unol â according to (=in a manner corresponding to)
yn unol â hynny accordingly (=as required)
yn weddol rydd o lwch *adf* reasonably dust-proof
yn y gyfrannedd in the proportion
ynad *eg* magistrate
ynad cyflogedig *eg* stipendiary magistrate
Ynad Heddwch *eg* Justice of the Peace
ynadaeth *eb* magistracy
ynfydrwydd *eg* imbecility
ynfytyn *eg* imbecile
ynysedig *ans* insulated
ynysiad *eg* insulation
ynysiad thermol *eg* thermal insulation
ynysig *eb* islet
ynysoedd Langherans *ell* islets of Langherans
ynysol *ans* insular
ynysu *be* insulate
ynysu rhag sŵn *be* sound insulation
ynysydd *eg* insulator

ynysydd trydanol *eg* electrical insulator
ynysydd thermol *eg* thermal insulator
Yr Hen Fyd *eg* Old World
yr un mor debygol equally likely
yrnfaes *eg* urnfield
ysbaid *eb* interval (=intervening time)
ysbeidiol *ans* intermittent
ysbeilio *be* pillage
ysbïo *be* espionage
ysbryd *eg* spirit (of person, ghost)
ysbryd cymunedol *eg* community spirit
Ysbryd Glân *eg* Holy Spirit
ysbrydol *ans* spiritual
ysbrydoli *be* inspire
ysbrydoliaeth *eb* inspiration (poetic)
Ysbytai'r Brawdlys *ell* Inns of Court
ysbyty *eg* hospital
ysbyty athrofaol *eg* teaching hospital
ysbyty cyffredinol dosbarth *eg* district general hospital
ysbyty cymuned *eg* community hospital
ysbyty dydd *eg* day hospital
ysbyty hyfforddi *eg* training hospital
ysbyty mamolaeth *eg* maternity hospital
ysbyty cleifion allanol *eg* outpatients' hospital
ysbyty cyffredinol *eg* general hospital
ysbyty heintiau *eg* isolation hospital
ysbyty meddwl *eg* psychiatric hospital
Ysbyty'r Inner Temple *eg* Inner Temple
ysgafell *eb* retable (ledge)
ysgafellog a chleddog ledged and braced
ysgafn *ans* delicate (of touch)
ysgafn (=heb fod yn ddifrifol) *ans* mild (=not serious)
ysgafn (o ran pwysau) *ans* light (of weight) *adj*
ysgafnhad *eg* lightening (of weight)
ysgariad *eg* divorce *n*
ysgarmes *eb* skirmish
ysgarthiad *eg* excretion
ysgarthu *be* excrete
ysgaru *be* divorce *v*
ysgeintell *eb* sprinkler
ysgeintio *be* sprinkle
ysgerbwd *eg* skeleton
ysgewyll *ell* Brussels sprouts
ysglyfaeth *eb* prey *n*
ysglyfaethu *be* prey *v*
ysglyfaethwr *eg* predator
ysgogi *be* stimulate
ysgogiad *eg* stimulus
ysgogiad (megis mewn siafft neu drawst hir) *eg* whip (as in a long shaft or beam) *n*
ysgogiad (nerfol) *eg* impulse (nervous)
ysgogiad all-gerddorol *eg* extra-musical stimulus
ysgogiad cerddorol *eg* musical stimulus
ysgogiad clywadwy *eg* aural stimulus
ysgogiad gweledol *eg* visual stimulus
ysgogiad nerfol *eg* nerve impulse

---

eg/b enw gwrywaidd/benywaidd, *feminine/masculine noun*   *ell* enw lluosog, *plural noun*   *v* berf, *verb*   *n* enw, *noun*

ysgogiad rhythmig *eg* rhythmic stimulus

ysgogiadau cyferbyniol *ell* contrasting stimuli

ysgol (=lle i gael addysg) *eb* school

ysgol (i'w dringo) *eb* ladder (for climbing)

ysgol rad *eb* free school

ysgol a gynhelir *eb* maintained school

ysgol a gynhelir â grant *eb* grant maintained school

ysgol Almaenig *eb* German ladder

ysgol anenwadol *eb* non-denominational school

ysgol annetholiadol *eb* non-selective school

ysgol annibynnol *eb* independent school

ysgol arbennig *eb* special school

ysgol ardal *eb* area school

ysgol benyd *eb* reformatory

ysgol breifat *eb* private school

ysgol breswyl *eb* boarding school

Ysgol Brydeinig *eb* British School

Ysgol Bwrdd *eb* Board School

ysgol canol dinas *eb* inner city school

ysgol cynllun agored *eb* open plan school

ysgol dan reolaeth wirfoddol *eb* voluntary controlled school

ysgol ddynodedig *eb* designated school

ysgol elfennol *eb* elementary school

ysgol elusennol *eb* charity school

ysgol enwadol *eb* denominational school

ysgol fach *eb* stepladder

ysgol feddygol *eb* medical school

ysgol feithrin *eb* nursery school

ysgol flaengar *eb* progressive school

ysgol fonedd *eb* public school

ysgol fraich *eb* arm ladder

ysgol ffenestr *eb* window ladder

ysgol gadarn *eb* secure school

ysgol ganol *eb* middle school

ysgol ganolradd *eb* intermediate school

Ysgol Genedlaethol *eb* National School

ysgol gydaddysgol *eb* co-educational school

ysgol gyfannol *eb* integrated school

ysgol gyfun *eb* comprehensive school

ysgol gylchynol *eb* circulating school

ysgol gymunedol *eb* community school

ysgol gymysg *eb* mixed school

ysgol gynradd *eb* primary school

ysgol haf *eb* summer school

ysgol hen ferch *eb* dame school

ysgol iau *eb* junior secondary school

ysgol isaf *eb* lower school

ysgol Japaneaidd *eb* Japanese school

ysgol nos *eb* night school

ysgol raff *eb* rope ladder

ysgol ramadeg *eb* grammar school

ysgol Sul *eb* Sunday school

ysgol sydd wedi eithrio *eb* opted out school

ysgol uchaf *eb* upper school

ysgol waddoledig *eb* endowed school

ysgol werin *eb* folk school

ysgol wirfoddol *eb* voluntary school

ysgol wledig *eb* rural school

ysgol y babanod *eb* infant school

ysgol y tlodion *eb* ragged school

ysgol y wladwriaeth *eb* state school

ysgolheictod *eg* scholarship (=learning)

ysgoloriaeth *eb* scholarship (=award of money)

ysgolwr *eg* schoolman

ysgraff *eb* barge (=type of boat) *n*

ysgrifbin *eg* pen (for writing)

ysgrifbin italig *eg* italic writing pen

ysgrifen hieroglyffig *eb* hieroglyphic writing

ysgrifendy *eg* writing house

ysgrifenedig *ans* written

ysgrifennu *be* write

ysgrifennu anghronolegol *be* non-chronological writing

ysgrifennu creadigol *be* creative writing

ysgrifennu cronolegol *be* chronological writing

ysgrifennu sownd *be* cursive writing

ysgrifennu uchafbwynt *be* peak writing *v*

ysgrifennydd *eg* secretary

ysgrifennydd cyffredinol *eg* secretary-general

ysgrifennydd gwladol *eg* secretary of state

Ysgrifennydd Addysg *eg* Education Secretary

Ysgrifennydd Gwladol dros Addysg *eg* Secretary of State for Education

Ysgrifennydd Gwladol dros Gymru *eg* Secretary of State for Wales

Ysgrifennydd y Trefedigaethau *eg* Colonial Secretary

ysgrifenyddiaeth *eb* secretariat

ysgrifner *eg* scrivener

ysgrythur *eb* scripture

ysgub *eb* sheaf

ysgubell *eb* broom

ysgubiad *eg* sweep shot

ysgubor ddegwm *eb* tithe barn

ysgubwr *eg* sweeper

ysgubwr carpedi *eg* carpet sweeper

ysgutor *eg* executor

ysgwtreth *eb* scutage

ysgwyd *be* shake *v*

ysgwyd llaw *be* shake hands

ysgwyd llaw chwith *be* shake left hand

ysgwyd llaw dde *be* shake right hand

ysgwydd *eb* shoulder *n*

ysgwydd isel *eb* dropped shoulder

ysgwyddo *be* shoulder *v*

ysgyfant *eg* lung

ysgyfeiniol *ans* pulmonary

ysgymuniad *eg* excommunication

ysgymuno *be* excommunicate

ysgymunwr *eg* excommunicant

ysgythriad *eg* engraving

ysgythriad arwyneb *eg* surface engraving

ysgythriad cerfwedd *eg* relief engraving

ysgythriad creon *eg* crayon engraving

ysgythriad dotwaith *eg* stipple engraving

---

ysgythriad intaglio *eg* intaglio engraving
ysgythriad llinell *eg* line engraving
ysgythriad planar *eg* planar engraving
ysgythriad pren *eg* wood engraving *n*
ysgythriad sychbwynt *eg* dry point engraving
ysgythru *be* engrave
ysgythru ar rwnd meddal *be* soft ground etching
ysgythru cerfweddol *be* relief etching
ysgythru sychbwynt *be* drypoint etching
ysgythrwr *eg* etcher
ysgythrydd *eg* burin (graver)
ysigiad (=pantiad) *eg* sag *n*
ysigiad (i aelod o'r corff) *eg* sprain
ysigo *be* sag *v*
ysigo *be* strain (physical) *v*
ysmygu *be* smoke *v*
ysmygu *be* smoking (cigarettes, pipe)
ystadau brenhinol *ell* royal estates
ystadegaeth *eb* statistics (science of)
ystadegaeth ddisgrifiadol *eb* descriptive statistics
ystadegaeth gasgliadol *eb* inferential statistics
ystadegau *ell* statistics (=data)
ystadegau bywyd *ell* vital statistics
ystadegau geni a marw *ell* birth and death statistics
ystadegau trefn *ell* order statistics
ystadegol *ans* statistical
ystadegydd *eg* statistician
ystadegyn *eg* statistic
ystaden *eb* furlong
ystafell ddydd *eb* day room
ystafell driniaeth *eb* treatment room
ystafell ddosbarth *eb* classroom
ystafell ddosbarth symudol *eb* mobile classroom
ystafell fwyta *eb* dining-room
ystafell gyffredin *eb* common room
ystafell gynhesu *eb* warming house
ystafell wely *eb* bedroom
ystafell ymolchi *eb* bathroom
ystlys *eb* flank
ystlys cwrt cais *eb* touch in goal
ystlys denau *eb* thin flank
ystlys dew *eb* thick flank
ystlys gwsg *eb* touch in goal line
ystlys mainc *eb* bench end
ystlysbost *eg* jamb
ystlyslin *eb* tramline (in tennis)
ystod *eb* range (of ability etc)
ystod eang o allu *eb* wide range of ability
ystod gallu *eb* ability range
ystod lawn o allu *eb* full range of ability

ystod o berfformiad *eb* range of performance
ystod oedran *eb* age range
ystof *eb* warp (of threads on loom) *n*
ystof ac anwe warp and weft
ystof wahanedig *eb* spaced warp
ystofi *be* warp (textiles) *v*
ystofi pwythau *be* cast on
ystofiad *eg* warpage
ystola *eb* stole (of church vestment)
ystordy arfau *eg* armoury
ystorfa *eb* repository
ystrad *eg* strath
ystraddodi *be* extradition
ystrêd *eg* estreat
ystum *eg/b* pose
ystum adferol *eg* recovery position
ystum afon *eg* meander *n*
ystum culrych *eg* entrenched meander
ystum lledrych *eg* ingrown meander
ystum rhychog *eg* incised meander
ystumiad *eg* distortion (of facts)
ystumio (=gwneud ystum) *be* gesture *v*
ystumio (=llurgunio) *be* distort (facts)
ystumllyn *eg* ox bow lake
Ystwyll *eg* Epiphany
ystwyth (=hyblyg) *ans* flexible (=supple)
ystwyth (am gorff) *ans* supple
ystwythder *eg* suppleness
ystyr *eg* meaning
ystyr gwybyddol *eg* cognitive meaning
ystyriaeth *eb* consideration
ystyried *be* consider
ystyried dylunio *be* design thinking
yswain *eg* squire
ysweiniaeth *eb* squirearchy
ysweiniol *ans* squirearchical
yswiriant *eg* insurance
yswiriant bywyd *eg* life insurance
yswiriant cyfun *eg* comprehensive insurance
Yswiriant Gwladol *eg* National Insurance
yswiriant trydydd person *eg* third party insurance
yswiriedig *ans* insured
yswirio *be* insure
yswiriwr *eg* insurer
ysydd *eg* consumer (=fire, bacteria, predator etc that consume)
ysydd cynradd *eg* primary consumer
ysydd eilaidd *eg* secondary consumer
yterbiwm (Yb) *eg* ytterbium (Yb)
ytriwm (Y) *eg* yttrium (Y)

---

eg/b enw gwrywaidd/benywaidd, *feminine/masculine noun*   *ell* enw lluosog, *plural noun*   *v* berf, *verb*   *n* enw, *noun*

Y TERMIADUR YSGOL

English – Welsh

Y TERMIADUR YSGOL

Standardized Welsh terminology
for the schools of Wales

English – Welsh

Welsh – English

Compiled by
Delyth Prys and J P M Jones
of the
Centre for Standardizing Terminology
University of Wales, Bangor

accac

1998

Published by the
Qualifications, Curriculum and Assessment Authority for Wales

© ACCAC 1998

A catalogue record for this book is available
from the British Library

ISBN 1 86112 180 6

Produced by Magma Books, Anglesey

Preface

One of the principal aims of the Qualifications, Curriculum and Assessment Authority for Wales (ACCAC) is to promote and support Welsh-medium education. To this end, the Authority commissions the publication of Welsh language teaching resources. It is also responsible, within Wales, for the tasks and the statutory tests which are used to assess pupils at 7, 11, and 14 years, and also for regulating the standards of public qualifications. Whilst carrying out these functions, the need to standardize technical terms in Welsh has become increasingly apparent. Standardization is necessary in order to make sure that the same technical terms are understood by pupils throughout Wales, and to ensure consistency across all key stages and between all subjects in the National Curriculum.

The work of standardizing the terms has been carried out by Canolfan Safoni Termau (Centre for Standardizing Terminology) at the School of Education, University of Wales, Bangor, and the Authority is now pleased to publish the results of the project. A copy of this volume is being distributed to every school in Wales, with several copies to those schools that teach through the medium of Welsh. These are the terms that are recommended by ACCAC for use in the classroom, to be included in classroom materials, and to be used in assessment materials after September 1998.

The Chief Editor was Delyth Prys, with Dr J Prys Morgan Jones as the Project Manager, Richard Hughes as Computer Consultant, and Professor Iolo Wyn Williams as Project Director. The extent of this volume is a tribute to their careful work, and ACCAC is indebted to them for their perseverance, their attention to detail, and their vision throughout the work.

As we present this volume for use by pupils and teachers in Wales, we should like to wish them, and the future of Welsh-medium education, well.

Acknowledgements

A great many people have aided us in the preparation of this work.
Some of them were subject specialists, who contributed their
expertise in their chosen field to explain some difficult concepts.
Others were language specialists, who could answer our queries on
linguistic matters. Many were teachers and educators who shared with
us their experience of teaching through the medium of Welsh and of
using Welsh terminology in their work. We are greatly indebted to all
these people, and without them this Termiadur would not have been
possible. It is therefore the result of the contributions of considerably
more people than could be named in these acknowledgements. Some
of our more diffident contributors have asked not to be listed, and
indeed, with so many people having helped us in some way, any list of
names would inevitably be incomplete. The wisest course for us
therefore is not to name any one, but to acknowledge gratefully our
debt to the enthusiasm and willing help of a great number of people
– thank you all.

Updating the Terminology Database

The electronic database from which this Termiadur was drawn is kept
at the Centre for Standardizing Terminology, School of Education,
University of Wales, Bangor. It would be a great help to us in
improving this database to know of any errors and omissions in it.
We should also be glad to receive any other suggestions which could
help us in the further development of the terminology work.

Copyright and the Termiadur

The copyright of this Termiadur belongs to ACCAC. Anyone wishing
to reproduce the Termiadur or parts of it is welcome to contact the
ACCAC Office, Castle Buildings, Womanby Street, Cardiff CF1 9SX,
to discuss their requirements.

Note on Proprietary Status

This work includes some words which are, or are asserted to be,
proprietary names or trade marks. Their inclusion does not imply that
they have acquired for legal purposes a non-proprietary or general
significance, nor is any other judgement implied concerning their legal
status.

Introduction

Background

The history of creating technical terms in Welsh extends back at least as far as the beginning of Welsh-medium education. The earliest innovators of Welsh technical terminology contributed greatly to the success of Welsh medium education by giving it the appropriate tools to discuss the different school subjects in good idiomatic Welsh. From the mid nineteen fifties onwards, a number of dictionaries and vocabularies were published for the various subjects, mainly by the University of Wales Press and the Welsh Joint Education Committee, but also by other bodies and even individual schools. Valuable terminology lists were also compiled by individuals and bodies for their own use, and remain unpublished. *The Dictionary of Technical Terms* was published by the University of Wales Press in 1964, and has been the only comprehensive technical dictionary in Welsh. More recently a large number of technical terms have been included in the *Welsh Academy English-Welsh Dictionary* (University of Wales Press, 1995), a work of considerable value, not only because of the number of terms it contains, but also because of the guidance it gives on translating phrases and idioms into Welsh.

This Termiadur seeks to build on the work already carried out by others. Although some subject areas have had a wealth of terminology available in Welsh, these terms have not been standardized. School teachers and writers of assessment materials and educational materials need guidance on which terms and forms they should use. As well as giving Welsh translations of English terms, this work also offers English translations of Welsh terms, a development which reflects the growing use of Welsh in education and the way in which these new Welsh terms have gained currency.

Criteria for standardization

Standardization of terms entailed in the first place the establishment of objective criteria. These were based on the standards of the International Standards Organization, including ISO 704 on *Standardization of Terms* and ISO 860 the *Harmonization of Concepts and Terms*. These state, amongst other matters: that a term should conform to the linguistic rules of the individual language; that it should reflect, as far as possible, the characteristics of the concept which it represents; that it should be concise; that it should be able to give

rise to other forms and parts of speech; and that one concept should correspond to one term, and one term only. *Geiriadur Prifysgol Cymru* (Gwasg Prifysgol Cymru, 1950-) is followed as the standard for orthography, this in turn being based on *Orgraff yr Iaith Gymraeg* (Gwasg Prifysgol Cymru, Rhan II, Geirfa 1987).

There has been no attempt to turn the clock back and change terms which are by now commonly accepted in the language, even where those terms do not meet all of the above criteria, as it was judged too late to change them. Past usage is, after all, as important as any other criterion. It was also found that a number of more or less synonymous terms existed where no one term seemed to be superior to the others. An attempt has been made to gauge which terms were most commonly used throughout Wales, but this has been a much more subjective exercise than the establishment of a standard orthography. Where more than one form has been in common use, it was not possible to please every user, and it could be argued that our choices have not always been impartial. It must be remembered however that the fact that one specific term has been chosen does not make synonyms 'wrong'. People, in ordinary speech, are able to choose whichever terms they want, just as they are able to select the appropriate language level for the occasion. The purpose of the Termiadur is to specify which forms are recommended by ACCAC for use in assessment materials and educational material, and consequently, in the classroom.

Understanding the meaning of a term

One of the first tasks in the work of standardization was to define the concepts, or the meaning of the terms included. A word such as 'grain' in English, could for example have many meanings, and 'a grain of sand', 'the grain of the wood' and 'grain grown for food' ('gronyn o dywod', 'y graen mewn pren' and 'grawn a dyfir yn fwyd') are different concepts, as are the various meanings of 'dyddio' in Welsh ('to dawn', 'to put a date on/to' and 'to become out of date'). It has to borne in mind, therefore, when translating terms, that it is not possible to translate one word into another word without passing through the process of understanding the concept to be translated, i.e. not 'English term = Welsh term' but 'English term = concept = Welsh term'. The short definitions which are found following English terms in this dictionary are therefore vital to differentiate between words which look the same but which have different meanings. It is not possible to translate terms correctly without first of all understanding their meaning.

There are times of course where it is very difficult to define a concept adequately, and where terms also overlap. The use of the terms 'cynllunio' a 'dylunio' in Welsh is an example of this. Both can be translated as 'to design' in some contexts, and 'cynllunio' may also be translated sometimes as 'to plan'. A dictionary is an imperfect aid to convey concepts from

one language to another, especially since concepts do not always correspond perfectly between different languages. This Termiadur is therefore a guide, and the intelligent user must continue to use his or her linguistic instinct when seeking its aid.

The terms that will be found in this Termiadur

This Termiadur includes the technical vocabulary needed for teaching through the medium of Welsh in schools from the primary level to GCSE examinations. It pays special attention to science, mathematics, art, music, technology, information technology, physical education, religious studies, history, geography and the general administration of education.

Place names in Geography and terms in Religious Studies

Place names and proper names pose special problems within the school curriculum. Geography teachers have argued for years that the best answer was to adopt the preferred indigenous form of place names when referring to places outside Wales, using *Yr Atlas Cymraeg* (WJEC, 1987) as the standard. It is recommended that this practice be continued.

There is a specific problem with terms coming from religions other than Christianity where the original language uses a script other than the Roman script used as the basis for the alphabet in Welsh, English and other Western languages. Some of these scripts have many more characters than the Roman script, and need more than one character in the Roman alphabet to transliterate them. For example, the Gurumukhi holy script of the Sikhs has forty characters, with one character transliterated as 'kh', another as 'k', another as 'c' and another as 'ch'. The Welsh alphabet does not contain the characters 'k', 'q', 'v' and 'x', but it does follow the international method for the Romanization of other scripts (for example ISO 233 on the transliteration of Arabic characters into Roman characters). This can be compared to the way Welsh accepts proper names including these characters, for example, Keller, Quentin and Vivian. It would be misleading therefore to use the letter 'c' in Welsh for 'k' when referring for example to the five sacred 'k's of the Sikhs. Neither should these terms borrowed from other languages be perceived as English terms but rather as quotations from their original languages transliterated into Roman script. In 1994 the *Religious Education: Glossary of Terms* was published by the School Curriculum and Assessment Authority (SCAA) and approved by the different faith communities in England and Wales, and this glossary contains the accepted Roman transliteration of the religious terms of these faith communities. Where a term remains unchanged from that glossary it has not been repeated in the Termiadur, but where it has been adapted (for example because of the addition of an adjectival ending) it has been included here.

However place names and religious names are used in general contexts outside the narrow technical confines of geography and religious studies. In such untechnical contexts traditional Welsh usage may be followed. For example, the Italian form 'Roma' is used for the capital city of Italy in the *Atlas Cymraeg*, and in a technical geographical context, this form is recommended. However, when the city is mentioned in a general context, for example in history or music, it is still acceptable to call the city 'Rhufain'. The same applies to religious terms, for example, in Religious Education the founder of Islam should be referred to as 'Muhammad', but in a general context, the traditional Welsh use of the form 'Mohamed' may be retained.

Use of foreign terms

There is a convention of quoting terms from other languages without translating them into Welsh in subject areas other than Religious Education. For example it is common in music to use Italian terms such as 'appoggiatura' or German ones such as 'Lied' in Welsh. These terms have traditionally been italicized in the Welsh text to show that they are not native terms. However, italic fonts may not always be available for this purpose, either because the work is handwritten or because the italic font has already been earmarked for some other purpose, e.g. the names of publications. Italics have not been used to denote foreign terms in the Termiadur.

Acronyms

Acronyms are problematic in education as in so many other areas. They cause even more confusion in Welsh because of grammatical mutations, a preponderance of the letters 'C' and 'G' and a dearth of vowels in many acronyms. The natural Welsh idiom is to give the name of the organization or body in full the first time it is introduced, and thereafter to refer to it as the 'Organization', 'Society' etc. if it is clear which organization, society etc. is meant.

How to search for a term

Terms are listed in alphabetical order, following the English alphabet for English words and the Welsh alphabet for Welsh words, even where they contain more than one word. There is an individual entry for every term, so that terms containing more than one word are always listed under the first word in the term, e.g. 'law of gravitation' comes after 'law' and not as a sub-item under 'gravitation'.

Where a word has more than one meaning, a short definition of the meaning follows in brackets. The word with the definition precedes the word as part of a term containing more

than one word e.g. 'centre (brain)', 'centre (= middle point)', 'centre (of attention etc.)', 'centre (person)', 'centre (= place in centre)', 'centre (= place or group of buildings)', come before 'centre back', 'centre dotting', 'centre drill', 'centre for policy studies', 'centre front', 'centre half' and so on.

Dialectical variations

The only exception to the practice of offering only one term in Welsh for the English term is when there is a clear split between usage in north and south Wales, e.g. 'gwahadden' is used in south Wales and 'twrch daear' in north Wales for the animal 'mole'. In such cases, it was not judged fair to give precedence to one form over the other, and both terms have been included. It is recommended that both terms be used together in assessment materials, but that teachers and pupils use the term with which they are more familiar. This is not a dictionary of dialects however and, where it was judged that one form was acceptable enough to be the standard form, other dialectical forms have not been included.

Gender and plural of nouns

Some nouns in Welsh may be either masculine or feminine in grammatical gender, usually varying according to dialect. These have been shown as *eg/b* leaving it up to the individual to use the form which sounds right to him or her. When a *eg/b* noun forms part of a term containing more than one word however, a choice was then made to regard that noun as either masculine or feminine, or mutated/unmutated forms would have had to be shown twice, e.g. 'diweddeb' may be either a masculine or a feminine noun. When it is treated as a masculine noun we have the form 'diweddeb perffaith' and when it is feminine the form 'diweddeb berffaith'. The noun 'diweddeb' has been treated as feminine in compound nouns in this Termiadur and so causes soft mutation in a number of terms. The masculine (non-mutated forms) should also be accepted as correct, as with other nouns which may be either masculine or feminine.

It should be pointed out also that a very small number of Welsh nouns have a different meaning according to whether they are masculine or feminine in gender. For example, 'y tôn' (masculine noun) translates as 'the tone' and 'y dôn' (feminine noun) translates as 'the tune'. 'Y de' (masculine noun) gives us 'the south' in English, and 'y dde' (feminine noun) gives us 'the right [side]' in English.

Note also that sometimes identical words with different meanings in Welsh have different plural forms, e.g. llwyth (= tribe) plural: llwythau, llwyth (= load) plural: llwythi .

Parts of speech

This dictionary shows parts of speech for Welsh terms when they are nouns, verbs or adjectives, as that information aids the user with grammatical mutations. Other words and phrases are usually unmarked, but it treats noun phrases as nouns since the entire phrase may cause a mutation, e.g. with 'sbectol haul' (sunglasses) 'sbectol' is a feminine noun and 'haul' is a masculine noun, but the entire phrase is treated as feminine because it causes adjectives that follow to mutate, i.e. 'sbectol haul dywyll' not 'sbectol haul tywyll' (showing that it is the glasses that are dark, not the sun).

Parts of speech are only shown in English when there is a need to differentiate between a verb, noun and adjective, similar therefore to the way definitions found in brackets following some terms are used.

Correspondence of verbs and nouns in English and Welsh

Parts of speech do not always correspond in Welsh and English. Welsh in particular often uses verbs and verb nouns where English would tend to use nouns. For the phrase 'do a headstand' in English, for example, the corresponding Welsh phrase would be 'sefwch ar eich pen' (stand on your head). Some contemporary Welsh dictionaries give the verb noun to translate an English noun, in order to remind the user not to follow the English construction. But there are times when a noun is needed in Welsh to correspond to a noun in English, especially with numbers. Therefore in a list of gymnastic movements, for example, where the number of times a specific action needs to be repeated is given, e.g. '10 headstands', the format often precludes the construction 'sefwch ar eich pen 10 gwaith' (stand on your head 10 times) and so a new noun such as 'pensafiad' has to be coined. This work endeavours to keep the correspondence of parts of speech as far as is possible, but urges translators to bear in mind that changing the part of speech often makes a translation flow more naturally.

The main changes

Although the principle of 'leaving well alone' was followed as far as possible with established terminology, some changes were inevitable. As to orthography, the letters of the Welsh alphabet were adhered to, and so we find 'cilo' and 'sinc' in the Welsh side of this Termiadur rather than 'kilo' and 'zinc'. The international symbols of course, such as 'k' for 'kilo' and the symbols for the chemical elements, remain unchanged. The only exceptions are to be found in proper nouns and religious terms, which keep their original spelling, or the accepted transliteration into the Roman script if they have been transliterated from another script.

One of the most important changes was to include the terms 'hydoddi, hydoddiant, hydoddedd, hydawdd' etc in technical contexts to refer to the conceptual group expressed in English by 'dissolve, solution, solubility, soluble' etc. This was done because there was confusion with the use of 'toddi' for 'dissolve' and 'ymdoddi' for 'melt' etc. It was judged to be better to introduce the technical term 'hydoddi' to mean 'dissolve', as the word 'toddi' is also used in everyday language in the sense of 'melt'.

Technical language and everyday speech

Some overlap between technical and everyday use of language cannot be avoided. Even where a term comes from a fairly narrow technical context, it may spread as a metaphor into every day languages. The term 'egni' (energy) for example is often used in this way. It is a well-defined term in physics, and when we speak of someone doing something 'gyda'i holl egni' (with all his energy) in everyday language, the physicist could correct us, saying that this cannot be correct, as some of our energy is used for other things, such as keeping us warm.

It may be difficult in a school situation to decide how technical a particular context is, and therefore how technical the vocabulary should be, especially at the primary and lower secondary levels. As a common rule, if there is no need to teach the technical concept, there is no need for the vocabulary either. Therefore when discussing 'cyflymder' and 'buanedd' ('velocity' and 'speed') there is no need to differentiate between them except in a technical scientific or mathematical context. 'Cyflymder' does not have to be changed to 'buanedd' in more general contexts.

This Termiadur therefore, like all dictionaries, is a tool to be used with care. It is hoped that it will serve as an aid to understand better the concepts which underlie the 'labels' which we call terms, and that it will be of value in Welsh-medium education throughout the schools of Wales.

Delyth Prys
J Prys Morgan Jones

A

a cappella a cappella *adf*
A level Safon Uwch *eb*
A line skirt sgert linell A *eb*
A major A fwyaf *eb*
A minor A leiaf *eb*
Aaronic Blessing Bendith Aaron *eb*
AB produced AB wedi ei estyn *eg*
AB styrene styren AB *eg*
abacus abacws *eg* abaci
abandon gadael *be*
abandoned meander ystumllyn *eg* ystumllynnoedd
abasement darostyngiad *eg*
abaxial allechelinol *ans*
abbacy abadaeth *eb* abadaethau
abbess abades *eb* abadesau
abbey abaty *eg* abatai
abbot abad *eg* abadau
abbreviate talfyrru *be*
abbreviation (=abbreviated form) talfyriad *eg* talfyriadau
abbreviation (in typography) byrfodd *eg* byrfoddau
abdicate (the crown) ildio'r goron *be*
abdication ymddiorseddiad *eg*
abdomen abdomen *eg* abdomenau
abdominal abdomenol *ans*
abdominal cavity ceudod abdomenol *eg*
abdominal exercise ymarfer abdomen *eg* ymarferion abdomen
abducent nerve nerf abdwcent *eg*
Abelian group grŵp Abel *eg*
Abendlied Abendlied *eg* Abendlieder
aberrant gwyrol *ans*
aberrant species rhywogaeth wyrol *eb* rhywogaethau gwyrol
aberration egwyriant *eg* egwyriannau
abhorrer ffieiddiwr *eg* ffieiddwyr
ability gallu *eg* galluoedd
ability group grŵp gallu *eg* grwpiau gallu
ability grouping grwpio yn ôl gallu *be*
ability range ystod gallu *eb*
ability test prawf gallu *eg* profion gallu
abjuration ymwadiad ar lw *eg*
Abjuration Oath Llw Ymwadiad *eg*
abjure ymwadu ar lw *be*
ablate abladu *be*
ablation abladiad *eg* abladiadau
ablation till til abladu *eg*
able galluog *ans*
ablution golchiad *eg* golchiadau

abnormal annormal *ans*
abnormality annormaledd *eg*
abolish dileu *be*
abolition dilead *eg* dileadau
abolition of slavery dileu caethwasiaeth *be*
Abolition of Slavery Act Deddf Dileu Caethwasiaeth *eb*
abomasum abomaswm *eg*
aboriginal cynfrodorol *ans*
aboriginal art celfyddyd gynfrodorol *eb*
aborigine cynfrodor *eg* cynfrodorion
abort erthylu *be*
abortifacient cyffur erthylu *eg* cyffuriau erthylu
abortion erthyliad *eg* erthyliadau
abozzo (sketch) abozzo *eg*
Abra file ffeil Abra *eb* ffeiliau Abra
Abra frame ffrâm Abra *eb* fframiau Abra
abrade sgrafellu *be*
abraded sgrafellog *ans*
abrasion (on land) sgrafelliad *eg* sgrafelliadau
abrasion (on metal etc) sgraffiniad *eg* sgraffiniadau
abrasion (on skin) crafiad *eg* crafiadau
abrasive *adj* sgraffiniol *ans*
abrasive *n* sgraffinydd *eg* sgraffinyddion
abrasive action arwaith sgraffinio *eg*
abrasive faults beiau sgraffinio *ell*
abrasive grades graddau sgraffinio *ell*
abrasive paper papur sgraffinio *eg* papurau sgraffinio
abrasive sheet dalen sgraffinio *eb* dalennau sgraffinio
abrogate diddymu *be*
abrupt cadence diweddeb swta *eb* diweddebau swta
abscess crawniad *eg* crawniadau
abscissa absgisa *eg*
abscission absgisedd *eg*
abscission layer haenen absgisaidd *eb*
abseil *n* abseil *eg* abseiliau
abseil *v* abseilio *be*
absence absenoldeb *eg*
absence of light diffyg golau *eg*
absentee *adj* absennol *ans*
absentee *n* absenolwr *eg* absenolwyr
absenteeism absenoliaeth *eb*
absolute absoliwt *ans*
absolute address cyfeiriad absoliwt *eg* cyfeiriadau absoliwt
absolute alcohol alcohol pur *eg*
absolute humidity lleithder absoliwt *eg*
absolute monarchy brenhiniaeth absoliwt *eb*
absolute music cerddoriaeth absoliwt *eb*

absolute pitch traw cynhenid *eg*

absolute ruler rheolwr absoliwt *eg* rheolwyr absoliwt

absolute scale of temperature graddfa tymheredd absoliwt *eb*

absolute spectrum sbectrwm absoliwt *eg*

absolute value gwerth absoliwt *eg* gwerthoedd absoliwt

absolute zero sero absoliwt *eg*

absolution maddeuant *eg*

absolutism absoliwtiaeth *eb*

absolved soul enaid rhydd *eg* eneidiau rhydd

absorb amsugno *be*

absorbed stain staen wedi'i amsugno *eg* staeniau wedi'u hamsugno

absorbency amsugnedd *eg*

absorbent *adj* amsugnol *ans*

absorbent *n* amsugnydd *eg* amsugnyddion

absorbent fabric ffabrig amsugnol *eg* ffabrigau amsugnol

absorbent material defnydd amsugnol *eg* defnyddiau amsugnol

absorbent pad pad amsugnol *eg* padiau amsugnol

absorbent paper papur amsugnol *eg* papurau amsugnol

absorption amsugniad *eg* amsugniadau

absorption coefficient cyfernod amsugno *eg*

absorption spectrum sbectrwm amsugno *eg*

abstinence ymataliad *eg*

abstract *adj* haniaethol *ans*

abstract (=consider abstractly) *v* haniaethu *be*

abstract (=intangible thing) *n* haniaeth *eg* haniaethau

abstract (=summarize) *v* crynhoi *be*

abstract (=summary) *n* crynodeb *eg/b* crynodebau

abstract (=take from) *v* alldynnu *be*

abstract art celfyddyd haniaethol *eb*

abstract concept cysyniad haniaethol *eg* cysyniadau haniaethol

abstract design (of drawing) dyluniad haniaethol *eg* dyluniadau haniaethol

abstract design (of plan) cynllun haniaethol *eg* cynlluniau haniaethol

abstract expressionism mynegiadaeth haniaethol *eb*

abstract music cerddoriaeth haniaethol *eb*

abstract painting (of picture) paentiad haniaethol *eg* paentiadau haniaethol

abstract painting (of process or art) peintio haniaethol *be*

abstract pattern patrwm haniaethol *eg* patrymau haniaethol

abstraction haniaeth *eb* haniaethau

absurd afresymol *ans*

abundance (percentage or fraction) cyflenwad *eg*

abundance (=plenty) digonedd *eg*

abuse (=ill-treat) *v* cam-drin *be*

abuse (=misuse) *v* camddefnyddio *be*

abuse (=ill-treatment) *n* camdriniaeth *eb*

abuse (=misuse) *n* camddefnydd *eg*

abut ymylu ar *be*

abutment ategwaith *eg* ategweithiau

abysmal affwysol *ans*

abyss affwys *eg* affwysau

abyssal deposits (of the ocean) dyddodion affwys (y cefnfor) *ell*

a.c. generator generadur cerrynt eiledol *eg* generaduron cerrynt eiledol

ACAC: Curriculum and Assessment Authority for Wales ACAC: Awdurdod Cwricwlwm ac Asesu Cymru *eg*

academic *adj* academaidd *ans*

academic counselling cynghori academaidd *be*

academic dress gwisg academaidd *eb*

academic infrastructure isadeiledd academaidd *eg*

academic registrar cofrestrydd academaidd *eg* cofrestryddion academaidd

academic standard safon academaidd *eb* safonau academaidd

academic success llwyddiant academaidd *eg* llwyddiannau academaidd

academic year blwyddyn academaidd *eb* blynyddoedd academaidd

academician academydd *eg* academyddion

academicism academiaeth *eb*

academy academi *eb* academïau

academy board bwrdd academi *eg* byrddau academi

academy figure ffigur academi *eg* ffigurau academi

acanthus carving cerfiad acanthws *eg* cerfiadau acanthws

ACCAC: Qualifications, Curriculum and Assessment Authority for Wales ACCAC: Awdurdod Cymwysterau, Cwricwlwm ac Asesu Cymru *eg*

accelerate cyflymu *be*

accelerated cyflymedig *ans*

accelerated course cwrs carlam *eg* cyrsiau carlam

accelerated freeze dried *adj* sychrewedig cyflym *ans*

accelerated freeze drying *v* sychrewi cyflym *be*

accelerated programme rhaglen garlam *eb* rhaglenni carlam

acceleration cyflymiad *eg* cyflymiadau

acceleration due to gravity cyflymiad disgyrchiant *eg*

acceleration graph graff cyflymiad *eg* graffiau cyflymiad

acceleration / time diagram diagram cyflymiad / amser *eg* diagramau cyflymiad / amser

accelerator cyflymydd *eg* cyflymyddion

accent *n* acen *eb* acenion

accent *v* acennu *be*

accented acennog *ans*

accented passing note nodyn camu acennog *eg* nodau camu acennog

accept derbyn *be*

acceptance derbyniad *eg* derbyniadau

acceptance testing profi derbyniad *be*

acceptor atom atom derbyn *eg* atomau derbyn

acceptor circuit cylched dderbyn *eb* cylchedau derbyn

access (a file, data etc) *v* cyrchu *be*

access (=a way of approaching) *n* mynediad *eg* mynediadau

access (=get to) *v* cael at *be*

access (=the action of gaining access to a file, data etc) *n* cyrchiad *eg* cyrchiadau

access (=the right to reach or see) *n* hawl gweld *eg*

---

adf, adv adferf, *adverb*   ***ans, adj*** ansoddair, *adjective*   ***be*** berf, *verb*   *eb* enw benywaidd, *feminine noun*   *eg* enw gwrywaidd, *masculine noun*

access course cwrs mynediad *eg* cyrsiau mynediad

access information cyrchu'r wybodaeth *be*

access privilege cyrchfraint *eg* cyrchfreintiau

access road ffordd fynediad *eb* ffyrdd mynediad

access staircase grisiau mynediad *ell*

access time (in computing) amser cyrchu *eg* amserau cyrchu

accessibility hygyrchedd *eg*

accessibility index mynegai hygyrchedd *eg* mynegeion hygyrchedd

accessibility of task hygyrchedd tasg *eg*

accessible hygyrch *ans*

accessory *adj* ategol *ans*

accessory (of dress) *n* cyfwisg *eb* cyfwisgoedd

accessory (of tools etc) *n* ategolyn *eg* ategolion

accessory bone asgwrn atodol *eg* esgyrn atodol

accessory bud blaguryn atodol *eg* blagur atodol

accessory course cwrs atodol *eg* cyrsiau atodol

accessory nerve nerf atodol *eg* nerfau atodol

acciaccatura acciaccatura *eg* acciaccature

accident damwain *eb* damweiniau

accident and emergency damwain ac argyfwng

accidental (=musical sign) hapnod *eg* hapnodau

accidents (in theology) anhanfodion (diwinyddol) *ell*

acclimatization ymaddasiad *eg* ymaddasiadau

acclimatize ymaddasu *be*

accommodate (=adapt) *v.intrans* ymgymhwyso *be*

accommodate (=adapt) *v.trans* cymhwyso *be*

accommodate (=provide lodging for) *v* lletya *be*

accommodation (=adaptation) cymhwysiad *eg* cymwysiadau

accommodation (of lens, of oneself) ymgymhwysiad *eg* ymgymwysiadau

accompanied canon canon â chyfeiliant *eb* canonau â chyfeiliant

accompanied fugue ffiwg â chyfeiliant *eb* ffiwgiau â chyfeiliant

accompaniment (to food) cyfwyd *eg* cyfwydydd

accompaniment (with music) cyfeiliant *eg* cyfeiliannau

accompanist (with music) cyfeilydd *eg* cyfeilyddion

accompany (=go with) mynd gyda *be*

accompany (with music) cyfeilio *be*

accomplishment (=fulfilment of task) cyflawniad *eg* cyflawniadau

accomplishment (=thing done) llwyddiant *eg* llwyddiannau

accordance of summit levels cyfuchedd copaon *eg*

accordant cyfuwch (â) *ans*

according to (=as stated by) yn ôl

according to (=in a manner corresponding to) yn unol â

according to weighting yn ôl y pwysoli

accordingly (=as required) yn unol â hynny

accordingly (=therefore) felly *adf*

accordion acordion *eg* acordiynau

accordion pleating pletio acordion *be*

account (=description) *n* disgrifiad *eg* disgrifiadau

account (in bank etc) *n* cyfrif *eg* cyfrifon

account (=report) *n* adroddiad *eg* adroddiadau

account for *v* rhoi cyfrif am *be*

accountability atebolrwydd *eg*

accountable (to) atebol (i) *ans*

accountancy cyfrifeg *eb*

accountant cyfrifydd *eg* cyfrifwyr

accounting cost cost gyfrifyddol *eb* costau cyfrifyddol

accredit *v* achredu *be*

accreditation achrediad *eg* achrediadau

accreditation of prior learning achredu dysgu blaenorol *be*

accreditation procedure trefn achredu *eb* trefnau achredu

Accredited Training Organization (ATO) Cyfundrefn Hyfforddi Gydnabyddedig *eb*

accretion croniant *eg* croniannau

acculturation goddiwyllannu *be*

accumulate cronni *be*

Accumulated Information Field (AIF) Maes Gwybodaeth Gronedig *eg*

accumulated temperature tymheredd cronedig *eg* tymereddau cronedig

accumulation croniad *eg* croniadau

accumulative cronnol *ans*

accumulator croniadur *eg* croniaduron

accuracy (=correctness) cywirdeb *eg*

accuracy (=exact precision) manwl gywirdeb *eg*

accuracy of the performance cywirdeb y perfformiad *eg*

accurate (=correct) cywir *ans*

accurate (=exactly precise) manwl gywir *ans*

accurate shape siâp cywir *eg* siapiau cywir

accurate size maint cywir *eg* meintiau cywir

acellular anghellog *ans*

acetabular asetabwlaidd *ans*

acetabulum asetabwlwm *eg*

acetal asetal *eg* asetalau

acetal resin resin asetal *eg*

acetate asetad *eg* asetadau

acetate cellulose cellwlos asetad *eg*

acetate sheet asetyn *eg* asetynnau

acetic asetig *ans*

acetic acid asid asetig *eg* asidau asetig

acetone aseton *eg*

acetyl asetyl *ans*

acetyl CoA asetyl CoA *ans*

acetylation asetyleiddio *be*

acetylene asetylen *eg*

acetylene welding weldio asetylen *be*

achene achen *eg* achenau

achieve (=accomplish or carry out) cyflawni *be*

achieve (=be successful) llwyddo *be*

achieve (=reach or attain by effort) ennill *be*

achieve an objective cyflawni amcan *be*

achievement (=exploit) camp *eb* campau

achievement (in National Curriculum) cyrhaeddiad *eg*

---

eg/b enw gwrywaidd/benywaidd, *feminine/masculine noun*   *ell* enw lluosog, *plural noun*   *v* berf, *verb*   *n* enw, *noun*

achievement age oed cyrhaeddiad *eg*
achievement test prawf cyrhaeddiad *eg*
achiral anghirol *ans*
achromatic acromatig *ans*
achromatic vision golwg acromatig *eg*
acid asid *eg* asidau
acid base balance cydbwysedd asid bas *eg*
acid bath baddon asid *eg* baddonau asid
acid Bessemer process proses asid Bessemer *eb* prosesau asid Bessemer
acid dye llifyn asid *eg* llifynnau asid
acid mordant (etching) mordant asid (ysgythru) *eg*
acid open hearth process proses asid tân agored *eb*
acid pickle picl asid *eg*
acid rain glaw asid *eg*
acid resisting gwrthasid *ans*
acid resisting varnish farnais gwrthasid *eg* farneisiau gwrthasid
acid strength cryfder asid *eg*
acidic asidig *ans*
acidified asidiedig *ans*
acidify asidio *be*
acidity asidedd *eg*
acidosis asidosis *eg*
acidulated asidiedig *ans*
acknowledge cydnabod *be*
acme acme *eg*
acme thread edau acme *eb* edafedd acme
acolyte acolit *eg* acolitiaid
acoustic acwstig *ans*
acoustic bass bas acwstig *eg*
acoustic board bwrdd acwstig *eg* byrddau acwstig
acoustic coupler cyplydd acwstig *eg* cyplyddion acwstig
acoustic guitar gitâr acwstig *eb* gitarau acwstig
acoustics acwsteg *eb*
acquire caffael *be*
acquired caffaeledig *ans*
acquired dyslexia dyslecsia caffaeledig *eg*
acquired feature nodwedd gaffaeledig *eb* nodweddion caffaeledig
Acquired Immune Deficiency Syndrome (AIDS) Syndrom Diffyg Imiwnedd Caffaeledig (AIDS)*eg*
acquired immunity imiwnedd caffaeledig *eg*
acquired language iaith gaffaeledig *eb* ieithoedd caffaeledig
acquired word blindness dallineb geiriau caffaeledig *eg*
acquiring authority awdurdod caffaelol *eg*
acquisition (of language, skills) caffaeliad (iaith, sgiliau) *eg*
acquisition number rhif derbyn *eg* rhifau derbyn
acquisitive society cymdeithas feddiangar *eb* cymdeithasau meddiangar
acquittal rhyddfarn *eb* rhyddfarnau
acre erw *eb* erwau
Acrilan Acrilan *eg*
acrobat acrobat *eg* acrobatiaid
acronym acronym *eg* acronymau
across the grain ar draws y graen

acrostic acrostig *ans*
acrylic *adj* acrylig *ans*
acrylic *n* acrylig *eg* acryligion
acrylic canvas cynfas acrylig *eg* cynfasau acrylig
acrylic colour lliw acrylig *eg* lliwiau acrylig
acrylic medium cyfrwng acrylig *eg*
acrylic paint paent acrylig *eg* paentiau acrylig
acrylic resin resin acrylig *eg* resinau acrylig
acryloid acryloid *eg*
act *v* gweithredu *be*
act (=deed, action) *n* gweithred *eb* gweithredoedd
act (=law) *n* deddf *eb* deddfau
Act Against Pluralities Deddf yn Erbyn Amlblwyfiaeth *eb*
Act for the Propagation of the Gospel Deddf Taenu'r Efengyl *eb*
Act in Absolute Restraint of Annates Deddf i Lwyr Atal Anodau *eb*
Act in Conditional Restraint of Annates Deddf Amodol Atal Anodau *eb*
Act of Annates Deddf Anodau *eb*
Act of Appeals Deddf Apeliadau *eb*
Act of Attainder Deddf Adendro *eb*
Act of Dispensations Deddf Trwyddedau *eb*
act of parliament deddf seneddol *eb* deddfau seneddol
Act of Revocation Deddf Dirymiad *eb*
Act of Settlement Deddf Ardrefnu *eb*
Act of Six Articles Deddf y Chwe Erthygl *eb*
Act of Submission of the Clergy Deddf Ymostyngiad y Clerigwyr *eb*
Act of Supremacy Deddf Goruchafiaeth *eb*
Act of Treasons Deddf Brad *eb*
Act of Uniformity Deddf Unffurfiaeth *eb*
Act of Union Deddf Uno *eb* Deddfau Uno
act tune entr'acte *eg* entr'actes
actinium (Ac) actiniwm *eg*
action (=effect) effaith *eg/b* effeithiau
action (=exertion of energy or influence) arwaith *eg* arweithiau
action (in dance) symudiad *eg* symudiadau
action (in opera) drama (mewn opera) *eb*
action (=thing done) gweithred *eb* gweithredoedd
action of acid on copper effaith asid ar gopr
action painting (of painted picture) paentiad gweithredol *eg* paentiadau gweithredol
action painting (of process or art) peintio gweithredol *be*
action research ymchwil gweithredu *eg*
action song cân actol *eb* caneuon actol
action-space gofod gweithredu *eg*
actions on the floor gweithrediadau ar y llawr *ell*
activate (in chemistry) actifadu *be*
activate (in general) ysgogi *be*
activated (in chemistry) actifedig *ans*
activation actifiant *eg* actifiannau
activator actifadydd *eg* actifadyddion
active (in science) actif *ans*
active (=lively) bywiog *ans*

---

adf, adv adferf, *adverb*   *ans, adj* ansoddair, *adjective*   *be* berf, *verb*   *eb* enw benywaidd, *feminine noun*   *eg* enw gwrywaidd, *masculine noun*

active (of mind) effro *ans*
active (of person, life) gweithgar *ans*
active (=operative) gweithredol *ans*
active flux fflwcs gweithredol *eg* fflycsau gweithredol
active immunity imiwnedd gweithredol *eg*
active listening gwrando gweithredol *be*
active planning cynllunio gweithredol *be*
active population poblogaeth o oed gwaith *eb*
active reading darllen gweithredol *be*
active transport cludiant actif *eg*
activity (in general sense) gweithgaredd *eg* gweithgareddau
activity (of chemical function) actifedd *eg* actifeddau
activity coefficient cyfernod actifedd *eg*
activity flow llif gweithgaredd *eg*
activity learning dysgu drwy weithgaredd *be*
activity method dull dysgu drwy weithgaredd *eg* dulliau dysgu drwy weithgaredd
activity specific gweithgaredd benodol *ans*
activity teaching addysgu drwy weithgaredd *be*
actual instruction cyfarwyddyd gwirioneddol *eg* cyfarwyddiadau gwirioneddol
actual investment buddsoddiad cyflawnedig *eg* buddsoddiadau cyflawnedig
actual parameter paramedr gwirioneddol *eg* paramedrau gwirioneddol
actual sin pechod gweithredol *eg*
actual size maint iawn *eg*
actuate ysgogi *be*
actuating plate plât ysgogi *eg* platiau ysgogi
acuity craffter *eg*
acute *(with feminine nouns)* llem *ans*
acute *(with masculine nouns)* llym *ans*
acute angle ongl lem *eb* onglau llym
acute angled triangle triongl ongl lem *eg* trionglau onglau llym
acute confusional state cyflwr dryslyd llym *eg*
acute illness afiechyd llym *eg*
ACW: Advisory Committee for Wales Pwyllgor Ymgynghorol Cymru *eg*
acyl asyl *ans*
acylate asyleiddio *be*
acylation asyleiddiad *eg*
AD (Anno Domini) OC (Oed Crist) *eg*
ad lib *n* ad lib *eg*
ad lib *v* ad libio *be*
Adam Adda *eg*
Adam of Usk Adda o Frynbuga *eg*
adapt *v.intrans* ymaddasu *be*
adapt *v.trans* addasu *be*
adapt to a specialized environment ymaddasu i amgylchfyd arbennig
adaptability hyblygrwydd *eg*
adaptable (of object) addasadwy *ans*
adaptable (of person) hyblyg *ans*

adaptation (in general) addasiad *eg* addasiadau
adaptation (of self) ymaddasiad *eg* ymaddasiadau
adaptation of pattern addasiad patrwm *eg* addasiadau patrwm
adaptive (in general) addasol *ans*
adaptive (of self) ymaddasol *ans*
adaptive behaviour ymddygiad ymaddasol *eg*
adaptive development datblygiad ymaddasol *eg*
adaptive education addysg ymaddasol *eb*
adaptive programme rhaglen ymaddasol *eb* rhaglenni ymaddasol
adaptive response ymateb ymaddasol *eg* ymatebion ymaddasol
adaptor addasydd *eg* addasyddion
adaxial adechelinol *ans*
add (numbers) adio *be*
add-on ychwanegyn *eg* ychwanegion
added (in music) atodol *ans*
added note nodyn atodol *eg* nodau atodol
added sixth chweched atodol *eg* chwechedau atodol
added sixth chord cord y chweched atodol *eg*
added value (of musical note) hyd atodol *eg*
added value note nodyn hyd atodol *eg* nodau hyd atodol
addend adend *eg* adendau
addendum adendwm *eg* adenda
adder (related to addition) adydd *eg* adyddion
addict adict *eg* adictiaid
addicted caeth *ans*
addiction caethiwed *eg*
addictive caethiwus *ans*
adding machine peiriant adio *eg* peiriannau adio
addition (in counting numbers) adiad *eg* adiadau
addition (=thing added) ychwanegiad *eg* ychwanegiadau
addition reaction adwaith adio *eg*
additional ychwanegol *ans*
additional accompaniment cyfeiliant ychwanegol *eg*
additional component cydran ychwanegol *eb* cydrannau ychwanegol
additional force grym ychwanegol *eg*
additional guidance canllaw pellach *eg* canllawiau pellach
additional piece darn ychwanegol *eg* darnau ychwanegol
additive *adj* adiol *ans*
additive (of numbers) *n* adiolyn *eg* adiolion
additive (of substance) *n* ychwanegyn *eg* ychwanegion
additive bilingualism dwyieithrwydd cynyddol *eg*
additive printing argraffu ychwanegol *be*
Addled Parliament (1614) Senedd Glwc (1614) *eb*
address (a ball in sport) *v* cyfarch *be*
address (a letter) *v* cyfeirio (llythyr) *be*
address (a meeting) *v* annerch (cyfarfod) *be*
address (an issue) *v* mynd i'r afael (â mater) *be*
address (on a letter etc) *n* cyfeiriad *eg* cyfeiriadau
address (=speech) *n* anerchiad *eg* anerchiadau
address a memory cyfeirio cof *eg*
address generation cynhyrchu cyfeiriad *be*
address modification addasu cyfeiriad *be*

---

eg/b enw gwrywaidd/benywaidd, *feminine/masculine noun*   *ell* enw lluosog, *plural noun*   *v* berf, *verb*   *n* enw, *noun*

address register cofrestr cyfeiriadau *eb* cofrestri cyfeiriadau

addressing mode modd cyfeirio *eg*

adenosine triphosphate (ATP) adenosin triffosffad (ATP) *eg*

adequate digonol *ans*

adequate control rheolaeth ddigonol *eb*

adequate movement symudiad digonol *eg* symudiadau digonol

adequate size maint digonol *eg* meintiau digonol

adhere (of person) ymlynu *be*

adhere (of substance) adlynu *be*

adherence (of person) ymlyniad *eg* ymlyniadau

adherence (of substance) adlyniad *eg* adlyniadau

adherent ymlynwr *eg* ymlynwyr

adhesion adlyniad *eg* adlyniadau

adhesive *adj* adlynol *ans*

adhesive *n* adlyn *eg* adlynion

adhesive cell cell adlynol *eb* celloedd adlynol

adhesive dressing gorchudd adlynol *eg* gorchuddion adlynol

adhesive power nerth adlynol *eg*

adhesive putty pwti adlynol *eg*

adhesive strapping stribedyn adlynol *eg* stribedi adlynol

adhesive tape tâp adlynol *eg* tapiau adlynol

adiabatic adiabatig *ans*

adipose blonegog *ans*

adipose tissue meinwe bloneg *eb* meinweoedd bloneg

adiposity blonegrwydd *eg*

adjacent cyfagos *ans*

adjacent angle ongl gyfagos *eb* onglau cyfagos

adjacent face wyneb cyfagos *eg* wynebau cyfagos

adjacent part darn cyfagos *eg* darnau cyfagos

adjacent side ochr gyfagos *eb* ochrau cyfagos

adjoined cydiedig *ans*

adjoint atgyd *eg* atgydion

adjourn gohirio *be*

adjournment gohiriad *eg* gohiriadau

adjudication beirniadaeth *eb* beirniadaethau

adjudicator beirniad *eg* beirniaid

adjugate atgydiol *ans*

adjust (=make suitable) addasu *be*

adjust (=regulate) cymhwyso *be*

adjust intensity addasu dwysedd *be*

adjust the budget addasu'r gyllideb *be*

adjust the spectrometer cymhwyso'r sbectromedr *be*

adjustable cymwysadwy *ans*

adjustable arm braich gymwysadwy *eb* breichiau cymwysadwy

adjustable attachment atodyn cymwysadwy *eg* atodion cymwysadwy

adjustable bevel befel cymwysadwy *eg* befelau cymwysadwy

adjustable fence ffens gymwysadwy *eb* ffensys cymwysadwy

adjustable frame ffrâm gymwysadwy *eb* fframiau cymwysadwy

adjustable reamer agorell gymwysadwy *eb* agorellau cymwysadwy

adjustable shelf silff gymwysadwy *eb* silffoedd cymwysadwy

adjustable shelf support cynheiliad silffoedd cymwysadwy *eg* cynheiliaid silffoedd cymwysadwy

adjustable spanner sbaner cymwysadwy *eg* sbaneri cymwysadwy

adjustable table bwrdd cymwysadwy *eg* byrddau cymwysadwy

adjustable wrench tyndro cymwysadwy *eg* tyndroeon cymwysadwy

adjusted *(with feminine nouns)* wedi'i chymhwyso *ans* wedi'u cymhwyso

adjusted *(with masculine nouns)* wedi'i gymhwyso *ans* wedi'u cymhwyso

adjuster cymhwysydd *eg* cymwysyddion

adjusting device dyfais gymhwyso *eb* dyfeisiau cymhwyso

adjusting mechanism peirianwaith cymhwyso *eg* peirianweithiau cymhwyso

adjusting nut nyten gymhwyso *eb* nytiau cymhwyso

adjusting rod rhoden gymhwyso *eb* rhodenni cymhwyso

adjusting screw sgriw gymhwyso *eb* sgriwiau cymhwyso

adjusting strap strap gymhwyso *eb* strapiau cymhwyso

adjustment cymhwysiad *eg* cymwysiadau

administer (=manage) gweinyddu *be*

administer (=provide a remedy) gweini *be*

administration (act of) gweinyddiad *eg*

administration (=application of remedies) gweiniad *eg*

administration (=body or management) gweinyddiaeth *eb* gweinyddiaethau

administrative gweinyddol *ans*

administrative authority awdurdod gweinyddol *eg* awdurdodau gweinyddol

administrative headquarters pencadlys gweinyddol *eg* pencadlysoedd gweinyddol

administrative history hanes gweinyddol *eg*

administrative region rhanbarth gweinyddol *eg* rhanbarthau gweinyddol

administrative unit uned weinyddol *eb* unedau gweinyddol

administrator gweinyddwr *eg* gweinyddwyr

admiral llyngesydd *eg* llyngesyddion

Admiralty Morlys *eg*

Admiralty brass pres Morlys *eg*

Admiralty gunmetal gwnfetel Morlys *eg*

admiration edmygedd *eg*

admire edmygu *be*

admissible derbyniadwy *ans*

admission (acknowledgement) cyfaddefiad *eg* cyfaddefiadau

admission (=person admitted) derbyniad *eg* derbyniadau

admissions criteria meini prawf derbyn *ell*

admissions policy polisi derbyn *eg* polisïau derbyn

admissions procedures trefn dderbyn *eb*

admittance (=process or right of entering) mynediad *eg*

admixture cymysgiad *eg* cymysgiadau

admonish (clergy) siarsio *be*

---

adf, adv adferf, *adverb*   *ans, adj* ansoddair, *adjective*   *be* berf, *verb*   *eb* enw benywaidd, *feminine noun*   *eg* enw gwrywaidd, *masculine noun*

admonition (to clergy) siars *eb* siarsiau

Admonition to the Parliament Cerydd i'r Senedd *eg*

adolescence llencyndod *eg*

adolescent *adj* llencynnaidd *ans*

adolescent *n* person ifanc *eg* pobl ifanc

adopt (a measure) derbyn (mesur) *be*

adopt (in general) mabwysiadu *be*

adopted mabwysiedig *ans*

adoption mabwysiad *eg* mabwysiadau

Adoption Act Deddf Mabwysiadu *eb*

adoption agency asiantaeth fabwysiadu *eb* asiantaethau mabwysiadu

adoptionism mabwysiadaeth *eb*

adoptive parent rhiant mabwysiadol *eg* rhieni mabwysiadol

adoration (of God) addoliad *eg*

adorn addurno *be*

adornment addurn *eg* addurnau

adrenal cortex cortecs y chwarren adrenal *eg*

adrenal gland chwarren adrenal *eb* chwarennau adrenal

adrenal medulla medwla y chwarren adrenal *eg*

adrenalin adrenalin *eg*

adret (=sonnenseite) llygad haul *eg*

adsorb arsugno *be*

adsorbate arsugnyn *eg* arsugnynnau

adsorbency arsugnedd *eg*

adsorbent arsugnydd *eg* arsugnyddion

adsorption arsugniad *eg*

aduki beans ffa adwci *ell*

Adullamites Adulamiaid *ell*

adult oedolyn *eg* oedolion

adult education addysg oedolion *eb*

adult expectations disgwyliadau oedolion *ell*

adult form of the parasite oedolyn y parasit *eg*

adult life bywyd oedolyn *eg*

adult literacy and basic skills unit uned llythrennedd a sgiliau sylfaenol i oedolion *eb* unedau llythrennedd a sgiliau sylfaenol i oedolion

adult stage ffurf oedolyn *eb* ffurfiau oedolyn

adult training centre canolfan hyfforddi oedolion *eb* canolfannau hyfforddi oedolion

adulterate difwyno *be*

adulteration difwyniad *eg*

adultery godineb *eg*

advance (in fencing) *v* blaenu *be*

advance (=move forward) *v* symud ymlaen *be*

advance (of ice-sheet etc) *n* estyniad *eg* estyniadau

advance (of ice-sheet etc) *v* estyn *be*

advance (of money) *n* blaenswm *eg* blaensymiau

advance and retreat (of ice-sheet etc) estyn ac encilio

advance factory ffatri barod *eb* ffatrïoedd parod

advanced (=developed) datblygedig *ans*

advanced (=higher) uwch *ans*

advanced (of ideas, opinions) blaengar *ans*

advanced disk filing system (ADFS) system ddisg-ffeilio uwch *eb*

advanced engineering peirianneg uwch *eb*

advanced further education addysg bellach uwch *eb*

advanced learner dysgwr uwch *eg* dysgwyr uwch

advancement (=movement forward) symudiad ymlaen *eg* symudiadau ymlaen

advantage mantais *eb* manteision

advantage law rheol fantais *eb*

advection llorfudiant *eg*

advection fog niwl llorfudol *eg*

advenae estroniaid *ell*

Advent Adfent *eg*

adventitious root adwreiddyn *eg* adwreiddiau

adventive cone côn parasitig *eg* conau parasitig

adventure learning dysgu antur *be*

adventure playground cae chwarae antur *eg* caeau chwarae antur

adventure training hyfforddiant antur *eg*

adventurous activity gweithgaredd antur *eg* gweithgareddau antur

adversely er gwaeth *adf*

advertise hysbysebu *be*

advertisement hysbyseb *eb* hysbysebion

advertising agent asiant hysbysebu *eg* asiantiaid hysbysebu

advertising media cyfryngau hysbysebu *ell*

advice cyngor *eg* cynghorion

adviser ymgynghorydd *eg* ymgynghorwyr

advisory ymgynghorol *ans*

advisory and peripatetic teacher (female) athrawes ymgynghorol a chylchynol *eg* athrawesau ymgynghorol a chylchynol

advisory and peripatetic teacher (male) athro ymgynghorol a chylchynol *eg* athrawon ymgynghorol a chylchynol

advisory committee pwyllgor ymgynghorol *eg* pwyllgorau ymgynghorol

Advisory, Conciliation and Arbitration Service (ACAS) Gwasanaeth Cymodi ACAS *eg*

advisory council cyngor ymgynghorol *eg* cynghorau ymgynghorol

advisory function swyddogaeth ymgynghorol *eb* swyddogaethau ymgynghorol

advisory officer swyddog cynghori *eg* swyddogion cynghori

advisory service gwasanaeth cynghori *eg* gwasanaethau cynghori

advocacy eiriolaeth *eb* eiriolaethau

advocate (=barrister in Scotland) adfocad *eg* adfocadau

advocate (=person who pleads for another) eiriolwr *eg* eiriolwyr

advowry adfowri *eg* adfowrïau

advowson adfowswn *eg* adfowsynau

adze neddyf *eb* neddyfau

aeolian aeolaidd *ans*

aeolian harp telyn awelon *eb* telynau awelon

Aeolian mode modd Aeolaidd *eg* moddau Aeolaidd

aeon aeon *eg*

aerate awyru *be*

aerated awyrog *ans*

aeration awyriad *eg*

aerator pump pwmp awyru *eg* pympiau awyru

aerial *adj* awyrol *ans*

aerial *n* erial *eb* erialau

aerial photograph awyrlun *eg* awyrluniau

aerial photography awyrlunio *be*

aerial ropeway rhaffordd awyr *eb* rhaffyrdd awyr

aerobic aerobig *ans*

aerobic respiration resbiradaeth aerobig *eb*

aerobic running rhedeg aerobig *be*

aerobics aerobeg *eb*

aerodynamics aerodynameg *eb*

aerography aerograffiaeth *eb*

aerology aeroleg *eb*

aeronautics awyrennaeth *eb*

aeronautics industry diwydiant awyrennau *eg*

aerosol aerosol *eg* aerosolau

aerosol fixative sefydlyn aerosol *eg* sefydlynnau aerosol

aerosol inhaler anadlydd aerosol *eg* anadlyddion aerosol

aerosol spray chwistrell aerosol *eb* chwistrelli aerosol

aerospace awyrofod *eg*

aerospace industry diwydiant awyrofod *eg*

aesthetic esthetig *ans*

aesthetic quality priodoledd esthetig *eg* priodoleddau esthetig

aestheticism esthetigaeth *eb*

aesthetics estheteg *eb*

aetiological achosegol *ans*

aetiology achoseg *eb*

AF (across the flats of hexagonal nut) AFF (ar draws fflatiau nyten hecsagonol)

affair (=noteworthy thing) achos *eg* achosion

affair (=notorious happening) helynt *eg* helyntion

affair (=public matter) mater *eg* materion

affect *n* affaith *eg* affeithiau

affect *v* affeithio *be*

affection (=fondness) serch *eg* serchiadau

affection (=tenderness) anwyldeb *eg*

affective affeithiol *ans*

affective disorder anhwylder affeithiol *eg* anhwylderau affeithiol

affective domain maes affeithiol *eg* meysydd affeithiol

affectivity affeithiolrwydd *eg*

afferent afferol *ans*

afferent neurone niwron afferol *eg*

affiliate cysylltu *be*

affiliated cyswllt *ans*

affiliated member aelod cyswllt *eg* aelodau cyswllt

affine affin *eg*

affinity affinedd *eg* affineddau

affirmation cadarnhad *eg*

affix sicrhau *be*

afflation anadliad *eg* anadliadau

affluent (=tributary stream) llednant *eb* llednentydd

affluent society cymdeithas gefnog *eb* cymdeithasau cefnog

afforestate coedwigo *be*

afforestation coedwigaeth *eb*

African drumming music cerddoriaeth ddrymio Affricanaidd *eb*

African empire ymerodraeth Affrica *eb*

after-care ôl-ofal *eg*

after-effect ôl-effaith *eb* ôl-effeithiau

after-image ôl-ddelwedd *eb*

after-sales service gwasanaeth ôl-werthu *eg* gwasanaethau ôl-werthu

after-school lesson gwers ar ôl ysgol *eb* gwersi ar ôl ysgol

afterbirth brych *eg*

afterglow oldywyn *eg* oldywynnau

aftermath canlyniad *eg*

aftershock ôl-gryniad *eg* ôl-gryniadau

against the grain yn erbyn y graen *adf*

agape (=Christian fellowship) agape *eg*

agate agat *eg* agatau

agate ware crochenwaith agat *eg*

age (of person) oed *eg*

age (=period) oes *eb* oesoedd

age equivalent cyfatebiaeth oed *eb*

age group grŵp oedran *eg* grwpiau oedran

age hardening oed galedu *be*

age norm norm oed *eg*

Age of Austerity Oes y Llymder *eb*

Age of Enlightenment Oes y Goleuo *eb*

Age of Faith Oes Ffydd *eb*

Age of Improvement Oes Cynnydd *eb*

Age of Reason Oes Rheswm *eb*

Age of the Saints Oes y Saint *eb*

age phase lefel *eg/b* lefelau

age phase thesaurus thesawrws lefel *eg*

age range ystod oedran *eb*

age structure adeiledd oedran *eg* adeileddau oedran

aged (of person) oedrannus *ans*

ageing heneiddio *be*

ageing population poblogaeth sy'n heneiddio *eb* poblogaethau sy'n heneiddio

agency asiantaeth *eb* asiantaethau

agenda agenda *eg* agendau

agent (of force or effect) cyfrwng *eg* cyfryngau

agent (of person) asiant *eg* asiantau

agglomerate (in geology) *n* llosg-garnedd *eb* llosg-garneddau

agglomerate (in geology) *v* athyrru *be*

agglutinate cyfludo *be*

agglutinated cyfludedig *ans*

agglutination cyfludiad *eg* cyfludiadau

aggradation adraddiant *eg*

aggrade adraddu *be*

aggregate (=combine into mass) *v* agregu *be*

aggregate (in mathematics) *adj* cyfanredol *ans*

aggregate (in mathematics) *n* cyfanred *eg* cyfanredau

aggregate (of stone) *n* agreg *eg* agregau

aggregate analysis dadansoddiad cyfanredol *eg* dadansoddiadau cyfanredol

---

adf, adv adferf, *adverb*   ***ans, adj*** ansoddair, *adjective*   ***be*** berf, *verb*   ***eb*** enw benywaidd, *feminine noun*   ***eg*** enw gwrywaidd, *masculine noun*

aggregate results canlyniadau cyfanred *ell*

aggregate schools budget cyllideb gyfanredol ysgolion *eb* cyllidebau cyfanredol ysgolion

aggression (of behaviour) ymddygiad ymosodol *eg*

aggression (=attack) ymosodiad *eg* ymosodiadau

aggression (in psychology) ymosodedd *eg*

aggressive ymosodol *ans*

aggressor ymosodwr *eg* ymosodwyr

agile ystwyth *ans*

agility ystwythder *eg*

agitate cynhyrfu *be*

agitation cynnwrf *eg*

agitator cynhyrfwr *eg* cynhyrfwyr

agnate agnawd *ans*

agnostic agnostig *ans*

agnosticism agnosticiaeth *eb*

agony ing *eg* ingoedd

agrarian amaethyddol *ans*

agrarian history hanes amaethyddiaeth *eg*

agrarian reform diwygio amaethyddol *be*

agreed cytûn *ans*

agreed policy polisi cytûn *eg* polisïau cytûn

agreed syllabus maes llafur cytûn *eg* meysydd llafur cytûn

agreement cytundeb *eg* cytundebau

Agreement of the People Cydsyniad y Bobl *eg*

agreement trial treial cytuno *eg* treialau cytuno

Agricultural Adjustments Act Deddf Cymhwyso Amaethyddiaeth *eb*

agricultural area ardal amaethyddol *eb* ardaloedd amaethyddol

agricultural deficiency area ardal o dangynhyrchu amaethyddol *eb* ardaloedd o dangynhyrchu amaethyddol

Agricultural Revolution Chwyldro Amaethyddol *eg*

agricultural surplus area ardal o orgynhyrchu amaethyddol *eb* ardaloedd o orgynhyrchu amaethyddol

agriculture amaethyddiaeth *eb*

agrostis maeswellt *eg*

ague clefyd crynu *eg*

aid *n* cymorth *eg* cymorthion

aid *v* cynorthwyo *be*

aid (tax) cymhorthdreth *eb* cymorthdrethi

aide (e.g. teacher's aide) cymhorthiad (addysgol) *eg* cymhorthiaid

AIDS clefyd AIDS *eg*

aiguille nodwydd *eb* nodwyddau

ailment anhwylder *eg* anhwylderau

aim (in education) *n* nod *eg* nodau

aim (in sport) *n* aneliad *eg* aneliadau

aim (towards a target) *v* anelu *be*

aim a stroke anelu ergyd *be*

aim for the hurdle anelu at y glwyd *be*

aim the ball anelu'r bêl *be*

aim the volley anelu'r foli *be*

aims and objectives nodau ac amcanion

air (as a place) awyr *eg*

air (as a substance) aer *eg*

air (clothes) *v* crasu *be;* caledu *be*

air (in penillion singing) cainc *eb* ceinciau

air bladder chwysigen aer *eb* chwisigod aer

air brush brwsh aer *eg* brwshys aer

air column colofn aer *eb* colofnau aer

air cool awyr-oeri *be*

air cored solenoid solenoid craidd aer *eg* solenoidau craidd aer

air corridor coridor awyr *eg* coridorau awyr

air current cerrynt aer *eg* ceryntau aer

air extraction duct dwythell echdynnu aer *eb* dwythellau echdynnu aer

air filter hidlydd aer *eg* hidlyddion aer

air force llu awyr *eg* lluoedd awyr

air grinder llifanydd aer *eg* llifanyddion aer

air hardening aergaledu *be*

air lock aerglo *eg* aergloeau

air piracy awyr-ladrad *eg*

air power grym awyrennol *eg*

air pressure gwasgedd aer *eg*

air raid cyrch awyr *eg* cyrchoedd awyr

air resistance gwrthiant aer *eg*

air route llwybr awyr *eg* llwybrau awyr

air sac coden aer *eb* codennau aer

air survey arolwg awyr *eg* arolygon awyr

air with variations alaw ag amrywiadau *eb* alawon ag amrywiadau

air-borne troops awyrfilwyr *ell*

air-condition aerdymheru *be*

air-conditioned aerdymherus *ans*

air-cushion clustog aer *eb* clustogau aer

air-mass aergorff *eg* aergyrff

air-raid shelter lloches cyrch awyr *eb* llochesau cyrch awyr

air-track trac aer *eg* traciau aer

aircraft carrier llong awyrennau *eb* llongau awyrennau

aircraft industry diwydiant awyrennau *eg*

airfield maes glanio *eg* meysydd glanio

airing cupboard cwpwrdd crasu dillad *eg* cypyrddau crasu dillad; cwpwrdd caledu *eg* cypyrddau caledu

airing rack rhesel grasu dillad *eb* rheseli crasu dillad; rhesel galedu *eb* rheseli caledu

airlift awyrgludiad *eg* awyrgludiadau

airline cwmni hedfan *eg* cwmnïau hedfan

airport maes awyr *eg* meysydd awyr

airtight aerglos *ans*

airway llwybr anadlu *eg*

aisle eil *eb* eiliau

aisled eiliog *ans*

alabaster alabastr *eg*

alalia alalia *eg*

alanine alanin *eg*

alarm larwm *eg* larymau

alb alb *eb*

albatross albatros *eg* albatrosiaid

albedo albedo *eg*

Alberti bass bas Alberti *eg*

Albigensian *adj* Albigensaidd *ans*

Albigensian *n* Albigensiad *eg* Albigensiaid

Albigensian Crusade Croesgad yn erbyn yr Albigensiaid *eb*

albinism albinedd *eg*

albino *adj* albinaidd *ans*

albino *n* albino *eg* albinoaid

alborada alborada *eg* alboradas

album albwm *eg* albymau

Albumblatt Albumblatt *eg* Albumblätter

albumen albwmen *eg*

alchemist alcemydd *eg* alcemyddion

alchemy alcemeg *eb*

alclad alclad *eg*

alcohol alcohol *eg* alcoholau

alcoholic *adj* alcoholig *ans*

alcoholic *n* alcoholig *eg* alcoholigion

alcoholic drink diod feddwol *eb* diodydd meddwol

alcoholism alcoholiaeth *eb*

alcove alcof *eb* alcofau

alderman henadur *eg* henaduriaid

Aldine Press gwasg Aldus Manutius *eb*

aleatory aleatoraidd *ans*

aleurone alewron *eg*

aleurone layer haenen alewron *eb* haenau alewron

Alexander the Great Alecsander Fawr *eg*

Alexandrine Alecsandraidd *ans*

alfalfa maglys *eg*

Alfred the Great Alffred Fawr *eg*

alga alga *eg* algâu

algebra algebra *eg/b* algebrâu

algebraic expression mynegiad algebraidd *eg* mynegiadau algebriadd

algebraic number rhif algebraidd *eg* rhifau algebraidd

algebraic skill sgìl algebraidd *eg* sgiliau algebraidd

ALGOL ALGOL

algorithm algorithm *eg* algorithmau

algorithmic algorithmig *ans*

alidade alidad *eg* alidadau

alien *adj* estron *ans*

alien *n* estron *eg* estroniaid

alien priory allbriordy *eg* allbriordai

alienate (a person) gelyniaethu *be*

alienate (property) arallu (eiddo) *be*

alienation (=cause to become hostile) gelyniaethiad *eg*

alienation (of property etc) aralliad *eg*

alienation office swyddfa arallu *eb* swyddfeydd arallu

Aliens Act Deddf Estroniaid *eb*

align alinio *be*

align left alinio i'r chwith *be*

align right alinio i'r dde *be*

aligned aliniedig *ans*

alignment aliniad *eg* aliniadau

alimentary canal llwybr ymborth *eg*

alimentation (of snow) croniad eira *eg*

aliquot *adj* cydrifol *ans*

aliquot (in chemistry) *n* alicwot *eg*

aliquot (in mathematics) *n* cyfnifer *eg* cyfniferoedd

alizarin brown brown alisarin *eg*

alizarin crimson rhuddgoch alisarin *eg*

alizarin dye llifyn alisarin *eg* llifynnau alisarin

alizarin green gwyrdd alisarin *eg*

alizarin purple lake llif porffor alisarin *eg*

alizarin violet fioled alisarin *eg*

alizarin yellow melyn alisarin *eg*

alkali alcali *eg* alcalïau

alkali metal metel alcalïaidd *eg* metelau alcalïaidd

alkaline alcalïaidd *ans*

alkaline earth metal metel mwynol alcalïaidd *eg*

alkaline glaze gwydredd alcalïaidd *eg*

alkalinity alcalinedd *eg*

alkane alcan *eg*

alkaptonuria alcaptonwria *eg*

alkene alcen *eg*

alkylate alcyleiddio *be*

alkylation alcyleiddiad *eg*

alkyne alcyn *eg*

all important holl bwysig *ans*

all square sgwâr *eg*

all squared i gyd wedi'u sgwario

All Wales Strategy (AWS) Strategaeth Cymru Gyfan *eb*

all-hard blade llafn cwbl-galed *eg* llafnau cwbl-galed

all-hard hacksaw blade llafn haclif cwbl-galed *eg* llafnau haclif cwbl-galed

all-interval series cyfres pob cyfwng *eb* cyfresi pob cyfwng

all-over pattern patrwm trosodd *eg*

all-rounder chwaraewr amryddawn *eg* chwaraewyr amryddawn

alla cappella alla cappella *adf*

Allah Allah *eg*

allegation honiad *eg* honiadau

allege honni *be*

allegiance teyrngarwch *eg*

allegiance homage gwrogaeth teyrngarwch *eb*

allegorical alegorïaidd *ans*

allegory alegori *eg* alegorïau

allele alel *eg* alelau

allelomorph alelomorff *eg* alelomorffau

allemand allemand *eg* allemands

allemande allemande *eb* allemandes

Allen key allwedd Allen *eb* allweddi Allen

Allen screw sgriw Allen *eb* sgriwiau Allen

allergic alergaidd *ans*

allergic reaction adwaith alergaidd *eg* adweithiau alergaidd

allergy alergedd *eg* alergeddau

alliance cynghrair *eg/b* cynghreiriau

Alliance Control Commission Comisiwn Rheoli'r Cynghrair *eg*

Alliance for Progress Cynghrair er Cynnydd *eb*

allied (in war) cynghreiriol *ans*

allied (=related) perthynol *ans*

allied landing glaniad y cynghreiriaid *eg*

---

adf, adv adferf, *adverb*   **ans, adj** ansoddair, *adjective*   **be** berf, *verb*   **eb** enw benywaidd, *feminine noun*   **eg** enw gwrywaidd, *masculine noun*

alligator jaw safn aligator *eb* safnau aligator

allocate (resources etc) dyrannu *be*

allocate (students) dosbarthu *be*

allocation (of resources etc) dyraniad *eg* dyraniadau

allocation (of students) dosbarthiad *eg* dosbarthiadau

allogenic alogenig *ans*

allometric growth twf alometrig *eg*

allopolyploid alopolyploid *ans*

allot pennu *be*

allotetraploid alotetraploid *ans*

allotment rhandir *eg* rhandiroedd

allotrope alotrop *eg* alotropau

allotropic alotropig *ans*

allotropy alotropaeth *eb*

allow caniatáu *be*

allowance lwfans *eg* lwfansau

alloy aloi *eg* aloiau

alloy steel dur aloi *eg*

alloying elements elfennau aloi *ell*

allspice pupur Jamaica *eg*

alluvial llifwaddodol *ans*

alluvial deposit llifwaddod *eg* llifwaddodion

alluvial fan bwa llifwaddod *eg* bwâu llifwaddod

alluvial plain gwastatir llifwaddod *eg* gwastatiroedd llifwaddod

alluvium llifwaddod *eg* llifwaddodion

ally cynghreiriad *eg* cynghreiriaid

allylics alylicion *ell*

almighty hollalluog *ans*

almond cneuen almon *eb* cnau almon

almond essence rhinflas almon *eg*

almoner elusennwr *eg* elusenwyr

almonry elusenfa *eb* elusenfeydd

alms elusen *eb* elusennau

almshouse elusendy *eg* elusendai

alocryl alocryl *eg*

alocryl medium cyfrwng alocryl *eg*

along the grain ar hyd y graen

alp alp *eg* alpau

alpenhorn alpgorn *eg* alpgyrn

alpha particle gronyn alffa *eg* gronynnau alffa

alphabet gwyddor *eb* gwyddorau

alphabet agencies adrannau'r wyddor *ell*

alphabetic method dull a, b, c *eg*

alphabetical trefn y wyddor *ans*

alphameric alffamerig *ans*

alphanumeric alffaniwmerig *ans*

alpine alpaidd *ans*

alpine butterfly cwlwm canolwr *eg*

Alps Alpau *ell*

altar allor *eb* allorau

altar piece allorlun *eg* allorluniau

altarage allordal *eg* allordaliadau

alter sensitivity newid sensitifrwydd *be*

alteration newid *eg* newidiadau

alteration line llinell newid *eb* llinellau newid

alternate (in general) bob yn ail *ans*

alternate (in technical usage) eiledol *ans*

alternate angles onglau eiledol *ell*

alternate bud blaguryn eiledol *eg* blagur eiledol

alternate grasp gafael bob yn ail *be*

alternate layers haenau eiledol *ell*

alternating eiledol *ans*

alternating current (A.C.) cerrynt eiledol (C.E.) *eg*

alternation of generations eilededd cenedlaethau *eg*

alternative *n* dewis *eg* dewisiadau

alternative (=other) *adj* arall *ans*

alternative (=preferable) *adj* amgen *ans*

alternative hypothesis rhagdybiaeth arall *eb*

alternative medicine meddygaeth amgen *eb*

alternative society cymdeithas amgen *eb*

alternative technology technoleg amgen *eb*

alternative worship addoliad amgen *eg* addoliadau amgen

alternativo alternativo *eg* alternativi

alternator eiliadur *eg* eiliaduron

altimeter altimedr *eg* altimedrau

altiplanation uwchwastadiant *eg*

altitude uchder *eg* uchderau

altmode eilfodd *eg*

alto alto *eg/b* altos

alto clarinet clarinét alto *eg* clarinetau alto

alto flute ffliwt alto *eb* ffliwtiau alto

alto-relievo cerfwedd uchel *eb* cerfweddau uchel

altocumulus altocumulus *eg*

altostratus altostratus *eg*

alum alwm *eg*

alumina alwmina *eg*

aluminium (Al) alwminiwm *eg*

aluminium alloy aloi alwminiwm *eg* aloion alwminiwm

aluminium bronze efydd alwminiwm *eg*

aluminium foil ffoil alwminiwm *eg*

aluminium oxide alwminiwm ocsid *eg*

aluminium oxide paper papur alwminiwm ocsid *eg*

aluminium screw sgriw alwminiwm *eb* sgriwiau alwminiwm

aluminium track trac alwminiwm *eg* traciau alwminiwm

alveolar (of gums) gorfannol *ans*

alveolar (of lungs) alfeolaidd *ans*

alveolus alfeolws *eg* alfeoli

Alzheimer's disease afiechyd Alzheimer *eg*

amalgam amalgam *eg* amalgamau

amalgamate cyfuno *be*

amalgamation cyfuniad *eg* cyfuniadau

amanuensis ysgrifennydd *eg* ysgrifenyddion

ambassador llysgennad *eg* llysgenhadon

amber ambr *eg*

amber (enamelling colour) melyngoch *eg*

amber brown (enamelling colour) melynfrown *eg*

ambiguous amwys *ans*

Ambrose Emrys *eg*

Ambrosian chant siant Ambrosiaidd *eb* siantiau Ambrosiaidd

ambulance ambiwlans *eg* ambiwlansys

ambulance driver gyrrwr ambiwlans *eg* gyrwyr ambiwlans

ambulant yn gallu cerdded *adf*

ambulatory cerddedfa *eb* cerddedfeydd

ambush rhagod *eg* rhagodau

amen amen *eg* ameniau

amen cadence diweddeb amen *eb* diweddebau amen

amend diwygio *be*

amendment (to a resolution) gwelliant *eg* gwelliannau

amendment (to a text) newid *eg* newidiadau

amenity mwynder *eg* mwynderau

amerce amersu *be*

amercement amersiad *eg* amersiadau

American organ organ Americanaidd *eb* organau Americanaidd

American Revolution Chwyldro Americanaidd *eg*

americium (Am) americiwm *eg*

amicable grant grant gwirfoddol *eg* grantiau gwirfoddol

amicable loan benthyciad cyfeillgar *eg* benthyciadau cyfeillgar

amice amis *eg*

amide amid *eg*

amination amineiddiad *eg*

amine amin *eg*

amino acid asid amino *eg* asidau amino

amino plastics aminoblastigion *ell*

amino resins resinau amino *ell*

amitosis amitosis *eg*

ammeter amedr *eg* amedrau

ammonia amonia *eg*

ammoniac amoniac *ans*

ammonium chloride amoniwm clorid *eg*

ammonium sulphide amoniwm sylffid *eg*

ammonolysis amonolysis *eg*

amnesia amnesia *eg*

amnesty amnest *eg* amnestau

Amnesty International Amnest Rhyngwladol *eg*

amnion amnion *eg*

amniotic fluid hylif amniotig *eg*

amniotic sac sach amniotig *eb*

amoeboid amoebaidd *ans*

amorphous amorffaidd *ans*

amorphous peat mawn amorffus *eg*

amount (=quantity) swm *eg* symiau

amount (=total) cyfanswm *eg* cyfansymiau

amount of substance (in chemistry) swm y sylwedd *eg*

ampere amper *eg* amperau

ampersand (&) ampersand (&) *eg*

amphibian amffibiad *eg* amffibiaid

amphibious amffibiaidd *ans*

amphibrach corfan amgyrch *eg* corfannau amgyrch

amphictyony amffictyoni *eg*

amphiprostyle amffiprostyl *eg* amffiprostylau

amphitheatre amffitheatr *eg* amffitheatrau

amphoteric amffoterig *ans*

amplification mwyhad *eg*

amplifier mwyhadur *eg* mwyhaduron

amplify mwyhau *be*

amplitude (in mathematics) arg *eg* argiau

amplitude (in physics) osgled *eg* osgledau

amplitude envelope chwydd-amlen *eb* chwydd-amlenni

amplitude modulation modyliad osgled *eg* modyliadau osgled

amplitude swing (electronics) osgiliad *eg* osgiliadau

ampoule ampwl *eg* ampylau

amputate trychu *be*

amputation trychiad *eg* trychiadau

amyl acetate amyl asetad *eg*

amylase amylas *eg*

anabaptist ailfedyddiwr *eg* ailfedyddwyr

anabatic anabatig *ans*

anabolism anabolaeth *eb*

anacrusis anacrwsis *eg* anacrwses

anacrustic anacrwstig *ans*

anaemia anaemia *eg*

anaerobic *adj* anaerobig *ans*

anaerobic respiration resbiradaeth anaerobig *eb*

anaerobic running rhedeg anaerobig *be*

anaesthetic anaesthetig *eg* anaesthetigion

anaesthetics anaestheteg *eb*

anaesthetist anaesthetegydd *eg* anaesthetegyddion

analgesic *adj* poenliniarol *ans*

analgesic *n* poenliniarydd *eg* poenliniarwyr

analogous (of computer or electronic process) analogaidd *ans*

analogous (=partially similar) cydweddol *ans*

analogue *adj* analog *ans*

analogue *n* analog *eg* analogau

analogue computer (ADC) cyfrifiadur analog *eg* cyfrifiaduron analog

analogue-digital converter trawsnewidydd analog-digidol *eg*

analogy cydweddiad *eg* cydweddiadau

analyse dadansoddi *be*

analyser dadansoddydd *eg* dadansoddyddion

analysis dadansoddiad *eg* dadansoddiadau

analysis of variance dadansoddiad amrywiant *eg*

analyst dadansoddwr *eg* dadansoddwyr

analytical dadansoddol *ans*

analytical continuation parhad dadansoddol *eg*

analytical notes nodiadau dadansoddol *ell*

analytical orientation gogwydd dadansoddol *eg*

analytical study astudiaeth ddadansoddol *eb*

anapaest corfan cyrch dyrchafedig *eg* corfannau cyrch dyrchafedig

anaphase anaffas *eg*

anaphylactic shock sioc anaffylactig *eb*

anarchism anarchiaeth *eb*

anarchist *adj* anarchaidd *ans*

anarchist *n* anarchydd *eg* anarchwyr

Anarchist Party Plaid Anarchaidd *eb*

anarchy anarchiaeth *eb*

---

adf, adv adferf, *adverb*   *ans, adj* ansoddair, *adjective*   *be* berf, *verb*   *eb* enw benywaidd, *feminine noun*   *eg* enw gwrywaidd, *masculine noun*

anastomosis anastomosis *eg* anastomoses

anatomical anatomegol *ans*

anatomical direction cyfeiriad anatomegol *eg*

anatomy (as science) anatomeg *eb*

anatomy (=body) anatomi *eg*

ancestor hynafiad *eg* hynafiaid

ancestor worship addoli cyndadau *be*

ancestral hynafiadol *ans*

ancestral traits nodweddion hynafiadol *ell*

ancestry llinach *eb* llinachau

anchor angor *eg/b* angorau

anchor bracket braced angor *eb* bracedi angor

anchorage angorfa *eb* angorfâu

anchorite ancr *eg* ancriaid

anchovy brwyniad *eg* brwyniaid

anchovy essence rhinflas brwyniaid *eg*

Ancien Regime Hen Oruchwyliaeth *eb*

ancient hynafol *ans*

Ancient Britons Hen Frythoniaid *ell*

Ancient Egypt Hen Aifft *eb*

Ancient Greece Hen Roeg *eb*

ancient history hanes yr hen fyd *eg*

ancient monument heneb *eb* henebion

Ancient of Days Hen Ddihenydd *eg*

ancillary ategol *ans*

ancillary industry diwydiant ategol *eg* diwydiannau ategol

ancillary staff staff ategol *ell*

ancillary support cefnogaeth ategol *eb*

AND (logic) AC

AND circuit cylched AC *eb* cylchedau AC

AND element elfen AC *eb* elfennau AC

AND gate adwy AC *eb* adwyon AC

AND operation gweithrediad AC *eg* gweithrediadau AC

androecium androeciwm *eg*

anecdotal art celfyddyd storïol *ans*

anemometer anemomedr *eg* anemomedrau

anemophily anemoffiledd *eg*

aneroid *adj* aneroid *ans*

aneroid *n* aneroid *eg* aneroidau

aneroid barometer baromedr aneroid *eg* baromedrau aneroid

aneurine anewrin *eg*

angel angel *eg* angylion

angelica angelica *eg*

Angevin Angefin *eg* Angefiniaid

angiosperm angiosberm *eg* angiosbermau

angle *n* ongl *eb* onglau

angle *v* ongli *be*

angle bead glain ongl *eg* gleiniau ongl

angle box plate plât ongl blwch *eg* platiau ongl blwch

angle bracket braced ongl *eb* bracedi ongl

angle bridle bagl ongl *eb* baglau ongl

angle dovetail joint uniad cynffonnog onglog *eg* uniadau cynffonnog onglog

angle halving haneru ongl *be*

angle halving joint uniad haneru ongl *eg* uniadau haneru ongl

angle headstand pensafiad plyg *eg* pensafiadau plyg

angle iron haearn ongl *eg* heyrn ongl

angle of contact ongl gyswllt *eb* onglau cyswllt

angle of cutting tool ongl erfyn torri *eb* onglau arfau torri

angle of depression ongl ostwng *eb* onglau gostwng

angle of deviation ongl wyriad *eb* onglau gwyriad

angle of elevation ongl godiad *eb* onglau codiad

angle of friction ongl ffrithiant *eb* onglau ffrithiant

angle of grazing incidence ongl prin drawiad *eb* onglau prin drawiad

angle of incidence ongl drawiad *eb* onglau trawiad

angle of inclination ongl oledd *eb* onglau goledd

angle of intersection ongl groestoriad *eb* onglau croestoriad

angle of obliquity ongl letrawsedd *eb* onglau lletrawsedd

angle of projection ongl dafluniad *eb* onglau tafluniad

angle of reflection ongl adlewyrchiad *eb* onglau adlewyrchiad

angle of refraction ongl blygiant *eb* onglau plygiant

angle of rotation ongl gylchdro *eb* onglau cylchdro

angle of turning tool ongl erfyn turnio *eb* onglau arfau turnio

angle plate plât ongl *eg* platiau ongl

angle shot ergyd onglog *eb* ergydion onglog

angled return dychweliad lletraws *eg* dychweliadau lletraws

Anglican *adj* Anglicanaidd *ans*

Anglican *n* Anglican *eg* Anglicaniaid

Anglican chant siant Anglicanaidd *eb* siantiau Anglicanaidd

Anglicization (of language, society) Seisnigo (iaith, cymdeithas) *be*

Anglicized Seisnigaidd *ans*

Anglo-Irish Treaty Cytundeb Eingl-Wyddelig *eg*

Anglo-Norman *adj* Eingl-Normanaidd *ans*

Anglo-Norman *n* Eingl-Norman *eg* Eingl-Normaniaid

Anglo-Norman Law Cyfraith Eingl-Normanaidd *eb*

Anglo-Saxon *adj* Eingl-Sacsonaidd *ans*

Anglo-Saxon (language) Eingl-Sacsoneg *eb*

Anglo-Saxon Chronicles Croniclau'r Eingl-Sacsoniaid *ell*

Anglo-Saxon Law Cyfraith Eingl-Sacsonaidd *eb*

angora angora *eg*

angular (having angles) onglog *ans*

angular (of velocity etc) onglaidd *ans*

angular deformation anffurfiad onglog *eg* anffurfiadau onglog

angular face wyneb onglog *eg* wynebau onglog

angular magnification chwyddhad onglog *eg* chwyddadau onglog

angular momentum momentwm onglaidd *eg* momenta onglaidd

angular perspective persbectif onglog *eg* persbectifau onglog

angular thread edau onglog *eb* edafedd onglog

angular velocity cyflymder onglaidd *eg* cyflymderau onglaidd

angularity onglogrwydd *eg*

---

anharmonic *adj* anharmonig *ans*

anharmonic *n* anharmonig *eg* anharmonigau

anhydrate anhydrad *eg* anhydradau

anhydride anhydrid *eg* anhydridau

anhydrous anhydrus *ans*

aniline anilin *eg*

aniline colours lliwiau anilin *ell*

aniline dyes llifion anilin *ell*

animal *adj* anifeilaidd *ans*

animal *n* anifail *eg* anifeiliaid

animal fibre ffibr anifail *eg* ffibrau anifail

animal form ffurf anifeiliaid *eb*

animal glue glud anifail *eg*

animal marionette marionét anifail *eg* marionetau anifeiliaid

animate animeiddio *be*

animation animeiddiad *eg* animeiddiadau

animator animeiddydd *eg* animeiddwyr

animism animistiaeth *eb*

animist animistiad *eg/b* animistiaid

animistic animistaidd *ans*

anion anion *eg* anionau

anionic anionig *ans*

ankle ffêr *eb* fferau; pigwrn *eg/b* pigyrnau

anklewarmers socasau *ell*

annal blwyddnod *eg* blwyddnodau

annates (=first fruits) anodau *ell*

anneal anelio *be*

annex *v* cyfeddiannu *be*

annexation cyfeddiant *eg*

annexe (to building) *n* rhandy *eg* rhandai

annexe (to document) *n* atodiad *eg* atodiadau

annihilate difodi *be*

anniversary pen-blwydd *eg* penblwyddi

Anno Domini (AD) Oed Crist (OC)

annotate anodi *be*

annotated drawing lluniad anodedig *eg*

annotated map map anodedig *eg* mapiau anodedig

annotated sketch braslun anodedig *eg* brasluniau anodedig

annotation anodiad *eg* anodiadau

annual (flower) *n* blodyn unflwydd *eg* blodau unflwydd

annual (=lasting for one year) *adj* unflwydd *ans*

annual (=occurring every year) *adj* blynyddol *ans*

annual premium premiwm blynyddol *eg* premiymau blynyddol

annual rainfall glawiad blynyddol *eg*

annual ring cylch blynyddol *eg* cylchoedd blynyddol

annual thickening tewychu unflwydd *be*

annuity blwydd-dâl *eg* blwydd-daliadau

annul dirymu *be*

annular (in physics) anwlar *ans*

annular (=ring-shaped) modrwyol *ans*

annulate modrwywedd *ans*

annulment dirymiad *eg* dirymiadau

annulus (in biology) modrwy *eb* modrwyau

annulus (in physics) anwlws *eg* anwli

annunciation cyfarchiad *eg* cyfarchiadau

anode anod *eg* anodau

anodic anodig *ans*

anodic oxidation ocsidiad anodig *eg*

anodize anodeiddio *be*

anoint eneinio *be*

anointed eneiniog *ans*

anointing eneiniad *eg*

anomalous (in astronomy) anomalus *ans*

anomalous (in biology etc) anrheolaidd *ans*

anomalous (in general) afreolaidd *ans*

anomaly (in astronomy) anomaledd *eg*

anomaly (in biology etc) achos anrheolaidd *eg* achosion anrheolaidd

anomaly (in general) anghysondeb *eg* anghysondebau

anorexia nervosa anorecsia nerfosa *eg*

anorexic anorecsig *ans*

anoxia anocsia *eg*

answer *n* ateb *eg* atebion

answer *v* ateb *be*

antacid gwrthasid *eg*

antagonistic (of muscles) gwrthweithiol *ans*

antagonistic muscle pairs parau gwrthweithiol o gyhyrau *ell*

Antarctic Antartig *eg*

antecedent *n* rhagflaenydd *eg* rhagflaenyddion

antecedent (e.g. drainage) *adj* rhagosod *ans*

antecedent (in canon) *n* rhagalaw *eb* rhagalawon

antechamber rhagsiambr *eb* rhagsiambrau

antenatal cyn-geni *ans*

antenatal care gofal cyn-geni *eg*

antenatal clinic clinig cyn-geni *eg* clinigau cyn-geni

antenna (=aerial) antena *eg* antenau

antenna (of anthropod) teimlydd *eg* teimlyddion

antennule antennyn *eg* antenynnau

anterior pen blaen *eg*

anterior root (of nerve) nerfwreiddyn blaen *eg* nerfwreiddiau blaen

anthem anthem *eb* anthemau

anther anther *eg* antheri

anthocyanin anthocyanin *eg* anthocyaninau

anthoxanthin anthocsanthin *eg* anthocsanthinau

anthracite glo carreg *eg*

anthropoid anthropoid *eg* anthropoidau

anthropology anthropoleg *eb*

anthropometrics anthropometreg *eb*

anthropomorphic anthropomorffaidd *ans*

anthropomorphism anthropomorffaeth *eb*

anti bonding (of orbitals) gwrthfondio *ans*

anti-bacterial (of finish) gwrthfacteria *ans*

anti-caking agent cyfrwng gwrthdalpio *eg* cyfryngau gwrthdalpio

anti-capillary groove rhigol wrth-gapilari *eb* rhigolau gwrth-gapilari

---

adf, adv adferf, adverb   **ans, adj** ansoddair, adjective   **be** berf, verb   **eb** enw benywaidd, *feminine noun*   **eg** enw gwrywaidd, *masculine noun*

anti-colonialist gwrthdrefedigaethol *ans*

anti-Comintern pact pact gwrth-Gomintern *eg*

Anti-Corn Law League Cynghrair er Diddymu'r Deddfau Ŷd *eb*

anti-corrosion agent cyfrwng gwrthgyrydu *eg*

anti-dust chalk sialc di-lwch *eg*

anti-European gwrth-Ewropeaidd *ans*

anti-flame gwrth-fflam *ans*

anti-friction gwrth-ffrithiant *ans*

anti-friction grease saim gwrth-ffrithiant *eg* seimiau gwrth-ffrithiant

anti-friction metal metel gwrth-ffrithiant *eg* metelau gwrth-ffrithiant

anti-inflammatory (of drug) gwrthlidiol *ans*

anti-inflationary gwrthchwyddiannol *ans*

Anti-Marcionite Prologues Prologau Gwrth-Farcionaidd *ell*

anti-moth gwrthwyfyn *ans*

anti-Semitism gwrth-Semitiaeth *eb*

anti-slavery movement mudiad gwrthgaethwasiaeth *eg*

anti-slip gwrth-lithr *ans*

anti-snake bar braich sadio *eb* breichiau sadio

anti-terrorism gwrthderfysgaeth *eb*

anti-terrorist gwrthderfysgwr *eg* gwrthderfysgwyr

anti-terrorist device dyfais wrthderfysgol *eb* dyfeisiau gwrthderfysgol

anti-trades gwrthwyntoedd cyson *ell*

antibiotic *adj* gwrthfiotig *ans*

antibiotic *n* gwrthfiotig *eg* gwrthfiotigau

antibody gwrthgorff *eg* gwrthgyrff

Antichrist Anghrist *eg*

anticipate (in general) rhagweld *be*

anticipate (in music) rhagdaro *be*

anticipate response rhagweld ymateb *be*

anticipation (of musical note) rhagdrawiad *eg* rhagdrawiadau

anticlerical gwrthglerigol *ans*

anticlericalism gwrthglerigaeth *eb*

anticlinal anticlinol *ans*

anticline anticlin *eg* anticlinau

anticlinorium anticlinoriwm *eg* anticlinoria

anticlockwise gwrthglocwedd *ans*

anticlockwise direction cyfeiriad gwrthglocwedd *eg*

anticyclone antiseiclon *eb* antiseiclonau

anticyclonic antiseiclonig *ans*

antidepressant (drug) gwrthiselydd *eg* gwrthiselyddion

antidote gwrthwenwyn *eg*

antiemetic (drug) gwrthgyfogydd *eg* gwrthgyfogyddion

antiepileptic (drug) cyffur atal epilepsi *eg* cyffuriau atal epilepsi

antigen antigen *eg* antigenau

antihypertensive (of drug) gwrthorbwysol *ans*

antihypotensive (of drug) gwrthisbwysol *ans*

antilogarithm gwrthlogarithm *eg* gwrthlogarithmau

antimony (Sb) antimoni *eg*

antinode antinod *eg* antinodau

antinomian *adj* antinomaidd *ans*

antinomian *n* antinomiad *eg* antinomiaid

antinomianism antinomiaeth *eb*

Antiochene Antiochaidd *ans*

antioxidant gwrthocsidydd *eg* gwrthocsidyddion

antipapal gwrth-Babaidd *ans*

antiparallel gwrthbaralel *ans*

antiphase (out of phase) gwrthwedd *ans*

antiphon antiffon *eb* antiffonau

antipope gwrthbab *eg* gwrthbabau

antiproton antiproton *eg* antiprotonau

antiquarian hynafiaethol *ans*

antiquary hynafiaethydd *eg* hynafiaethwyr

antique *adj* hynafol *ans*

antique *n* hynafolyn *eg* hynafolion

antique cymbals symbalau Groeg *ell*

antique paper papur bras *eg*

antique shop siop hen bethau *eb* siopau hen bethau

antiquity (=ancient times) hen fyd *eg*

antiquity (of objects or customs) hynafiaeth *eg* hynafiaethau

antiracism gwrth-hiliaeth *eb*

antiracist education addysg wrth-hiliol *eb*

antiseptic *adj* antiseptig *ans*

antiseptic *n* antiseptig *eg*

antisocial behaviour ymddygiad gwrthgymdeithasol *eg*

antistatic gwrthstatig *ans*

antisymmetric gwrthgymesur *ans*

antisymmetry gwrthgymesuredd *eg* gwrthgymesureddau

antithesis antithesis *eg*

antivivisection gwrthfywddyraniad *eg*

anuria anwria *eg*

anus anws *eg*

anvil eingion *eb* eingionau

anvil horn scrolls heyrn sgrôl *ell*

anxiety pryder *eg* pryderon

aorta aorta *eg*

aortic arch bwa aortig *eg* bwâu aortig

apart ar wahân *ans*

apartheid apartheid *eg*

apartment fflat *eg* fflatiau

apathy apathi *eg*

aperient carthydd *eg* carthyddion

aperiodic digyfnod *ans*

aperture agorfa *eb* agorfeydd

apetalous dibetalog *ans*

apex apig *eb* apigau

aphasia affasia *eg*

aphelion affelion *eg*

apical apigol *ans*

apical bud blaguryn apigol *eg* blagur apigol

apical meristem meristem apigol *eg*

apnoea peidio anadlu *be*

apocalypse datguddiad *eg* datguddiadau

apocalyptic *adj* apocalyptaidd *ans*

apocalyptic *n* apocalypteg *eb*

apocarpous apocarpog *ans*

apocrypha apocryffa *eg*

apocryphal new testament testament newydd apocryffaidd *eg*

apogean tide llanw apogeaidd *eg*

apogee apoge *eg*

apologetic (of reasoned defence) diffyniadol *ans*

apologetics diffyniadaeth *eb*

apologetist diffynnydd *eg* diffynwyr

apology (=defence) diffyniad *eg* diffyniadau

apology of the Commons cyfiawnhad y Senedd *eg*

apophthegm doethair *eg* doetheiriau

apostasy gwrthgiliad *eg* gwrthgiliadau

apostate *adj* gwrthgiliol *ans*

apostate *n* gwrthgiliwr *eg* gwrthgilwyr

apostle apostol *eg* apostolion

apostleship apostoliaeth *eb*

apostolic apostolaidd *ans*

Apostolic Constitutions, the Gosodiadau Apostolaidd, y *ell*

Apostolic Fathers Tadau Apostolaidd *ell*

Apostolic Succession Olyniaeth Apostolaidd *eb*

apostolicity apostoligrwydd *eg*

apostrophe collnod *eg* collnodau

apoyando apoyando *eg*

apparatus cyfarpar *eg*

apparent (in physics) ymddangosol *ans*

apparent (=obvious) amlwg *ans*

apparent (=seeming) ymddangosiadol *ans*

apparent motion of the moon mudiant ymddangosol y lleuad *eg*

apparent movement symudiad ymddangosol *eg* symudiadau ymddangosol

apparent time amser haul *eg*

appeal *n* apêl *eb* apeliadau

appeal *v* apelio *be*

appeal court llys apêl *eg* llysoedd apêl

appear ymddangos *be*

appearance ymddangosiad *eg* ymddangosiadau

appease dyhuddo *be*

appeasement dyhuddiad *eg* dyhuddiadau

appeasement policy polisi dyhuddo *eg* polisïau dyhuddo

appellant apelydd *eg* apelyddion

Appellant Lords Arglwyddi Apelyddol *ell*

appendicitis llid y pendics *eg*

appendicular skeleton sgerbwd atodol *eg* sgerbydau atodol

appendix atodiad *eg* atodiadau

appetite archwaeth *eb*

appetite centre canolfannyn ymborthi *eg* canolfanynnau ymborthi

appetizer blasyn *eg* blasynnau

appetizing blasus *ans*

apple Charlotte Charlotte afal *eg*

apple core craidd afal *eg* creiddiau afalau

apple corer digreiddiwr afal *eg* digreiddwyr afalau

apple dumpling twmplen afal *eb* twmplenni afal

apple sauce saws afal *eg*

appliance offeryn *eg* offer

applicability cymhwysedd *eg*

applicable cymwys *ans*

application (=diligence) dyfalbarhad *eg*

application (=formal request) cais *eg* ceisiadau

application (=the use to which something can be put) cymhwysiad *eg* cymwysiadau

application form ffurflen gais *eb* ffurflenni cais

application of science cymhwysiad o wyddoniaeth *eg*

application package pecyn cymhwyso *eg* pecynnau cymhwyso

applications programmer rhaglennwr cymwysiadau *eg* rhaglenwyr cymwysiadau

applied (as a subject of study) cymhwysol *ans*

applied (=put on) gosod *ans*

applied art celfyddyd gymhwysol *eb* celfyddydau cymhwysol

applied braid brêd gosod *eg* brediau gosod

applied facing wynebyn gosod *eg* wynebynnau gosod

applied flounce fflowns osod *eb* fflownsiau gosod

applied force grym gosod *eg*

applied forms ffurfiau gosod *ell*

applied geography daearyddiaeth gymhwysol *eb*

applied lipping ymyl osod *eb* ymylon gosod

applied mathematics mathemateg gymhwysol *eb*

applied moulding mowldin gosod *eg*

applied ornament addurn gosod *eg* addurniadau gosod

applied resist gwrthydd gosod *eg*

appliqué appliqué *eg*

apply (=devote oneself) ymroi *be*

apply (=make a formal request) gwneud cais *be*

apply (=make use of as relevant or suitable) cymhwyso (at) *be*

apply (=set, put) rhoi *be*

apply paint peintio *be*

apply polish llathru *be*

apply ruler gosod mesurydd *be*

appoggiatura appoggiatura *eg* appoggiature

appointment (to a post) penodiad *eg* penodiadau

appointment (to see someone) apwyntiad *eg* apwyntiadau

appraisal gwerthusiad *eg* gwerthusiadau

appraisal procedure trefn werthuso *eb* trefnau gwerthuso

appraise gwerthuso *be*

appreciate gwerthfawrogi *be*

appreciation (=favourable recognition) gwerthfawrogiad *eg* gwerthfawrogiadau

appreciation (in value) arbrisiant *eg* arbrisiannau

apprehend (=arrest) restio *be*

apprehend (=understand) dirnad *be*

apprehension (=understand) dirnadaeth *eb*

apprentice prentis *eg* prentisiaid

apprenticeship prentisiaeth *eb*

---

approach (a matter) *v* ymdrin â (mater) *be*
approach (a person) *v* mynd at (berson) *be*
approach (=come near) *v* agosáu *be*
approach (=way of dealing with person or thing) *n* dull *eg* dulliau
approach run *n* atrediad *eg* atrediadau
approach run *v* atredeg *be*
approach to history ymagwedd at hanes *eb*
appropriate *v* adfeddu *be*
appropriate (in performance criteria) *adj* priodol *ans*
appropriate accuracy manwl gywirdeb priodol *eg*
appropriate activity gweithgaredd priodol *eg* gweithgareddau priodol
appropriate decision penderfyniad priodol *eg* penderfyniadau priodol
appropriate direction cyfeiriad priodol *eg* cyfeiriadau priodol
appropriate dress gwisg briodol *eb* gwisgoedd priodol
appropriate evidence tystiolaeth briodol *eb*
appropriate illustration (=drawing) darluniad pwrpasol *eg* darluniadau pwrpasol
appropriate illustration (=explanation) eglureb bwrpasol *eb* eglurebau pwrpasol
appropriate position safle priodol *eg* safleoedd priodol
appropriate response ymateb priodol *eg* ymatebion priodol
appropriate use of the body defnyddio'r corff yn briodol *be*
appropriate vocabulary geirfa briodol *eb*
appropriated tithe degwm adfedd *eg* degymau adfedd
appropriately pitched priodol o ran anhawster
appropriation adfeddiad *eg* adfeddiadau
approval label label cymeradwyaeth *eg* labeli cymeradwyaeth
approver trwyddedwr *eg* trwyddedwyr
approximate *adj* bras *ans*
approximate *v* brasamcanu *be*
approximate answer (=rough answer) ateb bras *eg* atebion bras
approximately tua *adf*
approximation brasamcan *eg* brasamcanion
apricot bricyllen *eb* bricyll
apron ffedog *eb* ffedogau
apron stage llwyfan ffedog *eg* llwyfannau ffedog
apse cromfan *eb* cromfannau
apsidal cromfannol *ans*
apsidal tower tŵr cromfannol *eg* tyrau cromfannol
aptitude tueddfryd *eg*
aptitude test prawf tueddfryd *eg* profion tueddfryd
aquarium acwariwm *eg* acwaria
aquatic dyfrol *ans*
aquatic feeders bwytawyr dyfrol *ell*
aquatint acwatint *eg*
aqueduct traphont ddŵr *eb* traphontydd dŵr
aqueous dyfrllyd *ans*
aqueous humour hylif dyfrllyd *eg*
aquifer dyfr-haen *eb* dyfr-haenau

Arab League Cynghrair Arabaidd *eb*
arab spring sbring arab *eg* sbringiau arab
arabesque arabésg *eg* arabesgau
Arabic gum gwm Arabig *eg*
arable âr *ans*
arable land tir âr *eg*
Aramaic Arameaidd *ans*
Aramaic (of language) Aramaeg *eb*
Aramaism Aramaegeb *eb* Aramaegebau
arbitrariness mympwy *eg*
arbitrary mympwyol *ans*
arbitrary constant cysonyn mympwyol *eg* cysonion mympwyol
arbitrary unit uned fympwyol *eb* unedau mympwyol
arbitrate cyflafareddu *be*
arbitration cyflafareddiad *eg* cyflafareddiadau
arbitrator cyflafareddwr *eg* cyflafareddwyr
arbor arbor *eg* arborau
arbor chuck crafanc arbor *eb* crafangau arbor
arbor hole twll arbor *eg* tyllau arbor
arboriculture coedyddiaeth *eb*
arc arc *eb* arcau
arc cutting torri arc *be*
arc of contact arc gyffwrdd *eb* arcau cyffwrdd
arc welding arc-weldio *be*
arcade arcêd *eb* arcedau
arch (in general) *n* bwa *eg* bwâu
arch *v* pontio *be*
arch (in dancing) *n* pont *eb* pontydd
arch form ffurf bwa *eb* ffurfiau bwa
archaeology archaeoleg *eb*
archaic hynafol *ans*
archaism (in general) hynafiaeth *eb* hynafiaethau
archaism (in religion) hynafoliad *eg*
archangel archangel *eg* archangylion
archduchess archdduges *eb* archddugesau
archduchy archddugiaeth *eb* archddugiaethau
archer saethwr *eg* saethwyr
archery saethyddiaeth *eb*
archetype archdeip *eg* archdeipiau
Archimedean drill dril Archimedes *eg* driliau Archimedes
Archimedean spiral sbiral Archimedes *eb* sbiralau Archimedes
architect pensaer *eg* penseiri
architectural pensaernïol *ans*
architectural art celfyddyd bensaernïol *eb*
architectural style arddull pensaernïol *eg* arddulliau pensaernïol
architecture pensaernïaeth *eb*
architrave architraf *eg* architrafau
architrave moulding mowldin architraf *eg* mowldinau architraf
archive *n* archif *eg* archifau
archive *v* archifo *be*
archive record cofnod archifol *eg* cofnodion archifol
archive tape tâp archifol *eg* tapiau archifol

---

archiving system system archifo *eb* systemau archifo
archivist archifydd *eg* archifyddion
archivolt moltas *eg* molteisi
arctangent gwrthdangiad *eg* gwrthdangiadau
Arctic Arctig *eg*
arctic air aer arctig *eg*
arctic alpine arctig alpinaidd *eg*
arcuate bwaog *ans*
are (unit of area) âr *eg* arau
area (=district in general) ardal *eb* ardaloedd
area (=extent or measure of a surface) arwynebedd *eg* arwynebeddau
area (=region or tract) rhanbarth *eg* rhanbarthau
area (=scope or range of activity) maes *eg* meysydd
area (=section or part) adran *eb* adrannau
area of great environmental value ardal o werth amgylcheddol mawr *eb* ardaloedd o werth amgylcheddol mawr
area of scenic attraction ardal hynod o hardd *eb* ardaloedd hynod o hardd
area of triangle arwynebedd triongl *eg*
area sample samplu ardal *be*
area school ysgol ardal *eb* ysgolion ardal
areal differentiation gwahaniaethiad arwynebedd *eg*
arena arena *eb* arenau
arenaceous tywodlyd *ans*
areolar tissue meinwe areolaidd *eb*
arête crib *eg/b* cribau
Argentine *adj* Archentaidd *ans*
Argentine *n* Archentwr *eg* Archentwyr
argillaceous cleiog *ans*
arginine arginin *eg*
argon (Ar) argon *eg*
argument (=amplitude) arg *eg* argiau
argument (=reasoning) ymresymiad *eg* ymresymiadau
arhythmic arhythmig *ans*
aria aria *eb* ariâu
arid cras *ans*
arioso arioso *eg* ariosi
aristocracy pendefigaeth *eb*
aristocrat pendefig *eg* pendefigion
arithmetic rhifyddeg *eb*
arithmetic base ... rhifyddeg bôn ... *eb*
arithmetic mean cymedr rhifyddol *eg*
arithmetic overflow gorlif rhifyddol *eg* gorlifoedd rhifyddol
arithmetic shift syfliad rhifyddol *eg* syfliadau rhifyddol
arithmetic-logic unit (ALU) uned rifyddeg-resymeg *eb* unedau rhifyddeg-resymeg
arithmetical rhifyddol *ans*
arithmetical progression dilyniant rhifyddol *eg*
arithmetician rhifyddwr *eg* rhifyddwyr
arithmogon rhifogon *eg* rhifogonau
Arkansas oilstone carreg hogi Arkansas *eb*
arm *n* braich *eb* breichiau
arm (in dancing) *v* breichio *be*
arm (with weapons) *v* arfogi *be*

arm jump naid braich *eb* neidiau braich
arm jumping braich-neidio *be*
arm ladder ysgol fraich *eb* ysgolion braich
arm palette palet braich *eg*
arm walking braich-gerdded *be*
armada armada *eb* armadau
armament industry diwydiant arfau *eg* diwydiannau arfau
armaments arfau *ell*
armature armatwr *eg* armatyrau
armchair cadair freichiau *eb* cadeiriau breichiau
armed neutrality niwtraliaeth arfog *eb*
armhole twll llawes *eg* tyllau llewys
armhole facing wynebyn twll llawes *eg* wynebynnau twll llawes
Arminian *adj* Arminaidd *ans*
Arminian *n* Arminiad *eg* Arminiaid
Arminianism Arminiaeth *eb*
armistice cadoediad *eg* cadoediadau
armonica armonica *eg* armonicau
armour arfogaeth *eb*
armour bright arfloyw *ans*
armoured division adran arfog *eb* adrannau arfog
armoured hose arfbib *eb* arfbibau
armoured ply pren haengaled *eg*
armoury ystordy arfau *eg* ystordai arfau
armpit cesail *eb* ceseiliau
arms bend breichiau'n blyg *ell*
arms race ras arfau *eb*
arms sideways breichiau ar led *ell*
arms swinging swingio'r breichiau *be*
arms upwards breichiau i fyny *ell*
army division adran o'r fyddin *eb* adrannau'r fyddin
Army High Command Pen Reolaeth y Fyddin *eb*
army officer swyddog o'r fyddin *eg* swyddogion y fyddin
Arnulph Arnwlff *eg*
aroma arogl *eg* aroglau
aromatic (in chemistry) aromatig *ans*
aromatic (in general) persawrus *ans*
around o amgylch *adf*
arpeggio arpeggio *eg* arpeggi
arpeggio 6/4 chord cord 6/4 arpeggio *eg* cordiau 6/4 arpeggio
arraign cyhuddo *be*
arrange trefnu *be*
arrangement (in music) trefniant *eg* trefniannau
arrangement (=preparation) trefniad *eg* trefniadau
arranger trefnydd *eg* trefnyddion
arras brithlen *eb* brithlenni
array arae *eb* araeau
arrearage ôl-ddylediaeth *eb*
arrears ôl-ddyled *eb* ôl-ddyledion
arrears of rent ôl-ddyledion rhent *ell*
arrest *n* arestiad *eg* arestiadau
arrest *v* arestio *be*
arris ymyl fain *eb* ymylon main
arrival (of person) dyfodiad *eg* dyfodiaid

---

adf, adv adferf, *adverb* **ans, adj** ansoddair, *adjective* **be** berf, *verb* **eb** enw benywaidd, *feminine noun* **eg** enw gwrywaidd, *masculine noun*

arrival and departure cyrraedd a gadael

arrive cyrraedd *be*

arrow saeth *eb* saethau

arrow diagram diagram saeth *eg* diagramau saeth

arrowhead pen saeth *eg* pennau saethau

arrowhead tack tac pen saeth *eg* taciau pen saeth

arrowloop agen saethu *eb* agennau saethu

arrowroot arorwt *eg*

arsenal (in geography) arsenal *eg* arsenalau

arsenal (=weapons store) arfdy *eg* arfdai

arsenic (As) arsenig *eg*

arson llosgi bwriadol *be*

art celfyddyd *eb* celfyddydau

art board bwrdd arlunio *eg* byrddau arlunio

art materials defnyddiau celf *ell*

Art Nouveau Art Nouveau *eb*

art package pecyn arlunio *eg* pecynnau arlunio

art vocabulary geirfa gelf *eb*

artefact arteffact *eg* arteffactau

arterial line llinell rhydweli *eb* llinellau rhydweliau

arterial road ffordd brifwythiennol *eb* ffyrdd prifwythiennol

arteriole rhydweliyn *eg* rhydweliau

arteriosclerosis arteriosglerosis *eg*

artery (in anatomy) rhydweli *eb* rhydweliau

artery (of communication) prif wythïen *eb* prif wythiennau

artesian well ffynnon artesaidd *eb* ffynhonnau artesaidd

arthropod arthropod *eg* arthropodau

Arthurian legend chwedl Arthuraidd *eb* chwedlau Arthuraidd

artichoke artisiog *eg* artisiogau

article erthygl *eb* erthyglau

articulate (=jointed) *adj* cymalog *ans*

articulate (of bones) *v* ymgymalu *be*

articulate (of instrument) *v* canu'n lân *be*

articulate (of speech) *adj* croyw *ans*

articulate (of voice) *v* ynganu *be*

articulated (of skeleton, vehicle) cymalog *ans*

articulation (of instrument) canu glân *be*

articulation (of voice) ynganiad *eg*

artificial (=imitating the natural) artiffisial *ans*

artificial (of fabricated objects) gwneud *ans*

artificial (of teeth, limbs) gosod *ans*

artificial harmonics cyseiniau gwneud *ell*

artificial insemination semenu artiffisial *be*

artificial intelligence (AI) deallusrwydd artiffisial *eg*

artificial kidney aren artiffisial *eb* arennau artiffisial

artificial light golau artiffisial *eg*

artificial limb aelod gosod *eg* aelodau gosod

artificial manure gwrtaith artiffisial *eg* gwrteithiau artiffisial

artificial respiration resbiradaeth artiffisial *eb*

artificial seasoning sychu mewn odyn *be*

artificial silk sidan gwneud *eg*

artificial stone carreg hogi wneud *eb* cerrig hogi gwneud

artificial ventilation awyru artiffisial *be*

artillery magnelaeth *eb*

artillery range (=firing range) maes tanio *eg* meysydd tanio

artilleryman magnelwr *eg* magnelwyr

artisan crefftwr *eg* crefftwyr

artisan painter arlunydd gwlad *eg* arlunwyr gwlad

Artisans' Dwelling Act Deddf Anheddau'r Gweithwyr *eb*

artist (=painter) arlunydd *eg* arlunwyr

artist (=practitioner of any art) artist *eg* artistiaid

artist's canvas cynfas arlunio *eg* cynfasau arlunio

artist's materials defnyddiau arlunio *ell*

artist's reconstruction adluniad arlunydd *eg* adluniadau arlunydd

artistic celfydd *ans*

artistic intention bwriad artistig *be* bwriadau artistig

Aryan *adj* Ariaidd *ans*

Aryan *n* Ariad *eg* Ariaid

Aryan Race Hil Ariaidd *eb*

as and when necessary yn ôl yr angen

as described yn ôl y disgrifiad

as high as cyfuwch â *ans*

as indicated by fel y dangosir gan

AS level Safon Uwch Atodol *eb*

asbestos asbestos *eg*

asbestos glove maneg asbestos *eb* menig asbestos

asbestos mat mat asbestos *eg* matiau asbestos

asbestos pad pad asbestos *eg* padiau asbestos

ascend esgyn *be*

ascendancy goruchafiaeth *eb*

ascender (in general) esgynnwr *eg* esgynwyr

ascender (in typography) esgynnydd *eg* esgynyddion

ascending esgynnol *ans*

ascending number trefn gynyddol eu rhifau *eb*

ascending order trefn esgynnol *eb*

ascending scale graddfa esgyn *eb* graddfeydd esgyn

ascension esgyniad *eg* esgyniadau

Ascension Thursday Dydd Iau Dyrchafael *eg*

ascent esgyniad *eg* esgyniadau

ascetic asgetig *ans*

Ascetic Theology Diwinyddiaeth Asgetig *eb*

asceticism asgetigiaeth *eb*

ASCII code cod ASCII *eg*

ascites asgites *eg*

ascorbic acid asid asgorbig *eg*

ascribe glory to God gogoneddu Duw *be*

ascription (of glory) gogoneddiad *eg*

ascus asgws *eg* asgi

asepsis asepsis *eg*

aseptic aseptig *ans*

aseptic technique techneg aseptig *eb* technegau aseptig

asexual anrhywiol *ans*

asexual reproduction atgynhyrchu anrhywiol *be*

ash *n* lludw *eg*

ash *v* llwyrlosgi *be*

ash content cynnwys lludw *eg*

ash tray blwch llwch *eg* blychau llwch

Ash Wednesday Dydd Mercher Lludw *eg*

ashlar carreg nadd *eb* cerrig nadd

---

eg/b enw gwrywaidd/benywaidd, *feminine/masculine noun*   *ell* enw lluosog, *plural noun*   *v* berf, *verb*   *n* enw, *noun*

ashlaring (of boarding) estyll croglofft *ell*
asiento asiento *eg*
askew (in carpentry) ar letraws *ans*
asparagus asbaragws *eg*
aspartase asbartas *eg*
aspartic acid asid asbartig *eg*
aspect agwedd *eb* agweddau
aspects of dance agweddau ar ddawnsiau *ell*
aspersion (liturgical) taenelliad *eg*
asphalt asffalt *eg*
asphyxia myctod *eg*
asphyxiate mygu *be*
aspic asbig *eg*
aspirate sugno *be*
aspiration (=desire) dyhead *eg* dyheadau
aspiration (=drawing of breath) sugniad *eg* sugniadau
assart asart *eg* asartau
assassin asasin *eg* asasiniaid
assault *n* ymosodiad *eg* ymosodiadau
assault *v* ymosod *be*
assault and battery ymosod a churo
assay mark nod prawf *eg* nodau prawf
assayable solder sodr prawf arian *eg* sodrau prawf arian
assemblage casgliad *eg* casgliadau
assemble (=fit together) cydosod *be*
assembler cydosodydd *eg* cydosodyddion
assembly (in school) gwasanaeth *eb* gwasanaethau
assembly (of parts) cydosodiad *eg* cydosodiadau
assembly (political) cynulliad *eg* cynulliadau
assembly (religious) cymanfa *eb* cymanfaoedd
assembly drawing lluniadu cydosod *be*
assembly language iaith gydosod *eb* ieithoedd cydosod
assembly line llinell gydosod *eb* llinellau cydosod
assembly plant gwaith cydosod *eg* gweithfeydd cydosod
assertiveness pendantrwydd *eg*
assess asesu *be*
assessment asesiad *eg* asesiadau
assessment arrangements trefniadau asesu *ell*
assessment centre canolfan asesu *eb* canolfannau asesu
assessment criterion maen prawf asesu *eg* meini prawf asesu
assessment grid grid asesu *eg* gridiau asesu
assessment guide canllaw asesu *eg* canllawiau asesu
assessment mode modd asesu *eg* moddau asesu
assessment objective amcan asesu *eg* amcanion asesu
assessment of mobility asesu symudedd *be*
assessment plan cynllun asesu *eg* cynlluniau asesu
assessor aseswr *eg* aseswyr
asset ased *eg* asedau
assign neilltuo *be*
assign particle to cell neilltuo gronyn i gell *be*
assignment (=statement that allocates a value to a variable) neilltuad *eg* neilltuadau
assignment (=task allotted to a person) aseiniad *eg* aseiniadau
assimilate cymhathu *be*

assimilation cymhathiad *eg* cymhathiadau
assimilative cymhathol *ans*
assimilative hyphae hyffae cymhathol *ell*
Assisi embroidery brodwaith Assisi *eg*
assist cynorthwyo *be*
assistance cymorth *eg* cymhorthion
assistance exercise ymarfer cynorthwyo *eg* ymarferion cynorthwyo
assistant cynorthwyydd *eg* cynorthwywyr
assistant (shop) gweithiwr siop *eg* gweithwyr siop
assistantship swydd cynorthwyydd *eb* swyddi cynorthwywyr
assisted area ardal gynorthwyedig *eb* ardaloedd cynorthwyedig
assisted transport cludiant cynorthwyedig *eg*
assize brawdlys *eg* brawdlysoedd
assize of arms aséis arfau *eg*
associate member aelod cysylltiol *eg* aelodau cysylltiol
associate nurse nyrs gysylltiol *eb* nyrsys cysylltiol
associated cysylltiol *ans*
associated norm norm cysylltiol *eg*
association (ecological) cydgymuned (ecolegol) *eb* cydgymunedau
association (=society) cymdeithas *eb* cymdeithasau
association centre canolfan gydgysylltiol *eb* canolfannau cydgysylltiol
association of ideas cymdeithasiad syniadau *eg*
associative cysylltiadol *ans*
associative law deddf gysylltiadol *eb* deddfau cysylltiadol
associative memory cof cysylltiadol *eg*
associative store stôr gysylltiadol *eb* storau cysylltiadol
associator (=connector neurone) niwron cysylltiol *eg* niwronau cysylltiol
assorted amrywiol *ans*
assorted colours lliwiau amrywiol *ell*
assortment amrywiaeth *eb* amrywiaethau
assortment of materials amrywiaeth defnyddiau *eb*
assume flesh ymgnawdoli *be*
assumption tybiaeth *eb* tybiaethau
assumption of flesh ymgnawdoliad *eg*
assurance (=certainty) sicrwydd *eg*
assurance (=insurance) yswiriant *eg* yswiriannau
astable multivibrator amlddirgrynydd gwrthsefydlog *eg* amlddirgrynwyr gwrthsefydlog
astatine (At) astatin *eg*
asterisk seren *eb* sêr
asteroid asteroid *eg* asteroidau
asthma asthma *eg*
astigmatism astigmatedd *eg*
astragal astragal *eg* astragalau
astragal moulding mowldin astragal *eg* mowldinau astragal
astral serol *ans*
astride (position) traed ar led *ell*
astride jump naid ar led *eb* neidiau ar led
astride vault llofnaid ar led *eb* llofneidiau ar led
astro-mythology sêr-fytholeg *eb*
astrolabe astrolab *eg*

astrolatry sêr-addoliaeth *eb*
astrological sêr-ddewiniol *ans*
astrology sêr-ddewiniaeth *eb*
astronomy seryddiaeth *eb*
astrophysics astroffiseg *eb*
asymmetric anghymesur *ans*
asymmetric fold plyg anghymesur *eg* plygion anghymesur
asymmetrical amghymesurol *ans*
asymmetry anghymesuredd *eg* anghymesureddau
asymptote asymptot *eg* asymptotau
asymptotic asymptotig *ans*
asynchronous anghydamseredig *ans*
asystole ataliad y galon *eg*
at a discount ar ddisgownt
at a premium ar bremiwm
at an angle ar ongl
at an angle of 35° ar ongl 35°
AT: attainment target TC: targed cyrhaeddiad *eg* targedau cyrhaeddiad
at home gartref
at par ar lawn werth
at random ar hap
at risk mewn perygl
at the rate of yn ôl y gyfradd o
at-symbol (@) symbol am (@) *eg*
atactic atactig *ans*
ataxia atacsia *eg*
atheism anffyddiaeth *eb*
atheist anffyddiwr *eg* anffyddwyr
athematic athematig *ans*
athlete athletwr *eg* athletwyr
athletic athletaidd *ans*
athletic activity gweithgaredd athletaidd *eg* gweithgareddau athletaidd
athletics athletau *ell*
athletics club clwb athletau *eg* clybiau athletau
Atlantic Charter Siarter yr Iwerydd *eg*
Atlantic Revolution, The Chwyldro Môr Iwerydd *eg*
Atlantic roller gwaneg Iwerydd *eb* gwanegau Iwerydd
atlas atlas *eg* atlasau
atmosphere (=mood) awyrgylch *eg/b*
atmosphere (of gases, pressure) atmosffer *eg* atmosfferau
atmospheric atmosfferig *ans*
atmospheric pressure gwasgedd atmosfferig *eg*
atoll atol *eb* atolau
atom atom *eg/b* atomau
atomic atomig *ans*
atomic mass màs atomig *eg*
atomic number rhif atomig *eg* rhifau atomig
atomic structure adeiledd yr atom *eg*
atomicity atomedd *eg*
atomization atomeiddiad *eg*
atomize atomeiddio *be*
atomizer atomadur *eg* atomaduron
atonal digywair *ans*
atonalist digyweirydd *eg* digyweirwyr
atonality digyweiredd *eg*

atone gwneud iawn *be*
atonement iawn *eg*
Atonement, The Iawn, Yr *eg*
atrocity erchyllter *eg* erchyllterau
atrophy *n* crebachiad *eg*
atrophy *v* crebachu *be*
attach (=arrest) arestio *be*
attach (to) cydio (wrth) *be*
attached (to) ynghlwm (wrth)
attached dune twyn cysylltiedig *eg* twyni cysylltiedig
attachment (=accessory) atodyn *eg* atodion
attachment (in computing) ymgysylltiad *eg* ymgysylltiadau
attachment (=link) cydfan *eg* cydfannau
attack *n* ymosodiad *eg* ymosodiadau
attack *v* ymosod *be*
attack on the blade ymosod ar y llafn *be*
attack with edge ymosod â'r min *be*
attacker ymosodwr *eg* ymosodwyr
attacking position safle ymosodol *eg* safleoedd ymosodol
attacking stroke ergyd ymosodol *eb* ergydion ymosodol
attain its bounds cyrraedd ei arffiniau *be*
attainder adendriad *eg*
attainment cyrhaeddiad *eg* cyraeddiadau
attainment level lefel cyrhaeddiad *eb* lefelau cyrhaeddiad
attainment of objectives cyflawni amcanion *be*
attainment test prawf cyrhaeddiad *eg* profion cyrhaeddiad
attaint adendro *be*
attend (=pay attention) rhoi sylw *be*
attend (school) mynychu (ysgol) *be*
attendance presenoldeb *eg*
attendance allowance lwfans gweini *eg* lwfansau gwini
attendance centre canolfan fynychu *eb* canolfannau mynychu
attendance record cofnod mynychu *eg* cofnodion mynychu
attendant keys cyweiriau perthynol *ell*
attention sylw *eg*
attention span cyfnod canolbwyntio *be* cyfnodau canolbwyntio
attenuate gwanhau *be*
attenuation gwanhad *eg*
attenuator gwanhadur *eg* gwanaduron
attitude (of aeroplane, rocks) osgo *eg*
attitude (of mind) agwedd *eb* agweddau
attorney twrnai *eg* twrneiod
Attorney-General Twrnai Cyffredinol *eg* Twrneiod Cyffredinol
attract atynnu *be*
attraction atyniad *eg* atyniadau
attractive (=charming) deniadol *ans*
attractive (of force) atynnol *ans*
attractive force grym atynnol *eg* grymoedd atynnol
attribute priodoledd *eg* priodoleddau
attributes and variates priodoleddau ac amryweddau
attrition athreuliad *eg*
au gratin au gratin *ans*

---

eg/b enw gwrywaidd/benywaidd, *feminine/masculine noun*   ***ell*** enw lluosog, *plural noun*   *v* berf, *verb*   *n* enw, *noun*

aubade aubade *eg* aubades

aubergine planhigyn wy *eg* planhigion wy

auction sale arwerthiant *eg* arwerthiannau

auctioneer arwerthwr *eg* arwerthwyr

audibility clywadwyedd *eg*

audible clywadwy *ans*

audible range amrediad clywadwy *eg*

audience cynulleidfa *eb* cynulleidfaoedd

Audience Court Cwrt Gwrandawiad *eg*

audio clywedol *ans*

audio book llyfr llafar *eg* llyfrau llafar

audio frequency amledd awdio *eg*

audio visual aids adnoddau clyweled *ell*

audiogram awdiogram *eg* awdiogramau

audiolingual clywieithol *ans*

audiology clinic clinig clyw *eg* clinigau clyw

audiometer awdiomedr *eg* awdiomedrau

audiometry awdiometreg *eb*

audiotyping clywdeipio *be*

audit *n* archwiliad *eg* archwiliadau

audit *v* archwilio *be*

audit agency asiantaeth archwilio *eb* asiantaethau archwilio

audit moderator cymedrolwr archwilio *eg* cymedrolwyr archwilio

audit trail trywydd archwilio *eg* trywyddau archwilio

auditor archwiliwr *eg* archwilwyr

auditor of accounts archwiliwr cyfrifon *eg* archwiliwyr cyfrifon

auditory clybodol *ans*

auditory capsule cwpan y glust *eg*

auditory discrimination gwahaniaethu sŵn *be*

auditory meatus cyntedd y glust *eg*

auditory memory cof clywedol *eg*

auditory nerve nerf y clyw *eg*

auditory perception canfod sŵn *be*

auditory training hyfforddiant gwrando *eg*

augend awgend *eg* awgendau

auger taradr *eg* terydr

augment (=add to) ychwanegu (at) *be*

augment (in music) estyn *be*

augmentation (=addition) ychwanegiad *eg* ychwanegiadau

augmentation (in music) estyniad *eg* estyniadau

Augmentations Court Cwrt yr Ychwanegiadau *eg*

augmented (in music) estynedig *ans*

augmented chord cord estynedig *eg* cordiau estynedig

augmented interval cyfwng estynedig *eg* cyfyngau estynedig

augmented seventh chord cord y seithfed estynedig *eg* cordiau'r seithfed estynedig

augmented sixth chord cord y chweched estynedig *eg* cordiau'r chweched estynedig

augmenter ychwanegydd *eg* ychwanegyddion

augury darogan *eg* daroganau

Augustinian *adj* Awstinaidd *ans*

Augustinian *n* Awstiniad *eg* Awstiniaid

Augustinian Canons Canoniaid Awstiniaidd *ell*

Augustinian Friars Brodyr Sant Awstin *ell*

Augustinian Order Urdd Sant Awstin *eb*

Augustinianism Awstiniaeth *eb*

Auld Alliance Hen Gynghrair *eg*

aulos awlos *eg* awloi

aura awra *eb*

aural clywedol *ans*

aural aids cymhorthion clywedol *ell*

aural stimulus ysgogiad clywadwy *eg* ysgogiadau clywadwy

aural work sain glust *eb*

aureole lleugylch *eg* lleugylchau

auricle awrigl *eg* awriglau

auricular confession cyffes gudd *eb* cyffesion cudd

aurora awrora *eg* awrorau

Aurora Australis Goleuni'r De *eg*

Aurora Borealis Goleuni'r Gogledd *eg*

auroral awroraidd *ans*

austenite awstenit *eg* awstenitiau

austerity llymder *eg*

Austria Awstria *eb*

autarchy awtarchiaeth *eb*

authentic dilys *ans*

authentic mode modd sylfaenol *eg* moddau sylfaenol

authenticating body corff dilysu *eg* cyrff dilysu

authentication dilysu *be*

authenticity dilysrwydd *eg*

authigenic awthigenig *ans*

author awdur *eg* awduron

authoring awduro *be*

authoring package pecyn awduro *eg* pecynnau awduro

authoritarian awdurdodaidd *ans*

authoritarianism awdurdodaeth *eb*

authoritative awdurdodol *ans*

authority awdurdod *eg* awdurdodau

authorization awdurdodiad *eg* awdurdodiadau

authorize awdurdodi *be*

authorized awdurdodedig *ans*

authorized version fersiwn awdurdodedig *eg*

autism awtistiaeth *eb*

autistic awtistig *ans*

autistic child plentyn awtistig *eg* plant awtistig

auto-analyser dadansoddydd awtomatig *eg* dadansoddyddion awtomatig

auto-hyphenate awto-gysylltnodi *be*

auto-repeat ailadrodd awtomatig *be*

autocatalysis awtocatalysis *ans*

autochthonous brodorol *ans*

autoclave ffwrn aerglos *eb* ffyrnau aerglos

autocode awto-cod *eg* awto-codau

autocorrelation hunangydberthynas *eb* hunangydberthnasau

autocracy unbennaeth *eb*

autocrat unben *eg* unbeniaid

autocratic unbenaethol *ans*

autograph llofnod *eg* llofnodion

---

adf, adv adferf, *adverb*   *ans, adj* ansoddair, *adjective*   *be* berf, *verb*   *eb* enw benywaidd, *feminine noun*   *eg* enw gwrywaidd, *masculine noun*

autoharp telyn ddodi *eb* telynau dodi
autoimmunity awtoimiwnedd *eg*
automate awtomeiddio *be*
automatic awtomatig *ans*
automatic centre punch pwnsh canoli awtomatig *eg* pynsiau canoli awtomatig
automatic cut-off torbwynt awtomatig *eg* torbwyntiau awtomatig
automatic feed porthiant awtomatig *eg* porthiannau awtomatig
automatic gearbox gerbocs awtomatig *eg* gerbocsys awtomatig
automatic machine peiriant awtomatig *eg* peiriannau awtomatig
automatic reciprocation cilyddu awtomatig *be*
automatic thoughts meddyliau awtomatig *ell*
automatic wrap-around amlap awtomatig *eg* amlapiau awtomatig
automation awtomatiaeth *eb*
automatism awtomatedd *eb*
automobile modur *eg* moduron
automobile component cydran modur *eb* cydrannau moduron
automorphic awtomorffig *ans*
autonomic awtonomig *ans*
autonomous ymreolaethol *ans*
autonomous user defnyddiwr annibynnol *eg* defnyddwyr annibynnol
autonomy ymreolaeth *eb*
autopsy awtopsi *eg*
autoregression ymatchweliad *eg* ymatchweliadau
autoregressive ymatchwelaidd *ans*
autosome awtosom *eg*
autumn equinox cyhydnos yr hydref *eb*
auxiliary ategol *ans*
auxiliary (of musical note, chord) tonnog *ans*
auxiliary 6/4 chord cord 6/4 tonnog *eg* cordiau 6/4 tonnog
auxiliary circle cylch ategol *eb* cylchoedd ategol
auxiliary circle method dull cylch ategol *eg*
auxiliary elevation golwg ategol *eg* golygon ategol
auxiliary equation hafaliad ategol *eg* hafaliadau ategol
auxiliary front elevation blaenolwg ategol *eg* blaenolygon ategol
auxiliary industry diwydiant cynorthwyol *eg* diwydiannau cynorthwyol
auxiliary plan (of view) uwcholwg ategol *eg* uwcholygon ategol
auxiliary projection tafluniad ategol *eg* tafluniadau ategol
auxiliary teacher (female) athrawes gynorthwyol *eb* athrawesau cynorthwyol
auxiliary teacher (male) athro cynorthwyol *eg* athrawon cynorthwyol
auxiliary view golwg ategol *eg* golygon ategol
auxin awcsin *eg* awcsinau
availability argaeledd *eg*
available ar gael *ans*
available relief tirwedd leol *eb* tirweddau lleol
avalanche eirlithrad *eg* eirlithradau

avant-garde avant-garde *eg/b*
avarice cybydd-dod *eg*
avaricious cybyddlyd *ans*
aventurine afentwrin *eg*
avenue rhodfa *eb* rhodfeydd
average *n* cyfartaledd *eg* cyfartaleddau
average (=ordinary standard) *adj* canolig *ans*
average (worked out mathematically) *adj* cyfartalog *ans*
average ability gallu canolig *eg*
average attainment cyrhaeddiad ar gyfartaledd *eg*
average child plentyn cyffredin *eg* plant cyffredin
average cost cost gyfartalog *eb* costau cyfartalog
average income incwm cyfartalog *eg* incymau cyfartalog
average price pris cyfartalog *eg* prisiau cyfartalog
average rainfall glawiad cyfartalog *eg* glawiadau cyfartalog
average rate cyfradd gyfartalog *eb* cyfraddau cyfartalog
average scale factor ffactor graddfa gyfartalog *eb*
average temperature tymheredd cyfartalog *eg* tymereddau cyfartalog
aviation hedfan *be*
aviation industry diwydiant awyrennau *eg*
Avignon Papacy Pabaeth Avignon *eb*
avocado pear afocado *eg* afocados
avoid osgoi *be*
avoidance behaviour ymddygiad osgoi *eg*
avoided cadence diweddeb annisgwyl *eb* diweddebau annisgwyl
award (by referee's decision) *v* dyfarnu *be*
award (=give prize) *v* gwobrwyo *be*
award (=judgement) *n* dyfarniad *eg* dyfarniadau
award (=prize) *n* gwobr *eb* gwobrau
award damages dyfarnu iawndal *be*
awarding body corff dyfarnu *eg* cyrff dyfarnu
awareness ymwybyddiaeth *eb*
awareness of space ymwybyddiaeth o ofod *eb*
away swinger gwyriad allan *eg* gwyriadau allan
awkward lletchwith *ans*
awl mynawyd *eg* mynawydau
awn col *eg* colion
axe bwyell *eb* bwyeill
axe head pen bwyell *eg* pennau bwyeill
axes of reference echelinau lleoli *ell*
axial echelinol *ans*
axial plane plân echelinol *eg* planau echelinol
axial skeleton sgerbwd echelinol *eg* sgerbydau echelinol
axial trajectory taflwybr echelinol *eg* taflwybrau echelinol
axil cesail *eb* ceseiliau
axillary ceseilaidd *ans*
axillary bud blaguryn ceseilaidd *eg* blagur ceseilaidd
axiom gwireb *eb* gwirebau
axiomatic gwirebol *ans*
axis (of bone) acsis *eg*
axis (of line) echelin *eb* echelinau
axis of fold echelin plyg *eb* echelinau plyg
axis of symmetry echelin cymesuredd *eb*
Axis Powers Pwerau'r Axis *ell*

axle echel *eb* echelau

axle pulley echel bwli *eb* echelau pwli

axon acson *eg*

ayre ayre *eb* ayres

azeotrope aseotrop *eg*

azimuth asimwth *eg* asimwthau

azimuthal projection tafluniad asimwthol *eg* tafluniadau asimwthol

azo dye llifyn aso *eg* llifynnau aso

azonal anaeddfed *ans*

Azores high gwasgedd uchel Azores *eg*

Aztec *adj* Astecaidd *ans*

Aztec *n* Astec *eg* Asteciaid

azygotic asygotig *ans*

adf, adv adferf, *adverb*   *ans, adj* ansoddair, *adjective*   *be* berf, *verb*   *eb* enw benywaidd, *feminine noun*   *eg* enw gwrywaidd, *masculine noun*

B

B major B fwyaf *eb*
B minor B leiaf *eb*
B.S. recommendation argymhelliad B.S. *eg*
babbitt metal metel babbitt *eg*
babble clebran baban *be*
baby buggy coets baban *eb* coetsys babanod
baby lotion trwyth baban *eg*
baby-walker cerddwr *eb* cerddwyr
babygro dilledyn babygro *eg* dillad babygro
babyhood babandod *eg*
babysit gwarchod *be*
babysitter gwarchodwr *eg* gwarchodwyr
baccalaureate bagloriaeth *eb*

back *n* cefn *eg* cefnau
back (in needlework) *v* rhoi cefnyn (ar) *be*
back (of person) *n* olwr *eg* olwyr

back arrow saeth yn ôl *eb*
back bench mainc gefn *eb* meinciau cefn
back board cefnfwrdd *eg* cefnfyrddau
back bodice bodis cefn *eg* bodisiau cefn
back drop cefnlen *eb* cefnlenni
back electromotive force ôl-rym electromotif *eg*
back facing wynebyn cefn *eg* wynebynnau cefn
back iron haearn cefn *eg* heyrn cefn
back mutation ôl-fwtaniad *eg* ôl-fwtaniadau
back opening agoriad cefn *eg* agoriadau cefn
back pay ôl-dâl *eg*
back roller rholer ôl *eg* rholeri ôl
back row rheng ôl *eb* rhengoedd ôl
back screen sgrin gefn *eb* sgriniau cefn
back sight ôl-olwg *eg*
back spring sbring cefn *eg* sbringiau cefn
back stick (spinning) ffon wasgu *eb* ffyn gwasgu
back sticks cefn ffyn
back stitch pwyth ôl *eg* pwythau ôl
back stop stop cefn *eg* stopiau cefn
back to back (do-si-do) cefn wrth gefn *adf*
back to back (of houses) cefngefn *ans*
back to back houses tai cefngefn *ell*
back to main menu dychwelyd i'r brif ddewislen *be*
back vault llofnaid gefn *eb* llofneidiau cefn
back view cefnlun *eg* cefnluniau
back wall mur cefn *eg* muriau cefn
back wall out of court line ffin gefn *eb* ffiniau cefn
back-crawl nofio ar y cefn *be*
back-heel *v* ôl-sodli *be*
back-payment ôl-daliad *eg* ôl-daliadau

back-up *adj* wrth gefn *ans*
back-up (=support) *n* cefnogaeth *eb*
backbearing ôl-gyfeiriad *eg* ôl-gyfeiriadau
backboard bwrdd cefn *eg* byrddau cefn
backbone asgwrn cefn *eg* esgyrn cefn
backcloth cefnlen *eb* cefnlenni
backcross ôl-groesiad *eg* ôl-groesiadau
backend processor ôl-brosesydd *eg* ôl-brosesyddion
backfire tanio'n ôl *be*
backflap hinge colfach llydan *eg* colfachau llydan
backflow ôl-lifiad *eg* ôl-lifiadau
background cefndir *eg* cefndiroedd
background enamel enamel cefndir *eg*
background heat gwres cefndir *eg*
background music cerddoriaeth gefndir *eb*
background process proses gefndir *eb* prosesau cefndir
background processing prosesu cefndir *be*
background punch pwnsh cefndir *eg* pynsiau cefndir
background study astudiaeth gefndir *eb* astudiaethau cefndir
backhand gwrthlaw *eb*
backhand side ochr wrthlaw *eb* ochrau gwrthlaw
backhand stroke ergyd wrthlaw *eb* ergydion gwrthlaw

backing (material) cefnyn *eg* cefnynnau
backing (=musical accompaniment) cyfeiliant *eg*
backing (of wind) gwrthwyro *be*
backing (=support) cefnogaeth *eb*
backing (tambour door) cymorth cefn (drysau tabwrdd) *eg* cymhorthion cefn

backing board bwrdd cefnu *eg* byrddau cefnu
backing hammer morthwyl cefnu *eg* morthwylion cefnu
backing off cefnu *be*
backing sheet dalen gefnu *eb* dalennau cefnu
backing store storfa gynorthwyol *eb* storfeydd cynorthwyol
backland (=hinterland) cefnwlad *eb* cefnwledydd
backlash adlach *eb* adlachau
backplate cefnblat *eg* cefnblatiau
backrest cefnell *eb* cefnellau
backsaw llif gefn *eb* llifiau cefn
backshore cefndraeth *eg* cefndraethau
backslash slaes ôl *eg* slaesau ôl
backslope cefnlethr *eg* cefnlethrau
backspace olio *be*
backspace key ôl-fysell *eb* ôl-fysellau
backspin troelli o dan y bêl *be*
backstitch ôl-bwyth *eg* ôl-bwythau
backstroke nofio ar y cefn *be*
backup copy copi wrth gefn *eg* copïau wrth gefn

---

eg/b enw gwrywaidd/benywaidd, *feminine/masculine noun*   **ell** enw lluosog, *plural noun*   **v** berf, *verb*   **n** enw, *noun*

backup support ategiad *eg* ategiadau

Backus-Naur form (BNF) ffurf Backus-Naur *eb*

backwall cefnfur *eg* cefnfuriau

backward (of movement) yn ôl

backward (=primitive) annatblygedig *ans*

backward (=slow) araf *ans*

backward area ardal arafgynnydd *eb* ardaloedd arafgynnydd

backward chaining cadwyno'n ôl *be*

backward child plentyn araf *eg* plant araf

backward hanging hongian ôl *be*

backward point ôl-bwynt *eg* ôl-bwyntiau

backward reaction ôl-adwaith *eg*

backward roll rhôl yn ôl *eb* rholiau yn ôl

backward spring naid yn ôl *eb* neidiau yn ôl

backward tilt gogwyddo'n ôl *be*

backwardness arafwch *eg*

backwards (=with the back foremost) wysg y cefn *adf*

backwash tynddwr *eg*

backwasting ôl-ddarfodiant *eg*

backwater merddwr *eg* merddyfroedd

backwoods gwylltgoed *ell*

bacon cig moch *eg*

bacon rind crofen *eb* crofennau

baconer mochyn bacwn *eg* moch bacwn

bacterial bacteriol *ans*

bactericidal bacterioleiddiol *ans*

bacterio-static (finish) gwrthfacteria *ans*

bacteriologist bacteriolegydd *eg* bacteriolegwyr

bacteriology bacterioleg *eb*

bacteriophage bacterioffag *eg* bacterioffagau

bacteriostat bacteriostat *eg*

bacteriostatic bacteriostatig *ans*

bacterium bacteriwm *eg* bacteria

bad practice arfer gwael *eg* arferion gwael

badge bathodyn *eg* bathodynnau

badge reader darllenydd bathodynnau *eg* darllenyddion bathodynnau

badland garwdirol *ans*

badlands garwdiroedd *ell*

badminton badminton *eg*

bag bag *eg* bagiau

bagatelle bagatelle *eg* bagatelles

bagpipe bacbib *eb* bacbibau

bail (of cricket stumps) caten *eb* catiau

bailey beili *eg* beilïau

bain marie bain marie *eg*

baize beias *eg*

bake pobi *be*

bake blind pobi'n wag *be*

baked apple afal pob *eg* afalau pob

baked beans ffa pob *ell*

baked enamel enamel cras *eg*

Bakelite Bakelite *eg*

baker pobydd *eg* pobyddion

Baker's fluid hylif Baker *eg*

bakestone. maen *eg* meini; gradell *eb* gradellau

Bakewell tart tarten Bakewell *eb* tartenni Bakewell

baking powder powdr codi *eg*

baking tin tun pobi *eg* tuniau pobi

balalaika balalaica *eg* balàlaicau

balance (=create equilibrium) *v.trans* cydbwyso *be*

balance (=equilibrium) *n* cydbwysedd *eg* cydbwyseddau

balance (financial transactions) *v.trans* mantoli *be*

balance (for weighing) *n* clorian *eb* cloriannau; tafol *eb* tafolau

balance (=keep equilibrium) *v.intrans* cadw cydbwysedd *be*

balance (=measure mass) *v* cloriannu *be*

balance (of money) *n* gweddill *eg* gweddillion

balance an equation cydbwyso hafaliad *be*

balance flue simnai gytbwys *eb* simneiau cytbwys

balance line llinell gydbwysedd *eb* llinellau cydbwysedd

balance marks marciau cydbwysedd *ell*

balance of community cydbwysedd cymuned *eg*

balance of nature cydbwysedd natur *eg*

balance of payments mantol daliadau *eb*

balance of power cydbwysedd grym *eg*

balance of trade mantol fasnach *eb*

balance point pwynt cydbwysedd *eg* pwyntiau cydbwysedd

balance sheet mantolen *eb* mantolenni

balance support (in athletics) ymgynnal cytbwys *be*

balance the accounts mantoli'r cyfrifon *be*

balance wheel (of machine part) olwyn cydbwysedd *eb* olwynion cydbwysedd

balanced cytbwys *ans*

balanced bilingual cytbwys ddwyieithog *ans*

balanced budget cyllideb fantoledig *eb* cyllidebau mantoledig

balanced diet diet cytbwys *eg*

balanced economy economi cytbwys *eg* economïau cytbwys

balanced forces grymoedd cytbwys *ell*

balanced intake derbyn nifer cytbwys *be*

balanced judgement barn gytbwys *eb*

balanced shape ffurf gytbwys *eb* ffurfiau cytbwys

balanced swell pedal chwyddbedal cytbwys *eg* chwyddbedalau cytbwys

balancer veneer argaen cydbwyso *eg*

balancing cydbwysol *ans*

balancing mechanism mecanwaith cydbwysol *eg*

balancing skill sgìl cydbwyso *eg* sgiliau cydbwyso

balcony balconi *eg* balconïau

bale bwrn *eg* byrnau

bale loader codwr byrnau *eg* codwyr byrnau

baler byrnwr *eg* byrnwyr

Balkans Balcannau *ell*

ball (of wool etc) pellen *eb* pellenni

ball (single delivery of) pelen *eb* pelenni

ball (to play with) pêl *eb* peli

ball and claw foot troed pelen a chrafanc *eb* traed pelen a chrafanc

ball and socket joint cymal pelen a chrau *eg* cymalau pelen a chrau

ball boy bachgen y bêl *eg* bechgyn y bêl

---

adf, adv adferf, *adverb*   *ans, adj* ansoddair, *adjective*   *be* berf, *verb*   *eb* enw benywaidd, *feminine noun*   *eg* enw gwrywaidd, *masculine noun*

ball castor castor pêl *eg* castorau pêl
ball catch cliciedi bêl *eb* cliciedau pêl
ball clay clai pêl *eg*
ball foot troed bêl *eb* traed peli
ball girl merch y bêl *eb* merched y bêl
ball mill melin bêl *eb* melinau pêl
ball of the foot pelen y droed *eb*
ball peen wyneb crwn *eg*
ball peen hammer morthwyl wyneb crwn *eg* morthwylion wyneb crwn
ball pointed bodkin botgin pengrwn *eg* botginau pengrwn
ball room dance dawns neuadd *eb* dawnsiau neuadd
ball valve pêl-falf *eb* pêl-falfiau
ball-bearing pelferyn *eg* pelferynnau
ball-bearing runner rhedwr pelferyn *eg* rhedwyr pelferyn
ball-head stake bonyn pengrwn *eg* bonion pengrwn
ball-point needle nodwydd belenbwynt *eb* nodwyddau pelenbwynt
ball-winner enillydd y bêl *eg* enillwyr y bêl
ballad baled *eb* baledi
ballad opera opera faled *eb* operâu baled
ballade ballade *eg* ballades
ballet bale *eg* dawnsiau bale
ballet chorus dawnsgor bale *eb* dawnsgorau bale
ballet dancer dawnsiwr bale *eg* dawnswyr bale
ballet mistress meistres y bale *eb* meistresi'r bale
ballet music cerddoriaeth fale *eb*
ballett (song) balet *eb* baletau
ballistic balistig *ans*
ballistic missile taflegryn balistig *eg* taflegrau balistig
ballistics balisteg *eb*
balloon balŵn *eg/b* balwnau
balsa balsa *eg*
balsa cement sment balsa *eg*
balsa wood pren balsa *eg*
baluster balwster *eg* balwsterau
balustrade balwstrad *eg* balwstradau
bamboo bambŵ
bamboo cane cansen fambŵ *eb* cansenni bambŵ
banana banana *eb* bananas
band *n* band *eg* bandiau
band (in computing) *v* corlannu *be*
band nipper niper bandio *eg* niperi bandio
band spectrum sbectrwm band *eg* sbectra band
band stitch pwyth band *eg* pwythau band
bandage *n* rhwymyn *eg* rhwymynnau
bandage *v* rhwymo *be*
banded bandog *ans*
banding bandin *eg* bandinau
banding menu dewislen gorlannu *eb* dewislenni corlannu
banding wheel olwyn fandio *eb* olwynion bandio
bandsaw cylchlif *eb* cylchlifiau
banister canllaw grisiau *eg* canllawiau grisiau
banister brush brwsh canllaw grisiau *eg* brwshys canllaw grisiau
banjo banjo *eg* banjos

bank (for money) banc *eg* banciau
bank (of earth) clawdd *eg* cloddiau *(eg)*
bank (of river) glan *eb* glannau
bank account cyfrif banc *eg* cyfrifon banc
bank branch cangen banc *eb* canghennau banc
bank charges treuliau banc *ell*
Bank Charter Act Deddf Siarter y Banc *eb*
bank manager rheolwr banc *eg* rheolwyr banciau
bank of drawers banc o ddroriau *eg* banciau o ddroriau
bank rate cyfradd banc *eb* cyfraddau banc
bank reserve cronfa banc *eb* cronfeydd banciau
bank statement cyfriflen *eb* cyfriflenni
banker's order archeb banc *eb* archebion banc
bankful cyforlan *eb* cyforlannau
banking bancio *be*
banking centre canolfan fancio *eb* canolfannau bancio
banking system cyfundrefn fancio *eb* cyfundrefnau bancio
banking up (fire) anhuddo (tân) *be*
banknotes arian papur *ell*
bankrupt (person) methdalwr *eg* methdalwyr
bankruptcy methdaliad *eg* methdaliadau
bantam weight pwysau bantam *ell*
baptism bedydd *eg*
baptismal font bedyddfaen *eb* bedyddfeini
Baptist Bedyddiwr *eg* Bedyddwyr
baptistry bedyddfa *eb* bedyddfeydd
bar bar *eg* barrau
bar chart siart bar *eg* siartiau bar
bar feed (mechanism) porthiant bar (mecanwaith) *eg*
bar graph graff bar *eg* graffiau bar
bar height uchder y bar *eg*
bar magnet barfagnet *eg* barfagnetau
bar tack tac cynnal *eg* taciau cynnal
bar-code cod-bar *eg* codau bar
bar-code reader darllenydd cod-bar *eg* darllenyddion cod-bar
bar-coded label label cod-bar *eg* labeli cod-bar
bar-line (in music) llinell bar *eb* llinellau bar
bar-line graph graff bar-llinell *eg* graffiau bar-llinell
barathea barathea *eg*
barb adfach *eg* adfachau
barbola barbola *eg*
barbola paste past barbola *eg*
barbola varnish farnais barbola *eg*
barbola work gwaith barbola *eg*
barbule adfachyn *eg* adfachau
barcarolle barcaról *eg* barcarolau
barchan barchan *eg* barchanau
bare noeth *ans*
bare wire gwifren noeth *eb* gwifrau noeth
barefaced mortise and tenon mortais a thyno unysgwyddog
barefaced tenon tyno unysgwyddog *eg* tynoau unysgwyddog
barefoot troednoeth *ans*
barette barette *eb* barettes
bargain bargen *eb* bargeinion

---

barge (in sport) *n* hyrddiad *eg* hyrddiadau
barge (in sport) *v* hyrddio *be*
barge (=type of boat) *n* ysgraff *eb* ysgraffau
barge board astell dywydd *eb* estyll tywydd
baritone bariton *eg* baritonwyr
baritone-clef allwedd y bariton *eb* allweddau'r bariton
barium (Ba) bariwm *eg*
bark (of tree) rhisgl *eg* rhisglau
barley haidd *eg*
barley bread bara haidd *eg*
barley seeds hadau haidd *ell*
barley water dŵr haidd *eg*
barogram barogram *eg* barogramau
barograph barograff *eg* barograffau
barometer baromedr *eg* baromedrau
barometric baromedrig *ans*
barometric gradient graddiant baromedrig *eg*
barometric tendency tueddiad baromedrig *eg* tueddiadau
   baromedrig
baron barwn *eg* barwniaid
baronetcy barwnigaeth *eb* barwnigaethau
baronial barwnol *ans*
barony barwni *eb* barwnïau
baroque barôc *ans*
baroque art celfyddyd farôc *eb*
barrack block rhes o farics *eb* rhesi o farics
barrack building adeilad barics *eg* adeiladau barics
barracks barics *ell*
barrage bared *eg* baredau
barre barre *eg* barres
barred doors drws barrog *eg* drysau barrog
barrel (=cask) casgen *eb* casgenni
barrel (=cylindrical tube) baril *eb* barilau
barrel bolt barilfollt *eb* barilfolltau
barrel cam cam baril *eg* camau baril
barrel organ organ gelwrn *eb* organau celwrn
barrel printer argraffydd celwrn *eg* argraffyddion celwrn
barrel spring sbring baril *eg* sbringiau baril
barren diffrwyth *ans*
barricade baricêd *eg* baricedau
barrier (=obstacle) rhwystr *eg* rhwystrau
barrier beach bardraeth *eg* bardraethau
barrier cream eli rhwystrol *eg*
barrier lake barlyn *eg* barlynnoedd
barrier method dull rhwystrol *eg* dulliau rhwystrol
barrier nursing nyrsio rhwystrol *be*
barrier reef barriff *eg* barriffiau
barrow (=burial mound) crug *eg* crugiau
barrow (=wheelbarrow) berfa *eb* berfâu
Barrowist dilynwr Barrow *eg* dilynwyr Barrow
barter ffeirio *be*
Bartholomew Bartholomeus *eg*
barysphere barysffer *eg* barysfferau
baryton baryton *eg* barytonau
bas-relief cerfwedd isel *eb* cerfweddau isel
basal gwaelodol *ans*

Basal Metabolic Rate (BMR) Cyfradd Metabolaeth
   Waelodol (CMW) *eb*
basal metabolism metabolaeth waelodol *eb*
basal sapping gwaelod-danseilio *be*
basalt basalt *eg*
basalt ware crochenwaith basalt *eg*
base (=bottom) gwaelod *eg* gwaelodion
base (=headquarters) canolfan *eg/b* canolfannau
base (in arithmetic, also of hedge, tree) bôn *eg* bonion
base (in chemistry, also in baseball) bas *eg* basau
base (of pyramid) sylfaen *eg/b* sylfeini
base (of triangle) sail (triongl) *eb* seiliau (triongl)
base angle ongl sail *eb* onglau sail
base coat haen sail *eb* haenau sail
base level gwaelodfa *eb* gwaelodfeydd
base map map sylfaen *eg* mapiau sylfaen
base of scrum bôn y sgrym *eg*
base strength cryfder bas *eg*
based on seiliedig ar
based on geometrical shapes seiliedig ar ffurfiau
   geometrig
based on texture seiliedig ar wead
baseline (in tennis) llinell gefn *eb* llinellau cefn
baseline (=starting point) man cychwyn *eg* mannau
   cychwyn
baseline data data dechreuol *ell*
baseman baswr *eg* baswyr
basement islawr *eg* isloriau
basement membrane pilen waelodol *eb* pilenni gwaelodol
BASIC BASIC *eb*
basic sylfaenol *ans*
basic (in chemistry, geology and metals) basig *ans*
basic action gweithrediad sylfaenol *eg* gweithrediadau
   sylfaenol
basic Bessemer process proses fasig Bessemer *eb*
basic calculator cyfrifiannell sylfaenol *eb* cyfrifianellau
   sylfaenol
basic colour lliw sylfaenol *eg* lliwiau sylfaenol
basic competence cymhwysedd sylfaenol *eg*
   cymwyseddau sylfaenol
basic construction adeiladwaith sylfaenol *eg*
basic curriculum cwricwlwm sylfaenol *eg*
basic difference gwahaniaeth sylfaenol *eg* gwahaniaethau
   sylfaenol
basic family teulu sylfaenol *eg* teuluoedd sylfaenol
basic feasible solution (bfs) datrysiad dichonadwy
   sylfaenol (dds) *eg*
basic form ffurf sylfaenol *eb* ffurfiau sylfaenol
basic industry diwydiant sylfaen *eg* diwydiannau sylfaen
basic lower body exercise ymarfer sylfaenol i'r corff isaf
   eg ymarferion sylfaenol i'r corff isaf
basic material defnydd sylfaenol *eg* defnyddiau sylfaenol
basic movement symudiad sylfaenol *eg* symudiadau
   sylfaenol
basic on-line system system ar-lein sylfaenol *eb* systemau
   ar-lein sylfaenol
basic open hearth process proses fasig tân agored *eb*
basic pattern patrwm sylfaenol *eg* patrymau sylfaenol

basic rate cyfradd sylfaenol *eb* cyfraddau sylfaenol

basic recipe rysáit sylfaenol *eb* ryseitiau sylfaenol

basic rock craig fasig *eb* creigiau basig

basic salary cyflog sylfaenol *eg* cyflogau sylfaenol

basic sight vocabulary geirfa weledol sylfaenol *eb*

basic size maint sylfaenol *eg* meintiau sylfaenol

basic skill sgil sylfaenol *eg* sgiliau sylfaenol

basic slag slag basig *eg*

basic subject pwnc sylfaen *eg* pynciau sylfaen

basic upper body exercise ymarfer sylfaenol i'r corff uchaf *eg* ymarferion sylfaenol i'r corff uchaf

basic vocabulary geirfa sylfaenol *eb*

basic wage cyflog sylfaenol *eg* cyflogau sylfaenol

basicity basigedd *eg*

basidiomycete basidiomycet *eg* basidiomycetau

basidiospore basidiosbor *eg* basidiosborau

basidium basidiwm *eg* basidia

basil basil *eg*

basilica basilica *eg* basilicâu

basin basn *eg* basnau

basin and range country tir basn a chadwyn *eg* tiroedd basn a chadwyn

basin of reception basn derbyn *eg* basnau derbyn

basipetal basipetalaidd *ans*

basis sail *eb* seiliau

basket basged *eb* basgedi

basket frame ffrâm fasged *eb* fframiau basged

basket handle dolen fasged *eb* dolennau basged

basket maker gwneuthurwr basgedi *eg* gwneuthurwyr basgedi

basket weave gwead basged *eg*

basket work basgedwaith *eg*

basketball pêl-fasged *eb*

basketry gwaith basged *eg*

basophil basoffil *eg* basoffiliau

basophilic basoffilig *ans*

bass bas *eg* basau

bass (sea perch) draenogiad y môr *eg* draenogiaid y môr

bass clarinet clarinét bas *eg* clarinetau bas

bass clarinettist bas-glarinetydd *eg* bas-glarinetwyr

bass clef cleff bas *eg* cleffiau bas

bass drum drwm bas *eg* drymiau bas

bass flute ffliwt fas *eb* ffliwtiau bas

bass horn corn bas *eg* cyrn bas

bass horn player canwr corn bas *eg* canwyr corn bas

bass trombonist bas-drombonydd *eg* bas-drombonwyr

bass trumpet utgorn bas *eg* utgyrn bas

bass viol feiol fas *eb* feiolau bas

bass-bar (=piece of wood inside belly of violin) basfar *eg* basfarrau

basset horn corn baset *eg* cyrn baset

basset horn clarinet clarinét tenor *eg* clarinetau tenor

basset horn player canwr corn baset *eg* canwyr corn baset

basso ostinato basso ostinato *eg*

bassoon baswn *eg* baswnau

bassoonist baswnydd *eg* baswnwyr

bast bast *eg*

bastard cut toriad bastard *eg* toriadau bastard

bastard cut file ffeil fastard *eb* ffeiliau bastard

bastard feudalism ffug ffiwdaliaeth *eb*

bastard file ffeil fastard *eb* ffeiliau bastard

baste (in cooking) brasteru *be*

baste (in needlework) brasbwytho *be*

bastide bastid *eg* bastidau

basting stitch brasbwyth *eg* brasbwythau

bat *n* bat *eg* batiau

bat *v* batio *be*

batch swp *eg* sypiau

batch baking pobiad *eg* pobiadau

batch-processing swp-brosesu *be*

batch-production swp-gynhyrchu *be*

batch-service swp-wasanaeth *eg* swp-wasanaethau

bath *n* baddon *eg* baddonau

bath *v* bathio *be*

bath building baddondy *eg* baddondai

bathe *v.intrans* ymolch *be*

bathe *v.trans* golchi *be*

bathing costume gwisg nofio *eb* gwisgoedd nofio

batholith batholith *eg* batholithau

batholithic batholithig *ans*

bathroom ystafell ymolchi *eb* ystafelloedd ymolchi

bathroom cabinet cabinet ystafell ymolchi *eg* cabinetau ystafell ymolchi

bathroom suite unedau ystafell ymolch *ell*

bathyal zone cylchfa fathyal *eb* cylchfaoedd bathyal

bathygraph bathygraff *eg* bathygraffau

bathymetric bathymetrig *ans*

bathymetry bathymetreg *eb*

bathysphere bathysffer *eg*

batik batic *eg*

batik dyeing llifo batic *be*

batik wax cwyr batic *eg*

baton batwn *eg* batynau

batsman batiwr *eg* batwyr

battalion bataliwn *eg* bataliynau

battels bateloedd *ell*

batten *n* astell *eb* estyll

batten *v* estyllu *be*

batten board *n* astell stribed *eb* estyll stribed

batter cytew *eg*

battered baby baban wedi'i guro *eg* babanod wedi'u curo

battery batri *eg* batrïau

battery egg wy batri *eg* wyau batri

battery hen iâr fatri *eb* ieir batri

batting crease cris batio *eg* crisiau batio

batting glove maneg fatio *eb* menig batio

batting technique techneg batio *eb* technegau batio

battle brwydr *eb* brwydrau

battle axe cadfwyell *eb* cadfwyeill

battle cry rhyfelgri *eb*

Battle of Britain Brwydr Prydain *eb*

battle of the gauges brwydr lled y cledrau *eb*

---

eg/b enw gwrywaidd/benywaidd, *feminine/masculine noun*   *ell* enw lluosog, *plural noun*   *v* berf, *verb*   *n* enw, *noun*

Battle of the Somme Brwydr y Somme *eb*
battle order trefn y gad *eb*
battlefield maes brwydr *eg* meysydd brwydr
battlements (=crenellations) murfylchau *ell*
battlements (=parapet) bylchfuriau *ell*
battleship llong ryfel *eb* llongau rhyfel
batwing sleeve llawes ystlum *eb* llewys ystlum
baud baud *eg*
baud rate cyfradd baud *eb* cyfraddau baud
Bauhaus designer dylunydd Bauhaus *eg* dylunwyr Bauhaus
baulk trawst bras *eg* trawstiau bras
bauxite bocsit *eg*
bauxite brick bricsen focsit *eb* brics bocsit
Bavarian *adj* Bafaraidd *ans*
Bavarian *n* Bafariad *eg* Bafariaid
bay bae *eg* baeau
bay bar bar bae *eg* barrau baeau
bay window ffenestr grom *eb* ffenestri crwm
bay-head beach cildraeth *eg* cildraethau
Bayeux Tapestry Tapestri Bayeux *eg*
bayleaf deilen llawryf *eb* dail llawryf
bayonet bidog *eb* bidogau
bazaar basar *eg* basarau
BC (Before Christ) CC (Cyn Crist)
beach traeth *eg* traethau
beach material defnyddiau traeth *ell*
beachhead blaenlaniad *eg* blaenlaniadau
beachwear dillad traeth *ell*
beacon (=high place) ban *eg* bannau
beacon (=tower) tŵr *eg* tyrau
beacon (=warning or guiding light) goleufa *eg* goleufâu
bead *n* glain *eg* gleiniau
bead *v* gleinio *be*
bead (=prayer) gweddi *eb* gweddïau
bead and butt panel panel glain ac ymyl *eg* paneli glain ac ymyl
bead moulding mowldin glain *eg*
bead trimming addurn glain *eg* addurnau glain
beaded esker esgair gnapiog *eb* esgeiriau cnapiog
beadhouse betws *eg* betysau
beading needle nodwydd gleinwaith *eb* nodwyddau gleinwaith
beadle bedel *eg* bedeliaid
beadsman paderwr *eg* paderwyr
beadwork gleinwaith *eg*
beak pig *eg* pigau
beaker bicer *eg* biceri
beaker folk bicerwyr *ell*
beam (of light) paladr *eg* pelydr
beam (of wood, metal etc) trawst *eg* trawstiau
beam balance clorian drawst *eb* cloriannau trawst
beam engine peiriant trawst *eg* peiriannau trawst
beam saddle cyfrwy trawst *eg* cyfrwyau trawst
bean ffeuen *eb* ffa

bean bag (for sitting on) sach eistedd *eb* sachau eistedd
bean bag (for throwing) bag ffa *eg* bagiau ffa
bean sprouts egin ffa *ell*
beard barf *eg* barfau
bearer (drawer) cynhalydd *eg* cynalyddion
bearer rail rheilen gynnal *eb* rheiliau cynnal
bearing (mechanical) beryn *eg* berynnau
bearing line cyfeirlin *eb* cyfeirlinau
bearing rest gorffwysfan beryn *eg* gorffwysfannau beryn
bearing shell cragen feryn *eb* cregyn beryn
bearings (=position, orientation) cyfeiriad *eg* cyfeiriadau
beast of burden anifail pwn *eg* anifeiliaid pwn
beat *n* curiad *eg* curiadau
beat *v* curo *be*
beat frequency amledd curiad *eg* amleddau curiad
beat frequency oscillator osgiliadur amledd curiad *eg* osgiliaduron amledd curiad
beaten metalwork gwaith morthwyl *eg*
beater curwr *eg* curwyr
beating (in sailing) tacio *be*
beating time curo amser *be*
Beaufort Scale Graddfa Beaufort *eb*
beaumontage beaumontage *eg*
beauty harddwch *eg*
Bebung Bebung *eg*
bechamel sauce saws bechamel *eg*
bed *v* gwelyo *be*
bed (in general) *n* gwely *eg* gwelyau
bed (=stratum) *n* haen *eb* haenau
bed chamber siambr wely *eb* siambrau gwely
bed jacket siaced wely *eb* siacedi gwely
bed linen dillad gwely *ell*
bed rock craigwely *eg* craigwelyau
bed-wetting gwlychu gwely *be*
bedding (=bedclothes) *n* dillad gwely *ell*
bedding (of strata) *adj* haenol *ans*
bedding (of strata) *n* haenau *ell*
bedding plane plân haenu *eg* planau haenu
Bede, the Venerable Beda Ddoeth *eg*
Bedivere Bedwyr *eg*
Bedouin Bedwin *eg* Bedwiniaid
bedpan padell wely *eb* pedyll gwely
bedrest gorffwys gwely *eg*
bedridden gorweddog *ans*
bedroom ystafell wely *eb* ystafelloedd gwely
bedsitter fflat un ystafell *eg* fflatiau un ystafell
bedsock hosan wely *eb* sanau gwely
bedsore briw gorwedd *eg* briwiau gorwedd
bedspread cwrlid *eg* cwrlidau
bedways (lathe) cledrau (turn) *ell*
bedydd plant bedydd plant *eg*
beech ffawydden *eb* ffawydd
beech mallet gordd ffawydd *eb* gyrdd ffawydd
beech wood pren ffawydd *eg*
beech wood mallet gordd bren ffawydd *eb* gyrdd pren ffawydd

---

adf, adv adferf, *adverb*   **ans, adj** ansoddair, *adjective*   **be** berf, *verb*   **eb** enw benywaidd, *feminine noun*   **eg** enw gwrywaidd, *masculine noun*

beef eidion *eg*
beef extract rhin cig eidion *eb*
beef olives olifau cig eidion *ell*
beef tea te cig eidion *eg*
beefburger eidionyn *eg* eidionod
beer cwrw *eg*
beeswax cwyr gwenyn *eg*
beeswax polish llathrydd cwyr gwenyn *eg*
beet sugar siwgr betys *eg*
beetle chwilen *eb* chwilod
beetroot betysen *eg* betys
before o flaen
Before Christ (BC) Cyn Crist (CC)
Before Present (BP) Cyn y Presennol (CP)
before tax cyn tynnu treth
beggar cardotyn *eg* cardotwyr
begin dechrau *be*
beginner dechreuwr *eg* dechreuwyr
beginning dechrau *eg* dechreuadau
Beguine Lleian Le Begue *eb* Lleianod Le Begue
behaviour ymddygiad *eg* ymddygiadau
behaviour difficulties anawsterau ymddygiad *ell*
behaviour objectives amcanion ymddygiad *ell*
behaviour therapy therapi ymddygiad *eg*
behavioural ymddygiadol *ans*
behavioural problems problemau ymddygiad *ell*
behavioural unit uned ymddygiad *eb* unedau ymddygiad
behaviourism ymddygiadaeth *eb*
beheaded stream ffrwd bengoll *eb* ffrydiau pengoll
being bod *eg* bodau
being cared for o dan ofal
bel bel *eg* belau
belay belai *eg* belaiau
belfry clochdy *eg* clochdai
Belgium Gwlad Belg *eb*
belief credo *eb* credoau
belief system system cred *eb* systemau cred
believe credu *be*
believer's baptism bedydd cred *eg*
bell cloch *eb* clychau
bell chuck crafanc gloch *eb* crafangau clychau
bell harp telyn glychsain *eb* telynau clychsain
bell metal metel cloch *eg*
bell pit pwll cloch *eg* pyllau cloch
bell punch pwnsh cloch *eg* pynsiau cloch
bell sleeve llawes gloch *eb* llewys cloch
bell tower clochdy *eg* clochdai
bell-jar clochen *eb* clochenni
bellows megin *eb* meginau
belly (of instrument) bol *eg* boliau
belly pork porc bol *eg*
belly-dancer boladdawnsreg *eb* boladdawnswragedd
below the belt dan y belt *adf*
belt (=area) ardal *eb* ardaloedd
belt (for wearing, also of encircling land) gwregys *eg* gwregysau
belt (on machine) belt *eb* beltiau

belt (=region) rhanbarth *eg* rhanbarthau
belt (=strip of land) llain *eb* lleiniau
belt carrier dolen belt *eb* dolennau belt
belt coupling cyplydd belt *eg* cyplyddion belt
belt dressing dresin belt *eg*
belt pouch pwrs gwregys *eg* pyrsiau gwregys
belt pulley pwli belt *eg* pwlïau belt
belt rivet rhybed belt *eg* rhybedion belt
belt sander sandiwr belt *eg* sandwyr belt
belt screw sgriw belt *eb* sgriwiau belt
belt shifter symudydd belt *eg* symudwyr belt
belt stretcher estynnwr belt *eg* estynwyr belt
belt tightener tynhawr belt *eg* tynhawyr belt
bench mainc *eb* meinciau
bench drill dril mainc *eg* driliau mainc
bench drilling machine peiriant drilio mainc *eg* peiriannau drilio mainc
bench end ystlys mainc *eb* ystlysau mainc
bench end vice feis ben mainc *eb* feisiau pen mainc
bench grinder llifanydd mainc *eg* llifanwyr mainc
bench holdfast dalbren mainc *eg* dalbrennau mainc
bench hook bachyn mainc *eg* bachau mainc
bench jump naid fainc *eb* neidiau mainc
bench plane plaen mainc *eg* plaeniau mainc
bench rib asen y fainc *eb* asennau'r fainc
bench shears gwellaif mainc *eg* gwelleifiau mainc
bench stop rhagod *eg* rhagodion
Bench, the Fainc, y *eb*
bench tools offer mainc *ell*
bench vice feis fainc *eb* feisiau mainc
bench well cafn mainc *eg* cafnau mainc
bench work gwaith mainc *eg*
bencher meinciwr *eg* meincwyr
benchmark meincnod *eg* meincnodau
bend *n* plyg *eg* plygion
bend *v* plygu *be*
bend backwards plygu'n ôl *be*
bend down plygu i lawr *be*
bend line llinell blygu *eb* llinellau plygu
bendability plygiannedd *eg*
bending (angular / radius) plygu (onglog / radiws) *be*
bending bar bar plygu *eg* barrau plygu
bending equipment offer plygu *ell*
bending jig jig plygu *eg* jigiau plygu
bending moment moment plygu *eg*
Benedict reagent adweithydd Benedict *eg*
Benedictine *adj* San Bened *ans*
Benedictine *n* Benedictiad *eg* Benedictiaid
benediction bendith *eb* bendithion
benefice bywoliaeth *eb* bywoliaethau
beneficed mewn bywoliaeth *ans*
benefit (=advantage) budd *eg* buddion
benefit (=insurance or social security payment) budd-dal *eg* budd-daliadau
benefit (legal) braint *eb* breintiau
benefit of clergy braint clerigwyr *eb*

---

benevolence (=forced loan) benthyciad gorfodol *eg* benthyciadau gorfodol

benevolent despot unben goleuedig *eg* unbeniaid goleuedig

benevolent despotism unbennaeth oleuedig *eb*

bent backward hanging hongian ôl plyg *be*

bent bodkin botgin cam *eg* botginau cam

bent flat bodkin botgin fflat cam *eg* botginau fflat cam

bent frame ffram blyg *eb* fframiau plyg

bent gouge gaing gau blyg *eb* geingiau cau plyg

bent grass (=agrostis) maeswellt *eg*

bent locking plate plât cloi plyg *eg* platiau cloi plyg

bent nose pliers gefelen drwyn cam *eb* gefeiliau trwyn cam

bent wire (decorative process) gwifren blyg *eb* gwifrau plyg

bent-tail carrier cariwr cynffon plyg *eg* carwyr cynffon plyg

benthic benthig *ans*

benthos benthos *eg*

bentwood chair cadair bren plyg *eb* cadeiriau pren plyg

bentwood furniture dodrefn pren plyg *ell*

benzene bensen *eg*

bequeath cymynroddi *be*

bequest cymynrodd *eb* cymynroddion

berceuse berceuse *eb* berceuses

bereavement profedigaeth *eb* profedigaethau

beret beret *eg* berets

bergamask bergamasca *eg* bergamasce

bergwind bergwynt *eg* bergwyntoedd

berkelium (Bk) berceliwm *eg*

Berlin airlift awyrgludiad Berlin *eg*

berry aeronen *eb* aeron

berth *n* docfa *eb* docfâu

berth *v* docio *be*

beryllium (Be) beryliwm *eg*

Bessemer converter trawsnewidydd Bessemer *eg*

Bessemer converter furnace ffwrnais drawsnewidydd Bessemer *eb*

best before ar ei orau cyn

best face wyneb gorau *eg*

best fit ffit orau *eb*

best position safle gorau *eg* safleoedd gorau

best time amser gorau *eg* amserau gorau

beta particle gronyn beta *eg* gronynnau beta

betaine betain *eg*

betrothal dyweddïad *eb* dyweddïadau

between centres rhwng canolau *eg*

between needle nodwydden *eb* nodwyddennau

bevel *n* befel *eg* befelau

bevel *v* befelu *be*

bevel chisel cŷn befel *eg* cynion befel; gaing befel *eb* geingiau befel

bevel gears gerau befel *ell*

bevel wheels olwynion befel *ell*

bevelled edge ymyl befel *eb* ymylon befel

bevelled panel panel befel *eg* paneli befel

beverage diod *eb* diodydd

bezel gwefl *eb* gweflau

bezelled gweflog *ans*

bias (in physics and of fabric) *n* bias *eb* biasau

bias (in physics and of fabric) *v* biasu *be*

bias (in statistics) *n* tuedd *eb* tueddiadau

bias (=inclination) *n* gogwydd *eg* gogwyddiadau

bias binding rhwymyn bias *eg* rhwymynnau bias

bias extension estyniad bias *eg* estyniadau bias

bias facing wynebyn bias *eg* wynebynnau bias

biased tueddol *ans*

biased estimate (in statistics) amcangyfrif â thuedd *eg*

bib bib *eg* bibiau

Bible Beibl *eg* Beiblau

bibliography llyfryddiaeth *eb*

bicarbonate of soda soda pobi *eg*

bicellular deugellog *ans*

biceps cyhyryn deuben *eg* cyhyrau deuben

bicimal *adj* deuol *ans*

bicimal *n* deuolyn *eg* deuolion

bicimal point pwynt deuol *eg*

bick iron bonyn pig *eg* bonion pig

bicollateral bundle sypyn deugyfraidd *eg* sypynnau deugyfraidd

biconcave deugeugrwm *ans*

biconcave lens lens deugeugrwm *eg* lensiau deugeugrwm

biconvex deuamgrwm *ans*

bicultural deuddiwylliannol *ans*

bid-rent curve cromlin rhent cynnig *eb* cromliniau rhent cynnig

bidirectional bus bws deugyfeiriadol *eg* bysiau deugyfeiriadol

biennial *adj* eilflwydd *ans*

biennial *n* eilflwyddiad *eg* eilflwyddiadau

biennial flower blodyn eilflwydd *eg* blodau eilflwydd

bifilar suspension croglin ddwbl *eb* crogliniau dwbl

bifocal deuffocal *ans*

bifurcated deufforchiog *ans*

bifurcated rivet rhybed deufforchog *eg* rhybedion deufforchog

bifurcation deufforchiad *eg* deufforchiadau

bifurcation ratio cymhareb ddeufforchio *eb* cymarebau deufforchio

big end bearing beryn y pan mawr *eg* berynnau y pan mawr

bigger than mwy na

bight geneufor *eg* geneuforoedd

bijective mapping mapio deusaethol *be*

bikini bicini *eg* bicinis

bilateral dwyochrol *ans*

bilateral cleavage ymraniad cyfartal *eg* ymraniadau cyfartal

bilateral symmetry cymesuredd dwyochrol *eg*

bilaterally symmetrical dwyochrol gymesur *ans*

bilberries llus *ell*

bile *adj* bustlog *ans*

bile *n* bustl *eg*

bile acids asidau bustlog *ell*

bile duct dwythell y bustl *eb*

---

adf, adv adferf, *adverb*   *ans, adj* ansoddair, *adjective*   *be* berf, *verb*   *eb* enw benywaidd, *feminine noun*   *eg* enw gwrywaidd, *masculine noun*

bile pigment pigment y bustl *eg* pigmentau'r bustl
bile salts halwynau'r bustl *ell*
bilge keel cilbren sadio *eg* cilbrennau sadio
bilinear deulinol *ans*
bilingual *adj* dwyieithog *ans*
bilingual *n* person dwyieithog *eg* pobl ddwyieithog
bilingual education addysg ddwyieithog *eb*
bilingualism dwyieithrwydd *eg*
bilirubin bilirwbin *eg*
biliverdin biliferdin *eg*
bill (before parliament) mesur seneddol *eg*
bill (=statement of charges) bil *eg* biliau
bill of exchange bil cyfnewid *eg*
bill of indictment bil ditio *eg*
bill of loading bil llwytho *eg* biliau llwytho
Bill of Rights Mesur Iawnderau *eg*
bill of sale bil gwerthiant *eg* biliau gwerthiant
billet lletya milwyr *be*
billet moulding mowldin bilet *eg*
billhook bilwg *eg* bilygau
billion biliwn *eg* biliynau
bimetallic deufetel *ans*
bimetallic strip stribed deufetel *eg* stribedi deufetel
bimodal deufodd *ans*
bimolecular deufoleciwlaidd *ans*
bin bin *eg* biniau
binary deuaidd *ans*
binary arithmetic rhifyddeg ddeuaidd *eb*
binary arithmetic operation gweithrediad rhifyddeg ddeuaidd *eg* gweithrediadau rhifyddeg ddeuaidd
binary bit did deuaidd *eg* didau deuaidd
binary cell cell ddeuaidd *eb* celloedd deuaidd
binary code cod deuaidd *eg* codau deuaidd
binary coded character nod cod deuaidd *eg* nodau cod deuaidd
binary coded decimal degolyn cod deuaidd *eg* degolion cod deuaidd
binary coded decimal notation nodiant degolion cod deuaidd *eg*
binary coded digit digid cod deuaidd *eg* digidau cod deuaidd
binary counter rhifydd deuaidd *eg* rhifyddion deuaidd
binary digit digid deuaidd *eg* digidau deuaidd
binary dump *n* dymp deuaidd *eg* dympiau deuaidd
binary dump *v* dympio deuaidd *be*
binary fission ymholltiad deuol *eg* ymholltiadau deuol
binary form ffurf ddeuaidd *eb* ffurfiau deuaidd
binary half-adder hanner adydd deuaidd *eg* hanner-adyddion deuaidd
binary image delwedd ddeuaidd *eb* delweddau deuaidd
binary notation nodiant deuaidd *eg*
binary number rhif deuaidd *eg* rhifau deuaidd
binary numeral rhifolyn deuaidd *eg* rhifolion deuaidd
binary operation gweithrediad deuaidd *eg* gweithrediadau deuaidd
binary point pwynt deuaidd *eg* pwyntiau deuaidd
binary search chwiliad deuaidd *eg* chwiliadau deuaidd

binary star seren ddwbl *eb* sêr dwbl
binary time amser dwyran *eg*
binary to decimal conversion trawsnewidiad deuaidd i ddegol *eg* trawsnewidiadau deuaidd i ddegol
binary tree coeden ddeuaidd *eb* coed deuaidd
binary variable newidyn deuaidd *eg* newidynnau deuaidd
binaural deuglust *eg*
bind rhwymo *be*
binder rhwymwr *eg* rhwymwyr
binder (machine attachments) rhwymell *eb* rhwymellau
binding (of book) rhwymiad *eg* rhwymiadau
binding (=something that binds) rhwymyn *eg* rhwymynnau
binding energy egni clymu *eg* egnïon clymu
binding margin ymyl rhwymo *eb* ymylon rhwymo
binding medium cyfrwng rhwymo *eg* cyfryngau rhwymo
binding wire gwifren rwymo *eb* gwifrau rhwymo
binocular vision golwg deulygad *eg* golygon deulygad
binomial *adj* binomaidd *ans*
binomial *n* binomial *eg* binomialau
binomial nomenclature dull enwi binomaidd *eg*
binomial theorem theorem binomial *eb*
biochemist biocemegydd *eg* biocemegwyr
biochemistry biocemeg *eb*
biochore bïocor *eg* biocorau
bioclimatology biohinsoddeg *eb*
biodegradable bioddiraddadwy *ans*
biogenesis biogenesis *eg*
biogeography biodaearyddiaeth *eb*
biological biolegol *ans*
biological control rheoli biolegol *be*
biological detergent glanedydd biolegol *eg* glanedyddion biolegol
biological value gwerth biolegol *eg*
biology bioleg *eb*
bioluminescence bioymoleuedd *eb*
biomass biomas *eg*
biosome biosom *eg*
biosphere biosffer *eg*
biosynthesize biosynthesu *be*
biotechnology biotechnoleg *eb*
biotic biotig *ans*
bipartite deurannol *ans*
bipolar deubegwn *ans*
birch bedwen *eb* bedw
birch plywood pren haenog bedw *eg*
bird's eye (maple) llygad aderyn (masarnen) *ans*
bird's eye view golygfa trem aderyn *eb*
bird's foot delta delta crafanc *eg* deltâu crafanc
birth genedigaeth *eb* genedigaethau
birth and death statistics ystadegau geni a marw *ell*
birth certificate tystysgrif geni *eb* tystysgrifau geni
birth control rheoli cenhedlu *be*
birth defect nam geni *eg* namau geni
birth rate cyfradd genedigaethau *eb*
birth weight pwysau geni *ell*
birthmark man geni *eg* mannau geni

---

birthright genedigaeth-fraint *eb*

biscuit bisged *eb* bisgedi

biscuit firing tanio bisged *be*

bisect (=divide in two) dwyrannu *be*

bisect (=halve) haneru *be*

bisector hanerydd *eg* haneryddion

bisexual deuryw *ans*

bishop esgob *eg* esgobion

Bishop of Bangor's jig dawns Esgob Bangor *eb*

bishop sleeve llawes esgob *eb* llewys esgob

Bishop William Morgan Esgob William Morgan *eg*

bishop's commissary comisari'r esgob *eg*

bishop's palace palas esgob *eg* palasau esgobion

bishopland tir esgob *eg* tiroedd esgob

bishopric esgobaeth *eb* esgobaethau

bismuth (Bi) bismwth *eg*

bistable deusad *eg* deusadau

bit (for soldering) haearn sodro *eg* heyrn sodro

bit (in computing) did (digid deuaidd) *eg* didau

bit (in music) crwcddarn *eg* crwcddarnau

bit (of drill etc) ebill *eg* ebillion

bit density dwysedd didol *eg* dwyseddau didol

bit location lleoliad did *eg* lleoliadau did

bit pattern patrwm didol *eg* patrymau didol

bit position safle didol *eg* safleoedd didol

bit rate cyfradd ddidol *eb* cyfraddau didol

bit string llinyn didau *eg* llinynnau didau

bite (describing texture) cnoad *eg*

bite (=small piece) tamaid *eg* tameidiau

bitmap didfap *eg* didfapiau

bitonal deugywair *ans*

bitonality deugyweiredd *eg*

bits per second didau yr eiliad

bitter chwerw *ans*

bitter lake llyn chwerw *eg* llynnoedd chwerw

bitterness chwerwedd *eg*

bitumen bitwmen *eg*

bituminous coal glo rhwym *eg*

bituminous paint paent bitwmen *eg*

bitwise modd did *eg*

bivalent deufalent *ans*

bivalve *adj* dwygragennog *ans*

black (enamelling colour) du *eg*

Black Acts Deddfau Duon *ell*

black bar bar du *eg* barrau du

black beans ffa du *ell*

black body radiator pelydrydd cyflawn *eg* pelydryddion cyflawn

Black Book of the Household Llyfr Du Cyfrifon y Llys *eg*

black check banding bandin siec du *eg*

Black Code (Code Noir) Cod y Caethion Du *eg*

Black Country Gwlad Ddu *eb*

Black Death Pla Du *eg*

Black Friar Brawd Du *eg* Brodyr Duon

Black Friday Dydd Gwener Du *eg*

black frost rhew du *eg*

black heat gwres du *eg*

black ice iâ du *eg*; rhew du *eg*

black market marchnad ddu *eb*

black mild steel (B.M.S.) dur meddal du *eg*

Black Power Pŵer Du *eg*

Black Prince Tywysog Du *eg*

black pudding pwdin gwaed *eg* pwdinau gwaed

black rubric cyfeireb ddu *eb* cyfeirebau du

black-eyed beans ffa llygatddu *ell*

blackberries mwyar *ell*

blackboard bwrdd du *eg* byrddau du

blackcurrants cyrens duon *ell*

blackheart iron haearn bwrw hydrin *eg*

blacking (decorative process) duo *be*

blackjack (blende) blacjac *eg*

blackleg blacleg *eg* blaclegwyr

blacks and whites duon a gwynion

blacksmith gof *eg* gofaint

blacksmith's forge gefail gof *eg* gefeiliau gof

blacksmith's hearth tân gof *eg* tanau gof

bladder (of animals) pledren *eb* pledrennau

bladder (of plants) chwysigen *eb* chwysigod

blade (of knife, bat) llafn *eg/b* llafnau

blade of grass gwelltyn *eg* gwellt

blanch blansio *be*

blank *adj* gwag *ans*

blank (=blank space) *n* bwlch *eg* bylchau

blank disk disg gwag *eg* disgiau gwag

blank-fill *n* gwag lenwad *eg* gwag lenwadau

blank-fill *v* gwag lenwi *be*

blanket blanced *eb* blancedi

blanket bath ymolch yn y gwely *be*

blanket bog gorgors *eb* gorgorsydd

blanket stitch pwyth blanced *eg* pwythau blanced

Blanketeers Blancedwyr *ell*

blasphemy cabledd *eg* cableddau

blast *adj* chwyth *ans*

blast (=blow air on) *v* chwythellu *be*

blast (=explosion) *n* ffrwydrad *eg* ffrwydradau

blast (=strong gust) *n* chwythiad *eg* chwythiadau

blast furnace ffwrnais chwyth *eb* ffwrneisi chwyth

blast hole chwythdwll *eg* chwythdyllau

blastocoel blastocoel *eg*

blastocyte blastocyt *eg*

blastoderm blastoderm *eg*

blastomere blastomer *eg*

blastophore blastoffor *eg*

blastula blastwla *eg*

bleach *n* cannydd *eg* canyddion

bleach *v* cannu *be*

bleach solution hydoddiant cannu *eg*

bleached calico calico can *eg*

bleached cane gwialen gan *eb* gwiail can

bleached white calico calico gwyn can *eg*

bleaching agent cannydd *eg* canyddion

---

adf, adv adferf, *adverb*   **ans, adj** ansoddair, *adjective*   **be** berf, *verb*   **eb** enw benywaidd, *feminine noun*   **eg** enw gwrywaidd, *masculine noun*

bleaching powder powdr cannu *eg* powdrau cannu

bleeding gwaedu *be*

bleeding of dye llifyn yn rhedeg

bleeper swnyn *eg* swnynnau

blend (in biology) *v* cymhlitho *be*

blend (in cooking) *n* cymysgedd *eg* cymysgeddau

blend (in cooking) *v* cymysgu *be*

blend (voices) *v* asio *be*

blende (zinc) blend *eg*

blended fabric ffabrig cymysg *eg*

blended fibre ffibr cymysg *eg*

blended inheritance etifeddiaeth gymhlith *eb*

blended material defnydd cymysg *eg*

blended-hair brush brwsh blew cymysg *eg* brwshys blew cymysg

blender cymysgydd *eg* cymysgyddion

Blessed Gwynfydedig *ans*

blessed sacrament cymun bendigaid *eg*

Blessed Virgin Mary Morwyn Fair Fendigaid *eb*

blessing bendith *eb* bendithion

blight (of planning) malltod *eg*

blind (on window) *n* cysgodlen *eb* cysgodlenni

blind (=unable to see) *adj* dall *ans*

blind alley llwybr diffrwyth *eg* llwybrau diffrwyth

blind child plentyn dall *eg* plant dall

blind hem hem gudd *eb* hemiau cudd

blind hole twll dall *eg* tyllau dall

blind mortise mortais dall *eg* morteisiau dall

blind pupil disgybl dall *eg* disgyblion dall

blind side ochr dywyll *eb* ochrau tywyll

blind side wing forward blaenasgell dywyll *eb* blaenesgyll tywyll

blind spot dallbwynt *eg* dallbwyntiau

blindness dallineb *eg*

blister pothell *eb* pothelli

blister copper copr pothell *eg*

blister steel dur pothell *eg*

blistering pothellu *be*

Blitz, The Blitz, Y *eg*

blizzard storm eira *eb* stormydd eira

bloating ymchwyddo *be*

blob smotyn *eg* smotiau

block *n* bloc *eg* blociau

block (=obstruct) *v* rhwystro *be*

block (=to use a block) *v* blocio *be*

block capital letter priflythyren *eb* priflythyrennau

block chart siart bloc *eg* siartiau bloc

block clamp clamp bloc *eg* clampiau bloc

block colour lliw bloc *eg* lliwiau bloc

block cutting tool erfyn ysgythru *eg* arfau ysgythru

block design test prawf trefnu patrymau *eg* profion trefnu patrymau

block diagram diagram bloc *eg* diagramau bloc

block field (felsenmeer) cludair *eg* cludeiriau

block form ffurf bloc *eb* ffurfiau bloc

block graph graff bloc *eg* graffiau bloc

block lava bloc lafa *eg* blociau lafa

block length hyd bloc *eg* hydoedd bloc

block mountain blocfynydd *eg* blocfynyddoedd

block move symudiad bloc *eg* symudiadau bloc

block paragraph paragraff ochr *eg* paragraffau ochr

block pattern patrwm bloc *eg* patrymau bloc

block placement lleoliad mewn bloc *eg* lleoliadau mewn bloc

block plane plaen bach *eg* plaeniau bach

block printing printio bloc *be*

block scree sgri bloc *eg* sgrïau bloc

block structure strwythur bloc *eg* strwythurau bloc

block structured language iaith strwythur bloc *eb*

block tackle tacl floc *eb* taclau bloc

blockade gwarchae *eg* gwarchaeon

blockboard blocfwrdd *eg* blocfyrddau

blocked account cyfrif gwaharddedig *eg* cyfrifon gwaharddedig

blocking anticyclone antiseiclon rhwystrol *eg* antiseiclonau rhwystrol

blocking factor ffactor flocio *eb* ffactorau blocio

blocking hammer morthwyl blocio *eg* morthwylion blocio

blocks and clamps blociau a chlampiau

blood gwaed *eg*

blood and iron gwaed a haearn

blood bank banc gwaed *eg*

Blood Bath of Stockholm Galanas Stockholm *eb*

blood circulation cylchrediad y gwaed *eg*

blood corpuscle corffilyn y gwaed *eg* corffilod y gwaed

blood count cyfrif gwaed *eg*

blood donor rhoddwr gwaed *eg* rhoddwyr gwaed

blood feud (in general) cynnen waed *eb*

blood feud (in old Welsh law) galanas *eb*

blood group grŵp gwaed *eg* grwpiau gwaed

blood pressure pwysau gwaed *ell*

blood relationship perthynas drwy waed *eb*

blood space gwagle gwaed *eg* gwagleoedd gwaed

blood stream llif y gwaed *eg*

blood sugar siwgr gwaed *eg*

blood test prawf gwaed *eg* profion gwaed

blood transfusion trallwysiad gwaed *eg*

blood-brain barrier gwahanfur gwaed-ymennydd *eg*

blood-clot tolchen *eb* tolchenni

blood-vessel pibell waed *eb* pibellau gwaed

bloodless revolution chwyldro di-drais *eg*

Bloody Assizes Brawdlys Gwaedlyd *eg*

Bloody Mary Mari Waedlyd *eb*

bloody question cwestiwn marwol *eg*

Bloody Sunday Sul y Gwaed *eg*

bloom (industrial) blŵm *eg* blymau

blotting paper papur sugno *eg*

blouse blows *eb* blowsys

blouson blowson *eb* blowsonau

blow *n* ergyd *eg/b* ergydion

blow *v* chwythu *be*

blow an EPROM chwythu EPROM *be*

blow holes (casting) chwythdyllau (castio) *ell*

blow moulding chwythfowldio *be*

blow-hole mordwll *eg* mordyllau

blower chwythwr *eg* chwythwyr

blowlamp chwythlamp *eb* chwythlampau

blown sand tywod chwyth *eg*

blowpipe chwythbib *eb* chwythbibau

blue glas *eg*

blue (for brightening clothes) bliw *eg*

blue baby baban glas *eg*

blue litmus solution hydoddiant litmws glas *eg*

'blue' notes nodau 'blue' *ell*

blue red (crimson) coch glas (rhuddgoch) *eg*

blueprint glasbrint *eg* glasbrintiau

blues (=song) blues *ell*

blues and violets gleision a fioledau

blues singing canu'r felan *be*

bluff blwff *eg* blyffiau

bluing (decorative process) glasu *be*

blunger peiriant cymysgu clai *eg* peiriannau cymysgu clai

blunging cymysgu clai *be*

blunt *adj* pŵl *ans*

blunt *v* pylu *be*

bluntness pylni *eg*

blur *n* brycheuyn *eg* brychau

blur *v* pylu *be*

Boadicea Buddug *eb*

board bwrdd *eg* byrddau

board and easel bwrdd ac îsl

board based bwrdd seiliedig *ans*

board loom gwŷdd bwrdd *eg* gwyddion bwrdd

Board of Admiralty Bwrdd y Morlys *eg*

Board of Education Bwrdd Addysg *eg*

Board of Guardians Bwrdd Gwarcheidwaid *eg*

Board of Health Bwrdd Iechyd *eg*

Board School Ysgol Bwrdd *eb* Ysgolion Bwrdd

boarded astellog *ans*

boarding school ysgol breswyl *eb* ysgolion preswyl

boat neck gwddf bad *eg*

bob bob *eg* bobiau

bob line llinyn plwm *eb*

bobbin bobin *eg* bobiniau

bobbin case cas bobin *eg* casys bobiniau

bobbin lace les bobin *eg*

bobbin winder gwas dirwyn *eg* gweision dirwyn

bodice bodis *eg* bodisiau

bodice block bloc bodis *eg* blociau bodis

bodice facing wynebyn bodis *eg* wynebynnau bodis

bodily activity gweithgarwch corfforol *eg*

bodkin botgin *eg* botginau

Bodleian Library Llyfrgell Bodley *eb*

body corff *eg* cyrff

body (object) gwrthrych *eg* gwrthrychau

body awareness ymwybyddiaeth gorfforol *eb*

body building foods bwydydd cryfhau'r corff *ell*

body cavity ceudod y corff *eg*

body cell corffgell *eb* corffgelloedd

body centred cubic lattice dellten giwbig corff-ganolog *eb* delltiau ciwbig corff-ganolog

body clearance (drill) cliriad y dril *eg*

body colour lliw di-draidd *eg*

body control rheolaeth gorfforol *eb*

body fluids hylifau'r corff *ell*

body image delwedd y corff *eb*

body language iaith y corff *eb*

body management rheolaeth dros y corff *eb*

body percussion taro'r corff *be*

body politic cenedl wleidyddol *eb*

body rhythm rhythm corff *eg* rhythmau corff

body stain staen di-draidd *eg* staeniau di-draidd

body temperature tymheredd y corff *eg*

body tension tyndra'r corff *eg*

body type math o gorff *eg* mathau o gyrff

body weight pwysau'r corff *ell*

bodying-in llenwi'r mân dyllau *be*

bodyless digorff *ans*

bodyless puppet pyped digorff *eg* pypedau digorff

Boer Boer *eg* Boeriaid

Boer War Rhyfel y Boer *eg*

bog cors *eb* corsydd

Bohemian Brethren Brodyr Bohemia *ell*

boil *n* cornwyd *eg* cornwydydd

boil *v* berwi *be*

boiled egg wy wedi'i ferwi *eg* wyau wedi'u berwi

boiled linseed oil olew had llin wedi'i ferwi *eg*

boiled oil olew wedi'i ferwi *eg*

boiled water dŵr wedi'i ferwi *eg*

boiler boeler *eg* boeleri

boiling berw *ans*

boiling fowl iâr i'w berwi *eb* ieir i'w berwi

boiling point berwbwynt *eg*

boiling tube tiwb berwi *eg* tiwbiau berwi

boiling water dŵr berw *eg*

Bokhara couching cowtsio Bokhara *be*

bold (of type) trwm *ans*

bole (of tree) boncyff *eg* boncyffion

bolero bolero *eg* boleros

Bolshevik *adj* Bolsiefigaidd *ans*

Bolshevik *n* Bolsiefig *eg* Bolsiefigiaid

bolson bolson *eg* bolsonau

bolster bolster *eg* bolsteri

bolt *n* bollt *eb* bolltau

bolt *v* bolltio *be*

bolt catch clicied follt *eb* cliciedau bollt

bolt cutter torrwr bollt *eg* torwyr bollt

bolt tongs gefel follt *eb* gefeiliau bollt

bolted bolltiog *ans*

bolted joint uniad bolltiog *eg* uniadau bolltiog

bolus bolws *eg* bolysau

bolus ground grwnd bolws *eg*

bomb calorimeter calorimedr bom *eg*

---

bombard peledu *be*

bombardon bombardon *eg* bombardonau

bombed site safle wedi'i fomio *eg* safleoedd wedi'u bomio

bond *v* bondio *be*

bond (financial and physics) *n* bond *eg* bondiau

bond (of relationship) *n* cwlwm agosrwydd *eg*

bond dissociation energy egni daduno bond *eg*

bond energy term term egni bond *eg*

Bond of Association Cwlwm Cydweithred *eg*

bond service taeogwasanaeth *eg*

bond strength cryfder bond *eg*

bondage taeogaeth *eb*

bonded (finish) bondiog *ans*

bonded fabric ffabrig bondiog *eg* ffabrigau bondiog

bonded surface arwyneb bondiog *eg* arwynebau bondiog

bonded warehouse warws ecseis *eg* warysau ecseis

bonding bondin *eg*

bonding adhesive gludydd bondio *eg*

bonding agent cyfrwng bondio *eg* cyfryngau bondio

bondsman taeog *eg* taeogion

bone asgwrn *eg* esgyrn

bone and hide glue glud asgwrn a chroen *eg*

bone awl mynawyd asgwrn *eg*

bone china tsieni asgwrn *eg*

bone conduction dargludo drwy'r asgwrn *be*

bone folder plygell asgwrn *eb* plygellau asgwrn

bone marrow mêr *eg*

bone scraper crafwr asgwrn *eg* crafwyr asgwrn

bongo bongo *eg* bongoi

boning (in cooking) tynnu esgyrn *be*

bonnet boned *eb* bonedau

bonus bonws *eg*

bonus payment tâl bonws *eg* taliadau bonws

boogie-woogie bwgi-wgi *eg*

book *n* llyfr *eg* llyfrau

book (=make a reservation) *v* archebu *be*

book binder rhwymwr llyfrau *eg* rhwymwyr llyfrau

book binding rhwymo llyfrau *be*

book craft crefft llyfrau *eb*

book jacket siaced lwch *eb* siacedi llwch

book leather lledr llyfr *eg*

Book of Advertisements Llyfr yr Hysbysebion *eg*

Book of Discipline Llyfr Disgyblaeth *eg*

Book of Hours Llyfr Oriau *eg*

Book of Martyrs Llyfr Merthyron *eg*

Book of Orders Llyfr Gorchmynion *eg*

Book of Sports Llyfr Chwaraeon *eg*

book trough cafn llyfrau *eg* cafnau llyfrau

book-end bwtres llyfrau *eg* bwtresi llyfrau

book-plate plât llyfr *eg* platiau llyfr

bookbinder's bench mainc rhwymo llyfrau *eb* meinciau rhwymo llyfrau

bookbinder's press gwasg rhwymwr llyfrau *eb* gweisg rhwymwr llyfrau

bookbinding cloth lliain rhwymo llyfrau *eg*

bookcase cwpwrdd llyfrau *eg* cypyrddau llyfrau

bookcloth lliain llyfrau *eg*

booking bwciad *eg* bwciadau

booklet llyfryn *eg* llyfrynnau

bookmark nod tudalen *eg* nodau tudalen

bookrack rhesel lyfrau *eb* rheseli llyfrau

bookshelf silff lyfrau *eb* silffoedd llyfrau

Boolean Boole *ans*

Boolean algebra algebra Boole *eg*

Boolean logic rhesymeg Boole *eb*

Boolean operation gweithrediad Boole *eg* gweithrediadau Boole

Boolean operator gweithredydd Boole *eg* gweithredyddion Boole

Boolean type math Boole *eg* mathau Boole

Boolean value gwerth Boole *eg* gwerthoedd Boole

Boolean variable newidyn Boole *eg* newidynnau Boole

boom (at harbour mouth) trawst *eg* trawstiau

boom (in industry, economy) ffyniant *eg*

boom (on boat) bŵm *eg* bwmau

boombams bwmbamau *ell*

booming ffyniannus *ans*

booster (for electrical power) cyfnerthydd *eg* cyfnerthyddion

booster dose dos atgyfnerthol *eg* dosau atgyfnerthol

booster injection pigiad atgyfnerthol *eg* pigiadau atgyfnerthol

boot (for rugby, soccer etc) *n* esgid *eb* esgidiau

boot (=kick) *v* cicio *be*

booth bwth *eg* bythod

bootstrap loader ymlwythwr *eg* ymlwythwyr

bootstrapping ymlwytho *be*

boracic glaze gwydredd borasig *eg*

borax boracs *eg*

borax cone côn boracs *eg* conau boracs

borax palette palet boracs *eg* paletau boracs

border (of area, country) goror *eg* gororau

border (on paper, materials) border *eg* borderi

border design dyluniad border *eg* dyluniadau borderi

bordered pits man-bantiau gweflog *ell*

borderer (=tenant) bordar *eg* bordariaid

borderline *adj* ffiniol *ans*

borderline *n* ffin *eb* ffiniau

borderline candidate ymgeisydd ffiniol *eg* ymgeiswyr ffiniol

borderline case achos ffiniol *eg* achosion ffiniol

borderline reviewing adolygu'r achosion ffiniol *be*

bore (=diameter) *n* tyllfedd *eg* tyllfeddau

bore (of tidal wave) *n* eger *eg* egerau

bore (=make a hole) *v* tyllu *be*

bore box blwch tyllu *eg* blychau tycllu

bore-hole twll turio *eg* tyllau turio

bored (=fed up) diflas *ans*

boredom diflastod *eg*

borer tyllydd *eg* tyllyddion

boring (=uninteresting) diflas *ans*

boring bar bar tyllu *eg* bariau tyllu

boring tool erfyn tyllu *eg* offer tyllu

boron (B) boron *eg*

borough bwrdeistref *eb* bwrdeistrefi

borough corporation corfforaeth y fwrdeistref *eb* corfforaethau'r bwrdeistrefi

borough franchise etholfraint fwrdeistrefol *eb*

borough history hanes bwrdeistrefol *eg*

borrow benthyca *be*

boss (of shield) bogail *eg* bogeiliau

boss (=protuberance) cnap *eg* cnapiau

bossing mallet gordd ben wy *eb* gyrdd pen wy

bote budd *eg* buddion

bottle potel *eb* poteli

bottle feeding bwydo o'r botel *be*

bottle warmer gwresogydd potel *eg* gwresogyddion poteli

bottleneck tagfa *eb* tagfeydd

bottom gwaelod *eg* gwaelodion

bottom drawer rail rheilen waelod drôr *eb* rheiliau gwaelod drôr

bottom edge ymyl waelod *eb* ymylon gwaelod

bottom frame ffrâm waelod *eb* fframiau gwaelod

bottom fuller pannydd isaf *eg* panyddion isaf

bottom gear gêr isaf *eg*

bottom part darn gwaelod *eg* darnau gwaelod

bottom rail rheilen isaf *eb* rheiliau isaf

bottom rake gwyredd gwaelod *eg*

bottom set bed gwely is-haen *eg* gwelyau is-haen

bottom swage darfath isel *eg*

bottom-up programming rhaglennu adeiladol *be*

bottoming stake bonyn gwaelodi *eg* bonion gwaelodi

bottoming tap tap gwaelodi *eg* tapiau gwaelodi

botulism botwliaeth *eb*

bouclé bouclé *eg*

bouclé yarn edafedd bouclé *ell*

bough cangen *eb* canghennau

boulder clogfaen *eg* clogfeini

boulder choke tagfa glogfeini *eb* tagfeydd clogfeini

boulder clay clog-glai *eg*

bounce *n* sbonc *eb* sbonciau

bounce *v* sboncio *be*

bounce back *n* adlam *eg* adlamiadau

bounce back *v* adlamu *be*

bounce of the ball sbonc y bêl *be*

bounce on the ground *v* sboncio ar y ddaear *be*

bounce pass pás sboncio *eb* pasiau sboncio

bound (=jump) *n* llam *eg* llamau

bound (=jump) *v* llamu *be*

bound (=limitation) *n* arffin *eb* arffiniau

bound (of electron) *adj* rhwym *ans*

bound buttonhole twll botwm wedi'i rwymo *eg* tyllau botymau wedi'u rhwymo

bound opening agoriad rhwymog *eg* agoriadau rhwymog

bound slot pocket poced agen *eb* pocedi agen

boundary ffin *eb* ffiniau

boundary (fence) terfyn *eg* terfynau

boundary conditions amodau ffin *ell*

boundary layer haen ffin *eb* haenau ffin

bounded ffinedig *ans*

bounded variation amrywiad ffinedig *eg* amrywiadau ffinedig

bounding plane plân terfyn *eg* planau terfyn

bouquet garni bouquet garni *eg*

bourgeois bourgeois *ans*

bourgeoisie bourgeoisie *eg*

bourn nant hafesb *eb* nentydd hafesb

bourrée bourrée *eg* bourrées

bout bowt *eg* bowtiau

bovate bufedd *eb* bufeddi

bow (=bend) *v* crymu *be*

bow (for archery) *n* bwa *eg* bwâu

bow (in needlework) *n* dolen *eb* dolennau

bow (=inclination of the head or trunk) *n* ymgrymiad *eg* ymgrymiadau

bow (=incline the head or trunk) *v* ymgrymu *be*

bow (with stringed instrument) *v* tynnu bwa *be*

bow case cas bwa *eg* casys bwa

bow down bwa i lawr

bow knot cwlwm dolen *eg* clymau dolen

bow knot pattern patrwm cwlwm dolen *eg* patrymau cwlwm dolen

bow side (in rowing) ochr dde *eb*

Bow Street Runner Ceidwad Bow Street *eg* Ceidwaid Bow Street

bow tie tei bô *eg*

bow up bwa i fyny

bow window ffenestr fwa *eb* ffenestri bwa

Bow's Notation Nodiant Bow *eg*

bow-fronted blaengrwm *ans*

bow-saw llif fwa *eb* llifiau bwa

bow-stringed truss cwpl bwaog *eg* cyplau bwaog

bowed harp telyn fwa *eb* telynau bwa

bowel perfedd *eg* perfeddion

bowing (in a score) bwa-nodi *be*

bowl *n* powlen *eb* powlenni

bowl *v* bowlio *be*

bowl (=action of bowling) *n* bowliad *eg* bowliadau

bowl out bowlio allan *be*

bowl over the wicket bowlio dros y wiced *be*

bowl overarm bowlio dros ysgwydd *be*

bowl round the wicket bowlio rownd y wiced *be*

bowl underarm bowlio dan ysgwydd *be*

bowled ball pelen *eb* pelenni

bowler bowliwr *eg* bowlwyr

bowlful powlaid *eb*

bowline bowlin *eb* bowliniau

bowling crease cris bowlio *eg* crisiau bowlio

bowling method dull o fowlio *eg* dulliau o fowlio

bowling speed cyflymder y bowlio *eg*

Bowman's capsule cwpan Bowman *eg*

bowstring llinyn bwa *eg* llinynnau bwa

box *n* blwch *eg* blychau

box *v* bocsio *be*

box (gymnastic apparatus) *n* bocs *eg* bocsys

---

adf, adv adferf, *adverb*   **ans, adj** ansoddair, *adjective*   **be** berf, *verb*   **eb** enw benywaidd, *feminine noun*   **eg** enw gwrywaidd, *masculine noun*

box angle plate plât ongl blwch *eg* platiau ongl blwch

box construction adeiladwaith blwch *eg*

box crosswise bocs ar groes *eg*

box joint uniad blwch *eg* uniadau blwch

box lengthwise bocs ar hyd *eg*

box lock clo blwch *eg* cloeon blychau

box pleat plet bocs *eb* pletiau bocs

box pleat opening agoriad plet bocs *eg* agoriadau pletiau bocs

box spanner sbaner blwch *eg* sbaneri blwch

box square sgwâr blwch *eg* sgwariau blwch

box tongs gefel flwch *eb* gefeiliau blwch

box wood pren bocs *eg*

Boxer Rising Gwrthryfel y Bocswyr *eg*

boxwood mallet gordd pren bocs *eb* gyrdd pren bocs

boxwood ruler riwl pren bocs *eb* riwliau pren bocs

boy bachgen *eg* bechgyn

Boyar Boiar *eg* Boiariaid

boycott boicotio *be*

brace (=cleat) *n* cledd *eg* cleddau

brace (=cleat) *v* cleddu *be*

brace (=device for clamping) *n* carntro *eg* carntroeon

brace (for teeth) *n* ffrâm ddanedd *eb* fframiau dannedd

brace (=mark in printing, music) *n* cyplysydd *eg* cyplyswyr

brace (the bow) *v* tynhau (y bwa) *be*

brace and bit carntro ac ebill

braced cleddog *ans*

braced door drws cleddog *eg* drysau cleddog

braced truss cwpl cleddog *eg* cyplau cleddog

bracer breichydd *eg* breichwyr

brachial breichiol *ans*

bracket (for shelving) braced *eg/b* bracedi

bracket (=printing mark) cromfach *eg* cromfachau

bracket foot troed fraced *eb*

brackets ( ) cromfachau ( ) *ell*

brackish water dŵr lled hallt *eg* dyfroedd lled hallt

bract bract *eg* bractau

bract scales cen bract *eg* cennau bract

bracteole bractolyn *eg* bractolynnau

brad (cut nail) hoelen fain *eb* hoelion main

bradawl mynawyd *eg* mynawydau

bradycardia bradycardia *eg*

braid brêd *eg* brediau

braid loom gwŷdd brêd *eg* gwyddiau brêd

braided river afon blethog *eb* afonydd plethog

braiding plethu *be*

brain ymennydd *eg* ymenyddiau

brain damage niwed i'r ymennydd *eg*

brain dead ymennydd yn farw

brain death marwolaeth yr ymennydd *eg*

braise brwysio *be*

brake brêc *eg* breciau

brake block bloc brêc *eg* blociau brêc

brake cylinder silindr brêc *eg* silindrau brêc

brake drum drwm brêc *eg* drymiau brêc

brake fluid hylif brêc *eg*

brake handle dolen frêc *eb* dolennau brêc

brake horse power marchnerth brêc *eg*

brake lever lifer brêc *eg* liferi brêc

brake resistance gwrthedd brêc *eg* gwrtheddau brêc

brake shoe esgid brêc *eb* esgidiau brêc

brake wheel olwyn frêc *eb* olwynion brêc

braking distance pellter brecio *eg* pellterau brecio

bran bran *eg*

branch *n* cangen *eb* canghennau

branch *v* ymganghennu *be*

branch (factory) ffatri gangen *eb* ffatrïoedd cangen

branch circumference cylchedd cangen *eg*

branch development datblygiad cangen *eg*

branch instruction cyfarwyddyd cangen *eg* cyfarwyddiadau cangen

branch line lein gangen *eb* leiniau cangen

branch pipe pibell gangen *eg* pibellau cangen

branch pipe junction cydiad pibell gangen *eg* cydiadau pibellau cangen

branch prism prism cangen *eg* prismau cangen

branch shop siop gangen *eb* siopau cangen

branched canghennog *ans*

branched terminals of the axon terfyniadau canghennog yr acson *ell*

branchia (=gill) tagell *eb* tegyll

branchial tagellog *ans*

branching database cronfa ddata ganghennog *eb* cronfeydd data canghennog

branching programme rhaglen ganghennog *eb* rhaglenni canghennog

brand (=make of goods) *n* brand *eg* brandiau

brand (=mark with disgrace) *v* gwarthnodi *be*

brand image delwedd gwneuthuriad *eb* delweddau gwneuthuriad

brand name enw brand *eg* enwau brand

branded goods nwyddau brand *ell*

brandy brandi *eg*

brandy butter menyn brandi *eg*

brandy snap crimpen frandi *eb* crimp brandi

brash malurion *ell*

brass pres *eg*

brass backed cefn pres *eg* cefnau pres

brass bush bwsh pres *eg* bwshys pres

brass drawing pin pìn bawd pres *eg* pinnau bawd pres

brass eyelet llygaden bres *eb* llygadennau pres

brass filings efyddlifion *ell*

brass handle dolen bres *eb* dolennau pres

brass head nail hoelen ben pres *eb* hoelion pen pres

brass instrument offeryn pres *eg* offerynnau pres

brass nail hoelen bres *eb* hoelion pres

brass rubbing rhwbiad pres *eg* rhwbiadau pres

brass screw sgriw bres *eb* sgriwiau pres

brass section adran bres *eb* adrannau pres

brass solo unawd pres *eb* unawdau pres

brass wire gwifren bres *eb* gwifrau pres

brassback saw llif gefn bres *eb* llifiau cefn pres

brassica crop cnwd bresych *eg* cnydau bresych

---

eg/b enw gwrywaidd/benywaidd, *feminine/masculine noun*   **ell** enw lluosog, *plural noun*   **v** berf, *verb*   **n** enw, *noun*

Brave West Winds Gwyntoedd Grymus y Gorllewin *ell*
bravura brafwra *eg*
brawn cosyn pen *eg* cosynnau pen
brayer (roller) rholer *eg* rholeri
braze presyddu *be*
brazed joint uniad wedi'i bresyddu *eg* uniadau wedi'u presyddu
brazing clamp clamp presyddu *eg* clampiau presyddu
brazing hearth aelwyd bresyddu *eb* aelwydydd presyddu
brazing process proses bresyddu *eb* prosesau presyddu
brazing spelter sbelter presyddu *eg* sbelterau presyddu
brazing torch tortsh bresyddu *eb* tortshys presyddu
brazing wire gwifren bresyddu *eb* gwifrau presyddu
breach *n* bwlch *eg* bylchau
breach *v* bylchu *be*
breach of peace tor-heddwch *eg*
breached bylchog *ans*
bread bara *eg*
bread and butter bara menyn *eg*
bread and butter pudding pwdin bara menyn *eg* pwdinau bara menyn
bread crumbs briwsion bara *ell*
bread roll rholyn bara *eg* rholiau bara
breadboard bwrdd bara *eg* byrddau bara
breadth lled *eg* lledau
break *n* toriad *eg* toriadau
break *v* torri *be*
break crop cnwd saib *eg* cnydau saib
break even adennill costau *be*
break ground torri tir *be*
break key torrwr *eg* torwyr
break line llinell doriad *eb* llinellau toriad
break the wicket torri'r wiced *be*
break with Rome torri oddi wrth Rufain *be*
breakage toriad *eg* toriadau
breakdown (=disintegration) ymddatodiad *eg*
breakdown (=failure) methiant *eg*
breakdown (of machinery) torri i lawr *be*
breaker (of wave) moryn *eg* morynnau
breakfast brecwast *eg* brecwastau
breakfast cereal grawnfwyd brecwast *eg* grawnfwydydd brecwast
breaking of voice llais yn torri
breakpoint torbwynt *eg* torbwyntiau
breakwater morglawdd *eg* morgloddiau
bream gwrachen ddu *eb* gwrachod du
breast (in general) brest *eb* brestiau
breast (of woman) bron *eb* bronnau
breast drill dril brest *eg* driliau brest
breast feeding bwydo o'r fron *be*
breast shot wheel rhod ffrwd ganol *eb* rhodau ffrwd ganol
breast-stroke nofio broga *be*
breath anadl *eg/b* anadliadau
breath mark marc anadlu *eg* marciau anadlu
breathe anadlu *be*
breathed sound sain anadl *eb* seiniau anadl

breathing exercise ymarfer anadlu *eg* ymarferion anadlu
breathless (with feminine nouns) byr ei hanadl *ans*
breathless (with masculine nouns) byr ei anadl *ans*
breech birth esgoriad ffolennol *eg*
breeches clos pen-lin *eg*
breed *n* brid *eg* bridiau
breed *v* bridio *be*
breeder reactor adweithydd bridiol *eg* adweithyddion bridiol
breeding cycle cylchred fridio *eb* cylchredau bridio
breeze (blues) chwa *eb* chwaon
breeze (=light wind) awel *eb* awelon
breeze block bloc bris *eg* blociau bris
breeze slab slab bris *eg* slabiau bris
Brethren of the Common Life Brodyr y Bywyd Cyffredin *ell*
breve brif *eg* brifiau
brevet dogfen braint filwrol *eb* dogfennau braint filwrol
breviary llyfr gwasanaeth *eg* llyfrau gwasanaeth
brew (of tea) *v.intrans* bwrw ffrwyth *be*
brew (alcohol) *v.trans* bragu *be*
bribe *n* llwgrwobr *eb* llwgrwobrwyon
bribe *v* llwgrwobrwyo *be*
bribery and corruption llwgrwobrwyo a llygru
brick bricsen *eb* brics
brick clay bric-glai *eg*
brick dust llwch brics *eg*
brick earth bric-bridd *eg*
brickwork bricwaith *eg*
bride-price cowyll *eg* cowyllion
bridge *n* pont *eb* pontydd
bridge *v* pontio *be*
bridge passage pont *eb* pontydd
bridge point man pontio *eg* mannau pontio
bridge tone traws-dôn *eb* trawsdonau
bridgehead (in architecture) talbont *eb* talbontydd
bridgehead (military) blaenlaniad *eg* blaenlaniadau
bridging course cwrs pontio *eg* cyrsiau pontio
bridging joist (flooring) trawst pontio *eg* trawstiau pontio
bridging loan benthyciad dros dro *eg* benthyciadau dros dro
bridle *n* ffrwyn *eb* ffrwynau
bridle *v* ffrwyno *be*
bridle bit genfa ffrwyn *eb* genfeydd ffrwyn
bridle joint uniad bagl *eg* uniadau bagl
brief *adj* byr *ans*
brief *n* briff *eg* briffiau
brief *v* rhagbaratoi *be*
brief outline amlinelliad byr *eg* amlinelliadau byr
brigade brigâd *eb* brigadau
Brigadier Brigadydd *eg* Brigadyddion
brigand gwylliad *eg* gwylliaid
bright llachar *ans*
bright colour lliw llachar *eg* lliwiau llachar
bright dip dip gloywi *eg* dipiau gloywi

---

adf, adv adferf, *adverb*   **ans, adj** ansoddair, *adjective*   *be* berf, *verb*   *eb* enw benywaidd, *feminine noun*   *eg* enw gwrywaidd, *masculine noun*

bright drawn bars barrau gloyw *ell*

bright drawn mild steel (B.D.M.S.) dur meddal gloyw wedi'i dynnu *eg*

bright mild steel (B.M.S.) dur meddal gloyw *eg*

bright orange (enamelling colour) oren llachar *eg*

bright red heat (cherry red) gwres cochias *eg*

bright yellow heat gwres eirias *eg*

brightness disgleirdeb *eg*

brightness control rheolydd disgleirdeb *eg* rheolyddion disgleirdeb

brill bril *eg*

brilliance disgleirdeb *eg*

brilliance of colour disgleirdeb lliw *eg*

brilliant llachar *ans*

brilliant blue glas llachar *eg*

brilliant colour lliw llachar *eg* lliwiau llachar

brilliant green gwyrdd llachar *eg*

brine heli *eg*

brine test prawf heli *eg*

bring-and-buy moes a phryn

brinkmanship hwylio yn agos i'r gwynt *be*

brioche brioche *eb*

brisket brisged *eb*

brisling corbennog *eg* corbenogiaid

bristle (of animal) gwrychyn *eg* gwrych

bristle (of brush) blewyn *eg* blew

bristle brush brwsh blew *eg* brwshys blew

Bristol board bwrdd Bryste *eg*

Britannia metal metel Britannia *eg*

British Electrical Approvals Board (BEAB) Bwrdd Cymeradwyo Trydanol Prydeinig (BEAB) *eg*

British Savings Bonds Bondiau Cynilo Prydeinig *ell*

British School Ysgol Brydeinig *eb* Ysgolion Prydeinig

British Standard Safon Brydeinig *eb* Safonau Prydeinig

British Standard specification manyleb Safonau Prydeinig *eb* manylebau Safonau Prydeinig

British Standards Institution Sefydliad Safonau Prydeinig *eg*

Briton (Ancient) Brython *eg* Brythoniaid

Briton (Modern) Prydeiniwr *eg* Prydeinwyr

brittle brau *ans*

brittleness breuder *eg*

broach (=bit for boring) cŷn main *eg* cynion main

broad llydan *ans*

broad beans ffa *ell*

broad pen pen llydan *eg* pennau llydan

broad pen lettering llythrennu pen llydan *be*

broad-leaved llydanddail *ans*

broad-leaved tree coeden lydanddail *eb* coed llydanddail

broadcast *n* darllediad *eg* darllediadau

broadcast *v* darlledu *be*

broaden lledu *be*

broader terms termau ehangach *ell*

broadsheet argrafflen *eb* argrafflenni

brocade brocêd *eg*

broccoli brocoli *ell*

brochure pamffled *eg* pamffledi

broderie anglaise broderie anglaise *eb*

broiler cyw brwylio *eg* cywion brwylio

broken cadence diweddeb annisgwyl *eb* diweddebau annisgwyl

broken chord cord gwasgar *eg* cordiau gwasgar

broken colour rhaniadliw *eg*

broken consort consort cymysg *eg*

broken line llinell doredig *eb* llinellau toredig

broker brocer *eg* broceriaid

brokerage broceriaeth *eb*

brominate bromineiddio *be*

bromination bromineiddiad *eg*

bromine (Br) bromin *eg*

bronchiole bronciolyn *eg* bronciolynnau

bronchitis broncitis *eg*

bronchus broncws *eg* bronci

bronze efydd *eg*

Bronze Age Oes Efydd *eb*

bronze alloy aloi efydd *eg*

bronze green (enamelling colour) gwyrdd efydd *eg*

bronze hoard celc efydd *eg* celciau efydd

brooch tlws *eg* tlysau

brooch back cefn tlws *eg* cefnau tlysau

brooch pin tlysbin *eg* tlysbinau

broom ysgubell *eb* ysgubellau

broom stick coes ysgubell *eb* coesau ysgubell

broth potes *eg*

Brother Preacher Brawd-Bregethwr *eg* Brawd-Bregethwyr

brotherhood brawdoliaeth *eb* brawdoliaethau

brow ael *eb* aeliau

brown *n* brown *eg* browniau

brown *v* brownio *be*

brown bread bara brown *eg*

brown coal glo brown *eg*

brown earth pridd brown *eg* priddoedd brown

brown paper papur llwyd *eg* papurau llwyd

brown paper tape tâp papur llwyd *eg*

brown sugar siwgr coch *eg*

Brownian movement (motion) symudiad Brown *eg*

brownish brownaidd *ans*

browse pori *be*

bruise *n* clais *eg* cleisiau

bruise *v* cleisio *be*

brush *n* brwsh *eg* brwshys

brush *v* brwsio *be*

brush care gofal brwsh *eg*

brush handle coes brwsh *eb* coesau brwsh

brush polish llathrydd brwsh *eg* llathryddion brwsh

brush stand stand brwshys *eg* standiau brwshys

brush stroke strôc brwsh *eb* strociau brwsh

brushed (finish) gwlanog *ans*

brushed cotton cotwm gwlanog *eg*

brushed nylon neilon gwlanog *eg*

brushwood prysgwydd *eg*

brushwork brwshwaith *eg*

Brussels sprouts ysgewyll *ell*

Brythonic Brythonaidd *ans*

bubble *n* swigen *eb* swigod

bubble *v.intrans* byrlymu *be*

bubble *v.trans* gyrru swigod drwy *be*

buccal cavity ceudod bochaidd *eg* ceudodau bochaidd

buccaneer bycanîr *eg* bycaniriaid

buck (in gymnastics) ebol *eg* ebolion

buck crosswise ebol ar groes *eg* ebolion ar groes

bucket bwced *eg* bwcedi

buckle *n* bwcl *eg* byclau

buckle *v* bwclo *be*

buckler bwcler *eg* bwcleri

buckram bwcram *eg*

buckwheat gwenith yr hydd *eg*

bud *n* blaguryn *eg* blagur

bud *v* blaguro *be*

bud scale cen blaguro *eg*

Buddha Bwdha *eg*

Buddhism Bwdhaeth *eb*

Buddhist *adj* Bwdhaidd *ans*

Buddhist *n* Bwdhydd *eg* Bwdhyddion

budding ymflagurol *ans*

budgerigar green (enamelling colour) gwyrdd bwdgerigar *eg*

budget *n* cyllideb *eb* cyllidebau

budget *v* cyllidebu *be*

budget account cyfrif cyllido *eg* cyfrifon cyllido

budget deficit diffyg cyllidol *eg* diffygion cyllidol

budget share cyfran o'r gyllideb *eb* cyfrannau o'r gyllideb

budgetary cyllidol *ans*

budgetary arrangement trefniant cyllidol *eg* trefniadau cyllidol

budgetary control rheolaeth gyllidol *eb* rheolaethau cyllidol

buff *n* bwff *eg* bwffiau

buff *v* bwffio *be*

buff mop mop bwffio *eg* mopiau bwffio

buff wheel olwyn fwffio *eb* olwynion bwffio

buffer *n* byffer *eg* bufferau

buffer *v* byffro *be*

buffer beam trawst byffer *eg* trawstiau byffer

buffer solution hydoddiant byffer *eg*

buffer spring sbring byffer *eg* sbringiau byffer

buffer state gwladwriaeth glustog *eb* gwladwriaethau clustog

buffered input mewnbwn bufferog *eg* mewnbynnau bufferog

buffered output allbwn bufferog *eg* allbynnau bufferog

buffet bwffe *eg* bwffes

bug (=fault) nam *eg* namau

bugle biwgl *eg* biwglau

build adeiladu *be*

build in ymgorffori *be*

building adeilad *eg* adeiladau

building regulation rheoliad adeiladu *eg* rheoliadau adeiladu

building society cymdeithas adeiladu *eb* cymdeithasau adeiladu

building use survey arolwg defnyddio adeiladau *eg* arolygon defnyddio adeiladau

built-in cupboard cwpwrdd gosod *eg*

built-up area ardal adeiledig *eb* ardaloedd adeiledig

built-up stain staen adeiledig *eg* staeniau adeiledig

bulb bwlb *eg* bylbiau

bulb holder gafaelydd bwlb *eg* gafaelyddion bylbiau

bulbous oddfog *ans*

bulbous leg coes oddfog *eb* coesau oddfog

bulbous turnery turnwriaeth oddfog *eb*

bulge *n* gwrym *eg* gwrymiau

bulge *v* bolio *be*

bulk swmp *eg* sympau

bulk buying swmp brynu *be*

bulk carrier swmp gludydd *eg* swmp gludyddion

bulk materials defnyddiau swmp *ell*

bulk storage storfa swmp *eb* storfeydd swmp

bulk tank swmp danc *eg* swmp danciau

bulk transport swmpgludo *be*

bulked yarn edafedd wedi'u swmpuso *ell*

bulking action gweithred swmpuso *eb*

bulky swmpus *ans*

bulky goods nwyddau swmpus *ell*

bull (papal) bwla *eg* bwlaon

bull wheel (shaper) olwyn strôc *eb* olwynion strôc

bull-nosed plane plaen trwyn byr *eg* plaeniau trwyn byr

bulletin bwletin *eg* bwletinau

bulletin board hysbysfwrdd *eg* hysbysfyrddau

bullion bwliwn *eg*

bully (in hockey) *n* bwli *eg* bwlïau

bully off *v* bwlïo *be*

bumper bymper *eg* bymperi

bun bynen *eb* byns

bunch grass (tussock) sypwellt *eg*

bund bwnd *eg* byndiau

bundle sypyn *eg* sypynnau

bung topyn *eg* topynnau

bungaloid growth twf byngaloaidd *eg*

bungalow byngalo *eg* byngalos

bunny jump naid cwningen *eb* neidiau cwningen

Bunsen burner gwresogydd Bunsen *eg* gwresogyddion Bunsen

bunt hit bwnt *eg*

buoy bwi *eg* bwiau

buoyancy hynofedd *eg*

buoyancy bag bag hynofedd *eg* bagiau hynofedd

buoyancy tank tanc hynofedd *eg* tanciau hynofedd

buoyant hynawf *ans*

bur (of plant) masgl pigog *eg* masglau pigog

buran bwrán *eg*

burden baich *eg* beichiau

bureau biwro *eg* biwroau

bureau fall clawr biwro *eg* cloriau biwro

---

adf, adv adferf, *adverb*   **ans, adj** ansoddair, *adjective*   **be** berf, *verb*   **eb** enw benywaidd, *feminine noun*   **eg** enw gwrywaidd, *masculine noun*

bureaucracy biwrocratiaeth *eb*
bureaucrat biwrocrat *eg* biwrocratiaid
bureaucratic biwrocrataidd *ans*
burette bwred *eb* bwredau
burgage tir bwrdais *eg*
burgage borough bwrdeistref fwrgais *eb*
burgage tenure daliadaeth fwrgeisiol *eb*
burgess bwrdais *eg* bwrdeisiaid
burgher bwrdais *eg* bwrdeisiaid
burghol bwrdeisiol *ans*
Burgundian *adj* Bwrgwynaidd *ans*
Burgundian *n* Bwrgwyniad *eg* Bwrgwyniaid
burial claddedigaeth *eb* claddedigaethau
burial chamber siambr gladdu *eb* siambrau claddu
burial mound tomen gladdu *eb* tomenni claddu
burin (graver) ysgythrydd *eg* ysgythryddion
burlap bwrlap *eg*
burlesque bwrlesg *eg*
burn *n* llosg *eg* llosgiadau
burn *v* llosgi *be*
burn out llwyrlosgi *be*
burner llosgydd *eg* llosgyddion
burnish *n* bwrnais *eg* bwrneisiau
burnish *v* bwrneisio *be*
burnisher bwrneisydd *eg* bwrneisyddion
burns unit uned losgiadau *eb* unedau llosgiadau
burnt llosg *ans*
burnt offering poethoffrwm *eg*
burnt sienna sienna llosg *eg*
burnt umber wmber llosg *eg*
burpee naid wasg *eb* neidiau gwasg
burr (in timber) bwr *eg*
burr (of scraper) min (sgrafell) *eg*
burr (on metal or paper) ymyl arw *eb* ymylon garw
burrow (of fox) daear *eb* daeërydd
burrow (of rabbits) twll *eb* tyllau
burrowing tyrchu *be*
burrows (of sand) twyni (tywod) *ell*
bursar bwrsar *eg* bwrsariaid
bursary bwrsari *eg* bwrsariau
burst ebychiad *eg* ebychiadau
burst of monsoon toriad y monsŵn *eg*
bursters ffrwydriaid *ell*
bus bws *eg* bysiau
bush (=metal lining) bwsh *eg* bwshys
bushel bwysel *eg* bwyseli
bushmen pobl y prysglwyni *ell*
bushveld ffeld prysglwyni *eg* ffeldiau prysglwyni
business busnes *eg* busnesau
bust (=human chest) mynwes *eb* mynwesau
bust (in sculpture) penddelw *eg* penddelwau
bustline llinell fynwes *eb* llinellau mynwes
butane bwtan *eg*
butcher cigydd *eg* cigyddion

butt *n* bôn *eg* bonau
butt *v* bytio *be*
butt brazed (lathe toll forms) presyddiad bôn *eg* presyddiadau bôn
butt end rammer hyrddwr pen ôl *eg* hyrddwyr pen ôl
butt hinge colfach ymyl *eg* colfachau ymyl
butt joint uniad bôn *eg* uniadau bôn
butt measurement mesuriad bôn *eg* mesuriadau bôn
butt mitred and keyed joint uniad bôn meitrog cudd *eg* uniadau bôn meitrog cudd
butt mitred joint uniad bôn meitrog *eg* uniadau bôn meitrog
butt weld weldiad bôn *eg* weldiadau bôn
butter menyn *eg*
butter beans ffa menyn *ell*
butter-nut pattern patrwm cnau menyn *eg* patrymau cnau menyn
butterfat braster menyn *eg*
butterfly glöyn byw *eg* gloynnod byw
butterfly hinge colfach glöyn byw *eg* colfachau glöyn byw
butterfly stroke nofio pilipala *be*
buttermilk llaeth enwyn *eg*
butterscotch cyflaith menyn *eg*
buttock ffolen *eb* ffolennau
button *n* botwm *eg* botymau
button *v* botymu *be*
button hole thread edau gyfrodedd *eb* edafedd cyfrodedd
button mortise mortais botwm *eg* morteisiau botwm
button mould mowld botwm *eg* mowldiau botwm
button polish llathr botwm *eg*
button slot slot botwm *eg* slotiau botwm
buttonhole twll botwm *eg* tyllau botwm
buttonhole loop dolen botwm *eb* dolennau botwm
buttonhole scissors siswrn twll botwm *eg* sisyrnau twll botwm
buttonhole stitch pwyth twll botwm *eg* pwythau twll botwm
buttonholer botymell *eb* botymellau
buttress (in needlework) bwtres *eg/b* bwtresi
buttress (on mountain) gwanas *eg/b* gwanasau
buttress thread edau fwtres *eb* edafedd bwtres
butylate bwtyleiddio *be*
butyric acid asid bwtyrig *eg*
buy prynu *be*
buyer prynwr *eg* prynwyr
buying price pris prynu *eg* prisiau prynu
buzzer swnyn *eg* swnywyr
by instalment fesul rhandal
by-election isetholiad *eg* isetholiadau
by-law (=local law) deddf leol *eb* deddfau lleol
by-law (=subsidiary law) is-ddeddf *eg* is-ddeddfau
by-movement symudiad sgil *eg* symudiadau sgil
by-product sgil gynnyrch *eg* sgil gynhyrchion
bye heibiad *eg* heibiadau
bye-stakes cil fonynnau *ell*
bypass around a settlement ffordd osgoi anheddiadau *eb* ffyrdd osgoi anheddiadau

---

byte beit *eg* beitiau

byway cilffordd *eb* cilffyrdd

byway open to all traffic cilffordd yn agored i bob trafnidiaeth *eb* cilffyrdd yn agored i bob trafnidiaeth

Byzantine Bysantaidd *ans*

Byzantine chant siant Fysantaidd *eb* siantau Bysantaidd

Byzantine music cerddoriaeth Fysantaidd *eb*

C

C clef cleff C *eg*

C major C fwyaf *eb*

C minor C leiaf *eb*

C.R.C.A. sheet siten ddur meddal gloyw wedi'i rholio'n oer a'i hanelio'n oer *eb* sitiau dur meddal gloyw wedi'u rholio'n oer a'u hanelio'n oer

'C'/'S' scroll sgrôl 'C'/'S' *eb*

cabbage bresychen *eb* bresych

cabin hook bach cabin *eg* bachau cabin

cabin lift caban codi *eg* cabanau codi

cabinet cabinet *eg* cabinetau

cabinet file ffeil gabinet *eb* ffeiliau cabinet

cabinet fittings ffitiadau cabinet *ell*

cabinet maker saer dodrefn *eg* seiri dodrefn

cabinet organ organ gist *eb* organau cist

cabinet rasp rhathell gabinet *eb* rhathellau cabinet

cabinet scraper sgrafell gabinet *eb* sgrafelli cabinet

cabinet screwdriver tyrnsgriw cabinet *eg* tyrnsgriwiau cabinet

cabinet work gwaith dodrefn *eg*

cable cebl *eg* ceblau

cable smocking smocwaith rhaff *eg*

cable stitch pwyth rhaff *eg* pwythau rhaff

cable yarn edafedd rhaffog *ell*

cabriole leg coes gabriol *eb* coesau cabriol

cache store storfa dros dro *eb* storfeydd dros dro

cacophonous cacoffonig *ans*

cacophony cacoffoni *eg*

cactus cactws *eg* cacti

cadaver celain *eb* celanedd

cadence diweddeb *eg/b* diweddebau

cadence chord cord diweddeb *eg* cordiau diweddeb

cadential diweddebol *ans*

cadential 6/4 diweddeb 6/4 *eb* diweddebau 6/4

cadential 6/4 chord cord 6/4 diweddebol *eg* cordiau 6/4 diweddebol

cadenza cadenza *eg* cadenze

cadmium (Cd) cadmiwm *eg*

cadmium orange oren cadmiwm *eg*

cadmium red coch cadmiwm *eg*

cadmium scarlet sgarlad cadmiwm *eg*

cadmium yellow melyn cadmiwm *eg*

caducous cwympol *ans*

caecum caecwm *eg*

Caerffili cheese caws Caerffili *eg*

Caesar Cesar *eg*

Caesarean birth genedigaeth Gesaraidd *eb* genedigaethau Cesaraidd

Caesarean section toriad Cesaraidd *eg* toriadau Cesaraidd

caesium (Cs) cesiwm *eg*

cafe caffi *eg*

caffeine caffein *eg*

cage cawell *eg* cewyll

CAI: computer aided instruction CAI: hyfforddiant drwy gymorth cyfrifiadur *eg*

cairn carnedd *eb* carneddau

cake teisen *eb* teisennau; cacen *eb* cacennau

cake glue glud slab *eg*

calamine calamin *eg*

calcareous calchaidd *ans*

calcification calcheiddiad *eg*

calcified matrix matrics calcheiddiedig *eg*

calcifuge calchgas *ans*

calcify calcheiddio *be*

calcinate calchynnu *be*

calcination calchyniad *eg* calchyniadau

calciphile calchgar *ans*

calciphobe calchgas *ans*

calcite calchit *eg*

calcitonin calsitonin *eg*

calcium (Ca) calsiwm *eg*

calcium carbonate calsiwm carbonad *eg*

calcium silicate calsiwm silicad *eg*

calculate cyfrifo *be*

calculating machine peiriant cyfrifo *eg* peiriannau cyfrifo

calculating method dull cyfrifo *eg* dulliau cyfrifo

calculation cyfrifiad *eg* cyfrifiadau

calculator cyfrifiannell *eg* cyfrifiannellau

calculator display dangosydd cyfrifiannell *eg* dangosyddion cyfrifiannell

calculus calcwlws *eg*

calculus of variation calcwlws amrywiad *eg*

caldera callor *eg* callorau

Caledonian Caledonaidd *ans*

calendar calendr *eg* calendrau

calf (of leg) croth (y goes) *eb;* poten (y goes) *eb*

calf muscle cyhyr croth y goes *eg* cyhyrau croth y goes

calgon calgon *eg*

calibrate graddnodi *be*

calibrated *(with feminine nouns)* wedi'i graddnodi *ans* wedi'u graddnodi

calibrated *(with masculine nouns)* wedi'i raddnodi *ans* wedi'u gaddnodi

calibration graddnodiad *eg* graddnodiad

calibration mark graddnod *eg* graddnodau

calico calico *eg* calicoau

calico buff bwff calico *eg* bwffiau calico

calico mop mop calico *eg* mopiau calico

calico patch clwt calico *eg* clytiau calico

californium (Cf) califforniwm *eg*

calkin (horse shoe) cawc *eg* cawciau (pedol ceffyl)

call *n* galwad *eb* galwadau

call *v* galw *be*

call by name galw wrth enw *be*

call by value galw wrth werth *be*

calligraphic caligraffig *ans*

calligraphic hand llaw galigraffig *eb*

calligraphist caligraffydd *eg* caligraffwyr

calligraphy caligraffeg *eb*

calling sequence dilyniant galw *eg* dilyniannau galw

calliper caliper *eg* caliperau

calliper gauge medrydd caliper *eg* medryddion caliper

callus caleden *eb* caledennau

calm gosteg *eg* gostegau

calorie calori *eg* calorïau

calorific caloriffig *ans*

calorific value gwerth caloriffig *eg* gwerthoedd caloriffig

calorifier caloriffydd *eg* caloriffyddion

calorimeter calorimedr *eg* calorimedrau

calorimetry calorimedreg *eb*

calorizing caloreiddio *be*

Calvin Calfin *eg*

Calvin cycle cylchred Calvin *eb*

calving (in geomorphology) ymrannu *be*

Calvinism Calfiniaeth *eb*

Calvinistic Methodism Methodistiaeth Galfinaidd *eb*

calypso cân galypso *eb* caneuon calypso

calyx calycs *eg*

calyx eye needle nodwydd llygad agored *eb* nodwyddau llygad agored

cam cam *eg* camau

cam follower dilynwr cam *eg* dilynwyr cam

cam profile proffil cam *eg* proffiliau cam

camber crymder *eg* crymderau

camber *n* cambr *eg* cambrau

camber *v* cambro *be*

camber arch bwa cambr *eg* bwâu cambr

cambering crymderu *be*

cambiata cambiata *eg* cambiatâu

cambium cambiwm *eg*

cambium layer haen gambiwm *eb* haenau cambiwm

Cambrian Cambriaidd *ans*

cambric cambrig *eg* cambrigau

camel hair brush brwsh blew camel *eg* brwshys blew camel

cameo cameo *eg* cameos

camera camera *eg* camerâu

camiknickers nicers cami *eg*

camisole camisol *eg* camisolau

camomile camil *eb*

camouflage *n* cuddliw *eg* cuddliwiau

camouflage *v* cuddliwio *be*

camp gwersyll *eg* gwersylloedd

camp stool stôl blygu *eb* stolion plygu

campaign *n* ymgyrch *eb* ymgyrchoedd

campaign *v* ymgyrchu *be*

campanology campanoleg *eb*

campus campws *eg* campysau

camshaft camsiafft *eg* camsiafftiau

can tun *eg* tuniau

Canadian Shield Tariandir Canada *eg*

canal camlas *eb* camlesi

canal, lock and towpath camlas, lloc a llwybr tynnu

canalicular camlesynnaidd *ans*

canalicus camlesyn *eg* camlesynnau

canapés canapés *ell*

cancel (in computing, music) diddymu *be*

cancel key diddymwr *eg* diddymwyr

cancellation (in computing, music) diddymiad *eg* diddymiadau

cancer canser *eg* canserau

cancrizans cancrizans *ell*

candid didwyll *ans*

candidate ymgeisydd *eg* ymgeiswyr

candied peel candi pîl *eg*

candle cannwyll *eb* canhwyllau

candle grease gwêr cannwyll *eg*

candle-power canhwyllnerth *eg*

Candlemas Gŵyl Fair y Canhwyllau *eb*

candlestick canhwyllbren *eg* canwyllbrennau

candlewick pabwyrgotwm *eg*

cane gwialen *eb* gwiail

cane sugar siwgr cansen *eg*

canework gwaith gwiail *eg*

caneworker's bodkin botgin gwneuthurwr gwiail *eg* botginau gwneuthurwyr gwiail

caneworker's hammer morthwyl gweithiwr gwiail *eg* morthwylion gweithwyr gwiail

caneworker's pliers gefelen gweithiwr gwiail *eb* gefeiliau gweithwyr gwiail

canine tooth dant llygad *eg* dannedd llygad

canker cancr *eg*

canned food bwyd tun *eg* bwydydd tun

cannel coal glo cannwyll *eg*

cannery canerdy *eg* canerdai

canning canio *be*

canning industry diwydiant canio *eg*

cannon magnel *eb* magnelau

cannon ball pêl fagnel *eb* peli magnel

cannon ball service serfiad canon *eg* serfiadau canon

cannula caniwla *eg*

canoe canŵ *eg* canwod

canon (in music) canon *eg/b* canonau

canon (of law) canon *eg* canonau

canon (of person) canon *eg* canoniaid

canon at the fifth canon yn y pumed *eb* canonau yn y pumed

canon at the octave canon yn yr wythfed *eb* canonau yn yr wythfed

canon at the unison canon unsain *eb* canonau unsain

---

canon by augmentation canon drwy estyniad *eb* canonau drwy estyniad

canon by diminution canon drwy gywasgiad *eb* canonau drwy gywasgiad

canon by inversion canon drwy wrthdro *eb* canonau drwy wrthdro

Canon Law Cyfraith Ganonaidd *eb*

canon per arsin et thesin canon per arsin et thesin *eb* canonau per arsin et thesin

canon recte et retro canon recte et retro *eb* canonau recte et retro

canon rectus et inversus canon rectus et inversus *eb* canonau rectus et inversus

canon regular canon rheolaidd *eg* canoniaid rheolaidd

canonic imitation dynwarediad canonaidd *eg* dynwarediadau canonaidd

canonical canonaidd *ans*

canonical form ffurf ganonaidd *eb* ffurfiau canonaidd

canonize canoneiddio *be*

canonry canoniaeth *eb* canoniaethau

canonry magnelaeth *eb*

canopy canopi *eg* canopïau

cant goleddu *be*

cantata cantata *eg* cantatau

canteen ffreutur *eg* ffreuturau

canticle cantigl *eg/b* cantiglau

cantilena cantilena *eg* cantilenâu

cantilever cantilifer *eg* cantilifrau

cantilevered beam trawst cantilifer *eg* trawstiau cantilifer

canting saw llif oleddu *eb* llifiau goleddu

canting table bwrdd goleddu *eg* byrddau goleddu

canton canton *eg* cantonau

cantor cantor *eg* cantoriaid

cantoris cantoris *eg*

cantus fermus cantus fermus *eg*

canvas *n* cynfas *eg* cynfasau

canvas backing cefn cynfas *eg* cefnau cynfas

canvas board bwrdd cynfas *eg* byrddau cynfas

canvas boot esgid gynfas *eb* esgidiau cynfas

canvas embroidery brodwaith cynfas *eg*

canvas grain graen cynfas *eg*

canvas pin pin cynfas *eg* pinnau cynfas

canvas stitch pwyth cynfas *eg* pwythau cynfas

canvas straining tynhau cynfas *be*

canvas stretcher estynnwr cynfas *eg* estynwyr cynfas

canvass canfasio *be*

canyon canion *eg* canionau

canzona canzona *eg* canzone

canzonet canzonetta *eg* canzonette

cap (machine screws) cap *eg* capiau

cap iron haearn cefn *eg*

cap rock capgraig *eb* capgreigiau

cap sleeve llawes gap *eb* llewys cap

capability gallu *eg* galluoedd

capable galluog *ans*

capacitance cynhwysiant *eg* cynhwysiannau

capacitative cynhwysaidd *ans*

capacitor (=condenser) cynhwysydd *eg* cynwysyddion

capacity cynhwysedd *eg* cynwyseddau

cape (=cloak) clogyn *eg* clogynnau

cape (=headland) penrhyn *eg* penrhynau

Cape Horn Horn, Yr *eg*

Cape of Good Hope Penrhyn Gobaith Da *eg*

caper (for cooking) capryn *eg* caprau

Capetian Capetaidd *ans*

caphead screw sgriw ben cap *eb* sgriwiau pen cap

capillarity capilaredd *eg* capilareddau

capillary capilari *eg* capilarïau

capillary network rhwyllen capilarïau *eb* rhwyllenni capilarïau

capillary rise codiad capilari *eg* codiadau capilari

capillary tube tiwb capilari *eg* tiwbiau capilari

capillary web gwe capilarïau *eb* gweoedd capilarïau

capital (city) prifddinas *eb* prifddinasoedd

capital (finance) cyfalaf *eg*

capital (of Gothic harp) galeri (telyn Gothig) *eg* galerïau

capital (of harp) pen *eg* pennau

capital account cyfrif cyfalaf *eg* cyfrifon cyfalaf

capital accumulation cronnedd cyfalaf *eg*

capital allowance lwfans cyfalaf *eg* lwfansau cyfalaf

capital depreciation dibrisiad cyfalaf *eg*

capital expenditure gwariant cyfalaf *eg*

capital gain enillion cyfalaf *ell*

capital gains tax treth enillion cyfalaf *eb*

capital goods nwyddau cyfalaf *ell*

capital growth twf cyfalaf *eg*

capital intensive cyfalaf-ddwys *ans*

capital letter priflythyren *eb* priflythrennau

capital offence trosedd farwol *eb* troseddau marwol

capital punishment cosb eithaf *eb*

capital sum swm cyfalaf *eg*

Capital Transfer Tax Treth Trosglwyddo Cyfalaf *eb*

capitalism cyfalafiaeth *eb*

capitalist cyfalafwr *eg* cyfalafwyr

capitalist agriculture amaethyddiaeth gyfalafol *eb*

capitate flower fflurben *eg* fflurbennau

capitation allowance lwfans y pen *eg* lwfansau y pen

capitation grant grant y pen *eg* grantiau y pen

capitation tax treth y pen *eb* trethi y pen

capitular cabidylwr *eg* cabidylwyr

capitulate ildio *be*

capon caprwn *eg* capryniaid

capotasto branell *eb* branellau

cappella cappella *eg*

capriccio capriccio *eg* capricci

caps lock key clo priflythrennau *eg* cloeon priflythrennau

capsize dymchwel *be*

capsize drill dril dymchwel *eg* driliau dymchwel

capstone maen capan *eg* meini capan

capsular capsiwlaidd *ans*

capsule (in botany) capsiwl *eg* capsiwlau

capsule (in physiology) cwpan *eg* cwpanau

captain capten *eg* capteiniaid

---

eg/b enw gwrywaidd/benywaidd, *feminine/masculine noun*   **ell** enw lluosog, *plural noun*   **v** berf, *verb*   **n** enw, *noun*

captaincy capteniaeth *eb*

caption pennawd *eg* penawdau

capture (a particle) dal (gronyn) *be*

capture (in computing) cipio *be*

Capuchin Friar Brawd Cycyllog *eg* Brodyr Cycyllog

Capuchin Order Urdd y Brodyr Cycyllog *eb*

caput capwt *eg*

car industry diwydiant ceir *eg* diwydiannau ceir

Caractacus Caradog *eg*

caramel caramel *eg*

caramelization carameleiddio *be*

carapace argragen *eb*

caravel carafel *eg* carafelau

caraway seed hedyn carwe *eg* hadau carwe

carbide tipped blaen carbid *ans*

carbohydrate carbohydrad *eg* carbohydradau

carbon (C) carbon *eg* carbonau

carbon cycle cylchred garbon *eb*

carbon dating dyddio carbon *be*

carbon dioxide carbon deuocsid *eg*

carbon paper papur carbon *eg* papurau carbon

carbon racket raced carbon *eg* racedi carbon

carbon steel dur carbon *eg*

carbon tetrachloride carbon tetraclorid *eg*

Carbonari Carbonariaid *ell*

carbonate carbonad *eg* carbonadau

carbonated carbonedig *ans*

carbonation carbonadu *be*

carbonic acid asid carbonig *eg*

carbonic anhydrase carbonig anhydras *ans*

carboniferous carbonifferaidd *ans*

carboniferous limestone calchfaen carbonifferaidd *eg*

carbonization carboneiddiad *eg*

carbonize carboneiddio *be*

carborundum carborwndwm *eb*

carborundum stone carreg hogi *eg* cerrig hogi

carboxyhaemoglobin carbocsihaemoglobin *eg*

carboxymethyl-cellulose (CMC) carbocsimethyl-cellwlos `eg`

carburettor carbwradur *eg* carbwraduron

carburize carbwreiddio *be*

carcass sgerbwd *eg* sgerbydau

carcass construction adeiladwaith sgerbwd *eg*

carcinogen carsinogen *eg* carsinogenau

carcinogenic carsinogenaidd *ans*

card *n* cerdyn *eg* cardiau

card *v* cribo *be*

card (wool) *v* cardio (gwlân) *be*

card code cod cerdyn *eg* codau cerdyn

card column colofn gerdyn *eb* colofnau cerdyn

card cutter torrwr cerdyn *eg* torwyr cerdyn

card feed porthydd cardiau *eg* porthyddion cardiau

card field maes cerdyn *eg* meysydd cerdyn

card format fformat cerdyn *eg* fformatau cerdyn

card hopper hopran gardiau *eb* hoprannau cardiau

card image delwedd cerdyn *eb* delweddau cerdyn

card index mynegai cardiau *eg* mynegeion cardiau

card jam tagfa gardiau *eb* tagfeydd cardiau

card knife cyllell torri cerdyn *eb* cyllyll torri cerdyn

card loom gwŷdd cerdyn *eg*

card punch tyllwr cardiau *eg* tyllwyr cardiau

card puppet pyped cerdyn *eg* pypedau cerdyn

card reader darllenydd cardiau *eg* darllenyddion cardiau

card reproducer dyblygydd cardiau *eg* dyblygyddion cardiau

card stacker pentyrrwr cardiau *eg* pentyrwyr cardiau

card stacking pentyrru cardiau *be*

card template patrymlun cerdyn *eg* patrymluniau cerdyn

card verifier gwiriwr cardiau *eg* gwirwyr cardiau

card wreck drylliad cardiau *eg* drylliadau cardiau

cardboard cardbord *eg*

cardboard model model cardbord *eg* modelau cardbord

cardboard tube tiwb cardbord *eg* tiwbiau cardbord

carder cribwr *eg* cribwyr

cardiac cardiaidd *ans*

cardiac arrest ataliad y galon *eg* ataliadau'r galon

cardiac disease afiechyd y galon *eg*

cardiac output allbwn y galon *eg*

cardigan cardigan *eb* cardiganau

cardinal cardinal *eg* cardinaliaid

cardinal number rhif prifol *eg* rhifau prifol

cardinal point pwynt prifol *eg* pwyntiau prifol

carding brush brwsh ffeil *eg* brwshys ffeil

cardioid cardioid *eg* cardioidau

cardiologist cardiolegydd *eg* cardiolegyddion

cardiology cardioleg *eb*

cardiopulmonary resuscitation adfywio'r galon a'r ysgyfaint *be*

cardiovascular health iechyd cardiofasgwlaidd *eg*

cardiovascular system system gardiofasgwlaidd *eb*

care gofal *eg* gofalon

care and after-care gofal ac ôl-ofal

care centre canolfan gofal *eb* canolfannau gofal

care label label gofal *eg* labeli gofal

care management rheoli gofal *be*

care manager rheolwr gofal *eg* rheolwyr gofal

care of the elderly gofal yr henoed *eg*

care order gorchymyn gofal *eg* gorchmynion gofal

care plan cynllun gofalu *eg* cynlluniau gofalu

care unit uned gofal *eb* unedau gofal

career gyrfa *eb* gyrfaoedd

career choice dewis gyrfa *eg* dewisiadau gyrfa

career guidance cyfarwyddyd ar yrfa *eg*

career objective amcan gyrfaol *eg* amcanion gyrfaol

career opportunity cyfle gyrfaol *eg* cyfleoedd gyrfaol

career planning cynllunio ar gyfer gyrfa *be*

career prospects rhagolygon am yrfa *ell*

career service gwasanaeth gyrfaoedd *eg* gwasanaethau gyrfaoedd

careers education addysg gyrfaoedd *eb*

---

adf, adv adferf, *adverb* **ans, adj** ansoddair, *adjective* **be** berf, *verb* **eb** enw benywaidd, *feminine noun* **eg** enw gwrywaidd, *masculine noun*

careers teacher (female) athrawes yrfaoedd *eg* athrawesau gyrfaoedd

careers teacher (male) athro gyrfaoedd *eg* athrawon gyrfaoedd

carer gofalwr *eg* gofalwyr

caret lleolnod *eg* lleolnodau

caretaker gofalwr *eg* gofalwyr

caretaker government llywodraeth ofalu *eb* llywodraethau gofalu

caricature gwawdlun *eg* gwawdluniau

caricaturist gwawdlunydd *eg* gwawdlunwyr

caries pydredd dannedd *eg*

carillon (=bells) clychau *ell*

carillon (=instrument) carilon *eg/b* carilonau

carillon (=tune) tôn glychau *eb* tonau clychau

Carmelite Friar Brawd Carmelaidd *eg* Brodyr Carmelaidd

Carmelite Order Urdd y Carmeliaid *eb*

carmine carmin *eg*

carnauba wax cwyr carnawba *eg*

carnivore cigysydd *eg* cigysyddion

carnivorous cigysol *ans*

carob carob *eg*

carol carol *eb* carolau

Carolingian Carolingaidd *ans*

Carolingian art celfyddyd Garolingaidd *eb*

carotene caroten *eg*

carotenoid carotenyn *eg* carotenau

carotid artery rhydweli garotid *eb* rhydweliau carotid

carotid body corffyn carotid *eg* corffynnau carotid

carp carp *eg* carpiaid

carpal carpal *eg* carpalau

carpel carpel *eg* carpelau

carpenter saer coed *eg* seiri coed

carpenter's pencil pensil saer *eg* pensiliau saer

carpentry gwaith saer *eg*

carpentry and joinery gwaith saer ac asiedydd

carpet carped *eg* carpedi

carpet sweeper ysgubwr carpedi *eg* ysgubwyr carpedi

carpet underlay isgarped *eg* isgarpedi

carpogonium carpogoniwm *eg* carpogonia

carr ffen *eg* ffeniau

carrack carac *eg* caracau

Carragheen moss mwsogl Carragheen *eg*

carriage (=lathe part) cludydd *eg* cludyddion

carriage (=transport) cludiant *eg*

carriage bolt bollt wagen *eb* bolltau wagen

carriage return dychwelydd *eg* dychwelyddion

carriageway ffordd gerbydau *eb* ffyrdd cerbydau

carrier (in general) cludydd *eg* cludyddion

carrier (lathe dog) cariwr (turn) *eg* carwyr

carrier language iaith gyfarwyddyd *eb* ieithoedd cyfarwyddyd

carrier molecule moleciwl cludo *eg* moleciwlau cludo

carrier wave ton gario *eb* tonnau cario

carrot moronen *eb* moron

carry *n* car-rif *eg* car-rifau

carry *v* cario *be*

carry bit did cario *eg* didau cario

carry flag lluman cario *eg* llumanau cario

carry out (an experiment on) cynnal (arbrawf ar) *be*

carry out a fair test cynnal prawf teg *be*

carry prediction circuit cylched ragfynegi car-rif *eb* cylchedau rhagfynegi car-rif

carry the baton cario'r batwn *be*

carrycot caricot *eg* caricotau

carrycot stand stand caricot *eg* standiau caricot

carrying figure ffigur i'w gario *eg* ffigurau i'w cario

carrying service gwasanaeth cludo *eg* gwasanaethau cludo

cartel cartel *eg* cartelau

cartelize carteleiddio *be*

Cartesian Cartesaidd *ans*

Cartesian coordinates cyfesurynnau Cartesaidd *ell*

Carthusian Carthwsiad *eg* Carthwsiaid

Carthusian Order Urdd y Carthwsiaid *eb*

cartilage cartilag *eg*

cartilaginous cartilagaidd *ans*

cartilaginous fish pysgodyn cartilagaidd *eg* pysgod cartilagaidd

cartography cartograffeg *eb*

carton carton *eg* cartonau

cartoon cartŵn *eg* cartwnau

cartridge cetrisen *eb* cetris

cartridge brass pres catris *eg*

cartridge disk disg cetrisen *eg* disgiau cetris

cartridge paper papur catris *eg*

cartulary cartwlari *eg* cartwlariau

cartwheel *v* olwyndroi *be*

cartwheel (in athletics) *n* olwyn dro *eb* olwynion tro

carucate carwgad *eg* carwgadau

caruncle carwngl *eg* carynglau

carve cerfio *be*

carved cerfiedig *ans*

carved head pen cerfiedig *eg* pennau cerfiedig

carver (=carving knife) cyllell gerfio *eb* cyllyll cerfio

carver (of person) cerfiwr *eg* cerfwyr

carving cerfiad *eg* cerfiadau

carving chisel cŷn cerfio *eg* cynion cerfio; gaing gerfio *eb* geingiau cerfio

carving mallet gordd gerfio *eb* gyrdd cerfio

caryatid caryatid *eg* caryatidau

cascade *n* rhaeadr *eb* rhaeadrau

cascade *v* rhaeadru *be*

cascaded rhaeadrol *ans*

case (for carrying) cas *eg* casys

case (in general) achos *eg* achosion

case conference cynhadledd achos *eb* cynadleddau achos

case hardened wedi'i grofennu *ans* wedi'u crofennu

case hardening crofennu *be*

case history hanes achos *eg*

case law cyfraith achosion *eb*

case load baich achosion *eb* beichiau achosion

case record cofnod achos *eg* cofnodion achos

case study astudiaeth achos *eb* astudiaethau achos

casein casein *eg*

casein colour lliw casein *eg* lliwiau casein

casein glue glud casein *eg*

caseinogen caseinogen *eg*

casement fastener ffasnydd ffenestr adeiniog *eg* ffasnyddion ffenestr adeiniog

casement window ffenestr adeiniog *eb* ffenestri adeiniog

cash arian parod *eg*

cash allocation dyraniad arian *eg* dyraniadau arian

cash and carry shop siop talu a chludo *eb* siopau talu a chludo

cash dispenser peiriant arian *eg* peiriannau arian

cash limit cyfyngiad arian *eg* cyfyngiadau arian

cash limited budget cyllideb arian cyfyngedig *eb* cyllidebau arian cyfyngedig

cash payment taliad arian parod *eg* taliadau arian parod

cash value gwerth ariannol *eg*

cashless society cymdeithas heb arian parod *eb*

casing casin *eg* casinau

casket (for jewellery) blwch gemau *eg* blychau gemau

Casket Letters Llythyrau'r Blwch *ell*

cassava casafa *eg*

casserole caserol *eg* caserolau

cassette casét *eg* casetiau

cassette player chwaraeydd casét *eg* chwaraewyr casét

cassette recorder recordydd casét *eg* recordwyr casét

cassiterite casiterit *eg*

cassock casog *eb* casogau

cast bwrw *be*

cast (out of shape) camdroi *be*

cast iron haearn bwrw *eg*

cast iron vice feis haearn bwrw *eb* feisiau haearn bwrw

cast off cau pwythau *be*

cast on ystofi pwythau *be*

cast out troi allan *be*

cast steel dur bwrw *eg*

castanet castanét *eg* castanetau

caste cast *eg* castiau

caste system cyfundrefn gast *eb*

castellan castellydd *eg* castellwyr

castellated (=castle-like) castellaidd *ans*

castellated (=having battlements) castellog *ans*

castellated prop ateg gastellaidd *eb* ategion castellaidd

castellation castelliad *eg* castelliadau

caster sugar siwgr mân *eg*

Castilian *adj* Castilaidd *ans*

Castilian *n* Castiliad *eg* Castiliaid

casting *n* castin *eg* castinau

casting *v* castio *be*

casting apparatus cyfarpar castio *eg*

casting down castio i lawr *be*

casting plaster castin plastr *eg*

casting up castio i fyny *be*

casting vote pleidlais fwrw *eb*

castle castell *eg* cestyll

castle nut nyten gastell *eb* nytiau castell

castleguard gwarchodaeth castell *eb*

castor castor *eg* castorau

casual employment gwaith ysbeidiol *eg*

casual labour llafur ysbeidiol *eg*

casual unemployment diweithdra ysbeidiol *eg*

casual water dŵr achlysurol *eg*

casuals dillad segura *ell*

casualty (=accident) damwain *eb* damweiniau

casualty (=injured person) anafedig *eg* anafedigion

casuistry twyllresymeg *eb*

cat o'nine tails fflangell *eb* fflangellau

catabatic catabatig *ans*

catabolism catabolaeth *eb*

catabolite catabolyn *eg* catabolynnau

catalase catalas *eg*

catalogue *n* catalog *eg* catalogau

catalogue *v* catalogio *be*

catalyse catalyddu *be*

catalysis catalysis *eg*

catalyst catalydd *eg* catalyddion

catalytic catalytig *ans*

cataract cataract *eg* cataractau

catastrophism trychinebedd *eg*

catastrophizing trychinebu *be*

catch *v* dal *be*

catch (of ball etc) *n* daliad *eg* daliadau

catch (of door) *n* clicied *eb* cliciedau

catch a crab cranca *be*

catch crop byrgnwd *eg* byrgnydau

catch plate plât cydio *eg* platiau cydio

catch stitch pwyth cydio *eg* pwythau cydio

catch stitched hem hem pwyth cudd *eb* hemiau pwyth cudd

catch weights pwysau agored *ell*

catcher daliwr *eg* dalwyr

catchment area dalgylch *eg* dalgylchoedd

catchy gafaelgar *ans*

CATE: Committee for the Accreditation of Teachers Education Pwyllgor Achredu Addysg Athrawon *eg*

catechism (in general) catecism *eg* catecismau

catechism (in Welsh Nonconformity) holwyddoreg *eb* holwyddoregau

categorize categoreiddio *be*

catena catena *eb* catenâu

catenary catena *eb* catenâu

catenate cadwyno *be*

catenation cadwynedd *eg* cadwyneddau

catenoid catenoid *eg* catenoidau

cater (food) arlwyo *be*

cater (=provide) darparu *be*

caterer arlwywr *eg* arlwywyr

catering arlwyo *be*

catering and hotel trade masnach arlwyo a gwestya *eb*

caterpillar lindysyn *eg* lindys

---

catgut coludd *eg* coluddion

Cathar Cathariad *eg* Cathariaid

cathartic *n* carthydd *eg* carthyddion

Cathay Company Cwmni Cathay *eg*

cathedral eglwys gadeiriol *eb* eglwysi cadeiriol

cathedral close clos eglwys gadeiriol *eg* closydd eglwysi cadeiriol

Catherine Catrin *eg*

Catherine the Great Catrin Fawr *eb*

catheter cathetr *eg* cathetrau

cathode catod *eg* catodau

cathode ray pelydryn catod *eg* pelydrau catod

cathodic catodig *ans*

Catholic (of Roman Catholic) *n* Pabydd *eg* Pabyddion

catholic (of Roman Catholic Church) *adj* pabyddol *ans*

catholic (=universal) *adj* catholig *ans*

Catholic Emancipation Rhyddfreinio'r Pabyddion *be*

Catholic Emancipation Act Deddf Rhyddfreinio'r Pabyddion *eb*

Catholic Majesties Eu Mawrhydi Catholig *ell*

Catholic Martyrs Merthyron Pabyddol *ell*

Catholicism Pabyddiaeth *eb*

cation catïon *eg* catïonau

cation exchange column colofn cyfnewid catïonau *eb* colofnau cyfnewid catïonau

cationic cationig *ans*

CATS: Consortium for Assessment and Testing in Schools CAPY: Consortiwm Asesu a Phrofi mewn Ysgolion *eg*

CATS: Credit Accumulation and Transfer Scheme Cynllun Casglu a Throsglwyddo Credydau *eg*

catspring naid cath *eb* neidiau cath

cattle cake cêc gwartheg *eg*

cattle range maestir gwartheg *eg* maestiroedd gwartheg

caudal cynffonnol *ans*

caudal vertebra fertebra cynffonnol *eg*

caught out (in cricket) allan drwy ddal

caul gwasgblat *eg* gwasgblatiau

caul veneering argaenu gwasgblat *be*

cauldron pair *eg* peiriau

cauliflower blodfresychen *eb* blodfresych

cauliflower cheese blodfresych caws *ell*

caulk calcio *be*

caulking strip stribed calcio *eg* stribedi calcio

caulking tool erfyn calcio *eg* arfau calcio

causal achosol *ans*

causal phase cyfnod achosol *eg* cyfnodau achosol

causation achosiaeth *eb*

causative factor ffactor achosol *eb* ffactorau achosol

cause *v* achosi *be*

cause of pollution achos llygredd *eg* achosion llygredd

causeway sarn *eg* sarnau

causeway camp gwersyll sarnau *eg*

caustic curve cromlin gawstig *eb* cromliniau cawstig

caustic soda soda brwd *eg*

caution (=care) gofal *eg*

caution (=warning) rhybudd *eg* rhybuddion

cavalier *adj* cafaliraidd *ans*

cavalier *n* cafalîr *eg* cafaliriaid

cavalry gwŷr meirch *ell*

cavalry twill cafalri caerog *eg*

cavatina cafatina *eg* cafatinâu

cave ogof *eb* ogofâu

cave dwelling ogof-annedd *eb* ogof-anheddau

cave painting paentiad ogof *eg* paentiadau ogof

cavern ceudwll *eg* ceudyllau

cavernous ceudyllog *ans*

cavetto moulding mowldin cafeto *eg* mowldinau cafeto

cavetto panel panel cafeto *eg* paneli cafeto

caviare cafiar *eg*

cavity ceudod *eg* ceudodau

cavity wall wal geudod *eb* waliau ceudod

cay cai *eg* caion

cayenne cayenne *eg*

CCETSW Cymru: Central Council for Education and Training in Social Work, Wales CCETSW Cymru: Cyngor Canolog Addysg a Hyfforddiant mewn Gwaith Cymdeithasol, Cymru

CDT: Craft Design Technology CDT: Crefft Dylunio a Thechnoleg

cedar cedrwydden *eb* cedrwydd

cedar oil olew cedrwydden *eg*

cedarwood pencil pensil pren cedrwydd *eg* pensiliau pren cedrwydd

cede ildio *be*

ceiling nenfwd *eg* nenfydau

ceiling joist trawst nenfwd *eg* trawstiau nenfwd

ceiling rack rhesel nenfwd *eb* rheseli nenfwd

cejuela cejuela *eg* cejuelas

celadon (green colour) seladon *eg*

celebrate dathlu *be*

celery seleri *eg*

celesta selesta *eg* selestâu

celestial wybrennol *ans*

celestial equator cyhydedd wybrennol *eg*

celestial sphere sffêr wybrennol *eg*

celibacy ymgadw'n ddibriod *be*

cell cell *eb* celloedd

cell body cellgorff *eg* cellgyrff

cell division cellraniad *eg* cellraniadau

cell membrane cellbilen *eb* cellbilenni

cell pore celldwll *eg* celldyllau

cell sap cellnodd *eg*

cell wall cellfur *eg* cellfuriau

cellarer selerwr *eg* selerwyr

cellarium seler *eb* seleri

cellist sielydd *eg* sielyddion

cello sielo *eg* sieloau

cellophane seloffan *eg*

cellular cellog *ans*

cellular adhesive gludydd cellog *eg* gludyddion cellog

cellular structure adeiledd cellog *eg* adeileddau cellog

celluloid cellwloid *eg*

cellulose cellwlos *eg*

---

eg/b enw gwrywaidd/benywaidd, *feminine/masculine noun*   *ell* enw lluosog, *plural noun*   *v* berf, *verb*   *n* enw, *noun*

cellulose finish gorffeniad cellwlos *eg*

cellulose lacquer lacr cellwlos *eg* lacrau cellwlos

cellulose paste past cellwlos *eg*

cellulose paste powder powdr past cellwlos *eg*

cellulosics cellwlosigion *ell*

Celsius Celsius *ans*

Celtic *adj* Celtaidd *ans*

Celtic (language) *n* Celteg *eb*

Celtic art celfyddyd Geltaidd *eb*

Celtic cross croes Geltaidd *eb* croesau Celtaidd

Celtic form ffurf Geltaidd *eb* ffurfiau Celtaidd

Celtic harp telyn Geltaidd *eb* telynau Celtaidd

Celtic society cymdeithas Geltaidd *eb* cymdeithasau Celtaidd

cembalo cembalo *eg* cembali

cement *n* sment *eg* smentiau

cement *v* smentio *be*

cementation smentiad *eg*

cementation of sediments smentiad gwaddodion *eg*

cemented carbide sment carbid *eg*

cementite smentit *eg*

censer (in church) thuser *eb* thuserau

censor sensor *eg* sensoriaid

censorship sensoriaeth *eb*

censure cerydd *eg* ceryddon

census cyfrifiad *eg* cyfrifiadau

census return ffurflen gyfrifiad *eb* ffurflenni cyfrifiad

centenary canmlwyddiant *eg*

centigrade canradd *ans*

centile canradd *eg* canraddau

centile rank safle canrannol *eg* safleoedd canrannol

centilitre centilitr *eg* centilitrau

centimetre (cm) centimetr *eg* centimetrau

central canolog *ans*

central agitator cynhyrfydd canolog *eg* cynhyrfwyr canolog

central bank banc canolog *eg* banciau canolog

central business district (C.B.D.) canol busnes y dref (C.B.D.) *eg*

central care area ardal gofalon canolog *eb* ardaloedd gofalon canolog

central column colofn ganolog *eb* colofnau canolog

central core craidd canolog *eg* creiddiau canolog

Central Criminal Court Llys Troseddol Canolog *eg*

central government llywodraeth ganolog *eb*

central heating gwres canolog *eg*

central nervous system prif system nerfol *eb*

Central Office of Information Swyddfa Hysbysrwydd Ganolog *eb*

central perspective persbectif canolog *eg* perspectifau canolog

Central Place Theory Damcaniaeth Man Canol *eb*

central processing unit (CPU) uned brosesu ganolog *eb* unedau prosesu canolog

central processor prosesydd canolog *eg* prosesyddion canolog

central venous pressure pwysau gwythiennol canolog *eg*

Central Welsh Board Bwrdd Canol Cymreig *eg*

centrality canolrwydd *eg*

centralization canoli *be*

centralize canoli *be*

centralized canoledig *ans*

centre *v* canoli *be*

centre (brain) canolfannyn *eg* canolfanynnau

centre (=middle point) *n* canol *eg* canolau

centre (of attention etc) *n* canolbwynt *eg* canolbwyntiau

centre (person in sport) canolwr *eg* canolwyr

centre (=place or group of buildings) *n* canolfan *eg/b* canolfannau

centre back canol cefn (C.C.) *eg*

centre bar (lettering) bar canol *eg* barrau canol

centre bit ebill canoli *eg* ebillion canoli

centre cane gwialen ganol *eb* gwialenni canol

centre circle cylch canol *eg* cylchoedd canol

centre coordinator cydlynydd canolfan *eg* cydlynwyr canolfannau

centre dotting canolfarcio *be*

centre drill (slocombe) dril canoli *eg* driliau canoli

Centre for Policy Studies Canolfan Astudiaethau Polisi *eb*

centre front canol blaen *eg*

centre hinge colfach canol *eg* colfachau canol

centre lathe turn canol *eg* turniau canol

centre line llinell ganol *eb* llinellau canol

centre of balance ffwlcrwm *eg* ffwlcrymau

centre of curvature craidd crymedd *eg* creiddiau crymedd

centre of excellence canolfan rhagoriaeth *eb* canolfannau rhagoriaeth

centre of gravity craidd disgyrchiant *eg* creiddiau disgyrchiant

centre of mass craidd màs *eg* creiddiau màs

centre of percussion craidd taro *eg* creiddiau taro

centre of pressure canolbwynt gwasgedd *eg* canolbwyntiau gwasgedd

centre of rotation canol cylchdro *eg* canolau cylchdro

centre of similitude pwynt cyfluniant *eg* pwyntiau cyfluniant

centre of symmetry canol cymesuredd *eg*

centre of the court canol y cwrt *eg*

centre outfielder maeswr canol *eg* maeswyr canol

centre pass pàs gyntaf *eb* pasiau cyntaf

centre point canolbwynt *eg* canolbwyntiau

centre popping canolbopio *be*

centre punch pwnsh canoli *eg* pynsiau canoli

centre punching canolbwnsio *be*

centre serving line llinell serfio ganol *eb* llinellau serfio canol

centre spot marc canol *eg* marciau canol

centre square sgwâr canoli *eg* sgwariau canoli

centre the ball canoli'r bêl *be*

centre-half canolwr *eg* canolwyr

centreboard bwrdd canol *eg* byrddau canol

centred canolog *ans*

centrifugal allgyrchol *ans*

centrifugal casting castio allgyrchol *be*

centrifugal force grym allgyrchol *eg* grymoedd allgyrchol

---

adf, adv adferf, *adverb*   *ans, adj* ansoddair, *adjective*   *be* berf, *verb*   *eb* enw benywaidd, *feminine noun*   *eg* enw gwrywaidd, *masculine noun*

centrifuge *n* allgyrchydd *eg* allgyrchion

centrifuge *v* allgyrchu *be*

centring canoli *be*

centriole centriol *eg* centriolau

centripetal mewngyrchol *ans*

centripetal force grym mewngyrchol *eg* grymoedd mewngyrchol

centroid craidd *eg* creiddiau

Centronics interface rhyngwyneb Centronics *eg* rhyngwynebau Centronics

centrosome centrosom *eg*

century canrif *eb* canrifoedd

century (=unit of soldiers) centuria (uned o filwyr) *eb*

cephalic ceffalig *ans*

cephalic index indecs ceffalig *eg*

ceramic ceramig *ans*

ceramic stilts stiltiau ceramig *ell*

ceramic tile teilsen geramig *eb* teils ceramig

ceramics cerameg *eb*

cerdd dant cerdd dant *eg*

cerdd dant arrangement trefniant cerdd dant *eg*

cereal grawnfwyd *eg* grawnfwydydd

cerebellum ymennydd bach *eg*

cerebral ymenyddol *ans*

cerebral cortex cortecs cerebrol *eg*

cerebral haemorrhage gwaedlif ar yr ymennydd *eg*

cerebral hemisphere hemisffer cerebrol *eg*

cerebral palsy parlys yr ymennydd *eg*

cerebrospinal fluid hylif yr ymennydd *eg*

cerebrum cerebrwm *eg* cerebra

ceremony seremoni *eb* seremonïau

cerise ceirios *eg*

cerium (Ce) ceriwm *eg*

certain sicr *ans*

certificate tystysgrif *eb* tystysgrifau

Certificate of Education (CoE) Tystysgrif Addysg (TA) *eb*

Certificate of Extended Education (CEE) Tystysgrif Addysg Estynedig (TAE) *eb*

Certificate of Pre-Vocational Education (CPVE) Tystysgrif Addysg Gyn-Alwedigaethol (TAGA) *eb*

certified seed had ardyst *eg*

certify ardystio *be*

cerulean blue glas y nen *eg*

cervical cerfigol *ans*

cervical smear prawf ceg y groth *eg* profion ceg y groth

cervical vertebra fertebra gyddfol *eg* fertebrau gyddfol

cervix (=neck of womb) ceg y groth *eb*

CESIL CESIL *eb*

cesspool carthbwll *eg* carthbyllau

chaconne chaconne *eg* chaconnes

chafe rhathu *be*

chafing rhathiad *eg*

chain *n* cadwyn *eb* cadwynau

chain *v* cadwyno *be*

chain drilling drilio cadwynol *be*

chain drive gyriant cadwyn *eg*

chain line llinell gadwyn *eb* llinellau cadwyn

chain link dolen gadwyn *eb* dolennau cadwyn

chain mechanism mecanwaith cyswllt *eg*

chain molecules moleciwlau cadwynol *ell*

chain printer argraffydd cadwyn *eg* argraffyddion cadwyn

chain reaction adwaith cadwynol *eg* adweithiau cadwynol

chain reflex atgyrch cadwynol *eg*

chain riveting rhybedu cadwynol *be*

chain store siop gadwyn *eb* siopau cadwyn

chain survey tirfesur cadwyn *be*

chain wrench tyndro cadwyn *eg* tyndroeon cadwyn

chain-stitch pwyth cadwyn *eg* pwythau cadwyn

chained cadwynog *ans*

chained feather stitch pwyth plu cadwynog *eg* pwythau plu cadwynog

chair (in general) cadair *eb* cadeiriau

chair (in university) cadair *eb* cadeiriau

chair back gorchudd cefn cadair *eg* gorchuddion cefn cadair

chair lift cadair godi *eb* cadeiriau codi

chairbound pupil disgybl sy'n gaeth i'w gadair *eg* disgyblion sy'n gaeth i'w cadair

chairman designate darpar gadeirydd *eg* darpar gadeiryddion

chalaza calasa *eg*

chalet chalet *eg* chalets

chalice caregl *eg* careglau

chalk *n* sialc *eg* sialciau

chalk *v* sialcio *be*

chalk drawing llun sialc *eg* lluniau sialc

challenge *n* her *eb*

challenge *v* herio *be*

challenger heriwr *eg* herwyr

challenging behaviour ymddygiad heriol *eg*

chalumeau chalumeau *eg* chalumeaux

chamber (in general) siambr *eb* siambrau

chamber (in quarry) agor *eg* agorydd

chamber music cerddoriaeth siambr *eb*

chamber tomb beddrod siambr *eg* beddrodau siambr

chamberlain siambrlen *eg* siambrleniaid

Chambers of Reunion Siambrau Ailuniad *ell*

chamfer *n* siamffer *eg* siamfferi

chamfer *v* siamffro *be*

chamfered siamffrog *ans*

chamfered neck gwddf siamffrog *eg*

chamois siami *eg*

chamois glove maneg siami *eb* menig siami

chamois leather lledr siami *eg*

champion (female) pencampwraig *eb* pencampwragedd

champion (male and general) pencampwr *eg* pencampwyr

champion land tir agored *eg*

championship pencampwriaeth *eb* pencampwriaethau

champlevé champlevé *eg*

chance siawns *eb* siawnsiau

chancel cangell *eb* canghellau

chancel arch bwa cangell *eg* bwâu cangell

---

chancellor canghellor *eg* cangellorion
Chancellor of the Exchequer Canghellor y Trysorlys *eg*
Chancery Siawnsri *eg*
chandelier canhwyllyr *eg* canwyllyriau
chandler siandler *eg* siandleriaid
change newid *eg* newidiadau
change direction newid cyfeiriad *be*
change of engagement newid cyweddiad *be*
change of pace newid cyflymdra *be*
change one factor newid un ffactor *be*
change wheel olwyn newid *eb* olwynion newid
changing notes nodau cyfnewid *ell*
changing voice llais yn newid *eg*
channel *n* sianel *eb* sianelau
channel *v* sianelu *be*
channel efficiency effeithlonedd sianel *eg*
chanson chanson *eb* chansons
chant (formally) *v* llafarganu *be*
chant (informally) *v* siantio *be*
chant (of canticle) *n* côr-gân *eb* corganau
chant (of psalm) *n* salm-dôn *eb* salmdonau
chant (=spoken singsong phrase) *n* siant *eb* siantiau
chanting rhythmically llafarganu'n rhythmig *be*
chantry siantri *eg* siantrïau
chantry priest offeiriad siantri *eg* offeiriaid siantri
chaos anhrefn *eg/b*
chaotic sky awyr aflunaidd *eb*
chapel capel *eg* capeli
chapel of ease capel anwes *eg* capeli anwes
chapel without tower or spire capel heb dŵr na meindwr *eg*
chapelry capeliaeth *eb* capeliaethau
chaplain caplan *eg* caplaniaid
chaplaincy caplaniaeth *eb*
chaplet coronbleth *eb* coronblethau
chapter (=canons of a cathedral) cabidwl *eg* cabidylau
chapter (=division of a book) pennod *eb* penodau
chapterhouse cabidyldy *eg* cabidyldai
char torgoch *eg* torgochiaid
character (of biological species etc) nodwedd *eb* nodweddion
character (of person) cymeriad *eg* cymeriadau
character (=symbol) nod *eg* nodau
character code cod nodau *eg* codau nodau
character font ffont nodau *eg* ffontiau nodau
character of a puppet cymeriad pyped *eg* cymeriadau pyped
character of vegetation nodwedd llystyfiant *eb* nodweddion llystyfiant
character printer argraffydd nodau *eg* argraffwyr nodau
character reader darllenwr nodau *eg* darllenwyr nodau
character recognition adnabod nodau *be*
character reference geirda cymeriad *eg*
character set set nodau *eb* setiau nodau
character string llinyn nodau *eg* llinynnau nodau
characterisation cymeriadaeth *eb*

characteristic *adj* nodweddiadol *ans*
characteristic (in general) *n* nodwedd *eb* nodweddion
characteristic (logarithms) *n* nodweddrif *eg* nodweddrifau
characteristic curve cromlin nodweddiadol *eb* cromliniau nodweddiadol
characteristic feature arwedd nodweddiadol *eb* arweddion nodweddiadol
characteristic note nodyn nodweddiadol *eg* nodau nodweddiadol
characters per second (cps) nodau yr eiliad (nye)
charcoal siarcol *eg*
charcoal drawing llun siarcol *eg* lluniau siarcol
charcoal pencil pensil siarcol *eg* pensiliau siarcol
charge (electrical) *n* gwefr *eb* gwefrau
charge (electrical) *v* gwefru *be*
charge (furnace or crucible) *v* llwytho (ffwrnais neu grwsibl) *be*
charge (in sport) *n* hyrddiad *eg* hyrddiadau
charge (in sport) *v* hyrddio *be*
charge (money) *n* cost *eb* costau
charge (money) *v* codi tâl *be*
charge nurse (female) prif weinyddes nyrsio *eb* prif weinyddesau nyrsio
charge nurse (=male sister) prif weinydd nyrsio *eg* prif weinyddion nyrsio
charged *(with feminine nouns)* wedi'i gwefru *ans* wedi'u gwefru
charged *(with masculine nouns)* wedi'i wefru *ans* wedi'u gwefru
charged condenser cynhwysydd wedi'i wefru *eg* cynwysyddion wedi'u gwefru
charging policy polisi codi tâl *eg* polisïau codi tâl
chariot cerbyd rhyfel *eg* cerbydau rhyfel
chariot wheel pattern patrwm olwyn cerbyd *eg* patrymau olwyn cerbyd
charismatic carismataidd *adj*
charity elusen *eb* elusennau
charity education addysg elusennol *eb*
charity school ysgol elusennol *eb* ysgolion elusennol
Charlemagne Siarlymaen *eg*
Charles the Bald Siarl Foel *eg*
Charles the Bold Siarl Ddewr *eg*
Charles the Good Siarl Dda *eg*
Charles the Great Siarl Fawr *eg*
chart siart *eg* siartiau
charter siarter *eg/b* siarterau
charter of enfranchisement siarter rhyddfreinio *eg* siarterau rhyddfreinio
Charter Roll Rhôl Siarter *eb*
chartism siartaeth *eb*
chartist siartydd *eg* siartwyr
chase *n* helfa *eb* helfeydd
chase *v* ymlid *be*
chaser siaswr *eg* siaswyr
chasing *n* siasin *eg* siasinau
chasing *v* siasio *be*
chasm agendor *eb* agendorau

---

chassis siasi *eg* siasïau

chassis frame ffrâm siasi *eb* fframiau siasi

chastity diweirdeb *eg*

chasuble casul *eg* casuliau

chatter *n* sgrytiad *eg* sgrytiadau

chatter *v* sgrytian *be*

chattermark rhewgraith *eb* rhewgreithiau

chaudfroid chaudfroid *ans*

chauvinism siofiniaeth *eb*

check *n* gwiriad *eg* gwiriadau

check *v* gwirio *be*

check (of pattern) siec *ans*

check (=split / defect in wood) hollt *eg/b* holltau

check (=test) *n* prawf *eg* profion

check (=test) *v* profi *be*

check all gwirio oll *be*

check digit gwirio digid *eg*

check nut (lock nut) nyten gloi *eb* nytiau cloi

check pattern patrwm siec *eg* patrymau siec

check pointer pwyntydd stac *eg* pwyntyddion stac

check selection gwirio dewisiad *be*

check-list rhestr gyfeirio *eb* rhestri cyfeirio

check-up (medical) archwiliad (meddygol) *eg* archwiliadau (meddygol)

checked material defnydd siec *eg* defnyddiau siec

checksum prawfswm *eg* prawfsymiau

Cheddar cheese caws Cheddar *eg*

cheek boch *eb* bochau

cheese caws *eg* cawsiau

cheese curd ceuled caws *eg*

cheese straws rhimynnau caws *ell*

cheese-head bolt bollt bencosyn *eb* bolltau pencosyn

cheese-head rivet rhybed pencosyn *eg* rhybedion pencosyn

cheese-head screw sgriw bencosyn *eb* sgriwiau pencosyn

cheeseboard bwrdd caws *eg* byrddau caws

cheeseburger cawsionyn *eg* cawsionynnau

cheesecake cacen gaws *eb* cacenni caws

cheesecloth lliain caws *eg* llieiniau caws

chef-d'oeuvre (masterpiece) campwaith *eg* campweithiau

chelate celadu *be*

chelated celedig *ans*

chelation celadiad *eg*

Chelsea bun bynen Chelsea *eb* byniau Chelsea

chemical *adj* cemegol *ans*

chemical *n* cemegyn *eg* cemegau

chemical action effaith gemegol *eb* effeithiau cemegol

chemical industry diwydiant cemegau *eg* diwydiannau cemegau

chemical reaction adwaith cemegol *eg* adweithiau cemegol

chemical stain staen cemegol *eg* staeniau cemegol

chemical symbol symbol cemegol *eg* symbolau cemegol

chemical weed killer chwynladdwr cemegol *eg* chwynladdwyr cemegol

chemisorption cemsugniad *eg*

chemist cemegydd *eg* cemegwyr

chemistry cemeg *eg/b*

chemistry of food cemeg bwyd *eb*

chemoreceptor cemodderbynnydd *eg* cemodderbynyddion

chemosensory cemosynhwyraidd *ans*

chemotaxis cemotacsis *eg*

chemotherapy cemotherapi *eg*

chemotropism cemotropedd *eg*

chenille needle nodwydd chenille *eb* nodwyddau chenille

cheque siec *eb* sieciau

chequer plate plât siecer *eg* platiau siecer

chequered chain stitch pwyth cadwyn amryliw *eg* pwythau cadwyn amryliw

cherry ceiriosen *eb* ceirios

chert cornfaen *eg* cornfeini

Cheshire cheese caws Caer *eg*

chessmen gwerin gwyddbwyll *ell*

chest (for storing things) cist *eb* cistiau

chest (of human) brest *eb* brestiau

chest freezer rhewgist *eb* rhewgistiau

chest medicine meddygaeth y frest *eb*

chest of drawers cist o ddroriau *eb* cistiau o ddroriau

chest of viols cist o feiolau *eb* cistiau o feiolau

chest pass pàs o'r frest *eb* pasiau o'r frest

chest register llais y frest *eg*

chestnut cneuen gastan *eb* cnau castan

chestnut brown (enamelling colour) gwinau *eg*

chestnut brown (of soil) cochddu *ans*

chevron (architecture) cwplws *eg* cyplysau

chevron banding bandin ceibr *eg* bandinau ceibr

chevron stitch pwyth ceibr *eg* pwythau ceibr

chiaroscuro chiaroscuro *eg*

chicanery twyll *eg*

chicken cyw iâr *eg* cywion ieir

chicken-pox brech yr ieir *eb*

chicory sicori *eg*

chief education officer prif swyddog addysg *eg* prif swyddogion addysg

chief executive officer prif weithredwr *eg* prif weithredwyr

Chief Justice Prif Ustus *eg* Prif Ustusiaid

chief superintendent prif arolygydd *eg* prif arolygwyr

chief-rent rhent arglwydd *eg*

chieftain pennaeth *eg* penaethiaid

chiffon shiffon *eg*

child plentyn *eg* plant

child abuse cam-drin plant *be*

child abuse register cofrestr plant a gamdriniwyd *eb* cofrestri plant a gamdriniwyd

child allowance budd-dal plant *eg*

child at risk plentyn mewn perygl *eg* plant mewn perygl

child care gofal plant *eg*

Child Care Act Deddf Gofal Plant *eb*

child care assistant cynorthwydd gofal plant *eg* cynorthwywyr gofal plant

child care officer swyddog gofal plant *eg* swyddogion gofal plant

child care worker gweithiwr gofal plant *eg* gweithwyr gofal plant

eg/b enw gwrywaidd/benywaidd, *feminine/masculine noun*   *ell* enw lluosog, *plural noun*   *v* berf, *verb*   *n* enw, *noun*

child development datblygiad plant *eg*
child guidance cyfarwyddo plant *be*
child guidance centre canolfan cyfarwyddo plant *eb* canolfannau cyfarwyddo plant
child guidance clinic clinig cyfarwyddo plant *eg* clinigau cyfarwyddo plant
child having special educational needs plentyn ag anghenion addysgol arbennig *eg* plant ag anghenion addysgol arbennig
child in need plentyn mewn angen *eg* plant mewn angen
child minder gwarchodwr plant *eg* gwarchodwyr plant
child psychiatrist seiciatrydd plant *eg* seiciatryddion plant
child psychiatry seiciatreg plant *eb*
child psychology seicoleg plant *eb*
child welfare lles plant *eg*
child welfare clinic clinig lles plant *eg* clinigau lles plant
child-centred approach dull plentyn ganolog *eg* dulliau plentyn ganolog
child-centred education addysg plant ganolog *eb*
child-centred teaching addysgu plant ganolog *be*
childbirth genedigaeth *eb* genedigaethau
childhood plentyndod *eg*
childish plentynnaidd *ans*
Children's Charter, The Siarter y Plant *eg*
Children's Crusade Croesgad y Plant *eb*
children's home cartref plant *eg* cartrefi plant
children's literature llenyddiaeth plant *eb*
chill oeri *be*
chill bar bar rhynnu *eg* barrau rhynnu
chilli chilli *eg*
chilling compartment adran oeri *eb* adrannau oeri
chime clychsain *eb* clychseiniau
chime bar bar cloch *eg* barrau clych
chimney simnai *eb* simneiau
chin gên *eb* genau
chin rest gên-bwys *eg* genbwysau
china tsieni *eg*
china cabinet cabinet llestri *eg* cabinetau llestri
china clay caolin *eg*
china palette palet tsieni *eg* paletau tsieni
china ware llestri tsieni *ell*
Chinese block bloc Tsineaidd *eg* blociau Tsineaidd
Chinese white gwyn Tsieina *eg*
chintz chintz *eg*
chip (in football) *n* tsip *eg* tsipiau
chip (in football) *v* tsipio *be*
chip (in general) *n* sglodyn *eg* sglodion
chip (in general) *v* sglodi *be*
chip breaker torrwr sglodion *eg* torwyr sglodion
chip the ball tsipio'r bêl *be*
chipboard bwrdd sglodion *eg* byrddau sglodion
chipped (of surface) tolciog *ans*
chipped grain graen sglodion *eg*
chipped potatoes sglodion *ell*
chipping block bloc sglodi *eg* blociau sglodi
chipping chisel cŷn sglodi *eg* cynion sglodi; gaing sglodi *eb* geingiau sglodi

chipping face wyneb sglodi *eg* wynebau sglodi
chipping hammer morthwyl sglodi *eg* morthwylion sglodi
chipping resistance gwrthiant sglodi *eg*
chiral cirol *ans*
chirality ciroledd *eg*
chiropodist ciropodydd *eg* ciropodyddion
chiropody trin traed *be*
chisel *n* cŷn *eg* cynion; gaing *eb* geingiau
chisel *v* naddu *be*
chisel blade llafn cŷn *eg* llafnau cŷn; llafn gaing *eg* llafnau gaing
chisel edge ymyl cŷn *eb* ymylon cŷn; ymyl gaing *eb* ymylon gaing
chisel parts rhannau cŷn *ell;* rhannau gaing *ell*
chisel shaped arrowhead pen saeth ffurf cŷn *eg* pennau saeth ffurf cŷn
chitin citin *eg*
chivalry sifalri *eg*
chivalry order urdd sifalri *eb*
chives cennin syfi *ell*
chlamydospore clamydosbor *eg*
chlorinate clorineiddio *be*
chlorine (Cl) clorin *eg*
chloroform clorofform *eg*
chlorophyll cloroffyl *eg*
chloroplast cloroplast *eg* cloroplastau
chlorosis (in botany) clorosis *eg*
chlorosis (medical) gwyrddwst *eg*
chockstone tagen *eb* tagenni
chocolate siocled *eg*
choir côr *eg* corau
choir boy bachgen côr *eg* bechgyn côr
choir organ organ gôr *eb* organau côr
choir stall sedd gôr *eb* seddau côr
choir-monk côr-fynach *eg* côr-fynaich
choke *n* tagydd *eg* tagyddion
choke *v* tagu *be*
cholecalciferol colecalchifferol *eg*
cholecystokinin colesystocinin *eg*
cholera colera *eg*
cholera epidemic epidemig colera *eg* epidemigau colera
cholesterol colesterol *eg*
cholic acid asid colig *eg*
choline esterase colinesteras *eg*
cholinergic colinergig *ans*
cholosterolaemia colosterolaemia *eg*
chondral condrol *ans*
chondroid condroid *ans*
chondroitin condroitin *eg*
chop (in tennis) *n* cildoriad *eg* cildoriadau
chop (in tennis) *v* cildorri *be*
chop (mortise) torri (mortais) *be*
chop (of meat) golwyth *eg* golwython
chopper (meat) bwyell gig *eb* bwyeill cig
chopper grip gafael bwyell *eb* gafaelion bwyeill
chopping board bwrdd torri *eg* byrddau torri

---

chorale corâl *eg* coralau

chorale prelude preliwd corâl *eg* preliwdiau corâl

chord cord *eg* cordiau

chord figuring rhifoli cord *be*

chord in first inversion cord gwrthdro cyntaf *eg* cordiau gwrthdro cyntaf

chord in root position cord safle gwreiddiol *eg* cordiau safle gwreiddiol

chord in second inversion cord ail wrthdro *eg* cordiau ail wrthdro

chord in third inversion cord trydydd gwrthdro *eg* cordiau trydydd gwrthdro

chord indication dynodi cord *be*

chord of the seventh cord seithfed *eg* cordiau seithfed

chord progression dilyniad cordiau *eg* dilyniadau cordiau

chord sequence dilyniant o gordiau *eg* dilyniannau o gordiau

chordal block bloc cordiau *eg* blociau cordiau

chordal structure adeiledd cordiol *eg* adeileddau cordiol

chording cordio *be*

choreographer coreograffydd *eg* coreograffwyr

choreography coreograffi *eg*

chorister aelod o gôr *eg* aelodau o gôr

choroid coroid *ans*

choroid layer haenen goroid *eb* haenau coroid

choropleth coropleth *eg*

chorus (=group of singers) côr *eg* corau

chorus (in opera and secular music) corws *eg* corysau

chorus (=piece of music) cytgan *eg/b* cytganau

chorus girl côr-ferch *eb* côr-ferched

chorus master côr-feistr *eg* côr-feistri

chrismation eneinio *be*

Christ Crist *eg*

Christendom Gwledydd Cred *ell*

christening robe gŵn bedydd *eg* gynau bedydd

Christian *adj* Cristnogol *ans*

Christian *n* Cristion *eg* Cristnogion

Christian belief cred Gristnogol *eb*

Christian Court Cwrt Eglwysig *eg*

Christian Democrat Party Plaid Ddemocrataidd Gristnogol *eb*

Christian faith ffydd Gristnogol *eb*

Christian family teulu Cristnogol *eg* teuluoedd Cristnogol

Christian heritage etifeddiaeth Gristnogol *eb*

Christianity Cristnogaeth *eb*

Christmas Nadolig *eg*

chromatic cromatig *ans*

chromatic chord cord cromatig *eg* cordiau cromatig

chromatic harp telyn gromatig *eb* telynau cromatig

chromatic scale graddfa gromatig *eb* graddfeydd cromatig

chromatic semitone hanner tôn cromatig *eg* hanner tonau cromatig

chromaticism cromatyddiaeth *eb*

chromatid cromatid *eg* cromatidau

chromatin cromatin *eg*

chromatographic cromatograffig *ans*

chromatography cromatograffaeth *eb*

chrome crôm *eg*

chrome green gwyrdd crôm *eg*

chrome orange oren crôm *eg*

chromising cromeiddio *be*

chromium (Cr) cromiwm *eg*

chromium screw sgriw gromiwm *eb* sgriwiau cromiwm

chromosome cromosom *eg* cromosomau

chromosome map (in biology) map cromosomau *eg* mapiau cromosomau

chromosome number rhif cromosom *eg* rhifau cromosomau

chromosphere cromosffer *eg* cromosfferau

chronic (in biology) hirbarhaol *ans*

chronic (in general) cronig *ans*

chronic (in medicine) hirfaith *ans*

chronic confusional state cyflwr dryslyd cronig *eg*

chronic illness gwaeledd parhaus *eg*

chronological cronolegol *ans*

chronological age oed cronolegol *eg*

chronological order trefn gronolegol *eb*

chronological understanding dealltwriaeth gronolegol *eb*

chronological writing ysgrifennu cronolegol *be*

chronology cronoleg *eb*

chronometer coronomedr *eg* cronomedrau

chrysalis chwiler *eg* chwilerod

chuck crafanc *eb* crafangau

chuck key allwedd grafanc *eb* allweddi crafanc

chuck steak stêc balfais *eb* steciau palfais

chucking crafangu *be*

chucking piece darn crafangu *eg* darnau crafangu

church eglwys *eb* eglwysi

church cadence diweddeb amen *eb* diweddebau amen

church embroidery brodwaith eglwysig *eg*

church governor llywodraethwr eglwysig *eg* llywodraethwyr eglwysig

church mode modd eglwysig *eg* moddau eglwysig

Church in Wales Eglwys yng Nghymru, yr *eb*

Church of England Eglwys Loegr *eb*

church order trefn eglwys *eb*

church with tower eglwys gyda thŵr *eb*

churchwarden warden eglwys *eg* wardeiniad eglwys

churchyard mynwent eglwys *eb* mynwentydd eglwysi

churn (=can to hold milk) can llaeth *eg* caniau llaeth

churn (to make butter) buddai (gorddi) *eb* buddeiau (corddi)

chutney siytni *eg*

chyle caul *eg*

chylomicron ceulomicron *eg* ceulomicronau

chyme treulfwyd *eg*

chymotrypsin cymotrypsin *eg*

cider seidr *eg* seidrau

ciliary ciliaraidd *ans*

ciliary body corffyn ciliaraidd *eg* corffynnau ciliaraidd

ciliary feeding ymborthi ciliaraidd *be*

ciliary muscle cyhyr ciliaraidd *eg* cyhyrau ciliaraidd

ciliated epithelium epitheliwm ciliedig *eg*

cilium ciliwm *eg* cilia

---

eg/b enw gwrywaidd/benywaidd, *feminine/masculine noun*   *ell* enw lluosog, *plural noun*   *v* berf, *verb*   *n* enw, *noun*

cimbalom simbalom *eg* simbalomau

cinder cone côn lludw *eg* conau lludw

cinnamon sinamon *eg*

Cinque Ports Pum Porthladd *eg*

cipher seiffr *eg* seiffrau

circadian rhythm rhythm circadaidd *eg*

circle *n* cylch *eg* cylchoedd

circle *v* cylchu *be*

circle chart siart cylch *eg* siartiau cylch

circle formation trefniant cylch *eg*

circle of fifths cylch pumedau *eg* cylchoedd pumedau

circling (of foot, arms) cylchu (troed, breichiau) *be*

circlip cylchglip *eg* cylchglipiau

circuit (in electronics) cylched *eb* cylchedau

circuit (of judge, preacher) cylchdaith *eb* cylchdeithiau

circuit (=running track) cylch rhedeg *eg* cylchoedd rhedeg

circuit breaker torrwr cylched *eg* torwyr cylchedau

circuit diagram diagram cylched *eg* diagramau cylched

circuit training hyfforddiant cylchol *eg*

circuit wave-forms tonffurfiau cylched *ell*

circular (letter) *n* cylchlythyr *eg* cylchlythyrau

circular (=round) *adj* crwn *ans*

circular (turning in circle) *adj* cylchol *ans*

circular arch bwa crwn *eg* bŵau crwn

circular base gwaelod crwn *eg* gwaelodion crwn

circular buffer byffer cylchol *eg* byfferau cylchol

circular cylinder silindr cylch *eg* silindrau cylch

circular dance dawns gylch *eb* dawnsiau cylch

circular die dei crwn *eg* deiau crwn

circular end pen crwn *eg* pennau crwn

circular land (of reamer) glan gylchol (agorell) *eb* glannau cylchol (agorell)

circular lap seam sêm lap gylchol *eb* semau lap cylchol

circular list rhestr gylchol *eb* rhestri cylchol

circular motion mudiant mewn cylch *eg*

circular motion stitching pwytho cylchdro *be*

circular or counter parry pario cylchol neu wrthbario *be*

circular overfolded seam sêm orlap gylchol *eb* semau gorlap cylchol

circular prism prism crwn *eg* prismau crwn

circular pyramid pyramid crwn *eg* pyramidiau crwn

circular saw llif gron *eb* llifiau crwn

circular shift syfliad cylchol *eg* syfliadau cylchol

circular skirt sgert gylch *eb* sgerti cylch

circular split die dei crwn hollt *eg* deiau crwn hollt

circulate cylchredeg *be*

circulating cylchredol *ans*

circulating school ysgol gylchynol *eb* ysgolion cylchynol

circulating waters dyfroedd cylchredol *ell*

circulation cylchrediad *eg* cylchrediadau

circulatory system system cylchrediad gwaed *eb*

circumcentre amganol *eg* amganolau

circumcircle amgylch *eg* amgylchoedd

circumcision enwaediad *eg*

circumference (line) cylchyn *eb* cylchynnau

circumference (measurement) cylchedd *eg* cylcheddau

circumflex acen grom *eb* acenion crwm

circumnavigate cylchfordeithio *be*

circumnavigation cylchfordaith *eb* cylchfordeithiau

circumnavigator cylchfôrwr *eg* cylchforwyr

circumpolar constellation cytser ambegynnol *eg* cytserau ambegynnol

circumpolar star seren ambegwn *eb* sêr ambegwn

circumscribe amgylchu *be*

circumscribed amgylchol *ans*

circumscribed circle amgylch *eg* amgylchoedd

circumscribed polygon polygon amgylchol *eg* polygonau amgylchol

circus syrcas *eg* syrcasau

cire perdue cwyr coll *eg*

cirque cwm *eg* cymoedd

cirrocumulus cirrocumulus *eg*

cirrostratus cirrostratus *eg*

cirrus cirrus *eg*

cis cis *eg*

cis-trans effect effaith trans-cis *eb*

Cisalpine Republic Gweriniaeth Isalpaidd *eb*

cissoid cisoid *eg* cisoidau

cist cistfaen *eb* cistfeini

Cistercian *adj* Sistersaidd *ans*

Cistercian *n* Sistersiad *eg* Sistersiaid

cistern seston *eb* sestonau

cistern tower tŵr dyfrgist *eg* tyrau dyfrgist

cistron cistron *eg* cistronau

citadel caer ddinesig *eb* caerau dinesig

Citizens Advice Bureau Canolfan Gynghori *eb* Canolfannau Cynghori

citizenship dinasyddiaeth *eb*

citric acid asid citrig *eg*

citrus *n* citrws *eg*

citrus fruit ffrwyth citraidd *eg* ffrwythau citraidd

cittern sitern *eg* siternau

city dinas *eb* dinasoedd

city blues melan y ddinas *eb*

city region rhanbarth dinas *eg* rhanbarthau dinasoedd

city state gwladwriaeth ddinas *eb* gwladwriaethau dinas

City Technology College (CTC) Coleg Technegol Dinas *eg*

civic dinesig *ans*

civic mathematics mathemateg ddinesig *eb*

civil (of citizens) sifil *ans*

civil (=polite) moesgar *ans*

Civil Code Cod Sifil *eg*

civil defence amddiffyn sifil *eg*

civil disobedience anufudd-dod sifil *eg*

Civil Law Cyfraith Sifil *eg*

civil list rhestr sifil *eb* rhestri sifil

civil rights iawnderau sifil *ell*

civil service gwasanaeth sifil *eg*

civil settlement anheddiad sifil *eb* aneddiadau sifil

civil war rhyfel cartref *eg* rhyfeloedd cartref

civilian sifiliad *eg* sifiliaid

civility gwarineb *eg*

civilization gwareiddiad *eg* gwareiddiadau

civilized society cymdeithas wâr *eb* cymdeithasau gwâr

cladding cladin *eg* cladinau

claim *n* hawl *eg/b* hawliau

claim *v* hawlio *be*

clamp *n* clamp *eg* clampiau

clamp *v* clampio *be*

clamping device dyfais glampio *eb* dyfeisiau clampio

clamping screw sgriw glampio *eb* sgriwiau clampio

clan clan *eg* claniau

clap *n* clap *eg* clapiau

clap *v* clapio *be*

clap a steady beat clapio curiad cyson *be*

clap hands curo dwylo *be*

clap partner's hands curo dwylo partner *be*

clapper box blwch clepian *eg* blychau clepian

clarified fat saim gloyw *eg*

clarify (in cooking) gloywi *be*

clarinet clarinét *eg* clarinetau

clarinettist clarinetydd *eg* clarinetwyr

clarity eglurder *eg*

clarity of body shape eglurder siâp y corff *eg*

clarity of the notation eglurder y nodiant *eg*

clarsach clarsach *eg* clarsachau

clash gwrthdaro *be*

clasp clesbyn *eg* clasbiau

clasp nail hoelen lorio *eb* hoelion llorio

class dosbarth *eg* dosbarthiadau

class distinction gwahaniaeth dosbarth *eg* gwahaniaethau dosbarth

class interval cyfwng dosbarth *eg* cyfyngau dosbarth

class management rheolaeth dosbarth *eb*

class mark marc dosbarth *eg* marciau dosbarth

class separation gwahaniad dosbarth *eg*

class structure fframwaith dosbarth *eg*

class struggle rhyfel dosbarth *eg*

classes of food mathau o fwyd *ell*

classic pass pàs glasurol *eb* pasiau clasurol

classic profile proffil clasurol *eg* proffiliau clasurol

classical clasurol *ans*

classical curriculum cwricwlwm clasurol *eg*

classical music cerddoriaeth glasurol *eb*

classical studies astudiaethau clasurol *ell*

classicism clasuriaeth *eb*

classicist clasurwr *eg* clasurwyr

classics clasuron *ell*

classification *n* dosbarthiad *eg* dosbarthiadau

classification system *n* trefn ddosbarthu *eb*

classify dosbarthu *be*

classify information dosbarthu gwybodaeth *be*

classroom ystafell ddosbarth *eb* ystafelloedd dosbarth

classroom behaviour ymddygiad yn yr ystafell ddosbarth *eg*

classroom climate naws yr ystafell ddosbarth *eb*

classroom ensemble ensemble dosbarth *eg* ensembles dosbarth

classroom environment amgylchedd yr ystafell ddosbarth *eg*

classroom feedback adborth o'r ystafell ddosbarth *eg*

classroom observation arsylwi yn yr ystafell ddosbarth *be*

classroom-based activities gweithgareddau ystafell ddosbarth *ell*

classroom-based task tasg ystafell ddosbarth *eb* tasgau ystafell ddosbarth

clastic clastig *ans*

clathrate *adj* cawellog *ans*

clathrate *n* clathrad *eg* clathradau

clause cymal *eg* cymalau

claustral clwystrol *ans*

clausula diweddeb *eg/b* diweddebau

clavecin clafesin *eg*

claveciniste chwaraewr clafesin *eg* chwaraewyr clafesin

claves clafiau *ell*

clavichord claficord *eg* claficordiau

clavicle pont yr ysgwydd *eb*

clavicymbal clafisymbal *eg* clafisymbalau

clavier (instrument) offeryn llawfwrdd *eg* offerynnau llawfwrdd

clavier (keyboard) llawfwrdd *eg* llawfyrddau

claw crafanc *eb* crafangau

claw clutch cydiwr crafanc *eg* cydwyr crafanc

claw feet traed crafanc *ell*

claw hammer morthwyl crafanc *eg* morthwylion crafanc

claw wrench tyndro crafanc *eg* tyndroeon crafanc

clay clai *eg* cleiau

clay bin bin clai *eg* biniau clai

clay cutter torrell glai *eb* torelli clai

clay modelling modelu â chlai *be*

clay modelling tool erfyn modelu clai *eg* arfau modelu clai

clay relief cerfwedd glai *eb* cerfweddau clai

clay tools offer clai *ell*

clay vale dyffryndir clai *eg* dyffryndiroedd clai

clay with flints clai â challestr *eg*

clean glân *ans*

clean cut toriad glân *eg* toriadau glân

clean hole twll glan *eg* tyllau glan

clean mould mowld glân *eg* mowldiau glân

clean thread edau lân *eb* edafedd glân

cleaner (female) glanhawraig *eb* glanhawragedd

cleaner (male and general) glanhawr *eg* glanhawyr

cleaner (of material) defnydd glanhau *eg* defnyddiau glanhau

cleaning appliance dyfais lanhau *eb* dyfeisiau glanhau

cleaning fluid hylif glanhau *eg* hylifau glanhau

cleanliness glendid *eg*

cleanse glanhau *be*

cleanser glanweithydd *eg* glanweithyddion

cleansing department adran lanweithio *eb* adrannau glanweithio

cleansing lotion trwyth glanhau *eg*

clear *v* clirio *be*

clear (=distinct) *adj* pendant *ans*

clear (=not confused) *adj* eglur *ans*

clear (=transparent and most other senses) *adj* clir *ans*

clear beginning dechrau pendant *eg*

clear end diwedd pendant *eg*

clear finish gorffeniad clir *eg* gorffeniadau clir

clear flute ffliwt glir *eb* ffliwtiau clir

clear glaze gwydredd gloyw *eg*

clear lacquer lacr clir *eg*

clear lamp lamp glir *eb*

clear middle canol pendant *eg*

clear plastic plastig clir *eg*

clear polish llathrydd clir *eg* llathryddion clir

clear set of values set eglur o werthoedd *eb*

clear sketch braslun eglur *eg* brasluniau eglur

clear varnish farnais clir *eg* farneisiau clir

clearance cliriad *eg* cliriadau

clearance angle ongl gliriad *eb* onglau cliriad

clearance drill dril cliriad *eg* driliau cliriad

clearance hole twll cliriad *eg* tyllau cliriad

clearing llannerch *eb* llennyrch

clearing (in histology) gloywi *be*

clearing agent gloywydd *eg* gloywyddion

clearing bank banc clirio *eg* banciau clirio

clearway clirffordd *eb* clirffyrdd

cleat *n* cledd *eg* cleddau

cleat *v* cleddu *be*

cleavage (in biology) ymraniad *eg* ymraniadau

cleavage (in chemistry) holltiad *eg* holltiadau

cleavage plane plân hollti *eg* planiau hollti

clef cleff *eg* cleffiau

cleft hollt *eg/b* holltau

clench (a nail, a rivet) clensio (hoelen, rhybed) *be*

clerestory llofft olau *eb* llofftydd golau

clergyman clerigwr *eg* clerigwyr

cleric clerigwr *eg* clerigwyr

clerical clerigol *ans*

clericalism clerigiaeth *eb*

clerk clerc *eg* clercod

clerk of the course clerc y maes *eg* clercod y maes

clerks regular clerigwyr rheolaidd *ell*

clevis pin pin clefis *eg* pinnau clefis

click clicio *be*

client cleient *eg* cleientiaid

client centred therapy therapi cleient ganolog *eg*

client state gwladwriaeth ddibynnol *eb* gwladwriaethau dibynnol

client-centred cleient ganolog *ans*

clientage cleientaeth *eb*

cliff clogwyn *eg* clogwyni

cliff collapse clogwyn yn syrthio

cliff line llinell glogwyn *eb* llinellau clogwyn

cliff recession enciliad clogwyn *eg* enciliadau clogwyn

climate hinsawdd *eb* hinsoddau

climatic conditions hinsawdd *eb*

climatic feature nodwedd hinsoddol *eb* nodweddion hinsoddol

climatic region rhanbarth hinsoddol *eg* rhanbarthau hinsoddol

climatology hinsoddeg *eb*

climax uchafbwynt *eg* uchafbwyntiau

climax vegetation uchafbwynt llystyfiant *eg* uchafbwyntiau llystyfiant

climb dringo *be*

climb high dringo'n uchel *be*

climb milling (down cut) melino dringol *eg*

climbing feed porthiant dringol *eg*

climbing frame ffrâm ddringo *eb* fframiau dringo

climbing plant planhigyn dringo *eg* planhigion dringo

climbing rope rhaff ddringo *eb* rhaffau dringo

climbing wall wal ddringo *eb* waliau dringo

clinch a deal taro bargen *be*

cling film haenen lynu *eb* haenau glynu

clinic clinig *eg* clinigau

clinical clinigol *ans*

clinical assessment asesiad clinigol *eg* asesiadau clinigol

clinical audit archwiliad clinigol *eg* archwiliadau clinigol

clinical psychologist seicolegydd clinigol *eg* seicolegwyr clinigol

clinical psychology seicoleg glinigol *eb*

clinical study astudiaeth glinigol *eb* astudiaethau clinigol

clinical thermometer thermomedr clinigol *eg* thermomedrau clinigol

clinical training hyfforddiant clinigol *eg*

clinically clean clinigol lân *ans*

clinker clincer *eg* clinceri

clinker eight clincer wyth *eg*

clinker four clincer pedwar *eg*

clinker nailed boots esgidiau hoelion clincer *ell*

clinometer clinomedr *eg* clinomedrau

clint clint *eg* clintiau

clip *n* clip *eg* clipiau

clip *v* clipio *be*

clipart cliplun *eg* clipluniau

clipart library llyfrgell glipluniau *eb* llyfrgelloedd clipluniau

clipboard clipfwrdd *eg* clipfyrddau

cloak clogyn *eg* clogynnau

clock cloc *eg* clociau

clock arithmetic rhifyddeg cloc *eb*

clock glass gwydryn cloc *eg* gwydrynnau cloc

clock pulse curiad cloc *eg* curiadau cloc

clock pulse generator generadur curiadau cloc *eg* generaduron curiadau cloc

clock rate cyfradd cloc *eb* cyfraddau cloc

clock signal signal cloc *eg* signalau cloc

clockwise clocwedd *ans*

clockwise consecutive revolutions cylchdroeon clocwedd olynol *ell*

clockwise direction cyfeiriad clocwedd *eg*

clockwise moment moment clocwedd *eg*

clog *v* tagu *be*

clog dance dawns y glocsen *eb* dawnsiau'r glocsen

---

adf, adv adferf, *adverb*   **ans, adj** ansoddair, *adjective*   **be** berf, *verb*   **eb** enw benywaidd, *feminine noun*   **eg** enw gwrywaidd, *masculine noun*

clog rattle rhuglen glocsen *eb* rhuglenni clocs

clogged surface arwyneb wedi tagu *eg*

clogging tagu *be*

cloisonné enamel enamel cloisonné *eg*

cloister clwysty *eg* clwystai

cloistered clwystredig *ans*

clone *n* clôn *eg* clonau

clone *v* clonio *be*

close *adj* agos *ans*

close (in music) *n* diweddeb *eg/b* diweddebau

close *v* cau *be*

close buildings adeiladau clos *ell*

close combat gornest glos *eb* gornestau clos

close grain graen clos *eg*

close harmony harmoni clos *eg*

close packing pacio'n dynn *be*

Close Roll Rhôl Clos *eb*

close the key (of a switch) cau'r agoriad *be*

close the switch cau'r switsh *be*

close the tap cau'r tap *be*

close woven fabric ffabrig gwead clos *eg* ffabrigau gwead clos

close-mouth tongs gefel gegdyn *eb* gefeiliau cegdyn

close-up (diagram) agoslun *eg* agosluniau

closed caeedig *ans*

closed (shop sign etc) ar gau *ans*

closed circuit cylched gaeedig *eb* cylchedau caeedig

closed circuit television (CCTV) teledu cylch-caeedig *eg*

closed eaves bondo caeedig *eg* bondoeau caeedig

closed fracture torasgwrn caeedig *eg* toresgyrn caeedig

closed interval cyfwng caeedig *eg* cyfyngau caeedig

closed loop dolen gaeedig *eb* dolennau caeedig

closed pack pecyn caeedig *eg* pecynnau caeedig

closed pipe pibell gaeedig *eb* pibellau caeedig

closed question cwestiwn caeedig *eg* cwestiynau caeedig

closed shop siop gaeedig *eb* siopau caeedig

closed stance safiad caeedig *eg*

closed system cyfundrefn gaeedig *eb* cyfundrefnau caeedig

closing stile cledren gau *eb* cledrau cau

closure caefa *eb* caefeydd

Closure Rule Rheol Gaefa *eb*

clot *n* tolchen *eb* tolchenau

clot *v* ceulo *be*

cloth (for wiping etc) clwt *eg* clytiau

cloth (of heavy material) brethyn *eg* brethynnau

cloth (of light material) lliain *eg* llieiniau

cloth body corff lliain *eg* cyrff lliain

cloth patch clwt brethyn *eg* clytiau brethyn

cloth trade masnach frethyn *eb*

clothes dillad *ell*

clothes basket basged ddillad *eb* basgedi dillad

clothes hanger cambren dillad *eb* cambrenni dillad

clothes horse hors ddillad *eb* horsys dillad

clothes line lein ddillad *eb* leiniau dillad

clothes peg peg dillad *eg* pegiau dillad

clothes rack rhesel ddillad *eb* rheseli dillad

clothier brethynnwr *eg* brethynwyr

clotted cream hufen tolch *eg*

cloud cwmwl *eg* cymylau

cloud base gwaelod cwmwl *eg* gwaelodion cwmwl

cloud chamber llestr niwl *eg* llestri niwl

cloud cover gorchudd cwmwl *eg* gorchuddion cwmwl

cloudburst torgwmwl *eg* torgymylau

cloudiness cymyledd *eg*

cloudlet cymylyn *eg* cymylynnau

clout nail hoelen benfawr *eb* hoelion penfawr

clove clof *eg* clofau

clove hitch cwlwm glŷn *eg* clymau glŷn

clover meillionen *eb* meillion

clover leaf junction cyffordd dail meillion *eb* cyffyrdd dail meillion

clown clown *eg* clowniaid

cloze exercise ymarfer llenwi bylchau *eg* ymarferion llenwi bylchau

cloze procedure dull cyfannu *eg* dulliau cyfannu

club clwb *eg* clybiau

club foot troed glwb *eb* traed clwb

clubhouse tŷ clwb *eg* tai clwb

clumsiness lletchwithdod *eg*

clumsy child syndrome syndrom plentyn afrosgo *eg*

Cluniac Order Urdd Cluny *eb*

cluster *n* clwstwr *eg* clystyrau

cluster *v* clystyru *be*

clutch *n* cydiwr *eg* cydwyr

clutch *v* gafael *be*

clutch lever lifer cydiwr *eg* liferi cydiwr

clutch plate plât cydio *eg* platiau cydio

CNAA Cyngor Dyfarniadau Academaidd Cenedlaethol *eg*

co-dominance cyd-drechedd *eg*

co-dominant *adj* cyd-drechyddol *ans*

co-dominant *n* cyd-drechydd *eg* cyd-drechyddion

co-education cydaddysg *eb*

co-educational scheme cynllun cydaddysgol *eg* cynlluniau cydaddysgol

co-educational school ysgol gydaddysgol *eb* ysgolion cydaddysgol

co-enzyme cydensym *eg*

co-ionic coïonig *ans*

co-latitude cyfledred *eg* cyfledredion

co-operate cydweithredu *be*

co-operation cydweithrediad *eg* cydweithrediadau

co-operative cydweithredol *ans*

co-operative bank banc cydweithredol *eg* banciau cydweithredol

co-operative shop siop gydweithredol *eb* siopau cydweithredol

co-operative society cymdeithas gydweithredol *eb* cymdeithasau cydweithredol

co-operative teaching addysgu cydweithredol *be*

co-opt cyfethol *be*

co-opted member aelod cyfetholedig *eg* aelodau cyfetholedig

co-ordinating power gallu cyd-drefnu *eg*

---

co-ordinator cydgysylltwr *eg* cydgysylltwyr

co-reactive cydadweithiol *ans*

co-respondent cydatebydd *eg* cydatebyddion

co-tidal line llinell gyflanw *eb* llinellau cyflanw

coach *v* hyfforddi *be*

coach (=trainer, female) *n* hyfforddwraig *eb* hyfforddwragedd

coach (=trainer, male and general) *n* hyfforddwr *eg* hyfforddwyr

coach bolt bollt goets *eb* bolltau coets

coach horn corn cerbyd *eg* cyrn cerbyd

coach screw sgriw goets *eb* sgriwiau coets

coaching hyfforddiant *eg*

coagulate (in chemistry) clystyru *be*

coagulate (in general) ceulo *be*

coagulate (of blood) tolchennu *be*

coagulated ceuledig *ans*

coagulation (in general) ceulad *eg*

coagulation (of blood) tolcheniad *eg*

coal glo *eg*

coal bearing rocks creigiau â glo *ell*

coal measures cystradau glo *ell*

coal tar *n* col-tar *eg*

coal tar *v* coltario *be*

coal tar dye llifyn col-tar *eg* llifynnau col-tar

coalesce cyfuno *be*

coalescence cyfuniad *eg* cyfuniadau

coalfield maes glo *eg* meysydd glo

coalition clymblaid *eb* clymbleidiau

coaming ymyled *eg*

coarse (=large grained) bras *ans*

coarse (=rough textured) garw *ans*

coarse adjustment cymhwysiad bras *eg* cymwysiadau bras

coarse control rheolydd bras *eg* rheolyddion bras

coarse feed porthiant garw *eg* porthiannau garw

coarse grain graen bras *eg*

coarse grit grit bras *eg*

coarse knurl nwrl bras *eg* nwrliau bras

coarse oilstone carreg hogi gradd arw *eg* cerrig hogi gradd arw

coarse pitch pitsh bras *eg*

coarse surface arwyneb bras *eg* arwynebau bras

coarse texture gwead bras *eg*

coarse thread edau fras *eb* edafedd bras

coarseness garwedd *eg*

coast arfordir *eg* arfordiroedd

coast of emergence arfordir cyfodol *eg* arfordiroedd cyfodol

coastal arfordirol *ans*

coastal current cerrynt arfordirol *eg* ceryntau arfordirol

coastal feature arwedd arfordirol *eb* arweddion arfordirol

coastal flooding llifogydd arfordirol *ell*

coastal landform tirffurf arfordirol *eb* tirffurfiau arfordirol

coastal marsh morfa *eg/b* morfeydd

coastal plain gwastadedd arfordirol *eg* gwastadeddau arfordirol

coastguard gwyliwr y glannau *eg* gwylwyr y glannau

coasting cowstio *be*

coastline morlin *eg* morlinau

coat (in cooking) *n* caen *eg* caenau

coat (in cooking) *v* caenu *be*

coat (in metalwork, plastics) *n* araen *eb* araenau

coat (in metalwork, plastics) *v* araenu *be*

coat (of clothing, paint) *n* cot *eb* cotiau

coat of arms arfbais *eb* arfbeisiau

coat weight pwysau cot *ell*

coat-dress cot ffrog *eb* cotiau ffrog

coating batter cytew caenu *eg*

coaxial cyfechelog *ans*

coaxial cable cebl cyfechelog *eg* ceblau cyfechelog

coaxial circles cylchoedd cyfechelin *ell*

cobalt (Co) cobalt *eg*

cobalt green gwyrdd cobalt *eg*

cobalt violet fioled cobalt *eg*

cobble cobl *eg* coblau

COBOL COBOL *eb*

cobra bit ebill cobra *eg* ebillion cobra

coccidiosis cocsidiosis *eg*

coccus cocws *eg* coci

coccyx asgwrn cynffon *eg* esgyrn cynffon

cochlea cochlea *eg*

cockfeather pluen geiliog *eb* plu ceiliog

cockles cocos *ell*

cockpit talwrn *eg* talyrnau

cocktail coctel *eg* coctels

cocktail stick pren coctel *eg* prennau coctel

cocoa coco *eg*

coconut cneuen goco *eb* cnau coco

cocoon cocŵn *eg* cocynau

cocotte cocotte *eb* cocottes

cod penfras *eg*

cod steak stecen benfras *eb* steciau penfras

coda coda *eg* codâu

CODASYL CODASYL *eb*

code *n* cod *eg* codau

code *v* codio *be*

code figure rhif cod *eg* rhifau cod

code generation cynhyrchu cod *be*

code of behaviour cod ymddygiad *eg*

code of conduct cod ymddygiad *eg* codau ymddygiad

code of good practice cod ymarfer da *eg* codau ymarfer da

code of practice cod ymarfer *eg* codau ymarfer

coder codydd *eg* codyddion

codetta codeta *eg* codetâu

codex codecs *eg* codecsau

codification codeiddiad *eg*

codifier codeiddiwr *eg* codeiddwyr

codify codeiddio *be*

coding codio *be*

coding sheet taflen godio *eb* taflenni codio

coefficient cyfernod *eg* cyfernodau

---

adf, adv adferf, *adverb*   ***ans, adj*** ansoddair, *adjective*   ***be*** berf, *verb*   *eb* enw benywaidd, *feminine noun*   *eg* enw gwrywaidd, *masculine noun*

coefficient of expansion cyfernod ehangiad *eg* cyfernodau ehangiad

coefficient of friction cyfernod ffrithiant *eg* cyfernodau ffrithiant

coefficient of linear expansion cyfernod ehangiad llinol *eg* cyfernodau ehangiad llinol

coefficient of regression cyfernod atchwel *eg* cyfernodau atchwel

coefficient of restitution cyfernod adfer *eg* cyfernodau adfer

coefficient of variation cyfernod amrywiad *eg* cyfernodau amrywiad

coeliac coeliag *ans*

coenobites coenobiaid *ell*

coerce gorfodi *be*

coercion gorfodaeth *eb*

Coercion Act Deddf Gorfodaeth *eb*

coffee coffi *eg*

coffee beans ffa coffi *ell*

coffee break amser paned *eg*

coffee maker peiriant coffi *eg* peiriannau coffi

coffee table bwrdd coffi *eg* byrddau coffi

coffer coffr *eg* coffrau

cog cocsen *eb* cocs

cogged danheddog *ans*

cogged joint uniad cocsen *eg* uniadau cocsen

cogging (using fullers) cogyddio (defnyddio panyddion) *be*

cognition gwybyddiaeth *eb*

cognitive gwybyddol *ans*

cognitive ability gallu gwybyddol *eg* galluoedd gwybyddol

cognitive behaviour therapy therapi ymddygiad gwybyddol *eg*

cognitive deficit diffyg gwybyddol *eg* diffygion gwybyddol

cognitive development datblygiad gwybyddol *eg*

cognitive disorder anhwylder gwybyddol *eg* anhwylderau gwybyddol

cognitive disturbance tarfiad gwybyddol *eg* tarfiadau gwybyddol

cognitive domain maes gwybyddol *eg*

cognitive learning dysgu gwybyddol *be*

cognitive meaning ystyr gwybyddol *eg* ystyron gwybyddol

cognitive objective amcan gwybyddol *eg* amcanion gwybyddol

cognitive process proses wybyddol *eb* prosesau gwybyddol

cognitive psychology seicoleg wybyddol *eb*

cognitive restructuring ailstrwythuro gwybyddol *be*

cognitive test prawf gwybyddol *eg* profion gwybyddol

cognizance of pleas hawl pledio *eg*

cogwheel olwyn gocos *eb* olwynion cocos

coherence cydlyniad *eg*

coherent (of argument etc) rhesymegol *ans*

coherent (of language) dealladwy *ans*

coherent (of person) trefnus *ans*

coherent (of whole, of parts) cydlynol *ans*

cohesion cydlyniad *eg* cydlyniadau

cohesive cydlynol *ans*

cohesiveness cydlynrwydd *eg*

cohort carfan *eb* carfannau

coil (in electronics) coil *eg* coiliau

coil (of rope, hair, clay) torch *eg* torchau

coil ignition taniad coil *eg* taniadau coil

coil spring sbring coil *eg* sbringiau coil

coiled-coil lamp lamp coil dwbl *eb* lampau coil dwbl

coiling (pottery) torchi *be*

coin darn arian *eg* darnau arian

coin hoard celc arian bath *eg* celciau arian bath

coinage arian bath *eg*

coincide cyd-daro *be*

coincident cyd-drawol *ans*

coke golosg *eg*

coke fuel tanwydd golosg *eg*

coke oven batteries cyfres ffyrnau golosg *eb* cyfresi ffyrnau golosg

coking coal glo golosg *eg*

col col *eg* colau

col legno col legno *adf*

colander colandr *eg* colandrau

cold *adj* oer *ans*

cold *n* oerni *eg*

cold (=common cold) *n* annwyd *eg* anwydau

cold chisel cŷn caled *eg* cynion caled; gaing galed *eb* geingiau caled

cold colour lliw oer *eg* lliwiau oer

cold drawn *(with feminine nouns)* wedi'i thynnu'n oer *ans* wedi'u tynnu'n oer

cold drawn *(with masculine nouns)* wedi'i dynnu'n oer *ans* wedi'u tynnu'n oer

cold front ffrynt oer *eg* ffryntiau oer

cold glue glud oer *eg*

cold restart ailgychwyniad oer *eg* ailgychwyniadau oer

cold riveting rhybedu oer *be*

cold set set oer *eb* setiau oer

cold shortness oer freuder *eg*

cold soldering sodro oer *be*

cold strip mill melin strip oer *eb* melinau strip oer

cold sweet pwdin oer *eg*

cold war rhyfel oer *eg* rhyfeloedd oer

cold water dye llifyn dŵr oer *eg* llifynnau dŵr oer

cold water glue glud dŵr oer *eg*

cold water paste past dŵr oer *eg*

cold water starch startsh dŵr oer *eg*

cold welding weldio oer *be*

cold wind rhewynt *eg* rhewyntoedd

cold working of materials gweithio defnyddiau'n oer *be*

cold-forming ffurfio'n oer *be*

coleoptile coleoptil *eg*

coleorhiza coleorhisa *eg*

coleslaw coleslaw *eg*

coley celog *eg* celogiaid

colic colig *eg*

colitic colitig *ans*

collaborator cydweithredwr *eg* cydweithredwyr

collage collage *eg*

---

eg/b enw gwrywaidd/benywaidd, *feminine/masculine noun*   *ell* enw lluosog, *plural noun*   *v* berf, *verb*   *n* enw, *noun*

collagen colagen *eg*

collapse *n* cwymp *eg* cwympiadau

collapse *v* cwympo *be*

collapse the scrum cwympo'r sgrym *be*

collar coler *eg/b* coleri

collar hammer morthwyl coleru *eg* morthwylion coleru

collar with band coler â band *eg* coleri â band

collar-bone pont yr ysgwydd *eb*

collared urn wrn â choler *eg*

collaring coleru *be*

collate coladu *be*

collateral bundle sypyn cyfraidd *eg* sypynnau cyfraidd

collation coladiad *eg* coladiadau

collator coladydd *eg* coladwyr

collect casglu *be*

collect information casglu gwybodaeth *be*

collect the ball casglu'r bêl *be*

collection casgliad *eg* casgliadau

collective bargaining cydfargeinio *be*

collective farm fferm gyfunol *eb* ffermydd cyfunol

collective worship cydaddoli *be*

collectivism cyfunoliaeth *eb*

collectivization cyfunoliad *eg*

college coleg *eg* colegau

college board bwrdd coleg *eg* byrddau coleg

college of education coleg addysg *eg* colegau addysg

college of further education coleg addysg bellach *eg* colegau addysg bellach

college of higher education coleg addysg uwch *eg* colegau addysg uwch

collegiate church eglwys golegaidd *eb* eglwysi colegaidd

collegiate university prifysgol golegol *eb* prifysgolion colegol

collenchyma colencyma *eg*

collet colet *eg* coletau

collet chuck crafanc colet *eb* crafangau colet

collet hammer morthwyl colet *eg* morthwylion colet

collide gwrthdaro *be*

colliery pwll glo *eg* pyllau glo

colligate cydglymu *be*

colligative property priodwedd gydglymu *eb* priodweddau cydglymu

collimator cyflinydd *eg* cyflinyddion

collinear unllin *ans*

collinearity unllinedd *eg* unllineddau

collineation unlliniad *eg* unlliniadau

collision gwrthdrawiad *eg* gwrthdrawiadau

collisionless model model anwrthdrawol *eg* modelau anwrthdrawol

colloid coloid *eg* coloidau

colloidal coloidaidd *ans*

colloidal solution hydoddiant coloidaidd *eg* hydoddiannau coloidaidd

colloquy cynulliad *eg* cynulliadau

collusion cydgynllwynio *be*

colluvial casglifol *ans*

colluvium casglifiad *eg*

cologarithm cyflogarithm *eg* cyflogarithmau

colon colon *eg* colonau

colonel cyrnol *eg* cyrnolau

colonial trefedigaethol *ans*

colonial history hanes y trefedigaethau *eg*

colonial preference blaenoriaeth i'r trefedigaethau *eb*

Colonial Secretary Ysgrifennydd y Trefedigaethau *eg*

colonization gwladychiad *eg* gwladychiadau

colonize (in biology) cytrefu *be*

colonize (in history) trefedigaethu *be*

colony (in biology) cytref *eb* cytrefi

colony (in history) trefedigaeth *eb* trefedigaethau

coloratura coloratwra *ans*

coloratura soprano soprano goloratwra *eb* sopranos coloratwra

colostomy colostomi *eg* colostomïau

colostrum colostrwm *eg*

colour *n* lliw *eg* lliwiau

colour *v* lliwio *be*

colour additive ychwanegyn lliw *eg* ychwanegion lliw

colour bar (in apartheid) gwaharddiad lliw *eg*

colour blind dall i liwiau *ans*

colour blindness dallineb lliw *eg*

colour block bloc lliw *eg* blociau lliw

colour box blwch lliw *eg* blychau lliw

colour cake teisen liw *eb* teisenni lliw

colour chart siart lliwiau *eg* siartiau lliwiau

colour coding cod lliwiau *eg*

colour combinations cyfuniadau o liwiau

colour filter hidlydd lliw *eg* hidlyddion lliw

colour medium cyfrwng lliw *eg*

colour mixing cymysgu lliwiau *be*

colour pencil pensil lliw *eg* pensiliau lliw

colour perspective persbectif lliw *eg*

colour print print lliw *eg* printiadau lliw

colour range amrediad lliw *eg*

colour scheme cynllun lliw *eg* cynlluniau lliw

colour stick ffon lliw *eb* ffyn lliw

colour tooling leaf dalen offeru lliw *eb* dalennau offeru lliw

colour vision golwg lliw *eg*

colourant lliwydd *eg* lliwyddion

colouration lliwiad *eg* lliwiadau

coloured bead glain lliw *eg* gleiniau lliw

coloured card cerdyn lliw *eg* cardiau lliw

coloured cardboard cardbord lliw *eg*

coloured cartridge paper papur catris lliw *eg*

coloured cellophane seloffan lliw *eg*

coloured cement sment lliw *eg*

coloured chalk sialc lliw *eg* sialciau lliw

coloured drawing ink inc lluniadu lliw *eg* inciau lluniadu lliw

coloured eyelet llygaden liw *eb* llygadennau lliw

coloured felt ffelt lliw *eg*

coloured glass gwydr lliw *eg*

coloured glassware llestri gwydr lliw *ell*

coloured lace carrai liw *eb* careiau lliw

---

coloured paper papur lliw *eg*
coloured perspex persbecs lliw *eg*
coloured plasticine plastisin lliw *eg*
coloured starch startsh lliw *eg*
coloured tissue paper papur sidan lliw *eg*
colourfast dye llifyn anniflan *eg* llifynnau anniflan
colouring (in finishing metal, blacking) lliwio (duo) *be*
colouring (in finishing metal, bluing) lliwio (glasu) *be*
colouring agent cyfrwng lliwio *eg* cyfryngau lliwio
colourless di-liw *ans*
column colofn *eb* colofnau
column break toriad colofn *eg* toriadau colofn
column graph graff colofn *eg* graffiau colofn
column matrix matrics colofn *eg* matricsau colofn
column of threes (Llanofer) colofn drioedd *eb*
column vector fector colofn *eg* fectorau colofn
columnar epithelium epitheliwm colofnog *eg*
comb *n* crib *eg/b* cribau
comb *v* cribo *be*
comb joint uniad crib *eg* uniadau crib
comb of harp crib telyn *eb* cribau telynau
combat gornest *eb* gornestau
combination *adj* cyfunol *ans*
combination *n* cyfuniad *eg* cyfuniadau
Combination Act Deddf Cyfuno *eb*
combination callipers caliperau cyfunol *ell*
combination chuck crafanc gyfunol *eb* crafangau cyfunol
combination drill dril canoli cyfunol *eg* driliau canoli cyfunol
combination easel îsl cyfunol *eg* islau cyfunol
combination hinge colfach cyfunol *eg* colfachau cyfunol
combination of the two cyfuniad o'r ddau *eg*
combination of units cyfuniad o unedau *eg*
combination oilstone carreg hogi ddwbl *eb* cerrig hogi dwbl
combination pedal pedal cyfuno *eg* pedalau cyfuno
combination piston piston cyfuno *eg* pistonau cyfuno
combination plane plaen amlddefnydd *eg* plaeniau amlddefnydd
combination pliers gefelun gyfunol *eb* gefeiliau cyfunol
combination punches cyfuniad dyrnodau *eg*
combination set set gyfunol *eb* setiau cyfunol
combination square sgwâr cyfunol *eg* sgwariau cyfunol
combination stop stop cyfuno *eg* stopiau cyfuno
combination tone cyfunsain *eg* cyfunseiniau
combinatorial cyfuniadol *ans*
combine cyfuno *be*
combine harvester dyrnwr medi *eg* dyrnwyr medi
combined cyfunol *ans*
combined carbon carbon cyfunol *eg*
combined gate knife and heart trowel cyllell gât a thrywel calon cyfunol *eg*
combined rivet set and snap set a snap rhybed cyfunol
combined subject syllabus maes llafur pwnc cyfun *eg* meysydd llafur pynciau cyfun
combined vaults llofneidiau cysylltiol *ell*

combining text cyfuno testun *be*
combustible hylosg *ans*
combustion (in chemistry) hylosgiad *eg* hylosgiadau
combustion (in general) taniad *eg* taniadau
come to rest dod i aros *be*
comet comed *eb* comedau
comfort *n* cysur *eg* cysuron
comfort *v* cysuro *be*
comfortable cyffyrddus *ans*
comic atmosphere awyrgylch comig *eg*
comic character cymeriad comig *eg* cymeriadau comig
comic opera opera gomig *eb* operâu comig
Cominform Cominfform *eg*
comma coma *eg* comas
command *n* gorchymyn *eg* gorchmynion
command *v* gorchymyn *be*
command code cod gorchymyn *eg* codau gorchymyn
command-response method dull gorchymyn ac ymateb *eg*
commander (military) cadlywydd *eg* cadlywyddion
commander (naval) comander *eg* comanderiaid
commander-in-chief cadbennaeth *eg* cadbenaethiaid
commandery pencadlys *eg* pencadlysoedd
commencement date dyddiad cychwyn *eg* dyddiadau cychwyn
commendation cymeradwyaeth *eb*
commensal cydfwytaol *ans*
commensalism cydfwytäedd *eg*
commensurable cyfesur *ans*
comment sylw *eg* sylwadau
comment bank cronfa sylwadau *eb* cronfeydd sylwadau
commentary (=descriptive spoken account) sylwebaeth *eb* sylwebaethau
commentary (=explanatory notes) esboniad *eg* esboniadau
commentator (on bible) esboniwr *eg* esbonwyr
commentator (on game etc) sylwebydd *eg* sylwebwyr
commerce masnach *eb* masnachau
commercial masnachol *ans*
commercial application cymhwysiad masnachol *eg* cymwysiadau masnachol
commercial arithmetic rhifyddeg masnach *eb*
commercial art celfyddyd fasnachol *eb*
commercial baby foods bwydydd masnachol i fabanod *ell*
commercial bank banc masnachol *eg*
commercial capitalism cyfalafiaeth fasnach *eb*
Commercial Code Cod Masnach *eg*
commercial data processing prosesu data masnachol *be*
commercial education addysg fasnachol *eb*
commercial laundry golchdy masnachol *eg* golchdai masnachol
commercial pattern patrwm parod *eg* patrymau parod
commercial privilege braint fasnachol *eb* breintiau masnachol
commercial traveller trafaeliwr *eg* trafaelwyr
comminution pyloriant *eg*
commissar comisar *eg* comisariaid

---

commissary general dirprwy cyffredinol *eg* dirprwyaid cyffredinol

commission *n* comisiwn *eg* comisiynau

commission *v* comisiynu *be*

commission of array comisiwn aráe *eg*

commission of oyer and terminer comisiwn oyer a terminer *eg*

commissioner comisiynydd *eg* comisiynwyr

Commissions for Sequestration Comisiynwyr yr Atafaeliad *ell*

commit (for trial) traddodi (i sefyll prawf) *be*

commit suicide cyflawni hunanladdiad *be*

commitment ymrwymiad *eg* ymrwymiadau

commitments to expenditure ymrwymiadau gwario *ell*

committed ymrwymedig *ans*

committee pwyllgor *eg* pwyllgorau

Committee for Plundered Ministers Pwyllgor y Gweinidigion Ysbeiliedig *eg*

Committee for the Propagation of the Gospel Pwyllgor er Taenu'r Efengyl *eg*

Committee of Accounts Pwyllgor Cyfrifon *eg*

Committee of Delinquency Pwyllgor Troseddau *eg*

Committee of Public Safety Pwyllgor Diogelwch y Cyhoedd *eg*

commode comôd *eg* comodau

commodity nwydd *eg* nwyddau

commodore comodor *eg* comodoriaid

common cyffredin *ans*

common agricultural policy (CAP) polisi amaethyddol cyffredin *eg*

common ancestor cyd-hynafiad *eg* cyd-hynafiaid

common assault ymosod cyffredin *be*

common chord cord cyffredin *eg* cordiau cyffredin

common cold annwyd *eg* anwydau

common component cydran gyffredin *eb* cydrannau cyffredin

common curriculum cwricwlwm cyffredin *eg*

common difference gwahaniaeth cyffredin *eg*

common ethos ethos cyffredin *eg*

common fraction ffracsiwn cyffredin *eg*

common joint uniad cyffredin *eg* uniadau cyffredin

common land tir comin *eg* tiroedd comin

common law cyfraith gwlad *eb*

common logarithm logarithm cyffredin *eg* logarithmau cyffredin

common metre mesur cyffredin (MC) *eg*

common of pasture cytawl pori *eb*

common of turbary hawl torri mawn *eg*

common penny treth y geiniog *eb*

common room ystafell gyffredin *eb* ystafelloedd cyffredin

common salt halen *eg*

common sense synnwyr cyffredin *eg*

common speech iaith gyffredin *eb*

common standard unit uned safonol gyffredin *eb* unedau safonol cyffredin

common syllabus maes llafur cyffredin *eg* meysydd llafur cyffredin

common thread edau gyffredin *eb* edafedd cyffredin

common time amser cyffredin *eg*

common values gwerthoedd cyffredin *ell*

Common Weal Lles Cyffredin *eg*

commonalty pobl gyffredin *eb*

commoner gwrêng *eg* gwrengod

Commonwealth of Independent States Cymanwlad y Gwladwriaethau Annibynnol *eb*

Commonwealth, the (17th century) Gwerinlywodraeth (Cromwell) *eb*

Commonwealth, the (modern British) Cymanwlad, y Gymanwlad (Brydeinig) *eb*

commote cwmwd *eg* cymydau

communal cymunedol *ans*

commune comiwn *eg* comiwnau

communicate *v.intrans* cyfathrebu *be*

communicate *v.trans* cyfleu *be*

communicate ideas cyfleu syniadau *be*

communicate meaning cyfleu ystyr *be*

communicating information cyfleu gwybodaeth *be*

communication cyfathrebiad *eg* cyfathrebiadau

communication difficulty anhawster cyfathrebu *eg* anawsterau cyfathrebu

communication line lein gyfathrebu *eb* leiniau cyfathrebu

communication link cyswllt cyfathrebu *eg* cysylltau cyfathrebu

communication network rhwydwaith cyfathrebu *eg* rhwydweithiau cyfathrebu

communicational cyfathrebol *ans*

communications processing prosesu cyfathrebiadau *be*

Communion Cymundeb *eg*

communion table bwrdd y cymun *eg*

communism comiwnyddiaeth *eb*

communist *adj* comiwnyddol *ans*

communist *n* comiwnydd *eg* comiwnyddion

Communist Party Plaid Gomiwnyddol *eb*

community cymuned *eb* cymunedau

community care gofal yn y gymuned *eg*

community centre canolfan gymuned *eb* canolfannau cymuned

community college coleg cymunedol *eg* colegau cymunedol

community development datblygiad cymunedol *eg* datblygiadau cymunedol

community education addysg gymunedol *eb*

Community Health Council Cyngor Iechyd Cymdeithas *eg* Cynghorau Iechyd Cymdeithas

community home cartref cymuned *eg* cartrefi cymuned

community hospital ysbyty cymuned *eg* ysbytai cymuned

community links cysylltiadau gyda'r gymuned *ell*

community living service gwasanaeth byw yn y gymuned *eg* gwasanaethau byw yn y gymuned

community mental handicap team tîm cymuned anfantais meddwl *eg* timau cymuned anfantais meddwl

community mental health team tîm cymuned iechyd meddwl *eg* timau cymuned iechyd meddwl

community nurse nyrs cymuned *eb* nyrsys cymuned

community nurse, mental handicap nyrs cymuned, anfantais meddwl *eb* nyrsys cymuned, anfantais meddwl

community physician meddyg cymuned *eg* meddygon cymuned

community psychiatric nurse nyrs seiciatrig cymuned *eb* nyrsys seiciatrig cymuned

community school ysgol gymunedol *eb* ysgolion cymunedol

community spirit ysbryd cymunedol *eg*

community support service gwasanaeth cynnal yn y gymuned *eg* gwasanaethau cynnal yn y gymuned

commutation cymudiad *eg*

commutative cymudol *ans*

commutative group grŵp cymudol *eg*

commutative law deddf gymudol *eb* deddfau cymudol

commutator cymudadur *eg* cymudaduron

commute cymudo *be*

commuter cymudwr *eg* cymudwyr

compact *adj* cryno *ans*

compact *v* cywasgu *be*

compactness crynoder *eg*

compactor crynodiadur *eg* crynodiaduron

companion cell cymargell *eb* cymargelloedd

companion teaching addysgu cefnogol *be*

company cwmni *eg* cwmnïau

company finance arian cwmni *eg*

company union undeb y cwmni *eg*

company unionism undebaeth cwmni *eb*

comparability cymaroldeb *eg*

comparable (in economics) cymaradwy *ans*

comparative cymharol *ans*

comparative advantage mantais gymharol *eb* manteision cymharol

comparative cost cost gymharol *eb* costau cymharol

comparative linguistics ieithyddiaeth gymharol *eb*

comparative psychology seicoleg gymharol *eb*

comparative reading darllen cymharol *eg*

comparative scale graddfa gymharol *eb* graddfeydd cymharol

comparative study astudiaeth gymharol *eb* astudiaethau cymharol

comparator cymharydd *eg* cymaryddion

compare cymharu *be*

compare results cymharu canlyniadau *be*

comparison cymhariaeth *eb* cymariaethau

comparison goods nwyddau cymhariaeth *ell*

compartment adran *eb* adrannau

compass (=extent, range of tone) cwmpas *eg* cwmpasau

compass (to find direction) cwmpawd *eg* cwmpawdau

compass callipers caliperau cwmpas *ell*

compass housing amgaead cwmpawd *eg* amgaeadau cwmpawdau

compass north gogledd cwmpawd *eg*

compass plane plaen amgrwm *eg* plaenau amgrwm

compass saw llif gwmpas *eb* llifiau cwmpas

compass walk taith gwmpawd *eb* teithiau cwmpawd

compassion tosturi *eg*

compatibility cytunedd *eg* cytuneddau

compatible cydnaws *ans*

compensate (=make amends) gwneud iawn *be*

compensate (=recompense) digolledu *be*

compensation iawndal *eg* iawndaliadau

compensation agreement cytundeb iawndal *eg* cytundebau iawndal

compensatory changes newidiadau cydadferol *ell*

compensatory education addysg gydadferol *eb*

compensatory exercise ymarfer cydadfer *eg* ymarferion cydadfer

compensatory programme rhaglen gydadferol *eb* rhaglenni cydadferol

compete cystadlu *be*

compete for the ball cystadlu am y bêl *be*

competence (in education) cymhwysedd *eg* cymwyseddau

competence (of river) cymhwyster (afon) *eg*

competent cymwys *ans*

competition cystadleuaeth *eb* cystadlaethau

competition for resources cystadlu am adnoddau *be*

competition rule rheol cystadlu *eb* rheolau cystadlu

competitive cystadleuol *ans*

competitive game gêm gystadleuol *eb* gemau cystadleuol

competitive play chwarae cystadleuol *eg*

competitive task tasg gystadleuol *eb* tasgau cystadleuol

competitive team games gemau tîm cystadleuol *ell*

competitiveness awydd i gystadlu *eg*

competitor cystadleuydd *eg* cystadleuwyr

compilation crynhoad *eg* crynoadau

compile crynhoi *be*

compiled language iaith grynodol *eb* ieithoedd crynoadol

compiler crynhoydd *eg* crynoyddion

compiling program rhaglen grynhoi *eb* rhaglenni crynhoi

complain cwyno *be*

complaint (=grievance) cwyn *eb* cwynion

complaint (physical / medical) anhwylder *eg* anhwylderau

complement *n* cyflenwad *eg* cyflenwadau

complement *v* cyflenwi *be*

complementarity cyfatebolrwydd *eg*

complementary cyflenwol *ans*

complementary addition method dull adio cyflenwol *eg*

complementary angles ongl gyflenwol *eb* onglau cyflenwol

complementary colour lliw cyflenwol *eg* lliwiau cyflenwol

complete *adj* cyflawn *ans*

complete *v* cwblhau *be*

complete cadence diweddeb berffaith *eb* diweddebau perffaith

complete circuit cylched gyflawn *eb* cylchedau cyflawn

complete primitive datrysiad cyflawn *eg* datrysiadau cyflawn

complete radiation pelydriad cyflawn *eg*

complete revolution cylchdro cyflawn *eg* cylchdroeon cyflawn

complete section trychiad cyflawn *eg* trychiadau cyflawn

complete sectional elevation golwg trychiadol cyflawn *eg* golygon trychiadol cyflawn

complete the square cwblhau'r sgwâr *be*

complete turn tro cyflawn *eg* troeon cyflawn

complete view golwg cyflawn *eg* golygon cyflawn

completely yn llwyr *adf*

completeness cyflawnrwydd *eg*

complex (=complicated) *adj* cymhleth *ans*

complex (consisting of related parts; composite) *adj* cymhlyg *ans*

complex (in chemistry) *n* cymhlygyn *eg* cymhlygion

complex (of chemicals) *v* cymhlygu *be*

complex conjugate cyfiau cymhlyg *eg* cyfieuau cymhlyg

complex function ffwythiant cymhlyg *eg* ffwythiannau cymhlyg

complex number rhif cymhlyg *eg* rhifau cymhlyg

complex sequence of movements dilyniant cymhleth o symudiadau *eg* dilyniannau cymhleth o symudiadau

complex skills sgiliau cymhleth *ell*

complex variable newidyn cymhlyg *eg* newidynnau cymhlyg

complexity cymhlethdod *eg* cymhlethdodau

compliance cydymffurfiad *eg*

complicated fracture torasgwrn cymhleth *eg* toresgyrn cymhleth

complication cymhlethdod *eg* cymhlethdodau

compline cwmplin *eg* complin

compoboard cywasgfwrdd *eg* cywasgfyrddau

component cydran *eb* cydrannau

component of a force cydran grym *eb* cydrannau grym

component of velocity cydran cyflymder *eb* cydrannau cyflymder

component part darn cydrannol *eg* darnau cydrannol

compose cyfansoddi *be*

compose sequences cyfansoddi dilyniannau *be*

composite cyfansawdd *ans*

composite end view ochrolwg cyfansawdd *eg* ochrolygon cyfansawdd

composite stitch pwyth cyfansawdd *eg* pwythau cyfansawdd

composite view golwg cyfansawdd *eg* golygon cyfansawdd

composition (=essay) traethawd *eg* traethodau

composition (in general) cyfansoddiad *eg* cyfansoddiadau

composition of blood cyfansoddiad y gwaed *eg*

composition pedal pedal cyfuno *eg* pedalau cyfuno

composition piston piston cyfuno *eg* pistonau cyfuno

compositional cyfansoddiadol *ans*

compositional weight pwyslais cyfansoddiadol *eg*

compote compot *eg*

compound *adj* cyfansawdd *ans*

compound *n* cyfansoddyn *eg* cyfansoddion

compound (a problem etc) *v* cymhlethu *be*

compound attack ymosod cyfun *eg*

compound binary form ffurf ddwyran gyfansawdd *eb* ffurfiau dwyran cyfansawdd

compound curve cromlin gyfansawdd *eb* cromlinau cyfansawdd

compound drive gyriad cyfansawdd *eg* gyriadau cyfansawdd

compound eye llygad cyfansawdd *eg* llygaid cyfansawdd

compound fracture torasgwrn agored *eg* toresgyrn agored

compound gear train trên gêr cyfansawdd *eg* trenau gêr cyfansawdd

compound inflorescence fflurgainc gyfansawdd *eb* fflurgeinciau cyfansawdd

compound interest adlog *eg* adlogau

compound interval cyfwng cyfansawdd *eg* cyfyngau cyfansawdd

compound leaf deilen gyfansawdd *eb* dail cyfansawdd

compound line graph graff llinell gyfansawdd *eg* graffiau llinellau cyfansawdd

compound matrix matrics cyfansawdd *eg* matricsau cyfansawdd

compound pendulum pendil cyfansawdd *eg* pendiliau cyfansawdd

compound riposte riposte cyfun *eg*

compound shoreline traethlin cyfansawdd *eg* traethlinau cyfansawdd

compound slide llithryn cyfansawdd *eg* llithrynnau cyfansawdd

compound stain staen cyfansawdd *eg* staeniau cyfansawdd

compound train trên cyfansawdd *eg* trenau cyfansawdd

compound wound dirwyniad cyfansawdd *eg* dirwyniadau cyfansawdd

compounding vectors cyfuno fectorau *be*

comprehensibility eglurder *eg*

comprehension dealltwriaeth *eb*

comprehension test prawf darllen a deall *eg* profion darllen a deall

comprehensive (=all-inclusive) cynhwysfawr *ans*

comprehensive education addysg gyfun *eb*

comprehensive insurance yswiriant cyfun *eg*

comprehensive school ysgol gyfun *eb* ysgolion cyfun

compress cywasgu *be*

compressed cywasgedig *ans*

compressed air aer cywasgedig *eg*

compressibility cywasgadwyedd *eg*

compressible cywasgadwy *ans*

compression (action of) cywasgiad *eg* cywasgiadau

compression (=reduction in volume) cywasgedd *eg* cywasgeddau

compression moulding mowldin cywasgedd *eg* mowldinau cywasgedd

compression spring sbring cywasgu *eg* sbringiau cywasgu

compressive force grym cywasgol *eg* grymoedd cywasgol

compressor cywasgydd *eg* cywasgyddion

compromise cyfaddawd *eg* cyfaddawdau

compromise of Avranches cyfaddawd Avranches *eg*

comptroller distain *eg* disteiniaid

compulsion gorfodaeth *eb* gorfodaethau

compulsory gorfodol *ans*

compulsory count cownt gorfod *eg*

compulsory education addysg orfodol *eb*

compulsory purchase order gorchymyn prynu gorfodol *eg* gorchmynion prynu gorfodol

compulsory subject pwnc gorfodol *eg* pynciau gorfodol

computation cyfrifiant *eg* cyfrifiannau

computational method dull cyfrifiannu *eg* dulliau cyfrifiannu

---

adf, adv adferf, *adverb* *ans, adj* ansoddair, *adjective* *be* berf, *verb* *eb* enw benywaidd, *feminine noun* *eg* enw gwrywaidd, *masculine noun*

compute cyfrifiannu *be*

computer *adj* cyfrifiadurol *ans*

computer *n* cyfrifiadur *eg* cyfrifiaduron

computer aided design (CAD) cynllunio drwy gymorth cyfrifiadur *be*

computer aided education (CAE) addysg drwy gymorth cyfrifiadur *eb*

computer aided instruction (CAI) hyfforddiant drwy gymorth cyfrifiadur *eg*

computer aided learning (CAL) dysgu drwy gymorth cyfrifiadur

computer aided learning (CAL) dysgu drwy gymorth cyfrifiadur *be*

computer aided manufacture (CAM) gweithgynhyrchu drwy gymorth cyfrifiadur *be*

computer aided production management (CAPM) cynhyrchu drwy gymorth cyfrifiadur *be*

computer architecture saernïaeth gyfrifiadurol *eb*

computer control rheolaeth gyfrifiadurol *eb*

computer graphics graffigwaith cyfrifiadurol *eg*

computer interface rhyngwyneb cyfrifiadurol *eg* rhyngwynebau cyfrifiadurol

computer literacy llythrennedd cyfrifiadurol *eg*

computer managed learning (CML) dysgu dan arweiniad cyfrifiadur *be*

computer model model cyfrifiadurol *eg* modelau cyfrifiadurol

computer modelling modelu cyfrifiadurol *be*

computer music cerddoriaeth gyfrifiadur *eb*

computer network rhwydwaith cyfrifiadurol *eg* rhwydweithiau cyfrifiadurol

computer operator cyfrifiadurwr *eg* cyfrifiadurwyr

computer output to microfilm (COM) microffilm o gyfrifiadur *eg*

computer personnel personél cyfrifiadur *ell*

computer printout allbrint cyfrifiadurol *eg* allbrintiau cyfrifiadurol

computer readable darllenadwy i gyfrifiadur *ans*

computer science cyfrifiadureg *eb*

computer scientist cyfrifiadurwr *eg* cyfrifiadurwyr

computer simulation efelychiad cyfrifiadurol *eg* efelychiadau cyfrifiadurol

computer spreadsheet taenlen gyfrifiadurol *eb* taenlenni cyfrifiadurol

computer studies astudiaethau cyfrifiadur *ell*

computer system system gyfrifiadurol *eb* systemau cyfrifiadurol

computer-controlled a reolir gan gyfrifiadur *ans*

computer-marked assignment (CMA) aseiniad a fercir â chyfrifiadur *eg* aseiniadau a fercir â chyfrifiadur

computerize cyfrifiaduro *be*

computerized cyfrifiadurol *ans*

computing cyfrifiadura *be*

comrade cymrawd *eg* cymrodyr

con sordino con sordino *eg* con sordini

conation ymdrechiad *eg* ymdrechiadau

conative ymdrechol *ans*

concatenate cydgadwyno *be*

concatenation cydgadwynedd *eg*

concave ceugrwm *ans*

concave curvature ceugrymedd *eg* ceugrymeddau

concave curve cromlin geugrwm *eb* cromliniau ceugrwm

concave lens lens ceugrwm *eg* lensiau ceugrwm

concave milling cutter melinwr ceugrwm *eg* melinwyr ceugrwm

concave slope llethr ceugrwm *eg* llethrau ceugrwm

concave surface arwyneb ceugrwm *eg* arwynebau ceugrwm

concavity ceugrymedd *eg* ceugrymeddau

conceal cuddio *be*

concealed cudd *ans*

concealed coalfield maes glo cudd *eg* meysydd glo cudd

concealed lighting golau cudd *eg*

concealed opening agoriad cudd *eg* agoriadau cudd

conceive (a child) *v.trans* cenhedlu *be*

conceive (=become pregnant) *v.intrans* beichiogi *be*

concentrate (in chemistry) crynodi *be*

concentrate (mind) canolbwyntio *be*

concentrate (sauce) dwysáu *be*

concentrated crynodol *ans*

concentrated (in chemistry) crynodedig *ans*

concentrated acid asid crynodedig *eg* asidau crynodedig

concentration (in chemistry) crynodiad *eg* crynodiadau

concentration camp gwersyll crynhoi *eg* gwersylloedd crynhoi

concentric cydganol *ans*

concentric circles cylchoedd cydganol *ell*

concept cysyniad *eg* cysyniadau

concept keyboard cyffyrddell *eb* cyffyrddellau

concept sorting test prawf cysyniadau *eg* profion cysyniadau

conceptacle conseptagl *eg* conseptaglau

conception (of a child) cenhedliad *eg*

conceptional cysyniadol *ans*

concepts of leisure cysyniadau hamdden *ell*

conceptual development datblygiad cysyniadol *eg* datblygiadau cysyniadol

conceptual framework fframwaith cysyniadol *eg* fframweithiau cysyniadol

conceptual understanding dealltwriaeth gysyniadol *eb*

concert cyngerdd *eg/b* cyngherddau

concert harp telyn gyngerdd *eb* telynau cyngerdd

Concert of Europe Cytgord Ewrop *eg*

concert overture agorawd cyngerdd *eb* agorawdau cyngerdd

concert pitch traw cyngerdd *eg*

concertante concertante *eg* concertanti

concertina consertina *eg* consertinâu

concertino concertino *eg* concertini

concerto concerto *eg* concerti

concerto grosso concerto grosso *eg* concerti grossi

concession consesiwn *eg* consesiynau

conchoid concoid *eg* concoidau

conchoidal concoidaidd *ans*

conciliar cynghoraidd *ans*

Conciliar Movement Mudiad y Cynghorau *eg*

---

conciliation cymodi *be*

conclave cymanfa *eb* cymanfaoedd

conclave of cardinals cymanfa'r cardinaliaid *eb*

conclusion casgliad *eg* casgliadau

concomitant cydredol *ans*

concord (=harmony) cytgord *eg* cytgordiau

concord (=treaty) cytundeb *eg* cytundebau

concordant cydgordiol *ans*

concordat concordat *eg* concordatiau

concrete *adj* diriaethol *ans*

concrete *n* concrit *eg*

concrete aggregates agregau concrit *ell*

concrete art celfyddyd ddiriaethol *eb*

concrete foundation sylfaen goncrit *eb* sylfeini concrit

concrete music cerddoriaeth ddiriaethol *eb*

concrete operational stage stad weithredu ddiriaethol *eb*

concrete operational thought meddwl gweithredu diriaethol *eg*

concretion concretiad *eg*

concretization diriaetholi *be*

concubinage gordderchaeth *eb*

concubine gordderch *eb* gordderchadon

concur (in mathematics) cydgroesi *be*

concurrent cydamserol *ans*

concurrent (lines etc) cytgroes *ans*

concurrent (processes) cyfamserol *ans*

concyclic cydgylchol *ans*

condensation (=condensed water vapour) anwedd *eg*

condensation (process of) cyddwysiad *eg*

condensation reaction adwaith cyddwyso *eg*

condense cyddwyso *be*

condensed cyddwysedig *ans*

condensed milk llaeth cyddwysedig *eg*

condenser (=capacitor) cynhwysydd *eg* cynwysyddion

condenser (distilling in chemistry) cyddwysydd *eg* cyddwysyddion

condiments pupur a halen

condition (=state) cyflwr *eg* cyflyrau

condition (=stipulation etc) amod *eg* amodau

condition codes codau cyflwr *ell*

condition of sale amod gwerthu *eg* amodau gwerthu

condition of service amod gwasanaeth *eg* amodau gwasanaeth

conditional amodol *ans*

conditional branch instruction cyfarwyddyd canghennu amodol *eg* cyfarwyddiadau canghennu amodol

conditional jump naid amodol *eb* neidiau amodol

conditional probability tebygolrwydd amodol *eg* tebygolrwyddau amodol

conditional transfer trosglwyddiad amodol *eg* trosglwyddiadau amodol

conditioned (as of reflex) cyflyredig *ans*

conditioned reflex atgyrch cyflyredig *eg*

conditioning cyflyru *be*

condom condom *eg* condomau

condominium (joint control of a State's affairs by other States) cydlywodraeth *eb* cydlywodraethau

condominium (of building) condominiwm *eg*

conduct (an experiment) *v* cynnal (arbrawf) *be*

conduct (=behaviour) *n* ymddygiad *eg*

conduct (=lead) *v* arwain *be*

conduct (=transmit by conduction) *v* dargludo *be*

conductance dargludiant *eg* dargludiannau

conducting dargludol *ans*

conduction dargludiad *eg* dargludiadau

conductive hearing loss colli clyw yn y glust ganol

conductivity dargludedd *eg* dargludeddau

conductor (of electricity) dargludydd *eg* dargludyddion

conductor (of orchestra) arweinydd *eg* arweinyddion

conductor of heat dargludydd gwres *eg* dargludyddion gwres

conduit cwndid *eg* cwndidau

condyle condyl *eg*

cone côn *eg* conau

cone (of the eye) pigwrn *eg* pigyrnau

cone centre canol côn *eg* canolau côn

cone pat pat côn *eg* patiau côn

cone pulley pwli côn *eg* pwlïau côn

cone stand ateg gôn *eg* ategion côn

confectionery melysion *ell*

Confederacy (US) Taleithiau Cydffederal *ell*

confederate state gwladwriaeth gydffederal *eb* gwladwriaethau cydffederal

confederation cydffederasiwn *eg* cydffederasiynau

Confederation of the Rhine Cydffederasiwn y Rhein *eg*

confer ymgynghori *be*

conference cynhadledd *eb* cynadleddau

confess cyffesu *be*

confession cyffes *eb* cyffesion

Confession of Augsburgh Cyffes Augsburg *eb*

confession of faith cyffes ffydd *eb*

confessional cyffesgell *eb* cyffesgelloedd

confessor cyffeswr *eg* cyffeswyr

confidence hyder *eg*

confidence in water hyder mewn dŵr *eg*

confidence interval cyfwng hyder *eg* cyfyngau hyder

confidence limit ffin hyder *eg* ffiniau hyder

confidential cyfrinachol *ans*

confidential information gwybodaeth gyfrinachol *eb*

confidential record cofnod cyfrinachol *eg* cofnodion cyfrinachol

confidentiality cyfrinachedd *eg*

configuration ffurfwedd *eb* ffurfweddau

configure ffurfweddu *be*

confinement cyfnod geni *eg*

confirm cadarnhau *be*

confirmation (=establish more fully) cadarnhad *eg*

confirmation (in church) bedydd esgob *eg*

conflict gwrthdaro *be*

conflicting demands gofynion sy'n gwrthdaro *ell*

confluence cydlifiad *eg* cydlifiadau

confocal cydffocal *ans*

conformable cydffurfiadwy *ans*

conformable beds haenau cyffurfiadwy *ell*

conformal cydffurf *ans*

conformal mapping mapio cydffurfiol *be*

conformation cydffurfiad *eg* cydffurfiadau

conformational cydffurfiol *ans*

conformational analysis dadansoddiad cydffurfiol *eg* dadansoddiadau cydffurfiol

conforming bandage rhwymyn cydymffurfiol *eg* rhwymynnau cydymffurfiol

conforming shape function ffwythiant siâp cydffurfiol *eg* ffwythiannau siâp cydffurfiol

Confraternity of Christian Doctrine Brawdoliaeth Dysgeidiaeth Gristnogol *eb*

confrontation gwrthdaro *be*

Confucian *adj* Conffiwsaidd *ans*

Confucian *n* Conffiwsiad *eg/b* Conffiwsiaid

confuse *v.intrans* drysu *be*

confuse *v.trans* cymysgu *be*

confused drainage draeniad dryslyd *eg* draeniadau dryslyd

conga conga *eg* congâu

congeliturbate rhewdyrfiad *eg* rhewdyrfiadau

congeliturbation rhewdyrfiad *eg* rhewdyrfiadau

congenital malformation camffurfiad cynhenid *eg* camffurfiadau cynhenid

congest gordyrru *be*

congested gordyrrog *ans*

Congested Local Board Bwrdd Lleol Gorboblogaeth *eg*

congestion (of blood, mucus etc) gorlenwad *eg*

congestion (of traffic) tagfa *eb* tagfeydd

conglomerate *v* cyd-dyrru *be*

conglomerate (in geology) *n* clymfaen *eg* clymfeini

conglomeration (in commerce) cyd-dyriad *eg* cyd-dyriadau

conglomeration (in geology) crugiad *eg* crugiadau

congregation cynulleidfa *eb* cynulleidfaoedd

Congregationalist *adj* Annibynnol *ans*

Congregationalist *n* Annibynnwr *eg* Annibynwyr

Congregations of Christ Cynulleidfaoedd Crist *ell*

Congregations of Congress Cyfarfodydd Cyngres *ell*

congress cyngres *eb* cyngresau

Congress Party Plaid y Gyngres *eb*

Congress System Cyfundrefn Gyngresol *eb*

congressional cyngresol *ans*

congruence cyfathiant *eg* cyfathiannau

congruent cyfath *ans*

congruent triangles trionglau cyfath *ell*

conic conig *ans*

conic section trychiad conig *eg* trychiadau conig

conical conigol *ans*

conical flask fflasg gonigol *eb* fflasgiau conigol

conical head rivet rhybed pen côn *eg* rhybedion pen côn

conical projection tafluniad conigol *eg* tafluniadau conigol

conicoid conicoid *eg* conicoidau

conifer conwydden *eb* conwydd

coniferous conwydd *ans*

coniferous forest coedwig gonwydd *eb* coedwigoedd conwydd

coniferous tree conwydden *eb* conwydd

conjecture dyfaliad *eg* dyfaliadau

conjugate *n* cyfiau *eg* cyfieuau

conjugate *v* cyfuno *be*

conjugate point pwynt cyfiau *eg* pwyntiau cyfiau

conjugated cyfunedig *ans*

conjugation cyfunedd *eg*

conjunct motion symud gam a cham *be*

conjunctiva (of eye) cyfbilen *eb* cyfbilennau

conjunctivitis llid yr amrant *eg*

connect cysylltu *be*

connected cysylltiedig *ans*

connecting rod rhoden gyswllt *eg* rhodenni cyswllt

connection cysylltiad *eg* cysylltiadau

connective *adj* cyswllt *ans*

connective *n* cysylltyn *eg* cysylltion

connective tissue meinwe cyswllt *eb*

connectivity cysylltedd *eg*

connector cysylltydd *eg* cysylltyddion

conoid conoid *eg* conoidau

conqueror gorchfygwr *eg* gorchfygwyr

conquest concwest *eg/b* concwestau

consciousness ymwybyddiaeth *eb*

consciousness-raising codi ymwybyddiaeth *be*

conscription consgripsiwn *eg*

consecrate cysegru *be*

consecrated cysegredig *ans*

consecrated wafer afrlladen *eb* afrlladau

consecration cysegriad *eg*

consecutive dilynol *ans*

consecutive fifths and octaves pumedau ac wythfedau dilynol *ell*

consecutive revolutions cylchdroeon dilynol *ell*

consecutives dilynolion *ell*

consensus consensws *eg*

consent cydsyniad *eg*

consent form ffurflen gydsynio *eb* ffurflenni cydsynio

consequence canlyniad *eg* canlyniadau

consequent *adj* canlynol *ans*

consequent (in canon) *n* canlyniad *eg* canlyniadau

consequent (stream) *n* cydlif *eg* cydlifau

consequent stream ffrwd gydlif *eb* ffrydiau cydlif

conservation (of mass, energy, momentum) cadwraeth *eb* cadwraethau

conservation area ardal gadwraeth *eb* ardaloedd cadwraeth

conservation of energy cadwraeth egni *eb*

conservation of momentum cadwraeth momentwm *eb*

conservation of number cadwraeth rhif *eb*

conservation officer swyddog cadwraeth *eg* swyddogion cadwraeth

conservatism ceidwadaeth *eb*

---

eg/b enw gwrywaidd/benywaidd, *feminine/masculine noun* **ell** enw lluosog, *plural noun* **v** berf, *verb* **n** enw, *noun*

conservative *adj* ceidwadol *ans*

conservative *n* ceidwadwr *eg* ceidwadwyr

conservative field of force maes cadwrol grym *eg*

conservative method (of cooking) dull ceidwadol (o goginio) *eg*

Conservative Party Plaid Geidwadol *eb*

conservative treatment triniaeth geidwadol *eb* triniaethau ceidwadol

conservatoire conservatoire *eg* conservatoires

conserve (=fruit preserve) *n* cyffrwyth meddal *eg*

conserve (=keep from damage) *v* gwarchod *be*

conserve (=not waste) *v* cynilo *be*

consider ystyried *be*

consideration ystyriaeth *eb* ystyriaethau

consignment llwyth *eg* llwythi

consistency (=degree of density) ansawdd *eg*

consistency (=state of being constant) cysondeb *eg*

consistent cyson *ans*

consistent performance perfformio cyson *be*

consistorial consistoraidd *ans*

consistory consistori *eg* consistorïau

console consol *eg* consolau

console light lamp gonsol *eb* lampau consol

console log log consol *eg* logiau consol

console switch switsh consol *eg* switshis consol

console typewriter teipiadur consol *eg* teipiaduron consol

consolidate cyfnerthu *be*

consolidate skills cyfnerthu medrau *be*

consolidated cyfnerthedig *ans*

consolidated fund prif gronfa wladol *eb* prif gronfeydd gwladol

consommé consommé *eg*

consonance cyseinedd *eg*

consonant interval cyfwng cyseiniol *eg* cyfyngau cyseiniol

consort (in music) consort *eg* consortiau

consort (=wife or husband, especially of royalty) cydweddog *eg/b* cydweddogion

consort of viols consort feiolau *eg* consortiau feiolau

consortium consortiwm *eg* consortia

conspiracy cynllwyn *eg* cynllwynion

Conspiracy of Equals Cynllwyn y Cydraddolion *eg*

Conspiracy & Protection of Property Act Deddf Cynllwyn a Diogelu Eiddo *eb*

conspire cynllwynio *be*

constable cwnstabl *eg* cwnstabliaid

constancy sefydlogrwydd *eg*

constancy of colour unffurfiaeth lliw *eb*

constancy of shape unffurfiaeth siâp *eb*

constant *adj* cyson *ans*

constant *n* cysonyn *eg* cysonion

constant acceleration cyflymiad cyson *eg*

constant boiling mixture cymysgedd pwynt berwi cyson *eb*

constant pressure gwasgedd cyson *eg*

constant slope llethr cyson *eg* llethrau cyson

constant temperature tymheredd cyson *eg*

Constantine the Great Cystennin Fawr *eg*

constellation (=group of persons, ideas etc) clwstwr *eg* clystyrau

constellation (of stars) cytser *eg* cytserau

constellation of towns clwstwr o drefi *eg* clystyrau o drefi

constipated rhwym *ans*

constipation rhwymedd *eg*

constituent (chemical) ansoddyn *eg* ansoddau

constituent (of nucleus) cyfansoddyn (niwclews) *eg* cyfansoddion

constituent assembly cynulliad cyfansoddol *eg*

constituent element elfen ansoddol *eb* elfennau ansoddol

constituent group grŵp cyfansoddol *eg* grwpiau cyfansoddol

constitution cyfansoddiad *eg* cyfansoddiadau

constitutional cyfansoddiadol *ans*

constitutional history hanes cyfansoddiadol *eg*

constitutionalism cyfansoddiaeth *eb*

constrain (=bring about by compulsion) gorfodi *be*

constrained motion mudiant cyfyngedig *eg*

constrained to move horizontally *(with feminine nouns)* wedi'i gorfodi i symud yn llorweddol *ans* wedi'u gorfodi i symud yn llorweddol

constrained to move horizontally *(with masculine nouns)* wedi'i orfodi i symud yn llorweddol *ans* wedi'u gorfodi i symud yn llorweddol

constrained to move vertically *(with feminine nouns)* wedi'i gorfodi i symud yn fertigol *ans* wedi'u gorfodi i symud yn fertigol

constrained to move vertically *(with masculine nouns)* wedi'i orfodi i symud yn fertigol *ans* wedi'u gorfodi i symud yn fertigol

constraint (in economics) cyfyngiad *eg* cyfyngiadau

constraint (in physics) cyfyngydd *eg* cyfyngyddion

constrict darwasgu *be*

constriction darwasgiad *eg* darwasgiadau

construct (=form, create) *v* llunio *be*

construct (of the mind etc) *n* lluniad *eg* lluniadau

construct shapes llunio siapiau *be*

constructed estuary moryd wneud *eb* morydau gwneud

constructing an ellipse llunio elips *be*

construction (of abstract / geometrical) lluniad *eg* lluniadau

construction (of frame / building) adeiladwaith *eg* adeiladweithiau

construction line llinell lunio *eb* llinellau llunio

construction paper papur adeiladwaith *eg*

constructional toy tegan adeiladu *eg* teganau adeiladu

constructive adeiladol *ans*

constructive wave ton adeiladol *eb* tonnau adeiladol

constructivism adeileddiaeth *eb*

constructivist *adj* adeileddol *ans*

constructivist *n* adeileddwr *eg* adeileddwyr

consubstantiation cydsylweddiad *eg*

consul conswl *eg* conswliaid

---

adf, adv adferf, *adverb*   **be** berf, *verb*   **ans, adj** ansoddair, *adjective*   **be** berf, *verb*   **eb** enw benywaidd, *feminine noun*   **eg** enw gwrywaidd, *masculine noun*

consulate (in ancient Rome) conswliaeth *eb*

consulate (modern) swyddfa is-gennad *eb* swyddfeydd is-genhadon

consultant *adj* ymgynghorol *ans*

consultant *n* ymgynghorydd *eg* ymgynghorwyr

consumables defnyddiau traul *ell*

consumer (=fire, bacteria, predator etc that consume) ysydd *eg* ysyddion

consumer (=person who uses a product) defnyddiwr *eg* defnyddwyr

Consumer Advice Service Gwasanaeth Cynghori Defnyddwyr *eg*

Consumer Credit Act Deddf Credyd Defnyddwyr *eb*

consumer education addysg defnyddwyr *eb*

consumer expenditure gwariant defnyddwyr *eg*

consumer goods nwyddau traul *ell*

consumer industry diwydiant nwyddau traul *eg* diwydiannau nwyddau traul

consumer market marchnad defnyddwyr *eb*

Consumer Protection Department Adran Gwarchod Defnyddwyr *eb*

Consumer Protection Department Act Deddf Adran Gwarchod Defnyddwyr *eb*

consumer rights hawliau defnyddwyr *ell*

consumption (medical condition) darfodedigaeth *eb*

consumption (of food) cymeriant *eg*

consumption (of goods) treuliant *eg*

contact *n* cyswllt *eg* cysylltau

contact *v* cysylltu *be*

contact (=physical touch) *n* cyffyrddiad *eg* cyffyrddiadau

contact adhesive gludydd cyswllt *eg* gludyddion cyswllt

contact bounce adlam y cysylltau *eg* adlamau y cysylltau

contact breaker cyswllt dorrwr *eg* cyswllt dorwyr

contact glue glud cyswllt *eg*

contact grill gridyll cyswllt *eg* gridyllau cyswllt

contact hours oriau cyswllt *ell*

contact line llinell gyswllt *eb* llinellau cyswllt

contact mike meic cyswllt *eg* meiciau cyswllt

contact process proses gyffwrdd *eb*

contact sounds seiniau cyffwrdd *ell*

contact time amser cyswllt *eg* amseroedd cyswllt

contact zone cylchfa gyswllt *eb* cylchfaoedd cyswllt

contagious cyffwrdd-ymledol *ans*

contagious disease clefyd cyffwrdd-ymledol *eg* clefydau cyffwrdd-ymledol

contain cynnwys *be*

container cynhwysydd *eg* cynwysyddion

container depot depo amlwytho *eg* depos amlwytho

containerization amlwythiant *eg*

containment cyfyngiant *eg*

contaminate halogi *be*

contamination halogiad *eg*

contemporary *adj* cyfoes *ans*

contemporary *n* cyfoeswr *eg* cyfoeswyr

contemporary art celfyddyd gyfoes *eb*

contemporary design (as a genre) cynllunio cyfoes *be*

contemporary design (of specific examples) cynllun cyfoes *eg* cynlluniau cyfoes

contempt of court dirmyg llys *eg*

contender cystadleuydd *eg* cystadleuwyr

content *adj* bodlon *ans*

content *n* cynnwys *eg* cynhwysion

content addressable file store (CAFS) storfa ffeiliau gynnwys-gyfeiriedig *eb* storfeydd ffeiliau cynnwys-gyfeiriedig

content analysis dadansoddi cynnwys *be*

content of science cynnwys gwyddoniaeth *eg*

content-free penagored *ans*

contention ymryson *eg* ymrysonau

contents of paint cynhwysion paent *eg*

contest cystadleuaeth *eb* cystadlaethau

contest (boxing etc) gornest *eb* gornestau

context cyd-destun *eg* cyd-destunau

contiguity cyfagosrwydd *eg*

continent cyfandir *eg* cyfandiroedd

continental drift drifft cyfandirol *eg*

continental shelf sgafell gyfandirol *eb* sgafelli cyfandirol

Continental System (1806-12) System Gyfandirol (1806-12) *eb*

continentality cyfandiroledd *eg*

contingency plan cynllun wrth gefn *eg* cynlluniau wrth gefn

continuation parhad *eg*

continue parhau *be*

continuing education addysg barhaus *eb*

continuity parhad *eg*

continuo continuo *eg* continui

continuous (=unbroken) di-dor *ans*

continuous assessment asesu parhaus *be*

continuous creation creu parhaus *be*

continuous curve cromlin ddi-dor *eb* cromliniau di-dor

continuous data data di-dor *ell*

continuous fibre ffibr di-dor *eg* ffibrau di-dor

continuous free curve cromlin rydd ddi-dor *eb* cromliniau rhydd di-dor

continuous guidance arweiniad parhaus *eg*

continuous infusion (of action) arllwysiad parhaus *eg* arllwysiadau parhaus

continuous infusion (of liquid) trwyth parhaus *eg* trwythiadau parhaus

continuous lap agoriad di-dor *eg* agoriadau di-dor

continuous line llinell ddi-dor *eb* llinellau di-dor

continuous random variable hapnewidyn di-dor *eg* hapnewidynnau di-dor

continuous smooth curve cromlin lefn ddi-dor *eb* cromliniau llyfn di-dor

continuous spectrum sbectrwm di-dor *eg* sbectra di-dor

continuous stationery papur di-dor *eg*

continuous stream ffrwd ddi-dor *eb* ffrydiau di-dor

continuous strip mill melin strip ddi-dor *eb* melinau strip di-dor

continuous yarn edafedd di-dor *ell*

continuum continwwm *eg* continwa

---

contour (in geography) cyfuchlinedd *eg* cyfuchlineddau

contour (in mathematics) amlin *eb* amliniau

contour (=outline) amlinell *eb* amlinellau

contour interval cyfwng cyfuchlinol *eg* cyfyngau cyfuchlinol

contour line cyfuchlin *eg* cyfuchliniau

contour map map cyfuchlinol *eg* mapiau cyfuchlinol

contra bass bas dwbl *eg* basau dwbl

contra bass player canwr bas dwbl *eg* canwyr bas dwbl

contra bassoon baswn dwbl *eg* baswnau dwbl

contra bassoonist canwr baswn dwbl *eg* canwyr baswn dwbl

contra-indication gwrthrybudd *eg*

contraception atal cenhedlu *be*

contraceptive cyfarpar atal cenhedlu *eg*

contract (=agreement) *n* contract *eg* contractau

contract (=become smaller) *v* cyfangu *be*

contract (=draw together) *v* crebachu *be*

contracted out *(with feminine nouns)* wedi'i chontractio allan *ans* wedi'u contractio allan

contracted out *(with masculine nouns)* wedi'i gontractio allan *ans* wedi'u contractio allan

contractile root gwreiddyn cyfangol *eg* gwreiddiau cyfangol

contractile vacuole gwagolyn cyfangol *eg* gwagolynnau cyfangol

contracting industry diwydiant enciliol *eg* diwydiannau enciliol

contraction cyfangiad *eg* cyfangiadau

contraction pattern patrwm cyfangiad *eg* patrymau cyfangiad

contraction rule riwl gyfangiad *eb* riwliau cyfangiad

contractor contractwr *eg* contractwyr

contradiction gwrthddywediad *eg* gwrthddywediadau

contralto contralto *eb* contraltos

contrapuntal gwrthbwyntiol *ans*

contrapuntalist gwrthbwyntydd *eg* gwrthbwyntwyr

contrary cyferbyn *ans*

contrary motion gwrthsymud *be*

contrast *n* cyferbyniad *eg* cyferbyniadau

contrast *v* cyferbynnu *be*

contrast of continuity cyferbyniad parhâd *eg*

contrast of level cyferbyniad lefel *eg*

contrast of shape cyferbyniad siâp *eg*

contrast of size cyferbyniad maint *eg*

contrast of tension cyferbyniad tyndra *eg*

contrasting cyferbyniol *ans*

contrasting colour lliw cyferbyniol *eg* lliwiau cyferbyniol

contrasting locality ardal gyferbyniol *eb* ardaloedd cyferbyniol

contrasting stimuli ysgogiadau cyferbyniol *ell*

contrasting wood pren cyferbyniol *eg*

contribution cyfraniad *eg* cyfraniadau

contributory pension pensiwn cyfrannol *eg* pensiynau cyfrannol

control (a class etc) *v* cadw trefn (ar) *be*

control (in control experiment) *n* rheolydd *eg* rheolyddion

control (=manage) *v* rheoli *be*

control (=management) *n* rheolaeth *eb* rheolaethau

control card cerdyn rheoli *eg* cardiau rheoli

control character nod rheoli *eg* nodau rheoli

control code cod rheoli *eg* codau rheoli

control description disgrifiad o'r rheolfan *eg* disgrifiadau o'r rheolfan

control floods rheoli llifogydd *be*

control injection pigiad rheoledig *eg* pigiadau rheoledig

control key bysell reoli *eb* bysellau rheoli

control marker marciwr rheoli *eg*

control memory cof rheoli *eg* cofau rheoli

control of equipment rheoli offer *be*

control of fullness rheoli llawnder *be*

control point rheolfan *eg/b* rheolfannau

control program rhaglen reoli *eb* rhaglenni rheoli

control rod rhoden reoli *eb* rhodiau rheoli

control setting rheolydd *eg* rheolyddion

control switch switsh rheoli *eg* switshis rheoli

control system system reoli *eb* systemau rheoli

control technology technoleg reoli *eb*

control the ball rheoli'r bêl *be*

control theory damcaniaeth reoli *eb*

control unit uned reoli *eb* unedau rheoli

controlled drug cyffur rheoledig *eg* cyffuriau rheoledig

controlled grazing pori rheoledig *be*

controlled reading darllen dan oruchwyliaeth *eg*

controlled test prawf dan oruchwyliaeth *eg* profion dan oruchwyliaeth

controller (=regulator) rheolydd *eg* rheolyddion

conurbation cytref *eb* cytrefi

convalesce gwella *be*

convalescence cyfnod gwella *eg*

convalescent diet diet gwella *eg*

convection darfudiad *eg* darfudiadau

convectional darfudol *ans*

convectional rain glaw darfudol *eg*

convector drier sychydd darfudol *eg* sychwyr darfudol

convector heater gwresogydd darfudol *eg* gwresogyddion darfudol

convener cynullydd *eg* cynullyddion

convenience food bwyd cyfleus *eg* bwydydd cyfleus

convenience goods nwyddau cyfleus *ell*

convenient cyfleus *ans*

convent lleiandy *eg* lleiandai

conventicle confentigl *eb* confentiglau

Conventigles Act Deddf y Confentiglau *eb*

convention (=assembly) cynulliad *eg* cynulliadau

convention (=customary practice) confensiwn *eg* confensiynau

conventional confensiynol *ans*

conventional art celfyddyd gonfensiynol *eb*

conventional feed porthiant confensiynol *eg*

conventional isometric projection tafluniad isomedrig confensiynol *eg*

conventional joint uniad confensiynol *eg* uniadau confensiynol

---

conventional mathematical notation nodiant mathemategol confensiynol *eg*

conventional method dull confensiynol *eg* dulliau confensiynol

conventional milling (up-cut) melino confensiynol *be*

conventional notation nodiant confensiynol *eg*

conventional sign arwydd confensiynol *eg* arwyddion confensiynol

conventional symbol symbol confensiynol *eg* symbolau confensiynol

conventions of fair play confensiynau chwarae teg *ell*

conventual *adj* cwfeiniol *ans*

conventual *n* cwfeiniad *eg* cwfeiniaid

converge cydgyfeirio *be*

convergence cydgyfeiriant *eg* cydgyfeiriannau

convergence in distribution cydgyfeiriant o ran dosraniad *eg*

convergence in probability cydgyfeiriant o ran tebygolrwydd *eg*

convergence in quadratic mean cydgyfeiriant o ran cymedr cwadratig *eg*

convergent cydgyfeiriol *ans*

convergent question cwestiwn cydgyfeiriol *eg* cwestiynau cydgyfeiriol

convergent series cyfres gydgyfeiriol *eb* cyfresi cydgyfeiriol

converging cydgyfeiriol *ans*

converging lens lens cydgyfeirio *eg* lensiau cydgyfeirio

converging point pwynt cydgyfeiriol *eg* pwyntiau cydgyfeiriol

conversation sgwrs *eb* sgyrsiau

conversation piece (of painting) darlun ymddiddan *eg* darluniau ymddiddan

conversational system system sgyrsiol *eb* systemau sgyrsiol

converse cyfdro *eg* cyfdroeon

converse theorem theorem gyfdro *eb*

conversi brodyr lleyg *ell*

conversion (in religion) tröedigaeth *eb* tröedigaethau

conversion (in science) trawsnewidiad *eg* trawsnewidiadau

conversion (timber) trosiad *eg* trosiadau

conversion graph graff trawsnewid *eg* graffiau trawsnewid

conversion table tabl trawsnewid *eg* tablau trawsnewid

convert (a try) trosi (cais) *be*

convert (in science) trawsnewid *be*

converted try trosgais *eg*

converter (e.g. Bessemer) trawsnewidydd *eg* trawsnewidyddion

convex amgrwm *ans*

convex curvature amgrymedd *eg* amgrymeddau

convex curve cromlin amgrwm *eb* cromliniau amgrwm

convex face wyneb amgrwm *eg* wynebau amgrwm

convex hull hwl amgrwm *eg* hyliau amgrwm

convex lens lens amgrwm *eg* lensiau amgrwm

convex slope llethr amgrwm *eg* llethrau amgrwm

convexity amgrymedd *eg* amgrymeddau

convey (=carry) cludo *be*

convey (=transfer legal title) trosglwyddo *be*

conveyance (of legal title) trosglwyddiad *eg*

conveyance (=transport) cludiant *eg* cludiannau

conveyance deed trawsgludiad *eg*

conveyancer trawsgludwr *eg* trawsgludwyr

conveyancing trawsgludo *be*

conveyor cludydd *eg* cludyddion

conveyor belt cludfelt *eg* cludfeltiau

convocation confocasiwn *eg* confocasiynau

convolution ffaltwng *eg* ffaltyngau

convoy cymdaith *eg* cymdeithiau

convulsion (in earthquake) dirgryniad *eg* dirgryniadau

convulsion (medical) confylsiwn *eg* confylsiynau

Conway Races Campau Conwy *ell*

cook coginio *be*

cooker popty *eg* poptai

cooker hood lwfer popty *eg* lwfrau popty

cooker range popty estynedig *eg* poptai estynedig

cooker ring alch *eb* eilch

cooking apple afal coginio *eg* afalau coginio

cool (=cold) *adj* oer *ans*

cool (in general) *v* oeri *be*

cool (of iron setting, weather) *adj* claear *ans*

cool (of weather) claearu *be*

cool colour lliw oeraidd *eg* lliwiau oeraidd

cool iron haearn claear *eg*

cool temperate tymherus claear *ans*

cool temperate zone cylchfa dymherus glaear *eb*

coolant oerydd *eg* oeryddion

cooling fan gwyntyll oeri *eb* gwyntyllau oeri

cooling media cyfryngau oeri *ell*

cooling system system oeri *eb* systemau oeri

cooling tank tanc oeri *eg* tanciau oeri

coombe rock cwmgraig *eb* cwmgreigiau

cooper cowper *eg* cowperiaid

cooper jointing uniadu cylchwr *be*

coordinate (fashion items) *n* cydweddyn *eg* cydweddion

coordinate (fashion items) *v* cydweddu *be*

coordinate (in administration) *v* cydgysylltu *be*

coordinate (of covalent bond) *v* cyd-drefnu *be*

coordinate (to fix a position) *n* cyfesuryn *eg* cyfesurynnau

coordinate axes echelinau cyfesurynnol *ell*

coordinate bond bond cyd-drefnol *eg*

coordinate geometry geometreg gyfesurynnol *eb*

coordinate system system gyfesurynnol *eb* systemau cyfesurynnol

coordinated provision cyd-ddarpariaeth *eb*

coordinated separates amrywion cydwedd *ell*

coordination (in administration) cydgysylltu *be*

coordination (of covalent bond) cyd-drefniant *eg*

coordination (of movements) cydsymud *be*

coordination number rhif cyd-drefnol *eg* rhifau cyd-drefnol

copal varnish farnais copal *eg*

cope *v* ymdopi *be*

cope (in metalwork) *n* copa *eg* copâu

cope and drag copa a drag

copier copïwr *eg* copïwyr

coping copin *eg* copinau

coping saw llif fwa fach *eb* llifiau bwa bach

coping skills sgiliau ymdopi *ell*

coping stone carreg gopa *eb* cerrig copa

coplanar cymhlan *ans*

coplanar forces grymoedd cymhlan *ell*

copper (Cu) copr *eg*

copper blank blanc copr *eg*

copper brown brown copr *ans*

copper filings naddion copr *ell*

copper hammer morthwyl copr *eg* morthwylion copr

copper money arian cochion *ell*

copper nail hoelen gopr *eb* hoelion copr

copper screw sgriw gopr *eb* sgriwiau copr

copper stud styden gopr *eb* stydiau copr

copper sulphate copr sylffad *eg*

copper washer wasier gopr *eb* wasieri copr

copper wire gwifren gopr *eb* gwifrau copr

coppered screw sgriw goprog *eb* sgriwiau coprog

coppered wire gwifren goprog *eb* gwifrau coprog

coppice coedlan *eb* coedlannau

coprophage carthysydd *eg*

coprosterol coprosterol *eg*

copulate ymgydio (â) *be*

copulation ymgydiad *eg* ymgydiadau

copunctual cydbwyntiol *ans*

copy *n* copi *eg* copïau

copy *v* copïo *be*

copy area *v* copïo rhanbarth *be*

copy holder copiddeiliad *eg* copiddeiliaid

copy key bysell gopïo *eb* bysellau copïo

copy menu dewislen gopïo *eb* dewislenni copïo

copy ruler *v* copïo mesurydd *be*

copyright hawlfraint *eb*

cor anglais cor anglais *eg* cors anglais

coral cwrel *eg* cwrelau

coral stitch pwyth cwrel *eg* pwythau cwrel

coralline cwrelaïdd *ans*

corbel corbel *eg* corbelau

corbelled arch bwa corbelaidd *eg* bwâu corbelaidd

cord *n* cortyn *eg* cortynnau

cord *v* cordio *be*

corded weave gwehyddiad cordynnog *eg*

cordial cordial *eg*

cordillera cadwyn *eb* cadwynau

cordless diwifr *ans*

corduroy melfaréd *eg*

core craidd *eg* creiddiau

core and foundation subjects pynciau craidd a sylfaen *ell*

core area maes craidd *eg* meysydd craidd

core box blwch craidd *eg* blychau craidd

core culture diwylliant craidd *eg* diwylliannau craidd

core curriculum cwricwlwm craidd *eg*

core diameter diamedr craidd *eg* diamedrau craidd

core impression argraff craidd *eb*

core, lipped and veneered door drws craidd wedi'i ymylu a'i argaenu *eg* drysau craidd wedi'u hymylu a'u hargaenu

core memory cof craidd *eg* cofau craidd

core pattern patrwm craidd *eg* patrymau craidd

core print argraffiad craidd *eg* argraffiadau craidd

core store storfa graidd *eb* storfeydd craidd

core subject pwnc craidd *eg* pynciau craidd

core syllabus maes llafur creiddiol *eg* meysydd llafur creiddiol

core vocabulary geirfa graidd *eb* geirfâu craidd

core yarn edafedd craidd *ell*

core-domain-sphere craidd-parth-cylch *eg*

coreboard craiddfwrdd *eg* craiddfyrddau

cored pattern patrwm creiddig *eg* patrymau creiddig

cored solder sodr craidd *eg* sodrau craidd

corer digreiddiwr *eg* digreiddwyr

coriander coriander *eg*

Coriolis force grym Coriolis *eg*

cork *adj* corc *ans*

cork *n* corcyn *eg* cyrc

cork block bloc corc *eg* blociau corc

cork bung topyn corc *eg* topynnau corc

cork oak derwen gorc *eb* derw corc

cork rubber rwber corc *eg* rwberi corc

cork slab tafell gorc *eb* tafelli corc

cork tile teilsen gorc *eb* teils corc

corm corm *eg* cormau

cormoid cormaidd *ans*

corn (=maize) corn *eg*

corn cob tywysen corn *eb* tywysennau corn

Corn Hog Belt Ardal Corn a Moch *eb*

Corn Law Deddf Ŷd *eb* Deddfau Ŷd

corn oil olew corn *eg*

cornbeef cornbiff *eg*

cornea cornbilen *eg* cornbilennau

corneal cornbilennol *ans*

corner *n* cornel *eg/b* corneli

corner *v* cornelu *be*

corner arc arc y gornel *eb*

corner block bloc cornel *eg* blociau cornel

corner bridle joint uniad bagl cornel *eg* uniadau bagl cornel

corner flag lluman cornel *eg* llumanau cornel

corner halving haneru cornel *be*

corner halving joint uniad haneru cornel *eg* uniadau haneru cornel

corner hit ergyd gornel *eb* ergydion cornel

corner joint uniad cornel *eg* uniadau cornel

corner kick cic gornel *eb* ciciau cornel

corner tear darn craith rhwyg cornel *eb* creithiau rhwyg cornel

corner unit uned gornel *eb* unedau cornel

cornet cornet *eg* cornetau

cornett cornett *eg* cornetti

cornettist canwr cornett *eg* canwyr cornett

cornflakes creision ŷd *ell*

cornflour blawd corn *eg*

cornflour mould mowld blawd corn *eg* mowldiau blawd corn

cornice cornis *eg* cornisiau

cornice (of ice, snow, rock) gordo *eg* gordoeau

cornice moulding mowldin cornis *eg* mowldinau cornis

Cornish pasty pastai Gernyw *eb* pasteiod Cernyw

cornopean cornopean *eg*

coro coro *eg* cori

corolla corola *eg* corolae

corollary canlyneb *eb* canlynebau

corona corona *eg* coronâu

coronary coronaidd *ans*

coronary artery rhydweli goronaidd *eb* rhydwelïau coronaidd

coronary thrombosis thrombosis coronaidd *eg*

coroner crwner *eg* crwneriaid

coroner's inquest cwest crwner *eg*

corporal corporal *eg* corporaliaid

corporal punishment cosb gorfforol *eb* cosbau corfforol

corporate act of worship addoliad ar y cyd *eg*

corporate state gwladwriaeth gorfforaethol *eb* gwladwriaethau corfforaethol

corporate worship addoli ar y cyd *be*

corporation corfforaeth *eb* corfforaethau

Corporation Act Deddf Corfforaeth *eb*

Corporations & Municipalities Act Deddf Trefi a Chorfforaethau *eb*

corpus corpws *eg*

corpus callosum corpws caloswm *eg*

corpus luteum corpws lwtewm *eg*

corpuscle corffilyn *eg* corffilod

corral corlan *eb* corlannau

corrasion cyrathiad *eg*

correct *adj* cywir *ans*

correct *v* cywiro *be*

correct angle ongl gywir *eb* onglau cywir

correct position safle cywir *eg* safleoedd cywir

correct proportion cyfrannedd cywir *eg*

correct sequence trefn gywir *eb*

correction cywiriad *eg* cywiriadau

correction procedure trefn gywiro *eb* trefnau cywiro

corrective reading darllen a chywiro

correlate *v* cydberthyn *be*

correlate *adj* cydberthynol *ans*

correlate *n* cydberthyniad *eg*

correlation cydberthyniad *eg* cydberthyniadau

correlation coefficient cyfernod cydberthyniad *eg* cyfernodau cydberthyniad

correlation matrix matrics cydberthyniad *eg* matricsau cydberthyniad

correspond cyfateb *be*

correspondence (=letters) gohebiaeth *eb* gohebiaethau

correspondence (=similarity) cyfatebiaeth *eb* cyfatebiaethau

correspondence course cwrs drwy'r post *eg* cyrsiau drwy'r post

correspondence education addysg drwy'r post *eb*

corresponding cyfatebol *ans*

corresponding angles onglau cyfatebol *ell*

corresponding sides ochrau cyfatebol *ell*

corresponding society cymdeithas ohebu *eb* cymdeithasau gohebu

corridor coridor *eg* coridorau

corridor kitchen cegin hirgul *eb* ceginau hirgul

corrie peiran *eg* peirannau

corrode cyrydu *be*

corrosion cyrydiad *eg* cyrydiadau

corrosion inhibitor atalydd rhwd *eg* ataliddion rhwd

corrosion of iron cyrydu haearn *be*

corrosion resistant gwrthgyrydiad *ans*

corrosive cyrydol *ans*

corrugated rhychiog *ans*

corrugated card cerdyn rhychiog *eg* cardiau rhychiog

corrugated fastener hoelen rychiog *eb* hoelion rhychiog

corrugated fastener (wiggle nail) ffasnydd rhychiog *eg* ffasnyddion rhychiog

corrugated iron haearn rhychiog *eg*

corrugated paper papur rhychiog *eg* papurau rhychiog

corrupt llygru *be*

Corrupt Practices Act Deddf Gweithrediadau Llwgr *eb*

corruption llygredd *eg*

corruption of electronic information llygru gwybodaeth electronig *be*

corset staes *eb* staesys

cortex cortecs *eg*

corticotrophin corticotroffin *eg*

cosecant (cosec) cosecant (cosec) *eg* cosecannau

cosech cosech *eg* cosechau

cosh cosh *eg* coshau

cosine (cos) cosin (cos) *eg* cosinau

cosmetics cosmetigau *ell*

cosmic cosmig *ans*

cosmology cosmoleg *eb*

cosmopolitan amlgenhedlig *ans*

Cossack Cosac *eg* Cosaciaid

cost cost *eb* costau

cost analysis dadansoddiad costau *eg* dadansoddiadau costau

cost-benefit analysis dadansoddiad cost a budd *eg* dadansoddiadau cost a budd

cost centre canolfan gost *eb* canolfannau cost

cost effective cost effeithiol *ans*

cost effectiveness effeithiolrwydd cost *eg*

cost of living index mynegai costau byw *eg*

cost price pris cost *eg*

costal asennol *ans*

costing costiad *eg* costiadau

costume gwisg *eb* gwisgoedd

cot crud *eg*

cot death marwolaeth yn y crud *eb* marwolaethau yn y crud

cotangent (cot) cotangiad (cot) *eg* cotangiadau

coterminal cyd-derfynol *ans*

coth coth *eg* cothau

---

cottage cheese caws colfran *eg*
cottage industry diwydiant cartref *eg* diwydiannau cartref
cottage loom gwŷdd bwthyn *eg* gwyddion bwthyn
cottage pie pastai'r bugail *eb* pasteiod bugail
cottar cotywr *eg* cotywyr
cotter coter *eg* coteri
cotter pin pin hollt *eg* pinnau hollt
cotton cotwm *eg*
cotton apron ffedog gotwm *eb* ffedogau cotwm
cotton ball pellen gotwm *eb* pellenni cotwm
cotton bandage rhwymyn cotwm *eg* rhwymynnau cotwm
cotton belt ardal gotwm *eb* ardaloedd cotwm
cotton linters linteri cotwm *ell*
cotton tape tâp cotwm *eg* tapiau cotwm
cotton thread edau gotwm *eb* edafedd cotwm
cotton twine cortyn cotwm *eg* cortynnau cotwm
cotton waste gwastraff cotwm *eg*
cotton wool gwlân cotwm *eg*
cottonbud ffon gotwm *eb* ffyn cotwm
cotyledon cotyledon *eb* cotyledonau
couch grass marchwellt *ell*
couching *n* pwyth gorwedd *eg* pwythau gorwedd
couching *v* cowtsio *be*
cough *n* peswch *eg*
cough *v* pesychu *be*
coulomb coulomb *eg* coulombau
coulter cwlltwr *eg* cylltyrau
council cyngor *eg* cynghorau
council estate stad cyngor *eb* stadau cyngor
Council for Educational Technology Cyngor Addysg a Thechnoleg *eg*
council house estate stad dai cyngor *eb* stadau tai cyngor
Council of Blood Cyngor Gwaedlyd *eg*
Council of Regency Cyngor y Rhaglywiaeth *eg*
Council of the North Cyngor y Gogledd *eg*
councillor cynghorydd *eg* cynghorwyr
counsel cynghori *be*
Counsel Learned in the Law Cwnsler Dysgedig yn y Gyfraith *eg*
counselling service gwasanaeth cynghori *eg* gwasanaethau cynghori
counselling technique techneg gynghori *eb* technegau cynghori
counsellor cynghorwr *eg* cynghorwyr
counsellor training hyfforddi cynghorwyr *be*
count *n* cyfrif *eg* cyfrifon
count *v* cyfrif *be*
count out cyfrif allan *be*
Count Palatine Cownt Palatin *eg*
countability rhifadwyedd *eg*
countable rhifadwy *ans*
countably infinite yn rhifadwy anfeidraidd *adf*
counted thread stitch pwyth cyfrif edau *eg* pwythau cyfrif edau
counter (house) masnachdy *eg* masnachdai
counter (in computing) rhifydd *eg* rhifyddion

counter (in sport) *n* gwrthiad *eg* gwrthiadau
counter (in sport) *v* gwrthio *be*
counter current gwrth gerrynt *eg* gwrth geryntau
counter enamel enamel cefndir *eg*
counter exposition gwrthddangosiad *eg* gwrthddangosiadau
counter melody cyfalaw *eb* cyfalawon
counter revolution gwrthchwyldro *eg* gwrthchwyldroadau
counter riposte riposte gwrthol *eg* ripostes gwrthol
counter spit gwrth dafod *eg* gwrth dafodau
counter veneer gwrthargaen *eg* gwrth-argaenau
counter-attack *n* gwrthymosodiad *eg* gwrthymosodiadau
counter-example gwrthenghraifft *eb* gwrthenghreifftiau
counter-reformation gwrthddiwygiad *eg*
Counter-Remonstrants Gwrth-Haerwyr *ell*
counteract gwrthweithio *be*
counterbalance *v* gwrthbwyso *be*
counterbalance (ice snout) *n* gwrthgytbwys *eg* gwrthgytbwysau
counterbalanced gwrthgytbwys *ans*
counterbore gwrthdyllu *be*
counterbored hole twll gwrthfor *eg* tyllau gwrthfor
counterchange *n* gwrthgyfnewidiad *eg* gwrthgyfnewidiadau
counterchange *v* gwrthgyfnewid *be*
counterchange design cynllun gwrthgyfnewid *eg* cynlluniau gwrthgyfnewid
counterchange pattern patrwm gwrthgyfnewid *eg* patrymau gwrthgyfnewid
counterfactor gwrthffactor *eg* gwrthffactorau
counterfoil bonyn *eg* bonion
counterpart gwrthran *eb* gwrthrannau
counterpoint gwrthbwynt *eg* gwrthbwyntiau
counterproof gwrthbrawf *eg* gwrthbrofion
countersink *n* gwrthsoddydd *eg* gwrthsoddyddion
countersink *v* gwrthsoddi *be*
countersink bit ebill gwrthsoddi *eg* ebillion gwrthsoddi
countersink drill dril gwrthsoddi *eg* driliau gwrthsoddi
countersunk gwrthsodd *ans*
countersunk (machine screws) pengwrthsodd *ans*
countersunk head bolt bollt ben gwrthsodd *eb* bolltau pen gwrthsodd
countersunk head rivet rhybed pen gwrthsodd *eg* rhybedion pen gwrthsodd
countersunk hole twll gwrthsodd *eg* tyllau gwrthsodd
countersunk rivet rhybed gwrthsodd *eg* rhybedion gwrthsodd
countersunk screw sgriw wrthsodd *eb* sgriwiau gwrthsodd
countertenor uwchdenor *eg* uwchdenoriaid
counterweight gwrthbwysyn *eg* gwrthbwysynnau
countess iarlles *eb* iarllesau
counting song cân gyfrif *eb* caneuon cyfrif
country *adj* gwledig *ans*
country *n* gwlad *eb* gwledydd
country and western canu gwlad *eg*
Country Code, The Rheolau Cefn Gwlad *ell*

adf, adv adferf, *adverb* **ans, adj** ansoddair, *adjective* **be** berf, *verb* **eb** enw benywaidd, *feminine noun* **eg** enw gwrywaidd, *masculine noun*

country dance dawns wledig *eb* dawnsiau gwledig

country house plasty yn y wlad *eg* plastai yn y wlad

country rock craig gysefin *eb* creigiau cysefin

country seat plas *eg* plasau

country town tref wledig *eb* trefi gwledig

county sir *eb* siroedd

county committee pwyllgor sirol *eg* pwyllgorau sirol

county community cymuned sirol *eb* cymunedau sirol

county councillor cynghorydd sir *eg* cynghorwyr sir

county court llys sirol *eg* llysoedd sirol

county palatine iarllaeth balatin *eb* iarllaethau palatin

county record office archifdy'r sir *eg* archifdai'r siroedd

couple *n* cwpl *eg* cyplau

couple *v* cyplu *be*

coupled cypledig *ans*

coupler cyplydd *eg* cyplyddion

coupler stop stop cyplu *eg* stopiau cyplu

couplet (in rondeau) cwpled *eg* cwpledi

coupling cyplydd *eg* cyplyddion

coupling flange fflans gyplydd *eb* fflansiau cyplydd

coupling of valves cyplysu falfiau *be*

coupon cwpon *eg* cwponau

Coupon Election Etholiad y Cwpon *eg*

courante courante *eg* courantes

courgettes courgettes *ell*

course cwrs *eg* cyrsiau

course-stitched mop mop wedi'i bwytho'n fras *eg* mopiau wedi'u pwytho'n fras

coursework gwaith cwrs *eg*

court (in sport and historical) cwrt *eg* cyrtiau

court (modern legal) llys *eg* llysoedd

court and country llys a gwlad

court leet cwrt lit *eg*

Court of Admiralty Llys y Morlys *eg*

Court of Appeal Llys Apêl *eg*

Court of Arches Cwrt y Bwâu *eg*

Court of Chancery Cwrt Siawnsri *eg*

Court of Common Pleas Cwrt Pledion Cyffredin *eg*

court of competent jurisdiction llys ag awdurdod digonol *eg*

Court of Criminal Appeal Llys Apêl Troseddol *eg*

Court of Exchequer Cwrt y Siecr *eg*

Court of First Fruits and Tenths Cwrt Anodau a Degawdau *eg*

Court of General Surveyors Cwrt Archwilwyr Cyffredinol *eg*

Court of Great Sessions Llys y Sesiwn Fawr *eb*

Court of High Commission Cwrt yr Uchel Gomisiwn *eg*

Court of King's Bench Cwrt Mainc y Brenin *eg*

Court of Petty Sessions Llys Bach *eg*

Court of Quarter Sessions Llys Chwarter *eg*

Court of Requests Cwrt y Deisyfion *eg*

Court of Star Chamber Llys Siambr y Seren *eg*

Court of Wards & Liveries Cwrt Gward a Lifrai *eg*

court poet bardd llys *eg* beirdd llys

court-baron cwrt barwn *eg*

courtelle courtelle *eg*

courtier gŵr llys *eg* gwŷr llys

courtyard iard *eb* iardiau

covalency cofalens *eg* cofalensau

covalent cofalent *ans*

covalent bond bond cofalent *eg* bondiau cofalent

covariance cydamrywiad *eg* cydamrywiadau

cove cildraeth *eb* cildraethau

covenant cyfamod *eg* cyfamodau

cover (a topic) *v* ymdrin â *be*

cover (in cricket) *v* cyfro *be*

cover (in general) *n* gorchudd *eg* gorchuddion

cover (in general) *v* gorchuddio *be*

cover (of book etc) *n* clawr *eg* cloriau

cover board bwrdd clawr *eg* byrddau clawr

cover crop cnwd gorchudd *eg* cnydau gorchudd

cover drive dreif gyfar *eb* dreifiau cyfar

cover note nodyn diogelu *eg* nodion diogelu

cover paper papur clawr *eg*

cover point cyfar *eg*

cover up gwarchod *be*

cover-land tir gorchudd *eg* tiroedd gorchudd

covered button botwm gorchudd *eg* botymau gorchudd

coverlet cwrlid *eg*

coversine cyfersin *eg* cyfersinau

coverslip arwydryn *eg* arwydrau

cow horn corn gwartheg *eg* cyrn gwartheg

cow's tongue stake bonyn tafod buwch *eg* bonion tafod buwch

cowbells clychau gwartheg *ell*

cowl cwfl *eg* cyflau

cowl collar coler cwfl *eg* coleri cwfl

cowl neck gwddf cwfl *eg*

cox *n* cocs *eg* cocsys

cox *v* cocsio *be*

coxed four pedwar a chocs

coxed pair pâr a chocs

coxless four pedwar *eg* pedwarau

coxless pair pâr *eg* parau

crab cranc *eg* crancod

crack *n* crac *eg* craciau

crack *v* cracio *be*

cracked enamel enamel cracellu *eg*

cracker cracydd *eg* cracyddion

cracking cracio *be*

crackle cracellu *be*

cradle crud *eg* crudiau

cradle (in metalwork) crudo *be*

cradle song hwiangerdd *eb* hwiangerddi

cradle V crud V *eg*

cradle-cap crudgen *eg*

cradling crudiad *eg* crudiadau

cradling piece (hearth) darn crudiad (aelwyd) *eg*

craft crefft *eb* crefftau

craft (boat) bad *eg* badau

craft dye llifyn crefft *eg* llifynnau crefft

craft guild gild crefft *eg* gildiau crefft
craft knife cyllell grefft *eb* cyllyll crefft
craft paint paent crefft *eg*
craftsman crefftwr *eg* crefftwyr
craftsmanship crefftwriaeth *eb*
craftworker crefftwr *eg* crefftwyr
crag clegyr *eg* clegyrau
crag and tail clegyr a chynffon
craggy clegyrog *ans*
cramp *n* cramp *eg* crampiau
cramp *v* crampio *be*
cramping action arwaith crampio *eg*
cramping blocks blociau crampio *ell*
crampon crampon *eg* cramponau
cranberries llugaeron *ell*
crane craen *eg* craeniau
cranium *adj* creuanol *ans*
cranium *n* creuan *eb* creuanau

crank cranc *eg* cranciau
crank pin crancbin *eg* crancbinnau
crank pivot crancgolyn *eg* crancgolynnau
crank spanner sbaner cranc *eg* sbaneri cranc
cranked cam *ans*
cranked centre hinge colfach canol camdro *eg* colfachau canol camdro
cranked handle dolen gamdro *eb* dolennau camdro
cranked palette knife cyllell balet gam *eb* cyllyll palet cam
crankshaft crancsiafft *eg* crancsiafftiau
crash *n* chwalfa *eb* chwalfeydd
crash *v* chwalu *be*
crash course cwrs carlam *eg* cyrsiau carlam
crate cawell *eb* cewyll
crater crater *eg* craterau
crating *n* cawell *eg* cewyll
crating *v* cawellu *be*
craton tarian *eb* tariannau
crawfish cimwch coch *eg* cimychiaid coch
crawl (of baby) cropian *be*
crawl enamel enamel llusg *eg*
crawl enamelling enamlo llusg *be*
crawling (glazing fault) ymlusgo (bai gwydro) *be*
crayfish (freshwater) cimwch yr afon *eg* cimychiaid yr afon
crayon creon *eg* creonau
crayon engraving ysgythriad creon *eg* ysgythriadau creon
crayon pencil pensil creon *eg* pensiliau creon
crazing cracellu *be*
cream *n* hufen *eg*
cream *v* hufennu *be*
cream cracker bisged gracer *eb* bisgedi cracer
cream horn corn hufen *eg* cyrn hufen
cream of tartar powdr tartar *eg*
cream slice tafell hufen *eb* tafelli hufen
creaming method dull hufennu *eg*
creamy hufennog *ans*
creamy consistency ansawdd hufennol *eg*

crease *n* crych *eg* crychau
crease *v* crychu *be*
crease (in cricket) *n* cris *eg* crisiau
crease recovery datgrychu *be*
crease-resistant gwrthgrych *ans*
creasing hammer morthwyl crychu *eg* morthwylion crychu
creasing stake bonyn crychu *eg* bonion crychu
creasing tool erfyn crychu *eg* arfau crychu
create creu *be*
create characters creu cymeriadau *be*
create mode modd creu *eg*
creation creadigaeth *eb* creadigaethau
creation date dyddiad creu *eg* dyddiadau creu
creative creadigol *ans*
creative ability test prawf gallu creadigol *eg* profion gallu creadigol
creative approach agwedd greadigol *eb* agweddau creadigol
creative arts celfyddydau creadigol *ell*
creative craftwork crefftwaith creadigol *eg*
creative design cynllun creadigol *eg* cynlluniau creadigol
creative expression mynegiant creadigol *eg*
creative play chwarae creadigol *eg*
creative thinking meddwl yn greadigol *be*
creative work gwaith creadigol *eg*
creative writing ysgrifennu creadigol *be*
creativity creadigrwydd *eg*
creativity test prawf creadigrwydd *eg* profion creadigrwydd
creator creawdwr *eg* creawdwyr
crèche meithrinfa *eb* meithrinfeydd
credibility hygrededd *eg*
credit *n* credyd *eg* credydau
credit *v* cyfrif yn gredyd *be*
credit accumulation casglu credydau *be*
credit buying prynu ar gredyd *be*
credit card cerdyn credyd *eg* cardiau credyd
credit control rheolaeth credyd *eb*
credit exemption esgusodi rhag credyd *be*
credit note nodyn credyd *eg* nodion credyd
credit sale gwerthiant credyd *eg*
credit scheme cynllun credydau *eg* cynlluniau credydau
credit transfer trosglwyddiad credyd *eg*
creed credo *eg* credoau
creek (in U.S.A) nant *eb* nentydd
creek (=inlet, bay) cilfach *eb* cilfachau
creel (spool rack) rhesel sbwliau *eb* rheselau sbwliau
creep (of soil) ymgripiad *eg*
creep feeding didol borthi *be*
creep feeding of lambs didol borthi wyn bach
creep feeding of suckling pigs didol borthi moch bach
cremation amlosgiad *eg* amlosgiadau
Creole Creol *eg* Creoliaid
creosote oil olew creosot *eg*
crêpe (of paper) crêp *eg*
crêpe (=pancake) crempog *eb* crempogau
crêpe bandage rhwymyn crêp *eg* rhwymynnau crêp

crêpe de chine crêpe de chine *eg*

crêpe paper papur crêp *eg*

crepitation rhugliad *eg* rhugliadau

crescent cilgant *eg* cilgantau

crescent moon lleuad gilgant *eb*

crescentic cilgantaidd *ans*

cress berwr *eg*

crest (of bird) crib *eg/b* cribau

crest (of hill etc) brig *eg* brigau

crested chain stitch pwyth cadwyn cribog *eg* pwythau cadwyn cribog

cresting arwydd *eg/b* arwyddion

cretaceous cretasig *ans*

Crete Creta *eb*

cretinism cretinedd *eg*

crevasse crefas *eg* crefasau

crevice tool (vacuum tools) teclyn corneli *eg* taclau corneli

crewel needle nodwydd frodio *eb* nodwyddau brodio

cricket criced *eg*

cricket club clwb criced *eg* clybiau criced

cricket field maes criced *eg* meysydd criced

cricket shoe esgid griced *eb* esgidiau criced

cricketer cricedwr *eg* cricedwyr

crime trosedd *eg/b* troseddau

Crimean War Rhyfel y Crimea *eg*

criminal *adj* troseddol *ans*

criminal *n* troseddwr *eg* troseddwyr

Criminal Code Cod Troseddol *eg*

criminal law cyfraith trosedd *eb*

Criminal Law Act Deddf Troseddwyr *eb*

Criminal Law Amendment Act Deddf Newid y Gyfraith Drosedd *eb*

crimp crimpio *be*

Crimplene Crimplene *eg*

crimson (enamelling colour) rhuddgoch *eg*

crimson lake llif rhuddgoch *eg*

crinkle crychu *be*

crinkled paper papur crych *eg*

crisis argyfwng *eg* argyfyngau

crisp creisionllyd *ans*

crisp bread tafell gras *eb* tafelli cras

crisp claps clapio clir *be*

crisps creision tatws *ell*

criss cross croesymgroes *eg*

criteria meini prawf *ell*

criteria instrument offeryn meini prawf *eg* offer meini prawf

criteria referencing cyfeirio at feini prawf *be*

criterion maen prawf *eg* meini prawf

criterion-referenced maen prawf gyfeiriol *ans*

criterion-referenced assessment asesiad maen prawf gyfeiriol *eg* asesiadau maen prawf gyfeiriol

criterion-referenced test prawf maen prawf gyfeiriol *eg* profion maen prawf gyfeiriol

criterion-referenced testing profi maen prawf gyfeiriol *be*

critic beirniad *eg* beirniaid

critic (=reviewer) adolygydd *eg* adolygwyr

critical (=decisive, crucial) allweddol *ans*

critical (in mathematics and physics) critigol *ans*

critical (of faculty) beirniadol *ans*

critical (of or at a crisis) argyfyngus *ans*

critical incident digwyddiad critigol *eg* digwyddiadau critigol

critical learning period cyfnod dysgu allweddol *eg* cyfnodau dysgu allweddol

critical path method (CPM) dull llwybr critigol *eg*

critical point pwynt critigol *eg* pwyntiau critigol

critical range amrediad critigol *eg* amrediadau critigol

critical ratio cymhareb gritigol *eb* cymarebau critigol

critical temperature tymheredd critigol *eg* tymereddau critigol

criticism beirniadaeth *eb* beirniadaethau

crochet *n* gwaith crosio *eg*

crochet *v* crosio *be*

crochet hook bach crosio *eg* bachau crosio

crockery llestri *ell*

crocus powder powdr crocws *eg*

croft crofft *eg* crofftau

crofter crofftwr *eg* crofftwyr

crofting system cyfundrefn grofftio *eb*

crook bagl *eb* baglau

crooked grain graen cam *eg*

crop cnwd *eg* cnydau

crop rotation cylchdro cnydau *eg* cylchdroeon cnydau

croquette croquette *eb*

crosier bagl *eb* baglau

cross *v* croesi *be*

cross (=act of crossing) *n* croesiad *eg* croesiadau

cross (in general) *n* croes *eb* croesau

cross banded plinth plinth bandin croes *eg* plinthiau bandin croes

cross banding bandin croes *eg* bandinau croes

cross beam trawst *eg* trawstiau

cross breeding croesfridio *be*

cross channel boat cwch sianel *eg* cychod sianel

cross country traws gwlad *ans*

cross country event cystadleuaeth draws gwlad *eb* cystadlaethau traws gwlad

cross country race ras draws gwlad *eb* rasys traws gwlad

cross cut *n* trawstoriad *eg*

cross cut *v* trawstorri *be*

cross cut chisel cŷn trawstor *eg* cynion trawstor; gaing drawstor *eb* geingiau trawstor

cross feed trawsborthiant *eg*

cross-fertilization trawsffrwythloni *be*

cross filing croesffeilio *be*

cross grain graen croes *eg*

cross halving haneru croes *be*

cross halving joint uniad croes haneru *eg* uniadau croes haneru

cross hey hai croes *eg*

cross infection traws-heintiad *eg* traws-heintiadau

cross kick cic groes *eb* ciciau croes

---

eg/b enw gwrywaidd/benywaidd, *feminine/masculine noun*   **ell** enw lluosog, *plural noun*   **v** berf, *verb*   **n** enw, *noun*

cross member traws-aelod *eg* traws-aelodau

cross multiply trawsluosi *be*

cross over trawsgroesiad *eg* trawsgroesiadau

cross peen wyneb croes *eg* wynebau croes

cross peen hammer morthwyl wyneb croes *eg* morthwylion wyneb croes

cross piece darn croes *eg* darnau croes

cross pollination trawsbeilliad *eg*

cross profile trawsbroffil *eg* trawsbroffilau

cross rail rheilen groes *eb* rheiliau croes

cross slide trawslithryn *eg* trawslithrynnau

cross stitch pwyth croes *eg* pwythau croes

cross stretcher estynnwr croes *eg* estynwyr croes

cross striated croesresog *ans*

cross the goal line croesi'r llinell gôl *be*

cross the line croesi'r llinell *be*

cross tongue tafod croes *eg* tafodau croes

cross wall croesfur *eg*

cross wires croeswifrau *ell*

cross-accent croesacen *eb* croesacenion

cross-bedded trawshaenog *ans*

cross-bedding trawshaenu *be*

cross-bow bwa croes *eg* bwâu croes

cross-compiler traws-grynhoydd *eg* traws-grynoyddion

cross-culture study astudiaeth draws-ddiwylliannol *eb* astudiaethau traws-ddiwylliannol

cross-curricular trawsgwricwlaidd *ans*

cross-curricular issue mater trawsgwricwlaidd *eg* materion trawsgwricwlaidd

cross-curricular theme thema drawsgwricwlaidd *eb* themâu trawsgwricwlaidd

cross-curricularity trawsgwricwledd *eg*

cross-cut darn craith trawstoriad *eb* creithiau trawstoriad

cross-cut saw trawslif *eb* trawslifiau

cross-feed lever lifer trawsborthiant *eg* liferi trawsborthiant

cross-hair cursor cyrchwr traws *eg* cyrchwyr traws

cross-hatching croes-liniogi *be*

cross-laterality traws-ochredd *eg*

cross-legged (sitting) coesgroes *ans*

cross-linkage trawsgyswllt *eg*

cross-linking trawsgysylltu *be*

cross-ratio cymhareb draws *eb* cymarebau traws

cross-rhythm trawsrythm *eg* trawsrythmau

cross-section trawstoriad *eg* trawstoriadau

crossbar croesfar *eg* croesfarrau

crossed cheque siec wedi'i chroesi *eb* sieciau wedi'u croesi

crossing croesfan *eb* croesfannau

crossing (e.g. of parts) croesi *be*

crossway facing wynebyn croes *eg* wynebynnau croes

crossway fold plyg croesraen *eg* plygion croesraen

crossway strip stribed croesraen *eg* stribedi croesraen

crotales crotalau *ell*

crotch fforch *eb*

crotch seam sêm fforch *eb* semau fforch

crotchet crosiet *eg* crosietau

crotcheted lace les wedi'i grosio *eg*

crouch *v* cyrcydu *be*

crouch (position) *n* cwrcwd *eg*

crouch jump naid gwrcwd *eb* neidiau cwrcwd

crouch-running rhedeg-gwargam *be*

crouched burial claddu cwrcwd *be*

croute crwst *eg*

croutons croutons *ell*

crowbar trosol *eg* trosolion

crowd (musical instrument) crwth *eg* crythau

crown (of the head) corun *eg* corunau

crown fitting line llinell ffitio pen *eb*

crown guard gard uchaf *eg* gardiau uchaf

crown land tir y goron *eg* tiroedd y goron

crown of sleeve pen llawes *eg*

crown plate plât gwarchod *eg* platiau gwarchod

crown rail rheilen warchod *eb*

crucible crwsibl *eg* crwsiblau

crucible furnace ffwrnais grwsibl *eb* ffwrneisi crwsibl

crucible steel dur crwsibl *eg*

crucible tongs gefel grwsibl *eb* gefeiliau crwsibl

crucifix croes *eb* croesau

crucifixion croeshoeliad *eg*

cruciform croesffurf *ans*

cruck nennfforch *eb* nennffyrch

cruck framed house tŷ ffrâm nennfforch *eg* tai ffrâm nennfforch

crucked nennffyrchog *ans*

crude (=natural or raw state) crai *ans*

crude (=not adjusted or corrected) amrwd *ans*

crude birth / death rate cyfradd geni / marw syml *eb*

crude oil olew crai *eg*

cruiser llong ryfel gyflym *eb* llongau rhyfel cyflym

crum horn crwmgorn *eg* crwmgyrn

crumb briwsionyn *eg* briwsion

crumble briwsioni *be*

crumbly briwsionllyd *ans*

crumpet cramwythen *eb* cramwyth

crunchy creisionllyd *ans*

crunode crwnod *eg* crwnodau

crusade croesgad *eb* croesgadau

crush malu'n fân *be*

crush injury anaf mathru *eg* anafiadau mathru

crushed enamel enamel mâl *eg*

crusher malwr *eg* malwyr

crust cramen *eb* cramennau

crustacea cramenogion *ell*

crustaceous cramennog *ans*

crustal cramennol *ans*

crustal plate plât cramennol *eg* platiau cramennol

crutch bagl *eb* baglau

Crutched Friar Brawd y Groes *eg* Brodyr y Groes

crwth crwth *eg* crythau

crwth player crythor *eg* crythorion

cryogenics cryogeneg *eb*

cryolite cryolit *eg*

cryopedology rhewbriddeg *eb*

cryophil cryoffil *eg*

---

adf, adv adferf, *adverb*   **ans, adj** ansoddair, *adjective*   *be* berf, *verb*   *eb* enw benywaidd, *feminine noun*   *eg* enw gwrywaidd, *masculine noun*

cryophilic cryoffilig *ans*

cryoplanation rhew-wastadiant *eg*

cryoscopy cryosgopi *eg*

cryptophyte cryptoffyt *eg*

crypts of Lieberkuhn cryptau Lieberkuhn *ell*

crystabolite cristabolit *eg*

crystal grisial *eg* grisialau

crystalline grisialog *ans*

crystalline glaze gwydredd grisialog *eg*

crystalline lens lens grisialog *eg* lensiau grisialog

crystalline pigment pigment grisialog *eg*

crystalline structure ffurfiad grisialog *eg* ffurfiadau grisialog

crystallization grisialiad *eg* grisialiadau

crystallize grisialu *be*

crystallized fruit ffrwythau grisialog *ell*

crystallography grisialograffaeth *eb*

cube *n* ciwb *eg* ciwbiau

cube *v* torri'n giwbiau *be*

cube root trydydd isradd *eg* trydydd israddau

cube roots of unity trydydd israddau un *ell*

cubic ciwbig *ans*

cubic equation hafaliad ciwbig *eg* hafaliadau ciwbig

cubic metre metr ciwbig *eg* metrau ciwbig

cubical ciwbigol *ans*

cubism ciwbiaeth *eb*

Cubist Ciwbydd *eg* Ciwbwyr

Cubist Ciwbaidd *ans*

cubit cufydd *eg* cufyddau

cuboid ciwboid *eg* ciwboidau

cuboid epithelium epitheliwm ciwboid *eg*

cucumber ciwcymer *eg* ciwcymerau

cuddle anwesu *be*

cuddly toy tegan anwes *eg* teganau anwes

cue (pool, snooker) ciw *eg* ciwiau

cuff cyffen *eb* cyffiau

cufflink dolen lawes *eb* dolennau llawes

cultivate (land) trin *be*

cultivated crop cnwd trin *eg* cnydau trin

cultivation triniad *eg*

cultural diwylliannol *ans*

cultural aspect agwedd ddiwylliannol *eb* agweddau diwylliannol

cultural context cyd-destun diwylliannol *eg* cyd-destunau diwylliannol

cultural deprivation amddifadiad diwylliannol *eg*

cultural development datblygiad diwylliannol *eg*

cultural diversity amrywiaeth ddiwylliannol *eb*

cultural heritage etifeddiaeth ddiwylliannol *eb*

cultural landscape tirlun diwylliannol *eg*

cultural overlay troshaen ddiwylliannol *eb*

culturalization diwylliannu *be*

culturally disadvantaged dan anfantais ddiwylliannol

culture (bacteria etc) *v* meithrin *be*

culture (=customs etc) *n* diwylliant *eg* diwylliannau

culture (of bacteria etc) *n* meithriniad *eg* meithriniadau

culture cells celloedd meithrin *ell*

culture element elfen ddiwylliannol *eb* elfennau diwylliannol

culture medium cyfrwng meithrin *eg* cyfryngau meithrin

culture solution hydoddiant meithrin *eg* hydoddiannau meithrin

culture tissues meinweoedd meithrin *ell*

cultured (of person) diwylliedig *ans*

cummerbund cummerbund *eg*

cumulative cronnus *ans*

cumulative achievement record cofnod cyrhaeddiad cronnus *eg* cofnodion cyrhaeddiad cronnus

cumulative causation achosiaeth gronnus *eb*

cumulative frequency amlder cronnus *eg* amlderau cronnus

cumulative frequency curve cromlin amlder cronnus *eb* cromliniau amlder cronnus

cumulative frequency diagram diagram amlder cronnus *eg* diagramau amlder cronnus

cumulative frequency distribution dosraniad amledd cronnus *eg*

cumulative frequency graph graff amledd cronnus *eg* graffiau amledd cronnus

cumulative frequency polygon polygon amledd cronnus *eg* polygonau amledd cronnus

cumulative hey hai cynnydd *eg*

cumulative record cofnod cronnus *eg* cofnodion cronnus

cumulative song cân gronnus *eb* caneuon cronnus

cumulative spelling sillafu cronnus *be*

cumulative total cyfanswm cronnus *eg* cyfansymiau cronnus

cumulonimbus cwmwlonimbws *eg*

cumulus cwmwlws *eg*

cuneiform cynffurf *ans*

cunning man dyn hysbys *eg* dynion hysbys

cup chuck crafanc gwpan *eb* crafangau cwpan

cup final gornest derfynol (y cwpan) *eb* gornestau terfynol (y cwpan)

cup handle dolen gwpan *eb* dolennau cwpan

cup shake hollt cwpan *eg* holltau cwpan

cup-tie gornest gwpan *eb* gornestau cwpan

cupboard cwpwrdd *eg* cypyrddau

cupboard bolt bollt gwpwrdd *eb* bolltau cwpwrdd

cupboard lock clo cwpwrdd *eg* cloeon cwpwrdd

cupful cwpanaid *eg*/*b* cwpaneidiau

cupola cwpola *eg* cwpolau

cupola furnace ffwrnais gwpola *eb* ffwrneisi cwpola

cupping cwpanu *be*

cupro-nickel nicel coprog *eg*

curd ceuled *eg*

curdle cawsio *be*

curds and whey ceuled a maidd

cure iachâd *eg*

cure (glue) caledu *be*

cure (of a curate) gofalaeth *eb* gofalaethau

curfew (bell) hwyrgloch *eb* hwyrglychau

curia (papal) llys y pab *eg*

Curia Regis Roll Rhôl Llys y Brenin *eb*

---

curing (fish) cochi (pysgod) *be*
curing (leather) cyweirio (lledr) *be*
curing (pork) halltu (mochyn) *be*
curium (Cm) curiwm *eg*
curl *n* cwrl *eg* cyrlau
curl *v* cyrlio *be*
curly brackets { } bachau cyrliog { } *ell*
currant cyrensen *eb* cyrens
currant bread bara brith *eg*
currency arian cyfred *eg*
current *adj* cyfredol *ans*
current *n* cerrynt *eg* ceryntau
current account cyfrif cyfredol *eg* cyfrifon cyfredol
current band corlan gyfredol *eb* corlannau cyfredol
current bedding llifhaenau *ell*
current enquiry ymholiad cyfredol *eg* ymholiadau cyfredol
current font ffont cyfredol *eg* ffontiau cyfredol
current money arian treigl *eg*
current nib pin cyfredol *eg* pinnau cyfredol
current operation gweithred gyfredol *eb* gweithredoedd cyfredol
current price pris cyfredol *eg* prisiau cyfredol
current rate cyfradd gyfredol *eb* cyfraddau cyfredol
current sprite ciplun cyfredol *eg* cipluniau cyfredol
current variable newidyn cyfredol *eg* newidynnau cyfredol
curricular cwriclaidd *ans*
curricular experiences profiadau yn y cwricwlwm *ell*
curriculum cwricwlwm *eg* cwricwla
curriculum leader arweinydd cwricwlwm *eg* arweinwyr cwricwlwm
curriculum panel panel cwricwlwm *eg* panelau cwricwlwm
curriculum planning cynllunio'r cwricwlwm *be*
curriculum studies astudiaethau'r cwricwlwm *ell*
curriculum time amser y cwricwlwm *eg*
curriculum vitae curriculum vitae *eg*
curry cyri *eg*
cursive rhedol *ans*
cursive writing ysgrifennu sownd *be*
cursor cyrchwr *eg* cyrchwyr
cursor address cyfeiriad cyrchwr *eg*
cursor home position hafan y cyrchwr *eb*
cursor key cyrch-fysell *eb* cyrch-fysellau
cursor position safle cyrchwr *eg*
curtain llen *eg/b* llenni
curtain ring dolen llenni *eb* dolennau llenni
curtain wall murlen *eg* murlenni
curtsy *n* cyrtsi *eg* cyrtsïau
curvature crymedd *eg* crymeddau
curve *v* crymu *be*
curve (=bend) *n* tro *eg* troeon
curve (=curved line) *n* cromlin *eb* cromliniau
curve of intersection cromlin groestoriad *eb* cromliniau croestoriad
curved *(with feminine nouns)* crom *ans*
curved *(with masculine nouns)* crwm *ans*
curved area arwynebedd crwm *eg* arwynebeddau crwm

curved bodkin botgin crwm *eg* botginau crwm
curved edge ymyl grom *eb* ymylon crwm
curved line llinell grom *eb* llinellau crwm
curved open seam sêm agored grom *eb* semau agored crwm
curved rail rheilen grom *eb* rheiliau crwm
curved scraper sgrafell grom *eb* sgrafelli crwm
curved snips snipiwr crwm *eg* snipwyr crwm
curved spit tafod crwm *eg* tafodau crwm
curved stretcher estynnwr crwm *eg* estynwyr crwm
curved surface arwyneb crwm *eg* arwynebau crwm
curved tinsnips snipiwr tun crwm *eg* snipiwyr tun crwm
curvilinear cromlinog *ans*
curvilinear decoration addurn cromlinog *eg* addurnau cromlinog
curvilinear trajectory taflwybr cromlinog *eg* taflwybrau cromlinog
cushion clustog *eb* clustogau
cushion cover gorchudd clustog *eg* gorchuddion clustogau
cusp cwsb *eg* cysbau
custard cwstard *eg*
custodian ceidwad *eg* ceidwaid
custom arfer *eg/b* arferion
custom house tollty *eg* tolltai
custom of the manor arfer y faenor *eb*
Customary Law Cyfraith Defod *eb*
customer cwsmer *eg* cwsmeriaid
customise cwsmereiddio *be*
customs tollau *ell*
customs and excise tollau tramor a chartref *ell*
customs and excise officer swyddog tollau *eg* swyddogion tollau
customs duty tolldal *eg* tolldaliadau
cut *v* torri *be*
cut (=engraved block for printing) *n* torlun *eg* torluniau
cut (in general) *n* toriad *eg* toriadau
cut (=wound) *n* archoll *eg* archollion
cut and paste torri a gludo
cut and thrust trychu a gwanu
cut at cheek trychu at foch *be*
cut at chest trychu at fynwes *be*
cut at flank trychu at ystlys *be*
cut at head trychu at ben *be*
cut clasp nail hoelen lorio *eb* hoelion llorio
cut door-lock torglo drws *eg* torgloeon drysau
cut glassware llestri gwydr cerfiedig *ell*
cut nail torhoelen *eb* torhoelion
cut off *v* torri i ffwrdd *be*
cut on the thread torri ar yr edau *be*
cut out torri allan *be*
cut out on the bias torri ar y bias *be*
cut out on the cross torri ar y groes *be*
cut over trostorri *be*
cut paper papur wedi'i dorri *eg*
cut shoot cyffyn a dorrwyd o blanhigyn *eg* cyffion a dorrwyd o blanhigion
cut shot trawsergyd *eg/b* trawsergydion

---

cut stem coesyn a dorrwyd o blanhigyn *eg* coesynnau a dorrwyd o blanhigion

cut surface arwyneb y toriad *eg*

cut tack hoelen fer *eb* hoelion byr

cut through torri trwodd *be*

cut-off *n* torbwynt *eg* torbwyntiau

cut-off bay cilfae *eg* cilfaeau

cutaneous croenol *ans*

cuticle cwtigl *eg* cwtiglau

cutlery cyllyll a ffyrc

cutter torrwr *eg* torwyr

cutter bar bar torri *eg* barrau torri

cutter block bloc torri *eg* blociau torri

cutting (in botany) toriad *eg* toriadau

cutting action arwaith torri *eg* arweithiau torri

cutting angle ongl dorri *eb* onglau torri

cutting blade llafn torri *eg* llafnau torri

cutting board bwrdd torri *eg* byrddau torri

cutting clearance cliriad torri *eg* cliriadau torri

cutting edge ymyl dorri *eb* ymylon torri

cutting fluid hylif torri *eg* hylifau torri

cutting gauge medrydd torri *eg* medryddion torri

cutting iron llafn torri *eg* llafnau torri

cutting knife cyllell dorri *eb* cyllyll torri

cutting line llinell dorri *eb* llinellau torri

cutting list rhestr dorri *eb* rhestri torri

cutting out paper papur torri allan *eg*

cutting plane plân torri *eg* planau torri

cutting plate plât torri *eg* platiau torri

cutting pliers gefelen dorri *eb* gefeiliau torri

cutting press gwasg dorri *eb* gweisg torri

cutting stroke strôc dorri *eb* strociau dorri

cutting tools offer torri *ell*

cutting wire gwifren dorri *eb* gwifrau torri

cutting-out scissors (for fabric) siswrn torri defnydd *eg* sisyrnau torri defnydd

cuttlefish casting castio môr-gyllell *be*

cutwork torwaith *eg*

cwm (in Wales) cwm *eg* cymoedd

cyanidin cyanidin *eg*

cyanosis dulasedd *eg*

cybernetic seibernetaidd *ans*

cybernetics seiberneteg *eb*

cycle (in physics etc) cylchred *eg/b* cylchredau

cycle (of songs, poems) cylch *eg* cylchoedd

cycle of erosion cylchred erydu *eb* cylchredau erydu

cycle of fifths cylch pumedau *eg* cylchau pumedau

cyclic (in biology) seiclig *ans*

cyclic (in chemistry, music) cylchol *ans*

cyclic AMP AMP cylchol *eg*

cyclic group grŵp cylchol *eg* grwpiau cylchol

cyclic mass offeren gylch *eb* offerennau cylch

cyclic quadrilateral pedrochr cylchol *eg* pedrochrau cylchol

cycling cylchynu *be*

cyclohexane cylchohecsan *eg*

cycloid cylchoid *eg* cylchoidau

cycloidal curves cromliniau cylchoidol *ell*

cycloidal gear tooth dant gêr cylchoidol *eg* dannedd gêr cylchoidol

cyclomatic number rhif seiclomatig *eg* rhifau seiclomatig

cyclone seiclon *eg* seiclonau

cyclorama seiclorama *eg* seicloramau

cyclostome seiclostom *eg*

cyclosymmetry cylchgymesuredd *eg* cylchgymesureddau

cyclotherm cyclotherm *ans*

cyclotron seiclotron *eg* seiclotronau

cylinder silindr *eg* silindrau

cylinder (vacuum cleaner) sugnwr llwch silindr *eg* sugnwyr llwch silindr

cylindrical silindrog *ans*

cylindrical core craidd silindrog *eg* creiddiau silindrog

cylindrical cuffs cyffiau silindrog *ell*

cylindrical development datblygiad silindrog *eg* datblygiadau silindrog

cylindrical former ffurfydd silindrog *eg* ffurfyddion silindrog

cylindrical projection tafluniad silindrog *eg* tafluniadau silindrog

cylindroid silindroid *eg* silindroidau

cymatogenic symatogenig *ans*

cymbal symbal *eg* symbalau

Cyrillic alphabet gwyddor Gyrilig *eb*

cyst coden *eb* codennau

cysteine cystein *eg*

cystic cystig *ans*

cystic (medical) pledrennol *ans*

cystic fibrosis ffibrosis y bledren *eg*

cystine cystin *eg*

cystitis llid y bledren *eg*

cytology cytoleg *eb*

cytoplasm cytoplasm *eg*

cytosol cytosol *eg*

cytosome cytosom *eg*

cytotoxic drug cyffur cytotocsig *eg* cyffuriau cytotocsig

D major D fwyaf *eb*
D minor D leiaf *eb*
D-Day landings glaniadau D-Day *ell*
dab *n* dab *eg* dabiau
dab *v* dabio *be*
dabbed resist gwrthydd dabio *eg* gwrthyddion dabio
Dada Dada *eg*
Dadaism Dadaiaeth *eb*
dado dado *eg*
dado joint uniad dado *eg* uniadau dado
dagger dagr *eg* dagerau
daily change newid beunyddiol *eg* newidiadau beunyddiol
daily cleaning glanhau dyddiol *be*
daily collective worship cydaddoliad dyddiol *eg*
daily office gwasanaeth beunyddiol *eg*
Dainty Davy dance dawns Dafydd Gain *eb*
dairy llaethdy *eg* llaethdai
dairy farm fferm laeth *eb* ffermydd llaeth
dairy industry diwydiant llaethdy *eg*
dairy products cynnyrch llaeth *eg*
dais esgynlawr *eg* esgynloriau
daisy-wheel olwyn argraffu *eb* olwynion argraffu
daisy-wheel printer argraffydd olwyn *eb* argraffwyr olwyn
Dalai Lama Dalai Lama *eg*
dam *n* argae *eg* argaeau
dam *v* cronni *be*
damage *n* difrod *eg*
damage *v* difrodi *be*
damage to the ozone layer difrod i'r haen oson
damages (=compensation) iawndal *eg*
damascene *n* damasgin *eg*
damascene *v* damasgu *be*
damask damasg *eg*
dame school ysgol hen ferch *eb* ysgolion hen ferched
dammed lake cronlyn *eg* cronlynnoedd
damp *adj* llaith *ans*
damp *n* lleithder *eg*
damp (a sound) *v* gwanychu sain *be*
damp storage storfa laith *eb* storfeydd llaith
damp-proof course (D.P.C.) cwrs gwrthleithder *eg*
damped (of noise) gwanychol *ans*
damped oscillation osgiliad gwanychol *eg* osgiliadau gwanychol
dampen lleithio *be*
damper (=shock absorber) damper *eg* damperau
damping gwanychiad *eg* gwanychiadau
dampness lleithder *eg*

damsons eirin duon *ell*
dance *v* dawnsio *be*
dance (form or motion) *n* dawns *eb* dawnsiau
dance (occasion) *n* dawns *eb* dawnsfeydd
dance composition cyfansoddiad dawns *eg* cyfansoddiadau dawns
dance figure ffigur dawns *eg* ffigurau dawns
dance form ffurf dawns *eb* ffurfiau dawns
dance freely dawnsio'n rhydd *be*
dance movement symudiad dawns *eg* symudiadau dawns
dance on the spot dawnsio yn yr unfan *be*
dance routine dawnsdrefn *eb* dawnsdrefnau
dance-band band dawns *eg* bandiau dawns
dandruff cen ar y pen *eg*
Dane Daniad *eg* Daniaid
Danegeld Treth y Daniaid *eb*
Danelaw rhanbarth y Daniaid *eg*
danger area (on playing field) llain waharddedig *eb* lleiniau waharddedig
dangerous play chwarae peryglus *eg*
dangling hongian yn rhydd *be*
Danish *adj* Danaidd *ans*
Danish *n* (language) Daneg *eb*
dariole mould mowld dariol *eg* mowldiau dariol
dark tywyll *ans*
Dark Ages Oesoedd Tywyll *ell*
dark brown (enamelling colour) brown tywyll *eg*
dark colour lliw tywyll *eg*
dark green (enamelling colour) gwyrdd tywyll *eg*
dark purple (tempering colour) porffor tywyll *eg*
dark ruby (enamelling colour) rhuddliw tywyll *eg*
dark straw (tempering colour) melyn tywyll *eg*
dark tone (of colour) tôn tywyll *eg* tonau tywyll
darkness tywyllwch *eg*
darn *n* craith *eb* creithiau
darn *v* trwsio *be*
darning hoop cylch creithio *eg* cylchau creithio
darning needle nodwydd greithio *eb* nodwyddau creithio
dart *n* dart *eg* dartiau
dart *v* gwibio *be*
dart perforation twll dart *eg* tyllau dart
dart slash toriad dart *eg* toriadau dart
Darwinism Darwiniaeth *eb*
dash (in computing) llinell doriad *eb* llinellau toriad
data data *ell*
data bank banc data *eg* banciau data
data capture cipio data *be*

---

adf, adv adferf, *adverb* **ans, adj** ansoddair, *adjective* **be** berf, *verb* **eb** enw benywaidd, *feminine noun* **eg** enw gwrywaidd, *masculine noun*

data channel sianel ddata *eb* sianeli data

data collection (act of) casglu data *be*

data controller rheolydd data *eg* rheolyddion data

data density dwysedd data *eg* dwyseddau data

data dictionary geiriadur data *eg* geiriaduron data

data entering mewnbynnu data *be*

data entry cofnod data *eg* cofnodion data

data file ffeil ddata *eb* ffeiliau data

data format fformat data *eg* fformatau data

data independence annibyniaeth data *eb*

data item eitem o ddata *eb* eitemau o ddata

data logging logio data *be*

data manipulation language (DML) iaith trin data *eb*

data model model data *eg* modelau data

data preparation paratoi data *be*

data preparation operator gweithredwr paratoi data *eg* gweithredwyr paratoi data

data processing prosesu data *be*

data processing cycle cylchred brosesu data *eb* cylchredau prosesu data

data processing department adran brosesu data *eb* adrannau prosesu data

data processing supervisor goruchwyliwr prosesu data *eg* goruchwylwyr prosesu data

Data Protection Act Deddf Gwarchod Data *eb*

data representation cynrychioliad data *eg* cynrychioliadau data

data retrieval adalw data *be*

data set set ddata *eb* setiau data

data storage storio data *be*

data structure strwythur data *eg* strwythurau data

data transfer trosglwyddo data *be*

data transfer rate cyfradd trosglwyddo data *eb* cyfraddau trosglwyddo data

data transmission trawsyrru data *be*

data type math data *eg* mathau data

data validation dilysu data *be*

data verification gwireddu data *be*

data-handling package pecyn trin data *eg* pecynnau trin data

data-response task tasg ymateb i ddata *eb* tasgau ymateb i ddata

database cronfa ddata *eb* cronfeydd data

database management rheolaeth cronfeydd data *eb*

database management system system rheoli cronfeydd data *eb*

date (on calendar) dyddiad *eg* dyddiadau

date (=type of fruit) datysen *eb* datys

dated (=containing the date) dyddiedig *ans*

dated (=old-fashioned) wedi dyddio *ans*

datum datwm *eg* data

datum edge ymyl datwm *eb* ymylon datwm

datum face wyneb datwm *eg* wynebau datwm

datum line llinell ddatwm *eb* llinellau datwm

datum side ochr datwm *eb* ochrau ddatwm

daughter cell epilgell *eb* epilgelloedd

daughter house (of nunnery) cangen *eb* canghennau

daughter isotope epilisotop *eg* epilisotopau

daughter product epil gynnyrch *eg* epil gynhyrchion

day (=period of 24 hours) diwrnod *eg* diwrnodau

day (with named days and as opposed to night) dydd *eg* dyddiau

day and night dydd a nos

day care gofal dydd *eg*

day centre canolfan ddydd *eb* canolfannau dydd

day degree dyddradd *eb*

day hospital ysbyty dydd *eg* ysbytai dydd

day nursery meithrinfa ddydd *eb* meithrinfeydd dydd

Day of Atonement Dydd y Cymod *eg*

Day of Barricades Dydd y Baricedau *eg*

Day of Dupes Dydd y Twyllo *eg*

day of the March Dydd Mers *eg*

day room ystafell ddydd *eb* ystafelloedd dydd

day-work gwaith dydd *eg*

daylight golau dydd *eg*

de-airing datawyru *be*

de-Stalinization dat-Stalineiddio *be*

de-waxing digwyro *be*

deacon diacon *eg* diaconiaid

deaconess diacones *eb* diaconesau

dead ball pêl farw *eb*

dead ball line llinell gwsg *eb* llinellau cwsg

dead cell cell farw *eb* celloedd marw

dead centre canol llonydd *eg* canolau llonydd

dead heat ras gyfartal *eb* rasys cyfartal

dead knot cainc farw *eb* ceinciau marw

dead record cofnod marw *eg* cofnodion marw

dead shore ateg unionsyth *eb* ategion unionsyth

dead size union faint *eg*

dead smooth file ffeil orlefn *eb* ffeiliau gorlyfn

dead wood pren marw *eg* prennau marw

deadline terfyn amser *eg* terfynau amser

deadlock (=impasse) sefyllfa ddiddatrys *eb* sefyllfaoedd diddatrys

deadlock (=type of lock) llwyrglo *eg* llwyrgloeon

deadweight tonnage tunelledd llwyth *eg*

deaf byddar *ans*

deaf child plentyn byddar *eg* plant byddar

deafness byddardod *eg*

deal *n* bargen *eb* bargeinion

deal *v* delio *be*

deaminase dadaminas *eg*

deaminate dadamineiddio *be*

deamination dadamineiddiad *eg*

dean deon *eg* deoniaid

deanery deondy *eg* deondai

dearcuate delta delta bwaog *eg* deltâu bwaog

death marwolaeth *eb* marwolaethau

death certificate tystysgrif marwolaeth *eb* tystysgrifau marwolaeth

death duty toll farwolaeth *eb* tollau marwolaeth

death grant grant marwolaeth *eg* grantiau marwolaeth

death penalty cosb eithaf *eb*

---

death rate cyfradd marwolaethau *eb* cyfraddau marwolaethau

death warrant gwarant dienyddio *eb* gwarantau dienyddio

deathwatch beetle ticbryf *eg* ticbryfed

debasement (of coinage) llygriad (arian) *eg*

debility llesgedd *eg*

debit *n* debyd *eg* debydau

debit *v* cyfrif yn ddebyd *be*

debit account cyfrif dyledion *eg* cyfrifon dyledion

deblocking dadflocio *be*

debouncing dadadlamu *be*

debridement digramennu *be*

debris malurion *ell*

debt dyled *eb* dyledion

debtor dyledwr *eg* dyledwyr

Debtor's Prison Carchar Dyledwyr *eg*

debugging dadfygio *be*

début début *eg* débuts

decade degawd *eb* degawdau

decadence (in art etc) dirywiaeth *eb*

decagon decagon *eg* decagonau

decalcification datgalchiad *eg*

decalcify datgalchu *be*

decalescent point pwynt caledu *eg* pwyntiau caledu

decani decani *eg*

decant ardywallt *be*

decarbonize datgarboneiddio *be*

decarboxylate datgarbocsileiddio *be*

decay (in biology) *n* pydredd *eg*

decay (in biology) *v* pydru *be*

decay (in chemistry and radioactive) *n* dadfeiliad *eg* dadfeiliadau

decay (in chemistry and radioactive) *v* dadfeilio *eg*

deceive twyllo *be*

decelerate arafu *be*

deceleration arafiad *eg* arafiadau

Decembrists' Revolt Gwrthryfel y Rhagfyrwyr *eg*

decentralization datganoliad *eg*

decentralize datganoli *be*

deceptive cadence diweddeb annisgwyl *eb* diweddebau annisgwyl

decibel desibel *eg* desibelau

decide penderfynu *be*

deciduous collddail *ans*

deciduous tooth dant cyntaf *eg* dannedd cyntaf

deciduous tree coeden golldail *eb* coed collddail

decile degradd *eg* degraddau

decile point pwynt degradd *eg* pwyntiau degradd

decilitre decilitr *eg* decilitrau

decimal *adj* degol *ans*

decimal *n* degolyn *eg* degolion

decimal coinage arian degol *ell*

decimal fraction ffracsiwn degol *eg* ffracsiynau degol

decimal notation nodiant degol *eg*

decimal place lle degol *eg* lleoedd degol

decimal point pwynt degol *eg* pwyntiau degol

decimal system system ddegol *eb* systemau degol

decimalize degoli *be*

decimation (=destruction) dinistrio *be*

decimation (=exaction of tithes) degymu *be*

decimetre decimetr *eg* decimetrau

decision penderfyniad *eg* penderfyniadau

decision box blwch penderfyniad *eg* blychau penderfyniad

decision making process proses benderfynu *eb* prosesau penderfynu

decision table tabl penderfyniad *eg* tablau penderfyniad

deck dec *eg* deciau

declaim traethu *be*

declaration datganiad *eg* datganiadau

Declaration of Independence Datganiad Annibyniaeth *eg*

Declaration of Indulgence Datganiad Pardwn *eg*

Declaration of Rights Datganiad Iawnderau *eg*

declaration of war cyhoeddi rhyfel *be*

Declaratory Act Deddf Datganiad *eb*

declare datgan *be*

declare the innings closed cau'r batiad *be*

declination gogwyddiad *eg* gogwyddiadau

decline (=decrease in price etc) gostyngiad *eg*

decline (=deterioration) dirywiad *eg*

declining industry diwydiant sy'n dirywio *eg* diwydiannau sy'n dirywio

declivity goriwaered *eg*

decode datgodio *be*

decoder datgodiwr *eg* datgodwyr

decollator decoladydd *eg* decoladwyr

decolonize dad-drefedigaethu *be*

decolourize dadliwio *be*

decompose dadelfennu *be*

decomposer dadelfennydd *eg* dadelfenyddion

decomposition dadelfeniad *eg* dadelfeniadau

decomposition method dull dadelfennu *eg*

decompress datgywasgu *be*

decompression datgywasgiad *eg*

decontaminate dadlygru *be*

decontrol dadreoli *be*

décor décor *eg*

decorate addurno *be*

decorated addurnedig *ans*

decorating punch pwnsh addurno *eg* pynsiau addurno

decoration addurn *eg* addurniadau

decorative addurnol *ans*

decorative art celfyddyd addurnol *eb*

decorative chamfer siamffer addurnol *eg* siamfferau addurnol

decorative container cynhwysydd addurnol *eg* cynwysyddion addurnol

decorative details manylion addurnol *ell*

decorative finish gorffeniad addurnol *eg* gorffeniadau addurnol

decorative hem hem addurnol *eb* hemiau addurnol

decorative panel panel addurnol *eg* paneli addurnol

decorative process proses addurnol *eb* prosesau addurnol

---

decorative relief cerfwedd addurnol *eb* cerfweddau addurnol

decorative seam sêm addurnol *eb* semau addurnol

decorative stitch pwyth addurnol *eg* pwythau addurnol

decorative technique techneg addurnol *eb* technegau addurnol

decorative through dovetail joint uniad cynffonnog trwodd addurnol *eg* uniadau cynffonnog trwodd addurnol

decorative unit uned addurnol *eb* unedau addurnol

decorative veneer argaen addurnol *eg* argaenau addurnol

decouple dadgyplu *be*

decrease *n* lleihad *eg* lleihadau

decrease *v* lleihau *be*

decrease (in knitting) *v* gostwng pwythau *be*

decrease through back of stitch cyfyngu drwy gefn y pwyth *be*

decreasing lleihaol *ans*

decreasing (in economics) gostyngol *ans*

decreasing cost cost ostyngol *eb* costau gostyngol

decree (in courts of law) *n* archddyfarniad *eg* archddyfarniadau

decree (in courts of law) *v* archddyfarnu *be*

decree (=official order) *n* ordinhad *eg* ordinhadau

decree (=order) *v* ordeinio *be*

decree nisi dyfarniad amodol *eg*

decrement (act of decreasing) gostwng *be*

decrement (=decrease) lleihad *eg* lleihadau

decrement (=ratio or amount lost) gostyngiad *eg* gostyngiadau

decrepitate clindarddach *be*

decretal decretal *eg*

decryption dadgryptio *be*

decumbent gorweddol *ans*

decurion dengwriad *eg* dengwriaid

decurrent llorestynnol *ans*

decussate croesedig *ans*

dedendum circle cylch dedendwm *eg* cylchoedd dedendwm

dedicate (a book, music etc) cyflwyno *be*

dedicate (a church) cysegru *be*

dedicated computer cyfrifiadur un pwrpas *eg* cyfrifiaduron un pwrpas

dedicated register cofrestr un pwrpas *eb* cofrestri un pwrpas

dedicated word processor prosesydd geiriau un pwrpas *eg* prosesyddion geiriau un pwrpas

dedication (of book, music etc) cyflwyniad *eg* cyflwyniadau

dedication (of church) cysegriad *eg* cysegriadau

deduce diddwytho *be*

deduce that ... *(imperative)* diddwythwch (gorchmynnol) *be*

deduct (in arithmetic) didynnu *be*

deduction (in arithmetic) didyniad *eg* didyniadau

deduction (=inference, conclusion drawn) casgliad *eg* casgliadau

deduction (of money) tynnu (arian) *be*

deduction (theory) diddwythiad *eg* diddwythiadau

deed gweithred *eb* gweithredoedd

deep dwfn *ans*

deep chrome yellow melyn crôm dwfn *eg*

deep end of the bath pen dwfn y baddon *eg*

deep fat frying ffrio dwfn *be*

deep freeze cabinet cwpwrdd rhew *eg* cypyrddau rhew

deep freeze chest rhewgist *eb* rhewgistiau

deep lemon yellow melyn lemwn dwfn *eg*

deep litter (for hens) gwasarn *eg*

deep mid wicket canolwr wiced bell *eg* canolwyr wiced bell

deep Naples yellow melyn dwfn Naples *eg*

deep sawn llifiad dwfn *eg*

deep sea fishing pysgota'r cefnfor *be*

Deep South (US) De Eithaf (yr UD) *eg*

deep square leg coeswr pell sgwâr *eg* coeswyr pell sgwâr

deep sunken wedi'i suddo'n ddwfn *ans* wedi'u suddo'n ddwfn

deep throat G cramp cramp G dyfnwddf *eg* crampiau G dyfnwddf

deepen dyfnhau *be*

default *adj* diofyn *ans*

default *n* diofyniad *eg* diofyniadau

default *v* diofynnu *be*

default value diffygwerth *eg* diffygwerthoedd

defaulter methdalwr *eg* methdalwyr

defeat trechu *be*

defeatist *adj* gwangalon *ans*

defeatist (of person) *n* gwangalonnwr *eg* gwangalonwyr

defecate ymgarthu *be*

defecation ymgarthiad *eg*

defect *v* gwrthgilio *be*

defect (=imperfection) *n* diffyg *eg* diffygion

defect (physical) *n* nam *eg* namau

defective (=faulty) gwallus *ans*

defective (=imperfect) diffygiol *ans*

defector gwrthgiliwr *eg* gwrthgilwyr

defence (=fortifications) amddiffynfa *eb* amddiffynfeydd

defence (in sport) amddiffyn *eg*

defence (=justification in response to accusation) amddiffyniad *eg* amddiffyniadau

Defence Bonds Bondiau Amddiffyn *ell*

defend amddiffyn *be*

defend off the front leg amddiffyn oddi ar y droed flaen *be*

defend the goal amddiffyn y gôl *be*

defend the wicket amddiffyn y wiced *be*

defendant diffynnydd *eg* diffynyddion

defender (in soccer, rugby) cefnwr *eg* cefnwyr

Defender of the Faith Amddiffynnydd y Ffydd *eg*

defensive amddiffynnol *ans*

defensive bowling bowlio amddiffynnol *be*

defensive shot ergyd amddiffynnol *eb* ergydion amddiffynnol

defensive stroke ergyd amddiffynnol *eb* ergydion amddiffynnol

deference parch *eg*

---

deferred confluence cydlifiad gohiriedig *eg* cydlifiadau gohiriedig

deferred payment tâl gohiriedig *eg* taliadau gohiriedig

deficiency (=lack, deficit) diffyg *eg* diffygion

deficiency disease clefyd diffyg *eg* clefydau diffyg

deficiency payment tâl diffyg *eg* taliadau diffyg

deficiency symptom symptom diffyg *eg* symptomau diffyg

deficient diffygiol *ans*

deficit diffyg (ariannol) *eg* diffygion (ariannol)

defile cyfyng *eg* cyfyngoedd

define diffinio *be*

definite pendant *ans*

definite integral integryn pendant *eg* integrynnau pendant

definiteness pendantrwydd *eg*

definition diffiniad *eg* diffiniadau

deflagrating spoon llwy ffaglu *eb* llwyau ffaglu

deflate (a tyre etc) gollwng aer allan *be*

deflate (in economics) dadchwyddo *be*

deflate (in physics) dadchwythu *be*

deflated dadchwythedig *ans*

deflation (in economics) dadchwyddiant *eg*

deflation (in physics / geology) dadchwythiad *eg* dadchwythiadau

deflect (in physics) allwyro *be*

deflect the ball gwyro'r bêl *be*

deflection allwyriad *eg* allwyriadau

deflocculate datglystyru *be*

deflocculation datglystyriad *eg*

defoaming di-ewynnu *be*

defoliate diddeilio *be*

deforestate datgoedwigo *be*

deform anffurfio *be*

deformation anffurfiad *eg* anffurfiadau

deformity anffurfiant *eg* anffurfiannau

defraud twyllo *be*

defrost dadrewi *be*

degassing di-nwyo *be*

degassing plunger plymiwr di-nwyo *eg* plymwyr di-nwyo

degassing tablet tabled ddi-nwyo *eb* tabledi di-nwyo

degeneracy dirywiad *eg* dirywiadau

degenerate *adj* dirywiedig *ans*

degenerate *v* dirywio *be*

degenerative disease clefyd dirywiol *eg* clefydau dirywiol

deglaciation dadrewlifiant *eg* dadrewlifiannau

deglutition llyncu *be*

degradation diraddiad *eg* diraddiadau

degrade diraddio *be*

degraded diraddedig *ans*

degreasant datseimydd *eg* datseimyddion

degrease datseimio *be*

degree gradd *eb* graddau

degree exercise cyfansoddiad gradd *eg* cyfansoddiadau gradd

degree of dissociation gradd ddaduno *eb*

degree of pitch serthiant *eg*

degrees of freedom graddau rhyddid *ell*

degrees of the scale graddau'r raddfa *ell*

dehisce ymagor *be*

dehiscent ymagorol *ans*

dehorning digornio *be*

dehumanize dad-ddyneiddio *be*

dehydrate dadhydradu *be*

dehydrated dadhydredig *ans*

dehydration dadhydradiad *eg*

dehydration (of person) diffyg hylif *eg*

dehydration agent dadhydradydd *eg* dadhydradyddion

dehydrogenase dadhydrogenas *eg*

dehydrogenate dadhydrogenu *be*

dehydrogenation dadhydrogeniad *eg*

deism dëistiaeth *eb*

delamination dadlaminadu *be*

delay *n* oediad *eg* oediadau

delay *v* oedi *be*

delay line llinell oedi *eb* llinellau oedi

delayed riposte riposte oediog *eg*

delayed speech hwyr yn siarad *ans*

delegate *n* cynrychiolydd *eg* cynrychiolwyr

delegate *v* dirprwyo *be*

delegate the management of dirprwyo rheolaeth *be*

delegated budget cyllideb ddirprwyedig *eb* cyllidebau dirprwyedig

delegated expenditure gwariant dirprwyedig *eg*

delegated item eitem ddirprwyedig *eb* eitemau dirprwyedig

delegated power pŵer dirprwyedig *eg* pwerau dirprwyedig

Delegates Court Llys Anfonogion *eg*

delegation dirprwyaeth *eb* dirprwyaethau

delegation (=deputation) cynrychiolwyr *ell*

delegation of budgets dirprwyo cyllidebau *be*

delegation of requirements dirprwyo gofynion *be*

delete dileu *be*

delete key dilëwr *eg* dilewyr

deletion dilead *eg* dileadau

Delft ware crochenwaith Delft *eg*

delicate (fabric) main *ans*

delicate (=finely beautiful) cain *ans*

delicate (=frail) eiddil *ans*

delicate (of touch) ysgafn *ans*

delimit amffinio *be*

delimited amgaeedig *ans*

delimiter amffinydd *eg* amffinyddion

delinquency tramgwyddaeth *eb*

delinquent *adj* tramgwyddus *ans*

delinquent *n* tramgwyddwr *eg* tramgwyddwyr

delinquent behaviour ymddygiad tramgwyddus *eg*

deliquescence gwlybyredd *eg*

deliquescent gwlybyrol *ans*

delirium deliriwm *eg*

delivery (of a baby) esgor *be*

delivery date dyddiad derbyn *eg* dyddiadau derbyn

delivery tube tiwb cludo *eg* tiwbiau cludo

delocalize dadleoli *be*

---

adf, adv adferf, *adverb*   *ans, adj* ansoddair, *adjective*   *be* berf, *verb*   *eb* enw benywaidd, *feminine noun*   *eg* enw gwrywaidd, *masculine noun*

delocalized dadleoledig *ans*

delta delta *eg* deltâu

deltaic deltaidd *ans*

deltoid ridge crib ddeltoid *eb* cribau deltoid

delusion rhithdyb *eb* rhithdybiau

delustre diloywi *be*

demagnetize dadfagneteiddio *be*

demagogue demagog *eg* demagogiaid

demand *n* galw *eg* galwadau

demand (in economics) *v* galw *be*

demand (in general) *v* hawlio *be*

demand feeding bwydo ar alw *be*

demanded quantity (in economics) maint y galw *eg*

dematerialize difateroli *be*

dementia gorddryswch *eg*

demersal fishing pysgota'r gwaelod *be*

demesne demen *eg* demenau

demi semiquaver chwarter cwafer *eg* chwarteri cwafer

demi-cadence cadence diweddeb amherffaith *eb* diweddebau amherffaith

demilitarize dadfilwrio *be*

demilitarized zone ardal ddadfilwriedig *eb* ardaloedd dadfilwriedig

demise by will cymynaeth *eb* cymynaethau

democracy democratiaeth *eb*

democrat democrat *eg* democratiaid

Democratic Party Plaid Ddemocrataidd *eb*

demodulate dadfodiwliad *eg* dadfodiwliadau

demographic demograffig *ans*

demographic revolution chwyldro demograffig *eg*

demographic transition trawsnewid demograffig *eg*

demography demograffeg *eb*

demolish chwalu *be*

demolition order gorchymyn chwalu *eg* gorchmynion chwalu

demonstrate (=protest) gwrthdystio *be*

demonstrate (=show) arddangos *be*

demonstration (=protest) gwrthdystiad *eg* gwrthdystiadau

demonstration (=show) arddangosiad *eg* arddangosiadau

demonstration lesson gwers enghreifftiol *eb* gwersi enghreifftiol

demonstration program rhaglen arddangos *eb* rhaglenni arddangos

denary degaidd *ans*

denary number rhif degaidd *eg* rhifau degaidd

denationalize dadwladoli *be*

denaturation dadnatureiddiad *eg*

denature dadnatureiddio *be*

denatzification dadnatsïeiddio *be*

dendrite dendrid *eg* dendridau

dendritic canghennog *ans*

dendrochronology dendrocronoleg *eb*

denervate dadnerfogi *be*

denier denier *eg*

denim denim *eg*

denitrification dadnitreiddiad *eg*

denitrify dadnitreiddio *be*

denitrifying bacteria bacteria dadnitreiddio *ell*

denizenship dinasyddiaeth *eb*

denomination (of religion) enwad (crefyddol) *eg* enwadau

denominational religious education addysg grefyddol enwadol *eb*

denominational school ysgol enwadol *eb* ysgolion enwadol

denote dynodi *be*

dense (of bush etc) trwchus *ans*

dense (of sound quality, in physics etc) dwys *ans*

dense growth tyfiant trwchus *eg* tyfiannau trwchus

density dwysedd *eg* dwyseddau

dent *n* tolc *eg* tolciau

dent *v* tolcio *be*

dentage (of heddle) dentiad *eg*

dental deintiol *ans*

dental brace fframddannedd *eb* fframiau dannedd

dental decay pydredd dannedd *eg*

dental floss edau ddeintiol *eb* edafedd deintiol

dental formula patrwm dannedd *eg*

dental plaque plac deintiol *eg*

dentine dentin *eg*

denting dentio *be*

dentist deintydd *eg* deintyddion

dentistry deintyddiaeth *eb*

dentures dannedd gosod *ell*; dannedd dodi *ell*

denudation treuliant *eg*

denudation chronology cronoleg treuliant *eb*

deny gwadu *be*

deodorant diaroglydd *eg* diaroglyddion

deodorize diarogli *be*

depart gadael *be*

department adran *eb* adrannau

Department for Education and Employment Adran Addysg a Chyflogaeth *eb*

Department of Trade and Industry Adran Diwydiant a Masnach *eb*

department store siop adrannol *eb* siopau adrannol

departmental adrannol *ans*

departure ymadawiad *eg* ymadawiadau

dependant dibynnydd *eg* dibynyddion

dependence (=being unable to do without) caethiwed *eb*

dependence (=reliance) dibyniaeth *eb*

dependency (in general) dibyniaeth *eb*

dependency (of country) tiriogaeth ddibynnol *eb* tiriogaethau dibynnol

dependent dibynnol *ans*

dependent (=depending on) dibynnol *ans*

dependent (on drugs etc) caeth *ans*

dependent behaviour ymddygiad dibynnol *eg*

dependent population poblogaeth ddibynnol *eb* poblogaethau dibynnol

dependent variable newidyn dibynnol *eg* newidynnau dibynnol

depersonalization dadbersonoli *be*

depigmentation dadbigmentiad *eg*

---

eg/b enw gwrywaidd/benywaidd, *feminine/masculine noun* **ell** enw lluosog, *plural noun* **v** berf, *verb* **n** enw, *noun*

depilate diflewio *be*

deplete darwagio *be*

deploy defnyddio *be*

depolarization dadbolariad *eg* dadbolariadau

depolarize dadbolaru *be*

depolarizer dibolarydd *eg*

depopulate diboblogi *be*

depopulated area ardal wedi'i diboblogi *eb* ardaloedd wedi'u diboblogi

depopulation diboblogaeth *eb*

deport alltudio *be*

deportation alltudiaeth *eb*

depose (=dethrone) diorseddu *be*

depose (other than king / queen) diswyddo *be*

deposit (chemical, silt etc) *n* dyddodyn *eg* dyddodion

deposit (chemical, silt etc) *v* dyddodi *be*

deposit (=first payment) *n* blaendal *eg* blaendaliadau

deposit (=money given as pledge) *n* ernes *eb* ernesau

deposit (of assets) *n* adnau *eg* adneuon

deposit account cyfrif cadw *eg* cyfrifon cadw

deposition (=dethronement) diorseddiad *eg* diorseddiadau

deposition (of official) diswyddiad *eg* diswyddiadau

deposition (of sediment) dyddodiad *eg* dyddodiadau

deposition (=sworn evidence)) deponiad *eg* deponiadau

depositor adneuwr *eg* adneuwyr

depreciate dibrisio *be*

depreciation dibrisiad *eg*

depress (=lower) gostwng *be*

depress (push down) gwasgu *be*

depressed area ardal ddirwasgedig *eb* ardaloedd dirwasgedig

depression (in economics) dirwasgiad *eg* dirwasgiadau

depression (in land) pant *eg* pantiau

depression (=low spirits) iselder *eg*

depression (=lowering) gostyngiad *eg* gostyngiadau

depression (of weather) gwasgedd isel *eg*

depression of freezing point gostyngiad (y) rhewbwynt *eg*

depressor gostyngydd *eg* gostyngwyr

depressor nerve nerf gostyngol *eg* nerfau gostyngol

deprivation amddifadiad *eg* amddifadiadau

deprive (=depose clergyman from office) difydio *be*

deprive (in general) amddifadu *be*

deprived difreintiedig *ans*

deprived area ardal ddifreintiedig *eb* ardaloedd difreintiedig

deprived child plentyn amddifadus *eg* plant amddifadus

depth dyfnder *eg* dyfnderau

depth charge ffrwydryn tanddwr *eg* ffrwydrynnau tanddwr

depth dimension dimensiwn dyfnder *eg*

depth gauge medrydd dyfnder *eg* medryddion dyfnder

depth line llinell ddyfnder *eb* llinellau dyfnder

depth perception canfyddiad o ddyfnder *eg*

depth stop stop dyfnder *eg* stopiau dyfnder

deputation dirprwyaeth *eb* dirprwyaethau

deputy dirprwy *eg* dirprwyon

deputy head (of school) dirprwy bennaeth (ysgol) *eg* dirprwy benaethiaid (ysgol)

deputy headmistress dirprwy brifathrawes *eb* dirprwy brifathrawesau

deputy lieutenant dirprwy raglaw *eg* dirprwy raglawiaid

deregulate dadreoli *be*

derelict diffaith *ans*

dereliction diffeithdra *eg*

dereliction order gorchymyn dirywiad llwyr *eg*

derivation deilliant *eg* deilliannau

derivative *adj* deilliadol *ans*

derivative *n* deilliad *eg* deilliadau

derivative art celfyddyd ddeilliadol *eb*

derive deillio *be*

derive an expression deillio mynegiad *be*

derived deilliadol *ans*

derived function ffwythiant deilliadol *eg* ffwythiannau deilliadol

derived scale graddfa ddeilliadol *eb* graddfeydd deilliadol

dermatitis dermatitis *eg*

dermatologist dermatolegydd *eg* dermatolegwyr

dermatology dermatoleg *eb*

derrick deric *eg* dericiau

desalination dihalwyno *be*

descale digennu *be*

descant desgant *eb* desgantau

descant recorder recorder desgant *eg* recorderau desgant

descant viol feiol ddesgant *eb* feiolau desgant

descend disgyn *be*

descendant disgynnydd *eg* disgynyddion

descending disgynnol *ans*

descending order trefn ddisgynnol *eb*

descending scale graddfa ddisgyn *eb* graddfeydd disgyn

descent disgyniad *eg*

describe disgrifio *be*

description disgrifiad *eg* disgrifiadau

descriptive disgrifiadol *ans*

descriptive language iaith ddisgrifiadol *eb*

descriptive music cerddoriaeth ddisgrifiadol *eb*

descriptive statistics ystadegaeth ddisgrifiadol *eb*

descriptor disgrifydd *eg* disgrifwyr

desegregation dadwahanu *be*

deselect dad-ddewis *be*

desert diffeithdir *eg* diffeithdiroedd

desert place diffeithle *eg* diffeithleoedd

desert varnish farnais y diffeithdir *eg*

deserted village pentref anghyfannedd *eg* pentrefi anghyfannedd

deserter enciliwr *eg* encilwyr

desiccated dysychedig *ans*

desiccated coconut coconyt mân *eg*

desiccation dysychiad *eg*

desiccator sychiadur *eg* sychiaduron

design (=draw a plan) *v* dylunio *be*

design (=plan) *n* cynllun *eg* cynlluniau

design (=plan) *v* cynllunio *be*

design (=sketch or plan drawn) *n* dyluniad *eg* dyluniadau

---

design a system cynllunio system *be*
design brief briff dylunio *eg* briffiau dylunio
design development datblygiad cynllun *eg* datblygiadau cynllun
design evaluation gwerthuso cynllun *be*
design folio ffolio dylunio *eg* ffolios dylunio
design label label cynllun *eg* labeli cynllun
design loop dolen ddylunio *eb* dolennau dylunio
design of a batik dyluniad batik *eg* dyluniadau batik
design process proses ddylunio *eb* prosesau dylunio
design refinements gorffeniadau yn y cynllun *ell*
design thinking ystyried dylunio *be*

designate *adj* darpar *ans*
designate *v* dynodi *be*

designated dynodedig *ans*
designated area maes dynodedig *eg* meysydd dynodedig
designated school ysgol ddynodedig *eb* ysgolion dynodedig
designer dylunydd *eg* dylunyddion
designing of programme cynllunio rhaglen *be*
desk desg *eb* desgiau
desk check gwiriad desg *eg* gwiriadau desg
desktop bwrdd gwaith *eg* byrddau gwaith
desktop publishing cyhoeddi bwrdd gwaith *be*
desloughing dadgennu *be*
desolate diffaith *ans*
despot unben *eg* unbeniaid
despotism unbennaeth *eb*
dessert pwdin *eg* pwdinau
dessert apple afal bwyta *eg* afalau bwyta
dessertspoon llwy bwdin *eb* llwyau pwdin
dessertspoonful llond llwy bwdin *eg* llond llwyau pwdin
destarch dadstartsio *be*
destination cyrchfan *eg/b* cyrchfannau
destination disk cyrchddisg *eg* cyrchddisgiau
destination file ffeil gyrchfan *eb* ffeiliau cyrchfan
destroy dinistrio *be*
destroyer (ship) llong ryfel fechan *eb* llongau rhyfel bychain
destructive distrywiol *ans*
destructive readout allddarlleniad distrywiol *eg* allddarlleniadau distrywiol
detach datgysylltu *be*
detachable datgysylltiol *ans*
detachable collar coler rhydd *eg* coleri rhydd
detached datgysylltiedig *ans*
detached chain stitch pwyth cadwyn unigol *eg* pwythau cadwyn unigol
detached house tŷ sengl *eg* tai sengl
detail *n* manylyn *eg* manylion
detail *v* manylu *be*
detail drawing lluniad manylion *eg* lluniadau manylion
detail paper papur manylion *eg*
detail scenery set fanwl *eb* setiau manwl
detailed manwl *ans*
detailed drawing lluniad manwl *eg* lluniadau manwl
details manylion *ell*
detect canfod *be*

detector canfodydd *eg* canfodyddion
detector valve falf ganfod *eb* falfiau canfod
detention centre canolfan gadw *eb* canolfannau cadw
detergency glanedwaith *eg*
detergent glanedydd *eg* glanedyddion
deteriorate dirywio *be*
deterioration dirywiad *eg* dirywiadau
determinant (in immunology) penderfynyn *eg* penderfynynnau
determinant (in mathematics) determinant *eg* determinannau
determinate penderfynedig *ans*
determinate key cywair penodol *eg* cyweiriau penodol
determination (of size) mesuriad *eg* mesuriadau
determine (in economics) pennu *be*
determine (movement) penderfynu *be*
determined coefficient cyfernod pendant *eg* cyfernodau pendant
determinism penderfyniaeth *eb*
determinist *adj* penderfyniadol *ans*
determinist *n* penderfyniedydd *eg* penderfyniedwyr
deterministic penderfynedig *ans*
deterrent *adj* ataliol *ans*
deterrent *n* arf ataliol *eg* arfau ataliol
detour dargyfeiriad *eb* dargyfeiriadau
detour index mynegrif dargyfeirio *eg* mynegrifau dargyfeirio
detoxicate dadwenwyno *be*
detoxication dadwenwyniad *eg*
detritivore detritysydd *eg* detritysyddion
detritus (=debris) malurion *ell*
detritus (in biology) detritws *eg*
deuce diws *eg*
deuteron diwteron *eg* diwteronau
devaluation dibrisiad *eg* dibrisiadau
devaluation of the pound dibrisio'r bunt *be*
develop datblygu *be*
develop control meithrin rheolaeth *be*
develop hypotheses datblygu rhagdybiaethau *be*
develop knowledge datblygu gwybodaeth *be*
develop rule datblygu rheol *be*
develop skills meithrin sgiliau *be*
developed country gwlad ddatblygedig *eb* gwledydd datblygedig
developing country gwlad sy'n datblygu *eb* gwledydd sy'n datblygu
developing embryo embryo datblygol *eg* embryonau datblygol
development datblygiad *eg* datblygiadau
development area ardal ddatblygu *eb* ardaloedd datblygu
development chart siart datblygiad *eg* siartiau datblygiad
development land tax treth tir datblygu *eb* trethi tir datblygu
development site safle datblygu *eg* safleoedd datblygu
development sketch braslun datblygiad *eg* brasluniau datblygiad

---

eg/b enw gwrywaidd/benywaidd, *feminine/masculine noun*   *ell* enw lluosog, *plural noun*   *v* berf, *verb*   *n* enw, *noun*

developmental datblygiadol *ans*

developmental age oed datblygiad *eg*

developmental curriculum cwricwlwm datblygiadol *eg*

developmental delay oedi yn y datblygiad *be*

developmental guidance arweiniad ar ddatblygiad *eg*

developmental process proses ddatblygiadol *eb* prosesau datblygiadol

developmental reading darllen datblygiadol *eg*

developmental stage cam datblygiadol *eg* camau datblygiadol

deviant gwyrdröedig *ans*

deviant behaviour ymddygiad gwyrdröedig *eg*

deviate gwyro *be*

deviation gwyriad *eg* gwyriadau

device dyfais *eb* dyfeisiau

devilled poeth *ans*

devise dyfeisio *be*

devitrification diwydriad *eg*

devolution datganoli *be*

devoted ymroddedig *ans*

devotion ymroddiad *eg* ymroddiadau

dew gwlith *eg* gwlithoedd

dew point gwlithbwynt *eg* gwlithbwyntiau

Dewey Decimal System System Ddegol Dewey *eb*

dewpond gwlithbwll *eg* gwlithbyllau

dexterity deheurwydd *eg*

dextrose decstros *eg*

Dhootie cloth brethyn Dhootie *eg*

diabase diabas *eg* diabasau

diabetes clefyd siwgr *eg*

diabetic *adj* diabetig *ans*

diabetic child plentyn diabetig *eg* plant diabetig

diaeresis didolnod *eg* didolnodau

diagnose gwneud diagnosis *be*

diagnosis diagnosis *eg* diagnosau

diagnosis related groups grwpiau diagnosis perthynol *ell*

diagnostic diagnostig *ans*

diagnostic assessment asesiad diagnostig *eg* asesiadau diagnostig

diagnostic program rhaglen ddiagnostig *eb* rhaglenni diagnostig

diagnostic routine rheolwaith diagnostig *eg* rheolweithiau diagnostig

diagnostic test prawf diagnostig *eg* profion diagnostig

diagnostic testing profi diagnostig *be*

diagnostics diagnosteg *eb*

diagonal *n* croeslin *eg* croesliniau

diagonal (=from one corner to another) *adj* croesgornel *ans*

diagonal (on a straight sided figure) *adj* croeslinol *ans*

diagonal (=slanted) *adj* lletraws *ans*

diagonal bracing cleddu croeslinol *be*

diagonal cutting pliers gefelen dorri croeslin *eb* gefeiliau torri croeslin

diagonal dominance trechedd croeslinol *eg*

diagonal hip pocket poced glun letraws *eb* pocedi clun lletraws

diagonal kick cic letraws *eb* ciciau lletraws

diagonal pass pàs letraws *eb* pasiau lletraws

diagonal rail rheilen groeslinol *eb* rheiliau croeslinol

diagonal scale graddfa groeslinol *eb* graddfeydd croeslinol

diagonal stretcher estynnwr croeslinol *eg* estynwyr croeslinol

diagonal stripe rhes groeslinol *eb* rhesi croeslinol

diagonal stroke (lettering) strôc groeslinol *eg* strociau croeslinol

diagonal test prawf croeslinol *eg* profion croeslinol

diagonal testing profi croeslinol *be*

diagonal wedging lletemu croeslinol *be*

diagonal-cutting nipper niper torri croeslinol *eg* niperi torri croeslinol

diagonally (in general) yn groeslinol *adf*

diagonally (=to opposite corner) yn groesgornel *adf*

diagram diagram *eg* diagramau

diagrammatic notation nodiant arluniol *eg*

diagrammatic representation cynrychioliad diagramatig *eg* cynrychioliadau diagramatig

diakinesis diacinesis *eg*

dial deial *eg* deialau

dial gauge medrydd deial *eg* medryddion deial

dial test indicator (D.T.I.) prawf-ddangosydd deial *eg* prawf-ddangosyddion deial

dial-up modem modem deialu *eg* modemau deialu

dialect tafodiaith *eb* tafodieithoedd

dialectal tafodieithol *ans*

dialectic dilechdid *eg*

dialectical materialism materoliaeth ddilechdidol *eb*

dialogue deialog *eb* deialogau

dialysate dialysad *eg*

dialysis dialysis *eg*

diamagnetism diamagnetedd *eg*

diameter diamedr *eg* diamedrau

diametral diamedrol *ans*

diametral pitch pitsh diamedrol *eg*

diamond diemwnt *eg* diemyntau

diamond banding bandin diemwnt *eg* bandinau diemwnt

diamond knurl nwrl diemwnt *eg* nwrliau diemwnt

diamond point pwynt diemwnt *eg* pwyntiau diemwnt

diamond point chisel cŷn trwyn diemwnt *eg* cynion trwyn diemwnt; gaing drwyn diemwnt *eb* geingiau trwyn diemwnt

diamond tipped blaen diemwnt *ans*

diamond tool erfyn diemwnt *eg* offer diemwnt

diamond wheel olwyn ddiemwnt *eb* olwynion diemwnt

diapason diapason *eg* diapasonau

diaper diaper *eg*

diaphragm (in plants and animals other than mammals) diaffram *eg* diafframau

diaphragm (=muscular partition in mammals) llengig *eg* llengigoedd

diarrhoea dolur rhydd *eg*

diary dyddiadur *eg* dyddiaduron

diastase diastas *eg*

diastole diastole *eg*

diastrophism diastroffedd *eg*

diatomic deuatomig *ans*

---

diatonic diatonig *ans*

diatonic semitone hanner tôn diatonig *eg* hanner tonau diatonig

diatonicism diatonyddiaeth *eb*

dice *n* dis *eg* disiau

dice *v* deisio *be*

dicotyledon deugotyledon *eg*

dictator unben *eg* unbeniaid

dictatorial unbenaethol *ans*

dictatorship unbennaeth *eb*

dictatorship of the proletariat unbennaeth y proletariat *eb*

diction ynganiad *eg* ynganiadau

dictionary geiriadur *eg* geiriaduron

die dei *eg* deiau

die nut nyten ddei *eb* nytiau dei

die-casting deigastio *be*

dielectric *adj* deuelectrig *ans*

dielectric *n* deuelectryn *eg* deuelectrynnau

dielectric constant cysonyn deuelectrig *eg* cysonion deuelectrig

diet diet *eg* dietau

Diet of Worms Diet Worms *eg*

dietary dietegol *ans*

dietary fibre ffibr dietegol *eg*

dietetics dieteg *eb*

dietitian dietegydd *eg* dietegwyr

difference gwahaniaeth *eg* gwahaniaethau

difference of means gwahaniaeth cymedrau *eg*

difference of two squares gwahaniaeth rhwng dau sgwâr

different gwahanol *ans*

differentiability differadwyedd *eg*

differentiable differadwy *ans*

differential *n* differyn *eg* differynnau

differential (in general) *adj* gwahaniaethol *ans*

differential (in mathematics and physics) *adj* differol *ans*

differential assembly cydosodiad differyn *eg* cydosodiadau differyn

differential axis echelin ddifferyn *eb* echelinau differyn

differential calculus calcwlws differol *eg*

differential coefficient cyfernod differol *eg* cyfernodau differol

differential equation hafaliad differol *eg* hafaliadau differol

differential erosion erydiad gwahaniaethol *eg*

differential permeability athreiddedd gwahaniaethol *eg*

differential pulley pwli differol *eg* pwlïau differol

differential tone rhyng-dôn *eg* rhyngdonau

differentiate (in general) gwahaniaethu *be*

differentiate (in mathematics) differu *be*

differentiated gwahaniaethol *ans*

differentiated curriculum cwricwlwm gwahaniaethol *eg*

differentiated examination arholiad gwahaniaethol *eg* arholiadau gwahaniaethol

differentiated paper papur gwahaniaethol *eg* papurau gwahaniaethol

differentiation (in general) gwahaniaethiad *eg*

differentiation (in mathematics and physics) differiad *eg* differiadau

differentiation by outcome gwahaniaethu yn ôl y canlyniad *be*

difficult anodd *ans*

difficulty anhawster *eg* anawsterau

diffract diffreithio *be*

diffraction diffreithiant *eg* diffreithiannau

diffuse *adj* tryledol *ans*

diffuse (in meteorology) *v* cymysgu *be*

diffuse (in physics and chemistry) *v* tryledu *be*

diffuse (=spread out) *v* ymledu *be*

diffuse porous mandyllog tryledol *ans*

diffused lighting golau tryledol *eg*

diffuser tryledwr *eg* tryledwyr

diffuser spray tryledwr chwistrell *eg* tryledwyr chwistrell

diffusion (in physics and chemistry) trylediad *be* trylediadau

diffusion (=spreading out) ymlediad *eg* ymlediadau

diffusivity trylededd *eg* trylededdau

dig *v* cloddio *be*

dig (archaeological) *n* cloddfa *eb* cloddfeydd

digest treulio *be*

digestibility treuliadedd *eg*

digestibility coefficient cyfernod treuliadedd *eg*

digestible treuliadwy *ans*

digestion treuliad *eg* treuliadau

digestive biscuit bisged ddigestif *eb* bisgedi digestif

digestive enzyme ensym treulio *eg* ensymau treulio

digestive juice sudd treulio *eg* suddion treulio

digestive system system dreulio *eb* systemau treulio

Diggers Cloddwyr *ell*

digit digid *eg* digidau

digit repetition test prawf ailadrodd rhifau *eg* profion ailadrodd rhifau

digital digidol *ans*

digital computer cyfrifiadur digidol *eg* cyfrifiaduron digidol

digital meter mesurydd digidol *eg* mesuryddion digidol

digital plotter plotydd digidol *eg* plotyddion digidol

digital root isradd digidol *eg* israddau digidol

digital-analogue converter (DAC) trawsnewidydd digidol-analog *eg* trawsnewidyddion digidol-analog

digitation (in botany and zoology) byseddiad *eg* byseddiadau

digitation (in computing) digidiad *eg* digidiadau

digitize digido *be*

digitizer digidydd *eg* digidyddion

dignity urddas *eg*

digraph deugraff *eg* deugraffau

dihedral deuhedrol *ans*

dihedral angle ongl ddeuhedrol *eb* onglau deuhedrol

dilatation ymlediad *eg* ymlediadau

dilate (of blood-vessel etc) ymagor *be*

dilate (of pupils, cervix) ymledu *be*

diluent gwanedydd *eg* gwanedyddion

---

dilute *adj* gwanedig *ans*

dilute *v* gwanedu *be*

dilute acid asid gwanedig *eg*

dilution gwanediad *eg* gwanediadau

dilution (of skilled workers) teneuo *be*

dim *adj* pŵl *ans*

dim *v* pylu *be*

dimension *n* dimensiwn *eg* dimensiynau

dimension *v* dimensiynu *be*

dimension line llinell ddimensiwn *eb* llinellau dimensiwn

dimensional dimensiynol *ans*

dimensional sketch braslun dimensiynol *eg* brasluniau dimensiynol

dimensioned drawing lluniad dimensiynol *eg* lluniadau dimensiynol

dimer deumer *eg* deumerau

dimetric projection tafluniad deufetrig *eg* tafluniadau deufetrig

diminish (in general) lleihau *be*

diminish (in music) cywasgu *be*

diminished (in general) llai *ans*

diminished (in music) cywasg *ans*

diminished chord cord cywasg *eg* cordiau cywasg

diminished image delwedd lai *eb* delweddau llai

diminished interval cyfwng cywasg *eg* cyfyngau cywasg

diminished seventh chord cord seithfed cywasg *eg* cordiau seithfed cywasg

diminution (in general) lleihad *eg* lleihadau

diminution (in music) cywasgiad *eg* cywasgiadau

dimmer pylydd *eg* pylyddion

dimmer board bwrdd pylu *eg* byrddau pylu

dimmer-switch switsh pylu *eg* switshis pylu

dining chair cadair ystafell fwyta *eb* cadeiriau ystafell fwyta

dining table bwrdd bwyd *eg* byrddau bwyd

dining-room ystafell fwyta *eb* ystafelloedd bwyta

dinner lady cynorthwydd cinio *eg* cynorthwywyr cinio

dinosaur dinosor *eg* dinosoriaid

diocesan esgobaethol *ans*

diocese esgobaeth *eb* esgobaethau

diode deuod *eg* deuodau

dioecious deuoecaidd *ans*

diorama diorama *eg* dioramau

diorite diorit *eg*

dioxide deuocsid *eg*

dip gogwyddiad *eg* gogwyddiadau

dip *n* dip *eg* dipiau

dip *v* dipio *be*

dip (for sheep) trochdrwyth (defaid) *eg*

dip (of strata) *n* goledd (strata) *eg*

dip (of strata) *v* goleddu *be*

dip coating trocharaenu *be*

dip slope golethr *eg* golethrau

diphtheria difftheria *eg*

diploid diploid *ans*

diploid nucleus niwclews diploid *eg*

diploma diploma *eg* diplomau

diplomacy diplomyddiaeth *eb*

diplomat diplomydd *eg* diplomyddion

diplomatic diplomyddol *ans*

diplomatic history hanes diplomyddiaeth *eg*

diplomatics diplomateg *eb*

dipole deupol *eg* deupolau

dipole moment moment deupol *eg*

dipper (oil painting) dipell *eb* dipelli

dipping trochi *be*

dipstick trochbren *eb* trochbrennau

direct uniongyrchol *ans*

direct (sign) cyfeirydd *eg* cyfeiryddion

direct access *n* mynediad uniongyrchol *eg*

direct access *v* cyrchu uniongyrchol *be*

direct addressing cyfeirio uniongyrchol *be*

direct application (of paint etc) rhoi (paent etc) yn uniongyrchol *be*

direct current (D.C.) cerrynt union (C.U.) *eg*

direct current motor modur cerrynt union *eg*

direct data entry cofnodi data uniongyrchol *be*

direct dye llifyn union *eg* llifynnau uniongyrchol

direct experience profiad uniongyrchol *eg* profiadau uniongyrchol

direct free kick cic rydd uniongyrchol *eb* ciciau rhydd uniongyrchol

direct instruction dysgu uniongyrchol *be*

direct lighting golau uniongyrchol *eg*

direct method dull uniongyrchol *eg* dulliau uniongyrchol

direct moulding clay clai modelu uniongyrchol *eg*

direct painting peintio uniongyrchol *be*

direct parry pario union *be*

direct proportion cyfrannedd union *eb* cyfraneddau union

direct ratio cymhareb union *eb* cymarebau union

direct riposte riposte union *eg* ripostes union

direct thrust gwaniad union *eg* gwaniadau union

direct variation amrywiad union *eg* amrywiadau union

direct vision spectroscope sbectrosgop golwg union *eg* sbectrosgopau golwg union

directed number rhif cyfeiriol *eg* rhifau cyfeiriol

directed work gwaith gosod *eg*

direction cyfeiriad *eg* cyfeiriadau

direction of arrow A cyfeiriad saeth A *eg*

direction of cut cyfeiriad y toriad *eg*

direction of feed cyfeiriad porthiant *eg*

direction of grain cyfeiriad y graen *eg*

direction of movement cyfeiriad symudiad *eg*

direction of rotation (D.O.R.) cyfeiriad y cylchdro *eg*

direction of the ball cyfeiriad y bêl *eg*

direction of throw cyfeiriad y tafliad *eg*

directional cyfeiriadol *ans*

directions test prawf dilyn cyfarwyddiadau *eg* profion dilyn cyfarwyddiadau

directive (in computing etc) cyfarwyddeb *eb* cyfarwyddebau

directive (in general) cyfarwyddyd *eg* cyfarwyddiadau

director cyfarwyddwr *eg* cyfarwyddwyr

---

director circle cyfeirgylch *eg* cyfeirgylchoedd

director of nursing services cyfarwyddwr gwasanaethau nyrsio *eg* cyfarwyddwyr gwasanaethau nyrsio

director of education cyfarwyddwr addysg *eg* cyfarwyddwyr addysg

Director of Public Prosecutions Cyfarwyddwr Erlyniadau Cyhoeddus *eg*

directory cyfeiriadur *eg* cyfeiriaduron

Directory Directoire *eg*

directrix cyfeirlin *eg* cyfeirliniau

disability anabledd *eg* anableddau

disable analluogi *be*

disable interruptions analluogi ymyriadau *be*

disabled anabl *ans*

disabled relief rhyddhad anabledd *eg*

disablement anabledd *eg*

disablement allowance lwfans yr anabl *eg*

disablement pension pensiwn yr anabl *eg*

disablement resettlement officer swyddog ailsefydlu'r anabl *eg* swyddogion ailsefydlu'r anabl

disaccharide deusacarid *eg* deusacaridau

disadvantaged dan anfantais *ans*

disadvantaged group grŵp sydd dan anfantais *eg* grwpiau sydd dan anfantais

disadvantaged socially dan anfantais gymdeithasol

disaffection annheyrngarwch *eg*

disaggregate dadagregu *be*

disapplication datgymhwysiad *eg* datgymwysiadau

disapply datgymhwyso *be*

disarm diarfogi *be*

Disarmament Commission Comisiwn Diarfogi *eg*

disassemble dadosod *be*

disassembler dadosodydd *eg* dadosodyddion

disc disg *eg/b* disgiau

disc sander sandiwr disg *eg* sandwyr disg

discard gwaredu *be*

discharge (electrical) *n* dadwefriad *eg* dadwefriadau

discharge (electricity) *v* dadwefru *be*

discharge (of pus, liquid etc) *n* rhedlif *eg* rhedlifau

discharge (=release) *v* rhyddhau *be*

discharge (water) *n* arllwysiad *eg* arllwysiadau

discharge (water) *v* arllwys *be*

discharge emission allyriad *eg* allyriadau

discharge planning cynllunio rhyddhau *be*

disciplinarian disgyblwr *eg* disgyblwyr

disciplinary action camau i ddisgyblu *ell*

discipline disgyblaeth *eb* disgyblaethau

disciplined disgybledig *ans*

disclosure datgeliad *eg* datgeliadau

disco disgo *eg* disgos

discography disgyddiaeth *eb* disgyddiaethau

discolour afliwio *be*

discolouration afliwiad *eg* afliwiadau

disconnect datgysylltu *be*

discontent anniddigrwydd *eg*

discontinuity diffyg parhad *eg*

discontinuous (=intermittent) toredig *ans*

discontinuous (of variation) amharhaol *ans*

discord anghytgord *eg* anghytgordiau

discordant (of colours) anghydnaws *ans*

discordant (of music) anghytgordiol *ans*

discordant (of opinions) anghytûn *ans*

discount disgownt *eg* disgowntiau

discount store siop ddisgownt *eb* siopau disgownt

discovery darganfyddiad *eg* darganfyddiadau

discrete arwahanol *ans*

discrete area of activity maes gweithgaredd annibynnol *eg* meysydd gweithgaredd annibynnol

discrete data data arwahanol *ell*

discrete programme of study rhaglen astudio annibynnol *eb* rhaglenni astudio annibynnol

discrete random variable hapnewidyn arwahanol *eg* hapnewidynnau arwahanol

discrete variable newidyn arwahanol *eg* newidynnau arwahanol

discretion disgresiwn *eg*

discretionary dewisol *ans*

discretionary exception eithriad dewisol *eg* eithriadau dewisol

discretionary grant grant dewisol *eg* grantiau dewisol

discriminant gwahanolyn *eg* gwahanolion

discriminate gwahaniaethu *be*

discrimination (against) gwahaniaethu (yn erbyn) *be*

discrimination (=good taste) dirnadaeth *eb* dirnadaethau

discrimination (in exam questions) didoli *be*

discrimination index cyfeirnod didoli *eg* cyfeirnodau didoli

discus disgen *eb* disgiau

discuss trafod *be*

discussion trafodaeth *eb* trafodaethau

discussion group cylch trafod *eg* cylchoedd trafod

disease clefyd *eg* clefydau

diseased afiach *ans*

disembark glanio *be*

disendow dadwaddoli *be*

disendowment dadwaddoliad *eg*

disenfranchise dadryddfreinio *be*

disengage datgyweddu *be*

disengagement datgyweddiad *eg* datgyweddiadau

disequilibrium diffyg cydbwysedd *eg*

disestablish datgysylltu *be*

disestablishment datgysylltiad *eg*

disfigurement anffurfiad *eg* anffurfiadau

disguise dieithrio *be*

dish dysgl *eb* dysglau

dished base gwaelod dysglog *eg* gwaelodion dysglog

dished blank blanc dysglog *eg* blanciau dysglog

dished shape siâp dysglog *eg* siapiau dysglog

dishing (=make concave) pantio *be*

dishing (=make convex) bolio *be*

dishwasher peiriant golchi llestri *eg* peiriannau golchi llestri

disillusion dadrithio *be*

disincentive anghymhelliad *eg* anghymelliadau

---

eg/b enw gwrywaidd/benywaidd, *feminine/masculine noun*   *ell* enw lluosog, *plural noun*   *v* berf, *verb*   *n* enw, *noun*

disinfect diheintio *be*

disinfectant diheintydd *eg* diheintyddion

disinfected diheintiedig *ans*

disintegrate (in physics) ymddatod *be*

disintegrate (of rock) chwalu *be*

disintegrated chwilfriw *ans*

disintegration (in physics) ymddatodiad *eg*

disintegration (of rock) chwilfriwiant *eg*

disjoint sets setiau digyswllt *ell*

disk disg *eg/b* disgiau

disk controller rheolydd disgiau *eg* rheolyddion disgiau

disk crash gwrthdrawiad disg *eg* gwrthdrawiadau disg

disk drive disgyrrwr *eg* disgyrwyr

disk filing system (DFS) system ddisg-ffeilio *eb*

disk head pen disg *eg* pennau disg

disk operating system (DOS) system weithredu disg *eb*

disk pack pecyn disgiau *eg* pecynnau disgiau

dislocate afleoli *be*

dislocation afleoliad *eg* afleoliadau

dismantle datgysylltu *be*

dismembered drainage draeniad datgymalog *eg*

dismount dadlwytho *be*

disobedience anufudd-dod *eg*

disobedient anufudd *ans*

disorder (=lack of order) anhrefn *eg/b*

disorder (medical) anhwylder *eg* anhwylderau

disorderly pupil disgybl anystywallt *eg* disgyblion anystywallt

dispensary dosbarthfa *eb* dosbarthfeydd

dispersal gwasgariad *eg*

dispersal of spores gwasgariad sborau *eg*

disperse gwasgaru *be*

disperse medium cyfrwng gwasgaru *eg* cyfryngau gwasgaru

disperse phase gwasgarwedd *eb* gwasgarweddau

dispersed gwasgarog *ans*

dispersion gwasgariad *eg* gwasgariadau

dispersive gwasgarol *ans*

dispersive power nerth gwasgaru *eg* nerthoedd gwasgaru

displace dadleoli *be*

displacement (of gases) dadleoliad *eg*

displacement angle ongl ddadleoliad *eb* onglau dadleoliad

displacement diagram diagram dadleoliad *eg* diagramau dadleoliad

displacement reaction adwaith dadleoli *eg*

displacement / time diagram diagram dadleoliad / amser *eg* diagramau dadleoliad / amser

displacement tonnage tunelledd dadleoliad *eg*

display *v* arddangos *be*

display (act of) *n* arddangosiad *eg* arddangosiadau

display (on screen) dangosydd *eg* dangosyddion

display (=small exhibition) *n* arddangosfa *eb* arddangosfeydd

display area lle dangos *eg* llefydd dangos

display board bwrdd arddangos *eg* byrddau arddangos

display of dancing arddangosfa ddawnsio *eb* arddangosfeydd dawnsio

display panel panel arddangos *eg* paneli arddangos

display stand stand arddangos *eg* standiau arddangos

displayed formula fformiwla graffig *eb* fformiwlâu graffig

disposable tafladwy *ans*

disposable nappy cewyn parod *eg* cewynnau parod; clwt parod *eg* clytiau parod

disposable palette palet hepgor *eg* paletau hepgor

disposal gwarediad *eg*

dispose gwaredu

dispose of fullness ad-drefnu llawnder *be*

disproportionation dadgyfraniad *eg* dadgyfraniadau

disputation dadl *eb* dadleuon

dispute anghydfod *eg*

disqualification diarddeliad *eg* diarddeliadau

disqualify diarddel *be*

disqualify from the race diarddel o'r ras *be*

disrupt aflonyddu *be*

disruption aflonyddwch *eg*

disruptive aflonyddgar *ans*

disruptive behaviour ymddygiad aflonyddgar *eg*

disruptive pupil disgybl aflonyddgar *eg* disgyblion aflonyddgar

disruptiveness aflonyddwch *eg*

dissect dyrannu *be*

dissected plateau llwyfandir dyranedig *eg* llwyfandiroedd dyranedig

dissected rat llygoden fawr ddyranedig *be* llygod mawr dyranedig

dissection dyraniad *eg* dyraniadau

disseminate lledaenu *be*

dissemination of good practice lledaenu ymarfer da *be*

dissent anghydffurfiaeth *eb*

dissenter anghydffurfiwr *eg* anghydffurfwyr

dissenting anghydffurfiol *ans*

dissipate afradloni *be*

dissipation afradlonedd *eg* afradloneddau

dissociation daduniad *eg*

dissociation constant cysonyn daduniad *eg*

dissolution diddymiad *eg* diddymiadau

dissolution of the monasteries diddymu'r mynachlogydd *be*

dissolve (=dismiss or annul) diddymu *be*

dissolve (e.g. solid in a liquid) hydoddi *be*

dissonance anghyseinedd *eg*

dissonant anghyseiniol *ans*

dissonant interval cyfwng anghyseiniol *eg* cyfyngau anghyseiniol

distaff cogail *eg* cogeiliau

distal distal *ans*

distal end pen pellaf *eg* pennau pellaf

distal tubule pen pella'r tiwbyn *eg* pennau pella'r tiwbynnau

distance pellter *eg* pellterau

distance education addysg o bell *eb*

distance learning dysgu o bell *be*

distance piece darn pellter *eg* darnau pellter

---

adf, adv adferf, *adverb* **ans, adj** ansoddair, *adjective* **be** berf, *verb* **eb** enw benywaidd, *feminine noun* **eg** enw gwrywaidd, *masculine noun*

distance swimming nofio pellter *be*

distance teaching addysgu o bell *be*

distance-decay gwanhad-pellter *eg*

distemper distemper *eg*

distemper paint paent distemper *eg*

distended chwyddedig *ans*

distention chwyddiant *eg*

distil distyllu *be*

distillate distyllad *eg* distylladau

distillation distyllu *be*

distilled water dŵr distyll *eg*

distinct amlwg *ans*

distinctive nodedig *ans*

distinguish gwahaniaethu *be*

distinguishable gwahaniaethadwy *ans*

distinguishing note (sol-fa) nodyn dangos *eg* nodau dangos

distort (facts) ystumio *be*

distort (image) aflunio *be*

distort sprite aflunio ciplun *be*

distortion (of facts) ystumiad *eg* ystumiadau

distortion (of image) afluniad *eg* afluniadau

distract gwrthdynnu *be*

distraction gwrthdyniad *eg* gwrthdyniadau

distractor (in objective questions) gwrthdynnwr *eg* gwrthdynwyr

distrain atafaelu *be*

distraint atafaeliad *eg* atafaeliadau

distress cyfyngder *eg*

distress signal arwydd cyfyngder *eg* arwyddion cyfyngder

distress warrant gwarant atafaelu *eg* gwarantau atafaelu

distributary allafon *eb* allafonydd

distributary channel allsianel *eb* allsianelau

distribute (in statistics) dosrannu *be*

distribute (=share out) dosbarthu *be*

distributed computer system system gyfrifiadurol wasgaredig *eb*

distributed loading llwyth dosbarthedig *eg* llwythi dosbarthedig

distribution (=division into parts, classification) dosraniad *eg*

distribution (=sharing out or dispersal) dosbarthiad *eg*

distribution coefficient cyfernod dosraniad *eg* cyfernodau dosraniad

distribution pattern patrwm dosbarthiad *eg* patrymau dosbarthiad

distributive dosbarthol *ans*

distributive law deddf ddosbarthol *eb*

distributive trade masnach ddosbarthu *eb*

distributor dosbarthydd *eg* dosbarthwyr

district (=area with common characteristics) ardal *eb* ardaloedd

district (=division of county electing its own councillors) dosbarth *eg* dosbarthiadau

district council cyngor dosbarth *eg* cynghorau dosbarth

district education officer swyddog addysg rhanbarthol *eg* swyddogion addysg rhanbarthol

district general hospital ysbyty cyffredinol dosbarth *eg* ysbytai cyffredinol dosbarth

District Health Authority (DHA) Awdurdod Iechyd Dosbarth (AID) *eg*

district nurse nyrs ardal *eb* nyrsys ardal

district valuer prisiwr rhanbarth *eg* priswyr rhanbarth

disturb tarfu ar *be*

disturbance aflonyddwch *eg*

disturbed (=agitated) aflonydd *ans*

disturbed (of psychological condition) cythryblus *ans*

disturbed pupil disgybl cythryblus *eg* disgyblion cythryblus

disunite tynnu'n rhydd *be*

dital harp telyn fysell *eb* telynau bysell

dither mwydro *be*

ditty canig *eb* canigau

diuresis troethlif *eg*

diuretic *adj* diwretig *ans*

diuretic *n* diwretig *eg* diwretigion

diurnal dyddiol *ans*

dive *n* deif *eb* deifiau

dive *v* deifio *be*

dive at a striker's feet deifio wrth draed ymosodwr *be*

dive for the ball deifio am y bêl *be*

dive forward roll deifrol ymlaen *eb* deifroliau ymlaen

diverge dargyfeirio *be*

divergence dargyfeiriad *eg* dargyfeiriadau

divergent dargyfeiriol *ans*

divergent question cwestiwn dargyfeiriol *eg* cwestiynnau dargyfeiriol

divergent series cyfres ddargyfeiriol *eb* cyfresi dargyfeiriol

divergent thinking meddwl dargyfeiriol *eg*

diverging lens lens dargyfeirio *eg* lensiau dargyfeirio

diversify amrywiaethu *be*

diversion dargyfeiriad *eg* dargyfeiriadau

divertimento divertimento *eg* divertimenti

divide *n* gwahanfa ddŵr *eb* gwahanfeydd dŵr

divide *v* rhannu *be*

divide by a number rhannu â rhif *be*

divided rhanedig *ans*

dividend (=number to be divided) rhannyn *eg* rhanynnau

dividend (=sum of money) buddran *eb* buddrannau

divider rhannwr *eg* rhanwyr

dividers cwmpas mesur *eg* cwmpasau mesur

dividing a line rhannu llinell *be*

dividing areas rhannu arwynebedd *be*

dividing head pen rhannu *eg* pennau rhannu

dividing lines in perspective rhannu llinellau mewn persbectif

Divine Right of Kings Dwyfol Hawl Brenhinoedd *eb*

divisibility rhanadwyedd *eg*

divisible rhanadwy *ans*

division (of football league etc) adran *eb* adrannau

division (of scale) gradden *eb* graddennau

---

division (=part) rhaniad *eg* rhaniadau

division by factors rhannu â ffactorau *be*

divisional court llys adrannol *eg* llysoedd adrannol

Divisionist Rhaniadwr *eg* Rhaniadwyr

divisions (=variations) amrywiadau *ell*

divisor rhannydd *eg* rhanyddion

divorce *n* ysgariad *eg* ysgariadau

divorce *v* ysgaru *be*

dizziness pendro *eb*

do nothing instruction cyfarwyddyd gwneud dim *eg* cyfarwyddiadau gwneud dim

do-se-do do-si-do *eg*

doatiness llwydni mewn pren *eg*

doctor meddyg *eg* meddygon

doctorate doethuriaeth *eb*

doctrine athrawiaeth *eb* athrawiaethau

Doctrine of Atonement Athrawiaeth yr Iawn *eb*

Doctrine of Non-recognition Athrawiaeth Gwrthod Cydnabod *eb*

Doctrine of Papal Infallibility Athrawiaeth Anffaeledigrwydd y Pab *eb*

document *n* dogfen *eb* dogfennau

document *v* dogfennu *be*

document a system dogfennu system *be*

document reader darllenydd dogfennau *eg* darllenyddion dogfennau

document window ffenestr dogfen *eb* ffenestri dogfen

documentation dogfennaeth *eb*

dodecagon dodecagon *eg* dodecagonau

dodecahedron dodecahedron *eg* dodecahedronau

dodecaphonic dodecaffonig *ans*

dodecaphonic scale graddfa ddodecaffonaidd *eb*

dodecaphony dodecaffoni *eg*

dodge *v* osgoi *be*

dog paddle nofio ci *be*

doily doili *eg* doilis

doldrums doldrymau *ell*

dolerite dolerit *eg* doleritau

dolina dolin *eg* dolinau

dollar doler *eb* doleri

dollar key bysell doler *eb* bysellau doler

dolly doli *eb* doliau

dolly peg peg doli *eg* pegiau doli

dolly riveting (bolster) rhybedu doli *be*

dolman sleeve llawes ddolman *eb* llewys dolman

dolmen dolmen *eb* dolmenni

dolomite dolomit *eg* dolomitiau

dolphin kick cic dolffin *eb* ciciau dolffin

domain parth *eg* parthau

dome *n* cromen *eb* cromenni

dome *v* cromennu *be*

dome castor castor cromen *eg* castorau cromen

domed cromennog *ans*

domed blank blanc crymdo *eg* blanciau crymdo

domed button botwm cromen *eg* botymau cromen

Domesday Book Llyfr Domesday *eg*

domestic domestig *ans*

domestic (not foreign) mewnol *ans*

domestic affair mater mewnol *eg* materion mewnol

domestic history hanes teuluol *eg*

domestic industry diwydiant aelwyd *eg* diwydiannau aelwyd

domestic iron haearn smwddio *eg* heyrn smwddio

domestic mains supply prif gyflenwad domestig *eg*

domestic policy polisi mewnol *eg* polisïau mewnol

domestic science gwyddor cartref *eb*

domestic staff staff domestig *ell*

domestic studies astudiaethau cartref *ell*

domestic system trefn aelwyd *eb*

domesticate dofi *be*

domiciliary cartref *ans*

domiciliary service gwasanaeth cartref *eg* gwasanaethau cartref

domiciliary visit ymweliad cartref *eg* ymweliadau cartref

dominance goruchafiaeth *eb*

dominant trechol *ans*

dominant (in music) llywydd *eg*

dominant attribute priodwedd drechol *eb* priodweddau trechol

dominant cadence diweddeb amherffaith *eb* diweddebau amherffaith

dominant colour lliw amlwg *eg* lliwiau amlwg

dominant factor ffactor drech *eb* ffactorau trech

dominant feature nodwedd amlwg *eb* nodweddion amlwg

dominant seventh chord cord seithfed y llywydd *eg*

dominant wind gwynt cryfaf *eg*

dominate tra-arglwyddiaethu (ar) *be*

domination tra-arglwyddiaeth *eb*

doming hammer morthwyl cromennu *eg* morthwylion cromennu

Dominican *adj* Dominicaidd *ans*

Dominican *n* Dominiciad *eg* Dominiciaid

Dominican Order Urdd Sant Dominic *eb*

dominion (=control) awdurdod *eg*

dominion (=territory) dominiwn *eg* dominiynau

domino domino *eg* dominos

domino banding bandin domino *eg* bandinau domino

Donation of Constantine Rhodd Cystennin *eb*

donkey (easel) seddisl *eb* seddislau

donor rhoddwr *eg* rhoddwyr

donor molecule moleciwl cyfrannol *eg* moleciwlau cyfrannol

doodling dwdlan *be*

door drws *eg* drysau

door fitting gosod drws *be*

door frame ffrâm ddrws *eb* fframiau drws

door furniture celfi drws *ell*

door latch clicied drws *eb* cliciedau drws

door lock clo drws *eg* cloeon drws

door panel panel drws *eg* paneli drws

door-to-door salesman gwerthwr o ddrws i ddrws *eg* gwerthwyr o ddrws i ddrws

doping amhureddu *be*

Dorian mode modd Doriaidd *eg*

dormancy cysgiad *eg*

dormant cwsg *ans*

dormant bud blaguryn cwsg *eg* blagur cwsg

dormant volcano llosgfynydd cwsg *eg* llosgfynyddoedd cwsg

dormer roof to dormer *eg* toeon dormer

dormer window ffenestr do *eb* ffenestri to

dormitory dortur *eg* dorturiau

dormitory town tref noswylio *eb* trefi noswylio

dormitory village pentref noswylio *eg* pentrefi noswylio

dorsal dorsal *ans*

dorsal exercise ymarfer uwchgefn *eg* ymarferion uwchgefn

dorsal fin asgell ddorsal *eb* esgyll dorsal

dorsal spine pigyn dorsal *eg* pigynnau dorsal

dorsiventral cefndorrol *ans*

dorter dortur *eg* dorturiau

dose dos *eg* dosiau

dot *n* dot *eb* dotiau

dot *v* dotio *be*

dot matrix printer argraffydd matrics *eg* argraffyddion matrics

dot punch pwnsh dotio *eg* pynsiau dotio

dot punching dotbwnsio *be*

dotted line llinell doredig *eb* llinellau toredig

dotted note nodyn dot *eg* nodau dot

dotted rest tawnod dot *eg* tawnodau dot

double *adj* dwbl *ans*

double *n* dwbl *eg* dyblau

double *v* dyblu *be*

double action harp telyn arwaith dwbl *eb* telynau arwaith dwbl

double arch (in dance) dwy law i ffurfio pont

double award dyfarniad dwbl *eg* dyfarniadau dwbl

double back stitch pwyth ôl dwbl *eg* pwythau ôl dwbl

double bar bar dwbl *eg* bariau dwbl

double bar line llinell bar dwbl *eb* llinellau bar dwbl

double bass bas dwbl *eg* basau dwbl

double bass player canwr bas dwbl *eg* canwyr bas dwbl

double bassoon baswn dwbl *eg* baswnau dwbl

double bassoonist canwr baswn dwbl *eg* canwyr baswnau dwbl

double blast foot bellows megin droed chwyth dwbl *eb* meginau troed chwyth dwbl

double bond bond dwbl *eg* bondiau dwbl

double breasted (coat) â chaead dwbl (am got) *ans*

double buffering byffro dwbl *be*

double chain stitch pwyth cadwyn ddwbl *eg* pwythau cadwyn ddwbl

double chorus côr dwbl *eg* corau dwbl

double concerto concerto dwbl *eg* concerti dwbl

double counterpoint gwrthbwynt dwbl *eg*

double cream hufen dwbl *eg*

double cropping cnydio dwbl *be*

double cut file ffeil doriad dwbl *eb* ffeiliau toriad dwbl

double decomposition dadelfeniad dwbl *eg*

double density dwysedd dwbl *eg*

double diapason diapason dwbl *eg*

double dipper dipell ddwbl *eb* dipelli dwbl

double dotted note nodyn deuddot *eg* nodau deuddot

double dribble dribl dwbl *eg*

double ended dart dart deubwynt *eg* dartiau deubwynt

double engagement cyweddiad dwbl *eg*

double entry llyfrifo dwbl *be*

double exposition dangosiad dwbl *eg* dangosiadau dwbl

double faced hammer morthwyl dau wyneb crwn *eg* morthwylion dau wyneb crwn

double faggot stitch pwyth ffagod dwbl *eg* pwythau ffagod dwbl

double fault ffawt ddwbl *eb* ffawtiau dwbl

double flat meddalnod dwbl *eg* meddalnodau dwbl

double folded seam sêm ddeublyg *eb* semau deublyg

double fugue ffiwg ddwbl *eb* ffiwgiau dwbl

double glazed window ffenestr gwydr dwbl *eb* ffenestri gwydr dwbl

double glazing gwydro dwbl *be*

double haunched dwbl hansiedig *ans*

double helix helics dwbl *eg*

double hem hem ddwbl *eb* hemiau dwbl

double hollow-bit tongs gefel gegron ddwbl *eb* gefeiliau cegrwn dwbl

double incontinence gwlychu a baeddu

double knot stitch pwyth cwlwm dwbl *eg* pwythau cwlwm dwbl

double lapped dovetail joint goruniad cynffonnog dwbl *eg* goruniadau cynffonnog dwbl

double length hyd dwbl *eg*

double length arithmetic rhifyddeg hyd dwbl *eb*

double lesson gwers ddwbl *eb* gwersi dwbl

double machine stitched sêm ffel ddwbl *ans* semau ffel dwbl

double mortise and tenon joint uniad mortais a thyno dwbl *eg* uniadau mortais a thyno dwbl

double open diapason diapason agored dwbl *eg*

double patch pocket poced glwt ddwbl *eb* pocedi clwt dwbl

double pointed dart dart deubwynt *eg* dartiau deubwynt

double precision trachywiredd dwbl *eg*

double precision arithmetic rhifyddeg trachywiredd dwbl *eb*

double quote dyfynnod dwbl *eg* dyfynodau dwbl

double reed brwynen ddwbl *eb* brwyn dwbl

double roof to trawslath *eg* toeon trawslath

double scull sgwl dwbl *eg* sgyliau dwbl

double sharp llonnod dwbl *eg* llonodau dwbl

double sheet cynfas ddwbl *eb* cynfasau dwbl

double somersault trosben dwbl *eg* trosbennau dwbl

double spacing bylchu dwbl *be*

double stopping gwasgiad dwbl *eg* gwasgiadau dwbl

double strike trawiad dwbl *eg* trawiadau dwbl

double suspension (in music) gohiriant dwbl *eg* gohiriannau dwbl

double take off esgyn deudroed *eg*

double tenon tyno dwbl *eg* tynoau dwbl

---

double thickness trwch dwbl *eg*

double thread edau ddwbl *eb* edafedd dwbl

double tide dau lanw *eg*

double tonguing tafodi dwbl *be*

double turning troad dwbl *eg* troadau dwbl

double virginal firdsinal ddwbl *eb* firdsinalau dwbl

double-acting coupler cyplydd dwyffordd *eg* cyplyddion dwyffordd

double-acting cylinder silindr gweithrediad-dwbl *eg* silindrau gweithrediad-dwbl

double-boarded floor llawr estyll dwbl *eg* lloriau estyll dwbl

double-ended bolt bollt ddeuben *eb* bolltau deuben

double-ended spanner sbaner deuben *eg* sbaneri deuben

double-glazed door drws dwbl-wydrog *eg* drysau dwbl-wydrog

double-headed screw sgriw edau ddeuben *eb* sgriwiau edau deuben

double-lap tile teilsen lap dwbl *eb* teils lap dwbl

doubles parau *ell*

doubles game gêm i barau *eb* gemau i barau

doublet dwbled *eb* dwbledi

dove grey (enamelling colour) llwydlas *eg*

dovetail angle ongl gynffonnog *eb* onglau cynffonnog

dovetail bridle bagl gynffonnog *eb* baglau cynffonnog

dovetail bridle joint uniad bagl cynffonnog *eg* uniadau bagl cynffonnog

dovetail cleat cledd cynffonnog *eg* cleddau cynffonnog

dovetail halving haneru cynffonnog *be*

dovetail halving joint uniad haneru cynffonnog *eg* uniadau haneru cynffonnog

dovetail housing joint uniad rhigol gynffonnog *eg* uniadau rhigol gynffonnog

dovetail joint uniad cynffonnog *eg* uniadau cynffonnog

dovetail key clo cynffonnog *eg* cloeon cynffonnog

dovetail nailing hoelio cynffonnog *be*

dovetail pin pin cynffonnog *eg* pinnau cynffonnog

dovetail saw llif dyno fach *eb* llifiau tyno bach

dovetail slope goledd cynffonnog *eg* goleddau cynffonnog

dovetail tapered housing joint uniad rhigol gynffonnog daprog *eg* uniadau rhigol gynffonnog daprog

dovetail template patrymlun cynffonnog *eg* patrymluniau cynffonnog

dovetailed key allwedd gynffonnog *eb* allweddi cynffonnog

dovetailing tryfalu *be*

dovetailing machine peiriant uniadau cynffonnog *eg* peiriannau uniadau cynffonnog

dowager gweddw *eb* gweddwon

dowel hoelbren *eg* hoelbrennau

dowel bit ebill hoelbren *eg* ebillion hoelbren

dowel construction adeiladwaith hoelbren *eg*

dowel groove rhigol hoelbren *eb* rhigolau hoelbren

dowel guide cyfeirydd hoelbren *eg* cyfeiryddion hoelbren

dowel jig jig hoelbrennau *eg* jigiau hoelbrennau

dowel joint uniad hoelbren *eg* uniadau hoelbren

dowel peg peg hoelbren *eg* pegiau hoelbren

dowel plate plât hoelbrennau *eg* platiau hoelbrennau

dowel rod rhoden hoelbren *eb* rhodenni hoelbren

down arrow saeth i lawr *eb*

down beat curiad i lawr *eg* curiadau i lawr

down beat music cerddoriaeth curiad cryf *eb*

down cutting (=vertical corrasion) tyrchu *be*

down payment blaendal *eg* blaendaliadau

down time amser di-fynd *eg* amserau di-fynd

Down's syndrome syndrom Down *eg*

down-count cyfrif i lawr *eg*

down-stroke ôl-strôc

downdate dad-ddiweddaru *be*

downfold plyg i lawr *eg* plygion i lawr

downhill side ochr waered *eb* ochrau gwaered

downhill transition trawsnewid gwaeredol *eg*

downland twyndir *eg* twyndiroedd

download llwytho i lawr *be*

downpour cawod drom *eg* cawodydd trwm

downstream i lawr yr afon

downthrow side ochr syrthiedig *eb* ochrau syrthiedig

downtown canol tref *eg*

downward i lawr *adf*

downward pressure gwasgedd tuag i lawr *eg*

downward sloping curve cromlin ddisgynnol *eb* cromliniau disgynnol

downward-sideways i lawr ac i'r ochr

downwarp crychiad i lawr *eg* crychiadau i lawr

dowried gwaddoledig *ans*

dowry gwaddol *eg* gwaddolion

draft *n* drafft *eg* drafftiau

draft *v* drafftio *be*

draft a pattern drafftio patrwm *be*

draft document dogfen ddrafft *eb* dogfennau drafft

drafted pattern patrwm drafft *eg* patrymau drafft

drafting paper papur drafftio *eg*

drag *n* llusgiad *eg* llusgiadau

drag *v* llusgo *be*

drag bar llusgo bar *be*

dragonnade erledigaeth filwrol *eb*

dragoon dragŵn *eg* dragwniaid

drain *n* draen *eg* draeniau

drain *v* draenio *be*

drainage (in general) draeniad *eg*

drainage (of sewage) carthffosiaeth *eb*

drainage bag bag draenio *eg* bagiau draenio

drainage basin dalgylch afon *eg* dalgylchoedd afonydd

drainage pattern patrwm draeniad *eg* patrymau draeniad

draining board astell ddiferu *eb* estyll diferu

draining paper papur diferu *eg*

drama drama *eb* dramâu

drama in education drama mewn addysg *eb*

dramatic dramatig *ans*

dramatize dramateiddio *be*

drape gorchuddio *be*

draped backcloth cefnliain gorchuddio *eg* cefnlieiniau gorchuddio

draper dilledydd *eg* dilledyddion

drapery dilladaeth *eb*

---

adf, adv adferf, *adverb* ***ans, adj*** ansoddair, *adjective* ***be*** berf, *verb* ***eb*** enw benywaidd, *feminine noun* ***eg*** enw gwrywaidd, *masculine noun*

draping qualities gorweddiad *eg*

draught drafft *eg* drafftiau

draught (of ship) tynfa *eb* tynfeydd

draught animal anifail gwedd *eg* anifeiliaid gwedd

draughtsman drafftsmon *eg* drafftsmyn

draughtsmanship drafftsmonaeth *eb*

draw (a drawing in the technical sense) lluniadu *be*

draw a cross-section llunio trawstoriad *be*

draw a line tynnu llinell *be*

draw a picture tynnu llun *be*

draw a tangent tynnu tangiad *be*

draw a thread tynnu edau *be*

draw attention (to) tynnu sylw (at) *be*

draw conclusions tynnu casgliadau *be*

draw down tynnu lawr *be*

draw leaf table bwrdd dalen estynedig *eg* byrddau dalenni estynedig

draw off tapio *be*

draw / paint computer system system luniadu / peintio ar gyfrifiadur *eb* systemau lluniadu / peintio ar gyfrifiadur

draw plate plât tynnu *eg* platiau tynnu

draw spike sbigyn tynnu *eg* sbigynnau tynnu

draw to scale lluniadu wrth raddfa *be*

draw tongs gefel dynnu *eb* gefeiliau tynnu

draw-a-man test prawf tynnu llun person *eg* profion tynnu llun person

drawbolt tynfollt *eg* tynfolltau

drawboring darforio *be*

drawbridge pont godi *eb* pontydd codi

drawer drôr *eg* droriau

drawer and cupboard pulls dolennau drorau a chypyrddau *ell*

drawer base gwaelod drôr *eg* gwaelodion droriau

drawer bearer cynhalydd drôr *eg* cynalyddion drôr

drawer bottom gwaelod drôr *eg* gwaelodion droriau

drawer construction adeiladwaith drôr *eg*

drawer guide rhedwr drôr *eg* rhedwyr drôr

drawer joint uniad drôr *eg* uniadau drôr

drawer lock clo drôr *eb* cloeon drôr

drawer lock chisel cŷn clo drôr *eg* cynion clo drôr; gaing glo drôr *eb* geingiau clo drôr

drawer opening agoriad drôr *eg* agoriadau drôr

drawer rail rheilen ddrôr *eb* rheiliau drôr

drawer runner rhedwr drôr *eg* rhedwyr drôr

drawer side ochr ddrôr *eb* ochrau drôr

drawer slip drôr-gryfhawr *eg* drôr-gryfhawyr

drawfiling darffeilio *be*

drawing (in general) llun *eg* lluniau

drawing (in technical sense) lluniad *eg* lluniadau

drawing convention confensiwn lluniadu *eg*

drawing down (forging process) tynnu lawr *be*

drawing ink inc lluniadu *eg* inciau lluniadu

drawing instruments offer lluniadu *ell*

drawing pencil pensil lluniadu *eg* pensiliau lluniadu

drawing-board bwrdd lluniadu *eg* byrddau lluniadu

drawing-board clamp clamp bwrdd lluniadu *eg* clampiau bwrdd lluniadu

drawing-board clip clip bwrdd lluniadu *eg* clipiau bwrdd lluniadu

drawing-paper papur lluniadu *eg*

drawing-pin pin bawd *eg* pinnau bawd

drawknife cyllell ddeugarn *eb* cyllyll deugarn

drawn fabric embroidery brodwaith ffabrig *eg*

drawn game gêm gyfartal *eb* gemau cyfartal

drawn line llinelliad *eg* llinelliadau

drawn thread embroidery brodwaith tynnu edau *eg*

drawsheet cynfas dynnu *eb* cynfasau tynnu

drawstring llinyn tynnu *eg* llinynnau tynnu

dredge carthu *be*

dredger (=dredging ship) llong garthu *eb* llongau carthu

dredger (for sprinkling) sgeintydd *eg* sgeintyddion

dress *v* gwisgo *be*

dress (=clothing) *n* gwisg *eb* gwisgoedd

dress (=frock) *n* ffrog *eb* ffrogiau

dress (in cooking) *v* trin *be*

dress placket opening agoriad placed ffrog *eg*

dress sense chwaeth gwisgo *eb*

dress shield pad chwys *eg* padiau chwys

dress the set gwisgo'r set *be*

dress the stage gwisgo'r llwyfan *be*

dress weight pwysau ffrog *ell*

dresser dreser *eb* dreserau

dressing (for salad) dresin *eg* dresins

dressing (on wound) gorchudd *eg* gorchuddion

dressing gown gŵn tŷ *eg* gynau tŷ

dressing table bwrdd gwisgo *eg* byrddau gwisgo

dressing up gwisgo *be*

dressmaker gwniyddes *eb* gwniyddesau

dressmaker's dummy model gwniyddes *eg* modelau gwniyddes

dressmaker's pin pin bach *eg* pinnau bach

Dreyffus affair helynt Dreyffus *eg*

dribble (in sport) *n* dribl *eg*

dribble (in sport) *v* driblo *be*

dribble (saliva) *v* glafoerio *be*

dribbler driblwr *eg* driblwyr

dried fruits ffrwythau sych *ell*

dried milk llaeth powdr *eg*

drier sychydd *eg* sychyddion

drift (fishing) *v* drifftio *be*

drift (longshore) *n* drifft *eg* drifftiau

drift (of snow etc) lluwch *eg* lluwchfeydd

drift net rhwyd ddrifft *eb* rhwydi drifft

drifter (ship) driffter *eb* driffterau

drifting (forging process) drifftio *be*

drifting (of holes) gwneud tyllau *be*

driftwood broc (môr) *eg*

drill *n* dril *eg* driliau

drill *v* drilio *be*

drill bit ebill dril *eg* ebillion dril

drill chuck crafanc dril *eb* crafangau dril

drill part rhan dril *eg* rhannau dril

---

drill size maint dril *eg* meintiau driliau

drill socket soced dril *eg* socedi dril

drill table bwrdd drilio *eg* byrddau drilio

driller driliwr *eg* drilwyr

drilling capacity maint drilio *be*

drilling jig jig drilio *eg* jigiau drilio

drilling machine peiriant drilio *eg* peiriannau drilio

drinking chocolate siocled yfed *eg*

drip rings modrwyau *ell*

drip tray (for drip-dry and synthetics) hambwrdd diferu *eg* hambyrddau diferu

drip-dry *adj* dripsych *ans*

drip-dry *v* dripsychu *be*

dripping toddion *ell*

dripstone bargodfaen *eg* bargodfeini

drive *v* gyrru *be*

drive (a nail) *v* curo *be*

drive (act of) *n* gyriad *eg* gyriadau

drive (in sport) *n* dreif *eb* dreifiau

drive (of car, computer etc) *n* gyriant *eg* gyriannau

drive the ball dreifio'r bêl *be*

driver gyrrwr *eg* gyrwyr

driver and driven gyrru a gyredig

driver cell cell yrru *eb* celloedd gyrru

driver circuit cylched yrru *eb* cylchedau gyrru

driving belt belt yrru *eb* beltiau gyrru

driving disc disg gyrru *eg* disgiau gyrru

driving dog cariwr (turn) *eg* carwyr (turn)

driving fit ffit orwasg *eb* ffitiau gorwasg

driving plate plât troi *eg* platiau troi

drizzle glaw mân *eg*

drone drôn *eg*

drone accompaniment cyfeiliant drôn *eg*

drone bass bas drôn *eg* basau drôn

drop (a ball) *v* gollwng (pêl) *be*

drop (=fall) *n* cwymp *eg*

drop (of liquid) *n* diferyn *eg* diferion

drop (of liquid) *v* diferu *be*

drop forging delw ofannu *be*

drop goal gôl adlam *eb* goliau adlam

drop in gollwng *be*

drop kick cic adlam *eb* ciciau adlam

drop out (of ball) *v* adlamu allan *be*

drop pattern patrwm disgyn *eg* patrymau disgyn

drop shot ergyd gwta *eb* ergydion cwta

drop-down door drws gostwng *eg* drysau gostwng

drop-down menu dewislen gwympo *eb* dewislenni cwympo

drop-leaf table bwrdd dalen blyg *eg* byrddau dalenni plyg

droplet defnyn *eg* defnynnau

droplet infection heintiad defnynnau *eg*

dropped ball pêl gwymp *eb* peli cwymp

dropped shoulder ysgwydd isel *eb* ysgwyddau isel

dropper diferydd *eg* diferyddion

dropping funnel twndis diferu *eg* twndisau diferu; twmffat diferu *eg* twmffatau diferu

dropping the atomic bomb gollwng y bom atomig *be*

drops of blood dafnau gwaed *ell*

drops of moisture dafnau hylif *ell*

dross amhuredd *eg*

drought sychder *eg* sychderau

drover porthmon *eg* porthmyn

drowned valley dyffryn boddedig *eg* dyffrynnoedd boddedig

drowsy swrth *ans*

drug cyffur *eg* cyffuriau

drug abuse camddefnyddio cyffuriau *be*

drug addiction caethiwed i gyffuriau *eb*

drug administration gweini cyffuriau *be*

drug dependency dibyniaeth ar gyffuriau *eb*

drug levels lefelau cyffuriau *ell*

drug resistance ymwrthiant cyffuriau *eg*

druid derwydd *eg* derwyddon

druidism derwyddiaeth *eb*

drum drwm *eg* drymiau

drum and sticks drwm a ffyn

drum kit offer drymiau *ell*

drum printer argraffydd drwm *eg* argraffyddion drwm

drum roll bwrlwm drwm *eg* bwrlwm drymiau

drumlin drymlin *eb* drymlinau

drummer drymiwr *eg* drymwyr

drunk *adj* meddw *ans*

drunk *n* meddwyn *eg* meddwon

drunken saw llif chwil *eb* llifiau chwil

drunken screw sgriw chwil *eb* sgriwiau chwil

drunken thread edau chwil *eb* edafedd chwil

drupe drŵp *eg* drwpiau

druxiness marc gwyn mewn pren *eg* marciau gwyn mewn pren

dry *adj* sych *ans*

dry *v* sychu *be*

dry brush brwsh sych *eg* brwshys sych

dry cleaned sychlan *ans*

dry cleaners sychlanhawyr *ell*

dry cleaning sychlanhau *be*

dry colourant lliwydd sych *eg* lliwyddion sych

dry frying ffrio sych *be*

dry point engraving ysgythriad sychbwynt *eg* ysgythriadau sychbwynt

dry point site safle sych *eg* safleoedd sych

dry rot pydredd sych *eg*

dry run rhediad ffug *eg* rhediadau ffug

dry transfer lettering llythrennu troslun sych *be*

dry valley dyffryn sych *eg* dyffrynnoedd sych

dry weight pwysau sych *ell*

dry-bright polish llathr disgleirsych *eg*

drying agent cyfrwng sychu *eg*

drying cabinet cwpwrdd sychu *eg* cypyrddau sychu

drying process proses sychu *eb* prosesau sychu

drying rack rhesel sychu *eb* rheseli sychu

drying time amser sychu *eg* amseroedd sychu

drypoint etching ysgythru sychbwynt *be*

dual deuol *ans*

---

dual alliance cynghrair ddeublyg *eb* cynghreiriau deublyg

dual carriageway ffordd ddeuol *eb* ffyrdd deuol

Dual Monarchy Brenhiniaeth Ddeuol *eb*

dual ownership perchenogaeth ddeublyg *eb* perchenogaethau deublyg

dual purpose pwrpas deublyg *eg*

dual sensory impairment nam ar ddau synnwyr *eg*

dualism deuoliaeth *eb*

dubbing (of sound) tros-seinio *be*

dubbing (of speech translation) trosleisio *be*

ducal dugol *ans*

duchess duges *eb* dugesau

duchesse set matiau duchesse *ell*

duchy dugaeth *eb* dugaethau

duck hwyaden *eb* hwyaid

duck dive deif hwyaden *eb* deifiau hwyaden

duck-board bwrdd cerdded *eg* byrddau cerdded

ducking dowcio *be*

ducking stool stôl drochi *eb* stolion trochi

duct dwythell *eb* dwythellau

ductile hydwyth *ans*

ductility hydwythedd *eg*

ductless gland chwarren ddiddwythell *eb* chwarennau diddwythell

duel gornest *eb* gornestau

duet deuawd *eb* deuawdau

dugout twll ymochel *eg* tyllau ymochel

duke dug *eg* dugiaid

Duke of Lancaster Dug Lancaster *eg*

Duke of York Dug Efrog *eg*

dukedom dugaeth *eb*

dulciana dulciana *eg*

dulcimer dwlsimer *eg* dwlsimerau

dulcitone dylsiton *eg* dylsitonau

duly (=as is right) yn briodol *adf*

duma dwma *eg*

dumb mud *ans*

dumb child plentyn mud *eg* plant mud

dumb terminal terfynell fud *eb* terfynellau mud

dummy *v* ffugio *be*

dummy (=false pass) *n* ffugiad *eg* ffugiadau

dummy (for sucking) *n* dymi *eg* dymïau

dummy pipe (on organ) pibell fud *eb* pibellau mud

dump *n* tomen *eb* tomennydd

dump *v* dympio *be*

dumpling twmplen *eb* twmplenni

Dundee cake teisen Dundee *eb* teisenni Dundee; cacen Dundee *eb* cacenni Dundee

dune twyn *eg* twyni

dune community cymuned dwyni *eb* cymunedau twyni

dune slack llac twyni *eg* llaciau twyni

dungarees dyngaris *eg*

dungeon dwnsiwn *eg* dwnsiynau

duodecimal deuddegol *ans*

duodenum dwodenwm *eg*

duple dyblyg *ans*

duple minor set set ddeubar *eb* setiau deubar

duple time amser dau *eg*

duplet dwbled *eg* dwbledau

duplex dwplecs *eg* dwplecsau

duplicate *adj* dyblyg *ans*

duplicate *n* dyblygeb *eb* dyblygebau

duplicate *v* dyblygu *be*

duplication dyblygiad *eg* dyblygiadau

durability gwydnwch *eg*

durable gwydn *ans*

durable colour lliw sy'n para *eg* lliwiau sy'n para

durable goods nwyddau sy'n para *ell*

duralumin dwralwmin *eg*

duramen dwramen *eg*

duration parhad *eg*

duration (of heart beat) amser parhad (curiad y galon) *eg*

duricrust cramen galed *eb* cramennau caled

dust *n* llwch *eg*

dust *v* tynnu llwch *be*

dust board (drawer) bwrdd llwch *eg* byrddau llwch

dust bowl powlen lwch *eb* powlenni llwch

dust devil cythraul llwch *eg* cythreuliaid llwch

dust free atmosphere atmosffer di-lwch *eg*

dust-free di-lwch *ans*

dust-proof rhydd o lwch *ans*

dustbin bin sbwriel *eg* biniau sbwriel

dustpan padell lwch *eb* padelli llwch

dusty llychlyd *ans*

Dutch *adj* Iseldiraidd *ans*

Dutch (language) *n* Iseldireg *eb*

Dutch elm disease clefyd llwyfen yr Iseldiroedd *eg*

Dutch metal aloi'r Iseldiroedd *eg*

Dutchman Iseldirwr *eg* Iseldirwyr

duty toll *eb* tollau

duty (=tax) toll *eb* tollau

duty officer swyddog dyletswydd *eg* swyddogion dyletswydd

duumvir deuwriad *eg* deuwriaid

duumvirate deuwraeth *eb*

duvet duvet *eg*

duxelles duxelles *ell*

dwarf plant corblanhigyn *eg* corblanhigion

dwarf star seren gorrach *eb* sêr corrach

dwarf willow corhelygen *eb* corhelyg

dwarfism corachedd *eg*

dwell angle ongl breswyl *eb* onglau preswyl

dwelling annedd *eg/b* anheddau

dyad deuad *eg* deuadau

dye *n* llifyn *eg* llifynnau

dye *v* llifo *be*

dye fix sefydlydd llifyn *eg* sefydlyddion llifyn

dye loss colli llifyn *be*

dye pick-up codi llifyn *be*

dyebath baddon llifo *eg* baddonau llifo

dyed llifedig *ans*

---

eg/b enw gwrywaidd/benywaidd, *feminine/masculine noun*   **ell** enw lluosog, *plural noun*   **v** berf, *verb*   **n** enw, *noun*

dyed cane   gwialen lliw *eb* gwiail lliw

dyed hessian   hesian llifedig *eg*

dyed seagrass   morwellt llifedig *ell*

dyed string   llinyn llifedig *eg* llinynnau llifedig

dyestuff   defnydd llifo *eg*

dyke (=ditch)   ffos *eb* ffosydd

dyke (in geology)   deic *eg* deiciau

dyke (=sea wall)   morglawdd *eg* morgloddiau

dyke (=wall)   clawdd *eg* cloddiau

dyke swarm   clwstwr deiciau *eg* clystyrau deiciau

dynamic *adj* dynamig *ans*

dynamic allocation   dyrannu dynamig *be*

dynamic data structure   strwythur data dynamig *eg*

dynamic equilibrium   ecwilibriwm dynamig *eg*

dynamic memory   cof dynamig *eg* cofau dynamig

dynamic random access memory (DRAM)   cof hapgyrch dynamig (DRAM) *eg*

dynamic store   storfa ddynamig *eb* storfeydd dynamig

dynamical   dynamegol *ans*

dynamics   dynameg *eb*

dynamite   dynameit *eg*

dynamo   dynamo *eg* dynamoau

dynamometer   dynamometr *eg* dynamometrau

dynastic   llinachyddol *ans*

dynasticism   llinachyddiaeth *eb*

dynasty   llinach (frenhinol) *eb*

dynatron   dynatron *eg* dynatronau

dysarthria   parlys lleferydd *eg*

dysentery   dysentri *eg*

dysfunction   camweithrediad *eg* camweithrediadau

dyslexia   dyslecsia *eg*

dyslexic   dyslecsig *ans*

dyspepsia   diffyg traul *eg*

dyspeptic   dyspeptig *ans*

dysphasia   dysffasia *eg*

dyspnoea   dyspnoea *eg*

dysprosium (Dy)   dysprosiwm *eg*

dystrophic   camfaethol *ans*

dystrophy (in physiology)   nychdod *eg*

---

adf, adv adferf, *adverb*   *ans, adj* ansoddair, *adjective*   *be* berf, *verb*   *eb* enw benywaidd, *feminine noun*   *eg* enw gwrywaidd, *masculine noun*

E

'E' alloy aloi 'E' *eg*

E major E fwyaf *eb*

E minor E leiaf *eb*

e-mail *v* e-hebu *be*

e-mail (of mail sent or received) *n* e-hebiaeth *eb*

e-mail (of medium) *n* e-bost *eg*

eager awyddus *ans*

ear clust *eg/b* clustiau

ear discharge rhedlif clust *eg*

ear drum tympan y glust *eg*

ear flick plwc clust *eg*

ear, nose and throat clust, trwyn a gwddf

ear ossicle esgyrnyn y glust *eg* esgyrnynnau y glust

ear-ring clustdlws *eg* clustdlysau

earache clust dost *eb* clustiau tost; pigyn clust *eg*

eardrum pilen y glust *eb* pilennau'r clustiau

earl iarll *eg* ieirll

Earl Marshall Iarll Farsial *eg*

earldom iarllaeth *eb* iarllaethau

early adolescence llencyndod cynnar *eg*

early adopter mabwysiadwr cynnar *eg* mabwysiadwyr cynnar

Early Bronze Age Oes Efydd Gynnar *eb*

early childhood plentyndod cynnar *eg*

Early Christian art celfyddyd Cristnogaeth Gynnar *eb*

early history hanes cynnar *eg*

early modern history hanes modern cynnar *eg*

early modern period cyfnod modern cynnar *eg*

early modern world byd modern cynnar *eg*

early peoples pobloedd cynnar *ell*

earmark clustnodi *be*

earmarked funding cyllid a glustnodwyd *eg*

earned income incwm gwaith *eg*

earnings enillion *ell*

earphone ffôn clust *eg* ffonau clust

earth *v* daearu *be*

earth (of land) *n* daear *eb* daearoedd

Earth (of planet) *n* Daear *eb*

earth (=soil) *n* pridd *eg* priddoedd

earth flow tirlif *eg* tirlifiau

earth movement symudiad daear *eg* symudiadau daear

earth tremor daeargryd *eg* daeargrydiau

earth wire gwifren ddaearu *eb* gwifrau daearu

earthenware llestri pridd *ell*

earthing daearu *be*

earthquake daeargryn *eg* daeargrynfeydd

earthquake hazard perygl o ddaeargryn *eg*

earthshine llewyrch daear *eg*

earthwork gwrthglawdd *eg* gwrthgloddiau

ease *n* esmwythder *eg*

ease *v* lleddfu *be*

ease (easing of fullness) esmwytho (llawnder) *be*

ease of flow rhwyddineb llifo *eg*

easel îsl *eg* islau

easel tray hambwrdd îsl *eg* hambyrddau îsl

east dwyrain *eg*

East India Company Cwmni India'r Dwyrain *eg*

Easter Pasg *eg*

Easter day Sul y Pasg *eg*

Eastern grip gafael y flaen-llaw *eb*

eastern margins glandiroedd dwyreiniol *ell*

Eastern Question Cwestiwn y Dwyrain *eg*

easting dwyreiniad *eg* dwyreiniaid

easy hawdd *ans*

easy solder sodr rhwydd *eg* sodrau rhwydd

easy-flo solder sodr llifrwydd *eg* sodrau llifrwydd

eaves bondo *eg* bondoeau

ebb trai *eg* treiau

EBCDIC code cod EBCDIC *eg*

ebonizing eboneiddio *be*

ebony eboni *eg*

ebony stain staen eboni *eg* staeniau eboni

EBP: Education Business Partnership PAB: Partneriaeth Addysg Busnes *eb*

ebullioscopic ebwliosgopig *ans*

ebullioscopy ebwliosgopaeth *eg*

ebullition byrlymu *be*

eccentric (of geometrical figures, ellipses) echreiddig *ans*

eccentric centre allganol *eg* allganolau

eccentric circle allgylch *eg* allgylchoedd

eccentric disc disg echreiddig *eg* disgiau echreiddig

eccentricity echreiddiad *eg* echreiddiadau

ecclesiastical eglwysig *ans*

ecclesiastical canon canon eglwysig *eg* canonau eglwysig

ecclesiastical embroidery brodwaith eglwysig *eg*

ecclesiastical history hanes eglwysig *eg*

ecclesiastical mode modd eglwysig *eg* moddau eglwysig

Ecclesiastical Ordinances Ordinhadau Eglwysig *ell*

ecclesiasticism eglwysyddiaeth *eb*

ecdysis ecdysis *eg*

echelon echelon *eg*

echelon form ffurf echelon *eb* ffurfiau echelon

echinoderm echinoderm *eg* echinodermau

echo *n* atsain *eb* atseiniau

echo *v* atseinio *be*

echo chorus côr atsain *eg* corau atsain
echo game gêm atsain *eb* gemau atsain
echo organ organ atsain *eb* organau atsain
echolalia ecolalia *eg*
echolalic speech lleferydd ecolalig *eg*
eclair eclair *eb* eclairs
eclectic eclectig *ans*
eclipse (of sun, moon) diffyg (ar yr haul, y lleuad) *eg*
eclipsed conformation cydffurfiad gorchuddiedig *eg* cydffurfiadau gorchuddiedig
ecliptic ecliptig *ans*
ecliptic plane plân ecliptig *eg* planau ecliptig
eclogue bugeilgerdd *eb* bugeilgerddi
ecocline ecoclin *eg*
ecological ecolegol *ans*
ecological pattern patrwm ecolegol *eg* patrymau ecolegol
ecology ecoleg *eb*
econometrics econometreg *eb*
economic economaidd *ans*
economic activity gweithgaredd economaidd *eg* gweithgareddau economaidd
economic and industrial understanding dealltwriaeth economaidd a diwydiannol *eb*
economic history hanes economaidd *eg*
Economic & Social Council Cyngor Economaidd a Chymdeithasol *eg*
economical (=frugal) darbodus *ans*
economically developing country gwlad sy'n datlygu'n economaidd *eb* gwledydd sy'n datlygu'n economaidd
economics economeg *eb*
economics of education economeg addysgu *eb*
economies of scale darbodion maint *ell*
economist economegydd *eg* economegwyr
economize gwneud arbedion *be*
economy economi *eg/b* economïau
ecospecies ecorywogaeth *eb*
ecosystem ecosystem *eb* ecosystemau
ecotone ecotôn *eg* ecotonau
ectoderm ectoderm *eg*
ectoparasite ectoparasit *eg* ectoparasitiaid
ectoplasm ectoplasm *eg*
ecumene byd cyfannedd, y *eg*
ecumenism eciwmeniaeth *eb*
eczema ecsema *eg*
edaphic edaffig *ans*
eddy *n* trolif *eg* trolifau
eddy *v* trolifo *be*
eddy current cerrynt trolif *eg* ceryntau trolif
edge *v* ymylu *be*
edge (=rim, side) *n* ymyl *eg/b* ymylon
edge (=sharpness) *n* min *eg* minion
edge detection canfod ymyl *be*
edge guide ffin-ganllaw *eg* ffin-ganllawiau
edge joint uniad ymyl *eg* uniadau ymyl
edge jointing ymyluno *be*
edge mark marc ymyl *eg* marciau ymyl
edge stitch ymylbwytho *be*

edge to edge ymyl wrth ymyl
edge treatment triniaeth ymyl *eb*
edged tools offer miniog *ell*
edging ymylwaith *eg*
edict cyhoeddeb *eb* cyhoeddebau
Edict of Emancipation Cyhoeddeb Rhyddfreiniad *eb*
Edict of Fraternity Cyhoeddeb Brawdgarwch *eb*
Edict of Restitution (1629) Cyhoeddeb Adferiad *eb*
edit golygu *be*
edition argraffiad *eg* argraffiadau
editor golygydd *eg* golygyddion
educability addysgedd *eg*
educable addysgadwy *ans*
education addysg *eb*
Education Act Deddf Addysg *eb*
education authority awdurdod addysg *eg* awdurdodau addysg
education committee pwyllgor addysg *eg* pwyllgorau addysg
education officer swyddog addysg *eg* swyddogion addysg
education priority area ardal o flaenoriaeth addysgol *eb* ardaloedd o flaenoriaeth addysgol
Education Reform Act Deddf Diwygio Addysg *eb*
Education Secretary Ysgrifennydd Addysg *eg*
education welfare officer swyddog lles addysg *eg* swyddogion lles addysg
educational addysgol *ans*
educational advantage mantais addysgol *eb* manteision addysgol
educational development datblygiad addysgol *eg* datblygiadau addysgol
educational facilities cyfleusterau addysgol *ell*
educational guidance cyfarwyddyd addysgol *eg*
educational gymnastics gymnasteg addysgol *eb*
educational needs anghenion addysgol *ell*
educational psychologist seicolegydd addysg *eg* seicolegwyr addysg
educational quotient cyniferydd addysgol *eg* cyniferyddion addysgol
educational support grant grant cynnal addysg *eg* grantiau cynnal addysg
educational toy tegan addysgol *eg* teganau addysgol
educationalist addysgwr *eg* addysgwyr
educationally subnormal addysgol isnormal *ans*
educationally subnormal child (ESN) plentyn addysgol isnormal *eg* plant addysgol isnormal
educative addysgiadol *ans*
educe edwytho *be*
eduction edwythiad *eg*
Edward the Confessor Edward Gyffeswr *eg*
Edward the Elder Edward yr Hynaf *eg*
Edwardian Edwardaidd *ans*
Edwardian Conquest Goresgyniad Edward *eg*
Edwardian era oes Edwardaidd *eb*
Edwardian Settlement Ardrefniant Edward *eg*
eel llysywen *eb* llyswennod
effect effaith *eg/b* effeithiau
effect of pollution effaith llygredd *eb* effeithiau llygredd

---

adf, adv adferf, *adverb*   **ans, adj** ansoddair, *adjective*   **be** berf, *verb*   **eb** enw benywaidd, *feminine noun*   **eg** enw gwrywaidd, *masculine noun*

effective effeithiol *ans*

effective movement symudiad effeithiol *eg* symudiadau effeithiol

effective performance perfformiad effeithiol *eg* perfformiadau effeithiol

effective rainfall glawiad effeithiol *eg*

effective response ymateb effeithiol *eg* ymatebion effeithiol

effectiveness effeithiolrwydd *eg*

effector effeithydd *eg* effeithyddion

efferent echddygol *ans*

efferent nerve nerf echddygol *eg* nerfau echddygol

efferent neurone niwron echddygol *eg* niwronau echddygol

effervesce eferwi *be*

effervescence eferwad *eg*

effervescing eferwol *ans*

efficiency effeithlonrwydd *eg*

efficiency and effectiveness effeithlonrwydd ac effeithlonedd

efficiency savings arbedion effeithlonrwydd *ell*

efficient effeithlon *ans*

effigy arddelw *eb* arddelwau

efflorescence ewlychiad *eg* ewlychiadau

efflorescent ewlychol *ans*

effluence elifiant *eg* elifiannau

effluent *adj* elifol *ans*

effluent (in general) *n* elifyn *eg* elifion

effluent (of sewage) *n* carthffrwd *eb* carthffrydiau

effort ymdrech *eg/b* ymdrechion

egalitarian *adj* egalitaraidd *ans*

egalitarian *n* egalitariad *eg* egalitariaid

egalitarianism egalitariaeth *eb*

egestion (amoeba) allfwrw *be*

egestion (digestive tract) carthiad *eg*

egg wy *eg* wyau

egg and dart treatment addurn wy a saethell *eg*

egg cup cwpan wy *eg* cwpanau wy

egg custard cwstard wy *eg*

egg custard sauce saws cwstard wy *eg*

egg custard tart tarten gwstard wy *eb* tartenni cwstard wy

egg formation ffurfiant wy *eg*

egg membrane pilen wy *eb* pilenni wy

egg shape ar ffurf wy *ans*

egg tempera tempera wy *eg*

egg yolk melynwy *eg*

egg-shaped head pen ffurf wy *eg* pennau ffurf wy

eggshell plisgyn wy *eg* plisg wy

eggshell finish gorffeniad plisgyn wy *eg*

eggshell paint paent plisgyn wy *eg*

eggshell porcelain porslen plisgyn wy *eg*

egocentric myfiol *ans*

Egyptian hieroglyphics hieroglyffigau'r Eifftwyr *ell*

Egyptology Eifftoleg *eb*

eiderdown cwrlid plu *eg* cwrlidau plu

eigen function ffwythiant eigen *eg* ffwythiannau eigen

eigen value gwerth eigen *eg* gwerthoedd eigen

eigen vector fector eigen *eg* fectorau eigen

eight wyth *eg/b* wythau

eight (of person) wythwr *eg* wythwyr

eight bit buffer byffer wyth did *eg*

eight points of the compass wyth pwynt y cwmpawd *eg*

Eightfold Path (in Buddhism) Llwybr Wythblyg (Bwdhaeth) *eg*

eighth (interval) wythfed *eg* wythfedau

eighth-note (quaver) nodyn wyth *eg* nodau wyth

einsteinium (Es) einsteiniwm *eg*

eisteddfod eisteddfod *eb* eisteddfodau

ejaculate alldaflu *be*

ejaculation (in physiology) alldafliad *eg* alldafliadau

ejaculatory alldaflol *ans*

eject bwrw allan *be*

ejection allfwriad *eg* allfwriadau

Ejection of Scandalous Ministers Act Deddf Diarddel Gweinidogion Gwarthus *eb*

ejector drift drifft llacio *eg*

ekistics anheddeg *eb*

elaborate (a work of art) *v* coethi *be*

elaborate (=detail) *v* manylu *be*

elaborate (=detailed) *adj* manwl *ans*

elaborate (of work of art) *adj* coeth *ans*

elapsed time amser a aeth heibio *eg*

elastic *adj* elastig *ans*

elastic *n* elastig *eg*

elastic band band elastig *eg* bandiau elastig

elastic energy egni elastig *eg*

elastic fibre ffibr elastig *eg* ffibrau elastig

elastic limit terfan elastig *eb* terfannau elastig

elasticity (of material, in economics) elastigedd *eg* elastigeddau

elasticity of demand elastigedd y galw *eg*

elastine elastin *eg*

elastomeric elastomerig *ans*

elastomers elastomerau *ell*

elation (in physics) ymlediad *eg* ymlediadau

elbow penelin *eg/b* penelinoedd

elbow joint cymal penelin *eg* cymalau penelin

elbow of capture elin ladrad *eb* elin ladradau

elder henuriad *eg* henaduriaid

elder statesman gwladweinydd hŷn *eg* gwladweinwyr hŷn

elderly *adj* oedrannus *ans*

elderly *n* henoed *ell*

elect *adj* etholedig *ans*

elect *n* etholedig rai *ell*

elect *v* ethol *be*

election etholiad *eg* etholiadau

elective monarchy brenhiniaeth etholedig *eb*

elective mutism dewis peidio â siarad *be*

elector etholwr *eg* etholwyr *(eg)*

Elector (Germany) Etholydd *eg* Etholyddion

Elector Archbishop Etholydd Archesgob *eg*

Elector Palatine Etholydd Palatin *eg*

electoral etholiadol *ans*

---

eg/b enw gwrywaidd/benywaidd, *feminine/masculine noun*   **ell** enw lluosog, *plural noun*   **v** berf, *verb*   **n** enw, *noun*

electoral machinery peirianwaith etholiadol *eg*

electoral reform diwygio etholiadol *be*

electoral representation cynrychiolaeth etholiadol *eb*

electoral system trefn etholiadol *eb*

electorate etholwyr *ell*

electric *adj* trydanol *ans*

electric *n* trydan *eg*

electric arc furnace ffwrnais arc drydan *eb* ffwrneisi arc trydan

electric arc welding weldio arc drydan *be*

electric blanket blanced drydan *eb* blancedi trydan

electric blue (enamelling colour) glas trydan *eg*

electric circuit cylched drydanol *eb* cylchedau trydanol

electric current cerrynt trydan *eg*

electric drill dril trydan *eg* driliau trydan

electric element elfen drydan *eb* elfennau trydan

electric finishing stove stôf orffennu drydan *eb* stofau gorffennu trydan

electric flex fflecs drydan *eb* fflecsys trydan

electric fuse ffiws trydan *eg* ffiwsys trydan

electric guitar gitâr drydan *eb* gitarau trydan

electric iron haearn trydan *eg*

electric kiln odyn drydan *eb* odynnau trydan

electric motor modur trydan *eg* moduron trydan

electric musical instrument offeryn cerdd trydan *eg* offerynnau cerdd trydan

electric organ organ drydan *eb* organau trydan

electric plane plaen trydan *eg* plaeniau trydan

electric plug plwg trydan *eg* plygiau trydan

electric power pŵer trydanol *eg*

electric power point pwynt trydan *eg* pwyntiau trydan

electric shock sioc drydan *eb* siociau trydan

electric socket soced trydan *eg* socedi trydan

electric spot welding sbotweldio trydan *be*

electric terminal terfynell drydan *eb* terfynellau trydan

electrical appliance dyfais drydanol *eb* dyfeisiau trydanol

electrical generator generadur trydan *eg* generaduron trydan

electrical insulator ynysydd trydanol *eg* ynysyddion trydanol

electrical resistance gwrthiant trydanol *eg*

electrician trydanwr *eg* trydanwyr

electrician's insulated pliers gefelen ynysedig trydanwr *eb* gefeiliau ynysedig trydanwr

electrician's screwdriver tyrnsgriw trydanwr *eg* tyrnsgriwiau trydanwr

electricity trydan *eg*

electricity supply cyflenwad trydan *eg*

electricity transmission line lein trawsyrru trydan *eb*

electrify trydanu *be*

electroacoustic equipment cyfarpar electroacwstig *eg*

electrochemical *adj* electrocemegol *ans*

electrochemical *n* electrocemegyn *eg* electrocemegau

electrochemical equivalent cywerth electrocemegol *eg* cywerthoedd electrocemegol

electrode electrod *eg* electrodau

electrolyse electroleiddio *be*

electrolysis electrolysis *eg*

electrolyte electrolyt *eg* electrolytau

electrolytic reaction adwaith electrolytig *eg* adweithiau electrolytig

electromagnetic electromagnetig *ans*

electromagnetic radiation pelydriad electromagnetig *eg*

electromagnetic spectrum sbectrwm electromagnetig *eg*

electromagnetism (phenomenon) electromagnetedd *eg/b*

electromagnetism (study of) electromagneteg *eb*

electrometer electromedr *eg* electromedrau

electromotive force (emf) grym electromotif *eg*

electron electron *eg* electronau

electron acceptor derbynnydd electronau *eg* derbynwyr electronau

electron affinity affinedd electronol *eg*

electron carrier cludydd electronau *eg* cludwyr electronau

electron cloud cwmwl electronau *eg* cymylau electronau

electron cloud overlap gorgyffyrddiad cymylau electronau *eg*

electron donor cyfrannydd electronau *eg* cyfranwyr electronau

electron in bound state electron mewn cyflwr rhwym *eg* electronau mewn cyflwr rhwym

electron pair repulsion theory damcaniaeth gwrthyriad parau electron *eb*

electron shell plisgyn electronau *eg* plisg electronau

electronegative electronegatif *ans*

electronegativity electronegatifedd *eg*

electronic electronig *ans*

electronic computer cyfrifiadur electronig *eg* cyfrifiaduron electronig

electronic conduction dargludiad electronig *eg*

electronic data interchange ymgyfnewid data electronig *be*

electronic data processing (EDP) prosesu data electronig *be*

electronic equipment offer electronig *ell*

electronic funds transfer trosglwyddo cyfalaf electronig *be*

electronic information gwybodaeth electronig *eb*

electronic keyboard allweddell electronig *eb* allweddellau electronig

electronic machine peiriant electronig *eg* peiriannau electronig

electronic organ organ electronig *eb* organau electronig

electronic sound sain electronig *eg* seiniau electronig

electronics electroneg *eb*

electronmicrograph electronmicrograff *eg* electronmicrograffau

electrophile electroffil *eg* electroffiliau

electrophoresis electrofforesis *eg*

electrophorus electrofforws *eg* electroffori

electroplate *n* electroplat *eg* electroplatiau

electroplate *v* electroplatio *be*

electropositive electropositif *ans*

electropositivity electropositifedd *eg*

electroscope electrosgop *eg* electrosgopau

electrostatic charge gwefr electrostatig *eb* gwefrau electrostatig

electrostatic phenomenon ffenomen electrostatig *eb* ffenomenau electrostatig

electrostatics electrostateg *eb*

electrovalent electrofalent *ans*

elegy galargan *eb* galarganeuon

element elfen *eb* elfennau

element of competence elfen cymhwysedd *eb* elfennau cymhwysedd

elementary elfennol *ans*

elementary education addysg elfennol *eb*

elementary entity unffurfedd elfennol *eg*

elementary particle gronyn elfennol *eg* gronynnau elfennol

elementary school ysgol elfennol *eb* ysgolion elfennol

elements of painting elfennau peintio *ell*

elevation (of boiling point) codiad (y berwbwynt) *eg*

elevation (of drawing) golwg *eg/b* golygon

elevation view golwg anghyflawn *eg* golygon anghyflawn

elevator codwr *eg* codwyr

eleven a side game gêm un ar ddeg bob ochr *eb* gemau un ar ddeg bob ochr

Eleven Years Tyranny Gormes yr Un Mlwydd ar Ddeg *eb*

eleventh (interval) unfed ar ddeg *eg* unfedau ar ddeg

eligible cymwys *ans*

eliminant dilëydd *eg* dilëyddion

eliminate dileu *be*

elimination (from the body) gwaredu (o'r corff) *be*

elimination (in biology) bwrw allan *be*

elimination (in chemistry) dilead *eg* dileadau

elimination by substitution dileu drwy amnewid *be*

elimination print dileubrint *eg* dileubrintiau

elimination printing dileubrintio *be*

elimination reaction (in chemistry) adwaith dileu *eg* adweithiau dileu

elite *adj* elitaidd *ans*

elite *n* elit *eg* elitau

elitism elitaeth *eb*

elitist elitydd *eg* elitwyr

Elizabeth I Elizabeth I *eb*

Elizabethan Elisabethaidd *ans*

Elizabethan Church Settlement Ardrefniant Eglwysig Elizabeth *eg*

ellipse elips *eg* elipsau

ellipsoid elipsoid *eg* elipsoidau

ellipsoidal elipsoidol *ans*

elliptic eliptig *ans*

elliptical eliptigol *ans*

elliptical arch bwa eliptigol *eg* bwâu eliptigol

elliptical flange fflans eliptigol *eb* fflansiau eliptigol

elongate hwyhau *be*

elongated hirgul *ans*

elongation hwyhad *eg* hwyhadau

eluent echludydd *eg*

elute echludo *be*

elution echludiad *eg* echludiadau

eluvial echlifol *ans*

eluviation echlifiant *eg*

emancipate rhyddfreinio *be*

e-mail e-bost *eg*

emancipation rhyddfreiniad *eg*

Emancipation Act Deddf Rhyddfreinio *eb*

embargo gwaharddiad *eg* gwaharddiadau

embark byrddio *be*

embassy llysgenhadaeth *eb* llysgenadaethau

embayment amfae *eg* amfaeau

embed mewnosod *be*

embedded character nod mewnol *eg* nodau mewnol

embellishment addurniad *eg* addurniadau

emblem arwyddlun *eg* arwyddluniau

emboss boglynnu *be*

embossed boglynnog *ans*

embossed wallpaper papur boglynnog *eg*

embossing boglynwaith *eg* boglynweithiau

embracery rhaithymyrraeth *eb*

embroider brodio *be*

embroidered collage collage brodwaith *eg*

embroidered lace les wedi'i frodio *eg*

embroidery brodwaith *eg*

embroidery cotton edau frodwaith *eb* edafedd brodwaith

embroidery frame ffrâm frodio *eb* fframiau brodio

embroidery needle nodwydd frodio *eb* nodwyddau brodio

embroidery scissors siswrn brodio *eg* sisyrnau brodio

embroidery thread edau frodio *eb* edafedd brodio

embroidery wool gwlân brodio *eg*

embryo embryo *eg* embryonau

embryo dune egin-dwyn *eg* egin-dwyni

embryo sac coden embryo *eb* codennau embryo

emerald emrallt *eg*

emerge dod allan *be*

emerged cyfodol *ans*

emergency *adj* brys *ans*

emergency *n* argyfwng *eg* argyfyngau

emergency stop stop brys *eg* stopiau brys

emergent allddodol *ans*

emergent beam paladr allddodol *eg* pelydr allddodol

emergent nation cenedl ddatblygol *eb* cenhedloedd datblygol

emery emeri *eg*

emery cloth clwt emeri *eg* clytiau emeri

emery paste past emeri *eg*

emery powder powdr emeri *eg* powdrau emeri

emery wheel olwyn emeri *eb* olwynion emeri

emetic cyfoglyn *eg* cyfoglynnau

emigrant ymfudwr *eg* ymfudwyr

emigrate ymfudo *be*

emission allyriant *eg* allyriannau

emission spectrum sbectrwm allyrru *eg*

emissivity allyrredd *ans*

emit allyrru *be*

emitter allyrrydd *eg* allyrwyr

Emmanuel the Fortunate Emaniwel Ffodus *eg*

emotion emosiwn *eg* emosiynau

---

eg/b enw gwrywaidd/benywaidd, *feminine/masculine noun*   *ell* enw lluosog, *plural noun*   **v** berf, *verb*   **n** enw, *noun*

emotionable stability sefydlogrwydd emosiynol *eg*

emotional emosiynol *ans*

emotional and behavioural difficulties anawsterau ymddygiad ac emosiwn *ell*

emotional deprivation amddifadiad emosiynol *eg*

emotional development datblygiad emosiynol *eg*

emotional disturbance aflonyddwch emosiynol *eg*

empathy empathi *eg*

emperor ymerawdwr *eg* ymerawdwyr

emphasis pwyslais *eg* pwysleisiau

emphasise pwysleisio *be*

emphasized pwysleisiol *ans*

empire ymerodraeth *eb* ymerodraethau

empirical empirig *ans*

empirical formula fformiwla empirig *eb* fformiwlâu empirig

empirical investigation ymchwiliad empirig *eg* ymchwiliadau empirig

empirical method dull empirig *eg* dulliau empirig

empiricism empiraeth *eb*

employ cyflogi *be*

employability cyflogadwyedd *eg*

employable cyflogadwy *ans*

employed cyflogedig *ans*

employee (=paid worker) gweithiwr cyflogedig *eg* gweithwyr cyflogedig

employee (=worker, staff member) gweithiwr *eg* gweithwyr

employer cyflogwr *eg* cyflogwyr

Employers' and Workmen's Act Deddf Cyflogwyr a Gweithwyr *eb*

employment cyflogaeth *eb*

employment exchange swyddfa gyflogi *eb* swyddfeydd cyflogi

empower (=authorize) awdurdodi *be*

empower (clients) rhoi grym (i gleientiaid) *be*

empress ymerodres *eb* ymerodresau

emulate efelychu *be*

emulator efelychydd *eg* efelychwyr

emulsification emwlseiddio *be*

emulsifier emwlsydd *eg* emwlsyddion

emulsify emwlsio *be*

emulsion paint paent emwlsiwn *eg*

emulsion polish llathr emwlsiwn *eg*

enable galluogi *be*

enable interrupts galluogi ymyriadau *be*

enabler galluogwr *eg* galluogwyr

enabling act deddf alluogi *eb* deddfau galluogi

enabling signal signal galluogi *eg* signalau galluogi

enamel *n* enamel *eg* enamelau

enamel *v* enamlo *be*

enamel chips sglodion enamel *ell*

enamel paint paent enamel *eg*

enamel thread edau enamel *eb* edafedd enamel

enamelled enamlog *ans*

enamelling colour lliw enamlo *eg* lliwiau enamlo

enamelling kiln odyn enamlo *eb* odynnau enamlo

enantiomer enantiomer *eg* enantiomerau

enantiomorph enantiomorff *eg* enantiomorffau

encampment gwersyllfan *eg* gwersyllfannau

encapsulation mewngapsiwleiddio *be*

encaustic llosgliw *ans*

encaustic tile teilsen losgliw *eb* teils llosgliw

encircle amgylchynu *be*

encirclement amgylchyniad *eg* amgylchyniadau

enclave clofan *eg* clofannau

enclose (in letter) amgáu *be*

enclose (land etc) cau *be*

enclosed amgaeedig *ans*

enclosed choir organ organ gôr gaeedig *eb* organau côr caeedig

enclosed land tir caeedig *eg* tiroedd caeedig

enclosed solo organ organ solo gaeedig *eb* organau solo caeedig

enclosure (archaeological) lloc *eg* llociau

enclosure (=enclosed land) tir caeedig *eg* tiroedd caeedig

Enclosure Acts Deddfau Cau Tiroedd *ell*

enclosure movement mudiad cau tiroedd *eg*

Enclosure of Common Land Act Deddf Cau Tir Comin *eb*

encode amgodio *be*

encompass amlinellu *be*

encourage annog *be*

encroach llechfeddiannu *be*

encroachment (of rights) llechfeddiant *eg*

encrypt amgryptio *be*

encyclical (papal) cylchlythyr y pab *eg* cylchlythyrau'r pab

encyclopaedia gwyddoniadur *eg* gwyddoniaduron

encyclopaedist gwyddoniadurwr *eg* gwyddoniadurwyr

encysted cystiedig *ans*

end elevation ochrolwg *eg*

end grain graen pen *eg*

end milling cutter melinwr ochr *eg* melinwyr ochr

end moraine marian terfynol *eg* mariannau terfynol

end of dance diwedd dawns *eg*

end of data diwedd y data *eg*

end of field diwedd maes *eg*

end of file diwedd ffeil *eg*

end of job diwedd gorchwyl *eg*

end of record diwedd cofnod *eg*

end of run diwedd rhediad *eg*

end of table talcen bwrdd *eg* talcenni byrddau

end of tape diwedd tâp *eg*

end of the race diwedd y ras *eg*

end organ terfynolyn *eg* terfynolynnau

end paper papur terfyn *eg*

end play llacrwydd y pen *eg*

end point pwynt terfyn *eg* pwyntiau terfyn

end point (titration) diweddbwynt (titradiad) *eg*

end product cynnyrch terfynol *eg*

end product inhibition ataliad gan gynnyrch terfynol *eg*

end view ochrolwg *eg* ochrolygon

end-cutting nipper niper torri blaen *eg* niperi torri blaen

end-of-module test prawf diwedd modiwl *eg* profion diwedd modiwl

endemic endemig *ans*

endergonic endergonig *ans*

endive endif *eg*

endocarp endocarp *eg*

endocrine endocrinaidd *ans*

endocrine gland chwarren endocrin *eb* chwarennau endocrin

endocrine system system endocrin *eb*

endocrinology endocrinoleg *eb*

endocycle endoseicl *eg*

endocyst endocyst *eg*

endogenesis mewndarddiad *eg*

endogenous mewndarddol *ans*

endomorphic endomorffig *ans*

endoplasmic reticulum reticwlwm endoplasmig *eg*

endorse (=confirm) cadarnhau *be*

endorse (=support) cefnogi *be*

endorse (=write on the back of a cheque etc) arnodi *be*

endorsed arnodedig *ans*

endorsement (=confirmation) cadarnhad *eg*

endorsement (=support) cefnogaeth *eb*

endorsement (=writing on back of cheque etc) arnodiad *eg* arnodiadau

endoscope endosgop *eg* endosgopau

endoskeleton sgerbwd mewnol *eg* sgerbydau mewnol

endosperm endosberm *eg*

endothermic endothermig *ans*

endow gwaddoli *be*

endowed gwaddoledig *ans*

endowed school ysgol waddoledig *eb* ysgolion gwaddoledig

endowment gwaddol *eg* gwaddolion

endowment assurance aswiriant gwaddol *eg*

endowment mortgage morgais gwaddol *eg* morgeisi gwaddol

endowment policy polisi gwaddol *eg* polisïau gwaddol

endrumpf lledwastad terfynol *eg* lledwastadau terfynol

endurance dygnwch *eg*

enema enema *eg* enemâu

enemy gelyn *eg* gelynion

enemy action ymgyrch y gelyn *eb*

enemy lines llinellau'r gelyn *ell*

energetic egnïol *ans*

energetic activity gweithgaredd egnïol *eg* gweithgareddau egnïol

energetics egnïeg *eb*

energize egnïoli *be*

energized egnïoledig *ans*

energy egni *eg* egnïon

energy balance cydbwysedd egni *eg*

energy barrier rhwystr egni *eg*

energy efficiency effeithlonedd egni *eg*

energy flow llif egni *eg*

energy issues materion egni *ell*

energy level lefel egni *eb* lefelau egni

energy source ffynhonnell egni *eb* ffynonellau egni

energy transfer trosglwyddo egni *be*

energy value gwerth egni *eg*

energy value of food cyfwerth egni bwyd *eg*

energy-rich bond bond egnioledig *eg* bondiau egnioledig

enfeoff enffeodu *be*

enfranchise rhyddfreinio *be*

engage cysylltu *be*

engage (the blade) cyweddu *be*

engage with gweithio'n agos gyda *be*

engaged column colofn gyswllt *eb* colofnau cyswllt

engagement (commitment) ymrwymiad *eg* ymrwymiadau

engagement (in fencing) cyweddiad *eg* cyweddiadau

engagement (in war) cyrch milwrol *eg*

engine (in general) peiriant *eg* peiriannau

engine (of steam train) injan *eb* injans

engine cylinder silindr peiriant *eg* silindrau peiriant

engine friction ffrithiant peiriant *eg* ffrithiannau peiriant

engine house peiriandy *eg* peiriandai

engineer peiriannydd *eg* peirianwyr

engineer's hammer morthwyl peiriannydd *eg* morthwylion peiriannydd

engineer's marking blue hylif marcio glas *eg*

engineer's square sgwâr peiriannydd *eg* sgwariau peiriannydd

engineer's vice feis peiriannydd *eb* feisiau peiriannydd

engineering peirianneg *eb*

engineering drawing lluniadu peirianegol *be*

englacial mewnrewlifol *ans*

englacial moraine marian perfedd *eg* mariannau perfedd

England regions rhanbarthau Lloegr *ell*

English Common Law Cyfraith Gwlad Lloegr *eb*

English horn cor anglais *eg* cors anglais

English Law Cyfraith Loegr *eb*

English quilting cwiltio Seisnig *be*

English suite cyfres Seisnig *eb* cyfresi Seisnig

englishry saesonaeth *eb*

engrain engreinio *be*

engrave ysgythru *be*

engraved glassware llestri gwydr ysgythredig *ell*

engraving ysgythriad *eg* ysgythriadau

engraving block bloc ysgythru *eg* blociau ysgythru

engraving line llin-ysgythriad *eg* llin-ysgythriadau

engraving tool erfyn ysgythru *eg* arfau ysgythru

engross (=produce a fair copy) brasgopïo *be*

engross (=reproduce in larger letters) braslythrennu *be*

engrossment (=fair copy) brasgopi *eg* brasgopïau

engrossment (=large writing) braslythreniad *eg*

engulf (amoeba etc) amlyncu *be*

enhance gwella *be*

enhanced gwell *ans*

enharmonic enharmonig *ans*

enharmonic change newid enharmonig *eg* newidiadau enharmonig

enharmonic interval cyfwng enharmonig *eg* cyfyngau enharmonig

---

eg/b enw gwrywaidd/benywaidd, *feminine/masculine noun* **ell** enw lluosog, *plural noun* **v** berf, *verb* **n** enw, *noun*

enharmonic note nodyn enharmonig *eg* nodau enharmonig

enjoy mwynhau *be*

enjoyment mwynhad *eg*

enlarge helaethu *be*

enlarge a pattern helaethu patrwm *be*

enlarged image delwedd fwy *eb* delweddau mwy

enlargement helaethiad *eg* helaethiadau

enlargement and reduction helaethu a lleihau

enlightened goleuedig *ans*

enlightened absolutism absoliwtiaeth oleuedig *eb*

Enlightenment Goleuo *be*

enlist ymrestru *be*

enquiry ymholiad *eg* ymholiadau

enquiry frame ffrâm holi *eb* fframiau holi

enquiry question cwestiwn ymholi *eg* cwestiynau ymholi

enrichment cyfoethogi *be*

enrol cofrestru *be*

enrolled nurse nyrs restredig *eb* nyrsys rhestredig

enrolment cofrestriad *eg*

ensemble ensemble *eg* ensembles

ensign (=flag) lluman *eg/b* llumanau

ensign (of person) llumanwr *eg* llumanwyr

entail *n* entael *eg* enteiliau

entail *v* enteilio *be*

entail fee ffi entael *eb* ffioedd entael

entente entente *eb*

enter (for an exam) cofrestru *be*

enter (=go in) mynd i mewn *be*

enter (=penetrate) treiddio *be*

enteral tube feeding bwydo gyda thiwb *be*

enteritis enteritis *eg*

enterokinase enterocinas *eg*

enterprise menter *eb* mentrau

enterprise zone ardal fenter *eb* ardaloedd menter

entertainment adloniant *eg* adloniannau

enthalpy enthalpi *eg* enthalpïau

entire cyfan *ans*

entirety cyfanrwydd *eg*

entitlement hawl *eg/b* hawliau

entity endid *eg* endidau

entomology entomoleg *eb*

entr'acte entr'acte *eg* entr'actes

entrance (=opening) agoriad *eg* agoriadau

entrance (=way in) mynedfa *eb* mynedfeydd

entrée dish (of container) llestr entrée *eg* llestri entrée

entrée dish (of food) saig entrée *eb* seigiau entrée

entrenched meander ystum culrych *eg* ystumiau culrych

entropy entropi *eg*

entry (=act or instance of going in) mynediad *eg* mynediadau

entry (=doorway) mynedfa *eb* mynedfeydd

entry (in composition) caniad *eg* caniadau

entry (in ensemble) cydiad *eg* cydiadau

entry (in fugue) datganiad *eg* datganiadau

entry (=record) cofnod *eg* cofnodion

entry point (in discussion etc) man cyflwyno *eg* mannau cyflwyno

enumerable rhifadwy *ans*

enumerate rhifo *be*

enumeration rhifiad *eg* rhifiadau

enuresis enwresis *eg*

envelope amlen *eb* amlenni

envelope of straight lines amlen llinellau syth *eb* amlenni llinellau syth

environment amgylchedd *eg* amgylcheddau

environmental amgylcheddol *ans*

environmental challenge her yr amgylchedd *eg*

environmental hazard perygl amgylchedd *eg* peryglon amgylchedd

Environmental Health Department Adran Iechyd yr Amgylchedd *eb*

environmental studies astudiaethau'r amgylchedd *ell*

envoy cennad *eg* cenhadon

enzyme ensym *eg* ensymau

enzyme activator actifadydd ensym *eg* actifadyddion ensym

enzyme activity actifedd ensymig *eg*

enzyme detergent glanedydd ensym *eg* glanedyddion ensym

enzyme inhibition ataliad ensym *eg*

enzyme prosthetic group grŵp prosthetig ensym *eg*

enzyme specificity penodolrwydd ensym *eg*

eosinophil eosinoffil *eg* eosinoffilau

epaulette epaulette *eg* epaulettes

epée epée *eg* epêes

epeiric sea môr epeirig *eg* moroedd epeirig

epeirogenetic epeirogenetig *ans*

ephemera effemera *eg*

ephermeris effermeris *eg*

epic *adj* arwrol *ans*

epic *n* arwrgerdd *eg* arwrgerddi

epicentre uwchganolbwynt *eg* uwchganolbwyntiau

epicotyl epicotyl *eg*

epicyclic episeiclig *ans*

epicycloid episeicloid *eg* episeicloidau

epidemic epidemig *eg* epidemigau

epidermal epidermaidd *ans*

epidural epidwral *ans*

epidural analgesic poenliniarydd epidiwral *eg* poenliniarwyr epidiwral

epigeal epigeal *ans*

epiglottis epiglotis *eg*

epigynous epigynol *ans*

epilepsy epilepsi *eg*

epileptic epileptig *ans*

epileptic child plentyn epileptig *eg* plant epileptig

epimerism epimeredd *eg*

epimerization epimeru *be*

epimorphic epimorffig *ans*

epipetalous epipetalog *ans*

Epiphany Ystwyll *eg*

epiphysis epiffysis *eg*

---

adf, adv adferf, *adverb*   *ans, adj* ansoddair, *adjective*   *be* berf, *verb*   *eb* enw benywaidd, *feminine noun*   *eg* enw gwrywaidd, *masculine noun*

epiphyte epiffyt *eg*

epiphytic epiffytig *ans*

episcopacy esgobaeth *eb*

episcopal esgobol *ans*

Episcopal authority awdurdod Esgobaethol *eg* awdurdodau Esgobaethol

episcopalian *adj* esgobaethol *ans*

episcopalian *n* esgobwr *eg* esgobwyr

episcopalianism esgobwriaeth *eb*

episcopate esgobaeth *eb* esgobaethau

episiotomy episiotomi *eg* episiotomïau

episode (in book) pennod *eb* penodau

episode (in music) atgan *eb* atganau

episodical atganol *ans*

epistle epistol *eg* epistolau

epitaph beddargraff *eg* beddargraffiadau

epithelium epitheliwm *eg* epithelia

epitrochoid epitrocoid *eg* epitrocoidau

epoch cyfnod *eg* cyfnodau

epoxy epocsi *eg* epocsiau

epoxy resin resin epocsi *eg* resinau epocsi

epoxy resin glue glud resin epocsi *eg*

equable (=not varying) cyson *ans*

equable (of climate) cymedrol *ans*

equal (in general) cyfartal *ans*

equal (in mathematics) hafal *ans*

equal (magnitude) unfaint *ans*

equal addition method dull adio cyfartal *eg*

equal and opposite hafal a dirgroes

equal area arwynebedd cyfartal *eg* arwynebeddau cyfartal

equal constituencies etholaethau cyfartal *ell*

equal divisions rhannau unfaint *ell*

equal opportunity cyfle cyfartal *eg* cyfleoedd cyfartal

equal partition dosrannu cyfartal *be*

equal pay cyflog cydradd *eg*

equal sign (=) hafalnod *eg* hafalnodau

equal stretching ymestyn cyfartal *be*

equal temperament ardymer cyfartal *eg*

equality (in general) cydraddoldeb *eg*

equality (mathematical) hafaledd *eg* hafaleddau

equalize hafalu *be*

equally likely yr un mor debygol

equally likely principle egwyddor tebygolrwydd hafal *eb*

equally spaced cytbell *ans*

equate hafalu *be*

equation hafaliad *eg* hafaliadau

equator cyhydedd *eg* cyhydeddau

equatorial cyhydeddol *ans*

equatorial projection tafluniad cyhydeddol *eg* tafluniadau cyhydeddol

equi-area projection tafluniad arwynebedd hafal *eg* tafluniadau arwynebedd hafal

equi-partition hafal-ymraniad *eg* hafal-ymraniadau

equiangular hafalonglog *ans*

equidistant cytbell *ans*

equidistant projection tafluniad cytbell *eg* tafluniadau cytbell

equilateral hafalochrog *eg*

equilateral arch bwa hafalochrog *eg* bwâu hafalochrog

equilateral triangle triongl hafalochrog *eg* trionglau hafalochrog

equilibrate ecwilibreiddio *be*

equilibrium cydbwysedd *eg* cydbwyseddau

equilibrium constant cysonyn ecwilibriwm *eg*

equilibrium expression mynegiad ecwilibriwm *eg*

equinox cyhydnos *eb* cyhydnosau

equipluve glawlin cymarebol *eg* glawlinau cymarebol

equipment (for kitchen, camping) offer *ell*

equipment (in general) cyfarpar *eg*

equipotential unbotensial *ans*

equispaced â lle gwag cyfartal

equity (jurisdiction) ecwiti *eg*

Equity Court Cwrt Ecwiti *eg*

Equity Law Cyfraith Ecwiti *eb*

equivalence cywerthedd *eg* cywerthoedd

equivalence relation perthynas cywerthedd *eb*

equivalent *adj* cywerth *ans*

equivalent *n* cywerthydd *eg* cywerthyddion

equivalent area arwynebedd cywerth *eg* arwynebeddau cywerth

equivalent fractions ffracsiynau cywerth *ell*

equivalent lens lens cywerth *eg* lensiau cywerth

equivalent sets setiau cywerth *ell*

equivalent systems systemau cywerth *ell*

equivalent weight pwysau cywerth *ell*

era oes *eb* oesau

erase dileu *be*

eraser dilëwr *eg* dilewyr

Erasmianism Erasmiaeth *eb*

Erastianism Erastiaeth *eb*

erasure dilead *eg* dileadau

erbium (Er) erbiwm *eg*

erect *adj* unionsyth *ans*

erect *v* codi *be*

erect image delwedd unionsyth *eb* delweddau unionsyth

erection (in physiology) codiad *eg* codiadau

erector muscle cyhyryn sythu *eg* cyhyrau syth

eremite ermid *eg* ermidion

eremitical meudwyaidd *ans*

ergodic ergodig *ans*

ergonomics ergonomeg *eb*

ergot mallryg *eg*

erode erydu *be*

eroded surface arwyneb erydog *eg* arwynebau erydog

erosion erydiad *eg*

erosion platform llwyfan erydu *eg* llwyfannau erydu

erosion surface arwyneb erydiad *eg* arwynebau erydiad

erosive erydol *ans*

erosive agent erydydd *eg* erydyddion

error (=amount of inaccuracy) cyfeiliornad *eg* cyfeiliornadau

error (=mistake) gwall *eg* gwallau

---

eg/b enw gwrywaidd/benywaidd, *feminine/masculine noun* **ell** enw lluosog, *plural noun* **v** berf, *verb* **n** enw, *noun*

error character gwallnod *eg* gwallnodau

error checking code cod archwilio gwallau *eg* codau archwilio gwallau

error code cod gwallau *eg* codau gwallau

error correcting code cod cywiro gwallau *eg* codau cywiro gwallau

error detecting code cod darganfod gwallau *eg* codau darganfod gwallau

error diagnostics diagnosteg gwallau *eb*

error handling trin gwallau *be*

error interrupt ymyriad gwall *eg* ymyriadau gwallau

error list rhestr wallau *eb* rhestri gwallau

error message gwall-neges *eb* gwall-negesau

error range amrediad gwallau *eg* amrediadau gwallau

error routine rheolwaith gwallau *eg* rheolweithiau gwallau

error trap magl gwallau *eb* maglau gwallau

error trapping maglu gwallau *be*

erupt echdorri *be*

erythrocyte (=corpuscle) corffilyn coch y gwaed *eg* corffilod coch y gwaed

escalate (of conflict) dwysáu *be*

escalate (of prices) codi *be*

escalope escalope *eb* escalopes

escape key bysell dianc *eb* bysellau dianc

escapement (plane) cilfa *eb* cilfâu

escarpment sgarp *eg* sgarpiau

eschatology eschatoleg *eb*

escheat *n* siêd *eg* siedau

escheat *v* siedu *be*

escheator siedwr *eg* siedwyr

escribed circle allgylch *eg* allgylchoedd

escutcheon esgytsiwn *eg* esgytsiynau

escutcheon pin pìn esgytsiwn *eg* pinnau esgytsiwn

escutcheon plate plât esgytsiwn *eg* platiau esgytsiwn

esker esgair *eb* esgeiriau

Espagnole sauce saws Espagnole *eg*

esparto esparto *eg*

espionage ysbïo *be*

esquire yswain *eg* ysweiniaid

essay traethawd *eg* traethodau

essence rhinflas *eg* rhinflasau

essential hanfodol *ans*

essential boundary conditions amodau ffin hanfodol *ell*

essential dimensions dimensiynau hanfodol *ell*

essential note nodyn anhepgor *eg* nodau anhepgor

essential traffic trafnidiaeth hanfodol *eb*

essentials hanfodion *ell*

establish sefydlu *be*

established routine trefn sefydledig *eb*

establishment sefydliad *eg* sefydliadau

estate stad *eb* stadau

estate agent gwerthwr eiddo *eg* gwerthwyr eiddo

estate duty treth stad *eb*

estate ownership perchenogaeth stad *eb*

Estates General Stadau Cyffredinol *ell*

estates of the realm stadau'r deyrnas *eb*

ester ester *eg* esterau

esterification esteriad *eg*

esterify esteru *be*

estimate *n* amcangyfrif *eg* amcangyfrifon

estimate *v* amcangyfrif *be*

estimated perspective persbectif amcangyfrifol *eg*

estimation (=opinion) barn *eb*

estimation (=rough calculation) *n* amcangyfrif *eg* amcangyfrifon

estimation of error amcangyfrif cyfeiliornad *eg*

estimator amcangyfrifyn *eg* amcangyfrifynnau

estreat ystrêd *eg* ystredau

estuary moryd *eb* morydau

etch ysgythru *be*

etch plain gwastadedd ysgythru *eg* gwastadeddau ysgythru

etched glassware llestri gwydr ysgythrog *ell*

etcher ysgythrwr *eg* ysgythrwyr

etching ysgythriad *eg* ysgythriadau

etching ground grwnd ysgythru *eg* grwndiau ysgythru

etching needle nodwydd ysgythru *eb* nodwyddau ysgythru

etching press gwasg ysgythru *eb* gweisg ysgythru

ethane ethan *eg*

ethanoic ethanoig *ans*

ethanol ethanol *ans*

Ethelred the Unready Ethelred y Digyngor *eg*

ethene ethen *eg*

ether ether *eg*

ethical moesegol *ans*

ethics moeseg *eb*

ethnic ethnig *ans*

ethnic origin tarddiad ethnig *eg*

ethnographic area ardal ethnograffig *eb* ardaloedd ethnograffig

ethnology ethnoleg *eb*

ethnomusicology ethnogerddoleg *eb*

ethos ethos *eg*

ethyl alcohol ethyl alcohol *eg*

ethyne ethyn *eg*

etiolated heglog *ans*

etiolation hegledd *eg*

Etruscan art celfyddyd Etrwsgaidd *eb*

étude étude *eb* études

eucaryotic ewcaryotig *ans*

Eucharist Ewcharist *eg*

Euclid's algorithm algorithm Ewclid *eg*

Euclidean Ewclidaidd *ans*

euphonious persain *ans*

euphony perseinedd *eg*

European classical tradition traddodiad clasurol Ewropeaidd *eg*

European Coal & Steel Community Cymuned Glo a Dur Ewrop *eb*

European context cyd-destun Ewropeaidd *eg*

European exploration fforio Ewropeaidd *be*

European Free Trade Area Ardal Fasnach Rydd Ewropeaidd *eb*

European Union Undeb Ewropeaidd *eg*

Europeanization Ewropeiddio *be*

---

europium (Eu) ewropiwm *eg*

Eurosize (cartons) Ewrofaint (am gartonau) *ans*

Eustachian tube tiwb Eustachio *eg* tiwbiau Eustachio

eustatic ewstatig *ans*

eutectic mixture cymysgedd ewtectig *eb*

eutectic point pwynt ewtectig *eg* pwyntiau ewtectig

eutectics ewtecteg *eb*

euthanasia ewthanasia *eg*

eutrophic ewtroffig *ans*

eutrophication ewtroffigedd *eg*

evacuate gwagio *be*

evacuation ymgiliad *eg*

evacuee faciwî *eg/b* faciwîs

evaded cadence diweddeb annisgwyl *eb* diweddebau annisgwyl

evagination allweiniad *eg*

evaluate (in appraisal process) gwerthuso *be*

evaluate (in general) cloriannu *be*

evaluate (in mathematics) enrhifo *be*

evaluate evidence gwerthuso tystiolaeth *be*

evaluate expressions enrhifo mynegiadau *be*

evaluation (in appraisal process) gwerthusiad *eg* gwerthusiadau

evaluation (in mathematics) enrhifiad *eg* enrhifiadau

evaluation criterion maen prawf gwerthuso *eg* meini prawf gwerthuso

evangelical efengylaidd *ans*

evangelist efengylwr *eg* efengylwyr

Evans' Jig Dawns Ifan *eb*

evaporate anweddu *be*

evaporating basin dysgl anweddu *eb* dysglau anweddu

evaporation anweddiad *eg* anweddiadau

even llyfn *ans*

even chance siawns deg *eb* siawnsiau teg

even crestline briglin cyson *eg* briglinau cyson

even down llyfnhau *be*

even function eil-ffwythiant *eg* eil-ffwythiannau

even grain graen llyfn *eg*

even number eilrif *eg* eilrifau

even parity eilbaredd *eg* eilbareddau

even parity check gwiriad eilbaredd *eg* gwiriadau eilbaredd

even pitch pitsh llyfn *eg*

even plaid plad cyson *eg*

even pressure gwasgedd llyfn *eg*

even texture gwead llyfn *eg* gweadau llyfn

even weave gwehyddiad llyfn *eg*

evening class dosbarth nos *eg* dosbarthiadau nos

evening dress ffrog fin nos *eb* ffrogiau fin nos

evens siawns deg *eb*

evensong gosber *eg* gosberau

event (=competition) cystadleuaeth *eb* cystadlaethau

event (=happening) digwyddiad *eg* digwyddiadau

event handling trin digwyddiadau *be*

everglaze (finish) sglein parhaol *eg*

evergreen *adj* bythwyrdd *ans*

evergreen *n* coeden fythwyrdd *eb* coed bythwyrdd

eversion echdroad *eg*

evict troi allan *be*

evidence tystiolaeth *eb* tystiolaethau

evil drygioni *eg*

evolute efoliwt *eg* efoliwtiau

evolution esblygiad *eg* esblygiadau

evolutionary esblygiadol *ans*

evolve (=develop) datblygu *be*

evolve (in biology) esblygu *be*

evolve (of gases) cynhyrchu *be*

evolve a design datblygu cynllun *be*

evolved gases nwyon cynyrchiedig *ell*

ex-centre allganol *eg* allganolau

ex-circle allgylch *eg* allgylchoedd

exacerbation gwaethygiad *eg*

exact union *ans*

exact length hyd cywir *eg* hydoedd cywir

exact money arian cywir *eg*

exact sampling distribution dosraniad samplu union *eg*

exact size maint cywir *eg* meintiau cywir

exactly yn union *adf*

exactness manwl gywirdeb *eg*

exaggerate gorliwio *be*

exaggeration gorliwiad *eg* gorliwiadau

examination arholiad *eg* arholiadau

examination (of patient etc) archwiliad *eg* archwiliadau

examination component cydran arholiad *eb* cydrannau arholiad

examination paper papur arholiad *eg* papurau arholiad

examination under anaesthetic archwiliad dan anaesthetig *eg* archwiliadau dan anaesthetig

examinations board bwrdd arholi *eg* byrddau arholi

examine (=look closely at) archwilio *be*

examine (=test in an examination) arholi *be*

example enghraifft *eb* enghreifftiau

excavate cloddio *be*

excavation cloddiad *eg* cloddiadau

exceed bod yn fwy na *be*

except *v* eithrio *be*

exception eithriad *eg* eithriadau

exceptional child plentyn eithriadol *eg* plant eithriadol

excess gormodedd *eg* gormodeddau

excess demand goralw *eg*

excess pressure gormodedd gwasgedd *eg*

excessive gormodol *ans*

excessive end play llacrwydd gormodol ar y pen *eg*

excessive slackness llacrwydd gormodol *eg*

exchange *n* cyfnewidfa *eb* cyfnewidfeydd

exchange *v* cyfnewid *be*

exchange rate cyfradd cyfnewid *eb* cyfraddau cyfnewid

exchange reaction adwaith cyfnewid *eg*

exchange scheme cynllun cyfnewid *eg* cynlluniau cyfnewid

exchangeable cyfnewidiadwy *ans*

exchangeable disk disg cyfnewidiadwy *eg* disgiau cyfnewidiadwy

---

eg/b enw gwrywaidd/benywaidd, *feminine/masculine noun*   *ell* enw lluosog, *plural noun*   *v* berf, *verb*   *n* enw, *noun*

exchangeable disk store (EDS) storfa ddisg gyfnewidiadwy *eb*

exchequer trysorlys *eg*

Exchequer Court Llys y Siecr *eg*

excise ecseis *eg*

exciseman ecseismon *eg* ecseismyn

excision toriad *eg* toriadau

excite cynhyrfu *be*

excited state cyflwr cynhyrfol *eg* cyflyrau cynhyrfol

excitement cynnwrf *eg*

exciting cynhyrfus *ans*

exclamation mark ebychnod *eg* ebychnodau

exclave allglofan *eg* allglofannau

exclude (=prohibit) gwahardd *be*

exclude (=shut out) cau allan *be*

excluded child plentyn wedi'i wahardd *eg* plant wedi'u gwahardd

Exclusion Act Deddf Gwahardd *eb*

exclusion clause cymal eithrio *eg* cymalau eithrio

Exclusion Crisis Argyfwng y Gwahardd *eg*

exclusion principle egwyddor wahardd *eb*

exclusive anghynhwysol *ans*

exclusive OR NEU anghynhwysol (NEUA) *eg*

excommunicant ysgymunwr *eg* ysgymunwyr

excommunicate ysgymuno *be*

excommunication ysgymuniad *eg* ysgymuniadau

excrete ysgarthu *be*

excretion ysgarthiad *eg* ysgarthiadau

excretory organ organ ysgarthiol *eg*

excretory substance sylwedd ysgarthiol *eg* sylweddau ysgarthiol

executable gweithredadwy *ans*

execute (=act) gweithredu *be*

execute (=carry into effect) cyflawni *be*

execute (=kill) dienyddio *be*

execute cycle cylchred weithredu *eb* cylchredau gweithredu

execute key gweithredwr *eg* gweithredwyr

execute phase gwedd weithredu *eb* gweddau gweithredu

execution time amser gweithredu *eg* amserau gweithredu

executive *adj* gweithredol *ans*

executive *n* gweithredwr *eg* gweithredwyr

executive (department) adran weithredol *eb* adrannau gweithredol

executive (officer) swyddog gweithredol *eg* swyddogion gweithredol

executive committee pwyllgor gwaith *eg* pwyllgorau gwaith

executive program rhaglen oruchwylio *eb* rhaglenni goruchwylio

executor ysgutor *eg* ysgutorion

exemplar enghraifft batrymol *eb* enghreifftiau patrymol

exempt *(with feminine nouns)* wedi'i hesgusodi *ans* wedi'u hesgusodi

exempt *(with masculine nouns)* wedi'i esgusodi *ans* wedi'u hesgusodi

exemption (in general) esgusodiad *eg* esgusodiadau

exemption (from income tax) rhyddhad *eg* rhyddhadau

exemption clause cymal eithrio *eg* cymalau eithrio

exercise *n* ymarfer *eg* ymarferion

exercise *v* ymarfer *be*

exercise plan cynllun ymarfer *eg* cynlluniau ymarfer

exergonic ecsergonig *ans*

exert a force rhoi grym *be*

Exeter pattern hammer morthwyl patrwm Exeter *eg* morthwylion patrwm Exeter

exhale anadlu allan *be*

exhaled gases nwyon allanadledig *ell*

exhaust (evacuate) gwacáu *be*

exhaust (=use up) disbyddu *be*

exhaust air aer gwacáu *eg*

exhaust gas nwy gwacáu *eg* nwyon gwacáu

exhaust manifold maniffold gwacáu *eg* maniffoldau gwacáu

exhaust pipe pibell wacáu *eb* pibellau gwacáu

exhaust port porth gwacáu *eg* pyrth gwacáu

exhaust pump pwmp gwacáu *eg* pympiau gwacáu

exhausted (of seams of coal) disbyddedig *ans*

exhaustible disbyddadwy *ans*

exhaustion gorludded *eg*

exhibit arddangos *be*

exhibition arddangosfa *eb* arddangosfeydd

exhibitor arddangoswr *eg* arddangoswyr

exhorter cymhellwr *eg* cymhellwyr

exhumed (of landform) datgladdedig *ans*

exile *n* alltud *eg* alltudion

exile *v* alltudio *be*

existence bodolaeth *eb* bodolaethau

existence theorem theorem bodolaeth *eb* theoremau bodolaeth

existing use defnydd presennol *eg*

exit (command) allan

exit (on a computer) allanu *be*

exit (=way out) *n* allanfa *eb* allanfeydd

exocrine gland chwarren ecsocrin *eb* chwarennau ecsocrin

exogenesis alldarddiad *eg*

exogenic alldarddol *ans*

exorcise bwrw allan *be*

exoskeleton sgerbwd allanol *eg* sgerbydau allanol

exothermic ecsothermig *ans*

exothermic heat gwres ecsothermig *eg*

exotic (of plants) *adj* egsotig *ans*

exotic (of river) *n* alldardd *eg*

expand *v.intrans* ymledu *be*

expand *v.trans* ehangu *be*

expanded ehangedig *ans*

expanded metal metel ymledol *eg* metelau ymledol

expanding industry diwydiant ehangol *eg* diwydiannau ehangol

expanding reamer agorell gymwysadwy *eb* agorellau cymwysadwy

expansion ehangiad *eg* ehangiadau

expansion allowance lwfans ehangu *eg* lwfansau ehangu

---

adf, adv adferf, *adverb*   *ans, adj* ansoddair, *adjective*   *be* berf, *verb*   *eb* enw benywaidd, *feminine noun*   *eg* enw gwrywaidd, *masculine noun*

expansion bolt bollt ymestyn *eb* bolltau ymestyn

expansion slot agen ehangu *eb* agennau ehangu

expansive bit ebill ymledu *eg* ebillion ymledu

expectant mother mam feichiog *eb* mamau beichiog

expected (of value) disgwyliedig *ans*

expected value gwerth disgwyliedig *eg* gwerthoedd disgwyliedig

expectorant poergarthydd *eg* poergarthyddion

expediency buddioldeb *eb*

expedition alldaith *eb* alldeithiau

expel (from country) alltudio *be*

expel (from institution, movement) diarddel *be*

expenditure gwariant *eg*

expenditure retained gwariant a gedwir yn ôl *eg*

expense traul *eb* treuliau

experience profiad *eg* profiadau

experiential learning dysgu drwy brofiadau *be*

experiment *n* arbrawf *eg* arbrofion

experiment *v* arbrofi *be*

experimental arbrofol *ans*

experimental error cyfeiliornad arbrofol *eg* cyfeiliorn arbrofol

experimental evidence tystiolaeth arbrofol *eb*

experimental method dull arbrofol *eg* dulliau arbrofol

experimental procedure dull o weithredu arbrawf *eg* dulliau o weithredu arbrawf

experimental technique techneg arbrofi *eb* technegau arbrofi

experimental work gwaith arbrofi *eg*

expert system system arbenigo *eb* systemau arbenigo

expertise arbenigedd *eg* arbenigeddau

expiration anadlu allan *be*

explain egluro *be*

explanation esboniad *eg* esboniadau

explanatory diagram diagram eglurhaol *eg* diagramau eglurhaol

explicit (in computing) penodol *ans*

explicit (in mathematics) echblyg *ans*

explicit function (in mathematics) ffwythiant echblyg *eg*

explode ffrwydro *be*

exploded (of drawing etc) taenedig *ans*

exploded drawing lluniad taenedig *eg* lluniadau taenedig

exploded isometric isomedrig taenedig *eg*

exploded isometric view golwg isomedrig taenedig *eg* golygon isomedrig taenedig

exploded sketch braslun taenedig *eg* brasluniau taenedig

exploded view golwg taenedig *eg* golygon taenedig

exploit (=develop) datblygu *be*

exploit (=use unfairly) ecsploetio *be*

exploitation ecsploetiaeth *eb*

exploitation of resources datblygu adnoddau *eg*

exploration (of ideas) archwiliad *eg* archwiliadau

exploration (of land) fforiad *eg* fforiadau

exploration method dull archwilio *eg* dulliau archwilio

exploratory archwiliadol *ans*

exploratory behaviour gweithgaredd chwilio *eg* gweithgareddau chwilio

explore (ideas) archwilio *be*

explore (land) fforio *be*

explorer fforiwr *eg* fforiwyr

explosion ffrwydrad *eg* ffrwydradau

explosive *adj* ffrwydrol *ans*

explosive *n* ffrwydryn *eg* ffrwydron

exponent (in mathematics) esbonydd *eg* esbonyddion

exponential esbonyddol *ans*

exponential functions ffwythiannau esbonyddol *ell*

export *n* allforyn *eg* allforion

export *v* allforio *be*

export duty toll allforio *eb* tollau allforio

exporter allforiwr *eg* allforiwyr

expose (facts etc) datgelu *be*

expose (in photography) dinoethi *be*

expose to light rhoi yn y golau *be*

exposed (in music) noeth *ans*

exposed (to the weather) agored *ans*

exposed eighth wythfed noeth *eg* wythfedau noeth

exposed fifth pumed noeth *eg* pumedau noeth

exposed octave wythfed noeth *eg* wythfedau noeth

exposition dangosiad *eg* dangosiadau

exposure (=being exposed to the elements) oerfel *eg*

exposure (in photography) dinoethiad *eg* dinoethiadau

exposure (to air, light etc) datguddiad *eg*

express mynegi *be*

expression (in mathematics, act of expressing) mynegiad *eg* mynegiadau

expression (of ideas etc) mynegiant *eg* mynegiannau

expression (=phrase) ymadrodd *eg* ymadroddion

expression mark marc mynegiant *eg* marciau mynegiant

expressionism mynegiadaeth *eb*

expressionist *adj* mynegiadol *ans*

expressionist *n* mynegiadwr *eg* mynegiadwyr

expressive llawn mynegiant *ans*

expressive arts celfyddydau mynegiannol *ell*

expressive language disorder diffyg mynegiant llafar *eg*

expressive movement symudiad mynegiannol *eg* symudiadau mynegiannol

expressiveness mynegolrwydd *eg*

expressway ffordd gyflym *eb* ffyrdd cyflym

expropriate difeddiannu *be*

expulsion (from country) alltudiad *eg* alltudiadau

expulsion (from movement) diarddeliad *eg* diarddeliadau

expulsion (in childbirth) ymwthiad *eg* ymwthiadau

extempore ar y pryd *adf*

extemporization (performance) datganiad ar y pryd *eg* datganiadau ar y pryd

extemporization passage darn byrfyfyr *eg* darnau byrfyfyr

extemporize (in singing) datganu ar y pryd *be*

extend *v.intrans* ymestyn *be*

extend *v.trans* estyn *be*

extended day diwrnod estynedig *eg* diwrnodau estynedig

extended family teulu estynedig *eg* teuluoedd estynedig

extended language iaith estynedig *eb*

extended line llinell estynedig *eb* llinellau estynedig

extended modulator cyweiriadur mawr *eg* cwyeiriaduron mawr

extended prose rhyddiaith estynedig *eg*

extended reading darllen estynedig *eg*

extender estynnydd *eg* estynyddion

extensible estynadwy *ans*

extension estyniad *eg* estyniadau

extension (of muscles) ymestyniad (cyhyrau) *eg*

extension activity gweithgaredd estyn *eg* gweithgareddau estyn

extension booklet llyfryn ymestyn *eg* llyfrynnau ymestyn

extension hinge colfach estyn *eg* colfachau estyn

extension organ organ estyn *eb* organau estyn

extension paper papur estynedig *eg* papurau estynedig

extension study astudiaeth estyn *eb* astudiaethau estyn

extensive eang *ans*

extensive listening gwrando eang *be*

extensive reading darllen eang *be*

extensor muscle cyhyryn estyn *eg* cyhyrau estyn

extent (land) stent *eg* stentau

extent (=size) maint *eg*

extent of reaction (in chemistry) lledaeniad yr adwaith *eg*

exterior *adj* allanol *ans*

exterior *n* tu allan *eg*

exterior angle ongl allanol *eb* onglau allanol

exterior plywood pren haenog allanol *eg*

exterminate difodi *be*

extermination camp gwersyll difodi *eg* gwersylloedd difodi

external allanol *ans*

external assessment asesu allanol *be*

external assessor aseswr allanol *eg* aseswyr allanol

external bisector hanerydd allanol *eg* hanerwyr allanol

external chest compression cywasgiad allanol ar y frest *eg* cywasgiadau allanol ar y frest

external circlip cylchglip allanol *eg* cylchglipiau allanol

external degree gradd allanol *eb* graddau allanol

external examiner arholwr allanol *eg* arholwyr allanol

external memory cof allanol *eg*

external part rhan allanol *eb* rhannau allanol

external point pwynt allanol *eg* pwynt allanol

external pressure gwasgedd allanol *eg*

external respiration resbiradaeth allanol *eb*

external validator dilysydd allanol *eg* dilyswyr allanol

extinct diflanedig *ans*

extinct volcano llosgfynydd marw *eg* llosgfynyddoedd marw

extinguisher stake bonyn hirbig *eg* bonion hirbig

extort cribddeilio *be*

extorter cribddeiliwr *eg* cribddeilwyr

extortion cribddeiliaeth *eb*

extortionate gormodol *ans*

extra contractual referral (ECR) achos all-gontract *eg* achosion all-gontract

extra fine mân iawn *ans*

extra galactic echalaethog *ans*

extra-curricular activity gweithgaredd allgyrsiol *eg* gweithgareddau allgyrsiol

extra-musical stimulus ysgogiad all-gerddorol *eg* ysgogiadau all-gerddorol

extracellular allgellog *ans*

extract *v* echdynnu *be*

extract (of map) *n* rhanfap *eg* rhanfapiau

extract (of meat) *n* rhin *eb* rhiniau

extract (=part of something) *n* detholiad *eg* detholiadau

extract (=something extracted) *n* echdynnyn *eg* echdynion

extract a resource echdynnu adnodd *be*

extract water echdynnu dŵr *be*

extraction echdyniad *eg* echdyniadau

extraction rate of flour cyfradd echdynnol blawd *eb*

extractive echdynnol *ans*

extractive industry diwydiant echdynnol *eg* diwydiannau echdynnol

extractor echdynnwr *eg* echdynwyr

extractor fan gwyntyll echdynnu *eb* gwyntyllau echdynnu

extradition ystraddodi *be*

extrados of an arch cromlin allanol bwa *eb* cromliniau allanol bwa

extraneous (=foreign) estron *ans*

extraneous (=outside) allanol *ans*

extrapolate allosod *be*

extrapolation allosodiad *eg* allosodiadau

extraterritorial alldiriogaethol *ans*

extreme eithaf *ans*

extreme pressure oil (E.P.) olew gwasgedd eithaf *eg*

extreme unction eneiniad olaf *eg*

extreme value gwerth eithaf *eg* gwerthoedd eithaf

extreme west gorllewin eithaf *eg*

extremely thankful hynod ddiolchgar *adf*

extremes of weather eithafion tywydd *ell*

extremist *adj* eithafol *ans*

extremist *n* eithafwr *eg* eithafwyr

extremities eithafoedd *ell*

extrovert allblyg *ans*

extrude allwthio *be*

extrusion allwthiad *eg* allwthiadau

extrusive allwthiol *ans*

extrusive rock craig allwthiol *eb* creigiau allwthiol

exudate archwys *eg*

exude archwysu *be*

eye (=hole in needle etc) crau *eg* creuau

eye (=organ of sight) llygad *eg/b* llygaid

eye bolt bollt ddolen *eb* bolltau dolen

eye contact cyswllt llygaid *eg*

eye lens lens y llygad *eg* lensiau'r llygad

eye movement symudiad llygad *eg* symudiadau llygaid

eye muscle cyhyr llygad *eg* cyhyrau llygad

eye of hammer crau morthwyl *eg* creuau morthwylion

---

adf, adv adferf, *adverb* *ans, adj* ansoddair, *adjective* *be* berf, *verb* *eb* enw benywaidd, *feminine noun* *eg* enw gwrywaidd, *masculine noun*

eye of needle crau nodwydd *eg* creuau nodwyddau

eye ring cylch llygad *eg* cylchoedd llygaid

eye tooth dant llygad *eg* dannedd llygad

eye-hand coordination cydgysylltiad llaw a llygad *eg*

eye-level llinell orwel *eb* llinellau gorwel

eye-level grill gridyll uchel *eg* gridyllau uchel

eye-piece (microscope) sylladur *eg* sylladuron

eyeball pelen y llygad *eb* pelenni'r llygaid

eyebrow ael *eb* aeliau

eyelash blewyn amrant *eg* blew amrant

eyelet llygaden *eb* llygadennau

eyelet hole twll llygaden *eg* tyllau llygaden

eyelet pliers gefelen llygaden *eb* gefeiliau llygaden

eyelet punch tyllwr llygadennau *eg* tyllwyr llygadennau

eyelet tools offer llygadennu *ell*

eyot ynysig *eb* ynysigau

eyre (of justices) cylchdaith (barnwr) *eb* cylchdeithiau

F

F attachment (trombone) ymlyniad F *eg*
F clef cleff F *eg*
'F' hole seindwll *eg* seindyllau
F major F fwyaf *eb*
F minor F leiaf *eb*
Fabian Society Cymdeithas y Ffabiaid *eb*
Fabianism Ffabiaeth *eb*
fablon ffablon *eg*
fabric ffabrig *eg* ffabrigau
fabric colour lliw ffabrig *eg* lliwiau ffabrig
fabric conditioner cyflyrydd ffabrig *eg* cyflyryddion ffabrig
fabric craft crefft ffabrig *eb* crefftau ffabrig
fabric dressing gorchudd ffabrig *eg* gorchuddion ffabrig
fabric dye llifyn ffabrig *eg* llifynnau ffabrig
fabric medium cyfrwng ffabrig *eg* cyfryngau ffabrig
fabric printing printio ffabrig *be*
fabric printing mallet gordd brintio ffabrig *eb* gyrdd printio ffabrig
fabric softener cyflyrydd ffabrig *eg* cyflyryddion ffabrig
fabricate ffabrigo *be*
fabricated ffabrigedig *ans*
facade ffasâd *eg* ffasadau

face *n* wyneb *eg* wynebau
face *v* wynebu *be*

face centred cubic ciwbig wyneb-ganolog *ans*
face centred cubic lattice dellten giwbig wyneb-ganolog *eb* delltiau ciwbig wyneb-ganolog
face downwards wyneb i waered *adf*
face edge ymyl wyneb *eg/b* ymylon wyneb
face edge mark marc ymyl wyneb *eg* marciau ymyl wyneb
face plate plât wyneb *eg* platiau wyneb
face side ochr wyneb *eb* ochrau wyneb
face the direction of the throw wynebu cyfeiriad y tafliad *be*
face the net wynebu'r rhwyd *be*
face to face wyneb yn wyneb
face value wynebwerth *eg* wynebwerthoedd
face vault llofnaid wyneb *eb* llofneidiau wyneb
face veneer argaen wyneb *eg* argaenau wyneb
faced hem hem wedi'i hwynebu *eb* hemiau wedi'u hwynebu
faced opening agoriad wedi'i wynebu *eg* agoriadau wedi'u wynebu
faced plywood pren haenog wedi'i wynebu *eg*
faced scalloping sgolop wedi'i wynebu *eg* sgolopiau wedi'u hwynebu
faceplate turning turnio ar wynebplat *be*
facet ffased *eg* ffasedau
faceted spur sbardun ffasedaidd *eg* sbardunau ffasedaidd

facial wynebol *ans*
facial nerve nerf wynebol *eg* nerfau wynebol
facial plane plân wynebol *eg* planau wynebol
facies gwedd *eb* gweddau
facilitate hwyluso *be*
facilitated transport cludiant cynorthwyedig *eg*
facilitator hwyluswr *eg* hwyluswyr
facility (=aptitude) dawn *eb* doniau
facility (=ease, fluency) rhwyddineb *eg*

facing *n* wynebyn *eg* wynebynnau
facing fillet ffiled wynebu *eg* ffiledau wynebu
facing left (of lathe tools) wynebu'r chwith *be*
facing right (of lathe tools) wynebu'r dde *be*
facing tool erfyn wynebu *eg* offer wynebu
facsimile ffacsimili *eg* ffacsimilïau
facsimile message neges ffacs *eb* negeseuon ffacs
facsimile number rhif ffacs *eg* rhifau ffacs
fact ffaith *eb* ffeithiau
faction carfan *eb* carfanau
factionalism carfanyddiaeth *eb*
factor ffactor *eg/b* ffactorau
factor analysis dadansoddiad ffactor *eg* dadansoddiadau ffactor
factorial *adj* ffactoraidd *ans*
factorial *n* ffactorial *eg* ffactorialau
factorial analysis dadansoddiad ffactoraidd *eg*
factorial ecology ecoleg ffactoraidd *eb*
factorizable ffactoradwy *ans*
factorization ffactoriad *eg* ffactoriadau
factorize ffactorio *be*
factorize completely ffactorio yn llwyr *be*
factorizing ffactoriaeth *eb*
factory ffatri *eb* ffatrïoedd
Factory Acts Deddfau Ffatri *ell*
factory farming ffermio gorddwys *be*
factory legislation deddfwriaeth ffatri *eb*
factory system trefn ffatri *eb*
facultative (in biology) amryddawn *ans*
faculty (=aptitude or inherent power) cynneddf *eb* cyneddfau
faculty (group of subject departments) cyfadran *eb* cyfadrannau
fade (of colour) colli lliw *be*
fade-in mewnhidlo *be*
fade-out allhidlo *be*
faeces ymgarthion *ell*
faggot ffagotsen *eb* ffagots

---

faggot stitch pwyth ffagod *eg* pwythau ffagod

faggot weld weldiad ffagod *eg* weldiadau ffagod

faggotting ffagodwaith *eg*

fagotto fagotto *eg* fagotti

faience (=pottery) faience *eg*

failure methiant *eg* methiannau

failure to thrive diffyg cynnydd *eg*

faint *n* llewyg *eg*

faint *v* llewygu *be*

faint relief tirwedd anamlwg *eb* tirweddau anamlwg

fair teg *ans*

fair catch daliad glân *eg* daliadau glân

fair ground tir teg *eg*

fair play chwarae teg *eg*

fair test prawf teg *eg* profion teg

fair testing profi teg *be*

fair trading masnachu teg *be*

Fair Trading Office Act Deddf Swyddfa Masnachu Teg *eb*

fairway (for shipping) sianel fordwyo *eb* sianeli mordwyo

fairy tale stori tylwyth teg *eb* straeon tylwyth teg

faith ffydd *eb*

fake *adj* ffug *ans*

fake *n* ffugwaith *eg* ffugweithiau

fake *v* ffugio *be*

falconer hebogydd *eg* hebogwyr

fall cwymp *eg* cwympiau

fall line llinell gwymp *eb* llinellau cwymp

fall-out llwch ymbelydrol *eg*

fallen angel angel syrthiedig *eg* angylion syrthiedig

falling rolls gostyngiad mewn nifer *eg*

Fallopian tube tiwb Fallopio *eg* tiwbiau Fallopio

fallout alldafliad *eg* alldafliadau

fallow (land) *n* braenar *eg*

fallow (land) *v* braenaru *be*

false (in general) ffug *ans*

false (of prophets etc) gau *ans*

false attack ffug ymosod *be*

false bedding ffug haenau *ell*

false close diweddeb annisgwyl *eb* diweddebau annisgwyl

false entry camgydiad *eg* camgydiadau

false front (of drawer) ffrynt ffug (drôr) *eg* ffryntiau ffug

false fruit ffug ffrwythyn *eg* ffug ffrwythau

false hem hem ffug *eb* hemiau ffug

false relation gau berthynas *eb* gau berthnasau

false root gwreiddyn ffug *eg* gwreiddiau ffug

false tooth dant gosod *eg* dannedd gosod

faltung ffaltwng *eg* ffaltyngau

familial teuluol *ans*

familiar context cyd-destun cyfarwydd *eg*

familiarize oneself with ymgyfarwyddo â *be*

family teulu *eg* teuluoedd

family allowance lwfans teulu *eg*

family credit credyd teulu *eg*

family doctor meddyg teulu *eg* meddygon teulu

Family Expenditure Survey Arolwg Gwariant Teulu *eg*

family group grŵp teulu *eg* grwpiau teulu

family grouping grwpio teuluol *be*

Family Health Services Authority (FHSA) Awdurdod Gwasanaethau Iechyd Teulu (AGIT) *eg*

Family Income Supplement Atodiad Incwm Teulu *eg*

family planning cynllunio teulu *be*

family planning clinic clinig cynllunio teulu *eg*

family practitioner meddyg teulu *eg* meddygon teulu

family psychotherapy seicotherapi teuluol *eg*

family therapy therapi teulu *eg*

family tree cart achau *eg* cartiau achau

famine newyn *eg* newynau

fan (=fan shaped object) bwa *eg* bwâu

fan (of device) gwyntyll *eb* gwyntyllau

fan heater tân chwythu *eg* tanau chwythu

fan vaulting ffanfowt *eg* ffanfowtiau

fan-fold paper papur igam ogam *eg*

fancy (of needlework etc) ffansi *ans*

fanfare ffanfer *eg* ffanferau

fanglomerate bwa malurion *eg* bwâu malurion

fantasia ffantasia *eb* ffantasïau

fantasy ffantasi *eb* ffantasïau

fantasy figure ffigur ffantasi *eg* ffigurau ffantasi

far pell *ans*

Far East Dwyrain Pell *eg*

far side ochr bellaf *eb* ochrau pellaf

farad ffarad *eg* ffaradau

farce (=forcemeat) stwffin *eg*

farm *n* fferm *eb* ffermydd

farm *v* ffermio *be*

farm implements offer fferm *ell*

farmer ffermwr *eg* ffermwyr

farming community cymuned amaethyddol *eb* cymunedau amaethyddol

farthingale cylchbais *eb* cylchbeisiau

fascia ffasgau *ell*

fascia board astell dywydd *eb* estyll tywydd

fasciated ffasgol *ans*

fasciation ffasgedd *eg*

fascicle ffasgell *eg* ffasgellau

fascicular ffasgellol *ans*

fascism ffasgaeth *eb*

fascist *adj* ffasgaidd *ans*

fascist *n* ffasgydd *eg* ffasgwyr

fashion ffasiwn *eg/b* ffasiynau

fashion trend gogwydd ffasiwn *eg*

fast *adj* cyflym *ans*

fast *n* ympryd *eg* ymprydiau

fast *v* ymprydio *be*

fast (of colour) anniflan *ans*

fast access storage storfa fuangyrch *eb* storfeydd buangyrch

fast ball pêl gyflym *eb* peli cyflym

fast bowler bowliwr cyflym *eg* bowlwyr cyflym

fast bowling bowlio cyflym *be*

---

fast colour (enamelling colour) lliw anniflan *eg* lliwiau anniflan

fast dye llifyn anniflan *eg* llifynnau anniflan

fast reaction adwaith cyflym *eg* adweithiau cyflym

fast starter cychwynnwr cyflym *eg* cychwynwyr cyflym

fasten (with hook) bachu *be*

fasten (with nails) hoelio *be*

fasten (with rope) clymu *be*

fastener ffasner *eg* ffasneri

fastening device dyfais sicrhau *eb* dyfeisiau sicrhau

fastening screw sgriw sicrhau *eb* sgriwiau sicrhau

fastenings dull cau *eg* dulliau cau

fastness (of colour) anniflanedd *eg*

fat braster *eg* brasterau

fat depot storfa fraster *eb* storfeydd braster

fat globule globwl braster *eg* globylau braster

fat pigment pigment bras *eg* pigmentau bras

fat soluble vitamin fitamin braster-hydawdd *eg* fitaminau braster-hydawdd

fatal dose dos angheuol *eg* dosau angheuol

fatal error gwall angheuol *eg* gwallau angheuol

father tape mam-dâp *eg* mam-dapiau

fathom gwryd *eg* gwrhydau

fatigue (of muscle, metal) lludded *eg*

fatty brasterog *ans*

fatty acid asid brasterog *eg* asidau brasterog

fatty marrow mêr brasterog *eg*

fatty meat cig gwyn *eg*

fault (=blame) *n* bai *eg* beiau

fault (=defect) *n* diffyg *eg* diffygion

fault (in geology and tennis) *n* ffawt *eg/b* ffawtiau

fault (in geology and tennis) *v* ffawtio *be*

fault line ffawtlin *eg* ffawtlinau

fault rate cyfradd diffygion *eb* cyfraddau diffygion

fault zone cylchfa ffawtio *eb* cylchfaoedd ffawtio

faulted strata haenau ffawtiedig *ell*

faulty diffygiol *ans*

faulty bully bwli cam *eg* bwlïau cam

faulty goods nwyddau diffygiol *ell*

fauna ffawna *ell*

faux bourdon faux bourdon *eg* faux bourdons

favourite ffefryn *eg* ffefrynnau

fax *n* ffacs *eg* ffacsys

fax *v* ffacsio *be*

fax gateway porth ffacs *eg* pyrth ffacs

fealty llw ffyddlondeb *eg*

fealty homage gwrogaeth llw ffyddlondeb *eb*

feasibility study astudiaeth dichonoldeb *eb* astudiaethau dichonoldeb

feasible dichonadwy *ans*

feasible region rhanbarth dichonadwy *eg* rhanbarthau dichonadwy

feasible solution datrysiad dichonadwy *eg* datrysiadau dichonadwy

feast gŵyl *eb* gwyliau

feast day dydd gŵyl *eg* dyddiau gŵyl

Feast of Andrew the Apostle Gŵyl Sant Andreas (30 Tachwedd) *eb*

Feast of Edward, the Confessor Gŵyl Edward Frenin (13 Hydref) *eb*

Feast of James the Apostle Gŵyl Iago'r Apostol (25 Gorffennaf) *eb*

Feast of John the Apostle Gŵyl Ioan yr Apostol (27 Rhagfyr) *eb*

Feast of John the Baptist Gŵyl Ifan (24 Mehefin) *eb*

Feast of Lucy Gŵyl Lleuan Wyryf (13 Rhagfyr) *eb*

Feast of Matthew the Apostle Gŵyl Fathew yr Apostol (21 Medi) *eb*

Feast of Peter and Paul Gŵyl Bedr a Phawl (29 Mehefin) *eb*

Feast of Pope Calixtus Gŵyl y Pab Calixtus (14 Hydref) *eb*

Feast of St Benedict Gŵyl Sant Benedict (21 Mawrth) *eb*

Feast of St Luke the Evangelist Gŵyl Luc Efengylwr (18 Hydref) *eb*

Feast of St Patrick Gŵyl Badrig (17 Mawrth) *eb*

Feast of St Cecilia Gŵyl Cicilia Wyryf (22 Tachwedd) *eb*

Feast of St David Gŵyl Ddewi (1 Mawrth) *eb*

Feast of St Denis Gŵyl Sant Denis (9 Hydref) *eb*

Feast of St Hilary Gŵyl Sant Hyllar (13 Ionawr) *eb*

Feast of St Martin Gŵyl Sant Martin (11 Tachwedd) *eb*

Feast of St Mary, August Gŵyl Fair yn Awst *eb*

Feast of St Mary, Nativity Gŵyl Eni'r Arglwyddes Fair *eb*

Feast of St Mary, September Gŵyl Fair ym Medi *eb*

Feast of St Michael Gŵyl Sant Mihangel (29 Medi) *eb*

Feast of St Paul Gŵyl Bawl (25 Ionawr) *eb*

Feast of Stephen the Martyr Gŵyl San Steffan (26 Rhagfyr) *eb*

Feast of Thomas the Apostle Gŵyl Tomos yr Apostol (21 Rhagfyr) *eb*

feather *n* pluen *eb* plu

feather *v* pluo *be*

feather key allwedd bluen *eb* allweddi pluen

feather smocking smocwaith pluen *eg*

feather stitch pwyth pluen *eg* pwythau pluen

feather weight pwysau plu *ell*

feathering (pottery decoration) pluo *be*

feature (in general) nodwedd *eb* nodweddion

feature (on surface) arwedd *eb* arweddion

feature variants amrywiolion nodwedd *ell*

features (of face) wynepryd *eg*

febrile twymynol *ans*

fecundity ffrwythlonedd *eg*

federal ffederal *ans*

federal republic gweriniaeth ffederal *eb* gweriniaethau ffederal

federalism ffederaliaeth *eb*

federate ffederaleiddio *be*

federation ffederasiwn *eg*

fee ffi *eb* ffioedd

feed *n* porthiant *eg* porthiannau

feed (in general) *v* bwydo *be*

feed (livestock) *v* porthi *be*

feed dog (on machine) dannedd *ell*

feed hole twll porthi *eg* tyllau porthi

feed shaft siafft borthi *eb* siafftau porthi

feedback *n* adborth *eg* adborthion

feedback *v* adborthi *be*

feedback loop dolen adborth *eb* dolennau adborth

feedback sheet dalen adborth *eb* dalennau adborth

feeder (of animal) ymborthwr *eg* ymborthwyr

feeder (of stream, road etc) cyflenwydd *eg* cyflenwyddion

feeding habits arferion bwyta *ell*

feeding relationship perthynas bwydo *eb*

feeding-bottle potel fwydo *eb* poteli bwydo

feeding-time amser bwydo *eg*

feel *v* teimlo *be*

feel (=atmosphere) *n* naws *eg*

feel (=touch) *n* teimlad *eg*

feeler gauge medrydd teimlo *eg* medryddion teimlo

feeling teimlad *eg* teimladau

Fehlings solution hydoddiant Fehling *eg*

feint ffugio *be*

feint of disengagement datgyweddiad ffug *eg* datgyweddiadau ffug

feldspar ffelsbar *eg*

feldspathic ffelspathig *ans*

felling (timber) cwympo coed *be*

felloe camog *eg* camogau

fellow (in university) cymrawd *eg* cymrodorion

fellowship (in university) cymrodoriaeth *eb* cymrodoriaethau

felon ffelon *eg* ffeloniaid

felonious ffelonaidd *ans*

felony ffeloniaeth *eb* ffeloniaethau

felsenmeer ffelsenmer *eg*

felt ffelt *eg*

felt buff bwff ffelt *eg* bwffiau ffelt

felt marker marciwr ffelt *eg* marcwyr ffelt

felt mop mop ffelt *eg* mopiau ffelt

felt nail hoelen benfawr *eb* hoelion penfawr

felt pad pad ffelt *eg* padiau ffelt

felt pen pen ffelt *eg* pennau ffelt

felt pen drawing llun pen ffelt *eg* lluniau pen ffelt

felt top pen pen blaen ffelt *eg* pennau blaen ffelt

felt work gwaith ffelt *eg*

felt-tip pen pen blaen ffelt *eg* pennau blaen ffelt

felted carpet carped ffeltiog *eg* carpedi ffeltiog

felting ffeltin *eg*

female *adj* benywol *ans*

female *n* benyw *eb* benywod

female gamete gamet benyw *eg* gametau benyw

female screw sgriw fenyw *eb* sgriwiau benyw

female thread edau fenyw *eb* edafedd benyw

feminine benywaidd *ans*

feminism ffeministiaeth *eb*

feminist *adj* ffeministaidd *ans*

feminist *n* ffeminist *eg* ffeministiaid

femoral morddwydol *ans*

femur asgwrn y forddwyd *eg*

fen ffen *eg* ffeniau

fence *n* ffens *eb* ffensys

fence *v* ffensio *be*

fence saw llif ffens *eb* llifiau ffens

fencer ffensiwr *eg* ffenswyr

Fenian Ffeniad *eg* Ffeniaid

Fenian Brotherhood Brawdoliaeth y Ffeniaid *eb*

Fenian Movement Mudiad y Ffeniaid *eg*

fenlands ffendiroedd *ell*

fennel ffenigl *eg*

feodary ffeodariad *eg* ffeodariaid

feoffee ffeodai *eg* ffeodeion

feoffees for impropriation ffeodeion amfeddiad *ell*

feoffment ffeodiad *eg* ffeodiadau

feoffor ffeodwr *eg* ffeodwyr

Ferdinand Fferdinand *eg*

fermata daliant *eg* daliannau

ferment *n* eples *eg*

ferment *v* eplesu *be*

fermentation eplesiad *eg* eplesiadau

fermentation science epleseg *eb*

fermium (Fm) ffermiwm *eg*

fern rhedynen *eb* rhedyn

ferric fferrig *ans*

ferric chloride fferrig clorid *eg*

ferrite fferrit *eg*

ferrite core craidd fferrit *eg* creiddiau fferrit

ferro-concrete fferoconcrit *eg*

ferromagnetism fferomagnetedd *eg*

ferrous fferrus *ans*

ferrous metal metel fferrus *eg* metelau fferrus

ferrule amgarn *eg/b* amgarnau

ferrule slot slot amgarn *eg* slotiau amgarn

ferry fferi *eb* fferïau

ferry glide llithrad fferi *eg* llithradau fferi

fertile ffrwythlon *ans*

Fertile Crescent Cilgant Ffrwythlon *eg*

fertility ffrwythlondeb *eg*

fertilization ffrwythloniad *eg*

fertilize (in agriculture) gwrteithio *be*

fertilize (in biology) ffrwythloni *be*

fertilizer gwrtaith *eg* gwrteithiau

fescue peiswellt *eg*

festival gŵyl *eb* gwyliau

festival theatre theatr gŵyl *eb* theatrau gŵyl

fetch *n* cyrch *eg* cyrchoedd

fetch *v* cyrchu *be*

fetch (computer command) *v* cywain *be*

fetch/execute cycle cylchred cywain/gweithredu *eb* cylchredau cywain / gweithredu

fetish eilun *eg* eilunod

fettle ffetlo *be*

feud cynnen *eb* cynhennau

feudal ffiwdal *ans*

feudal aid cymhorthdreth ffiwdal *eb*

---

feudal court llys ffiwdal *eg* llysoedd ffiwdal

feudal incident hawl ffiwdal *eg* hawliau ffiwdal

feudal overlord uwcharglwydd ffiwdal *eg* uwcharglwyddi ffiwdal

feudal overlordship uwcharglwyddiaeth ffiwdal *eb* uwcharglwyddiaethau ffiwdal

feudal system trefn ffiwdal *eb*

feudalism ffiwdaliaeth *eb*

feudalize ffiwdaleiddio *be*

fever twymyn *eb* twymynau

fibre ffibr *eg* ffibrau

fibre content cynnwys ffibr *eg*

fibre mat mat ffibr *eg* matiau ffibr

fibre optics opteg ffibr *eb*

fibre pen pen ffibr *eg* pennau ffibr

fibre plug plwg ffibr *eg* plygiau ffibr

fibre track trac ffibr *eg* traciau ffibr

fibre washer wasier ffibr *eb* wasieri ffibr

fibre-tip pen pen blaen ffibr *eg* pennau blaen ffibr

fibreboard bwrdd ffibr *eg* byrddau ffibr

fibreglass gwydr ffibr *eg*

fibreglass bar bar o wydr ffibr *eg* barrau o wydr ffibr

fibreglass racket raced ffibr gwydr *eg* racedi ffibr gwydr

fibril ffibrolyn *eg* ffibrolion

fibrillation ffibriliad *eg* ffibriliadau

fibrin ffibrin *eg*

fibroblast ffibroblast *eg*

fibrocyte ffibrocyt *eg* ffibrocytau

fibrous ffibrog *ans*

fibrous coat cot ffibrog *eb* cotiau ffibrog

fibrous peat mawn ffibrog *eg*

fibrous root gwreiddyn ffibrog *eg* gwreiddiau ffibrog

fibula ffibwla *eg* ffibwlâu

fiddle ffidil *eb* ffidlau

fiddle back cefn crwth *ans*

fiddle back chair cadair gefn crwth *eb* cadeiriau cefn crwth

fiddler ffidlwr *eg* ffidlwyr

fief ffiff *eg* ffiffiau

field v maesu *be*

field (in agriculture) n cae *eg* caeau

field (of study etc) n maes *eg* meysydd

field centre canolfan maes *eb* canolfannau maes

field dependence dibyniaeth maes *eb*

field event cystadleuaeth faes *eb* cystadlaethau maes

field length hyd maes *eg* hydoedd maes

field marshal maeslywydd *eg*

Field of the Cloth of Gold Maes y Brethyn Euraid *eg*

field of view maes gweld *eg* meysydd gweld

field on the boundary v maesu ar y ffin *be*

field sketch braslun maes *eg* brasluniau maes

field worker gweithiwr maes *eg* gweithwyr maes

field-upgradeable maes-uwchraddadwy *ans*

fielder maeswr *eg* maeswyr

fieldwork gwaith maes *eg*

fifth (musical interval) pumed *eg* pumedau

fifth column pumed golofn *eb*

Fifth Monarchist Pumed Frenhinwr *eg* Pumed Frenhinwyr

Fifth Monarchy Pumed Frenhiniaeth *eb*

Fifth Republic Pumed Weriniaeth *eb*

fig ffigysen *eb* ffigys

fight or flight ymladd neu ffoi

fighting arm braich ymladd *eb* breichiau ymladd

figment of imagination creadigaeth y dychymyg *eb* creadigaethau'r dychymyg

figurative ffigurol *ans*

figurative painting (of painted picture) paentiad ffigurol *eg* paentiadau ffigurol

figurative painting (of process or art) peintio ffigurol *be*

figure ffigur *eg/b* ffigurau

figure eight ffigur wyth *eg* ffigurau wyth

figured rhifoledig *ans*

figured bass bas rhifoledig *eg*

figurine ffiguryn *eg* ffigurynnau

figuring rhifoli *be*

figuring of chords rhifoli cordiau *eg*

filament ffilament *eg* ffilamentau

filament yarn edau ffilament *eb* edafedd ffilament

filamentous ffilamentog *ans*

filbert shape brush brwsh siâp cneuen *eg* brwshys siâp cneuen

file n ffeil *eg* ffeiliau

file v ffeilio *be*

file access cyrchu o ffeil *be*

file backup ffeil wrth gefn *eb* ffeiliau wrth gefn

file creation creu ffeil *be*

file extent maint ffeil *eg* meintiau ffeil

file handle carn ffeil *eg* carnau ffeil

file handling trin ffeiliau *be*

file librarian llyfrgellydd ffeiliau *eg* llyfrgellwyr ffeiliau

file maintenance cynnal ffeiliau *be*

file name enw ffeil *eg* enwau ffeiliau

file organization trefnu ffeiliau *be*

file parts rhannau ffeil *ell*

file pricker priciwr ffeil *eg* priciwyr ffeiliau

file processing prosesu ffeil *be*

file protection diogelu ffeil *be*

file protection code cod diogelu ffeil *eg* codau diogelu ffeiliau

file recovery adfer ffeil *be*

file server gweinydd ffeil *eg* gweinyddion ffeil

file store storfa ffeiliau *eb* storfeydd ffeiliau

filial ffiliol *ans*

filiform edeuffurf *ans*

filigree ffiligri *eg*

filing menu dewislen ffeilio *eb* dewislenni ffeilio

filings naddion *ell*

fill v llenwi *be*

fill n (e.g. in volcano vent) llenwad *eg* llenwadau

filled (3rds, 4ths, etc) llanw *ans*

filler llenwad *eg* llenwyddion

fillet n ffiled *eb* ffiledau

fillet v ffiledu *be*

fillet gauge medrydd ffiled *eg* medryddion ffiled

---

fillet moulding mowldin ffiled *eg* mowldinau ffiled

fillet weld lleinweldiad *eg* lleinweldiadau

filling llenwad *eg* llenwadau

filling rod rhoden lenwi *eb* rhodenni llenwi

filling station gorsaf betrol *eb* gorsafoedd petrol

filling stitch pwyth llenwi *eg* pwythau llenwi

fillister plane plaen ffilistr *eg* plaen ffilistr

film ffilm *eb* ffilmiau

film former ffurfiwr ffilm *eg* ffurfwyr ffilm

film library llyfrgell ffilmiau *eb* llyfrgelloedd ffilmiau

film strip stribed ffilm *eg* stribedi ffilm

filter (of light, sound) *n* hidlydd *eg* hidlyddion

filter (of solid particles) *n* hidlen *eb* hidlenni

filter *v* hidlo *be*

filter accumulation cronedd hidlo *eb*

filter bed haen hidlo *eb* haenau hidlo

filter funnel twndis hidlo *eg* twndisau hidlo; twmffat hidlo *eg* twmffatau hidlo

filter paper papur hidlo *eg* papurau hidlo

filter pump pwmp hidlo *eg* pympiau hidlo

filterable virus firws hidladwy *eg*

filtered coffee coffi wedi'i hidlo *eg*

filtrate hidlif *eg* hidlifau

filtration hidliad *eg*

fin asgell *eb* esgyll

final terfynol *ans*

final concord cytundeb terfynol *eg* cytundebau terfynol

final drive gyriad terfynol *eg* gyriadau terfynol

final report adroddiad terfynol *eg* adroddiadau terfynol

Final Solution Ateb Terfynol *eg*

final treatment triniaeth derfynol *eb*

final velocity cyflymder terfynol *eg*

finale finale *eg* finales

finals arholiadau terfynol *ell*

finance *n* cyllid *eg*

finance *v* ariannu *be*

finance the activities ariannu'r gweithgareddau *be*

financial ariannol *ans*

financial boom ffyniant ariannol *eg*

financial information gwybodaeth ariannol *eb*

financial regulations rheoliadau ariannol *ell*

financial transaction trafod ariannol *eg* trafodion ariannol

financial year basis sail blwyddyn ariannol *eb*

financier ariannwr *eg* ariannwyr

find *n* darganfyddiad *eg* darganfyddiadau

find *v* darganfod *be*

find solutions darganfod atebion *be*

findings casgliadau *ell*

findings (types of chain) tlyswaith *eg*

fine *v* dirwyo *be*

fine (of cloth) *adj* main *ans*

fine (of small particles, print) *adj* mân *ans*

fine (=payment) *n* tâl *eg* taliadau

fine (=penalty) *n* dirwy *eb* dirwyon

fine (=worked in slender thread) *adj* manwl *ans*

fine adjustment cymhwysiad manwl *eg* cymwysiadau manwl

fine art celfyddyd gain *eb* celfyddydau cain

fine brass wire gwifren bres fain *eb* gwifrau pres main

fine control rheolaeth fanwl *eb* rheolaethau manwl

fine control (dial switch) rheolydd manwl *eg* rheolyddion manwl

fine grain graen mân *eg*

fine grit grit mân *eg*

fine knurl nwrl mân *eg*

fine leg coeswr cul *eg* coeswyr cul

fine manipulative skills sgiliau llawdrin manwl *ell*

fine mesh rhwyll fain *eb*

fine motor skills sgiliau echddygol manwl *ell*

fine orifice agorfa fach *eb* agorfeydd bach

fine point pwynt main *eg* pwyntiau main

Fine Roll Rhôl Tâl am Fraint *eb*

fine structure mân-adeiledd *eb* mân-adeileddau

fine surface arwyneb llyfn *eg* arwynebau llyfn

fine teeth dannedd mân *ell*

fine texture gwead main *eg*

fineness (of fabric) meinder *eg*

fineness (of sand, fragments) manedd *eg*

fines herbes sawrlysiau cymysg *ell*

finger *n* bys *eg* bysedd

finger *v* byseddu *be*

finger cymbals symbalau bys *ell*

finger gauge medrydd bys *eg* medryddion bys

finger holds gafaeliau bysedd *ell*

finger hole twll bys *eg* tyllau bysedd

finger joint (box) uniad bys *eg* uniadau bys

finger lake llyn hirgul *eg* llynnoedd hirgul

finger paint paent bys *eg*

finger painting (of painted picture) paentiad bys *eg* paentiadau bys

finger painting (of process or art) peintio bys *be*

finger plate plât bys *eg* platiau bys

finger print ôl bys *eg* ôl bysedd

finger puppet pyped bys *eg* pypedau bys

fingered bysedig *ans*

fingering byseddu *be*

finish *n* gorffeniad *eg* gorffeniadau

finish *v* gorffen *be*

finished gorffenedig *ans*

finished appearance gwedd orffenedig *eb*

finished dimensions dimensiynau gorffenedig *ell*

finished drawing lluniad gorffenedig *eg* lluniadau gorffenedig

finished goods nwyddau gorffenedig *ell*

finished product cynnyrch gorffenedig *eg* cynhyrchion gorffenedig

finished size maint gorffenedig *eg* meintiau gorffenedig

finished surface arwyneb gorffenedig *eg* arwynebau gorffenedig

finishing gorffennu *be*

finishing cuts toriadau gorffennu *ell*

---

eg/b enw gwrywaidd/benywaidd, *feminine/masculine noun*   **ell** enw lluosog, *plural noun*   **v** berf, *verb*   **n** enw, *noun*

finishing press gwasg orffennu *eb* gweisg gorffennu

finishing process proses orffennu *eb* prosesau gorffennu

finishing stove stof orffennu *eb* stofiau gorffennu

finishing technique techneg orffennu *eb* technegau gorffennu

finishing tools offer gorffennu *ell*

finite meidraidd *ans*

finite canon canon gyfanedig *eb* canonau cyfanedig

finitely generated generadol feidraidd *ans*

fiord ffiord *eg* ffiordau

fire *n* tân *eg* tanau

fire *v* tanio *be*

fire (enamel) ffwrndanio *be*

fire blanket blanced dân *eb* blancedi tân

fire bote hawl cynuta *eg* hawliau cynuta

fire damp nwy pwll glo *eg*

fire extinguisher diffoddwr tân *eg* diffoddwyr tân

fire weld tân weldio *be*

firebrick bricsen dân *eb* brics tân

fireclay clai tân *eg*

firedamp explosion tanchwa *eb* tanchwaoedd

fireguard gard tân *eg* gardiau tân

fireplace lle tân *eg* lleoedd tân

fireproof gwrthdan *ans*

fireproof material defnydd gwrthdan *eg* defnyddiau gwrthdan

fireside chat sgwrs aelwyd *eb* sgyrsiau aelwyd

firing (kiln) tanio (odyn) *be*

firing chamber siambr danio *eb* siambrau tanio

firing fork fforch danio *eb* ffyrch tanio

firm *adj* cadarn *ans*

firm *n* cwmni *eg* cwmnïau

firm joint calliper caliper cymal cadarn *eg* caliperau cymal cadarn

firm wrist arddwrn cadarn *eg* arddyrnau cadarn

firmer chisel cŷn ffyrf *eg* cynion ffyrf

firmer gouge gaing gau gefn *eb* geingiau gau cefn; gaing fferf *eb* geingiau ffyrf

firming piece darn lletemu *eg* darnau lletemu

firmware cadarnwedd *ell*

firn ffirn *eg* ffirniau

first angle projection tafluniad ongl gyntaf *eg* tafluniadau ongl gyntaf

first degree equation hafaliad unradd *eg* hafaliadau unradd (llinol)

first floor llawr cyntaf *eg* lloriau cyntaf

first fold plyg cyntaf *eg* plygion cyntaf

first fruits blaenffrwyth *eg*

First Fruits and Tenths Act Deddf Blaenffrwyth a Degadau *eb*

first generation cenhedlaeth gyntaf *eb*

first in – first out (FIFO) cyntaf i mewn – cyntaf allan *ans*

First International (Working-Men's Association) Cymdeithas Ryngwladol Gyntaf (y Gweithwyr) *eb*

first inversion gwrthdro cyntaf *eg* gwrthdroeon cyntaf

first language pupil disgybl iaith gyntaf *eg* disgyblion iaith gyntaf

first movement form (in music) ffurf symudiad cyntaf *eb*

first order trefn un *eb*

first order differential equation hafaliad differol trefn un *eg* hafaliadau differol trefn un

first order reaction adwaith gradd un *eg*

first order stream ffrwd gradd un *eb* ffrydiau gradd un

first point pwynt cyntaf *eg* pwyntiau cyntaf

first reported assessment asesiad cyntaf sy'n destun adroddiad *eg*

First Republic Gweriniaeth Gyntaf *eb*

first serve serf gyntaf *eb* serfiau cyntaf

first sharp remove gwyriad y llonnod cyntaf *eg*

first slip slip cyntaf *eg*

first unreported assessment asesiad cyntaf nad yw'n destun adroddiad *eg*

First World War Rhyfel Byd Cyntaf *eg*

first-aid cymorth cyntaf *eg*

fiscal cyllidol *ans*

fish pysgodyn *eg* pysgod

fish eating birds adar pysgysol *ell*

fish finger bys pysgodyn *eg* bysedd pysgod

fish liver oil olew iau pysgod *eg*; olew afu pysgod *eg*

fish meal blawd pysgod *eg*

fish slice sleis bysgod *eb* sleisiau pysgod

fish-tail scroll sgrôl cynffon pysgodyn *eb* sgroliau cynffon pysgodyn

fishbone stitch pwyth asgwrn pysgodyn *eg* pwythau asgwrn pysgodyn

fishcake cacen bysgod *eb* cacennau pysgod

fisherman pysgotwr *eg* pysgotwyr

fisherman's joining knot cwlwm pysgotwr *eg* clymau pysgotwr

fishing pysgota *be*

fishing ground pysgodfa *eb* pysgodfeydd

fishmonger gwerthwr pysgod *eg* gwerthwyr pysgod

fissile ymholltog *ans*

fission ymholltiad *eg* ymholltiadau

fission product cynnyrch ymhollti *eg* cynhyrchion ymhollti

fissure agen *eb* agennau

fist dwrn *eg* dyrnau

fit *adj* ffit *ans*

fit *n* ffit *eb* ffitiau

fit *v* ffitio *be*

fit-up stage llwyfan cludadwy *eg* llwyfannau cludadwy

fitch hog brush brwsh blew ffwlbart *eg* brwshys blew ffwlbart

fitment dodrefnyn sefydlog *eg* dodrefn sefydlog

fitness (physical) ffitrwydd (corfforol) *eg*

fitness test prawf ffitrwydd *eg* profion ffitrwydd

fits and limits ffitiau a therfynau

fitted sheet cynfas ffitiedig *eb* cynfasau ffitiedig

fitted sleeve llawes hirgul *eb* llewys hirgul

fitter ffitiwr *eg* ffitwyr

fitting device dyfais ffitio *eb* dyfeisiau ffitio

fitting line llinell ffitio *eb* llinellau ffitio

fitting point pwynt ffitio *eg* pwyntiau ffitio

fittings mân daclau *ell*

---

five pump *eg* pumoedd

Five Classics (in Confucianism) Pum Clasur (Conffiwsiaeth) *eg*

Five Mile Act Deddf Pum Milltir *eb*

five minute gun ergyd pum munud *eb*

Five Pillars of Islam Pum Piler Islam *eg*

five ply plywood pren haenog pum haen *eg*

five steps pum cam *eg*

five yard line llinell bumllath *eb*

five year plan cynllun pum mlynedd *eg* cynlluniau pum mlynedd

five-ply wood pren pum haen *eg*

fix (in economics) pennu *be*

fix (in photography and biology) sefydlogi *be*

fix (=install) gosod *be*

fixation sefydlogiad *eg*

fixative sefydlyn *eg* sefydlynnau

fixative spray chwistrell sefydlogi *eg* chwistrellau sefydlogi

fixed (=given) gosodedig *ans*

fixed (=specified) penodol *ans*

fixed (=unchangeable) sefydlog *ans*

fixed asset ased sefydlog *eg* asedau sefydlog

fixed capital cyfalaf sefydlog *eg*

fixed composition cyfansoddiad sefydlog *eg*

fixed cost cost sefydlog *eb* costau sefydlog

fixed dune twyn sefydlog *eg* twyni sefydlog

fixed field maes sefydlog *eg* meysydd sefydlog

fixed fret cribell osod *eb* cribellau gosod

fixed grill gridyll sefydlog *eg* gridyllau sefydlog

fixed guide tywysydd sefydlog *eg* tywyswyr sefydlog

fixed interest llog penodol *eg*

fixed jaw safn sefydlog *eb* safnau sefydlog

fixed knife (veneer cutting) cyllell sefydlog *eb* cyllyll sefydlog

fixed length hyd penodol *eg* hydoedd penodol

fixed length record cofnod hyd penodol *eg* cofnodion hyd penodol

fixed mass màs penodol *eg* masau penodol

fixed mass of gas màs penodol o nwy *eg*

fixed pin roloc sefydlog *eg* rolocs sefydlog

fixed point pwynt sefydlog *eg* pwyntiau sefydlog

fixed point arithmetic rhifyddeg pwynt sefydlog *eb*

fixed position safle sefydlog *eg* safleodd sefydlog

fixed powder colour powdrliw sefydlog *eg* powdrliwiau sefydlog

fixed price pris penodol *eg* prisiau penodol

fixed seat sedd sefydlog *eb* seddi sefydlog

fixed shelf silff sefydlog *eb* silffoedd sefydlog

fixed size reamer agorell maint sefydlog *eb* agorellau maint sefydlog

fixed steady sadydd disymud *eg* sadyddion disymud

fixed table bwrdd sefydlog *eg* byrddau sefydlog

fixed tub twb sefydlog *eg* tybiau sefydlog

fixed word length hyd gair penodol *eg*

fixer sefydlyn *eg* sefydlynnau

fixing pin pìn sefydlu *eg* pinnau sefydlu

fixity of tenure sicrwydd daliadaeth *eg*

fixture gosodyn *eg* gosodion

fjard ffiard *eg* ffiardau

flaccid llipa *ans*

flag *v* llumanu *be*

flag (in general) *n* baner *eb* banerau

flag (in sport) *n* lluman *eg/b* llumanau

flagellum fflagelwm *eg* fflagela

flageolet beans ffa flageolet *ell*

flagship llong y llyngesydd *eb* llongau'r llyngeswyr

flagstone carreg lorio *eb* cerrig llorio

flake fflaw *eg* fflawiau

flake culture diwylliant fflawiau *eg*

flake test (jam) prawf haenu *eg*

flake white gwyn plwm *eg*

flaked fflawiog *ans*

flaky pastry crwst haenog *eg*

flambé flambé *ans*

flame fflam *eg* fflamau

flame cutter fflamdorrwr *eg* fflamdorwyr

flame proof gwrth-fflam *ans*

flame-failure device dyfais ailgynnau fflam *eb* dyfeisiau ailgynnau fflam

flammability fflamadwyedd *eg*

flammable fflamadwy *ans*

flan fflan *eb* fflaniau

flan ring cylch fflan *eg* cylchoedd fflan

flange *n* fflans *eg/b* fflansiau

flange *v* fflansio *be*

flange disc disg fflans *eg* disgiau fflans

flanged rail rheilen fflans *eb* rheiliau fflans

flanged seam sêm fflans *eb* semau fflans

flanged spigot sbigot fflans *eg* sbigotau fflans

flank ystlys *eb* ystlysau

flannel gwlanen *eb* gwlanenni

flannel patch clwt gwlanen *eg* clytiau gwlanen

flannel seam sêm wlanen *eb* semau gwlanen

flannelette fflaneléd *eg*

flap fflap *eg* fflapiau

flap pocket poced fflap *eb* pocedi fflap

flapjacks fflapjacs *ell*

flapping chwifio *be*

flare *n* fflêr *eb* fflerau

flare *v* fflerio *be*

flared skirt sgert fflêr *eb* sgertiau fflêr

flash fflach *eb* fflachiau

flash card cerdyn fflachio *eg* cardiau fflachio

flash flood fflachlif *eg* fflachlifau

flash point fflachbwynt *eg* fflachbwyntiau

flashback ôl-fflach *eb* ôl-fflachiau

flashed fflachedig *ans*

flashing (over door, window) plygiad plwm *eg* plygiadau plwm

flashover fflachiad *eg* fflachiadau

flask fflasg *eb* fflasgiau

flat (=level, smooth) *adj* gwastad *ans*

flat (=of little depth) *adj* fflat *ans*

flat (=set of rooms, geographigal feature) *n* fflat *eg* fflatiau

---

eg/b enw gwrywaidd/benywaidd, *feminine/masculine noun*   **ell** enw lluosog, *plural noun*   **v** berf, *verb*   **n** enw, *noun*

flat drawer slip drôr-gryfhawr fflat *eg* drôr-gryfhawyr fflat

flat key (in old Welsh music) lleddf gywair *eg*

flat locking plate plât cloi fflat *eg* platiau cloi fflat

flat metal axe bwyell fetel fflat *eb* bwyeill metel fflat

flat-rate increase cynnydd unradd *eg*

flatiron haearn smwddio *eg* heyrn smwddio

flatness gwastadrwydd *eg*

flatpack furniture dodrefn fflatpac *ell*

flatten (musical pitch) gostwng traw *be*

flatter fflatiwr *eg* fflatwyr

flatting (of forging process) fflatio *be*

flatulence gwynt *eg*

flatus fflatws *eg*

flautist ffliwtydd *eg* ffliwtwyr

flavour blas *eg*

flavouring cyflasyn *eg* cyflasynnau

flaw diffyg *eg* diffygion

flax llin *eg*

flax cord (sash window) cortyn llin *eg* cortynnau llin

flax fibre ffibr llin *eg*

flea chwannen *eg* chwain

fleck *n* brychni *eg*

fleck *v* brychu *be*

flecnode fflecnod *eg* fflecnodau

fleece cnu *eg* cnuoedd

fleecy cnufiog *ans*

flexible (=able to bend without breaking) hyblyg *ans*

flexible (=supple) ystwyth *ans*

flexible cold glue glud oer ystwyth *eg*

flexible coupling cyplydd hyblyg *eg* cyplyddion hyblyg

flexible joint cymal hyblyg *eg* cymalau hyblyg

flexure plygiant *eg* plygiannau

flexure strength nerth plygiant *eg*

flick *n* fflic *eg* ffliciau

flick *v* fflicio *be*

flick-flack fflic-fflac *eg*

flip chart siart troi *eg* siartiau troi

float *v* arnofio *be*

float (=swimming aid) *n* fflôt *eg* fflotiau

floating leaf deilen arnawf *eb* dail arnawf

floating point pwynt arnawf *eg* pwyntiau arnawf

floating point arithmetic rhifyddeg pwynt arnawf *eb*

floating point overflow gorlif pwynt arnawf *eg*

flock praidd *eg* preiddiau

flock print print ffloc *eg* printiau ffloc

flocked carpet carped ffloc *eg* carpedi ffloc

floor joist trawst llawr *eg* trawstiau llawr

floor level lefel llawr *eb* lefelau llawr

floor turtle crwban llawr *eg* crwbanod llawr

floorboard astell *eb* estyll

flooring saw llif lorio *eb* llifiau llorio

floorwork gwaith ar y llawr *eg*

floppy disk disg hyblyg *eg* disgiau hyblyg

floppy disk drive gyrrwr disg hyblyg *eg* gyrwyr disg hyblyg

flora fflora *ell*

floral (in biology) ffliurol *ans*

floral (in general) blodeuog *ans*

floral diagram diagram fflurol *eg* diagramau fflurol

floral formula fformiwla fflurol *eb* fformiwlâu fflurol

Florentine art celfyddyd Fflorens *eb*

floret blodigyn *eg* blodigion

florid blodeuog *ans*

florist's wire gwifren gwerthwr blodau *eb* gwifrau gwerthwr blodau

flotation arnofiad *eg* arnofiadau

flotilla llynges fach *eb* llyngesau bach

flounce fflowns *eb* fflownsiau

flounder lleden *eb* lledod

flour blawd *eg* blodiau

flour improvers cemegion aeddfedu blawd *ell*

flour paper papur blawd *eg*

flour paste past blawd *eg*

flourish (=decorative passage) *n* rhan flodeuog *eb* rhannau blodeuog

flourish (=fanfare) *n* ffanffer *eg* ffanfferau

flourish (of person) *v* blodeuo *be*

floury blodiog *ans*

flow *n* llif *eg* llifoedd

flow *v* llifo *be*

flow diagram diagram llif *eg* diagramau llif

flow function llif-ffwythiant *eg*

flow of charge llif gwefr *eg*

flow pattern (of waves) patrwm llif *eg* patrymau llif

flow sheet llifddalen *eb* llifddalenni

flowchart siart llif *eg* siartiau llif

flower blodyn *eg* blodau

flower head fflurben *eb* fflurbennau

flowering plant planhigyn blodeuol *eg* planhigion blodeuol

flowers of sulphur blawd sylffwr *eg*

flowery blodeuog *ans*

flowing garment dilledyn llac *eg* dillad llac

flowing water dŵr rhedegog *eg*

flowline llinell rhediad *eb* llinellau rhediad

flowstone carreg ddylif *eb* cerrig dylif

fluctuate (in general) anwadalu *be*

fluctuate (of electric current) tonni *be*

fluctuating anwadal *ans*

fluctuating harmony harmoni anwadal *eg* harmoniïau anwadal

fluctuation anwadaliad *eg* anwadaliadau

fluctuative tonnog *ans*

flue (in chimney, organ) ffliw *eb* ffliwiau

fluency (in calculation) rhwyddineb *eg*

fluff fflwff *eg*

fluff filter hidlen fflwff *eb* hidlenni fflwff

fluffing fflwffio *be*

fluid (in general) *adj* hylifol *ans*

fluid (=liquid) *n* hylif *eg* hylifau

fluid (of gas or liquid) *adj* llifyddol *ans*

fluid (of gas or liquid) *n* llifydd *eg* llifyddion

fluid (of style) *adj* llyfn *ans*

---

fluidity (of gas or liquid) llifedd *eg* llifeddau

fluidization hylifo *be*

fluidized bed gwely llifol *eg* gwelyau llifol

fluidizer hylifydd *eg*

flume (=channel) cafn *eg* cafnau

flume (=ravine) ceunant *eg* ceunentydd

fluorescence fflwroleuedd *eg*

fluorescent fflwroleuol *ans*

fluorescent colour lliw fflwroleuol *eg* lliwiau fflwroleuol

fluorescent dye llifyn fflwroleuol *eg* llifynnau fflwroleuol

fluorescent lighting fflwrolau *eg* fflwroleuadau

fluorescent whitener gwynnydd fflwroleuol *eg*

fluorescer fflworesydd *eg* fflworesyddion

fluoridation fflworeiddiad *eg*

fluoride fflworid *eg*

fluorimeter fflworimedr *eg* fflworimedrau

fluorine (F) fflworin *eg*

fluoroplastics fflworoblastigion *ell*

fluorosis fflworosis *eg*

flush *adj* cyfwyneb *ans*

flush *v* gwacáu *be*

flush (=blush) *n* gwrid *eg*

flush (of water) *n* rhuthr dŵr *eg*

flush bolt bollt gyfwyneb *eb* bolltau cyfwyneb

flush door drws cyfwyneb *eg* drysau cyfwyneb

flush drawer slip drôr-gryfhawr cyfwyneb *eg* drôr-gryfhawyr cyfwyneb

flush eave bondo cyfwyneb *eg* bondoau cyfwyneb

flush joints uniadau cyfwyneb *ell*

flush moulding mowldin cyfwyneb *eg* mowldinau cyfwyneb

flush panel panel cyfwyneb *eg* paneli cyfwyneb

flush rails rheiliau cyfwyneb *ell*

flush surface arwyneb cyfwyneb *eg* arwynebau cyfwyneb

flush-beaded panel panel gleinio cyfwyneb *eg* paneli gleinio cyfwyneb

flute *n* ffliwt *eb* ffliwtiau

flute *v* rhychu *be*

flute player ffliwtydd *eg* ffliwtwyr

fluted rhychiog *ans*

fluted cutter torrell rychiog *eb* torellau rhychiog

fluted edge ymyl rychiog *eb* ymylon rhychiog

fluted flan ring cylch fflan rhychiog *eg* cylchoedd fflan rhychiog

fluted hardboard caledfwrdd rhychiog *eg* caledfyrddau rhychiog

fluted lace les rhychiog *eg*

fluted reamer agorell rychiog *eb* agorellau rhychiog

fluted screwdriver tyrnsgriw rychiog *eg* tyrnsgriwiau rhychiog

fluting rhychwaith *eg*

flutter tonguing cryndafodi *be*

fluttering hwyfo *be*

fluvial afonol *ans*

fluvioglacial material defnyddiau ffrwdrewlifol *ell*

flux fflwcs *eg* fflycsau

flux linkage cysylltedd fflwcs *eg*

fluxing agent cyfrwng fflycsio *eg*

fluxocarbon fflwcsocarbon *eg*

fly cutter cŷn hedegog *eg* cynion hedegog; gaing hedegog *eb* geingiau hedegog

fly kick cic wib *eb* ciciau gwib

fly milling cutter melinwr hedegog *ans* melinwyr hedegog

fly opening copis *eg* copisau; balog *eg/b* balogau

fly press gwasg hedegog *eg* gweisg hedegog

fly spring naid ddeudroed *eb* neidiau deudroed

fly stitch pwyth pryf *eg* pwythau pryf

fly weight pwysau pryf *ell*

fly-leaf dalen frig *eb* dalenni brig

flying picket picedwr gwib *eg* picedwyr gwib

flying shore ateg fwa *eb* ategion bwa

flying shuttle gwennol hedegog *eb* gwenoliaid hedegog

flying tackle tacl wib *eb* taclau gwib

flyover trosffordd *eb* trosffyrdd

flyspring sbring deudroed *eg* sbringiau deudroed

flywheel chwylrod *eb* chwylrodau

foam *n* ewyn *eg* ewynnau

foam *v* ewynnu *be*

foam (filling) sbwng *eg*

foam rubber rwber sbwng *eg*

foam stabilizer sefydlogydd trochion *eg*

foambacked cefnsbwng *ans*

focal ffocal *ans*

focal length hyd ffocal *eg* hydoedd ffocal

focal point (in optics etc) pwynt ffocal *eg* pwyntiau ffocal

focal point (of concentration etc) canolbwynt *eg* canolbwyntiau

focus (=concentrate) *v* canolbwyntio *be*

focus (in optics etc) *n* ffocws *eg* ffocysau

focus (in optics etc) *v* ffocysu *be*

focus (of concentration) *n* canolbwynt *eg*

focused canolbwyntiedig *ans*

fodder porthiant *eg*

fodder crop cnwd porthiant *eg* cnydau porthiant

foetal membrane pilen y ffoetws *eb* pilenni ffoetysau

foetus ffoetws *eg* ffoetysau

fog *n* niwl *eg* niwloedd

fog *v* niwlo *be*

foggara ffogara *eg* ffogarau

foil (in fencing) ffwyl *eg* ffwyliau

foil (=thin metal) ffoil *eg* ffoiliau

foilist ffwyliwr *eg* ffwylwyr

folar deiliog *ans*

fold *n* plyg *eg* plygion

fold *v* plygu *be*

fold in (in cooking) cyfuno *be*

fold line llinell blygu *eb* llinellau plygu

fold-away grill gridyll plygu *eg* gridyllau plygu

fold-down screen sgrin blygu *eb* sgriniau plygu

folded plyg *ans*

folded beds (strata) haenau plyg *ell*

---

folded metal back saw llif gefn fetel plyg *eb* llifiau cefn metel plyg

folded seam sêm blyg *eb* semiau plyg

folded wall of the intestine mur plyg y coluddyn *eg* muriau plyg y coluddion

folder plygell *eb* plygellau

folding bars barrau plygu *ell*

folding keel cilbren plygu *eg* cilbrennau plygu

folding rule riwl blygu *eb* riwliau plygu

folding wedge lletem gyflin *eb* lletemau cyflin

folding work gwaith plygu *eg*

foliage deiliant *eg* deiliannau

foliage sculpture cerflunwaith deiliant *eg*

foliated deiliog *ans*

foliation deiliogrwydd *eg*

folio ffolio *eg* ffolios

folium ffoliwm *eg* ffolia

folk dance dawns werin *eb* dawnsiau gwerin

folk dance (occasion) twmpath dawns *eg* twmpathau dawns

folk dance caller geilwad *eg* geilwaid

folk dancing dawnsio gwerin *be*

folk dancing skills sgiliau dawnsio gwerin *ell*

folk school ysgol werin *eb* ysgolion gwerin

folk song cân werin *eb* caneuon gwerin

folklore llên gwerin *eb*

follicle ffoligl *eg* ffoliglau

follicular ffoliglaidd *ans*

follow dilyn *be*

follow on *v* dilyn ymlaen *be*

follow through *v* dilyn drwodd *be*

follow-up *adj* dilynol *ans*

follow-up *n* dilyniant *eg* dilyniannau

follow-up visit ymweliad dilynol *eg* ymweliadau dilynol

follower dilynwr *eg* dilynwyr

following routes dilyn llwybrau *be*

fondant ffondant *eg*

font (for baptism) bedyddfaen *eg* bedyddfeini

font (=set of type) ffont *eg* ffontiau

fontanelle ffontanél *eg* ffontanelau

food bwyd *eg* bwydydd

food additive adchwanegyn bwyd *eg* adchwanegion bwyd

Food & Agriculture Organization (FAO) Cyfundrefn Fwyd ac Amaeth *eb*

Food and Drugs Act Deddf Bwyd a Chyffuriau *eb*

food chain cadwyn fwyd *eb* cadwynau bwydydd

food components cydrannau bwyd *ell*

food composition cyfansoddiad bwyd *eg*

food content cynnwys bwyd *eg*

food cycle cylchred fwyd *eb* cylchredau bwydydd

food digestion treulio bwyd *be*

food mixer cymysgydd bwyd *eg* cymysgyddion bwyd

food poisoning gwenwyn bwyd *eg*

food preservation cyffeithio bwyd *be*

food preservative cyffeithydd bwyd *eg* cyffeithyddion bwyd

food processor prosesydd bwyd *eg* proseswyr bwyd

food pyramid pyramid bwydydd *eg* pyramidiau bwydydd

food rationing dogni bwyd *be*

food spoilage dirywiad bwyd *eg*

food supplies cyflenwad bwyd *eg* cyflenwadau bwyd

food vessel bwydlestr *eg* bwydlestri

food web gwe fwydydd *eb* gweoedd bwydydd

food wrap defnydd lapio bwyd *eg* defnyddiau lapio bwyd

foodstuff bwyd *eg* bwydydd

foolscap ffwlsgap *eg* ffwlsgapau

foot (=measurement) troedfedd *eb* troedfeddi

foot (of body part) troed *eg/b* traed

foot bellows megin droed *eb* meginau troed

foot control (of machine part) rheolydd troed *eg* rheolwyr troed

foot fault ffawt troed *eb* ffawtiau traed

foot glacier troed-rewlif *eg* troed-rewlifau

foot music cerddoriaeth traed *eb*

foot of perpendicular troed y perpendicwlar *eb*

foot run (of timber) troedfedd o hyd *eb*

foot super troedfedd sgwâr o bren *eb* troedfeddi sgwâr o bren

foot-ball field maes pêl-droed *eg* meysydd pêl-droed

foot-ball pitch maes pêl-droed *eg* meysydd pêl-droed

foot-loose industry diwydiant rhydd *eg* diwydiannau rhydd

foot-rush cwrs traed *eg* cyrsiau traed

football pêl-droed *eg* peli troed

footballer pêl-droediwr *eg* pêl-droedwyr

footbath baddon traed *eg* baddonau traed

footbridge pompren *eb* pomprennau

footer troedyn *eg* troedynnau

foothills godrefryniau *ell*

foothold gafael troed *eb* gafaeliau traed

footlights golau'r godre *eg*

footnote troednodyn *eg* troednodiadau

footpath llwybr troed *eg* llwybrau troed

footpower loom gwŷdd troedlath *eg* gwyddion troedlath

footprint (in computing) maint troed *eg* maint traed

footprint (in general) ôl troed *eg* olion traed

footstool stôl droed *eb* stoliau troed

footwear esgidiau *ell*

footwork troedwaith *eg*

foramen fforamen *eg* fforamina

force *v* gorfodi *be*

force (=army) *n* byddin *eb* byddinoedd

force (=compulsion) *n* gorfodaeth *eb*

force (in science) *n* grym *eg* grymoedd

force exerted grym a roir

force fit ffit orwasg *eb* ffitiau gorwasg

force of gravity grym disgyrchiant *eg*

force pump pwmp grym *eg* pympiau grym

force ratio cymhareb grym *eb* cymarebau grym

force the follow on gorfodi'r dilyn ymlaen *be*

forced labour llafur gorfodol *eg*

forced loan benthyciad gorfodol *eg* benthyciadau gorfodol

forced oscillation osgiliad gorfod *eg* osgiliadau gorfod

forced vibration dirgryniad gorfod *eg* dirgryniadau gorfod

---

adf, adv adferf, *adverb*   *ans, adj* ansoddair, *adjective*   *be* berf, *verb*   *eb* enw benywaidd, *feminine noun*   *eg* enw gwrywaidd, *masculine noun*

forcemeat stwffin *eg*

forcemeter mesurydd grym *eg* mesuryddion grym

forceps gefel *eb* gefeiliau

ford rhyd *eb* rhydau

fore blaen *ans*

fore dune cyn dwyn *eg* cyn dwyni

fore-brain blaen-ymennydd *eg*

fore-edge painting peintio ymylodol *be*

fore-limb coes flaen *eb* coesau blaen

fore-rib asen flaen *eb* asennau blaen

forearm elin *eb* elinau

forearm deflection eliniad *eg*

forearm shield elinwisg *eb* elinwisgoedd

foreclose blaen-gau *be*

foredeep blaenddwfn *eg* blaenddyfnion

forefinger mynegfys *eg* mynegfysedd

foreground blaendir *eg* blaendiroedd

foreground processing blaen brosesu *be*

forehand blaenllaw *eg*

forehand side ochr flaenllaw *eb*

forehand stroke ergyd flaenllaw *eb* ergydion blaenllaw

foreign tramor *ans*

foreign affair mater tramor *eg* materion tramor

foreign body corffyn estron *eg* corffynnau estron

foreign exchange cyfnewidfa dramor *eb* cyfnewidfeydd tramor

foreign trade masnach dramor *eb*

foreigner tramorwr *eg* tramorwyr

foreland (=headland) penrhyn *eg* penrhynau

foreland (=land in front of something) rhagdir *eg* rhagdiroedd

foremast hwylbren blaen *eg* hwylbrennau blaen

foresail (jib) hwyl flaen (jib) *eb* hwyliau blaen (jib)

foreset bed gwely blaen-haen *eg* gwelyau blaen-haen

foresheet rhaff flaen *eb* rhaffau blaen

foreshore blaendraeth *eg* blaendraethau

foreshorten rhagfyrhau *be*

foreshortening *n* rhagfyriad *eg* rhagfyriadau

foreskin blaengroen *eg* blaengrwyn

forest coedwig *eb* coedwigoedd

forest law cyfraith fforest *eb*

forest soils fforest briddoedd *ell*

forester coedwigwr *eg* coedwigwyr

forestry coedwigaeth *eb*

Forestry Commission Comisiwn Coedwigaeth *eg*

forfeiture fforffediad *eg* fforffediadau

forge *n* gefail *eb* gefeiliau

forge *v* gofannu *be*

forge parts rhannau gefail *ell*

forgery ffugiad *eg* ffugiadau

forgework gwaith gof *eg*

forging gofaniad *eg* gofaniadau

forging process proses ofannu *eb* prosesau gofannu

forging tongs gefel ofannu *eb* gefeiliau gofannu

forgive maddau *be*

forgiveness maddeuant *eg*

fork (for digging or lifting, a divergence of anything) fforch *eb* ffyrch

fork (for eating or cooking) fforc *eb* ffyrc

fork centre canol fforch *eg* canolau ffyrch

fork chuck crafanc fforch *eb* crafangau fforch

forked fforchog *ans*

forked tenon tyno fforchog *eg* tynoau fforchog

form *v* ffurfio *be*

form (=document) *n* ffurflen *eb* ffurflenni

form (=shape) *n* ffurf *eb* ffurfiau

form a line-out leinio *be*

form a star ffurfio seren *be*

form and content ffurf a chynnwys

form letter llythyr parod *eg* llythyrau parod

form room ystafell ddosbarth *eb* ystafelloedd dosbarth

form sequences ffurfio dilyniannau *be*

form teacher (female) athrawes ddosbarth *eg* athrawesau dosbarth

form teacher (male) athro dosbarth *eg* athrawon dosbarth

form tools offer ffurfio *ell*

form tutor tiwtor dosbarth *eg* tiwtoriaid dosbarth

form-feed *n* dalen-borthiad *eg* dalen-borthiadau

form-feed *v* dalen-borthi *be*

form-feed character nod dalen-borthiad *eg* nod dalen-borthiad

form-feed key dalen-borthwr *eg* dalen-borthwyr

form-line ffurflin *eg* ffurflinau

formal ffurfiol *ans*

formal algebra algebra ffurfiol *eg*

formal drawing lluniad ffurfiol *eg* lluniadau ffurfiol

formal gymnastics gymnasteg ffurfiol *eb*

formal logic rhesymeg ffurfiol *eb*

formal operational stage stad weithredu ffurfiol *eb*

formal operational thought meddwl gweithredu ffurfiol *eg*

formal parameter paramedr ffurfiol *eg* paramedrau ffurfiol

formal pattern patrwm ffurfiol *eg* patrymau ffurfiol

formal proof prawf ffurfiol *eg* profion ffurfiol

formal science education addysg wyddonol ffurfiol *eb*

formaldehyde fformaldehyd *eg*

formant fformant *eg* fformantau

format *n* fformat *eg* fformatau

format *v* fformatio *be*

format-mode modd fformat *eg*

formation (=arrangement) trefniant *eg* trefniannau

formation (in general) ffurfiant *eg* ffurfiannau

formative ffurfiannol *ans*

formative assessment asesiad ffurfiannol *eg* asesiadau ffurfiannol

formative evaluation gwerthusiad ffurfiannol *eg* gwerthusiadau ffurfiannol

formative recording cofnodi ffurfiannol *be*

formatter fformatydd *eg* fformatyddion

formed follower dilynwr ffurfiedig *eg* dilynwyr ffurfiedig

former ffurfydd *eg* ffurfwyr

former lake cynlyn *eg* cynlynnoedd

formic acid asid fformig *eg*
formica fformica *eg*
forming runners ffurfio rhedwyr *be*
forming tool erfyn ffurfio *eg* offer ffurfio
forms of equation of the circle ffurfiau hafaliad y cylch *ell*
formula fformiwla *eb* fformiwlâu
formulary fformiwlari *eg*
formwork ffurfwaith *eg* ffurfweithiau
Forstner bit ebill Forstner *eg* ebillion Forstner
fort caer *eb* caerau
fortepiano fortepiano *eg* fortepianos
fortification caer *eb* caerau
fortified manor house maenordy ag amddiffynfeydd *eg* maenordai ag amddiffynfeydd
fortify atgyfnerthu *be*
fortress caer *eb* caerau
Forty Two Articles Dwy Erthygl a Deugain *eb*
forty-shilling freeholder rhydd-ddeiliad deugain swllt *eg* rhydd-ddeiliaid deugain swllt
forward *adv* ymlaen *adf*
forward *n* blaen *eg*
forward (female) *n* blaenwraig *eb* blaenwragedd
forward (male) *n* blaenwr *eg* blaenwyr
forward and back a double (in dancing) llanw a thrai
forward and backward ymlaen ac yn ôl
forward and downward ymlaen ac i lawr
forward and sideways ymlaen ac i'r ochr
forward and upward ymlaen ac i fyny
forward arc arc flaen *eb* arcau blaen
forward arrow saeth ymlaen *eb* saethau ymlaen
forward chaining cadwyno ymlaen *be*
forward paddling stroke strôc badlo ymlaen *eb* strociau padlo ymlaen
forward pass pàs ymlaen *eb* pasiau ymlaen
forward pivot colyn blaen *eg* colynnau blaen
forward policy (of imperialist advance) polisi ymwthiol *eg* polisïau ymwthiol
forward reaction blaenadwaith *eg*
forward roll rhôl ymlaen *eb* rholiau ymlaen
forward rush cwrs blaenwyr *eg* cyrsiau blaenwyr
fossil *adj* ffosilaidd *ans*
fossil *n* ffosil *eg* ffosiliau
fossil fuels tanwydd ffosil *eg* tanwyddau ffosil
fossilation ffosileiddiad *eg*
fossiliferous ffosilifferaidd *ans*
fossilize ffosileiddio *be*
foster maethu *be*
foster care gofal maeth *eg*
foster child plentyn maeth *eg* plant maeth
foster home cartref maeth *eg* cartrefi maeth
foster mother mam faeth *eb* mamau maeth
foster parent rhiant maeth *eg* rhieni maeth
fosterage cyfundrefn faeth *eb*
foul *n* trosedd *eg/b* troseddau
foul play chwarae brwnt *eg*
foul shot cam ergyd *eb* cam ergydion
foul throw camdaflu *be*

foulard foulard *eg*
fouling ffowlio *be*
found (establish) sefydlu *be*
found material defnydd hapgael *eg* defnyddiau hapgael
found object gwrthrych hapgael *eg* gwrthrychau hapgael
foundation *adj* sylfaenol *ans*
foundation (=base) *n* sylfaen *eg/b* sylfeini
foundation (=establishment) *n* sefydliad *eg* sefydliadau
foundation bolt bollt sylfaen *eb* bolltau sylfaen
foundation colour lliw sylfaenol *eg* lliwiau sylfaenol
foundation course cwrs sylfaen *eg* cyrsiau sylfaen
foundation garment dilledyn sail *eg* dillad sail
foundation stop stop sylfaen *eg* stopiau sylfaen
foundation subject pwnc sylfaen *eg* pynciau sylfaen
founder sylfaenydd *eg* sylfaenwyr
founding (e.g. iron) bwrw haearn *be*
foundry ffowndri *eb* ffowndrïau
foundry ladle lletwad ffowndri *eb* lletwadau ffowndri
foundry mould mowld ffowndri *eg* mowldiau ffowndri
foundry sand tywod ffowndri *eg*
four pedwar *eg* pedwarau
four ball pedair pêl *eb*
four figure table tabl pedwar ffigur *eg* tablau pedwar ffigur
Four Freedoms Pedwar Rhyddid *eg*
four hundred metres pedwar can metr *eg*
four in one canon canon bedwar yn un *eb* canonau pedwar yn un
four lane highway ffordd fawr pedair lôn *eb* ffyrdd mawr pedair lôn
four points of contact pedwar pwynt cyswllt *eg*
four stroke cycle cylchred pedair strôc *eb* cylchredau pedair strôc
four-centred arch bwa pedwar canolbwynt *eg* bwâu pedwar canolbwynt
four-division saucer soser bedair rhan *eb* soseri pedair rhan
four-figure grid grid pedwar ffigur *eg* gridiau pedwar ffigur
four-jaw chuck crafanc pedair safn *eb* crafangau pedair safn
four-shaft loom gwŷdd pedair siafft *eg* gwyddion pedair siafft
four-stroke pedair strôc *ans*
four-stroke engine peiriant pedair strôc *eg* peiriannau pedair strôc
four-way tool post post pedwar erfyn *eg* pyst pedwar erfyn
foursided stitch pwyth petryal *eg* pwythau petryal
foursome pedwarawd *eg* pedwarawdau
fourth (interval) pedwerydd *eg* pedwareddau
fovea ffofea *eg*
fowl cyw iâr *eg* cywion ieir
fox wedged wedi'i letemu'n gudd *ans*
fox wedging lletemu cudd *be*
fox-wedged tenon tyno wedi'i letemu'n gudd *eg* tynoau wedi'u lletemu'n gudd
foxiness staeniau brown mewn pren *ell*
foxtrot ffocstrot *eg* dawnsiau ffocstrot
fractal ffractal *eg* ffractalau
fraction ffracsiwn *eg* ffracsiynau

adf, adv adferf, *adverb* **ans, adj** ansoddair, *adjective* **be** berf, *verb* **eb** enw benywaidd, *feminine noun* **eg** enw gwrywaidd, *masculine noun*

fractional ffracsiynol *ans*

fractional crystallization grisialu ffracsiynol *be*

fractional distillation distyllu ffracsiynol *be*

fractionating column colofn ffracsiynu *eb* colofnau ffracsiynu

fractions of a complete turn ffracsiynau o dro cyflawn *ell*

fracture *n* toriad *eg* toriadau

fracture *v* torri *be*

fragile brau *ans*

fragment darn *eg* darnau

fragmentary darniog *ans*

fragmentation darniad *eg* darniadau

fragmentation of holdings darnio ffermydd *be*

fragmented tameidiog *ans*

frail bregus *ans*

frame *n* ffrâm *eb* fframiau

frame *v* fframio *be*

frame connector cysylltydd ffrâm *eg* cysylltwyr ffrâm

frame construction adeiladwaith ffrâm *eg*

frame saw llif ffrâm *eb* llifiau ffrâm

frame-weaving worker gweithiwr ffrâm wehyddu *eg* gweithwyr ffrâm wehyddu

framed door drws fframiog *eg* drysau fframiog

framed roof to fframiog *eg* toeon fframiog

framework fframwaith *eg* fframweithiau

framework member aelod o fframwaith *eg* aelodau o fframwaith

framework of care fframwaith gofal *eg*

franchise etholfraint *eb* etholfreintiau

franchise (in commerce) masnachfraint *eb* masnachfreintiau

franchise (land) tir breiniol *eg* tiroedd breiniol

Francis Ffransis *eg*

Franciscan *adj* Ffransisgaidd *ans*

Franciscan *n* Ffransisiad *eg* Ffransisiaid

Franciscan Order Urdd Sant Ffransis *eb*

francium (Fr) ffranciwm *eg*

frankalmoign elusendir *eg*

Frankish Ffrancaidd *ans*

franklin rhydd-ddeiliad *eg* rhydd-ddeiliaid

frankpledge tangwystl *eg*

Franks Ffranciaid *ell*

frater ffreutur *eg* ffreuturiau

fraternal twins (non-identical) gefeilliaid annhebyg *eg*

fraternity (=brotherliness) brawdgarwch *eg*

fraternity (=group of men) brawdoliaeth *eb* brawdoliaethau

fratricide brawd-laddiad *eg*

fraud twyll *eg*

fray *n* rhaflad *eg* rhafladau

fray *v* rhaflo *be*

fraying rhaflog *ans*

frazil ffrasil *eg* ffrasilau

Frederick Ffredric *eg*

Frederick the Great Ffredric Fawr *eg*

free *adj* rhydd *ans*

free *v* rhyddhau *be*

free arm (of machine part) braich rydd *eb* breichiau rhydd

free bargaining bargeinio rhydd *be*

free blending rhyddgymysgu *be*

free canon rhyddganon *(eb/g)* rhyddganonau

free carbon carbon rhydd *eg*

free church eglwys rydd *eb* eglwysi rhyddion

free company cwmni hur *eg* cwmnïau hur

free counterpoint gwrthbwynt rhydd *eg* gwrthbwyntiau rhydd

free curve cromlin rydd *eb* cromliniau rhydd

free cutting rhydd-dorri *be*

free dancing dawnsio rhydd *be*

free electron electron rhydd *eg* electronau rhydd

free embroidery brodwaith rhydd *eg*

free energy egni parod *eg* egnïon parod

free enterprise rhyddfenter *eb*

free face wyneb rhydd *eg* wynebau rhydd

free fall disgyn yn rhydd *be*

free fantasia ffantasia rydd *eb* ffantasïau rhydd

free flowing rhyddlifo *be*

free formation trefniant rhydd *eg*

Free French Ffrancwyr Rhydd *ell*

free group grŵp rhydd *eg* grwpiau rhydd

free hand llawrydd *ans*

free hit ergyd rydd *eb* ergydion rhydd

free kick cic rydd *eb* ciciau rhydd

free machine embroidery brodwaith rhydd â pheiriant *eg*

free metre mesur rhydd *eg* mesurau rhydd

free movement symudiad rhydd *eg* symudiadau rhydd

free painting (of painted picture) paentiad rhydd *eg* paentiadau rhydd

free painting (of process or act) peintio rhydd *be*

free period gwers rydd *eb* gwersi rhydd

free port porthladd rhydd *eg* porthladdoedd rhydd

free practice ymarfer rhydd *eg* ymarferion rhydd

free radical radical rhydd *eg*

free sale gwerthiant rhydd *eg*

free school ysgol rad *eb* ysgolion rhad

free slope llethr rhydd *eg* llethrau rhydd

free space gofod gwag *eg*

free stroke symudiad rhydd *eg* symudiadau rhydd

free style dull rhydd *eg* dulliau rhydd

free tenant tenant rhydd *eg* tenantiaid rhydd

free thinker rhydd-feddyliwr *eg* rhydd-feddylwyr

free throw tafliad rhydd *eg* tafliadau rhydd

free trade masnach rydd *eb*

free will ewyllys rydd *eb*

free-response question cwestiwn penagored *eg* cwestiynau penagored

free-standing rhydd-sefyll *ans*

free-standing carcass sgerbwd rhydd-sefyll *eg* sgerbydau rhydd-sefyll

freedom of a city rhyddfraint dinas *eb*

freedom of belief rhyddid cred *eg*

freedom of thought rhyddid meddwl *eg*

freehand curve cromlin lawrydd *eb* cromliniau llawrydd

freehand design dyluniad llawrydd *eg* dyluniadau llawrydd

---

freehand diagram diagram llawrydd *eg* diagramau llawrydd

freehand drawing lluniad llawrydd *eg* lluniadau llawrydd

freehand sketch braslun llawrydd *eg* brasluniau llawrydd

freehold rhydd-ddaliad *eg* rhydd-ddaliadau

freehold land tir rhydd-ddaliol *eg* tiroedd rhydd-ddaliol

freehold property eiddo rhydd-ddaliol *eg*

freeholder rhydd-ddeiliad *eg* rhydd-ddeiliaid

freeman rhyddfreiniwr *eg* rhyddfreinwyr

freemason saer rhydd *eg* seiri rhyddion

free-range egg wy maes *eg* wyau maes

free-range hen iâr faes *eb* ieir maes

freeway traffordd *eb* traffyrdd

freeze rhewi *be*

freeze-dry sychrewi *be*

freeze-thaw action gwaith rhewi-dadmer *eg*; gwaith rhewi-dadlaith *eg*

freezer rhewgell *eb* rhewgelloedd

freezer (cabinet) cwpwrdd rhew *eg* cypyrddau rhew

freezer burn llosg rhewgell *eg*

freezing compartment (in fridge) blwch rhewi *eg* blychau rhewi

freezing point rhewbwynt *eg* rhewbwyntiau

freezing rain glasrew *eg*

freight line lein nwyddau *eb* leiniau nwyddau

freight rate tâl cludo *eg* taliadau cludo

freightliner trên llwythi *eg* trenau llwythi

French beans ffa Ffrengig *ell*

French bread bara Ffrengig *eg*

French bun picen Ffrengig *eb* picau Ffrengig

French chalk sialc Ffrengig *eg*

french curve templed tro *eg* templedi tro

French dressing blaslyn Ffrengig *eg*

French harp organ geg *eb* organau ceg

French horn corn Ffrengig *eb* cyrn Ffrengig

French horn player canwr corn Ffrengig *eg* canwyr corn Ffrengig

french knot cwlwm ffrengig *eg* clymau ffrengig

French nail hoelen gron *eb* hoelion crwn

French overture agorawd Ffrengig *eb* agorawdau Ffrengig

French pitch traw safonol *eg*

French polish llathrydd Ffrengig *eg*

French polish finish gorffeniad llathrydd Ffrengig *eg*

French Revolution Chwyldro Ffrengig *eg*

French seam sêm Ffrengig *eb* semau Ffrengig

French sixth chweched Ffrengig *eg* chwechedau Ffrengig

French sixth chord cord y chweched Ffrengig *eg*

French suite cyfres Ffrengig *eb* cyfresi Ffrengig

French window ffenestr Ffrengig *eb* ffenestri Ffrengig

frequency (=commonness of occurrence) amlder *eg*

frequency (=rate of recurrence of vibration etc) amledd *eg* amleddau

frequency distribution (of statistics) dosraniad amlder *eg* dosraniadau amlder

frequency of beat amledd curiad *eg*

frequency of discharge of water amlder gollwng dŵr *eg*

frequency polygon polygon amlder *eg* polygonau amlder

frequency table (in statistics) tabl amlder *eg* tablau amlder

fresco ffresgo *eg* ffresgoau

fresh ffres *ans*

fresh bread bara ffres *eg*

fresh breeze awel ffres *eb* awelon ffres

freshwater dŵr croyw *eg* dyfroedd croyw

fret cribell *eb* cribellau

fret nut talfran *eb* talfrain

fretsaw llif ffret *eb* llifiau ffret

fretted (of musical instrument) cribellog *ans*

fretted (of pattern) rhwyllog *ans*

fretwork rhwyllwaith *eg*

friable hyfriw *ans*

friar brawd *eg* brodyr

friary tŷ'r brodyr *eg* tai'r brodyr

fricassée fricassée *eb* fricassées

friction ffrithiant *eg* ffrithiannau

friction clutch cydiwr ffrithiant *eg* cydwyr ffrithiant

friction drive gyriad ffrithiant *eg* gyriadau ffrithiant

friction washing golchi ffrithiant *be*

frictional grip gafael ffrithiannol *eb*

frictionless roller rholer diffrithiant *eg* rholeri diffrithiant

Friendly Society Cymdeithas Gyfeillgar *eb* Cymdeithasau Cyfeillgar

Friends of the Earth Cyfeillion y Ddaear *ell*

frieze (architectural) ffrîs *eg* ffrisiau

frieze (material) brethyn tewban *eg* brethynnau tewban

frieze paper papur ffris *eg* papurau ffris

friezeman masnachwr brethyn *eg* masnachwyr brethyn

frigate ffrigad *eb* ffrigadau

frigid zone cylchfa rew *eb* cylchfaoedd rhew

frill ffrilen *eb* ffriliau

fringe *v* rhidennu *be*

fringe (=border of loose threads) *n* rhidens *ell*

fringe (of town etc) *n* cwr *eg* cyrion

fringe (=outer edge) *n* ymyl *eg*/*b* ymylon

fringe benefit cilfantais *eb* cilfanteision

fringing reef ymylriff *eg* ymylriffiau

frit (glaze) ffrit *eg* ffritiau

fritted glaze gwydredd ffrit *eg*

fritter ffriter *eg* ffriterau

fritter batter cytew ffriterau *eg*

frizzling ffrislio *be*

frock ffrog *eb* ffrogiau

frog jump naid broga *eb* neidiau broga

frog spawn grifft broga *eg*

frond ffrond *eg* ffrondau

front (of position) blaen *eg*

front (of weather) ffrynt *eg* ffryntiau

front bodice bodis blaen *eg* bodisiau blaen

front clearance cliriad blaen *eg* cliriadau blaen

front elevation blaenolwg *eg* blaenolygon

front facing wynebyn blaen *eg* wynebynnau blaen

front foot troed flaen *eb* traed blaen

front loader peiriant blaen-lwytho *eg* peiriannau blaen-lwytho

---

adf, adv adferf, *adverb*   ***ans, adj*** ansoddair, *adjective*   ***be*** berf, *verb*   ***eb*** enw benywaidd, *feminine noun*   ***eg*** enw gwrywaidd, *masculine noun*

front loading kiln odyn blaen-lwytho *eb* odynnau blaen-lwytho

front opening agoriad blaen *eg* agoriadau blaen

front panel panel blaen *eg* paneli blaen

front rake gwyredd blaen *eg* gwyreddau blaen

front roller rholer blaen *eg* rholeri blaen

front row rheng flaen *eb* rhengoedd blaen

front support (in athletics) ymgynnal blaen *be*

front suspension hongiad blaen *eg* hongiadau blaen

front wall mur blaen *eg* muriau blaen

front wall out of court line ffin flaen *eb* ffiniau blaen

front-end processor blaen-brosesydd *eg* blaen-brosesyddion

frontal apron ffedog flaen *eb* ffedogau blaen

frontal bone asgwrn talcen *eg* esgyrn talcen

frontal fog niwl ffrynt *eg*

frontal lobe llabed flaen *eb* llabedau blaen

frontal rain glaw ffrynt *eg*

frontality blaenluniad *eg* blaenluniadau

frontier ffin *eb* ffiniau

frontier district ardal ffiniol *eb* ardaloedd ffiniol

frontier state cyffinwlad *eb* cyffinwledydd

frontier zone parth ffiniol *eg* parthau ffiniol

frontispiece wynebddarlun *eg* wynebddarluniau

frontogenesis ffryntdarddiad *eg*

frontolysis ffryntwasgariad *eg*

frontoparietal blaenbaredol *ans*

frontosphenoidal blaensffenoidol *ans*

frost rhew *eg* rhewogydd

frost action gwaith rhew *eg*

frost bite ewinrhew *eg*

frost heaving gwthiad rhew *eg* gwthiadau rhew

frost hollow pant rhew *eg* pantiau rhew

frost line rhewlin *eg* rhewlinau

frost shattered rhewfriw *ans*

frosted barugog *ans*

frothy ewynnog *ans*

frottage *v* ffroteisio *be*

frottage (rubbing) *n* ffrotais *eg*

fructose ffrwctos *eg*

fruit (in general) ffrwyth *eg* ffrwythau

fruit (a single) ffrwythyn *eg* ffrwythynnau

fruit bowl ffiol ffrwythau *eb* ffiolau ffrwythau

fruit cake teisen ffrwythau *eb* teisenni ffrwythau

fruit crumble crymbl ffrwythau *eg* crymblau ffrwythau

fruit fool ffŵl ffrwythau *eg*

fruit juice sudd ffrwythau *eg*

fruit snow eirffrwyth *eg*

fruity ffrwythus *ans*

frustrate (hopes) drysu (gobeithion) *be*

frustrated rhwystredig *ans*

frustration rhwystredigaeth *eb* rhwystredigaethau

frustum ffrwstwm *eg* ffrwstymau

frustum of cone ffrwstwm côn *eg*

frustum of pyramid ffrwstwm pyramid *eg*

fry ffrio *be*

frying pan padell ffrio *eb* pedyll ffrio

fucoxanthin ffwcosanthin *eg*

fudge (confectionery) cyffug *eg*

fuel tanwydd *eg* tanwyddau

fuel cell cell danwydd *eb* celloedd tanwydd

fuel supply cyflenwad tanwydd *eg* cyflenwadau tanwydd

fugal ffiwgaidd *ans*

fugato ffiwgato

fughetta ffiwgeta *eb* ffiwgetau

fugitive ffoadur *eg* ffoaduriaid

fugitive colour lliw diflan *eg* lliwiau diflan

fugue ffiwg *eb* ffiwgiau

fugue form ffurf ffiwg *eb* ffurfiau ffiwg

fulcrum ffwlcrwm *eg* ffwlcrymau

fulfil cyflawni *be*

full anthem anthem lawn *eb* anthemau llawn

full back (female) cefnwraig *eb* cefnwragedd

full back (male) cefnwr *eg* cefnwyr

full bilingualism dwyieithrwydd llawn *eg*

full central heating gwres canolog llawn *eg*

full control rheolaeth lawn *eb*

full cost price pris llawn *eg*

full drop llithr llawn *eg*

full employment cyflogaeth lawn *eb*

full helix helics llawn *eg* helicsau llawn

full immersion trochiad llawn *eg*

full knees bend gliniau'n blyg i'r eithaf *ell*

full moon lleuad lawn *eb*

full organ organ lawn *eb*

full radiation (black body) pelydriad cyflawn *eg*

full range of ability ystod lawn o allu *eb*

full score sgôr lawn *eb* sgorau llawn

full screen llond sgrin *ans*

full screen editor sgrin-olygydd *eg* sgrin-olygyddion

full size maint llawn *eg*

full size court cwrt llawn maint *eg* cyrtiau llawn maint

full stop atalnod llawn *eg* atalnodau llawn

full time amser llawn *eg*

full toss pelen lawn *eb* pelenni llawn

full version fersiwn llawn *eg* fersiynau llawn

full weight rope rhaff bwysau llawn *eb* rhaffau pwysau llawn

full-adder adydd cyflawn *eg* adyddion cyflawn

full-duplex dwplecs cyflawn *eg* dwplecsau cyflawn

full-length portrait portread hyd llawn *eg* portreadau hyd llawn

full-time llawn amser *ans*

fuller pannwr *eg* panwyr

fuller's earth pridd y pannwr *eg*

fullering pannu *be*

fullering tool erfyn pannu *eg* offer pannu

fulling pannu *be*

fulling mill pandy *eg* pandai

fullness llawnder *eg*

fullsize mock-up brasfodel maint llawn *eg* brasfodelau maint llawn

fumarole mygdwll *eg* mygdyllau

fumble ymbalfalu *be*

fume *n* mygdarth *eg* mygdarthau

fume *v* mygdarthu *be*

fume cupboard cwpwrdd gwyntyllu *eg* cypyrddau gwyntyllu

fumigate mygdarthu *be*

fuming mygdarthol *ans*

fun song cân hwyl *eb* caneuon hwyl

function (in general) swyddogaeth *eb* swyddogaethau

function (in mathematics) ffwythiant *eg* ffwythiannau

function code cod swyddogaeth *eg* codau swyddogaeth

function key bysell swyddogaeth *eb* bysellau swyddogaeth

functional (in general) swyddogaethol *ans*

functional (of mathematical functions) ffwythiannol *ans*

functional art celfyddyd swyddogaethol *eb*

functional assessment asesiad perfformiad *eg* asesiadau perfformiad

functional difference gwahaniaeth gweithredol *eg* gwahaniaethau gweithredol

functional group (in chemistry) grŵp gweithredol *eg* grwpiau gweithredol

functional illiteracy anllythrennedd gweithredol *eg*

functional literacy llythrennedd gweithredol *eg*

functional reading darllen gweithredol *eg*

functional surface arwyneb swyddogaethol *eg* arwynebau swyddogaethol

functionalism ffwythiannaeth *eb*

functionalist swyddogaethwr *eg* swyddogaethwyr

fund cronfa *eb* cronfeydd

fundamental *adj* sylfaenol *ans*

fundamental *n* sylfaen *eg*/*b* sylfeini

fundamental circuit cylched sylfaenol *eb* cylchedau sylfaenol

fundamental discord anghytgord sylfaenol *eg* anghytgordiau sylfaenol

fundamental dominant chord cord sylfaenol y llywydd *eg* cordiau sylfaenol y llywydd

fundamental dominant discord anghytgord sylfaenol y llywydd *eg* anghytgordiau sylfaenol y llywydd

fundamental interval cyfwng sylfaenol *eg* cyfyngau sylfaenol

fundamental note nodyn sylfaenol *eg* nodau sylfaenol

fundamental shape ffurf sylfaenol *eb* ffurfiau sylfaenol

fundamental temperature tymheredd sylfaenol *eg*

fundus ffwndws *eg* ffwndi

funeral march ymdeithgan angladd *eb* ymdeithganau angladd

fungal ffwngaidd *ans*

fungicide ffwngleiddiad *eg* ffwngleiddiaid

fungus ffwng *eg* ffyngau

funicular rheilffordd halio *eb* rheilffyrdd halio

funicular polygon polygon rhaff *eg* polygonau rhaff

funnel twndis *eg* twndisau; twmffat *eg* twmffatau

funnel stake bonyn twndis *eg* bonion twndis; bonyn twmffat *eg* bonion twmffat

fur (in pipes etc) cen *eg* cennau

fur (of animals) ffwr *eg*

fur fabric ffabrig ffwr *eg* ffabrigau ffwr

furlong ystaden *eb* ystadenni

furnace ffwrnais *eb* ffwrneisi

furnished accommodation llety wedi'i ddodrefnu *eg* lletyau wedi'u dodrefnu

furnishing fabric ffabrig dodrefnu *eg* ffabrigau dodrefnu

furniture dodrefn *ell*

furniture beetle chwilen ddodrefn *eb* chwilenni dodrefn

furniture polish llathrydd dodrefn *eg*

furniture store siop ddodrefn *eb* siopau dodrefn

furniture wax cwyr dodrefn *eg*

furrow cwys *eb* cwysi

further education addysg bellach *eb*

Further Education Unit (FEU) Uned Addysg Bellach *eb*

further recognised stroke strôc gydnabyddedig bellach *eb* strociau cydnabyddedig pellach

fuse (=melt) *n* ymdoddiad *eg* ymdoddiadau

fuse (=melt) *v* ymdoddi *be*

fuse (of device) *n* ffiws *eg* ffiwsiau

fuse (when a fuse blows) *v* ffiwsio *be*

fused ymdoddedig *ans*

fusible ymdoddadwy *ans*

fusible alloy aloi ymdoddadwy *eg*

fusible clay clai ymdoddadwy *eg*

fusiform gwerthydffurf *eb*

fusing point ymdoddbwynt *eg* ymdoddbwyntiau

fusion (=melting) ymdoddiad *eg* ymdoddiadau

fusion (nuclear, cells etc) ymasiad *eg* ymasiadau

future generations cenedlaethau i ddod *ell*

future teaching addysgu pellach *be*

futurism dyfodoliaeth *eb*

futuristic dyfodolaidd *ans*

Futurists Dyfodolwyr *ell*

fuzzy logic rhesymeg niwlog *eb*

fuzzy set set niwlog *eb* setiau niwlog

G

g (=balance) cydbwysedd *eg* cydbwyseddau

G clef cleff G *eg*

G cramp cramp G *eg*

G major G fwyaf *eb*

G minor G leiaf *eb*

gabbro gabro *eg*

gaberdine gaberdîn *ans*

gable end talcen *eg* talcenni

gadget dyfais *eb* dyfeisiau

gadolinium (Gd) gadoliniwm *eg*

Gag Acts Deddfau Ffrwyno *ell*

gain (=increase) cynnydd *eg*

gain (=profit) ennill *eg* enillion

gain access cael mynediad *be*

gain confidence ennill hyder *be*

gain control rheolydd cynnydd *eg* rheolyddion cynnydd

gain ground ennill tir *be*

gainful worker gweithwr cyflog *eg* gweithwyr cyflog

gait cerddediad *eg*

gaiter coesarn *eg* coesarnau

galactagogue blithogydd *eg* blithogyddion

galactic galaethog *ans*

galactosaemia galactosaemia *eg*

galactose galactos *eg*

galaxy galaeth *eb* galaethau

gale tymestl *eb* tymhestloedd

galena galena *eg*

galilee (porch) galilea *eg*

gall (bile) bustl *eg* bustlau

gall (on plants) ardyfiant planhigol *eg*

gall-bladder coden y bustl *eb* codennau y bustl

galleon galiwn *eg* galiynau

gallery (in quarrying) ponc *eb* ponciau

gallery (in the arts) oriel *eb* orielau

gallery forest coedwig galeri *eb* coedwigoedd galeri

galley gali *eg* galïau

galliard galliard *eg* galliards

Gallican *adj* Galicanaidd *ans*

Gallican *n* Galicaniad *eg* Galicaniaid

Gallicanism Galicaniaeth *eb*

gallipot pot golchdrwyth *eg* potiau golchdrwyth

gallium (Ga) galiwm *eg*

gallon galwyn *eg/b* galwyni

gallop *n* carlam *eg*

gallop *v* carlamu *be*

gallstone carreg y bustl *eb* cerrig bustl

galvanic galfanig *ans*

galvanization galfaneiddiad *eg*

galvanize galfanu *be*

galvanized galfanedig *ans*

galvanized iron haearn galfanedig *eg*

galvanized window ffenestr alfanedig *eb* ffenestri galfanedig

galvanized wire gwifren alfanedig *eb* gwifrau galfanedig

galvanometer galfanomedr *eg* galfanomedrau

gamba (organ stop) gamba *eg*

gamboge tint arlliw gamboge *eg*

game gêm *eb* gemau

game form ffurf ar gêm *eb* ffurfiau ar gemau

game laws deddfau helwriaeth *ell*

gamekeeper ciper *eg* ciperiaid

games equipment offer chwaraeon *ell*

games teacher (female) athrawes chwaraeon *eb* athrawesau chwaraeon

games teacher (male) athro chwaraeon *eg* athrawon chwaraeon

gamete gamet *eg* gametau

gametocyte gametocyt *eg* gametocytau

gametophore gametoffor *eg* gametofforau

gametophyte gametoffyt *eg* gametoffytau

gamgee gwlân *eg*

gamma radiation pelydriad gama *eg*

gamma ray pelydryn gama *eg* pelydrau gama

gamopetalous gamopetalog *ans*

gamosepalous gamosepalog *ans*

gamut gamwt *eg*

gang gang *eg/b* gangiau

ganglion ganglion *eg* ganglia

gangrene madredd *eg*

Gannt chart siart Gannt *eg* siartiau Gannt

gap (in general) *n* bwlch *eg* bylchau

gap (made for a purpose) *n* adwy *eb* adwyau

gap town tref adwy *eb* trefi adwy

gapped bylchog *ans*

gapped edge ymyl fylchog *eb* ymylon bylchog

garage (of commercial enterprise) modurdy *eg* modurdai

garage (with a private dwelling) garej *eg* garejis

garaging cadw car *be*

garbage sbwriel *eg*

garden *n* gardd *eb* gerddi

garden *v* garddio *be*

garden city gardd-ddinas *eb* gardd-ddinasoedd

gargoyle gargoil *eg* gargoiliau

---

eg/b enw gwrywaidd/benywaidd, *feminine/masculine noun*   **ell** enw lluosog, *plural noun*   **v** berf, *verb*   **n** enw, *noun*

garland garlant *eg* garlantau

garment dilledyn *eg* dilladau

garnet paper papur garnet *eg* papurau garnet

garrison garsiwn *eg/b* garsiynau

garter gardys *eg* gardyson

garter stitch pwyth gardys *eg* pwythau gardys

gas nwy *eg* nwyon

gas cylinder silindr nwy *eg* silindrau nwy

gas exchange cyfnewid nwyon *be*

gas fire tân nwy *eg* tanau nwy

gas law deddf nwyon *eb*

gas lighter taniwr nwy *eg* tanwyr nwy

gas poker pocer nwy *eg* poceri nwy

gas-ring cylch nwy *eg* cylchau nwy

Gascon Gascon *eg* Gasconiaid

gaseous nwyol *ans*

gaseous exchange cyfnewid nwyol *eg*

gash vein craig-wythïen *eb* craig-wythiennau

gashed edge ymyl wedi'i niweidio *eb* ymylon wedi'u niweidio

gasket gasged *eg* gasgedi

gastight nwyglos *ans*

gastric gastrig *ans*

gastric gland chwarren gastrig *eb* chwarennau gastrig

gastric juice sudd gastrig *eg* suddion gastrig

gastric pit mân-bant gastrig *eg* mân-bantiau gastrig

gastro-enteritis gastro-enteritis *eg*

gastro-enterology gastro-enteroleg *eb*

gastrocnemius croth y goes *eb*

gastrointestinal (tract) pibell gastroberfeddol *eb* pibellau gastroberfeddol

gastrula gastrwla *eg* gastrwlae

gastrulation gastrwliad *eg*

gat morddrws *eg* morddrysau

gate (=hurdle) clwyd *eb* clwydi

gate (in electronics, computing) adwy *eb* adwyon

gate (in metallurgy) porthell *eb* porthelli

gate (of garden) llidiart *eb* llidiardau

gate and knife tool erfyn porthellu a chyllell *eg* arfau porthellu a chyllell

gate delay oediad adwy *eg* oediadau adwy

gate latch clicied llidiart *eb* cliciedau llidiart

gate tool erfyn porthellu *eg* offer porthellu

gate vault llofnaid glwyd *eb* llofneidiau clwyd

gate-leg table bwrdd coes gât *eg* byrddau coes gât

gated adwyog *ans*

gatekeeping (in administration of cases) didoli *be*

gather *n* crych *eg* crychau

gather *v* crychdynnu *be*

gathered fullness llawnder wedi'i grychdynnu *eg*

gathered lace les wedi'i grychdynnu *eg*

gathered skirt sgert grychog *eb* sgertiau crychog

gatherer (in general) casglwr *eg* casglwyr

gatherer (machine attachment) crychell *eb* crychellau

gathering crychiad *eg* crychiadau

gathering note nodyn casglu *eg* nodau casglu

gauge *v* medryddu *be*

gauge (=instrument) *n* medrydd *eg* medryddion

gauge (of railway) lled rheilffordd *eg* lledau rheilffyrdd

gauge block bloc medrydd *eg* blociau medrydd

gauze *adj* rhwyllog *ans*

gauze *n* rhwyllen *eb* rhwyllenni

gauze cloth lliain rhwyllog *eg* llieiniau rhwyllog

gauze swab swab rhwyllog *eg* swabiau rhwyllog

gavelkind cyfran *eb*

gavotte gavotte *eg* gavottes

gay atmosphere awyrgylch llon *eg*

GCSE Extended Welsh TGAU Cymraeg Estynedig

GCSE Extended Welsh Second Language TGAU Cymraeg Ail Iaith Estynedig

gear (=equipment) taclau *ell*

gear (of vehicle, lathe) gêr *eg/b* gerau

gear mechanism mecanwaith gêr *eg*

gear ratio cymhareb gêr *eb* cymarebau gêr

gear tooth dant gêr *eg* dannedd gêr

gear train trên gêr *eg* trenau gêr

gear wheel olwyn gêr *eb* olwynion gêr

gearbox blwch gêr *eg* blychau gêr

gel gel *eg* geliau

gel coat araen gel *eb* araenau gel

gel medium cyfrwng gel *eg*

gelatine gelatin *eg* gelatinau

gelatine size seis gelatin *eg*

gelatinous gelaidd *ans*

gelatinous state cyflwr gelaidd *eg*

gelation geliad *eg*

gelifluction oerlif *eg* oerlifau

gem gem *eb* gemau

gemma blaguryn *eg* blagur

gemmule gemwl *eg* gemylau

gemshorn gemshorn *eg*

gender rhyw y person (plentyn etc) *eb*

gender bias gogwydd o ran rhyw *eg*

gene genyn *eg* genynnau

gene pool cyfanswm genynnol *eg*

gene recombination adgyfuno genynnol *be*

genealogical achyddol *ans*

genealogy achyddiaeth *eb*

general *adj* cyffredinol *ans*

general *n* cadfridog *eg* cadfridogion

general ability gallu cyffredinol *eg*

general ability test prawf gallu cyffredinol *eg* profion gallu cyffredinol

General Agreement on Tariffs and Trade (GATT) Cytundeb Cyffredinol ar Dollau a Masnach *eg*

general anaesthetic anaesthetig cyffredinol *eg*

General Assembly Cynulliad Cyffredinol *eg*

General Certificate of Secondary Education (GCSE) Tystysgrif Gyffredinol Addysg Uwchradd (TGAU) *eb*

general Christian character cymeriad cyffredinol Cristnogol *eg*

general degree gradd gyffredinol *eb* graddau cyffredinol

---

general feature nodwedd gyffredinol *eb* nodweddion cyffredinol

general gas equation hafaliad cyffredinol nwy *eg* hafaliadau cyffredinol nwy

general hospital ysbyty cyffredinol *eg* ysbytai cyffredinol

general improvement area ardal gwelliannau cyffredinol *eb* ardaloedd gwelliannau cyffredinol

general medicine meddygaeth gyffredinol *eb*

General National Vocational Qualification (GNVQ) Cymhwyster Galwedigaethol Cenedlaethol Cyffredinol (GNVQ) *eg* Cymwysterau Galwedigaethol Cenedlaethol Cyffredinol

general objective amcan cyffredinol *eg* amcanion cyffredinol

general pause (of orchestra) daliant cyffredinol *eg* daliannau cyffredinol

general post office prif swyddfa'r post *eb*

general practitioner meddyg teulu *eg* meddygon teulu

general purpose area llecyn at ddibenion cyffredinol *eg* llecynnau at ddibenion cyffredinol

general schools budget cyllideb gyffredinol i ysgolion *eb* cyllidebau cyffredinol i ysgolion

general space gofod cyffredinol *eg*

general staff staff milwrol *ell*

general store siop bob peth *eb* siopau pob peth

general strike streic gyffredinol *eb* streiciau cyffredinol

general subject level lefel gyffredinol y pwnc *eb*

general surgery llawfeddygaeth gyffredinol *eb*

generalisation cyffredinoliad *eg* cyffredinoliadau

generalised animal cell cyffredinoliad o gell anifail *eg*

generality cyffredinolrwydd *eg*

generalize cyffredinoli *be*

generate (in general) cynhyrchu *be*

generate (with generator) generadu *be*

generating capacity gallu cynhyrchu *eg* galluoedd cynhyrchu

generation (=age-group) cenhedlaeth *eb* cenedlaethau

generation (of heat, light) generadiad *eg* generadiadau

generation time (in biology) amser mitotig *eg*

generator generadur *eg* generaduron

generator of sound generadur sain *eg* generaduron sain

generic generig *ans*

generic skills sgiliau generig *ell*

genetic genetig *ans*

genetic code cod genynnol *eg*

genetic drift symudiad genetig *eg*

genetic engineering peirianneg genetig *eb*

genetic isolation arwahanu genynnau *be*

genetic variant amrywiad genetig *eg*

genetics geneteg *eb*

genital cenhedlol *ans*

genitals organau cenhedlu *ell*

genocide hil-laddiad *eg*

genome genom *eg* genomau

genomer genomer *eg* genomerau

genosome genosom *eg* genosomau

genotype genoteip *eg* genoteipiau

genotypic genoteipaidd *ans*

genre genre *eg* genres

gentle curve cromlin raddol *eb* cromliniau graddol

gentleman bonheddwr *eg* bonheddwyr

Gentleman at Arms Bonheddwr y Gwarchodlu *eg* Bonheddwyr y Gwarchodlu

Gentleman of the Bedchamber Bonheddwr y Siambr Wely *eg* Bonheddwyr y Siambr Wely

gentlemen's agreement cytundeb rhwng cyfeillion *eg*

gently rounded slope llethr esmwyth grwn *eg* llethrau esmwyth grwn

gentry bonedd *eg*

genus genws *eg* genera

geoanticline geoanticlin *eg* geoanticlinau

geoboard geofwrdd *eg* geofyrddau

geochronology geocronoleg *eb*

geochronometry geocronometreg *eb*

geode geod *eg* geodau

geodesic geodesig *ans*

geodesy geodedd *eg*

geodetic geodetig *ans*

geodimeter geodimedr *eg* geodimedrau

Geoffrey of Monmouth Sieffre o Fynwy *eg*

geographical enquiry ymholiad daearyddol *eg* ymholiadau daearyddol

geographical feature nodwedd ddaearyddol *eb* nodweddion daearyddol

geography daearyddiaeth *eb*

geoid geoid *eg* geoidau

geometric geometrig *ans*

geometric concept cysyniad geometrig *eg* cysyniadau geometrig

geometric construction lluniad geometrig *eg* lluniadau geometrig

geometric design dyluniad geometrig *eg* dyluniadau geometrig

geometric grid grid geometrig *eg* gridiau geometrig

geometric mean cymedr geometrig *eg* cymedrau geometrig

geometric pattern patrwm geometrig *eg* patrymau geometrig

geometric progression dilyniant geometrig *eg*

geometric shape siâp geometrig *eg* siapiau geometrig

geometric tolerancing goddefiannu geometrig *be*

geometrical geometregol *ans*

geometrical method dull geometregol *eg* dulliau geometregol

geometrical proportion cyfrannedd geometregol *eg*

geometry geometreg *eb*

geomorphological geomorffolegol *ans*

geomorphology geomorffoleg *eb*

geophysics geoffiseg *eb*

geophyte geoffyt *eg* geoffytau

geopolitics geowleidyddiaeth *eb*

georgette georgette *eg*

Georgian Sioraidd *ans*

geostrophic geostroffig *ans*

geosyncline geosynclin *eg* geosynclinau

geotaxis geotacsis *eg*

eg/b enw gwrywaidd/benywaidd, *feminine/masculine noun*   *ell* enw lluosog, *plural noun*   *v* berf, *verb*   *n* enw, *noun*

geothermal geothermol *ans*

geotropism geotropedd *eg*

Gerald of Wales Gerallt Cymro *eg*

Geraldines Geraldiaid *ell*

geriatric geriatrig *ans*

geriatrician geriatregydd *eg* geriatregwyr

geriatrification heneiddiad *eg*

germ germ *eg* germau

germ layer (embryo) haenen ymrannu *eb* haenau ymrannu

germ-cell cell genhedlu *eb* celloedd cenhedlu

German Confederation Cydffederasiwn Almaenig *eg*

German Democratic Republic Gweriniaeth Dwyrain yr Almaen *eb*

German Federal Republic Gweriniaeth Ffederal yr Almaen *eb*

German ladder ysgol Almaenig *eb* ysgolion Almaenig

German measles brech Almaenig *eb*

German offensive ymosodiad yr Almaenwyr *eg*

German sixth chweched Almaenig *eg* chwechedau Almaenig

German sixth chord cord y chweched Almaenig *eg*

German suite cyfres Almaenig *eb* cyfresi Almaenig

germanium (Ge) germaniwm *eg*

germinal (relating to reproduction) cenhedlol *ans*

germinal epithelium epitheliwm cenhedlol *eg* epithelia cenhedlol

germinal ridge crib genhedlol *eb* cribau cenhedlol

germinate egino *be*

germinating seed hedyn eginol *eg* hadau eginol

germinating temperature tymheredd egino *eg* tymereddau egino

germination eginiad *eg* eginiadau

gesso geso *eg*

GEST (Grants for Educational and Social Training) Grantiau Hyfforddi Addysgol a Chymdeithasol *ell*

gestation period (of animal) cyfnod cyfebru *eg*

gestation period (of woman) cyfnod cario *eg*

gesture *n* ystum *eg*/*b* ystumiau

gesture *v* ystumio *be*

geyser geiser *eg* geiserau

ghetto geto *eg* getos

Ghibelline Gibeliniad *eg* Gibeliniaid

giant *n* cawr *eg* cewri

giant (cells, chromosomes etc) *adj* enfawr *ans*

giant chromosome cromosom enfawr *eg* cromosomau enfawr

giant star seren gawr *eb* sêr cawr

giant structure adeiledd enfawr *eg* adeileddau enfawr

gib strip stribed gib *eg* stribedi gib

giddiness pendro *eb*

gifted dawnus *ans*

gifted child plentyn dawnus *eg* plant dawnus

gigabyte (Gb) gigabeit (Gb) *eg* gigabeitiau

gigantic anferth *ans*

gigue gigue *eb* gigues

gild euro *be*

gilded goreurog *ans*

gilding metal metel euro *eg*

gill *adj* tagellog *ans*

gill (of fish, mushrooms etc) *n* tagell *eb* tagellau

gill arch bwa tagell *eg* bwâu tagell

gill slit agen y dagell *eb* agennau tagellau

gilt goreurog *ans*

gilt glass gwydr goreurog *eg*

gimlet gimbil *eb* gimbilion

gimlet point pwynt gimbil *eg* pwyntiau gimbil

gimp pin pìn gimp *eg* pinnau gimp

ginger biscuit bisged sinsir *eb* bisgedi sinsir

gingham gingham *eg*

ginnery melin gotwm *eb* melinau cotwm

girder hytrawst *eg* hytrawstiau

girdle gwregys *eg* gwregysau

girdle scar craith gylchog *eb* creithiau cylchog

given instant ennyd benodol *eb* enydau penodol

gizzard glasog *eb* glasogau

glabrous llyfn *ans*

glacé cherry ceiriosen glacé *eb* ceirios glacé

glacial rhewlifol *ans*

glacial chronology cronoleg rhewlifol *eb*

glacial drift drifft rhewlifol *eg*

glacial erosion erydiad rhewlifol *eg*

glacial lake rhewlyn *eg* rhewlynnoedd

glacial maximum uchafbwynt rhewlifol *eg* uchafbwyntiau rhewlifol

glaciate rhewlifo *be*

glaciation rhewlifiant *eg* rhewlifiannau

glacier milk llaeth rhewlif *eg*

glacier snout blaen rhewlif *eg* blaenau rhewlif

glacier sole gwadn rhewlif *eg* gwadnau rhewlif

glaciologist rhewlifwr *eg* rhewlifwyr

glaciology rhewlifeg *eb*

gladiator gladiator *eg* gladiatoriaid

glair *n* glaer *eg*

glair *v* glaeru *be*

glance (in batting) *v* gwyro *be*

glance (=ricochet) *n* adlam *eg* adlamau

gland chwarren *eb* chwarennau

glandular chwarennol *ans*

glare llacharedd *eg*

glass (=mirror) drych *eg* drychau

glass (of material or object) gwydr *eg* gwydrau

glass blowing gwydr-chwythu *be*

glass chime clychsain gwydr *eb* clychseiniau gwydr

glass mat mat gwydr *eg* matiau gwydr

glass mosaic mosaig gwydr *eg*

glass panel panel gwydr *eg* paneli gwydr

glass slab slab gwydr *eg* slabiau gwydr

glass wool gwlân gwydr *eg*

glass-reinforced fibre ffibr wedi'i atgyfnerthu â gwydr *eg*

glasscloth brethyn llyfnu *eg*

glasshouse tŷ gwydr *eg* tai gwydr

glassware llestri gwydr *ell*

glassy gwydrog *ans*

---

glaucous llwydwyrdd *ans*

glaze (=glassy covering) *n* gwydredd *eg* gwydreddau

glaze (=shine) *n* sglein *eg* sgleiniau

glaze (=shine) *v* sgleinio *be*

glaze (with glassy covering) *v* gwydro *be*

glaze firing tanio gwydrog *be*

glaze stain staen gwydredd *eg* staeniau gwydredd

glazed (=shiny) sglein *ans*

glazed (with glassy covering) gwydrog *ans*

glazed cotton cotwm sglein *eg*

glazed crockery llestri wedi'u gwydro *ell*

glazed door drws gwydrog *eg* drysau gwydrog

glazed paper papur sglein *eg*

glazed surface arwyneb gwydrog *eg* arwynebau gwydrog

glazing bar bar gwydro *eg* barrau gwydro

glebeland clastir *eg* clastiroedd

glee club clwb glee *eg* clybiau glee

glenoid cavity crau glenoid *eg* creuau glenoid

gley glei *eg*

gleying gleio *be*

glide *n* llithriad *eg* llithriadau

glide *v* llithro *be*

glide (sliding door) *n* llithrydd *eg* llithryddion

glider gleider *eg* gleiderau

gliding joint cymal llithro *eg* cymalau llithro

glint-line lake llyn glintlin *eg* llynnoedd glintlin

glissade glissade *eg*

Glisson's capsule cwpan Glisson *eg*

global (in computing) eang *ans*

global (=world wide) byd-eang *ans*

global distribution of population dosbarthiad byd-eang poblogaeth *eg*

global energy egni'r byd *eg*

global environment amgylchedd byd-eang *eg*

global pattern patrwm byd-eang *eg* patrymau byd-eang

global trial function ffwythiant prawf globaidd *eg*

global variable newidyn eang *eg* newidynnau eang

global warming cynhesu byd-eang *be*

globe glôb *eg* globau

globe artichoke artisiog glôb *eg* artisiogau glôb

globular crwn *ans*

globular clusters clystyrau crwn *ell*

globule globwl *eg* globylau

globulin globwlin *eg*

glockenspiel glockenspiel *eg* glockenspiele

glomerular filtrate hidlif glomerwlaidd *eg*

glomerulus glomerwlws *eg* glomerwlysau

Glorious Revolution Chwyldro Gogoneddus *eg*

gloss sglein *eg*

gloss paint paent sglein *eg*

glossopharyngeal glosoffaryngeal *ans*

glossy sgleiniog *ans*

glossy cane gwialen loyw *eb* gwiail gloyw

glossy finish gorffeniad sgleiniog *eg* gorffeniadau sgleiniog

glossy paper papur sglein *eg* papurau sglein

glossy surface arwyneb sglein *eg* arwynebau sglein

glottis glotis *eg* glotisau

gloup mordwll *eg* mordyllau

glove maneg *eb* menig

glove-puppet pyped maneg *eg* pypedau maneg

glove-puppet movement symudiad pyped maneg *eg* symudiadau pyped maneg

glow *n* tywyn *eg* tywynnau

glow *v* tywynnu *be*

glowing splint (in chemistry) prennyn yn mudlosgi *eg* prenynnau yn mudlosgi

glucagon glwcagon *eg*

glucose glwcos *eg*

glucose oxidase glwcos ocsidas *eg*

glucose tolerance test prawf goddefiad glwcos *eg* profion goddefiad glwcos

glucosuria glwcoswria *eg*

glue *n* glud *eg* gludion

glue *v* gludio *be*

glue block bloc glud *eg* blociau glud

glue brush brwsh glud *eg* brwshys glud

glue ear gormod o gwyr yn y glust

glue kettle tegell glud *eg* tegellau glud

glue pot pot glud *eg* potiau glud

glue size seis glud *eg*

glue sniffing arogli glud *be*

glued blocks blociau wedi'u gludio *ell*

glued-on panel panel wedi'i ludio *eg* paneli wedi'u gludio

gluing surface arwyneb gludio *eg* arwynebau gludio

glutamic acid asid glwtamig *eg*

glycerine glyserin *eg*

glycerol glyserol *eg*

glycine glycin *eg*

glycogen glycogen *eg*

glycolysis glycolysis *eg*

glycoprotein glycoprotein *eg*

glycoside glycosid *eg*

glyptic art celfyddyd glyptig *eb*

gnomonic projection tafluniad nomonig *eg* tafluniadau nomonig

go about (in sport) ogamu *be*

goal (=aim) cyrchnod *eg* cyrchnodau

goal (in sport) gôl *eb* goliau

goal area cwrt y gôl *eg* cyrtiau'r goliau

goal board bwrdd gôl *eg* byrddau gôl

goal kick cic gôl *eb* ciciau gôl

goal line llinell gôl *eb* llinellau gôl

goal net rhwyd gôl *eb* rhwydi gôl

goal post postyn gôl *eg* pyst gôl

goal setting (in policy making) gosod nod *be*

goal shooter saethwr *eg* saethwyr

goalkeeper gôl-geidwad *eg* gôl-geidwaid

goalpost postyn *eg* pyst

goat-hair brush brwsh blew gafr *eg* brwshys blew gafr

gobelin stitch pwyth gobelin *eg* pwythau gobelin

goblet gobled *eg* gobledi

---

eg/b enw gwrywaidd/benywaidd, *feminine/masculine noun*   *ell* enw lluosog, *plural noun*   *v* berf, *verb*   *n* enw, *noun*

goblet cell cell gobled *eb* celloedd gobled

God Duw *eg*

god duw *eg* duwiau

godet godet *eg* godets

goffering goffro *be*

goggles gwydrau *ell*

going (stairs) gofod llorwedd *eg*

goitre gwen, y wen *eb*

gold (Au) aur *eg*

gold cushion clustog aur *eb* clustogau aur

gold leaf deilen aur *eb* dail aur

gold leaf electroscope electrosgop deilen aur *eg* electrosgopau deilen aur

gold medal medal aur *eb* medalau aur

gold size seis aur *eg*

Gold Standard Safon Aur *eb*

gold thread edau aur *eb* edafedd aur

gold tooling foil ffoil offeru aur *eg*

gold tooling leaf deilen offeru aur *eb* dail offeru aur

Golden Age Oes Aur *eb*

golden bread crumbs briwsion cras *ell*

Golden Bull Bwla Aur *eg*

Golden Fleece Cnu Aur *eg*

Golden Horde Llu Euraidd *eg*

Golden Mean Cymedr Euraid *eg*

golden rectangle petryal euraid *eg* petryalau euraid

golden section adran euraid *eb* adrannau euraid

Golden Temple Teml Aur *eb*

goldsmith gof aur *eg* gofaint aur

golf links maes golff *eg* meysydd golff

Golgi apparatur organigyn Golgi *eg*

gomarist *adj* gomaraidd *ans*

gomarist *n* gomarwr *eg* gomarwyr

gonad gonad *eg* gonadau

gonadotrophic gonadotroffig *ans*

gonorrhoea gonorrhoea *eg*

good balance cydbwysedd da *eg*

good ball pêl dda *eb*

Good Friday Dydd Gwener y Groglith *eg*

good length hyd da *eg*

good length ball bowliad hyd da *eg*

good loser collwr da *eg* collwyr da

Good Parliament Senedd Dda *eb*

good posture ymddaliad da *eg*

good practice ymarfer da *eg*

good proportion cyfrannedd da *eg*

good quality wood pren o ansawdd da *eg*

good sporting behaviour ymddygiad da wrth chwarae *eg*

good technique techneg dda *eb* technegau da

good timing amseru da *be*

good works gweithredoedd da *ell*

goods nwyddau *ell*

goods and chattels nwyddau a meddiannau *ell*

googly gwgli *eg* gwglis

goose pimples croen gŵydd *eg*

gooseberries eirin mair *ell*

gooseneck *n* mynwydd *eg*

gooseneck *v* mynwyddu *be*

gore gôr *eb*

gored skirt sgert gôr *eb* sgertiau gôr

gorge ceunant *eg* ceunentydd

gospel efengyl *eb* efengylau

Gothic Gothig *ans*

Gothic architecture pensaernïaeth Gothig *eb*

Gothic art celfyddyd Gothig *eb*

Gothic sculpture cerflunwaith Gothig *eg*

gouache gouache *eg*

gouge *n* gaing gau *eb* geingiau cau *eb*

gouge *v* cafnu *be*

gouge cut toriad gaing gau *eg* toriadau gaing gau

gouged out lake llyn cafnog *eg* llynnoedd cafnog

govern llywodraethu *be*

governance trefn lywodraethol *eb*

governing body corff llywodraethol *eg* cyrff llywodraethol

government llywodraeth *eb* llywodraethau

government by decree llywodraeth drwy ordinhad *eb*

government training centre canolfan hyfforddi'r llywodraeth *eb* canolfannau hyfforddi'r llywodraeth

governor llywodraethwr *eg* llywodraethwyr

governorship swydd llywodraethwr *eb* swyddi llywodraethwyr

Graafian follicle ffoligl Graaf *eg* ffoliglau Graaf

graben (=rift valley) dyffryn hollt *eg* dyffrynnoedd hollt

grace gras *eg*

grace note addurnod *eg* addurnodau

Grace of Alais Pardwn Alais *eg*

graceful degradation diraddiad gosgeiddig *eg*

gracious aid cymhorthdreth wirfoddol *eb*

gradation graddiad *eg* graddiadau

gradation of accents graddiad acenion *eg* graddiadau acenion

gradation of contraction graddio cyfangiad *be*

gradation of dissonance graddoliad anghyseinedd *eg*

gradation of volume graddiad sain *eg* graddiadau sain

grade *n* gradd *eb* graddau

grade (=arrange in grades, sort) *v* graddio *be*

grade (=pass gradually between grades, blend) *v* graddoli *be*

grade description disgrifiad graddau *eg* disgrifiadau graddau

grade of pencil gradd o bensil *eb* graddau o bensiliau

grade review adolygu graddau *be*

grade-related criterion maen prawf gradd gyfeiriol *eg* meini prawf gradd gyfeiriol

graded graddedig *ans*

graded profile proffil graddedig *eg* proffiliau graddedig

graded test prawf graddedig *eg* profion graddedig

graded word reading test prawf graddedig darllen geiriau *eg* profion graddedig darllen geiriau

gradient graddiant *eg* graddiannau

gradients of graphs graddiannau graffiau *ell*

grading test prawf graddio *eg* profion graddio

gradual *adj* graddol *ans*

gradual (in church service) *n* graddolen *eg* graddolennau

---

graduate *n* person graddedig *eg* graddedigion

graduate *v* graddio *be*

graduate teacher (female) athrawes raddedig *eg* athrawesau graddedig

graduate teacher (male) athro graddedig *eg* athrawon graddedig

graduated (in general) graddedig *ans*

graduated (of thermometer) graddnodedig *ans*

graduated flask fflasg raddedig *eb* fflasgiau graddedig

graduated pension pensiwn graddedig *eg* pensiynau graddedig

graduation (of thermometer) graddnod *eg* graddnodau

graduation ceremony seremoni graddio *eb* seremonïau graddio

Graeco-Roman Groeg-Rufeinig *ans*

graffito graffito *eg*

graft *n* impiad *eg* impiadau

graft *v* impio *be*

graft hybrid croesryw impiedig *eg* croesrywiau impiedig

grafted shoot cyffyn impiedig *eg* cyffynnau impiedig

grain (food crop) grawn *eg*

grain (in rock,wood, cloth) graen *eg*

grain (=particle) gronyn *eg* gronynnau

grain direction cyfeiriad y graen *eg*

grain markings marciau graen *ell*

graining graenio *be*

graining comb crib graenio *eb* cribau graenio

grainy surface arwyneb graenog *eg* arwynebau graenog

gram gram *eg* gramau

grammar school ysgol ramadeg *eb* ysgolion gramadeg

gramophone gramoffon *eg* gramoffonau

granary granar *eg* graneri

granary bread bara brown garw *eg*

granary flour blawd brown garw *eg*

Grand Alliance Cynghrair Fawr *eb*

grand barré (of the guitar) grand barré *eg*

grand canonical ensemble ensemble canonaidd mawreddog *eg* ensembles canonaidd mawreddog

grand duke archddug *eg* archddugiaid

grand inquisitor uchel chwilyswr *eg* uchel chwilyswyr

grand larceny lladrad mawr *eg* lladradau mawr

grand master uchel feistr *eg* uchel feistri

Grand National Consolidated Union Undeb Llafur Unedig Cenedlaethol *eg*

grand opera opera fawreddog *eb* operâu mawreddog

Grand Pensionary (Netherlands) Prif Swyddwr *eg* Prif Swyddwyr

grand period of growth prif gyfnod tyfiant *eg*

grand piano piano traws *eg* pianos traws

grand prince uchel dywysog *eg* uchel dywysogion

Grand Remonstrance Gwrthdystiad Mawr *eg*

granddaughter wyres *eb* wyresau

Grandees Mawrion, y *ell*

grandfather tad-cu *eg* tadau cu; taid *eg* teidiau

grandfather tape nain-dâp *eg* nain-dapiau

grandfather-father-son principle egwyddor-nain-mam-merch *eb*

grandmother mam-gu *eb* mamau cu; nain *eb* neiniau

grandson ŵyr *eg* wyrion

grange maenor *eb* maenorau

granite gwenithfaen *eg*

grant grant *eg/b* grantiau

grant maintained school ysgol a gynhelir â grant *eb* ysgolion a gynhelir â grant

grant sanctuary rhoi noddfa *be*

granular gronynnog *ans*

granulated gronynnog *ans*

granulation gronyniad *eg*

granulation tissue meinwe ronynnog *eb* meinweoedd gronynnog

granule gronigyn *eg* gronigion

granulocyte granwlocyt *eg* granwlocytau

grapefruit grawnffrwyth *eg* grawnffrwythau

graph graff *eg* graffiau

graph paper papur graff *eg* papurau graff

graph plotter plotydd graff *eg* plotyddion graff

graphic graffig *ans*

graphic art celfyddyd graffig *eb* celfyddydau graffig

graphic notation nodiant graffig *eg*

graphic score sgôr graffig *eb* sgorau graffig

graphical graffigol *ans*

graphical differentiation differiad graffigol *eg* differiadau graffigol

graphical display unit (GDU) uned arddangos graffigol *eb* unedau arddangos graffigol

graphical integration integriad graffigol *eg* integriadau graffigol

graphical technique techneg graffig *eb* technegau graffig

graphics (=graphical work) graffigwaith *eg*

graphics (in general) graffeg *eb*

graphics pad pad graffeg *eg* padiau graffeg

graphics tablet llechen graffeg *eb* llechi graffeg

graphics terminal terfynell graffeg *eb* terfynellau graffeg

graphite graffit *eg* graffitiau

graptolite graptolit *eg* graptolitau

grasp *n* gafael *eg/b*

grasp *v* gafael *be*

grass gwair *eg* gweiriau

grass green (enamelling colour) gwyrdd porfa *eg*

grassland glaswelltir *eg* glaswelltiroedd

grated crayon creon mâl *eg* creonau mâl

graticule rhwyll map *eb* rhwyllau map

graticule intersection llinellau rhwyllog yn croesi *ell*

grating gratin *eg* gratinau

grave bedd *eg* beddau

grave goods nwyddau claddu *ell*

gravel *n* graean *eg*

gravel *v* graeanu *be*

gravelly graeanog *ans*

graver crafell *eb* crafellau

graveyard mynwent *eb* mynwentydd

gravitation disgyrchiant *eg*

gravitational field maes disgyrchiant *eg*

---

eg/b enw gwrywaidd/benywaidd, *feminine/masculine noun*   **ell** enw lluosog, *plural noun*   **v** berf, *verb*   **n** enw, *noun*

gravitational force grym disgyrchiant *eg* grymoedd disgyrchiant

gravitational slumping cylchlithriad disgyrchol *eg* cylchlithriadau disgyrchol

gravitational unit uned disgyrchiant *eb* unedau disgyrchiant

gravity disgyrchiant *eg* disgyrchiannau

gravity flow llif disgyrchiant *eg*

gravity moulding moldio disgyrchol *be*

gravity pull tynfa disgyrchiant *eg*

gravity slope llethr disgyrchiant *eg* llethrau disgyrchiant

graze (=feed on grass) *v* pori *be*

graze (of wound) *n* clwyf crafiad *eg* clwyfau crafiad

graze (=scrape) *n* crafiad *eg* crafiadau

graze (=scrape) *v* crafu *be*

grazier porfäwr *eg* porfawyr

grazing incidence (in physics) prin drawiad *eg* prin drawiadau

grazing land tir pori *eg* tiroedd pori

grease *n* saim *eg* seimiau

grease *v* iro *be*

grease box blwch saim *eg* blychau saim

grease gun gwn saim *eg* gynnau saim

grease solvent hydoddydd saim *eg* hydoddyddion saim

greasy seimlyd *ans*

Great Circle Cylch Mawr *eg* Cylchoedd Mawr

Great Circle Route Llwybr Cylch Mawr *eg*

Great Contract Cytundeb Mawr *eg*

Great Council Cyngor Mawr *eg*

Great Depression Dirwasgiad Mawr *eg*

Great Elector Etholydd Mawr *eg*

Great Exhibition Arddangosfa Fawr *eb*

Great Fire of London Tân Mawr Llundain *eg*

Great Leap Forward (in China) Naid Fawr Ymlaen (Tsieina) *eb*

Great Northern War Rhyfel Mawr y Gogledd *eg*

great organ prif organ *eb* prif organau

Great Plague Pla Mawr *eg*

Great Powers Pwerau Mawrion *ell*

Great Purges Carthu Mawr *be*

Great Schism Sgism Mawr *eg*

Great Seal Sêl Fawr *eb*

Great Sessions Sesiwn Fawr *eb*

Great Society Cymdeithas Fawrfrydig *eb*

Great Trek Mudo Mawr *eg*

great-grandchild gorwyr *eg* gorwyrion

greatest common divisor (=highest common factor) rhannydd cyffredin mwyaf (=ffactor cyffredin mwyaf) *eg*

greave coesarf *eg* coesarfau

Grecian harp telyn Roegaidd *eb* telynau Groegaidd

Greek *adj* Groeg *ans*

Greek art celfyddyd Groeg *eb*

Greek cadence diweddeb amen *eb* diweddebau amen

Greek Orthodox Church Eglwys Uniongred Roegaidd *eb*

green belt llain las *eb* lleiniau glas

green field site safle maes glas *eg* safleoedd maes glas

green sand tywod llaith *eg*

green sand mould mowld tywod llaith *eg* mowldiau tywod llaith

green sand moulding mowldio tywod llaith *be*

green sward glastir *eg* glastiroedd

green timber (unseasoned) pren heb ei sychu *eg*

green ware crochenwaith heb ei danio *eg*

greengrocer (person) gwerthwr llysiau *eg* gwerthwyr llysiau

greengrocer (shop) siop lysiau *eb* siopau llysiau

greens (=environmentalists) gwyrddion *ell*

greensand tywodfaen gwyrdd *eg* tywodfeini gwyrdd

Greenwich Mean Time Amser Safonol Greenwich *eg*

greeting card cerdyn cyfarch *eg* cardiau cyfarch

gregarious (of animals) heidiol *ans*

gregarious (of people) cymdeithasgar *ans*

gregariousness (of animals) heidioledd *eg*

gregariousness (of people) cymdeithasgarwch *eg*

Gregorian Gregoraidd *ans*

Gregorian Calendar Calendr Gregori *eg*

Gregory Gregori *eg*

grenade grenâd *eg* grenadau

grey (=darken) *v* tywyllu *be*

grey (enamelling colour) *n* llwyd *eg*

grey area ardal lwyd *eb* ardaloedd llwyd

grey board bwrdd llwyd *eg* byrddau llwyd

grey cardboard cardbord llwyd *eg*

grey cast iron haearn bwrw llwyd *eg*

grey dune twyn llwyd *eg* twyni llwyd

grey friar brawd llwyd *eg* brodyr llwydion

grey iron haearn llwyd *eg*

grey matter (brain) breithell *eb*

grey modelling clay clai modelu llwyd *eg*

grey powdered clay clai powdr llwyd *eg*

grid grid *eg* gridiau

grid bias bias grid *eg*

grid north gogledd grid *eg*

grid reference cyfeirnod grid *eg* cyfeirnodau grid

grid resistor gwrthydd grid *eg* gwrthyddion grid

grid system system grid *eb* systemau grid

grid work gwaith grid *eg*

gridiron sgwarog *ans*

gridlock clo grid *eg* cloeon grid

grief galar *eg*

grief reaction adwaith galar *eg* adweithiau galar

grievance cwyn *eg* cwynion

grieving process proses o alaru *eb*

grike greic *eg* greiciau

grill gridyll *eg/b* gridyllau

grille (of car) gril *eg* griliau

grille (ventilation) dellt awyru *eb* delltiau awyru

grilled chop golwyth o'r gridyll *eg* golwython o'r gridyll

grimace *n* ystum *eg/b* ystumiau

grimace *v* tynnu wyneb *be*

grind (=crush) malu *be*

grind (=reduce, sharpen or smooth) llifanu *be*

---

adf, adv adferf, *adverb*   ***ans, adj*** ansoddair, *adjective*   ***be*** berf, *verb*   ***eb*** enw benywaidd, *feminine noun*   ***eg*** enw gwrywaidd, *masculine noun*

grind in a mortar malu mewn morter *be*

grinder llifanydd *eg* llifanwyr

grinding angle ongl lifanu *eb* onglau llifanu

grinding bevel befel llifanu *eg* befelau llifanu

grinding machine peiriant llifanu *eg* peiriannau llifanu

grinding paste past llifanu *eg*

grinding wheel olwyn lifanu *eb* olwynion llifanu

grindstone maen llifanu *eg* meini llifanu

grindstone truer cywirwr maen llifanu *eg* cywirwyr maen llifanu

grip *n* gafael *eg/b* gafaelion

grip *v* gafael *be*

grit grut *eg* grutiau

gritaceous grutiog *ans*

gritstone carreg grut *eb* cerrig grut

gritty grutiog *ans*

groan *n* ochenaid *eb* ocheneidiau

groan *v* griddfan *be*

grocer groser *eg* groseriaid

grog grog *eg*

grommet gromed *eg* gromedau

groove rhigol *eb* rhigolau

groove punch pwnsh sêm *eg* pynsiau semau

groove punch seaming tool erfyn semio rhigol *eg* arfau semio rhigolau

grooved rhigolog *ans*

grooved frame ffrâm rigolog *eb* fframiau rhigolog

grooved nut nyten rigolog *eb* nytiau rhigolog

grooved panel panel rhigolog *eg* paneli rhigolog

grooved seam sêm rigolog *eb* semau rhigolog

grooved stile cledren rigolog *eb* cledrau rhigolog

groover rhigolydd *eg* rhigolyddion

grooving rhigoli *be*

grooving plane plaen rhigoli *eg* plaeniau rhigoli

grosgrain (of silk) sidan rib *eg* sidanau rib

gross (=144) deuddeg dwsin *eg*

gross (of income etc) crynswth *eg*

gross capital cyfalaf crynswth *eg*

Gross Domestic Product Cynnyrch Mewnwladol Crynswth *eg*

gross income incwm crynswth *eg*

gross loss colled grynswth *eb* colledion crynswth

gross manipulative skills sgiliau llawdrin bras *ell*

gross motor skills sgiliau echddygol bras *ell*

Gross National Product Cynnyrch Gwladol Crynswth *eg*

gross pay cyflog crynswth *eg*

gross product lluoswm crynswth *eg*

gross profit elw crynswth *eg*

grotesque grotesg *ans*

grotto groto *eg* grotos

ground grwnd *eg*

ground almonds almonau mâl *ell*

ground bass grwndfas *eg*

ground coat araen grwnd *eb* araenau grwnd

ground coffee coffi mâl *eg*

ground floor llawr gwaelod *eg* lloriau gwaelod

ground moraine marian llusg *eg* mariannau llusg

ground photograph ffotograff lefel y tir *eg* ffotograffau lefel y tir

ground plan cynllun llawr *eg* cynlluniau llawr

ground plate grwndblat *eg* grwndblatiau

ground state cyflwr isaf *eg* cyflyrau isaf

ground swell ymchwydd y don *eg*

ground the ball llorio'r bêl *be*

ground water (=phreatic water) dŵr daear *eg* dyfroedd daear

ground-rent rhent safle *eg* rhenti safle

groundsman tirmon *eg* tirmoniaid

groundsmanship tirmonaeth *eb*

group (=huddle) twr *eg* tyrrau

group (in formal context) grŵp *eg* grwpiau

group (in informal context) cylch *eg* cylchoedd

group activity gweithgaredd grŵp *eg* gweithgareddau grŵp

group dynamics dynameg grŵp *eb*

group family teulu grŵp *eg* teuluoedd grŵp

group leader arweinydd grŵp *eg* arweinwyr grŵp

group materials grwpio defnyddiau *be*

group of objects grŵp o wrthrychau *eg*

group piece darn grŵp *eg* darnau grŵp

group test prawf grŵp *eg* profion grŵp

group test of mental ability prawf grŵp o allu ymenyddol *eg* profion grŵp o allu ymenyddol

group therapy therapi grŵp *eg*

grouping of notes cyfosod nodau *eg*

grouping of rests cyfosod tawnodau *be*

grout *n* growt *eg* growtiau

grout *v* growtio *be*

grove llwyn *eb* llwyni

grow tyfu *be*

growing point tyfbwynt *eg* tyfbwyntiau

growing season tymor tyfu *eg* tymhorau tyfu

growth (act or process of) twf *eg*

growth (something grown / growing) tyfiant *eg*

growth cycle cylchred dyfiant *eb* cylchredau tyfiant

growth formation ffurf tyfiant *eb* ffurfiau tyfiant

growth hormone hormon twf *eg* hormonau twf

growth industry diwydiant twf *eg* diwydiannau twf

growth medium cyfrwng cynnal twf *eg* cyfryngau cynnal twf

growth rate cyfradd twf *eb* cyfraddau twf

growth response twf-ymateb *eg*

growth ring cylch tyfiant *eg* cylchoedd tyfiant

groyne argor *eg* argorau

grub bolt bollt ddigopa *eb* bolltau digopa

grub-screw sgriw ddigopa *eb* sgriwiau digopa

grubber kick cic bwt *eb* ciciau pwt

guano giwana *eg*

guarantee *n* gwarant *eb* gwarantau

guarantee *v* gwarantu *be*

guaranteed goods nwyddau gwarantiedig *ell*

guarantor gwarantwr *eg* gwarantwyr

---

eg/b enw gwrywaidd/benywaidd, *feminine/masculine noun* **ell** enw lluosog, *plural noun* **v** berf, *verb* **n** enw, *noun*

guard *v* gwarchod *be*

guard (=body of troops) *n* gwarchodlu *eg* gwarchodluoedd

guard (of person or device) *n* gard *eg* gardiau

guard cell cell warchod *eb* celloedd gwarchod

guard plate plât gwarchod *eg* platiau gwarchod

guard position safiad gwarchod *eg* safiadau gwarchod

guard rail rheilen warchod *eb* rheiliau gwarchod

guardian gwarcheidwad *eg* gwarcheidwaid

guardian angel angel gwarcheidiol *eg* angylion gwarcheidiol

guardianship gwarcheidwaeth *eb*

guerrilla milwr gerila *eg* milwyr gerila

guerrilla warfare rhyfel gerila *eg* rhyfeloedd gerila

guest gwestai *eg* gwesteion

guest house gwesty *eg* gwestai

guest speaker siaradwr gwadd *eg* siaradwyr gwadd

guidance (=advice) arweiniad *eg*

guidance (=instruction) cyfarwyddyd *eg* cyfarwyddiadau

guide *v* tywys *be*

guide (=guideline) *n* canllaw *eg/b* canllawiau

guide (of instrument) *n* cyfeirydd *eg* cyfeiryddion

guide (of person) *n* tywysydd *eg* tywyswyr

guide book arweinlyfr *eg* arweinlyfrau

guide line (of diagram) tywyslinell *eb* tywyslinellau

guide pin pìn arwain *eg* pinnau arwain

guide plate plât tywys *eg* platiau tywys

guide screw sgriw gyfeirio *eb* sgriwiau cyfeirio

guideline canllaw *eg/b* canllawiau

guidelines of good practice canllawiau ymarfer da *ell*

guild gild *eg* gildiau

Guild for the Promotion of Welsh Music Urdd er Hyrwyddo Cerddoriaeth yng Nghymru *eb*

guildhall neuadd y dref *eb*

guillotine gilotin *eg* gilotinau

guillotine shears gwellaif gilotin *eg* gwelleifiau gilotin

guilt euogrwydd *eg*

Guinevere Gwenhwyfar *eb*

guitar gitâr *eg* gitarau

guitarist gitarydd *eg* gitarwyr

gulch ceunant *eg* ceunentydd

gulf gwlff *eg* gylffiau

Gulf Stream Llif y Gwlff *eg*

gullet llwnc *eg* llynciau

gullet (of saw) gwddf *eg* gyddfau

gullied gylïog *ans*

gully gylï *eg* gylïau

gum *v* gymio *be*

gum (=glue) *n* gwm *eg* gymiau

gum (holding teeth) *n* deintgig *eg*

gum arabic gwm arabig *eg*

gum eraser dilëwr gwm *eg* dilewyr gwm

gum paper papur gwm *eg* papurau gwm

gum shield tarian geg *eb* tariannau ceg

gummed gymedig *ans*

gummed binding rhwymyn gwm *eg* rhwymynnau gwm

gummed tape tâp glud *eg*

gun gwn *eg* gynnau

gunmetal gwnfetel *eg*

gunpowder powdr gwn *eg*

Gunpowder Plot Cynllwyn y Powdwr Gwn *eg*

gunshot wound clwyf ergyd gwn *eg* clwyfau ergyd gwn

gunwale gynwal *eg* gynwalau

guru guru *eg* gurus

Guru Granth Sahib Guru Granth Sahib *eg*

gush out ffrydio *be*

gusset cwysed *eb* cwysedi

gust hwrdd *eg* hyrddiau

gustation blasu *be*

gustatory hair blewyn blasu *eg* blew blasu

gut coludd *eg* coluddion

gut fret cribell goludd *eb* cribellau coludd

gut string tant coludd *eg* tannau coludd

guttation ymddafniad *eg*

gutter (in street) cwter *eb* cwteri

gutter (on roof) cafn *eg* cafnau

Guy Fawkes Guto Ffowc *eg*

guyot mynydd guyot *eg* mynyddoedd guyot

gybe *n* starn ogam *eb* starnau ogam

gybe *v* starn ogamu *be*

gymnasium campfa *eb* campfeydd

gymnast gymnastwr *eg* gymnastwyr

gymnastic actions gweithrediadau gymnastig *ell*

gymnastic activity gweithgaredd gymnasteg *eg* gweithgareddau gymnasteg

gymnastics gymnasteg *eb*

gymnospore gymnosbor *eg* gymnosborau

gynaecium gynaeciwm *eg*

gynaecologist gynaecolegydd *eg* gynaecolegwyr

gynaecology gynaecoleg *eb*

gypsum gypswm *eg*

gypsum plaster plastr gypswm *eg*

gypsy sipsi *eg* sipsiwn

gyration chwyrliant *eg* chwyrliannau

gyre cylchgerrynt *eg* cylchgeryntau

gyro compass cwmpawd gyro *eg* cwmpawdau gyro

gyroscope gyrosgop *eg* gyrosgopau

H-shaped stretcher estynnwr ffurf H *eg* estynwyr ffurf H

haberdashery manion gwnïo *ell*

habit (=custom) arfer *eg/b* arferion

habit (=dress) abid *eg/b* abidau

habitat cynefin *eg* cynefinoedd

habitation annedd *eg/b* anheddau

habitual abortion erthylu cyson *be*

hack hacio *be*

hacksaw haclif *eb* haclifiau

hacksaw blade llafn haclif *eg* llafnau haclif

hacksaw frame ffrâm haclif *eb* fframiau haclif

haematite haematit *eg*

haematite iron haearn haematit *eg*

haematitic haematitig *ans*

haematologist haematolegydd *eg* haematolegwyr

haematology haematoleg *eb*

haematuria haematwria *eg*

haemocoel ceudod gwaed *eg*

haemocyanin haemocyanin *eg*

haemoglobin haemoglobin *eg*

haemolysis haemolysis *eg*

haemophilia haemoffilia *eg*

haemoptysis gwaedboer *eg*

haemorrhage gwaedlif *eg*

haff morlyn *eg* morlynnoedd

hafnium (Hf) haffniwm *eg*

hagiography buchedd sant *eg* bucheddau saint

hair (on body) blewyn *eg* blew

hair (on head) gwallt *ell*

hair canvas cynfas rhawn *eg* cynfasau rhawn

hair follicle ffoligl blewyn *eg* ffoliglau blew

hair shirt rhawnbais *eb* rhawnbeisiau

halberd gwayw fwyell *eb* gwayw fwyeill

half hanner *eg* haneri

half arch hanner bwa *eg* hanner bwâu

half cell hanner cell *eg* hanner celloedd

half centre hanner canol *eg* hanner canolau

half close diweddeb amherffaith *eb* diweddebau amherffaith

half court line llinell hanner cwrt *eb* llinellau hanner cwrt

half knees bend gliniau'n blyg i'r hanner *ell*

half moon hanner lleuad *eb*

half moon chisel gaing hanner crwn *eb* geingiau hanner crwn

half moon stake bonyn hanner crwn *eg* bonion hanner crwn

half rotary-cut veneer argaen toriad hanner cylchdro *eg* argaenau toriad hanner cylchdro

half round hanner crwn *eg*

half round chisel cŷn hanner crwn *eg* cynion hanner crwn; gaing hanner crwn *eb* geingiau hanner crwn

half round file ffeil hanner crwn *eb* ffeiliau hanner crwn

half round moulding mowldin hanner crwn *eg* mowldinau hanner crwn

half round rasp rhathell hanner crwn *eb* rhathellau hanner crwn

half round scraper sgrafell hanner crwn *eb* sgrafelli hanner crwn

half section hanner trychiad *eg* hanner trychiadau

half size hanner maint llawn *eg*

half time hanner amser *eg*

half turn hanner tro *eg* hanner troeon

half value period cyfnod hanner actifedd *eg*

half-adder hanner adydd *eg* hanner adyddion

half-back (female) hanerwraig *eb* hanerwragedd

half-back (male) hanerwr *eg* hanerwyr

half-bound hanner rhwym *ans*

half-day hanner diwrnod *eg*

half-drop pattern patrwm hanner disgyn *eg* patrymau hanner disgyn

half-duplex hanner dwplecs *eg* hanner dwplecsau

half-kneeling penlinio un glin *be*

half-lap joint goruniad hanerog *eg* goruniadau hanerog

half-length hanner hyd *eg*

half-length portrait portread hanner hyd *eg* portreadau hanner hyd

half-life hanner oes *eg*

half-mask hanner masg *eg* hanner masgiau

half-recessed join uniad hanner cilannog *eg* uniadau hanner cilannog

half-rip saw hanner rhwyglif *eg* hanner rhwyglifau

half-sectional hanner trychiadol *ans*

half-sectional elevation golwg hanner trychiadol *eg* golygon hanner trychiadol

half-sectional end elevation ochrolwg hanner trychiadol *eg* ochr olygon hanner trychiadol

half-sectional front elevation blaenolwg hanner trychiadol *eg* blaenolygon hanner trychiadol

half-sectional plan uwcholwg hanner trychiadol *eg* uwcholygon hanner trychiadol

half-sectional side elevation ochrolwg hanner trychiadol *eg* ochrolygon hanner trychiadol

half-sectional view golwg hanner trychiadol *eg* golygon hanner trychiadol

half-space key bysell hanner bwlch *eb* bysellau hanner bwlch

half-term hanner tymor *eg*

half-timber trawst bras wedi'i haneru *eg* trawstiau bras wedi'u haneru

eg/b enw gwrywaidd/benywaidd, *feminine/masculine noun*   *ell* enw lluosog, *plural noun*   *v* berf, *verb*   *n* enw, *noun*

half-tone hanner tôn *eb* hanner tonau

half-volley hanner foli *eg*

halfway line llinell hanner *eb* llinellau hanner

halide halid *eg* halidau

halitosis halitosis *eg*

hall mark nod gwarant *eg* nodau gwarant

hallmote halmwd *eg*

hallucinate gweld rhithiau *be*

hallucination rhithweledigaeth *eb* rhithweledigaethau

halo (of moon) lleugylch *eg* lleugylchoedd

halo (of saint) eurgylch *eg* eurgylchoedd

halogen halogen *eg* halogenau

halogenated halogenaidd *ans*

halogenation halogeniad *eg*

halophobe haloffob *eg* haloffobau

halophyte haloffyt *eg* haloffytau

halophytic haloffytig *ans*

halt *n* ataliad *eg* ataliadau

halt *v* atal *be*

halter neck gwddf tennyn *eg* gyddfau tennyn

halter top top tennyn *eg* topiau tennyn

halve haneru *be*

halving joint uniad haneru *eg* uniadau haneru

hamlet pentrefan *eg* pentrefannau

hammer *n* morthwyl *eg* morthwylion

hammer *v* morthwylio *be*

hammer beam trawst gordd *eg* trawstiau gordd

hammer beam roof to trawst gordd *eg* toeon trawst gordd

hammer chasing siasio morthwyl *be*

hammer drill dril morthwyl *eg* driliau morthwyl

hammer forging gofannu morthwyl *be*

hammer handle coes morthwyl *eb* coesau morthwylion

hammer hardening caledu morthwyl *be*

hammer mark marc morthwyl *eg* marciau morthwyl

hammer part rhan morthwyl *eb* rhannau morthwyl

hammer stone carreg forthwylio *eb* cerrig morthwylio

hammer-head tenon tyno pen morthwyl *eg* tynoau pen morthwyl

Hamming code cod Hamming *eg*

hand llaw *eb* dwylo

hand axe bwyell law *eb* bwyeill llaw

hand ball pêl law *eb* peli llaw

hand basin basn ymolchi *eb* basnau ymolchi

hand cards cardiau gwlân *ell*

hand drawn lettering llythrennu â llaw *be*

hand drill dril llaw *eg* driliau llaw

hand embroidery brodwaith llaw *eg*

hand file ffeil law *eb* ffeiliau llaw

hand flat file ffeil law fflat *eb* ffeiliau llaw fflat

hand hot (water) gwres llaw (am ddŵr) *ans*

hand jam clo llaw *eg* cloeon llaw

hand lens chwyddwydr *eg* chwyddwydrau

hand loom gwŷdd llaw *eg* gwyddion llaw

hand machine peiriant llaw *eg* peiriannau llaw

hand made o waith llaw *ans*

hand made buttonhole twll botwm llaw *eg* tyllau botymau llaw

hand off hwp llaw *eg*

hand organ organ law *eb* organau llaw

hand painting (of painted picture) paentiad llaw *eg* paentiadau llaw

hand painting (of process or art) peintio llaw *be*

hand puppet pyped llaw *eg* pypedau llaw

hand rail canllaw *eg/b* canllawiau

hand reamer agorell law *eb* agorellau llaw

hand saw llawlif *eb* llawlifiau

hand scraper sgrafell law *eb* sgrafelli llaw

hand screw sgriw law *eb* sgriwiau llaw

hand sketch braslun llaw *eg* brasluniau llaw

hand taper tapr llaw *eg* taprau llaw

hand tools offer llaw *ell*

hand vice feis law *eb* feisiau llaw

hand walking llaw gerdded *be*

hand washable golchadwy â llaw *ans*

hand work gwaith llaw *eg*

hand wrench tyndro llaw *eg* tyndroeon llaw

hand-breadth (=4 inches) dyrnfedd *eg* dyrnfeddi

hand-in (=server) serfiwr *eg* serfwyr

hand-operated gweithredu â llaw *ans*

hand-out dalen hysbysebu *eb* dalennau hysbysebu

handbag bag llaw *eg* bagiau llaw

handbill hysbyslen fach *eb* hysbyslenni bach

handbook llawlyfr *eg* llawlyfrau

handicap anfantais *eb* anfanteision

handicapped child plentyn dan anfantais *eg* plant dan anfantais

handicraft gwaith llaw *eg*

handkerchief hances *eg/b* hancesi

handle (data, goods, ball etc) *v* trafod *be*

handle (of bat, brush, hammer, saucepan etc) *n* coes *eb* coesau

handle (of jug, cup etc) *n* dolen *eb* dolennau

handle (of knife, screwdriver etc) *n* carn *eg* carnau

handle cane gwialen ddolen *eb* gwiail dolenni

handle head pen coes *eg* pennau coesau

handle the ball (when it's an offence) llawio'r bêl *be*

handling (=discussion) ymdriniaeth *eb* ymdriniaethau

handling (of ball in sport) llawio *be*

handling (=treatment) triniaeth *eb* triniaethau

handlist llawrestr *eb* llawrestri

handout taflen *eb* taflenni

hands! (in sport) llaw!

hands across (in dancing) seren *eb* sêr

hands four cylch pedwar *eg*

hands three cylch tri pedwar *eg*

hands-on ymarferol *ans*

handset set law *eb* setiau llaw

handsign (for pitch) arwydd llaw *eg* arwyddion llaw

handspring sbring llaw *eg* sbringiau llaw

handstand *n* llawsafiad *eg* llawsafiadau

handstand *v* llawsefyll *be*

---

handwriting llawysgrifen *eb*

hang (a person etc) crogi *be*

hang, draw and quarter crogi, diberfeddu a phedrannu

hanger (for hanging clothes) cambren *eb* cambrenni

hanger (of tapestry etc) hongiwr *eg* hongwyr

hanging *adj* crog *ans*

hanging *v* hongian *be*

hanging bowl powlen grog *eb* powlenni crog

hanging carcass sgerbwd crog *eg* sgerbydau crog

hanging end pen crog *eg* pennau crog

hanging garden gardd grog *eb* gerddi crog

hanging indent mewnoliad crog *eg* mewnoliadau crog

hanging loop dolen grog *eb* dolennau crog

hanging paragraph paragraff crog *eg* paragraffau crog

hanging stile cledren hongian *eb* cledrau hongian

hanging valley crognant *eb* crognentydd

hanging wall crogfur *eg* crogfuriau

hank twysgen *eg* twysgenni

Hanse cities dinasoedd Hansa *ell*

Hanseatic League Cynghrair Hansa *eb*

haploid haploid *ans*

Hapsburg *adj* Hapsbwrgaidd *ans*

Hapsburg *n* Hapsbwrg *eg* Hapsbwrgiaid

harbour harbwr *eg*

hard caled *ans*

hard copy copi caled *eg* copïau caled

hard cover clawr caled *eg* cloriau caled

hard disk disg caled *eg* disgiau caled

hard flooring llawr caled *eg* lloriau caled

hard return dychweliad caled *eg* dychweliadau caled

hard rock craig galed *eb* creigiau caled

hard sectored sectoriad caled *eg*

hard silver solder sodr arian caled *eg*

hard soap sebon caled *eg*

hard solder sodr caled *eg*

hard water dŵr caled *eg*

hard wired gwifredig *ans*

hardboard caledfwrdd *eg*

hardboard plane plaen caledfwrdd *eg* plaeniau caledfwrdd

hardcore craidd caled *eg*

harden caledu *be*

hardener caledwr *eg* caledwyr

hardening and tempering caledu a thymheru

hardening material defnydd caledu *eg* defnyddiau caledu

hardie cŷn eingion *eg* cynion eingion; gaing eingion *eb* geingiau eingion

hardie hole twll offer *eg* tyllau offer

hardiest tree coeden wytnaf *eb* coed gwytnaf

hardness caledwch *eg*

hardness of water caledwch dŵr *eg*

hardness scale graddfa galedwch *eb* graddfeydd caledwch

hardness test prawf caledwch *eg* profion caledwch

hardpan cletir *eg* cletiroedd

hardware (of computers) caledwedd *eg/b*

hardware shop siop nwyddau metel *eb* siopau nwyddau metel

hardwearing yn gwisgo'n dda *adf*

hardwood pren caled *eg* prennau caled

hardwood cell cell bren caled *eb* celloedd pren caled

hardwood fillet ffiled pren caled *eg* ffiledau pren caled

hardwood mallet gordd pren caled *eb* gyrdd pren caled

hardwood wedging lletemu pren caled *be*

haricot beans ffa haricot *ell*

harmattan harmatan *eg*

harmful niweidiol *ans*

harmful bacteria bacteria niweidiol *ell*

harmonic *adj* harmonig *ans*

harmonic *n* harmonig *eg* harmonigau

harmonic chromatic scale graddfa gromatig harmonig *eb* graddfeydd cromatig harmonig

harmonic colour lliw harmonig *eg* lliwiau harmonig

harmonic interval cyfwng harmonig *eg* cyfyngau harmonig

harmonic mean cymedr harmonig *eg* cymedrau harmonig

harmonic minor scale graddfa leiaf harmonig *eb* graddfeydd lleiaf harmonig

harmonic motion mudiant harmonig *eg*

harmonic movement rhediad harmonig *eg* rhediadau harmonig

harmonic proportion cyfrannedd harmonig *eg* cyfraneddau harmonig

harmonic sequence dilyniant harmonig *eg* dilyniannau harmonig

harmonic series cyfres harmonig *eb* cyfresi harmonig

harmonica harmonica *eg* harmonicâu

harmonious cydseiniol *ans*

harmonious colour lliw cydnaws *eg* lliwiau cydnaws

harmonium harmoniwm *eg* harmonia

harmonium player harmonydd *eg* harmonyddion

harmonize harmoneiddio *be*

harmony cytgord *eg*

harp telyn *eb* telynau

harp stop stop telyn *eg* stopiau telyn

harpist (female) telynores *eb* telynoresau

harpist (male) telynor *eg* telynorion

harpsichord harpsicord *eg* harpsicordiau

harvest moon lleuad fedi *eb*

harvest service cyfarfod diolchgarwch *eg* cyfarfodydd diolchgarwch

harvest thanksgiving diolch am y cynhaeaf *be*

hash stwnsh *eg*

hash symbol symbol stwnsh *eg* symbolau stwnsh

hash table tabl stwnsh *eg* tablau stwnsh

hash totals cyfansymiau stwnsh *ell*

hashed random file organization trefn hap-ffeil stwnshlyd *eb*

hashing stwnsio *be*

hasp and staple hasb a stwffwl hasbiau a styffylau

hatch (for serving) *n* agoriad gweini *eg* agoriadau gweini

hatch (=mark with lines) *v* lliniogi *be*

hatch (of egg) *v* deor *be*

hatchery deorfa *eb* deorfeydd

hatchet bwyell *eb* bwyeill

hatchet bit haearn sodro bwyell *eg* heyrn sodro bwyell

---

eg/b enw gwrywaidd/benywaidd, *feminine/masculine noun*   **ell** enw lluosog, *plural noun*   **v** berf, *verb*   **n** enw, *noun*

hatchet stake bonyn ongl lem *eg* bonion ongl lem

hauberk llurig *eb* llurigau

haulage cludiant *eg*

haulage contractor cludwr nwyddau *eg* cludwyr nwyddau

haulier halier *eg* halwyr

haunch *v* hansio *be*

haunched mortise and tenon mortais a thyno hansiedig

haunched mortise and tenon joint uniad mortais a thyno hansiedig *eg* uniadau mortais a thyno hansiedig

haunched tenon tyno hansiedig *eg* tynoau hansiedig

haustorium hawstoriwm *eg* hawstoria

haven hafan *eb* hafanau

Haversian canal sianel Havers *eb* sianelau Havers

Haversian space gwagle Havers *eg* gwagleoedd Havers

hawking heboga *be*

hay infusion trwyth gwair *eg*

haybote perthfudd *eg*

hayward caegeidwad *eg* caegeidwaid

hazard perygl *eg* peryglon

haze tawch *eg*

head (in general) pen *eg* pennau

head (in geology) wynebyn *eg* wynebynnau

head (of guitar) talcen *eg* talcenni

head (of racket) pen (raced) *eg* pennau (racedi)

head boy prif fachgen *eg* prif fechgyn

head girl prif ferch *eb* prif ferched

head injury anaf i'r pen *eg* anafiadau i'r pen

head motif motiff pen *eg* motiffau pen

head movement symudiad y pen *eg* symudiadau'r pen

head of department pennaeth adran *eg* penaethiaid adran

head of faculty pennaeth y gyfadran *eg* penaethiaid cyfadrannau

head of lower school pennaeth yr ysgol isaf *eg* penaethiaid ysgolion isaf

head of middle school pennaeth yr ysgol ganol *eg* penaethiaid ysgolion canol

head of navigation terfyn mordwyo *eg* terfynau mordwyo

head of subject pennaeth pwnc *eg* penaethiaid pwnc

head of upper school pennaeth yr ysgol uchaf *eg* penaethiaid ysgolion uchaf

head of year pennaeth blwyddyn *eg* penaethiaid blwyddyn

head register llais y pen *eg*

head the ball penio'r bêl *be*

head voice llais y pen *eg*

head wall recession enciliad cefnfur *eg*

head wear gwisg pen *eb* gwisgoedd pen

headache cur pen *eg*

header (of ball) peniad *eg* peniadau

header (on paper) pennawd *eg* penawdau

header tape blaen-dâp *eg* blaen-dapiau

heading pennawd *eg* penawdau

headland pentir *eg* pentiroedd

headline pennawd *eg* penawdau

headmaster prifathro *eg* prifathrawon

headmistress prifathrawes *eb* prifathrawesau

headphone ffôn pen *eg* ffonau pen

headquarters pencadlys *eg* pencadlysoedd

Heads of Proposals Pennau'r Awgrymiadau *ell*

headslide penlithryn *eg* penlithrynnau

headspring sbring pen *eg* sbringiau pen

headstand *n* pensafiad *eg* pensafiadau

headstand *v* pensefyll *be*

headstock (of lathe) pen byw *eg* pennau byw

headstock centre canol tro *eg* canolau tro

headteacher pennaeth ysgol *eg* penaethiaid ysgolion

headward erosion blaen erydu *be*

headwater blaenddwr *eg* blaenddyfroedd

headword prif air *eg* prif eiriau

heal gwella *be*

health iechyd *eg*

health and safety iechyd a diogelwch

health authority awdurdod iechyd *eg* awdurdodau iechyd

health care assistant cynorthwyydd gofal iechyd *eg* cynorthwywyr gofal iechyd

health care provider darparwr gofal iechyd *eg* darparwyr gofal iechyd

health care purchaser prynwr gofal iechyd *eg* prynwyr gofal iechyd

health care support worker gweithiwr cynnal gofal iechyd *eg* gweithwyr cynnal gofal iechyd

health care system cyfundrefn gofal iechyd *eb* cyfundrefnau gofal iechyd

health centre canolfan iechyd *eb* canolfannau iechyd

health education addysg iechyd *eb*

Health Education Council Cyngor Addysg Iechyd *eg*

Health & Morals of Apprentices Act Deddf Iechyd a Moesau Prentisiaid *eb*

health promotion hybu iechyd *be*

health risk perygl iechyd *eg* peryglon iechyd

health service gwasanaeth iechyd *eg* gwasanaethau iechyd

health team tîm iechyd *eg* timau iechyd

health visitor ymwelydd iechyd *eg* ymwelwyr iechyd

health-related exercise ymarfer cysylltiedig ag iechyd *eg* ymarferion cysylltiedig ag iechyd

healthy iach *ans*

healthy lifestyle ffordd iach o fyw *eb* ffyrdd iach o fyw

hearing (=ability to hear) clyw *eg*

hearing (of a case) gwrandawiad *eg* gwrandawiadau

hearing aid teclyn clywed *eg* teclynnau clywed

hearing loss colli clyw *be*

heart calon *eb* calonnau

heart beat curiad calon *eg*

heart disease clefyd y galon *eg* clefydau'r galon

heart failure methiant y galon *eg*

heart murmur murmur y galon *eg*

heart rate cyfradd curiad y galon *eb*

heart shake hollt calon *eg* holltau calon

heart sounds synau'r galon *ell*

hearth aelwyd *eb* aelwydydd

hearth body corff yr aelwyd *eg*

hearth hoist erfyn codi *eg* arfau codi

hearth tax treth aelwyd *eb*

hearth trowel trywel aelwyd *eb* trywelion aelwyd

heartland perfeddwlad *eb* perfeddwledydd

---

heartwood rhuddin *eg*

heat *v* gwresogi *be*

heat (=condition of being hot) *n* gwres *eg*

heat (=preliminary race) *n* rhagras *eb* rhagrasys

heat and energy foods bwydydd gwres ac egni *ell*

heat capacity cynhwysedd gwres *eg* cynwyseddau gwres

heat haze tes *eg*

heat of combustion gwres hylosgu *eg*

heat of formation gwres ffurfu *eg*

heat of neutralisation gwres niwtralu *eg*

heat of reaction gwres adweithio *eg*

heat of vaporization gwres anweddu *eg*

heat resistant gwrthiannol i wres *ans*

heat sink suddfan gwres *eg*

heat treatment triniaeth wres *eb*

heat-resisting varnish farnais gwrth-wres *eg*

heater gwresogydd *eg* gwresogyddion

heater circuit cylched wresogi *eb* cylchedau gwresogi

heater current cerrynt gwresogi *eg* ceryntau gwresogi

heath rhos *eb* rhosydd

heathen pagan *eg* paganiaid

heathenism paganiaeth *eb*

heathland rhostir *eg* rhostiroedd

heating element elfen wresogi *eb* elfennau gwresogi

heatstroke trawiad gwres *eg* trawiadau gwres

heatwave ton wres *eb* tonnau gwres

heave (a rope) *v* halio *be*

heave (in geological fault) *n* gwthiad *eg* gwthiadau

heave (of rope) *n* haliad *eg* haliadau

heave (on a bar) *n* ymgodiad *eg* ymgodiadau

heave (on a bar) *v* ymgodi *be*

heave hanging hongian halio *be*

heave swing swing ymhalio *eg* swingiau ymhalio

heaven (in religious sense) nefoedd *eb*

heavenly body corff wybrennol *eg* cyrff wybrennol

heavens (=sky) wybren *eb* wybrennau

heavy trwm *ans*

heavy colour lliw trwm *eg* lliwiau trwm

heavy damping gwanychiad trwm *eg*

heavy duty detergent glanedydd cryf *eg* glanedyddion cryf

heavy duty drilling machine peiriant drilio gwaith trwm *eg* peiriannau drilio gwaith trwm

heavy impasto impasto trwm *eg*

heavy industry diwydiant trwm *eg* diwydiannau trwm

heavy metal metel trwm *eg* metelau trwm

heavy oil olew trwchus *eg*

heavy water dŵr trwm *eg*

heavy weight pwysau trwm *ell*

Hebrew (language) Hebraeg *eb*

hectare hectar *eg* hectarau

heddle brwyd *eg* brwydau

hedge perth *eb* perthi

heel *n* sawdl *eg/b* sodlau

heel *v* sodli *be*

heel and toe step step sawdl a bawd *eb* stepiau sawdl a bawd

heel clearance cliriad sawdl *eg*

heel of a bow sawdl bwa *eb* sodlau bwâu

heel of glove sawdl y faneg *eb* sodlau menig

heelball cwyr rhwbio *eg*

hegemony penarglwyddiaeth *eb*

height (=elevation) uchder *eg* uchderau

height (of person) taldra *eg*

height adjusting nut nyten gymhwyso uchder *eb* nytiau cymhwyso uchder

height gauge medrydd uchder *eg* medryddion uchder

height / time graph graff uchder / amser *eg*

heights are to the nearest metre above mean sea level uchderau i'r metr agosaf uwchlaw lefel y môr cymedrig

heir etifedd *eg* etifeddion

heir apparent edling *eg* edlingod

heir presumptive etifedd tebygol *eg* etifeddion tebygol

held ball daliad *eg* daliadau

helical heligol *ans*

helical flute ffliwt heligol *eb* ffliwtiau heligol

helical path llwybr heligol *eg* llwybrau heligol

helical spring sbring heligol *eg* sbringiau heligol

helical thread edau heligol *eb* edafedd heligol

helicoid helicoid *eg* helicoidau

helicoidal helicoidol *ans*

helicopter hofrennydd *eg* hofrenyddion

heliotropic heliotropig *ans*

heliotropism heliotropedd *eg*

heliport maes hofrenyddion *eg*

helium (He) heliwm *eg*

helix helics *eg* helicsau

helix angle ongl helics *eb* onglau helics

helix clearance cliriad helics *eg* cliriadau helics

hell uffern *eb*

Hellenic Helenaidd *ans*

helm roof to helm *eg* toeon helm

helmet helm *eg* helmau

helmsman llywiwr *eg* llywyr

help cymorth *eg*

Helvetic Helfetig *ans*

hem *n* hem *eb* hemiau

hem *v* hemio *be*

hem allowance lwfans hem *eg* lwfansau hem

hem depth lled hem *eg* lledau hem

hem finish gorffeniad hem *eg* gorffeniadau hem

hem line llinell hem *eb* llinellau hem

hem marker marciwr hem *eg* marcwyr hem

hem stitch pwyth hemio *eg* pwythau hemio

hem stitching hembwytho *be*

hemicellulose hemicellwlos *eg*

hemiparesis lled-barlys un ochr *eg*

hemiplegia parlys un ochr *eg*

hemisphere hemisffer *eg* hemisfferau

hemispherical bowl bowlen hemisffer *eb* bowlenni hemisffer

hemispherical shell cragen hemisffer *eb* cregyn hemisffer

hemmer (machine attachment) hemell *eb* hemelli

---

hemp cywarch *eg*

hemp twine cortyn cywarch *eg* cortynnau cywarch

henge cylch pridd *eg* cylchoedd pridd

Henle's loop dolen Henle *eb*

Henrician Reformation, The Diwygiad Harri VIII *eg*

Henry the Lion Harri'r Llew *eg*

Henry the Navigator Harri'r Mordwywr *eg*

Henry Tudor Harri Tudur *eg*

Henry VII Harri VII *eg*

Henry VIII Harri VIII *eg*

hepatic portal vein gwythïen bortal hepatig *eb* gwythiennau portal hepatig

hepatitis hepatitis *eg*

heptagon heptagon *eg* heptagonau

heptagonal heptagonal *ans*

Her Majesty's Inspectorate (HMI) Arolygiaeth ei Mawrhydi (AEM)

herald herodr *eg* herodrau

heraldic herodrol *ans*

heraldic banner lluman herodrol *eg/b* llumannau herodrol

heraldic bard arwyddfardd *eg* arwyddfeirdd

heraldic colour lliw herodrol *eg* lliwiau herodrol

heraldic lettering llythrennu herodrol *be*

heraldic purse pwrs herodrol *eg* pyrsiau herodrol

heraldry herodraeth *eb*

herb llysieuyn *eg* llysiau

herbaceous llysieuol *ans*

herbal (book) llysieulyfr *eg*

herbarium herbariwm *eg*

herbicide chwynladdwr *eg* chwynladdwyr

herbivore llysysydd *eg* llysysyddion

herbivorous llysysol *ans*

herd (of cattle) gyr *eg* gyrroedd

herd (of dairy cows) buches *eb* buchesau

hereditament etifeddiant *eg* etifeddiannau

hereditary etifeddol *ans*

hereditary fief ffiff etifeddol *eb* ffiffiau etifeddol

hereditary monarchy brenhiniaeth etifeddol *eb* breniniaethau etifeddol

heredity etifeddeg *eb*

heresy heresi *eb* heresïau

Heresy Act Deddf Heresi *eb*

heretic heretic *eg* hereticiaid

heretical hereticaidd *ans*

Hereward the Wake Hereward Effro *eg*

heriot ebediw *eg* ebediwiau

heritage etifeddiaeth *eb*

hermaphrodite *n* deurywiad *eg* deurywiaid

hermaphroditic deurywiol *ans*

hermetically sealed cwbl seliedig *ans*

hermit meudwy *eg* meudwyiaid

hermitage cell meudwy *eb* celloedd meudwy

hero arwr *eg* arwyr

heroic society cymdeithas arwrol *eb* cymdeithasau arwrol

herpes herpes *eg*

herring bone strut cynheiliad saethben *eg* cynheiliaid saethben

herring-bone banding bandin saethben *eg* bandinau saethben

herring-bone pattern patrwm saethben *eg* patrymau saethben

herring-bone stitch pwyth saethben *eg* pwythau saethben

herring-bone weave gwehyddiad saethben *eg* gwehyddiadau saethben

hertz (Hz) herts (Hz) *eg*

hessian hesian *eg*

heterodyne heterodein *eg* heterodeiniau

heterogeneity heterogenedd *eg*

heterogeneous heterogenaidd *ans*

heterolytic fission ymholltiad heterolytig *eg*

heterophony heteroffoni *eg*

heterosexual heterorywiol *ans*

heterosporous heterosboraidd *ans*

heterostyly heterostyledd *eg*

heterozygous heterosygaidd *ans*

heuristic hewristig *ans*

heuristic program rhaglen hewristig *eb* rhaglenni hewristig

heuristic proof prawf hewristig *eg* profion hewristig

hex hecs *ell*

hex digit digid hecs *eg* digidau hecs

hexadecimal hecsadegol *ans*

hexadecimal counting system system rifo hecsadegol *eb*

hexadecimal notation nodiant hecsadegol *eg*

hexagon hecsagon *eg* hecsagonau

hexagonal hecsagonol *ans*

hexagonal head bolt bollt ben hecsagonol *eb* bolltau pen hecsagonol

hexagonal head screw sgriw ben hecsagonol *eb* sgriwiau pen hecsagonol

hexagonal nut nyten hecsagonol *eb* nytiau hecsagonol

hexagonal prism prism hecsagonol *eg* prismau hecsagonol

hexagonal pyramid pyramid hecsagonol *eg* pyramidiau hecsagonol

hexagonal section material defnydd trychiad hecsagonol *eg* defnyddiau trychiad hecsagonol

hexahedron hecsahedron *eg* hecsahedronau

hexose hecsos *eg* hecsosau

hey hai *eg/b*

hey between hai traws *eg*

hey with your own hai unrhyw *eg*

hi-jack herwgipio *be*

hiatus bwlch *eg* bylchau

hibernate gaeafgysgu *be*

hibernation gaeafgwsg *eg*

hiccup igian, yr igian *eg*

hidden cudd *ans*

hidden costs costau cudd *ell*

hidden curriculum cwricwlwm cudd *eg*

hidden detail manylion cudd *ell*

hidden detail line llinell manylion cudd *eb* llinellau manylion cudd

hidden eighth wythfed cudd *eg* wythfedau cudd

hidden fifth pumed cudd *eg* pumedau cudd

hidden instrument offeryn cudd *eg* offerynnau cudd

hidden line llinell gudd *eb* llinellau cudd

adf, adv adferf, *adverb*   ***ans, adj*** ansoddair, *adjective*   ***be*** berf, *verb*   ***eb*** enw benywaidd, *feminine noun*   ***eg*** enw gwrywaidd, *masculine noun*

hide *n* croen *eg* crwyn

hide *v* cuddio *be*

hide mallet gordd ledr *eb* gyrdd lledr

hide picture cuddio llun *be*

hierarchical hierarchaidd *ans*

hierarchical database cronfa ddata hierarchaidd *eb* cronfeydd data hierarchaidd

hierarchical model model hierarchaidd *eg* modelau hierarchaidd

Hierarchies of Throne Hierarchaethau Gorseddau *ell*

hierarchy hierarchaeth *eb* hierarchaethau

hierarchy of needs hierarchaeth anghenion *eb*

hieroglyphic writing ysgrifen hieroglyffig *eb*

high uchel *ans*

high altar prif allor *eb* prif allorau

high ball pêl uchel *eb* peli uchel

high carbon steel dur carbon uchel *eg*

high chair cadair uchel *be* cadeiriau uchel

High Church Uchel Eglwysig *ans*

high clarinet uwchglarinét *eg* uwchglarinetau

high class area ardal dosbarth uchaf *eb* ardaloedd dosbarth uchaf

High Commission Uchel Gomisiwn *eg*

High Constable Uchel Gwnstabl *eg*

High Court Uchel Lys *eg*

high density building adeiladu clos *be*

high dive deifio'n uchel *be*

high fidelity cywair-bur *ans*

high foaming detergent glanedydd llawndrochion *eg* glanedyddion llawndrochion

high forward roll rhôl uchel ymlaen *eb* rholiau uchel ymlaen

high frequency (of oscillations) amledd uchel *eg* amleddau uchel

high frequency induction furnace ffwrnais anwytho amledd uchel *eb* ffwrneisi anwytho amledd uchel

high jump naid uchel *eb* neidiau uchel

high level lefel uchel *eb* lefelau uchel

high level language iaith lefel uchel *eb* ieithoedd lefel uchel

high level programming language iaith raglennu lefel uchaf *eb*

high limit terfan uchel *eb* terfannau uchel

high line llinell uchel *eb* llinellau uchel

high neck gwddf uchel *eb* gyddfau uchel

high population density dwysedd poblogaeth uchel *eg* dwyseddau poblogaeth uchel

high pressure gwasgedd uchel *eg*

high register nodau uchel *ell*

high relief (=alto relievo) cerfwedd uchel *eb*

high Renaissance uchel Ddadeni *eg*

high sea cefnfor *eg* cefnforoedd

High Sheriff Uchel Siryf *eg* Uchel Siryfion

high speed drill dril cyflym iawn *eg* driliau cyflym iawn

high spin amlsbin *ans*

high standard safon uchel *eb* safonau uchel

high tensile uchel dynnol *ans*

high tensile steel ḍur ucheldynnol *eg*

high tide penllanw *eg*

high treason uchel frad *eg*

high vacuum gwactod eithaf *eg*

high voltage foltedd uchel *eg*

high water penllanw *eg*

high water mark marc penllanw *eg* marciau penllanw

high-order uwch-werth *ans*

highboard llwyfan uchel *eg* llwyfannau uchel

higher uwch *ans*

higher clergy uwch glerigwyr *ell*

higher degree gradd uwch *eb* graddau uwch

higher education addysg uwch *eb*

higher order polynomial equation uwch-hafaliad polynomaidd *eg* uwch-hafaliadau polynomaidd

highest common factor ffactor gyffredin fwyaf *eb*

Highest Order Urdd Uchaf *eb*

highest point pwynt uchaf *eg* pwyntiau uchaf

highland ucheldir *eg* ucheldiroedd

Highland Clearances Cliriadau'r Ucheldiroedd *ell*

highlight (=bring into prominence) amlygu *be*

highlight (in art) goleubwyntio *be*

highlight (=mark with a highlighter) lliwddangos *be*

highlight bar bar amlygu *eg* barrau amlygu

highlighting (in art) goleubwyntio *be*

highly skilled tra medrus *ans*

highly specialised tra arbenigol *ans*

highway priffordd *eb* priffyrdd

Highway Code Rheolau'r Ffordd Fawr *ell*

highwayman lleidr pen-ffordd *eg* lladron pen-ffordd

hill bryn *eg* bryniau

hill country bryndir *eg* bryndiroedd

hill fog niwl mynydd *eg*

hill fort bryngaer *eb* bryngaerau

hill shading arlliwio llethrau *be*

hill station brynfa *eb* brynfeydd

hillock bryncyn *eg* bryncynnau

hilly bryniog *ans*

hilt carn *eg* cyrn

hilum hadgraith *eb* hadgreithiau

hind brain ôl-ymennydd *eg* ôl-ymenyddiau

hind gut ôl-berfeddyn *eg* ôl-berfedd

hind leg coes ôl *eb* coesau ôl

hind-milk armel *eg*

Hindu *adj* Hindŵaidd *ans*

Hindu *n* Hindŵ *eg* Hindŵiaid

Hinduism Hindŵaeth *eb*

hinge *n* colfach *eg* colfachau

hinge *v* colfachu *be*

hinge bracket braced colfach *eb* bracedi colfach

hinge knuckle cymal colfach *eg* cymalau colfach

hinge leaf dalen golfach *eb* dalennau colfach

hinge pìn pin colfach *eg* pinnau colfach

hinge-bound clofach-glwm *ans*

hinged colfachog *ans*

hinged arm braich golfachog *eb* breichiau colfachog

hinterland cefnwlad *eb*

hip clun *eb* cluniau

hip carry cario wrth glun *be*

---

hip joint cymal y glun *eg* cymalau'r glun

hip line llinell glun *eb* llinellau cluniau

hip measurement mesuriad clun *eg* mesuriadau cluniau

hip rafter ceibr talcen *eg* ceibrau talcen

hip roof talcendo *eg* talcendoeon

hip roof rafter cwpl talcen *eg* cyplau talcen

hire llogi *be*

hire-purchase *n* hurbwrcas *eg*

hire-purchase *v* hurbwrcasu *be*

hirsute blewog *ans*

His bundle sypyn His *eg* sypynnau His

histidine histidin *eg*

histogram histogram *eg* histogramau

histology histoleg *eb*

histone histon *eg* histonau

histopathology histopatholeg *eb*

historian hanesydd *eg* haneswyr

historical hanesyddol *ans*

historical method dull yr hanesydd *eg*

historical period cyfnod hanesyddol *eg* cyfnodau hanesyddol

historical source ffynhonnell hanesyddol *eb* ffynonellau hanesyddol

historical theme thema hanesyddol *eb* themâu hanesyddol

historical topic topig hanesyddol *eg* topigau hanesyddol

historicism hanesiaeth *eb*

historicity hanesoldeb *eg*

historiographer (=authority on historiography) hanesyddiaethwr *eg* hanesyddiaethwyr

historiographer (=historian) hanesydd *eg* haneswyr

historiography hanesyddiaeth *eb*

history hanes *eg* hanesion

hit (in general) *n* trawiad *eg* trawiadau

hit (=reach a target) *v* taro *be*

hit (=strike with a bat) *v* ergydio *be*

hit (=stroke with a bat) *n* ergyd *eg/b* ergydion

hit a boundary (for four runs) taro pedwar *be*

hit a boundary (for six runs) taro chwech *be*

hit back *n* trawiad nôl *eg* trawiadau nôl

hit back *v* taro nôl *be*

hit for six taro chwech *be*

hit out *n* ergyd ochr *eb* ergydion ochr

hit rate cyfradd taro *eb* cyfraddau taro

hit the ball twice taro'r bêl eilwaith *be*

hit the target bwrw'r targed *be*

hit wicket taro'r wiced *be*

hitch clymu *be*

hoar frost barrug *eg*; llwydrew *eg*

hoard celc *eg* celciau

hoarding (castle) oriel bren *eb* orielau pren

hob pentan *eg* pentanau

hobby hobi *eg* hobïau

hockey hoci *eg*

hodograph hodograff *eg* hodograffau

hogback hopgefn *eg* hopgefnau

hoghair brush brwsh blew mochyn *eg* brwshys blew mochyn

hoist *n* teclyn codi *eg* teclynnau codi

hoist *v* codi *be*

holder daliwr *eg* dalwyr

holdfast (=clamp) dalbren *eg* dalbrennau

holdfast (of algae) gludafael *eg* gludafaelion

holding (of land, shares etc) daliad *eg* daliadau

holding device dyfais ddal *eb* dyfeisiau dal

holding hands cydio dwylo *be*

holding power (nails and screws) pwerddaliad *eg*

holding tools offer gafael *ell*

holding washer wasier gynnal *eb* wasieri cynnal

hole twll *eg* tyllau

hole in the heart twll yn y galon *eg*

hole saw llif dwll *eb* llifiau twll

holidays gwyliau *ell*

holistic cyfannol *ans*

hollow *adj* gwag *ans*

hollow *n* pant *eg* pantiau

hollow *v.intrans* pantio *be*

hollow *v.trans* cafnu *be*

hollow back somersault trosben ceugefn *eg* trosbennau ceugefn

hollow bit tongs gefel gegron *eb* gefeiliau cegrwn

hollow head pen cau *eg* pennau cau

hollow mandrel (lathe) mandrel cau (turn) *eg* mandreli cau (turn)

hollow moulding mowldin cau *eg* mowldinau cau

hollow plane plaen cafnu *eg* plaeniau cafnu

hollow saddle key allwedd gyfrwy cau *eb* allweddi cyfrwy cau

hollow set set gau *eb* setiau cau

hollow square bit tongs gefel gegsgwar *eb* gefeiliau cegsgwar

hollow tree coeden gau *eb* coed cau

hollow ware ceunwyddau *ell*

hollowing cafnu *be*

hollowing block bloc cafnu *eg* blociau cafnu

hollowing hammer morthwyl cafnu *eg* morthwylion cafnu

holmium (Ho) holmiwm *eg*

holocaust holocost *eg*

holomorphic holomorffig *ans*

holophytic holoffytig *ans*

holozoic holosoig *ans*

holy sanctaidd *ans*

Holy Alliance Cynghrair Sanctaidd *eb*

holy book llyfr bendigaid *eg* llyfrau bendigaid

holy communion cymun bendigaid *eg*

holy day dydd gŵyl *eg* dyddiau gŵyl

Holy Office Gwasanaeth Sanctaidd *eg*

Holy Orders Urddau Eglwysig *ell*

Holy Places Mannau Cysegredig *ell*

Holy Roman Emperor Ymerawdwr Rhufeinig Sanctaidd *eg*

Holy See Pabaeth *eb*

Holy Sepulchre Beddrod Sanctaidd *eg*

Holy Spirit Ysbryd Glân *eg*

Holy Week Wythnos y Pasg *eb*

homage gwrogaeth *eb*

home *n* cartref *eg* cartrefi

home *v* hafanu *be*

home army byddin gartref *eb* byddinoedd cartref

home background cefndir cartref *eg*

home cured bacon cig moch cartref *eg*

home economics economeg y cartref *eb*

home education addysg gartref *eb*

home farm fferm y plas *eb* ffermydd plasau

home front ffrynt cartref *eg*

Home Guard Gwarchodlu Cartref *eg*

home help (person) cynorthwyydd cartref *eg* cynorthwywyr cartref

home help (service) cymorth cartref *eg*

home help organizer trefnydd cymorth cartref *eg* trefnyddion cymorth cartref

home key (of musical notes) cywair gwreiddiol *eg*

home key (on computer) bysell hafan *eb* bysellau hafan

home market marchnad gartref *eb* marchnadoedd cartref

home ownership perchentyaeth *eb*

home page tudalen gartref *eb* tudalennau cartref

home rule ymreolaeth *eb*

home ruler ymreolwr *eg* ymreolwyr

home run rhediad adref *eg* rhediadau adref

home tonic tonydd cysefin *eg*

home visit ymweliad cartref *eg* ymweliadau cartref

home-made goods nwyddau cartref *ell*

homegrown timber coed cartref *ell*

homegrown vegetables llysiau cartref *ell*

homeland mamwlad *eb* mamwledydd

homeless digartref *ans*

homelessness bod yn ddigartref *be*

homeopathy homeopathi *eg*

homeostasis homeostasis *eg*

homespun brethyn cartref *eg*

homestead tyddyn *eg* tyddynnod

homework gwaith cartref *eg*

homily homili *eb* homilïau

homocyclic homoseiclig *ans*

homogeneity homogenedd *eg*

homogeneous homogenaidd *ans*

homography homograffeg *eb*

homologous homologaidd *ans*

homologous series cyfres homologaidd *eb* cyfresi homologaidd

homologue homolog *eg* homologau

homolytic fission ymholltiad homolytig *eg*

homomorphic homomorffig *ans*

homomorphism homomorffedd *eg* homomorffeddau

homophonic homoffonig *ans*

homosexual (female) lesbiad *eb* lesbiaid

homosexual (male) gwrywgydiwr *eg* gwrywgydwyr

homothetic homothetig *ans*

homozygous homosygaidd *ans*

hone hôn *eg* honau

hone *n* carreg hogi *eb* cerrig hogi

hone *v* hogi *be*

honest competition cystadlu gonest *be*

honey guide dynodyn mêl *eg* dynodion mêl

honey-suckle pattern patrwm gwyddfid *eg* patrymau gwyddfid

honeycomb diliau mêl *ell*

honeycomb smocking smocwaith crwybr *eg*

honeycomb stitch pwyth crwybr *eg* pwythau crwybr

honeycombed crwybrog *ans*

honeycombed door drws crwybr gwenyn *eg* drysau crwybr gwenyn

honeycombing crwybro *be*

honing guide tywyswr hogi *eg* tywyswyr hogi

honorary degree gradd er anrhydedd *eb* graddau er anrhydedd

honour *n* anrhydedd *eb* anrhydeddau

honour *v* anrhydeddu *be*

honour (feudal) arglwyddiaeth freiniol *eb*

honours degree gradd anrhydedd *eb* graddau anrhydedd

hood (above fire etc) lwfer *eg* lwfrau

hood (on garment) cwfl *eg* cyflau

hoof foot troed garn *eb* traed carn

hook *v* bachu *be*

hook (=act of hooking) *n* bachiad *eg* bachiadau

hook (=harp peg) *n* gwrach *eb* gwrachïod

hook (of implement) *n* bach *eg* bachau

hook and bolt bach a bollt bachau a bolltau

hook and eye bach a llygad

hook shot bachiad *eg*

hook wrench tyndro bach *eg* tyndroeon bach

Hooke's law deddf Hooke *eb*

hooked spit tafod bachog *eg* tafodau bachog

hooker bachwr *eg* bachwyr

hooliganism hwliganiaeth *eb*

hoop *n* cylch *eg* cylchau

hoop (a wheel) *v* cylchu (olwyn) *be*

hooper daliwr *eg* dalwyr

hop *n* herc *eg* herciau

hop *v* hercian *be*

hop, skip and jump herc, cam a naid

hopeless anobeithiol *ans*

hopper hopran *eb* hoprau

hops hopys *ell*

hopsack hopsac *eb*

horde llu *eg*

horizon gorwel *eg* gorwelion

horizon line llinell orwel *eb*

horizontal *adj* llorweddol *ans*

horizontal *n* llorwedd *eg* llorweddau

horizontal astride vault llofnaid hir ar led *eb* llofneidiau hir ar led

horizontal axis echelin lorweddol *eb* echelinau llorweddol

horizontal bar bar llorweddol *eg* barrau llorweddol

---

eg/b enw gwrywaidd/benywaidd, *feminine/masculine noun*   *ell* enw lluosog, *plural noun*   *v* berf, *verb*   *n* enw, *noun*

horizontal boring borio llorweddol *be*

horizontal branch pipe peipen gangen lorweddol *eb* peipiau cangen llorweddol

horizontal buttonhole twll botwm llorweddol *eg* tyllau botymau llorweddol

horizontal centring canoli llorweddol *be*

horizontal chiselling naddu llorweddol *be*

horizontal control rheolaeth lorweddol *eb*

horizontal equivalent cywerth llorwedd *eg* cywerthoedd llorwedd

horizontal force grym llorweddol *eg* grymoedd llorweddol

horizontal grouping grwpio llorweddol *be*

horizontal kneeling penlinio llorweddol *be*

horizontal line llinell lorweddol *eb* llinellau llorweddol

horizontal milling machine peiriant melino llorwedd *eg* peiriannau melino llorwedd

horizontal paring chiselling naddu llorweddol *be*

horizontal plane (H.P.) plân llorweddol *eg* planau llorweddol

horizontal pug mill melin gleio lorweddol *eb* melinau cleio llorweddol

horizontal range cyrhaeddiad llorweddol *eg*

horizontal relationship perthynas lorweddol *eb*

horizontal scale graddfa lorweddol *eb* graddfeydd llorweddol

horizontal section trychiad llorweddol *eg* trychiadau llorweddol

horizontal stripe rhes lorweddol *eb* rhesi llorweddol

horizontal through vault llofnaid fwlch hir *eb* llofneidiau bwlch hir

horizontal traces olinau llorweddol *ell*

horizontality llorwedd-dra *eg*

hormonal hormonaidd *ans*

hormone hormon *eg* hormonau

horn corn *eg* cyrn

horn passage caniad y cyrn *eg* caniadau'r cyrn

horn player canwr corn *eg* canwyr corn

hornbook llyfr corn *eg* llyfrau corn

hornpipe (dance) cornddawns *eb* cornddawnsiau

hornpipe (instrument) pibgorn *eg* pibgyrn

horny texture gwead cornaidd *eg* gweadau cornaidd

horoscope horosgop *eg* horosgopau

horror arswyd *eg*

horse (for airing clothes) hors *eg/b* horsys

horse (of animal) ceffyl *eg* ceffylau

horse latitudes lledredau'r meirch *ell*

horse shoe pedol ceffyl *eb* pedolau ceffyl

horse shoe arch bwa pedol *eg* bwâu pedol

horse shoe magnet magnet pedol *eg* magnetau pedol

horse with pommels ceffyl â chorfau *eg*

horsepower marchnerth *eg*

horst horst *eg* horstau

hose pipe peipen ddŵr rwber *eb* peipiau dŵr rwber

hosiery hosanwaith *eg*

hospice hosbis *eb* hosbisau

hospital ysbyty *eg* ysbytai

hospitalize anfon i'r ysbyty *be*

Host Hostia *eg*

host (at hotel) gwestywr *eg* gwestywyr

host (organism) organeb letyol *eb* organebau lletyol

host (=receiver of guests) gwesteiwr *eg* gwesteiwyr

host cell cell letyol *eb*

hostage gwystl *eg* gwystlon

hostel hostel *eg* hosteli

hot poeth *ans*

hot (in metalworking) gorgynnes *ans*

hot blast chwythiad gorgynnes *eg* chwythiadau gorgynnes

hot colour (in metalworking) lliw gorgynnes *eg* lliwiau gorgynnes

hot cross bun picen y Grog *eb* picau'r Grog

hot dip galvanizing galfanu dip poeth *be*

hot dipping dipio poeth *be*

hot iron haearn poeth *eg*

hot metal (in metalworking) metel gorgynnes *eg* metelau gorgynnes

hot sand tywod gorgynnes *eg*

hot set set boeth *eb* setiau poeth

hot shortness poeth freuder *ans*

hot spot man poeth *eg* mannau poeth

hot spring tarddell boeth *eb* tarddelli poeth

hot strip mill melin strip boeth *eb* melinau strip poeth

hot water dye llifyn dŵr poeth *eg* llifynnau dŵr poeth

hot water starch startsh dŵr poeth *eg*

hotbed magwrfa *eb* magwrfeydd

hotel gwesty *eg* gwestai

hotel management rheolaeth gwesty *eb*

hotness poethder *eg*

hour awr *eb* oriau

hour angle ongl awr *eb* onglau awr

hourly rate tâl yn ôl yr awr *eg*

house tŷ *eg* tai

house church eglwys dŷ *eb* eglwysi tai

house contents policy polisi cynnwys y tŷ *eg* polisïau cynnwys y tŷ

House of Commons Tŷ'r Cyffredin *eg*

House of Lancaster Teulu Lancaster *eg*

House of Lords Tŷ'r Arglwyddi *eg*

House of Orange Teulu Orange *eg*

House of Representatives Tŷ'r Cynrychiolwyr *eg*

House of York Teulu Iorc *eg*

house officer meddyg tŷ *eg* meddygon tŷ

house to let tŷ ar osod *eg*

housebote anheddfudd *eg*

housebound caeth i'r tŷ *ans*

housecraft crefft cadw tŷ *eb*

housed shelf silff rigolog *eb* silffoedd rhigolog

houseflies clêr *ell*

household (=a house and its affairs) tŷ *eg* tai

household (=home) cartref *eg* cartrefi

household (=retinue) gosgordd *eb* gosgordd au

household goods nwyddau tŷ *ell*

household linen llieiniau tŷ *ell*

household soap sebon golchi *eg*

---

householder deiliad y tŷ *eg* deiliad y tai
housekeeping cadw tŷ *be*
housekeeping allowance lwfans cadw tŷ *eg*
housemaid morwyn tŷ *eb* morwynion tŷ
housewife gwraig tŷ *eb* gwragedd tŷ
housewifery crefft cadw tŷ *eb*

housing (in general) tai *ell*
housing (for track, joint) rhigol *eb* rhigolau
housing action area ardal weithredu ar dai *eb* ardaloedd gweithredu ar dai
housing association cymdeithas tai *eb* cymdeithasau tai
housing benefit budd-dal tai *eg* budd-daliadau tai
housing benefit supplement atodiad budd-dal tai *eg* atodiadau budd-dal tai
housing circlip cylchglip mewn rhigol *eg* cylchglipiau mewn rhigol
housing department adran dai *eb* adrannau tai
housing joint uniad rhigol draws *eg* uniadau rhigolau traws
housing problems problemau cartrefu *ell*
housing subsidy cymhorthdal tai *eg* cymorthdaliadau tai
hovercraft hofrenfad *eg* hofrenfadau
how's that? howsat?
hub both *eg* bothau
hue arlliw *eg* arlliwiau
hue and cry gwaedd ac ymlid
hug *v* cofleidio *be*
hug the ball cofleidio'r bêl *be*
hug the knees cofleidio'r pengliniau *be*
Hugh the Fat Huw Fras *eg*

Huguenot *adj* Hiwgenotaidd *ans*
Huguenot *n* Hiwgenot *eg* Hiwgenotiaid

hulk llong garchar *eb* llongau carchar
hull corff llong *eg* cyrff llongau
hum (in geography) tas galch *eb* teisi calch

human *adj* dynol *ans*
human *n* bod dynol *eg* bodau dynol

human activity gweithgarwch dynol *eg*
human body corff dynol *eg* cyrff dynol
human character cymeriad dynol *eg* cymeriadau dynol
human digestive system system dreulio ddynol *eb*
human features nodweddion dynol *ell*
human figure ffigur dynol *eg* ffigurau dynol
human form ffurf ddynol *eb* ffurfiau dynol
human genetics geneteg dyn *eb*
human processes prosesau dynol *ell*
human rights iawnderau dynol *ell*
humanisitic art celfyddyd ddyneiddiol *eb*
humanism dyneiddiaeth *eb*
humanist dyneiddiwr *eg* dyneiddwyr
humanistic dyneiddiol *ans*
humanistic education addysg ddyneiddiol *eb*

humanitarian *adj* dyngarol *ans*
humanitarian *n* dyngarwr *eg* dyngarwyr

humanitarianism dyngarwch *eg*
humanities dyniaethau *ell*
humanity dynoliaeth *eb*

Humble Petition and Advice Deiseb a Chyngor Gostyngedig
humerus hwmerws *eg*
humid llaith *ans*
humidification lleithiad *eg*
humidifier lleithydd *eg* lleithyddion
humidity lleithder *eg*
humification llufadredd *eg*
hummock ponc *eb* ponciau
hummocky ponciog *ans*
humus hwmws *eg*
Hun Hyn *eg* Hyniaid

hundred (=100) cant *eg* cannoedd
hundred (=administrative area) cantref *eg* cantrefi
hundred court llys y cantref *eg* llysoedd cantrefi
hundred metres can metr *eg*
hundred metres race ras gan metr *eb* rasys can metr
hundred square sgwâr cant *eg*
Hundred Years War Rhyfel Can Mlynedd *eg*
hundredth canfed *eg* canfedau
Hungry Forties Pedwardegau Newynog *ell*
hunter heliwr *eg* helwyr
hunter's moon lleuad hela *eb*
hunter-gatherer heliwr-gasglwr *eg*
hurdle clwyd *eb* clwydi
hurdle race ras glwydi *eb* rasys clwydi
hurdler clwydwr *eg* clwydwyr
hurricane corwynt *eg* corwyntoedd
husbandry hwsmonaeth *eb*
husk plisgyn *eg* plisg
hussar hwsâr *eg* hwsariaid

Hussite *adj* Husaidd *ans*
Hussite *n* Husiad *eg* Husiaid

hustings hysting *eg* hystingau
hyaline cartilage cartilag hyalin *eg*
hyaluronic acid asid hyalwronig *eg*
hybrid croesryw *eg* croesrywiau
hybrid vigour ymnerth croesryw *eg*
hybridisation croesrywedd *eg*

hydrate *n* hydrad *eg* hydradau
hydrate *v* hydradu *be*

hydrated hydradol *ans*
hydration hydradiad *eg*
hydraulic hydrolig *ans*
hydraulic lift lifft hydrolig *eg* lifftiau hydrolig
hydraulic organ chwyth-organ ddŵr *eb* chwyth-organau dŵr
hydraulic press gwasgydd hydrolig *eg* gwasgyddion hydrolig
hydraulics hydroleg *eb*
hydride hydrid *eg*
hydrocarbon hydrocarbon *eg* hydrocarbonau
hydrocephalic hydroceffalig *ans*
hydrochloric acid asid hydroclorig *eg*
hydrodynamics hydrodynameg *eb*
hydroelectric trydan dŵr *eg*

---

hydroelectric power pŵer trydan dŵr *eg*
hydrofoil hydroffoil *eg* hydroffoilau
hydrogen (H) hydrogen *eg*
hydrogen peroxide hydrogen perocsid *eg*
hydrogenate hydrogenu *be*
hydrogenated hydrogenaidd *ans*
hydrogenation hydrogeniad *eg*
hydrography hydrograffeg *eb*
hydrolapse cwymp gwlithbwynt *eg* cwympoedd gwlithbwynt
hydrological cycle cylchred hydrolegol *eb*
hydrology hydroleg *eb*
hydrolyse hydrolysu *be*
hydrolysis hydrolysis *eg*
hydrometer hydromedr *eg* hydromedrau
hydrophilic hydroffilig *ans*
hydrophobic hydroffobig *eg*
hydropool hydrobwll *eg* hydrobyllau
hydroscopic hydrosgopig *ans*
hydrosphere hydrosffer *eg*
hydrostatic hydrostatig *ans*
hydrostatics hydrostateg *eb*
hydrothermal hydrothermol *ans*
hydrotropism hydrotropedd *eg*
hydroxide hydrocsid *eg*
hydroxyproline hydrocsiprolin *eg*
hyetograph hyetograff *eg* hyetograffau
hygiene hylendid *eg*
hygienic hylan *ans*
hygrogram hygrogram *eg* hygrogramau
hygrometer hygromedr *eg* hygromedrau
hygroscopic hygrosgopig *ans*
hymn emyn *eg* emynau
hymn tune emyn-dôn *eb* emyn-donau
hypabyssal rock craig hypabysol *eb* creigiau hypabysol
hyper major gorfwyaf *eg*
hyperactive child plentyn gorfywiog *eg* plant gorfywiog
hyperactivity gorfywiogrwydd *eg*
hyperbola hyperbola *eg* hyperbolâu
hyperbolic hyperbolig *ans*
hyperbolic function ffwythiant hyperbolig *eg*

hyperboloid hyperboloid *eg* hyperboloidau
HyperCard HyperCard *eg*
hypergeometric hypergeometrig *ans*
hyperinflation gorchwyddiant *eg*
hypermarket archfarchnad *eb* archfarchnadoedd
hypermedia hypergyfryngau *ell*
hyperplasia gordyfiant *eg*
hypertension gorbwysedd *eg*
hypertext hyperdestun *eg*
hypertrochoid hypertrocoid *eg* hypertrocoidau
hypertrophy hypertroffedd *eg*
hyperventilation goranadlu *be*
hypha hyffa *eg* hyffâu
hyphal hyffaidd *ans*
hyphen cysylltnod *eg* cysylltnodau
hyphenation exception eithriad cysylltnodi *eg* eithriadau cysylltnodi
Hypoaeolian mode modd Hypoaeloiaidd *eg*
hypochlorite bleach cannydd hypoclorit *eg*
hypocycloid hypocylchoid *eg* hypocylchoidau
hypodermic tangroenol *ans*
Hypodorian mode modd Hypodoriaidd *eg*
hypogeal tanddaearol *ans*
hypoglossal isdafodol *ans*
Hypoionian mode modd Hypoioniaidd *eg*
Hypolocrian mode modd Hypolocriaidd *eg*
Hypomixolydian mode modd Hypomicsolydiaidd *eg*
hypomode modd deilliedig *eg*
Hypophrygian mode modd Hypophrygiaidd *eg*
hyposecretion hyposecretiad *eg*
hypotension isbwysedd *eg*
hypotenuse hypotenws *eg* hypotenysau
hypothalmus hypothalmws *eg*
hypothermia hypothermia *eg*
hypothesis rhagdybiaeth *eb* rhagdybiaethau
hypsography hypsograffeg *eb*
hypsometer hypsomedr *eg* hypsomedrau
hypsometric hypsometrig *ans*
hysteresis hysteresis *eg*
hysteria hysteria *eg*

---

adf, adv adferf, *adverb*　　**ans, adj** ansoddair, *adjective*　　**be** berf, *verb*　　**eb** enw benywaidd, *feminine noun*　　**eg** enw gwrywaidd, *masculine noun*

I

iambic dyrchafedig *ans*

iambus corfan dyrchafedig *eg* corfannau dyrchafedig

ice iâ *eg;* rhew *eg*

Ice Age Oes Iâ *eb*

ice axe caib eira *eb* ceibiau eira

ice barrier bar iâ *eg* barrau iâ; bar rhew *eg* barrau rhew

ice bound rhewgaeth *ans*

ice cap cap iâ *eg* capiau iâ; cap rhew *eg* capiau rhew

ice cold wind rhewynt *eg*

ice dam argae iâ *eg* argaeau iâ; argae rhew *eg* argaeau rhew

ice edge ymyl iâ *eb* ymylon iâ; ymyl rhew *eb* ymylon rhew

ice fall rhewgwymp *eg*

ice floe ffloch iâ *eg* fflochiau iâ; ffloch rhew *eg* fflochiau rhew

ice fog niwl iâ *eg* niwloedd iâ; niwl rhew *eg* niwloedd rhew

ice front ffrynt iâ *eg* ffryntiau iâ; ffrynt rhew *eg* ffryntiau rhew

ice jam tagfa iâ *eb* tagfeydd iâ; tagfa rew *eb* tagfeydd rhew

ice lobe llabed iâ *eb* llabedau iâ; llabed rhew *eg* llabedau rhew

ice marginal channel sianel iâ ymylol *eb* sianeli iâ ymylol; sianel rew ymylol *eb* sianeli rhew ymylol

ice peg peg iâ *eg* pegiau iâ; peg rhew *eg* pegiau rhew

ice shattered rhewddrylliog *ans*

ice sheet llen iâ *eb* llenni iâ; llen rhew *eb* llenni rhew

ice shelf sgafell iâ *eb* sgafelli iâ; sgafell rew *eb* sgafelli rhew

ice wedge lletem iâ *eb* lletemau iâ; lletem rew *eb* lletemau rhew

iceberg mynydd iâ *eg* mynyddoedd iâ; mynydd rhew *eg* mynyddoedd rhew

Iceland spar grisial Gwlad yr Iâ *eg*

Icelandic 'low' gwasgedd isel Gwlad yr Iâ *eg*

icicle pibonwyen *eb* pibonwy

icon eicon *eg* eiconau

iconic eiconig *ans*

iconic representation portread eiconig *eg* portreadau eiconig

iconoclasm delwddrylliad *eg*

iconoclast delwddrylliwr *eg* delwddryllwyr

iconoclastic delwddrylliol *ans*

iconographic eiconograffig *ans*

iconography eiconograffiaeth *eb*

icosahedron icosahedron *eg* icosahedronau

icy cold rhewllyd *ans*

ID card cerdyn adnabod *eg* cardiau adnabod

idea syniad *eg* syniadau

Idea of Progress Syniad o Gynnydd *eg*

ideal (in general) *adj* delfrydol *ans*

ideal (in general) *n* delfryd *eb* delfrydau

ideal (in mathematics) *n* ideal *eg* idealau

ideal (in physics) *adj* perffaith *ans*

ideal gas nwy delfrydol *eg*

idealism delfrydiaeth *eb*

idealist delfrydwr *eg* delfrydwyr

idealization delfrydiad *eg*

idemfactor idemffactor *eg* idemffactorau

idempotent idempotent *ans*

identical unfath *ans*

identical twin gefell unfath *eg* gefeilliaid unfath

identifiable canfyddadwy *ans*

identification adnabyddiaeth *eb*

identified need angen canfyddadwy *eg* anghenion canfyddadwy

identifier dynodwr *eg* dynodwyr

identify (by analysis of the circumstances) canfod *be*

identify (=establish the identity of, recognize)) adnabod *be*

identify (=note) nodi *be*

identify the specimen enwi'r sbesimen *be*

identity (=absolute sameness) unfathiant *eg* unfathiannau

identity (=personality) hunaniaeth *eb*

identity band band adnabod *eg* bandiau adnabod

identity card cerdyn adnabod *eg* cardiau adnabod

identity element elfen unfathiant *eb* elfennau unfathiant

ideogram ideogram *eg* ideogramau

ideologue ideolegwr *eg* ideolegwyr

ideology ideoleg *eb*

idle resources adnoddau segur *ell*

idle return stroke strôc ddychwel segur *eb* strociau dychwel segur

idler wheels olwynion cyswllt *ell*

idling speed cyflymder segura *eg*

idol eilun *eg* eilunod

idolatry eilunaddoliaeth *eb*

IEEE interface rhyngwyneb IEEE *eg* rhyngwynebau IEEE

igloo iglw *eg* iglŵau

igneous igneaidd *ans*

igneous rock craig igneaidd *eb* creigiau igneaidd

ignite cynnau *be*

ignition taniad *eg* taniadau

ignition system system danio *eb* systemau tanio

ignore anwybyddu *be*

ignore character nod anwybyddu *eg* nodau anwybyddu

ileum ilewm *eg*

iliac iliag *ans*

iliolumbar artery rhydweli iliolymbar *eb*

ilium iliwm *eg*

illegal anghyfreithlon *ans*

illegal character nod anghyfreithlon *eg* nodau anghyfreithlon

---

eg/b enw gwrywaidd/benywaidd, *feminine/masculine noun* *ell* enw lluosog, *plural noun* *v* berf, *verb* *n* enw, *noun*

illegitimate anghyfreithlon *ans*
illiteracy anllythrennedd *eg*
illiterate anllythrennog *ans*
illness afiechyd *eg*
illuminate (=decorate a manuscript) goliwio *be*
illuminate (=light up) goleuo *be*
illuminated (of manuscript) goliwiedig *ans*
illuminated lettering llythrennu goliwiedig *be*
illuminated manuscript llawysgrif oliwiedig *eb*
  llawysgrifau goliwiedig
illuminated script sgript oliwiedig *eb* sgriptiau goliwiedig
illuminating power goleunerth *eg* goleunerthoedd
illumination (=light) golau *eg* goleuadau
illumination (of manuscript) goliwiad *eg* goliwiadau
illuminism ilwminiaeth *eb*
illuminist ilwminydd *eg* ilwminiaid
illusion rhith *eg* rhithiau
illusionism rhithiolaeth *eb*
illustrate (=explain or make clear) egluro *be*
illustrate (with a drawing) darlunio *be*
illustrate (with an example) enghreifftio *be*
illustrated (with drawings) darluniadol *ans*
illustrated (with examples) eglurhaol *ans*
illustration (=act or instance of illustrating) darluniad *eg*
  darluniadau
illustration (=drawing or picture illustrating a book etc)
  darlun eglurhaol *eg* darluniau eglurhaol
illustration (=example) enghraifft *eb* enghreifftiau
illustration (=picture) darlun *eg* darluniau
illustrative (=containing drawing or pictures) darluniadol
  ans
illustrative (serving as an explanation or example)
  enghreifftiol *ans*
illuvial mewnlifol *ans*
illuviation mewnlif *eg*
image (=idol) delw *eb* delwau
image (=representation, idea) delwedd *eb* delweddau
image manipulation trin delweddau *be*
image processing prosesu delwedd *be* prosesu delweddau
imagery delweddaeth *eb*
imaginary dychmygol *ans*
imaginary background cefndir dychmygol *eg*
imaginary part rhan ddychmygol *eb* rhannau dychmygol
imaginary world byd dychmygol *eg* bydoedd dychmygol
imagination dychymyg *eg*
imaginative llawn dychymyg *ans*
imaginative composition cyfansoddiad llawn dychymyg
  eg cyfansoddiadau llawn dychymyg
imaginative play chwarae llawn dychymyg *eg*
imbalance anghydbwysedd *eg*
imbecile ynfytyn *eg* ynfytion
imbecility ynfydrwydd *eg*
imbed plannu *be*
imbricated structure adeiledd gorwthiad *eg* adeileddau
  gorwthiad
imitate dynwared *be*

imitation dynwarediad *eg* dynwarediadau
imitative dynwaredol *ans*
imitative learning dysgu drwy ddynwared *be*
imitative play chwarae efelychol *eg*
immature anaeddfed *ans*
immature soil pridd anaeddfed *eg* priddoedd anaeddfed
immediacy digyfryngedd *eg*
immediate access store storfa uniongyrchol *eb* storfeydd
  uniongyrchol
immediate operand operand uniongyrchol *eg* operandau
  uniongyrchol
immerse trochi *be*
immersion trochiad *eg* trochiadau
immersion heater gwresogydd troch *eg* gwresogyddion
  troch
immersion programme rhaglen drochi *eb* rhaglenni trochi
immigrant mewnfudwr *eg* mewnfudwyr
immigrant education addysg mewnfudwyr *eb*
immigrant labour llafur estron *eg*
immigrate mewnfudo *be*
immigration mewnfudiad *eg* mewnfudiadau
immiscible anghymysgadwy *ans*
immobility ansymudoledd *eg*
immoral anfoesol *ans*
immorality anfoesoldeb *eg*
immortality anfarwoldeb *eg*
immune imiwn *ans*
immune reaction adwaith imiwn *eg* adweithiau imiwn
immunity imiwnedd *eg*
immunization imiwneiddiad *eg*
immunize imiwneiddio *be*
immunologist imiwnolegydd *eg* imiwnolegwyr
immunology imiwnoleg *eb*
immunosuppression atal imiwnedd *be*
impact (=effect or influence) effaith *eg/b*
impact (=firm press) ardrawiad *eg* ardrawiadau
impact adhesive adlyn ardrawol *eg* adlynion ardrawol
impact adhesive gludydd ardrawol *eg* gludyddion ardrawol
impact glue glud ardrawol *eg*
impact resistance gwrthiant ardrawiad *eg*
impact strength nerth ardrawiad *eg*
impact printer argraffydd traw *eg* argraffyddion traw
impacted cywasgedig *ans*
impair amharu ar *be*
impaired diffygiol *ans*
impairment nam *eg* namau
impasto impasto *eg*
impeach uchelgyhuddo *be*
impeachment uchelgyhuddiad *eg* uchelgyhuddiadau
impede rhwystro *be*
impediment nam *eg* namau
impeller (pulsator) pwlsadur *eg* pwlsaduron
imperfect cadence diweddeb amherffaith *eb* diweddebau
  amherffaith
imperial (measure) imperial *ans*
imperial (of empire) ymerodrol *ans*
imperial (of expansionist aims) imperialaidd *ans*

Imperial Chamber Siambr Ymerodraeth *eb*

imperial history hanes yr ymerodraeth *eg*

Imperial Knight Marchog yr Ymerodraeth *eg* Marchogion yr Ymerodraeth

Imperial Preference Blaenoriaeth i'r Ymerodraeth *eb*

Imperial unit uned Imperial *eb* unedau Imperial

imperialism imperialaeth *eb*

imperialist imperialydd *eg* imperialwyr

impermeable anathraidd *ans*

impermeable membrane pilen anathraidd *eb* pilenni anathraidd

impersonal amhersonol *ans*

impervious anhydraidd *ans*

impetus ysgogiad *eg* ysgogiadau

impinge ardaro *be*

implant *n* mewnblaniad *eg* mewnblaniadau

implant *v* mewnblannu *be*

implant a cell in the placenta mewnblannu cell yn y brych *be*

implement gweithredu *be*

implementation (in mathematics) gweithred *eb* gweithrediadau

implication goblygiad *eg* goblygiadau

implicit ymhlyg *ans*

implicit function ffwythiant ymhlyg *eg*

implied ymhlyg *ans*

implosion mewnffrwydrad *eg* mewnffrwydradau

imply ymhlygu *be*

impolder polderu *be*

import *n* mewnforyn *eg* mewnforion

import *v* mewnforio *be*

import duty toll mewnforio *eb* tollau mewnforio

import replacement amnewid mewnforion *be*

imported timber coed sy'n cael eu mewnforio *ell*

importer mewnforiwr *eg* mewnforiwyr

impost treth *eb* trethi

impound powndio *be*

impoverish tlodi *be*

impoverishment tlodi *eg*

impregnate (in biology) ffrwythloni *be*

impregnate (=saturate) trwytho *be*

impregnated wadding wadin trwythedig *eg*

impregnation (in biology) ffrwythloniad *eg*

impregnation (=saturation) trwythiad *eg*

impresario impresario *eg* impresari

impression argraff *eb* argraffiadau

impressionable argraffadwy *ans*

impressionism argraffiadaeth *eb*

impressionist argraffiadydd *eg* argraffiadwyr

impressionistic argraffiadol *ans*

impressive nodedig *ans*

impressment gorfodaeth *eb*

imprimatur imprimatur *eg*

imprimatura imprimatura *eg*

imprint (of knurling tool) gwasgnod (erfyn nwrlio) *eg* gwasgnodau

impromptu *adj* byrfyfyr *ans*

impromptu *n* impromptu *eg* impromptus

improper afreolaidd *ans*

improper fraction ffracsiwn pendrwm *eg* ffracsiynau pendrwm

impropriate amfeddu *be*

impropriate tithe degwm amfedd *eg* degymau amfedd

impropriation amfeddiad *eg* amfeddiadau

impropriator amfeddwr *eg* amfeddwyr

improve gwella *be*

improve performance gwella perfformiad *be*

improved land tir wedi ei wella *eg*

improved varieties gwell amrywogaethau *ell*

improvement gwelliant *eg* gwelliannau

Improvement Commissioners Comisiynwyr Gwelliannau *ell*

improvement grant grant gwella *eg* grantiau gwella

improving the school grounds gwella tir yr ysgol

improvisation creu yn fyrfyfyr *be*

improvise (=adapt) addasu byrfyfyr *be*

improvise (in music playing) chwarae'n fyrfyfyr *eg*

improvised byrfyfyr *ans*

improvised apparatus offer byrfyfyr *ell*

impulse (=mental incitement) symbyliad *eg* symbyliadau

impulse (nervous) ysgogiad *eb* ysgogiadau

impulse buying prynu byrbwyll *be*

impulsive ergydiol *ans*

impure amhur *ans*

impurity amhuredd *eg* amhureddau

in care mewn gofal *ans*

in good proportion mewn cyfrannedd da

in her personal capacity dan ei henw ei hun

in his personal capacity dan ei enw ei hun

in parallax mewn paralacs

in proportion mewn cyfrannedd *adf*

in register mewn iawn luniad

in reserve wrth gefn *ans*

in sequence yn olynol

in series mewn cyfres

in the nude yn noethlymun *adf*

in the proportion yn y gyfrannedd

in the round yn dri dimensiwn *adf*

in twos yn ddeuoedd *adf*

in vitro in vitro

in vitro fertilization (IVF) ffrwythloni in vitro *be*

in vivo in vivo

in vogue mewn bri *adf*

in-fighting paffio clos *be*

in-goal ceisfa *eg/b* ceisfeydd

in-house mewnol *ans*

in-line mewn llinell *ans*

in-line point follower dilynwr pwynt mewn-llinell *eg* dilynwyr pwynt mewn-llinell

in-line roller rholer mewn-llinell *eg* rholeri mewn-llinell

in-patient claf mewnol *eg* cleifion mewnol

in-range mewn amrediad *ans*

---

in-service education addysg mewn swydd *eb*

in-service training course cwrs hyfforddiant mewn swydd *eg* cyrsiau hyfforddiant mewn swydd

in-swinger gwyriad i mewn *eg*

inability anallu *eg*

inaccessibility anhygyrchedd *eg*

inaccessible anhygyrch *ans*

inaccuracy anghywirdeb *eg* anghywirdebau

inaccurate gwallus *ans*

inaccurate size maint gwallus *eg* meintiau gwallus

inactive anactif *ans*

inactivity anactifedd *eg*

inadequate annigonol *ans*

inanimate difywyd *ans*

inappropriate clothing dillad anaddas *ell*

inaudible anhyglyw *ans*

inaugural agoriadol *ans*

inaugural lecture darlith sefydlu *eb* darlithiau sefydlu

inaugural speech araith sefydlu *eb* areithiau sefydlu

inaugurate sefydlu *be*

inblowing wind gwynt mewnchwyth *eg* gwyntoedd mewnchwyth

inborn cynhenid *ans*

inborn capacity gallu cynhenid *eg* galluoedd cynhenid

inborn errors of metabolism gwallau cynhenid metabolaeth *ell*

inbreed mewnfridio *be*

incandescence gwyniasedd *eg* gwyniaseddau

incandescent gwynias *ans*

incandescent cloud cwmwl gwynias *eg* cymylau gwynias

incantation swyngan *eb* swynganeuon

incarcerate carcharu *be*

incarnation ymgnawdoliad *eg*

incendiary (bomb) bom tân *eg* bomiau tân

incense (=enrage) *v* cynhyrfu *be*

incense (sweet smelling gum or spice) *n* arogldarth *eg* arogldarthau

incentive cymhelliad *eg* cymhellion

incentre mewnganol *eg* mewnganolau

incest llosgach *eg*

inch modfedd *eb* modfeddi

incidence (in physics) trawiad *eg* trawiadau

incidence (of cases) nifer (yr achosion) *eg*

incidence of rainfall dygwydd glawiad *eg*

incident (feudal) *n* treth *eb* trethi

incident (=occurrence) *n* digwyddiad *eg* digwyddiadau

incident (=striking) *adj* trawol *ans*

incident ray pelydryn trawol *eg* pelydrau trawol

incircle (inscribed circle) mewngylch *eg* mewngylchoedd

incise endorri *be*

incised alphabet gwyddor endoredig *eb* gwyddorau endoredig

incised carving cerfiad endorri *eg* cerfiadau endorri

incised meander ystum rhychog *eg* ystumiau rhychog

incised moulding mowldin endoredig *eg*

incised wound clwyf toriad *eg* clwyfau toriad

incising knife cyllell endorri *eb* cyllyll endorri

incision endoriad *eg* endoriadau

incisor blaenddant *eg* blaenddannedd

incline *n* goledd *eg* goleddau

incline *v* goleddu *be*

incline (in a slate quarry) *n* inclein *eg* incleiniau

incline of difficulty goledd anhawster *eg*

inclined ar oledd *ans*

inclined face wyneb ar oledd *eg* wynebau ar oledd

inclined plane plân ar oledd *eg* planau ar oledd

inclined rope rhaff ar oledd *eb* rhaffau ar oledd

inclined solids solidau ar oledd *ell*

include cynnwys *be*

included angle ongl gynwysedig *eb* onglau cynwysedig

inclusive cynhwysol *ans*

income incwm *eg* incymau

income group grŵp incwm *eg* grwpiau incwm

income support ategiad incwm *eg*

income tax treth incwm *eb*

incommensurable anghymesur *ans*

incompatible (of objects) anghydnaws *ans*

incompatible (of people) anghymarus *ans*

incompetence anghymwyster *eg* anghymwysterau

incomplete anghyflawn *ans*

incomplete dominance trechedd anghyflawn *eg*

incomplete view golwg anghyflawn *eg* golygon anghyflawn

incompressible anghywasg *ans*

inconsistency anghysondeb *eg* anghysonderau

inconsistent anghyson *ans*

incontinence anymataliaeth *eb*

incontinent anymatal *ans*

inconvenience anhwylustod *eg*

incorrect anghywir *ans*

increase *n* cynnydd *eg*

increase *v* cynyddu *be*

increase band cynyddu corlan *be*

increase rate cyfradd cynnydd *eb* cyfraddau cynnydd

increase stitches cynyddu pwythau *be*

increasing control rheolaeth gynyddol *eb*

increasing cost cost gynyddol *eb* costau cynyddol

increasing fluency rhwyddineb cynyddol *eg*

increasing sequence dilyniant cynyddol *eg* dilyniannau cynyddol

increment (in computing) cynyddiad *eg* cynyddiadau

incremental cynyddol *ans*

incrustation crameniad *eg* crameniadau

incrusted cramennog *ans*

incubation period (of disease) cyfnod magu *eg*

incubation period (of egg) cyfnod deori *eg*

incubator (for babies) crud cynnal *eg* crudau cynnal

incubator (for eggs) deorydd *eg* deoryddion

incumbency perigloriaeth *eb* perigloriaethau

incumbent (of any office) deiliad *eg* deiliaid

incumbent (of ecclesiastical office) periglor *eg* periglorion

incursion cipgyrch *eg* cipgyrchoedd

---

adf, adv adferf, adverb **ans, adj** ansoddair, adjective **be** berf, verb **eb** enw benywaidd, feminine noun **eg** enw gwrywaidd, masculine noun

incus eingion *eg*

indathrene blue glas indathrin *eg*

indebted dyledus *ans*

indefinite amhendant *ans*

indefinite integral integryn amhendant *eg* integrynnau amhendant

indefinite length hyd amhendant *eg* hydoedd amhendant

indehiscent anymagorol *ans*

indelible ink inc parhaol *eg*

indemnify rhyddarbed *be*

indemnity (=compensation) digollediad *eg*

indemnity (=protection or exemption) indemniad *eg* indemniadau

indent (a margin) *v* mewnoli *be*

indent (legal documents) *v* indeintio *be*

indent (of margin) *n* mewnoliad *eg* mewnoliadau

indentation (=dent) pantiad *eg* pantiadau

indentation (of legal documents) indeintiad *eg* indeintiadau

indentation (=toothlike notches) danheddiad *eg* daneddiadau

indented (with toothlike notches) danheddus *ans*

indented paragraph paragraff wedi'i fewnoli *eg* paragraffau wedi'u mewnoli

indented text testun wedi'i fewnoli *eg* testunau wedi'u mewnoli

indenture indeintur *eg* indeinturau

indentured labour llafur ymrwymedig *eg*

independence annibyniaeth *eb* annibyniaethau

independent annibynnol *ans*

independent (of) annibynnol (ar) *ans*

independent assortment of genes hapddosraniad y genynnau *eg*

independent chuck crafanc gafael annibynnol *eb* crafangau gafael annibynnol

independent gentry bonedd annibynnol *eg*

Independent Labour Party (ILP) Plaid Lafur Annibynnol *eb*

independent learning dysgu annibynnol *be*

independent reading level lefel darllen annibynnol *eb*

independent school ysgol annibynnol *eb* ysgolion annibynnol

independent section adran annibynnol *eb* adrannau annibynnol

independent study astudio annibynnol *be*

independent suspension hongiad annibynnol *eg* hongiadau annibynnol

independent university prifysgol annibynnol *eb* prifysgolion annibynnol

independent variable newidyn annibynnol *eg* newidynnau annibynnol

indeterminacy amhenodrwydd *eg*

indeterminate (in economics) amhenderfynedig *ans*

indeterminate key cywair amhenodol *eg*

index (=alphabetical list with references) *n* mynegai *eg* mynegeion

index (in mathematics and science) *n* indecs *eg* indecsau

Index (Librorum Prohibitorum) Indecs, Yr *eg*

index (list alphabetically with references) *v* mynegeio *be*

index finger mynegfys *eg* mynegfysedd

index linked indecs gyswllt *ans*

index mode modd mynegai *eg*

index notation nodiant indecs *eg*

index pin pìn cyfeirio *eg* pinnau cyfeirio

index register cofrestr mynegai *eb* cofrestri mynegai

indexed address cyfeiriad mynegedig *eg* cyfeiriadau mynegedig

indexed addressing cyfeirio mynegedig *be*

indexed sequential file ffeil ddilyniannol fynegedig *eb* ffeiliau dilyniannol mynegedig

India-corn India corn *eg*

Indian art celfyddyd India *eb*

Indian Empire Ymerodraeth India *eb*

Indian ink inc India *eg*

Indian oilstone carreg hogi India *eb* cerrig hogi India

Indian raga raga Indiaidd *eg*

Indian red coch India *eg*

Indian summer Haf Bach Mihangel *eg*

indicate dangos *be*

indicate dynamics dangos dynameg *be*

indication arwydd *eg/b* arwyddion

indicator dangosydd *eg* dangosyddion

indict ditio *be*

indictable ditiadwy *ans*

indictment ditiad *eg*

indifference curves cromliniau diwahaniaeth *ell*

indiffusible anhryledadwy *ans*

indigenous brodorol *ans*

indigenous industry diwydiant brodorol *eg*

indigestible anhydraul *ans*

indigestion diffyg traul *eg*

indirect anuniongyrchol *ans*

indirect addressing cyfeirio anuniongyrchol *be*

indirect free kick cic rydd anuniongyrchol *eb* ciciau rhydd anuniongyrchol

indirect lighting golau anuniongyrchol *eg*

indirect tax treth anuniongyrchol *eb* trethi anuniongyrchol

indissoluble residue gwaddod annhoddadwy *eg* gwaddodion annhoddadwy

indistinguishability anwahaniaethrwydd *eg*

indium (In) indiwm *eg*

individual *adj* unigol *ans*

individual *n* unigolyn *eg* unigolion

individual activities (in sport) gweithgareddau fel unigolyn *ell*

individual game gêm unigol *eb* gemau unigol

individual performance review adolygiad perfformiad unigol *eg* adolygiadau perfformiad unigol

individual possession meddiant unigol *eg*

individual test prawf unigol *eg* profion unigol

individual training and assessment programme rhaglen hyfforddi ac asesu unigol *eb* rhaglenni hyfforddi ac asesu unigol

individualism unigoliaeth *eb*

individualist unigolydd *eg* unigolyddion

individualized education programme rhaglen addysg unigol *eb* rhaglenni addysg unigol

---

eg/b enw gwrywaidd/benywaidd, *feminine/masculine noun*   **ell** enw lluosog, *plural noun*   **v** berf, *verb*   **n** enw, *noun*

individualized reading programme rhaglen ddarllen i'r unigolyn *eb* rhaglenni darllen i'r unigolyn

indivisibility anwahanadrwydd *eg*

indivisible anwahanadwy *ans*

Indo-Sumerian Indo-Swmeraidd *ans*

indoctrinate cyflyru *be*

indoor dan do *ans*

indoor environment amgylchedd dan do *eg*

indoor use defnydd dan do *eg*

indoor work gwaith dan do *eg*

induce (birth) prysuro (geni) *be*

induce (=cause) peri *be*

induce (in logic, physics etc) anwytho *be*

induct sefydlu *be*

induction (of a person) sefydliad *eg* sefydliadau

induction (in logic, physics etc) anwythiad *eg* anwythiadau

induction coil coil anwythiad *eg* coiliau anwythiad

induction course cwrs sefydlu *eg* cyrsiau sefydlu

induction meeting cyfarfod sefydlu *eg* cyfarfodydd sefydlu

induction stroke strôc anwythiad *eb* strociau anwythiad

induction training hyfforddiant sefydlu *eg*

induction year blwyddyn sefydlu *eb*

inductive anwythol *ans*

inductor anwythydd *eg* anwythyddion

indulgence (papal) maddeueb *eb* maddeuebau

indurated *(with feminine nouns)* wedi'i chaledu *ans* wedi'u caledu

indurated *(with masculine nouns)* wedi'i galedu *ans* wedi'u caledu

induration calediant *eg*

industrial diwydiannol *ans*

industrial area ardal ddiwydiannol *eb* ardaloedd diwydiannol

industrial complex cymhlyg diwydiannol *eg* cymhlygau diwydiannol

industrial estate stad ddiwydiannol *eb* stadau diwydiannol

industrial history hanes diwydiannol *eg*

industrial practice arfer diwydiannol *eg* arferion diwydiannol

industrial relations cysylltiadau diwydiannol *ell*

industrial retraining ailhyfforddi diwydiannol *be*

Industrial Revolution Chwyldro Diwydiannol *eg*

industrial training hyfforddiant diwydiannol *eg*

industrial training board bwrdd hyfforddi diwydiannol *eg* byrddau hyfforddi diwydiannol

industrial waste gwastraff diwydiannol *eg*

industrialization diwydiannaeth *eb*

industrialize diwydianeiddio *be*

industry diwydiant *eg* diwydiannau

industry lead body corff arwain diwydiant *eg* cyrff arwain diwydiant

ineducable anaddysgadwy *ans*

ineffective aneffeithiol *ans*

ineffectiveness aneffeithioldeb *eg*

inefficiency aneffeithlonrwydd *eg*

inefficient aneffeithlon *ans*

inelastic anelastig *ans*

inequality anhafaledd *eg* anhafaleddau

inequation anhafaliad *eg* anhafaliadau

inert (without active chemical etc properties) anadweithiol *ans*

inert (=without inherent power, sluggish) difywyd *ans*

inert colour lliw difywyd *eg*

inert gas nwy anadweithiol *eg* nwyon anadweithiol

inert pair effect effaith y pâr anadweithiol *eb*

inert substance sylwedd anadweithiol *eg* sylweddau anadweithiol

inertia (of property of matter) inertia *eg* inertiau

inertia (=sloth) syrthni *eg*

inessentials anhanfodion *ell*

inextensible anestynadwy *ans*

infacing scarp sgarp mewnwynebol *eg* sgarpiau mewnwynebol

infancy babandod *eg*

infant baban *eg* babanod

infant mortality marwolaethau babanod *ell*

infant psychology seicoleg babanod *eb*

infant school ysgol y babanod *eb* ysgolion babanod

infant welfare lles babanod

infanticide babanladdiad *eg*

infantile babanaidd *ans*

infantry gwŷr traed *ell*

infect heintio *be*

infected heintiedig *ans*

infection (act or process) heintiad *eg* heintiadau

infection (=infectious disease) haint *eb* heintiau

infectious heintus *ans*

infectious disease clefyd heintus *eg* clefydau heintus

infer casglu *be*

inference casgliad *eg* casgliadau

inferential statistics ystadegaeth gasgliadol *eb*

inferior (in anatomy) isaf *ans*

inferior (=lower and therefore not as good) israddol *ans*

inferior (of quality) gwael *ans*

inferior (of rank) is *ans*

inferior goods nwyddau israddol

inferior resonance cyseiniant israddol *eg* cyseiniannau israddol

inferiority complex cymhleth israddoldeb *eg*

infertile anffrwythlon *ans*

infertility anffrwythlondeb *eg*

infest bod yn bla *be*

infestation pla *eg* plâu

infested heigiog *ans*

infidel (=pagan) pagan *eg* paganiaid

infidel (=unbeliever) anghrediniwr *eg* anghredinwyr

infield maes agos *eg* meysydd agos

infilling mewnlenwad *eg* mewnlenwadau

infiltrate ymdreiddio *be*

infimum inffimwm *ans*

infinite anfeidraidd *ans*

infinite canon cylchganon *eb/g* cylchganonau

infinite loop dolen ddiddiwedd *eb* dolennau diddiwedd

infinitely yn anfeidraidd *adf*

infinitesimal *adj* gorfychan *ans*

infinitesimal *n* gorfychanyn *eg* gorfychanion

infinity anfeidredd *eg* anfeidreddau

infirm methedig *ans*

infirmary clafdy *eg* clafdai

infix *n* mewnddodiad *eg* mewnddodiaid

infix *v* mewnddodi *be*

infix notation nodiant mewnddodol *eg*

inflamed llidus *ans*

inflammable fflamadwy *ans*

inflammable liquid hylif fflamadwy *eg* hylifau fflamadwy

inflammable vapour anwedd fflamadwy *eg* anweddau fflamadwy

inflammation (medical) llid *eg*

inflate (in finance) chwyddo *be*

inflate (in physics) enchwythu *be*

inflated enchwythedig *ans*

inflation (=distention with air etc) enchwythiad *eg* enchwythiadau

inflation (of currency) chwyddiant *eg* chwyddiannau

inflationary chwyddiannol *ans*

inflection ffurfdro *eg* ffurfdroeon

inflexibility anhyblygrwydd *eg*

inflexible anhyblyg *ans*

inflexion goslef *eb* goslefau

inflorescence fflurgainc *eb* fflurgeinciau

influence *n* dylanwad *eg* dylanwadau

influence *v* dylanwadu *be*

influenza ffliw *eg*

influx dylifiad *eg*

informal anffurfiol *ans*

informal approach dull anffurfiol *eg* dulliau anffurfiol

informal education addysg anffurfiol *eb*

informal method dull anffurfiol *eg* dulliau anffurfiol

informal reading inventory rhestr ddarllen anffurfiol *eb* rhestri darllen anffurfiol

informal teaching addysgu anffurfiol *be*

information gwybodaeth *eb*

information bit did gwybodaeth *eg* didau gwybodaeth

information channel sianel wybodaeth *eb* sianeli gwybodaeth

information handbook llawlyfr gwybodaeth *eg* llawlyfrau gwybodaeth

information handling trin gwybodaeth *be*

information mapping mapio gwybodaeth *be*

information probability field maes tebygolrwydd gwybodaeth *eg*

information processing prosesu gwybodaeth *be*

information retrieval adalw gwybodaeth *be*

information science gwyddor gwybodaeth *eb* gwyddorau gwybodaeth

information source ffynhonnell gwybodaeth *eb* ffynonellau gwybodaeth

information system system wybodaeth *eb* systemau gwybodaeth

information technology (IT) technoleg gwybodaeth *eb*

information technology centre (ITEC) canolfan technoleg gwybodaeth *eb* canolfannau technoleg gwybodaeth

information test prawf gwybodaeth *eg* profion gwybodaeth

information theory theori gwybodaeth *eb* theorïau gwybodaeth

informative advertising hysbysebu er gwybodaeth *be*

informative label label gwybodaeth *eg* labeli gwybodaeth

informed choice dewis gwybodus *eg* dewisiadau gwybodus

informed consent cydsyniad gwybodus *eg*

infra-basal iswaelodol *ans*

infraorbital gland chwarren islygadol *eb* chwarennau islygadol

infrared *n* isgoch *eg*

infrared grill gridyll isgoch *eg* gridyllau isgoch

infrared wave ton isgoch *eb* tonnau isgoch

infrastructure isadeiledd *eg* isadeileddau

infringement trosedd *eg/b* troseddau

infuse trwytho *be*

infusion (=liquid or admixture) trwyth *eg* trwythau

infusion (of action) arllwysiad *eg* arllwysiadau

ingate trowel trywel gât *eb* trywelion gât

ingenious dyfeisgar *ans*

ingenuity dyfeisgarwch *eg*

ingest amlyncu *be*

ingot ingot *eg* ingotau

ingot mould mowld ingot *eg* mowldiau ingot

ingredient cynhwysyn *eg* cynhwysion

ingress mynediad *eg* mynediadau

ingrowing toenail casewin *eg* casewinedd

ingrown meander ystum lledrych *eg* ystumiau lledrych

inhabitable trigiadwy *ans*

inhabitant trigolyn *eg* trigolion

inhabited cyfannedd *ans*

inhalation mewnanadliad *eg* mewnanadliadau

inhale mewnanadlu *be*

inhaled gases nwyon mewnanadledig *ell*

inhaler mewnanadlydd *eg* mewnanadlwyr

inherit etifeddu *be*

inheritance (of characteristics) etifeddiad (nodweddion) *eg*

inherited etifeddol *ans*

inherited defect nam etifeddol *eg* namau etifeddol

inhibit atal *be*

inhibition (e.g. enzyme and psychological) ataliad *eg* ataliadau

inhibition (=emotional resistance) swildod *eg*

inhibitor atalydd *eg* atalyddion

inhospitable digroeso *ans*

INIST: initial and in-service training HCMS: hyfforddiant cychwynnol ac mewn swydd *eg*

initial cychwynnol *ans*

initial ability level lefel gallu cychwynnol *eb*

initial conditions amodau cychwynnol *ell*

initial curvature crymedd cychwynnol *eg* crymeddau cychwynnol

---

eg/b enw gwrywaidd/benywaidd, *feminine/masculine noun*   *ell* enw lluosog, *plural noun*   *v* berf, *verb*   *n* enw, *noun*

initial cycle cylchred gychwynnol *eb* cylchredau cychwynnol

initial proposal cynnig cyntaf *eg* cynigion cyntaf

initial teacher training hyfforddiant cychwynnol i athrawon *eg*

initial velocity cyflymder cychwynnol *eg* cyflymderau cychwynnol

initialization procedure trefn ymgychwyn *eb*

initialize (disc) ymgychwyn *be*

initiate (=open) agor *be*

initiate (=start) cychwyn *be*

initiate proceedings cychwyn achos *be*

initiation (into a religion) derbyn *be*

initiation reaction adwaith dechreuol *eg* adweithiau dechreuol

initiative (=enterprise) menter *eb* mentrau

initiative (=first step) cam cyntaf *eg* camau cyntaf

inject (a person) rhoi pigiad *be*

inject (into a receptacle) chwistrellu *be*

injection (into a receptacle) chwistrelliad *eg* chwistrelliadau

injection (into person) pigiad *eg* pigiadau

injection moulding mowldio chwistrellu *be*

injective mapping mapio mewnsaethol *be*

injunction (=judicial order of compulsion) gorfodeb *eb* gorfodebion

injunction (=judicial order of restraint) gwaharddeb *eb* gwaharddebion

injury anaf *eg* anafiadau

ink *n* inc *eg* inciau

ink *v* incio *be*

ink drier sychydd inc *eg* sychwyr inc

ink roller rholer inc *eg* rholeri inc

ink sac coden inc *eb* codennau inc

ink thinner teneuydd inc *eg* teneuwyr inc

ink-jet printer argraffydd chwistrell *eg* argraffyddion chwistrell

inking in incio *be*

inking slab slab incio *eg* slabiau incio

inkle loom gwŷdd incl *eg* gwyddion incl

inland mewndirol *ans*

Inland Revenue Cyllid y Wlad *eg*

inlay *n* mewnosodiad *eg* mewnosodiadau

inlay *v* mewnosod *be*

inlay strings llinynnau mewnosod *ell*

inlet (=intake) mewnfa *eb* mewnfeydd

inlet (of sea, lake) cilfach *eb* cilfachau

inlet-head blaen cilfach *eg* blaenau cilfachau

inlier mewngraig *eb* mewngreigiau

innate cynhenid *ans*

inner mewnol *ans*

inner bead glain mewnol *eg* gleiniau mewnol

inner city *adj* canol dinas *ans*

inner city *n* canol y ddinas *eg* canol dinasoedd

inner city school ysgol canol dinas *eb* ysgolion canol dinas

inner core craidd mewnol *eg* creiddiau mewnol

inner ear clust fewnol *eb*

inner face wyneb mewnol *eg*

Inner London Council Cyngor Llundain Fewnol *eg*

inner parts rhannau mewnol *ell*

inner pedal pedal mewnol *eg* pedalau mewnol

Inner Temple Ysbyty'r Inner Temple *eg*

innervate nerfogi *be*

innervation nerfogaeth *eb*

innings batiad *eg* batiadau

innominate (of artery) anenwol *ans*

innovate arloesi *be*

innovation (=alteration) cyfnewidiad *eg* cyfnewidiadau

innovation (=new development) datblygiad newydd *eg* datblygiadau newydd

innovation (=new thing) newyddbeth *eg* newyddbethau

Inns of Court Ysbytai'r Brawdlys *ell*

inoculate brechu *be*

inoculation brechiad *eg* brechiadau

inorganic anorganig *ans*

input *v* mewnbynnu *be*

input (=contribution of information) *n* cyfraniad *eg* cyfraniadau

input (in finance) *n* mewngyrch *eg*

input (=information fed into a computer) *n* mewnbwn *eg* mewnbynnau

input control system system reoli mewnbwn *eb* systemau rheoli mewnbwn

input stream mewnlif *eg* mewnlifoedd

input unit uned fewnbynnu *eb* unedau mewnbynnu

Input/Output (I/O) Mewnbwn/Allbwn (M/A)

input/output buffer byffer mewnbwn/allbwn *eg* byfferau mewnbwn/allbwn

input/output device dyfais mewnbw/allbwn *eb* dyfeisiau mewnbwn/allbwn

input/output routine rheolwaith mewnbwn/allbwn *eg* rheolweithiau mewnbwn/allbwn

input/output stream mewnlif/all-lif *eg* mewnlifoedd/all-lifoedd

inquest cwest *eg* cwestau

inquiry (=investigation) ymchwiliad *eg* ymchwiliadau

inquiry (=question) ymholiad *eg* ymholiadau

inquisition (=ecclesiastical court) chwilys *eg* chwilysoedd

inquisition (=enquiry) ymchwiliad *eg* ymchwiliadau

Inquisitor General Arch-chwilyswr *eg* Arch-chwilyswyr

insane gwallgof *ans*

inscribe arysgrifio *be*

inscribed circle (in-circle) mewngylch *eg* mewngylchoedd

inscription arysgrif *eg* arysgrifau

insect pryfyn *eg* pryfed

insect bite pigiad pryfyn *eg* pigiadau pryfyn

insecticide pryfleiddiad *eg* pryfleiddiaid

insectivorous pryfysol *ans*

insemination ymhadiad *eg* ymhadiadau

insequent *n* haplif *eg*

insequent stream ffrwd haplif *eb* ffrydiau haplif

insert mewnosod *be*

insert mewnosodiad *eg* mewnosodiadau

---

adf, adv adferf, *adverb*   ***ans, adj*** ansoddair, *adjective*   **be** berf, *verb*   **eb** enw benywaidd, *feminine noun*   **eg** enw gwrywaidd, *masculine noun*

insert file mewnosod ffeil *be*

insert header mewnosod pennyn *be*

insert key mewnosodwr *eg* mewnosodwyr

insert merge field mewnosod maes cyfun *be*

inserted stitch pwyth cyswllt *eg* pwythau cyswllt

insertion mewniad *eg* mewniadau

insertion sort trefniad mewnosod *eg* trefniadau mewnosod

inset mewnosodiad *eg* mewnosodiadau

INSET: in-service training HMS: hyfforddiant mewn swydd *eg*

inshore gyda'r glannau *ans*

inshore fishing pysgota'r glannau *be*

inside tu mewn *eg*

inside callipers caliperau mewnol *ell*

inside diameter diamedr mewnol *eg* diamedrau mewnol

inside forward mewnwr *eg* mewnwyr

inside half mewnwr *eg* mewnwyr

inside left mewnwr chwith *eg* mewnwyr chwith

inside leg coes fewnol *eb*

inside micrometer micromedr mewnol *eg* micromedrau mewnol

inside of glove cledr y faneg *eb*

inside right (of player) mewnwr de *eg* mewnwyr de

inside the circle tu mewn i'r cylch *eg*

insight mewnwelediad *eg* mewnwelediadau

insolation darheulad *eg*

insolubility anhydoddedd *eg*

insoluble anhydawdd *ans*

insolvency methdaliad *eg* methdaliadau

insolvent methdalwr *eg* methdalwyr

insomnia anhunedd *eg*

inspect arolygu *be*

inspection arolygiad *eg* arolygiadau

inspector arolygwr *eg* arolygwyr

inspectorate arolygiaeth *eb* arolygiaethau

inspiration (of air) mewnanadliad *eg*

inspiration (poetic) ysbrydoliaeth *eb*

inspire ysbrydoli *be*

inspired air aer mewnanadledig *eg*

instability (of economy, society etc) ansefydlogrwydd *eg*

instability (of object) ansadrwydd *eg*

install (machinery etc) gosod *be*

install dictionaries gosod geiriaduron *be*

installation program rhaglen osod *eb* rhaglenni gosod

instalment rhandal *eg* rhandaliadau

instant ennyd *eg/b* enydau

instant grip wrench tyndro gafael ebrwydd *eg* tyndroeon gafael ebrwydd

instantaneous (in general) ebrwydd *ans*

instantaneous (in physics) enydaidd *ans*

instantaneous centre of rotation canol enydaidd y cylchdro *eg*

instantaneous grip gafael ebrwydd *eb*

instantaneous grip vice feis gafael ebrwydd *eb* feisiau gafael ebrwydd

instantaneous water-heater gwresogydd dŵr ebrwydd *eg* gwresogyddion dŵr ebrwydd

instep cefn troed *eg* cefnau traed

instinct greddf *eb* greddfau

instinctive behaviour ymddygiad greddfol *eg*

institute sefydliad *eg* sefydliadau

institute of education athrofa *eb* athrofeydd

institution sefydliad *eg* sefydliadau

institutional sefydliadol *ans*

institutional care gofal mewn sefydliad *eg*

institutional history hanes sefydliadau *eg*

institutionalize sefydliadu *be*

instruction cyfarwyddyd *eg* cyfarwyddiadau

instruction address cyfeiriad cyfarwyddyd *eg* cyfeiriadau cyfarwyddyd

instruction cycle cylchred gyfarwyddyd *eb* cylchredau cyfarwyddyd

instruction decoder datgodiwr cyfarwyddyd *eg* datgodwyr cyfarwyddyd

instruction format fformat cyfarwyddyd *eg* fformatau cyfarwyddyd

instruction register cofrestr gyfarwyddyd *eb* cofrestri cyfarwyddyd

instruction set set gyfarwyddiadau *eb* setiau cyfarwyddiadau

instruction sheet taflen gyfarwyddiadau *eb* taflenni cyfarwyddiadau

instruction word gair cyfarwyddiadol *eg* geiriau cyfarwyddiadol

instructional programme rhaglen hyfforddi *eb* rhaglenni hyfforddi

instructor hyfforddwr *eg* hyfforddwyr

instrument (=implement) offeryn *eg* offer

instrument (of music) offeryn *eg* offerynnau

Instrument of Government Offeryn Llywodraeth *eg*

instrumental offerynnol *ans*

instrumental ostinato ostinato offerynnol *eg*

instrumental part rhan offerynnol *eb* rhannau offerynnol

instrumentalist offerynnwr *eg* offerynwyr

instrumentation offeryniaeth *eb* offeryniaethau

insular ynysol *ans*

insulate ynysu *be*

insulated ynysedig *ans*

insulating board bwrdd ynysu *eg* byrddau ynysu

insulating material defnydd ynysu *eg* defnyddiau ynysu

insulation ynysiad *eg* ynysiadau

insulator ynysydd *eg* ynysyddion

insulin inswlin *eg*

insurance yswiriant *eg* yswiriannau

insurance policy polisi yswiriant *eg* polisïau yswiriant

insure yswirio *be*

insured yswiriedig *ans*

insured population poblogaeth yswiriedig *eb* poblogaethau yswiriedig

insurer yswiriwr *eg* yswirwyr

insurrection gwrthryfel *eg* gwrthryfeloedd

intact spurs sbardunau didoriad *ell*

intaglio intaglio *eg*

---

eg/b enw gwrywaidd/benywaidd, *feminine/masculine noun*   **ell** enw lluosog, *plural noun*   **v** berf, *verb*   **n** enw, *noun*

intaglio engraving ysgythriad intaglio *eg* ysgythriadau intaglio

intake nifer a dderbynnir *eg* niferoedd a dderbynnir

intake (flow) mewnlif *eg* mewnlifoedd

intake (land) ffridd *eb* ffriddoedd

intake (of food) cymeriant *eg*

intake and output cymeriant ac allgynnyrch

intarsia intarsia *eg*

integer cyfanrif *eg* cyfanrifau

integer arithmetic rhifyddeg cyfanrifau *eb*

integer value gwerth cyfanrifol *eg* gwerthoedd cyfanrifol

integer variable newidyn cyfanrifol *eg* newidynnau cyfanrifol

integral (of calculus) *adj* integrol *ans*

integral (of calculus) *n* integryn *eg* integrynnau

integral (of integer) *adj* cyfannol *ans*

integral (part of something) *adj* annatod *ans*

integral calculus calcwlws integrol *eg*

integral diagram diagram integrol *eg* diagramau integrol

integral domain parth integrol *eg* parthau integrol

integral multiple lluosrif cyfannol *eg* lluosrifau cyfannol

integral value gwerth cyfannol *eg* gwerthoedd cyfannol

integrand integrand *eg* integrandau

integrate (=bring into equal participation) integreiddio *be*

integrate (=combine into a whole or complete by the addition of parts) cyfannu *be*

integrate (=find the integral of) integru *be*

integrate children integreiddio plant *be*

integrate society cyfannu cymdeithas *be*

integrated (of children, people) integredig *ans*

integrated (of objects) cyfannol *ans*

integrated circuit (IC) cylched gyfannol *eb* cylchedau cyfannol

integrated course cwrs cyfannol *eg* cyrsiau cyfannol

integrated curriculum cwricwlwm cyfannol *eg*

integrated day diwrnod cyfannol *eg*

integrated learning dysgu cyfannol *be*

integrated school ysgol gyfannol *eb* ysgolion cyfannol

integrated studies astudiaethau cyfannol *ell*

integrated support service gwasanaeth cefnogi cyfannol *eg* gwasanaethau cefnogi cyfannol

integrated syllabus maes llafur cyfannol *eg* meysydd llafur cyfannol

integrated training hyfforddiant cyfannol *eg*

integration integreiddiad *eg*

integration (in calculus) integriad *eg* integriadau

integration (of parts into a whole) cyfannu *be*

integration (of people) integreiddio *be*

integration by parts integru fesul rhan *be*

integrative integreiddiol *ans*

integrity (=moral uprightness) unplygrwydd *eg*

integrity (=wholeness) cyfanrwydd *eg*

integument pilyn *eg* pilynnau

intellectual *adj* deallusol *ans*

intellectual development datblygiad deallusol *eg*

intellectual experience profiad deallusol *eg* profiadau deallusol

intellectual factor ffactor ddeallusol *eb* ffactorau deallusol

intelligence deallusrwydd *eg*

intelligence quotient (I.Q.) cyniferydd deallusrwydd *eg*

intelligence test prawf deallusrwydd *eg* profion deallusrwydd

intelligent deallus *ans*

intelligent knowledge based systems (IKBS) systemau deallus yn seiliedig ar wybodaeth *ell*

intelligent terminal terfynell ddeallus *eb* terfynellau deallus

intelligentsia deallusion *ell*

intense dwys *ans*

intense (of feeling) angerddol *ans*

intense (of light) tanbaid *ans*

intensity (in physics) arddwysedd *eg* arddwyseddau

intensity (of feeling) angerdd *eg*

intensity (of light) tanbeidrwydd *eg*

intensive (in physics) arddwys *ans*

intensive care gofal dwys *eg*

intention bwriad *eg* bwriadau

inter-block gap bwlch rhyngfloc *eg* bylchau rhyngfloc

inter-quartile rhyngchwartel *eg* rhyngchwartelau

inter-tidal rhynglanw *eg*

interact rhyngweithio *be*

interaction rhyngweithiad *eg* rhyngweithiadau

interactive rhyngweithiol *ans*

interactive video fideo rhyngweithiol *eg* fideos rhyngweithiol

interbedded rhynghaenol *ans*

interbreed rhyngfridio *be*

intercalary rhyngosodol *ans*

intercede eiriol *be*

intercellular rhyng-gellol *ans*

intercellular spaces gwagleoedd rhyng-gellol *ell*

intercept (a ball in sport) *v* rhyng-gipio *be*

intercept (e.g. of aeroplanes) *v* rhyng-gyfarfod *be*

intercept (in mathematics) *n* rhyngdoriad *eg* rhyngdoriadau

intercept (in mathematics) *v* rhyngdorri *be*

interception (e.g. of aeroplanes) rhyng-gyfarfyddiad *eg* rhyng-gyfarfyddiadau

interception (of a ball in sport) rhyng-gipiad *eg* rhyng-gipiadau

intercession eiriolaeth *eb*

interchange (in mathematics) cydgyfnewid *be*

interchange (of data) ymgyfnewid *be*

interchangeable (in mathematics) cydgyfnewidiol *ans*

intercorrelation rhyng-gydberthyniad *eg* rhyng-gydberthyniadau

intercostal rhyngasennol *ans*

intercourse (sexual) cyfathrach rywiol *eb*

interdepartmental rhyngadrannol *ans*

interdependence cyd-ddibyniaeth *eb*

interdependent cyd-ddibynnol *ans*

interdependent variable newidyn rhyngddibynnol *eg* newidynnau rhyngddibynnol

---

adf, adv adferf, *adverb* **ans, adj** ansoddair, *adjective* **be** berf, *verb* **eb** enw benywaidd, *feminine noun* **eg** enw gwrywaidd, *masculine noun*

interdict gwaharddiad *eg* gwaharddiadau

interdrumlin rhyngdrymlinol *ans*

interest (=advantage or profit) budd *eg* buddiannau

interest (=concern, curiosity, pastime) diddordeb *eg* diddordebau

interest (=money paid for money lent) llog *eg* llogau

interest area maes diddordeb *eg* meysydd diddordeb

interest rate cyfradd llog *eb* cyfraddau llog

interest-getting question cwestiwn i ddenu diddordeb *eg* cwestiynau i ddenu diddordeb

interesting diddorol *ans*

interface *n* rhyngwyneb *eg* rhyngwynebau

interface *v* rhyngwynebu *be*

interfacial rhyngwynebol *ans*

interfacing wyneb cudd *eg* wynebynnau cudd

interfascicular rhyngffasgellol *ans*

interference ymyrraeth *eb* ymyraethau

interference fit ffit ymyrraeth *eb* ffitiau ymyrraeth

interferometer ymyradur *eg* ymyraduron

interferon interfferon *eg*

interfluve tir rhyngafonol *eg* tiroedd rhyngafonol

intergalactic rhyngalaethog *ans*

interglacial rhyngrewlifol *ans*

interim interim *ans*

interim report adroddiad interim *eg* adroddiadau interim

interior (in general) *adj* mewnol *ans*

interior (=inside) *n* tu mewn *eg*

interior (of land) *adj* mewndirol *ans*

interior (of land) *n* mewndir *eg*

interior angle ongl fewnol *eb* onglau mewnol

interior decorating addurno mewnol *be*

interior decoration addurn mewnol *eg* addurnau mewnol

interior plywood pren haenog mewnol *eg*

interlace *n* rhyngles *eg*

interlace *v* rhynglesio *be*

interlining leinin cudd *eg*

interlink cydgysylltu *be*

interlinked cydgysylltiol *ans*

interlock cydgloi *be*

interlocked grain graen rhyng-gloëdig *eg*

interlocking cyd-gloi *be*

interlocking device dyfais gydgloëdig *eb* dyfeisiau cydgloëdig

interlocking spurs sbardunau pleth *ell*

interlude (in a performance) egwyl *eb* egwylion

intermediary *n* cyfryngwr *eg* cyfryngwyr

intermediary compound rhyng-gyfansoddyn *eg* rhyng-gyfansoddion

intermediary metabolism metabolaeth ryngol *eb*

intermediate (in biology) rhyngolyn *eg* rhyngolynnau

intermediate (in education) canolradd *ans*

intermediate area (=grey area) ardal lwyd *eb* ardaloedd llwyd

intermediate education addysg ganolradd *eb*

intermediate layer haen ryngol *eb* haenau rhyngol

intermediate school ysgol ganolradd *eb* ysgolion canolradd

intermediate state (in mathematics) rhyng-gyflwr *eg* rhyng-gyflyrau

intermezzo intermezzo *eg* intermezzi

intermittent ysbeidiol *ans*

intermittent feed *n* porthiant ysbeidiol *eg*

intermittent stream ffrwd ysbeidiol *eb* ffrydiau ysbeidiol

intermix *n* cydgymysgiad *eg*

intermix *v* cydgymysgu *be*

intermixable rhyng-gymysgadwy *ans*

intermixture cydgymysgedd *eg* cydgymysgeddau

intermont rhyngfynyddig *ans*

internal mewnol *ans*

internal assessment asesu mewnol *be*

internal assessor aseswr mewnol *eg* aseswyr mewnol

internal bisector hanerydd mewnol *eg* hanerwyr mewnol

internal circlip cylchglip mewnol *eg* cylchglipiau mewnol

internal combustion engine peiriant tanio mewnol *eg* peiriannau tanio mewnol

internal degree gradd fewnol *eb* graddau mewnol

internal diameter diamedr mewnol *eg* diamedrau mewnol

internal environment amgylchedd mewnol *eg* amgylcheddau mewnol

internal examination arholiad mewnol *eg* arholiadau mewnol

internal examiner arholwr mewnol *eg* arholwyr mewnol

internal inquiry ymchwiliad mewnol *eg* ymchwiliadau mewnol

internal pressure gwasgedd mewnol *eg*

internal respiration resbiradaeth fewnol *eb*

internal secretion secretiad mewnol *eg* secretiadau mewnol

internal step cam mewnol *eg* camau mewnol

internal verifier dilysydd mewnol *eg* dilyswyr mewnol

internal wall wal fewnol *eb* waliau mewnol

internalize mewnoli *be*

international rhyngwladol *ans*

International (=L'internationale) Undeb Rhyngwladol *eg*

International Atomic Energy Agency Asiantaeth Ryngwladol Egni Niwclear *eb*

International Brigade Brigâd Ryngwladol *eb*

International Court of Justice Llys Barn Rhyngwladol *eg*

International Date Line Dyddlinell *eb*

international dimension dimensiwn rhyngwladol *eg* dimensiynau rhyngwladol

international history hanes rhyngwladol *eg*

International Labour Organization Mudiad Llafur Rhyngwladol *eg*

international level lefel ryngwladol *eb* lefelau rhyngwladol

International Monetary Fund Cronfa Ariannol Ryngwladol *eb*

international paper sizes meintiau papur rhyngwladol *ell*

International Red Cross Mudiad y Groes Goch Ryngwladol *eg*

International Refugee Organization Cyfundrefn Ryngwladol y Ffoaduriaid *eb*

international relations cydberthynas y gwledydd *eb*

international runner *n* rhedwr rhyngwladol *eg* rhedwyr rhyngwladol

international sport chwaraeon rhyngwladol *ell*

International Standards Organization Cyfundrefn Safonau Rhyngwladol *eb*

international trade masnach ryngwladol *eb*

internationalism rhyngwladoliaeth *eb*

internecine cyd-ddinistriol *ans*

internodal rhyngnodol *ans*

internode internod *eg* internodau

interpenetrate cydymdreiddio *be*

interpenetration cyd-dreiddiad *eg* cyd-dreiddiadau

interpersonal rhyngbersonol *ans*

interpersonal communication cyfathrebu rhyngbersonol *be*

interpersonal relations cydberthynas rhwng pobl *eb*

interplay cydadwaith *be*

interpolate rhyngosod *be*

interpolation rhyngosodiad *eg* rhyngosodiadau

interpret dehongli *be*

interpretation dehongliad *eg* dehongliadau

interpreted language iaith ddeongledig *eb* ieithoedd deongledig

interpreter dehonglydd *eg* dehonglwyr

interpretive code cod deongliadol *eg* codau deongliadol

interquartile range amrediad rhyngchwartel *eg* amrediadau rhyngchwartel

interregnum interregnum *eg*

interrelate cydberthyn *be*

interrelated variables newidynnau sy'n rhyngberthyn *ell*

interrelationship cydberthynas *eg/b* cydberthnasau

interrogate holi *be*

interrogatory *adj* holiadol *ans*

interrogatory *n* cwestiyneb *eb* cwestiynebau

interrupt *n* ymyriad *eg* ymyriadau

interrupt *v* ymyrryd *be*

interrupt event digwyddiad ymyriadol *eg* digwyddiadau ymyriadol

interrupt line lein ymyriadol *eb* leiniau ymyriadol

interrupt service routine rheolwaith trin ymyriadau *eg* rheolweithiau trin ymyriadau

interrupt trap magl ymyriadol *eb* maglau ymyriadol

interrupted cadence diweddeb annisgwyl *eb* diweddebau annisgwyl

interschool competition cystadleuaeth rhwng ysgolion *eb* cystadlaethau rhwng ysgolion

intersect croestorri *be*

intersecting prisms prismau croestoriadol *eg*

intersection croestoriad *eg* croestoriadau

intersection of sets croestoriad setiau *eg*

interstellar accretion ymgasgliad rhyngserol *eg* ymgasgliadau rhyngserol

interstitial interstitaidd *ans*

interstitial cells celloedd interstitaidd *ell*

intertropical rhyngdrofannol *ans*

intertropical front ffrynt rhyngdrofannol *eg*

interval (=break time) egwyl *eb* egwylion

interval (=intervening time) ysbaid *eb* ysbeidiau

interval (in music, mathematics) cyfwng *eg* cyfyngau

interval timer amserydd cyfwng *eg* amseryddion cyfwng

interval training hyfforddiant egwyl *eg*

intervene ymyrryd *be*

intervening rhyngol *ans*

intervention ymyriad *eg* ymyriadau

intervention price pris ymyrrol *eg* prisiau ymyrrol

intervertebral disc disg rhyngfertebrol *eg*

interview *n* cyfweliad *eg* cyfweliadau

interview *v* cyfweld *be*

interviewee cyfwelai *eg* cyfweleion

interviewer cyfwelydd *eg* cyfwelwyr

intestinal coluddol *ans*

intestine coluddyn *eg* coluddion

intimacy agosatrwydd *eg*

into function ffwythiant i mewn *eg*

intolerance anoddefgarwch *eg*

intonation (in plainsong) rhagnod *eg* rhagnodau

intonation (of instrument or voice) tonyddiaeth *eb*

intone goslefu *be*

intracellular mewngellol *ans*

intractable anhydrin *ans*

intrada intrada *eb* intradau

intradermal injection pigiad mewngroenol *eg* pigiadau mewngroenol

intrados of an arch cromlin fewnol bwa *eb* cromliniau mewnol bwâu

intramolecular mewnfoleciwlaidd *ans*

intramuscular injection pigiad mewngyhyrol *eg* pigiadau mewngyhyrol

intranet mewnrwyd *eb*

intransitive (in mathematics) anhrosaidd *ans*

intrapleural drainage draeniad mewnblewrol *eg*

intraspecific mewnrhywogaethol *ans*

intrauterine loop dolen mewngroth *eb* dolennau mewngroth

intravenous mewnwythiennol *ans*

intravenous infusion (of action) arllwysiad mewnwythiennol *eg* arllwysiadau mewnwythiennol

intravenous infusion (of liquid) trwyth mewnwythiennol *eg* trwythau mewnwythiennol

intrazonal cydgylchfaol *ans*

intricate cymhleth *ans*

intricate pattern patrwm cymhleth *eg* patrymau cymhleth

intricate shape ffurf gymhleth *eb* ffurfiau cymhleth

intricate work gwaith cymhleth *eg*

intrigue cynllwyn *eg* cynllwynion

intrinsic cynhenid *ans*

intrinsic energy egni cynhenid *eg*

intrinsic movement symudiad cynhenid *eg* symudiadau cynhenid

intrinsic spin troelliad cynhenid *eg* troelliadau cynhenid

introduce cyflwyno *be*

---

introduction (in music etc) rhagarweiniad *eg* rhagarweiniadau

introduction (=explanatory section of book) rhagymadrodd *eg* rhagymadroddion

introduction (of person to another) cyflwyniad *eg* cyflwyniadau

introductory activity gweithgaredd rhagarweiniol *eg*

introvert mewnblyg *ans*

intrude ymwthio *be*

intrusion (in general) ymwthiad *eg*

intrusion (of rock) mewnwthiad *eg* mewnwthiadau

intrusive (of rock) mewnwthiol *ans*

intrusive rock craig fewnwthiol *eb* creigiau mewnwthiol

intubation mewndiwbio *be*

intuition greddf *eb* greddfau

intuitive sythweledol *ans*

intuitive stage cyfnod sythweledol *eg* cyfnodau sythweledol

intuitive thought meddwl sythweledol *eg*

intuitive understanding dealltwriaeth sythweledol *eb*

inundate gorlifo *be*

invade goresgyn *be*

invader goresgynnwr *eg* goresgynwyr

invaginate ymweinio *be*

invagination ymweiniad *eg* ymweiniadau

invalid *n* claf *eg* cleifion

invalid (of passport etc) *adj* annilys *ans*

invalid (of person) *adj* methedig *ans*

invalidate dirymu *be*

invalidity benefit budd-dal y methedig *eg*

invariant *adj* sefydlog *ans*

invariant *n* sefydlyn *eg* sefydlynnau

invasion goresgyniad *eg* goresgyniadau

invasion game gêm goresgyn *eb* gemau goresgyn

invasive procedure gweithred fewnwthiol *eb* gweithredoedd mewnwthiol

invent dyfeisio *be*

invention dyfais *eb* dyfeisiau

inventive dyfeisgar *ans*

inventor dyfeisiwr *eg* dyfeiswyr

inventory rhestr eiddo *eb* rhestri eiddo

inverse gwrthdro *eg* gwrthdroeon

inverse element elfen wrthdro *eb* elfennau gwrthdro

inverse operation gweithrediad gwrthdro *eg* gweithrediadau gwrthdro

inverse ratio cymhareb wrthdro *eb* cymarebau gwrthdro

inverse variation amrywiad gwrthdro *eg* amrywiadau gwrthdro

inversion (in general) gwrthdroad *eg* gwrthdroadau

inversion (in music) gwrthdro *eg* gwrthdroadau

inversion of chord gwrthdro cord *eg* gwrthdroeon cordiau

inversion of temperature gwrthdroad tymheredd *eg* gwrthdroadau tymheredd

invert gwrthdroi *be*

invert sugar siwgr gwrthdroëdig *eg*

invertase infertas *eg*

invertebral rhyngfertebrol *ans*

invertebrate infertebrat *eg* infertebratau

inverted gwrthdro *ans*

inverted answer ateb wyneb i waered *eg* atebion wyneb i waered

inverted cone côn gwrthdro *eg* conau gwrthdro

inverted image delwedd wrthdro *eb* delweddau gwrthdro

inverted mordent isfordent *eg* isfordentau

inverted pleat plet wrthdro *eb* pletiau gwrthdro

inverted pyramid pyramid gwrthdro *eg* pyramidiau gwrthdro

inverted relief tirwedd wrthdro *eb* tirweddau gwrthdro

inverted tuck twc gwrthdro *eg* tyciau gwrthdro

invertor gwrthdröydd *eg* gwrthdroyddion

invest (=clothe) arwisgo *be*

invest (financial) buddsoddi *be*

invest (=lay siege) gosod gwarchae *be*

investigate ymchwilio *be*

investigate scientific questions ymchwilio i gwestiynau gwyddonol *be*

investigation (medical) archwiliad *eg* archwiliadau

investigation (of crime etc) ymchwiliad *eg* ymchwiliadau

investigation (=study) astudiaeth *eb* astudiaethau

investigative ymchwiliol *ans*

investigative method dull ymchwiliol *eg* dulliau ymchwiliol

investigative work gwaith ymchwilio *eg*

investiture arwisgo *be*

Investiture Contest Ymryson yr Arwisgo *eb*

investment (of money) buddsoddiad *eg* buddsoddiadau

investment (of power) arwisgiad *eg*

investment casting castio patrwm aberthol *be*

investor buddsoddwr *eg* buddsoddwyr

invigilator goruchwyliwr *eg* goruchwylwyr

invigorating bywiogus *ans*

invisible cudd *ans*

invisible earnings enillion anweledig *ell*

invisible exports allforion anweledig *ell*

invisible hemming hemio cudd *be*

invisible hinge colfach cudd *eg* colfachau cudd

invisible line llinell gudd *eb* llinellau cudd

invisible mending cyweirio cudd *be*

invisible zip sip cudd *eg* sipiau cudd

invite *v* gwahodd *be*

invocation of saints ymbil ar y saint *be*

invoicing anfonebu *be*

involucre cylchamlen *eb* cylchamlenni

involuntary anwirfoddol *ans*

involuntary action gweithred anwirfoddol *eb* gweithredoedd anwirfoddol

involuntary muscle cyhyr anrheoledig *eg* cyhyrau anrheoledig

involute infoliwt *eg* infoliwtiau

involute gear gêr infoliwt *eg* geriau infoliwt

involute gear rack rac gêr infoliwt *eb* raciau gêr infoliwt

involution infolytedd *eg* infolyteddau

inward mewnol *ans*

---

eg/b enw gwrywaidd/benywaidd, *feminine/masculine noun*   *ell* enw lluosog, *plural noun*   *v* berf, *verb*   *n* enw, *noun*

inward grasp mewnafael *eb*

inward investment buddsoddiad o'r tu allan *eg* buddsoddiadau o'r tu allan

inwards tuag i mewn *adf*

iodine (I) ïodin *eg*

ion ïon *eg* ïonau

ion exchange resin resin cyfnewid ïonau *eg*

Ionian mode modd Ionaidd *eg*

ionic ïonig *ans*

ionic bond bond ïonig *eg* bondiau ïonig

ionizable ïonadwy *ans*

ionization ïoneiddiad *eg* ïoneiddiadau

ionize ïoneiddio *be*

ionosphere ïonosffer *eg* ïonosfferau

iridium (Ir) iridiwm *eg*

iris (eye) iris *eg* irisau

Irish (person) Gwyddel *eg* Gwyddelod

Irish harp telyn Wyddelig *eb* telynau Gwyddelig

Irish Question Pwnc Iwerddon *eg*

iron *v* smwddio *be*

iron (appliance) *n* haearn smwddio *eg* heyrn smwddio

iron (Fe) haearn *eg* heyrn

Iron Age Oes Haearn *eb*

iron cored solenoid solenoid craidd haearn *eg*

Iron Curtain Llen Haearn *eb*

iron filings naddion haearn *ell*

iron mould rhwd haearn *eg*

iron nipping press gwasg haearn nipio *eb* gweisg haearn nipio

iron on gwreslynu *be*

iron on interfacing wynebyn cudd gwreslyn *eg* wynebynnau cudd gwreslyn

iron ore mwyn haearn *eg* mwynau haearn

iron oxide haearn ocsid *eg*

iron pan cletir haearn *eg*

iron pyrites pyrit haearn *eg*

iron setting gosodiad haearn *eg* gosodiadau haearn

iron tubing tiwbin haearn *eg* tiwbiau haearn

iron wire gwifren haearn *eb* gwifrau haearn

iron-on transfer trosglwyddyn gwreslynol *eg* trosglwyddion gwreslynol

ironclad llong haearn *eb* llongau haearn

ironing board bwrdd smwddio *eg* byrddau smwddio

ironing pad pad smwddio *eg* padiau smwddio

ironmongery (hardware) nwyddau haearn *ell*

irradiate arbelydru *be*

irradiation arbelydriad *eg* arbelydriadau

irrational (in mathematics) anghymarebol *ans*

irrational (=unreasonable) afresymol *ans*

irrational number rhif anghymarebol *eg* rhifau anghymarebol

irrecoverable error gwall anadferadwy *eg* gwallau anadferadwy

irredeemable (in economics) diatbryn (Econ) *ans*

irredeemable bonds bondiau diatbryn *ell*

irredentism iredentiaeth *eb*

irreducible anostyngadwy *ans*

irregular afreolaidd *ans*

irregular cadence diweddeb annisgwyl *eb* diweddebau annisgwyl

irregular crust cramen afreolaidd *eb*

irregular solid solid afreolaidd *eg* solidau afreolaidd

irregularity afreoleidd-dra *eg*

irrelevant amherthnasol *ans*

irreversible (of reaction) anghildroadwy *ans*

irrigate dyfrhau *be*

irrigated dyfredig *ans*

irrigation dyfrhad *eg*

irrigation ditch ffos ddyfrhau *eb* ffosydd dyfrhau

irritability sensitifedd *eg*

irritation cosi poenus *be*

Irwin twist bit ebill tro Irwin *eg* ebillion tro Irwin

isallobar isalobar *eg* isalobarrau

isanomalous line linell anomaledd *eb* linellau anomaledd

ischaemic (heart disease) ischaemig *ans*

ischium ischiwm *eg* ischia

isentropic isentropig *ans*

Islam Islam *eb*

Islamic Islamaidd *ans*

Islamic calligraphy caligraffeg Islamaidd *eb*

islet ynysig *eb* ynysigau

islets of Langherans ynysoedd Langherans *ell*

isobar isobar *eg* isobarrau

isobaric isobarig *ans*

isobath isobath *eg* isobathau

isobathytherm isobathytherm *eg* isobathythermau

isobront isobront *eg* isobrontau

isochrone isocron *eg* isocronau

isochronous isocronus *ans*

isoclinal folding plygiant isoclinol *eg*

isocline isoclin *eg* isoclinau

isoenzyme isoensym *eg* isoensymau

isogamy isogamedd *eg*

isogeotherm isogeotherm *eg* isogeothermau

isogloss isoglos *eg* isoglosau

isogon isogon *eg* isogonau

isogonal isogonol *ans*

isohaline isohalaidd *ans*

isohel isohel *eg* isohelau

isohyet glawlin *eg* glawlinau

isohypse (contour) cyfuchlin *eg* cyfuchlinau

isolate (a chemical) *v* arunigo (cemegyn) *be*

isolate (in economics) *v* neilltuo *be*

isolate (of child) *n* unigyn *eg* unigion

isolated (of chemical) arunig *ans*

isolation hospital ysbyty heintiau *eg* ysbytai heintiau

isolation valve falf ynysu *eb* falfiau ynysu

isolation ward ward arwahanu *eb* wardiau arwahanu

isolationism ymneilltuedd *eg*

isolationist arwahanydd *eg* arwahanwyr

isolator arunigydd *eg* arunigwyr

isomer isomer *eg* isomerau

isomerism isomeredd *eg*

---

adf, adv adferf, *adverb*   **ans, adj** ansoddair, *adjective*   **be** berf, *verb*   **eb** enw benywaidd, *feminine noun*   **eg** enw gwrywaidd, *masculine noun*

isomerization isomeru *be*
isometric isomedrig *ans*
isometric axis echelin isomedrig *eb* echelinau isomedrig
isometric plane plân isomedrig *eg* planau isomedrig
isometric projection tafluniad isomedrig *eg* tafluniadau isomedrig
isometric scale graddfa isomedrig *eb* graddfeydd isomedrig
isometric view golwg isomedrig *eg* golygon isomedrig
isometry isomedr *eg* isomedrau
isomorphic isomorffig *ans*
isomorphism isomorffedd *eg*
isomorphous isomorffus *ans*
isoneph isoneff *eg* isoneffau
isoperimetric isoperimedrig *ans*
isophene isoffen *eg* isoffenau
isopleth isopleth *eg* isoplethau
isorhythmic isorhythmig *ans*
isoryme rhewlin *eg* rhewlinau
isosceles isosgeles *ans*
isosceles triangle triongl isosgeles *eg* trionglau isosgeles
isoseismal isoseismol *ans*
isoseismic isoseismig *ans*
isostade isostad *eg* isostadau
isostasy isostasi *eg*
isostatic adjustment cymhwysiad isostatig *eg* cymwysiadau isostatig
isostatic anomaly anomaledd isostatig *eg* anomaleddau isostatig
isostatic equilibrium cydbwysedd isostatig *eg*
isotach isotach *eg* isotachau
isotactic isotactig *ans*
isotherm isotherm *eg* isothermau
isothermal *n* isothermal *eb* isothermalau
isothermic isothermig *ans*
isotonic isotonig *ans*
isotonicity isotonedd *eg*
isotope isotop *eg* isotopau
isotopic isotopig *ans*
isotropic surface arwyneb isotropig *eg* arwynebau isotropig
isovaline isofalin *eg*

issue *n* mater *eg* materion
issue *v* cyhoeddi *be*
issue (of a gas) *n* tarddiad *eg*
issue (of a gas) *v* tarddu *be*
isthmus culdir *eg* culdiroedd
Italian overture agorawd Eidalaidd *eb* agorawdau Eidalaidd
Italian painting (of painted picture) paentiad Eidalaidd *eg* paentiadau Eidalaidd
Italian painting (of process or art) peintio Eidalaidd *be*
Italian quilting cwiltio Eidalaidd *be*
Italian serenade serenâd Eidalaidd *eg* serenadau Eidalaidd
Italian sixth chweched Eidalaidd *eg* chwechedau Eidalaidd
Italian sixth chord cord y chweched Eidalaidd *eg*
italic italig *ans*
italic alphabet gwyddor italig *eb*
italic letter llythyren italig *eb* llythrennau italig
italic pen pen italig *eg* pennau italig
italic writing pen ysgrifbin italig *eg* ysgrifbinnau italig
italicize italeiddio *be*
itch cosi *be*
item eitem *eb* eitemau
item bank cronfa eitemau *eb* cronfeydd eitemau
item of expenditure eitem gwariant *eb* eitemau gwariant
item testing profi eitemau *be*
iterate iteru *be*
iteration iteriad *eg* iteriadau
iterative iterus *ans*
iterative method dull iterus *eg* dulliau iterus
iterative routine rheolwaith iterus *eg* rheolweithiau iterus
iterative search chwiliad iterus *eg* chwiliadau iterus
itinerant teacher (female) athrawes deithiol *eg* athrawesau teithiol
itinerant teacher (male) athro teithiol *eg* athrawon teithiol
Ivan the Great Ifan Fawr *eg*
Ivan the Terrible Ifan Arswydus *eg*
ivory ifori *eg*
ivory black du ifori *eg*
ivory tower tŵr ifori *eg* tyrau ifori
ivy stem coesyn iorwg *eg* coesynnau iorwg

J

jabot jabot *eg*

jack *n* jac *eg* jaciau

jack *v* jacio *be*

jack rafter ceibr byr *eg* ceibrau byr

jacket siaced *eb* siacedi

jackplane plaen jac *eg* plaeniau jac

Jacob chuck crafanc Jacob *eb* crafangau Jacob

Jacobean Jacobeaidd *ans*

Jacobean couching cowtsio Jacobeaidd *be*

Jacobin *adj* Jacobinaidd *ans*

Jacobin *n* Jacobin *eg* Jacobiniaid

Jacobinism Jacobiniaeth *eb*

Jacquard weave gwehyddiad Jacquard *eg*

jam (of traffic etc) tagfa *eb* tagfeydd

jamb ystlysbost *eg* ystlysbyst

James (king) Iago (brenin) *eg*

jamming cloi *be*

janizary Janisariad *eg* Janisariaid

Jansenism Janseniaeth *eb*

Jansenist Jansenydd *eg* Janseniaid

jap silk sidan jap *eg*

Japanese Japaneaidd *ans*

Japanese print print Japaneaidd *eg* printiau Japaneaidd

Japanese school ysgol Japaneaidd *eb* ysgolion Japaneaidd

jar jar *eb* jariau

Jarrow Crusade Crwsâd Jarrow *eg*

jasper maen iasbis *eg* meini iasbis

jaundice clefyd melyn *eg*

javelin gwaywffon *eb* gwawyffyn

javelin pass pàs gwaywffon *eb* pasiau gwaywffyn

jaw safn *eb* safnau

jaw *adj* genol *ans*

jaw *n* gên *eb* genau

jaw plate plât safn *eg* platiau safn

jawbone genogl *eg* genoglau

jealous cenfigennus *ans*

jealousy cenfigen *eb*

jeans jîns *eg*

jejunum jejwnwm *eg*

jelly jeli *eg* jelïau

jelly block bloc jeli *eg* blociau jeli

jelly medium cyfrwng jeli *eg*

jelly-like jelïaidd *ans*

jemmy (=short crowbar) bar haearn cwta *eg* barrau haearn cwta

Jennings twist bit ebill tro Jennings *eg* ebillion tro Jennings

jenny callipers caliperau jenni *ell*

jersey defnydd jersi *eg*

Jerusalem artichoke artisiog Jeriwsalem *eg* artisiogau Jeriwsalem

Jesuit *adj* Jeswitaidd *ans*

Jesuit *n* Jeswit *eg* Jeswitiaid

Jesuit Order Urdd y Jeswitiaid *eb*

Jesuitism Jeswitiaeth *eb*

Jesus Christ Iesu Grist *eg*

jet (of water, steam etc) jet *eg* jetiau

jet (stone) muchudd *eg*

jet engine peiriant jet *eg* peiriannau jet

jet stream jetlif *eg* jetlifau

jetty glanfa *eb* glanfeydd

jeweller gemydd *eg* gemyddion

jeweller's rouge rhuddliw gemydd *eg*

jewellery gemwaith *ell*

jewellery enamel enamel gemwaith *eg* enamelau gemwaith

jib (of crane) braich fawr (craen) *eb* breichiau mawr (craen)

jib-headed key allwedd ben-gib *eb* allweddi pen-gib

jig *n* jig *eb* jigiau

jig *v* jigio *be*

jig music cerddoriaeth jig *eb*

jig rhyme rhythm jig *eg* rhythmau jig

jig saw herclif *eb* herclifiau

jigger jiger *eg* jigeri

jigsaw cut toriad herclif *eg* toriadau herclif

jigsaw puzzle pos jigso *eg* posau jigso

jingle *n* tincialyn *eg* tincialau

jingle *v* tincial *be*

jingoism jingoistiaeth *eb*

jink ochrgamu *be*

Joan (wife of Llywelyn the Great) Siwan *eb*

Joan of Arc Jeanne d'Arc *eb*

job (=occupation) swydd *eb* swyddi

job (=task) gorchwyl *eg* gorchwylion

job (=work) gwaith *eg*

job applicant ymgeisydd am swydd *eg* ymgeiswyr am swyddi

Job Centre Canolfan Gwaith *eb* Canolfannau Gwaith

Job Control Language (JCL) Iaith Rheoli Gorchwylion *eb*

job creation scheme cynllun creu gwaith *eg* cynlluniau creu gwaith

job description disgrifiad swydd *eg* disgrifiadau swydd

job interview cyfweliad am swydd *eg* cyfweliadau am swyddi

job placement lleoliad mewn swydd *eg* lleoliadau mewn swyddi

---

adf, adv adferf, *adverb*   *ans, adj* ansoddair, *adjective*   *be* berf, *verb*   *eb* enw benywaidd, *feminine noun*   *eg* enw gwrywaidd, *masculine noun*

job related ynglŷn â'r gwaith *ans*
job specification manyleb swydd *eb* manylebau swyddi
job stream llif gorchwylion *eg*
job turnaround gweithdroad *eg* gweithdroadau
job vacancy swydd wag *eb* swyddi gwag
jobber's drill dril jobwr *eg* driliau jobwr
jockey joci *eg* jociau
jog loncian *be*
Johansson's block bloc Johansson *eg* blociau Johansson
John (king) John (brenin) *eg*
John (pope) Ioan (pab) *eg*
join *n* uniad *eg* uniadau
join *v* uno *be*
join in the worship ymuno yn yr addoliad *be*
join lace uno les *be*
join together cysylltu â'i gilydd *be*
joiner asiedydd *eg* asiedyddion
joiner's brad hoelen saer *eb* hoelion saer
joinery gwaith asiedydd *eg*
joining stitch pwyth uno *eg* pwythau uno
joint (=connect by joints) *v* uniadu *be*
joint (=divide into joints) *v* cymalu *be*
joint (in body) *n* cymal *eg* cymalau
joint (in object) *n* uniad *eg* uniadau
joint account cyfrif ar y cyd *eg* cyfrifon ar y cyd
joint and several cyd ac unigol
joint and several liability atebolrwydd âr y cyd ac yn unigol *eg*
joint distribution function ffwythiant cyd-ddosbarthiad *eg*
joint honours degree gradd gydanrhydedd *eb* graddau cydanrhydedd
joint liability cydatebolrwydd *eg*
joint project cywaith *eg* cyweithiau
joint replacement amnewid cymal *eg* amnewidiadau cymal
joint stock company cwmni cydgyfalaf *eg* cwmnïau cydgyfalaf
joint variation cydamrywiad *eg* cydamrywiadau
jointed cymalog *ans*
jointed arm braich gymalog *eb* breichiau cymalog
jointed figure ffigur cymalog *eg* ffigurau cymalog
jointed leg coes gymalog *eb* coesau cymalog
jointed marionette marionét cymalog *eg* marionetau cymalog
jointed puppet pyped cymalog *eg* pypedau cymalog
joist dist *eg* distiau
jongleur jongleur *eg* jongleurs
Josephson junction cyswllt Josephson *eg*
joule (J) joule *eg* jouleau
journalism newyddiaduriaeth *eb*
journalist newyddiadurwr *eg* newyddiadurwyr
journey taith *eb* teithiau
journeyman jermon *eg* jermoniaid
joust ymryson twrnament *eb* ymrysonau twrnament
joystick ffon reoli *eb* ffyn rheoli
jubilant gorfoleddus *ans*
Judaism Iddewiaeth *eb*

judge barnwr *eg* barnwyr
judge (in sports) beirniad *eg* beirniaid
judgement (of tribunal etc) dyfarniad *eg* dyfarniadau
Judgement Day Dydd y Farn *eg*
Judgement, Last Barn, Y Farn Fawr *eb*
judgement of performance barnu perfformiad *be*
judges' law cyfraith llys *eb*
judicature barnweiniad *eg*
judicial cyfreithiol *ans*
judiciary barnwriaeth *eb*
jug jwg *eb* jygiau
juggle jyglo *be*
juggle the ball jyglo'r bêl *be*
juggler jyglwr *eg* jyglwyr
jugular vein gwythïen y gwddf *eb* gwythiennau'r gwddf
juice sudd *eg* suddion
Julian Calendar Calendr Julius *eg*
Julius Caesar Iŵl Cesar *eg*
July Monarchy Brenhiniaeth Gorffennaf *eb*
jumbo print argraffu jymbo *be*
jump *n* naid *eb* neidiau
jump *v* neidio *be*
jump ball cydnaid *eb* cydneidiau
jump for the ball neidio am y bêl *be*
jump instruction cyfarwyddyd neidio *eg* cyfarwyddiadau neidio
jump suit siwt undarn *eb* siwtiau undarn
jump table tabl neidiau *eg* tablau neidiau
jump with a rebound naid ac adlam
jumper (of garment) siwmper *eb* siwmperi
jumper (of person) neidiwr *eg* neidwyr
jumping pit pwll neidio *eg* pyllau neidio
junction (in physics, chemistry) cysylltle *eg* cysylltleoedd
junction (of pipes etc) cydiad *eg* cydiadau
junction (of point of joining) cyswllt *eg* cysylltau
junction (of rivers / glaciers) cymer *eg* cymerau
junction (of roads, railways) cyffordd *eb* cyffyrdd
junction box blwch cyswllt *eg* blychau cyswllt
juncus brwynen *eb* brwyn
jungle jyngl *eg* jyngls
junior hacksaw haclif fach *eb* haclifiau bach
junior school ysgol gynradd *eb* ysgolion cynradd
junior secondary school ysgol iau *eb* ysgolion iau
junior stage cyfnod cynradd *eg* cyfnodau cynradd
junk mail llythyrau sothach *ell*
Junker Junker *eg* Junkeriaid
Jupiter Iau *eg*
jurassic jwrasig *ans*
jurisdiction awdurdod *eg* awdurdodau
jurisprudence cyfreitheg *eb*
jurist arbenigwr cyfreithiol *eg* arbenigwyr cyfreithiol
juror rheithiwr *eg* rheithwyr
jury rheithgor *eg* rheithgorau
jury of presentment rheithgor cyflwyno *eg*
just (=barely) prin *adf*
just (=righteous) cyfiawn *ans*

---

eg/b enw gwrywaidd/benywaidd, *feminine/masculine noun*   *ell* enw lluosog, *plural noun*   *v* berf, *verb*   *n* enw, *noun*

just clear prin glirio *be*

just miss prin osgoi *be*

just war rhyfel cyfiawn *eg* rhyfeloedd cyfiawn

justice (=judge) ustus *eg* ustusiaid

justice (=justness) cyfiawnder *eg* cyfiawnderau

justice (=magistrate) ynad *eg* ynadon

justice in eyre ustus cylch *eg* ustusiaid cylch

justice of gaol delivery ustus gwacáu'r carcharau *eg*

Justice of the Peace (J.P.) Ynad Heddwch (Y.H.) *eg*

justice of the quorum ustus cworwm *eg* ustusiaid cworwm

justiciar prif ustus *eg* prif ustusiaid

justiciary gweinyddwr cyfiawnder *eg* gweinyddwyr cyfiawnder

justification (in general) cyfiawnhad *eg*

justification (of lines of type) unioniad *eg* unioniadau

justification by faith cyfiawnhad drwy ffydd *eg*

justify (in general) cyfiawnhau *be*

justify (lines of type) unioni *be*

jut ymwthio allan *be*

jute jiwt *eg*

jute canvas cynfas jiwt *eg*

Jutes Jiwtiaid *ell*

jutting ymwthiol *ans*

juvenile *adj* ifanc *ans*

juvenile *n* person ifanc *eg* pobl ifanc

juvenile court llys plant *eg* llysoedd plant

juvenile hormone hormon ieuangedd *eg* hormonau ieuangedd

juvenile relief tirwedd ifanc *eb* tirweddau ifanc

juvenility ieuengrwydd *eg*

juxtapose cyfosod *be*

juxtaposition cyfosodiad *eg* cyfosodiadau

---

adf, adv adferf, *adverb*   ***ans, adj*** ansoddair, *adjective*   ***be*** berf, *verb*   ***eb*** enw benywaidd, *feminine noun*   ***eg*** enw gwrywaidd, *masculine noun*

K

Kaiser, The Kaiser, Y *eg*
kale cêl *ell*
Kamares ware crochenwaith Kamares *ell*
kame cnwc gro *eg* cnyciau gro
kame and kettle country tirlun cnwc a thegell *eg*
kame moraine marian cnwc gro *eg* mariannau cnwc gro
kaolin caolin *eg*
kapellmeister kapellmeister *eg*
kapok capoc *eg*
karre clint *eg* clintiau
karrenfeld calchbalmant *eg* calchbalmentydd
karst carst *eg* carstiau
karstic carstig *ans*
kayak caiac *eg* caiacau
keel cilbren *eg* cilbrennau
keen edge ymyl awchlym *eb* ymylon awchlym
keen edged awchlym *ans*
keep (of castle) gorthwr *eg* gorthwyr
keep fit cadw'n heini *be*
keep one's balance cadw cydbwysedd *be*
keep order cadw trefn *be*
keep records cadw cofnodion *be*
keep wicket cadw wiced *be*
keep your head high cadw eich pen yn uchel
keeper (in general) ceidwad *eg* ceidwaid
keeper (on magnet) cadwrydd *eg* cadwryddion
Keeper of the Rolls Ceidwad y Rholiau *eg* Ceidwaid y Rholiau
Keeper of the Seals Ceidwad y Seliau *eg*
kelvin (K) celfin (K) *eg*
kemp saethflew *ell*
keratin ceratin *eg*
kerf llifdoriad *eg* llifdoriadau
kernel cnewyllyn *eg* cnewyll
kerosene cerosin *eg*
kersey cersi *eg*
kettle hole pwll tegell *eg* pyllau tegell
key *adj* allweddol *ans*
key (=cay) *n* cai *eg* caion
key (for tuning piano) *n* morthwyl tiwnio *eg* morthwylion tiwnio
key (in general) *n* allwedd *eb* allweddi
key (of a musical instrument) nodyn *eg* nodau
key (of a switch) agoriad *eg* agoriadau
key (on computer or typewriter) bysell *eb* bysellau
key (=system of notes) *n* cywair *eg* cyweiriau
key age oedran allweddol *eg* oedrannau allweddol
key block bloc allwedd *eg* blociau allweddi

key drift drifft allwedd *eg* drifftiau allwedd
key field maes allweddol *eg* meysydd allweddol
key press (keyboard) trawiad *eg* trawiadau
key ring torch allwedd *eg* torchau allwedd
key signature arwydd cywair *eg* arwyddion cywair
key stage cyfnod allweddol *eg* cyfnodau allweddol
key string cyweirdant *eg* cyweirdannau
key strip stribed bysell *eg* stribedi bysell
key stroke trawiad *eg* trawiadau
key vocabulary geirfa allweddol *eb*
key word gair allweddol *eg* geiriau allweddol
key worker gweithiwr allweddol *eg* gweithwyr allweddol
key-seat clamp clamp sedd glo *eg* clampiau sedd glo
key-seat milling cutter melinwr sedd glo *eg* melinwyr sedd glo
key-to-disk bysell-i-ddisg *ans*
keyboard (musical instrument) allweddellau *ell*
keyboard (of computer) bysellfwrdd *eg* bysellfyrddau
keyboard drive gyrrwr bysellfwrdd *eg* gyrwyr bysellfyrddau
keyboard instrument offeryn allweddellau *eg* offerynnau allweddellau
keyboard layout cynllun bysellfwrdd *eg* cynlluniau bysellfyrddau
keyed *adj* bysellog *ans*
keyed joint uniad cloëdig *eg* uniadau cloëdig
keyed mitre meitr clo *eg* meitrau clo
keyed mitre joint uniad meitr clo *eg* uniadau meitr clo
keyed tenon tyno cloëdig *eg* tynoau cloëdig
keyhole saw llif dwll clo *eb* llifiau twll clo
keying allweddu *be*
keynote cyweirnod *eg* cyweirnodau
keynote speaker prif siaradwr *eg* prif siaradwyr
keypad bysellbad *eg* bysellbadiau
keypunch tyllfwrdd *eg* tyllfyrddau
keystone maen clo *eg* meini clo
keyway allweddfa *eb* allweddfâu
keyword allweddair *eg* allweddeiriau
khamsin camsin *eg* camsinau
khan khan *eg* khaniaid
khanate khanaeth *eb*
khurchatovium (Kh) curchatofiwm *eg*
kibbutz cibwts *eg* cibwtsau
kick *n* cic *eb* ciciau
kick *v* cicio *be*
kick ahead cic ymlaen *eb* ciciau ymlaen
kick for touch cic am ystlys *eb*
kick off cic gychwyn *eb* ciciau cychwyn
kick pleat plet gic *eb* pletiau cic

---

eg/b enw gwrywaidd/benywaidd, *feminine/masculine noun*   *ell* enw lluosog, *plural noun*   *v* berf, *verb*   *n* enw, *noun*

kickback ôl-gic *eb* ôl-giciau
kicker pad cicio *eg* padiau cicio
kicking strap strap gicio *eb* strapiau cicio
kickwheel olwyn gic *eb* olwynion cic
kid (type of leather) croen myn *eg* crwyn myn
kidnap herwgipio *be*
kidney aren *eb* arennau
kidney artery rhydweli arennol *eb* rydweliau arennol
kidney beans ffa Ffrengig *ell*
kidney shape arennog *ans*
killed spirits gwirodydd tyner *ell*
kiln odyn *eb* odynnau
kiln furniture dodrefn odyn *ell*
kiln seasoning sychu mewn odyn *be*
kiln shelf silff odyn *eb* silffoedd odyn

kiln-dry *adj* odyn-sych *ans*
kiln-dry *v* odyn-sychu *be*

kilobyte cilobeit *eg* cilobeitiau
kilocalorie cilocalori *eg* cilocalorïau
kilocycle ciloseicl *eg* ciloseiclau
kilogram (kg) cilogram (kg) *eg* cilogramau
kilometre (km) cilometr (km) *eg* cilometrau
kilowatt (kW) cilowat (kW) *eg* cilowatiau
kilowatt hour (kW h) cilowat awr (kW awr) *eg*
kilt cilt *eg* ciltiau
kin perthynas *eb* perthnasau
kindred carennydd *eg*
kinematics cinemateg *eb*
kinesthetic cinesthetig *ans*
kinetic cinetig *ans*
kinetic art celfyddyd ginetig *eb*
kinetic energy egni cinetig *eg*
kinetic foci ffocysau cinetig *ell*
kinetic order gradd ginetig *eb*
kinetic theory of gases damcaniaeth ginetig nwyon *eb*
kinetics cineteg *eb*
king brenin *eg* brenhinoedd
King Consort Brenin Cydweddog *eg*
king post roof truss cwpl brenhinbost *eg* cyplau brenhinbost
King's Evil Haint y Brenin *eb*
King's Peace Heddwch y Brenin *eg*
kingdom teyrnas *eb* teyrnasoedd
Kingdom of the Two Sicilies Teyrnas y Ddwy Sisilia *eb*
kingpost brenhinbost *eg* brenhinbyst
kingship brenhiniaeth *eb*
kink *n* cinc *eg* cinciau
kink *v* cincio *be*
kinship perthynas *eb* perthnasau
kiosk caban *eg* cabannau
Kirchoff's first law deddf gyntaf Kirchoff *eb*
kiss of life cusan adfer *eb*
kit cit *eg* citiau
kitchen cegin *eb* ceginau
kitchen foil papur arian *eg*
kitchen paper papur cegin *eg*

kitchen unit uned gegin *eb* unedau cegin
kite barcut *eg* barcutiaid
kite mark nod barcut *eg*
Klangforme seinwedd *eb* seinweddau
knead tylino *be*
knee pen-glin *eg/b* pengliniau
knee bracket braced penglin *eb* bracedi penglin
knee cap padell pen-glin *eb* pedyll pengliniau
knee joint cymal y pen-glin *eg* cymalau pengliniau
knee reflex (jerk) atgyrch (plwc) pen-glin *eg*
kneel penlinio *be*
kneel sitting penlinio eistedd *be*
knicker nicer *eg* nicers
knickpoint cnicyn *eg* cnicynnau
knife cyllell *eb* cyllyll
knife blade llafn cyllell *eg* llafnau cyllyll
knife edge (in general) min cyllell *eg*
knife edge (in physics, chemistry) arfin *eg* arfiniau
knife file ffeil cyllell *eb* ffeiliau cyllell
knife handle carn cyllell *eg* carnau cyllyll
knife pleat plet llafn *eb* pletiau llafn
knife stroke strôc gyllell *eb* strociau cyllell
knife tool erfyn cyllell *eg* arfau cyllell
knife tool (of lathe tools) cyllell *eg* cyllyll
knife-cut veneer argaen toriad cyllell *eg* argaenau toriad cyllell
knight marchog *eg* marchogion
knight errant marchog crwydrol *eg* marchogion crwydrol
Knight Hospitaller Marchog Ysbytaidd *eg* Marchogion Ysbytaidd
Knight of the Shire Marchog Sir *eg* Marchogion Sir
Knight Templar Marchog Temlaidd *eg* Marchogion Temlaidd
Knight Teutonic Marchog Tiwtonig *eg* Marchogion Tiwtonig
knight's fee ffi marchog *eb*
knight's service gwasanaeth marchog *eg*
knightage corff urddau'r marchogion *eg*
Knights' War Rhyfel y Marchogion *eg*
knit gwau *be*
knit two together gwau dau bwyth ynghyd
knitted carpet carped wedi'i wau *eg* carpedi wedi'u gwau
knitted fabric ffabrig wedi'i wau *eg* ffabrigau wedi'u gwau
knitted fabric darn craith ffabrig wedi'i wau *eb* creithiau ffabrig wedi'i wau
knitted lace les wedi'i wau *eg*
knitting instructions cyfarwyddiadau gwau *ell*
knitting machine peiriant gwau *eg* peiriannau gwau
knitting needle gwaell *eb* gweill
knitwear gweuwaith *eg*
knob bwlyn *eg* byliau
knock down taro i lawr *be*
knock inhibitor atalydd cnocio *eg* atalyddion cnocio
knock on *n* trawiad ymlaen *eg*
knock on *v* taro ymlaen *be* trawiadau ymlaen
knockdown fittings ffitiadau datgysylltiol *ell*

---

knockdown furniture dodrefn datgysylltiol *ell*

knocked up bottom gwaelod gweflog *eg* gwaelodion gweflog

knocking down iron haearn fflatio *eg* heyrn fflatio

knoll cnwc *eg* cnyciau

knot *n* cwlwm *eg* clymau

knot *v* clymu *be*

knot (in wood) *n* cainc *eb* ceinciau

knot (=measure of speed) *n* not *eb* notiau

knot (wood) *v* cuddio ceinciau *be*

knotted stitch pwyth clwm *eg* pwythau clwm

knotting *n* cuddiwr ceinciau *eg* cuddwyr ceinciau

knotting *v* cuddio ceinciau *be*

knowledge gwybodaeth *eb*

knowledge base cronfa wybodaeth *eb* cronfeydd gwybodaeth

known concentration crynodiad diffiniedig *eg* crynodiadau diffiniedig

knuckle (=hinge) cymal *eg* cymalau

knuckle (in anatomy) cwgn *eg* cygnau

knuckle joint uniad cymal *eg* uniadau cymal

knuckle thread edau gymal *eb* edafedd cymal

knurl nwrl *eg* nwrliau

knurled grip gafael nwrl *eb* gafaelion nwrl

knurled nut nyten nwrl *eb* nytiau nwrl

knurled screw sgriw nwrl *eb* sgriwiau nwrl

knurling (of lathe tools) nwrlio *be*

knurling tools (of lathe accessories) offer nwrlio *ell*

kolkhoz colchos *eg*

kraal cral *eg* cralau

kraft paper papur llwyd *eg*

Krebs cycle cylchred fetabolaidd Krebs *eb*

krypton (Kr) crypton *eg*

kulak cwlac *eg* cwlaciaid

Kupffer cell cell Kupffer *eb* celloedd Kupffer

kurtosis cwrtosis *eg*

L

label *n* label *eg/b* labeli
label *v* labelu *be*

labelled wedi'i labelu *ans*
labelled diagram diagram wedi'i labelu *eg* diagramau
wedi'u labelu
labelling paper papur labelu *eg*
labelling scheme cynllun labelu *eg* cynlluniau labelu
labelling theory damcaniaeth labelu *eb*
labial gwefusol *ans*
labile ansefydlog *ans*
labium labiwm *eg* labia
laboratory labordy *eg* labordai
laboratory experiment arbrawf labordy *eg* arbrofion
labordy
labour llafur *eg*
labour (=process of childbirth) esgor *be*
labour charge costau llafur *ell*
labour force gweithlu *eg*
labour intensive llafur-ddwys *ans*
labour intensive production cynhyrchu llafur-ddwys *be*
labour pains gwewyr esgor *eg*
Labour Party Plaid Lafur *eb*
labour saving arbed llafur *be*
labour stages camau geni *ell*
labour-saving device dyfais arbed gwaith *eb* dyfeisiau
arbed gwaith
labourer labrwr *eg* labrwyr
labrum labrwm *eg* labra
labyrinth labyrinth *eg* labyrinthau
laccolith lacolith *eg* lacolithau

lace les *eg*
lace (thong) carrai *eb* careiau
lace beading gleinwaith les *eg*
lace curtains llenni les *ell*
lace insertion les wedi'i fewnosod *eg*
lacemaking sideru *be*
lacerated wound clwyf rhwygiad *eg* clwyfau rhwygiad
laceration rhwygiad *eg* rhwygiadau
lacquer *n* lacr *eg* lacrau
lacquer *v* lacro *be*
lacquer finish gorffeniad lacr *eg* gorffeniadau lacr
lacquer paint paent lacer *eg*
lacquer solvent hydoddydd lacr *eg* hydoddyddion lacr
lacquering (in finishing metal) lacro *be*
lacrimal duct dwythell ddagrau *eb* dwythellau dagrau
lacrimatory peri dagrau *ans*
lactase lactas *eg*

lactate llaetha *be*
lactation llaethiad *eg*
lactation period cyfnod llaetha *eg*
lacteal lacteal *eg* lactealau
lactogenic hormone hormon lactogenig *eg* hormonau
lactogenig
lactophenol lactoffenol *eg*
lactose lactos *eg*
lacuna ceudod *eg* ceudodau
lacunary bylchus *ans*
lacustrine llynnol *ans*
ladder (for climbing) ysgol *eb* ysgolion
ladder (in tights) rhediad *eg* rhediadau
ladder rung ffon ysgol *eb* ffyn ysgol
ladies chain cadwyn y merched *eb* cadwyni'r merched
ladle lletwad *eb* lletwadau
lady chapel capel y Forwyn *eg* capeli'r Forwyn
Lady of the Bedchamber Boneddiges y Siambr Wely *eb*
Boneddigesau'r Siambr Wely
lag (of time) *n* oediad *eg* oediadau
lag (=wrap up) *v* lagio *be*
lag and lead dilyn ac arwain *be*
lag deposits ôl-ddyddodion *ell*
lag phase (bacteria) cyfnod oedi *eg*
laggards ymdrowyr *ell*
lagged ynysedig *ans*
lagging ynysydd *eg* ynysyddion
lagoon lagŵn *eg/b* lagwnau
laity lleygwyr *ell*
lake llyn *eg* llynnoedd
Lake District Ardal y Llynnoedd *eb*
lake dwelling crannog *eg* cranogau
lake head delta delta penllyn *eg* deltau penllyn
lake plateau llwyfandir llynnoedd *eg* llwyfandiroedd
llynnoedd
lakeside delta delta glanllyn *eg* deltau glanllyn
lamb's wool mop mop gwlân oen *eg* mopiau gwlân oen
lamina (in botany) llafn deilen *eg* llafnau dail
lamina (in general) lamina *eg* laminâu
laminar laminaidd *ans*
laminar flow llif laminaidd *eg*
laminarin laminarin *eg*
laminate *adj* laminedig *ans*
laminate *n* laminiad *eg* laminiadau
laminate *v* laminiadu *be*
laminate joint uniad laminiad *eg* uniadau laminiad
laminated laminedig *ans*

adf, adv adferf, *adverb*   **ans, adj** ansoddair, *adjective*   **be** berf, *verb*   **eb** enw benywaidd, *feminine noun*   **eg** enw gwrywaidd, *masculine noun*

laminated core craidd laminedig *eg*

laminboard astell lafnog *eb* estyll llafnog

lamp lamp *eb* lampau

lamp black du lamp *eg*

lampshade cysgod lamp *eg* cysgodion lampau

Lancashire cheese caws Swydd Gaerhirfryn *eg*

Lancastrian *adj* Lancastraidd *ans*

Lancastrian *n* Lancastrydd *eg* Lancastriaid

lance gwaywffon *eb* gwaywffyn

lance corporal is-gorporal *eg* is-gorporaliaid

Lancelot Lawnslot *eg*

lancer gwaywr *eg* gwaywyr

lancet arch bwa lanset *eg* bwâu lanset

land tir *eg* tiroedd

land *v* glanio *be*

land (drill part) glan *eb* glannau

land agent stiward tir *eg* stiwardiaid tir

land animal anifail tir *eg* anifeiliaid tir

land breeze awel o'r tir *eb* awelon o'r tir

land enclosures cau tiroedd *be*

land question pwnc y tir *eg*

land tenure tirddaliadaeth *eb*

land use defnydd tir *eg* defnyddiau tir

Land Use Survey (LUS) Arolwg Defnydd Tir (ADT) *eg*

land utilization map map defnydd tir *eg*

landed gentry bonedd *eg* boneddigion

landes rhostir *eg* rhostiroedd

landform tirffurf *eg* tirffurfiau

landing (on land) glanio *be*

landing (=top of stairs) pen grisiau *eg* pennau grisiau

landing area ardal lanio *eb* ardaloedd glanio

landing strip llain lanio *eb* lleiniau glanio

Ländler Ländler *eg* Ländler

landlocked tirgaeedig *ans*

landlord perchennog *eg* perchenogion

landlordism landlordiaeth *eb*

landmark tirnod *eg* tirnodau

landmass ehangdir *eg* eangdiroedd

landowner tirfeddiannwr *eg* tirfeddianwyr

landownership tirfeddiannaeth *eb*

landscape (geographical) tirwedd *eb* tirweddau

landscape (in art) tirlun *eg* tirluniau

landscape consultant ymgynghorydd tirwedd *eg* ymgynhorwyr tirwedd

landscape features nodweddion tirwedd *ell*

landscape painting (of painted picture) paentiad tirlun *eg* paentiadau tirlun

landscape painting (of process or art) peintio tirlun *be*

landslide tirlithriad *eg* tirlithriadau

landward tua'r tir *ans*

lane lôn *eb* lonydd

language iaith *eb* ieithoedd

language ability gallu ieithyddol *eg*

language centre canolfan iaith *eb* canolfannau iaith

language development datblygiad iaith *eg*

language disorder anabledd iaith *eg* anableddau iaith

language experience profiad iaith *eg*

language formation ffurfiad iaith *eg*

language interaction rhyngweithiad iaith *eg*

language laboratory labordy iaith *eg* labordai iaith

language learning dysgu iaith *eg*

language of art iaith weledol celf *eb*

language skills sgiliau iaith *ell*

language test prawf iaith *eg* profion iaith

lantern llusern *eb* llusernau

lanthanum (La) lanthanwm *eg*

lap *n* lap *eg* lapiau

lap *v* lapio *be*

lap halving joint goruniad hanerog *eg* goruniadau hanerog

lap scorer rhifwr lapiau *eg* rhifwyr lapiau

lap seam sêm lap *eb* semau lap

lapel llabed *eb* llabedi

lapel badge bathodyn lapél *eg* bathodynnau lapél

lapiaz calchbalmant *eg* calchbalmentydd

lapidary lapidari *eg*

lapie clint *eg* clintiau

lapilli lapili *eg*

lapis blue (enamelling colour) glas lapis *eg*

lapped butt joint goruniad bôn ac ysgwydd *eg* goruniadau bôn ac ysgwydd

lapped dovetail joint goruniad cynffonnog *eg* goruniadau cynffonnog

lapped joint goruniad *eg* goruniadau

lapped seam sêm drosblyg *eb* semau trosblyg

lapping goruniad *eg*

lapping cane gwialen blethu *eb* gwialennau plethu

lapping line llinell goruniad *eb* llinellau goruniad

lapse rate cyfradd newid *eb* cyfraddau newid

laptop (computer) gliniadur *eg* gliniaduron

larceny lladrad *eg*

lard *n* bloneg *eg*

lard *v* blonegu *be*

lard oil olew lard *eg*

large apparatus offer mawr *ell*

large cabbage white glöyn gwyn mawr *eg* gloynnod gwyn mawr

large court cwrt mawr *eg* cyrtiau mawr

large face milling cutter melinwr wyneb mawr *eg* melinwyr wyneb mawr

large intestine coluddyn mawr *eg* coluddion mawr

large print book llyfr print bras *eg* llyfrau print bras

large scale graddfa fawr *eb*

large scale integration (LSI) cyfannu graddfa eang *be*

large scale production cynhyrchu ar raddfa fawr *be*

large triangle triongl mawr *eg* trionglau mawr

large-scale ar raddfa fawr *ans*

larva larfa *eg* larfau

larynx laryncs *eg*

laser laser *eg* laserau

laser printer argraffydd laser *eg* argraffyddion laser

laser scanner sganiwr laser *eg* sganwyr laser

laser store storfa laser *eb* storfeydd laser

---

eg/b enw gwrywaidd/benywaidd, *feminine/masculine noun*   *ell* enw lluosog, *plural noun*   *v* berf, *verb*   *n* enw, *noun*

last Ice Age Oes Iâ ddiwethaf *eb*
last in-first out (LIFO) olaf i mewn-cyntaf allan *eg*
last step cam olaf *eg* camau olaf
latch clicied *eb* cliciedau
late adolescence llencyndod hwyr *eg*
late adopter mabwysiadwr hwyr *eg* mabwysiadwyr hwyr
Late Bronze Age Oes Efydd Ddiweddar *eb*
late cut toriad hwyr *eg*
late developer datblygwr hwyr *eg* datblygwyr hwyr
late development datblygiad diweddar *eg*
late maturity aeddfedrwydd diweddar *eg*
latecomer hwyrddyfodiad *eg* hwyrddyfodiaid
latency cuddni *eg*
latent cudd *ans*
latent heat gwres cudd *eg*
latent heat capacity cynhwysedd gwres cudd *eg* cynwyseddau gwres cudd
latent heat of fusion gwres cudd ymdoddi *eg*
latent heat of vaporization gwres cudd anweddu *eg*
latent period (nerve / muscle) cyfnod diddigwydd *eg*
lateral ochrol *ans*
lateral adjustment cymhwysiad ochrol *eg* cymwysiadau ochrol
lateral adjustment lever lifer cymhwyso ochrol *eg* liferi cymhwyso ochrol
lateral bud blaguryn ochrol *eg* blagur ochrol
lateral dominance trechedd ochrol *eg*
lateral exercise ymarfer ochrol *eg* ymarferion ochrol
lateral force grym ochrol *eg*
lateral hazard llestair ochrol *eg*
lateral inversion gwrthdroad ochrol *eg* gwrthdroadau ochrol
lateral joint uniad ochrol *eg* uniadau ochrol
lateral line llinell ochrol *eb* llinellau ochrol
lateral moraine marian ochrol *eg* mariannau ochrol
lateral root gwreiddyn ochrol *eg* gwreiddiau ochrol
lateral surfaces arwynebau ochrol *ell*
lateral view ochrolwg *eg* ochrolygon
Lateran Council Cyngor Lateran *eg*
laterite laterit *eg* lateritau
lateritic lateritig *ans*
laterization latereiddio *be*
laterized latereiddiedig *ans*
latex latecs *eg*
latex mould mowld latecs *eg* mowldiau latecs
lath latsen *eb* lats
lathe turn *eg* turniau
lathe accessories cyfarpar turn *ell*
lathe centre canol turn *eg* canolau turn
lathe chisel cŷn turnio *eg* cynion turnio; gaing durnio *eb* geingiau turnio
lathe gouge gaing gau turn *eb* geingiau gau turn
lathe parts rhannau'r turn *ell*
lathe saddle cyfrwy turn *eb* cyfrwyau turn
lathe tools offer turn *ell*
lather *n* trochion sebon *ell*
lather *v* seboni *be*

lather stabilizer sefydlogydd trochion *eg* sefydlogwyr trochion
lathework gwaith turn *eg*
Latin Lladin *eb*
Latin Christendom Gwledydd Cred Rhufeinig *ell*
Latin quarter rhan Ladinaidd *eb* rhannau Lladinaidd
latitude lledred *eg* lledredau
latitudinarian eang-gredwr *eg* eang-gredwyr
latitudinarianism eang-grededd *eg*
lattice dellten *eb* dellt
lattice energy egni dellt *eg*
lattice space gofod dellt *eg*
lattice work delltwaith *eg*
latus-rectum latws-rectwm *eg*
laudanum lodnwm *eg*
lauds moliannau *ell*
launch (a boat) lansio *be*
launch (an attack) cychwyn *be*
launder golchi a smwddio
launderette golchfa *eb* golchfeydd
laundress golchwraig *eb* golchwragedd
laundry golchdy *eg* golchdai
laundry appliances offer golchwaith *ell*
lava lafa *eg* lafâu
lava block bloc lafa *eg* blociau lafa
lava cone côn lafa *eg* conau lafa
lava flow llif lafa *eg* llifoedd lafa
lava outflow gorlif lafa *eg* gorlifau lafa
lava spine nodwydd lafa *eb* nodwyddau lafa
lavant lafant *eg* lafantau
lavatory brush brwsh tŷ bach *eg* brwshys tŷ bach
lavender blue (enamelling colour) glas lafant *eg*
law (=a single law) deddf *eb* deddfau
law (as a system) cyfraith *eb* cyfreithiau
law and order cyfraith a threfn
law book llyfr y gyfraith *eg*
law code cod cyfraith *eg*
law of absorption deddf amsugniad *eb*
law of complementation deddf gyflenwadol *eb*
law of conservation of mass deddf cadwraeth màs *eb*
law of constant composition deddf cyfansoddiad cyson *eb*
law of diminishing returns deddf adenillion lleihaol *eb*
law of gravitation deddf disgyrchiant *eb*
law of gravity deddf disgyrchiant *eb*
law of mass action deddf adweithio masau *eb*
law of multiple proportions deddf cyfraneddau lluosol *eb*
law of retail gravitation deddf disgyrchiant adwerthol *eb*
law of succession cyfraith etifeddu *eb*
lawbreaking torcyfraith *be*
lawday diwrnod llys barn *eg* diwrnodiau llys barn
lawful cyfreithlon *ans*
lawgiver deddfroddwr *eg* deddfroddwyr
lawn lawnt *eb* lawntiau
lawn cotton cotwm main *eg*
lawning rhidyllu *be*

lawrencium (Lr) lawrensiwm *eg*
laxative carthydd *eg* carthyddion

lay *adj* lleyg *ans*
lay *n* cân *eb* caneuon
lay (table) gosod (bwrdd) *be*

lay brother brawd lleyg *eg* brodyr lleyg
lay figure ffigur gosod *eg* ffigurau gosod
lay out a pattern gosod patrwm *be*
lay-in mewn-osod *be*
layback ôl-gripian *be*

layer *n* haen *eb* haenau
layer *v* haenu *be*

layer colouring haenliwio *be*
layered structure adeiledd haenog *eg*
layette layette *eg*
laying up gosod haenau *be*
laying-on (of colour) rhagliwio *be*
layman lleygwr *eg* lleygwyr
layout (of page) gosodiad *eg* gosodiadau
lazy daisy stitch pwyth llygad y dydd *eg* pwythau llygad y dydd
lazy eye llygad diog *eg* llygaid diog
LEA: local education authority AALL: awdurdod addysg lleol *eg*
leach trwytholchi *be*
leaching trwytholchiad *eg*

lead (electrical) *n* lid *eb* lidiau
lead (=guide) *v* arwain *be*
lead (in orchestra) *v* blaenu *be*
lead (Pb) *n* plwm *eg*

lead blocks blociau plwm *ell*
lead body corff arweiniol *eg* cyrff arweiniol
lead bronze efydd plwm *eg*
lead bush bwsh plwm *eg* bwshys plwm
lead down arwain i lawr *be*
lead flashing lapiad plwm *eg* lapiadau plwm
lead glaze gwydredd plwm *eg*
lead professional officer swyddog proffesiynol arweiniol *eg* swyddogion proffesiynol arweiniol
lead screw (lathe part) sgriw dywys *eb*
lead screw bearing beryn sgriw dywys *eg*
lead sculpture cerflunwaith plwm *eg*
lead solder sodr plwm *eg* sodrau plwm

lead teacher (male) athro arweiniol *eg* athrawon arweiniol
lead teacher (female) athrawes arweiniol *eb* athrawesau arweiniol

lead up arwain i fyny *be*
lead-free di-blwm *ans*
leaded window ffenestr blwm *eb*

leader (in general) arweinydd *eg* arweinwyr
leader (in orchestra) blaenwr *eg* blaenwyr

leadership arweinyddiaeth *eb*
leading edge blaenymyl *ans* blaenymylon
leading leg coes flaen *eb*
leading seventh seithfed arweiniol *eg* seithfedau arweiniol

leading tray (mosaics) hambwrdd gosod *eg* hambyrddau gosod

leaf (of paper) dalen *eb* dalennau
leaf (of plant) deilen *eb* dail

leaf green gwyrdd y ddeilen *eg*
leaf mosaic mosaig dail *eg*
leaf node cwgn deilen *eg* cygnau dail
leaf print print deilen *eg* printiau dail
leaf scar craith deilen *eb* creithiau dail
leaf shaped arrowhead pen saeth ar ffurf deilen *eg* pennau saeth ar ffurf deilen
leaf stitch pwyth deilen *eg* pwythau deilen
leaf-eating insects pryfed deilysol *ell*

leaflet (of paper) taflen *eb* taflenni
leaflet (=small leaf) deiliosen *eb* deilios

leaflet cover clawr taflen *eg* cloriau taflenni
leafy deiliog *ans*
leafy shoot brigyn deiliog *eg* brigau deiliog
league cynghrair *eg/b* cynghreiriau
League of Armed Neutrality Cynghrair Niwtral Arfog *eb*
League of Nations Cynghrair y Cenhedloedd *eb*
league table tabl cynghrair *eg* tablau cynghrair
lean gwyro *be*
lean meat cig coch *eg*
lean paint paent tenau *eg*
lean pigment pigment tenau *eg*
lean-to roof to ar oledd *eg* toeon ar oledd

leap *n* llam *eg* llamau
leap *v* llamu *be*

leap frog llam llyffant *eg*
leap year blwyddyn naid *eb* blynyddoedd naid
learn dysgu *be*
learner dysgwr *eg* dysgwyr
learning dysg *eb*
learning centre canolfan dysgu *eb* canolfannau dysgu
learning difficulty anhawster dysgu *eg* anawsterau dysgu
learning disability anabledd dysgu *eg* anableddau dysgu
learning materials deunyddiau dysgu *ell*
learning method dull dysgu *eg* dulliau dysgu
learning plateau gwastad dysgu *eg*
learning resource adnodd dysgu *eg* adnoddau dysgu
learning style arddull dysgu *eg* arddulliau dysgu
lease prydles *eb* prydlesi
Lease-Lend Act Deddf Les-Fenthyg *eb*
leased line connection cysylltiad llinell les *eg* cysylltiadau llinell les
leasehold prydlesol *ans*
leasehold reform diwygio cyfraith prydlesi *be*
Leasehold Reform Act Deddf Diwygio Cyfraith Prydlesi *eb*
leaseholder prydleswr *eg* prydleswyr
least lleiaf *ans*
least significant bit (LSB) did lleiaf arwyddocaol *eg* didau lleiaf arwyddocaol
least square line llinell sgwariau lleiaf *eb* llinellau sgwariau lleiaf

---

least-squares estimate amcangyfrif swm lleiaf sgwariau
  eg amcangyfrifon swm lleiaf sgwariau

leather lledr *eg* lledrau

leather apron ffedog ledr *eb* ffedogau lledr

leather ball pêl ledr *eb* peli lledr

leather cloth lliain lledr *eg* llieiniau lledr

leather hammer morthwyl lledr *eg* morthwylion lledr

leather joint cymal lledr *eg* cymalau lledr

leather mallet gordd ledr *eb* gyrdd lledr

leather needle nodwydd lledr *eb* nodwyddau lledr

leather punch tyllydd lledr *eg* tyllwyr lledr

leather thong carrai ledr *eb* careiau lledr

leather washer wasier ledr *eb* wasieri lledr

leather webbing webin lledr *eg* webinau lledr

lecithin lecithin *eg*

lectern darllenfa *eb* darllenfeydd

lectionary llithlyfr *eg* llithlyfrau

lecture darlith *eb* darlithoedd

lecture theatre darlithfa *eb* darlithfeydd

lecturer darlithydd *eg* darlithwyr

ledge ysgafell *eb* ysgafelloedd

ledged and braced ysgafellog a chleddog

ledged door drws ysgafellog *eg* drysau ysgafellog

ledger llyfr cyfrifon *eg* llyfrau cyfrifon

ledger (=plank) planc *eg* planciau

ledger (scaffolding) polyn llorwedd *eg* polion llorwedd

ledger line llinell estyn *eb* llinellau estyn

lee boards byrddau'r tu clytaf *ell*

lee side of ice ochr wrthrew *eb* ochrau gwrthrew

leech gelen *eb* gelenod

leeward cysgodol *ans*

leeward side ochr gysgodol *eb* ochrau cysgodol

left chwith *ans*

left arm bowling bowlio braich chwith *be*

left court cwrt chwith *eg* cyrtiau chwith

left cross chwith draws *ans*

left eye llygad chwith *eg* llygaid chwith

left foot troed chwith *eb* traed chwith

left hand llaw chwith *eb* dwylo chwith

left-hand side ochr chwith *eb*

left-hand thread edau llaw chwith *eb* edafedd llaw chwith

left-hand turn tro chwith *eg* troeon chwith

left-handed llawchwith *ans*

left-handed batsman batiwr llaw chwith *eg* batwyr llaw chwith

left outfielder ffildiwr chwith *eg* ffildwyr chwith

left over food bwyd dros ben *eg*

left pedal pedal chwith *eg* pedalau chwith

left shift syfliad chwith *eg* syfliadau chwith

left side ochr chwith *eb*

left side of the court ochr chwith y cwrt *eb*

left wing (in sport) asgell chwith *eb* esgyll chwith

left-half hanerwr chwith *eg* hanerwyr chwith

left-hand lock clo llaw chwith *eg* cloeon llaw chwith

left-hand screw sgriw law chwith *eg* sgriwiau llaw chwith

left-hand screw thread edau sgriw llaw chwith *eb* edafedd sgriw llaw chwith

left-hand tools offer llaw chwith *ell*

left-justify unioni ar y chwith *be*

leg coes *eb* coesau

leg and rail construction adeiladwaith coes a rheilen *eg*

leg before wicket (l.b.w.) coes o flaen wiced (c.o.f.)

leg break bowling troi o'r goes *be*

leg bye heibiad coes *eg*

leg glance cyffyrddiad coes *eg*

leg of mutton sleeve llawes goes dafad *eb* llewys coes dafad

leg side ochr goes *eb*

leg slip slip goes *eg*

leg stump stwmp coes *eg* stympiau coes

leg vice feis goes *eb* feisiau coes

leg-break troelliad ochr goes *eg*

legacy (=inheritance) etifeddiaeth *eb*

legacy (=sum or article bequeathed) cymynrodd *eb* cymynroddion

legal cyfreithiol *ans*

legal history hanes cyfraith *eg*

legalism cyfreithyddiaeth *eb*

legate legad *eg*

legend chwedl *eb* chwedlau

legibility darllenadwyaeth *eb*

legible darllenadwy *ans*

legion lleng *eg* llengoedd

Legion of Honour Lleng Anrhydedd *eg*

legislate deddfu *be*

legislation deddfwriaeth *eb* deddfwriaethau

legislative assembly cynulliad deddfu *eg* cynulliadau deddfu

legislator deddfwr *eg* deddfwyr

legislature (=body of laws) corff o ddeddfau *eg* cyrff o ddeddfau

legislature (=legislative body) corff deddfwriaethol *eg* cyrff deddfwriaethol

legislature (=parliament) senedd *eb* seneddau

legitimacy cyfreithlondeb *eg*

legitimate cyfreithlon *ans*

legitimism cyfreithloniaeth *eb*

legitimist cyfreithlonydd *eg* cyfreithlonwyr

legume codlys *eg* codlysiau

leguminous codlysol *ans*

legwarmers legins gweu *ell*

leisure hamdden *eb*

leisure centre canolfan hamdden *eb* canolfannau hamdden

leisure clothes dillad hamdden *ell*

lemiscate loop dolen lemnisgat *eb* dolennau lemnisgat

lemma lema *eg* lemata

lemon lemon *eg* lemonau

lemon curd ceuled lemon *eg*

lend-lease les-fenthyg *eb*

lending rate cyfradd fenthyg *eb* cyfraddau benthyg

length hyd *eg* hydoedd

length (of thread) pwythyn *eg* pwythynnau

lengthen estyn *be*

lengthen ymestyn *be*

lengthen (skirt etc) llaesu *be*

---

lengthen a pattern estyn patrwm *be*

lengthening bars barrau ymestyn *ell*

lengthwise *adj* yn ei hyd *adf*

lens lens *eg* lensiau

lens power (dioptre) nerth lens (dioptr) *eg*

Lent Grawys *eg*

lenticel *adj* lenticelaidd *ans*

lenticel *n* lenticel *eg* lenticelau

lenticular lensaidd *ans*

Lenz's law deddf Lenz *eb*

leptokurtic leptocwrtig *ans*

leptotene leptoten *eg/b*

lesbian lesbiad *eb* lesbiaid

lesion nam *eg* namau

lessee prydleswr *eg* prydleswyr

lesser spoken language iaith lai arferedig *eb* ieithoedd llai arferedig

lesson (=instruction) gwers *eb* gwersi

lesson (=suite) cyfres *eb* cyfresi

lesson observation arsylwi gwersi *be*

lesson plan cynllun gwers *eg* cynlluniau gwersi

let (house) gosod *be*

lethal marwol *ans*

lethal gene genyn marwol *eg* genynnau marwol

lethargic swrth *ans*

letraset letraset *eg*

letter (=correspondence) llythyr *eg* llythyrau

letter (of alphabet) llythyren *eb* llythrennau

letter coordinates cyfesurynnau llythrennau *ell*

letter plate plât llythyrau *eg* platiau llythyrau

lettering *n* llythreniad *eg* llythreniadau

lettering *v* llythrennu *be*

lettering (work) *n* gwaith llythrennu *eg*

lettering brush brwsh llythrennu *eg* brwshys llythrennu

lettering chalk sialc llythrennu *eg*

lettering nib nib llythrennu *eg* nibiau llythrennu

lettering paper papur llythrennu *eg*

lettering pen pen llythrennu *eg* pennau llythrennu

lettering pencil pensil llythrennu *eg* pensiliau llythrennu

lettering quill cwilsen lythrennu *eb* cwils llythrennu

letters of denizenship llythyrau dinasyddiaeth *ell*

leucine lewcin *eg*

leucocyte lewcocyt *eg* lewcocytau

leucocyte count cyfrifiad lewcocytau *eg*

leucoplast lewcoplast *eg* lewcoplastau

Levant Company Cwmni'r Lefant *eg*

levee llifglawdd *eg* llifgloddiau

level *adj* gwastad *ans*

level *n* lefel *eg/b* lefelau

level *v* lefelu *be*

level bedded rocks creigiau llorhaenol *ell*

level crossing croesfan wastad *eb* croesfannau gwastad

level description disgrifiad lefel *eg* disgrifiadau lefel

level of attainment lefel cyrhaeddiad *eb* lefelau cyrhaeddiad

level over trosoli *be*

leveller *adj* lefelaidd *ans*

Leveller *n* Lefelwr *eg* Lefelwyr

levels of skill lefelau o fedrusrwydd *ell*

lever lifer *eg* liferi

lever bar trosolfar *eg* trosolfarrau

lever cap cap trosoli *eg* capiau trosoli

lever system system liferi *eb* systemau liferi

lever tools offer trosoli *ell*

lever-frame fretsaw llif ffret lifer *eb* llifiau ffret lifer

leverage (act of) trosoliad *eg* trosoliadau

leverage (principle of) trosoledd *eg* trosoleddau

levy (in finance) ardoll *eb* ardollau

levy (in general) treth *eb* trethi

levy, levies (of soldiers) milwyr a gasglwyd *ell*

levy rates codi trethi *be*

lexical analysis dadansoddiad geiriadurol *eg*

lexicographic geiriadurol *ans*

ley gwndwn *eg*

ley farming ffermio gwndwn *be*

liability atebolrwydd *eg*

liana liana *eg* lianau

libel enllib *eg* enllibion

liberal *n* rhyddfrydwr *eg* rhyddfrydwyr

liberal democrat *adj* democrataidd rhyddfrydol *ans*

liberal democrat *n* democrat rhyddfrydol *eg* democratiaid rhyddfrydol

Liberal Democrat Party Plaid y Democratiaid Rhyddfrydol *eb*

Liberal Party Plaid Ryddfrydol *eb*

liberal Tory Tori rhyddfrydol *eg* Toriaid rhyddfrydol

liberal Toryism Toriaeth ryddfrydol *eb*

Liberal Unionist Rhyddfrydwr Unoliaethol *eg* Rhyddfrydwyr Unoliaethol

Liberate Roll Rhôl Pensiwn a Lwfans *eb* Rholiau Pensiwn a Lwfans

liberation rhyddhad *eg*

liberator rhyddhäwr *eg* rhyddhawyr

libertarian rhyddewyllyswr *eg* rhyddewyllyswyr

liberty (=domain or property) libart *eg* libartiau

liberty (=freedom) rhyddid *eg*

liberty of conscience rhyddid cydwybod *eg*

libido libido *eg/b*

librarian llyfrgellydd *eg* llyfrgellwyr

library llyfrgell *eb* llyfrgelloedd

library program rhaglen lyfrgell *eb* rhaglenni llyfrgell

library resource centre canolfan adnoddau llyfrgell *eb* canolfannau adnoddau llyfrgell

library routine rheolwaith llyfrgell *eg* rheolweithiau llyfrgell

library sub-routine is-reolwaith llyfrgell *eg* is-reolweithiau llyfrgell

libration mantoliad *eg* mantoliadau

librettist libretydd *eg* libretyddwyr

libretto libreto *eg* libreti

lice llau *ell*

---

eg/b enw gwrywaidd/benywaidd, *feminine/masculine noun* **ell** enw lluosog, *plural noun* **v** berf, *verb* **n** enw, *noun*

licence (=absolute freedom) penrhyddid *eg*
licence (=freedom) rhyddid *eg*
licence (=permit) trwydded *eb* trwyddedau

licenced premises tŷ trwyddedig *eg* tai trwyddedig
Licensing Acts Deddfau Trwyddedu *ell*
lichen cen *eg* cennau
lichenometry cenfetreg *eb*
lid clawr *eg* cloriau
lido traeth ymdrochi *eg*
lie gorweddiad *eg*
Lied Lied *eg* Lieder
liege-lord uwch-arglwydd *eg* uwch-arglwyddi
lieutenant is-gapten *eg* is-gapteiniaid
lieutenant-general is-gadfridog *eg* is-gadfridogion
lieutenant governor dirprwy lywodraethwr *eg* dirprwy lywodraethwyr
lieutenant-colonel is-gyrnol *eg*
life assurance aswiriant bywyd *eg*
life crisis argyfwng bywyd *eg*
life cycle (in biology) cylchred bywyd *eb*
life cycle (in economics) cylchred oes *eb*
life drawing bywluniad *eg* bywluniadau
life expectancy disgwyliad oes *eg* disgwyliadau oes
life experiences profiadau bywyd *ell*
life insurance yswiriant bywyd *eg*
life jacket siaced achub *eb* siacedi achub
life process proses bywyd *eb* prosesau bywyd
life skills sgiliau byw *ell*
life span rhychwant oes *eg*
life span experiment arbrawf goroesi *eg* arbrofion goroesi
life-peer arglwydd am oes *eg*
life-saving achub bywyd *ans*
life-saving leg kick cic achub bywyd *eb* ciciau achub bywyd
life-sentence dedfryd am oes *eb* dedfrydau am oes
life-size gwir faint *eg*
life-size proportion cyfrannedd maint iawn *eg*
lifelike real *ans*
lifestyle dull o fyw *eg* dulliau o fyw
lifetime hyd oes *eg*
lift *n* codiad *eg* codiadau
lift *v* codi *be*
lift pump pwmp codi *eg* pympiau codi
lift the body codi'r corff *be*
lifting tongs gefel godi *eb* gefeiliau codi
ligado ligado *eg* ligados
ligament gewyn *eg* gewynnau
ligamentous gewynnol *ans*
ligand ligand *eg*
ligation clymu *be*
ligature (for clarinet) rhwymyn *eg* rhwymynnau
ligature (in general) cwlwm *eg* clymau
ligature (in plainsong) cysylltnod *eg* cysylltnodau
light (=illuminate) *v* goleuo *be*
light (=illumination) *n* golau *eg* goleuadau
light (in colour) *adj* golau *ans*
light (=natural agent that stimulates sight) *n* goleuni *eg*

light (of weight) *adj* ysgafn *ans*
light and shade tywyll a golau
light breeze awel ysgafn *eb* awelon ysgafn
light brown (enamelling colour) brown golau *eg*
light colour lliw golau *eg*
light damping gwanychiad ysgafn *eg*
light duty detergent glanedydd ysgafn *eg* glanedyddion ysgafn
light fast pigment pigment golau anniflan *eg* pigmentau golau anniflan
light fittings ffitiadau goleuo *ell*
light heavy weight pwysau godrwm *ell*
light industry diwydiant ysgafn *eg* diwydiannau ysgafn
light oil olew tenau *eg*
light opera opera ysgafn *eb* operâu ysgafn
light pen pen golau *eg* pennau golau
light plastic ball pêl blastig ysgafn *eb* peli plastig ysgafn
light pulley pwli ysgafn *eg* pwlïau ysgafn
light racket raced ysgafn *eb*
light reaction adwaith golau *eg*
light red coch golau *eg*
light ruby (enamelling colour) rhuddgoch golau *eg*
light source ffynhonnell goleuni *eb* ffynonellau goleuni
light straw (tempering colour) melyn golau *eg*
light string llinyn ysgafn *eg* llinynnau ysgafn
light tone (of colour) tôn golau *eg* tonau golau
light turning (of lathe tools) turnio ysgafn *be*
light weight pwysau ysgafn *ell*
light year blwyddyn golau *eb* blynyddoedd golau
light-dependent resistor (LDR) gwrthydd goleuni-ddibynnol *eg* gwrthyddion goleuni-ddibynnol
light-sensitive cell cell oleusensitif *eb* celloedd goleusensitif
lightening (of weight) ysgafnhad *eg*
lighthouse goleudy *eg* goleudai
lighthouse in use and disused goleudy (yn gweithio yn segur) *eg*
lightship goleulong *eb* goleulongau
lightweight ysgafn *ans*
ligneous lignaidd *ans*
lignification ligneiddiad *eg*
lignify ligneiddio *be*
lignin lignin *eg*
lignite lignit *eg*
likelihood tebygoliaeth *eb* tebygoliaethau
likely tebygol *ans*
limb (of body) aelod (o'r corff) *eg* aelodau (o'r corff)
limb (of cross) braich *eb*
limb (structural) ystlys *eb* ystlysau
lime calch *eg*
lime deficiency prinder calch *eg*
lime deficient prin o galch *ans*
lime kiln odyn galch *eb* odynnau calch
lime soap sebon calch *eg*
lime water dŵr calch *eg*
limepan cletir calch *eg* cletiroedd calch
limestone calchfaen *eg* calchfeini

---

limestone kiln odyn galch *eb* odynnau calch
limestone pavement calchbalmant *eg* calchbalmentydd
limestone pillar calchbost *eg* calchbyst
liminal trothwyol *ans*
liming calchu *be*

limit *v* cyfyngu *be*
limit (=boundary) *n* terfyn *eg* terfynau
limit (in physics and mathematics) *n* terfan *eg* / *b* terfannau
limit (on numbers etc) *n* cyfyngiad *eg* cyfyngiadau

limit gauge medrydd terfan *eg* medryddion terfan
limit of elasticity terfan elastigedd *eb*
limit of tolerance terfan goddefiant *eb*
limit on entry cyfyngiad ar gofnod *eg*
limitation cyfyngiad *eg* cyfyngiadau
limitations of the method cyfyngiadau'r dull *ell*
limited cyfyngedig *ans*
limited company (ltd.) cwmni cyfyngedig (cyf.) *eg* cwmnïau cyfyngedig (cyf.)
limited liability atebolrwydd cyfyngedig *eg*
limited movement symudiad cyfyngedig *eg* symudiadau cyfyngedig
limited vocal range cwmpas lleisiol cyfyngedig *eg*
limiting (in general) cyfyngol *ans*
limiting (in physics and mathematics) terfannol *ans*
limiting density dwysedd terfannol *eg* dwyseddau terfannol
limiting factor ffactor gyfyngol *eb* ffactorau cyfyngol
limits of visibility terfannau gwelediad *ell*
limnology llynoleg *eb*
limonite limonit *eg* limonitau

limp *n* cloffni *eg*
limp (=not stiff or firm) *adj* llipa *ans*

line (for railway, clothes etc) lein *eb* leiniau
line (=mark on a surface) llinell *eb* llinellau
line (=row) rhes *eb* rhesi

line and wash llinell a golchiad
line editor llin-olygydd *eg* llin-olygyddion
line engraving ysgythriad llinell *eg* ysgythriadau llinell

line feed *n* llin-borthiad *eg* llin-borthiadau
line feed *v* llin-borthi *be*

line feed character nod llin-borthiad *eg* nodau llin-borthiad
line feed key llin-borthwr *eg* llin-borthwyr
line fill llanw llinell *be*
line graph graff llinell *eg* graffiau llinell
line in the rhyme llinell rhigwm *eb* llinellau rhigwm
line manager rheolwr llinell *eg* rheolwyr llinell
line of best fit llinell ffit orau *eb* llinellau ffit gorau
line of descent llinach *eb* llinachau
line of enquiry trywydd ymholi *eg* trywyddau ymholi
line of force llinell grym *eb* llinellau grym
line of intersection llinell croestoriad *eb* llinellau croestoriad
line of regression llinell atchwel *eb* llinellau atchwel
line of symmetry llinell cymesuredd *eb* llinellau cymesuredd
line of the ball llwybr y bêl *eg*
line of the stump llwybr y stwmp *eg*

line of the wicket llwybr y wiced *eg*
line out lein *eb* leiniau
line printer llin-argraffydd *eg* llin-argraffyddion
line space llinell gwagle *eb* llinellau gwagle
line spacing bylchiad llinellau *eg* bylchiadau llinellau
line spectrum sbectrwm llinell *eg* sbectra llinell
line stitch pwyth llinell *eg* pwythau llinell
line under the stave gorlinell *eb* gorlinellau
line up unioni *be*
lineage llinach *eb* llinachau

linear (=consisting of lines) llinellog *ans*
linear (involving one dimension only) llinol *ans*
linear composition cyfansoddiad llinol *eg* cyfansoddiadau llinol
linear counterpoint gwrthbwynt llinellog *eg* gwrthbwyntiau llinellog
linear dependence dibyniaeth linol *eb*
linear equation hafaliad llinol *eg* hafaliadau llinol
linear factor ffactor linol *eb* ffactorau llinol
linear flow llif llinol *eg*
linear independence annibyniaeth linol *eb*
linear materials defnyddiau llinol *ell*
linear measurement mesuriadau ịlinol *ell*
linear momentum momentwm llinol *eg* momenta llinol
linear motion mudiant llinol *eg*
linear movement symudiad llinol *eg* symudiadau llinol
linear programming rhaglennu llinol *be*
linear regression atchwel llinol *eg*
linear velocity cyflymder llinol *eg*
linearity llinoledd *eg*
linearly dependent llinol ddibynnol *ans*
linearly independent llinol annibynnol *ans*
lined in wedi'i leinio *ans*
lined pocket poced wedi'i leinio *eb* pocedi wedi'u leinio
lined yoke iau â leinin *eb* ieuau â leinin
linen lliain *eg* llieiniau
linen basket basged ddillad *eb* basgedi dillad
linen button botwm lliain *eg* botymau lliain
linen fold lliein-blyg *ans*
linen scrim lliain sgrim *eg* llieiniau sgrim
linen thread edau lin *eb* edafedd llin
linen-fold panel panel lliein-blyg *eg* panelau lliein-blyg
liner leiner *eg* leineri
liner train trên leiner *eg* trenau leiner
lines of communication ffyrdd cyswllt *ell*
lines of force llinellau grym *ell*
lines of supply ffyrdd cyflenwi *ell*
lines per minute (lpm) llinellau y funud (llyf)
linesman llumanwr *eg* lumanwyr
linesman's flag lluman *eg* / *b* llumanau
lingerie lingerie *eg*
linguistic ieithyddol *ans*
linguistic method dull ieithyddol *eg* dulliau ieithyddol
linguistics ieithyddiaeth *eb*
lining leinin *eg* leininau
lining tool erfyn llinellu *eg* arfau llinellu
lining wheel olwyn linellu *eb* olwynion llinellu

---

link *v* cysylltu *be*

link (=loop or ring of chain) *n* dolen *eb* dolennau

link (of person or connecting thing) *n* cyswllt *eg* cysylltau

link button botwm cyswllt *eg* botymau cyswllt

link for automatic feed dolen borthiant awtomatig *eb* dolennau porthiant awtomatig

link mechanism mecanwaith dolen *eg* mecanweithiau dolen

link polygon polygon cyswllt *eg* polygonau cyswllt

link simple skills cysylltu medrau syml *be*

link-edit cyswllt-olygu *be*

link-editor cyswllt-olygydd *eg* cyswllt-olygyddion

link-loader cyswllt-lwythydd *eg* cyswllt-lwythwyr

linkage cysylltedd *eg* cysyllteddau

linked group grŵp cysylltiedig *eg* grwpiau cysylltiedig

linked list rhestr gysylltiedig *eb* rhestri cysylltiedig

linked sub-routine is-reolwaith cysylltiedig *eg* is-reolweithiau cysylltiedig

linker cysylltwr *eg* cysylltwyr

lino leino *eg*

lino cut torlun leino *eg* torluniau leino

lino cutter torrell leino *eb* torellau leino

lino cutting nib nib torri leino *eg* nibiau torri leino

lino knife cyllell leino *eb* cyllyll leino

lino print print leino *eg* printiau leino

lino printing printio leino *be*

lino roller rholer leino *eg* rholeri leino

lino-block printing printio bloc leino *be*

lino-printing ink inc printio leino *eg* inciau printio leino

linoleum linoliwm *eg*

linseed oil olew had llin *eg*

linson linson *eg*

lintel capan drws *eg* capanau drysau

lip *v* gosod ymyl *be*

lip (corrie) *n* min *eg* minion

lip (drill part) *n* gwefus *eb* gwefusau

lip clearance angle (drill part) ongl cliriad gwefus *eb*

lip reading darllen gwefusau *be*

lipase lipas *eg*

lipogenesis lipogenesis *eg*

lipoid lipoid *eg*

lipotropy lipotropi *eg*

lipped edge ymyl osod *eb* ymylon gosod

liquefaction hylifiad *eg* hylifiadau

liquefiable hylifadwy *ans*

liquefied hylifedig *ans*

liquefy hylifo *be*

liquid *adj* hylifol *ans*

liquid *n* hylif *eg* hylifau

liquid colour lliw hylifol *eg* lliwiau hylifol

liquid colourant lliwydd hylif *eg* lliwyddion hylif

liquid core craidd hylifol *eg* creiddiau hylifol

liquid crystal display (LCD) arddangosiad grisial hylif *eg* arddangosiadau grisial hylif

liquid crystals grisialau hylif *ell*

liquid detergent glanedydd hylif *eg* glanedyddion hylif

liquid form ffurf hylifol *eb* ffurfiau hylifol

liquid measure mesur hylif *eg* mesurau hylif

liquid medium cyfrwng hylif *eg*

liquid metal polish llathrydd metel hylifol *eg*

liquid soap sebon hylif *eg*

liquid wax polish llathr cwyr hylif *eg*

liquidate difodi *be*

liquidation (=annihilation) difodiant *eg*

liquidation (=bankruptcy) methdaliad *eg*

liquidity hylifedd *eg*

liquidizer hylifydd *eg* hylifyddion

list rhestr *eb* rhestri

list processing prosesu rhestri *be*

listen gwrando *be*

listen attentively gwrando'n astud *be*

listening comprehension gwrando a deall

listening test prawf gwrando *eg* profion gwrando

litany litani *eb* litanïau

literacy llythrennedd *eg*

literal llythrennol *ans*

literal translation cyfieithiad llythrennol *eg* cyfieithiadau llythrennol

literary llenyddol *ans*

literary art celfyddyd lenyddol *eb*

literate llythrennog *ans*

literature llenyddiaeth *eb*

literature survey arolwg llenyddol *eg* arolygon llenyddol

litharge litharg *eg*

lithium (Li) lithiwm *eg*

lithograph lithograff *eg* lithograffau

lithography lithograffi *eg*

lithology litholeg *eb* litholegau

lithosere lithoser *eg*

lithosol lithosol *eg*

lithosphere lithosffer *eg*

litigant achwynwr *eg* achwynwyr

litigate ymgyfreithio *be*

litigation cyfreitha *be*

litigious cyfreithgar *ans*

litigiousness cyfreithgarwch *eg*

litmus litmws *eg*

litre litr *eg* litrau

litter (=animal bedding) gwasarn *eg* gwasarnau

litter (of animals) torllwyth *eb* torllwythi

littoral *adj* arfordirol *ans*

littoral *n* arfordir *eg* arfordiroedd

liturgical litwrgaidd *ans*

liturgy litwrgi *eg/b* litwrgïau

live *adj* byw *ans*

live *v* byw *be*

live centre (headstock) canol tro *eg*

live knot cainc fyw *eb* ceinciau byw

live music cerddoriaeth fyw *eb*

live record cofnod byw *eg* cofnodion byw

live wire gwifren fyw *eb* gwifrau byw

liver afu *eg* afuoedd; iau *eg* ieuau

---

adf, adv adferf, *adverb*   *ans, adj* ansoddair, *adjective*   *be* berf, *verb*   *eb* enw benywaidd, *feminine noun*   *eg* enw gwrywaidd, *masculine noun*

liver fluke (disease) clefyd yr euod *eg*

liver fluke (organism) llyngyren yr afu *eb* llyngyr yr afu; llyngyren yr iau *eb* llyngyr yr iau

liverwort llys yr afu; *eg* llys yr iau *eg*

livery lifrai *eg* lifreion

livery and maintenance lifrai a chynhaliaeth

livestock da byw *ell*

livestock farming ffermio da byw *be*

living *adj* byw *ans*

living *n* bywoliaeth *eb* bywoliaethau

living cell cell fyw *eb* celloedd byw

living thing peth byw *eg* pethau byw

Llandaff Reel Dawns Llandaf *eb*

Llanover Reel Dawns Llanofer *eb*

load *n* llwyth *eg* llwythi

load *v* llwytho *be*

load bearing surface arwyneb sy'n dal pwysau *eg* arwynebau sy'n dal pwysau

load font llwytho ffont *be*

load point pwynt llwyth *eg* pwyntiau llwyth

load-bearing wall wal cynnal pwysau *eb* waliau cynnal pwysau

loader (program) llwythwr *eg* llwythwyr

loading bay man llwytho *eg* mannau llwytho

loafing yard lloc cadw *eg* llociau cadw

loam lom *eg* lomau

loamy lomog *ans*

loan *n* benthyciad *eg* benthyciadau

loan *v* benthyca *be*

lob *n* lob *eb*

lob *v* lobio *be*

lobate bar bar clustennog *eg* barrau clustennog

lobby *v* lobïo *be*

lobby (hall in parliament, a body of lobbyists) *n* lobi *eb* lobïau

lobby correspondent gohebydd lobi *eg* gohebwyr lobi

lobbyist lobïwr *eg* lobïwyr

lobe llabed *eb* llabedau

lobed llabedog *ans*

lobule llabeden *eb* llabedennau

local lleol *ans*

local agreed curriculum maes llafur cytûn lleol *eg* meysydd llafur cytûn lleol

local anaesthetic anaesthetig lleol *eg*

local area ardal leol *eb* ardaloedd lleol

local area network (LAN) rhwydwaith ardal leol *eg*

local authority awdurdod lleol *eg* awdurdodau lleol

local colour lliw lleol *eg*

local education authority awdurdod addysg lleol *eg* awdurdodau addysg lleol

local environment amgylchedd lleol *eg*

local government llywodraeth leol *eb*

local history hanes lleol *eg*

local management of schools rheolaeth leol ysgolion *eb*

local relief tirwedd leol *eb* tirweddau lleol

local variable newidyn lleol *eg* newidynnau lleol

localization (in economics) lleoleiddiad *eg*

localized lleoledig *ans*

localized activity gweithgaredd lleoledig *eg* gweithgareddau lleoledig

localized unemployment diweithdra lleol *eg*

locate lleoli *be*

locate position lleoli safle *be*

locating jig jig lleoli *eg* jigiau lleoli

locating pin pin lleoli *eg* pinnau lleoli

locating plate plât lleoli *eg* platiau lleoli

location lleoliad *eg* lleoliadau

location in space safle mewn gwagle *eg*

location of activities lleoliad gweithgareddau *eg*

location of features lleoliad nodweddion *eg*

locational lleoliadol *ans*

locational analysis dadansoddiad lleoliad *eg* dadansoddiadau lleoliad

locational control rheoli lleoliad *be*

locational framework fframwaith lleoliadol *eg*

locational quotient cyniferydd lleoliad *eg* cyniferyddion lleoliad

lock *v* cloi *be*

lock (on canal) *n* loc *eb* lociau

lock (on door etc) *n* clo *eg* cloeon

lock block (flush door) bloc clo *eg* blociau clo

lock knit gweuglwm *ans*

lock nut nyten gloi *eb* nytiau cloi

lock out cau allan *be*

lock rail rheilen glo *eb* rheiliau clo

lock stitch pwyth clo *eg* pwythau clo

lock-seat clamp clamp sedd glo *eg* clampiau sedd glo

locking device dyfais gloi *eb* dyfeisiau cloi

locking plate plât cloi *eg* platiau cloi

locking stile cledren gloi *eb* cledrau cloi

locking washer wasier gloi *eb* wasieri cloi

locking wedge lletem gloi *eb* lletemau cloi

lockjaw genglo *eg*

lockshield valve falf gloi *eb* falfiau cloi

locomotion ymsymudiad *eg* ymsymudiadau

locomotive locomotif *eg* locomotifau

Locrian mode modd Locriaidd *eg* moddau Locriaidd

locus locws *eg* loci

lode (mineral) gwythïen *eb* gwythiennau

lodestone tynfaen *eg* tynfeini

lodge cyfrinfa *eb* cyfrinfeydd

lodgement till til glyniad *eg*

lodger lletywr *eg* lletywyr

lodging house llety *eg* lletyau

lodgings llety *eg* lletyau

lodicule lodicwl *eg* lodicwlau

loft llofft *eg* llofftydd

lofted drive dreif uchel *eb* dreifiau uchel

log (of wood) boncyff *eg* boncyffion

log (=record) log *eg* logiau

log book llyfr log *eg* llyfrau log

log jam tagfa goed *eb* tagfeydd coed

---

log roll troi'n unionsyth *be*

logarithm logarithm *eg* logarithmau

logarithmic logarithmig *ans*

logarithmic table tabl logarithmig *eg* tablau logarithmig

logic rhesymeg *eb*

logic board bwrdd rhesymeg *eg* byrddau rhesymeg

logic circuit cylched resymeg *eb* cylchedau rhesymeg

logic design cynllun rhesymeg *eg* cynlluniau rhesymeg

logic diagram diagram rhesymeg *eg* diagramau rhesymeg

logic element elfen resymeg *eb* elfennau rhesymeg

logic gate adwy resymeg *eb* adwyon rhesymeg

logical rhesymegol *ans*

logical operator gweithredydd rhesymegol *eg* gweithredwyr rhesymegol

logical record cofnod rhesymegol *eg* cofnodion rhesymegol

logical shift syfliad rhesymegol *eg* syfliadau rhesymegol

logical symbol symbol rhesymegol *eg* symbolau rhesymegol

logical unit uned resymegol *eb* unedau rhesymegol

login mewngofnodi *be*

logistics logisteg *eb*

logogram logogram *eg* logogramau

logout allgofnodi *be*

Lollard *adj* Lolardaidd *ans*

Lollard *n* Lolard *eg* Lolardiaid

Lollardy Lolardiaeth *eb*

London Corresponding Society Cymdeithas Ohebu Llundain *eb*

London pattern hammer morthwyl patrwm Llundain *eg* morthwylion patrwm Llundain

Londoner Llundeiniwr *eg* Llundeinwyr

lone pair pâr unig *eg* parau unig

long hir *ans*

long and short shoulder mortise and tenon joint uniad mortais a thyno ag ysgwydd hir a byr *eg* uniadau mortais a thyno ag ysgwydd hir a byr

long and short shouldered tenon tyno ysgwydd hir a byr *eg* tynoau ysgwydd hir a byr

long and short stitch hirbwyth a byrbwyth

long auger taradr hir *eg* terydr hir

long broken line llinell hir doredig *eb* llinellau hir toredig

long corner cornel bell *eb* corneli pell

long distance pellter hir *eg*

long division rhannu hir *be*

long grain graen hir *eg*

long head stake bonyn pen hir *eg* bonion pen hir

long high pass pàs hir uchel *eb* pasiau hir uchel

long hop (in cricket) pelen fer iawn *eb* peli byr iawn

long innings batiad hir *eg* batiadau hir

long jump naid hir *eb* neidiau hir

long jumper neidiwr hir *eg* neidwyr hir

long leaf dalen hir *eb* dalenni hir

long leg coeswr pell *eg* coeswyr pell

long low pass pàs hir isel *eb* pasiau hir isel

Long March Ymdaith Faith *eb*

long metre mesur hir *eg* mesurau hir

long multiplication lluosi hir *be*

long nose pliers gefelen drwyn hir *eb* gefeiliau trwyn hir

long off pellwr agored *eg* pellwyr agored

long on pellwr coes *eg* pellwyr coes

long pitch hoelen bitsh hir *eb* hoelion pitsh hir

long profile (of a river) hydbroffil *eg* hydbroffiliau

long range forces grymoedd amrediad pell *ell*

long range plane awyren taith hir *eb* awyrennau taith hir

long round nose pliers gefelen drwyn crwn hir *eb* gefeiliau trwyn crwn hir

long section (of a river) hyd-doriad *eg* hyd-doriadau

long ship llong hir *eb* llongau hir

long sight golwg hir *eg*

long snipe nose pliers gefelen drwyn crwn main hir *eb* gefeiliau trwyn crwn main hir

long stay bed gwely arhosiad hir *eg* gwelyau arhosiad hir

long step cam hir *eg* camau hir

long term study astudiaeth dymor hir *eb* astudiaethau tymor hir

long waisted hirwasg *ans*

long wall (of building) talcen hir *eg* talcenni hir

long-arm stapler styffylwr hir *eg* styffylwyr hir

long-armed cross stitch pwyth croes hirfraich *eg* pwythau croes hirfraich

long-life lamp lamp hir oes *eb* lampau hir oes

long-term tymor hir *ans*

longbow bwa hir *eg* bwâu hir

longevity hirhoedledd *eg*

longitude hydred *eg* hydredau

longitude and latitude hydred a lledred

longitudinal hydredol *ans*

longitudinal distance pellter hydredol *eg* pellterau hydredol

longitudinal feed porthiant hydredol *eg*

longitudinal movement symudiad hydredol *eg* symudiadau hydredol

longitudinal profile proffil hydredol *eg* proffiliau hydredol

longitudinal section toriad hydredol *eg* toriadau hydredol

longitudinal vibration dirgryniad arhydol *eg* dirgryniadau arhydol

longitudinal wave ton hydredol *eb* tonnau hydredol

longshore current cerrynt y glannau *eg*

longshore drift drifft y glannau *eg*

longways for as many as will ar hyd i bawb a fynno

longways set set ar hyd *eb* setiau ar hyd

look edrych *be*

look and say method dull edrych a dweud *eg*

look-at ar-edrych *ans*

look-at table tabl ar-edrych *eg* tablau ar-edrych

look-up am-edrych *ans*

look-up table tabl am-edrych *eg* tablau am-edrych

loom gwŷdd *eg* gwyddion

loom darning creithio gwŷdd *be*

loop dolen *eb* dolennau

loop and tie dolen a chwlwm

loop stop dolen atal *eb* dolennau atal

looped cotton cotwm dolennog *eg*

looped fabric ffabrig dolennog *eg* ffabrigau dolennog

looped stitch pwyth dolen *eg* pwythau dolen

looped weave gwehyddiad dolennog *eg*

loose llac *ans*

loose cover gorchudd rhydd *eg* gorchuddion rhydd

loose dye llifyn llac *eg* llifynnau llac

loose feather tafod rhydd *eg* tafodau rhydd

loose fit ffit lac *eb* ffitiau llac

loose head pen rhydd *eg*

loose joint uniad llac *eg* uniadau llac

loose knitting gwau llac *be*

loose maul sgarmes rydd *eb* sgarmesoedd rhydd

loose rivet rhybed llac *eg* rhybedion llac

loose riveting rhybedu llac *be*

loose scrum sgrym rydd *eb* sgrymiau rhydd

loose tongue tafod rhydd *eg* tafodau rhydd

loose tongue joint uniad tafod rhydd *eg* uniadau tafod rhydd

loose-leaf book llyfr dalennau rhydd *eg* llyfrau dalennau rhydd

loosen rhyddhau *be*

looseness llacrwydd *eg*

loosing (the bow) gollwng (y bwa) *be*

lop tocio *be*

lop-eared clustlipa *ans*

lopolith lopolith *eg* lopolithau

lopsided cam *ans*

lord arglwydd *eg* arglwyddi

Lord Advocate Arglwydd Adfocad *eg*

Lord Chancellor Arglwydd Ganghellor *eg*

Lord High Admiral Arglwydd Uchel Lyngesydd *eg*

Lord High Treasurer Arglwydd Uchel Drysorydd *eg*

Lord Keeper Arglwydd Geidwad *eg*

Lord Keeper of the Great Seal Arglwydd Geidwad y Sêl Fawr *eg*

Lord Lieutenant Arglwydd Raglaw *eg*

Lord Mayor Arglwydd Faer *eg*

lord of the manor arglwydd y faenor *eg* arglwyddi'r maenorau

Lord President Arglwydd Lywydd *eg*

Lord Protector Arglwydd Amddiffynnydd *eg*

Lord's Supper Swper yr Arglwydd *eg*

Lords Marcher Arglwyddi'r Gororau *ell*

Lords of the Congregation Arglwyddi'r Gynulleidfa *ell*

Lords Ordainers Arglwyddi Ordeinwyr *ell*

Lords Temporal and Spiritual Arglwyddi Lleyg ac Eglwysig *ell*

lordship arglwyddiaeth *eb* arglwyddiaethau

Lorenzo the Magnificent Lorenzo Ysblennydd *eg*

lose colour (enamelling colour) bwrw lliw *be*

lose colour (in general) colli lliw *be*

lose control of the ball colli rheolaeth ar y bêl

lose possession of the ball colli meddiant o'r bêl

loss colled *eg/b* colledion

lost ball pêl goll *eb* peli coll

lost village pentref diflan *eg* pentrefi diflan

lost-wax process proses cwyr coll *eb*

lot and scot lot a scot

lotion trwyth *eg* trwythau

loud (of sound) cryf *ans*

loud sound sain gref *eb* seiniau cryf

loudness (of sound) cryfder *eg*

loudspeaker uchelseinydd *eg* uchelseinyddion

lough loch *eg* lochau

Louis the Pious Louis Dduwiol *eg*

lounge lolfa *eb* lolfeydd

louvre lwfer *eg* lwferau

louvre window ffenestr louvre *eb* ffenestri louvre

love (tennis score) dim sgôr

love all (tennis score) dim dim

love feast (=Christian feast) cariadwledd *eb* cariadwleddoedd

love game gêm i ddim

low isel *ans*

low angle ongl isel *eb* onglau isel

low ball pêl isel *eb* peli isel

low carbon carbon isel *eg*

Low Church Isel Eglwysig *ans*

low dive deifio'n isel *be*

low foaming detergent glanedydd prindrochion *ans* glanedyddion prindrochion

low frequency (of oscillations) amledd isel *eg*

low key (in old Welsh music) isgywair *eg*

low latitude lledred isel *eg* lledredau isel

low level lefel isel *eb* lefelau isel

low limit terfan isel *eb*

low line llinell isel *eb*

low net rhwyd isel *eb* rhwydi isel

low population density dwysedd poblogaeth isel *eg*

low power drawing lluniad chwyddhad isel *eg* lluniadau chwyddhad isel

low pressure gwasgedd isel *eg* gwasgeddau isel

low register nodau isel *ell*

low relief cerfwedd isel *eb* cerfweddau isel

low self-esteem hunan-barch isel *eg*

low spin troelliad paredig *eg* troelliadau paredig

low step cam isel *eg* camau isel

low voltage foltedd isel *eg*

low water distyll *eg*

low water mark marc distyll *eg*

low-angle plane plaen ongl-isel *eg* plaeniau ongl-isel

low-level language iaith lefel isel *eb* ieithoedd lefel isel

low-lying plain gwastadedd isel *eg* gwastadeddau isel

low-order is-werth *ans*

low-order position safle is-werth *eg* safleoedd is-werth

lower *v* gostwng *be*

lower attaining pupil disgybl is ei gyrhaeddiad *eg* disgyblion is eu cyrhaeddiad

lower bound arffin isaf *eg* arffiniau isaf

lower case letter llythyren fach *eb* llythrennau bach

lower class dosbarth isaf *eg* dosbarthiadau isaf

lower ground islawr *eg* isloriau

lower jaw gên isaf *eb* genau isaf

lower mordent isfordent *eg* isfordentau

lower order (in geology) haen isaf *eb* haenau isaf

lower register isgwmpasran *eb*

---

lower school ysgol isaf *eb* ysgolion isaf
lower the body gostwng y corff *be*
lower tier rhes isaf *eb* rhesi isaf
lowest common multiple lluosrif cyffredin lleiaf *eg*
lowest order gradd isaf *eb*
lowest terms ffurf symlaf *eb*
lowland iseldir *eg* iseldiroedd
loxodrome (=rhumb line) locsodrom (=rhymlin) *eg* locsodromau
loyal teyrngar *ans*
loyalist teyrngarwr *eg* teyrngarwyr
loyalty teyrngarwch *eg*
lozenge graver crafell losin *eb* crafellau losin
lubricant iraid *eg* ireidiau
lubricate iro *be*
lubricating nipples niplau iro *ell*
lubricating point pwynt iro *eg* pwyntiau iro
lubrication iriad *eg* iriadau
lucerne maglys *eg*
lucid eglur *ans*
Luddite *adj* Ludaidd *ans*
Luddite *n* Ludiad *eg* Ludiaid
ludo liwdo *eg*
lug clust *eg/b* clustiau
lukewarm claear *ans*
lukewarm water dŵr claear *eg*
lullaby hwiangerdd *eb* hwiangerddi
lumbar *adj* meingefnol *ans*
lumbar puncture tynnu hylif madruddyn y cefn *be*
lumbar region adran y meingefn *eb*
lumbar vertebra fertebra meingefnol *eg* fertebrau meingefnol
lumber coed *ell*
lumbering coetmona *be*
lumberjack coetmon *eg* coetmyn
lumen lwmen *eg* lwmina
Luminarists Goleueddwyr *ell*
luminescence ymoleuedd *eg*
luminosity goleuedd *eg* goleueddau
luminous goleuol *ans*
luminous intensity arddwysedd goleuol *eg* arddwyseddau goleuol
lump lwmp *eg* lympiau
lump sum lwmp-swm *eg* lymp-symiau
lunar day diwrnod lleuad *eg*
lunar eclipse diffyg ar y lleuad *eg* diffygion ar y lleuad
lunar month mis lleuad *eg* misoedd lleuad
lunch cinio canol dydd *eg*
lunch interval amser cinio *eg*
lune lŵn *eg* lynau
lung ysgyfant *eg* ysgyfaint

lung capacity cynhwysedd yr ysgyfaint *eg* cynwyseddau yr ysgyfaint
lung deflation dadchwythiant yr ysgyfaint *eg*
lung fish pysgodyn ysgyfeiniog *eg* pysgod ysgyfeiniog
lunge rhagwth *eg* rhagwthion
lunge forward rhagwth ymlaen *eg* rhagwthion ymlaen
lunge in low line rhagwth ar linell isel *eg* rhagwthion ar linell isel
lunge outward rhagwth allan *eg* rhagwthion allan
lunge sideways rhagwth ochr *eg* rhagwthion ochr
lunula lwnwla *eg* lwnwlau
Lurex Lurex *eg*
lustre gloywedd *eg* gloyweddau
lustre pottery crochenwaith gloywedd *eg*
lustrous (finish) gloyw *ans*
lustrous material defnydd gloyw *eg* defnyddiau gloyw
lute liwt *eg/b* liwtiau
luteal cells celloedd lwteal *ell*
luteinizing hormone hormon lwteineiddio *eg* hormonau lwteineiddio
lutenist liwtydd *eg* liwtwyr
lutetium (Lu) lwtetiwm *eg*
Lutheran *adj* Lutheraidd *ans*
Lutheran *n* Lutheriad *eg* Lutheriaid
Lutheranism Lutheriaeth *eb*
luting liwtio *be*
lux lwcs *eg* lycsau
luxurious moethus *ans*
luxury moeth *eg* moethau
luxury goods nwyddau moeth *ell*
lychgate porth mynwent *eg* pyrth mynwent
lying down gorweddol *ans*
lying press gwasg osod *eb* gweisg gosod
lyme grass clymwellt *ell*
lymph lymff *eg*
lymph gland chwarren lymff *eb* chwarennau lymff
lymph node nod lymff *eg* nodau lymff
lymph vessel pibell lymff *eb* pibellau lymff
lymphatic gland chwarren lymffatig *eb*
lymphatic system system lymffatig *eb*
lymphocyte lymffocyt *eg* lymffocytau
lynchet glaslain *eb* glasleiniau
lyre lyra *eb* lyrâu
lyric drama drama delynegol *eb* dramâu telynegol
lyric opera opera delynegol *eb* operâu telynegol
lyric tenor tenor ysgafn *eg* tenoriaid ysgafn
lysine lysin *eg*
lysis lysis *eg*
lysogeny lysogenedd *eg*
lysosome lysosom *eg* lysosomau
lysozyme lysosym *eg* lysosymau

M

macaroni cheese caws macaroni *eg*

mace byrllysg *eg* byrllysgau

macerate briwio *be*

machine *n* peiriant *eg* peiriannau

machine *v* peiriannu *be*

machine architecture saernïaeth peiriant *eb*

machine attachments atodion peiriant *ell*

machine code cod peiriant *eg* codau peiriant

machine code language iaith cod peiriant *eb*

machine cycle cylchred peiriant *eb* cylchredau peiriant

machine darn craith peiriant *eb* creithiau peiriant

machine darn patch clwt craith peiriant *eg* clytiau craith peiriant

machine embroidery brodwaith peiriant *eg*

machine fell seam sêm ffel ddwbl *eb* semau ffel ddwbl

machine gather crychdynnu â pheiriant *be*

machine gun gwn peiriant *eg* gynau peiriant

machine heads ebillres *eb* ebillresi

machine independent annibynnol ar y peiriant *ans*

machine language iaith peiriant *eb* ieithoedd peiriant

machine made buttonhole twll botwm peiriant *eg* tyllau botymau peiriant

machine needle nodwydd peiriant *eb* nodwyddau peiriant

machine operating system (MOS) system weithredu peiriant *eb*

machine screw sgriw beiriant *eb* sgriwiau peiriant

machine shop gweithdy peiriannau *eg* gweithdai peiriannau

machine tools offer peiriannau *ell*

machine vice feis peiriant *eb* feisiau peiriant

machine washable golchadwy â pheiriant *ans*

machine word gair peiriant *eg* geiriau peiriant

machined component cydran wedi'i pheiriannu *eb* cydrannau wedi'u peiriannu

machinery peirianwaith *eg* peirianweithiau

machining allowance lwfans peiriannu *eg* lwfansau peiriannu

mackerel sky traeth awyr *eg*

macramé macramé *eg*

macramé twine cortyn macramé *eg* cortynnau macramé

macro macro *ans*

macro nutrient macrofaethyn *eg* macrofaethynnau

macro-climate macrohinsawdd *eg* macrohinsoddau

macroassembler macrogydosodydd *eg* macrogydosodyddion

macrocosm macrocosm *eg* macrocosmau

macrophage macroffag *eg* macroffagau

macula macwla *eg* macwlau

made environment amgylchedd gwneud *eg* amgylcheddau gwneud

made form ffurf wneud *eb* ffurfiau gwneud

madrigal madrigal *eb* madrigalau

magazine cylchgrawn *eg* cylchgronau

magazine cover clawr cylchgrawn *eg* cloriau cylchgronau

magazine rack rhesel gylchgronau *eb* rheseli cylchgronau

magenta magenta *eg*

maggot cynrhonyn *eg* cynrhon

magic hud *eg*

magic chain stitch pwyth cadwyn hud *eg* pwythau cadwyn hud

magician dewin *eg* dewiniaid

Maginot Line Llinell Maginot *eb*

magiscule llythrennau bras *ell*

magistracy ynadaeth *eb*

magistrate ynad *eg* ynadon

magistrates court llys ynadon *eg* llysoedd ynadon

magma magma *eg* magmâu

magmatic magmatig *ans*

Magna Carta Magna Carta *eg*

magnesian magnesaidd *ans*

magnesium (Mg) magnesiwm *eg*

magnesium bicarbonate magnesiwm deucarbonad *eg*

magnesium carbonate magnesiwm carbonad *eg*

magnet magnet *eg* magnetau

magnetic magnetig *ans*

magnetic bearing cyfeiriant magnetig *eg*

magnetic board bwrdd magnetig *eg* byrddau magnetig

magnetic bubble memory cof bwrlwm magnetig *eg*

magnetic card cerdyn magnetig *eg* cardiau magnetig

magnetic catch clicied fagnetig *eb*

magnetic core store storfa craidd magnetig *eb* storfeydd craidd magnetig

magnetic disk disg magnetig *eg* disgiau magnetig

magnetic field maes magnetig *eg* meysydd magnetig

magnetic ink character recognition (MICR) adnabod nodau inc magnetig *be*

magnetic medium cyfrwng magnetig *eg* cyfryngau magnetig

magnetic moment moment magnetig *eg*

magnetic north gogledd magnetig *eg*

magnetic pole pôl magnetig *eg* polau magnetig

magnetic stirrer tröydd magnetig *eg* troyddion magnetig

magnetic tape tâp magnetig *eg* tapiau magnetig

magnetism (of property) magnetedd *eg*

magnetism (study of) magneteg *eb*

magnetization magneteiddiad *eg* magneteiddiadau

magnetize magneteiddio *be*

magneto magneto *eg* magnetoeon

magnetometer magnetomedr *eg* magnetomedrau

magnetron magnetron *eg* magnetronau

magnification chwyddhad *eg* chwyddhadau

magnifier chwyddhadur *eg* chwyddaduron

magnify chwyddo *be*

magnifying glass chwyddwydr *eg* chwyddwydrau

magnitude maint *eg* meintiau

magnitude and direction maint a chyfeiriad

magnitude of linear motion maint mudiant llinol *eg*

Magnus Maximus Macsen Wledig *eg*

magyar sleeve llawes magyar *eb* llewys magyar

mahlstick ffon peintiwr *eb* ffyn peintwyr

mahogany mahogani *eg*

Maid of Kent Morwyn Caint *eb*

maiden name enw cyn priodi *eg* enwau cyn priodi

maiden over pelawd ddi-sgôr *eb* pelawdau di-sgôr

mail post *eg*

mail boat llong bost *eb* llongau post

mail order *n* archeb drwy'r post *eb* archebion drwy'r post

mail order *v* archebu drwy'r post *be*

mail-shot post-dafliad *eg* post-dafliadau

mailcoach coets y post *eb* coetsys y post

mailmerge postgyfuno *be*

main axis prif echelin *eb*

main colour prif liw *eg*

main criterion prif faen prawf *eg* prif feini prawf

main dimensions prif ddimensiynau *ell*

main entrance (of church) porth *eg* pyrth

main frame prif gyfrifiadur *eg* prif gyfrifiaduron

main mast prif hwylbren *eb* prif hwylbrennau

main menu prif ddewislen *eb* prif ddewislenni

main pipe prif bibell *eb* prif bibellau

main rafter prif geibr *eg* prif geibrau

main religion prif grefydd *eb* prif grefyddau

main screen prif sgrin *eb* prif sgriniau

main sequence stars sêr prif ddilyniant *ell*

main spindle (lathe part) prif werthyd *eg* prif werthydau

main store prif storfa *eb* prif storfeydd

main stream prif ffrwd *eb* prif ffrydiau

main subject prif destun *eg* prif destunau

mainland tir mawr *eg*

mains prif gyflenwad *eg* prif gyflenwadau

mainsail hwyl fawr *eb* hwyliau mawr

mainsheet prif raff *eb* prif raffau

mainstreaming prif ffrydio *be*

maintain a part cynnal rhan *be*

maintain possession cadw meddiant *be*

maintain possession of the ball cadw meddiant o'r bêl *be*

maintained school ysgol a gynhelir *eb* ysgolion a gynhelir

maintainer cynheiliad *eg* cynheiliaid

maintenance (of buildings etc) cynnal a chadw

maintenance cost cost cynnal *eb* costau cynnal

maintenance grant (for students) grant cynnal *eg* grantiau cynnal

maintenance of growth cynnal twf *be*

maize India corn *eg*

maize oil olew corn *eg*

majestic mawreddog *ans*

majesty mawrhydi *eg*

majolica (enamelled pottery) majolica *eg*

major *adj* mwyaf *ans*

major *n* uwch-gapten *eg* uwch-gapteniaid

major and minor games prif a mân chwaraeon

major axis echelin hwyaf *eb* echelinau hwyaf

major chord cord mwyaf *eg* cordiau mwyaf

major common chord cord cyffredin mwyaf *eg* cordiau cyffredin mwyaf

major diameter diamedr mwyaf *eg*

major incident digwyddiad mawr *eg* digwyddiadau mawr

major interval cyfwng mwyaf *eg* cyfyngau mwyaf

major key cywair mwyaf *eg*

major order prif urdd *eb* prif urddau

major scale graddfa fwyaf *eb* graddfeydd mwyaf

major-general is-gadfridog *eg* is-gadfridogion

majority mwyafrif *eg*

make gwneud *be*

make a bridge gwneud pont *be*

make a circle gwneud cylch *be*

make a dance creu dawns *be*

make a decision penderfynu *be*

make a sketch-map llunio llinfap *be*

make fast clymwch

make judgement barnu *be*

make observations cynnig arsylwadau *be*

make patterns gwneud patrymau *be*

make the transition (linguistically) croesi'r bont *be*

make up (a solution) paratoi *be*

make up (=devise) dyfeisio *be*

make up to the mark llenwi hyd at y graddnod *be*

make-believe *adj* ffug *ans*

make-believe *n* dychymyg *eg* dychmygion

make-believe *v* smalio *be*

make-up (cosmetics) *n* colur *eg*

make-up (cosmetics) *v* coluro *be*

make-up box blwch coluro *eg* blychau coluro

maladjusted child plentyn heb ymaddasu *eg* plant heb ymaddasu

maladjustment diffyg ymaddasiad *eg*

maladministration camweinyddu *be*

malarial swamps gwernydd malaria *ell*

male *adj* gwrywol *ans*

male *n* gwryw *eg* gwrywod

male gamete gamet gwryw *eg* gametau gwryw

male reproductive cell cell atgenhedlol wrywol *eb* celloedd atgenhedlol gwrywol

male voice choir côr meibion *eg* corau meibion

maleness gwrywedd *eg*

malformation camffurfiad *eg* camffurfiadau

malfunction *n* diffyg *eg* dffygion

malfunction *v* camweithio *be*

---

adf, adv adferf, *adverb* **ans, adj** ansoddair, *adjective* **be** berf, *verb* **eb** enw benywaidd, *feminine noun* **eg** enw gwrywaidd, *masculine noun*

malic acid asid malig *eg*

malicious damage difrod maleisus *eg*

malignant malaen *ans*

malleability hydrinedd *eg* hydrineddau

malleable hydrin *ans*

malleable cast iron haearn bwrw hydrin *eg*

malleable iron haearn hydrin *eg*

malleable iron (ferrous metal) dur canol *eg*

malleable nail hoelen hydrin *eb* hoelion hydrin

mallee malî *eg*

mallet gordd *eb* gyrdd

malleus morthwyl y glust *eg*

malnutrition diffyg maeth *eg*

Malpighian body corffyn Malpighi *eg*

Malpighian corpuscle corffilyn Malpighi *eg*

Malpighian layer haen Malpighi *eb*

Malpighian tubule tiwbyn Malpighi *eg*

malt brag brag *eg* bragau

malt bread bara brag *eg*

Malthusianism Malthwsiaeth *eb*

maltose maltos *eg*

mamillated bronennog *ans*

mammal mamolyn *eg* mamolion

mammalian mamolaidd *ans*

mammary bronnol *ans*

mammary gland chwarren laeth *eb* chwarenni llaeth

mammatocumulus brongwmwl *eg* brongymylau

mammoth mamoth *eg*

man made fibre ffibr synthetig *eg*

man to man defence amddiffyn dyn am ddyn *be*

man-at-arms milwr arfog *eg* milwyr arfog

man-day dydd gweithiwr *eg* dyddiau gweithiwr

man-machine interface rhyngwyneb peiriant-dyn *eg* rhyngwynebau peiriant-dyn

man-made fibre ffibr gwneud *eg* ffibrau gwneud

man-made object gwrthrych gwneud *eg* gwrthrychau gwneud

man-of-war llong arfog *eb* llongau arfog

manage rheoli *be*

manage and control rheoli a chadw trefn

manage environments rheoli amgylcheddau *be*

manage expenditure rheoli gwariant *be*

manageable hylaw *ans*

management (act of) rheolaeth *eb* rheolaethau

management (=managers) rheolwyr *ell*

management information gwybodaeth rheoli *eb*

manager rheolwr *eg* rheolwyr

manageress rheolwraig *eb* rheolwragedd

managerial rheolaethol *ans*

managerial post swydd reoli *eb* swyddi rheoli

managerial skills sgiliau rheoli *ell*

managerial studies astudiaethau rheoli *ell*

manciple swyddog cyflenwi *eg* swyddogion cyflenwi

mandarin collar coler mandarin *eg* coleri mandarin

mandarin ink inc mandarin *eg*

mandate mandad *eg* mandadau

mandated mandedig *ans*

mandated territory tiriogaeth fandadol *eb* tiriogaethau mandadol

mandatory gorfodol *ans*

mandatory exception eithriad gorfodol *eg* eithriadau gorfodol

mandatory grant grant gorfodol *eg* grantiau gorfodol

mandatory unit uned orfodol *eb* unedau gorfodol

mandible mandibl *eg* mandiblau

mandibular arch bwa'r mandibl *eg*

mandolin mandolin *eg* mandolinau

mandorla mandorla *eg*

mandrel (lathe part) mandrel *eg* mandrelau

manganese (Mn) manganîs *eg*

mangle *n* mangl *eg*

mangle *v* manglo *be*

mango mango *eg*

mangrove swamp gwern fangrof *eb* gwernydd mangrof

manhole twll archwilio *eg* tyllau archwilio

manhood suffrage pleidlais gwŷr *eb*

mania mania *eg*

manic manig *ans*

manic depression iselder manig *eg*

manifest amlygu *be*

manifest destiny arfaeth amlwg *eb*

manifesto maniffesto *eg*

manifold maniffold *eg* maniffoldau

manikin manicin *eg*

manilla manila *eg*

manilla paper papur manila *eg*

manipulate (data etc) trin *be*

manipulate (with hands) llawdrin *be*

manipulation llawdriniaeth *eb* llawdriniaethau

manipulative skill sgìl llawdrinol *eg* sgiliau llawdrinol

manna manna *eg*

mannerism (in art) darddulliaeth *eb*

mannerist *n* darddullwr *eg* darddullwyr

mannerist *adj* darddullaidd *ans*

mannerist style arddull ddarddullaidd *eg*

manoeuvres ymarferion *ell*

manometer manomedr *eg* manomedrau

manor maenor *eb* maenorau

manorial system trefn faenorol *eb*

manpower (=labour force) gweithlu *eg*

manpower (of resources) adnoddau llafur *ell*

manpower planning cynllunio nifer y gweithlu *be*

Manpower Services Commission Comisiwn Gwasanaethau'r Gweithlu *eg*

mansard roof to mansard *eg* toeon mansard

mansion plas *eg* plasau

mansion house plasty *eg* plastai

mantel shelf silff fantell *eb* silffoedd mantell

mantelpiece silff ben tân *eb* silffoedd pen tân

mantissa mantisa *eg* mantisâ

mantle *n* mantell *eb* mentyll

mantle *v* mantellu *be*

---

eg/b enw gwrywaidd/benywaidd, *feminine/masculine noun*   *ell* enw lluosog, *plural noun*   *v* berf, *verb*   *n* enw, *noun*

mantle cavity ceudod mantell *eg* ceudodau mantell
mantle rock creicaen *eb* creicaenau

manual (book) llawlyfr *eg* llawlyfrau
manual (on instrument) seinglawr *eg* seingloriau

manual worker gweithiwr llaw *eg* gweithwyr llaw
manufacture cynhyrchu *be*
manufactured apparatus offer parod *ell*
manufactured board pren cyfansawdd *eg* prennau cyfansawdd
manufactured cloth defnydd gwneud *eg* defnyddiau gwneud
manufactured goods gweithgynhyrchion *ell*
manufacturer gwneuthurwr *eg* gwneuthurwyr
manufacturing industry diwydiant gweithgynhyrchu *eg* diwydiannau gweithgynhyrchu
manumission rhyddhau *eg*

manure *n* tail *eg*
manure *v* teilo *be*

manuscript llawysgrif *eb* llawysgrifau
manuscript ink inc llawysgrif *eg*
manuscript lettering llythrennu llawysgrif *be*
manuscript music book llyfr erwydd *eg* llyfrau erwydd
manuscript paper papur erwydd *eg* papurau erwydd
manuscript sheet taflen erwydd *eb* taflenni erwydd
many-many correspondence cyfatebiaeth llawer-i-lawer *eb*
many-one correspondence cyfatebiaeth llawer-i-un *eb*
many-valued lluoswerth *ans*

map *n* map *eg* mapiau
map *v* mapio *be*

map reference cyfeirnod map *eg* cyfeirnodau map
map sheet dalen fap *eb* dalenni map
mapping pen pen mapio *eg* pennau mapio
maquette maquette *eg* maquettes
marathon marathon *eg*
marble marmor *eg*
marble chips sglodion marmor *ell*
marbling marmori *be*
marbling colour lliw marmori *eg*
marbling comb crib farmori *eb* cribau marmori
marbling effects effeithiau marmori *ell*
marbling technique techneg marmori *eb* technegau marmori
marbling trough cafn marmori *eg* cafnau marmori

march (=border) *n* goror *eg* gororau
march (=journey) *n* ymdaith *eb* ymdeithiau
march (=journey) *v* ymdeithio *be*
march (music) *n* ymdeithgan *eb* ymdeithganau
march (=procession) *n* gorymdaith *eb* gorymdeithiau
march (=walk in procession) *v* gorymdeithio *be*

March on Rome Ymdaith i Rufain *eb*
marcher customs arferion y Mers *ell*
marcher Lords Arglwyddi'r Mers *ell*
Marches Mers *eg*
marching camp gwersyll dros dro *eg* gwersylloedd dros dro
margarine margarin *eg*

margin (of page) ymyl *eg/b* ymylon
margin (of profit) maint (yr elw) *eg*
margin guide canllaw ymyl *eg* canllawiau ymyl
margin release datglöwr *eg* datglowyr
margin setting gosodiad ymyl *eg* gosodiadau ymyl
margin stop stop ymyl *eg* stopiau ymyl
marginal ymylol *ans*
marginal cost cost ffiniol *eb* costau ffiniol
marginal distribution function ffwythiant dosraniad ffiniol *eg*
marginal land tir ymylol *eg* tiroedd ymylol
marginalize ymyleiddio *be*
Marian Mariaidd *ans*
Marian exiles alltudion Mari *ell*
Marian martyrs merthyron Mari *ell*
Marian persecution erledigaeth Mari *eb*
marina marina *eg* marinas

marine *adj* morol *ans*
marine *n* môr-filwr *eg* môr-filwyr

marine grade plywood pren haenog gradd morol *eg*
marine painting (of picture) môr-baentiad *eg* môr-baentiadau
marine painting (of process or art) môr-beintio *be*
marine varnish farnais morol *eg*
marionette pyped *eg* pypedau
marital priodasol *ans*
maritime arforol *ans*
Maritime Code Cod y Môr *eg*

mark *v* marcio *be*
mark (numerical or alphabetical award) *n* marc *eg* marciau
mark (trace or symbol) *n* nod *eg* nodau

mark of expression marc mynegiant *eg* marciau mynegiant
mark out marcio *be*
mark scheme cynllun marcio *eg* cynlluniau marcio
mark sensing synhwyro marc *be*
mark sheet taflen farciau *eb* taflenni marciau
mark the opponent marcio'r gwrthwynebwr *be*
mark weighting pwysiad marciau *eg*
marked rhifol *ans*
marked price pris dangosol *eg* prisiau dangosol
marker marciwr *eg* marcwyr

market *n* marchnad *eb* marchnadoedd
market *v* marchnata *be*

market force grym y farchnad *eg* grymoedd y farchnad
market garden gardd fasnachol *eb* gerddi masnachol
market gardening garddio masnachol *be*
market research ymchwil marchnata *eg*
market town tref farchnad *eb* trefi marchnad
market value gwerth y farchnad *eg*
marketable gwerthadwy *ans*
marking gauge medrydd marcio *eg* medryddion marcio
marking knife cyllell farcio *eb* cyllyll marcio
marking medium cyfrwng marcio *eg* cyfryngau marcio
marking out fluid llifydd marcio *eg* llifyddion marcio
marking table bwrdd marcio *eg* byrddau marcio

---

marl *n* marl *eg* marlau

marl *v* marlio *be*

marly marlog *ans*

marouflage marouflage *eg*

marquetry argaenwaith *eg*

marquis ardalydd *eg* ardalyddion

marriage priodas *eb* priodasau

marriage by proxy priodas ddirprwyol *eb* priodasau dirprwyol

marriage portion gwaddol priodferch *eg*

marriage settlement cytundeb priodas *eg* cytundebau priodas

marrow mêr *eg*

Mars Mawrth *eg*

marsh or salting mignen neu halwyndir

marshal marsial *eg* marsialiaid

marshalling yard iard drefnu *eb* ierdydd trefnu

mart marchnad *eb* marchnadoedd

martensite martensit *eg*

martial law cyfraith rhyfel *eb*

martyr *n* merthyr *eg* merthyron

martyr *v* merthyru *be*

martyrdom merthyrdod *eg*

martyrology merthyroleg *eb*

Marxism Marcsaeth *eb*

Marxist *adj* Marcsaidd *ans*

Marxist *n* Marcsydd *eg* Marcswyr

Mary, Queen of Scots Mari, Brenhines y Sgotiaid *eb*

Mashiach Meseia *eg*

mashlum amyd *eg*

mask *n* mwgwd *eg* mygydau

mask (=hide) *v* cuddio *be*

mask (with masking tape) *v* masgio *be*

maskable interrupt ymyriad cuddiadwy *eg* ymyriadau cuddiadwy

masked sprite ciplun cuddiedig *eg* cipluniau cuddiedig

masking tape tâp masgio *eg*

mason saer maen *eg* seiri maen

masonry drill dril gwaith maen *eg* driliau gwaith maen

masonry nail hoelen gwaith maen *eb* hoelion gwaith maen

masque masque *eg* masques

mass offeren *eb* offerennau

mass (of matter) màs *eg* masau

mass defect diffyg màs *eg*

mass for the dead offeren i'r meirw *eb*

mass media cyfryngau torfol *ell*

mass movement (in physics) màs-symudiad *eg*

mass movement (of people) symudiad torfol *eg*

mass number rhif màs *eg* rhifau màs

mass of solid màs y solid *eg*

mass priest periglor *eg* perigloriaid

mass produce masgynhyrchu *be*

mass produced goods nwyddau masgynnyrch *ell*

mass production masgynhyrchu *be*

mass spectrograph sbectrograff màs *eg* sbectrograffau màs

mass storage storfa fàs *eb* storfeydd màs

mass-wasting masddarfodiant *eg*

massacre cyflafan *eb*

Massacre of St Bartholomew Cyflafan Gwylnos Bartholomeus *eb*

Massacre of the Sicilian Vespers Cyflafan y Gosberau Sisilaidd *eb*

massage tylino'r corff *be*

masses, the gwerin, y werin *eb*

masseter muscle cyhyryn maseter *eg* cyhyrau maseter

massif masiff *eg* masiffau

massive (=enormous) enfawr *ans*

massive (in physics) masfawr *ans*

mast hwylbren *eg* hwylbrennau

mast cell mastgell *eb* mastgelloedd

master *adj* prif *ans*

master *n* meistr *eg* meistri

master *v* meistroli *be*

master cast cast gwreiddiol *eg* castiau gwreiddiol

master copy copi gwreiddiol *eg* copïau gwreiddiol

master disk prif ddisg *eg* prif ddisgiau

master file prif ffeil *eg* prif ffeiliau

master page prif dudalen *eb* prif dudalennau

master program prif raglen *eb* prif raglenni

master tape prif dâp *eg* prif dapiau

master's degree gradd meistr *eg* graddau meistr

master/slave system system meistr/gwas *eb* systemau meistr/gwas

Mastersinger Meistersinger *eg* Meistersinger

mastery meistrolaeth *eb*

mastery learning dysgu meistrolaeth *be*

mastery test prawf meistrolaeth *eg* profion meistrolaeth

mastic mastig *eg*

masticate cnoi *be*

mastoid process cnepyn mastoid *eg* cnepynnau mastoid

masturbate mastyrbio *be*

masturbation mastyrbiad *eg*

mat mat *eg* matiau

match *v.intrans* cydweddu *be*

match (=game) *n* gêm *eb* gemau

match boards byrddau cydwedd *ell*

match play chwarae gornest *be*

match point pwynt gornest *eg*

matchboarding estyll cydwedd *ell*

matchboarding panel panel estyll cydwedd *eg*

matching accessories cyfwisgoedd cydwedd *ell*

matching plane plaen cydweddu *eg* plaeniau cydweddu

matching sides ochrau cyfatebol *ell*

matchstick coes matsen *eb* coesau matsys

mate cyplu *be*

material *adj* materol *ans*

material (=fabric, objects with physical presence) *n* defnydd *eg* defnyddiau

material (=information and other abstractions) *n* deunydd *eg* deunyddiau

material characteristics nodweddion defnyddiau *ell*

material object gwrthrych materol *eg* gwrthrychau materol

material weave gwehyddiad defnydd *eg*

materialism materoliaeth *eb*

materials list rhestr ddefnyddiau *eb* rhestri defnyddiau

maternal mamol *ans*

maternal chromosome cromosom o du'r fam *eg* cromosomau o du'r fam

maternity mamolaeth *eb*

maternity allowance lwfans mamolaeth *eb*

maternity grant grant mamolaeth *eg* grantiau mamolaeth

maternity home cartref mamolaeth *eg* cartrefi mamolaeth

maternity hospital ysbyty mamolaeth *eg* ysbytai mamolaeth

maternity leave absenoldeb mamolaeth *eg*

mathematical mathemategol *ans*

mathematical argument dadl fathemategol *eb* dadleuon mathemategol

mathematical convention confensiwn mathemategol *eg* confensiynau mathemategol

mathematical explanation esboniad mathemategol *eg* esboniadau mathemategol

mathematical induction anwythiad mathemategol *eg*

mathematical language iaith fathemategol *eb*

mathematical similarity cyflunedd mathemategol *eg*

mathematical symbol symbol mathemategol *eg* symbolau mathemategol

mathematics mathemateg *eb*

matinée coat cot matinée *eb* cotiau matinée

mating instinct greddf baru *eb*

mating parts rhannau paru *ell*

matins boreol weddi *eb*

matriarchal matriarchaidd *ans*

matrilineal o linach y fam

matrimonial priodasol *ans*

matrimony priodas *eb*

matrix matrics *eg* matricsau

matrix board bwrdd matrics *eg* byrddau matrics

matrix operator gweithredydd matrics *eg* gweithredwyr matrics

matrix product lluoswm matrics *eg* lluosymiau matrics

matron metron *eb* metronau

matt mat *ans*

matt fibreglass ffibrwydr mat *eg*

matt finish gorffeniad mat *eg*

matt glaze gwydredd mat *eg*

matt surface arwyneb mat *eg*

matt varnish farnais mat *eg*

matted matiog *ans*

matter mater *eg*

matting punch pwnsh matio *eg* pynsiau matio

matting tool erfyn matio *eg* arfau matio

mattress matres *eb* matresi

mattress cover gorchudd matres *eg* gorchuddion matres

mature *adj* aeddfed *ans*

mature *v* aeddfedu *be*

mature insect pryfyn llawn-dwf *eg*

maturity aeddfedrwydd *eg*

maul sgarmes *eb* sgarmesoedd

Maundy Thursday Dydd Iau Cablyd *eg*

mauve (enamelling colour) porffor gwelw *eg*

maxilla macsila *eg* macsilau

maxillo-facial surgeon llawfeddyg y genau a'r wyneb *eg* llawfeddygon y genau a'r wyneb

maxima (the note) macsima *eg* nodau macsima

maximal mwyafsymaidd *ans*

maximize (in mathematics) uchafsymio *be*

maximum (=highest point) *n* uchafbwynt *eg* uchafbwyntiau

maximum (=largest) *adj* mwyaf *ans*

maximum (of amount) *n* uchafswm *eg* uchafsymiau

maximum agitation cynnwrf hwyaf *eg*

maximum delegation dirprwyo eithaf *be*

maximum dimensions dimensiynau mwyaf *ell*

maximum exploitation ymelwad mwyaf *eg* ymelwadau mwyaf

maximum height uchder mwyaf *eg*

maximum multiplicity rule egwyddor lluosogrwydd macsimwm *eb*

maximum pressure gwasgedd mwyaf *eg*

maximum price control rheoli uchafbris *be*

maximum speed (of car) cyflymder eithaf *eg*

maximum strength cryfder mwyaf *eg*

maximum temperature uchafbwynt tymheredd *eg*

maximum thermometer thermomedr uchafbwynt *eg* thermomedrau uchafbwynt

maximum weight pwysau mwyaf *ell*

mayor maer *eg* meiri

Mayor of the Palace Maer y Llys *eg*

mayoress maeres *eb* maeresau

maypole bedwen Fai *eb* bedw Mai

mazarin blue (enamelling colour) glas masarin *eg*

maze drysfa *eb*

mazurka mazurka *eg* mazurkas

McCarthyism McCarthiaeth *eb*

meadow dôl *eb* dolydd

meadow soils dolbriddoedd *ell*

meals on wheels pryd ar glud *eg*

mean (in statistics) *adj* cymedrig *ans*

mean (in statistics) *n* cymedr *eg* cymedrau

mean deviation gwyriad cymedrig *eg*

mean diameter circle cylch diamedr cymedrig *eg*

mean difference gwahaniaeth cymedrig *eg*

mean error cyfeiliornad cymedrig *eg*

Mean Information Field (MIF) Maes Gwybodaeth Gymedrig *eg*

mean proportional cymedr cyfrannol *eg*

mean relative atomic mass màs atomic cymharol cymedrig *eg*

mean score sgôr gymedrig *eb*

mean sea level lefel môr cymedrig *eb*

mean temperature tymheredd cymedrig *eg*

mean time amser cymedrig *eg*

mean tone temperament ardymer trydydd cyfartal *eg*

mean value gwerth cymedrig *eg* gwerthoedd cymedrig

---

adf, adv adferf, adverb   *ans, adj* ansoddair, adjective   *be* berf, verb   *eb* enw benywaidd, feminine noun   *eg* enw gwrywaidd, masculine noun

meander *n* ystum afon *eg* ystumiau afon

meander *v* dolennu *be*

meander belt llain ystumiau *eb* lleiniau ystumiau

meander scar craith ystum *eb* creithiau ystumiau

meaning ystyr *eg*

means modd *eg* moddion

means of communication dull o gyfathrebu *eg* dulliau o gyfathrebu

means of improvement ffordd o wella *eb* ffyrdd o wella

means of payment modd talu *eg*

means of production modd cynhyrchu *eg*

means of propulsion dull symud *eg* dulliau symud

means test prawf modd *eg* profion modd

means testing profi modd *be*

measles brech goch *eb*

measurable mesuradwy *ans*

measure *n* mesur *eg* mesurau

measure *v* mesur *be*

measure (=bar) bar *eg* barrau

measure distances mesur pellteroedd *be*

measure of spread mesur o wasgariad *eg*

measure of turn mesur troi *eg*

measurement mesuriad *eg* mesuriadau

measurements of energy mesuriadau o egni *ell*

measuring and marking out mesur a marcio *be*

measuring cylinder silindr mesur *eg* silindrau mesur

measuring instruments offer mesur *ell*

measuring methods dulliau mesur *ell*

measuring tape tâp mesur *eg* tapiau mesur

meat cig *eg* cigoedd

mechanical mecanyddol *ans*

mechanical advantage mantais fecanyddol *eb* manteision mecanyddol

mechanical agitation cynnwrf mecanyddol *eg*

mechanical arithmetic rhifyddeg fecanyddol *eb*

mechanical concept cysyniad mecanyddol *eg*

mechanical drawing lluniadu mecanyddol *be*

mechanical exercise ymarfer mecanyddol *eg* ymarferion mecanyddol

mechanical form ffurf beiriannol *eb* ffurfiau peiriannol

mechanical principle egwyddor fecanyddol *eb* egwyddorion mecanyddol

mechanical structure ffurfiad mecanyddol *eg* ffurfiadau mecanyddol

mechanics mecaneg *eb*

mechanism mecanwaith *eg* mecanweithiau

mechanism of breathing mecanwaith anadlu *eg*

mechanization mecaneiddiad *eg*

mechanize mecaneiddio *be*

meconium meconiwm *eg*

medal medal *eb* medalau

media cyfryngau *ell*

medial medial *ans*

medial fin asgell ganol *eb* esgyll canol

medial moraine marian canol *eg* mariannau canol

median (in anatomy) canolwedd *eb* canolweddau

median (in geometry) llin ganol *eb* lliniau canol

median (in statistics) canolrif *eg* canolrifau

median fin asgell ganol *eb* esgyll canol

mediant meidon *eb* meidonau

mediastinum mediastinwm *eg*

mediate cyfryngu *be*

mediation (in disputes) cyflafareddu *be*

mediation (with intermediate agency, also in plainsong) cyfryngiad *eg*

mediator cyfryngwr *eg* cyfryngwyr

medical meddygol *ans*

medical assessment asesiad meddygol *eg* asesiadau meddygol

medical audit archwiliad meddygol *eg* archwiliadau meddygol

medical certificate tystysgrif feddygol *eb* tystysgrifau meddygol

Medical Officer of Health Prif Swyddog Iechyd *eg*

medical photography ffotograffiaeth feddygol *eb*

medical physics ffiseg feddygol *eb*

medical school ysgol feddygol *eb* ysgolion meddygol

medication meddyginiaeth *eb* meddyginiaethau

medicine (=drug or preparation) moddion *eg*

medicine (science of) meddygaeth *eb*

medieval canoloesol *ans*

meditation myfyrdod *eg* myfyrdodau

Mediterranean Mediteranaidd *ans*

Mediterranean scrub prysgwydd rhanbarth Môr y Canoldir *ell*

Mediterranean woodland coetir Môr y Canoldir *eg*

medium *adj* canolig *ans*

medium *n* cyfrwng *eg* cyfryngau

medium agitation cynnwrf cymedrol *eg*

medium carbon carbon canolig *eg*

medium carbon steel dur carbon canolig *eg*

medium grain graen canol *eg*

medium grit grit canolig *eg*

medium knurl nwrl canolig *eg* nyrliau canolig

medium of education *n* cyfrwng addysg *eg*

medium oilstone carreg hogi gradd ganol *eb* cerrig hogi gradd ganol

medium pace bowling bowlio canolig *be*

medium scale integration (MSI) cyfannu graddfa ganolig *be*

medium size scissors siswrn canolig *eg* sisyrnau canolig

medley relay race ras gyfnewid dulliau cymysg *eb* rasys cyfnewid dulliau cymysg

medley swimming nofio dulliau cymysg *be*

medulla medwla *eg*

medulla oblongata medwla oblongata *eg*

medullary medwlaidd *ans*

medullary ray rheidden greiddiol *eb* rheiddennau creiddiol

medullated nerve fibre edefyn nerf myelinedig *eg*

meet cyfarfod *be*

meeting cyfarfod *eg* cyfarfodydd

meeting rail rheilen gwrdd *eb* rheiliau cwrdd

meeting stile cledren gwrdd *eb* cledrau cwrdd

megabyte (Mb) megabeit *eg* megabeitiau

---

eg/b enw gwrywaidd/benywaidd, *feminine/masculine noun*   *ell* enw lluosog, *plural noun*   *v* berf, *verb*   *n* enw, *noun*

megakaryocyte megacaryocyt *eg* megacaryocytau
megalith megalith *eg* megalithiau
megalopolis megalopolis *eg* megalopolisiau
megaspore megasbor *eg* megasborau
megatherm megatherm *eg* megathermau
megavolt (MV) megafolt (MV) *eg* megafoltiau
megohm megohm *eg* megohmau
meiosis meiosis *eg*
melamine melamin *eg*
melamine base sylfaen melamin *eb*
melamine formaldehyde melamin fformaldehyd *eg*
melancholy lleddf *ans*
Melanesian Melanesaidd *ans*
Melanesian art celfyddyd Felanesaidd *eg*
melanin melanin *eg*
melanocyte melanocyt *eg* melanocytau
melanophore melanoffor *eg* melanofforau
melisma melisma *eg* melismata
melismatic melismataidd *ans*

melodic (form) melodig *ans*
melodic (in contrast to harmonic) alawol *ans*
melodic (quality) melodaidd *ans*

melodic chromatic scale graddfa gromatig felodig *eb*
melodic interval cyfwng melodaidd *eg* cyfyngau melodaidd
melodic line llinell felodig *eb* llinellau melodig
melodic pattern patrwm melodig *eg* patrymau melodig
melodic sequence dilyniant alawol *eg* dilyniannau alawol
melodic shape siâp melodig *eg* siapiau melodig
melodrama melodrama *eb* melodramâu
melody alaw *eb* alawon
melody (=sweet music, tunefulness) melodi *eb* melodïau
melody by condensation alaw wedi'i chywasgu *eb* alawon wedi'u cywasgu
melt ymdoddi *be*
melt water dŵr tawdd *eg* dyfroedd tawdd
melting method (in cooking) dull toddi *eg*
melting point ymdoddbwynt *eg*
melting pot (figurative use) pair *eg* peiriau
member aelod *eg* aelodau
member of parliament (MP) aelod seneddol (AS) *eg* aelodau seneddol
member of the team aelod o'r tîm *eg*
membrane pilen *eb* pilenni
membraneous pilennog *ans*
memoirs (=autobiography) hunangofiant *eg* hunangofiannau
memorandum memorandwm *eg* memoranda
memorize dysgu ar y cof *be*
memory cof *eg* cofion
memory address register cofrestr cof-gyfeiriad *eb* cofrestri cof-gyfeiriad
memory cycle cof-gylchred *eb* cof-gylchredau
memory data register cofrestr cof-ddata *eb* cofrestri cof-ddata
memory expansion ehangiad cof *eg* ehangiadau cof
memory map map y cof *eg*
memory overlay cof-droshaen *eb* cof-droshaenau

memory span cyfnod cofio *eg*
mend trwsio *be*
mendelevium (Md) mendelefiwm *eg*
Mendelian Mendelaidd *ans*
Mendelian inheritance etifeddiad Mendelaidd *eg*
mendicant *adj* cardotaidd *ans*
mendicant *n* cardotyn *eg* cardotwyr
mendicant friar brawd cardod *eg* brodyr cardod
mending wool gwlân cyweirio *eg*
meninges pilennau'r ymennydd *ell*
meningitis llid yr ymennydd *eg*
meniscus menisgws *eg* menisgi
menopause diwedd y mislif *eg*
Menshevik *adj* Mensiefigaidd *ans*
Menshevik *n* Mensiefig *eg* Mensiefigiaid
menstrual cycle cylchred fislifol *eb*
menstruation mislif *eg*
mensuration mesureg *eb*
mental meddyliol *ans*
mental ability gallu meddyliol *eg*
mental activity gweithgaredd meddyliol *eg*
mental age oed meddyliol *eg*
mental arithmetic rhifyddeg pen *eb*
mental arithmetic test prawf rhifyddeg pen *eg* profion rhifyddeg pen
mental capacity gallu meddyliol *eg*
mental deficiency nam meddyliol *eg*
mental development datblygiad meddyliol *eg*
mental disability anabledd meddyliol *eg*
mental disorder anhwylder meddwl *eg* anhwylderau meddwl
mental disturbance aflonyddwch meddwl *eg*
mental handicap anfantais meddwl *eb*
mental health iechyd meddwl *eg*
Mental Health Act Deddf Iechyd Meddwl *eb*
mental health nurse nyrs iechyd meddwl *eb* nyrsys iechyd meddwl
mental health nursing nyrsio iechyd meddwl *be*
mental illness afiechyd meddwl *eg* afiechydon meddwl
mental retardation arafwch meddwl *eg*
mentally handicapped child plentyn â nam meddyliol *eg* plant â nam meddyliol
mentor mentor *eg* mentoriaid
mentoring mentora *be*
mentorship mentoriaeth *eb* mentoriaethau
menu (of choices) dewislen *eb* dewislenni
menu (of food) bwydlen *eb* bwydlenni
menu-driven system system ddewisyriad *eb* systemau dewisyriad
mercantile quality safon gwerthu *eb*
mercantilism mercantiliaeth *eb*
mercenary hurfilwr *eg* hurfilwyr
mercerization sgleiniad *eg*
mercerized (finish) sglein *ans*
mercerized cord cortyn sglein *eg* cortynnau sglein
mercerized cotton cotwm sglein *eg*

---

merchandise (of goods) nwyddau *ell*

merchant masnachwr *eg* masnachwyr

Merchant Adventurers Mentrwyr Masnachol *ell*

merchant bank banc masnachol *eg* banciau masnachol

merchant guild gild y masnachwyr *eg* gildiau'r masnachwyr

merchant shipping llongau masnach *ell*

Merchant Shipping Act Deddf Llongau Masnach *eb*

merchet amobr *eg* amobrau

Merciless Parliament Senedd Ddidostur *eb*

mercuric mercwrig *ans*

Mercury Mercher *eg*

mercury (Hg) mercwri *eg*

merge (files etc) cyfuno *be*

merge (in economics) cydsoddi *be*

merge sort *n* trefniad cyfunol *eg* trefniadau cyfunol

merge sort *v* trefnu cyfunol *be*

merge-filing cyfun-ffeilio *be*

merged cyfun *ans*

merger cyfuniad *eg* cyfuniadau

meridian meridian *eg* meridianau

meristem meristem *eb* meristemau

merit teilyngdod *eg*

meritocracy meritocratiaeth *eb*

Merlin Myrddin *eg*

meromorphic meromorffig *ans*

Merovingian Merofingaidd *ans*

Merseyside Glannau Merswy *ell*

Merthyr rising terfysg Merthyr *eg*

mesa mesa *eg* mesâu

mesenteric mesenterig *ans*

mesenteric vein gwythïen fesenterig *eb* gwythiennau mesenterig

mesentery mesenteri *eg*

mesh (cogs) *n* masg *eg* masgiau

mesh (cogs) *v* masgio *be*

mesh (of wire etc) rhwyll *eb* rhwyllau

mesh refinement manylu'r rhwydwaith *be*

mesoderm mesoderm *eg* mesodermau

mesodermic mesodermig *ans*

mesokurtic mesocwrtig *ans*

mesolithic mesolithig *ans*

meson meson *eg* mesonau

mesophyll mesoffyl *eg* mesoffylau

mesophyllous mesoffylaidd *ans*

mesophyte mesoffyt *eg* mesoffytau

mesosternum mesosternwm *eg* mesosterna

mesostome mesostom *eg* mesostomau

mesothorax mesothoracs *eg*

message neges *eb* negesau

message switching switsio neges *be*

message window ffenestr neges *eb* ffenestri negeseuon

messenger RNA RNA negeseuol *eg*

Messiah Meseia *eg*

mestizo mestiso *eg* mestisos

meta-linguistic meta-ieithyddol *ans*

metabolic metabolaidd *ans*

metabolic breakdown ymddatod metabolaidd *be*

metabolism metabolaeth *eb*

metabolism intermediary metabolaeth ryngol *eb*

metabolite metabolyn *eg* metabolynnau

metacarpal metacarpol *ans*

metacarpus metacarpws *eg*

metacentre metabwynt *eg* metabwyntiau

metal metel *eg* metelau

metal beater curwr metel *eg* curwyr metel

metal bending plygu metel *be*

metal casting castio metel *be*

metal caul gwasgblat metel *eg* gwasgblatiau metel

metal cladding gwisgo metel *be*

metal cutting torri metel *be*

metal fabrication ffabrigo metel *be*

metal fastener ffasnydd metel *eg* ffasnwyr metel

metal filler llenwad metel *eg* llenwadau metel

metal foil ffoil metel *eg*

metal forging gofannu metel *be*

metal jackplane plaen jac metel *eg* plaeniau jac metel

metal oxide ocsid metel *eg* ocsidau metelau

metal plane plaen metel *eg* plaeniau metel

metal plug plwg metel *eg* plygiau metel

metal pouring arllwys metel *be*

metal sawing llifio metel *be*

metal shearing torri metel *be*

metal spokeshave rhasgl fetel *eb* rhasglau metel

metallic metelig *ans*

metallic cloth defnydd metelig *eg*

metallic element elfen fetelig *eb* elfennau metelig

metallic thread edau fetelig *eb* edafedd metelig

metalliferous metelifferaidd *ans*

metalling (road) metlin *eg*

metallizing meteleiddio *be*

metalloid meteloid *ans*

metallurgical metelegol *ans*

metallurgical industry diwydiant metelegol *eg* diwydiannau metelegol

metallurgy meteleg *eb*

metalwork gwaith metel *eg*

metamerism metameraeth *eb*

metamorphic metamorffig *ans*

metamorphism metamorffeg *eb*

metamorphosed metamorffedig *ans*

metamorphosis metamorffosis *eg*

metamorphy metamorffedd *eb*

metaphase metaffas *eg* metaffasau

metaphysical metaffisegol *ans*

metapleural folds plygion metaplewraidd *ell*

Metasoa Metasoa *ell*

metastable metasefydlog *ans*

metasternum metasternwm *eg*

metatarsal metatarsol *ans*

metatarsus metatarsws *ans*

metathesis metathesis *eg*

metathorax metathoracs *eg*

metaxylem metasylem *eb*

---

meteor meteor *eg* meteorau
meteoric meteorig *ans*
meteorite meteoryn *eg* meteorynnau
meteorology meteoroleg *eb*
meter (for measuring) mesurydd *eg* mesuryddion
methane methan *eg*
methanol methanol *eg*
methionine methionin *eg*
method dull *eg* dulliau
method of colour mixing dull cymysgu lliwiau *eg* dulliau cymysgu lliwiau
method of composition dull cyfansoddi *eg* dulliau cyfansoddi
Methodism Methodistiaeth *eb*
Methodist *adj* Methodistaidd *ans*
Methodist *n* Methodist *eg* Methodistiaid
methodology methodoleg *eb*
methyl orange methyl oren *eg*
methylate methylu *be*
methylated spirits gwirod methyl *eg*
meticulous gofalus iawn *ans*
metre (in verse, music) mesur *eg* mesurau
metre (of metric unit) metr *eg* metrau
metre stick pren metr *eg* prennau metr
metric metrig *ans*
metric measure mesur metrig *eg*
metric rule riwl fetrig *eb* riwliau metrig
metric scale graddfa fetrig *eg*
metric system system fetrig *eb*
metric thread edau fetrig *eb* edafedd metrig
metric unit uned fetrig *eb* unedau metrig
metrical mydryddol *ans*
metrical foot corfan *eg* corfannau
metrical psalms salmau cân *ell*
metronome metronom *eg* metronomau
Metropolitan Police Act Deddf Heddlu Metropolitan *eb*
mezzo-soprano mezzo-soprano *eb* lleisiau mezzo-soprano
mezzo-soprano clef cleff mezzo-soprano *eg* cleffiau mezzo-soprano
mezzotint mesotint *eg* mesotintiau
mica mica *eg*
mica flake fflaw mica *eg* fflawiau mica
micella micela *eg* micelau
micro micro *ans*
micro-circuit microgylched *eb* microgylchedau
micro-crystalline microgrisialog *ans*
micro-crystalline wax cwyr microgrisialog *eg*
micro-organism micro-organeb *eb* micro-organebau
micro-programming microraglennu *be*
micro-technology microdechnoleg *eb*
microbe microb *eg* microbau
microbial fermentation eplesiad microbaidd *eg*
microbiologist microbiolegydd *eg* microbiolegwyr
microbiology microbioleg *eb*
microburin microbwyntil *eg* microbwyntilau
microcard microgerdyn *eg* microgardiau

microclimate microhinsawdd *eg*
microclimatology microhinsoddeg *eb*
microcode microgod *eg* microgodau
microcomputer microgyfrifiadur *eg* microgyfrifiaduron
microcosm microcosm *eg* microcosmau
Microelectronic Education Programme (MEP) Rhaglen Addysg Microelectroneg *eb*
microelectronics microelectroneg *eb*
microfarad microffarad *eg* microffaradau
microfiche microffish *eg* microfishau
microfilm microffilm *eb* microffilmiau
microhm microhm *eg* microhmau
microlith microlith *eg* microlithiau
micrometer micromedr *eg* micromedrau
micrometer parts rhannau micromedr *ell*
micrometer reading darlleniad micromedr *eg* darlleniadau micromedr
micrometre micrometr *eg* micrometrau
micron micron *eg* micronau
micronutrient microfaethyn *eg* microfaethion
microphone microffon *eg* microffonau
microprocessor microbrosesydd *eg* microbrosesyddion
micropyle micropyl *eg* micropylau
microscope microsgop *eg* microsgopau
microscopic microsgopaidd *ans*
microscopic microsgopig *ans*
microscopy microsgopeg *eb*
microsecond microeiliad *eg/b* microeiliadau
microsome microsom *eg* microsomau
microsporophyll microsboroffyl *eg*
microswitch microswitsh *eg* microswitsis
Microtex llestri Microtex *ell*
microtherm microtherm *eg* microthermau
microtonal microtonawl *ans*
microtonality microtonyddiaeth *eg* microtonyddiaethau
microtone microtôn *eg* microtonau
microtubule microdiwbyn *eg* microdiwbynnau
microvillus microfilws *eg* microfili
microwave microdon *eb* microdonnau
microworld microfyd *eg* microfydoedd
micturate troethi *be*
micturition troethiad *eg*
micturition reflexes atgyrchion troethi *ell*
mid blue (enamelling colour) glas canol *eg*
mid brown (enamelling colour) brown canol *eg*
mid cadmium yellow melyn cadmiwm canol *eg*
mid chrome yellow melyn crôm canol *eg*
mid off canolwr agored *eg* canolwyr agored
mid on canolwr coes *eg* canolwyr coes
mid wicket canol wiced *eg*
mid-brain ymennydd canol *eg*
mid-feather slip rhannu *eg* slipiau rhannu
mid-latitudes lledredau canol *ell*
mid-line llinell ganol *eb*
mid-ordinate mesuryn canol *eg* mesurynnau canol
mid-ordinate rule dull y mesuryn canol *eg*
mid-point canolbwynt *eg* canolbwyntiau

adf, adv adferf, adverb **ans, adj** ansoddair, adjective ***be*** berf, verb ***eb*** enw benywaidd, feminine noun ***eg*** enw gwrywaidd, masculine noun

mid-west gorllewin canol *eg*

middle canol *eg*

Middle Ages Oesoedd Canol *ell*

middle C C ganol *eb*

middle childhood plentyndod canol *eg*

middle class dosbarth canol *eg*

middle cut file ffeil orfras *eb* ffeiliau gorfras

middle distance pellter canol *eg*

middle ear clust ganol *eb*

Middle East Dwyrain Canol *eg*

middle lamella lamela ganol *eb*

middle oil olew canol *eg*

middle passage mordaith ganol *eb*

middle rail rheilen ganol *eb* rheiliau canol

middle register nodau canol *ell*

middle school ysgol ganol *eb* ysgolion canol

middle stump stwmp canol *eg*

middle tuit tuit canol *eg*

middle weight pwysau canol *ell*

middleman dyn canol *eg* dynion canol

middleman's knot cwlwm canolwr *eg*

midfield canol cae *eg*

midget state corwlad *eb* corwledydd

midland canolbarth *eg* canolbarthau

Midlands Canolbarth Lloegr *eg*

midrib (of leaf) gwythïen ganol *eb* gwythiennau canol

midterm break gwyliau hanner tymor *eg*

midway-upwards hanner ffordd i fyny

midwife bydwraig *eb* bydwragedd

midwifery gwaith bydwraig *eg*

mig welding weldio mig *be*

migrant labour llafur mudol *eg*

migrate mudo *be*

migration mudiad *eg*

migratory mudol *ans*

mild (=gentle) mwyn *ans*

mild (=not serious) ysgafn *ans*

mild disability anabledd ysgafn *eg* anableddau ysgafn

mild hardwood pren lled galed *eg*

mild learning disability anabledd dysgu ysgafn *eg* anableddau dysgu ysgafn

mild steel dur meddal *eg*

mildew llwydni *eg*

mildew resistant (finish) gwrthlwydni *ans*

mile milltir *eb* milltiroedd

mile castle caer filltir *eb* caerau milltir

mile race ras filltir *eb* rasys milltir

milepost postyn milltir *eg*

milestone carreg filltir *eb* cerrig milltir

militant milwriaethus *ans*

militarism militariaeth *eb*

militarist militarydd *eg* militarwyr

military architecture pensaernïaeth filwrol *eb*

military base canolfan filwrol *eb* canolfannau milwrol

military history hanes milwrol *eg*

military service gwasanaeth milwrol *eg*

militia milisia *eg*

milium miliwm *eg*

Milk Marketing Board Bwrdd Marchnata Llaeth *eg*

milk products cynnyrch llaeth *eg* cynhyrchion llaeth

milk tooth dant sugno *eg* dannedd sugno

milky (of lime water) llaethog *ans*

milky suspension daliant llaethog *eg*

Milky Way Llwybr Llaethog *eg*

mill *n* melin *eb* melinau

mill *v* melino *be*

mill race ffrwd melin *eb* ffrydiau melinau

millboard bwrdd melin *eg* byrddau melin

millenarianism milflwyddiaeth *eb*

Millenary Petition Deiseb y Fil *eb*

millenium mileniwm *eg*

miller melinydd *eg* melinwyr

millet milet *eg*

millibar milibar *eg* milibarrau

millilitre mililitr *eg* mililitrau

millimetre (mm) milimetr *eg* milimetrau

milling cutter melinwr *eg* melinwyr

milling machine peiriant melino *eg* peiriannau melino

million miliwn *eb* miliynau

million city dinas filiwn *eb* dinasoedd miliwn

Millon's Reagent Adweithydd Millon *eg*

millstone grit grut melinfaen *eg*

mimetic dynwaredol *ans*

mimicry dynwarededd *eg*

mine *v* mwyngloddio *be*

mine *n* (explosive) ffrwydryn *eg* ffrwydrynnau

minelayer llong osod ffrwydrynnau *eb* llongau gosod ffrwydrynnau

miner (of any mineral) mwynwr *eg* mwynwyr

miner (of coal) glöwr *eg* glowyr

miner's cramp cramp y mwynwr *eg*

mineral mwyn *eg* mwynau

mineral oil olew mwynol *eg* olewau mwynol

mineral origin tarddiad mwynol *eg* tarddiadau mwynol

mineral railway rheilffordd fwynau *eb* rheilffyrdd mwynau

mineral resources adnoddau mwynol *ell*

mineral salts halwynau mwynol *ell*

mineral water dŵr mwynol *eg* dyfroedd mwynol

mineralization mwyneiddiad *eg*

mineralogy mwynoleg *eb*

Mines Act Deddf Mwyngloddiau *eb*

minesweeper llong glirio ffrwydrynnau *eb* llongau clirio ffrwydrynnau

mini mini *ans*

mini-enterprise mini-menter *eb* mini-mentrau

mini-floppy disk disg hyblyg bychan *eg* disgiau hyblyg bychain

mini-project mini-project *eg* mini-projectau

miniature painting (of painted picture) mân-ddarlun *eg* mân-ddarluniau

miniature painting (of process or art) mân-ddarlunio *be*

miniature score sgôr boced *eb* sgorau poced

---

eg/b enw gwrywaidd/benywaidd, *feminine/masculine noun*   *ell* enw lluosog, *plural noun*   *v* berf, *verb*   *n* enw, *noun*

minicomputer minigyfrifiadur *eg* minigyfrifiaduron
minimal minimol *ans*
minimalism minimaliaeth *eb*

minimalist *adj* minimalaidd *ans*
minimalist *n* minimalydd *eg* minimalwyr

minimize (in mathematics) lleiafsymio *be*
minimize (=lessen) lleihau *be*

minimum (=lowest point) isafbwynt *eg* isafbwyntiau
minimum (=lowest sum) lleiafswm *eg* lleiafsymiau
minimum (=smallest) lleiaf *ans*

minimum agitation cynnwrf byrraf *eg*
minimum care (finish) lledofal *ans*
minimum iron (finish) smwddio ysgafn *be*
minimum temperature isafbwynt tymheredd *eg*
minimum thermometer thermomedr isafbwynt *eg* thermomedrau isafbwynt
minimum wage lleiafswm cyflog *eg*
mining mwyngloddio *be*
minister gweinidog *eg* gweinidogion
Minister for Education Gweinidog Addysg *eg*
Minister of State Gweinidog Gwladol *eg*
Minister of State for Wales Gweinidog Gwladol dros Gymru *eg*
minister's account cyfrif swyddwr *eg* cyfrifon swyddwr
ministry (=government department) gweinyddiaeth *eb* gweinyddiaethau
ministry (of chapel) gweinidogaeth *eb*
ministry (of church) offeiriadaeth *eb*
Ministry of Defence range maes tanio'r Weinyddiaeth Amddiffyn *eg* meysydd tanio'r Weinyddiaeth Amddiffyn
Minoan Minoaidd *ans*
Minoan art celfyddyd Finoaidd *eb*
minor minor *eg* minorau
minor axis echelin leiaf *eb* echelinau lleiaf
minor chord cord lleiaf *eg* cordiau lleiaf
minor common chord cord cyffredin lleiaf *eg* cordiau cyffredin lleiaf
minor diameter diamedr lleiaf *eg* diamedrau lleiaf
minor fold plyg bychan *eg* plygion bychan
minor illnesses mân anhwylderau *ell*
minor interval cyfwng lleiaf *eg* cyfyngau lleiaf
minor key (in music in general) cywair lleiaf *eg*
minor key (in pennillion singing) lleddf gywair *eg*
minor order urdd leiaf *eb*
minor road untarred and minor road in towns isffordd heb dar ac isffordd mewn trefi
minor scale graddfa leiaf *eb* graddfeydd lleiaf
minority lleiafrif *eg* lleiafrifoedd
minority group grŵp lleiafrifol *eg* grwpiau lleiafrifol
minority language iaith leiafrifol *eb* ieithoedd lleiafrifol
minority subject pwnc lleiafrifol *eg* pynciau lleiafrifol
minstrel clerwr *eg* clerwyr
minstrels' gallery oriel y clerwyr *eb* orielau clerwyr
minstrelsy clerwriaeth *eb*

mint *adj* bath *ans*
mint *n* bathdy *eg*
mint *v* bathu *be*

minuend minwend *eg* minwendau
minuet miniwét *eg* minwetau
minus minws *eg* minysau
minuscule miniscwl *ans*
minuscule (lower case) llythrennau bach *ell*
minute (of time) *n* munud *eg* munudau
minute (=record) *n* cofnod *eg* cofnodion
minute (=very small) *adj* bach iawn *ans*
minute book llyfr cofnodion *eg* llyfrau cofnodion
minute-timer cloc munudau *eg* clociau munudau
miracle gwyrth *eb* gwyrthiau
miracle play drama firagl *eb* dramâu miragl
mirage rhithlun *eg* rhithluniau
mire cramp cramp meir *eg* crampiau meir
mirror drych *eg* drychau
mirror canon drychganon *eb/g* drychganonau
mirror finish gorffeniad drych *eg*
mirror fugue ffiwg ddrych *eb* ffiwgiau drych
mirror image drychddelwedd *eb* drychddelweddau
mirror line llinell ddrych *eb* llinellau drych
mirror plate plât drych *eg* platiau drych
mirror site drych safle *eg* drych safleoedd
mirror writing drych-ysgrifennu *be*
misbehave camymddwyn *be*
miscarriage erthyliad naturiol *eg* erthyliadau naturiol
miscarry erthylu'n naturiol *be*
miscegenation croeshilio *be*
miscibility cymysgadwyaeth *eb*
miscible cymysgadwy *ans*
miscue analysis dadansoddi'r camddarllen *be*
misdemeanour camymddygiad *eg* camymddygiadau
mise meis *eb* meisiau
misericord misericord *eg* misericordiau
misfit river afon afrwydd *eb* afonydd afrwydd
mislay camosod *be*
misrule camreoli *be*
missal llyfr offeren *eg* llyfrau offeren
misshapen di-lun *ans*
missile taflegryn *eg* taflegrau
mission statement datganiad o genhadaeth *eg* datganiadau o genhadaeth
missionary cenhadwr *eg* cenhadon
mist *n* niwlen *eb* niwlenni
mist *v* niwlio *be*
mistress meistres *eb* meistresi
misuse *n* camddefnydd *eg*
misuse *v* camddefnyddio *be*
Misuse of Drugs Act Deddf Camddefnydd Cyffuriau *eb*
Mithraism Mithraeth *eb*
mitochondrion mitocondrion *eg* mitocondria
mitosis mitosis *eg*
mitotic index indecs mitotig *eg* indecsiau mitotig
mitral valve falf feitrol *eb* falfiau meitrol

---

adf, adv adferf, *adverb* **ans, adj** ansoddair, *adjective* **be** berf, *verb* **eb** enw benywaidd, *feminine noun* **eg** enw gwrywaidd, *masculine noun*

mitre *n* meitr *eg* meitrau

mitre *v* meitro *be*

mitre block bloc meitr *eg* blociau meitr

mitre box blwch meitro *eg* blychau meitro

mitre bridle bagl meitr *eb* baglau meitr

mitre cramp cramp meitr *eg* crampiau meitr

mitre dovetail meitr cynffonnog *eg* meitrau cynffonnog

mitre gauge medrydd meitr *eg* medryddion meitr

mitre joint uniad meitr *eg* uniadau meitr

mitre shooting board bwrdd plaenio meitr *eg* byrddau plaenio meitr

mitre square sgwâr meitro *eg* sgwariau meitro

mitre template patrymlun meitr *eg* patrymluniau meitr

mitred meitrog *ans*

mitred corner cornel feitrog *eb* corneli meitrog

mitred dovetail bridle joint uniad bagl cynffonnog meitrog *eg* uniadau bagl cynffonnog meitrog

mitred dovetail joint uniad cynffonnog meitrog *eg* uniadau cynffonnog meitrog

mitred halving joint uniad haneru meitrog *eg* uniadau haneru meitrog

mitred joint uniad meitrog *eg* uniadau meitrog

mitred tenon tyno meitrog *eg* tynoau meitrog

mitten mit *eb* mits

mix cymysgu *be*

mix and match cyfun-cydwedd *ans*

mixed cymysg *ans*

mixed ability gallu cymysg *eg*

mixed ability class dosbarth gallu cymysg *eg* dosbarthiadau gallu cymysg

mixed cereal bread bara amyd *eg*

mixed dried fruits ffrwythau sych cymysg *eg*

mixed feeding bwydo cymysg *be*

mixed key (in old Welsh music) bragod gywair *eb*

mixed method dull cymysg *eg* dulliau cymysg

mixed number rhif cymysg *eg*

mixed school ysgol gymysg *eb* ysgolion cymysg

mixed sex rhyw cymysg *ans*

mixer (in acoustics) cymysgwr sain *eg* cymysgwyr sain

mixing medium cyfrwng cymysgu *eg* cyfryngau cymysgu

mixing palette palet cymysgu *eg* paletau cymysgu

mixing tray hambwrdd cymysgu *eg* hambyrddau cymysgu

mixture cymysgedd *eg* cymysgeddau

mixture stop stop cymysg *eg* stopiau cymysg

mizzen mast hwylbren canol *eg* hwylbrennau canol

mnemonic cofrif *eg* cofrifau

mnemonic operation code cod gweithredu cofrif *eg* codau gweithredu cofrif

moat ffos *eb* ffosydd

mobile *adj* symudol *ans*

mobile *n* symudyn *eg* symudion

mobile classroom ystafell ddosbarth symudol *eb* ystafelloedd dosbarth symudol

mobile clinic clinig teithiol *eg* clinigau teithiol

mobile library llyfrgell deithiol *eb* llyfrgelloedd teithiol

mobile shop siop deithiol *eb* siopau teithiol

mobilistic mobilistig *ans*

mobility symudedd *eg*

mobilize (of army) ymfyddino *be*

mobilizing movement symudiad llacio *eg* symudiadau llacio

mock examination ffug arholiad *eg* ffug arholiadau

mock-up brasfodel *eg* brasfodelau

modal moddol *ans*

modal class dosbarth modd *eg*

mode modd *eg* moddau

mode of durations and intensities (Messiaen) modd gwerth hyd a dwyster *eg*

model *v* modelu *be*

model (of female person) *n* model *eb* modelau

model (of male person, object) *n* model *eg* modelau

model of nursing model nyrsio *eg* modelau nyrsio

model town tref fodel *eb* trefi model

modelling board bwrdd modelu *eg* byrddau modelu

modelling cement sment modelu *eg*

modelling clay clai modelu *eg*

modelling compound cyfansoddyn modelu *eg* cyfansoddynnau modelu

modelling material defnydd modelu *eg* defnyddiau modelu

modelling stand stand modelu *eg* standiau modelu

modelling tools offer modelu *ell*

modelling wax cwyr modelu *eg*

modelling wheel olwyn fodelu *eb* olwynion modelu

modem modem *eg* modemau

moderate *v* safoni *be*

moderate (=avoiding extremes) *adj* cymedrol *ans*

moderate (=middling) *adj* canolig *ans*

moderate breeze awel gymedrol *eb* awelon cymedrol

moderate learning difficulty anhawster dysgu canolig *eg* anawsterau dysgu canolig

moderate rainfall glawiad cymedrol *eg*

moderation (of examinations) safoni *be*

moderation committee pwyllgor safoni *eg* pwyllgorau safoni

moderation meeting cyfarfod safoni *eg* cyfarfodydd safoni

moderator (in physics) cymedrolydd *eg* cymedrolyddion

moderator (of person) cymedrolwr *eg* cymedrolwyr

modern modern *ans*

modern construction adeiladwaith cyfoes *eg*

modern educational dance dawnsio addysgol modern *be*

modern foreign language iaith dramor fodern *eb* ieithoedd tramor modern

modern history hanes modern *eg*

modern language iaith fodern *eb* ieithoedd modern

modern song cân fodern *eb* caneuon modern

modernize moderneiddio *be*

modification addasiad *eg* addasiadau

modified *(with feminine nouns)* wedi'i haddasu *ans* wedi'u haddasu

modified *(with masculine nouns)* wedi'i addasu *ans* wedi'u haddasu

modified version fersiwn a addaswyd *eg* fersiynau a addaswyd

modify addasu *be*

---

eg/b enw gwrywaidd/benywaidd, *feminine/masculine noun*   **ell** enw lluosog, *plural noun*   **v** berf, *verb*   **n** enw, *noun*

modular modiwlaidd *ans*

modular arithmetic rhifyddeg fodiwlaidd *eb*

modular course cwrs modiwlaidd *eg* cyrsiau modiwlaidd

modular programme rhaglen fodiwlaidd *eb* rhaglenni modiwlaidd

modular programming rhaglennu modiwlaidd *be*

modular scheme cynllun modiwlaidd *eg* cynlluniau modiwlaidd

modularize modiwleiddio *be*

modulate (amplitude or frequency) modylu *be*

modulate (courses etc) modiwleiddio *be*

modulate (key in music) trawsgyweirio *be*

modulate (the speaking voice) goslefu *be*

modulated (amplitude or frequency) modyledig *ans*

modulation (of amplitude or frequency) modyliad *eg* modyliadau

modulation (of key in music) trawsgyweiriad *eg* trawsgyweiriadau

modulator (=diagram for teaching sol-fa) cyweiriadur *eg* cyweiriaduron

modulator (=electronic device) modylydd *eg* modylyddion

module modiwl *eg* modiwlau

modulo modwlo *eg*

modulus modwlws *eg* modwli

modulus of elasticity modwlws elastigedd *eg*

mogul mogwl *eg*

mohair moher *eg*

moist llaith *ans*

moisture lleithder *eg* lleithderau

moisture content cynnwys lleithder *eg*

moisture expansion ymlediad lleithder *eg*

molal molal *ans*

molality molaledd *eg*

molar (in chemistry) *adj* molar *ans*

molar (tooth) *n* cilddant *eg* cilddannedd

molar mass màs molar *eg*

molar volume cyfaint molar *eg* cyfeintiau molar

molarity molaredd *eg*

mole (=small mammal) gwahadden *eb* gwahaddod; twrch daear *eg* tyrchod daear

mole (unit in chemistry) môl *eg* molau

mole wrench tyndro hunanafael *eg* tyndroeon hunanafael

molecular moleciwlaidd *ans*

molecular chaos caos moleciwlaidd *eg*

molecular formula fformiwla foleciwlaidd *eb* fformiwlâu moleciwlaidd

molecular mass màs moleciwlaidd *eg*

molecular structure adeiledd moleciwlaidd *eg* adeileddau moleciwlaidd

molecularity moleciwledd *eg*

molecule moleciwl *eg* moleciwlau

molinia gwellt y gweunydd *eg*

mollusc molwsg *eg* molwsgiaid

molten (of metal) tawdd *ans*

molten iron haearn tawdd *eg*

molten lava lafa tawdd *eg (eg)*

molten metal metel tawdd *eg*

molten salts (cooling media) halwynau tawdd *ell*

molybdenum (Mo) molybdenwm *eg*

moment (=turning effect of force) moment *eg* momentau

moment of inertia moment inertia *eg*

moment of momentum moment momentwm *eg*

momentary enydol *ans*

momentum momentwm *eg* momenta

monadnock monadnoc *eg* monadnocau

monarch (female) brenhines *eb* breninesau

monarch (male) brenin *eg* brenhinoedd

monarchism brenhiniaeth *eb*

monarchist brenhinwr *eg* brenhinwyr

monarchy brenhiniaeth *eb*

monastery mynachlog *eb* mynachlogydd

monastic mynachaidd *ans*

monasticism mynachaeth *eb*

monatomic monatomig *ans*

Monel Monel *eg*

monestial blue glas monestial *eg*

monetarism arianolaeth *eb*

monetary ariannol *ans*

money arian *eg*

money allocated to schools arian a ddyrennir i ysgolion *eg*

money economy economi arian *eg*

money order archeb arian *eb* archebion arian

monic monig *ans*

monitor *v* monitro *be*

monitor (of person) *n* monitor *eg* monitoriaid

monitor (=screen) *n* monitor *eg* monitorau

monk mynach *eg* mynachod

monk's belt pattern patrwm gwregys y mynach *eg* patrymau gwregys y mynach

monk-bishop mynach-esgob *eg* mynach-esgobion

monkish mynachaidd *ans*

mono mono

monochromatic monocromatig *ans*

monochrome monocrom *eg* monocromau

monocline monoclin *eg* monoclinau

monocotyledon monocotyledon *eg*

monoculture ungnwd *eg*

monocyte monocyt *eg* monocytau

monodic monodig *ans*

monodrama monodrama *eb* monodramâu

monodromy monodromi *eg* monodromïau

monoecious monoecaidd *ans*

monogamy monogami *eb*

monogenic monogenig *eg*

monogram monogram *eg* monogramau

monograph monograff *eg* monograffau

monohybrid inheritance etifeddiad monocroesryw *eg*

monolingual uniaith *ans*

monolith monolith *eg* monolithiau

monolithic monolithig *ans*

monomer monomer *eg*

---

adf, adv adferf, *adverb*   **ans, adj** ansoddair, *adjective*   **be** berf, *verb*   **eb** enw benywaidd, *feminine noun*   **eg** enw gwrywaidd, *masculine noun*

monomeric monomerig *ans*

monomial *adj* monomaidd *ans*

monomial *n* monomial *eg* monomialau

monophonic monoffonig *ans*

monophony monoffoni *eg*

monopolise monopoleiddio *be*

monopoly monopoli *eg* monopolïau

monosaccharide monosacarid *eg*

monospaced unlled *ans*

monostable unsad *ans*

monotheism undduwiaeth *eb*

monotone monoton *ans*

monotonic monotonig *ans*

monotype monoteip *eg* monoteipiau

monozygotic monosygotig *ans*

Monroe Doctrine Athrawiaeth Monroe *eb*

monsoon monsŵn *eg* monsynau

montage montage *eg* montages

monument cofadail *eg* cofadeiladau

mood (in art, music etc) naws *eb*

mood (in dance) awyrgylch *eg/b*

mood (of person) hwyl *eb* hwyliau

moon lleuad *eb* lleuadau

moon wane ciliad y lleuad *eg*

moon wax cynnydd y lleuad *eg*

moonquake lloergryn *eg* lloergrynfeydd

Moor Mŵr *eg* Mwriaid

mooring angorfa *eb* angorfeydd

Moorish Mwraidd *ans*

moorland gweundir *eg* gweundiroedd

moorland *adj* gweundirol *ans*

moorpan cletir hwmws *eg* cletir hwmws

mop mop *eg* mopiau

moraine marian *eg* marianau

moraine dammed lake cronlyn marian *eg* cronlynnoedd marian

moral moesol *ans*

moral aspect agwedd foesol *eb* agweddau moesol

moral development datblygiad moesol *eg*

moral education addysg foesol *eb*

moral force grym moesol *eg*

moral matter mater moesol *eg* materion moesol

moral standard safon foesol *eb* safonau moesol

moral tutor tiwtor moesol *eg* tiwtoriaid moesol

morality moesoldeb *eg*

morals moesau *ell*

morbidity morbidrwydd *eg*

mordant mordant *eg* mordantau

mordent mordent *eg* mordentau

Mormon *adj* Mormonaidd *ans*

Mormon *n* Mormon *eg* Mormoniaid

morphological morffolegol *ans*

morphology morffoleg *eb*

morris dance dawns forris *eb* dawnsiau morris

morris dancer dawnsiwr morris *eg* dawnswyr morris

Morse drill dril Morse *eg* driliau Morse

Morse taper tapr Morse *eg* taprau Morse

mortality marwoldeb *eg*

mortality rate cyfradd marwolaethau *eb*

mortar morter *eg* morterau

mortgage morgais *eg* morgeisiau

mortgage repayment ad-daliad morgais *eg* ad-daliadau morgais

mortgager morgeisydd *eg* morgeiswyr

morticing machine peiriant morteisio *eg* peiriannau morteisio

mortise mortais *eb* morteisiau

mortise and tenon joint uniad mortais a thyno *eg* uniadau mortais a thyno

mortise chisel cŷn mortais *eg* cynion mortais

mortise lock clo mortais *eg* cloeon morţais

mortlake ystumllyn *eg* ystumllynnoedd

mortmain tir llaw farw *eg* tiroedd llaw farw

mortuary corffdy *eg* corffdai

mortuary fee ffi gladdu *eb* ffïoedd claddu

mosaic *adj* mosaig *ans*

mosaic *n* mosaig *eg*

mosaic image delwedd fosaig *eb* delweddau mosaig

mosaic tile teilsen fosaig *eb* teils mosaig

mosque mosg *eg* mosgiau

moss mwsogl *eg* mwsoglau

moss size preservative cadwolyn seis mwsogl *eg* cadwolion seis mwsogl

moss stitch pwyth mwsogl *eg* pwythau mwsogl

most significant bit (MSB) did mwyaf arwyddocaol *eg* didau mwyaf arwyddocaol

motel motel *eg* motelau

motet motét *eg* motetau

moth gwyfyn *eg* gwyfynod

moth balls peli camffor *ell*

moth proofing gwrthwyfynu *be*

mother cell mamgell *eb* mamgelloedd

mother country mamwlad *eb* mamwledydd

mother liquor hylif bwrw *eg* hylifau bwrw

Mother of God Mam Duw *eb*

mother of pearl cloud cwmwl symudliw *eg* cymylau symudliw

mother tongue mamiaith *eb* mamieithoedd

mother-abbey mam-abaty *eg* mam-abatai

mother-church mam-eglwys *eb* mam-eglwysi

mothercraft crefft y fam *eb*

mothproof *adj* gwrthwyfyn *ans*

mothproof *v* gwrthwyfynu *be*

motif motiff *eg* motiffau

motile mudol *ans*

motion mudiant *eg* mudiannau

motion in a circle mudiant mewn cylch *eg*

motionless llonydd *ans*

motivate symbylu *be*

motivation symbyliad *eg* symbyliadau

motive cymhelliad *eg* cymhellion

---

motor (=efferent) echddygol *ans*
motor (=machine) modur *eg* moduron

motor bicycle beic modur *eg* beiciau modur
motor control rheolaeth dros symudiadau *eb*
motor defect diffyg echddygol *eg* diffygion echddygol
motor nerve nerf echddygol *eg* nerfau echddygol
motor root gwreiddyn echddygol *eg* gwreiddiau echddygol
motor skills sgiliau symud *ell*
motor traffic trafnidiaeth foduron *eb*
motorised blower peiriant chwythu *eg* peiriannau chwythu
motorway traffordd *eb* traffyrdd
motorway under construction traffordd yn cael ei hadeiladu

motte and bailey tomen a beili
motte and bailey castle castell tomen a beili *eg* cestyll tomen a beili
mottled brith *ans*
mottling (in finishing metal) brychu *be*

mould *v* mowldio *be*
mould (=fungal growth) *n* llwydni *eg*
mould (=hollow container) *n* mowld *eg* mowldiau
moulded shank button botwm garan fowld *eg* botymau garan mowld
moulder's tools arfau mowldiwr *ell*
moulding mowldin *eg* mowldinau
moulding bench mainc fowldio *eb* meinciau mowldio
moulding board bwrdd mowldio *eg* byrddau mowldio
moulding box blwch mowldio *eg* blychau mowldio
moulding flask fflasg fowldio *eb* fflasgiau mowldio
moulding plane plaen mowldio *eg* plaeniau mowldio
moulding sand tywod mowldio *eg*
mouldy bread bara wedi llwydo *eg*
moult bwrw (plu / croen) *be*
moulting glands chwarennau ecdysaidd *ell*

mount *n* mownt *eg* mowntiau
mount *v* mowntio *be*

mountain pasture porfa fynydd *eb* porfeydd mynydd
mountain rescue post safle achub ar fynydd *eg* safleoedd achub ar fynydd
mountaineering mynydda *be*
mountaineering association cymdeithas fynydda *eb* cymdeithasau mynydda
mounted mowntiedig *ans*
mounted lino block bloc leino mowntiedig *eg* blociau leino mowntiedig
mounting mowntin *eg* mowntinau
mounting board bwrdd mowntio *eg* byrddau mowntio
mounting plate plât mowntio *eg* platiau mowntio
mourn galaru *be*
mouse llygoden *eb* llygod
mouse-tail file ffeil fach fain gron *eb* ffeiliau bach main crwn

mouth (in general) ceg *eb* cegau
mouth (of river) aber *eg* aberoedd

mouth organ organ geg *eb* organau ceg
mouth to mouth resuscitation adfywio ceg wrth geg *be*
mouth to mouth ventilation awyru ceg i geg *eg*

mouth-moving pliers gefelen geg-symudol *eb* gefeiliau ceg-symudol
mouth-to-mouth respiration anadlu ceg wrth geg *be*
mouthpiece ceg offeryn *eb* ceg offerynnau
mouthwash cegolch *eg* cegolchion
movable symudol *ans*
movable guide cyfeirydd symudol *eg* cyfeiryddion symudol
movable jaw safn symudol *eb* safnau symudol
movable joint cymal symudol *eg* cymalau symudol
movable pin pìn symudol *eb* pinnau symudol
move symud *be*
move around the court symud o gwmpas y cwrt *eg*
move fluently symud yn rhwydd *be*
movement (in general) symudiad *eg* symudiadau
movement (=locomotion) ymsymudiad *eg* ymsymudiadau
movement allowance lwfans symudiad *eg* lwfansau symudiad
mover symudydd *eg* symudyddion
moving average cyfartaledd newidiol *eg*
moving coil coil symudol *eg* coiliau symudol
moving coil galvanometer galfanomedr coil symudol *eg* galfanomedrau coil symudol
moving coil microphone microffon coil symudol *eg* microffonau coil symudol
moving in pairs symud mewn parau *be*
moving in time symud mewn amser *be*
moving jaw safn symudol *eb* safnau symudol
moving phase symudwedd *eb*
moving shadows cysgodion symudol *ell*
moving steady sadydd symudol *eg* sadyddion symudol
mucilage mwcilag *eg* mwcilagau
mucin mwcin *eg* mwcinau
mucoprotein mwcoprotein *eg* mwcoproteinau
mucosa mwcosa *eg* mwcosau
mucous mwcaidd *ans*
mucous gland chwarren fwcaidd *eb* chwarrennau mwcaidd
mucous membrane pilen fwcaidd *eb* pilenni mwcaidd
mud flats fflatiau llaid *ell*
mud pellet pelen laid *eb* pelenni llaid
mud-flow lleidlif *eg* lleidlifau
mudstone carreg laid *eb* cerrig llaid
muffle furnace ffwrnais fwfflwl *eb* ffwrneisi mwfflwl
muffle loading kiln odyn fwffl-lwytho *eb* odynnau mwffl-lwytho
muggy mwll *ans*
Muhammad Muhammad *eg*
mulberry paper papur morwydd *eg*
mulga mylga *eg* mylgâu
mull (soil) mwl *eg*
Müllerian duct dwythell Müller *eb* dwythellau Müller
mullion mwliwn *eg* mwliynau
multimedia amlgyfrwng *ans*
multi-access amlfynediad *ans*
multi-chrome lluosliw *ans*
multi-ethnic amlhiliol *ans*
multi-infarct dementia gorddryswch amlgnawdnychol *eg*
multi-lobed aml-labedog *ans*

multi-lobed nucleus cnewyllyn aml-labedog *eg* cnewyll aml-labedog

multi-media amlgyfrwng *ans*

multi-media course cwrs amlgyfrwng *eg* cyrsiau amlgyfrwng

multi-part memory cof amlran *eg*

multi-part paper papur amlran *eg* papurau amlran

multi-peninsular amlbenrhynnol *ans*

multi-ply pren amlhaenog *eg*

multi-ply door drws pren amlhaenog *eg* drysau pren amlhaenog

multi-plywood pren amlhaenog *eg*

multi-precision arithmetic rhifyddeg amldrachywiredd *eb*

multi-programming amlraglennu *be*

multi-purpose pattern patrwm amlbwrpas *eg* patrymau amlbwrpas

multi-range amlamrediad *ans*

multi-sensory amlsynhwyraidd *ans*

multi-sensory deprivation diffyg amlsynhwyraidd *eg*

multi-size pattern patrwm amlfaint *eg* patrymau amlfaint

multi-stage amlran *ans*

multi-storey amrylawr *ans*

multi-tasking amlorchwyl *ans*

multi-textured amlwead *ans*

multi-tone amldon *ans*

multi-tool post post amlerfyn *eg* pyst amlerfyn

multi-track amldrac *ans*

multi-user amlddefnyddiwr *eg* amlddefnyddwyr

multi-valued lluoswerth *ans*

multi-valved amlfalfog *ans*

multicellular amlgellog *ans*

multichrome amryliw *ans*

multicultural amlddiwylliannol *ans*

multicultural aspects of sport agweddau amlddiwylliannol ar chwaraeon *ell*

multicultural society cymdeithas amlddiwylliannol *eb* cymdeithasau amlddiwylliannol

multidigit amlddigid *ans*

multidisciplinary team tîm amlddisgyblaethol *eg* timau aml-ddisgyblaethol

multifactorial inheritance etifeddiad amlffactoraidd *eg*

multifill aml-lenwi *be*

multifunctional amlswyddogaethol *ans*

multilateral amlochrog *ans*

multimeter amlfesurydd *eg* amlfesuryddion

multimodal amlfodd *ans*

multinational rhyngwladol *ans*

multinominal *adj* lluosnomaidd *ans*

multinominal *n* lluosnominal *eg* lluosnominalau

multiple *adj* lluosol *ans*

multiple *n* lluosrif *eg* lluosrifau

multiple allelomorph alelomorff lluosrif *eg* alelomorffau lluosrif

multiple angles onglau cyfansawdd *ell*

multiple choice dewis lluosog *eg* dewisiadau lluosog

multiple choice question cwestiwn dewis lluosog *eg* cwestiynau dewis lluosog

multiple correlation aml gydberthyniad *eg*

multiple disabilities anableddau amryfal *ell*

multiple graver crafell luosbig *eb* crafellau lluosbig

multiple injuries anafiadau niferus *ell*

multiple poles pegynau cyfansawdd *ell*

multiple store siop gadwyn *eb* siopau cadwyn

multiple track amldrac *eg* amldraciau

multiplexor amlblecsydd *eg* amlblecsyddion

multiplicand lluosyn *eg* lluosion

multiplication lluosiad *eg* lluosiadau

multiplication sign arwydd lluosi *eg* arwyddion lluosi

multiplicative lluosol *ans*

multiplicity lluosogrwydd *eg*

multiplier lluosydd *eg* lluosyddion

multiply lluosi *be*

multiprocessor system system amlbrosesydd *eb* systemau amlbrosesydd

multiseeded amlhadog *ans*

multistranded amledau *ans*

multivariate analysis dadansoddiad amlamrywedd *eg* dadansoddiadau amlamrywedd

multivibrator amlddirgrynydd *eg* amlddirgrynyddion

multiview amlolwg *ans*

multivoque amlddrychigaeth *eb*

mung beans ffa mwng *ell*

municipal trefol *ans*

Municipal Corporations Act Deddf Corfforaethau Trefol *eb*

munitions arfau rhyfel *ell*

Munro's foramen fforamen Munro *eg*

muntin mwntin *eg* mwntinau

Muntz metal metel Muntz *eg*

murage murdreth *eb* murdrethi

mural *adj* murol *ans*

mural *n* murlun *eg* murluniau

mural brush brwsh murlun *eg* brwshys murlun

mural composition cyfansoddiad murol *eg* cyfansoddiadau murol

mural decorations addurniadau murol *ell*

mural ground grwnd murol *eg*

murder llofruddiaeth *eb* llofruddiaethau

murderer llofrudd *eg* llofruddion

muscle *adj* cyhyrol *ans*

muscle (a specific one / type) cyhyryn *eg* cyhyrynnau

muscle (in general) *n* cyhyr *eg* cyhyrau

muscle attachment cydfan cyhyrau *eg*

muscle contraction cyfangiad cyhyrol *eg*

muscle fatigue lludded cyhyrol *eg*

muscle mass màs y cyhyrau *eg*

Muscovite *adj* Moscofaidd *ans*

Muscovite *n* Moscofwr *eg* Moscofiaid

muscular dystrophy nychdod cyhyrol *eg*

muscular endurance dygnwch y cyhyrau *eg*

muscular strength cryfder cyhyrau *eg*

muscular system system gyhyrol *eb*

musculature cyhyredd *eg*

musculocutaneous cyhyr-groenol *ans*

---

musette musette *eg* musettes

museum amgueddfa *eb* amgueddfeydd

museum school service gwasanaeth amgueddfa i ysgolion *eg* gwasanaethau amgueddfa i ysgolion

mushroom madarchen *eb* madarch

mushroom head rivet rhybed pen madarch *eg* rhybedion pen madarch

mushroom heads pennau madarch *ell*

mushroom stake bonyn madarchen *eg* bonion madarch

mushroom-like madarchaidd *ans*

mushrooming madarchu *be*

music cerddoriaeth *eb*

music adjudicator beirniad cerdd *eg* beirniaid cerdd

music drama drama gerdd *eb* dramâu cerdd

music hall theatr gerdd *eb* theatrau cerdd

music of Wales cerddoriaeth Cymru *eb*

music stand stand cerddoriaeth *eg* standiau cerddoriaeth

music synthesis synthesis cerddoriaeth *eg*

musical *adj* cerddorol *ans*

musical *n* sioe gerdd *eb* sioeau cerdd

musical accompaniment cyfeiliant cerddorol *eg*

musical comedy comedi gerdd *eb* comedïau cerdd

musical element elfen gerddorol *eb* elfennau cerddorol

musical heritage treftadaeth gerddorol *eb*

musical idea syniad cerddorol *eg* syniadau cerddorol

musical instruction cyfarwyddyd cerddorol *eg* cyfarwyddiadau cerddorol

musical instrument offeryn cerdd *eg* offerynnau cerdd

musical pattern patrwm cerddorol *eg* patrymau cerddorol

musical scene maes cerddorol *eg* meysydd cerddorol

musical stimulus ysgogiad cerddorol *eg* ysgogiadau cerddorol

musician cerddor *eg* cerddorion

muskeg mysceg *eg* myscegau

musket mysged *eg* mysgedau

musketeer mysgedwr *eg* mysgedwyr

Muslim *adj* Mwslimaidd *ans*

Muslim *n* Mwslim *eg/b* Mwslimiaid

muslin mwslin *eg* mwslinau

muster *n* mwstwr *eg*

muster *v* mwstro *be*

muster master meistr mwstro *eg* meistri mwstro

Muster Roll Rhôl Fwstro *eb* Rholiau Mwstro

mutagen mwtagen *eg* mwtagenau

mutagenesis mwtagenedd *eg*

mutagenic mwtagenaidd *ans*

mutant mwtan *eg* mwtanau

mutate mwtanu *be*

mutation (in genetics) mwtaniad *eg* mwtaniadau

mute *adj* mud *ans*

mute (device in music) *n* mudydd *eg* mudyddion

mute (in music, of drums) *v* pylu *be*

mute (in music, of stringed instruments) *v* rhoi mudydd ar *be*

mute (of person) *n* mud *eg* mudion

muted tawel *ans*

muted colour lliw tawel *eg* lliwiau tawel

mutilate anffurfio *be*

mutiny miwtini *eg*

Mutiny Act Deddf Mwtini *eb*

mutual induction cydanwythiad *eg*

mutually perpendicular cydberpendicwlar *ans*

muzzle trwyn *eg* trwynau

mycelium myceliwm *eg* mycelia

mycology mycoleg *eb*

mycorrhiza mycorhisa *eg*

myelin myelin *eg*

myelin sheath gwain fyelin *eb* gweiniau myelin

myelinated myelinedig *ans*

myeloid myeloid *ans*

myoglobin myoglobin *eg*

myomer myomer *eg*

myopia myopia *eg*

myopic byr yr olwg *ans*

myosin myosin *eg*

mystery play drama firagl *eb* dramâu miragl

mystic cyfriniwr *eg* cyfrinwyr

mystical cyfriniol *ans*

mysticism cyfriniaeth *eb*

myth myth *eg* mythau

mythical mytholegol *ans*

mythology mytholeg *eb*

myxovirus mycsofirws *eg*

N

n-fold degenerate dirywiedig n-blyg *ans*
N-stage N-cam *eg*
N-terminal analysis dadansoddiad N-terfynol *eg*
NAB: National Advisory Body for Higher Education in the Public Sector CYC: Corff Ymgynghorol Cenedlaethol ar gyfer Addysg Uwch yn y Sector Cyhoeddus *eg*
nacreous cloud cwmwl symudliw *eg* cymylau symudliw
nadir nadir *eg*
nail *n* hoelen *eb* hoelion
nail *v* hoelio *be*
nail punch pwnsh hoelion *eg* pynsiau hoelion
nail-head ornament addurn pen hoelen *eg* addurniadau pen hoelen
naïve diniwed *ans*
naked noeth *ans*
naked figure ffigur noeth *eg* ffigurau noeth
named nurse nyrs benodol *eb* nyrsys penodol
named person person a enwir *eg* personau a enwir
NAND NIAC
NAND gate adwy NIAC *eb* adwyon NIAC
nanometre nanometr *eg* nanometrau
nanosecond nano-eiliad *eg/b* nano-eiliadau
nap (textile) *n* ceden *eb* cedennau
nap (textile) *v* cedenu *be*
nape-to-waist o'r gwegil i'r wasg
naphtha nafftha *eg*
naphthalene naffthalen *eg*
napierian (=natural) naturiol *ans*
napkin napcyn *eg* napcynnau
Naples yellow melyn Naples *eg*
Napoleonic Code Cod Napoleon *eg*
nappy cewyn *eg* cewynnau; clwt *eg* clytiau
nappy rash brech cewyn *eb*; brech clwt *eb*
narcissism hunan-serch *eg*
nardus cawnen ddu *eb* cawn duon
narration adroddiad *eg* adroddiadau
narrative *adj* traethiadol *ans*
narrative *n* naratif *eg*
narrative art celfyddyd draethiadol *eb*
narrative tradition traddodiad storïol *eg*
narrator adroddwr *eg* adroddwyr
narrow *adj* cul *ans*
narrow *v* culhau *be*
narrow gauge railway lein fach *eb* leiniau bach
narrow gauge track trac cul *eg* traciau cul
narrow leaved cul-ddeiliog *ans*

narrow road with passing places ffordd gul gyda lleoedd pasio *eb*
narrow stroke strôc gul *eb* strociau cul
narrowing the angle culhau'r ongl *be*
narrowness culni *eg*
narrows culfa *eb* culfeydd
nasal trwynol *ans*
nasal cavity ceudod trwynol *eg* ceudodau trwynol
nasal tone sain drwynol *eb* seiniau trwynol
nascent genedigol *ans*
nasopharyngeal nasoffaryngeal *ans*
nastic movement symudiad nastig *eg* symudiadau nastig
nation cenedl *eb* cenhedloedd
nation state gwladwriaeth genedlaethol *eb* gwladwriaethau cenedlaethol
national (of nation, not state) cenedlaethol *ans*
national (of state) gwladol *ans*
national account cyfrif gwladol *eg* cyfrifon gwladol
national anthem anthem genedlaethol *eb* anthemau cenedlaethol
National Assistance Cymorth Gwladol *eg*
national average cyfartaledd gwladol *eg*
national awareness ymwybyddiaeth genedlaethol *eb*
national context cyd-destun cenedlaethol *eg*
national costume gwisg genedlaethol *eb* gwisgoedd cenedlaethol
national curriculum cwricwlwm cenedlaethol *eg*
National Curriculum Council (NCC) Cyngor y Cwricwlwm Cenedlaethol *eg*
national dances dawnsiau cenedlaethol *ell*
national debt dyled wladol *eb* dyledion gwladol
National Foundation for Education Research (NFER) Sefydliad Cenedlaethol ar gyfer Ymchwil mewn Addysg (SCYA) *eg*
National Guard (US) Gwarchodlu Cenedlaethol *eg*
National Health Insurance Act Deddf Yswiriant Iechyd Gwladol *eb*
National Health Service (NHS) Gwasanaeth Iechyd Gwladol *eg*
national identity hunaniaeth genedlaethol *eb*
national income incwm gwladol *eg*
National Insurance Yswiriant Gwladol *eg*
National Political Union Undeb Gwleidyddol Cenedlaethol *eg*
National Savings Cynilion Gwladol *ell*
National School Ysgol Genedlaethol *eb* Ysgolion Cenedlaethol
national standard safon genedlaethol *eb* safonau cenedlaethol

---

eg/b enw gwrywaidd/benywaidd, *feminine/masculine noun*   *ell* enw lluosog, *plural noun*   *v* berf, *verb*   *n* enw, *noun*

needle craft crefft nodwydd *eb*

needle file ffeil nodwydd *eb* ffeiliau nodwydd

needle leaves dail nodwydd *ell*

needle point blaen nodwydd *eg* blaenau nodwyddau

needle position control (of machine part) rheolydd safle'r nodwydd *eg* rheolyddion safle'r nodwydd

needle threader edefydd nodwydd *eg* edefyddion nodwydd

needlecord melfaréd main *eg*

needled carpet carped nodwyddog *eg* carpedi nodwyddog

needlepoint gwaith blaen nodwydd *eg*

needlepoint edging ymylwaith blaen nodwydd *eg*

needleweaving gwehyddwaith nodwydd *eg*

needlework gwniadwaith *eg*

needs analysis dadansoddiad o anghenion *eg*

needs assessment asesiad o anghenion *eg* asesiadau o anghenion

negate negyddu *be*

negation of time (Messiaen) negyddiad amser *eg*

negative (in general sense) *adj* negyddol *ans*

negative (in photography) *n* negatif *eg* negatifau

negative (of charge) *adj* negatif *ans*

negative carving cerfio negatif *be*

negative charge gwefr negatif *eb* gwefrau negatif

negative feedback (of signal) adborth negatif *eg*

negative number rhif negatif *eg* rhifau negatif

negative polarity polaredd negatif *eg*

negative rake gwyredd negatif *eg*

negative reinforcement atgyfnerthu negyddol *be*

negative response ymateb negyddol *eg* ymatebion negyddol

negative self-concept hunanddelwedd negyddol *eb*

negative skew sgiw negatif *eg*

neglect *v* esgeuluso *be*

neglect *n* esgeulustod *eg*

negligible dibwys *ans*

negligible thickness trwch y gellir ei anwybyddu *eg*

negotiate a settlement trafod telerau cytundeb *be*

negotiation trafodaeth *eb* trafodaethau

nehrung (=barrier beach) bardraeth *eg* bardraethau

neighbour cymydog *eg* cymdogion

neighbourhood cymdogaeth *eb* cymdogaethau

neighbourhood unit uned gymdogaeth *eb* unedau cymdogaeth

neighbouring cyfagos *ans*

neighbourliness cymdogrwydd *eg*

nematocyst nematocyst *eg* nematocystau

nematode nematod *eg* nematodau

neo-Gothic neo-Gothig *ans*

neo-impressionism neoargraffiadaeth *eb*

neo-Malthusianism neo-Malthwsiaeth *eb*

neo-Romantic neo-Ramantaidd *ans*

neoclassical neoglasurol *ans*

neoclassicism neoglasuraeth *eb*

neodymium (Nd) neodymiwm *eg*

neoglaciation neorewlifiant *eg*

neolithic neolithig *ans*

neon (Ne) neon *eg*

neonatal newydd-anedig *ans*

nephridium neffridiwm *eg* neffridia

nephron neffron *eg* neffronau

nepotism nepotistiaeth *eb*

nepotist nepotydd *eg* nepotyddion

Neptune Neifion *eg*

neptunium (Np) neptwniwm *eg*

neritic deposits dyddodion neritig *ell*

nerve nerf *eg/b* nerfau

nerve deafness byddardod nerfol *eg*

nerve ending terfyn nerf *eg* terfynau nerfau

nerve fibre edefyn nerf *eg* edafedd nerf

nerve impulse ysgogiad nerfol *eg* ysgogiadau nerfol

nerve net nerfrwyd *eb* nerfrwydau

nerve root nerfwreiddyn *eg* nerfwreiddiau

nerve supply cyflenwad nerfol *eg* cyflenwadau nerfol

nervous (of anatomy) nerfol *ans*

nervous (of person) nerfus *ans*

nervous conduction dargludiad nerfol *eg*

nervous system system nerfol *eb*

nervous tissue meinwe nerfol *eb*

nervule nerfolyn *eg* nerfolynnau

ness trwyn *eg* trwynau

nest of tables nythaid o fyrddau *eb*

nested hierarchy hierarchaeth glystyrog *eb* hierarchaethau clystyrog

nested loop dolen nythol *eb* dolennau nythol

net *n* rhwyd *eb* rhwydi

net (=after deductions) *adj* net *ans*

net capital cyfalaf net *eg*

net cord cortyn rhwyd *eg* cortynnau rhwyd

net gain enillion net *ell*

net income incwm net *eg*

net loss colled net *eb*

net pay cyflog net *eg*

net profit elw net *eg*

net register tonnage tunelledd cofrestredig net *eg* tunelleddau cofrestredig net

net the ball rhwydo'r bêl *be*

net weight pwysau net *ell*

netball pêl-rwyd *eb*

network *n* rhwydwaith *eg/b* rhwydweithiau

network *v* rhwydweithio *be*

network architecture saernïaeth rwydwaith *eb* saernïaethau rhwydwaith

network flows dylifiadau rhwydwaith *ell*

network of blood-vessels rhwydwaith pibellau gwaed *eg*

neume niwm *eg* niwmau

neural niwral *ans*

neural arch bwa niwral *eg* bwâu niwral

neural spine (vertebra) pigyn niwral *eg* pigau niwral

neural transmitter trosyrrydd niwral *eg* trosyrwyr niwral

neural tube tiwb niwral *eg*

neuro-muscular control rheolaeth nerf-gyhyr *eb*

neurological nerfegol *ans*

neurological observation arsylw niwrolegol *eg* arsylwadau niwrolegol

---

adf, adv adferf, *adverb*   *ans, adj* ansoddair, *adjective*   *be* berf, *verb*   *eb* enw benywaidd, *feminine noun*   *eg* enw gwrywaidd, *masculine noun*

National Unemployment Insurance Act Deddf Yswiriant y Di-waith *eb*

National Union of Students Undeb Cenedlaethol y Myfyrwyr *eg*

nationalism cenedlaetholdeb *eg*

nationalist *adj* cenedlaetholgar *ans*

nationalist *n* cenedlaetholwr *eg* cenedlaetholwyr

Nationalist Party Plaid Genedlaethol *eb*

nationality (=citizenship) dinasyddiaeth *eb*

nationalization gwladoliad *eg*

nationalize gwladoli *be*

nationalized industry diwydiant gwladoledig *eg* diwydiannau gwladoledig

nationally prescribed test prawf a osodir yn genedlaethol *eg* profion a osodir yn genedlaethol

nationhood cenedligrwydd *eg*

native *adj* brodorol *ans*

native *n* brodor *eg* brodorion

native protein protein cynhenid *eg* proteinau cynhenid

native resistance gwrthsafiad y brodorion *eg*

natural *adj* naturiol *ans*

natural boundary conditions amodau ffin naturiol *ell*

natural colour lliw naturiol *eg* lliwiau naturiol

natural defects (in timber) diffygion naturiol (mewn pren) *ell*

natural defence amddiffynfa naturiol *eb* amddiffynfeydd naturiol

natural environment amgylchedd naturiol *eg* amgylcheddau naturiol

natural fibre ffibr naturiol *eg* ffibrau naturiol

natural finish gorffeniad naturiol *eg* gorffeniadau naturiol

natural form ffurf naturiol *eb* ffurfiau naturiol

natural gas nwy naturiol *eg*

natural grass gwair naturiol *eg*

natural grit grit naturiol *eg*

natural immunity imiwnedd cynhenid *eg*

natural justice cyfiawnder cynhenid *eg*

natural law deddf, y ddeddf naturiol *eb*

natural logarithm logarithm naturiol *eg* logarithmau naturiol

natural note nodyn naturiol *eg* nodau naturiol

natural number rhif naturiol *eg* rhifau naturiol

natural object gwrthrych naturiol *eg* gwrthrychau naturiol

natural regions rhanbarthau naturiol *ell*

natural resources adnoddau naturiol *ell*

natural seasoning sychu naturiol *be*

natural selection dethol naturiol *be*

natural sign arwydd naturiol *eg* arwyddion naturiol

natural teaching medium cyfrwng addysgu naturiol *eg* cyfryngau addysgu naturiol

natural trumpet utgorn naturiol *eg* utgyrn naturiol

natural twine cortyn naturiol *eg* cortynnau naturiol

natural wastage gwastraff naturiol *eg*

naturalism naturoliaeth *eb*

naturalistic naturiolaidd *ans*

naturalize (=accept as citizen) derbyn yn ddinesydd *be*

naturalize (in biology) cynefino *be*

nature natur *eb*

Nature Conservancy Council Cyngor Gwarchod Natur *eg*

nature of scientific activity natur gweithgaredd gwyddonol *eb*

nature reserve gwarchodfa natur *eb* gwarchodfeydd natur

nature table bwrdd natur *eg* byrddau natur

nature trail llwybr natur *eg* llwybrau natur

nausea cyfog *eg*

nautical mile (knot) morfilltir *eb* morfilltiroedd

naval llyngesol *ans*

naval base canolfan llynges *eb* canolfannau llynges

naval blockade gwarchae o'r môr *eg*

naval history hanes llyngesol *eg*

naval officer swyddog y llynges *eg* swyddogion y llynges

naval power grym llyngesol *eg*

naval ship llong y llynges *eb* llongau'r llynges

nave (of wheel) both (olwyn) *eb* bothau

navigable mordwyol *ans*

navigation mordwyo *be*

Navigation Act Deddf Mordwyo *eb*

navy llynges *eb* llyngesau

naze trwyn *eg* trwynau

Nazi Natsi *eg* Natsïaid

Nazi *adj* Natsïaidd *ans*

Nazi Party Plaid Natsïaidd *eb*

Nazify Natsïeiddio *be*

neap tide llanw bach *eg*

near abstract lled-haniaethol *ans*

near bankful gogyforlan *eb* gogyforlannau

Near East Dwyrain Agos *eg*

near future dyfodol agos *eg*

near point agosbwynt *eg* agosbwyntiau

near side ochr agosaf *eb* ochrau agosaf

nearest neighbour cymydog agosaf *eg* cymdogion agosaf

nearest neighbour analysis dadansoddiad cymydog agosaf *eg* dadansoddiadau cymydog agosaf

neat appearance ymddangosiad destlus *eg*

neatness taclusrwydd *eg*

nebula nifwl *eg* nifylau

nebulizer nebiwlydd *eg* nebiwlyddion

nebulous niwlog *ans*

necessary angenrheidiol *ans*

necessary and sufficient angenrheidiol a digonol

neck *v* gyddfu *be*

neck (in general) *n* gwddf *eg* gyddfau

neck (of harp) *n* crib *eg*/*b* cribau

neck of racket gwddf y raced *eg* gyddfau'r racedi

neck-to-waist o'r gwddf i'r wasg

necklace neclis *eb* neclisau

neckline llinell gwddf *eb* llinellau gwddf

neckspring sbring gwar *eg* sbringiau gwar

nectar neithdar *eg* neithdarau

nectary neithdarle *eg* neithdarleoedd

need angen *eg* anghenion

needle nodwydd *eb* nodwyddau

needle clamp (of machine part) clamp nodwydd *eg* clampiau nodwydd

neurologist niwrolegydd *eg* niwrolegwyr
neurology niwroleg *eb*
neurone niwron *eg* niwronau
neurone theory damcaniaeth niwronau *eb*
neurosis niwrosis *eg*
neutral niwtral *ans*
neutral axis echelin niwtral *eb* echelinau niwtral
neutral colour lliw niwtral *eg* lliwiau niwtral
neutral equilibrium cydbwysedd niwtral *eg*
neutral wire gwifren niwtral *eb* gwifrau niwtral
neutrality niwtraliaeth *eb*
neutralization niwtraliad *eg* niwtraliadau
neutralization of acids niwtralu asidau *be*
neutralize niwtraleiddio *be*
neutralized niwtraledig *ans*
neutrino niwtrino *eg* niwtrinoeon
neutron niwtron *eg* niwtronau
never been alive erioed wedi bod yn fyw
new blue glas newydd *eg*
New Deal Bargen Newydd *eb*
New Deal Policy Polisi'r Fargen Newydd *eg*
new DIR CYF newydd *eg*
New Economic Policy Polisi Economaidd Newydd *eg*
New Learning Dysg Newydd *eb*
New Model Army Byddin Fodel Newydd *eb*
new moon lleuad newydd *eb*
new music cerddoriaeth newydd *eb*
new pattern centre bit ebill canoli patrwm newydd *eg* ebillion canoli patrwm newydd
New Stone Age Oes Neolithig *eb*
New Testament Testament Newydd *eg*
New World Byd Newydd *eg*
Newall limits terfannau Newall *ell*
newel post post ystlys *eg* pyst ystlys
newline (CR/LF) llinell newydd *eb* llinellau newydd
news media cyfryngau newyddion *ell*
news-sheet newyddlen *eb* newyddlenni
newspaper papur newydd *eg* papurau newydd
newton (N) newton *eg* newtonau
Newton's laws of motion deddfau mudiant Newton *ell*
next of kin perthynas agosaf *eg/b* perthnasau agosaf
next to nesaf at
niche cloer *eg* cloerau
nickel (Ni) nicel *eg*
nickel bronze efydd nicel *eg*
nickel plated plât nicel *eg*
nickel silver arian nicel *eg*
nicotinic acid asid nicotinig *eg*
nictitating membrane pilen amrannol *eb* pilenni amrannol
night blindness dallineb nos *eg*
night school ysgol nos *eb* ysgolion nos
night soil carthion nos *ell*
night stairs grisiau nos *ell*
nightdress gŵn nos *eg* gŵn nosys; coban *eb* cobanau
nightingale eos *eb* eosiaid
nightshirt crys nos *eg* crysau nos
nightwear dillad nos *ell*

nihilism nihiliaeth *eb*
nihilist nihilydd *eg* nihilwyr
nilpotent nilpotent *ans*
nimbostratus nimbostratus *eg*
nimbus (halo) lleugylch *eg* lleugylchoedd
nineteenth century pedwaredd ganrif ar bymtheg *eb*
Ninety Five Theses (of Luther) Naw Deg a Phum Pwnc (Luther) *eg*
ninhydrin ninhydrin *eg*
ninth nawfed *eg* nawfedau
niobium (Nb) niobiwm *eg*
nipper niper *eg* niperi
nipping pliers gefelen nipio *eb* gefeiliau nipio
nipping press gwasg nipio *eb* gweisg nipio
nipple (in engineering) nipl *eg* niplau
nippy vice feis fach *eb* feisiau bach
Nissl granules gronynnau Nissl *ell*
nitrate nitrad *eg* nitradau
nitration nitradiad *eg*
nitric acid asid nitrig *eg*
nitriding nitrido *be*
nitrification nitreiddiad *eg*
nitrify nitreiddio *be*
nitrifying bacteria bacteria nitreiddio *ell*
nitro-cellulose nitro-cellwlos *eg*
nitrogen (N) nitrogen *eg*
nitrogen cycle cylchred nitrogen *eb*
nitrogen fixation sefydlogiad nitrogen *eg*
nitrogenous excretory system system ysgarthu sylweddau nitrogenaidd *eb* systemau ysgarthu sylweddau nitrogenaidd
nitrogenous waste product sylwedd gwastraff nitrogenaidd *eg* sylweddau gwastraff nitrogenaidd
nitrous acid asid nitrus *eg*
nivation eirdreulio *be*
NLQ (near letter quality) ansawdd llythyr *ans*
no ball pelen wallus *eb* pelenni gwallus
no drop dim llithriad *eg*
no printer driver dim adnoddau argraffu
no room dim lle
no-man's land tir neb *eg*
no-touch technique techneg ddigyffwrdd *eb*
nobelium (No) nobeliwm *eg*
nobility pendefigaeth *eb*
noble pendefig *eg* pendefigion
noble atmosphere awyrgylch urddasol *eg*
noble gas nwy nobl *eg*
noble metal metel nobl *eg*
nobleman pendefig *eg* pendefigion
nobleman uchelwr *eg* uchelwyr
nock hic *eg* hiciau
nocking hicio *be*
nocking point man hicio *eg* mannau hicio
nocturnal nosol *ans*
nodal nodol *ans*
nodality nodaledd *eg*

node (in anatomy, physics and mathematics) nod *eg* nodau

node (on plant) cwgn *eg* cygnau

nodular cnepynnaidd *ans*

nodule cnepyn *eg* cnepynnau

noise sŵn *eg* synau

noise level lefel sŵn *eb* lefelau sŵn

nomad nomad *eg* nomadiaid

nomadic nomadig *ans*

nomadism nomadiaeth *eb*

nominal enwol *ans*

nominal interest llog enwol *eg*

nominal ledger llyfr enwol *eg* llyfrau enwol

nominal size maint enwol *eg* meintiau enwol

nominal value gwerth enwol *eg*

nominalism enwolaeth *eb*

nominalist *adj* enwolaidd *ans*

nominalist *n* enwolwr *eg* enwolwyr

nominate enwebu *be*

nomination enwebiad *eg* enwebiadau

nominator enwebwr *eg* enwebwyr

nomogram nomogram *eg* nomogramau

non aggression pact cytundeb didrais *eg* cytundebau didrais

non aqueous annyfrllyd *ans*

non singular anhynod *ans*

non smudge crayon creon di-staen *eg* creonau di-staen

non-accidental injury anaf annamweiniol *eg* anafiadau annamweiniol

non-aggression pact cytundeb i beidio ag ymosod *eg* cytundebau i beidio ag ymosod

non-aligned anymochrol *ans*

non-alignment anymochredd *eg*

non-basic ansylfaenol *ans*

non-biodegradable anfiodiraddadwy *ans*

non-calculator digyfrifiannell *ans*

non-calculator method dull digyfrifiannell *eg* dulliau digyfrifiannell

non-chronological writing ysgrifennu anghronolegol *be*

non-classical anghlasurol *ans*

non-contributory pension pensiwn anghyfrannol *eg* pensiynau anghyfrannol

non-corrosive anghyrydol *ans*

non-crystalline anghrisialog *ans*

non-denominational school ysgol anenwadol *eb* ysgolion anenwadol

non-destructive annistrywiol *ans*

non-destructive cursor cyrchwr annistrywiol *eg* cyrchwyr annistrywiol

non-ecumene byd anghyfannedd *eg*

non-electrolyte anelectrolyt *eg* anelectrolytau

non-empty anwag *ans*

non-essential (of amino acid) dianghenraid *ans*

non-existent nad yw'n bod *ans*

non-ferrous anfferrus *ans*

non-ferrous alloy aloi anfferrus *eg* aloion anfferrus

non-ferrous metal metel anfferrus *eg* metelau anfferrus

non-fiction ffeithiol *ans*

non-figurative work gwaith anffigurol *eg*

non-flammable anfflamadwy *ans*

non-flowering anflodeuol *ans*

non-flowering plant planhigyn anflodeuol *eg* planhigion anflodeuol

non-fraying gwrthraflog *ans*

non-hydrous anhydrus *ans*

non-identical (of twins) heb fod yn unfath *ans*

non-inflammable anfflamadwy *ans*

non-intervention anymyrraeth *eb*

non-inverting anwrthdroadol *ans*

non-ionic di-ïonig *ans*

non-iron (finish) dismwddio *ans*

non-judgemental yn peidio barnu *adf*

non-juror annhyngwr *eg* annhyngwyr

non-kicking foot troed segur *eb* traed segur

non-linear aflinol *ans*

non-linear function ffwythiant aflinol *eg* ffwythiannau aflinol

non-linear programming rhaglennu aflinol *be*

non-living anfyw *ans*

non-luminous anoleuol *ans*

non-magnetic anfagnetig *ans*

non-manufactured goods nwyddau crai *ell*

non-maskable interrupt (NMI) ymyriad anghuddiadwy *eg* ymyriadau anghuddiadwy

non-metal anfetel *eg* anfetelau

non-metallic anfetelaidd *ans*

non-negative annegyddol *ans*

non-numeric anrhifaidd *ans*

non-paint finish gorffeniad heblaw paent *eg* gorffeniadau heblaw paent

non-parametric amharamedrig *ans*

non-phosphoric anffosfforig *ans*

non-polar solvent hydoddydd amholar *eg* hydoddyddion amholar

non-porous difandwll *ans*

non-porous woods coed difandwll *ell*

non-positive drive gyriad amhositif *eg* gyriadau amhositif

non-proliferation treaty cytundeb atal-lledaenu *eg* cytundebau atal-lledaenu

non-quantifiable anfesuradwy *ans*

non-reactive anadweithiol *ans*

non-relativistic amherthnaseddol *ans*

non-renewable anadnewyddadwy *ans*

non-renewable resource adnodd anadnewyddadwy *eg* adnoddau anadnewyddadwy

non-resistance anwrthwynebiad *eg*

Non-Roman Anrhufeinig *ans*

non-scratch gwrthgrafiad *ans*

non-selective school ysgol annetholiadol *eb* ysgolion annetholiadol

non-singular anhynod *ans*

non-singular matrix matrics anhynod *eg* matricsau anhynod

non-slip gwrth-lithr *ans*

non-slip rule riwl wrthslip *eb* riwliau gwrthslip

non-smudge di-staen *ans*

non-specialist anarbenigol *ans*

non-splitting hardwood pren caled nad yw'n hollti *eg*

non-statutory guidance canllawiau anstatudol *ell*

non-stick gwrthlud *ans*

non-stretch (finish) diymestyn *ans*

non-striker anergydiwr *eg* anergydwyr

non-systematic ansystematig *ans*

non-teaching staff staff nad ydynt yn addysgu *ell*

non-terminating annherfynus *ans*

non-terminating loop dolen annherfynus *eb*

non-toxic diwenwyn *ans*

non-toxic dye llifyn diogel *eg* llifynnau diogel

non-uniform anunffurf *ans*

non-verbal communication cyfathrebu di-eiriau *be*

non-vitreous anwydrog *ans*

non-volcanic anfolcanig *ans*

non-zero ansero *ans*

nonagon nonagon *eg* nonagonau

nonconformist anghydffurfiwr *eg* anghydffurfwyr

nonconformity ymneilltuaeth *eb*

nondecreasing anleihaol *ans*

nonequilibrium anghydbwysedd *eg*

nones nonau *ell*

nonet noned *eb* nonedau

nontrivial annistadl *ans*

nonuplet nawpled *eg* nawpledau

noon canol dydd *eg*

NOR NIEU

NOR gate adwy NIEU *eb* adwyon NIEU

Nordic Llychlynnaidd *ans*

Norfolk Crop Rotation Cylchdro Cnydau Norfolk *eg*

norm norm *eg* normau

norm-referenced norm-gyfeiriol *ans*

norm-referenced assessment asesiad norm-gyfeiriol *eg* asesiadau norm-gyfeiriol

normal *adj* normal *ans*

normal *n* normal *eg* normalau

normal construction adeiladwaith normal *eg*

normal distribution dosraniad normal *eg* dosraniadau normal

normal pitch pitsh normal *eg*

normal screwdriver tyrnsgriw cyffredin *eg* tyrnsgriwiau cyffredin

normal tidal limit terfyn arferol y llanw *eg* terfynau arferol y llanw

normalization normaleiddio *be*

normalize normaleiddio *be*

normalizer normalydd *eg* normalyddion

Norman *adj* Normanaidd *ans*

Norman (of person) *n* Norman *eg* Normaniaid

Norman castle castell Normanaidd *eg* cestyll Normanaidd

Norman conquest concwest Normanaidd *eb*

Norman-French *adj* Ffrengig Normanaidd *ans*

Norman-French (language) *n* Ffrangeg Normanaidd *eb*

Normanisation Normaneiddio *be*

normed normedig *ans*

Norse *adj* Llychlynnaidd *ans*

Norse (language) *n* Norseg *eb*

Norseman Llychlynnwr *eg* Llychlynwyr

north gogledd *eg*

North Atlantic Drift Drifft Gogledd Iwerydd *eg*

North Atlantic Treaty Organization (NATO) Cyfundrefn Cytundeb Gogledd Iwerydd *eb*

north celestial pole pegwn wybrennol y gogledd *eg*

north magnetic pole pôl magnetig y gogledd *eg*

north pole (geographic) pegwn y gogledd *eg*

north pole (of a magnet) pôl gogledd *eg*

north seeking pole (of a magnet) pôl sy'n cyrchu tua'r gogledd *eg*

North-East Passage Tramwyfa'r Gogledd-Ddwyrain *eb*

North-West Passage Tramwyfa'r Gogledd-Orllewin *eb*

northing gogleddiad *eg*

Norway spruce pyrwydden Norwy *eb* pyrwydd Norwy

nose trwyn *eg* trwynau

nose angle ongl drwyn *eb* onglau trwyn

nosing ymyl step *eb* ymylon stepiau

nostril ffroen *eb* ffroenau

NOT NID

NOT gate adwy NID *eb* adwyon NID

not in phase yn anghydweddu

not necessarily rights of way nid hawliau tramwy o angenrheidrwydd

not out ddim allan

not to scale heb fod wrth raddfa

not up (of lob) i lawr *adf*

NOT valve falf NID *eb* falfiau NID

nota cambiata nota cambiata *eg*

notary notari *eg* notariaid

notate nodiannu *eg*

notation nodiant *eg* nodiannau

notch *v* rhicio *be*

notch (in blade) *n* bwlch *eg* bylchau

notch (in general) *n* rhic *eg* rhiciau

notch and strip bwlch a strip

notched bylchog *ans*

notched joint uniad bylchog *eg* uniadau bylchog

notched saw set gosodydd llif bylchog *eg* gosodyddion llif bylchog

note (=brief record) *n* nodyn *eg* nodiadau

note (in music) *n* nodyn *eg* nodau

note (=record) *v* nodi *be*

note (=take note) *v* sylwi *be*

note pad pad ysgrifennu *eg* padiau ysgrifennu

notebook nodiadur *eg* nodiaduron

notice (=announcement) hysbysiad *eg* hysbysiadau

notice (=warning) rhybudd *eg* rhybuddion

notice to quit rhybudd i adael *eg*

notice-board hysbysfwrdd *eg* hysbysfyrddau

notifiable disease clefyd hysbysadwy *eg* clefydau hysbysadwy

notions (in sewing) gofynion ychwanegol *ell*

notochord notochord *eg*

---

nought (=nothing) dim *eg*

nought (symbol) gwagnod *eg* gwagnodau

nourishing maethol *ans*

nourishment maeth *eg*

nova nofa *eg* nofâu

novice nofis *eg* nofisiaid

noviciate tymor prawf *eg*

noxious trades masnach atgas *eb* masnachau atgas

nozzle ffroenell *eb* ffroenellau

NROVA: National Record of Vocational Achievement
Cofnod Cenedlaethol Cyrhaeddiad Galwedigaethol *eg*

nth nfed

nuclear niwclear *ans*

nuclear energy egni niwclear *eg*

nuclear family teulu cnewyllol *eg* teuluoedd cnewyllol

nuclear fission ymholltiad niwclear *eg*

nuclear fusion ymasiad niwclear *eg*

nuclear magnetic resonance cyseiniant magnetig
niwclear *eg*

nuclear membrane pilen niwclear *eb* pilenni niwclear

nuclear missile taflegryn niwclear *eg* taflegrau niwclear

nuclear power pŵer niwclear *eg*

nuclear power station atomfa *eb* atomfeydd

Nuclear Test Ban Treaty Cytundeb Atal Profion
Niwclear *eg*

nucleated (in biology) cnewyllol *ans*

nucleated (of atom) niwcledig *ans*

nucleated pattern patrwm cnewyllol *eg* patrymau
cnewyllol

nucleated settlement anheddiad cnewyllol *eg* aneddiadau
cnewyllol

nucleic acid asid niwcleig *eg*

nucleolus cnewyllan *eg*

nucleon niwcleon *eg* niwcleonau

nucleophile *adj* niwclioffilig *ans*

nucleophile *n* niwclioffil *eg*

nucleotide niwcliotid *eg*

nucleus (in biology) cnewyllyn *eg* cnewyll

nucleus (of an atom) niwclews *eg* niwclysau

nuclide niwclid *eg*

nude (=painting, sculpture etc of nude figure) noethlun *eg*
noethluniau

nudging pwnio *be*

nuisance niwsans *eg*

null nwl *eg* nyliau

null character nylnod *eg* nylnodau

null hypothesis rhagdybiaeth nwl *eb* rhagdybiaethau nwl

null point nwlbwynt *eg* nwlbwyntiau

null pointer nylbwyntydd *eg* nylbwyntyddion

null set set wag *eb* setiau gwag

null & void di-rym *ans*

nullify dirymu *eg*

numb dideimlad *ans*

number *v* rhifo *be*

number (=arithmetical value; word, symbol or figure
representing this) *n* rhif *eg* rhifau

number (=total count or aggregate) *n* nifer *eg* niferoedd

number base bôn rhif *eg* bonau rhif

number coordinates cyfesurynnau rhifau *ell*

number generator generadur rhifau *eg* generaduron rhifau

number line llinell rif *eb* llinellau rhif

number on roll nifer ar y gofrestr *eg* niferoedd ar y gofrestr

number operations gweithrediadau rhif *ell*

number scale graddfa rif *eb* graddfeydd rhif

number sequence dilyniant rhif *eg*

number system system rifau *eb* systemau rhifau

number wheels olwynion rhif *ell*

number work gwaith rhif *eg*

numeracy rhifedd *eg*

numeral rhifolyn *eg* rhifolion

numerate rhifoli *be*

numeration cyfrifiad *eg* cyfrifiadau

numerator rhifiadur *eg* rhifiaduron

numeric rhifol *ans*

numeric control rheolaeth rifol *eb*

numeric keypad bysellbad rhifol *eg* bysellbadiau rhifol

numerical rhifiadol *ans*

numerical data data rhifiadol *ell*

numerical problem problem rifiadol *eb* problemau rhifiadol

numinous nwmenaidd *ans*

numismatics niwmismateg *eb*

nun lleian *eb* lleianod

nunatak nynatac *eg* nynatacau

nuncio cennad y pab *eb* cenhadon y pab

nunnery lleiandy *eg* lleiandai

nurse *n* nyrs *eb* nyrsys

nurse *v* nyrsio *be*

nursery meithrinfa *eb* meithrinfeydd

nursery assistant gweinyddes feithrin *eb* gweinyddesau
meithrin

nursery class dosbarth meithrin *eg* dosbarthiadau meithrin

nursery education addysg feithrin *eb*

nursery nurse nyrs feithrin *eb* nyrsys meithrin

nursery rhyme hwiangerdd *eb* hwiangerddi

nursery school ysgol feithrin *eb* ysgolion meithrin

nursing nyrsio *be*

nursing audit archwiliad nyrsio *eg* archwiliadau nyrsio

nursing auxiliary nyrs ategol *eb* nyrsys ategol

nursing care gofal nyrsio *eg*

nursing diagnosis diagnosis nyrsio *eg*

nursing home cartref nyrsio *eg* cartrefi nyrsio

nursing model model nyrsio *eg* modelau nyrsio

nursing officer swyddog nyrsio *eg* swyddogion nyrsio

nut nyten *eb* nytiau

nut with nylon insert nyten â mewniad neilon *eb* nytiau â
mewniad neilon

nut with rubber insert nyten â mewniad rwber *eb* nytiau â
mewniad rwber

nut with sawn collar nyten â choler wedi'i llifio *eb* nytiau â
choleri wedi'u llifio

---

nutate troelli *be*

nutation troelliad *eg* troelliadau

nutrient maetholyn *eg* maetholynnau

nutrient jelly jeli meithrin *eg*

nutriment maeth *eg* maethion

nutrition (in general) maeth *eg*

nutrition (=mode of using food) maethiad *eg*

nutrition (science of) maetheg *eb*

nutritious maethlon *ans*

nuts and bolts nytiau a bolltau

NVQ framework fframwaith NVQ *eg*

NVQ: National Vocational Qualification NVQ:
Cymhwyster Galwedigaethol Cenedlaethol *eg* NVQs:
Cymwysterau Galwedigaethol Cenedlaethol

nyctinasty nyctinasedd *eg*

nylon neilon *eg*

nylon brush brwsh neilon *eg* brwshys neilon

nylon cutter torrell neilon *eb*

nylon fishing line lein bysgota neilon *eb* leiniau pysgota
neilon

nylon hinge colfach neilon *eg* colfachau neilon

nylon screw sgriw neilon *eb* sgriwiau neilon

nylon string tant neilon *eg* tannau neilon

nylon stud styden neilon *eb* stydiau neilon

nylon thread edau neilon *eb* edafedd neilon

nylon track trac neilon *eg* traciau neilon

nymph nymff *eb* nymffod

---

oak bark rhisgl derwen *eg*

oak gall afal derw *eg* afalau derw

oakum ocwm *eg*

oar rhwyf *eb* rhwyfau

oasis gwerddon *eb* gwerddonau

oatcakes bara ceirch *eg*

oath llw *eg* llwon

oath of allegiance llw teyrngarwch *eg* llwon teyrngarwch

oath of celibacy llw ymgadw'n ddibriod *eg*

obelisk obelisg *eg* obelisgau

obese gordew *ans*

obesity gordewdra *eg*

obey ufuddhau *be*

object gwrthrych *eg* gwrthrychau

object language nodiaith *eb* nodieithoedd

object program nod-raglen *eb* nod-raglenni

objective (microscope) *n* gwrthrychiadur *eg* gwrthrychiaduron

objective (=something sought or aimed at) *n* amcan *eg* amcanion

objective (=uncoloured by feelings and opinions) *adj* gwrthrychol *ans*

objective art celfyddyd wrthrychol *eb*

objective function ffwythiant diben *eg*

objective judgement barn wrthrychol *eb* barnau gwrthrychol

objective lens lens y gwrthrych *eg* lensiau'r gwrthrych

objective naturalism naturiolaeth wrthrychol *eb*

objective question cwestiwn gwrthrychol *eg* cwestiynau gwrthrychol

objectivity gwrthrychedd *eg*

oblate byrgrwn *ans*

oblate oblad *ans*

oblation offrwm *eg* offrymau

obligation rhwymedigaeth *eb* rhwymedigaethau

Obligations Court Cwrt Ymrwymiadau *eg*

oblique arosgo *ans*

oblique angle ongl arosgo *eb* onglau arosgo

oblique aspect agwedd arosgo *eb* agweddau arosgo

oblique axis echelin arosgo *eb* echelinau arosgo

oblique branch pipe peipen gangen arosgo *eb* peipiau cangen arosgo

oblique cylinder silindr arosgo *eg* silindrau arosgo

oblique line llinell arosgo *eb* llinellau arosgo

oblique nailing hoelio arosgo *be*

oblique photograph ffotograff arosgo *eg* ffotograffau arosgo

oblique plane plân arosgo *eg* planau arosgo

oblique prism prism arosgo *eg* prismau arosgo

oblique projection tafluniad arosgo *eg* tafluniadau arosgo

oblique reverse pen pen arosgo croes *eg* pennau arosgo croes

oblique section trychiad arosgo *eg* trychiadau arosgo

oblique stroke strôc arosgo *eb* strociau arosgo

oblique surface arwyneb arosgo *eg* arwynebau arosgo

oblique view golwg arosgo *eg* golygon arosgo

obliqueness arosgedd *eg*

obliquity (of rays) arosgedd *eg*

oblong *adj* petryal *ans*

oblong *n* petryal *eg* petryalau

oblong base sylfaen betryal *eb* sylfeini petryal

oblong palette palet petryal *eg* paletau petryal

oboe obo *eg* oboi

oboist oböydd *eg* oböwyr

obscurantism gwrtholeuaeth *eb*

obscurantist gwrtholeuwr *eg* gwrtholeuwyr

obscuration (in physics) amguddiad *eg* amguddiadau

obscure tywyll *ans*

obsequent *adj* gwrthlif *ans*

obsequent *n* gwrthlif *eg* gwrthlifau

obsequent stream ffrwd wrthlif *eb* ffrydiau gwrthlif

observable arsylladwy *ans*

Observant Cadwrydd *eg* Cadwryddion

observation (=comment) sylw *eg* sylwadau

observation (technical usage) arsylw *eg* arsylwadau

observation technique techneg arsylwi *eb* technegau arsylwi

observational research ymchwil arsylwadol *eg*

observatory arsyllfa *eb* arsyllfeydd

observe (by telescope/microscope) arsyllu *be*

observe (non-technical usage) sylwi *be*

observe (technical usage) arsylwi *be*

observe phenomena arsylwi ffenomenau *be*

observed dan sylw *ans*

observed forms ffurfiau dan sylw *ell*

observed objects gwrthrychau dan sylw *ell*

observer (non-technical usage) gwyliwr *eg* gwylwyr

observer (technical usage) arsylwr *eg* arsylwyr

obsession obsesiwn *eg* obsesiynau

obsidian gwydrfaen *eg*

obsolete anarferedig *ans*

obstacle rhwystr *eg* rhwystrau

obstacle race ras rwystrau *eb* rasys rhwystrau

obstetrician obstetregydd *eg* obstetregwyr

obstetrics obstetreg *eb*

obstructing the field rhwystro'r maeswyr *be*

obstruction rhwystr *eg* rhwystrau

obtain (in physics etc) darganfod *be*

obtain evidence dod o hyd i dystiolaeth

obtain measurements dod o hyd i fesuriadau

obtuse [with feminine nouns] aflem *ans*

obtuse [with masculine nouns] aflym *ans*

obtuse angle ongl aflem *eb* onglau aflym

obtuse angled triangle triongl ongl aflem *eg* trionglau onglau aflym

ocarina ocarina *eg* ocarinâu

occasional conformity cydymffurfio achlysurol *be*

Occasional Conformity Act Deddf Cydymffurfio Achlysurol *eb*

occasional holidays gwyliau achlysurol *ell*

occasional music cerddoriaeth achlysurol *eb*

occasional stream ffrwd ysbeidiol *eb* ffrydiau ysbeidiol

occasional table bwrdd achlysurol *eg* byrddau achlysurol

occluded achludol *ans*

occluded front ffrynt achludol *eg* ffryntiau achludol

occlusion achludiad *eg* achludiadau

occulation arguddiad *eg* arguddiadau

occult cudd *ans*

occupation (=job) galwedigaeth *eb* galwedigaethau

occupation (military) meddiannaeth (filwrol) *eb*

occupation (of property) meddiannaeth *eb*

occupation number rhif meddiannaeth *eg*

occupational galwedigaethol *ans*

occupational field maes galwedigaethol *eg* meysydd galwedigaethol

occupational health iechyd galwedigaethol *eg*

occupational programme rhaglen alwedigaethol *eb* rhaglenni galwedigaethol

occupational therapist therapydd galwedigaethol *eg* therapyddion galwedigaethol

occupational therapy therapi galwedigaethol *eg*

occupied territory tiriogaeth feddianedig *eb*

occupier preswyliwr *eg* preswylwyr

occupy (of military force) meddiannu *be*

occupying forces lluoedd y meddiannu *ell*

ocean cefnfor *eg* cefnforoedd

oceanic cefnforol *ans*

oceanography eigioneg *eb*

ocellus ocelws *eg* oceli

ochre ocr *eg* ocrau

octagon octagon *eg* octagonau

octagonal wythonglog *ans*

octagonal bar bar wythonglog *eg* barrau wythonglog

octagonal table bwrdd wythonglog *eg* byrddau wythonglog

octahedron octahedron *eg* octahedronau

octal wythol *ans*

octal buffer byffer wythol *eg* byfferau wythol

octal notation nodiant wythol *eg*

octal system system wythol *eb* systemau wythol

octant octant *eg* octannau

octave wythfed *eg* wythfedau

octave step cam wythfed *eg* camau wythfed

octet wythawd *eg* wythawdau

octuplet wythpled *eg* wythpledi

ocular *adj* llygadol *ans*

ocular *n* ocwlar *eg* ocwlarau

odd function od-ffwythiant *eg*

odd leg callipers caliperau jenni *ell*

odd number odrif *eg* odrifau

odd parity odbaredd *eg*

odd side ochr od *eb* ochrau od

odd side pattern patrwm ochr od *eg* patrymau ochr od

odd-parity check prawf odbaredd *eg* profion odbaredd

oddments pethau dros ben *ell*

odds and ends tameidiau *ell*

ode (in free metre) cerdd *eb* cerddi

ode (in strict metre) awdl *eb* awdlau

odontoid process cnepyn deintffurf *eg* cnapiau deintffurff

odour arogl *eg* aroglau

odour-resistant (finish) gwrtharogl *ans*

odourless diarogl *ans*

odourous aroglus *ans*

oedema oedema *eg*

oesophagus oesoffagws *eg*

oestrogen oestrogen *eg* oestrogenau

oestrous cycle cylchred oestrws *eb*

oestrus oestrws *eg*

Of Noble Race was Shenkin O Uchel Dras oedd Siencyn

off (of light, fire, gas) wedi'i ddiffodd *ans* wedi'u diffodd

off (of switch) i ffwrdd

off balance colli cydbwysedd *be*

off centre allan o'r canol

off drive dreif ochr agored *eb* dreifiau ochr agored

off licence siop drwyddedig *eb* siopau trwyddedig

off side ochr agored *eb*

off stump stwmp pellaf *eg* stympiau pellaf

off the school site oddi ar safle'r ysgol *adf*

off-break bowling troelliad ochr agored *eg* troelliadau ochr agored

off-cut torbren *eg* torbrennau

off-hand grinder peiriant llifanu yn y llaw *eg* peiriannau llifanu yn y llaw

off-hand grinding llifanu yn y llaw *be*

off-line all-lein *ans*

off-line editing golygu all-lein *be*

off-line processing prosesu all-lein *be*

off-peak allfrig *ans*

off-setting screw (lathe part) sgriw atredu *eb* sgriwiau atredu

Offa's Dyke Clawdd Offa *eg*

offence trosedd *eg/b* troseddau

offensive (=attack) *n* ymosodiad *eg* ymosodiadau

offensive (=attacking) *adj* ymosodol *ans*

offer explanations cynnig esboniadau *be*

offering offrwm *eg* offrymau

offertory (in music) offrymgan *eb* offrymganeuon

offertory (of church service) offrwm *eg* offrymau

---

office (of place) swyddfa *eb* swyddfeydd

office (=post) swydd *eb* swyddi

office automation awtomeiddio swyddfa *eg*

Office for Standards in Education (OFSTED) Swyddfa Safonau mewn Addysg *eb*

Office of Fair Trading Swyddfa Masnachu Teg *eb*

Office of Her Majesty's Chief Inspector (OHMCI) Swyddfa Prif Arolygydd ei Mawrhydi (SPAEM) *eb*

office-holding swydd-ddaliad *eg*

officer swyddog *eg* swyddogion

Officer of the Royal Court Swyddog Llys y Brenin *eg*

official *adj* swyddogol *ans*

official *n* swyddog *eg* swyddogion

official opening agoriad swyddogol *eg* agoriadau swyddogol

offset *n* atred *eg* atredau

offset *v* ongli *be*

offset jaw spanner sbaner â safn atred *eg* sbaneri â safn atred

offset print printiad offset *eg* printiadau offset

offset printing argraffu offset *be*

offset roller rholer atred *eg* rholeri atred

offset screwdriver tyrnsgriw atred *eg* tyrnsgriwiau atred

offshoot cangen *eb* canghennau

offshore (e.g. wind, bar) alltraeth *ans*

offside camsefyll *be*

offsite work gwaith oddi ar y safle *eg*

offspring epil *ell*

ogee ogee *eg*

ogee arch bwa ogee *eg* bwâu ogee

ogee moulding mowldin ogee *eg* mowldinau ogee

ogee plane plaen ogee *eg* plaeniau ogee

ogham ogam *eg*

ogham characters llythrennau ogam *ell*

ogham stone maen ogam *eg* meini ogam

ogive ogif *eg* ogifau

ohm ohm *eg* ohmau

Ohm's law deddf Ohm *eb*

ohmeter ohmedr *eg* ohmedrau

oil *n* olew *eg* olewau

oil *v* iro *be*

oil based sail olew *ans*

oil based colour lliw sail olew *eg* lliwiau sail olew

oil based paint paent sail olew *eg* paentiau sail olew

oil bearing rocks creigiau dal olew *ell*

oil blacking duo ag olew *be*

oil bluing glasu ag olew *be*

oil can can olew *eg* caniau olew

oil colour lliw olew *eg* lliwiau olew

oil crayon creon olew *eg* creonau olew

oil finish gorffeniad olew *eg* gorffeniadau olew

oil groove rhigol olew *eb* rhigolau olew

oil hardening olew galedu *be*

oil hole twll olew *eg* tyllau olew

oil nipple nipl olew *eg* niplau olew

oil of turpentine olew tyrpant *eg*

oil painting (of painted picture) paentiad olew *eg* paentiadau olew

oil painting (of process or art) peintio olew *be*

oil palm kernels cnewyll palmwydd olew *ell*

oil paper papur olew *eg*

oil pastel pastel olew *eg* pasteli olew

oil reservoir cronfa olew *eb* cronfeydd olew

oil rig llwyfan olew *eg* llwyfannau olew

oil stain staen olew *eg* staeniau olew

oil stencil paper papur olew stensil *eg*

oil well ffynnon olew *eb* ffynhonnau olew

oil-immersion objective gwrthrychiadur mewn olew *eg*

oilfield maes olew *eg* meysydd olew

oilproof gwrtholew *ans*

oilproof paper papur gwrtholew *eg*

oilseed hadau olew *ell*

oilstone carreg hogi *eb* cerrig hogi

oilstone slip carreg hogi gau *eb* cerrig hogi gau

oily olewog *ans*

ointment eli *eg* elïau

old age henaint *eg*

old age pension pensiwn henoed *eg*

Old Age Pensions Act Deddf Pensiwn yr Henoed *eb*

old and infirm hen a methedig *ans*

Old Norse Hen Norseg *eb*

old people's home cartref henoed *eg* cartrefi henoed

old regime hen oruchwyliaeth *eb*

Old Stone Age Hen Oes y Cerrig *eb*

Old Testament Hen Destament *eg*

Old World Yr Hen Fyd *eg*

oleaginous olewog *ans*

oleic acid asid oleig *eg*

oleum olewm *eg*

olfactory arogleuol *ans*

olfactory lobe llabed arogleuol *eb* llabedau arogleuol

oligarchy oligarchiaeth *eb*

olive green (enamelling colour) gwyrdd olewydd *eg*

olive oil olew olewydd *eg*

Olympic Games Gemau Olympaidd *ell*

ombudsman ombwdsmon *eg* ombwdsmyn

ommatidium omatidiwm *eg* omatidia

omnipotent hollalluog *ans*

omnivore hollysydd *eg* hollysyddion

omnivorous hollysol *ans*

OMR form ffurflen DMG *eb* ffurflenni DMG

OMR: optical mark reader DMG: darllenydd marciau gweladwy *eg* darllenwyr marciau gweladwy

on (of light, fire, gas) ynghynn *ans*

on (of switch) ymlaen *adf*

on average ar gyfartaledd *ans*

on drive dreif ochr goes *eb*

on heat (of bitch) cwnna *be*

on heat (of cow etc) gwasod *ans*

on probation ar brawf

on screen instructions cyfarwyddiadau sgrin *ell*

on side ochr goes *eb*

---

on the back ar y cefn *adf*	**OOPS** (Object Orientated Programming System) OOPS (System Rhaglennu Gwrthrych Gyfeiriedig) *eb*
on the floor ar y llawr *adf*	**oosperm** oosberm *eg* oosbermau
on the front ar y tu blaen *adf*	**oosphere** oosffer *eg* oosfferau
on the rebound ar adlam *adf*	**oosporangium** oosborangiwm *eg* oosborangia
on the school site ar safle'r ysgol *adf*	**oospore** oosbor *eg* oosborau
on the wing ar yr ystlys *adf*	**ootype** ootyp *eg* ootypau
on toes ar flaenau'r traed *adf*	**oozes** (deep sea) morlaid *eg*
on your marks ar eich marciau	**opacifier** didreiddydd *eg* didreiddyddion
on-line ar-lein *ans*	**opacity** didreiddedd *eg*
on-line processing prosesu ar-lein *be*	**opalescent** symudliw *ans*
on-line system system ar-lein *eb* systemau ar-lein	**opalescent enamel** enamel symudliw *eg*
on-the-spot dance dawns unfan *eb* dawnsiau unfan	**opaque** di-draidd *ans*
oncologist oncolegydd *eg* oncolegwyr	**opaque colour** lliw di-draidd *eg* lliwiau di-draidd
oncology oncoleg *eb*	**opaque enamel** enamel di-draidd *eg*
one complete rotation un cylchdro cyflawn *eg*	**opaque glaze** gwydredd di-draidd *eg*
one minute gun ergyd munud *eb*	**opaque paste** past di-draidd *eg*
one parent family teulu un rhiant *eg* teuluoedd un rhiant	
one piece pattern patrwm undarn *eg* patrymau undarn	**open** *adj* agored *ans*
one quarter chwarter *eg*	**open** *v* agor *be*
one religion worship addoliad un grefydd *eg*	**open air** awyr agored *eg*
one way classification dosbarthiad unffordd *eg* dosbarthiadau unffordd	**open both ways** agor y naill ffordd a'r llall *be*
one's complement cyflenwad unol *eg*	**open chain stitch** pwyth cadwyn agored *eg* pwythau cadwyn agored
one-brush stroke strôc brwsh un-strôc *eb* strociau brwsh un-strôc	**open cheque** siec agored *eb* sieciau agored
one-eighth wythfed *eg*	**open clusters** clystyrau agored *ell*
one-fifth pumed *eg*	**Open College** Coleg Agored *eg*
one-handed pass pàs unllaw *eb* pasiau unllaw	**open day** diwrnod agored *eg* diwrnodau agored
one-many correspondence cyfatebiaeth un-i-lawer *eb*	**open diapason** diapason agored *eg* diapasonau agored
one-ninth nawfed *eg*	**open eaves** bondo agored *eg* bondoeau agored
one-off mae angen un	**open examination** arholiad agored *eg* arholiadau agored
one-one correspondence cyfatebiaeth un-i-un *eb*	**open field system** cyfundrefn maes agored *eb* cyfundrefnau maes agored
one-pass system system unffordd *eb* systemau unffordd	**open flat tongs** gefel fflat agored *eb* gefeiliau fflat agored
one-piece development datblygiad undarn *eg* datblygiadau undarn	**open glove** maneg agored *eb* menig agored
one-seventh seithfed *eg*	**open grain** graen agored *eg*
one-sixth chweched *eg*	**open hearth** tân agored *eg* tanau agored
one-stroke brush brwsh un-strôc *eg* brwshys un-strôc	**open interval** cyfwng agored *eg* cyfyngau agored
one-tenth degfed *eg*	**open inwards and outwards** agor tuag i mewn ac allan
one-third traean *eg* traeanau	**open learning** dysgu agored *be*
one-way list rhestr unffordd *eb* rhestri unffordd	**open merge-data-file** agor ffeil ddata gyfun *be*
one-way street stryd unffordd *eb* strydoedd unffordd	**open note** nodyn agored *eg* nodau agored
onset side of ice ochr atrew *eb* ochrau atrew	**open pack** pecyn agored *eg* paciau agored
onshore atraeth *ans*	**open pipe** (in music) pib agored *eb* pibau agored
onside iawnochri *be*	**open plan school** ysgol cynllun agored *eb* ysgolion cynllun agored
onto function ffwythiant ar *eg*	**open punctuation** atalnodi agored *be*
onyx onics *eg*	**open question** cwestiwn agored *eg* cwestiynau agored
oocyst oocyst *eg* oocystau	**open score** sgôr agored *eb* sgorau agored
oogamete oogamet *eg* oogametau	**open seam** sêm agored *eb* semau agored
oogamous oogamus *ans*	**open side wing forward** blaenasgell agored *eb*
oogamy oogamedd *eg*	**open staircase** grisiau agored *ell*
oogenesis oogenesis *eg*	**open stance** safiad agored *eg*
oolitic oolitig *ans*	**open string** tant agored *eg* tannau agored
oology ooleg *eb*	**open system** cyfundrefn agored *eb* cyfundrefnau agored
oophore ooffor *eg* oofforau	**open texture** gwead agored *eg*
oophyte ooffyt *eg* ooffytau	**open the bowling** agor y bowlio *be*
ooplast ooplast *eg*	**open the tap** agor y tap *be*

---

adf, adv adferf, *adverb* **ans, adj** ansoddair, *adjective* **be** berf, *verb* **eb** enw benywaidd, *feminine noun* **eg** enw gwrywaidd, *masculine noun*

open traverse tramwy agored *eg*

Open University Prifysgol Agored *eb*

open-door policy polisi drws agored *eg*

open-end spanner sbaner ceg agored *eg* sbaneri ceg agored

open-ended question cwestiwn penagored *eg* cwestiynau penagored

open-flame kiln odyn fflam agored *eb* odynnau fflam agored

open-hearth furnace ffwrnais dân agored *eb* ffwrneisi tân agored

open-mouth tongs gefel geg-agored *eb* gefeiliau ceg-agored

opencast coal mining cloddio glo brig *be*

opencast coat glo brig *eg*

openfield maes agored *eg* meysydd agored

openfield system trefn meysydd agored *eb*

opening *adj* agoriadol *ans*

opening *n* agoriad *eg* agoriadau

opera opera *eb* operâu

opéra buffe opéra buffe *eb* opéras bouffes

opera house tŷ opera *eg* tai opera

opera seria opera seria *eb* opere serie

opéra-ballet opéra-ballet *eg* opéras-ballet

opéra-comique opéra-comique *eb* opéras-comique

opera-oratorio opera-oratorio *eb* operâu-oratorio

operand operand *eg* operandau

operate gweithredu *be*

operating characteristic function ffwythiant nodwedd weithredol *eg*

operating system system weithredu *eb* systemau gweithredu

operation gweithrediad *eg* gweithrediadau

operation (military) ymgyrch *eb* ymgyrchoedd

operation (surgical) llawdriniaeth *eb* llawdriniaethau

operation code (op code) cod gweithredu *eg* codau gweithredu

operation mode modd gweithredu *eg* moddau gweithredu

operation of number gweithrediad rhif *eg*

operation table tabl gweithrediad *eg* tablau gweithrediad

operational (in economics) hywaith *ans*

operational (in general) gweithredol *ans*

operations manager rheolwr gweithrediadau *eg* rheolwyr gweithrediadau

operations of combination plane gweithrediadau'r plaen amlddefnydd *ell*

operative (in economics) gweithiol *ans*

operator (of person) gweithredwr *eg* gweithredwyr

operator (of symbol or function) gweithredydd *eg* gweithredyddion

operetta opereta *eb* operetau

operon operon *eg* operonau

ophthalmologist offthalmolegydd *eg* offthalmolegwyr

ophthalmology offthalmoleg *eb*

opinion barn *eb*

opinion poll arolwg barn *eg* arolygon barn

opponent gwrthwynebwr *eg* gwrthwynebwyr

opportunism oportiwnistiaeth *eb*

opportunist oportiwnydd *eg* oportiwnwyr

opportunity cyfle *eg* cyfleoedd

opposing gwrthwynebol *ans*

opposite (=contrary) *n* gwrthwyneb *eg*

opposite (=diametrically different) *adj* dirgroes *ans*

opposite (=facing) *adj* cyferbyn *ans*

opposite angle ongl gyferbyn *eb* onglau cyferbyn

opposite angles onglau cyferbyn *ell*

opposite bud blaguryn cyferbyn *eg* blagur cyferbyn

opposite direction cyfeiriad dirgroes *eg* cyfeiriadau dirgroes

opposite sides ochrau cyferbyn *ell*

opposite signs arwyddion dirgroes *ell*

opposition gwrthwynebiad *eg* gwrthwynebiadau

opposition (party) gwrthblaid *eb* gwrthbleidiau

oppress gormesu *be*

oppression gormes *eg/b*

oppressive gormesol *ans*

oppressor gormeswr *eg* gormeswyr

opt out eithrio *be*

opted out school ysgol sydd wedi eithrio *eb* ysgolion sydd wedi eithrio

optic lobe llabed optig *eb* llabedau optig

optic nerve nerf optig *eg* nerfau optig

optical optegol *ans*

optical activity actifedd optegol *eg*

optical angle ongl weledol *eb* onglau gweledol

optical art celfyddyd optegol *eb*

optical brightener disgleirydd optegol *eg* disgleiryddion optegol

optical character recognition (OCR) adnabod nodau gweledol *be*

optical fibre ffibr optegol *eg* ffibrau optegol

optical illusion rhith optegol *eg* rhithiau optegol

optical isomer isomer optegol *eg* isomerau optegol

optical pyrometer pyromedr optegol *eg* pyromedrau optegol

optical system system optegol *eb* systemau optegol

optical white gwyn optegol *ans*

optician optegwr *eg* optegwrwyr

optics opteg *eb*

optimal optimaidd *ans*

optimization optimeiddiaeth *eg*

optimize optimeiddio *be*

optimizer optimeiddiwr *eg* optimeiddiwyr

optimizing compiler crynhoydd optimeiddio *eg* crynoyddion optimeiddio

optimum optimwn *eg* optima

optimum population poblogaeth optimwm *eb* poblogaethau optimwm

option dewis *eg* dewisiadau

option mortgage morgais dewisol *eg* morgeisi dewisol

Option Mortgage Scheme Cynllun Morgais Dewisol *eg*

optional dewisol *ans*

opus opws *eg*

OR NEU

---

eg/b enw gwrywaidd/benywaidd, *feminine/masculine noun*   *ell* enw lluosog, *plural noun*   *v* berf, *verb*   *n* enw, *noun*

OR gate adwy NEU *eb* adwyon NEU

oracy llefaredd *eg*

oral arithmetic rhifyddeg lafar *eb*

oral assessment asesu llafar *be*

oral description disgrifiad llafar *eg* disgrifiadau llafar

oral infection haint trwy'r genau *eb*

oral report adroddiad llafar *eg* adroddiadau llafar

oral surgeon llawfeddyg y geg *eg* llawfeddygon y geg

oral surgery llawfeddygaeth y geg *eb*

oral test prawf llafar *eg* profion llafar

oral toilet glanhau'r geg *be*

oral tradition traddodiad llafar *eg* traddodiadau llafar

oral vaccine brechlyn trwy'r genau *eg* brechlynnau trwy'r genau

oral vocabulary geirfa lafar *eb*

Orange Order Urdd Oren *eb*

orange red (vermilion) coch oren (fermiliwn) *eg*

orange shellac sielac oren *eg*

Orangeman Orenwr *eg* Orenwyr

oratorio oratorio *eb* oratorios

Oratory of Divine Love Oratori'r Cariad Dwyfol *eg*

orbit (of planets, satellite) *v* troi o gwmpas *be*

orbit (of planets, satellites) *n* orbit *eg* orbitau

orbit (of the eye) *n* crau'r llygad *eg*

orbital (of electron) *adj* orbitol *ans*

orbital (of electrons) *n* orbital *eg* orbitalau

orbital (of eye socket) *adj* creuol *ans*

orbital sander sandiwr orbitol *eg* sandwyr orbitol

orbital sinus sinws creuol *eg* sinysau creuol

orchard perllan *eb* perllannau

orchestra cerddorfa *eb* cerddorfeydd

orchestral cerddorfaol *ans*

orchestrate sgorio *be*

orchestration trefniant cerddorfaol *eg* trefniannau cerddorfaol

orchestrator sgoriwr *eg* sgorwyr

ordain ordeinio *be*

ordeal diheurbrawf *eg* diheurbrofion

ordeal by fire diheurbrawf tân *eg*

ordeal by water diheurbrawf dŵr *eg*

order *n* gradd *eb* graddau

order *n* archeb *eb* archebion

order (=body) *n* urdd *eb* urddau

order (=command) *n* gorchymyn *eg* gorchmynion

order (=place in sequence) *v* trefnu *be*

order (=sequence) *n* trefn *eb*

order (=something asked for) *n* archeb *eb* archebion

order of magnitude trefn maint *eb*

Order of the Day Trefn y Dydd *eb*

Order of the Garter Urdd y Gardys *eb*

order of work trefn gwaith *eb*

order statistics ystadegau trefn *ell*

ordered trefnedig *ans*

ordered list rhestr drefnedig *eb* rhestri trefnedig

ordered pairs parau trefnedig *ell*

Orders in Council Gorchmynion y Cyfrin Gyngor *ell*

orders of rotational symmetry trefnau cymesuredd cylchdro *ell*

ordinal trefnol *ans*

ordinal number rhif trefnol *eg* rhifau trefnol

ordinance ordinhad *eg* ordinhadau

ordinary (=bishop) esgob *eg* esgobion

ordinary (=part of service) ordinari *eg*

ordinary truss cwpl cyffredin *eg* cyplau cyffredin

ordinate mesuryn *eg* mesurynnau

ordination ordeinio *be*

ordnance ordnans *eg*

ordnance datum seilnod ordnans *eg* seilnodau ordnans

ordnance survey arolwg ordnans *eg* arolygon ordnans

ordnance survey map map ordnans *eg*

Ordovician Ordoficaidd *ans*

ordre cyfres *eb* cyfresi

ore mwyn *eg* mwynau

ore carrier mwynlong *eb* mwynlongau

organ (=musical instrument) organ *eb* organau

organ (of the body) organ *eg* organau

organ bellows megin organ *eb* meginau organ

organ console consol organ *eg* consolau organ

organ loft llofft organ *eb* llofftydd organ

organ mass offeren organ *eb* offerennau organ

organ of administration corff gweinyddol *eg* cyrff gweinyddol

organ of Corti organ Corti *eg* organau Corti

organ of government corff llywodraeth *eg* cyrff llywodraeth

organ sound board seinfwrdd organ *eg* seinfyrddau organ

organ transplantation (an instance of) trawsblaniad organ *eg* trawsblaniadau organ

organ transplantation (in general) trawsblannu organau *be*

organ wind chest cist wynt organ *eb* cistiau gwynt organ

organdie organdi *eg*

organelle organyn *eg* organynnau

organic organig *ans*

organic matter defnydd organig *eg* defnyddiau organig

organism organeb *eb* organebau

organist organydd *eg* organyddion

organization (=company) corff *eg* cyrff

organization (=society) mudiad *eg* mudiadau

organization (=system) cyfundrefn *eb* cyfundrefnau

organization (=systematic arrangement) trefniadaeth *eb*

organization chart siart trefniadaeth *eg* siartiau trefniadaeth

Organization of Africa Unity Cyfundrefn Undod Affrica *eb*

Organization of American States Cyfundrefn Gwledydd America *eb*

organizational trefniadaethol *ans*

organize trefnu *be*

organize sounds trefnu seiniau *be*

organizer (of living tissue) meinwe patrymu *eb* meinweoedd patrymu

organizer (of person) trefnydd *eg* trefnyddion

---

adf, adv adferf, *adverb*   *ans, adj* ansoddair, *adjective*   *be* berf, *verb*   *eb* enw benywaidd, *feminine noun*   *eg* enw gwrywaidd, *masculine noun*

organum organwm *eg*

organza organsa *eg*

Orient, The Dwyrain, Y *eg*

orientated cyfeiriedig *ans*

orientation cyfeiriadaeth *eg*

orienteering cyfeiriannu *be*

orifice agorfa *eb* agorfeydd

origin lleolbwynt *eg* lleolbwyntiau

origin tarddiad *eg* tarddiadau

origin (of graph) tarddbwynt *eg* tarddbwyntiau

origin of stars tarddiad sêr *eg*

original (in general) gwreiddiol *ans*

original (in serialism) sylfaenol *ans*

original design (of plan) cynllun gwreiddiol *eg* cynlluniau gwreiddiol

original design (of sketch etc) dyluniad gwreiddiol *eg* dyluniadau gwreiddiol

original equipment manufacturer (OEM) cynhyrchydd offer gwreiddiol *eg* cynhyrchwyr offer gwreiddiol

original place lle gwreiddiol *eg* lleoedd gwreiddiol

original shape ffurf wreiddiol *eb* ffurfiau gwreiddiol

originate tarddu *be*

ornament addurn *eg* addurniadau

ornamental addurnol *ans*

ornamental hinge colfach addurniadol *eg* colfachau addurniadol

ornamentation addurniad *eg* addurniadau

ornate addurnol *ans*

orogenesis orogenesis *eg*

orogenetic orogenetig *ans*

orogeny orogeni *eg*

orographic orograffig *ans*

orographical orograffigol *ans*

orthocentre orthograidd *eg* orthogreiddiau

orthodontics orthodonteg *eb*

orthodontist orthodeintydd *eg* orthodeintyddion

orthodox uniongred *ans*

Orthodox Jew Iddew Uniongred *eg* Iddewon Uniongred

orthodoxy uniongrededd *eg*

orthogonal orthogonol *ans*

orthogonal matrix matrics orthogonol *eg*

orthogonal orifice agorfa orthogonol *eb* agorfeydd orthogonol

orthogonality orthogonoledd *eg* orthogonoleddau

orthographic orthograffig *ans*

orthographic drawing lluniad orthograffig *eg* lluniadau orthograffig

orthographic projection tafluniad orthograffig *eg* tafluniadau orthograffig

orthographic view golwg orthograffig *eg* golygon orthograffig

orthomorphic projection tafluniad orthomorffig *eg* tafluniadau orthomorffig

orthonormal orthonormal *ans*

orthopaedic orthopaedig *ans*

orthopaedics orthopaedeg *eb*

orthoptic orthoptig *ans*

orthoptist orthoptydd *eg* orthoptwyr

oscillate osgiliadu *be*

oscillating motion mudiant osgiliadol *eg*

oscillation osgiliad *eg* osgiliadau

oscillator osgiliadur *eg* osgiliaduron

oscillatory osgiliadol *ans*

oscillatory movement symudiad osgiliadol *eg* symudiadau osgiladol

oscilloscope osgilosgop *eg* osgilosgopau

osculate minialu *be*

osculating minialaidd *ans*

osculation minialedd *eg* minialeddau

osmium (Os) osmiwm *eg*

osmoregulation osmoreolaeth *eb*

osmoregulatory osmoreolaethol *ans*

osmosis osmosis *eg*

osmotic pressure gwasgedd osmotig *eg*

ossicle esgyrnyn *eg* esgyrnynnau

ossification asgwrneiddiad *eg*

ossify asgwrneiddio *be*

ostinato ostinato *eg* ostinati

ostiole ostiol *eg*

ostium ostiwm *eg*

Ostwald theory theori Ostwald *eb*

Oswestry Croesoswallt *eb*

Oswestry Wake Dawns Croesoswallt *eb*

otherwise fel arall *adf*

Ottoman *adj* Otomanaidd *ans*

Ottoman *n* Otoman *eg* Otomaniaid

Ottoman Empire Ymerodraeth Otomanaidd *eb*

Ottoman Turk Twrciad Otomanaidd *eg* Twrciaid Otomanaidd

out allan *adf*

out of bounds tu hwnt i'r ffin *eg*

out of court allan o'r cwrt

out of date wedi dyddio *ans*

out of range (of statistics) tu allan i'r amrediad

out of school activities gweithgareddau y tu allan i'r ysgol *ell*

out-of-town retail site safle adwerthu y tu allan i'r dref *eg* safleoedd adwerthu y tu allan i'r trefi

out-patient claf allanol *eg* cleifion allanol

outblowing wind gwynt allchwyth *eg* gwyntoedd allchwyth

outburst echwythiad *eg* echwythiadau

outcast alltud *eg* alltudion

outcome canlyniad *eg* canlyniadau

outcrop brig *eg* brigiadau

outcropping brigo *be*

outdated ar ôl yr oes *ans*

outdoor activity gweithgaredd awyr agored *eg* gweithgareddau awyr agored

outdoor and adventurous activities gweithgareddau awyr agored ac antur *ell*

outdoor environment amgylchedd awyr agored *eg*

outdoor sketching braslunio awyr agored *be*

outdoor sweeping brush brwsh cans *eg* brwshys cans

outdoor use defnydd yn yr awyr agored

---

eg/b enw gwrywaidd/benywaidd, *feminine/masculine noun*   **ell** enw lluosog, *plural noun*   **v** berf, *verb*   **n** enw, *noun*

outdoor work gwaith awyr agored *eg*
outdoors awyr agored *eg*
outer allanol *ans*
outer city cyrion dinas *ell*
outer country ring cylch gwledig y cyrion *eg*
outer ear clust allanol *eb*
outer face wyneb allanol *eg*
outer fringes cyrion allanol *ell*
outer parts rhannau allanol *ell*
outfield allfaes *eg* allfeysydd
outfielder ffildiwr *eg* ffildwyr
outfit gwisg gyflawn *eb* gwisgoedd cyflawn
outflow all-lif *eg* all-lifau
outflowing all-lifo *be*

outlaw *n* herwr *eg* herwyr
outlaw (a person) *v* rhoi ar herw *be*
outlaw (a practice) *v* gwahardd *be*

outlawry herwriaeth *eb*
outlay gwariant *eg*
outlet allfa *eb* allfeydd
outlier allgraig *eb* allgreigiau

outline *adj* amlinellol *ans*
outline *v* amlinellu *be*
outline (=lines of an object) *n* amlinell *eb* amlinellau
outline (=summary) *n* amlinelliad *eg* amlinelliadau
outline diagram diagram amlinellol *eg* diagramau amlinellol
outline drawing lluniad amlinell *eg* lluniadau amlinell
outline map map amlinell *eg* mapiau amlinell
outline section trychiad amlinell *eg* trychiadau amlinell
outline stitch pwyth amlinell *eg* pwythau amlinell
outpatients' hospital ysbyty cleifion allanol *eg* ysbytai cleifion allanol
outport allborth *eg* allbyrth
outpost allbost *eg* allbyst

output *v* allbynnu *be*
output (of computer etc) *n* allbwn *eg* allbynnau
output (=product) *n* cynnyrch *eg* cynhyrchion

output buffer byffer allbwn *eg* byfferau allbwn
output device dyfais allbynnu *eb* dyfeisiau allbynnu
output stream all-lif *eg* all-lifoedd
output unit uned allbynnu *eb* unedau allbynnu
outrelief cymorth allanol *eg*
outside tu allan *eg*
outside callipers caliperau allanol *ell*
outside diameter (o/d) diamedr allanol *eg* diamedrau allanol
outside forward asgellwr *eg* asgellwyr
outside left (of player) asgellwr chwith *eg* asgellwyr chwith
outside leg coes allanol *eb*
outside micrometer micromedr allanol *eg* micromedrau allanol
outside right (of player) asgellwr de *eg* asgellwyr de
outside wall wal allanol *eb* waliau allanol
outside-half maswr *eg* maswyr
outstep tu allan i'r droed *eg*

outswinger gwyriad allan *eg*
outward allanol *ans*
outwash apron ffedog allolchi *eb* ffedogau allolchi
outwash deposits dyddodion allolchi *ell*
outwash plain sandur *eg* sandurau
outwork (industry) gwaith allanol *eg*
outwork (military) amddiffynfa allanol *eb*
outworker gweithiwr allanol *eg* gweithwyr allanol
oval hirgrwn *ans*
oval base sylfaen hirgrwn *eb* sylfeini hirgrwn
oval head stake bonyn pen cromen *eg* bonion pen cromen
oval lost head nail hoelen hirgron bengoll *eb* hoelion hirgrwn pengoll
oval nail hoelen hirgron *eb* hoelion hirgrwn
oval shape ffurf hirgron *eb* ffurfiau hirgrwn
oval window ffenestr hirgron *eb* ffenestri hirgrwn
ovarian ofaraidd *ans*
ovary ofari *eg* ofarïau
ovary wall mur yr ofari *eg* muriau'r ofari
oven ffwrn *eb* ffyrnau
oven cleaner defnydd glanhau ffwrn *eg*
ovenfire ffwrndanio *be*
over (in cricket) pelawd *eb* pelawdau
over arm bowling bowlio dros ysgwydd *be*
over bankful gorgyforlan *eb* gorgyforlannau
over distance training hyfforddi dros bellter *be*
over grasp trosafael *eb*
over thrust gorwthiad *eg* gorwthiadau
over-firing gor-danio *be*
over-print tros-argraffu *be*

overall (=general) *adj* cyffredinol *ans*
overall (of measurements) *adj* o ben i ben *ans*
overall (of rate, reaction) *adj* cyflawn *ans*
overall (protective clothing) *n* oferôl *eb* oferôls

overall decrease lleihad trwodd a thro *eg*
overall dimensions mesuriadau o ben i ben *ell*
overall grade gradd ar gyfartaledd *eb*
overall length hyd o ben i ben *eg*
overarm pass pàs dros ysgwydd *eb* pasiau dros ysgwydd
overblanket carthen *eb* carthenni
overblouse trosflows *eb* trosflowsiau
overcast sky awyr gwbl gymylog *eb*
overcast stitch trawsbwyth *eg* trawsbwythau
overcome difficulties goresgyn anawsterau *be*
overcrowded gorlawn *ans*
overcrowding gorlenwi *be*
overdeepen *v* gorddyfnu *be*
overdeepened gorddwfn *ans*
overdose dos gormodol *eg* dosiau gormodol
overdraft gorddrafft *eg* gorddrafftiau
overdress ffrog diwnig *eb* ffrogiau tiwnig
overestimate *n* goramcangyfrif *eg* goramcangyfrifon
overestimate *v* goramcangyfrif *be*
overflow *n* gorlif *eg* gorlifydd
overflow *v* gorlifo *be*
overflow bit did gorlif *eg* didau gorlif

---

adf, adv adferf, *adverb* *ans, adj* ansoddair, *adjective* *be* berf, *verb* *eb* enw benywaidd, *feminine noun* *eg* enw gwrywaidd, *masculine noun*

overflow channel sianel orlif *eb* sianeli gorlif

overfold trosblyg *eg* trosblygion

overfolded seam sêm orlap *eb* semau gorlap

overglaze *n* troswydryn *eg* troswydrau

overglaze *v* troswydro *be*

overhand knot cwlwm tros law *eg* clymau tros law

overhang *v* bargodi *be*

overhanging cave ogof ordo *eb* ogofau gordo

overhanging window ffenestr fargod *eb* ffenestri bargod

overhaul atgyweirio *be*

overhead uwchben *adf*

overhead projector taflunydd dros ysgwydd *eg* taflunwyr dros ysgwydd

overhead valve falf uwchben *eb* falfiau uwchben

overhead wires gwifrau uwchben *ell*

overheads (in finance) gorbenion *ell*

overheat gorboethi *be*

overland trostir *eg*

overlap *n* gorgyffyrddiad *eg* gorgyffyrddion

overlap *v* gorgyffwrdd *be*

overlapped seam sêm drosblyg *eb* semau trosblyg

overlapping top top gorymylol *eg* topiau gorymylol

overlay *n* troshaen *eb* troshaenau

overlay *v* troshaenu *be*

overload gorlwytho *be*

overlord mechdeyrn *eg* mechdeyrnedd

overlordship uwcharglwyddiaeth *eb* uwcharglwyddiaethau

overlying rock craig orchudd *eb* creigiau gorchudd

overmanning gorgyflogi *be*

overpainting trosbeintio *be*

overpopulate gorboblogi *be*

overpopulation gorboblogaeth *eb*

override gwrthwneud *be*

oversecretion gorsecretiad *eg*

overseer goruchwyliwr *eg* goruchwylwyr

oversew amylu *be*

oversew stitch pwyth amylu *eg* pwythau amylu

overshot casting castin gorymyl *eg* castinau gorymyl

overshot wheel rhod uwchredol *eb* rhodau uwchredol

overspill *n* gorlif *eg* gorlifogydd

overspill *v* gorlifo *be*

oversubscribe gordanysgifio *be*

overswing (bent arm) tros swing *eb* tros swingiau

overswing (long arm) tros swing freichsyth *eb* tros swingiau breichsyth

overtake goddiweddyd *be*

overtighten gordynhau *be*

overtime goramser *eg*

overtone uwchdon *eb* uwchdonau

overtraining gorhyfforddi *be*

overture agorawd *eb* agorawdau

overtype *n* trosdeipiad *eg* trosdeipiadau

overtype *v* trosdeipio *be*

overutilize gorddefnyddio *be*

overview golwg cyffredinol *eg*

overweight *n* gorbwysedd *eg*

overweight *adj* dros bwysau *ans*

overwrap troslap *eg* troslapiau

overwrite trosysgrifo *be*

oviduct dwythell wyau *eb* dwythellau wyau

oviparous dodwyol *ans*

ovipositor wyddodydd *eg* wyddodyddion

ovolo ofolo *eg* ofoli

ovolo moulding mowldin ofolo *eg* mowldinau ofolo

ovolo plane plaen ofolo *eg* plaeniau ofolo

ovulate ofylu *be*

ovulation ofwliad *eg*

ovule ofwl *eg* ofwlau

ovum ofwm *eg* ofa

Owenism Oweniaeth *eb*

Owenite *adj* Owenaidd *ans*

Owenite *n* Owenydd *eg* Owenwyr

owner perchennog *eg* perchenogion

owner occupier perchennog preswyl *eg* perchenogion preswyl

ownership perchenogaeth *eb*

ox bow lake ystumllyn *eg* ystumllynnoedd

ox-blend blew ych *eg*

ox-blend brush brwsh blew ych *eg* brwshys blew ych

ox-ear hair brush brwsh blew clust ych *eg* brwshys blew clust ych

ox-gall bustl ych *eg*

ox-hair brush brwsh blew ych *eg* brwshys blew ych

oxalic acid asid ocsalig *eg*

oxidant ocsidydd *eg* ocsidyddion

oxidation ocsidiad *eg* ocsidiadau

oxidation number rhif ocsidiad *eg*

oxidation of fuels ocsidio tanwyddau *be*

oxidation state cyflwr ocsidiad *eg*

oxidative phosphorylation ffosfforyleiddiad ocsidiol *eg*

oxide ocsid *eg* ocsidau

oxidization ocsideiddiad *eg* ocsideiddiadau

oxidize ocsidio *be*

oxidized ocsidiedig *ans*

oxidizing agent ocsidydd *eg* ocsidyddion

oxidizing bleach cannydd ocsidio *eg*

oxy-acetylene ocsi-asetylen *eg*

oxy-acetylene welding weldio ocsi-asetylen *be*

oxygen (O) ocsigen *eg*

oxygen converter furnace ffwrnais drawsnewidydd ocsigen *eb* ffwrneisi trawsnewidydd ocsigen

oxygen debt dyled ocsigen *eb*

oxygen therapy therapi ocsigen *eg*

oxygenate ocsigenu *be*

oxygenated blood gwaed ocsigenedig *eg*

oxygenation ocsigeniad *eg*

oxyhaemoglobin ocsihaemoglobin *eg*

oxytocin ocsitosin *eg*

ozone oson *eg*

ozone layer haen oson *eb*

ozonolysis osonolysis *eg*

P

P.B. silimanite silimanit P.B. *eg*
P.C.R. (pitch circle radius) radiws pitsh cylch *eg*
p-n junction cyswllt p-n *eg* cysylltau p-n
pace (of lesson) rhediad (gwers) *eg*
pacemaker (for heart) rheoliadur *eg* rheoliaduron
pacification heddychiad *eg*
pacifism heddychiaeth *eb*
pacifist heddychwr *eg* heddychwyr
pacify heddychu *be*
Pacinian corpuscle corffilyn Pacini *eg*

pack *n* pac *eg* paciau
pack *v* pacio *be*
pack animal anifail pwn *eg* anifeiliaid pwn
pack ice pacrew *eg*
pack-horse pynfarch *eg* pynfeirch

package pac *eg* paciau
package *n* pecyn *eg* pecynnau

packaging defnydd pacio *eg*
packed paciedig *ans*
packet pecyn *eg* pecynnau
packet port pacedborth *eg* pacedbyrth
packet steamer pacedlong *eb* pacedlongau
packet switching switsio pecynnau *be*
packet switching network rhwydwaith switsio pecynnau
  eg

packing *n* pacin *eg*
packing *v* pacio *be*

packing density dwysedd pacio *eg* dwyseddau pacio
packing waste gwastraff pacio *eg*
pact cytundeb *eg* cytundebau
Pact of Steel Cytundeb Dur *eg*

pad *n* pad *eg* padiau
pad *v* padio *be*

pad saw llif dwll clo *eb* llifiau twll clo
pad stitch pwyth pad *eg* pwythau pad
padding padin *eg*
padding stitch pwyth padio *eg* pwythau padio

paddle rhodlen *eb* rhodlenni
paddle *n* padl *eb* padlau
paddle *v* padlo *be*

paddle firm *v* padlo'n gadarn *be*
paddle light *v* padlo'n araf *be*
paddle steamer rhodlong *eb* rhodlongau
paddock padog *eg* padogau
paddy field cae padi *eg* caeau padi
padlock clo clwt *eg* cloeon clwt

paediatrician paediatregydd *eg* paediatregwyr
paediatrics paediatreg *eb*
page *n* tudalen *eg/b* tudalennau
page *v* tudalennu *be*
page boundary ffin tudalen *eb* ffiniau tudalen
page break toriad tudalen *eg* toriadau tudalen
page fault gwall tudalen *eg* gwallau tudalen
page lines canllawiau *ell*
page setup cysodi tudalen *be*
page swap cyfnewidiad tudalen *eg* cyfnewidiadau tudalen
pageant pasiant *eg* pasiantau
pageantry pasiantri *eg*
paged tudalennog *ans*
paginate tudalennu *be*
pagination tudaleniad *eg*
pagoda pagoda *eg* pagodau
pain poen *eg/b* poenau
pain receptor derbynnydd poen *eg* derbynyddion poen
painful poenus *ans*
painkiller cyffur lleddfu poen *eg*

paint *n* paent *eg* paentiau
paint *v* peintio *be*

paint brush brwsh paent *eg* brwshys paent
paint finish gorffeniad paent *eg* gorffeniadau paent
paint remover tynnwr paent *eg* tynwyr paent
paint solvent hydoddydd paent *eg* hydoddyddion paent
painted resist gwrthydd wedi'i baentio *eg* gwrthyddion
  wedi'u paentio

painter (of house etc) peintiwr *eg* peintwyr
painter (of pictures) arlunydd *eg* arlunwyr
painter (=rope) rhaff glymu *eb* rhaffau clymu

painting (of process or art) peintio *be*
painting (=painted picture) paentiad *eg* paentiadau

painting brush brwsh peintio *eg* brwshys peintio
painting knife cyllell beintio *eb* cyllyll peintio
painting medium cyfrwng peintio *eg* cyfryngau peintio
paintwork peintwaith *eg*

pair *n* pâr *eg* parau
pair *v* paru *be*

pair activities gweithgareddau mewn parau *ell*
paired fins esgyll paredig *ell*
paired reading darllen mewn pâr *be*
paired terraces cerlannau cyfatebol *ell*
pairing pariad *eg* pariadau
pairing (weaving with two canes) gwau â dwy wialen *be*
palaeography palaeograffeg *eb*
palaeolithic palaeolithig *ans*

palaeontology palaeontoleg *eb*
palate taflod *eb* taflodau
Palatine Earl Iarll Palatin *eg*
Palatine of the Rhine Etholaeth Balatin y Rhein *eb*

pale (in general) gwelw *ans*
Pale (Ireland) Rhanbarth Seisnig *eg*
pale (of colour) golau *ans*

pale cadmium yellow melyn cadmiwm golau *eg*
pale chrome yellow melyn crôm golau *eg*
pale colour lliw golau *eg* lliwiau golau
pale lemon yellow melyn lemwn golau *eg*
pale yellow (enamelling colour) melyn golau *eg*
Palestine Liberation Organization Mudiad Rhyddid
   Palesteina *eg*
palette palet *eg* paletau
palette knife cyllell balet *eb* cyllyll palet
palindrome palindrom *eg* palindromau
paling ffens bolion *eb* ffensys polion
palisade palisâd *eg* palisadau
palisade cell cell balis *eb* celloedd palis
palisade layer haen balis *eb* haenau palis
pall cochl *eg* cochlau
palladium (Pd) paladiwm *eg*
palliative care gofal lliniarol *eg*
pallid llwydaidd *ans*
pallium paliwm *eg* palia
palm (of anchor) palf *eb* palfau
palm (of hand) cledr (llaw) *eb* cledrau (dwylo)
palm (tree) palmwydden *eb* palmwydd
palm kernel cnewyllyn palmwydd *eg* cnewyll palmwydd
Palm Sunday Sul y Blodau *eg*
palmer palmwr *eg* palmwyr
palmtop (computer) cledriadur *eg* cledriaduron
palp palp *eg* palpiau
palpation teimlad cyffyrddol *eg* teimladau cyffyrddol
palpitation crychguriad *eg* crychguriadau
palpus palpws *eg* palpysau
palstave palstaf *eg* palstafau
pampas paith *eg* peithiau
pamphleteer pamffledwr *eg* pamffledwyr
pamphleteering pamffledu *be*
pan (=substratum of soil) cletir clai *eg* cletiroedd clai
pan (=vessel) padell *eb* pedyll
pan sensor ring alch hydeiml *eb* eilch hydeiml
pan-head rivet rhybed penpan *eg* rhybedion penpan
panchromatic pancromatig *ans*
pancreas pancreas *eg*
pancreatic duct dwythell bancreatig *eb* dwythelli
   pancreatig
pane (of glass) cwarel *eg* cwarelau
panel panel *eg* paneli
panel construction adeiladwaith panel *eg*
panel gauge medrydd panel *eg* medryddion panel
panel materials defnyddiau panel *ell*
panel of assessors panel o aseswyr *eg* paneli o aseswyr
panel pin pin panel *eg* pinnau panel

panel saw llif banel *eb* llifiau panel
panelled door drws panelog *eg* drysau panelog
panelled skirt sgert baneli *eb* sgertiau paneli
panhandle estynwlad *eb* estynwledydd
panicle panigl *eg* paniglau
paning hammer morthwyl twcio *eg* morthwylion twcio
pannage mesobr *eg* mesobrau
panorama panorama *eg* panoramâu
panoramic panoramig *ans*
panpipes pibau Pan *ell*
panplain llifwastadedd *eg* llifwastadeddau
panplanation llifwastadiant *eg*
panslavism panslafiaeth *eb*
pant dyhefod *be*
pantile teilsen grom *eb* teils crwm
pantler pantler *eg* pantleriaid
pantograph pantograff *eg* pantograffau
pantomime pantomeim *eg* pantomeimau
pantonal pangyweiraidd *ans*
pantonality pangyweiredd *eg*
pants pants *ell*
papacy pabaeth *eb* pabaethau
papal pabaidd *ans*
papal consistory consistori'r pab *eg*
papal legate legad y pab *eg* legadau'r pab
papal notary notari'r Pab *eg* notarïau'r Pab
Papal Schism Sgism y Babaeth *eg*
Papal States Tiroedd y Babaeth *ell*

paper *n* papur *eg* papurau
paper *v* papuro *be*

paper back clawr papur *eg* cloriau papur
paper backed hessian hesian cefn papur *eg*
paper binding rhwymyn papur *eg* rhwymynnau papur
paper case cas papur *eg* casys papur
paper circle cylch papur *eg* cylchoedd papur
paper clip clip papur *eg* clipiau papur
paper cone côn papur *eg* conau papur
paper disc disg papur *eg* disgiau papur
paper fastener pìn clymu papur *eg* pinnau clymu papur
paper figure ffigur papur *eg* ffigurau papur
paper layer head pen haenau papur *eg* pennau haenau
   papur
paper low condition cyflwr papur isel *eg*
paper model model papur *eg* modelau papur
paper money arian papur *eg*
paper mosaic mosaig papur *eg*
paper plate plât papur *eg* platiau papur
paper pulp mwydion papur *eg*
paper shapes ffurfiau papur *ell*
paper sizes meintiau papur *ell*
paper tape tâp papur *eg* tapiau papur
paper tape reader darllenydd tâp papur *eg* darllenyddion
   tâp papur
paper varnish farnais papur *eg* farneisiau papur
paper-back edition argraffiad clawr papur *eg* argraffiadau
   clawr papur
papier mâché mwydion papur *ell*

papilla papila *eg* papilau
papillary papilaidd *ans*
papilliform papiliffurf *ans*

papist *adj* pabyddol *ans*
papist *n* pabydd *eg* pabyddion

pappus papws *eg*
papyrus papurfrwyn *ell*
par (=full value) llawn werth *eg*
parable dameg *eb* damhegion
parabola parabola *eg* parabolâu
parabolic curve cromlin barabolig *eb* cromliniau parabolig
parabolical parabolig *ans*
paraboloid paraboloid *eg* paraboloidau
parachute parasiwt *eg* parasiwtau
paraclete diddanydd *eg*
parade parêd *eg* paredau
paradise paradwys *eb*
paradox paradocs *eg* paradocsau
paraesthesia pigau mân *ell*
paraffin paraffin *eg*
paraffin wax cwyr paraffin *eg*

paragraph *n* paragraff *eg* paragraffau
paragraph *v* paragraffu *be*

paragraph break toriad paragraff *eg* toriadau paragraffau
parallax paralacs *eg* paralacsau

parallel *n* paralel *eg* paralelau
parallel (in art and technology) *adj* cyflin *ans*
parallel (in general and in music) *adj* cyfochrog *ans*
parallel (in geometry and electronics) *adj* paralel *ans*

parallel adder adydd paralel *eg* adyddion paralel
parallel bars barrau cyflin *ell*
parallel circuit cylched baralel *eb* cylchedau paralel
parallel consecutive eighths wythfedau dilynol *ell*
parallel consecutive fifths pumedau dilynol *ell*
parallel edges ymylon paralel *ell*
parallel fifths and octaves pumedau ac wythfedau cyfochrog
parallel gutter cafn cyflin *eg* cafnau cyflin
parallel jaw vice feis safnau paralel *eb* feisiau safnau paralel
parallel key allwedd baralel *eb* allweddi paralel
parallel motion mudiant paralel *eg*
parallel nailing hoelio cyflin *be*
parallel octaves wythfedau cyfochrog *ell*
parallel of latitude paralel lledred *eg* paralelau lledred
parallel port porth paralel *eg* pyrth paralel
parallel printer argraffydd paralel *eg* argraffyddion paralel
parallel processing prosesu paralel *be*
parallel punch pwnsh paralel *eg* pynsiau paralel
parallel reamer agorell baralel *eb* agorellau paralel
parallel resistances gwrthiannau paralel *ell*
parallel resonant circuit cylched gysain baralel *eb* cylchedau cysain paralel
parallel shank garan baralel *eb* garanau paralel
parallel sides ochrau paralel *ell*
parallel transmission trawsyriant paralel *eg*
parallel turning turnio cyflin *be*

parallelepiped paralelepiped *eg* paralelepipedau
parallelism cyfochredd *eg*
parallelogram paralelogram *eg* paralelogramau
paralyse parlysu *be*
paralysis parlys *eg* parlysau
paramagnetism paramagnetedd *eg*
paramedic parafeddyg *eg* parafeddygon
parameter paramedr *eg* paramedrau
parametric paramedrig *ans*
parapet (of bridge) canllaw (pont) *eg* canllawiau (pont)
parapet (of castle) rhagfur (castell) *eg* rhagfuriau
parapet roof to erchwyn *eg* toeon erchwyn
paraphrase aralleirio *be*
parapodium parapodiwm *eg* parapodia
parasite parasit *eg* parasitiaid
parasitic parasitig *ans*
parasitic cone côn parasitig *eg* conau parasitig
parasitism parasitedd *eg*
parathyroid parathyroid *eg* parathyroidau
paratroops awyrfilwyr *ell*
paraxial parechelin *ans*
parched cras *ans*
parchment memrwn *eg* memrynau
parchment lace ymylun memrwn *eg* ymyluniau memrwn
pardon pardwn *eg*
pardoned soul enaid rhydd *eg* eneidiau rhydd
pardoner pardynwr *eg* pardynwyr
parenchyma parencyma *eg*
parent rhiant *eg* rhieni
parent association cymdeithas rhieni *eb* cymdeithasau rhieni
parent counselling cynghori rhieni *be*
parent craft crefft magu plant *eb*
parent element (radiation) elfen wreiddiol *eb*
parent isotope isotop gwreiddiol *eg*
parent population poblogaeth gysefin *eb*
parent rock mamgraig *eb* mamgreigiau
parent-teacher association cymdeithas rhieni athrawon *eb* cymdeithasau rhieni athrawon
parental care gofal rhieni *eg*
parental characteristics nodweddion rhieni *ell*
parental choice dewis i rieni *eg*
parental influence dylanwad rhieni *eg*
parentheses ( ) cromfachau *ell*
parenthesis parenthesis *eg* parenthesisau
parent's charter siarter rhieni *eg* siarterau rhieni
parent's night noson rieni *eb* nosweithiau rhieni
parietal parwydol *ans*
parietal cell cell barwydol *eb* celloedd parwydol
paring naddu *be*
paring chisel cŷn hir *eg* cynion hir
paring gouge gaing gau hir *eb* geingiau cau hir
paring knife cyllell blicio *eb* cyllyll plicio
Paris binding rhwymyn Paris *eg* rhwymynnau Paris
parish plwyf *eg* plwyfi
parish church eglwys blwyf *eb* eglwysi plwyf
parish relief cymorth plwyf *eg*

---

adf, adv adferf, *adverb*   *ans, adj* ansoddair, *adjective*   *be* berf, *verb*   *eb* enw benywaidd, *feminine noun*   *eg* enw gwrywaidd, *masculine noun*

parishioner plwyfolyn *eg* plwyfolion

parity (in physics) paredd *eg* pareddau

parity (of status etc) cydraddoldeb *eg*

parity bit did paredd *eg* didau paredd

parity check prawf paredd *eg* profion paredd

park parc *eg* parciau

park or ornamental grounds parc neu erddi addurnol

parkland parcdir *eg* parcdiroedd

parkland avenue rhodfa parcdir *eb* rhodfeydd parcdir

parley cyd-drafod *be*

parliament senedd *eb* seneddau

Parliament Act Deddf y Senedd *eb*

parliamentarian seneddwr *eg* seneddwyr

parliamentary seneddol *ans*

parliamentary reform diwygio seneddol *eg*

Parliamentary Reform Act Deddf Diwygio'r Senedd *eb*

parochial plwyfol *ans*

parquet parquet *eg*

parquet floor llawr parquet *eg* lloriau parquet

parry pario *be*

parry by detachment pario drwy ysgaru *be*

parry by opposition pario drwy wrthwynebu *be*

parse dosrannu *be*

parsing dosrannol *ans*

parsonage persondy *eg* persondai

part (=component, piece) darn *eg* darnau

part (in general) rhan *eb* rhannau

part book rhanlyfr *eg* rhanlyfrau

part front elevation rhan flaenolwg *eb* rhannau blaenolwg

part time teacher (female) athrawes ran amser *eb* athrawesau rhan amser

part time teacher (male) athro rhan amser *eg* athrawon rhan amser

part view rhanolwg *eg/b* rhanolygon

part-section rhandrychiad *eg* rhandrychiadau

part-sectional rhandrychiadol *ans*

part-sectional elevation golwg rhandrychiadol *eg*

part-sectional plan uwcholwg rhandrychiadol *eg*

part-sectional view golwg rhandrychiadol *eg*

part-time rhan amser *ans*

part-time education addysg ran amser *eb*

part-time labour llafur rhan amser *eg*

partial rhannol *ans*

partial carry cario rhannol *ans*

partial conversion trawsnewid rhannol *eg*

partial correlation cydberthyniad rhannol *eg*

partial differentiation differu rhannol *be*

partial fractions ffracsiynau rhannol *ell*

partial heating gwres rhannol *eg*

partial pressure gwasgedd rhannol *eg*

partially blind rhannol ddall *ans*

partially colour blind rhannol ddall i liwiau *ans*

partially completed rhannol orffenedig *ans*

partially deaf rhannol fyddar *ans*

partially miscible yn rhannol gymysgadwy *adf*

partible inheritance etifeddiaeth gyfrannol *eb*

participant cyfranogwr *eg* cyfranogwyr

participate cymryd rhan *be*

participation cyfranogiad *eg*

particle gronyn *eg* gronynnau

particle board bwrdd gronynnau *eg* byrddau gronynnau

particle-particle description disgrifiad gronyn-gronyn *eg*

particular *adj* neilltuol *ans*

particular *n* integryn *eg* integrynnau

particular direction cyfeiriad penodol *eg* cyfeiriadau penodol

particular integral integryn neilltuol *eg* integrynnau neilltuol

particular matter mater penodol *eg* materion penodol

particular modelling technique techneg fodelu benodol *eb* technegau modelu penodol

particularism neilltuaeth daleithiol *eb*

particulate gronynnol *ans*

particulate inheritance etifeddiad gronynnol *eg*

parting *n* rhaniad *eg* rhaniadau

parting *v* rhannu *be*

parting (of lathe tools) partio *be*

parting bead glain rhannu *eg* gleiniau rhannu

parting off partio *be*

parting off tool erfyn partio *eg* offer partio

parting powder powdr partio *eg*

parting sand tywod partio *eg*

partisan partisan *eg* partisaniaid

partisanship pleidgarwch *eg*

partita partita *eg* partitâu

partition (in mathematics) *n* dosraniad *eg* dosraniadau

partition (in mathematics) *v* dosrannu *be*

partition (of land etc) *n* rhaniad *eg* rhaniadau

partition (of structure) *n* pared *eg* parwydydd

partition aspect (of division) agwedd dosraniad *eb*

partition chromatography cromatograffaeth ddosrannol *eb*

partition coefficient cyfernod dosrannu *eg* cyfernodau dosrannu

partition function ffwythiant dosraniad *eg*

partition treaty cytundeb rhannu *eg* cytundebau rhannu

partition wall pared *eg* parwydydd

partly completed rhannol orffenedig *ans*

partly paid *(with feminine nouns)* wedi'i thalu'n rhannol *ans* wedi'u talu'n rhannol

partly paid *(with masculine nouns)* wedi'i dalu'n rhannol *ans* wedi'u talu'n rhannol

partner partner *eg* partneriaid

partner dance partner dawns *eg* partneriaid dawns

parts list rhestr ddarnau *eb* rhestri darnau

parts of a frame rhannau ffrâm *ell*

parts of file rhannau ffeil *ell*

parts of plane rhannau plaen *ell*

parturition esgoriad *eg* esgoriadau

party plaid *eb* pleidiau

pasodoble pasodoble *eg* dawnsiau pasodoble

---

eg/b enw gwrywaidd/benywaidd, *feminine/masculine noun*   **ell** enw lluosog, *plural noun*   **v** berf, *verb*   **n** enw, *noun*

pass *v* pasio *be*

pass (in mountains) *n* bwlch *eg* bylchau

pass (in sport) *n* pàs *eg/b* pasiau

pass (=ticket or permit) *n* trwydded *eb* trwyddedau

pass back pàs am nôl *eb* pasiau am nôl

pass laws (South Africa) deddfau trwydded (De Affrica) *ell*

pass mark marc pasio *eg* marciau pasio

pass slip stitch over (p.s.s.o) pwyth dros bwyth

pass the ball pasio'r bêl *be*

passacaglia passacaglia *eg* passacaglie

passage (=journey) taith *eb* teithiau

passage (=route) tramwyfa *eb* tramwyfeydd

passage grave bedd cyntedd *eg* beddau cyntedd

passing note nodyn camu *eg* nodau camu

passing of time treigl amser *eg*

Passion Dioddefaint *eg*

Passion music cerddoriaeth Y Dioddefaint *eb*

passive goddefol *ans*

passive comprehension dealltwriaeth oddefol *eb*

passive flux fflwcs goddefol *eg* fflycsau goddefol

passive immunity imiwnedd goddefol *eg*

passive learning dysgu goddefol *be*

passive resistance gwrthwynebiad didrais *eg*

passive transport cludiant goddefol *eg*

passive vocabulary geirfa oddefol *eb*

passivity goddefedd *eg*

Passover Pasg Iddewig *eg*

password cyfrinair *eg* cyfrineiriau

paste *n* past *eg* pastau

paste (in computing) *v* gludo *be*

paste (wallpaper) *v* pastio *be*

paste brush brwsh past *eg* brwshys past

paste colour lliw past *eg* lliwiau past

paste colourant lliwydd past *eg* lliwyddion past

paste combing cribo past *be*

paste filler llenwad past *eg*

paste flux fflwcs past *eg* fflycsau past

paste powder powdr past *eg*

paste spreader lledaenydd past *eg* lledaenwyr past

pastel pastel *eg* pasteli

pastel fixative sefydlyn pastel *eg*

Pasteur effect effaith Pasteur *eb*

pasteurization pasteureiddiad *eg*

pasteurize pasteureiddio *be*

pastiche pastiche *eg* pastiches

pastime adloniant *eg* adloniannau

pastor (of church) gweinidog *eg* gweinidogion

pastoral *adj* bugeiliol *ans*

pastoral care gofal bugeiliol *eg*

pastoral curriculum cwricwlwm bugeiliol *eg*

pastoral farming ffermio bugeiliol *be*

pastoral symphony symffoni fugeiliol *eb*

pastoral tutor tiwtor bugeiliol *eg* tiwtoriaid bugeiliol

pastoralism bugeilyddiaeth *eb*

pastry board bwrdd crwst *eg* byrddau crwst

pasture porfa *eb* porfeydd

pasty (of soil) pastog *ans*

pat bounce tampio *be*

pat dry sychu'n dyner *be*

patch *n* clwt *eg* clytiau

patch *v* clytio *be*

patch pocket poced glwt *eb* pocedi clwt

patchwork clytwaith *eg* clytweithiau

patchy grass glaswellt clytiog *eg*

patella padell pen-glin *eb*

patellar padellog *ans*

patent fee ffi batent *eb* ffioedd patent

Patent Roll Rhôl Patent *eb* Rholiau Patent

paternal tadol *ans*

paternal chromosome cromosom o du'r tad *eg* cromosomau o du'r tad

paternalism agwedd dadol *eb*

path llwybr *eg* llwybrau

path of reaction llwybr adwaith *eg* llwybrau adwaith

pathname enw llwybr *eg*

pathogen *adj* pathogenaidd *ans*

pathogen *n* pathogen *eg* pathogenau

pathogenic pathogenaidd *ans*

pathological patholegol *ans*

pathologist patholegydd *eg* patholegwyr

pathology patholeg *eb*

pathway llwybr *eg* llwybrau

patient claf *eg* cleifion

patient appliances offer cleifion *ell*

patient satisfaction survey arolwg bodlonrwydd cleifion *eg*

patina (=sheen) patina *eg*

patriarch *adj* patriarchaidd *ans*

patriarch *n* patriarch *eg* patriarchiaid

patriarchy patriarchaeth *eb*

patrician *adj* uchelwrol *ans*

patrician *n* uchelwr (Rhufeinig) *eg*

patrilineal treftadol *ans*

patrimonial state gwladwriaeth dreftadol *eb* gwladwriaethau treftadol

patrimony treftadaeth *eb*

patriot gwladgarwr *eg* gwladgarwyr

patriotic gwlatgar *ans*

patriotism gwladgarwch *eg*

patrol patrôl *eg* patrolau

patron noddwr *eg* noddwyr

patronage nawdd *eg*

patronize noddi *be*

patronymic patronymig *ans*

patter song cân barablu *eb* caneuon parablu

pattern patrwm *eg* patrymau

pattern (in dance) ffigur *eg/b* ffigurau

pattern design *n* cynllun patrymol *eg* cynlluniau patrymol

pattern design *v* cynllunio patrymol *be*

pattern designer dylunydd patrymau *eg*

---

pattern layout cynllun gosod patrwm *eg* cynlluniau gosod patrwm

pattern markings marciau patrwm *ell*

pattern material defnydd patrymog *eg* defnyddiau patrymog

pattern of behaviour patrwm ymddygiad *eg* patrymau ymddygiad

pattern of economic activity patrwm o weithgarwch economaidd *eg* patrymau o weithgarwch economaidd

pattern piece darn patrwm *eg* darnau patrwm

patterned patrymog *ans*

patterned paper papur patrymog *eg* papurau patrymog

patterned surface arwyneb patrymog *eg* arwynebau patrymog

patterned weave gwehyddiad patrymog *eg* gwehyddiadau patrymog

patting patio *be*

Paulinus Pawl Hen *eg*

pauper tlotyn *eg* tlodion

pause (in general) saib *eg* seibiau

pause (sign in music) daliant *eg* daliannau

pavane pavane *eg* pavanes

pavement palmant *eg* palmentydd

pavement epithelium epitheliwm palmantaidd *eg*

pavilion pafiliwn *eg* pafiliynau

paw foot troed bawen *eb* traed pawen

pawl pawl *eg* polion

pawl and ratchet mechanism mecanwaith pawl a chlicied *eg*

pawn gwystlo *be*

pawnbroker gwystlwr *eg* gwystlwyr

pay *n* cyflog *eg*/*b* cyflogau

pay *v* talu *be*

pay attention rhoi sylw *be*

pay-slip slip cyflog *eg* slipiau cyflog

payable taladwy *ans*

PAYE Talu wrth Ennill *be*

payment tâl *eg* taliadau

payment on account tâl ar gyfrif *eg*

payment slip taleb *eb* talebau

Payne's blue glas Payne *eg*

Payne's grey llwyd Payne *eg*

payroll rhestr gyflogau *eb* rhestri cyflogau

payroll system system gyflogau *eb* systemau cyflogau

paysage (landscape) tirlun *eg* tirluniau

peace (in general) heddwch *eg*

peace (of God) tangnefedd *eg*

peace treaty cytundeb heddwch *eg* cytundebau heddwch

peaceable army byddin heddychlon *eb* byddinoedd heddychlon

peaceful co-existence cyd-fyw heddychlon *be*

peacemaker cymodwr *eg* cymodwyr

peak (=highest point in a curve / graph etc) brig *eg*

peak (of mountain) copa *eg* copaon

peak (=pointed part) pigyn *eg* pigynnau

peak (=time of greatest success) anterth *eg*

peak current cerrynt brig *eg*

peak demand galw brig *eg* galwadau brig

peak flow rate cyfradd anterth llif *eb*

peak hour awr frig *eb* oriau brig

peak input volts (piv) foltiau mewnbwn brig *ell*

peak period traffic trafnidiaeth oriau brig *eb*

peak population poblogaeth frig *eb*

peak value brigwerth *eg* brigwerthoedd

peak value intersection croestoriad uchafwerth *eg* croestoriadau uchafwerth

peak writing ysgrifennu uchafbwynt *be*

peanuts cnau mwnci *ell*

pearl barley haidd gwyn *eg*

pearl button botwm perl *eg* botymau perl

pearl glue glud perl *eg* gludion perl

pearl lamp lamp berl *eb* lampau perl

pearlite perlit *eg*

peasant gwerinwr *eg* gwerinwyr

peasantry gwerin wledig *eb*

Peasants' Revolt Gwrthryfel y Werin *eg*

Peasants' War Rhyfel y Werin *eg*

peat mawn *eg*

peat bog mawnog *eb* mawnogydd

peat hag torlan fawn *eb* torlannau mawn

pebble cerigyn *eg* cerigos

pebble dash gro chwipio *eg*

pectic acid asid pectig *eg*

pectoral fin asgell bectoral *eb* esgyll pectoral

pectoral girdle gwregys pectoral *eg* gwregysau pectoral

pedal *n* pedal *eg* pedalau

pedal *v* pedalu *be*

pedal harp telyn bedal *eb* telynau pedal

pedal loom gwŷdd pedal *eg* gwyddion pedal

pedal notch rhic pedal *eg* rhiciau pedal

pedal position safle'r pedal *eg* safle'r pedalau

pedestal pedestal *eg* pedestalau

pedestal drill dril pedestal *eg* driliau pedestal

pedestal drilling machine peiriant drilio pedestal *eg* peiriannau drilio pedestal

pedestal grinder llifanydd pedestal *eg* llifanwyr pedestal

pedestal rock craig gynnal *eb* creigiau cynnal

pedestrian cerddwr *eg* cerddwyr

pedestrian crossing croesfan gerddwyr *eb* croesfannau cerddwyr

pedicle pedicl *eg* pediclau

pedicel pedicel *eg* pedicelau

pedigree tras *eb* trasau

pedigree stock stoc o dras *eb* stociau o dras

pediment pediment *eg* pedimentau

pediplain pediplan *eg* pediplanau

pediplanation pediplaniant *eg*

pedological priddegol *ans*

pedology priddeg *eb*

peduncle pedwncl *eg* pedynclau

pedunculate pedynclaidd *ans*

peel (from block) pilio *be*

peeling pilio *be*

---

peeling movement (in sport) ôl-redeg *be*

peen pig morthwyl *eg* pigau morthwylion

peen end hammer morthwyl pigfain *eg* morthwylion pigfain

peer (=contemporary) cyfoed *eg* cyfoedion

peer (=lord) arglwydd *eg* arglwyddi

peer group grŵp cyfoedion *eg* grwpiau cyfoedion

peerage arglwyddi'r deyrnas *ell*

peg *n* peg *eg* pegiau

peg *v* pegio *be*

peg box blwchebill *eg* blychau ebill

pegged tenon tyno wedi'i begio *eg* tynoau wedi'u pegio

Pekingese stitch pwyth Pekin *eg* pwythau Pekin

pelagic eigionol *ans*

pelagic fishing pysgota'r wyneb *be*

pellagra pelagra *eg*

pellet pelen *eb* pelenni

pellicle pelicl *eg* peliclau

pelmet pelmet *eg* pelmetau

pelvic pelfig *ans*

pelvic cavity ceudod pelfig *eg*

pelvic girdle gwregys pelfig *eg* gwregysau pelfig

pelvis pelfis *eg* pelfisau

pen (for writing) ysgrifbin *eg* ysgrifbinnau

pen and ink pen ac inc

pen and wash pen a golchiad

pen lettering llythrennu pen *be*

Penal Code Cod Penyd *eg*

penal laws deddfau cosbi *ell*

penal reform diwygio'r deddfau cosbi *be*

penal system trefn gosbi *eb*

penalize cosbi *be*

penalty cosb *eb* cosbau

penalty (shot) bwli cosb *eg*

penalty area cwrt cosbi *eg* cyrtiau cosbi

penalty box blwch cosbi *eg* blychau cosbi

penalty bully bwli cosb *eg* bwlïau cosb

penalty corner cornel gosb *eb* corneli cosb

penalty goal gôl gosb *eb* goliau cosb

penalty kick cic gosb *eb* ciciau cosb

penalty pass pàs gosb *eb* pasiau cosb

penalty spot smotyn gwyn *eg*

penalty try cais cosb *eg* ceisiau cosb

penance penyd *eg* penydiau

pencil pensil *eg* pensiliau

pencil bit haearn sodro pensil *eg*

pencil gauge medrydd pensil *eg* medryddion pensil

pencil sharpener miniwr *eg* minwyr

pencil slim skirt sgert gul *eb* sgertiau cul

pendant *adj* crog *ans*

pendant *n* tlws crog *eg*

pendant light golau crog *eg* goleuadau crog

pendulum pendil *eg* pendiliau

peneplanation lledwastadiad *eg* lledwastadiadau

penetrable treiddadwy *ans*

penetrance (genetic) treiddiad *eg*

penetrate treiddio *be*

penetrating treiddiol *ans*

penetrating powers pwerau treiddio *ell*

penetration treiddiad *eg* treiddiadau

penicillin penisilin *eg*

penillion (cerdd dant) penillion *ell*

penillion singer canwr penillion *eg* cantorion penillion

peninsula gorynys *eb* gorynysoedd

peninsular India India orynysol *eb*

penis pidyn *eg* pidynnau

penmanship crefft ysgrifennu *eb*

Penny Black stamp du ceiniog *eg* stampiau du ceiniog

penny post post ceiniog *eg*

penny rate treth geiniog *eb*

pension pensiwn *eg* pensiynau

pensioner pensiynwr *eg* pensiynwyr

pentadecagon pentadecagon *eg* pentadecagonau

pentagon pentagon *eg* pentagonau

pentagonal pentagonol *ans*

pentagonal pyramid pyramid pentagonol *eg* pyramidiau pentagonol

pentagram pentagram *eg* pentagramau

pentatonic pentatonig *ans*

pentatonic scale graddfa bentatonig *eb* graddfeydd pentatonig

Pentecost Pentecost *eg*

Pentecostal *adj* Pentecostalaidd *ans*

Pentecostal *n* Pentecostal *ans* Pentecostaliaid

penthouse penty *eg* pentai

pentomino pentomino *eg* pentominos

pentose pentos *eg*

pentosuria pentoswria *eg*

penumbra penwmbra *eg* penwmbrâu

People's Charter Siarter y Bobl *eg*

peplum peplwm *eg*

pepper-pot pot pupur *eg* potiau pupur

peptide peptid *eg* peptidau

per capita allowance lwfans y pen *eg*

per capita grant grant y pen *eg*

per cent y cant

per head y pen

perborate perborad *eg*

perborate bleach cannydd perborad *eg*

perceive canfod *be*

percentage canran *eg* canrannau

percentage carbon content canran cynnwys carbon *eg*

percentage composition canran cyfansoddiad *eg*

percentage moisture content canran cynnwys lleithder *eg*

percentage yield arennill y cant *eg*

percentile canradd *eg* canraddau

percentile point pwynt canradd *eg* pwyntiau canradd

percentile ranking safle canraddol *eg*

perception canfyddiad *eg* canfyddiadau

perceptual canfyddiadol *ans*

perceptual difficulty anhawster canfyddiad *eg* anawsterau canfyddiad

---

perch clwyd *eb* clwydi
perched block crogfaen *eg* crogfeini
perched water table lefel trwythiad dŵr clo *eb*
percolate trylifo *be*
percolated coffee coffi percoladur *eg*
percolation trylifiad *eg* trylifiadau
percolator percoladur *eg* percoladuron
percussion trawiad *eg* trawiadau
percussion band band taro *eg* bandiau taro
percussion headed flint callestr daro *eb* cellystr taro
percussion instrument offeryn taro *eg* offerynnau taro
percussion part rhan daro *eb* rhannau taro
percussion section adran daro *eb* adrannau taro
percussive ergydiol *ans*

perennial (figuratively) parhaol *ans*
perennial (in biology) lluosflwydd *ans*

perennial flower blodyn lluosflwydd *eg* blodau lluosflwydd
perfect perffaith *ans*
perfect cadence diweddeb berffaith *eb* diweddebau perffaith
perfect interval cyfwng perffaith *eg* cyfyngau perffaith
perfect pitch traw perffaith *eg*
perfect square sgwâr perffaith *eg* sgwariau perffaith
perforate tyllu *be*
perforated tyllog *ans*
perforated pattern patrwm tyllog *eg* patrymau tyllog
perforating wheel olwyn dyllu *eb* olwynion tyllu
perforation (=hole) twll *eg* tyllau
perforation (on stamp) trydylliad *eg* trydylliadau
perforator tyllydd *eg* tyllyddion
perform perfformio *be*
perform structured tasks perfformio tasgau strwythuredig *be*
performance perfformiad *eg* perfformiadau
performance criteria meini prawf perfformiad *ell*
performance indicator dangosydd perfformiad *eg* dangosyddion perfformiad
performance test prawf perfformiad *eg* profion perfformiad
performer perfformiwr *eg* perfformwyr
perfume *n* persawr *eg* persawrau
perfume *v* persawru *be*
perfuse darlifo *be*
perfusion darlifiad *eg* darlifiadau
peri-operative care gofal yn ystod y llawdriniaeth *eg*
pericardial cavity ceudod pericardiol *eg*
pericardium pericardiwm *eg*
pericline periclin *eg* periclinau
pericycle periseicl *eg*
perigean tide (perigee) llanw perigeaidd *eg* llanwau perigeaidd
perigee perige *eg* perigeau
periglacial ffinrewlifol *ans*
perihelion perihelion *eg* perihelionau
perimeter (in geometry) perimedr *eg* perimedrau
perimeters of simple shapes perimedrau siapiau syml *ell*

perinatal amenedigol *ans*
period cyfnod *eg* cyfnodau
period costume gwisg cyfnod *eb*
period of oscillation cyfnod yr osgiliad *eg*
period play drama gyfnod *eb* dramâu cyfnod
periodic cyfnodol *ans*
periodic changes newidiadau cyfnodol *ell*
periodic table tabl cyfnodol *eg*
periodical cyfnodolyn *eg* cyfnodolion
periodicity cyfnodedd *eg* cyfnodeddau
peripatetic cylchynol *ans*
peripatetic teacher (female) athrawes gylchynol *eg* athrawesau cylchynol
peripatetic teacher (male) athro cylchynol *eg* athrawon cylchynol
peripediment peripediment *eg* peripedimentau
peripheral (in geometry) *adj* amgantol *ans*
peripheral (in geometry) *n* amgantydd *eg* amgantyddion
peripheral (of computer) *adj* perifferol *ans*
peripheral (of computer) *n* perifferolyn *eg* perifferolion
peripheral interface rhyngwyneb perifferol *eg* rhyngwynebau perifferol
peripheral interface adaptor (PIA) addasydd rhyngwyneb perifferol *eg* addasyddion rhyngwyneb perifferol
peripheral interrupt ymyriad perifferol *eg* ymyriadau perifferol
peripheral nervous system system nerfol amgantol *eb*
peripheral speed buanedd amgantol *eg*
periphery perifferi *eg* perifferïau
periphery (in geometry) amgant *eg* amgantau
periscope perisgop *eg* perisgopau
perishable darfodus *ans*
perishable goods nwyddau darfodus *ell*
peristalsis peristalsis *eg*
perithecium peritheciwm *eg*
peritoneal dialysis dialysis peritoneaidd *eg*
perjure tyngu anudon *be*
perjury anudoniaeth *eb*
permafrost rhew parhaol *eg*
permanence sefydlogrwydd *eg*
permanent (in general) parhaol *ans*
permanent (of colour) sefydlog *ans*
permanent colour lliw sefydlog *eg* lliwiau sefydlog
permanent grazing pori parhaol *be*
permanent hardness caledwch parhaol *eg*
permanent joining uno parhaol *be*
permanent joint uniad parhaol *eg* uniadau parhaol
permanent pasture porfa barhaol *eb* porfeydd parhaol
permanent pleating pletio parhaol *be*
permanent press pres parhaol *eg*
permanent tooth dant parhaol *eg* dannedd parhaol
permanently stiffened (finish) cyfnerthu parhaol *be*
permeability athreiddedd *eg* athreiddeddau
permeable athraidd *ans*
Permian Permaidd *ans*
permissible caniataol *ans*

---

eg/b enw gwrywaidd/benywaidd, *feminine/masculine noun*   *ell* enw lluosog, *plural noun*   *v* berf, *verb*   *n* enw, *noun*

permissive goddefol *ans*

permissive legislation deddfwriaeth ganiataol *eb*

permissive society cymdeithas oddefol *eb*

permit *n* caniatâd *eg*

permit *v* caniatáu *be*

permittivity permitifedd *eg* permitifeddau

permittivity of free space permitifedd gofod rhydd *eg*

permutation trynewid *eg* trynewidion

pernicious anaemia anaemia aflesol *eg*

perpendicular *adj* perpendicwlar *ans*

perpendicular *n* perpendicwlar *eg* perpendicwlarau

perpendicular arch bwa perpendicwlar *eg* bwâu perpendicwlar

perpendicular bisector hanerydd perpendicwlar *eg* hanerwyr perpendicwlar

perpendicular distance pellter perpendicwlar *eg*

perpendicular height uchder perpendicwlar *eg*

perpendicular line llinell blwm *eb*

perpetual parhaol *ans*

perpetual edict cyhoeddeb barhaol *eb* cyhoeddebau parhaol

perpetual peace heddwch parhaol *eg*

perpetual variation amrywiad parhaol *eg* amrywiadau parhaol

persecute erlid *eg*

persecution erledigaeth *eb*

perseverance dyfalbarhad *eg*

personal achievement record cofnod cyrhaeddiad personol *eg*

personal belief cred bersonol *eb* credoau personol

personal capability gallu personol *eg*

personal computer cyfrifiadur personol *eg* cyfrifiaduron personol

personal computer disc operating system (PC / DOS) system gweithredu disg cyfrifiadur personol *eb*

personal development datblygiad personol *eg*

personal education addysg bersonol *eb*

personal foul ffowl personol *eg*

personal health iechyd personol *eg*

personal hygiene hylendid personol *eg*

personal information gwybodaeth bersonol *eb*

personal liability atebolrwydd personol *eg*

personal programme rhaglen bersonol *eb* rhaglenni personol

personal record cofnod personol *eg* cofnodion personol

personal reflection myfyrdod personol *eg*

personal space gofod personol *eg*

personal survival goroesiad personol *eg*

personal training schedule amserlen hyfforddiant personol *eb* amserlenni hyfforddiant personol

personal tutor tiwtor personol *eg* tiwtoriaid personol

personality personoliaeth *eb* personoliaethau

personality disorder anhwylder personoliaeth *eg* anhwylderau personoliaeth

personnel personél *eg*

personnel records cofnodion personél *ell*

perspective persbectif *eg* persbectifau

perspective drawing lluniadu mewn persbectif *be*

perspective view golwg persbectif *eg*

perspectivity persbectifedd *eg*

perspex persbecs *eg*

perspex cement sment persbecs *eg*

perspire chwysu *be*

persuasive advertising hysbysebu er perswâd *be*

perturbation aflonyddiad *eg* aflonyddiadau

perturbation theory damcaniaeth aflonyddiad *eb*

pervious hydraidd *ans*

pessary pesari *eg* pesarïau

pest pla *eg* plâu

pesticide plaleiddiad *eg* plaleiddiaid

pestilence haint *eb* heintiau

pestle pestl *eg* pestlau

pestle and mortar pestl a morter; pestlau a morterau

petal petal *eg* petalau

Peter Pan collar coler Peter Pan *eg* coleri Peter Pan

Peter Scot Ceiniogau'r Pab *ell*

Peter the Hermit Pedr Feudwy *eg*

Peter's Pence Ceiniogau Pedr *ell*

petersham petersham *eg*

petiole petiol *eg* petiolau

petition deiseb *eb* deisebau

Petition of Right Deiseb Iawnderau *eb*

Petri dish dysgl Petri *eb* dysglau Petri

petrification pedreiddiad *eg*

petrified forest fforest betraidd *eb* fforestydd petraidd

petrochemical industry diwydiant petrocemegol *eg* diwydiannau petrocemegol

petrol engine peiriant petrol *eg* peiriannau petrol

petroleum petroliwm *eg*

petroleum spirit gwirod petroliwm *eg*

petrology petroleg *eb*

petticoat pais *eb* peisiau

Petty Constable Is-Gwnstabl *eg* Is-Gwnstabliaid

petty larceny mân ladrad *eg* mân ladradau

petty officer is-swyddog *eg* is-swyddogion

petty sessions cwrt bach *eg*

petty theft mân ladrad *eg* mân ladradau

pewter piwter *eg*

peytrel mwclis pres *eg*

pH pH

pH value gwerth pH *eg* gwerthoedd pH

pH-meter mesurydd pH *eg*

phagocyte ffagocyt *eg* ffagocytau

phagocytic ffagocytig *ans*

phalange ffalang *eg* ffalangau

phalanx ffalancs *eg*

phantom line llinell manylion cudd *eb* llinellau manylion cudd

pharmaceutical fferyllol *ans*

pharmacist fferyllydd *eg* fferyllwyr

pharmacy fferyllfa *eb* fferyllfeydd

pharyngeal ffaryngeal *ans*

pharyngeal cavity ceudod y gwddf *eg*

pharynx ffaryncs *eg*

---

adf, adv adferf, adverb   *ans, adj* ansoddair, adjective   *be* berf, verb   *eb* enw benywaidd, *feminine noun*   *eg* enw gwrywaidd, *masculine noun*

phase (of matter, moon) gwedd *eb* gweddau
phase (of waves) cydwedd *eb* cydweddau
phase (=period or stage in process) cyfnod *eg* cyfnodau
phase shift symudiad cydwedd *eg*
phase transition trawsnewidiad gwedd *eg*
phased introduction cyflwyno graddol *be*
phases of heart cycle gweddau cylchred y galon *ell*
phases of the moon gweddau'r lleuad *ell*
phenol ffenol *eg*
phenol liquid hylif ffenol *eg*
phenolic ffenolig *ans*
phenolics (thermosetting plastics) ffenoligion *ell*
phenolphthalein ffenolffthalein *eg*
phenomenon ffenomen *eb* ffenomenau
phenotype ffenoteip *eg* ffenoteipiau
phenylalanine ffenylalanin *eg*
phenylketonuria ffenylcetonwria *eg*
pheronome fferonom *eg* fferonomau
phial ffiol *eb* ffiolau
philanthropic dyngarol *ans*
philanthropist dyngarwr *eg* dyngarwyr
philanthropy dyngarwch *eg*
Philip Augustus Philip Awgwstws *eg*
Philip the Fair Philip Deg *eg*
Philip the Handsome Philip Olygus *eg*
Phillips screwdriver tyrnsgriw Phillips *eg*
phlegm fflem *eg*
phloem ffloem *eb*
Phoney War Rhyfel Ffug *eg*
phonic ffonig *ans*
phonic method dull ffonig *eg* dulliau ffonig
phosphate ffosffad *eg* ffosffadau
phosphine ffosffin *eg*
phosphokinase ffosffocinas *eg*
phosphor ffosffor *eg* ffosfforau
phosphor bronze (non-ferrous alloys) ffosfforefydd *eg*
phosphorescence ffosfforesgedd *eg*
phosphorescent ffosfforesgol *ans*
phosphoric acid asid ffosfforig *eg*
phosphorus (P) ffosfforws *eg*
photo story ffotostori *eb* ffotostorïau
photo-emission ffoto-allyriant *eg* ffoto-allyriannau
photocell ffotogell *eb* ffotogelloedd
photocopier llungopïwr *eg* llungopiwyr
photocopy *n* llungopi *eg* llungopïau
photocopy *v* llungopïo *be*
photodiode ffotodeuod *eg*
photoelectric ffotodrydanol *ans*
photoelectricity ffotodrydan *eg*
photogrammetry ffotogrametreg *eb*
photograph ffotograff *eg* ffotograffau
photographic ffotograffig *ans*
photography ffotograffiaeth *eb*
photogravure ffoto-ysgythru *be*
photometer ffotomedr *eg* ffotomedrau
photometric ffotomedrig *ans*

photometry ffotomedreg *eb*
photomontage montage ffotograffig *eg*
photon ffoton *eg* ffotonau
photoperiodism ffotogyfnodedd *eg*
photoreceptor goleudderbynnydd *eg* goleudderbynyddion
photosensitivity goleusensitifedd *eg*
photosphere ffotosffer *eg* ffotosfferau
photostat ffotostat *eg* ffotostatau
photosynthesis ffotosynthesis *eg*
phototransistor ffotodransistor *eg*
phototropism ffototropedd *eg*
photovoltaic ffotofoltaidd *ans*
phrase *v* brawddegu *be*
phrase read-only memory (PHROM) cof cymal darllen yn unig (PHROM) *eg*
phreatic water dŵr daear *eg* dyfroedd daear
phrenic ffrenig *ans*
Phrygian Phrygiaidd *ans*
phylum ffylwm *eg* ffyla
physical (=bodily) corfforol *ans*
physical (=of physics) ffisegol *ans*
physical activity gweithgaredd corfforol *eg* gweithgareddau corfforol
physical defect nam corfforol *eg* namau corfforol
physical dependence dibyniaeth gorfforol *eb*
physical development datblygiad corfforol *eg*
physical disability anabledd corfforol *eg* anableddau corfforol
physical education addysg gorfforol *eb*
physical exercise ymarfer corff *eg*
physical features nodweddion ffisegol *ell*
physical fitness ffitrwydd corfforol *eg*
physical force grym corfforol *eg*
physical handicap anfantais gorfforol *eb* anfanteision corfforol
physical maturity aeddfedrwydd corfforol *eg*
physical play chwarae corfforol *be*
physical processes prosesau ffisegol *ell*
physical property priodwedd ffisegol *eb* priodweddau ffisegol
physically active corfforol weithgar *ans*
physically handicapped child plentyn â nam corfforol *eg* plant â nam corfforol
physician meddyg *eg* meddygon
physics ffiseg *eb*
physiognomics ffisionomeg *eb*
physiological ffisiolegol *ans*
physiological saline heli ffisiolegol *eg*
physiologist ffisiolegydd *eg* ffisiolegwyr
physiology ffisioleg *eb*
physiotherapist ffisiotherapydd *eg* ffisiotherapyddion
physiotherapy ffisiotherapi *eg*
physique corffoledd *eb*
phytoplankton ffytoplancton *eg*
pianist pianydd *eg* pianyddion
piano piano *eg* pianos
piano accordion acordion piano *eg* acordiynau piano

---

piano hinge colfach hir *eg* colfachau hir

piano key nodyn piano *eg* nodau piano

piano lock clo piano *eg* cloeon piano

piano score sgôr biano *eb* sgorau piano

piano stool stôl biano *eb* stolion piano

piano trio triawd piano *eg* triawdau piano

piano tuner tiwniwr piano *eg* tiwnwyr piano

pibgorn pibgorn *eg* pibgyrn

piccolo player canwr picolo *eg* canwyr picolo

pick up a stitch codi pwyth *be*

pick-up tongs gefel godi *eb* gefeiliau codi

picket *n* picedwr *eg* picedwyr

picket *v* picedu *be*

pickle *n* picl *eg* piclau

pickle *v* piclo *be*

pickle-bath tongs gefel fath picl *eb* gefeiliau bath picl

pickup cipyn *eg* cipynnau

picot picot *eg*

picot edging ymylwaith picot *eg*

pictogram pictogram *eg* pictogramau

pictograph pictograff *eg* pictograffau

pictography pictograffeg *eb*

pictorial darluniadol *ans*

pictorial art celfyddyd ddarluniol *eb*

pictorial drawing lluniad darluniol *eg* lluniadau darluniol

pictorial plan uwcholwg darluniol *eg* uwcholwg darluniadol

pictorial projection tafluniad darluniol *eg* tafluniadau darluniol

pictorial representation portread darluniol *eg* portreadau darluniol

pictorial sketch braslun darluniol *eg* brasluniau darluniol

pictorial space gofod darluniol *eg* gofodau darluniol

pictorial view golwg darluniol *eg*

pictorialism darluniadaeth *eb*

picture darlun *eg* darluniau

picture frame ffrâm ddarlun *eb* fframiau darluniau

picture plane plân darlun *eg* planau darlun

picture rail rheilen bictiwr *eb* rheiliau pictiwr

picture varnish farnais darlun *eg*

picture window ffenestr lydan *eb* ffenestri llydan

picturesque darluniaidd *ans*

pie chart siart cylch *eg* siartiau cylch

pie graph (=wheel graph) graff olwyn *eg* graffiau olwyn

piece darn *eg* darnau

piece rate (in economics) cyfradd yn ôl y gwaith *eb*

piece work (remuneration) tâl yn ôl y gwaith *eg*

Piepowder Court Cwrt Marchnad *eg*

pierce (in metalwork) rhwyllo *be*

pierce (=stab) trywanu *be*

pierced panel panel rhwyllog *eg* paneli rhwyllog

pierced work rhwyllwaith *eg*

piercer gwanydd *eg* gwanyddion

piercing saw llif rwyllo *eb* llifiau rhwyllo

pietism pietistiaeth *eb*

pietist *adj* pietistaidd *ans*

pietist *n* pietist *eg* pietistiaid

piety duwioldeb *eg*

piezo electric effect effaith piesodrydanol *eb*

pig iron (ferrous metal) haearn crai *eg*

pigment pigment *eg* pigmentau

pigmentation pigmentiad *eg*

pike picell *eb* picellau

pike dive deif blygu *eb* deifiau plygu

pikeman picellwr *eg* picellwyr

pilaster pilastr *eg* pilastrau

pile (of fabric) peil *eg*

pile foundation sylfaen bileri *eb* sylfeini pileri

piles clwyf y marchogion *eg*

pileus pilews *eg*

pilgrim pererin *eg* pererinion

Pilgrim Fathers Tadau Pererin *ell*

pilgrimage pererindod *eb* pererindodau

pill pilsen *eb* pils

pillage ysbeilio *be*

pillar piler *eg* pileri

pillar and stall mining gweithio talcennau *be*

pillar drill dril piler *eg* driliau piler

pillar drilling machine peiriant drilio piler *eg* peiriannau drilio piler

pillar type machine peiriant pilerog *eg* peiriannau pilerog

pillaring (in slate quarries) pileru *be*

pilling pellennu *be*

pillory rhigod *eg* rhigodau

pillow gobennydd *eg* gobenyddion

pillow lava lafa clustog *eg* lafau clustog

pillow structure adeiledd clustog *eg* adeileddau clustog

pillowcase cas gobennydd *eg* casys gobennydd

pilot *adj* peilot *ans*

pilot *v* cynnal peilot *be*

pilot drill dril arwain *eg* driliau arwain

pilot drilling drilio arwain *be*

pilot hole twll arwain *eg* tyllau arwain

pilot project project peilot *eg* projectau peilot

pilot test prawf peilot *eg* profion peilot

pimple ploryn *eg* plorod

pin *n* pìn *eg* pinnau

pin *v* pinio *be*

pin (for tuning) ebill *eg* ebillion

pin and slot cynffon a bwlch

pin and string method dull pin a llinyn *eg*

pin drill dril pin *eg* driliau pin

pin hammer morthwyl pin *eg* morthwylion pin

pin lock clo pin *eg* cloeon pin

pin mark marc pin *eg* marciau pin

pin plate pinblat *eg* pinblatiau

pin punch pwnsh pin *eg* pynsiau pin

pin stitch pwyth pin *eg* pwythau pin

pin tuck twc pin *eg* tyciau pin

pin vice feis bin *eb* feisiau pin

pin-jointed framework fframwaith uniad-pin *eg* fframweithiau uniad-pin

pin-pointed mechanism mecanwaith uniad-pin *eg*

---

pinafore dress ffrog biner *eb* ffrogiau piner
pincers pinsiwrn *eg* pinsiyrnau
pinch *n* pinsiad *eg* pinsiadau
pinch *v* pinsio *be*
pinch pleat mân-blet *eg* mân-bletiau
pinch pottery crochenwaith pinsiad *eg*
pincushion pincas *eg* pincasau
pingo pingo *eg* pingoau
pinhole twll pin *eg* tyllau pin
pinion (=cog-wheel or spindle) piniwn *eg* piniynau
pinking pincio *be*
pinking scissors siswrn pincio *eg* sisyrnau pincio
pinking shears gwellaif pincio *eg* gwelleifiau pincio
pinna pinna *eg* pinnâu
pinnace pinnas *eg* pinasau
pinnate drainage draeniad pluog *eg*
pinned mortise and tenon joint uniad mortais a thyno niferus *eg* uniadau mortais a thyno niferus
pinning (of file) pinio (ffeil) *be*
pinocytosis pinocytosis *eg*
pint peint *eg* peintiau
pinto beans ffa pinto *ell*
pioneer arloesi *be*
pioneer *adj* arloesol *ans*
pioneer *n* arloeswr *eg* arloeswyr
pipe (in general) pibell *eb* pibellau
pipe (in music etc) *n* pib *eb* pibau
pipe (in plumbing etc) *n* peipen *eb* peipiau
pipe (in plumbing etc) *v* peipio *be*
pipe (=play the pipe) *v* canu pib *be*
pipe bending machine peiriant plygu peipen *eg* peiriannau plygu peipiau
pipe bending wrench tyndro plygu peipen *eg* tyndroau plygu peipiau
pipe clamp clamp peipen *eg* clampiau peipen
pipe cleaner glanhawr pibell *eg* glanhawyr pibell
pipe grips gafaelydd peipen *eg* gafaelyddion peipiau
pipe line lein bibell *eb*
pipe organ organ bib *eb* organau pib
Pipe Roll Rhôl Siecr *eb* Rholiau Siecr
pipe tongs gefel beipen *eb* gefeiliau peipen
pipe vice feis beipen *eb* feisiau peipen
pipe wrench tyndro peipen *eg* tyndroeon peipen
piped buttonhole twll botwm wedi'i beipio *eg* tyllau botymau wedi'u peipio
piped light golau drwy beipen *eg*
piped seam sêm wedi'i pheipio *eb* semau wedi'u peipio
pipelining blaenbeipio *be*
piper (machine attachment) peipell *eb* peipellau
pipette *n* pibed *eb* pibedau
pipette *v* pibedu *be*
piping (shrinkage) peipio *be*
piping cord cortyn peipio *eg* cortynnau peipio
pipkrake nodwyddau iâ *ell*; nodwyddau rhew *ell*
pippin pipin *eg*
pique pique *eg*

piracy (in general) lladrad *eg* lladradau
piracy (on sea) môr-ladrad *eg*
piracy (=river capture) afonladrad *eg*
pirate môr-leidr *eg* môr-ladron
pirate stream lleidr *eg* lladron
pistil pistil *eg* pistiliau
pistol grip (hacksaw frame) gafael llawddryll *eb* gafeiliau llawddryll
piston piston *eg* pistonau
piston rings cylchau piston *ell*
pit (=deep hole in ground) pwll *eg* pyllau
pit (in sport) pwll neidio *eg* pyllau neidio
pit (on plant or animal body) mân-bant *eg* mân-bantiau
pit dwelling annedd bant *eb* anheddau pant
pitch (a ball) *v* pitsio *be*
pitch (a note) *v* taro (nodyn) *be*
pitch (in geology) *n* gogwydd *eg* gogwyddau
pitch (in geology) *v* gogwyddo *be*
pitch (in mountaineering) *n* dringen *eb* dringennau
pitch (of ball) *n* pitsh *eg*
pitch (of roof) *n* codiad to *eg*
pitch (of sound) *n* traw *eg* trawiau
pitch (=playing field) *n* maes *eg* meysydd
pitch (=tar) *n* pyg *eg*
pitch (for playing cricket) *n* llain *eb* lleiniau
pitch angle (plane) ongl bitsh *eb* onglau pitsh
pitch angle (saw teeth) pitsh (dannedd llif) *eg*
pitch block blocyn pyg *eg* blociau pyg
pitch circle diameter (P.C.D.) diamedr pitsh cylch *eg*
pitch of screw danheddiad sgriw *eg*
pitch of the ball disgynfan y bêl *eg*
pitched roof to ar ongl *eg* toeon ar ongl
pitcher pitsiwr *eg* pitswyr
pitcher's plate plât y pitsiwr *eg*
pitchstone pygfaen *eg* pygfeini
pith bywyn *eg* bywynnau
piton piton *eg* pitonau
pitprop postyn pwll *eg* pyst pwll
pitted man-bantiog *ans*
pitted pyllog *ans*
pitting pyllu *be*
pituitary gland chwarren bitwidol *eb* chwarennau pitwidol
pivot *n* colyn *eg* colynnau
pivot *v* colynnu *be*
pivot (on a needle) troi ar y nodydd *be*
pivot element elfen golyn *eb* elfennau colyn
pivot hinge colfach colyn *eg* colfachau colyn
pivot joint (in anatomy) cymal cylchdroi *eg* cymalau cylchdroi
pivot joint (in woodwork) uniad colyn *eg* uniadau colyn
pivot turn troad ar golyn *eg* troadau ar golyn
pivotal colynnol *ans*
pivoted ar golyn *ans*
pivoted arm braich ar golyn *eb* breichiau ar golyn

eg/b enw gwrywaidd/benywaidd, *feminine/masculine noun* **ell** enw lluosog, *plural noun* **v** berf, *verb* **n** enw, *noun*

pivoted sash window ffenestr ar golyn dalennog *eb* ffenestri ar golyn dalennog

pixel picsel *eg* picseli

pixel colour lliw picsel *eg* lliwiau picsel

pixel edit golygu picsel *be*

place *n* lle *eg* lleoedd

place *v* gosod *be*

place kick cic osod *eb* ciciau gosod

place mat mat bwrdd *eg* matiau bwrdd

place of worship man addoli *eg* mannau addoli

place value gwerth lle *eg* gwerthoedd lle

place-setting gosodiad bwrdd *eg* gosodiadau bwrdd

placebo plasebo *eg*

placement lleoliad *eg* lleoliadau

placement officer swyddog lleoliadau *eg* swyddogion lleoliadau

placenta brych *eg* brychau

placer gold aur banc tywod *eg*

placing gosodiad *eg*

placket placed *eg* placedau

plagal cadence diweddeb amen *eb* diweddebau amen

plagal mode modd deilliedig *eg* moddau deilliedig

plagiarism lladrad *eg* lladradau

plague pla *eg* plâu

plaid plad *eg*

Plaid Cymru Plaid Cymru *eb*

plain *adj* plaen *ans*

plain *n* gwastadedd *eg* gwastadeddau

plain butt ymyl blaen *eb* ymylon plaen

plain centre canol plaen *eg*

plain cutter torrell blaen *eb* torellau plaen

plain drawstroke strôc dynnu *eb* strociau tynnu

plain finish gorffeniad plaen *eg* gorffeniadau plaen

plain flour blawd plaen *eg*

plain material defnydd plaen *eg* defnyddiau plaen

plain milling cutter melinwr plaen *eg* melinwyr plaen

plain mitred joint uniad meitrog plaen *eg* uniadau meitrog plaen

plain panel panel plaen *eg*

plain quartering llifio plaen chwarteru *be*

plain sawing llifio trwodd *be*

plain scale graddfa syml *eb* graddfeydd syml

plain seam sêm agored *eb* semau agored

plain stitch pwyth plaen *eg* pwythau plaen

plain text testun plaen *eg*

plain tile teilsen blaen *eb* teils plaen

plain tract gwastatir afon *eg* gwastatiroedd afonydd

plain washer wasier blaen *eb* wasieri plaen

plain weather-boarding byrddau hindraul cyffredin *ell*

plain weave gwehyddiad plaen *eg*

plainsong plaengan *eb* plaenganau

plaintiff achwynydd *eg* achwynyddion

plait *n* pleth *eb* plethau

plait *v* plethu *be*

plan *v* cynllunio *be*

plan (=scheme) *n* cynllun *eg* cynlluniau

plan environments cynllunio amgylcheddau *be*

plan view uwcholwg *eg* uwcholygon

planar planar *ans*

planar engraving ysgythriad planar *eg* ysgythriadau planar

planation gwastadiant *eg*

plane (geometrical) *n* plân *eg* planau

plane (of tool) *n* plaen *eg* plaenau

plane (with tool) *v* plaenio *be*

plane and solid geometry geometreg plân a solid *eb*

plane figure ffigur plân *eg* ffigurau plân

plane geometry geometreg plân *eb*

plane of reference plân cyfeirnod *eg*

plane of symmetry plân cymesuredd *eg*

plane picture darlun plân gwastad *eg* darluniau plân gwastad

plane polarized light golau plân polar *eg*

plane polarized wave ton blân bolar *eb* tonnau plân polar

plane solids solidau plân *ell*

plane surface arwyneb plân *eg* arwynebau plân

planed all round (of wood) wedi'i blaenio o'i amgylch *ans*

planed size maint wedi'i blaenio *eg* meintiau wedi'u plaenio

planer plaeniwr *eg* plaenwyr

planet planed *eb* planedau

planing machine peiriant plaenio *eg*

planishing planisio *be*

planishing hammer morthwyl planisio *eg* morthwylion planisio

planisphere planisffer *eg* planisfferau

plank planc *eg* planciau

plankton plancton *eg* planctonau

planning cynllunio *be*

plant *adj* planhigol *ans*

plant *n* planhigyn *eg* planhigion

plant (=equipment) *n* peiriannau *ell*

plant (=factory) *n* gwaith *eg* gweithfeydd

plant association cydgymuned blanhigion *eb* cydgymunedau planhigion

plant gum gwm planhigol *eg* gymiau planhigol

plant hormone hormon planhigol *eg* hormonau planhigol

plant tissue meinwe planhigion *eb* meinweoedd planhigion

plant tissue culture *v* meithrin meinweoedd planhigol *be*

plantation (of people) trefedigaeth *eb* trefedigaethau

plantation (of plants) planhigfa *eb* planhigfeydd

planted bead glain gosod *eg* gleiniau gosod

planted moulding mowldin gosod *eg* mowldinau gosod

planted top (table) top gosod *eg* topiau gosod

plaque plac *eg* placiau

plasma membrane pilen blasmaidd *eb* pilenni plasmaidd

plaster *n* plastr *eg* plastrau

plaster *v* plastro *be*

plaster and bandage plastr a rhwymyn

plaster bat bat plastr *eg* batiau plastr

plaster cast cast plastr *eg* castiau plastr

plaster casting castin plastr *eg* castinau plastr

plaster figure ffigur plastr *eg* ffigurau plastr

plaster head pen plastr *eg* pennau plastr

---

plaster of Paris plastr Paris *eg*
plasterboard bwrdd plastr *eg*

plastic *adj* plastig *ans*
plastic *n* plastig *eg* plastigion

plastic art celfyddyd blastig *eb*
plastic bead glain plastig *eg* gleiniau plastig
plastic beaker bicer plastig *eg* biceri plastig
plastic bending plygu plastig *be*
plastic carving (of action) cerfio plastig *be*
plastic carving (of object) cerfiad plastig *eg* cerfiadau plastig
plastic coating araen blastig *eb* araenau plastig
plastic colour lliw plastig *eg* lliwiau plastig
plastic container cynhwysydd plastig *eg* cynwysyddion plastig
plastic emulsion emwlsiwn plastig *eg*
plastic figure ffigur plastig *eg* ffigurau plastig
plastic filler llenwad plastig *eg* llenwadau plastig
plastic fitting gosodydd plastig *eg* gosodyddion plastig
plastic foil ffoil plastig *eg*
plastic hammer morthwyl plastig *eg* morthwylion plastig
plastic heating gwresogi plastig *be*
plastic laminate laminiad plastig *eg* laminiadau plastig
plastic machining peiriannu plastig *be*
plastic mallet gordd blastig *eb* gyrdd plastig
plastic material defnydd plastig *eg* defnyddiau plastig
plastic mould mowld plastig *eg* mowldiau plastig
plastic racket raced blastig *eb* racedi plastig
plastic ruler riwl blastig *eb* riwliau plastig
plastic saucer soser blastig *eb* soseri plastig
plastic sheeting llen blastig *eb* llenni plastig
plastic spoon llwy blastig *eb* llwyau plastig
plastic starch startsh plastig *eg*
plastic surgery llawfeddygaeth blastig *eb*
plastic track trac plastig *eg* traciau plastig
plastic tube tiwb plastig *eg* tiwbiau plastig
plastic webbing webin plastig *eg*
plasticine plastisin *eg* plastisinau
plasticity plastigrwydd *eg*
plasticizer plastigydd *eg* plastigyddion
plastid plastid *eg* plastidau

plate *n* plât *eg* platiau
plate *v* platio *be*

plate glass platwydr *eg* platwydrau
plate tectonic theory damcaniaeth tectoneg platiau *eb*
plate tectonics tectoneg platiau *eb*
plateau llwyfandir *eg* llwyfandiroedd
plateau block bloclwyfandir *eg* bloclwyfandiroedd
platelet (blood) platen *eb* platennau
platen platen *eb* platennau
platform llwyfan *eg/b* llwyfannau
plating platio *be*
platinize platinio *be*
platinum (Pt) platinwm *eg*
platoon platŵn *eg* platwnau
platykurtic platycwrtig *ans*

play (a piece) *v* chwarae (darn) *be*
play (an instrument) *v* canu (offeryn) *be*
play (=drama) *n* drama *eb* dramâu
play (of games) *v* chwarae *be*
play (=recreation) *n* chwarae *eg*

play a simple ostinato chwarae ostinato syml
play area lle chwarae *eg* llefydd chwarae
play by ear chwarae yn ôl y glust *be*
play centre canolfan chwarae *eb* canolfannau chwarae
play group cylch chwarae *eg* cylchoedd chwarae
play leader arweinydd chwarae *eg* arweinwyr chwarae
play school cylch chwarae *eg* cylchoedd chwarae
play stool stôl fach *eb* stolion bach
play tennis chwarae tennis *be*
play therapist therapydd chwarae *eg* therapyddion chwarae
play time amser chwarae *eg*
play-back trosglwyddo *be*
play-pen corlan chwarae *eb* corlannau chwarae
playa playa *eg* playâu
playboard (puppet stage) bwrdd chwarae *eg* byrddau chwarae
player chwaraewr *eg* chwaraewyr
playground (in general) lle chwarae *eg* llefydd chwarae
playground (of school) buarth chwarae *eg* buarthau chwarae
plea ple *eg/b* pledion
plead pledio *be*
pleader plediwr *eg* pledwyr
pleas of the Crown pledion y Goron *ell*
pleasing dymunol *ans*
pleasing appearance ymddangosiad dymunol *eg*
pleat plet *eg/b* pletiau
pleated edge ymyl bletiog *eb* ymylon pletiog
pleated skirt sgert bletiog *eb* sgertiau pletiog
pleating pletio *be*
plebeian *adj* gwerinol *ans*
plebeian *n* gwerinwr Rhufeinig *eg* gwerinwyr Rhufeinig
plebiscite pleidlais gwlad *eb* pleidleisiau gwlad
plectrum plectrwm *eg* plectrymau
pledge gwystl *eg* gwystlon
pleion pleion *eg*
pleiotropy pleiotropedd *eg*
Pleistocene Pleistosen *eg*
plenary llawn *ans*
plenary session sesiwn lawn *eb* sesiynau llawn
plenipotentiary plenipotensiwr *eg* plenipotenswyr
pleura *n* eisbilen *eb* eisbilennau
pleural eisbilennol *ans*
pleural cavity ceudod eisbilennol *eg* ceudodau eisbilennol
pleural fluid hylif eisbilennol *eg*
pleural membrane pilen eisbilennol yr ysgyfaint *eb* pilenni eisbilennol yr ysgyfaint
pliability hyblygedd *eg*
pliable hyblyg *ans*
pliancy ystwythder *eg*
pliant ystwyth *ans*

---

eg/b enw gwrywaidd/benywaidd, *feminine/masculine noun*   *ell* enw lluosog, *plural noun*   *v* berf, *verb*   *n* enw, *noun*

plication plygiant *eg* plygiannau

pliers gefelen *eb* gefeiliau

pliers-type saw set gosodydd llif teip gefelen *eg* gosodyddion llif teip gefelen

plinth plinth *eg* plinthiau

plinth block bloc plinth *eg* blociau plinth

plot (a point) *v* plotio (pwynt) *be*

plot (=conspiracy) *n* cynllwyn *eg* cynllwynion

plot (=conspiracy) *v* cynllwynio *be*

plot (of land) *n* llain *eb* lleiniau

plot (of story etc) *n* plot *eg* plotiau

plotter plotydd *eg* plotyddion

plough (bookbinder's) plaen llyfr-rwymwr *eg* plaeniau llyfr-rwymwr

plough plane plaen rhigoli *eg* plaeniau rhigoli

ploughbote aradfudd *eg*

ploughing (in technology) rhigoli *be*

plug *n* plwg *eg* plygiau

plug *v* plygio *be*

plug compatible plwg-gytûn *ans*

plug gauge medrydd plwg *eg* medryddion plwg

plug tap tap plwg *eg* tapiau plwg

plug-in unit uned blygio *eb* unedau plygio

plugging chisel gaing blygio *eb* geingiau plygio

plumb plwm *ans*

plumb line llinyn plwm *eg* llinynnau plwm

plumbago (graphite + clay) plwmbago (graffit + clai) *eg*

plumber plymwr *eg* plymwyr

plumber's solder sodr plymwr *eg* sodrau plymwr

plumule (in botany) cyneginyn *eg* cynegin

plunge *n* plymiad *eg* plymiadau

plunge *v* plymio *be*

plunge pool plymbwll *eg* plymbyllau

plunger plymiwr *eg* plymwyr

plural society cymdeithas luosryw *eb* cymdeithasau lluosryw

pluralism (=holding more than one benefice) amlblwyfaeth *eb*

pluralism (of cultural diversity) plwraliaeth *eb*

pluralist amlblwyfydd *eg* amlblwyfyddion

pluralistic amlblwyfol *ans*

plurality amlblwyfaeth *eb*

plus plws *eg* plysau

Pluto Plwton *eg*

plutocracy pliwtocratiaeth *eb*

plutocrat pliwtocrat *eg* pliwtocratiaid

plutonic rocks creigiau plwtonig *ell*

plutonium (Pu) plwtoniwm *eg*

pluvial glawog *ans*

ply (=layer) haen *eb* haenau

plywood pren haenog *eg*

plywood panel panel pren haenog *eg* paneli pren haenog

pneumatic niwmatig *ans*

pneumatic tools offer niwmatig *ell*

pneumatics niwmateg *eb*

pneumonia llid yr ysgyfaint *eg*

pneumotaxis niwmotacsis *eg*

poached egg wy wedi'i botsio *eg* wyau wedi'u potsio

pocket *n* poced *eb* pocedi

pocket *v* pocedu *be*

pocket beach (bay head beach) cildraeth *eg* cildraethau

pocket borough bwrdeistref boced *eb* bwrdeistrefi poced

pocket money arian poced *eg*

pocket screwing sgriwio poced *be*

pocketbook (of portable computer) pocediadur *eg* pocediaduron

pod coden *eb* codennau

podsol podsol *eg* podsolau

podsolic podsolig *ans*

Poet Laureate Bardd y Brenin *eg*

poetic tradition traddodiad barddol *eg*

poetry barddoniaeth *eb*

poikilothermic poicilothermig *ans*

point *v* pwyntio *be*

point (in general) *n* pwynt *eg* pwyntiau

point (of bow) *n* blaen (bwa) *eg*

point (topographic) *n* trwyn *eg* trwynau

point angle (drill part) ongl bwynt *eb* onglau pwynt

point attack ymosod â'r pwynt *be*

point charge gwefr bwynt *eb* gwefrau pwynt

point circle cylch pwynt *eg* cylchoedd pwynt

point collocation cydleoliad pwyntiol *eg*

point graph graff pwyntiau *eg* graffiau pwynt

point mass màs pwynt *eg* masau pwynt

point of articulation pwynt cymal *eg* pwyntiau cymal

point of contact pwynt cyffwrdd *eg* pwyntiau cyffwrdd

point of delay pwynt oedi *eg* pwyntiau oedi

point of infinity pwynt anfeidredd *eg*

point of inflection pwynt ffurfdro *eg*

point of insertion mewnfan *eg* mewnfannau

point of intersection croestorfan *eg* croestorfannau

point of origin (muscle) tarddle *eg* tarddleoedd

point of sale terminal (POS) terfynell pwynt talu *eb* terfynellau pwyntiau talu

point of tangency pwynt tangiadaeth *eg* pwyntiau tangiadaeth

point of the jaw pwynt yr ên *eg*

point pattern analysis dadansoddi patrwm pwyntiau *be*

point sample samplu pwynt *be*

point source tarddle pwynt *eg* tarddleoedd pwynt

point symmetry cymesuredd pwynt *eg*

pointed pigfain *ans*

pointed arch bwa pigfain *eg* bwâu pigfain

pointed collar coler pig *eg* coleri pig

pointed scissors siswrn pigfain *eg* sisyrnau pigfain

pointer pwyntydd *eg* pwyntyddion

points of the compass pwyntiau'r cwmpawd *ell*

poise (=balance) cydbwysedd *eg*

poise (=carriage of body) osgo *eg*

poison *n* gwenwyn *eg* gwenwynau

poison *v* gwenwyno *be*

poisoning gwenwyniad *eg*

---

adf, adv adferf, *adverb* **ans, adj** ansoddair, *adjective* **be** berf, *verb* **eb** enw benywaidd, *feminine noun* **eg** enw gwrywaidd, *masculine noun*

poisonous gases nwyon gwenwynig *ell*

poker pocer *eg* poceri

poker work gwaith pocer *eg*

polar *n* pegynlin *eg* pegynliniau

polar (geographic) *adj* pegynol *ans*

polar (of magnet, electricity) *adj* polar *ans*

polar axis echelin begynol *eb* echelinau pegynol

polar body corffyn pegynol *eg* corffynnau pegynol

polar front ffrynt pegynol *eg* ffryntiau pegynol

polar projection tafluniad pegynol *eg* tafluniadau pegynol

polar solvent hydoddydd polar *eg* hydoddyddion polar

polar-continental pegynol-gyfandirol *ans*

polar-maritime pegynol-arforol *ans*

polarimeter polarimedr *eg* polarimedrau

polarimetry polarimedreg *eb*

polarity polaredd *eg* polareddau

polarization polareiddiad *eg* polareiddiadau

polarize polaru *be*

polarized polar *ans*

polarized light golau polar *eg*

polarizer polarydd *eg* polaryddion

polder polder *eg* polderau

pole (geographic) pegwn *eg* pegynau

pole (=long, slender piece of wood, metal etc) polyn *eg* polion

pole (of magnet) pôl *eg* polau

pole lathe turn polyn *eg* turniau polyn

pole of development pegwn datblygiadol *eg* pegynau datblygiadol

pole piece darn pôl *eg* darnau pôl

pole star seren y gogledd *eb*

pole strength poledd *eg* poleddau

pole vault naid bolyn *eb* neidiau polyn

poleward tua'r pegwn *ans*

police heddlu *eg* heddluoedd

police state gwladwriaeth heddlu *eb*

policy polisi *eg* polisïau

policy framework fframwaith polisi *eg*

polio polio *eg*

polish *v* llathru *be*

polish (material) *n* llathrydd *eg* llathryddion

polish (=shine) *n* llathredd *eg*

polish (style, performance etc) *v* caboli *be*

Polish Corridor Coridor Pwylaidd *eg*

polished (style, performance etc) caboledig *ans*

polished (surface) llathredig *ans*

polished stone axe bwyell garreg wedi'i llathru *eb*

polisher (equipment) llathrydd *eg* llathryddion

polishing buff bwff llathru *eg* bwffiau llathru

polishing cloth cadach llathru *eg* cadachau llathru

polishing compound cyfansoddyn llathru *eg* cyfansoddion llathru

polishing head pen llathru *eg* pennau llathru

polishing mop mop llathru *eg* mopiau llathru

polishing pad pad llathru *eg* padiau llathru

polishing process proses lathru *eb* prosesau llathru

polishing rag clwtyn llathru *eg* clytiau llathru

polishing wheel olwyn lathru *eb* olwynion llathru

political gwleidyddol *ans*

political asylum lloches wleidyddol *eb*

political balance cydbwysedd gwleidyddol *eg*

political economy economeg wleidyddol *eb*

political history hanes gwleidyddol *eg*

political party plaid wleidyddol *eb* pleidiau gwleidyddol

political structure strwythur gwleidyddol *eg*

political thought syniadaeth wleidyddol *eb*

political unification uno gwleidyddol *be*

politics gwleidyddiaeth *eb*

polka polca *eg* polcâu

polka step step bolca *eb* stepiau polca

poll tax treth y pen *eb*

pollard tocbren *eg* tocbrennau

pollen paill *eg*

pollen analysis dadansoddi paill *be*

pollinate peillio *be*

pollutant llygrydd *eg* llygryddion

pollute llygru *be*

pollution llygredd *eg* llygreddau

polo neck gwddf polo *eg* gyddfau polo

polonaise polonaise *eg* polonaises

polonium (Po) poloniwm *eg*

polyandry amlwriaeth *eb*

polycarbonate polycarbonad *eg* polycarbonadau

polyclens polyclens *eg*

polyculture *n* amlgnwd *eg*

polyculture *v* amlgnydio *be*

polycycle amlgylchred *eg* amlgylchredau

polycyclic amlgylchredol *ans*

polyester lacquer lacr polyester *eg* lacrau polyester

polyester resin resin polyester *eg*

polyesters (thermosetting plastics) polyesterau *ell*

polyether foam ewyn polyether *eg*

polyethylene polyethylen *eg*

polyfilla polyffila *eg*

polyfluorocarbon polyfflworocarbon *eg*

polygamy amlwreiciaeth *eb*

polyglot *adj* amlieithog *ans*

polyglot *n* amlieithydd *eg* amlieithwyr

polygon polygon *eg* polygonau

polygon of forces polygon grymoedd *eg*

polygon shape siâp polygon *eg* siapiau polygon

polyhedral polyhedrol *ans*

polyhedron polyhedron *eg* polyhedronau

polymer polymer *eg* polymerau

polymer emulsion emwlsiwn polymer *eg*

polymerization polymeriad *eg*

polymerize polymeru *be*

polynomial *adj* polynomaidd *ans*

polynomial *n* polynomial *eg* polynomialau

polynomial equation hafaliad polynomaidd *eg* hafaliadau polynomaidd

---

polynomial function ffwythiant polynomaidd *eg* ffwythiannau polynomaidd

polyomino polyomino *eg* polyominos

polypeptide polypeptid *eg*

polyphosphate polyffosffad *eg*

polypropylene polypropylen *eg*

polystyrene polystyren *eg*

polystyrene casting castio polystyren *be*

polytheism amldduwiaeth *eb*

polythene polythen *eg*

polythene bag bag polythen *eg* bagiau polythen

polytonal amlgywair *ans*

polytonality amlgyweiredd *eg* amlgyweireddau

polytope polytop *eg* polytopau

polyunsaturated amlannirlawn *ans*

polyunsaturated fatty acid asid brasterog amlannirlawn *eg*

polyurethane polywrethan *eg*

polyurethane finish gorffeniad polywrethan *eg*

polyurethane varnish farnais polywrethan *eg*

polyvinyl acetate polyfinyl asetad *eg*

polyvinyl acetate glue glud polyfinyl asetad *eg*

polyvinyl chloride polyfinyl clorid *eg*

polyvinylidene polyfinyliden *eg*

pommel cnap *eg* cnapiau

pompom pompom *eg* pompomau

ponderous trwm *ans*

ponor (=swallow hole) llyncdwll *eg* llyncdyllau

pontage pontreth *eb* pontrethi

ponticello ponticello *adf*

pontiff pontiff *eg* pontiffau

pontifical llyfr esgobol *eg* llyfrau esgobol

pontificate teyrnasiad pab *eg*

pony trekker merlotwr *eg* merlotwyr

pony trekking merlota *be*

pony-hair brush brwsh blew merlen *eg* brwshys blew merlen

pool (for swimming) pwll *eg* pyllau

pool (=fund) cronfa *eb* cronfeydd

pool resources cyfuno adnoddau *be*

poor tlawd *ans*

poor law cyfraith y tlodion *eb*

Poor Law Amendment Act Deddf Newydd y Tlodion *eb*

poor relief cymorth y tlodion *eg*

pop *n* pop *eg*

pop *v* popio *be*

pop art celfyddyd bop *eb*

pop rivet rhybed pop *eg* rhybedion pop

pop song cân boblogaidd *eb* caneuon poblogiadd

pop-up menu naidlen *eb* naidlenni

pope pab *eg* pabau

popish pabaidd *ans*

Popish Plot Cynllwyn Pabaidd *eg*

poplin poplin *eg*

popping crease cris batio *eg* crisiau batio

poppy oil olew pabi *eg*

popular poblogaidd *ans*

popular front ffrynt y bobl *eg*

popular sovereignty sofraniaeth y bobl *eb*

populated country gwlad boblog *eb* gwledydd poblog

population poblogaeth *eb* poblogaethau

population explosion ffrwydrad poblogaeth *eg*

population potential potensial poblogaeth *eg*

populism poblyddiaeth *eb*

populist poblyddwr *eg* poblyddwyr

porcelain porslen *eg*

porch porth *eg* pyrth

pore mandwll *eg* mandyllau

porosity mandylledd *ans*

porous mandyllog *ans*

porous ground grwnd mandyllog *eg*

porous ring cylch hydraidd *eg* cylchoedd hydraidd

porous surface arwyneb mandyllog *eg* arwynebau mandyllog

porphyritic porffyritig *ans*

porphyry porffyri *eg*

porpoise llamhidydd *eg* llamhidyddion

port porth *eg* pyrth

port (side) port *eg*

port of call porthladd galw *eg* porthladdoedd galw

port tack tacio port *be*

port-reeve porthfaer *eg* porthfeiri

portable cludadwy *ans*

portable apparatus offer cludol *ell*

portable computer cyfrifiadur cludadwy *eg* cyfrifiaduron cludadwy

portable drill dril cludadwy *eg* driliau cludadwy

portable easel îsl cludadwy *eg* islau cludadwy

portable electric drill dril trydan cludadwy *eg* driliau trydan cludadwy

portable forge gefail gludadwy *eb* gefeiliau cludadwy

portable grinder llifanydd cludadwy *eg* llifanyddion cludadwy

portable plane plaen cludadwy *eg* plaeniau cludadwy

portable planer plaeniwr cludadwy *eg* plaenwyr cludadwy

portable power tools offer pŵer cludadwy *ell*

portable sander sandiwr cludadwy *eg* sandwyr cludadwy

portable screen sgrin gludadwy *eb* sgriniau cludadwy

portable vice feis gludadwy *eb* feisiau cludadwy

portal dolmen dolmen porth *eg*

portal vein gwythïen bortal *eb* gwythiennau portal

portamento portamento *eg* portamenti

portative organ organ gludadwy *eb* organau cludadwy

portcullis porthcwlis *eg*

porter porthor *eg* porthorion

portering porthora *be*

portfolio portffolio *eg*

porting trosglwyddo *be*

porting (=carrying the canoe) cario *be*

portion cyfran *eb* cyfrannau

portionary church eglwys gyd-gyfranedig *eb* eglwysi cyd-gyfranedig

Portland cement sment Portland *eg*

portrait portread *eg* portreadau

---

adf, adv adferf, *adverb*   *ans, adj* ansoddair, *adjective*   *be* berf, *verb*   *eb* enw benywaidd, *feminine noun*   *eg* enw gwrywaidd, *masculine noun*

portrait painting (of painted picture) paentiad portreadol *be* paentiadau portreadol

portrait painting (of process or art) peintio portreadol *be*

portrait study astudiaeth bortreadol *eb* astudiaethau portreadol

portray portreadu *be*

Portuguese (language) Portiwgaleg (iaith) *eb*

Portuguese (person) Portiwgalydd *eg* Portiwgaliaid

PoS: programme of study RhA: rhaglen astudio *eb* rhaglenni astudio

pose *n* ystum *eg/b* ystumiau

pose *v* sefyll mewn ystum *be*

posed model model mewn ystum arbennig *eg* modelau mewn ystum arbennig

position (of place) safle *eg* safleoedd

position (=situation) sefyllfa *eb* sefyllfaoedd

position of the feet safle'r traed *eg*

position of the Sun safle'r Haul

position vector fector safle *eg*

positioning cymryd safle *be*

positive (in general) cadarnhaol *ans*

positive (in mathematics, science) positif *ans*

positive aspect agwedd gadarnhaol *eb* agweddau cadarnhaol

positive charge gwefr bositif *eb* gwefrau positif

positive discrimination gwahaniaethu'n gadarnhaol *be*

positive drive gyriad positif *eg* gyriadau positif

positive feedback (from people) ymateb cadarnhaol *eg*

positive feedback (of signal) adborth positif *eg*

positive image delwedd bositif *eb* delweddau positif

positive rake gwyredd positif *eg* gwyreddau positif

positive reinforcement atgyfnerthu cadarnhaol *be*

positive skew sgiw bositif *eb* sgiwiau positif

positive whole number rhif cyfan positif *eg*

positively bounded below yn ffinedig bositif oddi tanodd

positron positron *eg* positronau

possession meddiant *eg* meddiannau

possession of the ball meddiant o'r bêl *eg*

posset llaeth baban *eg*

possibilism posibiliaeth *eb*

possibilist posibiliedydd *eg* posibiliedwyr

post postyn *eg* pyst

post glacial olrewlifol *ans*

Post Graduate Certificate of Education (PGCE) Tystysgrif Addysg i Raddedigion (TAR) *eb*

post impressionism ôl agraffiadaeth *eb*

post office swyddfa'r post *eb*

Post Office box blwch Swyddfa'r Post *eg* blychau Swyddfa'r Post

post-anaesthetic recovery adfer wedi'r anaesthetig *be*

post-dissolution wedi'r diddymiad *ans*

post-mortem post-mortem *eg*

post-multiply ôl-luosi *be*

post-natal ôl-enedigol *ans*

post-natal care gofal ôl-eni *eg*

post-natal clinic clinig ôl-eni *eg* clinigau ôl-eni

post-operative care gofal wedi'r llawdriniaeth *eg*

postage stamp stamp post *eg* stampiau post

postal post *ans*

postal order archeb bost *eb* archebion post

postal services gwasanaethau post *ell*

postcard cerdyn post *eg* cardiau post

poster poster *eg* posteri

poster colour lliw posteri *eg* lliwiau posteri

poster paint paent posteri *eg* paentiau posteri

poster pen pen posteri *eg* pennau posteri

poster-brush brwsh poster *eg* brwshys poster

posterior *adj* ôl *ans*

posterior probability ôl debygolrwydd *eg*

postfix *n* olddodiad *eg* olddodiadau

postfix *v* olddodi *be*

postlude postliwd *eg* postliwdiau

postulate cynosod *be*

postulation cynosodiad *eg* cynosodiadau

postural sense synnwyr o osgo *eg*

posture ymddaliad *eg* ymddaliadau

pot llestr *eg* llestri

pot life oes defnydd *eg*

potassium (K) potasiwm *eg*

potato blight malltod tatws *eg*

potato cut torlun taten *eg* torluniau tatws

potato printing printio â thaten *be*

potency nerth *eg*

potential potensial *eg* potensialau

potential difference gwahaniaeth potensial *eg* gwahaniaethau potensial

potential divider rhannwr potensial *eg* rhanwyr potensial

potential energy egni potensial *eg*

potentiometer potensiomedr *eg* potensiomedrau

pothole ceubwll *eg* ceubyllau

potted sports mabolgampau bach *ell*

potter crochenydd *eg* crochenwyr

potter's apron ffedog crochenydd *eb* ffedogau crochenydd

potter's wheel olwyn crochenydd *eb* olwynion crochenydd

potter's clay clai crochenydd *eg*

pottery (object) crochenwaith *eg*

pottery (workshop) crochendy *eg* crochendai

pottery glaze gwydredd crochenwaith *eg*

potty training hyfforddiant toiled *eg*

poultice powltis *eg*

poultry dofednod *ell*

pounce (=powder) *n* panlwch *eg*

pounce (=powder) *v* panlychu *be*

pound (money) *n* punt *eb* punnoedd

pound (weight) *n* pwys *eg* pwysi

pound key bysell punt *eb* bysellau punt

pour arllwys *be*

pouring basin basn arllwys *eg* basnau arllwys

pouring batter cytew tenau *eg*

pouring gate porthell arllwys *eb* porthellau arllwys

pouring method dull arllwys *eg*

poussette poussette *eb*

---

powder powdr *eg* powdrau

powder colour powdrliw *eg* powdrliwiau

powder form ffurf bowdr *eb*

powder glaze gwydredd powdr *eg*

powder pigment pigment powdr *eg* pigmentau powdr

powdered clay clai powdr *eg*

powdered enamel enamel powdrog *eg*

powdered glue glud powdr *eg*

powdery powdrog *ans*

power (in physics) pŵer *eg* pwerau

power (of capability) gallu *eg* galluoedd

power (=strength) nerth *eg* nerthoedd

power drive gyriad pŵer *eg*

power factor ffactor pŵer *eb*

power function ffwythiant pŵer *eg* ffwythiannau pŵer

power hacksaw haclif bŵer *eb* haclifau pŵer

power jig saw herclif bŵer *eb* herclifiau pŵer

power loom gwŷdd peiriannol *eg* gwyddion peiriannol

power pack pecyn pŵer *eg* paciau pŵer

power plane plaen pŵer *eg* plaeniau pŵer

power point soced trydan *eg* socedi trydan

power politics gwleidyddiaeth grym *eb*

power sander sandiwr pŵer *eg* sandwyr pŵer

power station gorsaf drydan *eb* gorsafoedd trydan

power supply cyflenwad pŵer *eg* cyflenwadau pŵer

power tool erfyn pŵer *eg* offer pŵer

powerful grymus *ans*

powerful serve serfio grymus *ell*

powers of 10 pwerau o 10 *ell*

pox brech *eb* brechau

Pozidrive screw sgriw Pozidrive *eg* sgriwiau Pozidrive

Pozidrive screwdriver tyrnsgriw Pozidrive *eg* tyrnsgriwiau Pozidrive

PP number publications cyhoeddiadau rhif PP *ell*

practical ymarferol *ans*

practical activity gweithgaredd ymarferol *eg* gweithgareddau ymarferol

practical approach agwedd ymarferol *eb*

practical test prawf ymarferol *eg* profion ymarferol

practical work gwaith ymarferol *eg*

practice (=exercise) *n* ymarfer *eg* ymarferion

practice (=habit) *n* arfer *eb* arferion

practice enamel enamel ymarfer *eg*

practice nurse nyrs practis *eb* nyrsys practis

practice period cyfnod ymarfer *eg* cyfnodau ymarfer

practise *v* ymarfer *be*

practitioner ymarferwr *eg* ymarferwyr

Pragmatic Sanction Datganiad Pragmatig *eg*

pragmatism pragmatiaeth *eb*

pragmatist pragmatydd *eg* pragmatyddion

prairie paith *eg* peithiau

prairie soils peithbriddoedd *ell*

pram pram *eg* pramiau

pram hood cwfl pram *eg* cyflau pram

praseodymium (Pr) praseodymiwm *eg*

pray gweddïo *be*

prayer gweddi *eb* gweddïau

pre-mix blaen-gymysgiad *eg*

pre-Cambrian cyn-Gambriaidd *ans*

pre-conceptual thought meddwl cyn-gysyniadol *eg* meddyliau cyn-gysyniadol

pre-eclampsia cyneclampsia *eg*

pre-emptive strike rhagymosodiad *eg* rhagymosodiadau

pre-existing valley dyffryn cynfodol *eg* dyffrynnoedd cynfodol

pre-glacial cynrewlifol *ans*

pre-ignition cyn-daniad *eg*

pre-multiply blaen-luosi *be*

pre-prepare paratoi ymlaen llaw *be*

pre-prepared a baratowyd ymlaen llaw *ans*

Pre-Raphaelite *adj* Cyn-Raffaelaidd *ans*

Pre-Raphaelite *n* Cyn-Raffaeliad *eg* Cyn-Raffaeliaid

Pre-Raphaelite Brotherhood Brawdoliaeth y Cyn-Raffaeliaid *eb*

pre-set rhagosod *be*

pre-shrink rhagbannu *be*

pre-shrunk (finish) rhagbanedig *ans*

pre-test *n* cyn-brawf *eg* cynbrofion

pre-test *v* cynbrofi *be*

pre-trial cyndreialu *be*

pre-wash cynolchi *be*

preach pregethu *be*

preamble rhaglith *eg* rhaglithoedd

prebend prebend *eg* prebendau

prebendary prebendari *eg* prebendariaid

precaution rhagofal *eg* rhagofalon

precedence blaenoriaeth *eb* blaenoriaethau

precedent cynsail *eg* cynseiliau

preceptor preceptor *eg* preceptoriaid

preceptorship preceptoriaeth *eb* preceptoriaethau

precess presesu *be*

precession presesiad *eg* presesiadau

precession of the equinoxes blaenoriad y cyhydnosau *eg*

precinct cyffin *eg* cyffiniau

precipice dibyn *eg* dibynnau

precipitation dyddodiad *eg*

precise trachywir *ans*

precision trachywiredd *eg*

precision instruments offer trachywir *ell*

precision measuring tool erfyn mesur trachywir *eg* arfau mesur trachywir

precision trimmer trimiwr trachywir *eg* trimwyr trachywir

precondition rhag-amod *eg* rhag-amodau

predation ysglyfaethu *be*

predator ysglyfaethwr *eg* ysglyfaethwyr

predecessor rhagflaenydd *eg* rhagflaenwyr

predestinarian rhagordeiniadol *ans*

predestinarianism rhagordeiniadaeth *eb*

predestination rhagordeiniad *eg*

predict (in non-technical usage) rhagweld *be*

predict (in science) rhagfynegi *be*

---

adf, adv adferf, *adverb*   *ans, adj* ansoddair, *adjective*   *be* berf, *verb*   *eb* enw benywaidd, *feminine noun*   *eg* enw gwrywaidd, *masculine noun*

predicting rhagfynegi *be*
prediction rhagfynegiad *eg* rhagfynegiadau
predisposition rhagdueddiad *eg*
predominant prif *ans*
predominate rhagori *be*
prefab tŷ parod *eg* tai parod
prefabricate (preform) rhagffurfio *be*
prefabricated house tŷ parod *eg* tai parod
prefect (in French administration) rhaglaw *eg* rhaglawiaid
preference blaenoriaeth *eb* blaenoriaethau
preference dewis *eg* dewisiadau
preferential discharge dadwefru blaenoriaethol *be*
preferential tariff toll fantais *eb* tollau mantais
preferment dyrchafiad *eg* dyrchafiadau
prefix *n* rhagddodiad *eg* rhagddodiaid
prefix *v* rhagddodi *be*
preform rhagffurfio *be*
pregnancy beichiogrwydd *eg*
pregnant beichiog *ans*
preheat rhagboethi *be*
prehistoric cynhanes *ans*
prehistoric trackway llwybr cynhanes *eg* llwybrau cynhanes
prehistory cynhanes *eg*
prejudice rhagfarn *eb* rhagfarnau
prelate prelad *eg* preladiaid
preliminary rhagarweiniol *ans*
preliminary coat cot gyntaf *eb* cotiau cyntaf
preliminary drawing lluniad rhagarweiniol *eg* lluniadau rhagarweiniol
preliminary sketch braslun rhagarweiniol *eg* brasluniau rhagarweiniol
preliminary test rhagbrawf *eg* rhagbrofion
prelude preliwd *eg* preliwdiau
premature cynamserol *ans*
premedication rhagfoddion *eg*
premenstrual tension tyndra cyn mislif *eg*
premises adeiladau *ell*
premium premiwm *eg* premiymau
Premium Bond Bond Premiwm *eg* Bondiau Premiwm
premolar gogilddant *eg* gogilddannedd
Premonstratensians Canoniaid Premonstratensiaidd *ell*
prenatal cyn-geni *ans*
prenatal clinic clinig cyn geni *eg* clinigau cyn geni
prenursing course cwrs cyn-nyrsio *eg*
preoperative care gofal cyn llawdriniaeth *eg*
prepack blaenbacio
prepacked food bwyd wedi'i bacio'n barod *eg*
preparation paratoad *eg* paratoadau
preparation of a discord paratoi anghytsain *be*
preparatory paratodol *ans*
preparatory beat blaenguriad *eg* blaenguriadau
preparatory work gwaith paratoadol *eg*
prepare paratoi *be*
prepared piano piano paratoëdig *eg* pianos paratoëdig
prepay rhagdalu *be*

prepayment meter mesurydd rhagdal *eg* mesuryddion rhagdal
preprinted paper papur cynargraffedig *eg*
prerecorded tape tâp parod *eg* tapiau parod
prerogative *adj* uchelfreiniol *ans*
prerogative *n* uchelfraint *eb* uchelfreintiau
Prerogative Court Llys Uchelfraint *eg*
presbyter presbyter *eg* presbyteriaid
Presbyterian *adj* Presbyteraidd *ans*
Presbyterian *n* Presbyteriad *eg* Presbyteriaid
presbytery presbytri *eg* presbytriau
preschool dan oed ysgol
preschool child plentyn dan oed ysgol *eg* plant dan oed ysgol
prescribe (=impose authoritatively) rhagnodi *be*
prescribed limits cyfyngiadau penodedig *ell*
prescription presgripsiwn *eg* presgripsiynau
prescription charge tâl presgripsiwn *eg* taliadau presgripsiwn
prescriptive rhagnodol *ans*
preselective rhagddetholiadol *ans*
presence presenoldeb *eg*
present the worship cyflwyno'r addoliad *be*
present worth gwerth presennol *eg*
presentation cyflwyniad *eg* cyflwyniadau
presentation mode modd cyflwyno *eg* moddau cyflwyno
presenting information cyflwyno gwybodaeth *be*
preservative (of foodstuffs) cyffeithydd *eg* cyffeithyddion
preservative (=preserving substance) cadwolyn *eg* cadwolion
preserve cadw *be*
presidency (of society etc) llywyddiaeth *eb*
presidency (of state) arlywyddiaeth *eb*
president (of society etc) llywydd *eg* llywyddion
president (of state) arlywydd *eg* arlywyddion
presidium presidiwm *eg*
press (=apply pressure) *v* pwyso *be*
press (for printing, journalists) *n* gwasg *eb* gweisg
press (=force) *v* gorfodi *be*
press (=squeeze) *v* gwasgu *be*
press a key pwyso bysell *be*
press cloth lliain presio *eg* llieiniau presio
press clothes presio dillad *be*
press conference cynhadledd i'r wasg *eb* cynadleddau i'r wasg
press fit gwasgffit *eg*
press gang pres, y *ell*
press stud styden wasg *eb* stydiau gwasg
press stud tool erfyn styden wasg *eg* arfau stydiau gwasg
press-up byrfraich *eg* byrfreichiau
pressed gwasgedig *ans*
pressed clay clai gwasgedig *eg*
pressed hinge colfach gwasgedig *eg* colfachau gwasgedig
presser foot (of machine part) gwasgell *eb* gwasgelli
presser lever (of machine part) lifer gwasgell *eg* liferi gwasgell

pressing cloth lliain presio *eg* llieiniau presio

pressing pad pad presio *eg* padiau presio

pressing roller rholer presio *eg* rholeri presio

pressure (in physics etc) gwasgedd *eg* gwasgeddau

pressure (of work etc) pwysau *ell*

pressure area man gwasgu *eg* mannau gwasgu

pressure belt belt wasgedd *eb* beltiau gwasgedd

pressure block bloc gwasgu *eg* blociau gwasgu

pressure cooker sosban frys *eb* sosbanau brys

pressure die casting deigastio gwasgol *be*

pressure forming ffurfio dan wasgedd *be*

pressure gauge medrydd gwasgedd *eg* medryddion gwasgedd

pressure gradient graddiant gwasgedd *eg* graddiannau gwasgedd

pressure group carfan bwyso *eb* carfannau pwyso

pressure point gwasgbwynt *eg* gwasgbwyntiau

pressure sore dolur gwasgu *eg* doluriau gwasgu

pressure tendency tueddiad gwasgedd *eg* tueddiadau gwasgedd

pressure valve falf gwasgedd *eb* falfiau gwasgedd

pressurize gwasgeddu *be*

pressurized gwasgeddedig *ans*

prestige bri *eg*

prestige industries diwydiannau bri *ell*

pretender ymhonnwr *eg* ymhonwyr

prevailing wind prifwynt *eg* prifwyntoedd

prevent atal *be*

prevention ataliad *eg*

preventive care gofal ataliol *eg*

preventive medicine meddygaeth ataliol *eb*

previously prepared document dogfen barod *eb* dogfenni parod

prey *n* ysglyfaeth *eb* ysglyfaethau

prey *v* ysglyfaethu *be*

price pris *eg* prisiau

price control rheoli prisiau *be*

price revolution chwyldro prisiau *eg*

Prices Act Deddf Prisiau *eb*

prices and incomes policy polisi prisiau ac incwm *eg*

prick and pounce pricio a phanlychu *be*

priest offeiriad *eg* offeiriaid

priesthood of all believers offeiriadaeth yr holl saint *eb*

primacy uchafiaeth *eb*

primal gwreiddiol *ans*

primarrumpf lledwastad dechreuol *eg*

primary (=basic) sylfaenol *ans*

primary (=first tier) cynradd *ans*

primary alcohol alcohol cynradd *eg*

primary clay clai sylfaenol *eg*

primary coil coil cynradd *eg* coiliau cynradd

primary colour lliw sylfaenol *eg* lliwiau sylfaenol

primary consumer ysydd cynradd *eg* ysyddion cynradd

primary education addysg gynradd *eb*

primary election (US) rhagetholiad *eg* rhagetholiadau

primary evidence tystiolaeth wreiddiol *eb*

primary health care gofal iechyd sylfaenol *eg*

primary industry diwydiant cynradd *eg* diwydiannau cynradd

primary nurse nyrs sylfaenol *eb* nyrsys sylfaenol

primary nursing nyrsio sylfaenol *be*

primary school ysgol gynradd *eb* ysgolion cynradd

primary source ffynhonnell wreiddiol *eb* ffynonellau gwreiddiol

primate archesgob *eg* archesgobion

primate city archddinas *eb* archddinasoedd

prime *adj* cysefin *ans*

prime *n* rhif cysefin *eg* rhifau cysefin

prime *v* preimio *be*

prime (monastic) *n* awr brim (mynachlogydd) *eb* oriau prim

prime factor ffactor gysefin *eb* ffactorau cysefin

prime meridian prif feridian *eg*

prime minister prif weinidog *eg* prif weinidogion

primed canvas cynfas wedi'i breimio *eg* cynfasau wedi'u preimio

primer paint paent preimio *eg* paentiau preimio

primeval cynoesol *ans*

primitive cyntefig *ans*

Primitive Methodism Methodistiaeth Gyntefig *eb*

primitive music cerddoriaeth gyntefig *eb*

primitivism cyntefigedd *eg*

primogeniture cyntaf-anedigaeth *eb*

primordial meristem meristem brimordial *eb*

primrose yellow melyn y friallen *eg*

prince tywysog *eg* tywysogion

Prince Consort Tywysog Cydweddog *eg*

Prince Elector Etholydd Tywysogol *eg*

prince of the blood tywysog o waed *eg* tywysogion o waed

Prince Regent Rhaglyw Dywysog *eg*

Princess Elizabeth's Fancy Ffansi Lisa *eb*

principal prifswm *eg* prifsymiau

principal *adj* prif *ans*

principal *n* pennaeth *eg* penaethiaid

Principal Component Analysis Dadansoddiad Prif Gydrannau *eg*

principal focus prif ffocws *eg*

principal planes prif blanau *ell*

principal station prif orsaf *eb* prif orsafoedd

principal value penrhif *eg* penrhifau

principality tywysogaeth *eb* tywysogaethau

principle egwyddor *eb* egwyddorion

principle of continuity egwyddor didoriant *eg*

principles of levers egwyddorion liferi *ell*

principles of movement egwyddorion symudiad *ell*

print (pictures, designs) *v* printio *be*

print (=printed picture, fabric) *n* print *eg* printiau

print (text) *v* argraffu *be*

print format fformat argraffu *eg*

print patch clwt print *eg* clytiau print

print position cysodfan *eg* cysodfannau

print thimble gwniadur argraffu *eg* gwniaduron argraffu

---

adf, adv adferf, *adverb*   **ans, adj** ansoddair, *adjective*   **be** berf, *verb*   **eb** enw benywaidd, *feminine noun*   **eg** enw gwrywaidd, *masculine noun*

print wheel olwyn argraffu *eb* olwynion argraffu
printed printiedig *ans*
printed circuit cylched brintiedig *eb* cylchedau printiedig
printed circuit board bwrdd cylched brintiedig *eg* byrddau cylched brintiedig
printed fabric ffabrig printiedig *eg* ffabrigau printiedig
printed image delwedd brintiedig *eb* delweddau printiedig
printed pattern patrwm print *eg* patrymau print
printed source ffynhonnell brintiedig *eb* ffynonellau printiedig
printed textile tecstil printiedig *eg* tecstiliau printiedig
printed title block bloc teitl printiedig *eg* blociau teitl printiedig
printer argraffydd *eg* argraffyddion
printer's ink inc argraffydd *eg* inciau argraffydd
printing equipment offer argraffu *ell*
printing ink inc argraffu *eg* inciau argraffu
printing material defnydd argraffu *eg* defnyddiau argraffu
printing method dull argraffu *eg* dulliau argraffu
printing press gwasg argraffu *eb* gweisg argraffu
printing roller rholer printio *eg* rholeri printio
printing stick ffon argraffu â phren *eb* ffyn argraffu â phren
printing unit uned argraffu *eb* unedau argraffu
printout allbrint *eg* allbrintiau
prior prior *eg* prioriaid
prior learning dysgu blaenorol *be*
prior probability rhagdebygolrwydd *eg*
prioress priores *eb* prioresau
prioritize blaenoriaethu *be*
priority blaenoriaeth *eb* blaenoriaethau
priority interrupt ymyriad blaenoriaethol *eg* ymyriadau blaenoriaethol
priorship prioriaeth *eb* prioriaethau
priory priordy *eg* priordai
prise preis *eg*
prism prism *eg* prismau
prismatic prismatig *ans*
prismatic compass cwmpawd prismatig *eg* cwmpodau prismatig
prismatoid prismatoid *eg* prismatoidau
prismoid prismoid *eg* prismoidau
prismoidal prismoidol *ans*
prison reform diwygio'r carcharau *be*
prisoner of war camp gwersyll carcharorion rhyfel *eg* gwersylloedd carcharorion rhyfel
pritchel hole twll pwnsh *eg* tyllau pwnsh
private (soldier) milwr cyffredin *eg* milwyr cyffredin
private enterprise menter breifat *eb* mentrau preifat
private sale gwerthu'n breifat *be*
private school ysgol breifat *eb* ysgolion preifat
private sector sector preifat *eg*
privateer preifatîr *eg* preifatiriaid
privatize preifateiddio *be*
privilege braint *eb* breintiau
Privy Chamber Siambr Gyfrin *eb*
Privy Council Cyfrin Gyngor *eg*
Privy Purse Pwrs Cyfrin *eg*

Privy Seal Sêl Gyfrin *eb*
prize day diwrnod gwobrwyo *eg* diwrnodau gwobrwyo
proactive rhagweithiol *ans*
probabilism tebygoliaeth *eb*
probability tebygolrwydd *eg* tebygolrwyddau
probability curve cromlin debygolrwydd *eb* cromliniau tebygolrwydd
probability density function ffwythiant dwysedd tebygolrwydd *eg*
probable tebygol *ans*
probable error cyfeiliornad tebygol *eg*
proban proban *eg*
probate (=copy of will) profeb *eb* profebau
probate (=proving of a will) profiant *eg*
Probate Court Llys Profiant *eg*
probation prawf *eg*
probation officer swyddog prawf *eg* swyddogion prawf
probation order gorchymyn prawf *eg* gorchmynion prawf
probationary period cyfnod prawf *eg* cyfnodau prawf
probationer un ar brawf *eg/b* rhai ar brawf
problem problem *eb* problemau
problem definition diffiniad problem *eg* diffiniadau problem
problem description disgrifiad problem *eg* disgrifiadau problem
problem orientated problem gyfeiriedig *ans*
problem solving datrys problemau *eg*
problem solving process proses datrys problemau *eb* prosesau datrys problemau
problem specification manyleb problem *eb* manylebau problemau
procedural trefniadol *ans*
procedural instruction cyfarwyddyd gweithredu *eg* cyfarwyddiadau gweithredu
procedure (=general method) trefn *eb* trefnau
procedure (of series of actions) dull gweithredu *eg* dulliau gweithredu
procedure sheet dalen drefn *eb* dalennau trefn
proceedings (=action at law) achos *eg* achosion
proceedings (=published report) trafodion *ell*
proceeds (sales) derbyniadau (gwerthiant) *ell*
process *n* proses *eb* prosesau
process *v* prosesu *be*
process (anatomical) *n* cnap *eg* cnapau
process control rheolaeth ar broses *eb*
processed cheese caws proses *eg* cawsiau proses
processional *adj* gorymdeithiol *ans*
processor prosesydd *eg* prosesyddion
proclamation cyhoeddiad *eg* cyhoeddiadau
proconsul rhaglaw *eg* rhaglawiaid
proctor proctor *eg* proctorion
procuration (church history) tâl esgobol *eg* taliadau esgobol
procurator procuradur *eg* procuraduron
produce *n* cynnyrch *eg* cynhyrchion
produce (a line in geometry) *v* estyn *be*
produce (in general) *v* cynhyrchu *be*

---

produce backwards estyn tuag yn ôl *be*

producer cynhyrchydd *eg* cynhyrchwyr

producer gas nwy aer *eg*

product (in general) cynnyrch *eg* cynhyrchion

product (of multiplication) lluoswm *eg* lluosymiau

product moment correlation cydberthyniad moment lluoswm *eg*

production cynhyrchiad *eg* cynyrchiadau

production control rheolaeth ar gynhyrchu *eb*

production of voice cynhyrchu'r llais *be*

productive cynhyrchiol *ans*

productive capacity gallu cynhyrchu *eg* galluoedd cynhyrchu

productive investment buddsoddiad cynhyrchiol *eg* buddsoddiadau cynhyrchiol

productivity cynhyrchedd *eg*

products of cracking cynnyrch y cracio *eg*

profess different creeds arddel credoau gwahanol *be*

profession proffesiwn *eg* proffesiynau

professional proffesiynol *ans*

professional player chwaraewr proffesiynol *eg* chwaraewyr proffesiynol

professional sport chwaraeon proffesiynol *ell*

proficiency hyfedredd *eg*

profile *n* proffil *eg* proffiliau

profile *v* proffilio *be*

profile component cydran broffil *eb* cydrannau proffil

profile of equilibrium proffil cydbwysedd *eg* proffiliau cydbwysedd

profile view golwg cernlun *eg*

profilm proffilm *eg* proffilmiau

profit elw *eg*

profit margin maint yr elw *eg*

profitable buddiol *ans*

profiteer budrelwa *be*

profound handicap anfantais ddifrifol *eb* anfanteision difrifol

progenitor hynafiad *eg* hynafiaid

progesterone progesteron *eg*

proglacial lake llyn cyfrewlifol *eg* llynnoedd cyfrewlifol

prognosis argoel *eb* argoelion

progradation allraddiad *eg* allraddiadau

program *n* rhaglen *eb* rhaglenni

program *v* rhaglennu *be*

program counter rhifydd rhaglen *eg* rhifyddion rhaglen

program design cynllun rhaglen *eg* cynlluniau rhaglen

program disk disg y rhaglen *eg* disgiau'r rhaglenni

program documentation dogfennaeth rhaglen *eg*

program generator generadur rhaglen *eg* generaduron rhaglen

program library llyfrgell raglenni *eb* llyfrgelloedd rhaglenni

program maintenance cynnal rhaglen *be*

program modification addasu rhaglen *be*

program overlay troshaen rhaglen *eb* troshaenau rhaglen

program proving profi rhaglen *be*

program specification manyleb rhaglen *eb* manylebau rhaglenni

program testing rhoi prawf ar raglen *be*

programmable read-only memory (PROM) cof rhaglenadwy darllen yn unig (PROM) *eg*

programme *n* rhaglen *eb* rhaglenni

programme *v* rhaglennu *be*

Programme Evaluation and Review Technique (PERT) Techneg Gwerthuso ac Adolygu Rhaglen (PERT) *eb*

programme music cerddoriaeth destunol *eb*

programme note nodyn rhaglen *eg* nodiadau rhaglen

programmer rhaglennwr *eg* rhaglenwyr

programming key allwedd raglennu *eb* allweddau rhaglennu

programming language iaith rhaglennu *eb* ieithoedd rhaglennu

progress cynnydd *eg*

progression dilyniant *eg* dilyniannau

progressive (=advancing) cynyddol *ans*

progressive (=innovative) blaengar *ans*

progressive exercise ymarfer graddedig *eg* ymarferion graddedig

progressive resistance gwrthiant cynyddol *eg*

progressive school ysgol flaengar *eb* ysgolion blaengar

progressive wave ton gynyddol *eb* tonnau cynyddol

prohibition (US) gwahardd *be*

project *n* project *eg* projectau

project (=extend) *v.intrans* ymestyn *be*

project (=extend) *v.trans* estyn *be*

project (=forecast, estimate) *v* rhagamcanu *be*

project (optical) *v* taflunio *be*

project work gwaith project *eg* gweithiau project

projected profile proffil estynedig *eg* proffiliau estynedig

projectile taflegryn *eg* taflegrau

projectile vomiting chwydu hyrddiol *be*

projecting eaves bondo ymestynol *eg* bondoeau ymestynol

projecting lugs clustiau estynedig *ell*

projection (=forecast or estimate) rhagamcaniad *eg* rhagamcaniadau

projection (graph) estyniad *eg* estyniadau

projection (=image projected) tafluniad *eg* tafluniadau

projection (=thing that obtrudes) ymestyniad *eg* ymestyniadau

projection line llinell dafluniad *eb* llinellau tafluniad

projective tafluniol *ans*

projective illusionism rhithiolaeth dafluniol *eb*

projective realism realaeth dafluniol *eb*

projectivity taflunedd *eg*

projector taflunydd *eg* taflunyddion

prolate prolad *ans*

prolation proladiad *eg*

proletarian gwerinol *ans*

proletariat proletariat *eg*

proline prolin *eg*

prologue prolog *eg* prologau

prolong estyn *be*

prolongation estyniad *eg* estyniadau

promenade promenâd *eg* promenadau

---

prominence amlygrwydd *eg*

prominent amlwg *ans*

promontory pentir *eg* pentiroedd

promontory fort caer bentir *eb* caerau pentir

promote hybu *be*

promote respect hybu parch *be*

promote understanding hybu dealltwriaeth *be*

prompt *v* annog *be*

prompt (in computing) *n* anogwr *eg* anogwyr

prone wyneb i lawr *adf*

prone-lying tor-orwedd *be*

prong fforch *eb* ffyrch

prong centre canol fforch *eg* canolau fforch

prong chuck crafanc fforch *eb* crafangau fforch

prong key allwedd fforch *eb* allweddau fforch

proof (=evidence) prawf *eg* profion

proof (=trial impression) proflen *eb* proflenni

proof-read darllen proflenni *be*

prop (in rugby) prop *eg* propiau

prop (=rigid support) ateg *eb* ategion

prop shaft siafft yrru *eb* siafftiau gyrru

propaganda propaganda *eg*

propagate lledaenu *be*

propagation lledaeniad *eg* lledaeniadau

Propagation of the Gospel Taenu'r Efengyl *be*

propane propan *eg*

propel gyrru ymlaen *be*

propeller llafn gwthio *eg* llafnau gwthio

proper priodol *ans*

proper fraction ffracsiwn bondrwm *eg* ffracsiynau bondrwm

proper motion mudiant priodol *eg*

proper time amser priodol *eg*

property (=attribute) priodwedd *eb* priodweddau

property (=something owned) eiddo *eg*

property conveyance trosglwyddo eiddo *be*

property of metals priodwedd metelau *eb* priodweddau metelau

property qualification cymhwyster eiddo *eg* cymwysterau eiddo

property rights hawliau perchenogaeth *ell*

prophase proffas *eg*

prophecy proffwydoliaeth *eb* proffwydoliaethau

prophet proffwyd *eg* proffwydi

prophylaxis proffylacsis *eg*

proportion (=comparative part) cyfran *eb* cyfrannau

proportion (=symmetry, equality of ratios in mathematics) cyfrannedd *eb* cyfraneddau

proportional cyfraneddol *ans*

proportional characters nodau cyfrannol *ell*

proportional limit terfan gyfrannol *eb* terfannau cyfrannol

proportional parts cyfrannau *ell*

proportional printing argraffu cyfrannol *be*

proportional representation cynrychiolaeth gyfrannol *eb*

proportional spacing bylchu cyfrannol *be*

proportional symbols symbolau cyfrannol *ell*

proposal cynnig *eg* cynigion

proposed changes newidiadau arfaethedig *ell*

proposed new housing estate stad o dai newydd arfaethedig *eb* stadau o dai newydd arfaethedig

proposed target targed arfaethedig *eg* targedau arfaethedig

proposition gosodiad *eg* gosodiadau

propulsion gwthio *be*

prorogue gohirio *be*

proscenium prosceniwm *eg*

prosecute erlyn *eg*

prosecution erlyniad *eg* erlyniadau

proselyte proselyt *eb* proselytiaid

proselytism proselytiaeth *eb*

prospectus prosbectws *eg* prosbectysau

prosperity ffyniant *eg*

prosthesis prosthesis *eg*

protagonist ymgyrchwr *eg* ymgyrchwyr

protect (=defend) amddiffyn *be*

protect (=keep safe) diogelu *be*

protect tab tab diogelu *eg* tabiau diogelu

protected software meddalwedd wedi'i diogelu *eb*

protected tenancy tenantiaeth warchodedig *eb*

protecting data gwarchod data *be*

protection (=defence) amddiffyniad *eg* amddiffyniadau

protection (=safety) diogelwch *eg*

protection mechanism dull diogelu *eg* dulliau diogelu

protectionism diffynnaeth *eb*

protectionist policy polisi diffynnaeth *eg* polisïau diffynnaeth

protective amddiffynnol *ans*

protective clothing dillad gwarchod *ell*

protective coating araen ddiogelu *eb* araenau diogelu

protective colouration lliwiad gwarchodol *eg*

protective edging ymyl amddiffyn *eb* ymylon amddiffyn

protective film ffilm warchod *eb* ffilmiau gwarchod

protective finish gorffeniad diogelu *eg* gorffeniadau diogelu

protective foods bwydydd amddiffyn *ell*

protective wear gwisg warchod *eb* gwisgoedd gwarchodol

protector amddiffynnydd *eg* amddiffynwyr

protectorate protectoriaeth *eb* protectoriaethau

protein protein *eg* proteinau

proteinaceous stain staen protein *eg* staeniau protein

proteinase proteinas *eg*

protest *n* protest *eb* protestiadau

protest *v* protestio *be*

Protestant *adj* Protestannaidd *ans*

Protestant *n* Protestant *eg* Protestaniaid

Protestant Ascendancy Goruchafiaeth Brotestannaidd *eb*

Protestant establishment sefydliad Protestannaidd *eg*

Protestant Reformation Diwygiad Protestannaidd *eg*

Protestant settlement ardrefniant Protestannaidd *eg*

Protestant Succession Olyniaeth Brotestannaidd *eb*

Protestantism Protestaniaeth *eb*

protestation protestiad *eg* protestiadau

protocol protocol *eg* protocolau

protoctinium (Pa) protoctiniwm *eg*

---

eg/b enw gwrywaidd/benywaidd, *feminine/masculine noun*   *ell* enw lluosog, *plural noun*   *v* berf, *verb*   *n* enw, *noun*

proton proton *eg* protonau
protonotary protonoteri *eg*
prototype prototeip *eg*
protractor onglydd *eg* onglyddion
protrude ymwthio allan *be*
protrusion ymwthiad allan *eg* ymwthiadau allan
prove profi *be*
provenance tarddiad *eg*
Provençal *adj* Profensaidd *ans*
Provençal *n* Profenswr *eg* Profenswyr
Provençal (language) Profensaleg *eg*
provide darparu *be*
providence rhagluniaeth *eb*
province talaith *eb* taleithiau
provincial taleithiol *ans*
provision darpariaeth *eb* darpariaethau
provision (papal) cyflwyniad *eg* cyflwyniadau
provisional dros dro *ans*
provisional ball pêl ddarpar *eb* peli darpar
provisional government llywodraeth dros dro *eb* llywodraethau dros dro
Provisions of Clarendon Gosodiadau Clarendon *ell*
Provisions of Oxford Gosodiadau Rhydychen *ell*
Provisions of Westminster Gosodiadau San Steffan *ell*
Provisors Act Deddf Atal Enwebu *eb*
provost profost *eg* profostiaid
provost marshal profost-farsial *eg* profost-farsialiaid
proxy dirprwyol *ans*
Prussian *adj* Prwsiaidd *ans*
Prussian *n* Prwsiad *eg* Prwsiaid
Prussian blue glas Prwsia *eg*
psalm salm *eb* salmau
psalter sallwyr *eg* sallwyrau
psammosere samoser *eg* samoserau
pseudo-code ffug-god *eg* ffug-godau
pseudo-instruction ffug-gyfarwyddyd *eg* ffug-gyfarwyddiadau
pseudo-operation ffugweithrediad *eg* ffugweithrediadau
pseudo-random ffug-hap *eg*
pseudo-servo ffugweinydd *eg* ffugweinyddion
psychiatric seiciatrig *ans*
psychiatric hospital ysbyty meddwl *eg* ysbytai meddwl
psychiatrist seiciatrydd *eg* seiciatryddion
psychiatry seiciatreg *eb*
psycho-analysis seicdreiddiad *eg*
psychogeriatrician seicogeriatregydd *eg* seicogeriatregwyr
psychological seicolegol *ans*
psychologist seicolegydd *eg* seicolegwyr
psychology seicoleg *eb*
psychomotor skill sgil seicoechddygol *eg* sgiliau seicoechddygol
psychosexual seicorywiol *ans*
psychosis seicosis *eg*
psychosomatic seicosomatig *ans*
psychotherapy seicotherapi *eb*
psychotic art celfyddyd seicotig *eg*

puberty glasoed *eg*
public cyhoeddus *ans*
public building adeilad cyhoeddus *eg* adeiladau cyhoeddus
public convenience cyfleusterau cyhoeddus *ell*
public health iechyd y cyhoedd *eg*
Public Health Act Deddf Iechyd Cyhoeddus *eb*
public house tŷ tafarn *eg* tai tafarnau
public inquiry ymchwiliad cyhoeddus *eg* ymchwiliadau cyhoeddus
public limited company (p.l.c.) cwmni cyfyngedig cyhoeddus *eg* cwmnïau cyfyngedig cyhoeddus (c.c.c.)
public notary notari'r cyhoedd *eg* notariaid y cyhoedd
public ownership perchenogaeth gyhoeddus *eb*
public path llwybr cyhoeddus *eg* llwybrau cyhoeddus
Public Record Office Archifdy Gwladol *eg*
public relations officer swyddog cysylltiadau cyhoeddus *eg* swyddogion cysylltiadau cyhoeddus
public right of way hawl tramwy cyhoeddus *eg* hawliau tramwy cyhoeddus
public school ysgol fonedd *eb* ysgolion bonedd
public sector sector cyhoeddus *eg*
public transport cludiant cyhoeddus *eg*
public transport service gwasanaeth cludiant cyhoeddus *eg* gwasanaethau cludiant cyhoeddus
public utilities gwasanaethau cyhoeddus *ell*
publication cyhoeddiad *eg* cyhoeddiadau
publish cyhoeddi *be*
publisher cyhoeddwr *eg* cyhoeddwyr
pucker rhychu *be*
puddle *n* pwll *eg* pyllau
puddle *v* pwdlo *be*
puddler pydlwr *eg* pydlwyr
puddling furnace ffwrnais bwdlo *eb* ffwrneisi pwdlo
puffed sleeve llawes bwff *eb* llewys pwff
pug cleio *be*
pug mill melin gleio *eb* melinau cleio
pull *n* tyniad *eg* tyniadau
pull *v* tynnu *be*
pull a muscle tynnu cyhyr *be*
pull down tynnu lawr *be*
pull shot tyniad *eg* tyniadau
pull the ball tynnu'r bêl *be*
pulley pwli *eg* pwlïau
pulley block bloc pwli *eg* blociau pwli
pulley guide cyfeirydd pwli *eg* cyfeiryddion pwli
pulley housing rhigol bwli *eb* rhigolau pwli
pulley stile cledren bwli *eb* cledrau pwli
pulling the punch lleddfu'r ddyrnod *be*
pullover pwlofer *eg/b* pwloferau
pulmonary ysgyfeiniol *ans*
pulmonary system system ysgyfeiniol *eb*
pulp (of fruit) pwlp *eg*
pulp (of tooth) bywyn (dant) *eg* bywion
pulp (=soft thick wet mass) mwydion *ell*
pulpit pulpud *eg* pulpudau
pulpitum croglofft *eb* croglofftydd

pulsate pylsadu *be*

pulsating star seren guriadol *eb* sêr curiadol

pulsation curiad *eg* curiadau

pulsator pylsadur *eg* pylsaduron

pulse (in general) curiad *eg* curiadau

pulse (in technical usage) pwls *eg* pylsiau

pulse detector canfodydd curiadau *eg* canfodwyr curiadau

pulse pattern (pulse train) patrwm curiadau *eg* patrymau curiadau

pulse rate cyfradd curiad y galon *eb*

pulverization pylori *be*

pumice pwmis *eg*

pumice powder powdr pwmis *eg*

pump pwmp *eg* pympiau

pump storage storfa bwmp *eb* storfeydd pwmp

puna pwna *eg*

punch (=blow) *n* dyrnod *eb* dyrnodiau

punch (for making holes) *n* pwnsh *eg* pynsiau

punch (=make holes) *v* pwnsio *be*

punch (=strike) *v* dyrnu *be*

punch bag bag dyrnu *eg* bagiau dyrnu

punch ball pêl ddyrnu *eb* peli dyrnu

punch hole twll pwnsh *eg* tyllau pwnsh

punch pad pad dyrnu *eg* padiau dyrnu

punch stitch pwyth tyllog *eg* pwythau tyllog

punch strip banden dyllog *eb* bandiau tyllog

punched card cerdyn tyllog *eg* cardiau tyllog

punched cards cardiau tyllog *ell*

punched hole twll wedi'i bwnsio *eg* tyllau wedi'u pwnsio

punched paper tape tâp papur tyllog *eg* tapiau papur tyllog

punching (forging process) pwnsio *be*

punctuation atalnodi *be*

puncture wound clwyf trywaniad *eg* clwyfau trywaniad

punishment cosb *eb* cosbau

punitive cosbol *ans*

punitive expedition ymgyrch gosbi *eb* ymgyrchoedd cosbi

punt *n* pwnt *eg* pyntiau

punt (kick) *v* pyntio *be*

punteado punteado *eg*

pupil disgybl *eg* disgyblion

pupil (of eye) cannwyll (llygad) *eb*

pupil profile proffil disgybl *eg* proffiliau disgyblion

pupil-teacher ratio cymhareb disgybl-athro *eb* cymarebau disgybl-athro

puppet pyped *eg* pypedau

puppet regime llywodraeth byped *eb* llywodraethau pyped

puppet stage llwyfan pypedau *eg* llwyfannau pypedau

puppet state gwladwriaeth byped *eb* gwladwriaethau pyped

puppet theatre theatr bypedau *eb* theatrau pypedau

puppeteer pypedwr *eg* pypedwyr

purchase prynu *be*

purchase ledger llyfr pryniant *eg* llyfrau pryniant

purchase tax treth bryniant *eb*

purchasing power gallu prynu *eg* galluoedd prynu

pure pur *ans*

pure colour lliw pur *eg* lliwiau pur

pure culture of bacteria meithriniad pur o facteria *eg*

pure ellipse gwir elips *eg*

pure white surface arwyneb purwyn *eg* arwynebau purwyn

purgatory purdan *eg*

purge carthu *be*

purism purdebaeth *eb*

purist purdebwr *eg* purdebwyr

puritan *adj* piwritanaidd *ans*

puritan *n* piwritan *eg* piwritaniaid

Puritan Choir Carfan Biwritanaidd *eb* .

Puritan Revolution Chwyldro Piwritanaidd *eg*

puritanism piwritaniaeth *eb*

purl stitch pwyth o chwith *eg* pwythau o chwith

purled edge ymyl pwyth o chwith *eb* ymylon pwyth o chwith

purlin trawslath *eg* trawslathau

purlin roof to trawslath *eg* toeon trawslath

purple (tempering colour) porffor *eg*

purple brown (tempering colour) porffor brown *eg*

purposeful concurrent use of language trawsieithu *be*

pursuivant pwrswifant *eg*

purvey arlwyo *be*

purveyance arlwyaeth *eb*

purveyor arlwywr *eg* arlwywyr

pus crawn *eg*

push *n* gwthiad *eg* gwthiadau

push *v* gwthio *be*

push fit gwthffit *eb* gwthffitiau

push moraine marian gwthio *eg* mariannau gwthio

push pass gwrthbas *eb* gwrthbasiau

push rod rhoden wthio *eb* rhodenni gwthio

push stick ffon wthio *eb* ffyn gwthio

push stick (power sawing) pren gwthio *eg* prennau gwthio

push-chair cadair wthio *eb* cadeiriau gwthio

push-down *adj* cywasgedig *ans*

push-down *v* cywasgu *be*

push-up *adj* gwrthwasgedig *ans*

push-up *v* gwrthwasgu *be*

put rhoi *be*

put on a collar gosod coler *be*

put on probation rhoi ar brawf *be*

put the switch off (=open the switch) agor y switsh *be*

put the switch on (=close the switch) cau'r switsh *be*

putt pytio *be*

putting the shot gwthio'r pwysau *be*

putty pwti *eg*

PVA PVA *eg*

PVC (polyvinyl chloride) PVC *eg*

pygmy pigmi *eg* pigmiaid

pyjamas pyjamas *ell*

pylon peilon *eg* peilonau

pyramid pyramid *eg* pyramidiau

pyramidal pyramidaidd *ans*

pyramidal face wyneb pyramidaidd *eg* wynebau pyramidaidd

---

pyramidal peak pigyn pyramidaidd *eg* pigynnau pyramidaidd

pyramids of biomass pyramidiau biomas *ell*

pyramids of numbers (in ecology) pyramidiau niferoedd *ell*

pyre (in funerary) coelcerth (angladdol) *eb*

Pyrex ware llestri Pyrex *ell*

pyrexia gwres *eg*

pyrites pyrit *eg* pyritau

Pyroceram llestri Pyroceram *ell*

Pyrocil llestri Pyrocil *ell*

pyroclast pyroclast *eg* pyroclastau

pyroclastian pyroclastaidd *ans*

pyroclastic pyroclastig *ans*

pyrocouple pyrocwpl *eg*

pyrometer pyromedr *eg* pyromedrau

pyrometric pyromedrig *ans*

pyrometric cone côn pyromedrig *eg* conau pyromedrig

pyrometry pyromedreg *eb*

pyroxylin pyrocsylin *eg*

Pythagoras Pythagoras *eg*

Pythagoras theorem theorem Pythagoras *eb*

qanat canat *eg* canatau
quadrangle pedrongl *eg/b* pedronglau
quadrant pedrant *eg* pedrannau
quadrant arch bwa pedrant *eg* bwâu pedrant
quadrant moulding mowldin pedrant *eg* mowldinau pedrant
quadrat cwadrad *eg* cwadradau
quadrate cwadrat *eg* cwadratau
quadratic cwadratig *ans*
quadratic equation hafaliad cwadratig *eg* hafaliadau cwadratig
quadrennial pob pedair blynedd
quadriceps cwadriceps *eg*
quadrilateral *adj* pedrochr *ans*
quadrilateral *n* pedrochr *eg/b* pedrochrau
quadrille cwadríl *eg* cwadriliau
quadriplegia parlys pedwar aelod *eg*
quadruped pedwartroedyn *eg* pedwartroedion
quadruple pedwarplyg *ans*
quadruple stopping gwasgiad pedwarplyg *eg* gwasgiadau pedwarplyg
quadruplet pedrybled *eg* pedrybledau
quagmire siglen *eb* siglennydd
Quaker Crynwr *eg* Crynwyr
Quakerism Crynwriaeth *eb*
qualification cymhwyster *eg* cymwysterau
qualified cymwysedig *ans*
qualifier goleddfwr *eg* goleddfwyr
qualify (oneself for a job) ymgymhwyso *be*
qualitative ansoddol *ans*
qualitative analysis dadansoddiad ansoddol *eg* dadansoddiadau ansoddol
qualitative data data ansoddol *ell*
qualitative work gwaith ansoddol *eg*
quality ansawdd *eg* ansoddau
quality assurance sicrwydd ansawdd *eg*
quality circle cylch ansawdd *eg* cylchoedd ansawdd
quality control rheoli ansawdd *be*
quality of the environment ansawdd yr amgylchedd *eg*
quality variation amrywiaeth ansawdd *eb*
quango cwango *eg* cwangos
quantifiable mesuradwy *ans*
quantify (in non-technical usage) mesur *be*
quantify (in technical usage) meintioli *be*
quantitative meintiol *ans*
quantitative analysis dadansoddiad meintiol *eg* dadansoddiadau meintiol
quantitative approach ymagwedd feintiol *eb*

quantities of data meintiau o ddata *ell*
quantity (=how much) maint *eg*
quantity (=property of thing that is measurable) mesur *eg* mesurau
quantity (unspecified, e.g. of soil) rhywfaint *eg*
quantity demanded maint y galw *eg*
quantity supplied maint y cyflenwad *eg*
quantization cwanteiddiad *eg*
quantize cwanteiddio *be*
quantized cwanteiddiedig *ans*
quantum cwantwm *eg* cwanta
quantum theory damcaniaeth cwantwm *eb*
quarantine cwarantin *eg*
quarantine period cyfnod cwarantin *eg*
quark cwarc *eg* cwarciau
quarry chwarel *eb* chwareli
quarry tile teilsen chwarel *eb* teils chwarel
quarrying chwarela *be*
quarter (=one fourth) chwarter *eg* chwarteri
quarter (=part of town etc) rhan *eb* rhannau
quarter full size chwarter maint llawn *eg*
quarter moon chwarter lleuad *eg*
quarter of a whole chwarter un cyfan *eg* chwarteri un cyfan
quarter round moulding mowldin chwarter crwn *eg* mowldinau chwarter crwn
quarter sawn llifiad rheiddiol *eg* llifiadau rheiddiol
Quarter Sessions Llys Chwarter *eg*
quarter turn (right angle) chwarter tro (ongl sgwâr) *eg* chwarter troeon (onglau sgwâr)
quarter-comma mean-tone tuning tiwnio tôn-gymedr chwarter-coma *be*
quartered oak derw rheidd-dor *eg*
quartered panel panel rheiddiol *eg* paneli rheiddiol
quartering chwarteru *be*
quartermaster swyddog cyflenwi *eg* swyddogion cyflenwi
quartet pedwarawd *eg* pedwarawdau
quartic cwartig *ans*
quartic equation hafaliad cwartig *eg* hafaliadau cwartig
quartile chwartel *eg* chwartelau
quartile point pwynt chwartel *eg* pwyntiau chwartel
quarto cwarto *eg*
quartz cwarts *eg* cwartsiau
quartzite cwartsit *eg*
quasi-field cwasi-faes *eg* cwasi-feysydd
quasi-group cwasi-grŵp *eg* cwasi-grwpiau
quasistatic cwasistatig *ans*
quaternary cwaternaidd *ans*
quaternion cwaternion *eg*

quaver (eighth-note) cwafer *eg* cwaferau
quay cei *eg* ceiau
Queen Consort Brenhines Gydweddog *eb*
queen dowager gweddw'r brenin *eb*
queenpost banonbost *eg* banonbyst
quench trochoeri *be*
quern breuan *eb* breuanau

query *n* ymholiad *eg* ymholiadau
query *v* ymholi *be*

query language iaith ymholi *eb* ieithoedd ymholi
question cwestiwn *eg* cwestiynau
question and answer a data file holi ac ateb ffeil ddata
question bank cronfa gwestiynau *eb* cronfeydd cwestiynau
question mark gofynnod *eg* gofynodau
questioning (as a teaching method, doubting) cwestiynu *be*
questioning (=asking) holi *be*
questionnaire holiadur *eg* holiaduron
queue ciw *eg* ciwiau
queuing theory theori ciwio *eb* theorïau ciwio
quick cyflym *ans*
quick action nut nyten chwimwth *eb* nytiau chwimwth
quick adjustment cymhwysiad cyflym *eg* cymwysiadau cyflym
quick change post post newid cyflym *eg* pyst newid cyflym
quick drying sychu'n gyflym *be*
quick frozen food bwyd wedi'i rewi'n gyflym *eg*
quick response and mental calculation cards cardiau ymatebion cyflym a chyfrifiadau pen
quick silver arian byw *eg*
quick unpick datodydd *eg* datodyddion
quick-action nut nyten chwimwth *eb* nytiau chwimwth
quick-release mechanism mecanwaith rhyddhau cyflym *eg*
quick-return mechanism mecanwaith dychwel cyflym *eg*
quickening (of foetus) bywiocáu *be*
quicklime calch brwd *eg*

quicksands sugndraeth *eg* sugndraethau
quickstep quickstep *eg* dawnsiau quickstep
quiet distaw *ans*
quietism tawelyddiaeth *eb*
quietist tawelwr *eg* tawelwyr
quill (lathe part) cwilsen *eb* cwils
quill brush brwsh cwilsen *eg* brwshys cwilsen
quill pen pen cwilsen *eg* pennau cwils
quilt *n* cwilt *eg* cwiltiau
quilt *v* cwiltio *be*
quilter (machine attachments) cwiltell *eb* cwiltellau
quilting cwiltio *be*
quilting frame ffrâm gwiltio *eb* fframiau cwiltio
quincentennial pumcanmlwyddiant *eg*
quinine cwinin *eg*
quinquennial pob pum mlynedd
quintet pumawd *eg* pumawdau
quintuplet pumled *eg* pumledi
quire cwir *eg* cwiroedd
quirk cwirc *eg* cwirciau
quirk bead glain cwirc *eg* gleiniau cwirc
quit gadael *be*
quit claim ildio hawl (ar dir) *be*
quiver cawell saethau *eg* cewyll saethau
quiz cwis *eg* cwisiau
quoin conglfaen *eg* conglfeini
quoit *n* coeten *eb* coetiau
quoit *v* coetio *be*
quorum cworwm *eg* cworymau
quota cwota *eg* cwotâu
quotation dyfyniad *eg* dyfyniadau
quotation aspect (of division) agwedd mesuriad *eb*
quotation mark dyfynnod *eg* dyfynodau
quotient cyniferydd *eg* cyniferyddion
Qur'an Qur'an *eg*
QWERTY keyboard bysellfwrdd QWERTY *eg* bysellfyrddau QWERTY

---

adf, adv adferf, *adverb*   *ans, adj* ansoddair, *adjective*   *be* berf, *verb*   *eb* enw benywaidd, *feminine noun*   *eg* enw gwrywaidd, *masculine noun*

R

R.P.M. (revolutions per minute) cylchdroeon y funud (c.y.f.)

rabbet *n* rabad *eg* rabadau

rabbet *v* rabedu *be*

rabbet joint uniad rabad *eg* uniadau rabad

rabbet plane plaen rabad *eg* plaeniau rabad

rabbeted stile cledren rabedog *eb* cledrau rabedog

rabbeted weather boarding byrddau hindraul rabedog *ell*

rabbit punch dyrnod gwar *eb* dyrnodiau gwar

rabble ciwed *eb*

rabies y gynddaredd *eb*

race hil *eb* hilion

race *n* ras *eb* rasys

race *v* rasio *be*

race relations cysylltiadau hiliol *ell*

Race Relations Act Deddf Cysylltiadau Hiliol *eb*

racemate racemad *eg* racemadau

raceme racem *eb* racemau

racemic (in chemistry) racemig *ans*

racemization racemeiddiad *eg*

racemose racemaidd *ans*

rachis rachis *eg* rachisau

racial hiliol *ans*

racial community cymuned hiliol *eb* cymunedau hiliol

racial conflict gwrthdaro hiliol *be*

racial discrimination gwahaniaethu hiliol *be*

racial segregation arwahanu hiliol *be*

racing dive deif ras *eb* deifiau ras

racism hiliaeth *eb*

racist hiliwr *eg* hilwyr

rack (for torture) arteithglwyd *eb* arteithglwydi

rack (lathe part) rac *eb* raciau

rack (=shelf) rhesel *eb* rheseli

rack and pinion rac a phiniwn

rack and pinion railway rheilffordd rac a phiniwn *eb* rheilffyrdd rac a phiniwn

rack-rent rhacrentu *be*

racket raced *eb* racedi

racket parts rhannau o'r raced *ell*

racket weight pwysau'r raced *ell*

racketeer llwgr-fasnachwr *eg* llwgr-fasnachwyr

radar radar *eg*

raddle radl *eg* radlau

radial rheiddiol *ans*

radial easel îsl rheiddiol *eg* islau rheiddiol

radial flute ffliwt reiddiol *eb* ffliwtiau rheiddiol

radial line llinell reiddiol *eb* llinellau rheiddiol

radial sawcut llifiad rheiddiol *eg* llifiadau rheiddiol

radial section toriad rheiddiol *eg* toriadau rheiddiol

radial shake hollt rheiddiol *eg* holltau rheiddiol

radial symmetry cymesuredd rheiddiol *eg*

radian radian *eg* radianau

radiant pelydrol *ans*

radiant heat gwres pelydrol *eg*

radiate pelydru *be*

radiating line llinell belydrol *eb* llinellau pelydrol

radiation (in general) pelydriad *eg* pelydriadau

radiation (radioactive) ymbelydredd *eg*

radiation fog niwl pelydriad *eg*

radiation pyrometer pyromedr pelydriad *eg* pyromedrau pelydriad

radiation sickness salwch ymbelydredd *eg*

radiator (of heating system) rheiddiadur *eg* rheiddiaduron

radiator (of light, heat) pelydrydd *eg* pelydryddion

radical radical *eg* radicalau

radical cadence diweddeb cordiau gwreiddiol *eb* diweddebau cordiau gwreiddiol

radical philosopher athronydd radicalaidd *eg* athronwyr radicalaidd

radicalism radicaliaeth *eb*

radicle cynwreiddyn *eg* cynwreiddiau

radio radio *eg* radios

radio or tv mast mast radio neu deledu *eg*

radio star seren radio *eb* sêr radio

radio wave ton radio *eb* tonnau radio

radioactive ymbelydrol *ans*

radioactive decay dadfeiliad ymbelydrol *eg*

radioactive emission allyriad ymbelydrol *eg* allyriadau ymbelydrol

radioactive fallout alldafliad ymbelydrol *eg*

radioactive particle gronyn ymbelydrol *eg* gronynnau ymbelydrol

radioactive source ffynhonnell ymbelydrol *eb* ffynonellau ymbelydrol

radioactivity ymbelydredd *eg*

radioastronomy radioseryddiaeth *eb*

radiograph radiograff *eg* radiograffau

radiographer radiograffydd *eg* radiograffwyr

radiography radiograffeg *eb*

radiologist radiolegydd *eg* radiolegwyr

radiology radioleg *eb*

radiotherapy radiotherapi *eg*

radium (Ra) radiwm *eg*

radius (in botany) rhaidd *eg* rheiddiau

radius (in geometry etc) radiws *eg* radiysau

radius gauge medrydd radiws *eg* medryddion radiws

---

radius of gyration radiws chwyrliant *eg* radiysau chwyrliant

radiused corner cornel gron *eb* corneli crwn

radiusing (lathe tool) radiysu *be*

radix radics *eg* radicsau

radon (Rn) radon *eg*

raffia raffia *eg*

raffia weaving plethu raffia *be*

raffia work gwaith raffia *eg*

raft foundation sylfaen rafft *eb* sylfeini rafft

rafter ceibr *eg* ceibrau

rafting rafftio *be*

rag cerpyn *eg* carpiau

rag bag bag carpiau *eg* bagiau carpiau

rag bolt bollt sylfaen *eb* bolltau sylfaen

rag paper papur lliain *eg*

rag week wythnos rag *eb* wythnosau rag

ragged school ysgol y tlodion *eb* ysgolion y tlodion

ragged shores glannau bylchog *ell*

raglan sleeve llawes raglan *eb* llewys raglan

ragtime ragtime *eg*

raid cyrch *eg* cyrchoedd

rail rheilen *eb* rheiliau

rail junction cyffordd trenau *eb* cyffyrdd trenau

railway rheilffordd *eb* rheilffyrdd

railway siding lein aros *eb* leiniau aros

rain forest coedwig law *eb* coedwigoedd glaw

rain proof gwrthlaw *ans*

rain shadow cysgod glaw *eg* cysgodion glaw

rainbow enfys *eb* enfysau

rainfall glawiad *eg*

rainfall regime patrymedd glawiad *eg*

rainfall reliability dibynnedd glawiad *eg*

rainfall variability amrywioldeb glawiad *eg*

rainwash glawred *eg* glawrediadau

rainwater dŵr glaw *eg*

raise codi *be*

raise a perpendicular codi perpendicwlar *be*

raise or lower codi neu ostwng

raise stitches (scorping) codi pwythau (sgorpio) *be*

raised beach cyfordraeth *eg* cyfordraethau

raised bog cyforgors *eb* cyforgorsydd

raised cliff cyforglogwyn *eg* cyforglogwyni

raised head (machine screws) copog uchel *ans*

raised head screw sgriw gopog *eg* sgriwiau copog

raised panel panel wedi'i godi *eb* paneli wedi'u codi

raised work gwaith codi *eg*

raising hammer morthwyl codi *eg* morthwylion codi

raising mallet gordd godi *eb* gyrdd codi

rake (implement) *n* cribin *eg/b* cribinau; rhaca *eg* rhacanau

rake (of sloping angle) *n* gwyredd *eg* gwyreddau

rake (with implement) *v* cribinio *be*; rhacanu *be*

rake angle (drill part) ongl wyredd *eb* onglau gwyredd

raking out glanhau allan *be*

raking shore ateg ogwydd *eb* ategion gogwydd

raku racw *eg*

rally rali *eb* raliau

ram hwrdd *eg* hyrddod; maharen *eg* meheryn

Ramadan Ramadan *eg*

rammer hyrddwr *eg* hyrddwyr

ramming blocks blociau hyrddu *ell*

ramp ramp *eg* rampiau

rampart rhagfur *eg* rhagfuriau

ranch *n* ransh *eb* ransiau

ranch *v* ransio *be*

ranch style bungalow byngalo dull ransh *eg* byngalos dull ransh

ranch-house tŷ ransh *eg* tai ransh

randing plethu *be*

random hap *eg*

random access *n* hapgyrch *eg* hapgyrchoedd

random access *v* hapgyrchu *be*

random access file ffeil hapgyrchu *eb* ffeiliau hapgyrchu

random access memory (RAM) cof hapgyrch (RAM) *eg*

random access store storfa hapgyrch *eb* storfeydd hapgyrch

random choice hapddewis *be*

random error hapgyfeiliornad *eg* hapgyfeiliornadau

random event hapddigwyddiad *eg* hapddigwyddiadau

random experiment haparbrawf *eg* haparbrofion

random file ffeil hapgyrchu *eb* ffeiliau hapgyrchu

random length hap-hyd *eg* haphydoedd

random motion mudiant afreolus *eg*

random number haprif *eg* haprifau

random number generator generadur haprifau *eg* generaduron haprifau

random pattern hapbatrwm *eg* hapbatrymau

random sample hap-sampl *eg* hapsamplau

random scale value gwerth hapraddfa *eg* gwerthoedd hapraddfa

random selection hapddethol *be*

random variable hapnewidyn *eg* hapnewidynnau

random walk hapgerddediad *eg* hapgerddediadau

randomly select dethol ar hap *be*

range (=extent) amrediad *eg* amrediadau

range (of ability etc) ystod *eb* ystodau

range (of products) dewis (o gynnyrch) *eg*

range (=reach) cyrhaeddiad *eg* cyraeddiadau

range (=variety) amrywiaeth *eb*

range of gymnastic action amrywiaeth o weithrediadau gymnastig *eb*

range of mountains cadwyn o fynyddoedd *eb* cadwyni o fynyddoedd

range of music amrywiaeth o gerddoriaeth *eb*

range of performance ystod o berfformiad *eb*

range of tide amrediad llanw *eg*

range of variations amrediad yr amrywiadau *eg*

range statements datganiadau ystod *ell*

ranger ceidwad *eg* ceidwaid

ranging pole polyn anelu *eg* polion anelu

rank (in economics) *v* graddio *be*

rank (on organ) *n* set o bibau *eb* setiau o bibau

rank (=position in general) *n* safle *eg* safleoedd

rank (=position in hierarchy) *n* gradd *eb* graddau

rank (=row or line) *n* rheng *eb* rhengoedd

rank correlation cydberthyniad rhestrol *eg*

rank order trefn restrol *eb* trefnau rhestrol

rank size rule rheol gradd a maint *eb* rheolau gradd a maint

ranking method dull graddio *eg* dulliau graddio

ranks of windows rhesi o ffenestri *ell*

ransom pridwerth *eg*

rap *n* cnoc *eg/b* cnociau

rap *v* cnocio *be*

rape trais rhywiol *eg*

rapid hardening cement sment cyflym-galedu *eg*

rapier cleddyf main *eg* cleddyfau main

rapping iron haearn cnocio *eg* heyrn cnocio

rapping tool erfyn cnocio *eg* arfau cnocio

rare earth prinfwyn *eg* prinfwynau

rare gas nwy prin *eg*

rarefaction teneuad *eg* teneuadau

rash brech *eb* brechau

rasp *n* rhathell *eb* rhathellau

rasp *v* rhathellu *be*

rasp cut toriad rhathell *eg* toriadau rhathell

raspberries mafon *ell*

rasqueado rasqueado *eg*

Rastafarian Rastaffariad *eg* Rastaffariaid

Rastafarianism Rastaffariaeth *eb*

ratchet cliced ddannedd *eb* clicedau dannedd

ratchet and pawl cliced a phawl

ratchet brace carntro cliced *eg* carntroeon cliced

ratchet drill dril cliced *eg* driliau cliced

ratchet easel îsl cliced *eg* islau cliced

ratchet pawl pawl cliced *eg* pawliau cliced

ratchet screwdriver tyrnsgriw cliced *eg* tyrnsgriwiau cliced

ratchet stop stop cliced *eg* stopiau cliced

ratchet teeth dannedd cliced *ell*

ratchet wheel olwyn glicied *eb* olwynion clicied

rate (=numerical proportion) cyfradd *eb* cyfraddau

rate of exchange cyfradd cyfnewid *eb* cyfraddau cyfnewid

rate of feed cyfradd porthiant *eb*

rate of growth cyfradd twf *eb*

rate of interest cyfradd llog *eb* cyfraddau llog

rate of mutations cyfradd mwtaniadau *eb*

rate of progress cyfradd cynnydd *eb* cyfraddau cynnydd

rate of striking amseriad taro *eg* amseriadau taro

rate of transferring energy cyfradd trosglwyddo egni *eb*

rate of water loss cyfradd colli dŵr *eb*

rate of weight loss cyfradd colli pwysau *eb*

rate of working cyfradd gweithio *eb*

rate payer trethdalwr *eg* trethdalwyr

rate per cent cyfradd y cant *eb*

rate rebate ad-daliad treth *eg* ad-daliadau treth

rate subsidy cymhorthdal trethi *eg*

rate-support grant grant cynnal trethi *eg*

rateable ardrethol *ans*

rateable value gwerth ardrethol *eg* gwerthoedd ardrethol

ratify cadarnhau *be*

ratio cymhareb *eb* cymarebau

ration *n* dogn *eg* dognau

ration *v* dogni *be*

ration book llyfr dogni *eg* llyfrau dogni

rational (=based on reason) rhesymol *ans*

rational (of ratios) cymarebol *ans*

Rational Dissenter anghydffurfiwr rhesymol *eg* anghydffurfwyr rhesymol

rationale sail resymegol *eb* seiliau rhesymegol

rationalisation rhesymoliad *eg* rhesymoliadau

rationalism rhesymoliaeth *eb*

rattan corsen *eb* cyrs

rattan palm palmwydden corsen *eb* palmwydd cyrs

rattle *n* rhuglen *eb* rhuglenni

rattle *v* rhuglo *be*

ravage anrheithio *be*

ravine dyfnant *eb* dyfnentydd

raw crai *ans*

raw data data crai *ell*

raw edge ymyl grai *eb* ymylon crai

raw fibre ffibr crai *eg* ffibrau crai

raw glaze gwydredd crai *eg*

raw material defnydd crai *eg* defnyddiau crai

raw materials nwyddau crai *ell*

raw sienna sienna crai *eg*

raw silk sidan crai *eg*

raw steel dur crai *eg*

raw umber wmber crai *eg*

rawhide mallet gordd lledr crai *eb* gyrdd lledr crai

rawlbolt rawlfollt *eg* rawlfolltau

ray (in chemistry and physics) pelydryn *eg* pelydrau

ray (in physiology and biology) rheidden *eb* rheiddennau

ray beam paladr *eg* pelydr

ray box blwch pelydru *eg* blychau pelydru

ray diagram diagram pelydrol *eg* diagramau pelydrol

rayon reion *eg*

rayon acetate reion asetad *eg*

rayon cord cord reion *eg*

re-deposit ailddyddodi *be*

re-enter (in computing) adfewnio *be*

re-entrant (in computing) adfewniadol *ans*

re-entrant (in geography) adfewnol *ans*

re-entrant contour line cyfuchlin adfewnol *eg* cyfuchliniau adfewnol

re-entry (in computing) adfewniad *eg* adfewniadau

re-equip ailgyfarparu *be*

re-establish ailsefydlu *be*

re-export aialllforio *be*

re-texture adweadu *be*

re-touching varnish farnais aildrwsio *eg*

reabsorption (renal) adamsugniad *eg*

reach *n* cyrhaeddiad *eg* cyraeddiadau

reach *v* cyrraedd *be*

reach (of river) estyniad *eg* estyniadau

reach one's majority dod i oed *be*

react adweithio *be*

reactance adweithedd *eg* adweitheddau

reactant adweithydd *eg* adweithyddion

reaction adwaith *eg* adweithiau

reaction activator actifadydd adwaith *eg*

reaction rate cyfradd adwaith *eb*

reaction rate expression mynegiad cyfradd adwaith *eg*

reaction speed cyflymder adwaith *eg*

reaction time amser adweithio *eg*

reaction timer amserydd adweithio *eg* amseryddion adweithio

reactionary policy polisi adweithiol *eg* polisïau adweithiol

reactive adweithiol *ans*

reactive depression iselder adweithiol *eg*

reactive dye llifyn adweithiol *eg* llifynnau adweithiol

reactivity adweithedd *eg* adweitheddau

reactivity series cyfres adweithedd *eb* cyfresi adweithedd

reactor adweithydd *eg* adweithyddion

read darllen *be*

read head pen darllen *eg* pennau darllen

read speed cyflymder darllen *eg*

read time amser darllen *eg* amserau darllen

read-only memory (ROM) cof darllen yn unig (ROM) *eg*

read / write channel sianel darllen ac ysgrifennu *eb* sianeli darllen ac ysgrifennu

read / write head pen darllen ac ysgrifennu *eg* pennau darllen ac ysgrifennu

reader darllenydd *eg* darllenyddion

reading darlleniad *eg* darlleniadau

reading age oed darllen *eg*

reading comprehension darllen a deall

reading corner cornel ddarllen *eb* corneli darllen

reading scheme cynllun darllen *eg* cynlluniau darllen

reading test prawf darllen *eg* profion darllen

readjust ailgymhwyso *be*

readout allddarlleniad *eg* allddarlleniadau

ready to assemble furniture dodrefn parod i'w cydosod *ell*

ready veneer board bwrdd argaen parod *eg* byrddau argaen parod

ready-made parod *ans*

ready-reckoner cyfrifydd parod *eg* cyfrifwyr parod

reafforestation ailgoedwigo *be*

reagent adweithydd *eg* adweithyddion

real (in general) gwir *ans*

real (in mathematics) real *ans*

real book llyfr dewis *eg* llyfrau dewis

real capital gwir gyfalaf *eg*

real depth gwir ddyfnder *eg*

real estate eiddo tiriog *eg*

real fugue ffiwg wir *eb* ffiwgiau gwir

real gas nwy real *eg* nwyon real

real image delwedd real *eb* delweddau real

real number rhif real *eg* rhifau real

real part rhan real *eb* rhannau real

real time amser real *eg* amserau real

real time clock cloc amser real *eg* clociau amser real

real time processing prosesu amser real *be*

real value gwerth real *eg* gwerthoedd real

real variable newidyn real *eg* newidynnau real

real world byd go iawn *eg*

realism realaeth *eb*

realistic realistig *ans*

reality realiti *eg*

reality orientation atgoffa o realaeth *be*

realization of a plan gwireddu cynllun *be*

reallocate ailddyrannu *be*

realm teyrnas *eb* teyrnasoedd

ream rîm *eg* rimau

reamer agorell *eb* agorellau

reaming agorellu *be*

rear access ôl-fynedfa *eb* ôl-fynedfeydd

rear suspension hongiad ôl *eg*

rear-admiral dirprwy lyngesydd *eg* dirprwy lyngeswyr

rearguard action ymladd i gadw'r cefn *be*

rearrangement reaction adwaith adrefnu *eg*

reason rhesymu *be*

reasonable rhesymol *ans*

reasonableness rhesymolrwydd *eg*

reasonably dust-proof yn weddol rydd o lwch *adf*

reassurance cysur *eg*

reassure tawelu meddwl *be*

rebate ad-daliad *eg* ad-daliadau

rebec rebec *eg* rebecau

Rebecca riots terfysgoedd Beca *ell*

rebel gwrthryfelwr *eg* gwrthryfelwyr

rebellion gwrthryfel *eg* gwrthryfeloedd

rebellious gwrthryfelgar *ans*

rebind ailrwymo *be*

rebound *n* adlam *eg* adlamau

rebound *v* adlamu *be*

rebuild ailadeiladu *be*

recall galw i gof *be*

recall musical patterns galw i gof batrymau cerddorol *be*

recant gwadu *be*

recantation gwadiad *eg* gwadiadau

recede encilio *be*

receding colour lliw enciliol *eg* lliwiau enciliol

receipt derbynneb *eb* derbynebau

receive derbyn *be*

receive into membership derbyn yn aelod *be*

receive poor relief byw ar y plwyf *be*

receiver derbynnydd *eg* derbynyddion

receiver (feudal) rhysyfwr *eg* rhysyfwyr

Receiver General Rhysyfwr Cyffredinol *eg* Rhysyfwyr Cyffredinol

recent incomer hwyrddyfodiad *eg* hwyrddyfodiaid

recentred projection tafluniad atganolog *eg* tafluniadau atganolog

receptacle llestr *eg* llestri

receptacle (flower) cynheilydd *eg* cyneilyddion

reception (act of, formal occasion) derbyniad *eg* derbyniadau

reception (of place) derbynfa *eb* derbynfeydd

receptionist croesawydd *eg* croesawyr

---

receptor derbynnydd *eg* derbynyddion

recess *v* cilannu *be*

recess (drill part) *n* cilan *eb* cilannau

recess (in a wall etc) *n* cilfach *eb* cilfachau

recessed cilannog *ans*

recessed joint uniad cilannog *eg* uniadau cilannog

recessed lighting golau cilannog *eg* goleuadau cilannog

recessed window ffenestr gilannog *eb* ffenestri cilannog

recessing (of lathe tools) rhigoli *be*

recession (economical) dirwasgiad *eg* dirwasgiadau

recession (geographical etc) enciliad *eg* enciliadau

recessional moraine marian enciliol *eg* mariannau enciliol

recessive enciliol *ans*

recessive attribute priodwedd enciliol *eb* priodweddau enciliol

recessive factor ffactor enciliol *eb* ffactorau enciliol

rechargeable ailwefradwy *ans*

recheck ailwirio *be*

recipe rysáit *eb* ryseitiau

reciprocal (in general) *adj* dwyochrog *ans*

reciprocal (in mathematics) *adj* cilyddol *ans*

reciprocal (in mathematics) *n* cilydd *eg* cilyddion

reciprocal arrangement telerau cytbwys *ell*

reciprocate (in mathematics) cilyddu *be*

reciprocating motion mudiant cilyddol *eg*

reciprocity dwyochredd *eb*

Reciprocity of Duties Act Deddf Cydbwyso Tollau *eb*

recirculate ailgylchredeg *be*

recirculating cooker hood lwfer ailgylchredol *eg* lwfrau ailgylchredol

recital datganiad *eg* datganiadau

reciting note adroddnod *eg* adroddnodau

reclaim adennill *be*

recluse meudwy *eg* meudwyaid

recognition (=acknowledgement) cydnabyddiaeth *eb*

recognition (=identification) adnabyddiad *eg* adnabyddiadau

recognizance ymrwymiad *eg* ymrwymiadau

recognize (=accept, admit) cydnabod *be*

recognize (=identify) adnabod *be*

recognized form ffurf gydnabyddedig *eb* ffurfiau cydnabyddedig

recognized stroke strôc gydnabyddedig *eb* strociau cydnabyddedig

recognized version fersiwn cydnabyddedig *eg* fersiynau cydnabyddedig

recoil *n* adlam *eg* adlamau

recoil *v* adlamu *be*

recombination ailgyfuniad *eg* ailgyfuniadau

recommend (=advise as a course of action) argymell *be*

recommend (=commend) cymeradwyo *be*

recommendation (=advice) argymhelliad *eg* argymhellion

recommendation (=commendation) cymeradwyaeth *eg*

recommended daily allowance (food etc) lwfans beunyddiol argymelledig *eg*

recommended daily amount (of a nutrient) maint beunyddiol argymelledig *eg*

reconciliation cymod *eg*

recondition adnewyddu *be*

reconnaissance archwiliad strategol *eg*

reconnoitre archwilio strategol *be*

reconsider ailystyried *be*

reconstruct (=rebuild) ailadeiladu *be*

reconstruct (=recreate) ail-lunio *be*

reconstruction ail-luniad *eg* ail-luniadau

record (=best attempt) *n* record *eb* recordiau

record (evidence etc on paper, computer etc) *v* cofnodi *be*

record (=evidence or information) *n* cofnod *eg* cofnodion

record (music etc on disc) *v* recordio *be*

record (=plastic disc carrying recorded sound) *n* record *eb* recordiau

record card cerdyn cofnod *eg* cardiau cofnod

record count cyfrif cofnodion *be*

record format fformat cofnod *eg*

record keeping cadw cofnodion *be*

record length hyd cofnod *eg*

record of achievement cofnod cyrhaeddiad *eg* cofnodion cyrhaeddiad

record office archifdy *eg* archifdai

record phenomena cofnodi ffenomenau *be*

record sheet taflen gofnodi *eb* taflenni cofnodi

recorder (=keeper of records) cofnodwr *eg* cofnodwyr

recorder (=machine for recording) recordydd *eg* recordwyr

recorder (=type of judge) cofiadur *eg* cofiaduron

recorder (=wind instrument) recorder *eg* recorderau

recording recordiad *eg* recordiadau

recording equipment offer recordio *ell*

recording head pen recordio *eg* pennau recordio

recording surface arwyneb recordio *eg* arwynebau recordio

recoup adennill *be*

recover adfer *be*

recoverable adferadwy *ans*

recovery adferiad *eg* adferiadau

recovery position ystum adferol *eg*

recovery rate cyfradd adfer *eb*

recreation adloniant *eg* adloniannau

recriminate gwrthgyhuddo *be*

recruit *n* recriwt *eg* recriwtiaid

recruit *v* recriwtio *be*

recrystallization ailgrisialiad *eg*

recrystallize ailgrisialu *be*

rectangle petryal *eg* petryalau

rectangle method dull petryal *eg*

rectangular petryal *ans*

rectangular Cartesian coordinates cyfesurynnau Cartesaidd petryal *ell*

rectangular channel sianel betryal *eb* sianeli petryal

rectangular die dei petryal *eg* deiau petryal

rectangular duct dwythell betryal *eb* dwythellau petryal

rectangular end pen petryal *eg* pennau petryal

rectangular hyperbola hyperbola petryal *eg* hyperbolâu petryal

rectangular key allwedd betryal *eb* allweddi petryal

rectangular matrix matrics petryal *eg*

rectangular prism prism petryal *eg* prismau petryal

rectangular section material defnydd trychiad petryal *eg*

rectangular solid solid petryal *eg* solidau petryal

rectangular table bwrdd petryal *eg* byrddau petryal

rectification unioniad *eg* unioniadau

rectified spirit gwirod coeth *eg*

rectifier (of electric current) unionydd *eg* unionwyr

rectify unioni *be*

rectilinear unionlin *ans*

rectilinear coordinate cyfesuryn unionlin *eg* cyfesurynnau unionlin

rectilinear coordinate ordinate cyfesuryn unionlin mesuryn *eg* cyfesurynnau unionlin mesurynnau

rectilinear figure ffigur unionlin *eg* ffigurau unionlin

rector rheithor *eg* rheithorion

rectorate rheithoriaeth *eb* rheithoriaethau

rectory rheithordy *eg* rheithordai

rectum rectwm *eg*

recumbent gorweddol *ans*

recumbent fold plyg gorweddol *eg* plygion gorweddol

recurrance dychweliad *eg* dychweliadau

recurring cylchol *ans*

recurring decimal degolyn cylchol *eg* degolion cylchol

recursion dychweliad *eg* dychweliadau

recurved atro *ans*

recusancy reciwsantiaeth *eb*

recusancy list rhestr reciwsantiaid *eb* rhestri reciwsantiaid

recusancy rolls rholiau reciwsantiaid *ell*

recusant reciwsant *eg* reciwsantiaid

recycle ailgylchu *be*

recycling of rocks ailgylchu creigiau *be*

red (enamelling colour) coch *eg*

red blood cell cell goch y gwaed *eb* celloedd coch y gwaed

red blood cell count cyfrifiad celloedd coch y gwaed *eg*

red blood corpuscle corffilyn coch y gwaed *eg* corffilod coch y gwaed

red blood corpuscle count cyfrifiad corffilod coch y gwaed *eg*

red cell ghost gweddillyn corffilyn coch *eg* gweddillion corffilod coch

red clay clai coch *eg*

red earth pridd coch *eg* priddoedd coch

red heat gwres coch *eg*

red hot poethgoch *ans*

red kidney beans ffa coch *ell*

red ochre ocr coch *eg*

red sable sabl coch *eg*

red sable brush brwsh sabl coch *eg* brwshys sabl coch

red shift rhuddiad *eg* rhuddiadau

reddish cochlyd *ans*

redefine ailddiffinio *be*

redemption achubiaeth *eb*

redistribute ailddosbarthu *be*

redoubt amddiffynfa allanol *eb* amddiffynfeydd allanol

redox rhydocs *eg*

reduce (=curtail) cwtogi *be*

reduce (in chemistry) rhydwytho *be*

reduce (=make smaller) lleihau *be*

reduce (price, temperature) gostwng *be*

reduce (=subdue) darostwng *be*

reduce (=thin) teneuo *be*

reduce a pattern lleihau patrwm *be*

reduce bulk lleihau swmp *be*

reduced goods nwyddau pris gostyngol *ell*

reduced level (in physics) lefel seiliedig *eb*

reduced mass màs gostyngol *eg*

reduced pressure gwasgedd gostyngol *eg*

reduced price pris gostyngol *eg* prisiau gostyngol

reduced size maint llai *eg*

reducible gostyngadwy *ans*

reducing agent rhydwythydd *eg* rhydwythyddion

reducing medium (thinners) cyfrwng teneuo *eg* cyfryngau teneuo

reduction (in chemistry) rhydwythiad *eg*

reduction (in numbers) lleihad *eg*

reduction (in price, temperature) gostyngiad *eg* gostyngiadau

reduction box blwch gostyngiad *eg*

reduction division ymraniad lleihaol *eg*

redundancy colli gwaith *be*

redundancy check gwiriad afreidrwydd *eg* gwiriadau afreidrwydd

redundancy pay tâl colli gwaith *eg*

redundant (=not needed) diangen *ans*

redundant (=unemployed) di-waith *ans*

redwoods coedydd coch *ell*

reed (in wind instruments) brwynen *eb* brwyn

reed (=type of plant) corsen *eb* cyrs

reed hook bach corsen *eg* bachau cyrs

reed organ organ gyrs *eb* organau cyrs

reed pen pen corsen *eg* pennau cyrs

reeding corsenwaith *eg*

reef riff *eg* riffiau

reefing (the sail) riffio *be*

reel rîl *eb* riliau

reeve (=chief magistrate) prif ynad *eg* prif ynadon

reeve (=manorial supervisor) maer *eg* meiri

refectory ffreutur *eg* ffreuturau

refectory table bwrdd ffreutur *eg* byrddau ffreutur

refer cyfeirio *be*

referee (female, in sport) dyfarnwraig *eb* dyfarnwragedd

referee (for references) canolwr *eg* canolwyr

referee (male, in sport) dyfarnwr *eg* dyfarnwyr

referee's book llyfr bach *eg*

reference (in book) cyfeiriad *eg* cyfeiriadau

reference (mark or number) cyfeirnod *eg* cyfeirnodau

reference (=testimonial) geirda *eg*

reference book cyfeirlyfr *eg* cyfeirlyfrau

---

adf, adv adferf, *adverb*   *ans, adj* ansoddair, *adjective*   *be* berf, *verb*   *eb* enw benywaidd, *feminine noun*   *eg* enw gwrywaidd, *masculine noun*

reference plane plân cyfeirnod *eg* planau cyfeirnod
reference section adran gyfeirio *eb* adrannau cyfeirio
referendum refferendwm *eg* refferenda
referral cyfeiriad *eg* cyfeiriadau
referred pain poen allgyfeiriol *eg*
refill *n* adlenwad *eg* adlenwadau
refill *v* adlenwi *be*
refine (metal, sugar) coethi *be*
refine (oil) puro *be*
refine technique gwella perfformiad *be*
refined (of metal, sugar) coeth *ans*
refined linseed oil olew had llin puredig *eg*
refined oil olew puredig *eg*
refined sugar siwgr coeth *eg*
refinement coethder *eg* coethderau
refinery purfa *eb* purfeydd
reflation atchwyddiant *eg*
reflect (=consider) ystyried *be*
reflect (light) adlewyrchu *be*
reflected adlewyrchedig *ans*
reflected (light, sound wave) adlewyrch *ans*
reflected colour lliw adlewyrchedig *eg* lliwiau
adlewyrchedig
reflected light golau adlewyrchedig *eg*
reflection adlewyrchiad *eg* adlewyrchiadau
reflection in a line adlewyrchiad mewn llinell *eg*
reflective symmetry cymesuredd adlewyrchiad *eg*
reflector adlewyrchydd *eg* adlewyrchyddion
reflex *adj* atgyrchol *ans*
reflex *n* atgyrch *eg* atgyrchau
reflex action gweithred atgyrch *eb* gweithredoedd atgyrch
reflex angle ongl atblyg *eb* onglau atblyg
reflex arc llwybr atgyrch *eg* llwybrau atgyrch
reflexive relation perthynas ymatblyg *eb*
reflux adlifiad *eg* adlifiadau
reflux *adj* adlifol *ans*
reflux *v* adlifo *be*
reflux condenser cyddwysydd adlifol *eg* cyddwysyddion
adlifol
refoot troedio (hosan) *be*
reform *n* diwygiad *eg* diwygiadau
reform (=form again) *v* ailffurfio *be*
reform (=improve) *v* diwygio *be*
Reform Jew Iddew Diwygiedig *eg* Iddewon Diwygiedig
reformation diwygiad *eg* diwygiadau
Reformation Diwygiad Protestannaidd *eg*
reformatory ysgol benyd *eb* ysgolion penyd
reformed diwygiedig *ans*
reformer diwygiwr *eg* diwygwyr
refract (light) plygu *be*
refracted (light, sound wave) plyg *ans*
refracted angle ongl blygiant *eb* onglau plygiant
refracted light golau plyg *eg* goleuadau plyg
refraction plygiant *eg*
refractive index indecs plygiant *eg* indecsau plygiant
refractivity plygiannedd *eg*

refractometer reffractomedr *eg* reffractomedrau
refractory (of substance) gwrthsafol *ans*
refractory brick bricsen wrthsafol *eb* brics gwrthsafol
refractory lining leinin gwrthsafol *eg*
refractory period (of nerve) cyfnod diddigwydd *eg*
refrain byrdwn *eg* byrdynau
refrigerant rhewydd *eg* rhewyddion
refrigerate rheweiddio *be*
refrigerated rheweiddiedig *ans*
refrigeration rheweiddiad *eg*
refrigeration ship llong rewi *eb* llongau rhewi
refrigerator oergell *eb* oergelloedd
refuge village pentref noddfa *eg* pentrefi noddfa
refugee ffoadur *eg* ffoaduriaid
refugee camp gwersyll ffoaduriaid *eg* gwersylloedd
ffoaduriaid
refund *n* ad-daliad *eg* ad-daliadau
refund *v* ad-dalu *be*
refuse sbwriel *eg*
refuse bin bin sbwriel *eg* biniau sbwriel
refuse collector casglwr sbwriel *eg* casglwyr sbwriel
refuse disposal gwaredu sbwriel *be*
refuse tip tomen sbwriel *eb* tomenni sbwriel
refute gwrthbrofi *be*
regain adennill *be*
regain balance adennill cydbwysedd *be*
regain the ball adennill y bêl *be*
regal *adj* brenhinol *ans*
regal *n* organ rigol *eb* organau rhigol
regalia regalia *eg*
regalian teyrnaidd *ans*
regalian rights hawliau teyrnaidd *ell*
regality breninoldeb *eg*
regelation adrewiad *eg*
regency rhaglywiaeth *eb*
regency council cyngor rhaglywiaeth *eg*
regenerate atffurfio *be*
regenerated atgynyrchiedig *ans*
regenerated fibre ffibr atgynyrchiedig *eg* ffibrau
atgynyrchiedig
regeneration (e.g. organ) atffurfiant *eg*
regent rhaglyw *eg* rhaglywiaid
regicide (crime) teyrnladdiad *eg* teyrnladdiadau
regicide (of person) teyrnleiddiad *eg* teyrnleiddiaid
regime (in physics) patrymedd *eg*
regime (in politics) cyfundrefn *eb* cyfundrefnau
regiment catrawd *eb* catrodau
region (geographical) rhanbarth *eg* rhanbarthau
region (in music) ardal *eb* ardaloedd
region of space rhanbarth gofod *eg* rhanbarthau gofod
regional rhanbarthol *ans*
regional level lefel ranbarthol *eb* lefelau rhanbarthol
regional variety amrywiaeth ranbarthol *eb*
regionalism rhanbarthiaeth *eb*
register (book or database etc) *n* cofrestr *eb* cofrestri
register *v* cofrestru *be*

---

eg/b enw gwrywaidd/benywaidd, *feminine/masculine noun*   **ell** enw lluosog, *plural noun*   **v** berf, *verb*   **n** enw, *noun*

register (=device controlling organ pipes) *n* stop *eg* stopiau

register (printing) iawn luniad *eg* iawn luniadau

registered child minder gwarchodwr plant cofrestredig *eg* gwarchodwyr plant cofrestredig

registered general nurse nyrs gofrestredig gyffredinol *eb* nyrsys cofrestredig cyffredinol

registered nursery meithrinfa drwyddedig *eb* meithrinfeydd trwyddedig

registrar cofrestrydd *eg* cofrestryddion

registration cofrestriad *eg* cofrestriadau

registration fee tâl cofrestru *eg* taliadau cofrestru

Registration of Births, Marriages and Deaths Act Deddf Cofrestru Genedigaethau, Priodasau a Marwolaethau *eb*

registry cofrestrfa *eb* cofrestrfeydd

Registry Office Swyddfa Gofrestru *eb* Swyddfeydd Cofrestru

regolith (=mantle rock) creicaen (regolith) *eb* creicaenau

regrade ailraddio *be*

regress atchwelyd *be*

regression atchweliad *eg* atchweliadau

regression analysis dadansoddiad atchwel *eg* dadansoddiadau atchwel

regression line llinell atchwel *eb* llinellau atchwel

regression model model atchwel *eg* modelau atchwel

regression technique techneg atchwel *eb*

regular rheolaidd *ans*

regular canon canon rheolaidd *eg* canoniaid rheolaidd

regular clergy clerigaeth reolaidd *eb*

regular cleric clerigwr rheolaidd *eg* clerigwyr rheolaidd

regular prism prism rheolaidd *eg* prismau rheolaidd

regular solid solid rheolaidd *eg* solidau rheolaidd

regular value gwerth rheolaidd *eg*

regularity rheoleidd-dra *eg*

regulate rheoli *be*

regulation rheoliad *eg* rheoliadau

regulator rheolydd *eg* rheolyddion

regur regur *eg* regurau

regurgitation ailchwydiad *eg* ailchwydiadau

rehabilitate ailsefydlu *be*

rehabilitation adferiad *eg* adferiadau

rehearsal ymarfer *eg* ymarferiadau

rehearse ymarfer *be*

reheat aildwymo *be*

reincarnation ailymgnawdoliad *eg* ailymgnawdoliadau

reindeer moss mwsogl carw *eg*

reinforce atgyfnerthu *be*

reinforced concrete concrit cyfnerth *eg* concritiau cyfnerth

reinforced corner cornel gyfnerth *eb* corneli cyfnerth

reinforced heel sawdl gaerog *eb* sodlau caerog

reinforcement atgyfnerthiad *eg* atgyfnerthiadau

reinforcing square sgwâr cryfhau *eg* sgwariau cryfhau

reiterated notes nodau mynych *ell*

rejection gwrthodiad *eg* gwrthodiadau

rejector circuit cylched wrthod *eb* cylchedau gwrthod

rejoin ailuno *be*

rejoinder gwrthateb *eg* gwrthatebion

rejuvenate adnewyddu *be*

rejuvenated adnewyddedig *ans*

relate perthnasu *be*

related perthynol *ans*

related concepts cysyniadau cysylltiedig *ell*

related shapes ffurfiau perthynol *ell*

relational perthynol *ans*

relational database cronfa ddata berthynol *eb* cronfeydd data perthynol

relations cysylltiadau *ell*

relationship perthynas *eb* perthnasoedd

relative (=comparative) cymharol *ans*

relative (=related) perthynol *ans*

relative addressing cyfeirio perthynol *be*

relative atomic mass màs atomig cymharol *eg*

relative density dwysedd cymharol *eg* dwyseddau cymharol

relative flatness gwastadrwydd cymharol *eg*

relative humidity lleithder cymharol *eg*

relative key cywair perthynol *eg* cyweiriau perthynol

relative major cywair perthynol mwyaf *eg*

relative major scale graddfa berthynol fwyaf *eb*

relative minor cywair perthynol lleiaf *eg*

relative minor scale graddfa berthynol leiaf *eb*

relative molecular mass màs moleciwlaidd cymharol *eg*

relative pitch traw perthynol *eg*

relative velocity cyflymder cymharol *eg*

relativistic perthnaseddol *ans*

relativity perthnasedd *eg*

relax (oneself) ymlacio *be*

relaxation (of muscle) llaesu (cyhyr) *be*

relaxed *adj* wedi ymlacio *ans*

relaxed (of muscle) *adv* yn llaes ac yn llac *adf*

relaxed position sefyllfa ymlacio *eb*

relay (in electronics) relái *eg* releiau

relay (race) ras gyfnewid *eb* rasys cyfnewid

release rhyddhau *be*

release agent cyfrwng rhyddhau *eg*

release and rescue rhyddhau ac achub

release key rhyddhäwr *eg* rhyddhawyr

release valve falf ryddhau *eb* falfiau rhyddhau

relevance perthnasedd *eg*

relevant perthnasol *ans*

relevant parts rhannau perthnasol *ell*

relevant safety procedure trefniad diogelwch perthnasol *eg* trefniadau diogelwch perthnasol

reliability dibynadwyaeth *eg*

reliable dibynadwy *ans*

reliable supply cyflenwad dibynadwy *eg* cyflenwadau dibynadwy

reliable supply of energy cyflenwad dibynadwy o egni *eg*

relic crair *eg* creiriau

relict landscape tirwedd greiriol *eb* tirweddau creiriol

relict structure adeiledd creiriol *eg* adeileddau creiriol

relief (fine) *n* dirwy etifedd *eb*

relief (=freedom) *n* rhyddhad *eg*

relief (from pain etc) *n* gollyngdod *eg*

relief (in economics) *n* gostyngiad *eg* gostyngiadau
relief (income tax) *n* cymorth *eg* cymhorthion
relief (of land) *n* tirwedd *eb* tirweddau
relief (on design) *adj* cerfweddol *ans*
relief (sculpture) *n* cerfwedd *eb* cerfweddau
relief carving cerfiad cerfwedd *eg* cerfiadau cerfwedd
relief engraving ysgythriad cerfwedd *eg* ysgythriadau cerfwedd
relief etching ysgythru cerfweddol *be*
relief feature nodwedd tirwedd *eb* nodweddion tirwedd
relief map map tirwedd *eg* mapiau tirwedd
relief mould mowld cerfwedd *eg* mowldiau cerfwedd
relief road ffordd liniaru *eb* ffyrdd lliniaru
relief sculpture cerflunwaith cerfweddol *eg*
relieve lliniaru *be*
religion crefydd *eb* crefyddau
religiosity crefyddoldeb *eg*
religious crefyddol *ans*
religious character of a school cymeriad crefyddol ysgol *eg*
religious conversion tröedigaeth grefyddol *eb* tröedigaethau crefyddol
religious denomination enwad crefyddol *eg* enwadau crefyddol
religious education addysg grefyddol *eb*
religious freedom rhyddid crefyddol *eg*
religious group grŵp crefydd *eg* grwpiau crefydd
religious house tŷ crefydd *eg* tai crefydd
religious intolerance anoddefgarwch crefyddol *eg*
religious order urdd grefyddol *eb* urddau crefyddol
religious revival diwygiad crefyddol *eg* diwygiadau crefyddol
religious song cân grefyddol *eb* caneuon crefyddol
religious teacher (female) athrawes crefydd *eb* athrawesau crefydd
religious teacher (male) athro crefydd *eg* athrawon crefydd
religious teaching dysgeidiaeth grefyddol *eb*
religious tradition traddodiad crefyddol *eg* traddodiadau crefyddol
religious worship cydaddoli crefyddol *be*
reliquary creirfa *eb* creirfâu
relocatable adleoladwy *ans*
relocate adleoli *be*
relocator adleolydd *eg* adleolyddion
reluctance gwrthiant *eg* gwrthiannau
reluctant learner dysgwr amharod *eg* dysgwyr amharod
remainder gweddill *eg* gweddillion
remainder theorem theorem y gweddill *eb*
remand *n* remand *eg*
remand (in custody) *v* cadw yn y ddalfa *be*
remand centre canolfan remand *eb* canolfannau remand
remand fostering scheme cynllun maethu remand *eg* cynlluniau maethu remand
remark sylw *eg* sylwadau
remedial class dosbarth adfer *eg* dosbarthiadau adfer
remedial exercise ymarferiad adfer *eg* ymarferion adfer
remedial work gwaith adfer *eg*

remedy the fault cywiro'r diffyg *be*
Remembrance Day Dydd y Cofio *eg*
remembrancer swyddog dyledion y Goron *eg* swyddogion dyledion y Goron
reminiscence therapy therapi hel atgofion *eg*
remission gwellhad dros dro *eg*
remnant sbaryn *eg* sbarion
remodel adlunio *be*
remonstrance gwrthdystiad *eg* gwrthdystiadau
remonstrant haerwr *eg* haerwyr
remonstrate gwrthdystio *be*
remote pell *ans*
remote access cyrchiad pell *eg* cyrchiadau pell
remote console consol pell *eg* consolau pell
remote control rheolaeth bell *eb*
remote control panel panel pell-reoli *eg* paneli pell-reoli
remote data station gorsaf ddata pell *eb* gorsafoedd data pell
remote data terminal terfynell ddata pell *eb* terfynellau data pell
remote debugging dadfygio pell *be*
remote enquiry ymholiad pell *eg* ymholiadau pell
remote job entry (RJE) mewnbynnu gorchwyl pell *be*
remote processing prosesu pell *be*
remote testing profi pell *be*
remotely sensed data data a synhwyrir o bell *ell*
removable symudadwy *ans*
removal agent codydd staen *eg* codyddion staen
remove (=cancel) *v* diddymu *be*
remove (in music) *n* gwyriad *eg* gwyriadau
remove (=move) *v* symud *be*
remove brackets diddymu cromfachau *be*
remove fullness cael gwared â llawnder *be*
Renaissance Dadeni *eg*
renal arennol *ans*
renal medicine meddygaeth arennau *eb*
renal vein gwythïen arennol *eb* gwythiennau arennol
render (=sandy mixture) rendrad *eg* rendradau
rendering (in music) datganiad *eg* datganiadau
rendering (on wall) rendro *be*
rendition datganiad *eg* datganiadau
rendzina rendsina *eg*
renegade gwrthgiliwr *eg* gwrthgilwyr
renew adnewyddu *be*
renewable adnewyddadwy *ans*
renewable resource adnodd adnewyddadwy *eg* adnoddau adnewyddadwy
renewal adnewyddiad *eg* adnewyddiadau
rennin rennin *eg*
renounce diarddel *be*
renovate adnewyddu *be*
renovation adnewyddiad *eg* adnewyddiadau
rent *n* rhent *eg* rhenti
rent *v* rhentu *be*
Rent Act Deddf Rhenti *eb* Deddfau Rhenti
rent control rheolaeth rhent *eb*

rent of assize rhent aseis *eg*

rent rebate ad-daliad rhent *eg* ad-daliadau rhent

rent roll rhôl rhent *eb* rholiau rhent

rental rhent *eg* rhenti

rentier rhentwr *eg* rhentwyr

rentier class dosbarth rhentyddol *eg*

reorientation ailgyfeiriadaeth *eb*

repair *n* atgyweiriad *eg* atgyweiriadau

repair *v* atgyweirio *be*

repair grant grant atgyweirio *eg* grantiau atgyweirio

repair kit cit atgyweirio *eb* citiau atgyweirio

reparation iawndal *eg* iawndaliadau

repatriate *n* dychweledig *eg* dychweledigion

repayable ad-daladwy *ans*

repayment ad-daliad *eg* ad-daliadau

repeal diddymu *be*

repeat *n* ailadroddiad *eg* ailadroddiadau

repeat *v* ailadrodd *be*

repeat mark marc ailadrodd *eg* marciau ailadrodd

repeat pattern patrwm ailadroddol *eg* patrymau ailadroddol

repel gwrthyrru *be*

repel text gwrthyrru testun *be*

repertoire repertoire *eg* repertoires

repertoire requirements gofynion repertoire *ell*

répétiteur répétiteur *eg* répétiteurs

repetition ailadroddiad *eg* ailadroddiadau

replace amnewid *be*

replacement amnewidyn *eg* amnewidynnau

replay ailchwarae *be*

replay the point ailchwarae'r pwynt *be*

replica replica *eg* replicâu

replicate dyblygu *be*

replication dyblygiad *eg* dyblygiadau

replies and comments ymatebion a sylwadau

report *n* adroddiad *eg* adroddiadau

report (formally) *v* adrodd *be*

report (informally) *v* rhoi gwybod *be*

report back adrodd yn ôl *be*

report generator generadur adroddiadau *eg* generaduron adroddiadau

reposition ail-leoli *be*

repository ystorfa *eb* ystorfeydd

repoussé (decorative processes) repoussé *ans*

repoussé hammer morthwyl repoussé *eg*

repoussé punch pwnsh repoussé *eg* pynsiau repoussé

represent cynrychioli *be*

represent (=portray) portreadu *be*

represent a landscape cynrychioli tirlun *be*

representation (in mathematics) cynrychioliad *eg* cynrychioliadau

representation (of people) cynrychiolaeth *eb* cynrychiolaethau

representation (=portrait) portread *eg* portreadau

representation fraction ffracsiwn cynrychioliadol *eg*

Representation of the People Act Deddf Cynrychiolaeth y Bobl *eb*

representation theorem theorem gynrychioliad *eb*

representational (=seeking to portray) portreadol *ans*

representational art celfyddyd gynrychioliadol *eb*

representative *adj* cynrychiadol *ans*

representative *n* cynrychiolydd *eg* cynrychiolwyr

representative assembly cynulliad cynrychiadol *eg* cynulliadau cynrychioliadol

representative fraction (R.F.) ffracsiwn cynrychiadol *eg* ffracsiynau cynrychiadol

representative sample sampl gynrychioliadol *eb* samplau cynrychioliadol

representing the past cynrychioli'r gorffennol *be*

repression (of enzyme etc) cynyrchluddiant *eg*

repression (political) gormes *eg*

repression (psychological) ataliad *eg*

repressive (of regime) gormesol *ans*

reprieve (from capital punishment) atal dienyddio *be*

reprisal dial *eg* dialon

reprise (historical) atbreis *eg*

reprocess ailbrosesu *be*

reproduce (in general) atgynhyrchu *be*

reproduce (sexually) atgenhedlu *be*

reproducer dyblygydd *eg* dyblygwyr

reproduction (in general) atgynhyrchiad *eg* atgynhyrchiadau

reproduction (sexual) atgenhedliad *eg*

reproductive organs organau atgenhedlu *ell*

reproductive system system genhedlu *eb*

reptile ymlusgiad *eg* ymlusgiaid

republic gweriniaeth *eb* gweriniaethau

republican *adj* gweriniaethol *ans*

republican *n* gweriniaethwr *eg* gweriniaethwyr

Republican Party Plaid Weriniaethol *eb*

repulsion gwrthyriad *eg* gwrthyriadau

repulsive force grym gwrthyrru *eg* grymoedd gwrthyrru

request cais *eg* ceisiadau

require gofyn *be*

required gofynnol *ans*

required height uchder gofynnol *eg*

requirement gofyniad *eg* gofynion

requisition (=official claim on land or materials) meddiant gorfodol *eg*

requisition (=order) archeb *eb* archebion

reredorter geudy *eg* geudai

resale *n* adwerthiant *eg* adwerthiannau

resale *v* adwerthu *be*

rescue achub *be*

rescue equipment cyfarpar achub *eg*

research *n* ymchwil *eg*

research assistant cynorthwyydd ymchwil *eg* cynorthwywyr ymchwil

research fellow cymrawd ymchwil *eg* cymrodyr ymchwil

research grant grant ymchwil *eg* grantiau ymchwil

research student myfyriwr ymchwil *eg* myfyrwyr ymchwil

researcher ymchwiliwr *eg* ymchwilwyr

reselect ailddewis *be*

---

resemblance tebygrwydd *eg*
resequent (stream) *n* adlif *eg* adlifau
resequent stream ffrwd adlif *eb* ffrydiau adlif
reservation tiriogaeth frodorol *eb* tiriogaethau brodorol
reserve *v* neilltuo *be*
reserve (for nature) *n* gwarchodfa *eb* gwarchodfeydd
reserve (of food) *n* storfa fwyd *eb* storfeydd bwyd
reserve player chwaraewr wrth gefn *eg* chwaraewyr wrth gefn
reserved word gair cadw *eg* geiriau cadw
reserves (financial) cronfa wrth gefn *eb* cronfeydd wrth gefn
reserves (military) milwyr wrth gefn *ell*
reservoir (in general) cronfa *eb* cronfeydd
reservoir (of water) cronfa ddŵr *eb* cronfeydd dŵr
reset ailosod *be*
resettle ailgyfanheddu *be*
resettlement (of place) ailgyfanheddiad *eg* ailgyfaneddiadau
resettlement of offenders ailsefydlu troseddwyr *be*
reshuffle ad-drefnu *be*
residence annedd *eg/b* anheddau
resident *adj* preswyl *ans*
resident *n* preswyliwr *eg* preswylwyr
resident alien estron preswyl *eg* estroniaid preswyl
residential care gofal preswyl *eg*
residential home cartref preswyl *eg* cartrefi preswyl
residential zone cylchfa breswyl *eb* cylchfaoedd preswyl
residual *adj* gweddillol *ans*
residual (in mathematics) *n* gweddilleb *eb* gweddillebau
residual air aer gweddillol *eg*
residual deposits dyddodion gweddill *ell*
residual hearing gweddill clyw *eg*
residual vision gweddill golwg *eg*
residue gweddill *eg* gweddillion
resign ymddiswyddo *be*
resignation ymddiswyddiad *eg*
resilient (of person) gwydn *ans*
resilient (of substance) adlamol *ans*
resin resin *eg* resinau
resin adhesive adlyn resin *eg* adlynion resin
resin cored solder sodr plymwr *eg*
resin duct pibell ystôr *eb* pibelli ystôr
resin glaze sglein resin *eg*
resin glue glud resin *eg* gludion resin
resinous resinaidd *ans*
resinous ground grwnd ystorus *eg*
resist gwrthsefyll *be*
resist printing gwrthbrintio *be*
resistance (=ability to withstand adverse conditions) gwydnwch *eg*
resistance (=hindering the conduction of electricity etc) gwrthiant *eg* gwrthiannau
Resistance (in France, World War II) Byddin Gêl *eb*
resistance (=refusal to comply) gwrthwynebiad *eg*
resistance movement mudiad gwrthwynebu *eg* mudiadau gwrthwynebu
resistance wire technique techneg gwrthiant gwifren *eb*

resistant (to electricity etc) gwrthiannol *ans*
resistant (=tough) gwydn *ans*
resistivity gwrthedd *eg* gwrtheddau
resistor gwrthydd *eg* gwrthyddion
reslant ailogwyddo *be*
resolute cydran *eb* cydrannau
resolution (=decision) penderfyniad *eg* penderfyniadau
resolution (of discord in music) adferiad (anghytgord) *eg* adferiadau
resolution (of resolving power in physics) datrysyn *eg* datrysynnau
resolution (of vectors) cydraniad *eg* cydraniadau
resolve (a discord) adfer *be*
resolve (vectors: force, velocity etc) cydrannu *be*
resolve (problems) datrys *be*
resolve a force into components cydrannu grym *be*
resolve horizontally cydrannu'n llorweddol *be*
resolve vertically cydrannu'n fertigol *be*
resolved (of components) cydrannol *ans*
resolvent *adj* datrysol *ans*
resolvent *n* cydrennydd *eg* cydrenyddion
resolvent kernel cnewyllyn datrysol *eg* cnewyllynnau datrysol
resonance cyseiniant *eg* cyseiniannau
resonance chord cord cyseinio *eg* cordiau cyseinio
resonant *adj* cyseiniol *ans*
resonant *n* cysain *eg* cyseiniau
resonant frequency amledd cysain *eg*
resonate cyseinio *be*
resonator cyseinydd *eg* cyseinyddion
resource adnodd *eg* adnoddau
resource allocation formula fformiwla dyrannu adnoddau *eb*
resource centre canolfan adnoddau *eb* canolfannau adnoddau
resource implications goblygiadau adnoddol *ell*
resource management rheoli adnoddau *be*
resource materials deunyddiau adnoddol *ell*
respectability parchusrwydd *eg*
respective priodol *ans*
respectively yn ôl eu trefn *adf*
respiration resbiradaeth *eb* resbiradaethau
respirator peiriant anadlu *eg* peiriannau anadlu
respiratory resbiradol *ans*
respiratory device dyfais resbiradol *eb* dyfeisiau resbiradol
respiratory quotient (R.Q.) cyniferydd resbiradol *eg*
respiratory surface arwyneb resbiradol *eg*
respire resbiradu *be*
respite seibiant *eg*
respite care gofal seibiant *eg*
respond readily ymateb yn barod *be*
response ymateb *eg* ymatebion
response time amser ymateb *eg*
response to set tasks ymateb i dasgau *be*
responsibility cyfrifoldeb *eg* cyfrifoldebau
responsible government llywodraeth gyfrifol *eb*

---

eg/b enw gwrywaidd/benywaidd, *feminine/masculine noun*   *ell* enw lluosog, *plural noun*   *v* berf, *verb*   *n* enw, *noun*

rest (=musical silence) *n* saib *eg* seibiau

rest (=non movement in physics) *n* disymudedd *eg*

rest (=repose) *v* gorffwys *be*

rest (=support or prop) *n* cynhaliwr *eg* cynhalwyr

rest in water gorffwys yn y dŵr *be*

rest mass màs disymudedd *eg*

rest sign tawnod *eg* tawnodau

rest stroke symudiad gorffwysol *eg* symudiadau gorffwysol

rest-stick ffon peintiwr *eb* ffyn peintwyr

restaurant tŷ bwyta *eg* tai bwyta

resting pin (on harp) gorffwysbin *eb* gorffwysbinau

restitute adfer *be*

restitution adferiad *eg*

restless aflonydd *ans*

restoration adferiad *eg*

restore (in computing) adennill *be*

restore (in general) adfer *be*

restore damaged environments adfer amgylcheddau sydd wedi'u difrodi *be*

restoring force grym adferol *eg* grymoedd adferol

restrain atal *be*

restraining circle cylch atal *eg* cylchoedd atal

restraint ataliad *eg*

restrict cyfyngu *be*

restriction cyfyngiad *eg* cyfyngiadau

restrictive practices arferion cyfyngol *ell*

result canlyniad *eg* canlyniadau

result register cofrestr ganlyniadau *eb* cofrestri canlyniadau

resultant (force) grym cydeffaith *eg*

resultant tone cyfundon *eb* cyfundonau

resulting canlynol *ans*

resurface (of ideas etc) brigo i'r wyneb *be*

resurrection atgyfodiad *eg*

resuscitate adfywio *be*

retable (ledge) ysgafell *eb* ysgafelloedd

retail *v* adwerthu *be*

retail (in finance) *adj* adwerthol *ans*

retail market marchnad adwerthu *eb*

retail services gwasanaethau adwerthu *ell*

retail trade masnach adwerthu *eb*

retailer adwerthwr *eg* adwerthwyr

retain (in biology) dargadw *be*

retain its shape cadw'i siâp *be*

retainer (fee) tâl ar gadw *eg*

retainer (of land) daliedydd *eg* daliedyddion

retainer (of person) gŵr ar gadw *eg* gwŷr ar gadw

retaliatory tariff toll ddial *eb* tollau dial

retard arafu *be*

retardation (in music) gohiriad *eg* gohiriadau

retardation (of mind) arafwch *eg*

retardation (of tides etc) arafiad *eg* arafiadau

retarded araf *ans*

retarder arafwr *eg* arafwyr

retching cyfogi gwag *be*

retention (e.g. of iron by the tissues) dargadwedd (haearn gan y meinweoedd) *eg*

retention of urine ataliad dŵr *eg*

reticulate rhwydol *ans*

reticulocyte reticwlocyt *eg* reticwlocytau

reticuloendothelial system system reticwloendothelaidd *eb*

reticulum reticwlwm *eg*

retina retina *eg* retinâu

retinue gosgordd *eb* gogorddion

retire (from a place) cilio *be*

retire (from work) ymddeol *be*

retired hurt gadael oherwydd anaf *be*

retirement ymddeoliad *eg*

retirement benefit budd-dal ymddeol *eg*

retort retort *eg* retortâu

retort stand stand retort *eg* standiau retort

retouch atgyffwrdd *be*

retreat *v* encilio *be*

retreat (=act of retreating) *n* enciliad *eg* enciliadau

retreat (place or period) *n* encil *eg* encilion

retrievable adalwadwy *ans*

retrieval adalw *be*

retrieve adalw *be*

retrieve information adalw gwybodaeth *be*

retrieve work adalw gwaith *be*

retrogradable olraddadwy *ans*

retrogradation olraddiad *eg*

retrograde (movement) olrediad *eg* olrediadau

retrograde canon canon olredol *eb* canonau olredol

retrospective legislation ôl-ddeddfwriaeth *eb*

return *n* dychweliad *eg* dychweliadau

return *v* dychwelyd *be*

return (earnings) adenillion *ell*

return address cyfeiriad dychwelyd *eg* cyfeiriadau dychwelyd

return crease cris ochrol *eg* crisiau ochrol

return function ffwythiant adenillion *eg*

return key dychwelwr *eg* dychwelwyr

return stroke strôc ddychwel *eb* strociau dychwel

revaluation ailbrisiad *eg* ailbrisiadau

reveal *n* dadlen *eb* dadlennau

reveal *v* dadlennu *be*

revelation datguddiad *eg* datguddiadau

revenue cyllid *eg* cyllidau

revenue men gwŷr yr ecseis *ell*

revenue support grant grant cynnal incwm *eg*

reverberation datseinedd *eg* datseineddau

reverberatory datseiniol *ans*

reverberatory furnace ffwrnais adlewyrchol *eb* ffwrneisi adlewyrchol

revers llabed *eb* llabedi

revers collar coler llabed *eg* coleri llabed

reversal (of letters, words) trawsosod (llythrennau, geiriau) *be*

reverse (in computing etc) *n* cildroad *eg* cildroadau

reverse (in computing etc) *v* cildroi *be*

reverse (in general) *n* gwrthdro *eg* gwrthdroeon

reverse (in general) *v* gwrthdroi *be*

reverse a pattern ôl-droi patrwm *be*

---

adf, adv adferf, *adverb*   *ans, adj* ansoddair, *adjective*   *be* berf, *verb*   *eb* enw benywaidd, *feminine noun*   *eg* enw gwrywaidd, *masculine noun*

reverse arc cilarc *eb* cilarcau

reverse astride vault llofnaid ar led wysg-y-cefn *eb* llofneidiau ar led wysg-y-cefn

reverse barrier nursing nyrsio rhwystrol gwrthol *be*

reverse bias bias yn ôl *eg*

reverse control (of machine part) rheolydd cyflymder *eg* rheolyddion cyflymder

reverse cycle gwrthdroi cylchred *be*

reverse horizontal astride vault llofnaid hir ar led wysg y cefn *eb* llofneidiau hir ar led wysg y cefn

reverse order trefn gildroadwy *eb*

reverse paddling stroke strôc badlo'n ôl *eb*

reverse pass pàs wrthol *eb* pasiau gwrthol

reverse pivot colyn ôl *eg* colynnau ôl

Reverse Polish Notation Nodiant Cil-Bwyl *eg*

reverse side tu chwith *eg*

reverse stick ffon wrthdro *eb* ffyn gwrthdro

reverse stick dribble driblo gwrthdro *be*

reverse stick pass pàs wrthdro *eb* pasiau gwrthdro

reverse the pattern cildroi'r patrwm *be*

reversed (in computing) cildro *ans*

reversed beam trawst o chwith *eg* trawstiau o chwith

reversed hanging hongian pen i lawr *be*

reversed stream nant gildro *eb* nentydd cildro

reversibility cildroadedd *eg*

reversible (in science) cildroadwy *ans*

reversible (of garment) dwyffordd *ans*

reversible garment dilledyn dwyffordd *eg* dillad dwyffordd

reversible reaction adwaith cildroadwy *eg* adweithiau cildroadwy

reversing motion mudiant tu chwith *eg*

reversion cildroad *eg* cildroadau

revert to saved dychwelyd i'r cadwedig *be*

revetment gwrthglawdd *eg* gwrthgloddiau

review *n* adolygiad *eg* adolygiadau

review *v* adolygu *be*

review of results adolygu canlyniadau *be*

reviewer adolygydd *eg* adolygwyr

revise adolygu *be*

revise mode modd addasu *eg*

revisionism glastwreiddio *be*

revival diwygiad *eg* diwygiadau

revocation dirymiad *eg* dirymiadau

revoke dirymu *be*

revolt gwrthryfel *eg* gwrthryfeloedd

revolt of the Camisards gwrthryfel y Camisariaid *eg*

revolution (of circular motion) cylchdro *eg* cylchdroeon

revolution (=overthrow of system) chwyldro *eg* chwyldroadau

revolution counter rhifydd cylchdroeon *eg* rhifyddion cylchdroeon

revolutionary (of person) chwyldroadwr *eg* chwyldroadwyr

revolutionary settlement ardrefniant chwyldroadol *eg*

revolve cylchdroi *be*

revolving centre canol cylchdro *eg* canolau cylchdro

revolving head pen cylchdro *eg* pennau cylchdro

revolving hearth aelwyd dro *eb* aelwydydd tro

revolving stage llwyfan tro *eg* llwyfannau tro

revue rifiw *eg* rifiwiau

rewind ailddirwyn *be*

rhenium (Re) rheniwm *eg*

rheostat rheostat *eg* rheostatau

rhesus factor ffactor rhesws *eb*

rhesus negative rhesws negatif *eg*

rhesus positive rhesws positif *eg*

rhetorical question cwestiwn rhethregol *eg* cwestiynau rhethregol

rheumatic fever twymyn gwynegon *eb*

rheumatism gwynegon *ell*

rheumatologist rhiwmatolegydd *eg* rhiwmatolegwyr

rheumatology rhiwmatoleg *eb*

rhizoid rhisoid *eg*

rhizome rhisom *eg* rhisomau

rhodium (Rh) rhodiwm *eg*

rhodopsin rhodopsin *eg*

rhomb rhomb *eg* rhombau

rhombohedron rhombohedron *eg* rhombohedronau

rhomboid rhomboid *eg* rhomboidau

rhombus rhombws *eg* rhombi

rhumb line rhymlin *eg* rhymliniau

rhyme rhigwm *eg* rhigymau

rhyolite rhiolit *eg*

rhyolitic rhiolitig *ans*

rhythm rhythm *eg* rhythmau

rhythm pattern patrwm rhythm *eg* patrymau rhythm

rhythmic rhythmig *ans*

rhythmic accompaniment cyfeiliant rhythmig *eg*

rhythmic cell cell rythmig *eb* celloedd rhythmig

rhythmic 'fun' music cerddoriaeth rythmig hwylgar *eb*

rhythmic jump naid rythmig *eb* neidiau rhythmig

rhythmic motion (thread cutting) mudiant rhythmig (torri edafedd) *eg*

rhythmic movement symudiad rhythmig *eg* symudiadau rhythmig

rhythmic music cerddoriaeth rythmig *eb*

rhythmic response ymateb rhythmig *eg* ymatebion rhythmig

rhythmic stimulus ysgogiad rhythmig *eg* ysgogiadau rhythmig

rhythmically spoken word pattern patrwm geiriol wedi'i lefaru'n rhythmig *eg* patrymau geiriol wedi'u llefaru'n rhythmig

ria ria *eg* riau

rib asen *eb* asennau

rib cage cawell asennau *eg* cewyll asennau

rib weave gwehyddiad rhesog *eg*

ribbed (in general) asennog *ans*

ribbed (of weave) rhesog *ans*

ribbed G cramp cramp G asennog *eg* crampiau G asennog

ribbon rhuban *eg* rhubanau

ribbon back chair cadair gefn rhuban *eb* cadeiriau cefn rhuban

ribbon development datblygiad hirgul *eg* datblygiadau hirgul

ribbon lake llyn hirgul *eg* llynnoedd hirgul

---

ribbon settlement anheddiad hirgul *eg* aneddiadau hirgul
ribbon-end scroll sgrôl pen rhuban *eb* sgroliau pen rhuban
riboflavin ribofflafin *eg*
ribonucleic acid asid riboniwcleig (RNA) *eg*
ribosome ribosom *eg* ribosomau
rice paper papur reis *eg*
rice stitch pwyth reis *eg* pwythau reis
ricercare ricercare *eg*
rich cyfoethog *ans*
rich (of food etc) bras *ans*
Richard the Lionheart Rhisiart Lewgalon *eg*
richness cyfoeth *eg*
rickets llech, y *eb*
ricrac braid brêd ricrac *eg* brediau ricrac
riddle *n* rhidyll *eg* rhidyllau
riddle *v* rhidyllu *be*
rider atodeg *eb* atodegau
ridge (of arable land) gwrym *eg* gwrymiau
ridge (of hilltop, barometric pressure) cefnen *eb* cefnenau
ridge (of roof or similar) crib *eg/b* cribau
ridge and furrow relief tirwedd cefnen a rhych *eb* tirweddau cefnen a rhych
ridge board bwrdd crib *eg* byrddau crib
ridge of high pressure cefnen o wasgedd uchel *eb*
ridge tree nenbren *eg* nenbrennau
ridges and swales cefnau a phantiau
riffle riffl *eg* rifflau
riffler rifflwr *eg* rifflwyr
riffler file ffeil rifflwr *eb* ffeiliau rifflwr
rift hollt *eg/b* holltau
rift (=slot, slit) agen *eb* agennau
rift sawn (quarter sawn) llifiad rheiddiol *eg*
rift valley dyffryn hollt *eg* dyffrynnoedd hollt
rig llwyfan tyllu *eg* llwyfannau tyllu
riggers rigeri *ell*
rigging rigin *eg*
right (as opposed to left) *n* de *eb*
right (=correct) *adj* cywir *ans*
right (=entitlement) *n* hawl *eb* hawliau
right amount maint cywir *eg*
right angle ongl sgwâr *eb* onglau sgwar
right arm bowler bowliwr braich dde *eg* bowlwyr braich dde
Right Ascension (RA) Esgyniad Cywir *eg*
right bank glan dde *eb*
right bank tributary llednant glan dde *eb* llednentydd glan dde
right circular cone côn crwn union *eg* conau crwn union
right court cwrt de *eg* cyrtiau de
right cross de draws *eb*
right hand llaw dde *eb*
right-hand screw thread edau sgriw llaw dde *eb* edafedd sgriw llaw dde
right-hand side ochr dde *eb*
right-hand thread edau llaw dde *eb* edafedd llaw dde
right-hand turn tro de *eg*
right-handed batsman batiwr llaw dde *eg* batwyr llaw dde

right of way hawl tramwy *eg* hawliau tramwy
right outfielder maeswr de *eg* maeswyr de
right prism prism union *eg* prismau union
right pyramid pyramid union *eg* pyramidiau union
right section toriad union *eg* toriadau union
right shift syfliad de *eg* syfliadau de
right side (as opposed to left side) ochr dde *eb*
right side (=correct side) ochr gywir *eb* ochrau cywir
right type math cywir *eg* mathau cywir
right wing (in politics) adain dde *eb*
right wing (in sport) asgell dde *eb* esgyll de
right-angled sgwaronglog *ans*
right-angled triangle triongl ongl sgwâr *eg* trionglau ongl sgwâr
right-half hanerwr de *eg* hanerwyr de
right-hand lock clo ochr dde *eg* cloeon ochr dde
right-justify unioni ar y dde *be*
rights iawnderau *ell*
rigid anhyblyg *ans*
rigid wire gwifren anhyblyg *eb* gwifrau anhyblyg
rigidity anhyblygedd *eg*
rigorous trwyadl *ans*
rigorous justification cyfiawnhad trylwyr *eg*
rigour manwl gywirdeb *eg*
rill cornant *eb* cornentydd
rim ymyl *eg/b* ymylon
rim (of drum) cantel *eg* cantelau
rim latch cliced ymyl *eb* clicedau ymyl
rim lock clo ymyl *eg* cloeon ymyl
rindless bacon cig moch digrofen *eg*
ring (=circle) cylch *eg* cylchoedd
ring (on finger) modrwy *eb* modrwyau
ring and star dance dawns cylch a seren *eb* dawnsiau cylch a seren
ring gauge medrydd torch *eg* medryddion torch
ring headed pin pin cylchog *eg* pinnau cylchog
ring nebula nifwl modrwy *eg* nifylau modrwy
ring road cylchffordd *eb* cylchffyrdd
ring shake hollt cylch *eg* holltau cylch
ring spanner sbaner cylch *eg* sbaneri cylch
ring-binder ffeil fodrwy *eb* ffeiliau modrwy
ring-shank tongs (casting) gefel garan gron (castio) *eb* gefeiliau garan crwn (castio)
ringed cylchog *ans*
Ringers solution hydoddiant Ringer *eg*
rings right and left cylchoedd bach i bedwar *ell*
ringshank hoelen garan gylch *eb* hoelion garan cylch
ringwork amddiffynfa gylch *eb* amddiffynfeydd cylch
ringworm tarwden *eb* tarwdenni
rinse *n* rins *eg* rinsiau
rinse *v* rinsio *be*
riot terfysg *eg* terfysgoedd
Riot Act Deddf Terfysg *eb*
rip current cerrynt terfol *eg*
rip saw rhwyglif *eb* rhwyglifau
rip tide llanw terfol *eg*

---

adf, adv adferf, *adverb* *ans, adj* ansoddair, *adjective* *be* berf, *verb* *eb* enw benywaidd, *feminine noun* *eg* enw gwrywaidd, *masculine noun*

riparian torlannol *ans*

ripieno ripieno *eg* ripieni

riposte riposte *eg*

ripping fence ffens rwygo *eb* ffensys rhwygo

ripple (in general) *n* crych *eg* crychau

ripple (small wave) crychdon *eb* crychdonnau

ripple *v* crychdonni *be*

ripple blanking output (RBO) allbwn blancio crychdon (ABC) *eg*

ripple tank tanc crychdonni *eg* tanciau crychdonni

rise and fall table bwrdd codi a gostwng *eg* byrddau codi a gostwng

rise-and-fall light golau codi a gostwng *eg*

riser codwr *eg* codwyr

riser pin pin codi *eg* pinnau codi

rising gwrthryfel *eg* gwrthryfeloedd

rising butt hinge colfach codi *eg* colfachau codi

risk *n* risg *eg* risgiau

risk *v* mentro *be*

rite defod *eb* defodau

rite of passage defod newid byd *eb* defodau newid byd

ritornello ritornello *eg* ritornelli

ritual *adj* defodol *ans*

ritual *n* defod *eb* defodau

ritualism defodaeth *eb*

rival *n* cydymgeisydd *eg* cydymgeiswyr

rival *v* cydymgeisio *be*

rivalry cystadleuaeth *eb*

river afon *eb* afonydd

river basin basn afonydd *eg* basnau afonydd

river capture afonladrad *eg*

river floods llifogydd afonydd *ell*

river mist tarth *eg* tarthau

river regime patrymedd afon *eg*

river system system afonydd *eb* systemau afonydd

river terrace cerlan *eb* cerlannau

river valley dyffryn afonydd dyffrynnoedd afonydd

riverine afonol *ans*

riverlands afondiroedd *ell*

rivet *n* rhybed *eg* rhybedion

rivet *v* rhybedu *be*

rivet set set rybed *eb* setiau rhybed

rivet snap snap rhybed *eg* snapiau rhybed

riveted rhybedog *ans*

riveted joint uniad rhybedog *eg* uniadau rhybedog

riveted lap joint goruniad rhybedog *eg* goruniadau rhybedog

riveted plate plât rhybedog *eg* platiau rhybedog

riveted stay gwanas rhybedog *eg* gwanasau rhybedog

riveting hammer morthwyl rhybedu *eg* morthwylion rhybedu

riving rhannu *be*

riving knife (saw bench) cyllell rannu *eb* cyllyll rhannu

rivulet afonig *eb* afonigau

road ffordd *eb* ffyrdd

road fund licence trwydded modur *eb* trwyddedau modur

road junction cyffordd *eb* cyffyrdd

road system rhwydwaith ffyrdd *eg*

road traffic accident damwain ffordd *eb* damweiniau ffordd

road tunnel twnnel ffordd *eg* twnelau ffordd

road used as public path ffordd a ddefnyddir yn llwybr cyhoeddus

roads and paths ffyrdd a llwybrau

roadstead angorle *eg* angorleoedd

roaring forties deugeiniau gwyllt *ell*

Roaring Twenties Dauddegau Gwyllt *eg*

robber economy economi disbyddol *eg* economïau disbyddol

robber industry diwydiant disbyddol *eg* diwydiannau disbyddol

robe mantell *eb* mentyll

robot robot *eg* robotiaid

roche moutonée craig follt *eb* creigiau myllt

rock craig *eb* creigiau

rock basin lake llyn creicafn *eg* llynnoedd creicafn

rock features arweddion craig *ell*

rock flour blawd craig *eg*

rock hollow lakeland llyndir creicafn *eg*

rock salt halen craig *eg*

rocket roced *eg* rocedi

rocket (tool post) siglydd (post offer) *eg* siglyddion

rocking chair cadair siglo *eb* cadeiriau siglo

rococo rococo *ans*

rod rhoden *eb* rhodenni

rod and glove puppet pyped rod a maneg *eg* pypedau rod a maneg

rod puppet pyped rod *eg* pypedau rod

rodent cnofil *eg* cnofilod

rodent control rheoli cnofilod *be*

rodent infestation pla cnofilod *eg* plâu cnofilod

rods and cones rhodenni a chonau

roe (of fish – hard) bola caled *eg*

roe (of fish – soft) bola meddal *eg*

rogue value gwalchwerth *eg* gwalchwerthoedd

rolag (teased wool) gwlân (wedi'i gribo) *eg*

role swyddogaeth *eb* swyddogaethau

role conflict gwrthdaro rhwng swyddogaethau *be*

role model delfryd ymddwyn *eb* delfrydau ymddwyn

role of microbes swyddogaeth microbau *eb*

role play chwarae rhan *be*

roll *n* rholyn *eg* rholiau

roll *v* rholio *be*

roll call galw cofrestr *be*

roll collar coler rhôl *eg* coleri rhôl

roll in rholio mewn *be*

roll on-roll off gyrru mewn ac allan *be*

roll over trosglwyddo ymlaen *be*

roll sulphur sylffwr rhôl *eg*

roller rholer *eg* rholeri

roller bearing beryn rholiau *eg* berynnau rholiau

roller bearing rholferyn *eg* rholferynnau

roller blind llen rholer *eg* llenni rholer

---

roller follower dilynwr rholer *eg* dilynwyr rholer

roller loom gwŷdd rholer *eg* gwyddion rholer

roller shuttle gwennol rholer *eb* gwenoliaid rholer

rollers (of waves) gwanegau *ell*

rolling downland twyndir tonnog *eg* twyndiroedd tonnog

rolling pin rholbren *eg* rholbrennau

rolling review adolygiad treigl *eg* adolygiadau treigl

rolling stock rholstoc *eg*

ROM ROM

Roman *adj* Rhufeinig *ans*

Roman *n* Rhufeinwr *eg* Rhufeinwyr

roman alphabet gwyddor Rufeinig *eb*

Roman Catholic Church Eglwys Babyddol *eb*

Roman Empire Ymerodraeth Rufeinig *eb*

Roman Inquisition Chwilys Rhufain *eg*

Roman Law Cyfraith Rufain *eb*

Roman town house tŷ tref Rhufeinig *eg* tai tref Rhufeinig

romance rhamant *eb* rhamantau

Romanism Pabyddiaeth *eb*

Romanization Rhufeinio *be*

Romanize Rhufeinio *be*

romantic rhamantaidd *ans*

romantic art celfyddyd ramantaidd *eb*

romantic music cerddoriaeth ramantaidd *eb*

Romantic period cyfnod Rhamantaidd *eg*

romanticism rhamantiaeth *eb*

Rome Scot Ceiniogau'r Pab *ell*

romper romper *eb* romperi

rondo rondo *eg* rondoau

rondo form ffurf rondo *eb*

rood crog *eb* crogau

rood loft croglofft *eb* croglofftydd

rood screen croglen *eb* croglenni

roof to *eg* toeon

roof line llinell doeau *eb*

roof pitch serthiant to *eg*

roof truss cwpl to *eg* cyplau to

roofing felt ffelt toi *eg*

roofing tile teilsen to *eb* teils to

room divider rhannwr ystafell *eg* rhanwyr ystafelloedd

room heater gwresogydd ystafell *eg* gwresogyddion ystafell

root (in mathematics) isradd (mewn mathemateg) *eg* israddau

root (of plant) gwreiddyn *eg* gwreiddiau

Root & Branch Petition Deiseb Wreiddyn a Changen *eb*

root cap gwreiddgapan *eg* gwreiddgapanau

root chord cord gwreiddnod *eg* cordiau gwreiddnod

root crop cnwd gwraidd *eg* cnydau gwraidd

root hair gwreiddflewyn *eg* gwreiddflew

root hair cell cell wreiddflew *eb* celloedd gwreiddflew

root mean square isradd sgwâr cymedrig *eg*

root node cwgn gwreiddyn *eg* cygnau gwraidd

root nodule gwreiddgnepyn *eg* gwreiddgnepynnau

root of the equation gwreiddyn yr hafaliad *eg* gwreiddiau'r hafaliadau

root position safle gwreiddiol *eg* safleoedd gwreiddiol

root pressure gwasgedd gwraidd *eg*

root tip blaenwreiddyn *eg* blaenwreiddiau

root vegetable gwreiddlysieuyn *eg* gwreiddlysiau

rooted plant planhigyn gwreiddiog *eg* planhigion gwreiddiog

rootless harmony harmoni di-wraidd *eg* harmonïau di-wraidd

rootlet gwreiddiosyn *eg* gwreiddios

rope rhaff *eb* rhaffau

rope ladder ysgol raff *eb* ysgolion rhaff

rope stitch pwyth rheffyn *eg* pwythau rheffyn

ropeway rhaffordd *eb* rhaffyrdd

rosary llaswyr *eg* llaswyrau

rose (enamelling colour) rhosyn *eg*

rose bit rhosebill *eg* rhosebillion

rose countersink bit ebill gwrthsoddi rhychog *eb* ebillion gwrthsoddi rhychog

rose path pattern patrwm lôn y rhosyn *eg* patrymau lôn y rhosyn

rose reamer rhosagorell *eb* rhosagorellau

rose window ffenestr ros *eb* ffenestri rhos

rosette rhosen *eb* rhosenni

rosette chain stitch pwyth cadwyn rhosyn *eg* pwythau cadwyn rhosyn

rosewood rhosbren *ans*

rosewood handle carn rhosbren *eg* carnau rhosbren

rostrum rostrwm *eg* rostra

rot pydredd *eg*

rotary cylchdro *ans*

rotary clothes line lein ddillad gylchdro *eb* leiniau dillad cylchdro

rotary converter trawsnewidydd cylchdro *eg* trawsnewidyddion cylchdro

rotary-cut veneer argaen toriad cylchdro *eg* argaenau toriad cylchdro

rotary iron peiriant smwddio cylchdro *eg* peiriannau smwddio cylchdro

rotary motion mudiant cylchdro *eg*

rotary movement symudiad cylchdro *eg* symudiadau cylchdro

rotary quern breuan droi *eb* breuanau troi

rotary valve falf drogylch *eb* falfiau trogylch

rotary-cut veneer argaen toriad cylchdro *eg* argaenau toriad cylchdro

rotate cylchdroi *be*

rotate by hand cylchdroi â llaw *be*

rotate colours cylchdroi lliwiau *be*

rotate freely cylchdroi'n rhydd *be*

rotation cylchdro *eg* cylchdroeon

rotation of crops cylchdro cnydau *eg* cylchdroeon cnydau

rotational energy egni cylchdroi *eg*

rotational grazing pori cylchdro *be*

rotational movement symudiad cylchdro *eg* symudiadau cylchdro

rotational slip cylchlithriad *eg* cylchlithriadau

rotational symmetry cymesuredd cylchdro *eg*

rotor rotor *eg* rotorau

rotten pwdr *ans*

rotten borough bwrdeistref bwdr *eb* bwrdeistrefi pwdr

---

rouge rhuddliw *eg*

rough (=approximate) bras *ans*

rough (of surface, land) garw *ans*

rough answer ateb bras *eg* atebion bras

rough cut file ffeil frasddant *eb* ffeiliau brasddant

rough dimensions dimensiynau lled agos *ell*

rough draft drafft bras *eg* drafftiau bras

rough drawing lluniad lled gywir *eg* lluniadau lled gywir

rough dry *adj* bras-sych *ans*

rough dry *v* bras-sychu *be*

rough metric equivalent cywerth metrig bras *eg* cywerthoedd metrig bras

rough open garw agored *eg*

rough pasture porfa arw *eb* porfeydd garw

rough sawn braslifiad *ans*

rough surface arwyneb garw *eg* arwynebau garw

roughage bwyd garw *eg*

roughening tool brasnaddell *eb* brasnaddellau

roughing (of lathe tools) brasnaddu *be*

roughing reamer agorell frasnaddu *eb* agorellau brasnaddu

roughness garwedd *eg*

rouleau loop dolen rouleau *eb* dolennau rouleau

round *adj* crwn *ans*

round (in penillion singing) *n* cylch *eg* cylchoedd

round (in sport etc) *n* rownd *eb* rowndiau

round (of music) *n* pennill *eg* penillion

round arch bwa crwn *eg* bwâu crwn

round base sylfaen gron *eb* sylfeini crwn

round bottomed flask fflasg fongron *eb* fflasgiau bongrwn

round centre cane gwialen ganol crwn *eb* gwialenni canol crwn

round down talgrynnu i lawr *be*

round edge ymyl gron *eb* ymylon crwn

round end pen crwn *eg* pennau crwn

round faced spokeshave rhasgl wyneb crwn *eb* rhasglau wyneb crwn

round file ffeil gron *eb* ffeiliau crwn

round head bolt bollt bengron *eb* bolltau pengrwn

round head screw sgriw bengron *eb* sgriwiau pengrwn

round head stake bonyn pengrwn *eg* bonion pengrwn

round leg coes gron *eb* coesau crwn

round lost head nail hoelen gron bengoll *eb* hoelion crwn pengoll

round nail hoelen gron *eb* hoelion crwn

round neck gwddf crwn *eg* gyddfau crwn

round nose (of lathe tools) trwyn crwn *eg* trwynau crwn

round nose pliers gefelen drwyngron *eb* gefeiliau trwyngrwn

round off talgrynnu *be*

round plane plaen crwn *eg* plaeniau crwn

round section material defnydd trychiad crwn *eg*

round up talgrynnu i fyny *be*

round vault llofnaid gylch *eb* llofneidiau cylch

round-headed key allwedd ben crwn *eb* allweddi pen crwn

roundabout cylchfan *eg/b* cylchfannau

rounded (=finished) gorffenedig *ans*

rounded (of hills) llyfngrwn *ans*

rounded drawer slip drôr-gryfhawr crwm *eg* drôr-gryfhawyr crwm

rounders rownderi *ell*

Roundhead Pengrynwr *eg* Pengrynwyr

roundhead rivet rhybed pengrwn *eg* rhybedion pengrwn

roundhead scissors siswrn pig crwn *eg* sisyrnau pig crwn

rounding crymu *be*

rounding error cyfeiliornad talgrynnu *eg* cyfeiliornadau talgrynnu

roundness crynrwydd *eg*

roundness index indecs crymder *eg* indecsau crymder

rousing jig jig cyffrous *eg* jigiau cyffrous

rout gyrru ar ffo *eg*

route *n* llwybr *eg* llwybrau

route *v* llwybro *be*

router llwybrydd *eg* llwybryddion

router plane plaen dyfnder *eg* plaeniau dyfnder

routeway llwybr *eg* llwybrau

routine (=regular procedure) trefn *eb*

routine (=set sequence) rheolwaith *eg* rheolweithiau

roving harmony cynghanedd gyfnewidiol *eb*

row (in sport) *n* rheng *eb* rhengoedd

row (=line) *n* rhes *eb* rhesi

row (with oars) *v* rhwyfo *be*

row matrix matrics rhes *eg*

row reduction newidiadau rhes *ell*

row vector fector rhes *eg*

rowlock roloc *eg*

royal brenhinol *ans*

Royal Academy of Arts,The Academi Frenhinol y Celfyddydau *eb*

Royal Cambrian Academy of Arts Academi Gelf Frenhinol Cymru *eb*

royal estates ystadau brenhinol *ell*

royal progress taith frenhinol *eb*

Royal Society of Mines Cymdeithas Frenhinol y Mwyngloddiau *eb*

royalist brenhinwr *eg* brenhinwyr

rub rhwbio *be*

rub out diddymu *be*

rubbed joint uniad rhwbiedig *eg* uniadau rhwbiedig

rubber rwber *eg* rwberi

rubber band band rwber *eg* bandiau rwber

rubber bung topyn rwber *eg* topynnau rwber

rubber hammer morthwyl rwber *eg* morthwylion rwber

rubber squeegee gwesgi rwber *eg* gwesgïau rwber

rubber washer wasier rwber *eb* wasieri rwber

rubber webbing webin rwber *eg*

rubbing (frottage) ffrotais *eg* ffroteisiau

rubbing (in general) rhwbiad *eg* rhwbiadau

rubbing board bwrdd rhwbio *eg* byrddau rhwbio

rubbing down rhwbio *be*

rubbing method dull rhwbio *eg*

rubbing stick ffon rwbio *eb* ffyn rhwbio

rubbing strips stribedi rhwbio *ell*

rubbish sbwriel *eg*

rubble rwbel *eg*

---

rubella rwbela *eb*
rubidium (Rb) rwbidiwm *eg*
rubric cyfarwyddyd *eg* cyfarwyddiadau
ruck ryc *eg* ryciau
rudder llyw *eg*
rudderlines rhaffau llyw *ell*
rudimentary (organ etc) elfennol *ans*
ruffle *n* ryffl *eg* ryfflau
ruffle *v* ryfflo *be*
ruffled neck gwddf ryffl *eg* gyddfau ryffl
ruffler (machine attachments) rhyfflydd *eg* rhyfflyddion
rug ryg *eg/b* rygiau
rugby rygbi *eg*
rugby ball pêl rygbi *eb* peli rygbi
rugby shirt crys rygbi *eg* crysau rygbi
rugged individualism unigolyddiaeth rymus *eb*
ruggedness garwedd *eg*
ruin adfail *eg* adfeilion
rule (for measuring, getting straight lines) riwl *eb* riwliau
rule (=government, dominion) rheolaeth *eb*
rule (of order, law) rheol *eb* rheolau
rule and thumb gauge medrydd riwl a bawd *eg* medryddion riwl a bawd
rule joint uniad riwl *eg* uniadau riwl
rule joint hinge colfach uniad riwl *eg* colfachau uniad riwl
rule off gwahanu *be*
rule-based seiliedig ar reolau
ruled llinellog *ans*
ruler (=graduated straight measure) riwl *eb* riwliau
ruler (on computer screen) mesurydd *eg* mesuryddion
ruler (=person who rules) rheolwr *eg* rheolwyr
ruler (=strip of wood for measuring) pren mesur *eg* prennau mesur
rules and conventions rheolau a chonfensiynau
rules of indices rheolau indecsau *ell*
rules of precedence rheolau blaenoriaeth *ell*
ruling class dosbarth llywodraethol *eg*
ruling pen pen riwlio *eg* pennau riwlio
rumba rhwmba *eg* dawnsiau rhwmba
rumen rwmen *eg* rwmenau
ruminant anifail cnoi cil *eg* anifeiliaid cnoi cil
Rump Parliament Senedd y Gweddill *eb*
run *v* rhedeg *be*
run (=enclosed yard) *n* libart *eg* libartau
run (in sport etc) *n* rhediad *eg* rhediadau
run out *n* rhediad allan *eg* rhediadau allan
run out *v* rhedeg allan *be*
run with the ball rhedeg â'r bêl *be*
run-off dŵr ffo *eg* dyfroedd ffo
run-time amser rhedeg *eg*
rundale (=runrig) lleiniau cytal *ell*
rune llythyren rwnig *eb* llythrennau rwnig
rung ffon ysgol *eb* ffyn ysgol
runic alphabet gwyddor rwnig *eb*

runnel corffrwd *eb* corffrydiau
runner (cricket) cydredwr *eg* cydredwyr
runner (in botany) ymledydd *eg* ymledyddion
runner (of drawer) rhedwr drôr *eg* rhedwyr drôr
runner (of person) rhedwr *eg* rhedwyr
runner beans ffa dringo *ell*
runner cup cwpan ymledu *eg* cwpanau ymledu
runner peg (casting) peg rhedwr (castio) *eg* pegiau rhedwyr (castio)
running angle ongl rhedeg *eb* onglau rhedeg
running commentary sylwebaeth ar y pryd *eb*
running fit ffit redegog *eb* ffitiau rhedegog
running method dull o redeg *eg*
running oblique back vault llofnaid wellaif *eb* llofneidiau gwellaif
running shoe esgid redeg *eb* esgidiau rhedeg
running stitch pwyth rhedeg *eg* pwythau rhedeg
running technique techneg rhedeg *eb* technegau rhedeg
running track trac rhedeg *eg* traciau rhedeg
running true rhedeg yn gywir *be*
running vest fest redeg *eb* festiau rhedeg
runrig lleiniau cytal *ell*
runway rhedfa *eb* rhedfeydd
rupture (in general) rhwyg *eg* rhwygiadau
rupture (medical) *n* torlengig *eg*
rupture (medical) *v.trans* torri llengig *be*
rupture (of cell) *v.intrans* ymdorri (cell yn ymdorri) *be*
rural gwledig *ans*
rural area ardal wledig *eb* ardaloedd gwledig
rural dean deon gwlad *eg* deoniaid gwlad
rural deanery deoniaeth wlad *eb* deoniaethau gwlad
rural history hanes cefn gwlad *eg*
rural school ysgol wledig *eb* ysgolion gwledig
rural-urban continuum didorredd gwledig-trefol *ell*
rurban fringe cyrion gwledig trefol *ell*
rush brwynen *eb* brwyn
rush hour awr frys *eb* oriau brys
rusk rhysgen *eb* rhysgenni
rust *v* rhydu *be*
rust (in chemistry) *n* rhwd *eg*
rust (plant disease) *n* cawod goch, y gawod goch *eb*
rust inhibitor atalydd rhwd *eg* atalyddion rhwd
rusted rhydlyd *ans*
rustic gwledig *ans*
rustic furniture celfi gwledig *ell*
rustification creigwaith *eg*
rustless nail hoelen wrthrwd *eb* hoelion gwrthrwd
rustless screw sgriw wrthrwd *eb* sgriwiau gwrthrwd
rustproof gwrthrwd *ans*
rusty rhydlyd *ans*
ruthenium (Ru) rwtheniwm *eg*
rye bread bara rhyg *eg*
rye-grass rhygwellt *ell*
ryot raiot *eg* raiotiaid

---

adf, adv adferf, *adverb*   *ans, adj* ansoddair, *adjective*   *be* berf, *verb*   *eb* enw benywaidd, *feminine noun*   *eg* enw gwrywaidd, *masculine noun*

S

Sabbatarianism Sabathyddiaeth *eb*
Sabbath (Jewish) Sabath *eg* Sabathau
sabbatical sabothol *ans*
sable sabl *eg*
sable brush brwsh sabl *eg* brwshys sabl
sabre sabr *eg* sabrau
sabre saw llif sabr *eb* llifiau sabr
sac coden *eb* codennau
saccharin sacarin *eg*
saccular codennog *ans*
sacculate codennaidd *ans*
saccule codennyn *eg* codenynnau
sacerdotal offeiriadol *ans*
sacerdotalism offeiriadolaeth *eb*
sack (=large bag) *n* sach *eb* sachau
sack (=destruction) *n* anrhaith *eg*
sack (=plunder and destroy) *v* anrheithio *be*
Sack of Rome Anrhaith Rhufain *eg*
sacral vertebra fertebra crwperol *eg* fertebrau crwperol
sacrament (=consecrated elements) sagrafen *eb* sagrafennau
sacrament (=religious ceremony or act) sacrament *eg* sacramentau
SACRE (Standing Advisory Council for Religious Education) CYSAG (Cyngor Ymgynghorol Sefydlog Addysg Grefyddol) *eg*
sacred sanctaidd *ans*
sacred monogram monogram sanctaidd *eg* monogramau sanctaidd
sacred thread edau sanctaidd *eb* edafedd sanctaidd
sacrifice aberth *eg/b* aberthau
sacring bell cloch aberth *eb* clychau aberth
sacristan sacristan *eg* sacristaniaid
sacristy sacristi *eg* sacristiau
sacrum sacrwm *eg* sacra
saddle cyfrwy *eg* cyfrwyau
saddle key allwedd gyfrwy *eb* allweddau cyfrwy
saddle quern breuan gyfrwy *eb* breuanau cyfrwy
saddle stitch pwyth cyfrwy *eg* pwythau cyfrwy
saddle yoke iau cyfrwy *eb* ieuau cyfrwy
saddlepoint (=col) col *eg* colinau
sadism sadistiaeth *eb*
safe diogel *ans*
safe edge (file part) ymyl ddiogel *eb* ymylon diogel
safe practice ymarfer diogel *eg*
safety diogelwch *eg*
safety belt gwregys diogelwch *eg* gwregysau diogelwch
safety guard gard diogelwch *eg* gardiau diogelwch

safety ladle lletwad ddiogelwch *eb* lletwadau diogelwch
safety net rhwyd ddiogelwch *eb* rhwydi diogelwch
safety pin pìn cau *eg* pinnau cau
safety precautions rhagofalon diogelwch *ell*
safety procedure dull gweithredu diogel *eg* dulliau gweithredu diogel
safety regulations rheoliadau diogelwch *ell*
safety requirements gofynion diogelwch *ell*
safety risk perygl i ddiogelwch *eg*
safety screen sgrin ddiogelu *eb* sgriniau diogelu
safety standards safonau diogelwch *ell*
safety switch switsh diogelu *eg* switshis diogelu
safety valve falf ddiogelu *eb* falfiau diogelu
safety-barrier clwyd ddiogelwch *eb* clwydi diogelwch
safety-harness harnais diogelwch *eg* harneisi diogelwch
sag *n* ysigiad *eg* ysigiadau
sag *v* ysigo *be*
saga saga *eb* sagâu
sage-bush llwyn saets *eg* llwyni saets
sagebrush prysgwydd saets *ell*
sagger sager *eg* sageri
sagittal saethol *ans*
sagittal section toriad saethol *eg* toriadau saethol
sahel sahel *eg*
sahelian sahelaidd *ans*
sail hwylio *be*
sail cloth defnydd hwyliau *eg*
saint sant *eg* seintiau
Saint Augustine Awstin Sant *eg*
Saint David's Day Dydd Gŵyl Dewi *eg*
Saint George's Channel Sianel San Siôr *eb*
Saint James Sant Iago *eg*
Saint John Sant Ioan *eg*
Saint Patrick Sant Padrig *eg*
saint's day gŵyl mabsant *eb* gwyliau mabsant
sal ammoniac sal amoniac *eg*
salad bowl bowlen salad *eb* bowlenni salad
salad dressing blaslyn salad *eg*
salary cyflog *eg/b* cyflogau
sale gwerthiant *eg* gwerthiannau
Sale of Goods Act Deddf Gwerthu Nwyddau *eb*
sales cost cost gwerthiant *eb* costau gwerthiant
sales floor llawr gwerthu *eg* lloriau gwerthu
sales ledger llyfr gwerthiant *eg* llyfrau gwerthiant
sales turnover trosiant gwerthu *eg* trosiannau gwerthu
salesman gwerthwr *eg* gwerthwyr
Salic Law Cyfraith Salig *eb*
salient amlwg *ans*

---

eg/b enw gwrywaidd/benywaidd, *feminine/masculine noun*   *ell* enw lluosog, *plural noun*   *v* berf, *verb*   *n* enw, *noun*

salina salina *eg* salinau

saline *adj* halwynog *ans*

saline *n* heli *eg*

saline solution hydoddiant halwynog *eg*

salinity halwynedd *eg*

saliva poer *eg*

saliva gland chwarren boer *eb* chwarennau poer

salivary poerol *ans*

salivary amylase amylas poerol *eg*

sally port cyrchborth *eg* cyrchbyrth

salon salon *eg* salonau

salt (in chemistry) halwyn *eg* halwynau

salt (=sodium chloride) halen *eg*

salt cellar llestr halen *eg* llestri halen

salt deposits dyddodion halen *ell*

salt flat gwastad heli *eg*

salt lake llyn halen *eg* llynnoedd halen

salt marsh morfa heli *eg* morfeydd heli

salt pan pant heli *eg* pantiau heli

salt water heli *eg*

saltarello saltarelo *eg* saltarelau

saltation neidiant *eg*

saltatory neidiol *ans*

saltings halwyndir *eg*

saltpetre solpitar *eg*

salts of lemon halwynau lemwn *ell*

salty hallt *ans*

salute saliwt *eg* saliwtiau

salute saliwtio *be*

salvation iachawdwriaeth *eb*

Salvation Army Byddin yr Iachawdwriaeth *eb*

Salvationist aelod o Fyddin yr Iachawdwriaeth *eg* aelodau o Fyddin yr Iachawdwriaeth

samarium (Sm) samariwm *eg*

samba samba *eg* dawnsiau samba

sample *n* sampl *eg* samplau

sample *v* samplu *be*

sample area ardal samplu *eb* ardaloedd samplu

sample study astudiaeth sampl *eb* astudiaethau sampl

sampler sampler *eg* sampleri

sampling distribution dosraniad samplu *eg*

sampling errors cyfeiliornadau samplu *ell*

sampling method dull samplu *eg* dulliau samplu

sampling technique techneg samplu *eb* technegau samplu

sanctification sancteiddhad *eg*

sanctions (economic) sancsiynau *ell*

sanctuary (for animals) gwarchodfa *eb* gwarchodfeydd

sanctuary (in temple etc) seintwar *eb* seintwarau

sanctuary (=refuge) noddfa *eb* noddfeyedd

sand tywod *eg*

sand bank banc tywod *eg* banciau tywod

sand bar bar tywod *eg* barrau tywod

sand bin bin tywod *eg* biniau tywod

sand box blwch tywod *eg* blychau tywod

sand bunker byncer tywod *eg* bynceri tywod

sand dune twyn tywod *eg* twyni tywod

sand inclusions cynhwysion tywod *ell*

sand spit tafod tywod *eg* tafodau tywod

sandbag bag tywod *eg* bagiau tywod

sander sandiwr *eg* sandwyr

sanding disc disg llyfnu *eg* disgiau llyfnu

sandpaper papur gwydrog *eg*

sandpit pwll tywod *eb* pyllau tywod

sandstone tywodfaen *eg* tywodfeini

sandur sandur *eg* sandurau

sandwich construction adeiladwaith llafnog *eg*

sandwich construction chipboard bwrdd sglodion adeiladwaith llafnog *eg*

sanitary protection darpariaeth mislif *eg*

sanitation iechydaeth *eb*

sap nodd *eg* noddion

sap green gwyrdd sudd *eg*

sapling glasbren *eg* glasbrennau

saponification seboneiddiad *eg*

saponify seboneiddio *be*

sapper cloddiwr *eg* cloddwyr

saprophage saproffag *eg*

saprophyte *adj* saproffytig *ans*

saprophyte *n* saproffyt *eg* saproffytau

sapwood (alburnum) gwynnin (albwrnwm) *eg*

Saracen Sarasen *eg* Saraseniaid

sash sash *eg* sasiau

sash bar bar gwydriad *eg* barrau gwydriad

sash catch clicied sash *eb* cliciedau sash

sash cramp cramp hir *eg* crampiau hir

sash fastener ffasnydd sash *eg* ffasnyddion sash

sash joint uniad ffrâm *eg* uniadau ffrâm

sash pivot colyn sash *eg* colynnau sash

sash weight pwysyn sash *eg* pwysynnau sash

sash window ffenestr ddalennog *eb* ffenestri dalennog

sateen satîn *eg*

satellite lloeren *eb* lloerenni

satellite state gwlad ddibynnol *eb* gwledydd dibynnol

satellite town tref ddibynnol *eb* trefi dibynnol

satin satin *eg*

satin finish gorffeniad satin *eg* gorffeniadau satin

satin stitch pwyth satin *eg* pwythau satin

satin weave gwehyddiad satin *eg*

satisfaction boddhad *eg*

satisfactory boddhaol *ans*

satisfier bodlonwr *eg* bodlonwyr

satisfy bodloni *be*

saturate dirlenwi *be*

saturated dirlawn *ans*

saturated fatty acid asid brasterog dirlawn *eg*

saturated solution hydoddiant dirlawn *eg* hydoddiannau dirlawn

saturated vapour pressure gwasgedd anwedd dirlawn *eg*

saturation dirlawnder *eg*

saturation point pwynt dirlawnder *eg*

saturation zone cylchfa ddirlawnder *eb* cylchfaoedd dirlawnder

Saturn Sadwrn *eg*

---

adf, adv adferf, *adverb*   **ans, adj** ansoddair, *adjective*   **be** berf, *verb*   **eb** enw benywaidd, *feminine noun*   **eg** enw gwrywaidd, *masculine noun*

saucer soser *eb* soseri

savannah safana *eg* safanau

savannah grassland tir glas y safana *eg* tiroedd glas y safana

save (in computing) cadw *be*

save (=make economies) cynilo *be*

save (=rescue) arbed *be*

save a shot arbed ergyd *be*

save as cadw fel *be*

save screen cadw sgrin *be*

saving arbediad *eg* arbedion

savings (=money saved) cynilion *ell*

savings account cyfrif cynilo *eg* cyfrifon cynilo

savings bank banc cynilo *eg* banciau cynilo

savings box cadw-mi-gei *eg*

saw *n* llif *eb* llifiau

saw *v* llifio *be*

saw set llifosodiad *eg* llifosodiadau

saw teeth dannedd llif *ell*

saw vice feis hogi llif *eb* feisiau hogi llif

saw-cut llifdoriad *eg* llifdoriadau

saw-cut veneer argaen llifdoriad *eg* argaenau llifdoriad

saw-fence ffens lif *eb* ffensys llif

saw-frame ffrâm lif *eb* fframau llif

saw-setting anvil eingion gosod llif *eb* eingionau gosod llif

saw-setting hammer morthwyl gosod llif *eg* morthwylion gosod llif

saw-setting pliers gefelen osod llif *eb* gefeiliau gosod llif

sawdust blawd llif *eg*

sawing board bwrdd llifio *eg* byrddau llifio

sawmill melin lifio *eb* melinau llifio

sawn nut nyten wedi'i llifio *eb* nytiau wedi'u llifio

sawn timber pren wedi'i lifio *eg*

sawyer llifiwr *eg* llifwyr

Saxon *adj* Sacsonaidd *ans*

Saxon *n* Sacson *eg* Sacsoniaid

Saxon place name enw lle Sacsonaidd *eg* enwau lleoedd Sacsonaidd

SCAA: School Curriculum and Assessment Authority ACAY: Awdurdod Cwricwlwm ac Asesu Ysgolion *eg*

scab crachen *eb* crach

scabies clefyd crafu *eg*

scabland garwdir basalt *eg* garwdiroedd basalt

scaffold (for construction purposes) sgaffald *eg* sgaffaldau

scaffold (=gallows) crocbren *eg* crocbrennau

scalar *adj* sgalar *ans*

scalar *n* sgalar *eg* sgalarau

scalar multiplication lluosiad sgalar *eg*

scalar quantity mesur sgalar *eg* mesurau sgalar

scald sgaldiad *eg* sgaldiadau

scalding sgaldanu *be*

scale *v* graddio *be*

scale (for weighing) *n* clorian *eb* cloriannau

scale (in furnace or on plants) *n* cen *eg* cennau

scale (=series of degrees, ratio) *n* graddfa *eb* graddfeydd

scale drawing lluniad wrth raddfa *eg* lluniadau wrth raddfa

scale factor ffactor graddfa *eb* ffactorau graddfa

scale leaf cenddeilen *eb* cenddail

scale mock-up brasfodel wrth raddfa *eg* brasfodelau wrth raddfa

scale of hardness graddfa galedwch *eb* graddfeydd caledwch

scale of three graddfa tri *eb*

scale of two graddfa dau *eb*

scale picture graddio llun *be*

scale sprite graddio ciplun *be*

scaled copy copi graddfa *eg* copïau graddfa

scalene anghyfochrog *ans*

scalene triangle triongl anghyfochrog *eg* trionglau anghyfochrog

scaliform thickening tewychiad sgalaraidd *eg*

scaling factor ffactor graddio *eb* ffactorau graddio

scallop *n* sgolop *eg* sgolopiau

scallop *v* sgolopio *be*

scalloped edge ymyl sgolop *eb* ymylon sgolop

scalpel cyllell llawfeddyg *eb* cyllyll llawfeddyg

scan *n* sgan *eg* sganiau

scan *v* sganio *be*

scandal sgandal *eg* sgandalau

Scandinavian Union Undeb Llychlyn *eg*

scandium (Sc) scandiwm *eg*

scanner sganiwr *eg* sganwyr

scapegoat bwch dihangol *eg* bychod dihangol

scapula padell yr ysgwydd *eb* padelli ysgwyddau

scapular sgapwlar *eg* sgapwlarau

scar craith *eb* creithiau

scar tissue meinwe craith *eb*

scarcity prinder *eg*

scarf *n* sgarff *eg* sgarffiau

scarf *v* sgarffio *be*

scarf joint uniad sgarff *eg* uniadau sgarff

scarlet fever twymyn goch *eb*

scarlet lake llif sgarlad *eg*

scarlet madder madr sgarlad *eg*

scarp sgarp *eg* sgarpiau; tarren *eb* tarrenni

scarp fault sgarp ffawt *eg* sgarpiau ffawt

scarp slope llethr sgarp *eg* llethrau sgarp

scarpland sgarpdir *eg* sgarpdiroedd

scatter gwasgaru *be*

scatter cushions mân glustogau *ell*

scatter diagram diagram gwasgariad *eg* diagramau gwasgariad

scatter graph graff gwasgariad *eg* graffiau gwasgariad

scattered pattern patrwm gwasgarog *eg* patrymau gwasgarog

scattered settlement annedd wasgarog *eb* anheddau gwasgarog

scattering gwasgariad *eg* gwasgariadau

scavenge carthysu *be*

scavenger carthysydd *eg* carthysyddion

scene golygfa *eb* golygfeydd

scene designer cynllunydd golygfeydd *eb* cynllunwyr golygfeydd

---

eg/b enw gwrywaidd/benywaidd, *feminine/masculine noun*   *ell* enw lluosog, *plural noun*   *v* berf, *verb*   *n* enw, *noun*

scene painter peintiwr golygfeydd *eg* peintiwyr golygfeydd

scene painting (of process or art) peintio golygfa *be*

scenery golygfa *eb* golygfeydd

scenic route ffordd hynod o hardd *eb* ffyrdd hynod o hardd

sceptre teyrnwialen *eb* teyrnwialennau

schattenseite cil haul *eg*

schedule (=appendix to a document) atodlen *eb* atodlenni

schedule (=inventory) rhestr *eb* rhestri

schedule (=programme) rhaglen *eb* rhaglenni

schedule (=timetable) amserlen *eb* amserlenni

schema sgema *eg* sgemâu

schematic sgematig *ans*

schematic diagram diagram cynllunio *eg* diagramau cynllunio

scheme cynllun *eg* cynlluniau

scheme of assessment cynllun asesu *eg* cynlluniau asesu

scheme of work cynllun gwaith *eg* cynlluniau gwaith

scherzo scherzo *eg* scherzi

scherzo and trio scherzo a thrio scherzi a thrio

schism sgism *eg* sgismau

Schism Act Deddf Sgism *eb*

schismatic sgismatig *ans*

schist sgist *eg* sgistau

schistosity sgistedd *eg*

schizocarp schisocarp *eg*

Schmalkaldic League Cynghrair Schmalkalden *eb*

Schmitt Trigger Triger Schmitt

scholarship (=award of money) ysgoloriaeth *eb* ysgoloriaethau

scholarship (=learning) ysgolheictod *eg*

scholastic sgolastig *ans*

scholasticism sgolastigiaeth *eb*

school ysgol *eb* ysgolion

school budget cyllideb ysgol *eb* cyllidebau ysgolion

school catchment area dalgylch ysgol *eg* dalgylch ysgolion

school championships pencampwriaethau ysgolion *ell*

school child plentyn ysgol *eg* plant ysgol

school consortium consortiwm ysgolion *eg* consortia ysgolion

school counsellor cynghorwr ysgol *eg* cynghorwyr ysgol

school development plan cynllun datblygu ysgol *eg* cynlluniau datblygu ysgol

school dinner cinio ysgol *eg* ciniawau ysgol

school fund cronfa ysgol *eb* cronfeydd ysgol

school governor llywodraethwr ysgol *eg* llywodraethwyr ysgol

school ground tir yr ysgol *eg*

school leaving certificate tystysgrif gadael ysgol *eb* tystysgrifau gadael ysgol

school meals prydau ysgol *ell*

school nurse nyrs ysgol *eb* nyrsys ysgol

school performance table tabl perfformiad ysgolion *eg* tablau perfformiad ysgolion

school report adroddiad ysgol *eg* adroddiadau ysgol

school site safle'r ysgol *eg*

school uniform gwisg ysgol *eb*

school year blwyddyn ysgol *eb* blynyddoedd ysgol

school-based indicator dangosydd yn yr ysgol *eg* dangosyddion yn yr ysgol

schoolman ysgolwr *eg* ysgolwyr

Schwann cell cell Schwann *eb*

sciatic (of nerve) clunol *ans*

sciatic nerve nerf clunol *eg* nerfau clunol

science (especially concerned with material and functions of physical universe) gwyddoniaeth *eb*

science (=systematic and formulated body of knowledge) gwyddor *eb* gwyddorau

science of navigation mordwyeg *eb*

science working group gweithgor gwyddoniaeth *eg* gweithgorau gwyddoniaeth

scientific claims honiadau gwyddonol *ell*

scientific concept cysyniad gwyddonol *eg* cysyniadau gwyddonol

scientific convention confensiwn gwyddonol *eg* confensiynau gwyddonol

scientific idea syniad gwyddonol *eg* syniadau gwyddonol

scientific method dull gwyddonol *eg* dulliau gwyddonol

scientific model model gwyddonol *eg* modelau gwyddonol

Scientific Revolution Chwyldro Gwyddonol *eg*

scientific symbol symbol gwyddonol *eg* symbolau gwyddonol

scintillate fflachennu *be*

scion brigyn impiedig *eg* brigau impiedig

scission toriant *eg* toriannau

scissors (implement) siswrn *eg* sisyrnau

scissors (method) dull siswrn *eg*

scissors control rheolaeth siswrn *eb*

scissors kick cic siswrn *eg* ciciau siswrn

scissors movement symudiad siswrn *eg* symudiadau siswrn

scissors vault llofnaid siswrn *eb* llofneidiau siswrn

sclerenchyma sglerencyma *eg*

sclerosis sglerosis *eg*

sclerotic sglerotig *ans*

sclerous sglerws *ans*

scolex sgolecs *eg*

scoop *n* sgŵp *eg* sgwpiau

scoop *v* sgwpio *be*

scope cwmpas *eg* cwmpasau

scorbutic sgorbwtig *ans*

scorch deifio *be*

scorched earth policy polisi ymddiffeithio *eg*

score *n* sgôr *eb* sgorau

score *v* sgorio *be*

score a goal sgorio gôl *be*

score a try sgorio cais *be*

score event cystadleuaeth sgôr *eb* cystadlaethau sgôr

score-sheet taflen sgorio *eb* taflenni sgorio

scoreboard bwrdd sgôr *eg* byrddau sgôr

scorer sgoriwr *eg* sgorwyr

scoria scoria *be*

scoring rhicio *be*

scoring system system sgorio *eb* systemau sgorio

---

scorper sgorper *eg* sgorperau

scot & lot borough bwrdeistref scot a lot *eg* bwrdeistrefi scot a lot

Scotch Baptist Bedyddiwr Albanaidd *eg* Bedyddwyr Albanaidd

Scotch Cattle Teirw Scotch *eg*

Scotch glue glud Sgotch *eg*

Scotch snap clec Sgotaidd *eb* cleciadau Sgotaidd

scotia sgotia *eg*

scotia moulding mowldin sgotia *eg*

scotopic sensitivity syndrome syndrom sensitifedd sgotopig *eg*

scour sgwrio *be*

scourer sgwrydd *eg* sgwryddion

scouring sgwriad *eg* sgwriadau

scouring powder powdr sgwrio *eg*

Scramble for Africa Ymgiprys am Affrica *eg*

scrambled egg wy wedi'i sgramblo *eg* wyau wedi'u sgramblo

scrap sgrap *eg* sgrapiau

scrap book llyfr lloffion *eg* llyfrau lloffion

scrap iron haearn sgrap *eg*

scrap material defnydd sgrap *eg* defnyddiau sgrap

scrap metal metel sgrap *eg* metelau sgrap

scrap wood pren gwastraff *eg* prennau gwastraff

scrape sgrafellu *be*

scraper sgrafell *eb* sgrafelli

scraper cutter torrell grafu *eb* torellau crafu

scraper equipment taclau sgrafellu *ell*

scraper plane plaen crafu *eg* plaenau crafu

scraper sharpener hogwr sgrafell *eg* hogwyr sgrafell

scraperboard sgraffwrdd *eg* sgraffyrddau

scraping (in finishing metal) sgrafellu *be*

scrapings crafion *ell*

scratch *n* crafiad *eg* crafiadau

scratch (in computing) *v* dileu *be*

scratch (in general) *v* crafu *be*

scratch brush brwsh crafu *eg* brwshys crafu

scratch disk disg dros dro *eg* disgiau dros dro

scratch memory cof dros dro *eg*

scratch stock crafwr addurn *eg* crafwyr addurn

scrawl sgriblo *be*

scree sgrï *eg* sgrïau

screen *n* sgrin *eb* sgriniau

screen *v* cysgodi *be*

screen dump argraffu sgrin *be*

screen filler llenwad sgrin *eg*

screen frame ffrâm sgrin *eb* fframiau sgrin

screen layout cynllun sgrin *eg*

screen material defnydd sgrin *eg*

screen printing printio sgrin *eg*

screen the ball cysgodi'r bêl *be*

screen turtle crwban sgrin *eg* crwbanod sgrin

screen-printing sgrin-brintio *be*

screenful sgriniad *eg* sgrineidiau

screw *n* sgriw *eb* sgriwiau

screw *v* sgriwio *be*

screw cup cwpan sgriw *eg* cwpanau sgriw

screw eye sgriw lygad *eb* sgriwiau llygad

screw gauge medrydd sgriw *eg* medryddion sgriw

screw hook bach sgriw *eg* bachau sgriw

screw pitch gauge medrydd pitsh sgriw *eg* medryddion pitsh sgriw

screw point pwynt sgriw *eg* pwyntiau sgriw

screw thread edau sgriw *eb* edafedd sgriw

screw-bound sgriwglwm *ans*

screw-jack jac sgriw *eg* jaciau sgriw

screw-plate plât sgriwio *eg* platiau sgriwio

screwbinder rhwymyn sgriw *eg* rhwymau sgriw

screwdriver tyrnsgriw *eg* tyrnsgriwiau

screwdriver bit ebill tyrnsgriw *eb* ebillion tyrnsgriw

screwing block bloc sgriwio *eg* blociau sgriwio

scribble sgriblo *be*

scribe *v* sgrifellu *be*

scribe (Biblical) *n* ysgrifennydd *eg* ysgrifenyddion

scribe (=copyist) *n* copïwr *eg* copïwyr

scribed joint uniad sgrifellog *eg* uniadau sgrifellog

scribed lines llinell wedi'u sgrifellu *eb* llinellau wedi'u sgrifellu

scriber sgrifell *eb* sgrifelli

scribing block medrydd arwyneb *eg* medryddion arwyneb

scribing gouge gaing gau wyneb *eb* geingiau cau wyneb

scrim sgrim *eg*

script (=handwriting) llawysgrifen *eb*

script (of film, play etc) sgript *eb* sgriptiau

script pen pen sgript *eg* pennau sgript

scriptorium sgriptoriwm *eg* sgriptoria

scripture ysgrythur *eb* ysgrythurau

scrivener ysgrifner *eg* ysgrifneriaid

scroll rhôl *eb* rholiau

scroll *n* sgrôl *eg* sgroliau

scroll *v* sgrolio *be*

scroll moulding mowldin sgrôl *eg* mowldinau sgrôl

scroll tongs gefel sgrôl *eb* gefeiliau sgrôl

scroll wrench tyndro sgrôl *eg* tyndroeon sgrôl

scroll-bar bar-rholio *eg* bariau-rholio

scroll-down rholio i lawr *be*

scroll-up rholio i fyny *be*

scrolling (forging process) sgrolio *be*

scrolling tool erfyn sgrolio *eg* arfau sgrolio

scrotum ceillgwd *eg* ceillgydau

scrub prysg *eg*

scrub land tir prysg *eg*

scrubbing sgrwbio *be*

scrum *n* sgrym *eb* sgrymiau

scrum *v* sgrymio *be*

scrum-half mewnwr *eg* mewnwyr

scull *v* sgwlio *be*

sculpt metal metel cerfiedig *eg*

sculptor cerflunydd *eg* cerflunwyr

sculptural cerfluniol *ans*

sculptural form ffurf gerfluniol *eb* ffurfiau cerfluniol

sculptural unit uned gerfluniol *eb* unedau cerfluniol

---

eg/b enw gwrywaidd/benywaidd, *feminine/masculine noun*   *ell* enw lluosog, *plural noun*   *v* berf, *verb*   *n* enw, *noun*

sculpture cerflunwaith *eg*

sculpturesque cerflunaidd *ans*

scum llysnafedd *eg* llysnafeddau

scumble *n* sgwmbl *eg* sgymblau

scumble *v* sgwmblo *be*

scurf cen *eg*

scurvy llwg, y llwg *eg*

scutage ysgwtreth *eb*

scutcheon pais arfau *eb*

scutellum sgwtelwm *eg*

SDP-Liberal Alliance Cynghrair y Rhyddfrydwyr a'r Democratiaid Cymdeithasol *eb*

sea môr *eg* moroedd

Sea Beggars Cardotwyr y Môr *ell*

sea breeze awel o'r môr *eb* awelon o'r môr

sea coal glo môr *eg*

sea ford moryd *eb* morydau

sea green gwyrdd y môr *eg*

sea lane llwybr môr *eg* llwybrau môr

sea level lefel môr *eb* lefelau môr

sea power grym morwrol *eg*

sea-water dŵr y môr *eg*

SEAC: School Examinations and Assessment Council CAAY: Cyngor Arholiadau ac Asesu Ysgolion *eg*

seacoast arfordir *eg* arfordiroedd

seagrass morwellt *eg*

seal *n* sêl *eb* seliau

seal *v* selio *be*

seal swimming nofio morlo *be*

sealer seliwr *eg* selwyr

sealing work gwaith selio *eg*

seam (in dressmaking) sêm *eb* semau

seam (of coal) gwythïen *eb* gwythiennau

seam (of wrinkle, scar) gwrym *eg* gwrymiau

seam allowance lwfans sêm *eg* lwfansau sêm

seam binding rhwymyn sêm *eg* rhwymynnau sêm

seam finish gorffeniad sêm *eg* gorffeniadau sêm

seam joint uniad sêm *eg* uniadau sêm

seam set gosodydd sêm *eg* gosodyddion sêm

seamed gwrymiog *ans*

seaming semio *be*

seaming pliers gefelen semio *eb* gefeiliau semio

seaming tool erfyn semio *eg* arfau semio

seamless ferrule amgarn ddi-sêm *eb* amgarnau di-sêm

seamount morfynydd *eg* morfynyddoedd

seaquake morgryn *eg* morgrynfeydd

search *n* chwiliad *eg* chwiliadau

search *v* chwilio *be*

search and replace chwilio a newid

search time amser chwilio *eg*

seascape morlun *eg* morluniau

seashore glan y môr *eb*

seasickness salwch môr *eg*

seasonal changes newidiadau tymhorol *ell*

seasonal constellation cytser tymhorol *eg* cytserau tymhorol

seasonal song cân dymhorol *eb* caneuon tymhorol

seasonal star seren dymhorol *eb* sêr tymhorol

seasoning (of timber) sychu (coed) *be*

seat (of emotions etc) eisteddle *eg* eisteddleoedd

seat (to sit on) sedd *eb* seddau

seat of power canolfan grym *eb* canolfannau grym

seaward atfor *ans*

seaway morffordd *eb* morffyrdd

seaweed gwymon *eg*

sebaceous gland chwarren sebwm *eb* chwarennau sebwm

sebkha sebca *eg* sebcâu

secant (sec) secant (sec) *eg* secannau

secco secco *ans*

secede ymwahanu *be*

secession ymwahaniad *eg*

secessionist ymwahanwr *eg* ymwahanwyr

sech sech *eg*

second *n* eiliad *eg/b* eiliadau

second (a motion) *v* eilio *be*

second (interval) *n* eilfed *eg* eilfedau

second cut file ffeil eildor *eb* ffeiliau eildor

second degree equation hafaliad deuradd *eg* hafaliadau deuradd

second fold ail blyg *eg*

second generation ail genhedlaeth *eb*

second growth ail dyfiant *eg*

second inversion ail wrthdro·*eg* ail wrthdroeon

second leg ail gymal *eg*

second lieutenant is-lifftenant *eg* is-lifftenantiaid

second mortgage ail forgais *eg*

second order (in mathematics) trefn dau *eb*

second order (of reaction, in geography) gradd dau *eb*

second order equation hafaliad trefn dau *eg* hafaliadau trefn dau

second order reaction adwaith gradd dau *eg*

second order spectrum sbectrwm trefn dau *eg*

second point ail bwynt *eg*

second row ail reng *eb*

second run ail rediad *eg*

second service ail gynnig serfio *eg*

second slip ail slip *eg*

Second Socialist International (Working-Men's Association) Ail Gymdeithas Sosialaidd Ryngwladol y Gweithwyr *eb*

second tap ail dap *eg*

Second World War Ail Ryfel Byd *eg*

secondary (in general) eilaidd *ans*

secondary (=less important) eilradd *ans*

secondary (of schools) uwchradd *ans*

secondary alcohol alcohol eilaidd *eg*

secondary clay clai eilaidd *eg*

secondary coil coil eilaidd *eg* coiliau eilaidd

secondary colour lliw eilaidd *eg* lliwiau eilaidd

secondary consumer ysydd eilaidd *eg* ysyddion eilaidd

secondary depression dirwasgedd dilynol *eg*

secondary education addysg uwchradd *eb*

---

adf, adv adferf, *adverb* **ans, adj** ansoddair, *adjective* **be** berf, *verb* **eb** enw benywaidd, *feminine noun* **eg** enw gwrywaidd, *masculine noun*

secondary evidence tystiolaeth eilaidd *eb*
secondary growth eildwf *eg*
secondary industry diwydiant eilaidd *eg* diwydiannau eilaidd
secondary meristem meristem eilaidd *eg*
secondary plumage plu eilaidd *ell*
secondary productions cynhyrchion eilaidd *ell*
secondary road ffordd eilaidd *eb* ffyrdd eilaidd
secondary sexual character nodwedd rywiol eilaidd *eb* nodweddion rhywiol eilaidd
secondary source ffynhonnell eilaidd *eb* ffynonellau eilaidd
secondary storage storfa eilaidd *eb* storfeydd eilaidd
secondary thickening tewychu eilaidd *be*
secondary window ffenestr eilaidd *eb* ffenestri eilaidd
secondhand goods nwyddau ail-law *ell*
secondment secondiad *eg* secondiadau
secret cudd *ans*
secret ballot pleidlais gudd *eb*
Secret Ballot Act Deddf y Bleidlais Gudd *eb*
secret dovetail joint uniad cynffonnog cudd *eg* uniadau cynffonnog cudd
secret haunch hansh cudd *eg* hanshys cudd
secret haunched hansiedig cudd *ans*
secret haunched mortise and tenon joint uniad mortais a thyno hansiedig cudd *eg* uniadau mortais a thyno hansiedig cudd
secret haunched tenon tyno hansiedig cudd *eg*
secret lap dovetail goruniad cynffonnog cudd *eg* goruniadau cynffonnog cudd
secret lapped dovetail joint goruniad cudd cynffonnog *eg* goruniadau cudd cynffonnog
secret mitre dovetail meitr cynffonnog cudd *eg* meitrau cynffonnog cudd
secret mitre dovetail joint uniad cynffonnog meitr cudd *eg* uniadau cynffonnog meitr cudd
secret nailing hoelio cudd *be*
secret screwing sgriwio cudd *be*
secret service gwasanaeth cudd *eg* gwasanaethau cudd
secret treaty cytundeb dirgel *eg* cytundebau dirgel
secretarial course cwrs ysgrifenyddol *eg* cyrsiau ysgrifenyddol
secretariat ysgrifenyddiaeth *eb*
secretary of state ysgrifennydd gwladol *eg* ysgrifenyddion gwladol
Secretary of State for Education Ysgrifennydd Gwladol dros Addysg *eg*
Secretary of State for Wales Ysgrifennydd Gwladol dros Gymru *eg*
secretary-general ysgrifennydd cyffredinol *eg*
secrete secretu *be*
secretin secretin *eg*
secretion secretiad *eg* secretiadau
sect sect *eb* sectau
sectarian sectyddol *ans*
sectary sectydd *eg* sectyddion
section (a plan, drawing) *v* trychu *be*
section (in biology) *n* toriad *eg* toriadau

section (in book, orchestra etc) *n* adran *eb* adrannau
section (of DNA) *n* darn *eg* darnau
section (of plan, drawing) *n* trychiad *eg* trychiadau
section line llinell drychu *eb* llinellau trychu
section plane plân trychu *eg*
sectional (=made in parts) adrannol *ans*
sectional (of drawing) trychiadol *ans*
sectional area arwynebedd trychiadol *eg* arwynebeddau trychiadol
sectional drawing trychlun *eg* trychluniau
sectional elevation golwg trychiadol *eg* golygon trychiadol
sectional end view ochrolwg trychiadol *eg* ochrolygon trychiadol
sectional front elevation blaenolwg trychiadol *eg* blaenolygon trychiadol
sectional paper papur adrannol *eg*
sectional plan uwcholwg trychiadol *eg* uwcholygon trychiadol
sectional view golwg trychiadol *eg* golygon trychiadol
sectionalism triniaeth adrannol *eb*
sectioning line llinell drychu *eb* llinellau trychu
sector sector *eg/b* sectorau
sector angle ongl sector *eb* onglau sector
sector theory damcaniaeth sector *eb* damcaniaethau sector
secular seciwlar *ans*
secular clergy clerigaeth seciwlar *eb*
secularism seciwlariaeth *eb*
secularizations meddiannau a seciwlareiddiwyd *ell*
secularize seciwlareiddio *be*
secure (=fasten) *v* cysylltu *be*
secure (=make safe) *v* diogelu *be*
secure (=safe) *adj* diogel *ans*
secure school ysgol gadarn *eb* ysgolion cadarn
secure unit uned gadarn *eb* unedau cadarn
security (as deposit or pledge) gwarant *eb* gwarantau
security (in computing) gwarchodaeth *eb*
security (of latch etc) sicrwydd *eg*
security (=safety) diogelwch *eg*
Security Council Cyngor Diogelwch *eg*
security of tenure sicrwydd daliadaeth *eg*
security tab tab gwarchod *eg* tabiau gwarchod
sedative tawelydd *eg* tawelyddion
sedentary eisteddog *ans*
sedentary community cymuned sefydlog *eb* cymunedau sefydlog
sedentary occupation galwedigaeth eisteddog *eb* galwedigaethau eisteddog
sedentary work gwaith eisteddog *eg*
sedentary worker gweithiwr eisteddog *eg* gweithwyr eisteddog
sedge hesgen *eb* hesg
sediment gwaddod *eg* gwaddodion
sedimentary gwaddodol *ans*
sedimentary rocks creigiau gwaddod *ell*
sedimentation gwaddodiad *eg*
sedition cynnwrf *eg*
Seditious Meetings Act Deddf Cyfarfodydd Terfysglyd *eb*

Seditious Publications Act Deddf Cyhoeddiadau Terfysglyd *eb*

see esgobaeth *eb* esgobaethau

see-saw sigl adenydd *eg* siglion adenydd

seed hedyn *eg* had(au)

seed (in sport) detholyn *eg* detholion

seed coat hadgroen *eg*

seed dispersion gwasgariad hadau *eg*

seed dressing dresin had *eg*

seed drill dril hau *eg* driliau hau

seed vessel hadlestr *eg* hadlestri

seeded player chwaraewr dethol *eg* chwaraewyr dethol

seedling eginblanhigyn *eg* eginblanhigion

seek *n* ymofyniad *eg* ymofyniadau

seek (in computing) *v* ymofyn *be*

seek (in mathematics and physics) *v* cyrchu *be*

seek sanctuary ceisio noddfa *be*

seek time amser ymofyn *eg* amserau ymofyn

seep tryddiferu *be*

seepage tryddiferiad *eg*

seersucker seersucker *eg*

Seger cone côn Seger *eg*

segment *n* segment *eg* segmentau

segment *v* segmentu *be*

segmental arch bwa segmentol *eg* bwâu segmentol

segmentation segmentiad *eg* segmentiadau

segmented segmentiedig *ans*

segregate gwahanu *be*

segregation arwahanu *eg*

seif seiff *eg*

seigneurial arglwyddiaethol *ans*

seigniorage hawl arglwydd *eg*

seigniory arglwyddiaeth *eb*

seigniory homage gwrogaeth arglwyddiaeth *eb*

seisin meddiant *eg* meddiannau

seismic seismig *ans*

seismic wave ton seismig *eb* tonnau seismig

seismograph seismograff *eg* seismograffau

seismology seismoleg *eb*

seismonasty seismonastedd *eg*

select (in computing) dewis *be*

select (in general) dethol *be*

select all dewis oll *be*

select committee pwyllgor dethol *eg* pwyllgorau dethol

selection detholiad *eg* detholiadau

selective detholus *ans*

selective absorption amsugniad detholus *eg*

selective advantage mantais ddetholus *eb* manteision detholus

selective benefit budd-dal dethol *eg* budd-daliadau dethol

selective breeding bridio detholus *be*

Selective Employment Tax (SET) Treth Gyflogi Dethol *eb*

selective erosion erydu dethol *be*

selective heating gwres detholus *eg*

selective membrane pilen ddetholus *eb* pilenni detholus

selectivity detholedd *eg*

selector (in general) detholydd *eg* detholyddion

selector (in sport) dewiswr *eg* dewiswyr

selenium (Se) seleniwm *eg*

self hunan *eg*

self differentiation hunan wahaniaethiad *eg*

self fertilization hunan ffrwythloniad *eg*

self pollination hunanbeilliad *eg*

self service store siop hunanwasanaeth *eb* siopau hunanwasanaeth

self sterilization hunan anffrwythloniad *eg*

self sufficiency hunan gynhaliaeth *eb*

self sufficient hunangynhaliol *ans*

self-acting (function of a centre lathe) hunanweithredu *ans*

self-action hunanweithredol *ans*

self-adhesive hunanadlynol *ans*

self-administration hunan-roi *be*

self-appraisal hunanwerthusiad *eg* hunanwerthusiadau

self-assessment hunanasesiad *eg* hunanasesiadau

self-awareness hunanymwybyddiaeth *eb*

self-care hunanofal *eg*

self-centering chuck crafanc hunanganoli *eb* crafangau hunanganoli

self-cleaning hunanlanhau *be*

self-confidence hunanhyder *eg*

self-conscious hunanymwybodol *ans*

self-contained hunangynhaliol *ans*

self-control hunanreolaeth *eb*

self-denial hunanymwadiad *eg*

Self-Denying Ordinance Deddf Hunanymwadiad *eb*

self-disclosure hunanddatgelu *be*

self-employed hunangyflogedig *ans*

self-esteem hunan-barch *eg*

self-examination hunanarchwiliad *eg* hunanarchwiliadau

self-government hunanlywodraeth *eg*

self-gratification hunanfoddhad *eg*

self-grip wrench tyndro hunanafael *eg*

self-help hunangymorth *eg*

self-help group grŵp hunangymorth *eg* grwpiau hunangymorth

self-image hunanddelwedd *eb* hunanddelweddau

self-interest hunan-les *eg*

self-inverse element elfen hunanwrthdro *eb*

self-medication hunanddosio *be*

self-portrait hunanbortread *eg* hunanbortreadau

self-raising flour blawd codi *eg*

self-study materials adnoddau astudio unigol *ell*

self-sufficiency hunanddigonedd *eg*

self-tapping screw sgriw hunandapio *eb* sgriwiau hunandapio

seller gwerthwr *eg* gwerthwyr

selling cost cost gwerthu *eb* costau gwerthu

selling price pris gwerthu *eg*

selva selfa *eg* selfau

selvage selfais *eg* selfeisiau

selvage thread edau selfais *eb* edafedd selfais

semantics semanteg *eb*

semaphore semaffor *eg* semafforau

---

semen semen *eg*

semi rhannol *ans*

semi abstract lled haniaethol *ans*

semi chorus rhangor *eg* rhangorau

semi permeable lledathraidd *ans*

semi-arid lletgras *ans*

semi-automatic lled awtomatig *ans*

semi-circle hanner cylch *eg* hanner cylchoedd

semi-circular hanner crwn *ans*

semi-circular arch bwa hanner crwn *eg* bwâu hanner crwn

semi-desert lled-ddiffeithwch *eg*

semi-detached house tŷ pâr *eg* tai pâr

semi-direct lighting golau lled uniongyrchol *eg*

semi-elliptic hanner eliptig *ans*

semi-elliptical arch bwa hanner eliptig *eg* bwâu hanner eliptig

semi-final *adj* cynderfynol *ans*

semi-independent lled annibynnol *ans*

semi-opaque rhannol ddi-draidd *ans*

semi-opera lled opera *eb* lled operâu

semi-permeable membrane pilen ledathraidd *eb* pilenni lledathraidd

semi-sheer lled-dryloyw *ans*

semi-skilled lled fedrus *ans*

semi-skilled craftsman crefftwr lled fedrus *eg* crefftwyr lled fedrus

semi-skilled labour llafur lled grefftus *eg*

semi-skilled worker gweithiwr lled grefftus *eg* gweithwyr lled grefftus

semi-submerged lled soddedig *ans*

semi-vertical hanner fertigol *ans*

semicircular canal tiwb hanner cylch *eg* tiwbiau hanner cylch

semicolon hanner colon *eg* haneri colon

semiconductor lled-ddargludydd *eg* lled-ddargludyddion

semilunar valve falf gilgant *eb* falfiau cilgant

seminal semenol *ans*

seminal fluid hylif semenol *eg*

seminal vesicle fesigl semenol *eg*

seminary coleg offeiriadol *eg* colegau offeiriadol

seminiferous tubule tiwbyn semen *eg* tiwbynnau semen

semiquaver hanner cwafer *eg* hanner cwaferau

Semitism Semitiaeth *eb*

semitonal hanner tonol *ans*

semitone hanner tôn *eg* hanner tonau

senate senedd *eb* seneddau

senator seneddwr *eg* seneddwyr

send anfon *be*

send off anfon o'r cae *be*

senescence heneiddedd *eg*

senescent heneiddol *ans*

seneschal senysgal *eg* senysgaliaid

senile dementia gorddryswch henaint *eg*

senile dune hen dwyn *eg* hen dwyni

senior lecturer uwch ddarlithydd *eg* uwch ddarlithwyr

senior mentor uwch fentor *eg* uwch fentoriaid

sensation (=feeling) teimlad *eg* teimladau

sensation (in biology) synhwyriad *eg* synwyriadau

sense (=meaning) ystyr *eg* ystyron

sense (of bodily faculties) synnwyr *eg* synhwyrau

sense (plus and minus etc) cyfeiriad *eg* cyfeiriadau

sense of rhythm ymdeimlad â rhythm *eg*

sense of touch synnwyr cyffwrdd *eg*

sense organ organ synhwyro *eg* organau synhwyro

sensibility synwyrusrwydd *eg*

sensitive sensitif *ans*

sensitive drilling machine peiriant drilio sensitif *eg* peiriannau drilio sensitif

sensitive feed porthiant sensitif *eg*

sensitivity (in general) sensitifrwydd *eg*

sensitivity (in mathematics and biology) sensitifedd *eg*

sensor synhwyrydd *eg* synwyryddion

sensory synhwyraidd *ans*

sensory deprivation amddifadu'r synhwyrau *be*

sensory motor intelligence deallusrwydd echddygol synhwyraidd *eg*

sensory nerve nerf synhwyraidd *eg* nerfau synhwyraidd

sensory-motor synhwyraidd-weithredol *ans*

sentence *v* dedfrydu *be*

sentence (=decision of law court) *n* dedfryd *eb* dedfrydau

sentence (=set of words) *n* brawddeg *eb* brawddegau

sentimental sentimental *ans*

sepal sepal *eg* sepalau

separable gwahanadwy *ans*

separate *adj* ar wahân *ans*

separate *v* gwahanu *be*

separate compartments adrannau ar wahân *ell*

separate out (animals, information) didoli *be*

separate parts rhannau ar wahân *ell*

separate piece darn ar wahân *eg* darnau ar wahân

separated gwahanedig *ans*

separates amrywion *ell*

separating funnel twndis gwahanu *eg* twndisau gwahanu; twmffat gwahanu *eg* twmffatau gwahanu

separating hyperplane hyperplân sy'n gwahanu *eg*

separation gwahaniad *eg* gwahaniadau

separation into spherical polars gwahaniad i begynliniau sfferig *eg*

separation of powers gwahaniad pwerau *eg*

separatism ymwahaniaeth *eb*

separatist ymwahanwr *eg* ymwahanwyr

separator ymwahanydd *eg* ymwahanyddion

sepia sepia *ans*

Septennial Act Deddf Seithmlwydd *eb*

septet seithawd *eg* seithawdau

septic tank tanc septig *eg* tanciau septig

septum gwahanfur *eg* gwahanfuriau

septuplet seithpled *eg* seithpledi

sequence dilyniant *eg* dilyniannau

sequence of images cyfres o ddelweddau *eb* cyfresi o ddelweddau

sequence of instructions dilyniant o gyfarwyddiadau *eg* dilyniannau o gyfarwyddiadau

---

eg/b enw gwrywaidd/benywaidd, *feminine/masculine noun* **ell** enw lluosog, *plural noun* **v** berf, *verb* **n** enw, *noun*

sequence of movements dilyniant o symudiadau *eg* dilyniannau o symudiadau

sequence of operations trefn y gweithrediadau *eb*

sequential dilyniannol *ans*

sequential access cyrchiad dilyniannol *eg* cyrchiadau dilyniannol

sequential control rheolaeth ddilyniannol *eb*

sequential file ffeil ddilyniannol *eb* ffeiliau dilyniannol

sequential process proses ddilyniannol *eb* prosesau dilyniannol

sequential search chwiliad dilyniannol *eg* chwiliadau dilyniannol

sequester atafaelu *be*

sequestrant secwestrydd *eg*

sequestration atafaeliad *eg* atafaeliadau

sequestrator atafaelwr *eg* atafaelwyr

sequin secwin *eg* secwinau

serac serac *eg* seracau

sere dilyniant *eg* dilyniannau

serenade *n* serenâd *eg* serenadau

serenade *v* serenadu *be*

serf taeog *eg* taeogion

serfdom taeogaeth *eb*

serge serge *eg*

sergeant rhingyll *eg* rhingyllod

sergeant-at-arms sarsiant wrth arfau *eg*

sergeant-at-law sarsiant wrth gyfraith *eg*

sergeant-major uwch-ringyll *eg*

sergeantry sarsiantaeth *eb*

serial *adj* cyfresol *ans*

serial *n* cyfres *eb* cyfresi

serial access *n* cyrchiad cyfresol *eg* cyrchiadau cyfresol

serial access *v* cyrchu cyfresol *be*

serial adder adydd cyfresol *eg* adyddion cyfresol

serial interface rhyngwyneb cyfresol *eg* rhyngwynebau cyfresol

serial port porth cyfresol *eg* pyrth cyfresol

serial transfer trosglwyddiad cyfresol *eg* trosglwyddiadau cyfresol

serialism cyfresiaeth *eb*

serialize cyfresu *be*

sericulture sidaniaeth *eb*

series cyfres *eb* cyfresi

series circuit cylched gyfres *eb* cylchedau cyfres

series of airs (in penillion singing) gosteg *eb* gostegion

series resonant circuit cylched gysain gyfres *eb* cylchedau cysain cyfres

series wound dirwyniad cyfres *eg* dirwyniadau cyfres

serif seriff *eb* seriffau

serigraphy printio â sgrin sidan *be*

serine serin *eg*

sermon pregeth *eb* pregethau

serous serws *ans*

serous membrane pilen serws *eb* pilenni serws

serpentine *n* sarff-faen *eb* sarff-feini

serpentine *adj* dolennog *ans*

serpentine front blaen dolennog *eg* blaenau dolennog

serrated danheddog *ans*

serrated edge ymyl ddanheddog *eb* ymylon danheddog

serrated jaw safn ddanheddog *eb* safnau danheddog

serum serwm *eg* sera

serve *n* serf *eb* serfiau

serve (in tennis) *v* serfio *be*

serve pattern patrwm y serfio *eg* patrymau y serfio

server (in general) gweinydd *eg* gweinyddion

server (in tennis) serfiwr *eg* serfwyr

service serfiad *eg* sefiadau

service *n* gwasanaeth *eg* gwasanaethau

service *v* gwasanaethu *be*

service area ardal wasanaeth *eb* ardaloedd gwasanaeth

service industry diwydiant gwasanaethu *eg* diwydiannau gwasanaethu

service road ffordd wasanaeth *eb* ffyrdd gwasanaeth

service routine rheolwaith gwasanaethu *eg* rheolweithiau gwasanaethu

serving box sgwâr serfio *eg* sgwariau serfio

serving line llinell serfio *eb* llinellau serfio

serving square sgwâr serfio *eg* sgwariau serfio

sesamum sesamwm *eg*

sessile digoes *ans*

session sesiwn *eb* sesiynau

set *n* set *eb* setiau

set (=place in sets) *v* setio *be*

set (tasks, homework etc) *v* gosod *be*

set a saw gosod llif *be*

set a table gosod bwrdd *be*

set book llyfr gosod *eg* llyfrau gosod

set dance dawns osod *eb* dawnsiau gosod

set of a saw gosodiad llif *eg* gosodiadau llif

set of common values set o werthoedd cyffredin *eb*

set of data set o ddata *eb* setiau o ddata

set of instructions set o gyfarwyddiadau *eb* setiau o gyfarwyddiadau

set of objects set o wrthrychau *eb* setiau o wrthrychau

set of punched cards set o gardiau tyllog *eb* setiau o gardiau tyllog

set out trefnu *be*

set screw sgriw set *eb* sgriwiau set

set scrum sgrym osod *eb* sgrymiau gosod

set square sgwaryn *eg* sgwarynnau

set task tasg osod *eb* tasgau gosod

set to music gosod i gerddoriaeth *be*

set up (apparatus) cydosod *be*

set up conditions gosod amodau dechreuol *be*

set-in sleeve llawes osod *eb* llewys gosod

set-on collar coler gosod *eg* coleri gosod

setting gosodiad *eg* gosodiadau

setting hammer morthwyl gosod *eg* morthwylion gosod

setting in a sleeve gosod llawes *be*

setting out foundations gosod seiliau *be*

settle cyfanheddu *be*

settlement (=agreement) ardrefniant *eg* ardrefniannau

settlement (of new country) gwladychiad *eg* gwladychiadau

---

adf, adv adferf, *adverb*   *ans, adj* ansoddair, *adjective*   *be* berf, *verb*   *eb* enw benywaidd, *feminine noun*   *eg* enw gwrywaidd, *masculine noun*

settlement (of place by people) anheddiad *eb* aneddiadau

settlement pattern patrwm anheddu *eg* patrymau anheddu

settler cyfaneddwr *eg* cyfaneddwyr

seven a side saith bob ochr

seven yard line llinell seithlath *eb* llinellau seithlath

seven-segment display arddangosydd saith-segment *eg* arddangosyddion saith-segment

seventh seithfed *eg* seithfedau

sever torri *be*

severe caled *ans*

severe learning difficulty anhawster dysgu difrifol *eg* anawsterau dysgu difrifol

severe learning disability anabledd dysgu difrifol *eg* anableddau dysgu difrifol

Severn bore eger Hafren *eg*

sew gwnïo *be*

sewage carthion *ell*

sewage works gwaith carthion *eg* gweithfeydd carthion

sewerage carthffosiaeth *eb*

sewing foot (of machine part) troed wnïo *eb* traed gwnïo

sewing frame ffrâm wnïo *eb* fframiau gwnïo

sewing needle nodwydd wnïo *eb* nodwyddau gwnïo

sewing press gwasg wnïo *eb* gweisg gwnïo

sewing process proses wnïo *eb* prosesau gwnïo

sex *adj* rhywiol *ans*

sex *n* rhyw *eg/b* rhywiau

sex chromosome cromosom rhyw *eg* cromosomau rhyw

sex discrimination gwahaniaethu ar sail rhyw *be*

Sex Discrimination Act Deddf Gwahaniaethu ar Sail Rhyw *eb*

Sex Disqualification (Removal) Act 1919 Deddf (Dileu) Anghymwysterau Rhyw 1919 *eb*

sex education addysg rhyw *eb*

sex linkage cysylltedd rhyw *eg*

sex linked rhyw-gysylltiedig *ans*

sexagesimal secsagesimol *ans*

sext secsdens *eg*

sextant secstant *eg* secstantau

sextet chwechawd *eg* chwechawdau

sextic secstig *ans*

sexton clochydd *eg* clochyddion

sextuplet chwephled *eg* chwephledi

sexual rhywiol *ans*

sexual abuse camdriniaeth rywiol *eb*

sexual intercourse cyfathrach rywiol *eb*

sexual reproduction atgenhedliad rhywiol *eg*

sexual selection detholiad rhywiol *eg*

sexually transmitted disease clefyd cysylltiad rhywiol *eg* clefydau cysylltiad rhywiol

sgraffito sgraffito *eg*

shackle gefyn *eg* gefynnau

shackle pin pìn gefyn *eg* pinnau gefyn

shade (=darken) *v* tywyllu *be*

shade (in drawing etc) *n* cysgod *eg* cysgodion

shade (=object which gives shade) cysgodlen *eb* cysgodlenni

shading graddliwio *be*

shadow cysgod *eg* cysgodion

shadow puppet pyped cysgod *eg* pypedau cysgod

shadow tuck twc cysgod *eg* tyciau cysgod

shadow work cysgodwaith *eg*

shaduf siadwff *eg* siadwffau

shaft (=handle) coes *eb* coesau

shaft (in general) siafft *eb* siafftiau

shake *v* ysgwyd *be*

shake (=split) *n* hollt *eg/b* holltau

shake hands ysgwyd llaw *be*

shake left hand ysgwyd llaw chwith *be*

shake right hand ysgwyd llaw dde *be*

shake-proof washer wasier wrthgryn *eb* wasieri gwrthgryn

Shaker Siglwr *eg* Siglwyr

shale siâl *eg* sialau

shallow *adj* bas *ans*

shallow *n* basddwr *eg* basddyfroedd

shallow end of the bath pen bas y baddon *eg*

shallow frying ffrio bas *be*

shank garan *eg/b* garanau

shank and ring garan a chylch

shantung shantung *eg*

shanty town tref sianti *eb* trefi sianti

shape *n* siâp *eg* siapiau

shape *v* siapio *be*

shape designer dylunydd siâp *eg* dylunwyr siâp

shape work gwaith ar siâp *eg*

shaped ffurfiedig *ans*

shaped caul gwasgblat ffurfiedig *eg* gwasgblatiau ffurfiedig

shaped facing wynebyn wedi'i siapio *eg* wynebynnau wedi'u siapio

shaped front ffrynt ffurfiedig *eb* ffryntiau ffurfiedig

shaped leg coes siapog *eb* coesau siapog

shaped stretchers estynwyr ffurfiedig *ell*

shaper (machine) peiriant llunio *eg* peiriannau llunio

shaper tools offer peiriant llunio *ell*

shaping clay siapio clai *be*

shard darn crochenwaith *eg* darnau crochenwaith

share *v* rhannu *be*

share (in general) *n* rhan *eb* rhannau

share (stock market) *n* cyfranddaliad *eg* cyfranddaliadau

share certificate tystysgrif cyfranddaliadau *eb* tystysgrifau cyfranddaliadau

share cropping cyfran-gnydio *be*

shared electrons electronau cydranedig *ell*

shareholder cyfranddaliwr *eg* cyfranddalwyr

sharp llym *ans*

sharp (intonation) *adj* uwchben y nodyn *ans*

sharp blade llafn llym *eg* llafnau llym

sharp corner cornel lem *eb* corneli llym

sharp key (in old Welsh music) crasgywair *eg*

sharp knife cyllell finiog *eb* cyllyll miniog

sharp point pwynt llym *eg* pwyntiau llym

sharp value gwerth pendant *eg* gwerthoedd pendant

sharp-edged awchlym *ans*

sharpen hogi *be*

---

sharpener hogwr *eg* hogwyr

sharpening (exaggerating difference) gwahaniaethu *be*

sharpening angle ongl hogi *eb* onglau hogi

sharpening bevel befel hogi *eg* befelau hogi

shatter dryllio *be*

shave eillio *be*

shavings naddion *ell*

shawl siôl *eb* sioliau

shawm shawm *eg* shawms

sheaf ysgub *eb* ysgubau

shear (=cut off) *v* torri *be*

shear (=cut sheep's wool) cneifio *be*

shear (=strain produced by pressure) *n* croeswasgiad *eg* croeswasgiadau

shear (=strain produced by pressure) *v* croeswasgu *be*

shear strength cryfder croeswasgiad *eg*

shearforce croesrym *eg* croesrymoedd

shearforce diagram diagram croesrym *eg* diagramau croesrym

shearing force croesrym *eg* croesrymoedd

shearing machine peiriant llafnu *eg* peiriannau llafnu

shearing stress diriant croesrym *eg*

shears gwellaif *eg* gwelleifiau

sheath gwain *eb* gweiniau

sheave olwyn bwli *eb* olwynion pwli

shed stick ffon barthu *eb* ffyn parthu

shedding parthiad *eg*

sheen llewyrch *eg*

sheep dafad *eb* defaid

sheep fold corlan *eb* corlannau

sheep walk cynefin defaid *eg* cynefinoedd defaid

sheepskin croen dafad *eg* crwyn defaid

sheer tryloyw *ans*

sheet (of bedlinen) cynfas *eb* cynfasau

sheet (of ice, basalt, steel etc) llen *eg/b* llenni

sheet (of paper) dalen *eb* dalennau

sheet erosion llen erydiad *eg*

sheet flood llenlif *eg* llenlifiau

sheet metal llenfetel *eg* llenfetelau

sheet metalwork gwaith llenfetel *eg*

sheet of map dalen map *eb* dalennau map

sheet saw llif len *eb* llifiau llen

sheet steel llenddur *eg*

sheet wash llen olchiad *eg*

sheet-feeder porthydd dalennau *eg* porthyddion dalennau

sheeting defnydd cynfasau *eg*

Sheffield plate arian Sheffield

shelf silff *eb* silffoedd

shelf life oes silff *eb*

shelf support cynhaliad silff *eg* cynhaliaid silff

shell (of eggs, vegetables, electrons) plisgyn *eg* plisg

shell (of shellfish, snails) cragen *eb* cregyn

shell and husk carving cerfiad cragen a phlisgyn *eg* cerfiadau cragen a phlisgyn

shell bit ebill cragen *eb* ebillion cragen

shell edging ymylwaith cragen *eg*

shell milling cutter melinwr cragen *eg* melinwyr cragen

shell tuck twc cragen *eg* tyciau cragen

shellac sielac *eg*

shellac knotting cuddiwr ceinciau sielac *eg*

shellac sealer seliwr sielac *eg*

shellac varnish farnais sielac *eg*

shelly cregynnog *ans*

shelter lloches *eb* llochesau

shelter belt llain gysgodi *eb* lleiniau cysgodi

shelter seeking cysgotgar *ans*

sheltered housing cartrefi lloches *ell*

shepherd *n* bugail *eg* bugeiliaid

shepherd *v* bugeilio *be*

shepherd castor castor bugail *eg* castorau bugail

sherardize sierardeiddio *be*

sheriff siryf *eg* siryfion

Sheriff's Tourn Llys y Siryf *eg*

shield tarian *eb* tariannau

shield back chair cadair gefn tarian *eb* cadeiriau cefn tarian

shield boss bogail tarian *eg* bogeiliau tarian

shield volcano llosgfynydd tarian *eg* llosgfynyddoedd tarian

shift (=displace) *v* syflyd *be*

shift (=displacement) *n* syfliad *eg* syfliadau

shift (=move) *v* symud *be*

shift (=movement) *n* symudiad *eg* symudiadau

shift lock key clo cyfnewid *eg* cloeon cyfnewid

shift register cofrestr syfliad *eb* cofrestri syfliad

shifting cultivation triniad mudol *eg*

Shimbel Index Indecs Shimbel *eg*

shin crimog *eb* crimogau

shin muscle cyhyryn y grimog *eg* cyhyrau'r grimog

shine *n* sglein *eg* sgleiniau

shine *v* sgleinio *be*

shingle (=pebbles) graean bras *eg*

shingle (=roof tile) estyllen do *eb* estyll to

shingle, mud or sand graean bras, llaid neu dywod

shiny paper papur sglein *eg*

shiny solids solidau sgleiniog *ell*

ship *v* cludo mewn llong *be*

Ship Money Treth Longau *eb*

ship yard iard llongau *eb* ierdydd llongau

shipment llwyth llong *eg* llwythau llong

shipping llongau *ell*

shire (in England) swydd *eb*

shire (in Wales) sir *eb* siroedd

shire fee ffi sir *eb*

shirr cygrychu *be*

shirring elastic elastig cygrychu *eg*

shirt crys *eg* crysau

shirt button botwm crys *eg* botymau crys

shirt collar coler crys *eg* coleri crysau

shiver crynu *be*

shoal (of fish) haig (pysgod) *eb* heigiau

shoal (=shallow place in sea) basle *eg* basleoedd

shock sioc *eb* siociau

---

adf, adv adferf, *adverb* **be** berf, *verb* **eb** enw benywaidd, *feminine noun* **eg** enw gwrywaidd, *masculine noun*

shock absorber sioc laddwr *eg* sioc laddwyr

shoddy brethyn eilban *eg*

shoe esgid *eb* esgidiau

shoot (of plant) *n* cyffyn *eg* cyffion

shoot (with gun etc) *v* saethu *be*

shooting board bwrdd plaenio *eg* byrddau plaenio

shooting circle cylch saethu *eg* cylchau saethu

shooting line llinell saethu *eb* llinellau saethu

shop siop *eb* siopau

shop conversion trawsnewid siop *be*

shop front level lefel ffrynt siopau *eb*

shop steward swyddog undeb *eg* swyddogion undeb

shop-soiled goods nwyddau wedi'u baeddu yn y siop *ell*

shore (of sea etc) glan *eb* glannau

shore (=prop) ateg *eb* ategion

short back bacon cig moch cefn *eg*

short circuit cylched fer *eb* cylchedau byr

short clap clapio swta *be*

short corner cornel fer *eb* corneli byr

short dance dawns fer *eb* dawnsfeydd byr

short distance pellter byr *eg*

short division rhannu byr *be*

short grain graen byr *eg*

short hurdle race ras clwydi byr *eb* rasys clwydi byr

short leaf dalen fer *eb* dalenni byr

short leg coeswr agos *eg* coeswyr agos

short line llinell fer *eb* llinellau byr

short mid wicket canolwr wiced agos *eg* canolwyr wiced agos

short nose pliers gefelen drwyn byr *eb* gefeiliau trwyn byr

short pitch nail hoelen bitsh byr *eb* hoelion pitsh byr

short pitched delivery pêl fer *eb* peli byr

short punch dyrnod bwt *eb* dyrnodiau pwt

short race ras fer *eb* rasys byr

short range plane awyren taith fer *eb* awyrennau taith fer

short relay race ras gyfnewid fer *eb* rasys cyfnewid byr

short route llwybr byr *eg* llwybrau byr

short run rhediad byr *eg*

short score sgôr fer *eb* sgorau byrion

short series of movements cyfres fer o symudiadau *eb* cyfresi byr o symudiadau

short service serfiad byr *eg* serfiadau byr

short sight golwg byr *eg*

short, slow ball pêl fer ac araf *eb*

short square leg coeswr byr sgwâr *eg* coeswyr byr sgwar

short stop ataliwr *eg* atalwyr

short taper tapr byr *eg* taprau byr

short term change newid tymor byr *eg* newidiadau tymor byr

short time amser byr *eg*

short volley foli gwta *eb* foliau cwta

short waisted byrwasg *ans*

short-answer question cwestiwn ateb byr *eg* cwestiynau ateb byr

short-term care gofal tymor byr *eg*

short-term effect effaith tymor byr *eb* effeithiau tymor byr

shortbread biscuit teisen Berffro *eb* teisennau Berffro

shorten (a dress etc) cwtogi *be*

shorten a pattern byrhau patrwm *be*

shortened form byrfodd *eg* byrfoddau

shortest generator generadur byrraf *eg* generaduron byrraf

shortest route llwybr byrraf *eg* llwybrau byrraf

shortfall diffyg *eg* diffygion

shortie pyjamas pyjamas cwta *eg*

shortlist rhestr fer *eb*

shorts siorts *ell*

shot (=heavy ball in athletics) pwysau *ell*

shot (with ball, gun etc) ergyd *eg/b* ergydion

shot of steam iron haearn â chwythell ager *eg* heyrn â chwythelli ager

shotgun dryll *eb* drylliau

shoulder *v* ysgwyddo *be*

shoulder (of person, bat, harp etc) *n* ysgwydd *eb* ysgwyddau

shoulder blade palfais *eb* palfeisiau

shoulder carry cario ar ysgwydd *be*

shoulder charge hyrddiad ysgwydd *eg* hyrddiadau ysgwydd

shoulder girdle gwregys yr ysgwydd *eg* gwregysau ysgwyddau

shoulder line llinell ysgwydd *eb* llinellau ysgwydd

shoulder pad pad ysgwydd *eg* padiau ysgwydd

shoulder pass pàs o'r ysgwydd *eb* pasiau o'r ysgwydd

shoulder plane plaen ysgwydd *eg* plaeniau ysgwydd

shoulder strap strap ysgwydd *eb* strapiau ysgwydd

shouldered dowel hoelbren ysgwyddog *eb* hoelbrennau ysgwyddog

shovel rhaw *eb* rhofiau

show sioe *eb* sioeau

show clipboard dangos clipfwrdd *be*

show invisibles dangos anweledigion *be*

show page guides dangos canllawiau tudalen *be*

show ruler dangos mesurydd *be*

shower cawod *eb* cawodydd

shower bath baddon cawod *eg* baddonau cawod

shower-proof (finish) gwrthgawod *ans*

shred *n* cerpyn *eg* carpion

shred *v* carpio *be*

shredded paper carpion papur *ell*

shrievalty siryfiaeth *eb*

shrine (for relics) creirfa *eb* creirfâu

shrine (in general) cysegr *eg* cysegrau

shrink (=narrow) culhau *be*

shrink (of textiles) pannu *be*

shrink (=shrivel) crebachu *be*

shrink fit ffitio poeth *be*

shrink wrapping lapio poeth *be*

shrink-resistant (finish) gwrthbannu *ans*

shrinkage culhad *eg* culhadau

shrinkage allowance lwfans culhad *eg* lwfansau culhad

shrinkage plate plât culhad *eg* platiau culhad

shroud panel panel gordo *eg* paneli gordro

shrouds rhaffau mast *ell*

---

eg/b enw gwrywaidd/benywaidd, *feminine/masculine noun*   *ell* enw lluosog, *plural noun*   *v* berf, *verb*   *n* enw, *noun*

shrub llwyn *eg* llwyni

shunt siynt *eg* siyntiau

shunt wound siyntweindiog *ans*

shutter caead *eg* caeadau

shuttering caeedydd *eg*

shuttle gwennol *eb* gwenoliaid

shuttle bobbin bobin gwennol *eg* bobinau gwennol

shuttle relay race ras gyfnewid ôl a blaen *eb* rasys cyfnewid ôl a blaen

shuttlecock gwennol *eb* gwenoliaid

SI unit uned SI *eb* unedau SI

sibling brawd neu chwaer; brodyr neu chwiorydd

siccative sychydd *eg* sychyddion

Sicilian circle cylch Sisili *eg* cylchoedd Sisili

sick (=ill) gwael *ans*

sickle cryman *eg* crymannau

sickle cell anaemia anaemia cryman-gell *eg*

sickness benefit budd-dal afiechyd *eg* budd-daliadau afiechyd

side ochr *eg/b* ochrau

side and face milling cutter melinwr ochr ac wyneb *eg* melinwyr ochr ac wyneb

side by side ochr yn ochr

side clearance cliriad ochr *eg* cliriadau ochr

side cutting pliers gefel ochr dorri *eb* gefeiliau ochr dorri

side drum drwm ochr *eg* drymiau ochr

side elevation ochrolwg *eg* ochrolygon

side left i'r ochr chwith

side mouth tongs gefel geg ochr *eb* gefeiliau cegochr

side of the racket ochr y raced *eb*

side product sgil gynnyrch *eg* sgil gynhyrchion

side rabbet plane plaen rabad ochr *eg* plaeniau rabad ochr

side rail rheilen ochr *eb* rheiliau ochr

side rake gwyredd ochr *eg* gwyreddau ochr

side right i'r ochr dde

side seam pocket poced sêm ochr *eb* pocedi sêm ochr

side serving line llinell serfio ochr *eb* llinellau serfio ochr

side stroke nofio ar yr ochr *be*

side support (in athletics) ymgynnal ochr *be*

side table bwrdd ochr *eg* byrddau ochr

side tool erfyn ochr *eg* offer ochr

side valve falf ochr *eb* falfiau ochr

side vault llofnaid ochrol *eb* llofneidiau ochrol

side view ochrolwg *eg* ochrolygon

side wall mur ochr *eg* muriau ochr

side wall out of court line ffin ochr *eb* ffiniau ochr

side-block tackle tacl floc o'r ochr *eb* taclau bloc o'r ochr

side-cutters torrell ochr *eb* torellau ochr

side-cutting ochr-dorri *be*

side-cutting pliers gefelen ochr-dorri *eb* gefeiliau ochr-dorri

side-effect sgil effaith *eb* sgil effeithiau

side-mouth tongs gefel gegochr *eb* gefeiliau cegochr

side-step *n* cam i'r ochr *eg*

side-step *v* ochr gamu *be*

sideboard seld *eb* seldiau

sided ochrog *ans*

sidefoot ochr y droed *eb*

sideline llinell ochr *eb* llinellau ochr

sidereal day diwrnod sêr *eg*

sidereal time amser y sêr *eg*

sidereal year blwyddyn serol *eb* blynyddoedd serol

sidespin troelli ochr y bêl *be*

sideways i'r ochr

sideways pressure gwasgedd ochrol *eg*

sideways RAM RAM ochr *eb*

sideways ROM ROM ochr *eb*

sideways-upward i'r ochr ac i fyny

siding lein aros *eb* leiniau aros

siege gwarchae *eg* gwarchaeau

sieve *n* gogr *eg* gograu

sieve *v* gogru *be*

sieve plate plât hidlo *eg* platiau hidlo

sieving brush brwsh rhidyllu *eg* brwshys rhidyllu

sift rhidyllu *be*

sifted sand tywod wedi'i ridyllu *eg*

sifter rhidyll *eg* rhidyllau

sifter jar jar ridyllu *eb* jariau rhidyllu

sight golwg *eg/b* golygon

sight singing canu ar yr olwg gyntaf *be*

sign arwydd *eg/b* arwyddion

sign and magnitude code cod maint ac arwydd *eg*

sign bit did arwydd *eg* didau arwydd

sign extension estyniad arwydd *eg* estyniadau arwydd

sign language arwyddiaith *eb* arwyddieithoedd

sign painting (of painted picture) paentiad arwydd *eg* paentiadau arwydd

sign painting (of process or art) peintio arwydd *be*

signal (mechanical, electrical etc) signal *eg* signalau

signal (non-technical) arwydd *eg/b* arwyddion

signatory llofnodydd *eg* llofnodyddion

signature (of key or time) arwydd *eg/b* arwyddion

signed (in maths, physics) *(with feminine nouns)* wedi'i harwyddo *ans* wedi'u harwyddo

signed (in maths, physics) *(with masculine nouns)* wedi'i arwyddo *ans* wedi'u harwyddo

signed (with handwritten name) *(with feminine nouns)* wedi'i llofnodi *ans* wedi'u llofnodi

signed (with handwritten name) *(with masculine nouns)* wedi'i lofnodi *ans* wedi'u llofnodi

signed integer cyfanrif arwyddedig *eg* cyfanrifau arwyddedig

significance arwyddocâd *eg*

significant arwyddocaol *ans*

significant difference gwahaniaeth arwyddocaol *eg*

significant figure ffigur ystyrlon *eg* ffigurau ystyrlon

significant testing profi ystyrlon *be*

signing (in sign language) arwyddo *be*

signs of the Zodiac arwyddion y Sidydd *ell*

signum signwm *eg* signa

Sikh Sikh *eg/b* Sikhiaid

Sikhism Sikhiaeth *eb*

silence distawrwydd *eg*

silencer tawelydd *eg* tawelyddion

---

silhouette silwét *eg* silwetau

silica silica *eg* silicâu

silica gel silica sychu *eg*

silicon (Si) silicon *eg*

silicon carbide paper papur silicon carbid *eg*

silicon crucible crwsibl silicon *eg* crwsiblau silicon

silicone (compounds) silicôn *eg* siliconau

silicone polish llathrydd silicôn *eg* llathryddion silicôn

silicone spray chwistrelliad silicôn *eg* chwistrelliadau silicôn

siliqua silicwa *eg*

silk sidan *eg* sidanau

silk finish paper papur sglein sidan *eg*

silk-screen printing printio â sgrin sidan *be*

silkscreen sgrin sidan *eb* sgriniau sidan

silkscreen process proses sgrin sidan *eb* prosesau sgrin sidan

silkworm pryf sidan *eg* pryfed sidan

sill sil *eg* siliau

silly mid-off mentrwr agored *eg* mentrwyr agored

silly mid-on mentrwr coes *eg* mentrwyr coes

silt *n* silt *eg*

silt *v* siltio *be*

silt stone carreg silt *eb* cerrig silt

Silurian Silwraidd *ans*

silver arian *eg*

silver (Ag) arian *eg*

silver foil ffoil arian *eg*

silver grain (oak) graen arian (derwen) *eg*

silver money arian gwynion *ell*

silver plate plât arian *eg*

silver smith gof arian *eg* gofaint arian

silver smithing operations gweithrediadau gofannu arian *eg*

silver solder sodr arian *eg*

silver soldering ariansodro *be*

silver steel dur arian *eg*

silver tooling leaf dalen offer arian *eb* dalennau offer arian

silver-braze arianbresyddu *be*

similar (in general) tebyg *ans*

similar (in mathematics) cyflun *ans*

similar ability gallu cyffelyb *eg*

similar figure (in mathematics) ffigur cyflun *eg* ffigurau cyflun

similar triangles trionglau cyflun *ell*

similarities (in general) nodweddion sy'n debyg *ell*

similarity (in general) tebygrwydd *eg*

similarity (in mathematics) cyflunedd *eg* cyfluneddau

similarity of colour tebygrwydd lliw *eg*

similarity of tone tebygrwydd tôn *eg*

similitude cyfluniant *eg* cyfluniannau

Simmonds nut nyten Simmonds *eb* nytiau Simmonds

simoniac seimonydd *eg* seimonyddion

simoniacal seimonaidd *ans*

simonism seimoniaeth *eb*

simonist seimonwr *eg* seimonwyr

simony seimoniaeth *eb*

simoom simwm *eg*

simple syml *ans*

simple a.c. generator generadur cerrynt eiledol *eg* generaduron cerrynt eiledol

simple accompaniment cyfeiliant syml *eg*

simple action gweithred syml *eb* gweithrediadau syml

simple attack ymosod syml *eg*

simple camera camera syml *eg* camerâu syml

simple circuit cylched syml *eb* cylchedau syml

simple dance dawns syml *eb* dawnsiau syml

simple drive gyriad syml *eg* gyriadau syml

simple equation hafaliad syml *eg* hafaliadau syml

simple fee ffi rydd *eb*

simple form ffurf syml *eb* ffurfiau syml

simple fraction ffracsiwn syml *eg* ffracsiynau syml

simple fracture torasgwrn syml *eg* toresgyrn syml

simple harmonic harmonig syml *eg* harmonigau syml

simple harmonic motion mudiant harmonig syml *eg*

simple instrument offeryn syml *eg* offerynnau syml

simple interest llog syml *eg*

simple linear simultaneous equations hafaliadau cydamserol llinol syml *ell*

simple melody alaw syml *eb* alawon syml

simple movement symudiad syml *eg* symudiadau syml

simple movement phrase cymal syml o symudiadau *eg* cymalau syml o symudiadau

simple parry pario syml *be*

simple pattern patrwm syml *eg* patrymau syml

simple pendulum pendil syml *eg* pendiliau syml

simple pits man-bantiau syml *ell*

simple plain brace carntro cyffredin *eg* carntroeon cyffredin

simple rhyme rhigwm syml *eg* rhigymau syml

simple rhythm rhythm syml *eg* rhythmau syml

simple rhythmic response ymateb rhythmig syml *eg* ymatebion rhythmig syml

simple rondo rondo syml *eg* rondoau syml

simple shape siâp syml *eg* siapiau syml

simple sketch braslun syml *eg* brasluniau syml

simple song cân syml *eb* caneuon syml

simple technical language iaith dechnegol syml *eb*

simple text testun syml *eg* testunau syml

simple train trên syml *eg* trenau syml

simplest form ffurf symlaf *eb* ffurfiau symlaf

simplest formula fformiwla symlaf *eb* fformiwlâu symlaf

simplex simplecs *eg*

simplicity symlrwydd *eg*

simplification symleiddiad *eg* symleiddiadau

simplified symledig *ans*

simplified version fersiwn syml *eg* fersiynau syml

simplify symleiddio *be*

simply supported beam trawst wedi'i gynnal yn syml *eg* trawstiau wedi'u cynnal yn syml

Simpson's rule dull Simpson *eg*

simulate efelychu *be*

simulated ffug *ans*

---

eg/b enw gwrywaidd/benywaidd, *feminine/masculine noun*   *ell* enw lluosog, *plural noun*   *v* berf, *verb*   *n* enw, *noun*

simulation efelychiad *eg* efelychiadau

simulator efelychydd *eg* efelychyddion

simultaneous cydamserol *ans*

simultaneous equations hafaliadau cydamserol *ell*

simultaneous translation cyfieithu ar y pryd *be*

sin *n* pechod *eg* pechodau

sin *v* pechu *be*

sine (sin) sin *eg* sinau

sine wave ton sin *eb* tonnau sin

sinecure segurswydd *eb* segurswyddi

sinew gewyn *eg* gewynnau

sinewy (=ligamentous) gewynnol *ans*

sinfonia sinffonia *eg* sinffonïau

sinfonietta sinffonieta *eb* sinffonietau

sing canu *be*

sing a round canu tôn gron *be*

sing songs canu caneuon *be*

sing to the accompaniment of the harp canu gyda'r tannau *be*

singable canadwy *ans*

singer (female) cantores *eb* cantorion

singer (male) canwr *eg* cantorion

singing the rhyme canu'r rhigwm *be*

single *adj* sengl *ans*

single action harp telyn arwaith sengl *eb* telynau arwaith sengl

Single Award Dyfarniad Sengl *eg*

single breasted coat cot â chaead sengl *eb* cotiau â chaead sengl

single celled ungellog *ans*

single circle cylch sengl *eg* cylchoedd sengl

single cream hufen sengl *eg*

single cut file ffeil doriad sengl *eb* ffeiliau toriad sengl

single density dwysedd sengl *eg*

single digit multiples lluosrifau un-digid *ell*

single distribution dosbarthiad sengl *eg*

single faggot stitch pwyth ffagod sengl *eg* pwythau ffagod sengl

single gate-leg bwrdd coes gât sengl *eg* byrddau coes gât sengl

single layer chipboard bwrdd sglodion haen sengl *eg* byrddau sglodion haen sengl

single open-end spanner sbaner ceg agored sengl *eg* sbaneri ceg agored sengl

single parent rhiant sengl *eg* rhieni sengl

single quote dyfynnod sengl *eg* dyfynodau sengl

single roof to sengl *eg* toeon sengl

single section book llyfr un-darn *eg* llyfrau un-darn

single seeded unhadog *ans*

single seeded succulent fruit ffrwythyn suddlon unhadog *eg* ffrwythynnau suddlon unhadog

single set set sengl *eb* setiau sengl

single sex un rhyw *ans*

single sheet cynfas sengl *eb* cynfasau sengl

single spacing bylchiad sengl *ans*

single take off esgyn untroed *be*

single thread edau sengl *eb* edafedd sengl

single tonguing tafodi sengl *be*

single tub machine peiriant twb sengl *eg* peiriannau twb sengl

single turning troad sengl *eg* troadau sengl

single weight pwysyn *eg* pwysynnau

single-coil lamp lamp coil sengl *eb* lampau coil sengl

single-cut file ffeil toriad sengl *eb* ffeiliau toriad sengl

single-lap tile teilsen lap sengl *eb* teils lap sengl

single-section un-darn *eg*

single-sheet dalen sengl *ans*

single-step camu *be*

single-track untrac *ans*

single-valued unwerth *ans*

singles senglau *ell*

Singspiel Singspiel *eg* Singspiele

singular (e.g. matrix) hynod *ans*

singular matrix matrics hynod *eg*

singularity hynodyn *eg* hynodion

sinh sinh *eg*

sink *n* sinc *eg* sinciau

sink *v* suddo *be*

sink hole llync-dwll *eg* llync-dyllau

sinking and matting punch pwnsh suddo a matio *eg* pynsiau suddo a matio

sinking fund cronfa ad-dalu *eb* cronfeydd ad-dalu

sinking hammer morthwyl suddo *eg* morthwylion suddo

sinking of the Lusitania suddo'r Lusitania *be*

sinter *n* sinter *eg*

sinter *v* sinteru *be*

sinuosity dolennedd *eb*

sinus sinws *eg* sinysau

sinusoid sinwsoid *eg*

sinusoidal sinwsoidaidd *ans*

siphon siffon *eg* siffonau

sirocco siroco *eg* sirocos

sister (in nursing) prif weinyddes nyrsio *eb* prif weinyddesau nyrsio

Sistine Chapel Capel Sistin *eg*

sit (an examination) sefyll (arholiad) *be*

sitar sitar *eg* sitarau

site safle *eg* safleoedd

site conditions cyflwr safle *eg*

Sitka spruce pyrwydden Sitca *eb* pyrwydd Sitca

situation sefyllfa *eb* sefyllfaoedd

six chwech *eg* chwechau

Six Articles, The Chwe Erthygl, Y *eb*

six-figure grid references cyfeirnodau grid chwe-ffigur *ell*

sixteen yard hit out ergyd gylch *eb* ergydion cylch

sixth chweched *eg* chwechedau

sixth form chweched dosbarth *eg*

sixth form college coleg chweched dosbarth *eg* colegau chweched dosbarth

sixth former disgybl chweched dosbarth *eg* disgyblion chweched dosbarth

sixty-fourth-note nodyn chwe deg pedwar *eg* nodau chwe deg pedwar

sixway punch pwnsh chweffordd *eg* pynsiau chweffordd

---

size (=extent of a thing) *n* maint *eg* meintiau
size (=gelatinous solution) *n* seis *eg*
size (glue) *v* seisio *be*
skating (canework) bonynnu *be*
skein sgein *eg* sgeiniau
skeletal system system sgerbydol *eb* systemau sgerbydol
skeletal traction hydyniad ar y sgerbwd *eg*
skeleton ysgerbwd *eg* ysgerbydau
skeleton framework bras fframwaith *eg*
skerry sgeri *eg* sgerïau
sketch *v* braslunio *be*
sketch (of composition) *n* darlun *eg* darluniau
sketch (=rough draft) *n* braslun *eg* brasluniau
sketch block bloc cynllunio *eg* blociau cynllunio
sketch map llinfap *eg* llinfapiau
sketch pad pad braslunio *eg* padiau braslunio
sketch paper papur braslunio *eg* papurau braslunio
sketch plan braslun cynllunio *eg* brasluniau cynllunio
sketch section llindoriad *eg* llindoriadau
sketch-book llyfr braslunio *eg* llyfrau braslunio
sketching charcoal siarcol braslunio *eg*
sketching easel îsl braslunio *eg* islau braslunio
skew *adj* sgiw *ans*
skew *n* sgiw *eb* sgiwiau
skew chisel cŷn goledd *eg* cynion goledd
skew line llinell sgiw *eb* llinellau sgiw
skew mouth plane plaen ceg sgiw *eg* plaeniau ceg sgiw
skew nailing hoelio arosgo *be*
skewness sgiwedd *eg*
skilful medrus *ans*
skilful movement symud medrus *be*
skill sgìl *eg* sgiliau
skill mix cymysgedd o sgiliau *eb*
skilled medrus *ans*
skilled craftsman crefftwr medrus *eg* crefftwyr medrus
skilled labour llafur crefftus *eg*
skilled worker gweithiwr medrus *eg* gweithwyr medrus
skills in measuring sgiliau mesur *ell*
skills of water safety sgiliau diogelwch yn y dŵr *ell*
skim sgimio *be*
skimmer sgimiwr *eg* sgimwyr
skin croen *eg* crwyn
skin traction hydyniad ar y croen *eg*
skip *n* sgip *eb*
skip *v* sgipio *be*
skip jump naid sgip *eb* neidiau sgip
skip step step sgip *eb* stepiau sgip
skipped stitch pwyth coll *eg* pwythau coll
skipping dance dawns sgipio *eb* dawnsiau sgipio
skipping rope rhaff sgipio *eb* rhaffau sgipio
skirmish ysgarmes *eb* ysgarmesoedd
skirt sgert *eb* sgertiau
skirting sgyrtin *eg* sgyrtinau
skirting board bwrdd sgyrtin *eg* byrddau sgyrtin
skittle ceilysyn *eg* ceilys
skiver sgifer *eg*

skiving knife cyllell sgifio *eb* cyllyll sgifio
skull penglog *eg* penglogau
sky blue (enamelling colour) glas y nen *eg*
skylight ffenestr do *eb* ffenestri to
slab slab *eg* slabiau
slab milling cutter melinwr slab *eg* melinwyr slab
slab pottery crochenwaith slab *eg*
slack *adj* llac *ans*
slack *v* llacio *be*
slack (=small coal) *n* glo mân *eg*
slack fit ffit lac *eb*
slack tide slac-lanw *eg*
slack variable newidyn llacrwydd *eg* newidynnau llacrwydd
slacken (ligament) llacio (gewyn) *be*
slackness llacrwydd *eg*
slag slag *eg*
slake (lime) slecio *be*
slaked lime calch tawdd *eg*
slalom slalom *eg*
slander *n* athrod *eg* athrodion
slander *v* athrodi *be*
slant *n* goledd *eg* goleddau
slant *v* goleddu *be*
slant edge ymyl oledd *eb* ymylon goledd
slant height uchder oledd *eg* uchderau goledd
slanting ar oledd *ans*
slash *n* slaes *eg* slaesau
slash *v* slaesu *be*
slash sawn tangiad llifiol *ans*
slat slat *eb* slatiau
slate (for roofing, writing) llechen *eb* llechi
slate (rock) llechfaen *eg* llechfeini
slate nail hoelen lechen *eb* hoelion llechi
slave caethwas *eg* caethweision
slave trade masnach gaethion *eb*
slavery caethwasiaeth *eb*
sledge hammer gordd *eb* gyrdd
sleep wall wal gynnal *eb* waliau cynnal
sleeping-bag sach gysgu *eb* sachau cysgu
sleet eirlaw *eg*
sleeve llawes *eb* llewys
sleeve board bwrdd llawes *eg* byrddau llewys
sleeveless dilawes *ans*
sleigh bells clychau car llusg *ell*
slice sleis *eb* sleisiau
slice *n* tafell *eb* tafellau
slice *v* tafellu *be*
slicing action arwaith tafellu *eg*
slick bit ebill slic *eg* ebillion slic
slickensides llyfnochrau *ell*
slide *adj* llithr *ans*
slide *v* llithro *be*
slide (for microscope) *n* sleid *eb* sleidiau
slide (for projector) *n* tryloywder *eg* tryloywderau
slide (in music) *n* llithryn *eg* llithrynnau

slide rest rest llithr *eg* restiau llithr
slide rule llithriwl *eb* llithriwliau
slide sequence dilyniant sleidiau *eg* dilyniannau sleidiau
slide valve falf llithr *eb* falfiau llithr
slider llithrydd *eg* llithryddion
sliding llithr *ans*
sliding action arwaith llithr *eg* arweithiau llithr
sliding bevel befel llithr *eg* befelau llithr
sliding block bloc llithr *eg* blociau llithr
sliding component cydran lithr *eb* cydrannau llithr
sliding door drws llithro *eg* drysau llithro
sliding feed porthiant llithr *eg*
sliding fence ffens lithr *eb* ffensys llithr
sliding fit (transition fit) ffit lithr *eb* ffitiau llithr
sliding friction ffrithiant llithro *eg*
sliding jaw safn lithr *eb* safnau llithr
sliding key allwedd lithr *eb* allweddi llithr
sliding scale graddfa symudol *eb* graddfeydd symudol
sliding seat sedd lithro *eb* seddi llithro
sliding tackle tacl lithriad *eb* taclau llithriad
sliding top (table) top llithr (bwrdd) *eg* topiau llithr
sliding-door lock clo drws llithr *eg* cloeon drysau llithro
slight (a castle) dinistrio (castell) *be*
slim main *ans*
slim knife cyllell fain *eb* cyllyll main
slime llysnafedd *eg* llysnafeddau
slime fungi ffyngau llysnafedd *ell*
sling (for shooting) ffon dafl *eb* ffyn tafl
sling (for supporting arm etc) sling *eg* slingiau
slip (in carpentry) *n* cryfhawr *eg* cryfhawyr
slip (=mistake, slide) *n* llithriad *eg* llithriadau
slip (of cricket fielder) *n* slip *eg* slipwyr
slip (of cricket position) *n* slip *eg* slipiau
slip (=petticoat) *n* pais *eb* peisiau
slip (pottery) *n* slip *eg*
slip (the ball) *v* slipio *be*
slip casting castin slip *eg*
slip clay clai slip *eg*
slip gauge medrydd slip *eg* medryddion slip
slip hemming hemio slip *be*
slip hemming stitch pwyth hemio slip *eg* pwythau hemio slip
slip plane plân slip *eg* planau slip
slip road slipffordd *eb* slipffyrdd
slip stain staen slip *eg*
slip tracer dargopïwr slip *eg* dargopïwyr slip
slip tracing llwybro slip *be*
slip ware crochenwaith slip *eg*
slip-off slope llethr slip *eg* llethrau slip
slip-step *n* cam llithro *eg* camau llithro
slip-step *v* llithro *be*
slip-step in a circle cam llithro mewn cylch *eg* camau llithro mewn cylch
slip-stepping clockwise llithro gyda'r cloc *be*
slippery llithrig *ans*
slipway llithrfa *eb* llithrfeydd

slit agen *eg* agennau
slitting agennu *be*
slitting saw llif agennu *eb* llifiau agennu
slocombe drill dril canoli *eg* driliau canoli
slope *v* goleddu *be*
slope (=inclined position or direction) *n* goledd *eg* goleddau
slope (=measure of gradient) *n* graddiant *eg* graddiannau
slope (=piece of rising or falling ground) *n* llethr *eg/b* llethrau
slope of line goledd llinell *eg*
sloping face wyneb goleddol *eg* wynebau goleddol
sloping haunch hansh ar oledd *eg* hanshys ar oledd
slot (in general) slot *eg* slotiau
slot (of screwhead etc) rhych *eb* rhychau
slot (=slit) agen *eb* agennau
slot screwing rhych sgriwio *be*
slotted agennog *ans*
slotted link dolen rych *eb* dolennau rhych
slotted nut nyten rych *eb* nytiau rhych
slotting drill dril rhychio *eg* driliau rhychio
slotting milling cutter melinwr agennu *be* melinwyr agennu
slotting saw llif agennu *eb* llifiau agennu
slough cen *eg*
slow araf *ans*
slow ball pêl araf *eb* peli araf
slow bowler bowliwr araf *eg* bowlwyr araf
slow bowling bowlio araf *be*
slow casserole caserol araf *eg* caserolau araf
slow down arafu *be*
slow left arm bowler bowliwr araf braich chwith *eg* bowlwyr araf braich chwith
slow run rhedeg araf *be*
slub yarn edafedd slyb *ell*
sludging (=solifluction) priddlif *eg* priddlifau
slug (in mathematics) slyg *eg* slygiau
slug (of mollusc) gwlithen *eb* gwlithod
sluice lle golchi *eg* llefydd golchi
slum slym *eg* slymiau
slum clearance clirio slymiau *be*
slump dirwasgiad *eg*
slump (land) cylchlithriad *eg*
slumped cliff clogwyn cylchlithriad *eg* clogwyni cylchlithriad
slumping cylchlithro *be*
slur *n* llithriad *eg* llithriadau
slur *v* llithro *be*
slush enamel enamel llaid *eg*
slype tramwyfa *eb* tramwyfeydd
small circle cylch bychan *eg* cylchoedd bychain
small claims court llys mân ddyledion *eg*
small court cwrt bychan *eg*
small holding mân ddaliad *eg* mân ddaliadau
small intestine coluddyn bach *eg* coluddion bach
small letter llythyren fach *eb* llythrennau bach
small scale graddfa fach *eb*

---

adf, adv adferf, *adverb*   ***ans, adj*** ansoddair, *adjective*   ***be*** berf, *verb*   ***eb*** enw benywaidd, *feminine noun*   ***eg*** enw gwrywaidd, *masculine noun*

small scale production cynhyrchu ar raddfa fach *be*
small-sided i ochrau bach *adf*
small-sided game gêm timau bach *eb* gemau timau bach
small-sided version fersiwn i ochrau bach *eg* fersiynau i ochrau bach
smaller-scale map map graddfa lai mapiau graddfa lai
smallholding tyddyn *eg* tyddynnod
smallpox y frech wen *eb*
smart smart *ans*
smash ergyd galed *eb* ergydion caled
smash shot pwyad *eg* pwyadau
smear iriad *eg* iriadau
smell arogl *eg* arogleuon
smelt mwyndoddi *be*
smelter ffwrnais fwyndoddi *eb* ffwrneisi mwyndoddi
smock troswisg *eb* troswisgoedd
smock *n* smoc *eb* smociau
smock *v* crychu *be*
smocking smocwaith *eg*
smocking transfer trosglwyddyn smocwaith *eg* trosglwyddion smocwaith
smog mwrllwch *eg*
smoke *n* mwg *eg*
smoke *v* ysmygu *be*
smoke controlled area rhanbarth rheoli mwg *eg* rhanbarthau rheoli mwg
smoked bacon cig moch wedi'i gochi *eg*
smokeless fuel tanwydd di-fwg *eg*
smoking (cigarettes, pipe) ysmygu *be*
smoking (of fire etc) yn mygu *adf*
smooth *adj* llyfn *ans*
smooth *v* llyfnu *be*
smooth curve cromlin lefn *eb* cromliniau llyfn
smooth cut file ffeil lefn *eb* ffeiliau llyfn
smooth finish gorffeniad llyfn *eg* gorffeniadau llyfn
smooth muscle cyhyr anrhesog *eg* cyhyrau anrhesog
smooth surface arwyneb llyfn *eg* arwynebau llyfn
smooth texture gwead llyfn *eg*
smoothing plane plaen llyfnhau *eg* plaeniau llyfnhau
smother mygu *be*
smother tackle tacl goflaid *eb* taclau coflaid
smudge smwtsio
smut penddu *eg*
smutted wheat gwenith penddu *eg*
snack bar bar byrbryd *eg* barrau byrbryd
snail bit ebill gwrthoddi malwen *eg* ebilliau gwrthoddi malwen
snail's trail pattern patrwm ôl y falwen *eg* patrymau ôl y falwen
snake bite brathiad neidr *eg* brathiadau neidr
snap (string) torri *be*
snap (to grid) clecian (i'r grid) *be*
snap fastener ffasnydd snap *eg* ffasnyddion snap
snap riveting rhybedu snap *be*
snap-head rivet rhybed pengrwn *eg* rhybedion pengrwn
snaplink (Karabiner) clesbyn *eg* clasbiau

snare drum drwm gwifrau *eg* drymiau gwifrau
snarey (on) gwifran (ymlaen) *be*
snarling (=tangle) cafflo *be*
snarling iron haearn cafflo *eg* heyrn cafflo
snatch cipio *be*
sneeze tisian *be*
sniff (glue etc) arogli *be*
snip snip *eg* snipiau
snipping snipio *be*
snips snipiwr *eg* snipwyr
snow bridge pont eira *eb* pontydd eira
snow drift lluwch eira *eg* lluwchfeydd eira
snow fed river afon eira tawdd *eb* afonydd eira tawdd
snow glasses sbectol eira *eb* sbectolau eira
snow line eirlin *eg* eirlinau
snowfield maes eira *eg* meysydd eira
soak (dried food etc) mwydo *be*
soaked peas pys wedi'u mwydo *ell*
soaker darn gwrthddwr *eg* darnau gwrthddwr
soap sebon *eg* sebonau
soap flakes fflochion sebon *ell*
soap powder powdr golchi *eg*
soaped pad pad sebon *eg* padiau sebon
soapless disebon *ans*
soapless detergent glanedydd disebon *eg* glanedyddion disebon
soapy sebonllyd *ans*
soapy water dŵr sebon *eg*
socage socaeth *eb*
socalization cymdeithasoliad *eg*
soccer shirt crys pêl-droed *eg* crysau pêl-droed
social cymdeithasol *ans*
social area analysis dadansoddiad ardaloedd cymdeithasol *eg*
social assessment asesiad cymdeithasol *eg* asesiadau cymdeithasol
social class dosbarth cymdeithasol *eg* dosbarthiadau cymdeithasol
social democrat *adj* democrataidd cymdeithasol *ans*
social democrat *n* democrat cymdeithasol *eg* democratiaid cymdeithasol
Social Democratic Party (SDP) Plaid y Democratiaid Cymdeithasol *eb*
social development datblygiad cymdeithasol *eg*
social engineering teilwrio cymdeithasol *be*
social history hanes cymdeithasol *eg*
social implications arwyddocâd cymdeithasol *eg*
social order trefn cymdeithas *eb*
social organization cyfundrefn gymdeithasol *eb*
social policy polisi cymdeithasol *eg* polisïau cymdeithasol
social pressures pwysau cymdeithasol *ell*
social role valorization rhoi gwerth ar swyddogaeth gymdeithasol *be*
social security nawdd cymdeithasol *eg*
social services department adran gwasanaethau cymdeithasol *eb* adrannau gwasanaethau cymdeithasol
social skills sgiliau cymdeithasol *ell*
social space gofod cymdeithasol *eg* gofodau cymdeithasol

---

eg/b enw gwrywaidd/benywaidd, *feminine/masculine noun*   *ell* enw lluosog, *plural noun*   *v* berf, *verb*   *n* enw, *noun*

social status statws cymdeithasol *eg*
social structure strwythur cymdeithasol *eg*
social studies astudiaethau cymdeithasol *ell*
social welfare lles cymdeithasol *eg*
social work gwaith cymdeithasol *eg*
social worker gweithiwr cymdeithasol *eg* gweithwyr cymdeithasol
socialism sosialaeth *eb*
socialist *adj* sosialaidd *ans*
socialist *n* sosialydd *eg* sosialwyr
Socialist Party Plaid Sosialaidd *eb*
socially clean cymdeithasol lân *ans*
society cymdeithas *eb* cymdeithasau
Society of Christ Cymdeithas yr Iesu *eb*
Society of Friends Cymdeithas y Cyfeillion *eb*
socio-economic economaidd gymdeithasol *ans*
sociology cymdeithaseg *eb*
sociology of education cymdeithaseg addysg *eb*
sock hosan fer *eb* sanau byr
socket (electrical etc) soced *eg/b* socedi
socket (of eye) twll *eg* tyllau
socket (of joint) crau *eg* creuau
socket screw sgriw soced *eb* sgriwiau soced
socket spanner sbaner soced *eg* sbaneri soced
socketed axe bwyell greuog *eb* bwyeill creuog
socketed sickle cryman creuog *eg* crymanau creuog
soda soda *eg*
soda (washing soda) soda golchi *eg*
soda lime calch soda *eg*
sodium (Na) sodiwm *eg*
sodium bicarbonate sodiwm deucarbonad *eg*
sodium carbonate sodiwm carbonad *eg*
soffit bondo *eg* bondoeau
soffit bearer cynheiliad bondo *eg* cynheiliaid bondo
soffit board astell fondo *eg* estyll bondo
soft meddal *ans*
soft board plane plaen meddalfwrdd *eg* plaeniau meddalfwrdd
soft cloth cadach meddal *eg* cadachau meddal
soft consistency ansawdd meddal *eg*
soft copy copi meddal *eg* copïau meddal
soft drug cyffur ysgafn *eg* cyffuriau ysgafn
soft flour blawd meddal *eg*
soft furnishings dodrefn meddal *ell*
soft ground etching ysgythru ar rwnd meddal *be*
soft hair brush brwsh blew meddal *eg* brwshys blew meddal
soft hammer morthwyl meddal *eg* morthwylion meddal
soft head pen meddal *eg* pennau meddal
soft iron core craidd haearn meddal *eg*
soft iron keeper cadwrydd haearn meddal *eg* cadwryddion haearn meddal
soft option dewis hawdd *eg* dewisiadau hawdd
soft pedal pedal chwith *eg* pedalau chwith
soft pleating pletio ysgafn *be*
soft sectored sectoriad meddal *eg*
soft soap sebon meddal *eg*

soft solder sodr meddal *eg*
soft soldering sodro meddal *be*
soft table bwrdd meddal *eg* byrddau meddal
soft texture gwead meddal *eg*
soft tissue meinwe feddal *eb* meinweoedd meddal
soft touch cyffyrddiad ysgafn *eg* cyffyrddiadau ysgafn
soft toy tegan meddal *eg* teganau meddal
soften meddalu *be*
softener meddalydd *eg* meddalyddion
softness meddalwch *eg*
software meddalwedd *eb*
software engineer peiriannydd meddalwedd *eg* peirianwyr meddalwedd
software house tŷ meddalwedd *eg* tai meddalwedd
software protection diogelwch meddalwedd *eg*
softwood pren meddal *eg* prennau meddal
softwood cell cell bren meddal *eb* celloedd pren meddal
softwood wedging lletemu pren meddal *be*
soil (=dirt) baw *eg*
soil (=earth) pridd *eg* priddoedd
soil creep ymgripiad pridd *eg*
soil erosion erydiad pridd *eg*
soil fertility ffrwythlondeb pridd *eg*
soil horizon haenlin pridd *eg* haenlinau pridd
soil micro-organisms micro-organebau'r pridd *ell*
soil profile proffil pridd *eg*
soil structure adeiledd pridd *eg*
soil suspending agent cyfrwng dal baw *eg*
soil texture gwead pridd *eg*
soiled wedi baeddu *ans*
sol-fa *v* solffeuo *be*
sol-fa hand sign arwydd llaw sol-ffa *eg* arwyddion llaw sol-ffa
sol-faist (female) solffeuwraig *eb* solffeuwragedd
sol-faist (male and general) solffeuwr *eg* solffeuwyr
solar (central heating system) solar *ans*
solar activity gweithgaredd yr haul *eg*
solar day diwrnod haul *eg*
solar eclipse diffyg ar yr haul *eg*
solar energy egni solar *eg*
solar eruption echdoriad yr haul *eg* echdoriadau'r haul
solar heating gwres solar *eg*
solar radiation pelydriad heulog *eg*
solar system cysawd yr haul *eg* cysodau yr haul
solar time amser yr haul *eg*
solar year blwyddyn haul *eb* blynyddoedd haul
solder *n* sodr *eg* sodrau
solder *v* sodro *be*
solder and braze sodro a phresyddu
solder panel panel sodr *eg* paneli sodr
soldered sodrog *ans*
soldering bench mainc sodro *eb* meinciau sodro
soldering bit haearn sodro *eg* heyrn sodro
soldering iron haearn sodro *eg* heyrn sodro
soldering process proses sodro *eb*
sole gwadn *eg* gwadnau

---

adf, adv adferf, *adverb*   *ans, adj* ansoddair, *adjective*   *be* berf, *verb*   *eb* enw benywaidd, *feminine noun*   *eg* enw gwrywaidd, *masculine noun*

sole of the foot gwadn troed *eg* gwadnau traed
Solemn League & Covenant Cynghrair Sanctaidd a Chyfamod *eb*
solenoid solenoid *eg* solenoidau
soleplate (of iron) platwadn *eg* platwadnau
solfatara solffatara *eg* solffatarau
solicitor cyfreithiwr *eg* cyfreithwyr
Solicitor General Cyfreithiwr Cyffredinol *eg*
solid *n* solid *eg* solidau
solid *adj* solet *ens*
solid auger bit ebill taradr solet *eg* ebillion taradr solet
solid cleated door drws cleddog solet *eg* drysau cleddog solet
solid drawn hinge colfach solet *eg* colfachau solet
solid figure ffigur solet *eg* ffigurau solet
solid floor llawr solet *eg* lloriau solet
solid fuel tanwydd solet *eg*
solid moulding mowldin solet *eg*
solid of revolution solid cylchdro *eg* solidau cylchdro
solid panel panel solet *eg* paneli solet
solid strut cynheiliad solet *eg* cynheiliaid solet
solid strutting cynheilio solet *be*
solid timber pren solet *eg*
solid wall wal solet *eb* waliau solet
solid wood pren solet *eg*
solid wood door drws pren solet *eg* drysau pren solet
solidarity cydlyniad *eg*
Solidarity (movement) Mudiad Solidarnosc *eg*
solidification solidiad *eg* solidiadau
solidify (in physics etc) ymsolido *be*
solidify (non-technical usage) caledu *be*
solidity (in chemistry etc) solidedd *eg*
solidity (of argument etc) cadernid *eg*
solifluction priddlif *eg* priddlifau
solo unawd *eb* unawdau
solo instrument offeryn unawd *eg* offerynnau unawd
solo organ organ solo *eb* organau solo
solo stop stop solo *eg* stopiau solo
soloist unawdydd *eg* unawdwyr
solonchak solontshac *eg*
solonetz solonets *eg*
solstice heuldro *eg* heuldroadau
solubility hydoddedd *eg* hydoddeddau
solubility product constant cysonyn lluoswm hydoddedd *eg*
soluble hydawdd *ans*
soluble oil olew hydawdd *eg*
soluble varnish farnais hydawdd *eg*
solute hydoddyn *eg* hydoddion
solution (=answer) ateb *eg* atebion
solution (of dissolved state) hydoddiant *eg* hydoddiannau
solution (=solving) datrysiad *eg* datrysiadau
solution of salts hydoddiant halwynau *eg* hydoddiannau halwynau
solution set set ddatrysiad *eb* setiau datrysiad
solvated hydoddedig *ans*

solvation hydoddiant *eg*
solve datrys *be*
solve a problem datrys problem *be*
solve the equation datrys yr hafaliad *be*
solvent hydoddydd *eg* hydoddyddion
solvent abuse camddefnyddio hydoddyddion *eg*
solvent extraction echdyniad â hydoddydd *eg*
solvent front ffin hydoddydd *eg* ffiniau hydoddyddion
solvent sniffing arogli hydoddyddion *be*
somatic somatig *ans*
somatic mutation mwtaniad somatig *eg* mwtaniadau somatig
sombre tywyll *ans*
sombre atmosphere awyrgylch prudd *eg*
somersault *n* trosben *eg* trosbennau
somersault *v* trosbennu *be*
somersault dive deif drosben *eb* deifiau trosben
son tape merch-dâp *eg* merchdapiau
sonarized sonaredig *ans*
sonata sonata *eb* sonatau
sonata form ffurf sonata *eb*
sonata rondo rondo sonata *eb* rondoau sonata
sonatina sonatina *eb* sonatinau
song cân *eb* caneuon
sonnenseite (=adret) llygad haul *eg*
sonometer sainfesurydd *eg* sainfesuryddion
sonority seinlawnder *eg* seinlawnderau
sonorous soniarus *ans*
soothe lleddfu *be*
sophistication soffistigeiddrwydd *eg*
soprano soprano *eb* lleisiau soprano
sorbite sorbit *eg*
sore briw *eg* briwiau
sore throat dolur gwddf *eg*
soroche salwch mynydd *eg*
sort *n* trefniad *eg* trefniadau
sort *v* trefnu *be*
sort in alphabetical order gosod yn nhrefn y wyddor
sorted trefnedig *ans*
sough lefel *eb* lefelau
sound (=dive) *v* plymio *be*
sound (musical) *n* sain *eb* seiniau
sound (=noise) *n* sŵn *eg* synau
sound (=passage of water) *n* swnt *eg* swntiau
sound board seinfwrdd *eg* seinfyrddau
sound box seinflwch *eg* seinflychau
sound collage collage o seiniau *eg*
sound effects effeithiau sain *ell*
sound generator generadur sain *eg* generaduron sain
sound hole seindwll *eg* seindyllau
sound insulation ynysu rhag sŵn *be*
sound judgment barn gadarn *eb*
sound picture seinlun *eg* seinluniau
sound processing prosesu sain *be*
sound source ffynhonnell sain *eb* ffynonellau sain
sound table bwrdd sain *eg* byrddau sain

eg/b enw gwrywaidd/benywaidd, *feminine/masculine noun* **ell** enw lluosog, *plural noun* **v** berf, *verb* **n** enw, *noun*

sound track trac sain *eg* traciau sain
sound wave seindon *eb* seindonau
soundproof gwrthsain *ans*
source (in general) ffynhonnell *eb* ffynonellau
source (of specific point) tarddle *eg* tarddleoedd
source (of stream etc) tarddiad *eg* tarddiadau
source code cod gwreiddiol *eg* codau gwreiddiol
source disk tarddisg *eg* tarddisgiau
source document dogfen gynhenid *eb* dogfennau cynhenid
source drive tarddyriant *eg* tarddyriannau
source file ffeil darddiad *eb* ffeiliau tarddiad
source language iaith wreiddiol *eb* ieithoedd gwreiddiol
source of light tarddiad goleuni *eg*
source of variation tarddle amrywiant *eb* tarddleoedd amrywiannau
source program rhaglen wreiddiol *eb* rhaglenni gwreiddiol
south de *eg*
south celestial pole pegwn wybrennol y de *eg*
south magnetic pole pôl magnetig y de *eg*
south pole (of a magnet) pôl de *eg*
South Sea Bubble Swigen Môr y De *eb*
south seeking pole (of a magnet) pôl sy'n cyrchu tua'r de *eg*
South Wales Miner's Federation Ffederasiwn Glowyr De Cymru *eg*
southing deheuad *eg*
sovereign (=gold coin) sofren *eb* sofrenni
sovereign (=supreme ruler) sofran *eg* sofraniaid
sovereign state gwladwriaeth sofran *eb* gwladwriaethau sofran
sovereignty sofraniaeth *eb* sofraniaethau
sovereignty homage gwrogaeth sofraniaeth *eb*
sovereignty of the people sofraniaeth y bobl *eb*
soviet sofiet *eg* sofietau
soya beans ffa soya *ell*
spa sba *eg* sbâu
space (around a person, beyond Earth's atmosphere) gofod *eg*
space (between cells etc) gwaglyn *eg* gwaglynnau
space (=empty place) lle gwag *eg* lleoedd gwag
space (=gap) bwlch *eg* bylchau
space awareness ymwybyddiaeth ofodol *eb*
space bar bylchwr *eg* bylchwyr
space domain parth gofod *eg* parthau gofod
space saving table bwrdd arbed lle *eg* byrddau arbed lle
space shuttle gwennol ofod *eb* gwenoliaid gofod
space-time gofod-amser *eg*
spaced warp ystof wahanedig *eb* ystofau gwahanedig
spaceman gofodwr *eg* gofodwyr
spacer gwahanydd *eg* gwahanyddion
spacing bylchiad *eg* bylchiadau
spadix sbadics *eg*
spalt rhigol *eb* rhigolau
span *n* rhychwant *eg* rhychwantau
span *v* rhychwantu *be*
Spanish Fury Cynddaredd y Sbaenwyr *eb*

Spanish Inquisition Chwilys Sbaen *eg*
Spanish Main Môr Sbaenaidd *eg*
Spanish ulcer aflwydd Sbaenaidd, yr *eg*
spanner sbaner *eg* sbaneri
spanning pontio *be*
spare blade llafn sbâr *eg* llafnau sbâr
spark *n* gwreichionen *eb* gwreichion
spark *v* gwreichioni *be*
spark test prawf gwreichionen *eg*
sparking plug plwg tanio *eg* plygiau tanio
sparkling pefriol *ans*
sparring sbarian *be*
sparring partner partner sbarian *eg* partneriaid sbarian
spars (common rafters) ceibrennau cyffredin *ell*
sparse gwasgarog *ans*
spastic child plentyn sbastig *eg* plant sbastig
spate llifeiriant *eg* llifeiriaint
spathe fflurwain *eb* fflurweiniau
spatial gofodol *ans*
spatial ability gallu gofodol *eg*
spatial configuration ffurfwedd ofodol *eb* ffurfweddau gofodol
spatial context cyd-destun gofodol *eg*
spatial distribution dosbarthiad gofodol *eg*
spatial feature nodwedd ofodol *eb* nodweddion gofodol
spatial margins ymylon gofodol *ell*
spatial orientation cyfeiriadaeth ofodol *eb*
spatial puzzle pos gofodol *eg* posau gofodol
spatial reasoning rhesymu gofodol *be*
spatial relationship cydberthynas ofodol *eb* cydberthnasau gofodol
spatula sbatwla *eg* sbatwlâu
spawn *v* silio *be*
spawn (of fish etc) *n* sil *eg* silod
spawn (of frogs) *n* grifft *eg*
spawning area silfa *eb* silfeydd
speaker (at a conference etc) siaradwr *eg* siaradwyr
speaker (of House of Commons) llefarydd *eg* llefarwyr
speaker (=sound unit) seinydd *eg* seinyddion
speaker key cwgn sain *eg* cygnau sain
spear *n* gwaywffon *eb* gwaywffyn
spear *v* trywanu *be*
Special Areas Act Deddf yr Ardaloedd Arbennig *eb*
special care baby unit uned gofal arbennig i fabanod *eb* unedau gofal arbennig i fabanod
special care unit uned gofal arbennig *eb* unedau gofal arbennig
special development area ardal ddatblygu arbennig *eb* ardaloedd datblygu arbennig
special diet diet arbennig *eg*
special education addysg arbennig *eb*
special educational needs anghenion addysgol arbennig *ell*
special grant grant arbennig *eg* grantiau arbennig
special juror rheithiwr arbennig *eg* rheithwyr arbennig
special needs anghenion arbennig *ell*

---

adf, adv adferf, *adverb* **ans, adj** ansoddair, *adjective* **be** berf, *verb* **eb** enw benywaidd, *feminine noun* **eg** enw gwrywaidd, *masculine noun*

special needs support service gwasanaeth cefnogi anghenion arbennig *eg* gwasanaethau cefnogi anghenion arbennig

special school ysgol arbennig *eb* ysgolion arbennig

special support assistant cynorthwyydd cefnogaeth arbennig *eg* cynorthwywyr cefnogaeth arbennig

special unit uned arbennig *eb* unedau arbennig

specialism arbenigedd *eg*

specialist arbenigwr *eg* arbenigwyr

specialist shop siop arbenigol *eb* siopau arbenigol

speciality arbenigedd *eg* arbenigeddau

specialization arbenigaeth *eb* arbenigaethau

specialize arbenigo *be*

specialized arbenigol *ans*

speciation ffurfiant rhywogaethau *eg*

specie arian bath *eg*

species rhywogaeth *eb* rhywogaethau

specific (=definite, particular etc) penodol *ans*

specific (=per unit mass) sbesiffig *ans*

specific dynamic action gweithred ddynamig benodol *eb*

specific factor ffactor benodol *eb* ffactorau penodol

specific heat capacity cynhwysedd gwres sbesiffig *eg* cynwyseddau gwres sbesiffig

specific learning difficulty anhawster dysgu penodol *eg* anawsterau dysgu penodol

specific material defnydd penodol *eg* defnyddiau penodol

specification manyleb *eb* manylebau

specification grid grid manyleb *eg* gridiau manyleb

specification language iaith manyleb *eb*

specificity (enzyme) penodolrwydd *eg*

specify enwi *be*

specify location pennu lleoliad *be*

specimen sbesimen *eg* sbesimenau

speckle *n* brychni *eg*

speckle *v* brychu *be*

spectator gwyliwr *eg* gwylwyr

spectator ion ïon segur *eg* ïonau segur

spectral sbectrol *ans*

spectrometer sbectromedr *eg* sbectromedrau

spectrometry sbectromedreg *eb*

spectrophotometer sbectroffotomedr *eg* sbectroffotomedrau

spectroscope sbectrosgop *eg* sbectrosgopau

spectroscopy sbectrosgopeg *eb*

spectrum sbectrwm *eg* sbectra

spectrum palette palet sbectrwm *eg* paletau sbectrwm

speculate (in finance) hapfasnachu *be*

speculation (in finance) hapfasnach *eb*

speculative (in finance) hapfasnachol *ans*

speculator (in finance) hapfasnachwr *eg* hapfasnachwyr

speech (=faculty of speaking) lleferydd *eg*

speech (=oration) araith *eb* areithiau

speech difficulty anhawster llefaru *eg* anawsterau llefaru

speech impediment nam ar y lleferydd *eg* namau ar y lleferydd

speech recognition adnabod llais *be*

speech synthesis synthesis llais *eg*

speech therapist therapydd lleferydd *eg* therapyddion lleferydd

speech therapy therapi lleferydd *eg*

speed (in general) cyflymder *eg*

speed (scalar quantity) buanedd *eg* buaneddau

speed of light cyflymder goleuni *eg*

speed of the ball cyflymder y bêl *eg*

speed ratio cymhareb buanedd *eb*

speed regulator (of machine part) rheolydd cyflymder *eg* rheolyddion cyflymder

speed / time diagram diagram buanedd / amser *eg* diagramau buanedd / amser

speed up cyflymu *be*

speedometer sbidomedr *eg* sbidomedrau

speleologist ogofwr *eg* ogofwyr

speleology ogofeg *eb*

spell sillafu *be*

spellchecker cywiriadur *eg* cywiriaduron

spelling option dewisiad sillafu *eg* dewisiadau sillafu

spelling test prawf sillafu *eg* profion sillafu

spelter sbelter *eg*

spend (money) gwario (arian) *be*

spend (time) treulio (amser) *be*

sperm sberm *eg* sbermau

spermatogenesis sbermatogenesis *eg*

spermatozoon sbermatosoon *eg* sermatosoa

spermicidal sbermleiddiol *ans*

spermicide sbermleiddiad *eg* sbermleiddiaid

spermocyte sbermocyt *eg* sbermocytau

sphagnum migwyn *eg*

sphalerite sffalerit *eg*

sphere sffêr *eg* sfferau

sphere of influence cylch dylanwad *eg* cylchoedd dylanwad

spherical sfferig *ans*

spherical triangle triongl sfferig *eg* trionglau sfferig

spherical vacuum cleaner sugnwr llwch crwn *eg* sugnwyr llwch crwn

spheroid sfferoid *eg* sfferoidau

spheroidal sfferoidol *ans*

spherometer sfferomedr *eg* sfferomedrau

sphincter sffincter *eg* sffinctrau

sphygmomanometer teclyn mesur pwysau gwaed *eg* teclynnau mesur pwysau gwaed

spice sbeis *eg* sbeisiau

spider corryn *eg* corynod; pry cop *eg* pryfed cop

spigot sbigot *eg* spigotau

spike sbigyn *eg* sbigynnau

spiked shoe esgid sbeic *eb* esgidiau sbeic

spikelet sbigolyn *eg* sbigolion

spillway gorlifan *eb* gorlifannau

spin (in general) *n* troelliad *eg* troelliadau

spin (in general) *v* troelli *be*

spin (of elementary particles) *n* sbin *eg* sbiniau

spin (of elementary particles) *v* sbinio *be*

spin (wool) *v* nyddu *be*

spin drier sychwr dillad *eg* sychwyr dillad

---

spin of racket troelliad raced *eg*

spin of the Earth troelliad y Ddaear *eg* troelliadau'r Ddaear

spin off industries diwydiannau deilliedig *ell*

spin resonance cyseiniant sbin *eg*

spin the ball troelli'r bêl *be*

spin-off deilliedig *ans*

spina bifida spina bifida *eg*

spinal sbinol *ans*

spinal cord madruddyn y cefn *eg*

spinal nerve nerf yr asgwrn cefn *eg*

spinal reflex atgyrch sbinol *eg*

spindle gwerthyd *eb* gwerthydau

spindle attachment atodyn gwerthyd *eg* atodion gwerthyd

spindle back chair cadair gefn gwerthyd *eb* cadeiriau cefn gwerthyd

spindle moulder mowldiwr gwerthyd *eg* mowldwyr gwerthyd

spindle nut nyten werthyd *eb* nytiau gwerthyd

spine (of book) meingefn (llyfr) *eg* meingefnau

spine (of plants, fish, hedgehogs etc) draenen *eb* drain

spine (spinal column) asgwrn cefn *eg* esgyrn cefnau

spinet spined *eb* spinedau

spinneret nyddolyn *eg* nyddolynnau

spinning jenny siani nyddu *eb*

spinning top top troi *eg* topiau troi

spinning wheel troell nyddu *eb* troellau nyddu

spinous processes cnapiau asgwrn cefn *ell*

spiracle sbiragl *eg* sbiraglau

spiral *adj* troellog *ans*

spiral *n* sbiral *eb* sbiralau

spiral cleavage ymraniad troellog *eg* ymraniadau troellog

spiral flute ffliwt sbiral *eb* ffliwtiau sbiral

spiral milling cutter melinwr sbiral *eg* melinwyr sbiral

spiral screwdriver tyrnsgriw sbiral *eg* tyrnsgriwiau sbiral

spiral spring sbring sbiral *eg* sbringiau sbiral

spiral staircase grisiau tro *ell*

spiral thickening tewychiad troellog *eg* tewychiadau troellog

spiral valve falf ðroellog *eb* falfiau troellog

spire meindwr *eg* meindyrau

spirit (of alcohol) gwirod *eg* gwirodydd

spirit (of person, ghost) ysbryd *eg*

spirit level lefel wirod *eb* lefelau gwirod

spirit marker marciwr gwirod *eg* marcwyr gwirod

spirit stain staen gwirod *eg* staeniau gwirod

spirit varnish farnais gwirod *eg* farneisiau gwirod

spirits of turpentine gwirod tyrpant *eg*

spiritual *adj* ysbrydol *ans*

spiritual *n* cân ysbrydol *eb* caneuon ysbrydol

spiritual and moral education addysg ysbrydol a moesol *eb*

spiritual aspect agwedd ysbrydol *eb* agweddau ysbrydol

spiritual development datblygiad ysbrydol *eg*

spiritual values gwerthoedd ysbrydol *ell*

spiritualities eiddo ysbrydol *eg*

spirochaete sbirochaet *eg* sbirochaetau

spit (for roasting) bêr (troi) *eg* berau

spit (of sand etc) tafod *eg* tafodau

splanchnic perfeddol *ans*

splash tasgu *be*

splashback cefnfwrdd *eg* cefnfyrddau

splay goledd *eg*

splay legs coesau sblae *ell*

splayed sblae *ans*

splayed joint uniad sblae *eg* uniadau sblae

spleen dueg *eb* duegau

splendid isolation arwahanrwydd gogoneddus *eg*

splenic duegol *ans*

splenic nerve nerf duegol *eg* nerfau duegol

splice *n* sbleis *eg* sbleisiau

splice *v* sbleisio *be*

spline sblein *eg* sbleiniau

splint sblint *eg* sblintiau

splinter fflewyn *eg* fflawiau

split *n* hollt *eg/b* holltau

split *v* hollti *be*

split bearing beryn hollt *eg* berynnau hollt

split die dei hollt *eg* deiau hollt

split pattern patrwm hollt *be* patrymau hollt

split pin pìn hollt *eg* pinnau hollt

split ring commutator cymudadur modrwy hollt *eg* cymudaduron modrwy hollt

split washer wasier hollt *eb* wasieri hollt

split-level cooker stof ddeuddarn *eb* stofiau deuddarn

split-level house tŷ amryw lefel *eg* tai amryw lefel

splitting hollti *be*

spoil difetha *be*

spoil heap tomen sbwriel *eb* tomenni sbwriel

spoiling of food difetha bwyd

spoiling tactic tacteg sbwylio *eb* tactegau sbwylio

spoke adain olwyn *eb* adenydd olwyn

spoken word gair llafar *eg* geiriau llafar

spokeshave rhasgl *eb* rhasglau

spokesman llefarydd *eg* llefarwyr

spondee corfan cytbwys *eg* corfannau cytbwys

sponge *n* sbwng *eg* sbyngiau

sponge *v* sbwngio *be*

sponge ball pêl sbwng *eb* peli sbwng

sponge rubber rwber sbwng *eg*

spongeable wallpaper papur sychadwy *eg*

spongophyll sbwngoffyl *eg*

spongy layer haen sbwngaidd *eb* haenau sbwngaidd

sponsored spell sillafu noddedig *be*

spontaneous digymell *ans*

spontaneous generation ymdarddiad digymell *eg* ymdarddiadau digymell

spontaneous response ymateb digymell *eg* ymatebion digymell

spool sbŵl *eg* sbwliau

spool pin pin sbŵl *eg* pinnau sbŵl

spool rack rac sbwliau *eb* raciau sbwliau

spooled printer argraffydd sbŵl *eg* argraffyddion sbŵl

---

spooler sbwliwr *eg* sbwlwyr
spooling sbwlio *be*
spoon llwy *eb* llwyau
spoon bit ebill llwy *eg* ebillion llwy
spoon tool erfyn llwy *eg* offer llwy
sporadic attendance presenoldeb ysbeidiol *eg*
sporangium sborangiwm *eg* sborangia
spore sbôr *eg* sborau
sporogonium sborogoniwm *eg* sborogonia
sporophore sboroffor *eg*
sporophyte sboroffyt *eg*
sport scientist gwyddonydd chwaraeon *eg* gwyddonwyr chwaraeon
sports (in general) chwaraeon *eg*
Sports Council Cyngor Chwaraeon *eg*
sports day mabolgampau *ell*
sports hall neuadd chwaraeon *eb* neuaddau chwaraeon
spot *n* smotyn *eg* smotiau
spot *v* smotio *be*
spot (on the) unfan (yn yr) *eg*
spot drop glass diferwydr *eg* diferwydrau
spot facing sbotwynebu *be*
spot galvanometer galfanomedr smotyn *eg* galfanomedrau smotyn
spot height pwynt uchder *eg* pwyntiau uchder
spot lamp lamp oleugylch *eb* lampau goleugylch
spot welding sbotweldio *be*
spotlight golau cylch *eg*
spotted smotiog *ans*
spotting (in finishing metal) sbotio *be*
spout pig *eg* pigau
sprain ysigiad *eg* ysigiadau
sprawl blerdwf *eg*
spray *v* chwistrellu *be*
spray (of act) *n* chwistrelliad *eg* chwistrelliadau
spray (of object) *n* chwistrell *eb* chwistrelli
spray booth bwth chwistrellu *eg* bythod chwistrellu
spray bottle potel chwistrellu *eb* poteli chwistrellu
spray cover gorchudd trochion *eg* gorchuddion trochion
spray diffuser tryledwr chwistrell *eg* tryledwyr chwistrell
spray gun gwn chwistrellu *eg* gynnau chwistrellu
spray iron haearn chwistrellu *eg* heyrn chwistrellu
spray nozzle (of iron) twll chwistrellu *eg* tyllau chwistrellu
spray painting (of painted picture) paentiad chwistrell *eg* paentiadau chwistrell
spray painting (of process or art) peintio chwistrell *be*
spray polish llathr chwistrell *eg*
spray starch startsh chwistrell *eg*
sprayer chwistrellwr *eg* chwistrellwyr
spread lledaenu *be*
spreader lledaenydd *eg* lledaenwyr
spreadsheet *n* taenlen *eb* taenlenni
spreadsheet *v* taenlennu *be*
sprig sbrig *eb* sbrigiau
sprightly yn sionc *adf*
spring sbring *eg* sbringiau

spring (of water) tarddell *eb* tarddellau
spring (=season of year) gwanwyn *eg*
spring balance clorian sbring *eb* cloriannau sbring
spring dividers cwmpas sbring *eg* cwmpasau sbring
spring green (enamelling colour) gwyrdd y gwanwyn *eg*
spring line tarddlin *eb* tarddlinau
spring line settlement anheddiad tarddlin *eg* aneddiadau tarddlin
spring punch pwnsh sbring *eg* pynsiau sbring
spring term tymor y gwanwyn *eg*
spring tide llanw mawr *eg*
spring toggle togl sbring *eg* toglau sbring
spring washer wasier sbring *eb* wasieri sbring
spring wood pren y gwanwyn *eg*
spring-cleaning glanhau blynyddol *be*
spring-loaded sbring-lwythog *ans*
spring-loaded catch cliced sbring-lwythog *eb* cliciedau sbring-lwythog
spring-sapping tarddell-danseilio *be*
springboard astell ddeifio *eb* estyll deifio
springboard diving deifio o'r astell *be*
springy sbringar *ans*
springy turfs tywyrch sbringar *ell*
sprinkle ysgeintio *be*
sprinkler ysgeintell *eb* ysgeintellau
sprint *n* gwibiad *eg* gwibiadau
sprint *v* gwibio *be*
sprint (in swimming) *n* nofio cyflym *be*
sprint start cychwyn cyflym *eg*
sprinter gwibiwr *eg* gwibwyr
sprocket sbroced *eg* sbrocedi
sprocket and chain sbroced a chadwyn
sprocket hole twll cocos *eg* tyllau cocos
sprocket wheel olwyn ddannedd *eb* olwynion dannedd
spruce pyrwydden *eb* pyrwydd
sprue hole twll sbriw *eg* tyllau sbriw
sprue pin pin sbriw *eg* pinnau sbriw
spun metal metel trowasg *eg*
spun rayon reion cyfrodedd *eg*
spun wool edafedd gwlân *ell*
spur (in general) sbardun *eg* sbardunau
spur (of wiring) cainc *eb* ceinciau
spur (=trace) trywydd *eg* trywyddion
spur gear gêr sbardun *eg* gerau sbardun
spur wheel olwyn sbardun *eb* olwynion sbardun
spurious modes moddau ffug *ell*
spurt *n* hyrddiad *eg* hyrddiadau
spurt *v* hyrddio *be*
sputum crachboer *eg*
spy hole twll sbïo *eg* tyllau sbïo
squadron sgwadron *eb* sgwadronau
squall sgol *eg* sgoliau
squalor aflendid *eg*
square *adj* sgwâr *ans*
square *n* sgwâr *eg* sgwariau
square *v* sgwario *be*

---

eg/b enw gwrywaidd/benywaidd, *feminine/masculine noun*   *ell* enw lluosog, *plural noun*   *v* berf, *verb*   *n* enw, *noun*

square angle ongl sgwâr *eb* onglau sgwâr

square bar bar sgwâr *eg* barrau sgwâr

square brackets [ ] bachau petryal [ ] *ell*

square centimetre centimetr sgwâr *eg* centimetrau sgwâr

square cut trawsergyd sgwâr *eb* trawsergydion sgwâr

Square Dance Dawns Sgwâr *eb* Dawnsiau Sgwâr

square deal policy polisi chwarae teg *eg*

square drift drifft sgwâr *eg* drifftiau sgwâr

square edged ymyl sgwâr *eb* ymylon sgwâr

square file ffeil sgwâr *eb* ffeiliau sgwâr

square haunch hansh sgwâr *eg* hansiau sgwâr

square haunched hansiedig sgwâr *ans*

square haunched mortise and tenon joint uniad mortais a thyno hansiedig sgwâr *eg* uniadau mortais a thyno hansiedig sgwâr

square haunched tenon tyno hansiedig sgwâr *eg* tynoau hansiedig sgwâr

square head (machine screws) pensgwar *ans*

square head bolt bollt bensgwar *eb* bolltau pensgwar

square head screw sgriw bensgwar *eb* sgriwiau pensgwar

square head stake bonyn pensgwar *eg* bonion pensgwar

square integrable integradwy sgwâr *ans*

square leg (of person) coeswr sgwâr *eg* coeswyr sgwâr

square leg (of table etc) coes sgwâr *eb* coesau sgwâr

square matrix matrics sgwâr *eg*

square mouth plane plaen ceg sgwâr *eg* plaenau ceg sgwâr

square mouth tongs gefel gegsgwar *eb* gefeiliau ceg sgwar

square neck gwddf sgwâr *eg* gyddfau sgwâr

square nose pliers gefelen drwyn sgwâr *eb* gefeiliau trwyn sgwâr

square nosed tool erfyn trwyn sgwâr *eg* offer trwyn sgwâr

square number rhif sgwâr *eg* rhifau sgwâr

square nut nyten sgwâr *eb* nytiau sgwâr

square pass pàs sgwâr *eb* pasiau sgwâr

square prism prism sgwâr *eg* prismau sgwâr

square pyramid pyramid sgwâr *eg* pyramidiau sgwâr

square root ail isradd *eg*

square section bar bar toriad sgwâr *eg* barrau toriad sgwâr

square section material defnydd trychiad sgwâr *eg* defnyddiau trychiad sgwâr

square set set sgwâr *eb* setiau sgwâr

square stance safiad sgwâr *eg*

square thread edau sgwâr *eb* edafedd sgwâr

square trowel trywel sgwâr *eb* trywelion sgwâr

square up sgwario *be*

square-box tongs gefel flwch sgwâr *eb* gefeiliau blwch sgwâr

squared paper papur sgwariau *eg*

squaretail carrier cariwr cynffon sgwâr *eg* carwyr cynffon sgwâr

squaring up sgwario *be*

squash *n* sboncen *eb*

squash *v* gwasgu *be*

squat flask fflasg fyrdew *eb* fflasgiau byrdew

squatter sgwatiwr *eg* sgwatwyr

squatting cwrcwd *eg*

squeegee gwesgi *eg* gwesgïau

squeeze gwasgu *be*

squiggle sgwigl *eg/b* sgwiglau

squint llygad croes *eg* llygaid croes

squire yswain *eg* ysweiniaid

squirearchical ysweiniol *ans*

squirearchy ysweiniaeth *eb*

squirrel hair brush brwsh blew gwiwer *eg* brwshys blew gwiwer

squirt *n* chwistrelliad *eg* chwistrelliadau

squirt *v* chwistrellu *be*

St Louis Louis Sant *eg*

stab stitch pwyth taro *eg* pwythau taro

stability (of economy, society etc) sefydlogrwydd *eg*

stability (of object) sadrwydd *eg*

stabilize sefydlogi *be*

stabilizer sefydlogydd *eg* sefydlogyddion

stable sefydlog *ans*

stable equilibrium cydbwysedd sefydlog *eg*

staccato stacato *ans*

stack (=coastal islet) *n* stac *eg* staciau

stack (of hay, wood) *n* tas *eb* teisi

stack (=pile) *n* pentwr *eb* pentyrrau

stack (=pile up) *v* pentyrru *be*

stack base sail stac *eb* seiliau staciau

stack overflow gorlif stac *eg*

stack top pen stac *eg* pennau staciau

stack underflow islif stac *eg*

staff (in music) erwydd *eg*

staff (=persons employed) staff *ell*

staff development datblygiad staff *eg*

staff meeting (of teachers) cyfarfod athrawon *eg* cyfarfodydd athrawon

staff mix cymysgedd o staff *eb*

staff notation hen nodiant *eg*

staff nurse nyrs staff *eb* nyrsys staff

staff-student ratio cymhareb staff-myfyrwyr *eb*

stage (=form in insect's life cycle) ffurf *eb* ffurfiau

stage (in psychology) stad *eb* stadau

stage (=period of time) cyfnod *eg* cyfnodau

stage (=platform) llwyfan *eg/b* llwyfannau

stage (=point of time) pwynt *eg* pwyntiau

stage (=step in development) cam *eg* camau

stage coach coets fawr *eb* coetsys mawr

stage craft crefft llwyfan *eb*

stages of dyeing camau'r llifo *ell*

stagger darwahanu *be*

stagger nails darwahanu hoelion *be*

staggered conformation cydffurfiad alldro *eg* cydffurfiadau alldro

staggered start hwnt gychwyniad *eg* hwnt gychwyniadau

staging inn tafarn y goets *eb* tafarnau'r goets

stagnant disymud *ans*

stagnant pond merllyn *eg* merllynnoedd

stagnant water merddwr *eg* merddyfroedd

stagnation marweidd-dra *eg*

---

stain *n* staen *eg* staeniau

stain *v* staenio *be*

stain (a section) *v* staenio (toriad) *be*

stain finish gorffeniad staen *eg* gorffeniadau staen

stain removal codi staen *be*

stain remover codwr staen *eg* codwyr staen

stain setting setio staen *be*

stained glass gwydr lliw *eg* gwydrau lliw

stained glaze gwydredd lliw *eg*

stained preparation gwrthrych staenedig *eg*

stainless gwrthstaen *ans*

stainless steel dur gwrthstaen *eg*

stainless steel screw sgriw ddur wrthstaen *eb* sgriwiau dur gwrthstaen

stair gris *eg* grisiau

staircase grisiau *ell*

stairway grisffordd *eb* grisffyrdd

stake (in metalworking) bonyn *eg* bonion

stake (=stout stick) polyn *eg* polion

stake-boat bad clwm *eg* badau clwm

staking cane gwialen fonynnu *eb* gwialennau bonynnu

stalactite stalactid *eg* stalactidau

stalagmite stalagmid *eg* stalagmidau

stale bread hen fara *eg (eg)*

Stalinist Stalinydd *eg* Stalinyddion

stalk (of flower, leaf, etc) coesyn *eg* coesynnau

stalk (=support) cynheilydd *eg* cyneilyddion

stallage stondiniaeth *eb*

stamen briger *eb* brigerau

stamina stamina *eg*

staminate brigerog *ans*

staminode gau friger *eb* gau frigerau

stammer atal dweud *eg*

stamp *n* stamp *eg* stampiau

stamp (with foot) *v* taro troed *be*

Stamp Act Deddf Stamp *eb*

stamp duty treth stamp *eb*

stance safiad *eg* safiadau

stanchion annel *eg* anelau

stand *v* sefyll *be*

stand (for spectators) *n* eisteddle *eg* eisteddleoedd

stand (of trees) *n* clwstwr (o goed) *eg* clystyrau (coed)

stand (target) *n* stand *eg/b* standiau

stand alone arunig *ans*

stand alone system system arunig *eb* systemau arunig

standard *adj* safonol *ans*

standard *n* safon *eb* safonau

Standard Assessment Task (SAT) Tasg Asesu Safonol (TAS) *eb* Tasgau Asesu Safonol (TASau)

standard atmospheric pressure gwasgedd atmosfferig safonol *eg*

standard bearer llumanwr *eg* llumanwyr

standard deviation gwyriad safonol *eg* gwyriadau safonol

standard electrode potential potensial electrod safonol *eg*

standard error cyfeiliornad safonol *eg* cyfeiliornadau safonol

standard form (of customary method) ffurf safonol *eb* ffurfiau safonol

standard form (of document) ffurflen safonol *eb* ffurflenni safonol

standard gauge lled safonol *eg*

standard interface rhyngwyneb safonol *eg* rhyngwynebau safonol

standard mathematical notation nodiant mathemategol safonol *eg*

standard of care safon gofal *eb* safonau gofal

standard of living safon byw *eb* safonau byw

standard of play safon y chwarae *eb*

standard parallel cyflin safonol *eb* cyflinau safonol

standard pitch traw safonol *eg*

standard random variable hapnewidyn safonol *eg* hapnewidynnau safonol

standard rate cyfradd safonol *eb* cyfraddau safonol

standard score sgôr safonol *eb* sgorau safonol

standard section trychiad safonol *eg*

standard size maint safonol *eg* meintiau safonol

standard size court cwrt maint safonol *eg* cyrtiau maint safonol

standard state (thermodynamics) cyflwr safonol *eg* cyflyrau safonol

Standard Temperature and Pressure (STP) Tymheredd a Gwasgedd Safonol (TGS) *eg*

standard test prawf safonol *eg* profion safonol

Standard Tests and Assessment Implementation Research (STAIR) Ymchwil Gweithredu Profion ac Asesu Safonol *eg*

standard thread edau safonol *eb* edafedd safonol

standard Welsh Cymraeg safonol *eg*

standardize safoni *be*

standardized safonedig *ans*

standardized assessment asesu safonedig *be*

standardized intelligence test prawf deallusrwydd safonedig *eg* profion deallusrwydd safonedig

standardized marks marciau safonedig *ell*

standardized test prawf safonedig *eg* profion safonedig

standing army byddin sefydlog *eb* byddinoedd sefydlog

standing committee pwyllgor sefydlog *eg* pwyllgorau sefydlog

standing jump naid stond *eb* neidiau stond

standing orders rheolau sefydlog *ell*

standing press gwasg unionsyth *eb* gweisg unionsyth

standing tall sefyll yn syth a thal *be*

standpoint safbwynt *eg* safbwyntiau

stapes gwarthol *eg* gwartholion

staple *v* styffylu *be*

staple (e.g. staple industry) *adj* prif *ans*

staple (=fibre) *n* edefyn *eg* edeifion

staple (for fastening) *n* stwffwl *eg* styffylau

staple gun gwn styffylu *eg* gynnau styffylu

staple industries prif ddiwydiannau *ell*

staple yarn edafedd toredig *ell*

stapler (of object) styffylwr *eg* styffylwyr

star seren *eb* sêr

star (hands across) seren llaw dde / chwith *eb*

Star Chamber Siambr y Seren *eb*
Star of David Seren Dafydd *eb*
star shake hollt seren *eg* holltau seren
star-head screw sgriw ben-seren *eb* sgriwiau pen-seren
star-rating marciau sêr *ell*
starboard starbord *eg*
starboard tack tacio starbord *be*
starch *n* startsh *eg*
starch *v* startsio *be*
starch reduced flour blawd startsh gostyngol *eg*
starchy foods bwydydd startsh *ell*
start cychwyn *be*
start area man cychwyn *eg* mannau cychwyn
start of dance cychwyn dawns *eg*
start time amser cychwyn *eg* amserau cychwyn
start-up conditions amodau dechreuol *ell*
start-up disk disg cychwynnol *eg* disgiau cychwynnol
starter cychwynnwr *eg* cychwynwyr
starter switch switsh cychwyn *eg* switshis cychwyn
starting bloc bloc cychwyn *eg* blociau cychwyn
starting flag lluman cychwyn *eg* llumannau cychwyn
starting gun ergyd cychwyn *eb*
starting line llinell gychwyn *eb* llinellau cychwyn
starting place man cychwyn *eg* mannau cychwyn
starting position safle cychwynnol *eg* safleoedd cychwynnol
starvation newyn *eg*
starve newynu *be*
state (=condition) *n* cyflwr *eg* cyflyrau
state (in USA etc) *n* talaith *eb* taleithiau
state (of political community) *n* gwladwriaeth *eb* gwladwriaethau
state capitalism cyfalafiaeth wladol *eb*
State Department Adran Wladol *eb* Adrannau Gwladol
state farm fferm y wladwriaeth *eb* ffermydd y wladwriaeth
state function ffwythiant cyflyrol *eg*
state school ysgol y wladwriaeth *eb* ysgolion y wladwriaeth
statecraft gwladweinyddiaeth *eb*
statement (=declaration) datganiad *eg* datganiadau
statement (=expression in words) gosodiad *eg* gosodiadau
statement (in computing) mynegiad *eg* mynegiadau
statement number rhif mynegiad *eg* rhifau mynegiad
statement of attainment datganiad o gyrhaeddiad *eg* datganiadau o gyrhaeddiad
statement of competence datganiad o gymhwysedd *eg* datganiadau o gymhwysedd
statement of special educational needs datganiad anghenion addysgol arbennig *eg* datganiadau anghenion addysgol arbennig
statemented pupil disgybl sy'n destun datganiad *eg* disgyblion sy'n destun datganiad
states of matter cyflyrau mater *ell*
statesman gwladweinydd *eg* gwladweinwyr
static statig *ans*
static electricity trydan statig *eg*
static store stôr statig *eb* storau statig
statics stateg *eb*

stationary (=fixed) sefydlog *ans*
stationary knife (veneer cutting) cyllell sefydlog (torri argaen) *eb* cyllyll sefydlog
stationary phase (of bacteria) cyfnod digyfnewid *eg* cyfnodau digyfnewid
stationary wave ton unfan *eb* tonnau unfan
stationer gwerthwr papurau *eg* gwerthwyr papurau
stationery papur ysgrifennu *eg*
Stations of the Cross (of places) Gorsafoedd y Groes *ell*
Stations of the Cross (of service) Ffordd y Groes *eb*
statistic ystadegyn *eg* ystadegau
statistical ystadegol *ans*
statistical inference casgliad ystadegol *eg* casgliadau ystadegol
statistician ystadegydd *eg* ystadegwyr
statistics (=data) ystadegau *ell*
statistics (science of) ystadegaeth *eb*
stator stator *eg* statorau
statue cerflun *eg* cerfluniau
statuette cerflun bach *eg* cerfluniau bach
stature (of towns) maintioli *eg*
status statws *eg*
status line llinell statws *eb* llinellau statws
status symbol symbol o statws *eg*
status word cyflyrair *eg* cyflyreiriau
statute statud *eg* statudau
statute book llyfr statud *eg*
statute law cyfraith statud *eb*
Statute of Proclamations Statud Proclamasiwn *eg*
Statute of Retainers Statud Gwŷr ar Gadw *eg*
Statute of Rhuddlan Statud Rhuddlan *eg*
Statute of Uses Statud Defnyddiau *eg*
Statute of Wales Statud Cymru *eg*
Statute of Westminster Statud Westminster *eg*
statute roll rhôl statud *eb* rholiau statud
statutory statudol *ans*
statutory body corff statudol *eg* cyrff statudol
statutory instrument offeryn statudol *eg* offerynnau statudol
statutory organization corff statudol *eg* cyrff statudol
statutory requirement gofyniad statudol *eg* gofyniadau statudol
stave erwydd *eg* erwyddi
stay (rule joint) gwanas *eg/b* gwanasau
stay stitch pwyth cynnal *eg* pwythau cynnal
staying on (at school) aros ymlaen *be*
steady (lathe accessories) sadydd *eg* sadyddion
steady beat curiad cyson *eg* curiadau cyson
steady build-up adeiladu'n bwyllog *be*
steady current cerrynt cyson *eg*
steady state cyflwr sefydlog *eb* cyflyrau sefydlog
steam *n* ager *eg*
steam *v* ageru *be*
steam and spray iron haearn ager a chwistrell *eg* heyrn ager a chwistrell
steam bending agerblygu *be*
steam chest agergist *eb* agergistiau

---

adf, adv adferf, *adverb*   *ans, adj* ansoddair, *adjective*   *be* berf, *verb*   *eb* enw benywaidd, *feminine noun*   *eg* enw gwrywaidd, *masculine noun*

steam cleaning glanhau gydag ager *be*
steam coal glo rhydd *eg*
steam de-waxing digwyro gydag ager *be*
steam distillation distyllu ag ager *be*
steam drum drwm ager *eg* drymiau ager
steam engine injan stêm *eb*
steam iron haearn ager *eg* heyrn ager
steam pump pwmp ager *eg*
steam turbine tyrbin ager *eg* tyrbinau ager
steamroller stêm-roler *eg* stêm-roleri
steamship llong ager *eb* llongau ager
steel dur *eg* duroedd
steel back saw llif gefn ddur *eb* llifau cefn dur
steel filings durlifion *ell*
steel framing fframwaith dur *eg* fframweithiau dur
steel mesh rhwyddur *eg*
steel racket raced ddur *eb* racedi dur
steel screw sgriw ddur *eb* sgriwiau dur
steel spur sbardun dur *eg* sbardunau dur
steel wool gwlân dur *eg*
steel-spring cramp cramp sbring dur *eg* crampiau sbring dur
steelyard stiliard *eg*
steep mwydo *be*
steep pitch codiad serth *eg* codiadau serth
steep slope llethr serth *eg* llethrau serth
steeplechase ras ffos a pherth *eb* rasys ffos a pherth
steepsided serthochrog *ans*
steering a course llywio cwrs *be*
steering committee pwyllgor llywio *eg* pwyllgorau llywio
steering wheel llyw *eg* llywiau
stellar serol *ans*
stellar year blwyddyn serol *eb* blynyddoedd serol
stellite (alloying elements) stelit *eg*
stem (of gauge etc) coes *eb* coesau
stem (of multiple choice question) datganiad *eg* datganiadau
stem (of plant) coesyn *eg* coesynnau
stem stitch pwyth conyn *eg* pwythau conyn
stencil stensil *eg* stensiliau
stencil brush brwsh stensil *eg* brwshys stensil
stencil cutter torrell stensil *eb* torellau stensil
stencil knife cyllell stensil *eb* cyllyll stensil
stencil paper papur stensil *eg*
stencil pattern patrwm stensil *eg* patrymau stensil
step (in dance) *v* stepio *be*
step (on stairs, in dance) *n* gris *eg* grisiau
step (when walking and figuratively) *n* cam *eg* camau
step by step cam wrth gam
step counter rhifydd camau *eb* rhifyddion camau
step cutting torri step *be*
step out camu allan *be*
step round *v* camu o amgylch *be*
step-down transformer newidydd gostwng *eg* newidyddion gostwng
step-up-transformer newidydd codi *eg* newidyddion codi
stepladder ysgol fach *eb* ysgolion bach

stepmother llysfam *eb* llysfamau
steppe soils step-briddoedd *ell*
stepped cliffs gris-glogwyni *ell*
stepping reflex atgyrch camu *eg* atgyrchion camu
steradian steradian *eg* steradiannau
stereochemical formula fformiwla stereocemegol *eb*
stereographic stereograffig *ans*
stereographic projection tafluniad stereograffig *eg*
stereophonic stereoffonig *ans*
stereoscopic stereosgopig *ans*
stereotype stereoteip *eg* stereoteipiau
sterile (=free of micro-organisms) di-haint *ans*
sterile (of reproduction) anffrwythlon *ans*
sterile dressing gorchudd di-haint *eg* gorchuddion di-haint
sterile equipment cyfarpar di-haint *eg*
sterile field maes di-haint *eg* meysydd di-haint
sterile glove maneg ddi-haint *eb* menig di-haint
sterility anffrwythlondeb *eg*
sterilize (in medical physiology) diffrwythloni *be*
sterilize (=make free of micro-organisms) diheintio *be*
sterilizer diheintydd *eg* diheintyddion
sterling area cylch sterling *eg*
stern starn *eb* starnau
sternum sternwm *eg* sterna
steroid steroid *eg* steroidau
sterol sterol *eg* sterolau
stethoscope stethosgop *eg* stethosgopau
Stevenson screen sgrin Stevenson *eb* sgriniau Stevenson
steward stiward *eg* stiwardiaid
stewardship stiwardiaeth *eb* stiwardiaethau
stewed apple afal wedi'i stiwio *eg* afalau wedi'u stiwio
stick *n* ffon *eb* ffyn
stick (adhere) *v* glynu (wrth) *be*
stick printing printio â phren *be*
stick puppet pyped pren *eg* pypedau pren
sticky gludiog *ans*
stiff anystwyth *ans*
stiff board bwrdd caled *eg* byrddau caled
stiff cover clawr caled *eg* cloriau caled
stiff nut nyten glwm *eb* nytiau clwm
stiff wire gwifren anystwyth *eb* gwifrau anystwyth
stiffen (=strengthen) cyfnerthu *be*
stiffened waistband band gwasg wedi'i gyfnerthu *eg* bandiau gwasg wedi'u cyfnerthu
stiffening cyfnerthydd *eg* cyfnerthyddion
stiffness anhyblygedd *eg*
stigma (=mark on skin or butterfly wing) stigma *eg* stigmata
stigma (=part of a pistil) stigma *eg* stigmâu
stile cledren *eb* cledrau
stiletto stileto *eg*
still llonydd *ans*
still birth geni'n farw *be*
still water dŵr llonydd *eg*
still-life bywyd llonydd *eg*
stillborn marw-anedig *ans*
stillness llonyddwch *eg*

---

eg/b enw gwrywaidd/benywaidd, *feminine/masculine noun*   *ell* enw lluosog, *plural noun*   *v* berf, *verb*   *n* enw, *noun*

stilt stilt *eg* stiltiau

stimulant symbylydd *eg* symbylyddion

stimulate ysgogi *be*

stimulus ysgogiad *eg* ysgogiadau

stimulus material deunydd ysgogi *eg*

sting *n* pigiad *eg* pigiadau

sting *v* pigo *be*

sting cell cell golyn *eb* celloedd colyn

stipe coes *eb* coesau

stipend tâl offeiriad *eg*

stipendiary magistrate ynad cyflogedig *eg* ynadon cyflogedig

stipple *n* dotwaith *eg*

stipple *v* dotweithio *be*

stipple drawing lluniad dotwaith *eg* lluniadau dotwaith

stipple engraving ysgythriad dotwaith *eg* ysgythriadau dotwaith

stipule stipwl *eg* stipylau

stir troi *be*

stirrer tröydd *eg* troyddion

stirrer fan gwyntyll droelli *eb* gwyntyllion troelli

stirring (of music etc) cyffrous *ans*

stirring rod rhoden droi *eb* rhodenni troi

stirrup gwarthol *eb* gwartholion

stirrup strap strap warthol *eb* strapiau gwarthol

stitch *n* pwyth *eg* pwythau

stitch *v* pwytho *be*

stitch holder pìn cadw pwythau *eg* pinnau cadw pwythau

stitch length adjustment (of machine part) rheolydd hyd pwyth *eg* rheolyddion hyd pwyth

stitched calico mop mop calico wedi'i bwytho *eg* mopiau calico wedi'u pwytho

stitchery pwythwaith *eg*

stitching frame ffrâm bwytho *eb* fframiau pwytho

stitching press gwasg bwytho *eb* gweisg pwytho

stitching tool erfyn pwytho *eg* offer pwytho

stochastic stocastig *ans*

stock (in finance) stoc *eb* stociau

stock (=line of ancestry) llinach *eb*

stock (of machine) dwrn *eg* dyrnau

stock (of tree etc) cyff *eg* cyffion

stock and dies cyffion a deiau

stock control rheolaeth stoc *eb*

stock exchange cyfnewidfa stoc *eb* cyfnewidfeydd stoc

stock pile *n* pentwr stoc *eg* pentyrrau stoc

stock pile *v* pentyrru stoc *be*

stockbroker brocer stoc *eg* broceriaid stoc

stockhorn pibgorn *eg* pibgyrn

stockinette stocinét *eb*

stocking hosan *eb* hosanau

stocking stitch pwyth plaen *eg* pwythau plaen

stocks cyffion traed *ell*

stoichiometric stoichiometrig *ans*

stoichiometry stoichiometreg *eb*

stole (of church vestment) ystola *eb* ystolau

stole (of costume) stôl *eb* stoliau

stoloniferous stolonog *ans*

stoma stoma *eg* stomata

stomach stumog *eb* stumogau

stomach acid asid y stumog *eg*

stomach bile bustl y stumog *eg*

stomach ulcer briw'r stumog *eg*

stomium stomiwm *eg* stomia

stone carreg *eb* cerrig

Stone Age Oes y Cerrig *eb*

stone axe bwyell garreg *eb* bwyeill cerrig

stone carving cerfio carreg *be*

stone cell cell garreg *eb* celloedd cerrig

stone fruit ffrwyth carreg *eg* ffrwythau cerrig

stone-tumbling carreg-dwmblo *be*

Stonehenge Côr y Cewri *eg*

stoneware crochenwaith caled *eg*

stoneware glaze gwydredd crochenwaith *eg*

stonework gwaith carreg *eg*

stool (=faeces) carthion *ell*

stool (for sitting on) stôl *eb* stolion

stool construction adeiladwaith stôl *eg*

stop (a note on musical intrument) *v* atal *be*

stop (on organ) *n* stop *eg* stopiau

stop (=prevent) *v* atal *be*

stop dead stopio'n stond *be*

stop the ball atal y bêl *be*

stop volley foli stop *eb* foliau stop

stop-clock stopgloc *eg* stopglociau

stop-start atal a chychwyn

stoppage ataliad *eg*

stopped (of note on organ, wind and string instrument) wedi'i atal *ans* wedi'u hatal

stopped chamfer siamffer cau *eg* siamfferi cau

stopped dovetail housing joint uniad rhigol drawsgynffonnog gau *eg* uniadau rhigol traws cynffonnog cau

stopped housing rhigol gau *eb* rhigolau cau

stopped housing joint uniad rhigol draws gau *eg* uniadau rhigol traws gau

stopped mortise and tenon joint uniad mortais a thyno stop *eg* uniadau mortais a thyno stop

stopped rabbet rabad caeedig *eg* rabadau caeedig

stopped stub through cau trwodd *be*

stopped tenon tyno stop *eg* tynoau stop

stopper caead *eg* caeadau

stoppered bottle potel â thopyn *eb* poteli â thopiau

stopping distance pellter stopio *eg*

stopping the ball by kneeling atal y bêl drwy benlinio

stopping-out varnish farnais atal *eg* farneisiau atal

storage storfa *eb* storfeydd

storage allocation dyraniad storfa *eg*

storage cupboard cwpwrdd storio *eg* cypyrddau storio

storage drawer drôr storio *eg* droriau storio

storage heater gwresogydd stôr *eg* gwresogyddion stôr

storage jar cawg storio *eg* cawgiau storio

storage organ organ storio *eg* organau storio

storage space lle storio *eg*

storage tank tanc storio *eg* tanciau storio

---

adf, adv adferf, *adverb*   **ans, adj** ansoddair, *adjective*   **be** berf, *verb*   **eb** enw benywaidd, *feminine noun*   **eg** enw gwrywaidd, *masculine noun*

store *v* storio *be*

store (=place of storage) *n* storfa *eb* storfeydd

store (=shop) *n* siop *eb* siopau

store (=supply) *n* stôr *eb* storau

store a composition storio cyfansoddiad *be*

store control unit uned rheoli storfa *eb* unedau rheoli storfa

store information storio gwybodaeth *be*

stored carbohydrate carbohydrad stôr *eg*

stored point pwynt stôr *eg* pwyntiau stôr

storey llawr *eg* lloriau

storm beach stormdraeth *eg* stormdraethau

stormtroopers stormfilwyr *ell*

story stori *eb* storïau

story book llyfr stori *eg* llyfrau stori

story method dull storïol *eg* dulliau storïol

story-board bwrdd stori *eg* byrddau stori

stoss and lee llyfn a sgythrog *ans*

stoutheart plywood pren haenog canol trwchus *eg*

stove stof *eb* stofiau

stow stow *eg* stowiau

straddle llednaid *eb*

straddle jump naid fforchog *eb* neidiau fforchog

straddler lledneidiwr *eg* lledneidwyr

straight syth *ans*

straight angle ongl syth *eb* onglau syth

straight bit haearn sodro syth *eg*

straight bodkin botgin syth *eg* botginau syth

straight collar coler syth *eg* coleri syth

straight drive dreif syth *eb* dreifiau syth

straight edge ymyl syth *eb* ymylon syth

straight flute drill dril ffliwt syth *eg* driliau ffliwt syth

straight grain graen union *eg*

straight handle (hacksaw frame) dolen syth *eb* dolennau syth

straight knurl nwrl syth *eg* nwrliau syth

straight left chwith syth *ans*

straight line llinell syth *eb* llinellau syth

straight pass pàs syth *eb* pasiau syth

straight peen wyneb syth *eg* wynebau syth

straight peen hammer morthwyl wyneb syth *eg* morthwylion wyneb syth

straight right de syth *eb*

straight shank garan syth *eb* garanau syth

straight shank drill dril garan syth *eg* driliau garan syth

straight skirt sgert syth *eb* sgertiau syth

straight snips snipiwr syth *eg* snipwyr syth

straight taper tapr syth *eg* taprau syth

straight tinsnips snipiwr tun syth *eg* snipwyr tun syth

straight-toothed milling cutter melinwr dant union *eg* melinwyr dant union

straighten unioni *be*

strain (emotional, in physics, mathematics) *n* straen *eg*

strain (in biology) *n* rhywogaeth *eb* rhywogaethau

strain (liquid) *v* hidlo *be*

strain (physical) *n* ysigiad *eg* ysigiadau

strain (physical) *v* ysigo *be*

strain (=piece of music) *n* cainc *eb* ceinciau

strained foods bwydydd wedi'u hidlo *ell*

strainer hidlen *eb* hidlenni

straining pliers gefelen dynhau *eb* gefeiliau tynhau

strait culfor *eg* culforoedd

Straits Convention Cytundeb y Culfor *eg*

strand *v* ceincio *be*

strand (of beach) *n* traethell *eb* traethellau

strand (of cotton etc) *n* cainc *eb* ceinciau

strand (to argument etc) *n* llinyn *eg* llinynnau

stranded (of cotton etc) ceinciog *ans*

stranding ceincio *be*

strap strap *eb* strapiau

strap hinge colfach strap *eg* colfachau strap

strategic strategol *ans*

Strategic Intent for Health Services in Wales Bwriad Strategol Gwasanaethau Iechyd Cymru

strategy strategaeth *eb* strategaethau

strath ystrad *eg* ystradau

Strathspey step step Strathspey *eb*

stratification haeniad *eg* haeniadau

stratified haenedig *ans*

stratified epithelium epitheliwm haenedig *eg*

stratified sample sampl haenedig *eb* samplau haenedig

stratified sampling samplu haenedig *be*

stratiform haenol *ans*

stratigraphical table tabl stratigraffig *eg* tablau stratigraffig

stratigraphy stratigraffeg *eb*

stratosphere stratosffer *eg* stratosfferau

stratum stratwm *eg* strata

straw gwelltyn *eg* gwellt

strawberries mefus

strawboard bwrdd gwellt *eg* byrddau gwellt

streaky bacon cig moch brith *eg*

stream (=flow) *n* llif *eg* llifogydd

stream (in school) *v* ffrydio *be*

stream (=small river) *n* nant *eb* nentydd

stream (used figuratively) *n* ffrwd *eb* ffrydiau

stream orders graddau ffrwd *ell*

stream source tarddiad nant *eg*

streamflow ffrydlif *eg*

streamless di-ffrwd *ans*

streamline *n* llilin *eb* llliniau

streamline *v* llilinio *be*

streamline flow llif llilin *eg*

street scape strydlun *eg* strydluniau

strength (in general) cryfder *eg* cryfderau

strength (of sound) nerth (sain) *eg*

strengthen cryfhau *be*

strengthen the body cryfhau'r corff *be*

strengthening movement symudiad cryfhau *eg* symudiadau cryfhau

stress (=accent) acen *eb* acenion

stress (in biology) tyndra *eg*

stress (in general) straen *eg*

stress (in physics and chemistry) diriant *eg* diriannau

---

eg/b enw gwrywaidd/benywaidd, *feminine/masculine noun*   *ell* enw lluosog, *plural noun*   *v* berf, *verb*   *n* enw, *noun*

stretch *v.intrans* ymestyn *be*

stretch *v.trans* estyn *be*

stretch (of water) *n* darn *eg* darnau

stretch fabric ffabrig ymestyn *eg*

stretch receptor derbynnydd ymestynnedd *eg* derbynyddion ymestynnedd

stretch the muscles llaesu'r cyhyrau *be*

stretched estynedig *ans*

stretcher (for injured person) stretsier *eg* stretsieri

stretcher (=frame) estynnwr *eg* estynwyr

stretcher piece darn estyn *eg* darnau estyn

stretcher pliers gefelen estyn *eb* gefeiliau estyn

stretcher rail rheilen gynnal *eb* rheiliau cynnal

strewing gwasgaru *be*

striated rhychedig *ans*

striated (=striped muscle) rhesog *ans*

striation rhychiad *eg* rhychiadau

strickle striclo *be*

strickle bar bar striclo *eg* barrau striclo

strickling tool erfyn striclo *eg* offer striclo

strict caeth *ans*

strict counterpoint gwrthbwynt caeth *eg*

strict metre mesur caeth *eg* mesurau caeth

stricture (medical) culfan *eg/b* culfannau

stride camu *be*

stridulation grillian *be*

strike (=blow) *n* ergyd *eg/b* ergydion

strike (=cease work as protest) *v* streicio *be*

strike (=cessation of work as protest) *n* streic *eb* streiciau

strike (=hit) *v* taro *be*

strike breaker torrwr streic *eg* torwyr streic

strike through taro allan *be*

strike-slip streic-rwyg *eg*

striker (in cricket) ergydiwr *eg* ergydwyr

striker (in football) saethwr *eg* saethwyr

striker (in industrial dispute) streiciwr *eg* streicwyr

striker's plate plât yr ergydiwr *eg* platiau ergydwyr

striking button botwm taro *eg* botymau taro

striking circle cylch saethu *eg* cylchau saethu

striking game gêm daro *eb* gemau taro

striking head trawben *eg* trawbennau

striking plate plât taro *eg* platiau taro

striking tool erfyn taro *eg* offer taro

string *v* llinynnu *be*

string (=narrow cord) *n* llinyn *eg* llinynnau

string (on musical instrument, racket) *n* tant *eg* tannau

string board (stairs) bwrdd cynnal *eg* byrddau cynnal

string course llin-gwrs *eg* llin-gyrsiau

string cramp cramp cortyn *eg* crampiau cortyn

string handling trin llinynnau *be*

string marionette marionét llinyn *eg* marionetau llinyn

string puppet pyped llinyn *eg* pypedau llinyn

string quartet pedwarawd llinynnol *eg* pedwarawdau llinynnol

string section adran llinynnau *eb* adrannau llinynnau

string solo unawd llinynnol *eb* unawdau llinynnol

string variable newidyn llinynnol *eg* newidynnau llinynnol

stringed instrument offeryn llinynnol *eg* offerynnau llinynnol

stringer ochr grisiau *eb* ochrau grisiau

stringers stringeri *ell*

strings (in orchestra, inlaying) llinynnau *ell*

strip *v* stripio *be*

strip (in agriculture) *n* llain *eb* lleiniau

strip (of material) *n* stribed *eg* stribedi

strip cartoon cartŵn stribed *eg* cartwnau stribed

strip cultivation llaindriniad *eg* llaindriniadau

strip development datblygiad hirgul *eg* datblygiadau hirgul

strip foundation sylfaen stribed *eb* sylfeini stribed

strip holding llainddaliad *eg* llainddaliadau

strip lighting golau stribed *eg*

strip mill melin strip *eb* melinau strip

strip opening agoriad di-dor *eg* agoriadau di-dor

stripe rhes *eb* rhesi

striped rhesog *ans*

stripping stripio *be*

strobe pulse curiad strôb *eg* curiadau strôb

stroboscope strobosgop *eg* strobosgopau

stroke *v* ergydio *be*

stroke (=mode of swimming) *n* dull *eg* dulliau

stroke (=the whole of the motion) *n* strôc *eb* strociau

stroke (with bat or racket) *n* ergyd *eg/b* ergydion

stroke play chwarae strôc *be*

stroke side ochr strôc *eb*

stroke side under ochr strôc dani *eb*

stroke technique techneg strôc *eb*

stroked gathers crychau nodwydd *eg*

strong cryf *ans*

strong acid asid cryf *eg*

strong base bas cryf *eg* basau cryf

strong flour blawd cryf *eg*

strong racket raced gref *eb* racedi cryf

strong runner rhedwr cryf *eg* rhedwyr cryf

stronghold cadarnle *eg* cadarnleoedd

strontium (Sr) strontiwm *eg*

strop strapen hogi *eb* strapiau hogi

strophic stroffig *ans*

structural (of administration) strwythurol *ans*

structural (of buildings) adeileddol *ans*

structural basin basn adeileddol *eg* basnau adeileddol

structural difference gwahaniaeth adeileddol *eg*

structural formula fformiwla adeileddol *eb*

structural weakness gwendid adeileddol *eg* gwendidau adeileddol

structure (a single, definable) ffurfiad *eg* ffurfiadau

structure (=framework) fframwaith *eg*

structure (in administration etc) strwythur *eg* strwythurau

structure (of constructed objects) adeiledd *eg*

structure (=way in which something is constructed) adeiladwaith *eg*

structure-process-stage adeiledd-proses-cam *eg*

structured programming rhaglennu strwythurol *be*

---

adf, adv adferf, *adverb*   *ans, adj* ansoddair, *adjective*   *be* berf, *verb*   *eb* enw benywaidd, *feminine noun*   *eg* enw gwrywaidd, *masculine noun*

structured question cwestiwn strwythuredig *eg* cwestiynau strwythuredig

struggle brwydro *be*

struggle for existence ymdrech i fodoli *eb*

struggle for survival ymdrech i oroesi *eb*

strut pwyslath *eb* pwyslathau

strut (e.g. on guitar) eisen *eb* ais

strutted instrument offeryn eisedig *eg* offerynnau eisedig

strutting cynheilio croes *be*

Stuarts Stiwartiaid *ell*

stub bonyn *eg* bonion

stub axle echel bwt *eb* echelau pwt

stub mortise and tenon joint uniad mortais a thyno pwt *eg* uniadau mortais a thyno pwt

stub tenon tyno pwt *eg* tynoau pwt

stubnose trwyn byr *eg* trwynau byr

stucco stwco *eg*

stuck moulding mowldin solet *eg*

stud styden *eb* stydiau

stud anchor angor styden *eb* angorau stydiau

stud box blwch stydiau *eg* blychau stydiau

student (female) myfyrwraig *eb* myfyrwragedd

student (male and general) myfyriwr *eg* myfyrwyr

student loan benthyciad i fyfyrwyr *eg* benthyciadau i fyfyrwyr

student nurse myfyriwr nyrsio *eg* myfyrwyr nyrsio

student record cofnod myfyriwr *eg* cofnodion myfyrwyr

student's union undeb myfyrwyr *eg* undebau myfyrwyr

studies (academic) efrydiau *ell*

studies director cyfarwyddwr astudiaethau *eg* cyfarwyddwyr astudiaethau

studio stiwdio *eb* stiwdios

studio easel îsl stiwdio *eg* islau stiwdio

study *n* astudiaeth *eb* astudiaethau

study *v* astudio *be*

study in depth astudiaeth fanwl *eb* astudiaethau manwl

stuff stwffio *be*

stuffed fabric ffabrig wedi'i stwffio *eg* ffabrigau wedi'u stwffio

stumbling block maen tramgwydd *eg* meini tramgwydd

stump *n* stwmp *eg* stympiau

stump *v* stympio *be*

stumper stympiwr *eg* stympwyr

sturdy beggars cardotwyr holliach *ell*

style (=idiom) arddull *eg/b* arddulliau

style (in botany) colofnig *eb* colofnigau

style (in zooology) styl *eg* stylau

style of accompaniment arddull y cyfeiliant *eg*

stylistic arddulliadol *ans*

styrene styren *eg*

styrofoam ewyn styro *eg*

sub strata is-haenau *ell*

sub-committee is-bwyllgor *eg* is-bwyllgorau

sub-contract *n* is-gontract *eg* is-gontractau

sub-contract *v* is-gontractio *be*

sub-directory is-gyfeiriadur *eg* is-gyfeiriaduron

sub-glacial channel sianel danrewlifol *eb* sianeli danrewlifol

sub-glacial moraine marian tanrewlifol *eg* mariannau tanrewlifol

sub-glacial stream ffrwd danrewlifol *eb* ffrydiau danrewlifol

sub-let is-osod *be*

sub-machine gun peirianddryll bychan *eg* peirianddrylliau bychain

sub-multiple angles onglau ffracsiynol *ell*

sub-program is-raglen *eb* is-raglenni

sub-routine is-reolwaith *eg* is-reolweithiau

sub-station is-orsaf *eb* is-orsafoedd

sub-string is-linyn *eg* is-linynnau

sub-system is-system *eb* is-systemau

sub-tree is-goeden *eb* is-goed

subacute cymedrol ddifrifol *ans*

subaerial isawyrol *ans*

subcellular isgellog *ans*

subclass isddosbarth *eg*

subclavian isglafiglaidd *ans*

subculture isddiwylliant *eg* isddiwylliannau

subcutaneous isgroenol *ans*

subdivide isrannu *be*

subdivision israniad *eg* israniadau

subdominant is-lywydd *eg* is-lywyddion

subduction tansugno *be*

subdue darostwng *be*

subdued relief tirwedd iselaidd *eb* tirweddau iselaidd

suberin swberin *eg*

subfactorial is-ffactorial *eg*

subfile is-ffeil *eb* is-ffeiliau

subgroup is-grŵp *eg* is-grwpiau

subharmonic is-harmonig *eg* is-harmonigau

subhumid islaith *ans*

subinfeudate is-ffeodu *be*

subinfeudation is-ffeodaeth *eb*

subject (=department or field of study) pwnc *eg* pynciau

subject (in grammar) goddrych *eg* goddrychau

subject (=theme) testun *eg* testunau

subject (to a monarch) deiliad *eg* deiliaid

subject content cynnwys pwnc *eg*

subject teacher (female) athrawes pwnc *eb* athrawesau pwnc

subject teacher (male) athro pwnc *eg* athrawon pwnc

subject to contract yn ôl cytundeb

subject working group gweithgor pwnc *eg* gweithgorau pwnc

subject-centred pwnc ganolog *ans*

subject-specific pwnc benodol *ans*

subjectivation goddrychiad *eg*

subjective goddrychol *ans*

subjective assessment asesiad goddrychol *eg* asesiadau goddrychol

subjective probability tebygolrwydd goddrychol *eg* tebygolrwyddau goddrychol

subjectivity goddrychedd *eg*

---

subjugate darostwng *be*

sublimate *n* sychdarth *eg*

sublimate *v* sychdarthu *be*

sublimation sychdarthiad *eg*

sublingual isdafodol *ans*

submandibular isfandiblaidd *ans*

submarine *adj* tanfor *ans*

submarine *n* llong danfor *eb* llongau tanfor

submature isaeddfed *ans*

submaxillary isfacsilaidd *ans*

submediant isfeidion *eb* isfeidonau

submerge soddi *be*

submerged soddedig *ans*

submerged forest coedwig soddedig *eb* coedwigoedd soddedig

submerged leaf deilen soddedig *eb* dail soddedig

submission (=proposal) argymhelliad *eg* argymhellion

submission (=surrender) ymostyngiad *eg*

Submission of the Clergy Ymostyngiad y Glerigaeth *eg*

subneural isniwral *ans*

subnormal isnormal *ans*

suboctave iswythfed *eg* iswythfedau

subpharyngeal isffaryngeal *ans*

subregion isranbarth *eg* isranbarthau

subscribe (to a magazine etc) tanysgrifio *be*

subscribe (to an opinion) cefnogi *be*

subscriber cyfrannwr *eg* cyfranwyr

subscript is-nod *eg* is-nodau

subscription tanysgrifiad *eg* tanysgrifiadau

subsequence is-ddilyniant *eg* is-ddilyniannau

subsequent (in general) *adj* dilynol *ans*

subsequent (stream) *adj* trawslif *ans*

subsequent (stream) *n* trawslif *eg* trawslifau

subsequent stream ffrwd drawslif *eb* ffrydiau trawslif

subservience gwaseidd-dra *eg*

subservient gwasaidd *ans*

subset is-set *eb* is-setiau

subside ymsuddo *be*

subsidence (of land) ymsuddiant (tir) *eg*

subsidiarity cyfrifolaeth *eb*

subsidiary atodol *ans*

subsidiary course cwrs atodol *eg* cyrsiau atodol

subsidiary grant grant atodol *eg* grantiau atodol

subsidiary subject pwnc atodol *eg* pynciau atodol

subsidy cymhorthdal *eg* cymorthdaliadau

Subsidy Roll Rhôl Cymorth *eb*

subsistence *adj* ymgynhaliol *ans*

subsistence *n* cynhaliaeth *eb*

subsistence allowance lwfans cynnal *eg* lwfansau cynnal

subsistence crop cnwd cynnal *eg* cnydau cynnal

subsistence farming ffermio ymgynhaliol *be*

subsoil isbridd *eg* isbriddoedd

subsonic is-sonig *ans*

subspecies isrywogaeth *eb* isrywogaethau

substance sylwedd *eg* sylweddau

substance accumulation in tissue sylwedd yn ymgasglu mewn meinwe *eg*

substandard is-safonol *ans*

substitute (a person) *v* dirprwyo *be*

substitute (a substance) *v* amnewid *be*

substitute (of person) *n* eilydd *eg* eilyddion

substitute (of substance) *n* amnewidyn *eg* amnewidion

substitute clausula dirprwy glawswla *eg*

substitute x for y amnewid y am x *be*

substitution (of person) dirprwyad *eg*

substitution (of substance) amnewidiad *eg* amnewidiadau

substitution reaction adwaith amnewid *eg*

substrate (in physics) is-haen *eb* is-haenau

substrate (in relation to enzymes) swbstrad *eg* swbstradau

subtangent istangiad *eg* istangiadau

subtend cynnal *be*

subtended angle ongl a gynhelir *eb* onglau a gynhelir

subterranean tanddaearol *ans*

subtitle isdeitl *eg* isdeitlau

subtle cynnil *ans*

subtle change newid cynnil *eg* newidiadau cynnil

subtle movement symudiad cynnil *eg* symudiadau cynnil

subtown istref *eb* istrefi

subtract tynnu *be*

subtraction tynnu *be*

subtraction problem problem dynnu *eb* problemau tynnu

subtractive tynnol *ans*

subtractive bilingualism dwyieithrwydd gostyngol *eg*

subtractive printing printio tynnol *be*

subtropical istrofannol *ans*

suburb maestref *eb* maestrefi

suburban maestrefol *ans*

suburban history hanes maestrefol *eg*

suburbia maestrefi *ell*

subversion tanseilio *be*

subversive *adj* tanseiliol *ans*

subversive *n* tanseiliwr *eg* tanseilwyr

subvert gwyrdroi *be*

subway tanlwybr *eg* tanlwybrau

succeed (=come after) olynu *be*

succeed (=have success) llwyddo *be*

succentor ail gantor *eg* ail gantorion

success llwyddiant *eg* llwyddiannau

succession olyniaeth *eb* olyniaethau

succession of rocks olyniaeth creigiau *eb*

Succession States Gwladwriaethau'r Olyniaeth *ell*

successive olynol *ans*

successor olynydd *eg* olynwyr

succulence suddlonedd *eg*

succulent suddlon *ans*

succulent plant planhigyn suddlon *eg* planhigion suddlon

suck sugno *be*

sucker sugnolyn *eg* sugnolynau

sucking reflex atgyrch sugno *eg*

---

adf, adv adferf, *adverb*   **ans, adj** ansoddair, *adjective*   **be** berf, *verb*   **eb** enw benywaidd, *feminine noun*   **eg** enw gwrywaidd, *masculine noun*

suckle *v.intrans* sugno'r fron *be*

suckle *v.trans* rhoi'r fron *be*

sucrose swcros *eg*

suction sugnedd *eg* sugneddau

suction pressure gwasgedd sugno *eg*

suction pump pwmp sugno *eg* pympiau sugno

suction tube tiwb sugno *eg* tiwbiau sugno

sudd swd *eg* swdiau

sudden change newid sydyn *eg* newidiadau sydyn

suds trochion *ell*

suds sensitive machine peiriant sensitif i drochion *eg* peiriannau sensitif i drochion

suds tolerant machine peiriant goddef trochion *eg* peiriannau goddef trochion

suede finish gorffeniad swêd *eg*

sufficient digon *ans*

suffix olddodiad *eg* olddodiaid

suffocate mygu *be*

suffragan swffragan *eg* swffraganiaid

suffrage pleidlais *eb* pleidleisiau

suffragette swffragét *eb* swffragetiaid

suffragist swffragydd *eg* swffragwyr

sugar siwgr *eg* siwgrau

sugar beet betys siwgr *ell*

sugar loaf torth siwgr *eb* torthau siwgr

sugar paper papur siwgr *eg*

sugar-loaf mandrel mandrel côn *eg* mandreli côn

suggest awgrymu *be*

suggestion awgrym *eg* awgrymiadau

suicide hunanladdiad *eg*

suicide troops milwyr hunanleiddiol *ell*

suit cwyn *eg* cwynion

suit of armour arfwisg *eb* arfwisgoedd

suit of court dyledogaeth llys *eb*

suitability cyfaddasrwydd *eg*

suitable background cefndir addas *eg* cefndiroedd addas

suitable material defnydd addas *eg* defnyddiau addas

suite cyfres *eb* cyfresi

suite de danses dawns gyfres *eb* dawns gyfresi

suited addas *ans*

suiting siwtin *eg*

suitor cwynwr *eg* cwynwyr

Suleiman the Magnificent Swleiman Ysblennydd *eg*

sulphate sylffad *eg*

sulphur (S) sylffwr *eg*

sulphuric acid asid sylffwrig *eg*

Sultan Swltan *eg*

sum swm *eg* symiau

sum total cyfanswm *eg* cyfansymiau

summable symadwy *ans*

summary crynodeb *eg/b* crynodebau

summation symiant *eg* symiannau

summer camp gwersyll haf *eg* gwersylloedd haf

summer holidays gwyliau haf *ell*

summer school ysgol haf *eb* ysgolion haf

summer solstice heuldro'r haf *eg*

summer term tymor yr haf *eg*

summer wood pren yr haf *eg*

summer-house tŷ haf *eg* tai haf

summit copa *eg* copâu

summit conference uwchgynhadledd *eb* uwchgynadleddau

summit plain gwastadedd copa *eg* gwastadeddau copaon

summoner gwysiwr *eg* gwyswyr

sump swmp *eg* swmpau

sumptuary laws deddfau cyfyngu *ell*

sun haul *eg* heuliau

sun proof gwrth-haul *ans*

sun-suit gwisg haul *eb* gwisgoedd haul

sun-top top haul *eg* topiau haul

sunburn llosg haul *eg*

Sunday school ysgol Sul *eb* ysgolion Sul

sunflower blodyn yr haul *eg* blodau'r haul

sunk moulding mowldin suddo *eg*

sunk panel panel wedi'i suddo *eg* paneli wedi'u suddo

sunlight golau haul *eg*

sunray pleating pletio pelydrog *be*

sunrise pattern patrwm codiad yr haul *eg* patrymau codiad yr haul

sunshine heulwen *eb*

sunspots brychau haul *ell*

sunstroke twymyn haul *eb*

super giant star seren orgawr *eb*

super powers pwerau mawr *ell*

super state archwladwriaeth *eb*

super video graphics array arae graffeg fideo uwch *eb* araeau graffeg fideo uwch

superannuation budd-dal ymddeol *eg*

supercool *adj* goroer *ans*

supercool *v* goroeri *be*

supercooled goroeredig *ans*

superficial deposits dyddodion arwynebol *ell*

supergrid uwchgrid *eg* uwchgridiau

superimpose arosod *be*

superimposed arosod *ans*

superimposed drainage draeniad arosod *eg*

superintendent uwch-arolygydd *eg* uwch-arolygyddion

superior uwch *ans*

superior (of anatomy) uwch *ans*

superiority rhagoriaeth *eb*

supermarket uwchfarchnad *eb* uwchfarchnadoedd

supernatant uwchwaddod *eg* uwchwaddodion

supernatural goruwchnaturiol *ans*

supernova uwchnofa *eb* uwchnofâu

superoctave uwchwythfed *eb* uwchwythfedau

superosculate uwchfinialu *be*

superosculating uwchfinialaidd *ans*

superpose arosod *be*

superposed fourths pedweryddau arosodedig *ell*

superposition arosodiad *eg* arosodiadau

supersaturate gorddirlenwi *be*

supersaturated gorddirlawn *ans*

supersaturation gorddirlawnder *eg*

superscript uwchysgrif *eb* uwchysgrifau

---

superset uwchset *eb* uwchsetiau

supersonic uwchsonig *ans*

superstructure aradeiledd *eg* aradeileddau

supertonic uwch donydd *eg*

supervised study astudio dan oruchwyliaeth *be*

supervision goruchwyliaeth *eb*

supervisor goruchwyliwr *eg* goruchwylwyr

Superwash wool gwlân 'Superwash' *eg*

supine *(with feminine nouns)* ar wastad ei chefn *ans*

supine *(with masculine nouns)* ar wastad ei gefn *ans*

supple ystwyth *ans*

supple twig brigyn ystwyth *eg* brigau ystwyth

supplement (in food) ychwanegyn *eg* ychwanegion

supplementary atodol *ans*

supplementary allocation dyraniad atodol *eg* dyraniadau atodol

supplementary angle ongl atodol *eb* onglau atodol

supplementary angles onglau atodol *ell*

supplementary benefit budd-dal atodol

supplementary sketches brasluniau atodol *ell*

suppleness ystwythder *eg*

Supplication against the Ordinaries Ymbil yn erbyn yr Ordinariaid *eg*

supplied quantity (in economics) maint y cyflenwad *eg*

supply *v* cyflenwi *be*

supply (mains) *n* prif gyflenwad *eg*

supply (of food etc) *n* cyflenwad *eg* cyflenwadau

supply and demand cyflenwad a galw

supply lines ffyrdd cyflenwi *ell*

Supply of Goods Act Deddf Cyflenwi Nwyddau *eb*

supply teacher (female) athrawes lanw *eb* athrawesau llanw

supply teacher (male) athro llanw *eg* athrawon llanw

support (active) *n* cymorth *eg*

support (active) *v* cynorthwyo *be*

support (an argument) *v* ategu (dadl) *be*

support (of piece of equipment) *n* cynhalydd *eg* cynalydion

support (oneself) *v* ymgynnal *be*

support (passive) *n* cefnogaeth *eb*

support (passive) *v* cefnogi *be*

support (=prop, skeletal function) *n* cynhaliad *eg*

support (structures etc) *v* cynnal *be*

support booklet llyfryn cymorth *eg* llyfrynnau cymorth

support group grŵp cefnogi *eg* grwpiau cefnogi

support materials deunyddiau atodol *ell*

support position safle cynnal *eg* safleoedd cynnal

supported self-study astudio unigol gyda chymorth *be*

supporter cefnogwr *eg* cefnogwyr

supporting stool (for cabinet) stôl gynnal *eb* stolion cynnal

supporting tissue meinwe gynhaliol *eb* meinweoedd cynhaliol

supportive cefnogol *ans*

suppository tawddgyffur *eg* tawddgyffuriau

suppress atal *be*

suppression ataliad *eg* ataliadau

suprapharyngeal uwchffaryngeal *ans*

supremacist goruchafwr *eg* goruchafwyr

supremacy goruchafiaeth *eb*

supreme goruchaf *ans*

Supreme Court Llys Goruchaf *eg*

Supreme Governor Uchaf-Lywodraethwr *eg*

Supreme Head Goruchaf Ben *eg*

Supreme Soviet Sofiet Goruchaf *eg*

supremum swpremwm *ans*

surazo swraso *eg* swrasoau

surcharge tâl ychwanegol *eg* taliadau ychwanegol

surcoat crysbais *eb*

surd swrd *eg* syrdiau

surety mach *eg* meichiau

surety bail mechnïaeth *eb*

suretyship mechnïaeth *eb*

surf ewyn môr *eg*

surface arwyneb *eg* arwynebau

surface area arwynebedd arwyneb *eg*

surface decoration addurn arwyneb *eg* addurniadau arwyneb

surface development datblygiad arwyneb *eg* datblygiadau arwyneb

surface dive deif arwyneb *eb* deifiau arwyneb

surface embroidery brodwaith arwyneb *eg*

surface engraving ysgythriad arwyneb *eg* ysgythriadau arwyneb

surface finish gorffeniad arwyneb *eg*

surface gauge medrydd arwyneb *eg*

surface of revolution arwyneb cylchdro *eg*

surface plate plât arwyneb *eg* platiau arwyneb

surface scratches crafiadau arwyneb *ell*

surface stain staen arwyneb *eg*

surface table bwrdd arwyneb *eg*

surface tension tyniant arwyneb *eg* tyniannau arwyneb

surface treatment triniaeth arwyneb *eb* triniaethau arwyneb

surface view uwcholwg *eg* uwcholygon

surfactant (surface active agent) syrffactydd *eg* syrffactyddion

Surform blade llafn Surform *eg* llafnau Surform

surge dygyfor *be*

surgeon llawfeddyg *eg* llawfeddygon

surgery (=branch of medicine) llawfeddygaeth *eb*

surgery (of place) meddygfa *eb* meddygfeydd

surjective mapping mapio arsaethol *be*

surplice gwenwisg *eb* gwenwisgoedd

surplus (=amount left over) gweddill *eg* gweddillion

surplus (in accounting) gwarged *eg* gwargedion

surplus variable newidyn gweddill *eg* newidynnau gweddill

surprise cadence diweddeb annisgwyl *eb* diweddebau annisgwyl

surrealism swrealaeth *eb*

surrealist swrealydd *eg* swrealwyr

surrender ildio *be*

surround *n* amgylchyn *eg* amgylchynau

surround *v* amgylchynu *be*

surtax gordreth *eb* gordrethi

---

surtitle uwchdeitl *eg* uwchdeitlau

survey *n* arolwg *eg* arolygon

survey (in general) *v* gwneud arolwg *eb*

survey (of land) *v* tirfesur *be*

surveyor (in general) syrfëwr *eg* syrfewyr

surveyor (of land) tirfesurydd *eg* tirfesurwyr

survival goroesiad *eg* goroesiadau

survival of the fittest goroesiad y cymhwysaf *eg*

survival rate cyfradd goroesi *eb*

survival value gwerth goroesol *eg* gwerthoedd goroesol

survive goroesi *be*

survivor goroeswr *eg* goroeswyr

susceptibility derbynnedd *eg* derbyneddau

suspend diarddel *be*

suspend (from school) gwahardd dros dro *be*

suspend (=hang) hongian *be*

suspended crog *ans*

suspended ynghrog *ans*

suspended (=hanging) crog *ans*

suspended cadence diweddeb ohiriedig *eb* diweddebau gohiriedig

suspended drawer drôr crog *eg* droriau crog

suspended floor llawr crog *eg* lloriau crog

suspended light golau crog *eg* goleuadau crog

suspended note gohirnod *eg* gohirnodau

suspended sculpture cerflunwaith crog *eg*

suspended sentence dedfryd ohiriedig *eb* dedfrydau gohiriedig

suspending agent cyfrwng daliant *eg* cyfryngau daliant

suspending power (from work etc) hawl atal *eg* hawliau atal

suspension (from school) gwaharddiad dros dro *eg* gwaharddiadau dros dro

suspension (in chemistry) daliant *eg* daliannau

suspension (in music) gohiriant *eg* gohiriannau

suspension (of car) hongiad *eg* hongiadau

suspension (of objects) crogiant *eg* crogiannau

suspension bridge pont grog *eb* pontydd crog

suspensory cynhaliol *ans*

suspensory ligament gewyn cynhaliol *eg* gewynnau cynhaliol

sustain activity cynnal gweithgarwch *be*

sustained event camp hir ei pharhad *eb* campau hir eu parhad

suture (in nature) asiad *eg* asiadau

suture (in surgery) pwyth *eg* pwythau

suture line (in nature) llinell asio *eb* llinellau asio

suture line (in surgery) llinell bwytho *eb* llinellau pwytho

suzerain penarglwydd *eg* penarglwyddi

suzerainty penarglwyddiaeth *eb* penarglwyddiaethau

swab *n* swab *eg* swabiau

swab *v* glanhau *be*

swage *n* darfath *eg* darfathau

swage *v* darfathu *be*

swage block bloc darfath *eg* blociau darfath

swaging (forging process) darfathu *be*

swale traethbant *eg* traethbantau

swallow llyncu *be*

swallow dive deif wennol *eb* deifiau gwennol

swallow hole llyncdwll *eg* llyncdyllau

swamp gwern *eb* gwernydd

swamp forest gwern goedwig *eb* gwern goedwigoedd

swan neck (on harp) gwyriad ar y grib *eg*

swan-neck (on boat) *n* mynwydd *eg*

swan-neck (on boat) *v* mynwyddu *be*

swan-necked pin pin gwddf alarch *eg* pinnau gwddf alarch

swansdown mop mop manblu alarch *eg* mopiau manblu alarch

swap cyfnewid *be*

swarf naddion *ell*

swash torddwr *eg* torddyfroedd

swastika (Hindu symbol) swastika *eg* swastikas

swastika (Nazi symbol) swastica *eg* swasticas

swatch casgliad patrymau *eg* casgliadau patrymau

swathe *n* amrwym *eg* amrwymau

swathe *v* amrwymo *be*

sweat *n* chwys *eg*

sweat (=perspire) chwysu *be*

sweat (=soldering) cysodro *be*

sweat gland chwarren chwys *eb* chwarennau chwys

sweat shirt crys chwys *eg* crysau chwys

swede erfinen *eb* erfin; meipen *eb* maip

Swede Swediad *eg* Swediaid

Swedish *adj* Swedaidd *ans*

Swedish (language) *n* Swedeg (iaith) *eb*

Swedish iron haearn Sweden *eg*

sweep (of brace) ehangylch *eg* ehangylchoedd

sweep shot ysgubiad *eg*

sweeper ysgubwr *eg* ysgubwyr

sweet container cynhwysydd melysion *eg* cynwysyddion melysion

swell (in general) *v* chwyddo *be*

swell (of waves, sowing sections) *n* ymchwydd *eg* ymchwyddiadau

swell and swale bryn a phant

swelling chwydd *eg* chwyddiadau

swerve gwyro *be*

swim-suit gwisg nofio *eb* gwisgoedd nofio

swimming nofio *be*

swimming bladder chwysigen nofio *eb* chwysigod nofio

swimming gala gala nofio *eg* galâu nofio

swimming pool pwll nofio *eg* pyllau nofio

swimming stroke dull nofio *eg* dulliau nofio

swing (in cricket) *v* swingio *be*

swing (in politics) *n* gogwydd *eg*

swing (of movement) *n* osgiliad *eg* osgiliadau

swing (of winds) *n* mudiad (gwyntoedd) *eg* mudiadau

swing (on rope etc) *v* siglo *be*

swing (=seat slung on ropes) *n* siglen *eb* siglenni

swing on a bar swingio ar far *be*

swing on a rope siglo ar raff *be*

---

swing the arms backward and forward swingio'r breichiau yn ôl ac ymlaen *be*

swirl chwyrlïad *eg* chwyrliadau

swirled pattern patrwm chwyrliog *eg* patrymau chwyrliog

swirling motion mudiant chwyrlïol *eg*

Swiss darn craith Swisaidd *eb* creithiau Swisaidd

switch *n* switsh *eg* switshis

switch *v* switsio *be*

switch node trosnod *eg* trosnodau

switch off diffodd *be*

switch on (light, fire) cynnau *be*

switch on (motor etc) cychwyn *be*

switchboard switsfwrdd *eg* switsfyrddau

switching algebra algebra switsio *eg*

swivel *n* bwylltid *eg* bwylltidau

swivel *v* bwylltidio *be*

swivel base gwaelod bwylltid *eg* gwaelodion bwylltid

swivel castor castor bwylltid *eg* castorau bwylltid

swivel face (G cramp) esgid fwylltid (cramp G) *eb* esgidiau bwylltid

swivel head pen bwylltid *eg* pennau bwylltid

swivel joint cymal bwylltid *eg* cymalau bwylltid

swivel shoe (G cramp) esgid fwylltid *eb* esgididau bwylltid

swivel vice feis fwylltid *eb* feisiau bwylltid

sword cleddyf *eg* cleddyfau

sword belt gwregys cleddyf *eg* gwregysau cleddyf

sword fight gornest gleddyfau *eb* gornestau cleddyfau

sword shape brush brwsh siâp cleddyf *eg* brwshys siâp cleddyf

sylko edau sglein *eb* edafedd sglein

syllabus maes llafur *eg* meysydd llafur

syloxdex sylocsdecs *eg*

symbiosis symbiosis *eg*

symbol symbol *eg* symbolau

symbolic symbolaidd *ans*

symbolic address cyfeiriad symbolaidd *eg* cyfeiriadau symbolaidd

symbolic character cymeriad symbolaidd *eg* cymeriadau symbolaidd

symbolism symbolaeth *eb*

symbolist *adj* symbolaidd *ans*

symbolist movement mudiad symbolaidd *eg*

symbolize symboleiddio *be*

symmetric cymesur *ans*

symmetric fold plyg cymesur *eg* plygion cymesur

symmetrical cymesur *ans*

symmetrical effect effaith gymesur *eb*

symmetrization cymesuro *be*

symmetry cymesuredd *eg* cymesureddau

sympathetic (of nervous system) sympathetig *ans*

sympathetic (of person) llawn cydymdeimlad *ans*

sympathetic nervous system system nerfol ymatebol *eb*

sympathetic strings (acoustics) tannau cydseiniol *ell*

sympathy cydymdeimlad *eg*

symphonic symffonig *ans*

symphonic poem cathl symffonig *eg* cathlau symffonig

symphony symffoni *eb* symffonïau

symposium symposiwm *eg* symposia

symptom symptom *eg* symptomau

synagogue synagog *eb* synagogau

synapse synaps *eg* synapsau

synaptic synaptig *ans*

synchromesh cyd-ddant *eg*

synchronization cydamseriad *eg* cydamseriadau

synchronize cydamseru *be*

synchronizer cydamserydd *eg* cydamseryddion

synchronous cydamseredig *ans*

synclinal synclinol *ans*

syncline synclin *eg* synclinau

synclinorium synclinoriwm *eg* synclinoria

syncopation trawsacen *eb* trawsacenion

syncope llesmair *eg* llesmeiriau

syncytium syncytiwm *eg* syncytia

syndicalism syndicaliaeth *eb*

syndiotactic syndiotactig *ans*

syndrome syndrom *eg* syndromau

synergism synergedd *eg* synergeddau

synergistic synergaidd *ans*

synod synod *eg* synodau

synodal synodaidd *ans*

synonym-antonym test prawf cyfystyr-gwrthystyr *eg* profion cyfystyr-gwrthystyr

synopsis crynodeb *eg/b* crynodebau

synoptic synoptig *ans*

synoptic chart siart synoptig *eg* siartiau synoptig

synovial synofaidd *ans*

synovial fluid hylif synofaidd *eg*

synovial joint cymal synofaidd *eg* cymalau synofaidd

syntactical cystrawennol *ans*

syntax cystrawen *eb* cystrawennau

syntax analysis dadansoddiad cystrawen *eg* dadansoddiadau cystrawen

syntax error gwall cystrawen *eg* gwallau cystrawen

synthesis *n* synthesis *eg* synthesisau

synthesize *v* syntheseiddio *be*

synthesize information syntheseiddio gwybodaeth *be*

synthesizer syntheseiddydd *eg* syntheseiddwyr

synthetic *adj* synthetig *ans*

synthetic *n* synthetigyn *eg* synthetigion

synthetic adhesive adlyn synthetig *eg* adlynion synthetig

synthetic bass (stop) bas synthetig *eg*

synthetic cane gwialen synthetig *eb* gwialennau synthetig

synthetic detergent glanedydd synthetig *eg* glanedyddion synthetig

synthetic fibre ffibr synthetig *eg* ffibrau synthetig

synthetic glue glud synthetig *eg* gludion synthetig

synthetic lacquer lacr synthetig *eg*

synthetic paint paent synthetig *eg*

synthetic resin resin synthetig *eg* resinau synthetig

synthetic resin glue glud resin synthetig *eg*

synthetic speech llefaru synthetig *be*

synthetic track trac synthetig *eg* traciau synthetig

synthetic wood pren synthetig *eg* prennau synthetig

---

syphilis syffilis *eg*

syringe *n* chwistrell *eb* chwistrelli

syringe *v* chwistrellu *be*

syringe driver gyrrwr chwistrell *eg* gyrwyr chwistrell

syrup syryp *eg* syrypau

syrup form ffurf driog *eb*

syrupy syrypaidd *ans*

system (of body organs, computers, numbers) system *eb* systemau

system (of organization, administration) cyfundrefn *eb* cyfundrefnau

system maintenance cynnal system *be*

system of measurement system fesur *eb* systemau mesur

system software meddalwedd system *eb*

system specification manyleb system *eb* manylebau system

systematic (belonging to a system) cyfundrefnol *ans*

systematic (=orderly) systematig *ans*

systematic desensitization dadsensiteiddio systematig *be*

systematic error cyfeiliornad systematig *eg* cyfeiliornadau

systematic sampling samplu systematig *be*

systemic (e.g. of insecticides) hollgorffol *ans*

systemic arch bwa systemig *eg* bwâu systemig

systems analysis dadansoddiad systemau *eg*

systems analyst dadansoddwr systemau *eg* dadansoddwyr systemau

systems flowchart siart llif systemau *eg* siartiau llif systemau

systems programmer rhaglennwr systemau *eg* rhaglenwyr systemau

systole systole *eg*

T

T.P.I. (teeth per inch) dannedd i'r fodfedd

T-halving joint uniad haneru T *eg* uniadau haneru T

T-hinge colfach T *eg* colfachau T

T-shaped stretcher estynnwr ffurf T *eg* estynwyr ffurf T

T-shirt crys T *eg* crysau T

T-slot agen T *eb* agennau T

tab tab *eg* tabiau

tab key bysell tab *eb* bysellau tab

tab setting gosodiad tab *eg* gosodiadau tab

tab washer wasier dafod *eb* wasieri tafod

tabard tabard *eg* tabardau

tabby loom gwŷdd tabi *eg* gwyddion tabi

tabernacle tabernacl *eg* tabernaclau

table (e.g. of numbers / data) tabl *eg* tablau

table (e.g. on guitar) seinfwrdd *eg* seinfyrddau

table (furniture) bwrdd *eg* byrddau

table adjustment shaft siafft gymhwyso bwrdd *eb* siafftiau cymhwyso byrddau

table easel îsl bwrdd *eg* islau bwrdd

table lectern darllenfa fwrdd *eb* darllenfeydd bwrdd

table of logarithms tabl logarithmau *eg* tablau logarithmau

table of three tabl tri *eg*

table steady sadydd bwrdd *eg* sadwyr byrddau

table top top bwrdd *eg* topiau byrddau

table vice feis fwrdd *eb* feisiau bwrdd

table ware llestri bwrdd *ell*

table with drawer bwrdd â dror ynddo *eg* byrddau â dror ynddynt

table-cloth lliain bwrdd *eg* llieiniau bwrdd

table-linen llieiniau bwrdd *ell*

table-mat mat bwrdd *eg* matiau bwrdd

table-napkin napcyn *eg* napcynau

table-top fixing sicrhau top bwrdd *be*

table-top hinge colfach top bwrdd *eg* colfachau top bwrdd

tableland tirfwrdd *eg* tirfyrddau

tablet tabled *eb* tabledi

tablet loom gwŷdd tabled *eg* gwyddion tabled

tablet weaving gwehyddu tabled *be*

taboo tabŵ *eg* tabwau

tabor tabwrdd *eg* tabyrddau

Taborites Taboriaid *ell*

tabular tablaidd *ans*

tabular ice iâ byrddol *eg*; rhew byrddol *eg*

tabular relief tirwedd fyrddol *eb* tirweddau byrddol

tabulate tablu *be*

tabulated tabledig *ans*

tachism tasiaeth *eg*

tachycardia cyflymedd y galon *eg*

tack *v* tacio *be*

tack (=nail) *n* hoelen fer *eb* hoelion byr

tack (of ship, in sewing) *n* tac *eg* taciau

tack (=stickiness) *n* gludedd *eg*

tacker taciwr *eg* tacwyr

tacking stitch pwyth tacio *eg* pwythau tacio

tackle taclau *ell*

tackle *n* tacl *eb* taclau

tackle *v* taclo *be*

tackler taclwr *eg* taclwyr

tacky gludiog *ans*

tacnode tacnod *eg* tacnodau

tactic tacteg *eb* tactegau

tactile cyffyrddol *ans*

tactile consciousness ymwybyddiaeth gyffyrddol *eb*

tactile imagination dychymyg cyffyrddol *eg*

tactile sensation synhwyriad cyffyrddol *eg*

tadpole penbwl *eg* penbyliaid

Taff Vale Case Achos Dyffryn Taf *eg*

taffeta taffeta *eg*

tag lace carrai tag *eb* careiau tag

taiga taiga *eg*

tail cynffon *eb* cynffonnau

tailor's canvas cynfas teiliwr *eg*

tailor's chalk sialc teiliwr *eg*

tailor's tack tac teiliwr *eg* taciau teiliwr

tailored suit siwt wedi'i theilwra *eb* siwtiau wedi'u teilwra

tailoring teilwra *be*

tailpiece cynffon *eg* cynffonau

tailstock (lathe) pen llonydd *eg* pennau llonydd

tailstock die holder daliwr dei pen llonydd *eg* dalwyr dei pen llonydd

take exercise ymarfer *be*

take loose datod *be*

take off (in jumping and vaulting) *v* esgyn *be*

take off (jumping / vaulting) *n* esgynfa *eb* esgynfeydd

take part cymryd rhan *be*

take the blade (prise de fer) cymryd y llafn *be*

take up (fugue) cydio yn (y ffiwg) *be*

take weight on hands cymryd pwysau ar y dwylo *be*

take-home pay *n* cyflog clir *eg*

take-over *n* trosfeddiant *eg* trosfeddiannau

take-over *v* trosfeddiannu *be*

take-up (gas fluid) cymryd i mewn *be*

take-up lever (of machine part) codell *eb* codellau

taking in slack tynnu slac *be*

talc talc *eg* talciau

---

adf, adv adferf, *adverb*   **ans, adj** ansoddair, *adjective*   **be** berf, *verb*   **eb** enw benywaidd, *feminine noun*   **eg** enw gwrywaidd, *masculine noun*

talented talentog *ans*
tallage treth ffiwdal *eb*
tallow gwêr *eg* gwerau
tally rhicbren *eg* rhicbrennau
tally mark marc rhifo *eg* marciau rhifo
talwind talwynt *eg* talwyntoedd
tamarind tamarind *eg* tamarindau
tambora tambora *eg* tamborâu
tambour tabwrdd *eg* tabyrddau
tambour de Basque tambwrîn *eg* tambwrinau
tambour door drws tabwrdd *eg* drysau tabwrdd
tambour frame (embroidery) ffrâm frodio gron *eb* fframiau brodio crwn
tambour front ffrynt tabwrdd *eg* ffryntiau tabwrdd
tambour shutter clawr tabwrdd *eg* cloriau tabwrdd
tambour slat slat dabwrdd *eb* slatiau tabwrdd
tambourin (type of music or dance) tambwrin *eg* tambwrinau
tambourine (musical instrument) tambwrîn *eg* tambwrinau
tan (leather) *v* barcio *be*
tandem corrie peiran tandem *eg* peirannau tandem
tang (of chisel, file) colsaid *eg* colseidiau
tangency tangiadaeth *eb* tangiadaethau
tangent tangiad *eg* tangiadau
tangent plane plân tangiad *eg* planau tangiad
tangential tangiadol *ans*
tangential arc arc dangiadol *eb* arcau tangiadol
tangential follower dilynwr tangiadol *eg* dilynwyr tangiadol
tangential plane plân tangiadol *eg* planau tangiadol
tangential sawcut tanglifiad *eg* tanglifiadau
tangential sawing llifio tangiadol *be*
tangential section trychiad tangiadol *eg* trychiadau tangiadol
tango tango *eg* dawnsiau tango
tangram tangram *eg* tangramau
tanh tanh *eg*
tank tanc *eg* tanciau
tank cutter torrwr tanc *eg* torwyr tanc
tank drill dril tanc *eg* driliau tanc
tanker tancer *eg* tanceri
tanner (of leather) barcer *eg* barceriaid
tannery tanerdy *eg* tanerdai
tannic acid asid tanig *eg*
tannin tanin *eg*
tantalum (Ta) tantalwm *eg*
tantrum stranc *eb* stranciau
Taoist *adj* Taoaidd *ans*
Taoist *n* Taoydd *eg* Taoyddion
tap *n* tap *eg* tapiau
tap *v* tapio *be*
tap dancing dawnsio tap *be*
tap root prif wreiddyn *eg* prif wreiddiau
tap wrench tyndro tap *eg* tyndroeon tap
tape *n* tâp *eg* tapiau
tape deck dec tâp *eg* deciau tâp
tape drive tâp-yrrwr *eg* tâp-yrwyr

tape feed *n* tâp-borthydd *eg* tâp-borthwyr
tape feed *v* tâp-borthi *be*
tape file ffeil tâp *eb* ffeiliau tâp
tape library llyfrgell dapiau *eb* llyfrgelloedd tapiau
tape mark marc tâp *eg* marciau tâp
tape punch tyllydd tâp *eg* tyllwyr tâp
tape reader darllenydd tâp *eg* darllenyddion tâp
tape sequence dilyniant tâp *eg* dilyniannau tâp
tape serial number rhif cyfresol tâp *eg* rhifau cyfresol tâp
tape transport cludydd tâp *eg* cludwyr tâp
tape unit uned tâp *eb* unedau tâp
tape-measure tâp mesur *eg* tapiau mesur
taped music cerddoriaeth dâp *eb*
taper *n* tapr *eg* taprau
taper *v* tapro *be*
taper drift drifft tapr *eg* drifftiau tapr
taper lead arweiniad tapr *eg*
taper pin pìn tapr *eg* pinnau tapr
taper reamer agorell dapr *eb* agorellau tapr
taper shank garan dapr *eb* garanau tapr
taper shank drill dril garan dapr *eg* driliau garanau tapr
taper sleeve llawes dapr *eb* llewys tapr
taper tap tap tapr *eg* tapiau tapr
taper turning turnio tapr *be*
taper turning attachment astodyn turnio tapr *eg* astodion turnio tapr
tapered taprog *ans*
tapered former ffurfydd taprog *eg* ffurfwyr taprog
tapered gutter cafn taprog *eg* cafnau taprog
tapered handle coes daprog *eb* coesau taprog
tapered housing joint uniad rhigol draws daprog *eg* uniadau rhigol traws taprog
tapered key allwedd daprog *eb* allweddi taprog
tapered leg coes daprog *eb* coesau taprog
tapered part rhan daprog *eb* rhannau taprog
tapered shaft siafft daprog *eb* siafftau taprog
tapered stake bonyn taprog *eg* bonion taprog
tapered tread gris taprog *eg* grisiau taprog
tapered trowel trywel taprog *eg* trywelion taprog
tapering *adj* pigfain *ans*
tapering fold plyg pigfain *eg* plygion pigfain
tapestry tapestri *eg* tapestrïau
tapestry needle nodwydd tapestri *eb* nodwyddau tapestri
tapestry wool edafedd tapestri *ell*
tapetum tapetwm *eg* tapeta
tapeworm llyngyren *eb* llyngyr
tapped hole twll wedi'i dapio *eg* tyllau wedi'u tapio
tappet taped *eg* tapedi
tappet clearance cliriad taped *eg* cliriadau taped
tapping drill dril tapio *eg* driliau tapio
tapping hole twll tapio *eg* tyllau tapio
taps and dies tapiau a deiau
tarantella tarantela *eg* tarantelâu
target targed *eg* targedau
target game gêm darged *eb* gemau targed
target group grŵp targed *eg* grwpiau targed
target language iaith darged *eb* ieithoedd targed

---

eg/b enw gwrywaidd/benywaidd, *feminine/masculine noun*   *ell* enw lluosog, *plural noun*   *v* berf, *verb*   *n* enw, *noun*

target organ cyrch-organ *eb* cyrch-organau
tariff toll *eb* tollau
tariff wall mur tollau *eg* muriau tollau
tarmac tarmac *eg*
tarn llyn mynydd *eg* llynnoedd mynydd
tarnish *n* tarnais *eg* tarneisiau
tarnish *v* tarneisio *be*
tarsal tarsol *ans*
tarsus tarsws *eg*
Tartar *adj* Tartaraidd *ans*
Tartar *n* Tartar *eg* Tartariaid
tartaric acid asid tartarig *eg*
task tasg *eb* tasgau
task force cyrchlu *eg* cyrchluoedd
task orientated care gofal yn ôl tasgau *eg*
tassel tasel *eg* taselau
taste *v* blasu *be*
taste (=discernment) *n* chwaeth *eb*
taste (of food etc) *n* blas *eg*
taste bud blasbwynt *eg* blasbwyntiau
tatting tatio *be*
tattoo tatŵ *eg* tatwau
taurine tawrin *eg*
taurocholic acid asid tawrocolig *eg*
taut tynn *ans*
tautology tawtoleg *eb*
tautomeric tawtomerig *ans*
tautomerism tawtomeredd *eg*
tax *n* treth *eb* trethi
tax *v* trethu *be*
tax allowance lwfans trethi *eb* lwfansau trethi
tax exemption rhyddhad o dreth *eg*
tax gatherer casglwr trethi *eg* casglwyr trethi
tax rebate ad-daliad treth *eg* ad-daliadau treth
tax relief gostyngiad yn y dreth *eg*
taxable trethadwy *ans*
taxable income incwm trethadwy *eg*
taxation trethiad *eg* trethiadau
taxi tacsi *eg* tacsis
taxonomic tacsonomaidd *ans*
taxonomy tacsonomeg *eb*
tea break amser paned *eg*
tea cosy gorchudd tebot *eg* gorchuddion tebot
teach *v* addysgu *be*
teacher (female) athrawes *eb* athrawesau
teacher (male) athro *eg* athrawon
teacher assessment (when the teacher is assessed) asesu athrawon *be*
teacher assessment (when the teacher is the assessor – of female teacher) asesiad yr athrawes *eb*
teacher assessment (when the teacher is the assessor – of male teacher) asesiad yr athro *eg*
teacher centre canolfan athrawon *eb* canolfannau athrawon
teacher education addysg athrawon *eb*
teacher placement service gwasanaeth lleoli athrawon *eg*

teacher support programme rhaglen cefnogi athrawon *eb* rhaglenni cefnogi athrawon
teacher training hyfforddi athrawon *be*
teaching dysgeidiaeth *eb*
teaching hospital ysbyty athrofaol *eg* ysbytai athrofaol
teaching load baich dysgu *eg* beichiau dysgu
teaching materials deunyddiau addysgu *ell*
teaching methods dulliau addysgu *ell*
teaching practice ymarfer dysgu *eg*
teaching style arddull addysgu *eg* arddulliau addysgu
teaching unit uned ddysgu *eb* unedau dysgu
teak tîc *eg*
teak oil olew tîc *eg*
team tîm *eg* timau
team event camp tîm *eb* campau tîm
team game gêm i dîm *eb* gemau tîm
team member aelod o dîm *eg* aelodau o dîm
team nursing nyrsio tîm *be*
team teaching addysgu tîm *be*
teamwork gwaith tîm *eg*
tear (drop of liquid) *n* deigryn *eg* dagrau
tear (hole or damage) *n* rhwyg *eg* rhwygau
tear (pull apart) *v* rhwygo *be*
tear duct dwythell ddagrau *eb* dwythellau dagrau
tear-off roll rholen rwygo *eb* rholiau rhwygo
tease (wool) cribo gwlân *be*
teaser (of wool) cribwr *eg* cribwyr
teat teth *eb* tethi
teat pipette diferydd *eg* diferyddion
TEC: Training and Enterprise Councils Cynghorau Hyfforddi a Menter *ell*
technetium (Tc) technetiwm *eg*
technical technegol *ans*
technical college coleg technegol *eg* colegau technegol
technical drawing *n* lluniad technegol *eg* lluniadau technegol
technical education addysg dechnegol *eb*
technician technegydd *eg* technegwyr
technique techneg *eb* technegau
technological technolegol *ans*
technological change newid technolegol *eg* newidiadau technolegol
technologist technolegydd *eg* technolegwyr
technology technoleg *eb* technolegau
tectonic tectonig *ans*
tectonic plate movement symudiad platiau tectonig *eg* symudiadau platiau tectonig
tectonic process proses dectonig *eb* prosesau tectonig
tectorial membrane pilen dectoraidd *eb* pilenni tectoraidd
tee *n* ti *eg* tiau
tee *v* tio *be*
tee bolt bollt T *eb* bolltau T
tee bridle bagl T *eb* baglau T
tee bridle joint uniad bagl T *eg* uniadau bagl T
Tee halving haneru T *be*
tee-slot milling cutter melinwr rhigol T *eg* melinwyr rhigol T

---

adf, adv adferf, *adverb*   **ans, adj** ansoddair, *adjective*   **be** berf, *verb*   **eb** enw benywaidd, *feminine noun*   **eg** enw gwrywaidd, *masculine noun*

teens arddegau *ell*
teething torri dannedd *be*
teething-ring cylch cnoi *eg* cylchau cnoi
teetotaller llwyrymwrthodwr *eg* llwyrymwrthodwyr
telecommunication telathrebu *be*
teleology teleoleg *eb*
telephone ffôn *eg* ffonau
teleprinter tele-argraffydd *eg* tele-argraffyddion
telescope telesgop *eg* telesgopau
teletext teledestun *eg*
teletype teledeip *eg* teledeipiau
television teledu *eg* setiau teledu
television documentary rhaglen ddogfen teledu *eb* rhaglenni dogfen teledu
television drama drama deledu *eb* dramâu teledu
television programme rhaglen deledu *eb* rhaglenni teledu
television set set deledu *eb* setiau teledu
tellurium (Te) telwriwm *eg*
telophase teloffas *eg*
temper *n* tymer *eg*
temper (a musical instrument) *v* ardymheru *be*
tempera tempera *eg*
tempera colour lliw tempera *eg* lliwiau tempera
tempera painting (of painted picture) paentiad tempera *eg* paentiadau tempera
tempera painting (of process or art) peintio tempera *be*
temperament (in music) ardymer *eg/b*
temperament (of character) anianawd *eg*
temperance movement mudiad dirwest *eg*
temperate tymherus *ans*
temperate forest coedwig dymherus *eb* coedwigoedd tymherus
temperate grassland glaswelltir tymherus *eg* glaswelltiroedd tymherus
temperate zone cylchfa dymherus *eb* cylchfaoedd tymherus
temperature tymheredd *eg* tymereddau
temperature colour guide cyfarwyddyd lliwiau tymheredd *eg*
temperature range amrediad tymheredd *eg* amrediadau tymheredd
temperature scale graddfa tymheredd *eb* graddfeydd tymheredd
tempering tymheru *be*
tempering colours lliwiau tymheru *ell*
template patrymlun *eg* patrymluniau
temple teml *eb* temlau
temporal tymhorol *ans*
temporal lobe llabed yr arlais *eb* llabedau'r arlais
temporary dros dro *ans*
Ten Articles, The Deg Erthygl, Y *eb*
ten point scale graddfa deg pwynt *eb*
tenancy tenantiaeth *eb*
tenant deiliad *eg* deiliaid
tenant farmer tenant fferm *eg* tenantiaid fferm
tenant-at-will tenant wrth ewyllys *eg* tenantiaid wrth ewyllys

tenant-in-chief prif denant *eg* prif denantiaid
tenantry tenantiaid *ell*
tendency tuedd *eb* tueddiadau
tender tyner *ans*
tenderness (emotion) tynerwch *eg*
tendon tendon *eg* tendonau
tendons of origin and insertion tendonau tarddol a thendonau mewniad *ell*
tendril tendril *eg* tendrilau
tenement tenement *eg* tenementau
tennis tennis *eg*
tennis ball pêl dennis *eb* peli tennis
tennis shoe esgid dennis *eb* esgidiau tennis
tenon tyno *eg* tynoau
tenon saw llif dyno *eb* llifiau tyno
tenoned clamp clamp tyno *eg* clampiau tyno
tenor tenor *eg* tenoriaid
tenor horn corn tenor *eg* cyrn tenor
tenor stave erwydd tenor *eg*
tenor viol feiol denor *eb* feiolau tenor
tens and units degau ac unedau
tensile tynnol *ans*
tensile bolt bollt tynnol *eb* bolltau tynnol
tensile force grym tynnol *eg*
tensile strain straen tynnol *eg*
tensile strength cryfder tynnol *eg*
tensile stress diriant tynnol *eg* diriannau tynnol
tension (mechanical) tyniant *eg* tyniannau
tension (of muscles, nerves etc) tyndra *eg* tyndrau
tension bar bar tyniant *eg* barrau tyniant
tension bolt bollt tyniant *eb* bolltau tyniant
tension disc (machine part) disg tyniant *eg* disgiau tyniant
tension spring sbring tyniant *eg* sbringiau tyniant
tension stress diriant tyniant *eg* diriannau tyniant
tensioner tyniannwr *eg* tynianwyr
tensor tensor *eg* tensorau
tent pabell *eb* pebyll
tent stitch pwyth pabell *eg* pwythau pabell
tentacle tentacl *eg* tentaclau
tenter frame ffrâm ddeintur *eb* fframiau deintur
tenter hook bach deintur *eg* bachau deintur
tenth degfed *eg* degfedau
Tenth Penny Y Ddegfed Geiniog *eb*
tenure daliadaeth *eb* daliadaethau
tepid claear *ans*
tepid sponging sbwngio â dŵr claear *be*
terazzo terazzo *ans*
terbium (Tb) terbiwm *eg*
terce awr anterth *eb*
tercimal *adj* triol *ans*
tercimal *n* triolyn *eg* triolion
tercimal point pwynt triol *eg*
term (in language) term *eg* termau
term (=period of time) tymor *eg* tymhorau
term assurance aswiriant cyfnod *eg*

---

eg/b enw gwrywaidd/benywaidd, *feminine/masculine noun*   ***ell*** enw lluosog, *plural noun*   **v** berf, *verb*   **n** enw, *noun*

terminal (e.g. computer terminal) *n* terfynell *eb* terfynellau

terminal (=end of term) *adj* pen tymor *ans*

terminal (=every term) *adj* tymhorol *ans*

terminal (=final) *adj* terfynu *ans*

terminal bud penflaguryn *eg* penflagur

terminal illness afiechyd marwol *eg* afiechydon marwol

terminal mode modd terfynell *eg* moddau terfynell

terminal moraine marian terfynol *eg* mariannau terfynol

terminal oxidase ocsidas terfynol *eg*

terminalization terfyneiddiad *eg* terfyneiddiadau

terminate terfynu *be*

terminating terfynus *ans*

termination reaction adwaith terfynu *eg*

terms (=conditions) telerau *ell*

terms of reference cylch gorchwyl *eg*

terms of trade telerau masnach *ell*

ternary triaidd *ans*

ternary number rhif triaidd *eg* rhifau triaidd

terne plate plât tern *eg* platiau tern

terra cotta terra cotta *eg*

terrace *v* terasu *be*

terrace (on a slope) *n* teras *eg* terasau

terrace (relief feature) *n* rhes *eb* rhesi

terrace house tŷ rhes *eg* tai rhes

terraced house tŷ teras *eg* tai teras

terracette teraset *eg* terasetau

terracing (topographical) cerlan *eb* cerlannau

terrain tir *eg* tiroedd

terrestrial daearol *ans*

terrestrial magnetism magnetedd daear *eg*

terret ring cylch genfa *eg* cylchoedd genfa

terrier (book) tirlyfr *eg* tirlyfrau

territorial tiriogaethol *ans*

territorial army byddin diriogaethol *eb* byddinoedd tiriogaethol

territorial integrity tiriogaeth gydnabyddedig *eb*

territorial waters dyfroedd tiriogaethol *ell*

territory tiriogaeth *eb* tiriogaethau

terrorism terfysgaeth *eb*

terrorist terfysgwr *eg* terfysgwyr

terrorize (=frighten) brawychu *be*

terrorize (=use terrorism) terfysgu *be*

tertiary trydyddol *ans*

Terylene Terylene *eg*

terylene gauze rhwyllen derylen *eb* rhwyllau terylen

tessellation brithwaith *eg* brithweithiau

test *n* prawf *eg* profion

test *v* profi *be*

Test Act Deddf Brawf *eb*

Test and Corporation Acts Deddfau Prawf a Chorfforaeth *ell*

test data prawf-ddata *ell*

test development manager rheolwr datblygu profion *eg* rheolwyr datblygu profion

test game gêm brawf *eb* gemau prawf

test of significance prawf arwyddocâd *eg* profion arwyddocâd

test paper papur prawf *eg* papurau prawf

test pilot peilot profi *eg* peilotiaid profi

test run rhediad arbrofol *eg* rhediadau arbrofol

test-tube tiwb profi *eg* tiwbiau profi

test-tube rack rhesel tiwbiau profi *eb* rheseli tiwbiau profi

testa hadgroen *eg* hadgrwyn

testaceous cragennaidd *ans*

testee profedigai *eg* profedigeion

testicles ceilliau *ell*

testimonial tysteb *eb* tystebau

testis caill *eg* ceilliau

testosterone testosteron *eg*

tetanus tetanws *eg*

tetany tetanedd *eg*

tête de boeuf stitch pwyth tête de boeuf *eg* pwythau tête de boeuf

tetrachord tetracord *eg* tetracordiau

tetracyclic pedwarcylchol *ans*

tetrahedral tetrahedrol *ans*

tetrahedron tetrahedron *eg* tetrahedronau

tetrode tetrod *eg* tetrodau

tetromino tetromino *eg* tetrominos

text testun *eg* testunau

text compression techniques dulliau cywasgu testun *ell*

text editor golygydd testun *eg* golygyddion testun

text processing gairbrosesu *be*

text screen sgrin destun *eb* sgriniau testun

text-to-speech synthesizer syntheseiddydd llefaru testun *eg* syntheseiddwyr llefaru testun

textbook gwerslyfr *eg* gwerslyfrau

textile *n* tecstil *eg* tecstilau

textile colour lliw tecstil *eg* lliwiau tecstil

textile industry diwydiant tecstilau *eg*

textual testunol *ans*

textural gweadeddol *ans*

texture gwead *eg* gweadau

texture (of wood) gwedd (pren) *eb*

texture rubbing ffrotais gwead *eg* ffroteisiau gwead

textured material defnydd gweadog *eg* defnyddiau gweadog

textured surface arwyneb gweadog *eg* arwynebau gweadog

textured thread edau weadog *eb* edafedd gweadog

textured yarn edafedd gweadog *ell*

texturing gweadeddu *be*

textwrap lapio testun *be*

TGAT: Task Group on Assessment and Testing GAP: Gweithgor ar Asesu a Phrofi *eg*

thallium (Tl) thaliwm *eg*

thallus thalws *eg* thali

thane brëyr *eg* brehyrion

thatched roof to gwellt *eg* toeon gwellt

Theatine Theatiad *eg/b* Theatiaid

theatre theatr *eb* theatrau

theatre gown gŵn theatr *eg* gynau theatr

---

theatrical theatraidd *ans*

theatrical production cynhyrchiad theatraidd *eg* cynyrchiadau theatraidd

theism theistiaeth *eb*

thematic approach dull thematig *eg* dulliau thematig

thematic extension study astudiaeth estyn thematig *eb* astudiaethau estyn thematig

thematic work gwaith thematig *eg*

theme thema *eb* themâu

theme and variations thema ac amrywiadau

theodolite theodolit *eg* theodolitau

theology diwinyddiaeth *eb*

theorbo theorbo *eg* theorboi

theorem theorem *eb* theoremau

theoretical damcaniaethol *ans*

theorize damcaniaethu *be*

theory (=exposition of the principles of a science) theori *eb*

theory (of individual examples) damcaniaeth *eg* damcaniaethau

theory of evolution damcaniaeth esblygiad *eb*

theory of games theori gemau *eb*

theory of music theori cerddoriaeth *eb*

theory of relativity damcaniaeth perthnasedd *eb*

therapeutic therapiwtig *ans*

therapist therapydd *eg* therapyddion

therapy therapi *eg* therapïau

therefore felly *adf*

therm therm *eg* thermau

thermal conductivity dargludedd thermol *eg*

thermal decomposition dadelfennu thermol *be*

thermal dissociation daduniad thermol *eg* daduniadau thermol

thermal energy egni thermol *eg*

thermal equator cyhydedd thermol *eg*

thermal insulation ynysiad thermol *eg*

thermal insulator ynysydd thermol *eg* ynysyddion thermol

thermionic thermionig *ans*

thermionic valve falf thermionig *eb* falfiau thermionig

thermistor thermistor *eg* thermistorau

thermit reaction adwaith thermit *eg*

thermo forming thermoffurfio *be*

thermo-dummy teth dymheredd *eb* tethi tymheredd

thermo-hardening adhesive adlyn thermo-galedu *eg*

thermocouple thermocwpl *eg* thermocyplau

thermocouple pyrometer pyromedr thermocwpl *eg* pyromedrau thermocwpl

thermodynamic thermodynamig *ans*

thermodynamics thermodynameg *eb*

thermoelectric thermodrydanol *ans*

thermoelectricity thermodrydan *eg*

thermogram thermogram *eg* thermogramau

thermojunction thermogydiad *eg* thermogydiadau

thermometer thermomedr *eg* thermomedrau

thermometry thermomedredd *eg*

thermopile thermopil *eg* thermopiliau

thermoplastic *adj* thermoplastig *ans*

thermoplastic *n* thermoplastig *eg* thermoplastigau

thermoscope thermosgop *eg* thermosgopau

thermosetting *adj* thermosodol *ans*

thermosetting plastic plastig thermosodol *eg*

thermostat thermostat *eg* thermostatau

thermostatic control rheolaeth thermostatig *eb*

thesaurus thesawrws *eg* thesawrysau

thesis (=dissertation) traethawd *eg* traethodau

thesis (=proposition, argument) thesis *eg* theses

thesis (=research essay) traethawd ymchwil *eg* traethodau ymchwil

thiamine thiamin *eg*

thick (of thread, rope etc) tew *ans*

thick (of liquids, materials) trwchus *ans*

thick flank ystlys dew *eb* ystlysau tew

thick line llinell dew *eb* llinellau tew

thick plate glass platwydr trwchus *eg*

thicken tewychu *be*

thickener tewychydd *eg* tewychwyr

thicket dryslwyn *eg* dryslwyni

thickly populated country gwlad boblog iawn *eb* gwledydd poblog iawn

thickness trwch *eg*

thicknessing attachment atodyn tewychu *eg* atodion tewychu

thicknessing machine peiriant tewychu *eg* peiriannau tewychu

thief vault llofnaid lleidr *eb* llofneidiau lleidr

thigh morddwyd *eb* morddwydydd

thimble gwniadur *eg* gwniaduron

thin tenau *ans*

thin card disk disg cerdyn tenau *eg* disgiau cerdyn tenau

thin chain line llinell gadwyn tenau *eb* llinellau cadwyn tenau

thin flank ystlys denau *eb* ystlysau tenau

thin layer-chromatography cromatograffaeth haen-denau *eb*

thin line llinell denau *eb* llinellau tenau

thin metal metel tenau *eg*

thin place darn craith man gwan *eb* creithiau man gwan

thinly populated country gwlad denau ei phoblogaeth *eb* gwledydd tenau eu poblogaeth

thinner teneuydd *eg* teneuwyr

thinning medium cyfrwng teneuo *eg*

third (fraction =one third) traean *eg* traeanau

third (ordinal number) trydydd *eg* trydeddau

third angle projection tafluniad trydedd ongl *eg* tafluniadau trydedd ongl

third degree equation hafaliad gradd tri *eg* hafaliadau gradd tri

Third Estate y Drydedd Stad *eb*

third inversion trydydd gwrthdro *eg*

third man (sport) trydydd *eg*

third order gradd tri *eb*

third order reaction adwaith gradd tri *eg*

third party insurance yswiriant trydydd person *eg*

third person trydydd person *eg*

Third Reich Trydedd Reich *eb*

Third Republic Trydedd Weriniaeth *eb*

thirsty sychedig *ans*

Thirteen Articles Tair Erthygl ar Ddeg *eb*

thirteenth trydydd ar ddeg *eg*

Thirty Nine Articles Deugain Erthygl Namyn Un *eb*

Thirty Years War Rhyfel Deng Mlynedd ar Hugain *eg*

thistle funnel twndis ysgall *eg* twndisau ysgall; twmffat ysgall *eg* twmffatau ysgall

thixotropic thicsotropig *ans*

Thomism Tomistiaeth *eb*

Thomistic Tomistig *ans*

thong carrai *eb* careiau

thoracic thorasig *ans*

thorax thoracs *eg*

thorium (Th) thoriwm *eg*

thorn forest coedwig ddrain *eb* coedwigoedd drain

thorough trylwyr *ans*

thorough bass continuo *eg*

thorough cleaning glanhau trylwyr *be*

thoroughfare tramwyfa *eb* tramwyfeydd

thousand mil *eb* miloedd

thousandth milfed *eg* milfedau

thrashing machine peiriant dyrnu *eg* peiriannau dyrnu

thread *v* edafu *be*

thread (of argument, discussion etc) *n* trywydd *eg*

thread (of yarn, screw etc) *n* edau *eb* edafedd

thread angle gauge medrydd ongl edau *eg* medryddion ongl edau

thread cell edeugell *eb* edeugelloedd

thread chaser siaswr edafedd *eg* siaswyr edafedd

thread cutter (of machine part) torrwr edau *eg* torwyr edau

thread cutting (of lathe tools) torri edau *be*

thread guide (of machine part) bachyn tywys edau *eg* bachau tywys edau

thread hole twll edau *eg* tyllau edau

thread parts rhannau edau *ell*

thread pitch pitsh edau *eg*

thread pitch gauge medrydd pitsh edau *eg* medryddion pitsh edau

thread-cutting screw sgriw torri edau *eb* sgriwiau torri edau

thread-forming screw sgriw ffurfio edau *eb* sgriwiau ffurfio edau

threaded hole twll ag edau ynddo *eg* tyllau ag edau ynddynt

threader (machine attachments) edefydd *eg* edefyddion

threading hook bach edafu *eg* bachau edafu

three arm stake bonyn teirbraich *eg* bonion teirbraich

three outs tri allan

three point plug plwg tri phin *eg* plygiau tri phin

three quarters (fraction) tri chwarter *eg*

Three Resolutions (1629) Tri Phenderfyniad (1629) *eg*

three second rule rheol tair eiliad *eb*

three-digit tri-digid *ans*

three-dimensional tri dimensiwn *ans*

three-dimensional construction adeiladwaith tri dimensiwn *eg*

three-dimensional modelling modelu tri dimensiwn *be*

three-division saucer soser deir-ran *eb* soseri teir-ran

three-field system trefn drimaes *eb*

three-handed reel rîl teirllaw *eg* riliau teirllaw

three-jaw chuck crafanc tair safn *eb* crafangau tair safn

three-line banding bandin tair llinell *eg* bandinau tair llinell

three-ply wood pren tairhaenog *eg*

three-ply wool edafedd tair cainc *ell*

three-quarter (in rugby) trichwarterwr *eg* trichwarterwyr

three-sided stitch pwyth triongl *eg* pwythau triongl

three-square *adj* tairongl *ans*

three-square file ffeil dairongl *eb* ffeiliau tairongl

three-stage reaction adwaith tri cham *eg* adweithiau tri cham

three-way tap tap teirffordd *eg* tapiau teirffordd

threesome triawd *eg* triawdau

threshold trothwy *eg* trothwyau

threshold energy egni trothwy *eg* egnïon trothwy

thro' ball pás hollti *eb* pasiau hollti

throat gwddf *eg* gyddfau

throat plate (of machine part) plât bobin *eg* platiau bobin

throating (window) gwrthyrrwr dŵr *eg* gwrthyrwyr dŵr

throb curo *be*

thrombocyte thrombocyt *eg* thrombocytau

thrombosis thrombosis *eb*

thrombus thrombws *eg* thrombysau

throne gorsedd *eb* gorseddau

throttle *n* sbardun *eg* sbardunau

throttle *v* tagu *be*

through chamfer siamffer trwodd *eg* siamfferi trwodd

through dovetail housing joint uniad rhigol draws gynffonnog trwodd *eg* uniadau rhigol traws cynffonnog trwodd

through dovetail joint uniad cynffonnog trwodd *eg* uniadau cynffonnog trwodd

through housing rhigol trwodd *eb* rhigolau trwodd

through housing joint uniad rhigol draws trwodd *eg* uniadau rhigol traws trwodd

through mortise and tenon joint uniad mortais a thyno trwodd *eg* uniadau mortais a thyno trwodd

through sawcut llifiad trwodd *eg* llifiadau trwodd

through tenon tyno trwodd *eg* tynoau trwodd

through traffic trafnidiaeth drwodd *eb*

through vault llofnaid fwlch *eb* llofneidiau bwlch

through vault with double beat llofnaid fwlch ddeuglap *eb* llofneidiau bwlch deuglap

throughput trwybwn *eg* trwybynnau

throw *n* tafliad *eg* tafliadau

throw *v* taflu *be*

throw down the wicket torri'r wiced *be*

throw forward taflu ymlaen *be*

throw in taflu i mewn *be*

throw up (jump) cydnaid *eb* cydneidiau

thrower taflwr *eg* taflwyr

throwing the discus taflu'r ddisgen *be*

throwing the hammer taflu'r ordd *be*

throwing the javelin taflu'r waywffon *be*

thrown shape siâp a daflwyd *eg* siapiau a daflwyd

---

thrum tynnu *be*

thrush (throat infection) llindag (gwddf) *eg*

thrust (of sword) *n* gwaniad *eg* gwaniadau

thrust (of sword) *v* gwanu *be*

thrust (=push) *n* gwthiad *eg* gwthiadau

thrust (=push) *v* gwthio *be*

thrust bearing gwthferyn *eg* gwthferynnau

thrust cap cap gwthio *eg* capiau gwthio

thrust direction cyfeiriad gwthiad *eg*

thulium (Tm) thwliwm *eg*

thumb bawd *eg* bodiau

thumb gauge medrydd bawd *eg* medryddion bawd

thumb latch clicied fawd *eb* cliciedau bawd

thumb piston piston bawd *eg* pistonau bawd

thumb position safle'r bawd *eg* safleoedd y bawd

thumbnail sketch braslun bawd *eg* brasluniau bawd

thumbscrew sgriw fawd *eb* sgriwiau bawd

thunder taran *eb* taranau

thunder machine peiriant taranau *eg* peiriannau taranau

thunder shake hollt taran *eg* holltau taran

thunderbolt taranfollt *eb* taranfolltau

thunderstorm storm fellt a tharanau *eb* stormydd mellt a tharanau

thus felly *adf*

thwart (=boat seat) sedd ystlys *eb* seddi ystlys

thymus thymws *eg*

thyroglobulin thyroglobwlin *ans*

thyroid thyroid *eg*

thyroid gland chwarren thyroid *eb* chwarennau thyroid

thyroxin thyrocsin *eg*

tibia tibia *eg*

tic gwingiad *eg* gwingiadau

ticker tape tâp ticio *eg* tapiau ticio

ticker timer amserydd ticio *eg* amseryddion ticio

ticket tocyn *eg* tocynnau

ticket board bwrdd tocynnau *eg* byrddau tocynnau

tidal air (of respiration) aer cyfnewid *eg*

tidal bore eger llanw *eg* egerau llanw

tidal current cerrynt llanw *eg* ceryntau llanw

tidal datum seilnod llanw *eg* seilnodau llanw

tidal energy egni llanw *eg*

tidal flat fflat llanw *eg* fflatiau llanw

tidal lagoon morlyn llanw *eg* morlynnoedd llanw

tidal range amrediad llanw *eg* amrediadau llanw

tidal scour sgwrfa llanw *eg*

tidal volume (of respiration) cyfaint cyfnewid (yr ysgyfaint) *eg*

tidal wave ton llanw *eb* tonnau llanw

tide llanw *eg* llanwau

tide race eger *eg* egerau

tie *v* clymu *be*

tie (a knot or attachment etc) *n* cwlwm *eg* clymau

tie (article of clothing) *n* tei *eg* teis

tie (=drawn game) *n* gêm gyfartal *eb* gemau cyfartal

tie and dye clymu a llifo

tie-beam tynlath *eb* tynlathau

tie-break (in tennis) torri'r ddadl *be*

tie-line clymlin *eb* clymliniau

tie-off screw sgriw gwlwm *eb* sgriwiau cwlwm

tied clwm *ans*

tied cottage bwthyn clwm *eg* bythynnod clwm

tied fret cribell glwm *eb* cribellau clwm

tied house tŷ clwm *eg* tai clwm

tied note nodyn clwm *eg* nodau clwm

tier (=layer) haen *eb* haenau

tier (of seats etc) rhenc *eb* rhenciau

tier (=row) rhes *eb* rhesi

tierce de Picardie tierce de Picardie *eg* tierces de Picardie

tiered skirt sgert renciog *eb* sgertiau rhenciog

tierra caliente tir poeth *eg*

tierra fria tir oer *eg*

tierra templada tir tymherus *eg*

tierspoint arch bwa tiersbwynt *eg* bwau tiersbwynt

tight tynn *ans*

tight fit ffit dynn *eb*

tight head (in rugby) pen tynn *eg*

tighten tynhau *be*

tightening loop dolen dynhau *eb* dolennau tynhau

tightness tyndra *eg*

tile teilsen *eb* teils

tile cement sment teils *eg*

till (glacial) *n* til (clog-glai) *eg*

till (land) *v* trin *be*

tiller (of boat) llyw *eg* llywiau

tillering tileru *be*

tillite tilfaen *eg* tilfeini

tilt (slope or inclination) *n* gogwydd *eg* gogwyddau

tilt (slope or incline) *v* gogwyddo *be*

tilted ar ogwydd *ans*

tilth tir rhywiog *eg*

timber *n* coed *eg* coedydd

timber conversion trosiad coed *eg*

timber defects diffygion coed *ell*

timber framing fframwaith coed *eg* fframweithiau coed

timber preservation cadwraeth coed *eb*

timber stacking tasu coed *be*

timbre ansawdd *eg*

time *v* amseru *be*

time (in general) *n* amser *eg* amserau

time (=period) *n* cyfnod *eg* cyfnodau

time average cyfartaledd amser *eg*

time constant cysonyn amser *eg*

time delay oediad amser *eg*

time keeper amserwr *eg* amserwyr

time lag oediad amser *eg*

time of arrival amser cyrraedd *eg*

time of flight amser hedfan *eg*

Time of Troubles Cyfnod y Cynnwrf *eg*

time off (time out) saib *eg* seibiau

time out saib *eg* seibiau

time slice tafell amser *eb* tafelli amser

time taken amser a gymerwyd *eg*

---

time zone cylchfa amser *eb* cylchfaoedd amser

time-base amserlin *eg* amserliniau

time-line programme rhaglen llinell-amser *eb* rhaglenni llinell-amser

time-scale graddfa amser *eb* graddfeydd amser

time-sharing (computing) cydrannu amser *be*

timer amserydd *eg* amseryddion

timetable *n* amserlen *eb* amserlenni

timetable *v* amserlennu *be*

timing (=tempo) amseriad *eg* amseriadau

tin *v* tunio *be*

tin (of container) *n* tun *eg* tuniau

tin (Sn) tun *eg*

tinctorial trwythol *ans*

tincture trwyth *eg*

tinder box blwch tân *eg* blychau tân

tinge gwawr *eb*

tinned food bwyd tun *eg* bwydydd tun

tinplate tunplat *eg*

tinsel tinsel *eg*

tinsnips snipiwr tun *eg* snipwyr tun

tint *n* arlliw *eg* arlliwiau

tint *v* arlliwio *eb*

tinted arlliwedig *ans*

tinted paper papur arlliwedig *eg*

tip (extremity or end) *n* blaen *eg* blaenau

tip (money) *n* cildwrn *eg*

tip (of rubbish etc) *n* tomen *eg* tomennydd

tipping *v* tipio *be*

tirando tirando *eg*

tiredness blinder *eg*

Tironian Tironiad *eg* Tironiaid

tissue meinwe *eg/b* meinweoedd

tissue culture meithriniad meinwe *eg* meithriniadau meinwe

tissue fluid hylif meinweol *eg* hylifau meinweol

tissue paper papur sidan *eg*

titanium (Ti) titaniwm *eg*

titanium white gwyn titaniwm *eg*

tithe degwm *eg* degymau

tithe barn ysgubor ddegwm *eb* ysguboriau degwm

Tithe Commutation Act Deddf Cyfnewid y Degwm *eb*

Tithe War Rhyfel y Degwm *eg*

tithing degymiad *eg* degymiadau

title teitl *eg* teitlau

title (to land etc) hawl (i dir etc) *eg/b*

title block bloc teitl *eg* blociau teitl

title page wynebddalen *eb* wynebddalennau

title screen sgrin agoriadol *eb* sgriniau agoriadol

titrate titradu *be*

titre titr *eg* titrau

titrimetric titradaethol *ans*

titrimetry titradaeth *eb*

to a scale of (1:1) wrth raddfa (1:1)

to a suitable scale wrth raddfa addas

toaster tostiwr *eg* tostwyr

tobacco tybaco *eg*

toccata tocata *eg* tocatâu

toddler plentyn bach *eg* plant bach

toddlers' wear dillad plant bach *ell*

toe bys troed *eg* bysedd traed

toe (in dancing) blaen y droed *eg* blaenau'r traed

toe piston piston troed *eg* pistonau troed

toe tapping tapio sawdl blaen *be*

toe-cap blaen yr esgid *eg*

toga toga *eb* togâu

toggle *n* togl *eg* toglau

toggle *v* toglo *be*

toggle clamp clamp togl *eg* clampiau togl

toilet toiled *eg* toiledau

token (in truck system) arian tryc *eg*

tolerance (of measurements etc) goddefiant *eg* goddefiannau

tolerance (of people) goddefgarwch *eg*

tolerance (to drugs etc) goddefedd *eg*

toleranced drawing lluniad goddefiannol *eg*

tolerancing goddefiannu *be*

tolerate goddef *be*

toleration (of people) goddefgarwch *eg*

Toleration Act Deddf Goddefiad *eb*

toll toll *eb* tollau

toll-bridge tollbont *eb* tollbontydd

toll-gate tollborth *eg* tollbyrth

toll-road tollffordd *eb* tollffyrdd

tollage tollaeth *eb*

Tolpuddle Martyrs Merthyron Tolpuddle *ell*

tom tom tom tom *eg* tom tomau

tommy-bar twmfar *eg* twmfarrau

tommy-shop siop dryc *eb* siopau tryc

ton tunnell *eb* tunelli

tonal cyweiraidd *ans*

tonality cyweiredd *eg* cyweireddau

tone tôn *eg* tonau

tone painting seinliwio *be*

tone quality ansawdd y tôn *eg*

tone value gwerth tôn *eg* gwerthoedd tôn

tone-deaf tôn fyddar *ans*

tongs gefel *eb* gefelau

tongue *n* tafod *eg* tafodau

tongue *v* tafodi *be*

tongue and groove tafod a rhych

tongue and groove joint uniad tafod a rhych *eg* uniadau tafod a rhych

tongue depressor gwasgwr tafod *eg* gwasgwyr tafod

tongued mitre joint uniad meitr tafod *eg* uniadau meitr tafod

tonic (=a thing that invigorates) tonig *eg* tonigau

tonic (musical) tonydd *eg* tonyddion

tonic chord cord y tonydd *eg* cordiau'r tonydd

tonic major scale graddfa fwyaf y tonydd *eb*

tonic minor scale graddfa leiaf y tonydd *eb*

tonic seventh chord cord seithfed y tonydd *eg* cordiau seithfed y tonydd

tonic sol-fa sol-ffa *eg*

tonicity tonedd *eg*

Tonk strip (shelf) stribed Tonk (silff) *eg* stribedi Tonk

Tonk's fitting ffitiad Tonk *eg*

tonnage tunelledd *eg* tunelleddau

tonne tunnell fetrig *eb* tunelli metrig

tonsil tonsil *eg* tonsilau

tonsillitis tonsilitis *eg*

tonsure tonsur *eg* tonsuriau

tool erfyn *eg* offer

tool bar bar offer *eg* barrau offer

tool bit erfyn turn *eg* offer turn

tool box blwch offer *eg* blychau offer

tool chatter sgrytian erfyn *be*

tool holder daliwr offer *eg* dalwyr offer

tool post postyn offer *eg* pyst offer

tool set steel dur offer *eg*

toolbar bar offer *eg* barrau offer

tooling gouge gaing gau offeru *eb* geingiau gau offeru

toolmaker's clamp clamp offerwr *eg* clampiau offerwr

toolmaker's vice feis offerwr *eb* feisiau offerwr

tooth dant *eg* dannedd

toothing plane plaen danheddog *eg* plaeniau danheddog

top (in general) top *eg* topiau

top (of mountain etc) pen *eg* pennau

top (of page, tree etc) brig *eg*

top (=surface) wyneb *eg* wynebau

top bit did uchaf *eg* didau uchaf

top drawer rail rheilen uchaf drôr *eb* rheiliau uchaf drôr

top fuller pannydd uchaf *eg* panwyr uchaf

top half of page hanner uchaf y dudalen *eg*

top loader peiriant top-lwytho *eg* peiriannau top-lwytho

top loading kiln odyn dop-lwytho *eb* odynnau top-lwytho

top part darn uchaf *eg* darnau uchaf

top priority prif flaenoriaeth *eg*

top quality o'r ansawdd gorau *ans*

top rail rheilen uchaf *eb* rheiliau uchaf

top rake gwyredd cefn *eg*

top rest briglithryn *eg*

top slide llithryn uchaf *eg*

top stitch wyneb-bwyth *eg* wyneb-bwythau

top stitching wyneb-bwytho *be*

top swage darfath uchaf *eg*

top-down programming rhaglennu dadelfennol *be*

topical (=on skin) argroenol *ans*

topical preparation cymysgedd ar gyfer y croen *eb* cymysgeddau ar gyfer y croen

topographic topograffig *ans*

topographical topograffigol *ans*

topography topograffi *eg*

topological topolegol *ans*

topology topoleg *eb*

topping (saw teeth) topio (dannedd llif) *be*

topple dymchwel *be*

topset bed gwely uwch-haen *eg* gwelyau uwch-haen

topsoil uwchbridd *eg* uwchbriddoedd

topspin troelli'r bêl tros ben *be*

tor twr *eg* tyrrau

torah torah *eg*

torch (light) tortsh *eb* tortshis

tornado tornado *eg* tornados

torque (=necklace) torch *eg* torchau

torque (=rotational effect of force) trorym *eg* trorymoedd

torque wrench tyndro trorym *eg* tyndroeon trorym

torrent cenllif *eg* cenllifau

torrent tract blaendir afon *eg* blaendiroedd afon

torrid crasboeth *ans*

torrid zone cylchfa grasboeth *eb*

torsion *n* dirdro *eg* dirdroeon

torsion balance clorian ddirdro *eb* cloriannau dirdro

torsion bar trofar *eg* trofarrau

torsion free diddirdro *ans*

torsional dirdroadol *ans*

torso torso *eg* torsoau

torture *v* arteithio *be*

torus torws *eg* torysau

torus moulding mowldin torws *eg* mowldinau torws

Tory Party Plaid Dorïaidd *eb*

total (complete) *adj* cyflawn *ans*

total (number) *n* cyfanswm *eg* cyfansymiau

total cost cyfanswm y gost *eg*

total internal reflection adlewyrchiad mewnol cyflawn *eg*

total output cyfanswm cynnyrch *eg*

total probability cyfanswm tebygolrwydd *eg*

total replacement amnewid cyflawn *eg*

totalitarian totalitaraidd *ans*

totality crynswth *eg*

totem totem *eg* totemau

touch *n* cyffyrddiad *eg* cyffyrddiadau

touch *v* cyffwrdd *be*

touch down (in ball games) llorio'r bêl *be*

touch in goal ystlys cwrt cais *eb* ystlysau cwrt cais

touch in goal line ystlys gwsg *eb* ystlysau cwsg

touch judge llumanwr *eg* llumanwyr

touch latch clicied gyffwrdd *eb* clicedau cyffwrdd

touch rugby rygbi bach *eg*

touch screen sgrin gyffwrdd *eb* sgriniau cyffwrdd

touch sensitive sensitif i gyffyrddiad *ans*

touched out allan drwy gyffwrdd

touchline llinell ystlys *eb* llinellau ystlys

tough gwydn *ans*

toughness gwydnwch *eg*

tour *n* taith *eb* teithiau

tourism twristiaeth *eb*

tourist industry diwydiant ymwelwyr *eg*

tournament twrnamaint *eg* twrnameintiau

tourniquet rhwymyn tynhau *eg* rhwymynnau tynhau

tourniquet (bowsaw) tynhawr (llif fwa) *eg* tynhawyr

towards the harp (in dance) gwrogaeth i'r delyn *eb*

towel tywel *eg* tywelion

towel rail rheilen dywelion *eb* rheiliau tywelion

---

towelling tywelin *eg*

tower tŵr *eg* tyrau

towering cloud cwmwl tyrrog *eg* cymylau tyrrog

town tref *eb* trefi

town crier cyhoeddwr (y dref) *eg* cyhoeddwyr (y dref)

townscape treflun *eg* trefluniau

township trefgordd *eb* trefgorddau

toxaemia tocsaemia *eg*

toxic gwenwynig *ans*

toxicity gwenwyndra *eg*

toxin tocsin *eg* tocsinau

toy tegan *eg* teganau

trace (=copy over) *v* dargopïo *be*

trace (=discover) *v* olrhain *be*

trace (of line) *n* olin *eg* olinau

trace (of particle) *n* mymryn *eg* mymrynnau

trace element elfen hybrin *eb* elfennau hybrin

tracer olinydd *eg* olinyddion

tracery treswaith *eg* tresweithiau

trachea (in botany and zoology) tracea *eg* traceau

trachea (in zoology) breuant *eg* breuannau

tracheal (in zoology) breuannol *ans*

tracheid (softwood) traceid *eg* traceidiau

tracheostomy care gofal y traceostomi *eg*

tracing cloth lliain dargopïo *eg* llieiniau dargopïo

tracing paper papur dargopïo *eg*

tracing punch pwnsh olinio *eg* pynsiau olinio

tracing wheel olwyn ddargopïo *eb* olwynion dargopïo

track (in sport, of sliding door etc) trac *eg* traciau

track (=path) llwybr *eg* llwybrau

track event cystadleuaeth drac *eb* cystadlaethau trac

track junction cyffordd traciau *eb* cyffyrdd traciau

track multiple or single amldrac neu untrac

track rod rhoden lwybro *eb* rhodenni llwybro

trackerball pêl-lwybro *be*

tracking device dyfais lwybro *eb* dyfeisiau llwybro

tracksuit tracwisg *eb* tracwisgoedd

tract (of land) darn o dir *eg* darnau o dir

Tractarianism Tractariaeth *eb*

traction tyniant *eg*

traction feed porthi cocos *be*

tractive force grym tynnol *eg* grymoedd tynnol

tractrix tractrics *eg* tractricsau

trade *v* masnachu *be*

trade (=commerce) *n* masnach *eb* masnachau

trade (=craft) *n* crefft *eb* crefftau

Trade Descriptions Act Deddf Disgrifiadau Masnach *eb*

trade directory cyfarwyddiadur masnachol *eg* cyfarwyddiaduron masnachol

trade discount disgownt masnach *eg* disgowntiau masnach

Trade Disputes Act Deddf Anghydfodau Diwydiannol *eb*

trade mark nod masnach *eg* nodau masnach

trade union undeb llafur *eg* undebau llafur

Trade Union Congress Cyngres yr Undebau Llafur *eb*

trade wind gwynt cyson *eg* gwyntoedd cyson

trade-route llwybr masnach *eg* llwybrau masnach

Trades Union Amendment Act Deddf Newid yr Undebau Llafur *eb*

trading estate stad fasnachol *eb* stadau masnachol

trading post canolfan fasnachol *eb* canolfannau masnachol

trading quarter (=zone) rhan masnach *eb* rhannau masnach

trading restriction cyfyngiad masnachol *eg* cyfyngiadau masnachol

trading stamp stamp masnachu *eg* stampiau masnachu

Trading Standards Department Adran Safonau Masnachu *eb*

tradition traddodiad *eg* traddodiadau

traditional traddodiadol *ans*

traditional construction adeiladwaith traddodiadol *eg*

traditional design cynllun traddodiadol *eg* cynlluniau traddodiadol

traditional instrument offeryn traddodiadol *eg* offerynnau traddodiadol

traditional material defnydd traddodiadol *eg* defnyddiau traddodiadol

traditional set dance dawns set draddodiadol *eb* dawnsiau set traddodiadol

traffic trafnidiaeth *eb*

traffic jam tagfa drafnidiaeth *eb* tagfeydd trafnidiaeth

traffic offence trosedd drafnidiol *eb* troseddau trafnidiol

tragacanth gwm tragacanth *eg*

tragedy trasiedi *eg* trasiedïau

trail *n* llwybr *eg* llwybrau

trail *v* llwybro *be*

trail angle ongl ddilyn *eb* onglau dilyn

trail enamel enamel llusg *eg*

trail enamelling enamlo llusg *be*

train *v* hyfforddi *be*

train (gear) *n* trên (gêr) *eg* trenau

train (of waves) *n* dilyniant *eg* dilyniannau

trainee hyfforddai *eg* hyfforddeion

trainee teacher (female) athrawes dan hyfforddiant *eb* athrawesau dan hyfforddiant

trainee teacher (male) athro dan hyfforddiant *eg* athrawon dan hyfforddiant

trainer hyfforddwr *eg* hyfforddwyr

training hyfforddiant *eg*

training agency asiantaeth hyfforddi *eb* asiantaethau hyfforddi

training centre canolfan hyfforddi *eb* canolfannau hyfforddi

training college coleg hyfforddi *eg* colegau hyfforddi

training grant grant hyfforddi *eg* grantiau hyfforddi

training hospital ysbyty hyfforddi *eg* ysbytai hyfforddi

training officer swyddog hyfforddi *eg* swyddogion hyfforddi

training session sesiwn hyfforddi *eb* sesiynau hyfforddi

traitor bradwr *eg* bradwyr

trajectory taflwybr *eg* taflwybrau

tramline (in tennis) ystlyslin *eb* ystlyslinau

trampette trampét *eg* trampetau

trampoline trampolîn *eg* trampolinau

tramroad tramffordd *eb* tramffyrdd

tranquillizer tawelydd *eg* tawelyddion

---

transaction trafod *eg* trafodion
transaction cost cost trafod *eb* costau trafod
transaction file ffeil drafod *eb* ffeiliau trafod
transaction processing prosesu trafod *be*
transactional analysis dadansoddi trafodol *be*
transamination trawsamineiddiad *eg*
transatlantic trawsiwerydd *ans*
transcendental trosgynnol *ans*
transcontinental trawsgyfandirol *ans*
transcribe trawsgrifio *be*
transcription trawsgrifiad *eg* trawsgrifiadau
transcription error gwall trawsysgrifol *eg* gwallau trawsysgrifol
transducer trawsddygiadur *eg* trawsddygiaduron
transduction trawsddygiad *eg* trawsddygiadau
transect *n* trawslun *eg* trawsluniau
transect *v* trawslunio *be*
transept croesfa *eb* croesfâu
transfer (blood) *v* trallwyso (gwaed) *be*
transfer (=coloured picture) *n* troslun *eg* trosluniau
transfer (in general) *v* trosglwyddo *be*
transfer (=reallocation) *n* trosglwyddiad *eg* trosglwyddiadau
transfer (=transferable design) *n* trosglwyddyn *eg* trosglwyddynnau
transfer age oed symud *eg*
transfer cost trosglwyddo'r gost *be*
transfer deed dogfen drosglwyddo *eb* dogfennau trosglwyddo
transfer energy trosglwyddo egni *be*
transfer ink inc troslunio *eg* inciau troslunio
transfer matter trosglwyddo mater *be*
transfer paper papur troslunio *eg*
transfer RNA RNA trosglwyddol *eg*
transferability trosglwyddedd *eg*
transferable trosglwyddadwy *ans*
transfinite trawsfeidraidd *ans*
transfluence trawslifiant *eg*
transform *v* trawsffurfio *be*
transform *n* trawsffurf *eb* trawsffurfiau
transform integral equation hafaliad integrol trawsffurfiol *eg* hafaliadau integrol trawsffurfiol
transformation trawsffurfiad *eg* trawsffurfiadau
transformation geometry geometreg trawsffurfiadau *eb*
transformation of functions trawsffurfio ffwythiannau *be*
transformer newidydd *eg* newidyddion
transfuse trallwyso *be*
transfusion trallwysiad *eg* trallwysiadau
transgression tresmasiad *eg* tresmasiadau
transhumance trawstrefa *be*
transistor transistor *eg* transistorau
Transistor-Transistor logic rhesymeg Transistor-Transistor *eb*
transit croesiad *eg* croesiadau
transit camp gwersyll dros dro *eg* gwersylloedd dros dro
transit region rhanbarth trawstaith *eg* rhanbarthau trawstaith

transition (=change) trawsnewidiad *eg* trawsnewidiadau
transition (=connecting passage in music) pont *eb* pontydd
transition (in physics) trosiad *eg* trosiadau
transition (into another key) trawsgyweiriad *eg* trawsgyweiriadau
transition element elfen drosiannol *eb* elfennau trosiannol
transition metal metel trosiannol *eg* metelau trosiannol
transition piece darn cyfnewid *eg* darnau cyfnewid
transition state cyflwr trosiannol *eg* cyflyrau trosiannol
transitional (=changing) trawsnewidiol *ans*
transitional zone (geographic) cylchfa ryngbarthol *eb* cylchfaoedd rhyngbarthol
transitive trosaidd *ans*
transitory dros dro *ans*
translate (energy etc) trawsfudo *be*
translate (from one language to another) cyfieithu *be*
translate (in biochemistry) trosi *be*
translate (=move) symud *be*
translation (between places) trawsfudiad *eg* trawsfudiadau
translation (from one language to another) cyfieithiad *eg* cyfieithiadau
translation (of bishop etc) symudiad *eg* symudiadau
translation (of ideas) trosiad *eg* trosiadau
translational energy egni trawsfudol *eg* egnïon trawsfudol
transliterate trawslythrennu *be*
translocated weed killer chwynladdwr trawsleoledig *eg* chwynladdwyr trawsleoledig
translocation trawsleoliad *eg* trawsleoliadau
translucency tryleuedd *eg*
translucent tryleu *ans*
translucent china tsieni tryleu *eg*
translucent colour lliw tryleu *eg* lliwiau tryleu
translucent enamel enamel tryleu *eg*
translucent materials defnyddiau tryleu *ell*
transmission (of heat, sound) trawsyriant *eg* trawsyriannau
transmission (of message, parcel) trosglwyddiad *eg* trosglwyddiadau
transmission of sound waves trawsyriant tonnau sain *eg*
transmit (heat, sound) trawsyrru *be*
transmit (message, parcel) trosglwyddo *be*
transmitter (for broadcasting) trosglwyddydd *eg* trosglwyddyddion
transmitter (of heat, sound) trawsyrrydd *eg* trawsyryddion
transmutation trawsnewidiad *eg* trawsnewidiadau
transparency tryloywder *eg* tryloywderau
transparency window ffenestr dryloyw *eb* ffenestri tryloyw
transparent tryloyw *ans*
transparent brown brown tryloyw *eg*
transparent colour lliw tryloyw *eg* lliwiau tryloyw
transparent enamel enamel tryloyw *eg*
transparent glaze gwydredd tryloyw *eg*
transparent gummed paper papur gwm tryloyw *eg*
transparent material defnydd tryloyw *eg* defnyddiau tryloyw
transparent paper papur tryloyw *eg*

transparent pixel picsel tryloyw *eg*

transparent ruler riwl dryloyw *eb* riwliau tryloyw

transpiration trydarthiad *eg*

transpiration rate cyfradd trydarthu *eb*

transpiration stream llif trydarthol *eg*

transpire trydarthu *be*

transplant *n* trawsblaniad *eg* trawsblaniadau

transplant *v* trawsblannu *be*

transplantation trawsblaniad *eg* trawsblaniadau

transplanted trawsblanedig *ans*

transport *v* cludo *be*

transport (mechanism) *n* cludydd *eg* cludwyr

transport (vehicle) *n* cludiant *eg* cludiannau

transport medium cyfrwng cludo *eg* cyfryngau cludo

transportation trawsgludiad *eg*

transpose (in algebra) *n* trawsddodyn *eg* trawsddodynnau

transpose (in algebra) *v* trawsddodi *be*

transpose (in music) *v* trawsnodi *be*

transposing instrument offeryn trawsnodi *eg* offerynnau trawsnodi

transposition (in algebra) trawsddodiad *eg* trawsddodiadau

transposition (in music) trawsnodiad *eg* trawsnodiadau

transshipment point pwynt trawslwytho *eg* pwyntiau trawslwytho

transubstantiation traws-sylweddiad *eg*

transversal ardrawslin *eb* ardrawsliniau

transverse ardraws *ans*

transverse coastline morlin ardraws *eg* morlinau ardraws

transverse flute ffliwt draws *eb* ffliwtiau traws

transverse flute player canwr ffliwt draws *eg* canwyr ffliwt draws

transverse Mercator projection tafluniad Mercator ardraws *eg*

transverse process cnepyn traws *eg* cnapiau traws

transverse section toriad ardraws *eg* toriadau ardraws

transverse vibration dirgryniad ardraws *eg* dirgryniadau ardraws

transverse wave ton ardraws *eb* tonnau ardraws

trap (for water, oil etc) *n* trap *eg* trapiau

trap (=snare) *n* magl *eb* maglau

trap (=snare) *v* maglu *be*

trap (the ball) *v* trapio *be*

trapezium trapesiwm *eg* trapesiymau

trapezoid trapesoid *eg* trapesoidau

traste cribell *eb* cribellau

trauma trawma *eg* trawmâu

travel teithio *be*

travel agent trefnwr teithiau *eg* trefnwyr teithiau

travel through a space teithio i mewn ac allan o ofod

travelling dance dawns deithiol *eb* dawnsiau teithiol

travelling microscope microsgop teithiol *eg* microsgopau teithiol

travelling step step deithio *eb* stepiau teithio

traverse (in mountaineering) trawstaith *eb* trawsteithiau

traverse (of lathe carriage) tramwy *eg* tramwyon

travertine trafertin *eg* trafertinau

trawl treillio *be*

trawl net treillrwyd *eb* treillrwydi

trawler (ship) treillong *eb* treillongau

tray hambwrdd *eg* hambyrddau

tray base sylfaen hambwrdd *eb* sylfeini hambwrdd

tray cloth lliain hambwrdd *eg* llieiniau hambwrdd

treachery brad *eg*

Treachery of the Blue Books Brad y Llyfrau Gleision *eg*

tread (of stairs) gris *eg* grisiau

tread and riser gris ac wyneb

tread water troedio'r dŵr *be*

treadle troedlath *eb* troedlathau

treadmill melin droedlath *eb* melinau troedlath

treason brad *eg*

Treason of the Blue Books Brad y Llyfrau Gleision *eg*

treasury trysorlys *eg*

Treasury Bill Bil Trysorlys *eg*

treat *v* trin *be*

treatise traethawd *eg* traethodau

treatment triniaeth *eb* triniaethau

treatment room ystafell driniaeth *eb* ystafelloedd triniaeth

treaty cytundeb *eg* cytundebau

treble trebl *eg* treblau

tree coeden *eb* coed

tree branch cangen o goeden *eb* canghennau coed

tree diagram diagram canghennog *eg* diagramau canghennog

tree line coedlin *eg* coedlinau

tree trunk boncyff *eg* boncyffion

trellis smocking smocwaith dellt *eg*

trellised delltog *ans*

tremolando tremolando *adf*

tremolo tremolo *eg* tremoli

tremor cryndod *eg* cryndodau

trench ffos *eb* ffosydd

trench foundation sylfaen ffos *eb* sylfeini ffos

trenching rhigoli *be*

trend tuedd *eb* tueddiadau

trend (in fashion) gogwydd ffasiwn *eg*

trend surface analysis dadansoddiad arwyneb tuedd *eg* dadansoddiadau arwyneb tuedd

trental trental *eg* trentalau

trespass *n* tresmasiad *eg* tresmasiadau

trespass *v* tresmasu *be*

trespasser tresmaswr *eg* tresmaswyr

trestle trestl *eg* trestlau

triad triad *eg* triadau

triage brysbennu *be*

trial (=experiment) *n* arbrawf *eg* arbrofion

trial (=experimental) *adj* arbrofol *ans*

trial (in sport) *n* treial *eg* treialon

trial (=test beforehand) *v* rhagbrofi *be*

trial by battle prawf brwydr *eg* profion brwydr

trial by his peers prawf gan ei gydradd *eg*

trial by ordeal diheurbrawf *eg* diheurbrofion

---

trial print print arbrofol *eg* printiau arbrofol

trial printing prawf-brintio *be*

triangle triongl *eg* trionglau

triangle of forces triongl grymoedd *eg* trionglau grymoedd

triangle of velocities triongl cyflymderau *eg* trionglau cyflymderau

triangular trionglog *ans*

triangular arch bwa trionglog *eg* bwâu trionglog

triangular bandage rhwymyn trionglog *eg* rhwymynnau trionglog

triangular cleat (sash window) cledd trionglog *eg* cleddau trionglog

triangular file ffeil dairongl *eb* ffeiliau tairongl

triangular number rhif triongl *eg* rhifau triongl

triangular prism prism triongl *eg* prismau triongl

triangular pyramid pyramid trionglog *eg* pyramidiau trionglog

triangular scraper sgrafell dairongl *eb* sgrafelli tairongl

triangularity trionglogrwydd *eg*

triangulation triongliant *eg* triongliannau

triangulation pillar piler triongli *eg* pileri triongli

Triassic Triasig *ans*

tribal llwythol *ans*

tribalism llwytholdeb *eg*

tribe llwyth *eg* llwythau

tribunal tribiwnlys *eg* tribiwnlysoedd

tribune tribiwn *eg* tribiwnau

tributary llednant *eb* llednentydd

tributary region rhanbarth ategol *eg* rhanbarthau ategol

tribute (of respect or affection) teyrnged *eb* teyrngedau

tribute (=payment) treth *eb* trethi

tricel tricel *eg*

triceps cyhyryn triphen *eg* cyhyrau triphen

trick dyfais *eb* dyfeisiau

trick marionette marionét tric *eg* marionetau tric

trickle diferynnu *be*

tricolour baner drilliw *eb* baneri trilliw

tricuspid valve falf deirlen *eb* falfiau teirlen

trident tryfer *eg* tryferi

Tridentine Tridentaidd *ans*

triennial teirblwydd *ans*

Triennial Act Deddf Deirblwydd *eb*

trier profwr *eg* profwyr

triforium trifforiwm *eg* trifforia

trig point piler triongli *eg* pilerau triongli

triglyceride triglyserid *eg* triglyseridau

trigonal trigonol *ans*

trigonal bipyramid deubyramid trigonol *eg* deubyramidiau trigonol

trigonometric trigonometrig *ans*

trigonometric function ffwythiant trigonometrig *eg* ffwythiannau trigonometrig

trigonometrical trigonometregol *ans*

trigonometry trigonometreg *eb*

trihedral trihedrol *ans*

trim trimio *be*

trim and snip trimio a snipio

trim with lace addurno â les *be*

trimer trimer *eg* trimerau

trimester tymor *eg* tymhorau

trimetric projection tafluniad trimedrig *eg* tafluniadau trimedrig

trimmer trimiwr *eg* trimwyr

trimming (decoration) addurn *eg* addurnau

trimming knife cyllell drimio *eb* cyllyll trimio

Trinity Trindod *eb*

trinket box blwch tlysau *eg* blychau tlysau

trinomial *adj* trinomaidd *ans*

trinomial *n* trinomial *eg* trinomialau

trio (group) triawd *eg* triawdau

trio (movement) trio *eg* trios

trio sonata sonata drio *eb* sonatau trio

triode triod *eg* triodau

trip *v* baglu *be*

trip (of long duration) *n* taith *eb* teithiau

trip (of short duration) *n* trip *eg* tripiau

tripartite tridarn *ans*

Tripartite Indenture Cytundeb Tridarn *eg*

triple *adj* triphlyg *ans*

triple *n* triphlyg *eg* triphlygion

triple (=set of three) *n* triawd *eg* triawdau

Triple Alliance Cynghrair Driphlyg *eb*

triple bond bond triphlyg *eg* bondiau triphlyg

triple counterpoint gwrthbwynt triphlyg *eg*

triple fugue ffiwg driphlyg *eb* ffiwgiau triphlyg

triple glazed window ffenestr gwydr triphlyg *eb* ffenestri gwydr triphlyg

triple harp telyn deires *eb* telynau teires

triple immunization imiwneiddiad triphlyg *eg*

triple jump naid driphlyg *eb* neidiau triphlyg

triple point pwynt triphlyg *eg* pwyntiau triphlyg

triple roof to fframiog *eg* toeon fframiog

triple tonguing tafodi triphlyg *be*

triple vaccine brechlyn triphlyg *eg* brechlynnau triphlyg

triple-point stilts stiltiau tri-phwynt *ell*

triplet tripled *eb* tripledi

tripod trybedd *eb* trybeddau

Tripoli compound sebon Tripoli *eg*

trisect (equal parts) traeannu *be*

trisect (in general) teirannu *be*

trisection (in equal parts) traeaniad *eg* traeaniadau

trisection (in general) teiraniad *eg* teiraniadau

TRIST: TVEI Related In-Service Training HMS-ADAG: Hyfforddiant Mewn Swydd yn gysylltiedig ag ADAG *eg*

triumphant gorfoleddus *ans*

triumvir triwr *eg* triwyr

triumvirate triwriaeth *eb* triwriaethau

trivet trybedd *eb* trybeddau

trivial distadl *ans*

trochoid trocoid *eg* trocoidau

trolley troli *eg* trolïau

trolley bed gwely troli *eg* gwelïau troli

trolley jack jac troli *eg* jaciau troli

trombone trombôn *eg* trombonau

trombone tenor trombôn tenor *eg* trombonau tenor

trombonist trombonydd *eg* trombonwyr

tromino tromino *eg* trominos

troop ship llong filwyr *eb* llongau milwyr

trophic level lefel droffig *eb* lefelau troffig

trophy tlws *eg* tlysau

tropic trofan *eg* trofannau

Tropic of Cancer Trofan Cancr *eg*

Tropic of Capricorn Trofan Capricorn *eg*

tropical trofannol *ans*

tropical continental trofannol-gyfandirol *ans*

tropical desert diffeithdir trofannol *eg*

tropical maritime trofannol-arforol *ans*

tropical rain forest coedwig law drofannol *eb* coedwigoedd glaw trofannol

tropical zone cylchfa drofannol *eb* cylchfaoedd trofannol

tropics trofannau *ell*

tropism tropedd *eg* tropeddau

tropopause tropoffin *eg* tropoffiniau

troposphere troposffer *eg* troposfferau

trot *n* tuth *eb* tuthiau

trot *v* tuthio *be*

Trotskyism Trotscïaeth *eb*

Trotskyist Trotscïad *eg/b* Trotsciaid

troubadour trwbadŵr *eg* trwbadwriaid

trough cafn *eg* cafnau

trough (pressure) cafn o wasgedd isel *eg*

trough shaped valley dyffryn cafnog *eg* dyffrynnoedd cafnog

trough's end blaen cafn *eg*

trousers trowsus *eg* trowsusau

trowel trywel *eg* trywelion

truancy triwantiaeth *eb*

truant *adj* triwant *ans*

truant *n* triwant *eg* triwantiaid

truce cadoediad *eg* cadoediadau

truck tryc *eg* tryciau

truck shop siop dryc *eb* siopau tryc

truckle bed gwely treigl *eg* gwelyau treigl

true (=correct, accurate) cywir *ans*

true (=veracious, real) gwir *ans*

true bearing cyfeiriant cywir *eg*

true bias gwir fias *eg*

true discount gwir ddisgownt *eg*

true ellipse gwir elips *eg*

true fruit gwir ffrwythyn *eg* gwir ffrwythynnau

true length hyd cywir *eg*

true magnetic magnetig cywir *eg*

true north gogledd cywir *eg*

true or false (in exam questions) cywir neu anghywir

true rate of interest gwir gyfradd llog *eb*

true shape gwir siâp *eg* gwir siapiau

true size maint cywir *eg* meintiau cywir

true string tant cywirsain *eg* tannau cywirsain

true vertical height uchder fertigol cywir *eg*

trueness to type gwirdeiprwydd *eg*

trumpet utgorn *eg* utgyrn

trumpeter trwmpedwr *eg* trwmpedwyr

truncate blaendorri *be*

truncated blaendor *ans*

truncated (of soil) uwchdor *ans*

truncated cone côn blaendor *eg* conau blaendor

truncated cylinder silindr blaendor *eg* silindrau blaendor

truncated prism prism blaendor *eg* prismau blaendor

truncated pyramid pyramid blaendor *eg* pyramidiau blaendor

truncated soil pridd uwchdor *eg* priddoedd uwchdor

truncated spur sbardun blaendor *eg* sbardunau blaendor

truncation blaendoriad *eg* blaendoriadau

truncation error gwall blaendorri *eg* gwallau blaendorri

truncheon pastwn *eg* pastynau

trunk (of body) bongorff *eg* bongyrff

trunk exercise ymarfer bongorff *eg* ymarferion bongorff

trunk road cefnffordd *eb* cefnffyrdd

trunk stream prif ffrwd *eb* prif ffrydiau

trunks (for swimming) trowsus nofio *eg* trowsusau nofio

trunnion trynion *eg* trynionau

truss cwpl *eg* cyplau

trussed cypledig *ans*

trussed rafter ceibr cypledig *eg* ceibrau cypledig

trust *n* ymddiriedolaeth *eb* ymddiriedolaethau

trust *v* ymddiried *be*

trust status statws ymddiriedolaeth *eg*

Trust Territory Tiriogaeth Ymddiriedig *eb*

trustee ymddiriedolwr *eg* ymddiriedolwyr

Trustee Savings Bank Banc Cynilo Ymddiriedol *eg*

trusteeship ymddiriedolaeth *eb* ymddiriedolaethau

trusteeship council cyngor ymddiriedolaeth *eg*

trusteeship territory tiriogaeth ymddiriedol *eb* tiriogaethau ymddiriedol

truth table gwirlen *eb* gwirlenni

try (in rugby) *n* cais *eg* ceisiadau

try square sgwâr profi *eg* sgwariau profi

trying plane plaen hir *eg* plaeniau hir

tryptophan tryptoffan *eg*

Tsar of all the Russians Tsar yr Holl Rwsiaid *eg*

Tsardom Tsaraeth *eb*

tub *n* twb *eg* tybiau

tub *v* twbio *be*

tub four twb pedwar *eg*

tub pair twb pâr *eg*

tuba tiwba *eg* tiwbâu

tuba player canwr tiwba *eg* canwyr tiwba

tube tiwb *eg* tiwbiau

tuber cloronen *eb* cloron

tuberculosis darfodedigaeth, y ddarfodedigaeth *eb*

tubing twbin *eg* tiwbinau

tubular tiwbaidd *ans*

tubular aluminium alwminiwm tiwbaidd *eg*

tubular bells tiwbglychau *ell*

tubular brass pres tiwbaidd *eg*

tubular bridge pont diwb *eb* pontiau tiwb
tubular gauze rhwyllen tiwb *eb* rhwyllenni tiwb
tubular heater gwresogydd tiwb *eg* gwresogyddion tiwb
tubular steel dur tiwbaidd *eg*
tubule tiwbyn *eg* tiwbynnau
tuck twc *eg* tyciau
tucked hem hem dwc *eb* hemiau twc
Tudor settlement ardrefniant Tuduraidd *eg*
Tudors Tuduriaid *ell*
tufa twffa *eg* twffâu
tuff twff *eg* twffau
tuffaceous tyffaidd *ans*
tuft cudyn *eg* cudynnau
tufted cudynnog *ans*
tufted carpet carped cudynnog *eg* carpedi cudynnog
tug tynfad *eg* tynfadau
tug 'o' war tynnu rhaff *be*
tuition fees taliadau dysgu *ell*
tulle tulle *eg*
tumble drier peiriant sychu dillad *eg* peiriannau sychu dillad
tumble dry sychu mewn peiriant *be*
tumble gear gêr twmblo *eg* gerau twmblo
tumbler drive barrel casgen gyriant twmblo *eb* casgiau gyriant twmblo
tumbrel trol *eb* troliau
tumour tyfiant *eg* tyfiannau
tumulus gwyddfa *eb* gwyddfeydd
tundra twndra *eg* twndrâu
tune alaw *eb* alawon
tuned circuit cylched gysain *eb* cylchedau cysain
tuned instrument offeryn traw *eg* offerynnau traw
tuned percussion instrument offeryn taro tiwniedig *eg* offerynnau taro tiwniedig
tuner tiwniwr *eg* tiwnwyr
tungsten (W) twngsten *eg*
tungsten carbide twngsten carbid *eg*
tungsten carbide paper papur twngsten carbid *eg*
tungsten steel dur twngsten *eg*
tungsten tipped (lathe toll forms) blaen twngsten *eg*
tunic tiwnig *eb* tiwnigau
tuning fork trawfforch *eb* trawffyrch
tuning hammer morthwyl cyweirio *eg* morthwylion cyweirio
tuning key allwedd diwnio *eb* allweddi tiwnio
tuning note cyweirdant *eg* cyweirdannau
tuning pin ebill cyweirio *eg* ebillion cyweirio
tuning string cyweirdant *eg* cyweirdannau
tunnage & poundage treth gasgen a phwysau *eb*
tunnel twnnel *eg* twnelau
turban twrban *eg* twrbanau
turbary (of land) mawnog *eb* mawnogydd
turbid cymylog *ans*
turbidity cymylogrwydd *eg*
turbidity current cerrynt tyrfedd *eg* ceryntau tyrfedd
turbine tyrbin *eg* tyrbinau
turbo-generator generadur tyrbo *eg* generaduron tyrbo

turbulence (in general) cynnwrf *eg*
turbulence (in meteorology) tyrfedd *eg* tyrfeddau
turbulent (in general) cynhyrfus *ans*
turbulent (in meteorology) tyrfol *ans*
turbulent flow llif tyrfol *eg* llifoedd tyrfol
turgid chwydd-dynn *ans*
turgidity chwydd-dyndra *eg*
Turk Twrc *eg* Twrciaid
Turkish Twrcaidd *ans*
Turkish stitch pwyth Twrcaidd *eg* pwythau Twrcaidd
turn *n* tro *eg* troeon
turn (ideas) *v* trosi (syniadau) *be*
turn (in general) *v* troi *be*
turn (lathe) *v* turnio *be*
turn a partner troi partner *be*
turn and give troi a rhoi
turn in a coil tro mewn coil *eg* troadau mewn coil
turn on an engine cychwyn injan *be*
turn on the ball troi ar y bêl *be*
turn out the light diffodd y golau *be*
turn single tro unfan *eg* troeon unfan
turn the electric fire off diffodd y tân trydan *be*
turn the electric fire on cynnau'r tân trydan *be*
turn the heel troi'r sawdl *be*
turn the scrum olwyno'r sgrym *be*
turn the tap off cau'r tap *be*
turn the tap on agor y tap *be*
turner turniwr *eg* turnwyr
turnery turnwriaeth *eb*
turning (=bend) troad *eg* troadau
turning allowance lwfans troi *eg* lwfansau troi
turning between centres turnio rhwng canolau *be*
turning chisel cŷn turnio *eg* cynion turnio
turning force grym troi *eg*
turning point trobwynt *eg* trobwyntiau
turning tool erfyn tyrnio *eg* offer tyrnio
turnip meipen *eb* maip; erfinen *eb* erfin
turnkey system system osodedig *eb* systemau gosodedig
turnover trosiant *eg* trosiannau
turnover board bwrdd dymchwel *eg* byrddau dymchwel
turnpike tyrpeg *eg* tyrpegau
turnpike company cwmni tyrpeg *eg* cwmnïau tyrpeg
turntable bwrdd tro *eg* byrddau tro
turpentine tyrpant *eg*
turps substitute amnewidyn tyrpant *eg* amnewidion tyrpant
turquoise (enamelling colour) glaswyrdd *eg*
turret twred *eg* tyredau
turtle crwban *eg* crwbanod
turtle graphics graffeg crwban *eg*
turtle neck gwddf crwban *eg*
tusk tenon tyno ysgithr *eg* tynoau ysgithr
tusk-tenon joint uniad tyno ysgithr *eg* uniadau tyno ysgithr
tussock (bunch grass) sypwellt *eg*
tussore tussore *ans*
tutelage gwarchodaeth *eb*

---

eg/b enw gwrywaidd/benywaidd, *feminine/masculine noun*   *ell* enw lluosog, *plural noun*   *v* berf, *verb*   *n* enw, *noun*

tutor tiwtor *eg* tiwtoriaid

tutor group grŵp tiwtor *eg* grwpiau tiwtoriaid

tutor-organiser tiwtor drefnydd *eg* tiwtor drefnyddion

tutorial tiwtorial *eg* tiwtorialau

tuyére tuyére *eg*

TVEI: Technical Vocational Education Initiative ADAG: Addysg Dechnegol a Galwedigaethol *eb*

tweed brethyn caerog *eg* brethynnau caerog

tweezers gefel fach *eg* gefeiliau bach

twelfth deuddegfed *eg* deuddegfedau

twelfth man deuddegfed *eg*

Twelve Articles Deuddeg Erthygl (Gwrthryfel y Werin) *eb*

twelve note technique techneg deuddeg nodyn *eb*

twentieth century ugeinfed ganrif *eb*

twenty five yards pump llath ar hugain *eg*

twice full size dwywaith maint llawn

twig brigyn *eg* brigau

twilight zone cylchfa gyfnosi *eb* cylchfaoedd cyfnosi

twill twil *eg*

twill weave gwehyddiad caerog *eg*

twin (female) gefeilles *eb* gefeilliaid

twin (male) gefell *eg* gefeilliaid

twin haunched dwbl hansiedig *ans*

twin needle (of machine part) nodwydd ddwbl *eb* nodwyddau dwbl

twin tenon tyno dwbl *eg* tynoau dwbl

twin town gefeilldref *eb* gefeilldrefi

twin tub machine peiriant twb dwbl *eg* peiriannau twb dwbl

twine *n* cortyn *eg* cortynnau

twine (in general) *v.trans* cordeddu *be*

twine (as in climbing plants) *v.intrans* ymgordeddu *be*

twinning (of schools) gefeillio (ysgolion) *be*

twinning (of towns) trefeillio *be*

twist (=give spiral form to) *v* dirdroi *be*

twist (in general) *v* troelli *be*

twist (of spiral) *n* dirdroad *eg* dirdroadau

twist (of strands) *v.intrans* ymgordeddu *be*

twist (strands) *v.trans* cordeddu *be*

twist (=turn) *n* tro *eg* troeon

twist bit ebill tro *eg* ebillau tro

twist drill dril dirdro *eg* driliau dirdro

twist drill parts rhannau dril dirdro *ell*

twisted dirdro *ans*

twisted chain stitch pwyth cadwyn dro *eg* pwythau cadwyn dro

twisted cord cortyn dirdro *eg* cortynnau dirdro

twisted grain graen tro *eg*

twisted shank hoelen garan ddirdro *eb* hoelion garan dirdro

twisting (forging process) dirdroi *be*

twitch *n* plwc *eg* plyciau

twitch *v* plycio *be*

two dau *eg* deuoedd

two bails dwy gaten *eb*

two dimensional dau ddimensiwn *ans*

two dimensional modelling modelu dau ddimensiwn *be*

two hands clean and jerk â phlwc dwy law

two hands snatch cipiad dwy law *eg* cipiadau dwy law

two on the ball (of males) dau ar y bêl *eg*

two on the ball (of females) dwy ar y bêl *eb*

two part (in singing) deulais *ans*

two plywood fillets dau ffiled pren haenog *eg*

two pronged chuck crafanc fforch ddwbl *eb* crafangau fforch ddwbl

two storey deulawr *ans*

two way switch switsh dwyffordd *eg* switshis dwyffordd

two's complement cyflenwad deuol *eg*

two-digit dau ddigid *ans*

two-hand turn tro dwy law *eg* troeon dwy law

two-off mae angen dau

two-part dwyran *ans*

two-ply wool edafedd dwy gainc *ell*

two-pronged fork fforch ddeubig *eb* ffyrch deubig

two-stroke dwystroc *ans*

two-way loom gwŷdd dwyffordd *eg*

twos deuoedd *ell*

tympanic membrane tympan y glust *eg* tympanau clustiau

tympanym tympanwm *eg*

type (in printing) *n* teip *eg* teipiau

type (=kind or sort) *n* math *eg* mathau

type (=write with a typewriter) *v* teipio *be*

type checking math-wirio *be*

type holder daliwr teip *eg* dalwyr teip

type metal metel teip *eg*

type of farming math o ffermio *eg* mathau o ffermio

type of performance math o berfformiad *eg* mathau o berfformiad

type of throw natur y tafliad *eb*

type station gorsaf deip *eb* gorsafoedd teip

typeface ffurf-deip *eg* ffurfdeipiau

typefont ffont-deip *eb* ffontdeipiau

types of finishes dulliau o orffeniadau *ell*

types of food mathau o fwyd *ell*

typewriter teipiadur *eg* teipiaduron

typhoon teiffŵn *eg* teiffwnau

typing error gwall teipio *eg* gwallau teipio

typography teipograffeg *eb*

tyrannical gormesol *ans*

tyrannicide (crime) teyrnladdiad *eg* teyrnladdiadau

tyrannicide (=person who kills a tyrant) teyrnleiddiad *eg* teyrnleiddiaid

tyranny gormes *eb*

tyrant teyrn *eg* teyrnedd

tyrosine tyrosin *eg*

---

adf, adv adferf, *adverb*   ***ans, adj*** ansoddair, *adjective*   ***be*** berf, *verb*   ***eb*** enw benywaidd, *feminine noun*   ***eg*** enw gwrywaidd, *masculine noun*

U.S.S.R. Undeb Sofietaidd, yr *eg*

U shaped valley dyffryn ffurf U *eg* dyffrynnoedd ffurf U

U-bend pibell U *eb* pibellau U

U-boat llong danfor Almaenig *eb* llongau tanfor Almaenig

U-section trychiad U *eg* trychiadau U

U-shaped ar ffurf U *ans*

U-shaped kitchen cegin ar ffurf U *eb* ceginau ar ffurf U

U-tool erfyn U *eg* arfau U

u-turn tro pedol *eg* troeon pedol

ubac cil haul *eg*

UCCA Cyngor Canolog ar gyfer Mynediad i'r Prifysgolion *eg*

udder pwrs *eg* pyrsiau; cadair *eb* cadeiriau

UK energy policy polisi egni y Deyrnas Gyfunol *eg*

ukelele iwcalili *eg* iwcalilis

Ukrainian *adj* Wcrainaidd *ans*

Ukrainian *n* Wcrainiad *eg* Wcrainiaid

ulcer briw *eg* briwiau

ulcerate briwio *be*

ulna wlna *eg* wlnâu

ulnar nerve nerf wlnar *eg* nerfau wlnar

Ulster Loyalist Teyrngarwr Ulster *eg* Teyrngarwyr Ulster

Ulster Unionist Unoliaethwr Ulster *eg* Unoliaethwyr Ulster

Ulster Volunteer Gwirfoddolwr Ulster *eg* Gwirfoddolwyr Ulster

ultimatum wltimatwm *eg*

ultra violet lamp lamp uwchfioled *eb* lampau uwchfioled

ultra violet light golau uwchfioled *eg*

ultra-fashionable tra ffasiynol *ans*

Ultra-Royalist Uchel Frenhinwr *eg* Uchel Frenhinwyr

ultrabasic wltrabasig *ans*

ultracentrifuge uwchallgyrchydd *eg* uwchallgyrchwyr

ultrafiltration uwch-hidlo *be*

ultramarine dulas *eg*

ultrasonic uwchsain *ans*

ultrasonics (of science) uwchseineg *eb*

ultrasound uwchsain *eg* uwchseiniau

ultraviolet uwchfioled *eg*

ultraviolet wave ton uwchfioled *eb* tonnau uwchfioled

umbel wmbel *eg* wmbelau

umber wmber *eg*

umbilical wmbilig *ans*

umbilical cord llinyn bogail *eg* llinynnau bogeiliau

umbilicus bogail *eg* bogeiliau

umpire dyfarnwr *eg* dyfarnwyr

unaccented diacen *ans*

unacceptable behaviour ymddygiad annerbyniol *eg*

unaccompanied digyfeiliant *ans*

unaided heb gymorth *adf*

unambiguous diamwys *ans*

unauthorized absence absenoldeb heb ei awdurdodi *eg* absenoldebau heb eu hawdurdodi

unbalanced forces grymoedd anghytbwys *ell*

unbeneficed difywoliaeth *ans*

unbiased (in physics) di-fias *ans*

unbiased (in statistics) diduedd *ans*

unbiased estimate amcangyfrif diduedd *eg* amcangyfrifon diduedd

unbleached heb ei gannu *ans*

unbleached calico calico heb ei gannu *eg*

unbounded diarffin *ans*

unbroken line llinell ddi-dor *eb* llinellau di-dor

unburnt heb losgi *ans*

uncertainty principle egwyddor ansicrwydd *eb*

unchristian anghristnogol *ans*

uncial wnsial *eg* wnsialau

unclassified annosbarthedig *ans*

unclear aneglur *ans*

unconditional diamod *ans*

unconditional branch instruction cyfarwyddyd canghennu diamod *eg* cyfarwyddiadau canghennu diamod

unconditional jump naid ddiamod *eb* neidiau diamod

unconditional jump instruction cyfarwyddyd neidio diamod *eg* cyfarwyddiadau neidio diamod

unconditional positive regard agwedd gadarnhaol ddiamod *eb*

unconditional surrender ildio diamod *be*

unconditional transfer instruction gorchymyn trosglwyddo diamod *eg* gorchmynion trosglwyddo diamod

unconformable beds haenau anghyffurfiadwy *ell*

unconformity anghydffurfedd *eg*

unconscious anymwybodol *ans*

unconstitutional anghyfansoddiadol *ans*

unconventional anghonfensiynol *ans*

uncorrelated anghydberthnasol *ans*

uncrushable (finish) anghrychadwy *ans*

unction eneiniad olaf *eg*

undefined anniffiniedig *ans*

under arm bowling bowlio dan ysgwydd *be*

under grasp tanafael *be*

under stitching tanbwytho *be*

under the action of gravity o dan effaith disgyrchiant

under-employ tangyflogi *be*

under-nourish tanfaethu *be*

under-nourished heb ddigon o faeth *ans*

under-pass tanffordd *eb* tanffyrdd

underachieve tangyflawni *be*

---

eg/b enw gwrywaidd/benywaidd, *feminine/masculine noun*   *ell* enw lluosog, *plural noun*   *v* berf, *verb*   *n* enw, *noun*

underachiever (of child) plentyn sy'n tan-gyflawni *eg* plant sy'n tan-gyflawni

underarm cesail *eb* ceseiliau

underarm pass pàs dan ysgwydd *eb* pasiau dan ysgwydd

underarm throw tafliad dan ysgwydd *eg* tafliadau dan ysgwydd

underblanket isflanced *eb* isflancedi

underclothing dillad isaf *ell*

undercoat *v* tanbeintio *be*

undercoat (of paint) *n* tanbaent *eg* tanbaentiau

undercolour lliw cyntaf *eg*

undercover cudd *ans*

undercurrent islif *eg* islifogydd

undercut *n* tandoriad *eg* tandoriadau

undercut *v* tandorri *be*

undercut bank torlan *eb* torlannau

underdeveloped (of child) heb ddatblygu digon *ans*

underdeveloped (of country etc) tanddatblygedig *ans*

underemployment tangyflogaeth *eb*

underface *n* tanwyneb *eg* tanwynebau

underface *v* tanwynebu *be*

underfire tan ffwrn-danio *be*

underfloor tanlawr *ans*

underflow islif *eg* islifoedd

underframe ffrâm isaf *eb* fframiau isaf

underframe rail rheilen isaf *eb* rheiliau isaf

undergarments dillad isaf *ell*

underglaze *n* tanwydredd *eg*

underglaze *v* tanwydro *be*

underglaze colour lliw tanwydredd *eg*

underground tanddaearol *ans*

underground movement mudiad cyfrin *eg* mudiadau cyfrin

undergrowth isdyfiant *eg*

underlay (of carpet) haen waelodol (carped) *eb* haenau gwaelodol (carpedi)

underline tanlinellu *be*

underline key tanlinellwr *eg* tanlinellwyr

underlying gwaelodol *ans*

underlying bed rock creigwely gwaelodol *eg* creigwelyau gwaelodol

underlying pattern patrwm gwaelodol *eg* patrymau gwaelodol

undermine tanseilio *be*

undernourishment diffyg maeth *eg*

underpaid heb dâl digonol *ans*

underpaint tanbaent *eg* tanbaentiau

underpinning knowledge gwybodaeth greiddiol *eb*

underpopulated tanboblog *ans*

underprivileged difreintiedig *ans*

underprivileged group grŵp llai breintiedig *eg* grwpiau llai breintiedig

underscoring tanlinellu *be*

undersheet isgynfas *eg* isgynfasau

undershot wheel rhod isredol *eb* rhodau isredol

underside ochr isaf *eb* ochrau isaf

underskirt pais *eb* peisiau

underspend *n* tanwariant *eg*

underspend *v* tanwario *be*

understand deall *be*

understand the principles deall egwyddorion *be*

understanding dealltwriaeth *eb*

understanding of style dealltwriaeth o arddull *eb*

understudy dirprwy *eg* dirprwyon

undertake cyflawni *be*

undertaker ymgymerwr *eg* ymgymerwyr

undertaking ymgymeriad *eg* ymgymeriadau

underutilize tanddefnyddio *be*

underwater seal drainage draenio sêl tanddwr *be*

underwear dillad isaf *ell*

underwrap islap *eg* islapiau

undetermined amhendant *ans*

undetermined coefficient cyfernod amhendant *eg* cyfernodau amhendant

undo (knot, shoes etc) datod *be*

undo (work, mistake etc) dadwneud *be*

undress dadwisgo *be*

undulate ymdonni *be*

undulation ymdoniad *eg* ymdoniadau

unearned income incwm heb ei ennill *eg*

unearned investment income incwm eiddo *eg*

unemployable anghyflogadwy *ans*

unemployed di-waith *ans*

unemployment diweithdra *eg*

unequal (in general) anghyfartal *ans*

unequal (in mathematics) anhafal *ans*

unerisis wnerisis *eg*

unethical anfoesegol *ans*

uneven anwastad *ans*

uneven growth rings cylchoedd tyfiant anwastad *ell*

uneven plaid plad anghyson *eg*

uneven surface arwyneb anwastad *eg* arwynebau anwastad

unexploited anghyffwrdd *ans*

unfair annheg *ans*

unfair play chwarae annheg *eg*

unfamiliar anghyfarwydd *ans*

unfamiliar context cyd-destun anghyfarwydd *eg* cyd-destunau anghyfarwydd

unfamiliar environment amgylchedd anghyfarwydd *eg* amgylcheddau anghyfarwydd

unfasten agor *be*

unfenced di-ffens *ans*

unfit anffit *ans*

ungentlemanly conduct ymddygiad anfonheddig *eg*

ungraded anraddedig *ans*

ungulate *adj* carnol *ans*

ungulate *n* carnolyn *eg* carnolion

unhitch datglymu *be*

Uniate Church Eglwys Uniadol (Dwyrain Ewrop) *eb*

unicellular ungellog *ans*

unicorn uncorn *eg*

---

adf, adv adferf, *adverb*   *ans, adj* ansoddair, *adjective*   *be* berf, *verb*   *eb* enw benywaidd, *feminine noun*   *eg* enw gwrywaidd, *masculine noun*

unicursal uncwrsaidd *ans*

unidentified species rhywogaeth anhysbys *eb* rhywogaethau anhysbys

unification uniad *eg* uniadau

unified unedig *ans*

unified thread edau unol *eb* edafedd unol

uniform *adj* unffurf *ans*

uniform (for school) *n* gwisg ysgol *eb*

uniform (military) *n* lifrai *eg*

uniform benefit budd-dal unffurf *eg* budd-daliadau unffurf

uniform pitch pitsh unffurf *eg*

uniform strength cryfder cyson *eg* cryfderau cyson

uniformitarianism unffurfiadaeth *eb*

uniformity unffurfiaeth *eb*

unify uno *be*

unilateral unochrog *ans*

Unilateral Declaration of Independence Datganiad Annibyniaeth Unochrog *eg*

unimodular unfodiwlaidd *ans*

unimolecular unfoleciwlaidd *ans*

unindented annanheddus *ans*

uninhabitable annrhigiadwy *ans*

uninhabited anghyfannedd *ans*

unintentional anfwriadol *ans*

uninverted relief tirwedd ddiwrthdro *eb* tirweddau diwrthdro

union (act or instance of uniting) uniad *eg* uniadau

union (join in mathematics) cyswllt *eg* cysylltau

union (=trade union, association etc) undeb *eg/b* undebau

Union Jack Jac yr Undeb *eg*

union of England and Wales uno Cymru a Lloegr *be*

union of sets uniad setiau *eg*

unionism undebaeth *eb*

unionist (N. Ireland) unoliaethwr *eg* unoliaethwyr

unionist (trade) undebwr *eg* undebwyr

Unionist Party Plaid yr Unoliaethwyr *eb*

unique unigryw *ans*

unique factorization domain parth ffactoriad unigryw *eg*

uniqueness unigrywiaeth *eb*

unisexual unrhywiol *ans*

unison unsain *ans*

unit *adj* unedol *ans*

unit *n* uned *eb* unedau

unit credit credyd uned *eg* credydau uned

unit mould mowld uned *eg* mowldiau uned

unit of account uned cyfrif *eg* unedau cyfrif

unit of competence uned cymhwysedd *eb* unedau cymhwysedd

unit of design uned batrymu *eb* unedau patrymu

unit of heat uned wres *eb* unedau gwres

unit pole pegwn uned *eg* pegynau uned

unitarian *adj* undodaidd *ans*

unitarian *n* undodwr *eg* undodiaid

unitarianism undodiaeth *eb*

unitary unedol *ans*

unitary authority awdurdod unedol *eg* awdurdodau unedol

unitary method dull uned *eg*

United Brotherhood Brawdoliaeth Unedig *eb*

united company cwmni unol *eg* cwmnïau unol

United Irishmen Cymdeithas y Gwyddelod Unedig *eb*

United Kingdom Teyrnas Gyfunol, y Deyrnas Gyfunol *eb*

United Nations Cenhedloedd Unedig *ell*

United Nations International Children's Fund (UNICEF) Cronfa Ryngwladol Plant y Cenhedloedd Unedig *eb*

United Reformed Church Eglwys Ddiwygiedig Unedig *eb*

univalent unfalent *ans*

universal cyffredinol *ans*

universal benefit budd-dal cyffredinol *eg* budd-daliadau cyffredinol

universal donor rhoddwr cyffredinol *eg* rhoddwyr cyffredinol

universal indicator dangosydd cyffredinol *eg*

universal joint cymal cyffredinol *eg* cymalau cyffredinol

universal recipient derbynnydd cyffredinol *eg* derbynwyr cyffredinol

universal set set gynhwysol *eb* setiau cynhwysol

universal snips snipiwr cyffredinol *eg* snipwyr cyffredinol

universal square sgwâr cyffredinol *eg* sgwariau cyffredinol

universal suffrage pleidlais gyffredinol *eb*

universal tinsnips snipiwr tun cyffredinol *eg* snipwyr tun cyffredinol

universal tongs gefel gyffredinol *eb* gefeiliau cyffredinol

universe bydysawd *eg*

university prifysgol *eb* prifysgolion

University Tests Acts Deddfau Prawf y Prifysgolion *ell*

unknown *adj* anhysbys *ans*

unknown (in mathematics) *n* anhysbysyn *eg* anhysbysion

Unlawful Oaths Act Deddf Llwon Anghyfreithlon *eb*

unleavened bread bara croyw *eg*

unmarried dibriod *ans*

unmodulated anfodyledig *ans*

unpack dadbacio *be*

unpaired (of electrons) digymar (am electronau) *ans*

unpaired electron electron heb bâr *eg* electronau heb bâr

unpaired terrace cerlannau anghyfatebol *ell*

unparliamentary anseneddol *ans*

unpick datod *be*

unplug datgysylltu plwg *be*

unpolluted pur *ans*

unpredictable annarogan *ans*

unpressed pleating pletio rhydd *be*

unprimed di-breim *ans*

unproductive anghynhyrchiol *ans*

unreactive anadweithiol *ans*

unrelenting didostur *ans*

unrest aflonyddwch *eg*

unroll dadrolio *be*

unroof di-doi *be*

unsaturated annirlawn *ans*

unsaturated fatty acid asid brasterog annirlawn *eg*

unscrew dadsgriwio *be*

unseasoned timber pren heb ei sychu *eg*

unsegmented ansegmennol *ans*

---

unset dadosod *be*

unsigned integer cyfanrif diarwydd *eg* cyfanrifau diarwydd

unskilled (of worker) di-grefft *ans*

unskilled labour llafur di-grefft *eg*

unskilled worker gweithiwr di-grefft *eg* gweithwyr di-grefft

Unsolicited Goods & Services Act Deddf Nwyddau a Gwasanaethau nas Archebwyd *eb*

unsorted anhrefnedig *ans*

unstable ansefydlog *ans*

unstable equilibrium cydbwysedd ansefydlog *eg*

unstiffened waistband band gwasg heb ei gyfnerthu *eg* bandiau gwasg heb eu cyfnerthu

unstitched calico mop mop calico heb ei bwytho *eg* mopiau calico heb eu pwytho

unstratified dihaenedig *ans*

unstretched diestyn *ans*

unstrutted di-ais *ans*

untempered nas tymherwyd *ans*

untouchables anghyffyrddedigion *ell*

untuned percussion offerynnau taro di-draw *ell*

untwist fibres gwahanu ffibrau *be*

unweighted amhwysol *ans*

unweighted sample sampl amhwysol *eg* samplau amhwysol

unwind (wool) dad-ddirwyn *be*

unwound (of wool) wedi'i ddad-ddirwyn *ans*

up and over door drws esgyn *eg* drysau esgyn

up and under (in rugby) cic a chwrs

up arrow saeth i fyny *eb*

up beat curiad i fyny *eg*

up to date cyfoes *ans*

up-count cyfrif i fyny *eg*

update *n* diweddaraf, y diweddaraf *eg*

update *v* diweddaru *be*

upfold plyg i fyny *eg* plygion i fyny

upgrade uwchraddio *be*

upholstered *(with feminine nouns)* wedi'i chlustogi *ans* wedi'u clustogi

upholstered *(with masculine nouns)* wedi'i glustogi *ans* wedi'u clustogi

upholstery clustogwaith *eg*

upholstery nail hoelen glustogwaith *eb* hoelion clustogwaith

upholstery needle nodwydd clustogwaith *eb* nodwyddau clustogwaith

upholstery spring sbring clustogwaith *eg* sbringiau clustogwaith

upland uwchdir *eg* uwchdiroedd

uplift *adj* ymgodol *ans*

uplift *n* ymgodiad *eg* ymgodiadau

uplift *v* ymgodi *be*

upload llwytho i fyny *be*

upper air aer uchaf *eg*

upper boundary arffin uchaf *eg* arffiniau uchaf

upper case letter priflythyren *eb* priflythrennau

upper class dosbarth uchaf *eg* dosbarthiadau uchaf

upper floor llawr uchaf *eg* lloriau uchaf

upper school ysgol uchaf *eb* ysgolion uchaf

upper sixth chweched uchaf *eg*

upright unionsyth *ans*

upright mortise lock clo mortais unionsyth *eg* cloeon mortais unionsyth

upright piano piano syth *eg* pianos syth

upright position safle unionsyth *eg* safleoedd unionsyth

upright posture ymddaliad unionsyth *eg* ymddaliadau unionsyth

upright vacuum cleaner sugnwr llwch unionsyth *eg* sugnwyr llwch unionsyth

uprising gwrthryfel *eg* gwrthryfeloedd

upset (=a shake) hollt *eg/b* holltau

upset grain graen cymysg *eg*

upsetting (jumping up – forging process) clopáu *be*

upside down wyneb i waered *adf*

upslope llethr gorifyny *eg* llethrau gorifyny

upstream i fyny'r afon

upstroke blaenstroc *eb* blaenstrociau

uptake (of salts by a root) mewnlifiad *eg* mewnlifiadau

upthrow side ochr esgynedig *eb* ochrau esgynedig

upthrust brigwth *eg* brigwthiadau

uptime amser mynd *eg* amserau mynd

upward pressure gwasgedd i fyny *eg*

upward sloping curve cromlin esgynnol *eb* cromliniau esgynnol

upwarp crychiad i fyny *eg* crychiadau i fyny

upwelling ymchwydd *eg* ymchwyddiadau

uranium (U) wraniwm *eg*

Uranus Wranws *eg*

urban trefol *ans*

urban area ardal drefol *eb* ardaloedd trefol

urban community cymuned drefol *eb* cymunedau trefol

urban field cylch trefol *eg* cylchoedd trefol

urban fringe cyrion trefol *ell*

urban hierarchy hierarchaeth drefol *eb*

urban history hanes trefol *eg*

urban landuse defnydd tir trefol *eg*

urban renewal adnewyddiad trefol *eg*

urban sprawl blerdwf trefol *eg*

urbanism trefolaeth *eb*

urbanize trefoli *be*

urbanized trefoledig *ans*

urea wrea *eg*

urea cycle cylchred wrea *eb*

urea formaldehyde wrea fformaldehyd *eg*

urea formaldehyde glue glud wrea fformaldehyd *eg*

urease wreas *eg*

ureter wreter *eg* wreterau

urethra wrethra *eg/b* wrethrâu

urge *n* cymhelliad *eg* cymhellion

urge *v* annog *be*

uric acid asid wrig *eg*

uricotelic wricotelig *ans*

urinals wrinalau *ell*

urine troeth *eg*

urine test prawf troeth *eg* profion troeth

---

adf, adv adferf, *adverb*   *ans, adj* ansoddair, *adjective*   *be* berf, *verb*   *eb* enw benywaidd, *feminine noun*   *eg* enw gwrywaidd, *masculine noun*

uriniferous tubule tiwbyn troeth *eg* tiwbynnau troeth

urn wrn *eg* yrnau

urnfield yrnfaes *eg* yrnfeysydd

urology wroleg *eb*

use *v* defnyddio *be*

use (=being used) *n* defnydd *eg* defnyddiau

use (=benefit or profit of lands) *n* mwyniant *eg* mwyniannau

use (=custom) *n* arfer *eg/b* arferion

use materials gweithio gyda defnyddiau *be*

use of land defnyddio tir *be*

use of sources defnyddio ffynonellau *be*

use-height uchder defnydd *eg*

useful defnyddiol *ans*

user defnyddiwr *eg* defnyddwyr

user dictionary geiriadur defnyddiwr *eg* geiriaduron defnyddwyr

user disk disg defnyddiwr *eg* disgiau defnyddwyr

user documentation dogfennaeth defnyddiwr *eb*

user group grŵp o ddefnyddwyr *eg* grwpiau defnyddwyr

user interface rhyngwyneb defnyddiwr *eg* rhyngwynebau defnyddwyr

user-friendly cyfeillgar *ans*

user-hostile package pecyn anghyfeillgar *eg* pecynnau anghyfeillgar

user-unfriendly anghyfeillgar *ans*

usurp trawsfeddiannu *be*

usurpation trawsfeddiannaeth *eb*

usurper trawsfeddiannwr *eg* trawsfeddianwyr

usury usuriaeth *eb*

utensils offer *ell*

uterine crothol *ans*

uterus croth *eb*

utilitarian *adj* iwtalitaraidd *ans*

utilitarian *n* iwtilitariad *eg* iwtilitariaid

utilitarianism iwtilitariaeth *eb*

utility defnyddioldeb *eg*

utility disk disg gwasanaethu *eg* disgiau gwasanaethu

utility program rhaglen wasanaethu *eb* rhaglenni gwasanaethu

utilization defnydd *eg* defnyddiau

utilize defnyddio *be*

Utopia Iwtopia *eb* Iwtopiâu

Utraquism Wtraciaeth *eb*

Utraquist (of person) Wtracwr *eg* Wtracwyr

utricle wtrigl *eg* wtriglau

uvala wfala *eb* wfalau

uvinial wfinial *ans*

V base gwaelod V *eg* gwaelodau V
V blocks and clamps blociau V a chlampiau
V pulley pwli V *eg* pwlïau V
V-cut toriad V *eg* toriadau V
V-joint uniad V *eg* uniadau V
V-section toriad V *eg* toriadau V
V-shape ffurf V *eb*
V-shaped ar ffurf V *ans*
V-tool erfyn V *eg* arfau V
V-weapons arfau V *ell*
vacancy (for a job) swydd wag *eb* swyddi gwag
vacation gwyliau *ell*
vaccinate brechu *be*
vaccination brechiad *eg* brechiadau
vaccine brechlyn *eg* brechlynnau
vacuole gwagolyn *eg* gwagolynnau
vacuum gwactod *eg* gwactodau
vacuum bottle potel wactod *eg* poteli gwactod
vacuum chamber siambr wactod *eb* siambrau gwactod
vacuum cleaner sugnwr llwch *eg* sugnwyr llwch
vacuum flask fflasg wactod *eb* fflasgiau gwactod
vacuum forming ffurfio â gwactod *be*
vacuum tools offer sugnwr llwch *ell*
vadose uwch-lefel-trwythiad *eb*
vagabond crwydryn *eg* crwydriaid
vagabondage crwydraeth *eb*
vagina (of cow, mare etc) llawes goch *eb*
vagina (of woman) gwain *eb* gweiniau
vagrancy crwydraeth *eb*
vagrant crwydryn *eg* crwydriaid
vagus nerve nerf fagws *eg*
vale dyffryndir *eg* dyffryndiroedd
valence falens *eg* falensau
valence bond theory damcaniaeth bond falens *eb*
valency falens *eg* falensau
valid dilys *ans*
valid screen sgrin ddilys *eb* sgriniau dilys
validate dilysu *be*
validation dilysiad *eg* dilysiadau
validation suite cyfres ddilysu *eb* cyfresi dilysu
validity dilysrwydd *eg*
validity check prawf dilysrwydd *eg* profion dilysrwydd
valine falin *eg*
valley dyffryn *eg* dyffrynnoedd
valley floor llawr y dyffryn *eg*
valley glacier rhewlif dyffryn *eg* rhewlifau dyffryn
valley head pen y dyffryn *eg* pennau dyffrynnoedd
valley rafter ceibr cafn *eg* ceibrau cafn

valley roof to cafnog *eg* toeon cafnog
valley tract dyffryndir afon *eg* dyffryndiroedd afon
valley train rhes dyffryn *eb* rhesi dyffrynnoedd
valorisation sefydlu gwerth *be*
valse valse *eb* valses
valuables pethau gwerthfawr *ell*
valuation prisiant *eg* prisiannau
valuation list rhestr brisiant *eb* rhestri prisiant
valuation officer swyddog prisio *eg* swyddogion prisio
value *n* gwerth *eg* gwerthoedd
value added tax (VAT) treth ar werth (TAW) *eb*
value judgement barn ar werth *eb*
value of a constant gwerth cysonyn *eg*
value of the beat gwerth y curiad *eg*
valuer prisiwr *eg* priswyr
valve falf *eb* falfiau
valve clearance cliriad falf *eg* cliriadau falf
valve instrument offeryn falf *eg* offerynnau falf
valve seat eisteddle falf *eg* eisteddleoedd falf
valve trumpet utgorn falfiau *eg* utgyrn falfiau
vamp fampio *be*
vanadium (V) fanadiwm *eg*
vandal fandal *eg* fandaliaid
vandalism fandaliaeth *eb*
Vandyke brown brown Vandyke *eg*
Vandyke crystals grisialau Vandyke *ell*
Vandyke smocking smocwaith Vandyke *eg*
vane (of arrow) asgell *eb* esgyll
vane (of turbine, feather etc) llafn *eg/b* llafnau
vanguard blaengad *eb* blaengadau
vanish diflannu *be*
vanished diflan *ans*
vanishing line llinell ddiflannol *eb* llinellau diflannol
vanishing point diflanbwynt *eg* diflanbwyntiau
vanity unit uned ymolchi *eb* unedau ymolchi
vaporization anweddiad *eg* anweddiadau
vaporize anweddu *be*
vaporized anweddol *ans*
vapour (water) anwedd *eg* anweddau
vapour density dwysedd anwedd *eg*
vapour pressure gwasgedd anwedd *eg*
variable *adj* newidiol *ans*
variable *n* newidyn *eg* newidynnau
variable address cyfeiriad newidiol *eg* cyfeiriadau newidiol
variable current cerrynt newidiol *eg* ceryntau newidiol
variable field maes newidiol *eg* meysydd newidiol
variable form ffurf amrywiol *eb* ffurfiau amrywiol
variable length hyd newidiol *eg* hydoedd newidiol

---

adf, adv adferf, *adverb*   **ans, adj** ansoddair, *adjective*   **be** berf, *verb*   **eb** enw benywaidd, *feminine noun*   **eg** enw gwrywaidd, *masculine noun*

variable star seren newidiol *eb* sêr newidiol

variable string llinyn newidiol *eg* llinynnau newidiol

variable type math newidiol *eg* mathau newidiol

variable word length hyd gair newidiol *eg*

variance amrywiant *eg* amrywiannau

variant amrywiolyn *eg* amrywiolion

variates amryweddau *ell*

variation amrywiad *eg* amrywiadau

variation of rhythm amrywiad rythm *eg* amrywiadau rythm

variation of tension amrywiad tyndra *eg* amrywiadau tyndra

variation sonata sonata amrywiad *eb* sonatau amrywiad

variational amrywiadol *ans*

varied diet diet amrywiol *eg*

variegated leaf deilen fraith *eb* dail brith

variegation brithedd *eg*

variety amrywiaeth *eb* amrywiaethau

variety of media amrywiaeth o gyfryngau *eb*

varnish *n* farnais *eg*

varnish *v* farneisio *be*

varnish finish gorffeniad farnais *eg*

varnished wedi'i farneisio *ans* wedi'u farneisio

varnished surface arwyneb farnais *eg* arwynebau farnais

varve farf *eg* farfau

vary amrywio *be*

vary timing amrywio amseriad *be*

vascular fasgwlar *ans*

vascular bundle sypyn fasgwlar *eg* sypynnau fasgwlar

vasculum fasgwlwm *eg* fasgwla

vase ffiol *eb* ffiolau

vase shape siâp ffiol *eg* siapiau ffiol

Vaseline Vaseline *eg*

vasoconstriction fasogyfyngiad *eg*

vasoconstrictor fasogyfyngydd *eg* fasogyfyngwyr

vasodilation fasoymlediad *eg*

vasodilator fasoymledydd *eg* fasoymledwyr

vassal deiliad (ffiwdal) *eg* deiliaid (ffiwdal)

vassalage deiliadaeth ffiwdal *eb*

Vatican Fatican *eg*

Vauclusian spring tarddell Vaucluse *eb* tarddellau Vaucluse

vaudeville vaudeville *eg* vaudevilles

vault (of chamber) cromgell *eb* cromgelloedd

vault (of jump) llofnaid *eb* llofneidiau

vault with a double beat llofnaid ddeuglap *eb* llofneidiau deuglap

vault with foot assisting llofnaid milwr *eb* llofneidiau milwr

vavasour fafasor *eg* fafasoriaid

vector *n* fector *eg* fectorau

vector *v* fectoru *be*

vector multiplication lluosiad fector *eg*

vector quantity mesur fector *eg* mesurau fector

vectorial fectoraidd *ans*

vectorize fectoreiddio *be*

vee belt gwregys 'V' *eg* gwregysau 'V'

vee groove locking nut nyten gloi rhigol V *eb* nytiau cloi rhigol V

vee-bit tongs gefel geg 'V' *eb* gefeiliau ceg 'V'

veer and back gwyro a gwrthwyro

vegetable dye llifyn llysiau *eg* llifynnau llysiau

vegetable fibre ffibr llysiau *eg* ffibrau llysiau

vegetable glue glud llysiau *eg*

vegetable oil olew llysiau *eg*

vegetable origin tarddiad llysieuol *eg*

vegetarian llysieuwr *eg* llysieuwyr

vegetation llystyfiant *eg*

vegetative reproduction atgynhyrchiad llystyfol *eg*

vehicle (=car, lorry etc) cerbyd *eg* cerbydau

vehicle (=medium for suspending pigments etc) cludydd *eg* cludyddion

vehicular traffic trafnidiaeth gerbydol *eb*

vein gwythïen *eb* gwythiennau

vein of ore gwythïen fwyn *eb* gwythiennau mwyn

veiner erfyn cerfio ffurf U *eg* arfau cerfio ffurf U

velcro felcro *eg*

veld ffeld *eg*

vellum felwm *eg*

vellum glaze gwydredd felwm *eg*

vellum paper papur felwm *eg*

velocity (vector quantity) cyflymder *eg* cyflymderau

velocity / acceleration graph graff cyflymder / cyflymiad *eg* graffiau cyflymder / cyflymiad

velocity diagram diagram cyflymder *eg* diagramau cyflymder

velocity graph graff cyflymder *eg* graffiau cyflymder

velocity ratio cymhareb cyflymder *eb* cymarebau cyflymder

velocity / time diagram diagram cyflymder / amser *eg* diagramau cyflymder / amser

velour felôr *eg*

velvet melfed *eg* melfedau

velvet board bwrdd melfed *eg* byrddau melfed

velveteen melfedîn *eg* melfediniau

venal llygredig *ans*

venation (of a leaf) gwythieniad *eg*

vending-machine peiriant gwerthu *eg* peiriannau gwerthu

vendor gwerthwr *eg* gwerthwyr

veneer *n* argaen *eg* argaenau

veneer *v* argaenu *be*

veneer board bwrdd argaen *eg* byrddau argaen

veneer hammer morthwyl argaenu *eg* morthwylion argaenu

veneer key allwedd argaen *eb* allweddau argaen

veneer pin pìn argaen *eg* pinnau argaen

veneered chipboard bwrdd sglodion argaen *eg* byrddau sglodion argaen

veneered ply wood pren haenog wedi'i argaenu *eg*

veneered ply door drws pren haenog *eg* drysau pren haenog

venepuncture tynnu gwaed *be*

venereal disease clefyd gwenerol *eg*

Venetian Fenisaidd *ans*

venetian blind llen ddelltog *eb* llenni delltog

Venetian red coch Fenis *eg*
venison cig carw *eg*
Venn diagram diagram Venn *eg* diagramau Venn
vent (=finger hole of musical instrument)) twll bys *eg* tyllau bysedd
vent (for air circulation) *n* awyrell *eb* awyrellau
vent (for air circulation) *v* awyrellu *be*
vent (=opening in general) *n* agorfa *eb* agorfeydd
vent hole twll awyr *eg* tyllau awyr
vent window ffenestr awyru *eb* ffenestri awyru
ventifact carreg wyntraul *eb* cerrig gwyntraul
ventilate awyru *be*
ventilating fan gwyntyll awyru *eb* gwyntyllau awyru
ventilation awyriad *eg*
ventilation brick bricsen awyru *eb* brics awyru
ventilation grill dellt awyru *eb* delltiau awyru
ventilation rate cyfradd anadlu *eb*
ventilator (for ventilating a room etc) awyrydd *eg* awyryddion
ventilator (=respirator) peiriant anadlu *eg* peiriannau anadlu
ventral fentrol *ans*
ventral fin asgell fentrol *eb* esgyll fentrol
ventral root gwreiddyn fentrol *eg* gwreiddiau fentrol
ventricle fentrigl *eg* fentriglau
ventricular volume cyfaint fentriglaidd *eg*
venture capital cyfalaf menter *eg*
venule gwythiennig *eb* gwythienigau
Venus Gwener *eb*
verbal geiriol *ans*
verbal ability gallu geiriol *eg*
verderer gwyrddmon *eg* gwyrddmyn
verdict rheithfarn *eb* rheithfarnau
verdigris rhwd copr *eg*
verge ymyl *eg/b* ymylon
verglas glasrew *eg*
verifiable gwiriadwy *ans*
vermiform llyngyraidd *ans*
vermilion fermiliwn *eg*
vermin fermin *ell*
vernacular *adj* brodorol *ans*
vernacular *n* iaith frodorol *eb* ieithoedd brodorol
vernal equinox cyhydnos y gwanwyn *eb*
vernalization gwanwyneiddiad *eg*
vernicle fernagl *eb*
vernier *adj* fernier *ans*
vernier *n* fernier *eg* fernieri
vernier callipers caliperau fernier *eg*
vernier height gauge medrydd uchder fernier *eg* medryddion uchder fernier
vernier protractor onglydd fernier *eg* onglyddion fernier
vernier reading darlleniad fernier *eg* darlleniadau fernier
vernier scale graddfa fernier *eb* graddfeydd fernier
verruca ferwca *eg* ferwcau
versatile (of object) amlbwrpas *ans*
versatile (of person) amryddawn *ans*

verse (in Bible) adnod *eb* adnodau
verse (in song etc) pennill *eg* penillion
verse anthem anthem wersi *eb* anthemau gwersi
versine fersin *eg* fersinau
version fersiwn *eg* fersiynau
vertebra fertebra *eg* fertebrau
vertebral fertebrol *ans*
vertebral column asgwrn cefn *eg* esgyrn cefnau
vertebrate *adj* fertebraidd *ans*
vertebrate *n* fertebrat *eg* fertebratau
vertex fertig *eg* fertigau
vertical fertigol *ans*
vertical axis echelin fertigol *eb* echelinau fertigol
vertical blind llen stribed *eb* llenni stribed
vertical boring borio fertigol *be*
vertical branch pipe peipen gangen fertigol *eb* peipiau cangen fertigol
vertical buttonhole twll botwm fertigol *eg* tyllau botwm fertigol
vertical centre line llinell ganol fertigol *eb* llinellau canol fertigol
vertical centring canoli fertigol *be*
vertical chiselling naddu fertigol *be*
vertical control rheolaeth fertigol *eb*
vertical exaggeration gormodaeth fertigol *eb*
vertical feed porthiant fertigol *eg*
vertical force grym fertigol *eg*
vertical grouping grwpio fertigol *be*
vertical height uchder fertigol *eg*
vertical interval cyfwng fertigol *eg* cyfyngau fertigol
vertical line llinell fertigol *eb* llinellau fertigol
vertical milling machine peiriant melino fertigol *eg* peiriannau melino fertigol
vertical mortise lock clo mortais fertigol *eg* cloeon mortais fertigol
vertical paring naddu fertigol *be*
vertical perspective persbectif fertigol *eg* persbectifau fertigol
vertical photograph ffotograff fertigol *eg* ffotograffau fertigol
vertical plane (V.P.) plân fertigol *eg* planau fertigol
vertical projection line llinell dafluniadol fertigol *eb* llinellau tafluniadol fertigol
vertical pug mill melin gleio fertigol *eb* melinau cleio fertigol
vertical ruler hydlin *eg* hydlinau
vertical section toriad fertigol *eg* toriadau fertigol
vertical stripe rhes fertigol *eb* rhesi fertigol
vertical trace olin fertigol *eg* olinau fertigol
verticality fertigoledd *eg*
vertically opposite angles onglau croesfertigol *ell*
vertices of a rectangle fertigau petryal *ell*
very difficult anodd iawn *ans*
very fine grit grit mân iawn *eg*
very large scale integration (VLSI) cyfannu graddfa eang iawn *be*
vesicular cavity ceudod pothellog *eg* ceudodau pothellog
vesper gosber *eg* gosberau

---

adf, adv adferf, *adverb*   **ans, adj** ansoddair, *adjective*   **be** berf, *verb*   **eb** enw benywaidd, *feminine noun*   **eg** enw gwrywaidd, *masculine noun*

vessel llestr *eg* llestri

vest fest *eb* festys

Vestiarian Controversy Ymryson yr Urddwisgoedd *eb*

vestibule cyntedd *eg* cynteddau

vestigial organ organ gweddilliol *eg* organau gweddilliol

vestment urddwisg *eb* urddwisgoedd

vestry festri *eb* festrïoedd

veto pleidlais atal *eb* pleidleisiau atal

viability hyfywdra *eg*

viable (of living thing) hyfyw *ans*

viable (of plan etc) dichonadwy *ans*

viaduct traphont *eb* traphontydd

vibraphone fibraffon *eg* fibraffonau

vibrate dirgrynu *be*

vibrating dirgrynol *ans*

vibrating reed brwynen ddirgrynol *eb* brwyn dirgrynol

vibration dirgryniad *eg* dirgryniadau

vibration wave ton ddirgrynol *eb* tonnau dirgrynol

vibrational dirgrynol *ans*

vibrato vibrato *eg*

vibratory dirgrynol *ans*

vicar ficer *eg* ficeriaid

vicar-choral ficer corawl *eg* ficeriaid corawl

vicar-general ficer cyffredinol *eg* ficeriaid cyffredinol

vicarage ficerdy *eg* ficerdai

vicariate ficeriaeth *eb* ficeriaethau

vicarious dirprwyol *ans*

vice feis *eb* feisiau

vice clamps arbedion feis *ell*

vice jaw safn feis *eb* safnau feis

vice-admiral is-lyngesydd *eg* is-lyngeswyr

vice-consul is-gonswl *eg* is-gonswliaid

viceroy rhaglaw *eg* rhaglawiaid

victim dioddefwr *eg* dioddefwyr

victimisation erledigaeth *eb* erledigaethau

Victorian Fictoraidd *ans*

Victorian middle-class family teulu dosbarth canol Fictoraidd *eg* teuluoedd dosbarth canol Fictoraidd

Victorian terraced house tŷ teras Fictoraidd *eg* tai teras Fictoraidd

victorious buddugoliaethus *ans*

victory buddugoliaeth *eb* buddugoliaethau

video fideo *eg* fideos

video output allbwn fideo *eg* allbynnau fideo

video recording recordiad fideo *eg* recordiadau fideo

video still camera camera fideo unllun *eg* camerâu fideo unllun

video-disk disg fideo *eg* disgiau fideo

videoscope fideosgop *eg* fideosgopau

Vietnam Fietnam *eb*

view (=scene) golygfa *eb* golygfeydd

view (=sight of something) golwg *eg/b* golygon

view mode modd gweld *eg*

view of frankpledge cwrt tangwystl *eg* cyrtiau tangwystl

viewdata gweldata *ell*

viewed from X yn edrych o gyfeiriad X *adf*

viewpoint safbwynt *eg* safbwyntiau

vigorous egnïol *ans*

vigorous activity gweithgarwch egnïol *eg*

Viking *adj* Llychlynnaidd *ans*

Viking *n* Llychlynnwr *eg* Llychlynwyr

villa fila *eb* filâu

village pentref *eg* pentrefi

villainy anfadwaith *eg*

villein bilain *eg* bileiniaid

villeinage bileiniaeth *eb*

villus filws *eg* filysau

vine charcoal siarcol gwinwydd *eg*

vinegar finegr *eg*

vinyl finyl *eg* finylau

vinyl polymer polymer finyl *eg* polymerau finyl

vinyl resin resin finyl *eg* resinau finyl

vinyl tile teilsen finyl *eb* teils finyl

vinyl wallpaper papur finyl *eg*

viol feiol *eb* feiolau

viol player feiolydd *eg* feiolyddion

viola da gamba viola da gamba *eb* violas da gamba

viola da gamba player chwaraewr viola da gamba *eg* chwaraewyr viola da gamba

viola player fiolydd *eg* fiolyddion

violate (a law) torri (cyfraith) *be*

violate (a temple) halogi *be*

violate (a woman) treisio *be*

violate (convention) troseddu yn erbyn (confensiwn) *be*

violence trais *eg*

violent treisgar *ans*

violin feiolin *eb* feiolinau

violinist feiolinydd *eg* feiolinwyr

violoncellist sielydd *eg* sielyddion

viral firaol *ans*

virement hawl trosglwyddo arian *eg*

virgate firgat *eg* firgatau

virgin gwyryfol *ans*

virgin birth geni o forwyn *be*

virgin lands (USSR) tiroedd newydd *ell*

virginalist firdsinalydd *eg* firdsinalyddion

virginals (=musical instrument) firdsinal *eb* firdsinalau

viridian firidian *eg*

virology firoleg *eb*

virtual (in computing) rhith *ans*

virtual image rhith ddelwedd *eb* rhith ddelweddau

virtual machine rhith beiriant *eg* rhith beiriannau

virtual memory rhith gof *eg*

virtual storage rhith storfa *eb* rhith storfeydd

virtual work rhith waith *eg*

virtue rhinwedd *eb* rhinweddau

virus firws *eg* firysau

viscera ymysgaroedd *ell*

viscose fiscos *eg*

viscose rayon reion fiscos *eg*

viscosity gludedd *eg* gludeddau

viscount is-iarll *eg* is-ieirll

viscous gludiog *ans*

---

eg/b enw gwrywaidd/benywaidd, *feminine/masculine noun*   *ell* enw lluosog, *plural noun*   *v* berf, *verb*   *n* enw, *noun*

visibility gwelededd *eg*

visible gweladwy *ans*

visible light golau gweladwy *eg*

vision (=foresight) gweledigaeth *eb* gweledigaethau

vision (=sight) golwg *eg/b* golygon

visionary *adj* breuddwydiol *ans*

visionary *n* gweledydd *eg* gweledyddion

visit *v* ymweld â *be*

visitation ymweliad *eg* ymweliadau

visitor ymwelydd *eg* ymwelwyr

vista golygfa *eb* golygfeydd

visual gweledol *ans*

visual aid cymhorthyn gweledol *eg* cymhorthion gweledol

visual axis echelin weledol *eb* echelinau gweledol

visual concept cysyniad gweledol *eg* cysyniadau gweledol

visual display unit (VDU) uned arddangos weledol *eb* unedau arddangos gweledol

visual evidence tystiolaeth weledol *eb*

visual image delwedd weledol *eb* delweddau gweledol

visual impairment nam gweledol *eg* namau gweledol

visual nature natur weledol *eb*

visual note nodiad gweledol *eg* nodiadau gweledol

visual purple porffor gweledol *eg*

visual sign arwydd gweledol *eg* arwyddion gweledol

visual stimulus ysgogiad gweledol *eg* ysgogiadau gweledol

visualize delweddu *be*

visually pleasing dymunol yr olwg *ans*

visuo-motor ability gallu gweld-echddygol *eg*

vital capacity (of lungs) cyfaint anadlol *eg*

vital organ organ hanfodol *eg* organau hanfodol

vital signs arwyddion bywyd *ell*

vital statistics ystadegau bywyd *ell*

vitamin fitamin *eg* fitaminau

vitamin deficiency prinder fitamin *eg*

vitamin drop defnyn fitamin *eg* dafnau fitamin

vitamin supplement fitaminau atodol *ell*

viticulture gwinwyddaeth *eb*

vitreous gwydrog *ans*

vitreous enamel enamel gwydrog *eg*

vitreous humour hylif gwydrog *eg*

vitrifiable gwydraidd *ans*

vitrifiable clay clai gwydreiddiadwy *eg*

vitrified gwydredig *ans*

vitrify troi'n wydr *be*

vitriol fitriol *eg*

vivid llachar *ans*

vivid colour lliw llachar *eg* lliwiau llachar

viviparity bywesgoredd *eg*

viviparous bywesgorol *ans*

vivisection bywddyraniad *eg* bywddyraniadau

Viyella Viyella *eg*

vocabulary geirfa *eb* geirfâu

vocal lleisiol *ans*

vocal cords tannau llais *ell*

vocal music cerddoriaeth leisiol *eb*

vocal part rhan leisiol *eb* rhannau lleisiol

vocal range cwmpas lleisiol *eg*

vocal technique techneg leisiol *eb* technegau lleisiol

vocalize lleisio *be*

vocation galwedigaeth *eb* galwedigaethau

vocational galwedigaethol *ans*

vocational counselling cynghori galwedigaethol *be*

vocational education addysg alwedigaethol *eb*

vocational test prawf galwedigaethol *eg* profion galwedigaethol

vocational training hyfforddiant galwedigaethol *eg*

vogue ffasiwn *eg/b* ffasiynau

voice llais *eg* lleisiau

voice data entry (VDE) cofnodi data llais *be*

voice production cynhyrchu'r llais *be*

voicing lleisio *be*

voile voile *eg*

volatile (=flighty) cyfnewidiol *ans*

volatile (in chemistry) anweddol *ans*

volatile (in cooking) ehedol *ans*

volatile (in technology) hedegog *ans*

volatility anweddolrwydd *eg*

volcanic folcanig *ans*

volcanic activity gweithgaredd folcanig *eg*

volcanic ash lludw folcanig *eg*

volcanic bomb bom folcanig *eg* bomiau folcanig

volcanic breccia breccia folcanig *eg*

volcanic cinders marwor folcanig *ell*

volcanic cone côn folcanig *eg* conau folcanig

volcanic crater crater folcanig *eg* crateri folcanig

volcanic dome cromen folcanig *eb* cromenni folcanig

volcanic dust llwch folcanig *eg*

volcanic eruption echdoriad folcanig *eg* echdoriadau folcanig

volcanic filler llenwad folcanig *eg* llenwadau folcanig

volcanic hazard perygl folcanig *eg* peryglon folcanig

volcanic mud llaid folcanig *eg*

volcanic neck gwddf folcanig *eg* gyddfau folcanig

volcanic pipe pibell folcanig *eb* pibellau folcanig

volcanic plug plwg folcanig *eg* plygiau folcanig

volcanic spine nodwydd folcanig *eb* nodwyddau folcanig

volcanicity folcanigrwydd *eg*

volcanism folcanigrwydd *eg*

volcano llosgfynydd *eg* llosgfynyddoedd

volley *n* foli *eb* folïau

volley *v* folian *be*

volley ball pêl foli *eb* peli foli

volt folt *eg* foltiau

voltage foltedd *eg* folteddau

voltameter foltamedr *eg* foltamedrau

voltmeter foltmedr *eg* foltmedrau

volume (=fullness of tone) llais *eg* lleisiau

volume (=measurement) cyfaint *eg* cyfeintiau

volume (=noise) sŵn *eg*

volume (of a book) cyfrol *eb* cyfrolau

volume of solids cyfaint solidau *eg*

volumetric cyfeintiol *ans*

---

volumetric flask fflasg safonol *eb* fflasgiau safonol

voluntarism gwirfoddoliaeth *eb*

voluntary *adj* gwirfoddol *ans*

voluntary *n* offrymddarn *eg* offrymddarnau

voluntary action gweithred wirfoddol *eb* gweithrediadau gwirfoddol

voluntary admission derbyniad gwirfoddol *eg* derbyniadau gwirfoddol

voluntary care gofal gwirfoddol *eg*

voluntary controlled school ysgol dan reolaeth wirfoddol *eb* ysgolion dan reolaeth wirfoddol

voluntary education addysg wirfoddol *eb*

voluntary muscle cyhyr rheoledig *eg* cyhyrau rheoledig

voluntary organization mudiad gwirfoddol *eg* mudiadau gwirfoddol

voluntary redundancy colli gwaith yn wirfoddol *be*

voluntary school ysgol wirfoddol *eb* ysgolion gwirfoddol

voluntary service gwasanaeth gwirfoddol *eg* gwasanaethau gwirfoddol

volunteer gwirfoddolwr *eg* gwirfoddolwyr

vomit *n* chwŷd *eg*

vomit *v* chwydu *be*

vortex fortecs *eg* fortecsau

vorticist forteisydd *eg* forteisyddion

vorticity forteisedd *eg*

vote *n* pleidlais *eb* pleidleisiau

vote *v* pleidleisio *be*

vote of censure pleidlais gerydd *eb* pleidleisiau cerydd

voting by proxy pleidleisio dirprwyol *be*

votive mass offeren addunedol *eb* offerennau addunedol

votive offering offrwm addunedol *eg* offrymau addunedol

voucher taleb *eb* talebau

vulcanicity fwlcanigrwydd *eg*

vulcanize fwlcaneiddio *be*

vulcanology fwlcanoleg *eb*

vulgar fraction ffracsiwn cyffredin *eg* ffracsiynau cyffredin

Vulgate Fwlgat *eg*

Vulgate Bible Beibl Fwlgat *eg*

vulnerable archolladwy *ans*

vulva (of woman) fwlfa *eg* fwlfâu

W

wad box blwch wad *eg* blychau wad

wadding wadin *eg*

wadi wadi *eg/b* wadïau

waffle pattern patrwm waffl *eg* patrymau waffl

wage cyflog *eg/b* cyflogau

wagon chamfer siamffer wagen *eg* siamfferi wagen

Wailing Wall Mur Wylofain *eg*

wainscot wensgot *ans*

waist gwasg *eb* gweisg

waist slip pais wasg *eb* peisiau gwasg

waist tie cwlwm gwasg *eg* clymau gwasg

waistband band gwasg *eg* bandiau gwasg

waistcoat gwasgod *eb* gwasgodau

waistline llinell wasg *eb* llinellau gwasg

waiting list rhestr aros *eb* rhestri aros

waiting time amser aros *eg* amserau aros

waits carolwyr *ell*

wake (in Ireland) gwylnos *eb* gwylnosau

wake (of ship) ôl llong *eg* olion llongau

Waldenses Waldensiaid *ell*

Waldensian Waldensaidd *ans*

Wales Herald of Arms Extraordinary Herodr Arbenigol Cymru *eg*

Wales regions rhanbarthau Cymru *ell*

walk cerdded *be*

walk backwards cerdded wysg y cefn *be*

walker ffrâm gerdded *eb* fframiau cerdded

walking stick ffon *eb* ffyn

wall (in formal usage) mur *eg* muriau

wall (in modern, every day usage) wal *eb* waliau

wall bar bar wal *eg* barrau wal

wall display arddangosfa mur *eb* arddangosfeydd mur

wall hanging croglun *eg* crogluniau

wall light golau wal *eg* goleuadau wal

wall panel panel wal *eg* paneli wal

wall plaque plac mur *eg* placiau mur

wall-attachment device dyfais gydio wrth wal *eb* dyfeisiau cydio wrth wal

wall-hanging unit uned i'w hongian (ar wal) *eb* unedau i'w hongian (ar wal)

wall-painting murlun *eg* murluniau

wall-thickness (of pipe) trwch wal *eg*

Wallace's Line Llinell Wallace *eb*

walled muriog *ans*

walled town tref gaerog *eb* trefi caerog

Wallerian degeneration ymddatod Walleraidd *be*

wallet waled *eb* waledi

wallpaper *n* papur wal *eg*

wallpaper *v* papuro *be*

wallplate gwarblat *eg* gwarblatiau

walnut cneuen ffrengig *eb* cnau ffrengig

waltz *v* waltsio *be*

wander crwydro *be*

wandering cell cell grwydrol *eb* celloedd crwydrol

waney edge ymyl ddi-lif *eb* ymylon di-lif

waning trai *eg*

waning of the moon lleuad ar ei chil *eb*

war rhyfel *eg/b* rhyfeloedd

war axe bwyell ryfel *eb* bwyeill rhyfel

war communism comiwnyddiaeth ryfel *eb*

war crime trosedd ryfel *eb* troseddau rhyfel

war criminal troseddwr rhyfel *eg* troseddwyr rhyfel

war guilt euogrwydd rhyfel *eg*

war lord arglwydd rhyfel *eg* arglwyddi rhyfel

War of Austrian Succession Rhyfel Olyniaeth Awstria *eg*

War of League of Augsburg Rhyfel Cynghrair Augsburg *eg*

War of Polish Succession Rhyfel Olyniaeth Pwyl *eg*

War of Spanish Succession Rhyfel Olyniaeth Sbaen *eg*

ward ward *eb* wardiau

wardenship gwardeiniaeth *eb* gwardeiniaethau

warding wardio *be*

warding file ffeil wardio *eb* ffeiliau wardio

wardrobe wardrob *eb* wardrobau

wardship gwardiaeth *eb*

ware (of ceramics) crochenwaith *eg*

warehouse warws *eg* warysau

warfare rhyfela *be*

warhead pen ffrwydrol *eg* pennau ffrwydrol

warm *adj* cynnes *ans*

warm *v* cynhesu *be*

warm air (central heating system) aer cynnes *eg*

warm blooded animal anifail gwaed cynnes *eg* anifeiliaid gwaed cynnes

warm colour lliw cynnes *eg* lliwiau cynnes

warm front ffrynt cynnes *eg* ffryntiau cynnes

warm iron haearn cynnes *eg*

warm sector sector cynnes *eg* sectorau cynnes

warm temperate tymherus cynnes *ans*

warm temperate zone cylchfa dymherus gynnes *eb* cylchfaoedd tymherus cynnes

warm tone (of colour) tôn cynnes *eg* tonau cynnes

warm up cynhesu *be*

warm up activity gweithgaredd cynhesu *eg* gweithgareddau cynhesu

---

adf, adv adferf, *adverb* **ans, adj** ansoddair, *adjective* **be** berf, *verb* **eb** enw benywaidd, *feminine noun* **eg** enw gwrywaidd, *masculine noun*

warm up exercise ymarfer ystwytho *eg* ymarferion ystwytho

warm up movement symudiad ystwytho *eg* symudiadau ystwytho

warm up the muscles cynhesu cyhyrau *be*

warm-up ymgynhesu *be*

warming house ystafell gynhesu *eb* ystafelloedd cynhesu

warmonger rhyfelgi *eg* rhyfelgwn

warmth cynhesrwydd *eg*

warn rhybuddio *be*

warning rhybudd *eg* rhybuddion

warning colouration lliwiad rhybuddiol *eg* lliwiadau rhybuddiol

warp (in wood) *n* camdroad *eg* camdroadau

warp (of land, in geography) *n* crychiad *eg* crychiadau

warp (of land, in geography) *v* crychu *be*

warp (of threads on loom) *n* ystof *eb* ystofau

warp (textiles) *v* ystofi *be*

warp (wood) *v* camdroi *be*

warp and weft ystof ac anwe

warp board bwrdd ystofi *eg* byrddau ystofi

warp grain graen ystof *eg*

warp stick ffon ystofi *eb* ffyn ystofi

warp thread edau ystof *eb* edafedd ystof

warp-weighted loom gwŷdd pwysau *eg* gwyddion pwysau

warpage ystofiad *eg* ystofiadau

warping (=distortion) camdroad *eg* camdroadau

warping clamp clamp ystofi *eg* clampiau ystofi

warping frame ffrâm ystofi *eb* fframiau ystofi

warping post postyn ystofi *eg* pyst ystofi

warpland crychdir *eg* crychdiroedd

warrant gwarant *eb* gwarantau

warrant officer swyddog gwarant *eg* swyddogion gwarant

warranty gwarant *eb* gwarantau

warren cwningar *eg* cwningaroedd

Warrington pattern hammer morthwyl patrwm Warrington *eg* morthwylion patrwm Warrington

warrior rhyfelwr *eg* rhyfelwyr

wars of Scottish independence rhyfeloedd dros annibyniaeth yr Alban *ell*

Wars of the Roses Rhyfeloedd y Rhosynnod *ell*

wart dafaden *eb* defaid

wash *n* golch *eg/b* golchion

wash *v* golchi *be*

wash basin basn ymolchi *eb* basnau ymolchi

wash code cod golchi *eg* codau golchi

wash slope golch-lethr *eg* golch-lethrau

wash tub symbol symbol twb golchi *eg* symbolau twb golchi

wash-drawing golchlun *eg* golchluniau

washability golchadwyaeth *eb*

washable golchadwy *ans*

washable wallpaper papur golchadwy *eg*

washer wasier *eb* wasieri

washing cycle cylchred olchi *eb* cylchredau golchi

washing machine peiriant golchi *eg* peiriannau golchi

washing powder powdr golchi *eg* powdrau golchi

washing process proses olchi *eb* prosesau golchi

washing products nwyddau golchi *ell*

washing programme rhaglen olchi *eb* rhaglenni golchi

washing soda soda golchi *eg*

washing solution hydoddiant golchi *eg* hydoddiannau golchi

Washita oilstone carreg hogi Washita *eb*

waste *n* gwastraff *eg* gwastraffau

waste *v* gwastraffu *be*

waste (land) *n* gorest *eb* gorestau

waste disposal gwaredu sbwriel *be*

waste land tir diffaith *eg* tiroedd diffaith

waste material defnydd gwastraff *eg* defnyddiau gwastraff

waste mould mowld gwastraff *eg* mowldinau gwastraff

waste product isgynnyrch diwerth *eg* isgynhyrchion diwerth

waste side (of line) ochr wastraff (y llinell) *eb*

waste wood pren gwastraff *eg*

waste-disposal unit uned gwaredu sbwriel *eb* unedau gwaredu sbwriel

waste-mantle caen erydion *eg* caenau erydion

wasting process proses wastraffu *eb* prosesau gwastraffu

watch the ball gwylio'r bêl *be*

watch-glass gwydryn oriawr *eg* gwydrau oriawr

watchman gwyliwr *eg* gwylwyr

water *n* dŵr *eg* dyfroedd

water *v* dyfrhau *be*

water attracting molecule moleciwl sy'n atynnu dŵr *eg* moleciwlau sy'n tynnu dŵr

water avoiding village pentref osgoi dŵr *eg* pentrefi osgoi dŵr

water bath baddon dŵr *eg* baddonau dŵr

water circulation (central heating system) dŵr cylchredol *eg*

water cistern seston ddŵr *eb* sestonau dŵr

water closet closed dŵr *eg* closedau dŵr

water colour brush brwsh dyfrlliw *eg* brwshys dyfrlliw

water content cynhwysiad dŵr *eg*

water course cwrs dŵr *eg* cyrsiau dŵr

water cress berwr dŵr *eg*

water culture dwrfeithriniad *eg*

water cycle cylchred ddŵr *eb*

water deficit diffyg dŵr *eg*

water dispersal gwasgariad gan ddŵr *eg*

water extraction echdynnu dŵr *be*

water features arweddion dŵr *ell*

water frame ffrâm ddŵr *eb* fframiau dŵr

water gas nwy dŵr *eg*

water glass dŵr silicad *eg*

water hole pwll dŵr *eg* pyllau dŵr

water level lefel dŵr *eb* lefelau dŵr

water logged dwrlawn *ans*

water meadow llifddol *eb* llifddolydd

Water of Ayr stone carreg Ayr *eb*

water of crystallization dŵr grisialu *eg*

water parting gwahanfa ddŵr *eb* gwahanfeydd dŵr

water paste past dŵr *eg*

water plant planhigyn dŵr *eg* planhigion dŵr

water potential potensial dŵr *eg*

water repelling molecule moleciwl sy'n gwrthyrru dŵr *eg* moleciwlau sy'n gwrthyrru dŵr

water sac coden ddŵr *eb* codennau dŵr

water safety diogelwch yn y dŵr *eg*

water softener meddalydd dŵr *eg* meddalyddion dŵr

water softening plant cyfarpar meddalu dŵr *eg*

water stain staen dŵr *eg* staeniau dŵr

water survival goroesi yn y dŵr *be*

water table lefel trwythiad *eb* lefelau trwythiad

water tight dwrglos *ans*

water vapour anwedd dŵr *eg*

water vascular system system fasgwlar ddyfrol *eb*

water wheel rhod ddŵr *eb* rhodau dŵr

water work gwaith dŵr *eg*

water-based dyfrsail *ans*

water-based activity gweithgaredd a leolir yn y dŵr *eg*

water-based emulsion polish llathr emwlsiwn dŵr *eg*

water-based medium cyfrwng sylfaen ddŵr *eg*

water-closet toiled *eg* toiledau

water-colour dyfrlliw *eg* dyfrlliwiau

water-colour painting (of painted picture) paentiad dyfrlliw *eg* paentiadau dyfrlliw

water-colour painting (of process or art) peintio dyfrlliw *be*

water-colour paper papur dyfrlliw *eg*

water-heater gwresogydd dŵr *eg* gwresogyddion dŵr

water-polo polo'r dŵr *eg*

water-repellent gwrth-ddŵr *ans*

water-resistant dŵr-wrthiannol *ans*

waterfall rhaeadr *eb* rhaeadrau

watering place dyfrfan *eg* dyfrfannau

watermark dyfrnod *eg* dyfrnodau

waterproof diddos *ans*

waterproof dressing gorchudd dal dŵr *eg* gorchuddion dal dŵr

waterproof ink inc gwrth-ddŵr *eg*

waterproof paper papur gwrth-ddŵr *eg*

waterproof sheet cynfas dal dŵr *eb* cynfasau dal dŵr

waterproofing diddosi *be*

watershed gwahanfa ddŵr *eb* gwahanfeydd dŵr

waterspout colofn ddŵr *eb* colofnau dŵr

waterway dyfrffordd *eb* dyfrffyrdd

watt (W) wat *eg* watiau

wattage watedd *eg* wateddau

wattle and daub plethwaith a chlai

wattle fence ffens bleth *eb* ffensys pleth

wave ton *eb* tonnau

wave (of sound) seindon *eb* seindonnau

wave machine peiriant tonnau *eg* peiriannau tonnau

wave mechanics tonfecaneg *eb*

wave motion mudiant ton *eg*

wave refraction plygiant tonnau *eg*

wave-cut platform llyfndir tonnau *eg* llyfndiroedd tonnau

wave-form tonffurf *ans*

wave-form tonffurf *eg* tonffurfiau

wave-front blaendon *eb* blaendonnau

wavelength tonfedd *eb* tonfeddi

wavelength of a wave tonfedd ton *eg* tonfeddi tonnau

wavelet tonnell *eb* tonellau

wavy tonnog *ans*

wavy grain graen tonnog *eg*

wax cwyr *eg* cwyrau

wax crayon creon cwyr *eg* creonau cwyr

wax finish gorffeniad cwyr *eg*

wax painting (of process or art) peintio cwyr *be*

wax paper papur cwyr *eg*

wax pastel pastel cwyr *eg* pasteli cwyr

wax polish (material) llathrydd cwyr *eg* llathryddion cwyr

wax polish (shine) llathredd cwyr *eg*

wax resistant gwrth-gwyr *ans*

wax shine llathredd cwyr *eg*

wax varnish farnais cwyr *eg* farneisiau cwyr

wax-resist decoration addurn gwrthgwyr *eg* addurniadau gwrthgwyr

waxing cwyro *be*

waxing and waning cynnydd a chiliad

waxing of the moon lleuad ar ei chynnydd *eb*

waxy cwyraidd *ans*

waxy surface arwyneb cwyraidd *eg* arwynebau cwyraidd

way leave hawl tramwy *eg* hawliau tramwy

weak gwan *ans*

weak acid asid gwan *eg* asidau gwan

weak base bas gwan *eg* basau gwan

weak field ligand ligand maes gwan *eg*

weaker side ochr wanaf *eb* ochrau gwanaf

weakly singular hynod wannaidd *ans*

weakness gwendid *eg* gwendidau

wealth cyfoeth *eg*

wealth tax treth ar gyfoeth *eb*

wean diddyfnu *be*

weapon arf *eg* arfau

weapon hand llaw'r arf *eb*

wear traul *eb*

wear and tear traul a gwisgo

weather tywydd *eg*

weather board (bargeboard) bwrdd hindraul *eg* byrddau hindraul

weather forecast rhagolygon y tywydd *ell*

weather forecaster (female) merch y tywydd *eb* merched tywydd

weather forecaster (male and in general) dyn y tywydd *eg* dynion y tywydd

weather map map tywydd *eg* mapiau tywydd

weather report adroddiad tywydd *eg* adroddiadau tywydd

weathered hindreuliedig *ans*

weathering *n* hindreuliad *eg*

weathering *v* hindreulio *be*

weathering agent cyfrwng hindreulio *eg* cyfryngau hindreulio

weave *n* gwehyddiad *eg* gwehyddiadau

weave *v* gwehyddu *be*

weave in and out (in dancing) plethu *be*

weaver gwehydd *eg* gwehyddion

weaving (in Lord of Caernarfon dance) gwau drwy'r gŵydd *be*

weaving (in Oswestry Wake) gwau igam-ogam *be*

weaving cotton cotwm sglein *eg*

weaving dance dawns weu *eb* dawnsiau gweu

weaving pattern patrwm gwehyddu *eg* patrymau gwehyddu

weaving shuttle gwennol y gwehydd *eb* gwenoliaid gwehyddion

web gwe *eb* gweoedd

web site safwe *eg* safweoedd

webbing webin *eg* webinau

webbing stretcher estynnwr webin *eg* estynwyr webin

weber weber *eg* weberau

wedge *n* lletem *eb* lletemau

wedge *v* lletemu *be*

wedged *(with feminine nouns)* wedi'i lletemu *ans* wedi'u lletemu

wedged *(with masculine nouns)* wedi'i letemu *ans* wedi'u lletemu

wedged tenon tyno wedi'i letemu *eg* tynoau wedi'u lletemu

wedging lletemiad *eg*

weed chwynnyn *eg* chwyn

weekly wash golch wythnosol *eb*

weekwork wythnoswaith *eg*

weft anwe *eb*

weft grain graen anwe *eg*

weft thread edau anwe *eb* edafedd anwe

weigh pwyso *be*

weigh in pwyso *be*

weighbridge pont bwyso *eb* pontydd pwyso

weighed *(with feminine nouns)* wedi'i phwyso *ans* wedi'u pwyso

weighed *(with masculine nouns)* wedi'i bwyso *ans* wedi'u pwyso

weighman pwyswr *eg* pwyswyr

weight pwysau *ell*

weight (=object for weighing) pwysyn *eg* pwysynnau

weight training hyfforddiant gyda phwysau *eg*

weighted pwysol *ans*

weighted average cyfartaledd pwysol *eg* cyfartaleddau pwysol

weighted mean cymedr pwysol *eg* cymedrau pwysol

weighting pwysiad *eg* pwysiadau

weightlifting codi pwysau *be*

Weights & Measures Act Deddf Pwysau a Mesurau *eb*

weir cored *eb* coredau

Welch Whim Chwiw Gymreig *eb*

weld *n* weldiad *eg* weldiadau

weld *v* weldio *be*

weld line llinell weldio *eb* llinellau weldio

welding rod rhoden weldio *eb* rhodenni weldio

welding torch tortsh weldio *eg* tortshis weldio

welfare lles *eg*

welfare food bwyd lles *eg* bwydydd lles

welfare officer swyddog lles *eg* swyddogion lles

welfare payment taliad lles *eg* taliadau lles

welfare state gwladwriaeth les *eb* gwladwriaethau lles

well groomed trwsiadus *ans*

well man clinic clinig dynion iach *eg* clinigau dynion iach

well of bench cafn mainc *eg* cafnau mainc

well woman clinic clinig merched iach *eg* clinigau merched iach

well-balanced cytbwys *ans*

well-being lles *eg*

well-defined clir-ddiffiniedig *ans*

well-groomed graenus *ans*

well-proportioned (in art etc) o gyfrannedd da *ans*

well-proportioned (=symmetrical) cymesur *ans*

well-proportioned drawing lluniad o gyfrannedd da *eg* lluniadau o gyfrannedd da

well-proportioned sketch braslun o gyfrannedd da *eg* brasluniau o gyfrannedd da

Welsh Bible Beibl Cymraeg *eg*

Welsh Church Temporalities Act Deddf Eiddo Tymhorol yr Eglwys yng Nghymru *eb*

Welsh Folk Dance Society Cymdeithas Ddawns Werin Cymru *eb*

Welsh folk dancing dawnsio gwerin Cymreig *be*

Welsh harp telyn Gymreig *eb* telynau Cymreig

Welsh language policy polisi Cymraeg *eg* polisïau Cymraeg

Welsh law Cyfraith Hywel *eb*

Welsh League of Youth Urdd Gobaith Cymru *eb*

Welsh National Board (WNB) Bwrdd Cenedlaethol Cymru *eg*

Welsh Nationalist Party Plaid Genedlaethol Cymru *eb*

Welsh Office Swyddfa Gymreig *eb*

Welsh quilting cwiltio Cymreig *be*

Welsh Trust Ymddiriedolaeth Gymreig *eb*

Welsh wool gwlân Cymru *eg*

Welsh-medium cyfrwng Cymraeg *ans*

Welsh-medium education addysg cyfrwng Cymraeg *eb*

Welshness Cymreictod *eg*

welshry brodoriaeth *eb*

welt gwald *eg* gwaldiau

welt pocket poced wald *eb* pocedi wald

welter weight pwysau welter *ell*

Wendicote loom gwŷdd Wendicote *eg* gwyddion Wendicote

Wendy loom gwŷdd Wendy *eg* gwyddion Wendy

Wesleyan Weslead *eg* Wesleaid

Wesleyan Methodism Methodistiaeth Wesleaidd *eb*

Wesleyanism Wesleaeth *eb*

west gorllewin *eg*

West Bank Glan Orllewinol *eb*

westerlies gwyntoedd y gorllewin *ell*

western margins glandiroedd gorllewinol *ell*

Western roll (in gymnastics) rhôl y Gorllewin *eb*

Western values gwerthoedd y Gorllewin *ell*

westernization gorllewiniad *eg*

westernize gorllewino *be*

---

westing gorllewiniad *eg*

wet gwlyb *ans*

wet and dry gwlyb a sych

wet and dry paper papur gwlyb a sych *eg*

wet bulb thermometer thermomedr bwlb gwlyb *eg* thermomedrau bwlb gwlyb

wet rot gwlyb-bydredd *eg*

wet spin gwlybnyddu *be*

wetting gwlychu *be*

wetting agent cyfrwng gwlychu *eg* cyfryngau gwlychu

wetting power pŵer gwlychu *eg*

whale back cefn morfil *eg* cefnau morfil

wharf cei *eg* ceiau

Wharton's jelly jeli Wharton *eg*

wheatmeal bread bara gwenith *eg*

wheatmeal flour blawd bywyn gwenith *eg*

Wheatstone's bridge circuit cylched pont Wheatstone *eb* cylchedau pont Wheatstone

wheel *n* olwyn *eb* olwynion

wheel *v* olwyno *be*

wheel castor castor olwyn *eg* castorau olwynion

wheel dresser erfyn trin olwyn *eg* arfau trin olwyn

wheel dressing trin olwyn *be*

wheel of fortune pattern patrwm olwyn ffawd *eg* patrymau olwyn ffawd

wheel-back chair cadair gefn olwyn *eb* cadeiriau cefn olwyn

wheelbarrow berfa *eb* berfâu

wheelbrace carntro olwyn *eg* carntroeon olwyn

wheelchair cadair olwyn *eb* cadeiriau olwyn

wheeling the scrummage olwyno'r sgrym *be*

wheelwright saer troliau *eg* seiri troliau

wheezing gwichian *be*

whet hogi *be*

whetstone carreg hogi *eb* cerrig hogi

Whig *adj* Chwigaidd *ans*

Whig *n* Chwig *eg* Chwigiaid

Whig Party Plaid y Chwigiaid *eb*

whip *v* chwipio *be*

whip (as in a long shaft or beam) *n* ysgogiad (megis mewn siafft neu drawst hir) *eg*

whip (in general) *n* chwip *eb* chwipiau

whip a hem chwipio hem *be*

whipping cream hufen chwipio *eg*

whipping stitch pwyth chwipio *eg* pwythau chwipio

whirl *n* chwyrlïad *eg* chwyrliadau

whirl *v* chwyrlïo *be*

whirler chwyrlïwr *eg* chwyrlïwyr

whirling wheel olwyn chwyrlïo *eb* olwynion chwyrlïo

whirlpool trobwll *eg* trobyllau

whirlwind chwyrlwynt *eg* chwyrlwyntoedd

whisking method dull chwyrlïo *eg*

whisper *n* sibrwd *eg* sibrydion

whisper *v* sibrwd *be*

whistle *n* chwiban *eg/b* chwibanau

whistle *v* chwibanu *be*

whistling sand tywod sïo *eg*

white (enamelling colour) gwyn *eg*

white apron ffedog wen *eb* ffedogau gwyn

white blood cell cell wen y gwaed *eb* celloedd gwyn y gwaed

white board bwrdd gwyn *eg* byrddau gwyn

white bread bara gwyn *eg*

white cardboard cardbord gwyn *eg*

white chalk sialc gwyn *eg*

white check banding bandin siec gwyn *eg*

white collar worker gweithiwr swyddfa *eg* gweithwyr swyddfa

white dune twyn gwyn *eg* twynni gwyn

white foundation gwyn sylfaenol *eg*

white heat gwres gwynias *eg*

White House Tŷ Gwyn *eg*

white jumper siwmper wen *eb* siwmperi gwyn

white light golau gwyn *eg*

white line llinell wen *eb* llinellau gwyn

white man's burden baich y dyn gwyn *eg*

white matter (brain) gwynnin *eg*

white metal alloy aloi metel gwyn *eg* aloion metel gwyn

white meter mesurydd gwyn *eg* mesuryddion gwyn

white monk mynach gwyn *eg* mynachod gwyn

white paste past gwyn *eg*

white shellac sielac gwyn *eg*

white spirit gwirod gwyn *eg*

white supremacy goruchafiaeth y dyn gwyn *eb*

white tissue paper papur sidan gwyn *eg*

white-cast iron (ferrous metal) haearn bwrw gwyn *eg*

white-collar worker gweithiwr coler wen *eg* gweithwyr coler wen

whiten gwynnu *be*

whitener gwynnydd *eg* gwynyddion

whitewood pren gwyn *eg*

whiting powdr sialc *eg*

whitlow ffelwm *eg*

Whitsun Sulgwyn *eg*

whittle naddu *be*

Whitworth thread edau Whitworth *eb*

whole consort consort offerynnau tebyg *eg* consortiau offerynnau tebyg

whole curriculum cwricwlwm cyflawn *eg*

whole number rhif cyfan *eg* rhifau cyfain

whole school policy polisi ysgol gyfan *eg*

whole-number system system rhifau cyfain *eb*

wholemeal bread bara cyflawn *eg*

wholesale cyfanwerth *eg*

wholesale and retail distribution dosbarthu cyfanwerth ac adwerth *be*

wholesale market marchnad gyfanwerthu *eb* marchnadoedd cyfanwerthu

wholesaler cyfanwerthwr *eg* cyfanwerthwyr

whooping cough (pertussis) pas, y *eg*

whorl sidell *eb* sidelli

whorled sidellog *ans*

wicker gwiail *ell*

---

wickerwork basgedwaith *eg*

wicket wiced *eb* wicedi

wicket-keeper wicedwr *eg* wicedwyr

wide llydan *ans*

wide area (WAN) ardal eang *eb*

wide area network (WAN) rhwydwaith ardal eang *eg*

wide area publishing cyhoeddi ardal eang *be*

wide ball pelen lydan *eb* pelenni llydan

wide open llydan agored *ans*

wide range of ability ystod eang o allu *eb*

wide stroke strôc lydan *eb* strociau llydan

wide text testun llydan *eg*

widely spaced valleys dyffrynnoedd pell oddi wrth ei gilydd *ell*

widen lledu *be*

widen a pattern lledu patrwm *be*

widening joint uniad lledu *eg* uniadau lledu

width lled *eg* lledau

wiggle nail hoelen rychiog *eb* hoelion rhychiog

wild card *n* nod-chwiliwr *eg* nod-chwilwyr

wild card *v* nod-chwilio *be*

wild card search nod-chwiliad *eg* nod-chwiliadau

wild scape gwylltlun *eg* gwylltluniau

wild silk sidan gwyllt *eg*

Wild West Gorllewin Gwyllt *eg*

will ewyllys *eb* ewyllysiau

William of Orange Gwilym o Orange *eg*

William the Conqueror Gwilym Goncwerwr *eg*

William the Silent Gwilym Dawedog *eg*

willow helygen *eb* helyg

willow charcoal siarcol helyg *eg*

wilt gwywo *be*

wilting coefficient cyfernod gwywo *eg* cyfernodau gwywo

win *v* ennill *be*

win a game ennill gêm *be*

win by 3 wickets ennill o dair wiced *be*

win by a canvas ennill o gynfas *be*

win by a length ennill o un hyd *be*

win by an innings ennill o fatiad *be*

win easily ennill o ddigon *be*

win possession ennill meddiant *be*

winch *n* winsh *eb* winshis

winch *v* winsio *be*

Winchester disk disg Winchester *eg* disgiau Winchester

wind *n* gwynt *eg* gwyntoedd

wind *v* dirwyn *be*

wind (in timber) *n* camdroad *eg* camdroadau

wind chest cist wynt *eb* cistiau gwynt

wind dispersal gwasgariad gan y gwynt *eg*

wind erosion erydiad gwynt *eg*

wind instrument chwythbren *eg* chwythbrennau

wind machine peiriant gwynt *eg* peiriannau gwynt

wind of change gwynt cyfnewid *eg*

wind quartet pedwarawd chwyth *eg* pedwarawdau chwyth

wind sacks codennau awyr *ell*

wind solo unawd chwythbrennau *eb* unawdau chwythbrennau

wind speed buanedd y gwynt *eg*

wind-break atalfa wynt *eb* atalfeydd gwynt

windband band chwyth *eg* bandiau chwyth

winder dirwynydd *eg* dirwynyddion

windgap bwlch gwynt *eg* bylchau gwynt

winding *n* dirwyniad *eg* dirwyniadau

windmill melin wynt *eb* melinau gwynt

window ffenestr *eb* ffenestri

window ladder ysgol ffenestr *eb* ysgolion ffenestr

window-sill silff ffenestr *eb* silffoedd ffenestri

windowing ffenestru *be*

windproof (finish) gwyntglos *ans*

windproof clothing dillad gwyntglos *ell*

windpump pwmp gwynt *eg* pympiau gwynt

windrose seren wynt *eb* sêr gwynt

windscreen sgrin wynt *eb* sgriniau gwynt

windvane ceiliog y gwynt *eg* ceiliogod y gwynt

windward atwynt *ans*

windward side ochr atwynt *eb* ochrau atwynt

wing adain *eb* adenydd

wing asgell *eb* esgyll

wing attack ymosodwr asgell *eg* ymosodwyr asgell

wing compass cwmpas adeiniog *eg* cwmpasau adeiniog

wing defence gwarchodwr asgell *eg* gwarchodwyr asgell

wing forward blaenasgellwr *eg* blaenasgellwyr

wing nut nyten asgellog *eb* nytiau asgellog

wing three quarter asgellwr *eg* asgellwyr

wing-half hanerwr asgell *eg* hanerwyr asgell

winged (of insect, fruit) adeiniog *ans*

winger asgellwr *eg* asgellwyr

Winifred Gwenffrewi *eb*

winning stroke ergyd ennill *eb* ergydion ennill

winter solstice heuldro'r gaeaf *eg*

winterbourne nant hafesb *eb* nentydd hafesb

wiper sychwr *eg* sychwyr

wire *n* gwifren *eb* gwifrau

wire *v* gwifro *be*

wire brush brwsh gwifrau *eg* brwshys gwifrau

wire coil coil gwifren *eg* coiliau gwifren

wire edge ymyl wifrog *eb* ymylon gwifrog

wire foundation sylfaen wifren *eb* sylfeini gwifren

wire frame ffrâm wifren *eb* fframiau gwifren

wire gauge medrydd gwifren *eg* medryddion gwifren

wire loop dolen wifren *eb* dolennau gwifren

wire mesh rhwyll wifrog *eb* rhwyllau gwifrog

wire mesh guard gard rhwyll wifrog *eg* gard rhwyll wifrog

wire mesh support cynhaliwr rhwyll wifrog *eg* cynhalwyr rhwyll wifrog

wire nail hoelen gron *eb* hoelion crwn

wire pliers gefelen wifrau *eb* gefeiliau wifrau

wire printer argraffydd gwifren *eg* argraffyddion gwifren

wire safety cage cawell gwifrau diogelwch *eg* cewyll gwifrau diogelwch

wire staples styfflau gwifren *ell*

wire wool gwlân dur *eg*

---

eg/b enw gwrywaidd/benywaidd, *feminine/masculine noun*   *ell* enw lluosog, *plural noun*   *v* berf, *verb*   *n* enw, *noun*

wire-stripping pliers gefelen stripio gwifrau *eb* gefeiliau stripio gwifrau

wired gwifrog *ans*

wisdom tooth cilddant ôl *eg* cilddannedd ôl

WISE: Women in Science and Engineering Merched mewn Gwyddoniaeth a Pheirianneg *ell*

witch hunt erledigaeth *eb*

witch of Agnesi cromlin Agnesi *eb*

witchcraft dewiniaeth *eb*

witchcraze gwrachdwymyn *eb*

with the grain gyda'r graen

withdraw cilio *be*

withdraw a child from religious education tynnu plentyn yn ôl o addysg grefyddol *be*

withdrawal symptom symptom diddyfnu *eg* symptomau diddyfnu

withdrawal tool erfyn tynnu allan *eg* arfau tynnu allan

withdrawn encilgar *ans*

wither gwywo *be*

without contact heb gyffwrdd *adf*

without loss of generality heb golli cyffredinolrwydd

witness *n* tyst *eg* tystion

witness *v* tystio *be*

witness order gorchymyn tystiolaeth *eg* gorchmynion tystiolaeth

witness punch pwnsh tyst *eg* pynsiau tyst

witness punching tystbwnsio *be*

Witton high frequency furnace ffwrnâis amledd uchel Witton *eb* ffwrneisi amledd uchel Witton

WJEC: Welsh Joint Education Committee CBAC: Cydbwyllgor Addysg Cymru *eg*

woad glaslys *eg*

wobbler wobler *eg*

WOED: Welsh Office Department of Education Adran Addysg y Swyddfa Gymreig *eb*

wolf note nodyn blaidd *eg* nodau blaidd

wolf vault llofnaid blaidd *eb* llofneidiau blaidd

womb croth *eb* crothau

Women's Institute Sefydliad y Merched *eg*

women's liberation mudiad rhyddid merched *eg*

Women's Social and Political Union Undeb Cymdeithasol a Gwleidyddol y Merched *eg*

wood (=forest) coed *eg*

wood (=material) pren *eg*

wood ash lludw pren *eg*

wood bending plygu coed *eg*

wood block bloc pren *eg* blociau pren

wood carving *n* cerfiad pren *eg* cerfiadau pren

wood carving *v* cerfio pren *be*

wood dye llifyn pren *eg* llifynnau pren

wood engraving *n* ysgythriad pren *eg* ysgythriadau pren

wood fibre ffibr coed *eg* ffibrau coed

wood grain graen pren *eg*

wood jackplane plaen jac pren *eg* plaeniau jac pren

wood joint uniad pren *eg* uniadau pren

wood mallet gordd bren *eb* gyrdd pren

wood of light colour pren golau ei liw *eg*

wood plug plwg pren *eg* plygiau pren

wood scraper sgrafell goed *eb* sgrafelli coed

wood screw sgriw bren *eb* sgriwiau pren

wood sealer seliwr coed *eg* selwyr coed

wood shavings naddion pren *ell*

wood shot taro'r pren *be*

wood turning turnio coed *be*

wood turning gouge gaing gau durnio *eb* geingiau cau turnio

wood work gwaith coed *eg*

wood-boring insect pryfyn tyllu coed *eg* pryfed tyllu coed

woodchip wallpaper papur sglodion pren *eg*

woodcut torlun pren *eg* torluniau pren

wooden bead glain pren *eg* gleiniau pren

wooden cleat (used in seasoning) cledd pren *eg* cleddau pren

wooden frame ffrâm bren *eb* fframiau pren

wooden handle (of brush) coes bren *eb* coesau pren

wooden marionette marionét pren *eg* marionetau pren

wooden racket raced bren *eb* racedi pren

wooden shuttle gwennol bren *eb* gwenoliaid pren

wooden spokeshave rhasgl bren *eb* rhasglau pren

wooden spoon llwy bren *eb* llwyau pren

woodland coetir *eg* coetiroedd

Woodruff key allwedd Woodruff *eb* allweddi Woodruff

woodwind section adran chwythbrennau *eb* adrannau chwythbrennau

woodworm pryfed pren *ell*

woof anwe *eb*

wool gwlân *eg* gwlanoedd

wool mark nod gwlân *eg*

woollen gwlân *ans*

woollen garments dillad gwlân *ell*

woollen industry diwydiant gwlân *eg*

woollen mill melin wlan *eb* melinau gwlan

woollen thread edau wlân *eb* edafedd gwlân

woollens nwyddau gwlân *ell*

woolly gwlanog *ans*

woolsack sach wlân *eb* sachau gwlân

word gair *eg* geiriau

word equation hafaliad geiriau *eg* hafaliadau geiriau

word length hyd gair *eg*

word orientated geiriol gyfeiriedig *ans*

word painting lliwio geiriau *be*

word processor prosesydd geiriau *eg* prosesyddion geiriau

wordprocessing prosesu geiriau *be*

wordwrap geirlap *eg* geirlapiau

work *n* gwaith *eg* gweithiau

work *v* gweithio *be*

work area ardal waith *eb* ardaloedd gwaith

work bench mainc waith *eb* meinciau gwaith

work box basged wnio *eb* basgedi gwnio

work card cerdyn gwaith *eg* cardiau gwaith

work experience profiad gwaith *eg* profiadau gwaith

work experience scheme cynllun profiad gwaith *eg* cynlluniau profiad gwaith

work hardening gwaith galedu *be*

work of art gwaith celfyddydol *eg* gweithiau celfyddydol

work opportunity service gwasanaeth cyfle am waith *eg*

work placement lleoliad gwaith *eg* lleoliadau gwaith

work sheet dalen waith *eb* dalennau gwaith

work station gweithfan *eb* gweithfannau

work tape tâp gwaith *eg* tapiau gwaith

work to rule gweithio i reol *be*

work-based assessment asesu yn y gweithle *be*

work-board (basketry) bwrdd gweithio basgedi *eg* byrddau gweithio basgedi

worked buttonhole twll botwm pwythog *eg* tyllau botymau pwythog

worked loop dolen edau *eb* dolennau edau

worked scalloping sgolop wedi'i weithio *eg* sgolopiau wedi'u gweithio

worker gweithiwr *eg* gweithiwyr

Workers Education Association (WEA) Cymdeithas Addysg y Gweithwyr *eg*

workforce gweithlu *eg*

working area rhan weithio *eb* rhannau gweithio

working capital cyfalaf gweithio *eg*

working class dosbarth gwaith *eg*

working conditions amodau gwaith *ell*

working drawing lluniad gweithio *eg* lluniadau gweithio

working edge ymyl weithio *eb* ymylon gweithio

working face wyneb gweithio *eg* wynebau gweithio

working group gweithgor *eg* gweithgorau

working line llinell waith *eb* llinellau gwaith

working party gweithgor *eg* gweithgorau

working population poblogaeth weithio *eb*

working property priodwedd gweithio *eb* priodweddau gweithio

working to capacity gweithio i'r eithaf *be*

working-out (development) datblygiad *eg* datblygiadau

workpiece darn gwaith *eg* darnau gwaith

worksheet taflen waith *eb* taflenni gwaith

workshop gweithdy *eg* gweithdai

workshop approach dull gweithdy *eg* dulliau gweithdy

workshop of the world gweithdy'r byd *eg*

workspace gweithle *eg* gweithleoedd

worktop (kitchen) wyneb gweithio (cegin) *eg* wynebau gweithio (cegin)

world context cyd-destun byd-eang *eg*

World Cup Cwpan y Byd *eg*

World Health Organization (WHO) Mudiad Iechyd y Byd *eg*

world of fantasy byd ffantasi *eg* bydoedd ffantasi

world wide byd-eang *ans*

world wide web we fyd-eang, y *eb*

worm drive gyriad cripian *eg* gyriadau cripian

worm eaten pryf-dyllog *ans*

worm gears gerau cripian *ell*

worm wheel olwyn gripian *eb* olwynion cripian

worn wedi treulio *ans*

worn oilstone carreg hogi wedi treulio *eb* cerrig hogi wedi treulio

worn threadbare *(with feminine nouns)* wedi'i gwisgo at yr edau *ans* wedi'u gwisgo at yr edau

worn threadbare *(with masculine nouns)* wedi'i wisgo at yr edau *ans* wedi'u gwisgo at yr edau

worship *n* addoliad *be* addoliadau

worship *v* addoli *be*

worsted wstid *ans*

wound *adj* wedi'i weindio *ans* wedi'u weindio

wound *n* clwyf *eg* clwyfau

wound *v* clwyfo *be*

wound dressing gorchudd clwyf *eg* gorchuddion clwyfau

woven *(with feminine nouns)* wedi'i gwehyddu *ans* wedi'u gwehyddu

woven *(with masculine nouns)* wedi'i wehyddu *ans* wedi'u gwehyddu

woven carpet carped wedi'i wehyddu *eg* carpedi wedi'u gwehyddu

woven lace les wedi'i wehyddu *eg*

wrap lapio *be*

wrap-around *n* amlap *eg* amlapiau

wrap-around *v* amlapio *be*

wrap-around carry car-rif amlap *eg* car-rifau amlap

wrap-over skirt sgert lapio *eb* sgertiau lapio

wrapping lapio *be*

wrapping cane gwialen lapio *eb* gwiail lapio

wrapping paper papur lapio *eg*

wreathed torchog *ans*

wreck *n* drylliad *eg* drylliadau

wreck *v* dryllio *be*

wreck (legal) hawl broc *eg*

wreckers dryllwyr *ell*

wrench *n* tyndro *eg* tyndroeon

wrench *v* tyndroi *be*

wrest-board bwrdd ebillion *eg* byrddau ebillion

wrest-pin ebill *eg* ebillion

wring gwasgu *be*

wringer (for clothes) gwasgwr dillad *eg* gwasgwyr dillad

wrinkle *n* crych *eg* crychau

wrinkle *v* crychu *be*

wrist arddwrn *eg* arddyrnau

wrist band band llawes *eg* bandiau llewys

wrist bowler bowliwr arddwrn *eg* bowlwyr arddwrn

wrist guard gorchudd arddwrn *eg* gorchuddion arddwrn

writ gwrit *eg* gwritiau

write ysgrifennu *be*

write head pen ysgrifennu *eg* pennau ysgrifennu

write inhibit ring cylch atal ysgrifennu *eg* cylchoedd atal ysgrifennu

write permit ring cylch caniatáu ysgrifennu *eg* cylchoedd caniatáu ysgrifennu

write protect diogelu rhag ysgrifennu *be*

write protected (of disk) wedi'i ddiogelu *ans* wedi'u diogelu

write time amser ysgrifennu *eg* amserau ysgrifennu

writing house ysgrifendy *eg* ysgrifendai

writing paper papur ysgrifennu *eg*

written ysgrifenedig *ans*

---

eg/b enw gwrywaidd/benywaidd, *feminine/masculine noun*   *ell* enw lluosog, *plural noun*   *v* berf, *verb*   *n* enw, *noun*

written alphabet gwyddor ysgrifenedig *eb* gwyddorau ysgrifenedig

written description disgrifiad ysgrifenedig *eg* disgrifiadau ysgrifenedig

wrong anghywir *ans*

wrong side (W.S.) ochr anghywir (O.A.) *eb* ochrau anghywir

Wronskian Wronskian *eg* Wronskianau

wrought iron haearn gyr *eg*

wrought iron body corff haearn gyr *eg*

wrought iron bolt bollt haearn gyr *eb* bolltau haearn gyr

wrought iron bracket braced haearn gyr *eb* bracedi haearn gyr

wrought iron nail hoelen haearn gyr *eb* hoelion haearn gyr

wrought iron strap strap haearn gyr *eb*

Wycliffite *adj* Wycliffaidd *ans*

Wycliffite *n* Wycliffiad *eg* Wycliffiaid

Wyndham's Land Purchase Act Deddf Wyndham ar Bwrcasu Tir *eb*

X

x-axis echelin x *eb*

X-ray pelydr X *eg* pelydrau X

X-shift symudydd X *eg*

xanthophyll santhoffyl *eg*

xenon (Xe) senon *eg*

xenophobia senoffobia *eg*

xenophonic senoffobig *ans*

xenotape alldap *eg* alldapiau

xerographic serograffig *ans*

xerographic printer argraffydd serograffig *eg* argraffyddion serograffig

xerophyte seroffyt *eg* seroffytau

xerosere seroser *eg*

xerotherm serotherm *eg*

xylem sylem *eg*

xylem vessel tiwb sylem *eg* tiwbiau sylem

xylophone seiloffon *eg* seiloffonau

xylorimba seilorimba *eg* seilorimbau

xylose sylos *eg*

Y

Y adjusting lever lifer cymhwyso Y *eg* liferi cymhwyso Y
Y alloy aloi Y *eg*
y-axis echelin y *eb*
Y-shift symudydd Y *eg*
Yankee Ianci *eg* Iancis
yard llathen *eb* llathenni
yardang iardang *eg* iardangau
yardarm hwyldrawst *eg* hwyldrawstiau
yarn edau *eb* edafedd
yawn dylyfu gên *be*
year book blwyddlyfr *eg* blwyddlyfrau
year coordinator cydgysylltydd blwyddyn *eg* cydgysylltwyr blwyddyn
year group grŵp blwyddyn *eg* grwpiau blwyddyn
year planner blwyddiadur *eg* blwyddiaduron
year tutor tiwtor blwyddyn *eg* tiwtoriaid blwyddyn
yeast burum *eg* burumau
yellow (enamelling colour) melyn *eg*
yellow beans ffa melyn *ell*
yellow ochre ocr melyn *eg*
yellowing (of fabric) melynu *be*
yellows and oranges melynion ac orenau *ell*
yeoman iwmon *eg* iwmyn
Yeoman of the Guard Iwmon y Gard *eg* Iwmyn y Gard
yeoman service gwasanaeth iwmon *eg*
yeomanry rhydd-ddeiliaid *ell*
Yeomanry Battalion Bataliwn yr Iwmyn *eg*
yield (=produce) *n* cynnyrch *eg* cynhyrchion
yield (=produce) *v* cynhyrchu *be*
yield (=surrender) *v* ildio *be*
yield per head cynnyrch y pen *eg*

yield per hectare cynnyrch yr hectar *eg*
yield point pwynt ildio *eg* pwyntiau ildio
yodel *n* iodl *eg* iodlau
yoke iau *eb* ieuau
yoke lining leinin iau *eg*
yolk melynwy *eg*
yolk gland chwarren felynwy *eb* chwarennau melynwy
yolk sac cwd melynwy *eg* cydau melynwy
yorker iorcer *eg*
Yorkist *adj* Iorcaidd *ans*
Yorkist *n* Iorcydd *eg* Iorciaid
Yorkist monarchy brenhiniaeth Iorc *eb*
Young England Movement Mudiad Lloegr Ieuanc *eg*
Young Ireland Movement Mudiad Iwerddon Ieuanc *eg*
young mountain mynydd ifanc *eg* mynyddoedd ifanc
young offender troseddwr ifanc *eg* troseddwyr ifanc
Young Wales Cymru Fydd *eb*
Young Wales Movement Mudiad Cymru Fydd *eg*
youth ieuenctid *ell*
youth centre canolfan ieuenctid *eb* canolfannau ieuenctid
youth club clwb ieuenctid *eg* clybiau ieuenctid
youth employment scheme cynllun cyflogi'r ifanc *eg* cynlluniau cyflogi'r ifanc
youth hostel hostel ieuenctid *eg* hosteli ieuenctid
youth leader arweinydd ieuenctid *eg* arweinwyr ieuenctid
youth section adran ieuenctid *eb* adrannau ieuenctid
youth training scheme cynllun hyfforddi'r ifanc *eg* cynlluniau hyfforddi'r ifanc
ytterbium (Yb) yterbiwm *eg*
yttrium (Y) ytriwm *eg*

Z

zambo sambo *eg* sambos

zealot (=extremist) eithafwr *eg* eithafwyr

zealot (member of Jewish sect) selot *eg* selotiaid

zealous eithafol *ans*

zenith anterth *eg*

zenithal anterthol *ans*

zenithal projection tafluniad anterthol *eg* tafluniadau anterthol

zeolite seolit *eg*

zeotrope seotrop *eg*

zero sero *eg* seroau

zero blanking gwynnu sero *be*

zero fill sero-lenwi *be*

zero filled sero-lawn *ans*

zero mark marc sero *eg* marciau sero

zero point energy egni tymheredd sero K *eg*

zero suppressed sero-lethedig *ans*

zero suppression sero-lethiad *eg* sero-lethiadau

zeroize seroeiddio *be*

zeroth serofed *ans*

zigzag *adj* igam ogam *ans*

zigzag *v* igam ogamu *be*

zigzag riveting rhybedu igam ogam *be*

zigzag stitch pwythau igam ogam *eg* pwythi igam ogam

zigzag width control (of machine part) rheolydd lled pwyth igam ogam *eg* rheolyddion lled pwyth igam ogam

zimbalom simbalom *eg* simbalomau

zinc (Zn) sinc *eg*

zinc blende sinc blende *eg*

zinc chloride (killed spirits) sinc clorid *eg*

zinc cutting plate plât torri sinc *eg* platiau torri sinc

zinc ore mwyn sinc *eg* mwynau sinc

zinc oxide sinc ocsid *eg*

zinc white gwyn sinc *eg*

Zionism Seioniaeth *eb*

Zionist *adj* Seionaidd *ans*

Zionist *n* Seionydd *eg* Seionyddion

zip sip *eg* sipiau

zip fastener ffasnydd sip *eg* ffasnyddion sip

zipper foot (machine attachments) sipell *eb* sipelli

zirconium (Zr) sirconiwm *eg*

zither sither *eg* sitherau

Zodiac Sidydd *eg*

zona pellucida zona pellucida *eb*

zona reticularis zona reticularis *eb*

zonal cylchfaol *ans*

zonation cylchfäedd *eg*

zone (for pedestrians etc) parth *eg* parthau

zone (=horizontal band in geography, geometry etc) cylchfa *eb* cylchfaoedd

zone (in histology) haenen *eb* haenau

zone (=region) rhanbarth *eg* rhanbarthau

zone defence amddiffyn rhanbarth *be*

zone in transition cylchfa sy'n trawsnewid *eb*

zone of accumulation cylchfa gronni *eb* cylchfaoedd cronni

zone of advance and assimilation cylchfa cynnydd a chymathu *eb* cylchfaoedd cynnydd a chymathu

zone of discard cylchfa wrthod *eb* cylchfaoedd gwrthod

zone refining coethi cylchfaol *be*

zoning cylchfaeo *be*

zoo sw *eg* sŵau

zoologist sŵolegydd *eg* sŵolegwyr

zoology sŵoleg *eb*

zoom chwyddo *be*

zoospore sŵosbor *eg* sŵosborau

zwitterion switerïon *eg* switerïonau

zygospore sygosbor *eg* sygosborau

zygote sygot *eg* sygotau

zymase symas *eg*